España/Port

C000241738

Espanha/Portugal · Spanien/Portugal
Spain/Portugal · Spagna/Portogallo
Espagne/Portugal · Spanje/Portugal
Hiszpania/Portugalia
Španělsko/Portugalsko
Spanyolország/Portugália

Índice (E)

Autopistas y rutas de larga distancia	
Mapa administrativo	
Signos convencionales 1:300.000	
Mapa índice	
Mapas 1:300.000	
Índice de topónimos con códigos postales	
Planos del centro de las ciudades 1:20.000	
con 9 mapas de alrededores 1:150.000	
Distancias en kilómetros	

Índice (I)

Autostrade e strade di grande comunicazione
Carta amministrativa
Segni convenzionali 1:300.000
Quadro d'unione
Carte 1:300.000
Elenco dei nomi di località e N° codice postale
Piante dei centri urbani 1:20.000
con 9 tavole della periferia 1:150.000
Distanze in chilometri

Obsah (CZ)

Dálnice a hlavní dálkové silnice	II – III
Mapa správních jednotek	IV – V
Vysvětlivky 1:300.000	VI – VIII
Klad mapových listů	1
Mapy 1:300.000	2 – 176
Rejstřík sídel s poštovními směrovacími císly	177 – 304
Plány měst 1:20.000	305 – 351
s 9 mapami okolí 1:150.000	
Vzdálenosti v kilometrech	352

Índice (P)

Auto-estradas e estradas de longa distância
Mapa administrativo
Sinais convencionais 1:300.000
Corte dos mapas
Mapas 1:300.000
Índice dos topónimos com códigos postales
Planos de cidades 1:20.000
con 9 mapas de arredores 1:150.000
Distâncias em quilómetros

Sommaire (F)

Autoroutes et routes de grande liaison
Carte administrative
Légende 1:300.000
Carte d'assemblage
Cartes 1:300.000
Index des localités avec codes postaux
Plans des centre villes 1:20.000
avec 9 cartes d'environs 1:150.000
Distances en kilomètres

Tartalom (H)

Autópálya és távolsági forgami utak	II – III
Közigazgatási térkép	IV – V
Jelmagyarázat 1:300.000	VI – VIII
Áttekintő térkép	1
Térképek 1:300.000	2 – 176
Helységnévjegyzek iranyitoszámal	177 – 304
Citytérképek 1:20.000	305 – 351
és 9 város-környéke-térkep 1:150.000	
Kilométertávolság	352

Inhaltsverzeichnis (D)

Autobahnen und Fernstraßen
Verwaltungskarte
Zeichenerklärung 1:300.000
Kartenübersicht
Karten 1:300.000
Namenverzeichnis mit Postleitzahlen
Citypläne 1:20.000
mit 9 Stadtumgebungskarten 1:150.000
Entfernungen in Kilometer

Inhoud (NL)

Autosnelwegen en belangrijke verbindingswegen
Administrative kaart
Legenda 1:300.000
Overzichtskaart
Kaarten 1:300.000
Register van plaatsnamen met postcodes
Stadcentrumkaarten 1:20.000
met 9 omgevingskaarten 1:150.000
Afstanden in kilometer

Inholdsfortegnelse (DK)

Motorveje og hovedveje	II – III
Administration område kort	IV – V
Tegnforklaring 1:300.000	VI – VIII
Oversigtskort	1
Kort 1:300.000	2 – 176
Stednavnsfortegnelse med postnumrene	177 – 304
Byplaner 1:20.000	305 – 351
med 9 omegnskort 1:150.000	
Afstænder i kilometer	352

Contents (GB)

Motorways and trunk roads
Administrative area map
Legend 1:300.000
Key map
Maps 1:300.000
Index of place names with postal codes
City maps 1:20.000
with 9 maps of environs 1:150.000
Distances in kilometres

Spis treści (PL)

Autostrady i drogi dalekiego zasięgu
Mapa administracyjna
Objaśnienia znaków 1:300.000
Skorowidz arkuszy
Mapy 1:300.000
Skorowidz miejscowości z kodami pocztowymi
Plany miast 1:20.000
z 9 mapami okolic 1:150.000
Odległości w kilometrach

Innehållsförteckning (S)

Motorvägar och genomfartsleder	II – III
Politisk indelning	IV – V
Teckenförklaring 1:300.000	VI – VIII
Kartöversikt	1
Kartor 1:300.000	2 – 176
Ortsnamnsförteckning med postnumren	177 – 304
Stadskartor 1:20.000	305 – 351
med 9 omgivningskartor 1:150.000	
Kilometerangivelse	352

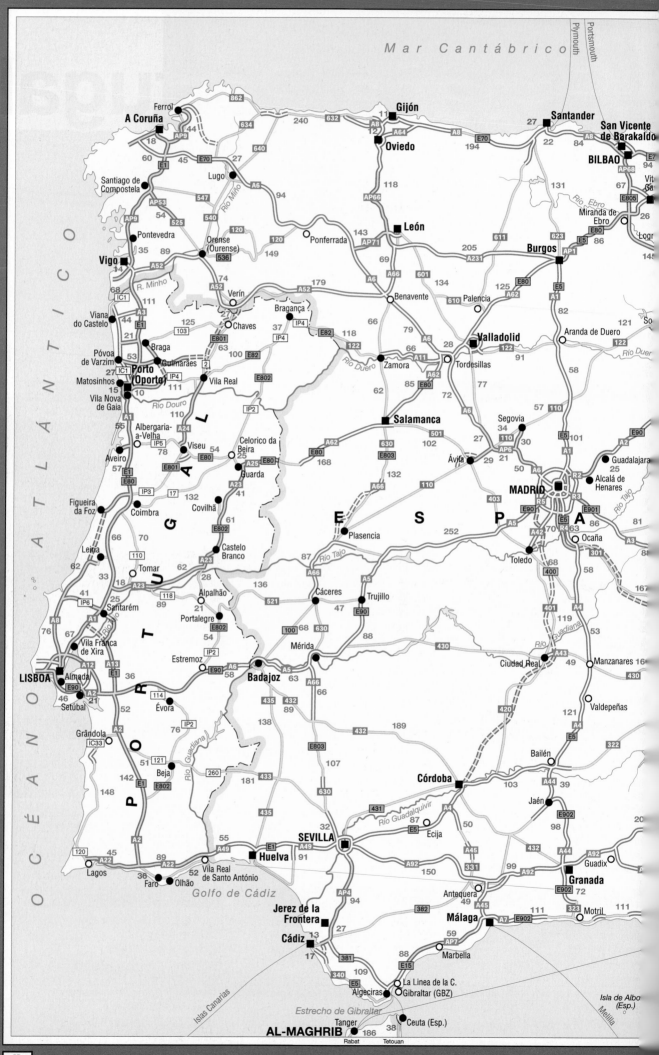

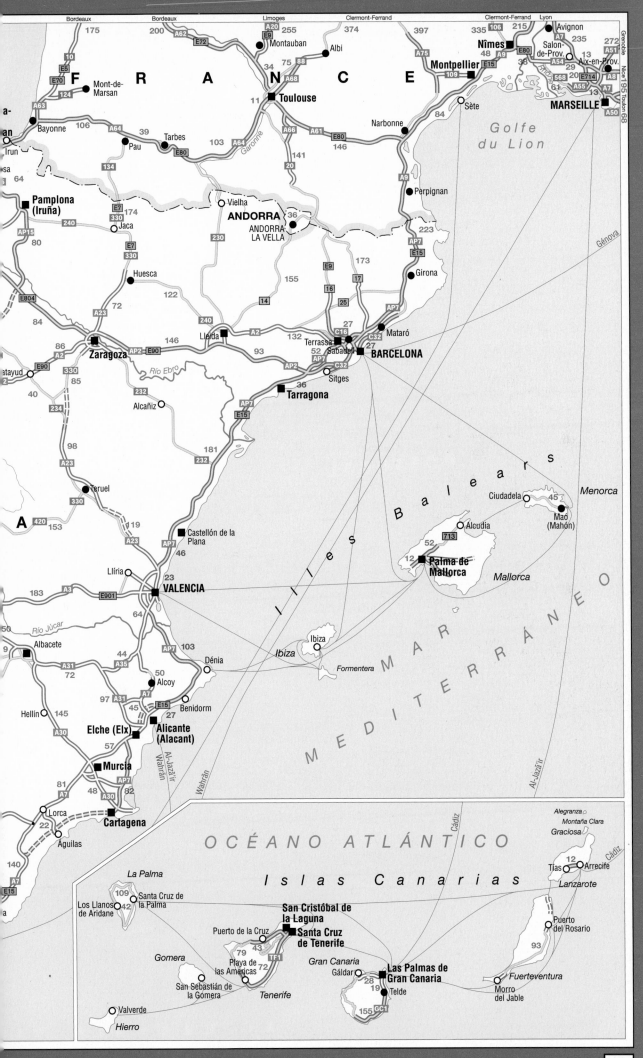

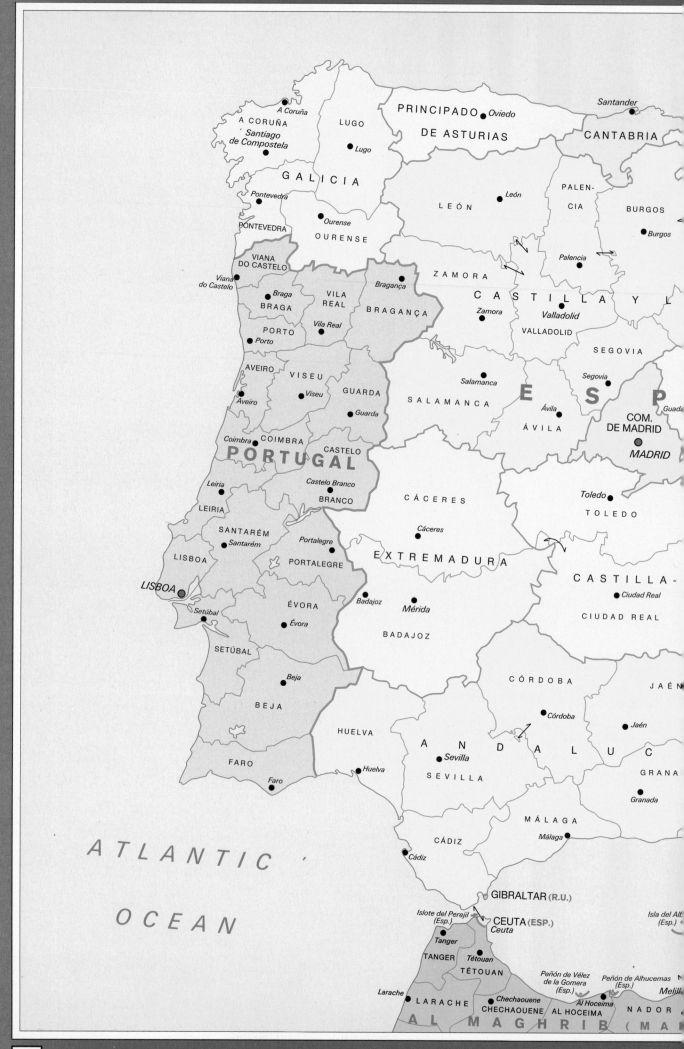

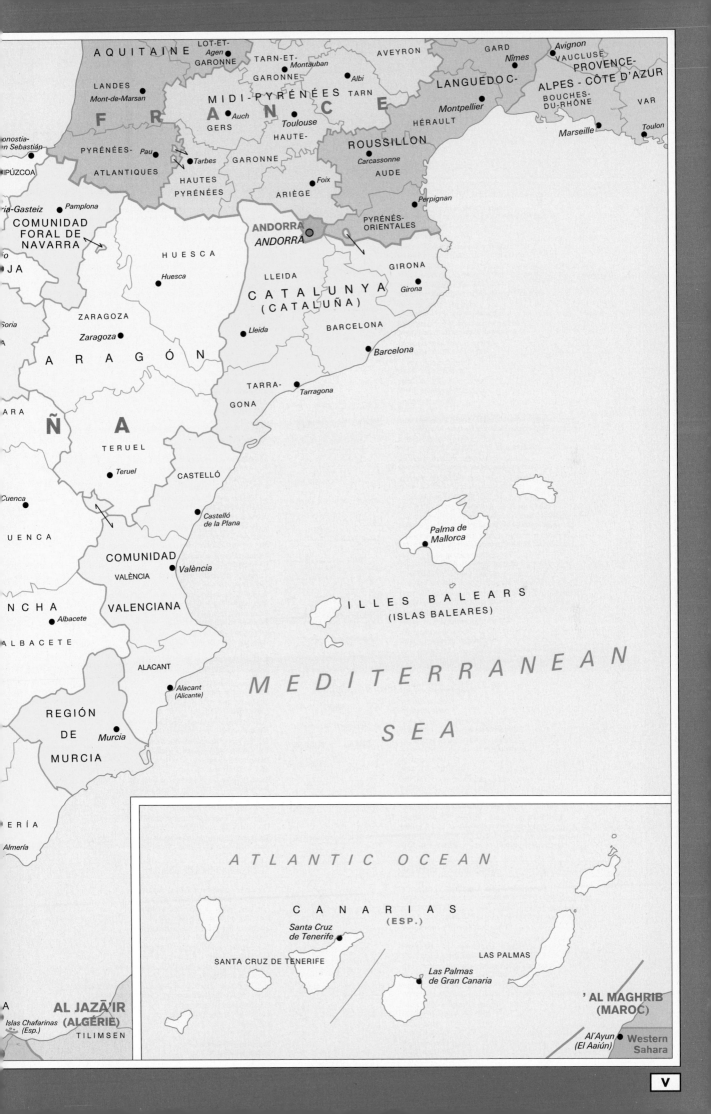

AQUITAINE

LOT-ET-
GARONNE
Agen
TARN-ET-
GARONNE
Montauban

AVEYRON

GARD
Nîmes
Avignon
VAUCLUSE
PROVENCE-
ALPES - CÔTE D'AZUR

LANDES
Mont-de-Marsan

MIDI-PYRÉNÉES

Albi
TARN

LANGUEDOC-
Montpellier
HÉRAULT

BOUCHES-
DU-RHÔNE

VAR

F R A N C E

GERS
Auch

Toulouse
HAUTE-

ROUSSILLON

Marseille
Toulon

onostia-
n Sebastián

PYRÉNÉES-
ATLANTIQUES
Pau

Tarbes
HAUTES
PYRÉNÉES

GARONNE

ARIÈGE
Foix

Carcassonne
AUDE

PÚZCOA

ria-Gasteiz
Pamplona

COMUNIDAD
FORAL DE
NAVARRA

HUESCA

ANDORRA
Andorra

PYRÉNÉS-
ORIENTALES
Perpignan

JA

Huesca

LLEIDA

CATALUNYA
(CATALUÑA)

GIRONA
Girona

Soria

ZARAGOZA
Zaragoza

Lleida

BARCELONA
Barcelona

A R A G Ó N

Ñ A

TERUEL
Teruel

TARRA-
GONA
Tarragona

CASTELLÓ

Cuenca

U E N C A

*Castelló
de la Plana*

COMUNIDAD

VALÈNCIA
València

Palma de
Mallorca

NCHA
Albacete

VALENCIANA

I L L E S   B A L E A R S
(ISLAS BALEARES)

ALBACETE

ALACANT

*Alacant
(Alicante)*

M E D I T E R R A N E A N

REGIÓN

DE
Murcia

S E A

MURCIA

ERÍA

Almería

A T L A N T I C   O C E A N

C A N A R I A S
(ESP.)

*Santa Cruz
de Tenerife*

LAS PALMAS

SANTA CRUZ DE TENERIFE

*Las Palmas
de Gran Canaria*

AL JAZĀ'IR
(ALGÉRIE)

*Islas Chafarinas
(Esp.)*

TILIMSEN

' A L   M A G H R I B
(MAROC)

*Al'Ayun
(El Aaiún)*

Western
Sahara

V

Signos convencionales · Sinais convencionais
Zeichenerklärung · Legend
1:300.000

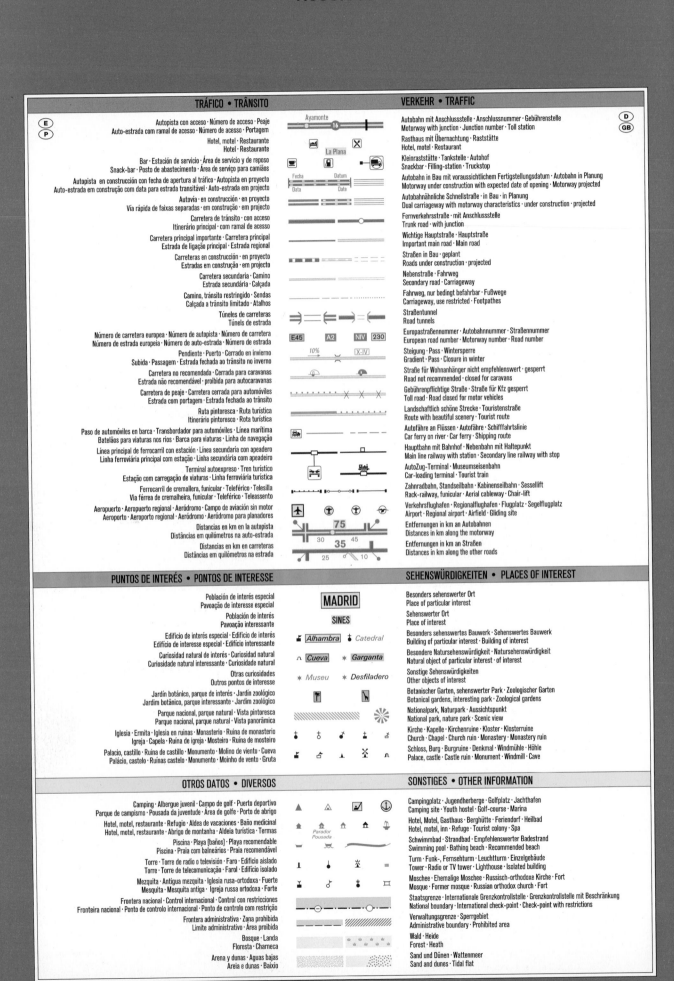

TRÁFICO · TRÂNSITO — VERKEHR · TRAFFIC

(E)(P) ... (D)(GB)

Autopista con acceso · Número de acceso · Peaje
Auto-estrada com ramal de acesso · Número de acesso · Portagem
— Autobahn mit Anschlussstelle · Anschlussnummer · Gebührenstelle / Motorway with junction · Junction number · Toll station

Hotel, motel · Restaurante
Hotel · Restaurante
— Rasthaus mit Übernachtung · Raststätte / Hotel, motel · Restaurant

Bar · Estación de servicio · Área de servicio y de reposo
Snack-bar · Posto de abastecimento · Área de serviço para camiãos
— Kleinraststätte · Tankstelle · Autohof / Snackbar · Filling-station · Truckstop

Autopista en construcción con fecha de apertura al tráfico · Autopista en proyecto
Auto-estrada em construção com data para estrada transitável · Auto-estrada em projecto
— Autobahn in Bau mit voraussichtlichem Fertigstellungsdatum · Autobahn in Planung / Motorway under construction with expected date of opening · Motorway projected

Autovía · en construcción · en proyecto
Vía rápida de faixas separadas · em construção · em projecto
— Autobahnähnliche Schnellstraße · in Bau · in Planung / Dual carriageway with motorway characteristics · under construction · projected

Carretera de tránsito · con acceso
Itinerário principal · com ramal de acesso
— Fernverkehrsstraße · mit Anschlussstelle / Trunk road · with junction

Carretera principal importante · Carretera principal
Estrada de ligação principal · Estrada regional
— Wichtige Hauptstraße · Hauptstraße / Important main road · Main road

Carreteras en construcción · en proyecto
Estradas em construção · em projecto
— Straßen in Bau · geplant / Roads under construction · projected

Carretera secundaria · Camino
Estrada secundária · Calçada
— Nebenstraße · Fahrweg / Secondary road · Carriageway

Camino, tránsito restringido · Sendas
Calçada a trânsito limitado · Atalhos
— Fahrweg, nur bedingt befahrbar · Fußwege / Carriageway, use restricted · Footpaths

Túneles de carreteras
Túnels de estrada
— Straßentunnel / Road tunnels

Número de carretera europea · Número de autopista · Número de carretera
Número de estrada europeia · Número de auto-estrada · Número de estrada
E45 A2 NIV 230
— Europastraßennummer · Autobahnnummer · Straßennummer / European road number · Motorway number · Road number

Pendiente · Puerto · Cerrado en invierno
Subida · Passagem · Estrada fechada ao trânsito no inverno
10% X-IV
— Steigung · Pass · Wintersperre / Gradient · Pass · Closure in winter

Carretera no recomendada · Cerrada para caravanas
Estrada não recomendável · proibida para autocaravanas
— Straße für Wohnanhänger nicht empfehlenswert · gesperrt / Road not recommended · closed for caravans

Carretera de peaje · Carretera cerrada para automóviles
Estrada com portagem · Estrada fechada ao trânsito
— Gebührenpflichtige Straße · Straße für Kfz gesperrt / Toll road · Road closed for motor vehicles

Ruta pintoresca · Ruta turística
Itinerário pintoresco · Rota turística
— Landschaftlich schöne Strecke · Touristenstraße / Route with beautiful scenery · Tourist route

Paso de automóviles en barca · Transbordador para automóviles · Línea marítima
Bateláos para viaturas nos rios · Barca para viaturas · Linha de navegação
— Autofähre an Flüssen · Autofähre · Schifffahrtslinie / Car ferry on river · Car ferry · Shipping route

Línea principal de ferrocarril con estación · Línea secundaria con apeadero
Linha ferroviária principal com estação · Linha secundária com apeadeiro
— Hauptbahn mit Bahnhof · Nebenbahn mit Haltepunkt / Main line railway with station · Secondary line railway with stop

Terminal autoexpreso · Tren turístico
Estação com carregação de viaturas · Linha ferroviária turística
— AutoZug-Terminal · Museumseisenbahn / Car-loading terminal · Tourist train

Ferrocarril de cremallera, funicular · Teleférico · Telesilla
Via férrea de cremalheira, funicular · Teleférico · Teleassento
— Zahnradbahn, Standseilbahn · Kabinenseilbahn · Sessellift / Rack-railway, funicular · Aerial cableway · Chair-lift

Aeropuerto · Aeropuerto regional · Aeródromo · Campo de aviación sin motor
Aeroporto · Aeroporto regional · Aeródromo · Aeródromo para planadores
— Verkehrsflughafen · Regionalflughafen · Flugplatz · Segelflugplatz / Airport · Regional airport · Airfield · Gliding site

Distancias en km en la autopista
Distâncias em quilómetros na auto-estrada
75 30 35 45 25 10
— Entfernungen in km an Autobahnen / Distances in km along the motorway

Distancias en km en carreteras
Distâncias em quilómetros na estrada
— Entfernungen in km an Straßen / Distances in km along the other roads

PUNTOS DE INTERÉS · PONTOS DE INTERESSE — SEHENSWÜRDIGKEITEN · PLACES OF INTEREST

Población de interés especial
Pavoação de interesse especial
MADRID
— Besonders sehenswerter Ort / Place of particular interest

Población de interés
Pavoação interessante
SINES
— Sehenswerter Ort / Place of interest

Edificio de interés especial · Edificio de interés
Edifício de interesse especial · Edifício interessante
Alhambra *Catedral*
— Besonders sehenswertes Bauwerk · Sehenswertes Bauwerk / Building of particular interest · Building of interest

Curiosidad natural de interés · Curiosidad natural
Curiosidade natural interessante · Curiosidade natural
Cueva *Garganta*
— Besondere Naturschenswürdigkeit · Naturschenswürdigkeit / Natural object of particular interest · of interest

Otras curiosidades
Outros pontos de interesse
Museu *Desfiladero*
— Sonstige Sehenswürdigkeiten / Other objects of interest

Jardín botánico, parque de interés · Jardín zoológico
Jardim botânico, parque interessante · Jardim zoológico
— Botanischer Garten, sehenswerter Park · Zoologischer Garten / Botanical gardens, interesting park · Zoological gardens

Parque nacional, parque natural · Vista pintoresca
Parque nacional, parque natural · Vista panorâmica
— Nationalpark, Naturpark · Aussichtspunkt / National park, nature park · Scenic view

Iglesia · Ermita · Iglesia en ruinas · Monasterio · Ruina de monasterio
Igreja · Capela · Ruína de igreja · Mosteiro · Ruína de mosteiro
— Kirche · Kapelle · Kirchenruine · Kloster · Klosterruine / Church · Chapel · Church ruin · Monastery · Monastery ruin

Palacio, castillo · Ruina de castillo · Monumento · Molino de viento · Cueva
Palácio, castelo · Ruínas castelo · Monumento · Moinho de vento · Gruta
— Schloss, Burg · Burgruine · Denkmal · Windmühle · Höhle / Palace, castle · Castle ruin · Monument · Windmill · Cave

OTROS DATOS · DIVERSOS — SONSTIGES · OTHER INFORMATION

Camping · Albergue juvenil · Campo de golf · Puerto deportivo
Parque de campismo · Pousada da juventude · Área de golfe · Porto de abrigo
— Campingplatz · Jugendherberge · Golfplatz · Jachthafen / Camping site · Youth hostel · Golf-course · Marina

Hotel, motel, restaurante · Refugio · Aldea de vacaciones · Baño medicinal
Hotel, motel, restaurante · Abrigo de montanha · Aldeia turística · Termas
Parador Pousada
— Hotel, Motel, Gasthaus · Berghütte · Feriendorf · Heilbad / Hotel, motel, inn · Refuge · Tourist colony · Spa

Piscina · Playa (baños) · Playa recomendable
Piscina · Praia com balneários · Praia recomendável
— Schwimmbad · Strandbad · Empfehlenswerter Badestrand / Swimming pool · Bathing beach · Recommended beach

Torre · Torre de radio o televisión · Faro · Edificio aislado
Torre · Torre de telecomunicação · Farol · Edifício isolado
— Turm · Funk-, Fernsehturm · Leuchtturm · Einzelgebäude / Tower · Radio or TV tower · Lighthouse · Isolated building

Mezquita · Antigua mezquita · Iglesia rusa-ortodoxa · Fuerte
Mesquita · Mesquita antiga · Igreja russa ortodoxa · Forte
— Moschee · Ehemalige Moschee · Russisch-orthodoxe Kirche · Fort / Mosque · Former mosque · Russian orthodox church · Fort

Frontera nacional · Control internacional · Control con restricciones
Fronteira nacional · Ponto de controlo internacional · Ponto de controlo com restrição
— Staatsgrenze · Internationale Grenzkontrollstelle · Grenzkontrollstelle mit Beschränkung / National boundary · International check-point · Check-point with restrictions

Frontera administrativa · Zona prohibida
Limite administrativo · Área proibida
— Verwaltungsgrenze · Sperrgebiet / Administrative boundary · Prohibited area

Bosque · Landa
Floresta · Charneca
— Wald · Heide / Forest · Heath

Arena y dunas · Aguas bajas
Areia e dunas · Baixio
— Sand und Dünen · Wattenmeer / Sand and dunes · Tidal flat

Segni convenzionali · Légende
Legenda · Objaśnienia znaków
1:300.000

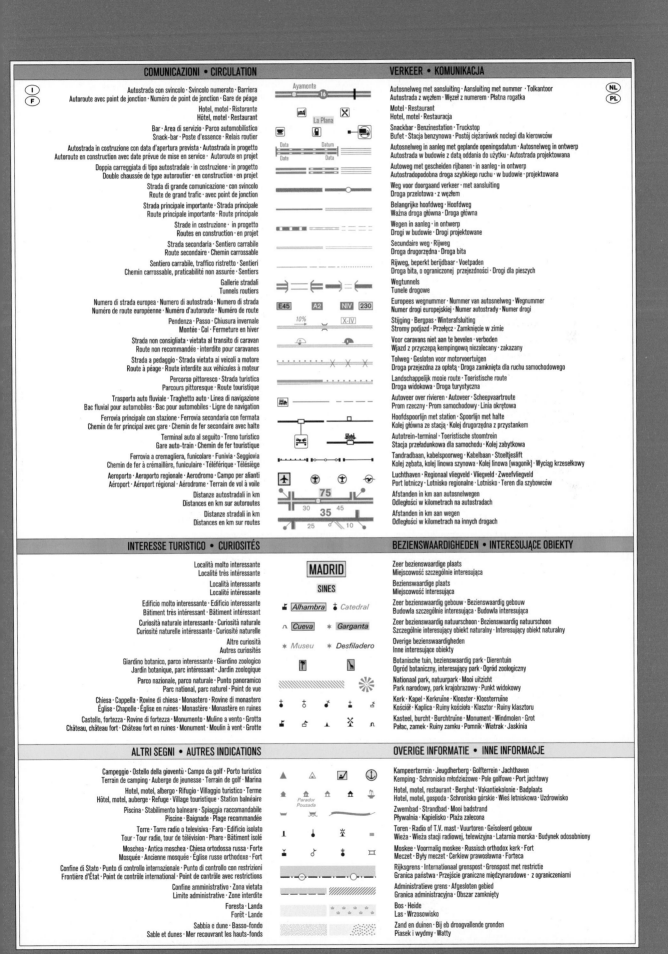

COMUNICAZIONI • CIRCULATION | VERKEER • KOMUNIKACJA

Italiano / Français	NL / PL
Autostrada con svincolo · Svincolo numerato · Barriera / Autoroute avec point de jonction · Numéro de point de jonction · Gare de péage	Autosnelweg met aansluiting · Aansluiting met nummer · Tolkantoor / Autostrada z węzłem · Węzeł z numerem · Płatna rogatka
Hotel, motel · Ristorante / Hôtel, motel · Restaurant	Motel · Restaurant / Hotel, motel · Restauracja
Bar · Area di servizio · Parco automobilistico / Snack-bar · Poste d'essence · Relais routier	Snackbar · Benzinestation · Truckstop / Bufet · Stacja benzynowa · Postój ciężarówek noclegi dla kierowców
Autostrada in costruzione con data d'apertura prevista · Autostrada in progetto / Autoroute en construction avec date prévue de mise en service · Autoroute en projet	Autosnelweg in aanleg met geplande openingsdatum · Autosnelweg in ontwerp / Autostrada w budowie z datą oddania do użytku · Autostrada projektowana
Doppia carreggiata di tipo autostradale · in costruzione · in progetto / Double chaussée de type autoroutier · en construction · en projet	Autoweg met gescheiden rijbanen · in aanleg · in ontwerp / Autostradopodobna droga szybkiego ruchu · w budowie · projektowana
Strada di grande comunicazione · con svincolo / Route de grand trafic · avec point de jonction	Weg voor doorgaand verkeer · met aansluiting / Droga przelotowa · z węzłem
Strada principale importante · Strada principale / Route principale importante · Route principale	Belangrijke hoofdweg · Hoofdweg / Ważna droga główna · Droga główna
Strade in costruzione · in progetto / Routes en construction · en projet	Wegen in aanleg · in ontwerp / Drogi w budowie · Drogi projektowane
Strada secondaria · Sentiero carrabile / Route secondaire · Chemin carrossable	Secundaire weg · Rijweg / Droga drugorzędna · Droga bita
Sentiero carrabile, traffico ristretto · Sentieri / Chemin carrossable, praticabilité non assurée · Sentiers	Rijweg, beperkt berijdbaar · Voetpaden / Droga bita, o ograniczonej przejezdności · Drogi dla pieszych
Gallerie stradali / Tunnels routiers	Wegtunnels / Tunele drogowe
Numero di strada europea · Numero di autostrada · Numero di strada / Numéro de route européenne · Numéro d'autoroute · Numéro de route	Europees wegnummer · Nummer van autosnelweg · Wegnummer / Numer drogi europejskiej · Numer autostrady · Numer drogi
Pendenza · Passo · Chiusura invernale / Montée · Col · Fermeture en hiver	Stijging · Bergpas · Winterafsluiting / Stromy podjazd · Przełęcz · Zamknięcie w zimie
Strada non consigliata · vietata al transito di caravan / Route non recommandée · interdite pour caravanes	Voor caravans niet aan te bevelen · verboden / Wjazd z przyczepą kempingową niezalecany · zakazany
Strada a pedaggio · Strada vietata ai veicoli a motore / Route à péage · Route interdite aux véhicules à moteur	Tolweg · Gesloten voor motorvoertuigen / Droga przejezdna za opłatą · Droga zamknięta dla ruchu samochodowego
Percorso pittoresco · Strada turistica / Parcours pittoresque · Route touristique	Landschappelijk mooie route · Toeristische route / Droga widokowa · Droga turystyczna
Trasporto auto fluviale · Traghetto auto · Linea di navigazione / Bac fluvial pour automobiles · Bac pour automobiles · Ligne de navigation	Autoveer over rivieren · Autoveer · Scheepvaartroute / Prom rzeczny · Prom samochodowy · Linia okrętowa
Ferrovia principale con stazione · Ferrovia secondaria con fermata / Chemin de fer principal avec gare · Chemin de fer secondaire avec halte	Hoofdspoorlijn met station · Spoorlijn met halte / Kolej główna ze stacją · Kolej drugorzędna z przystankiem
Terminal auto al seguito · Treno turistico / Gare auto-train · Chemin de fer touristique	Autotrein-terminal · Toeristische stoomtrein / Stacja przeładunkowa dla samochodu · Kolej zabytkowa
Ferrovia a cremagliera, funicolare · Funivia · Seggiovia / Chemin de fer à crémaillère, funiculaire · Téléférique · Télésiège	Tandradbaan, kabelspoorweg · Kabelbaan · Stoeltjeslift / Kolej zębata, kolej linowa szynowa · Kolej linowa (wagonik) · Wyciąg krzesełkowy
Aeroporto · Aeroporto regionale · Aerodromo · Campo per alianti / Aéroport · Aéroport régional · Aérodrome · Terrain de vol à voile	Luchthaven · Regionaal vliegveld · Vliegveld · Zweefvliegveld / Port lotniczy · Lotnisko regionalne · Lotnisko · Teren dla szybowców
Distanze autostradali in km / Distances en km sur autoroutes	Afstanden in km aan autosnelwegen / Odległości w kilometrach na autostradach
Distanze stradali in km / Distances en km sur routes	Afstanden in km aan wegen / Odległości w kilometrach na innych drogach

INTERESSE TURISTICO • CURIOSITÉS | BEZIENSWAARDIGHEDEN • INTERESUJĄCE OBIEKTY

Località molto interessante / Localité très intéressante	Zeer bezienswaardige plaats / Miejscowość szczególnie interesująca
Località interessante / Localité intéressante	Bezienswaardige plaats / Miejscowość interesująca
Edificio molto interessante · Edificio interessante / Bâtiment très intéressant · Bâtiment intéressant	Zeer bezienswaardig gebouw · Bezienswaardig gebouw / Budowla szczególnie interesująca · Budowla interesująca
Curiosità naturale interessante · Curiosità naturale / Curiosité naturelle intéressante · Curiosité naturelle	Zeer bezienswaardig natuurschoon · Bezienswaardig natuurschoon / Szczególnie interesujący obiekt naturalny · Interesujący obiekt naturalny
Altre curiosità / Autres curiosités	Overige bezienswaardigheden / Inne interesujące obiekty
Giardino botanico, parco interessante · Giardino zoologico / Jardin botanique, parc intéressant · Jardin zoologique	Botanische tuin, bezienswaardig park · Dierentuin / Ogród botaniczny, interesujący park · Ogród zoologiczny
Parco nazionale, parco naturale · Punto panoramico / Parc national, parc naturel · Point de vue	Nationaal park, natuurpark · Mooi uitzicht / Park narodowy, park krajobrazowy · Punkt widokowy
Chiesa · Cappella · Rovine di chiesa · Monastero · Rovine di monastero / Église · Chapelle · Église en ruines · Monastère · Monastère en ruines	Kerk · Kapel · Kerkruïne · Klooster · Kloosterruïne / Kościół · Kaplica · Ruiny kościoła · Klasztor · Ruiny klasztoru
Castello, fortezza · Rovine di fortezza · Monumento · Mulino a vento · Grotta / Château, château fort · Château fort en ruines · Monument · Moulin à vent · Grotte	Kasteel, burcht · Burchtruïne · Monument · Windmolen · Grot / Pałac, zamek · Ruiny zamku · Pomnik · Wiatrak · Jaskinia

MADRID

SINES

Alhambra · Catedral
Cueva · Garganta
Museu · Desfiladero

ALTRI SEGNI • AUTRES INDICATIONS | OVERIGE INFORMATIE • INNE INFORMACJE

Italiano / Français	NL / PL
Campeggio · Ostello della gioventù · Campo da golf · Porto turistico / Terrain de camping · Auberge de jeunesse · Terrain de golf · Marina	Kampeerterrein · Jeugdherberg · Golfterrein · Jachthaven / Kemping · Schronisko młodzieżowe · Pole golfowe · Port jachtowy
Hotel, motel, albergo · Rifugio · Villaggio turistico · Terme / Hôtel, motel, auberge · Refuge · Village touristique · Station balnéaire	Hotel, motel, restaurant · Berghut · Vakantiekolonie · Badplaats / Hotel, motel, gospoda · Schronisko górskie · Wieś letniskowa · Uzdrowisko
Parador / Pousada	
Piscina · Stabilimento balneare · Spiaggia raccomandabile / Piscine · Baignade · Plage recommandable	Zwembad · Strandbad · Mooi badstrand / Pływalnia · Kąpielisko · Plaża zalecana
Torre · Torre radio o televisiva · Faro · Edificio isolato / Tour · Tour radio, tour de télévision · Phare · Bâtiment isolé	Toren · Radio of T.V. mast · Vuurtoren · Geïsoleerd gebouw / Wieża · Wieża stacji radiowej, telewizyjna · Latarnia morska · Budynek odosobniony
Moschea · Antica moschea · Chiesa ortodossa russa · Forte / Mosquée · Ancienne mosquée · Église russe orthodoxe · Fort	Moskee · Voormalig moskee · Russisch orthodox kerk · Fort / Meczet · Były meczet · Cerkiew prawosławna · Forteca
Confine di Stato · Punto di controllo internazionale · Punto di controllo con restrizioni / Frontière d'État · Point de contrôle international · Point de contrôle avec restrictions	Rijksgrens · Internationaal grenspost · Grenspost met restrictie / Granica państwa · Przejście graniczne międzynarodowe · z ograniczeniami
Confine amministrativo · Zona vietata / Limite administrative · Zone interdite	Administratieve grens · Afgesloten gebied / Granica administracyjna · Obszar zamknięty
Foresta · Landa / Forêt · Lande	Bos · Heide / Las · Wrzosowisko
Sabbia e dune · Basso-fondo / Sable et dunes · Mer recouvrant les hauts-fonds	Zand en duinen · Bij eb droogvallende gronden / Piasek i wydmy · Watty

VII

Vysvětlivky · Jelmagyarázat
Tegnforklaring · Teckenförklaring
1:300.000

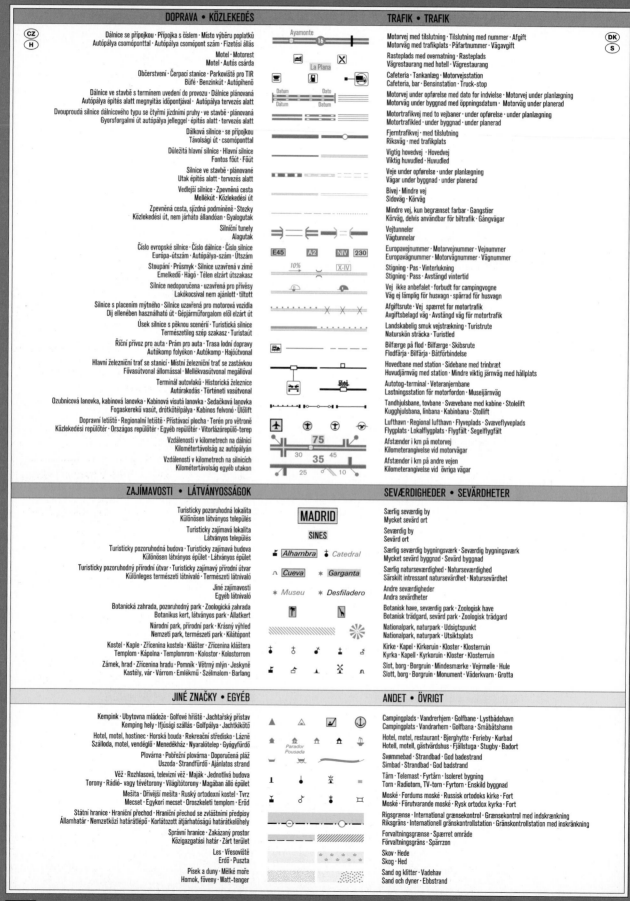

DOPRAVA · KÖZLEKEDÉS | TRAFIK · TRAFIK

CZ / H ... **DK / S**

CZ · H	DK · S
Dálnice se připojkou · Přípojka s číslem — Autópálya csomóponttal · Autópálya csomópont szám · Fizetési állás · Místo výběru poplatků	Motorvej med tilslutning · Tilslutning med nummer · Afgift — Motorväg med trafikplats · Påfartnummer · Vägavgift
Motel · Motorest — Motel · Autós csárda	Rasteplads med overnatning · Rasteplads — Vägrestaurang med hotell · Vägrestaurang
Občerstveni · Čerpací stanice · Parkoviště pro TIR — Büfé · Benzinkút · Autópihenő	Cafeteria · Tankanlæg · Motorvejsstation — Cafeteria, bar · Bensinstation · Truck-stop
Dálnice ve stavbě s termínem uvedeni do provozu · Dálnice plánovaná — Autópálya épités alatt megnyitás időpontjával · Autópálya tervezés alatt	Motorvej under opførelse med dato for indvielse · Motorvej under planlægning — Motorväg under byggnad med öppningsdatum · Motorväg under planerad
Dvouproudá silnice dálnicového typu se čtyřmi jízdními pruhy · ve stavbě · plánovaná — Gyorsforgalmi út autópálya jelleggel · épités alatt · tervezés alatt	Motortrafikvej med to vejbaner · under opførelse · under planlægning — Motortrafikled · under byggnad · under planerad
Dálková silnice · se přípojkou — Távolsági út · csomóponttal	Fjerntrafikvej · med tilslutning — Riksväg · med trafikplats
Důležitá hlavní silnice · Hlavní silnice — Fontos főút · Főút	Vigtig hovedvej · Hovedvej — Viktig huvudled · Huvudled
Silnice ve stavbě · plánované — Utak épités alatt · tervezés alatt	Veje under opførelse · under planlægning — Vägar under byggnad · under planerad
Vedlejší silnice · Zpevněná cesta — Mellékút · Közlekedési út	Bivej · Mindre vej — Sidoväg · Körväg
Zpevněná cesta, sjízdná podmíněně · Stezky — Közlekedési út, nem járható állandóan · Gyalogutak	Mindre vej, kun begrænset farbar · Gangstier — Körväg, delvis användbar för biltrafik · Gångvägar
Silniční tunely — Alagutak	Vejtunneler — Vägtunnelar
Číslo evropské silnice · Číslo dálnice · Číslo silnice — Európa-útszám · Autópálya-szám · Útszám	Europavejnummer · Motorvejnummer · Vejnummer — Europavägnummer · Motorvägnummer · Vägnummer
Stoupání · Průsmyk · Silnice uzavřená v zimě — Emelkedő · Hágó · Télen elzárt útszakasz	Stigning · Pas · Vinterlukning — Stigning · Pass · Avstängd vintertid
Silnice nedoporučena · uzavřená pro přívěsy — Lakókocsival nem ajánlott · tiltott	Vej ikke anbefalet · forbudt for campingvogne — Väg ej lämplig för husvagn · spärrad för husvagn
Silnice s placením mýtného · Silnice uzavřená pro motorová vozidla — Díj ellenében használható út · Gépjárműforgalom elől elzárt út	Afgiftsrute · Vej spærret for motortrafik — Avgiftsbelagd väg · Avstängd väg för motortrafik
Úsek silnice s pěknou scenérii · Turistická silnice — Természetileg szép szakasz · Turistaút	Landskabelig smuk vejstrækning · Turistrute — Naturskön sträcka · Turistled
Říční přívoz pro auta · Prám pro auta · Trasa lodní dopravy — Autókomp folyókon · Autókomp · Hajóútvonal	Bilfærge på flod · Bilfærge · Skibsrute — Flodfärja · Bilfärja · Båtförbindelse
Hlavní železniční trať se stanici · Místní železniční trať se zastávkou — Fővasútvonal állomással · Mellékvasútvonal megállóval	Hovedbane med station · Sidebane med trinbræt — Huvudjärnväg med station · Mindre viktig järnväg med hållplats
Terminál autovlaků · Historická železnice — Autórakodás · Történeti vasútvonal	Autotog-terminal · Veteranjernbane — Lastningsstation för motorfordon · Museijärnväg
Ozubnicová lanovka, kabinová lanovka · Kabinová visutá lanovka · Sedačková lanovka — Fogaskerekű vasút, drótkötélpálya · Kabinos felvonó · Ülőlift	Tandhjulsbane, tovbane · Svævebane med kabine · Stolelift — Kugghjulsbana, linbana · Kabinbana · Stollift
Dopravní letiště · Regionální letiště · Přistávací plocha · Terén pro větroně — Közlekedési repülőtér · Országos repülőtér · Egyéb repülőtér · Vitorlázórepülő-terep	Lufthavn · Regional lufthavn · Flyveplads · Svæveflyveplads — Flygplats · Lokalflygplats · Flygfält · Segelflygfält
Vzdálenosti v kilometrech na dálnici — Kilométertávolság az autópályán	Afstænder i km på motorvej — Kilometerangivelse vid motorvägar
Vzdálenosti v kilometrech na silnicích — Kilométertávolság egyéb utakon	Afstænder i km på andre vejen — Kilometerangivelse vid övriga vägar

ZAJÍMAVOSTI · LÁTVÁNYOSSÁGOK | SEVÆRDIGHEDER · SEVÄRDHETER

CZ · H	DK · S
Turisticky pozoruhodná lokalita — Különösen látványos település	Særlig seværdig by — Mycket sevärd ort
Turisticky zajímavá lokalita — Látványos település	Seværdig by — Sevärd ort
Turisticky pozoruhodná budova · Turisticky zajímavá budova — Különösen látványos épület · Látványos épület	Særlig seværdig bygningsværk · Seværdig bygningsværk — Mycket sevärd byggnad · Sevärd byggnad
Turisticky pozoruhodný přírodní útvar · Turisticky zajímavý přírodní útvar — Különleges természeti látnivaló · Természeti látnivaló	Særlig naturseværdighed · Naturseværdighed — Särskilt intressant natursevärdhet · Natursevärdhet
Jiné zajímavosti — Egyéb látnivaló	Andre seværdigheder — Andra sevärdheter
Botanická zahrada, pozoruhodný park · Zoologická zahrada — Botanikus kert, látványos park · Állatkert	Botanisk have, seværdig park · Zoologisk have — Botanisk trädgard, sevärd park · Zoologisk trädgard
Národní park, přírodní park · Krásný výhled — Nemzeti park, természeti park · Kilátópont	Nationalpark, naturpark · Udsigtspunkt — Nationalpark, naturpark · Utsiktsplats
Kostel · Kaple · Zřícenina kostela · Klášter · Zřícenina kláštera — Templom · Kápolna · Templomrom · Kolostor · Kolostorrom	Kirke · Kapel · Kirkeruin · Kloster · Klosterruin — Kyrka · Kapell · Kyrkoruin · Kloster · Klosterruin
Zámek, hrad · Zřícenina hradu · Pomnik · Větrný mlýn · Jeskyně — Kastély, vár · Várrom · Emlékmű · Szélmalom · Barlang	Slot, borg · Borgruin · Mindesmærke · Vejrmølle · Hule — Slott, borg · Borgruin · Monument · Väderkvarn · Grotta

JINÉ ZNAČKY · EGYÉB | ANDET · ÖVRIGT

CZ · H	DK · S
Kempink · Ubytovna mládeže · Golfové hřiště · Jachtařský přístav — Kemping hely · Ifjúsági szállás · Golfpálya · Jachtkikötő	Campingplads · Vandrerhjem · Golfbane · Lystbådehavn — Campingplats · Vandrarhem · Golfbana · Småbåtshamn
Hotel, motel, hostinec · Horská bouda · Rekreační středisko · Lázně — Szálloda, motel, vendéglő · Menedékház · Nyaralótelep · Gyógyfürdő	Hotel, motel, restaurant · Bjerghytte · Ferieby · Kurbad — Hotell, motell, gästvärdshus · Fjällstuga · Stugby · Badort
Plovárna · Pobřežní plovárna · Doporučená pláž — Uszoda · Strandfürdő · Ajánlatos strand	Svømmebad · Strandbad · God badestrand — Simbad · Strandbad · God badstrand
Věž · Rozhlasová, televizní věž · Maják · Jednotlivá budova — Torony · Rádió- vagy tévétorony · Világítótorony · Magában álló épület	Tårn · Telemast · Fyrtårn · Isoleret bygning — Torn · Radiotorn, TV-torn · Fyrtorn · Enskild byggnad
Mešita · Dřívější mešita · Ruský ortodoxní kostel · Tvrz — Mecset · Egykori mecset · Oroszkeleti templom · Erőd	Moské · Fordums moské · Russisk ortodoks kirke · Fort — Moské · Förutvarande moské · Rysk ortodox kyrka · Fort
Státní hranice · Hraniční přechod · Hraniční přechod se zvláštními předpisy — Államhatár · Nemzetközi határátlépő · Korlátozott átjárhatóságú határátkelőhely	Rigsgrænse · International grænsekontrol · Grænsekontrol med indskrænkning — Riksgräns · International gränskontrollstation · Gränskontrollstation med inskränkning
Správní hranice · Zakázaný prostor — Közigazgatási határ · Zárt terület	Forvaltningsgrænse · Spærret område — Förvaltningsgräns · Spärrzon
Les · Vřesoviště — Erdő · Puszta	Skov · Hede — Skog · Hed
Pisek a duny · Mělké moře — Homok, föveny · Watt-tenger	Sand og klitter · Vadehav — Sand och dyner · Ebbstrand

Mapa índice · Corte dos mapas · Kartenübersicht · Key map
Quadro d'unione · Carte d'assemblage · Overzichtskaart · Skorowidz arkuszy
Klad mapových listů · Áttekintő térkép · Oversigtskort · Kartöversikt
1:300.000

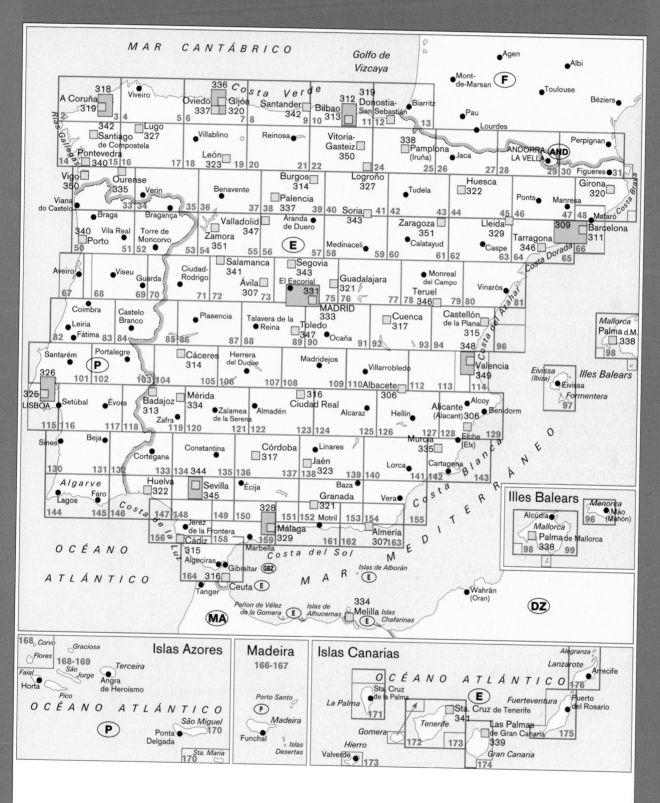

1:300.000

86

87

88

R Í A S   A L T A S

89

Illas Sisargas
Sisarga Grande
Illa Malante
Sisarga Chica
Ermida de
San Adrián
Praia de Seaia
Ens. e Porto
Punta Nariga
de Barizo
Pazo de Añors
Barizo
Malpica
Beo
(Malpica de Bergantiños)
Mens
Vilanova
Enseada da Barda
As Torres
Filgueira
Praia dos Rías
de Mens
9
Cores
Cerqueda
Cámbre
Punta Roncudo
195
12
Brantoas
Razo da Costa
Corme-Porto
Nemeño
8
Buño
Leiloio
Cospindo
4
Pazos
Xornes
Feira Nova
Oza
Balarés
Tella
5
Carballo-E
Ría de Corme e Laxe
Ponteceso
Langueirón
B e r g a n t i ñ o s
Praia
O Bosco
Anllóns
Cances
Campo
de Laxe
Cabana(Cabana
Grande
Laxe
San Pedro
de Bergantiños)
Cances
CARBA
Corcoesto
Vilaverde
6
318
Grelas
Carballo-N
Cabo Veo
Serantes
12
Cereo
3
Sisamo
Artes
Cabo Tosto
Ens. do
Boaño
Carballal
San Xusto San Roque
Río Ros
Arou
248
Sarces
Dolmen
Cundíns
(Costarinco)
Carballo-
Praia Beira
Arou
Coens
Dolmbate
A Silvarredonda
Castro
Coristanco
Santa Mariña
Camelle
Briño
10
15 438
Riobó
Ardaña
Cabo Vilán
Traba 12
Nande
Forneios
Río Cundins
552 8
Pasarela
San Pedro
Anós
S e r r a   d e   P e n a   F o r c a d a
de Allo
Seavia
Erbecedo
Camariñas
Xaviña
Ponte
Baio Grande
Sisto
44
do Porto
5
3
Agualada
Ermida de
Entrecruce
Ría de Camariñas
Calo
Santa Ana
Carantoña
Baio
9
Couso
Punta da Barca
Cereixo
Tiñones
Lamas
Río Baio
Pedra dos
Leis
Carnes
Tines
Carreira
Salgueiras
Ermida de Nosa
Muxía Cadris
Nosa Sra.
Vilar
Pico de Meda
Esternande
10
Sra. da Barca
da Quintáns
10
Ogas
567
90
Merexo
Pardiñas
VIMIANZO
Zas
Santa Sabiña
Castriz
Río Mira
Muiños
Quintáns
Ermida de
10 Moraime
Moraime
Suxe
San Bartolomé
Ermida de
319
229
Áreosa
569
9
Vilarseco
Loroño
O Busto
San Bartolomé
Cabo Touriñán
Castelo
6
Piñeiros
55
Bazar
Enseada
Morpeguite
Serramu
Vilamaior
do
Viseo
Berdoias 522
Santa Sía
Meáns
Cuño
3
Coucieiro
de Roma
Cicere
Mourelle
Touriñán
Berdeogas
S e r r a   d e   S a n t i a g o
3
Bardullas
6
Vilar de
Céltigos

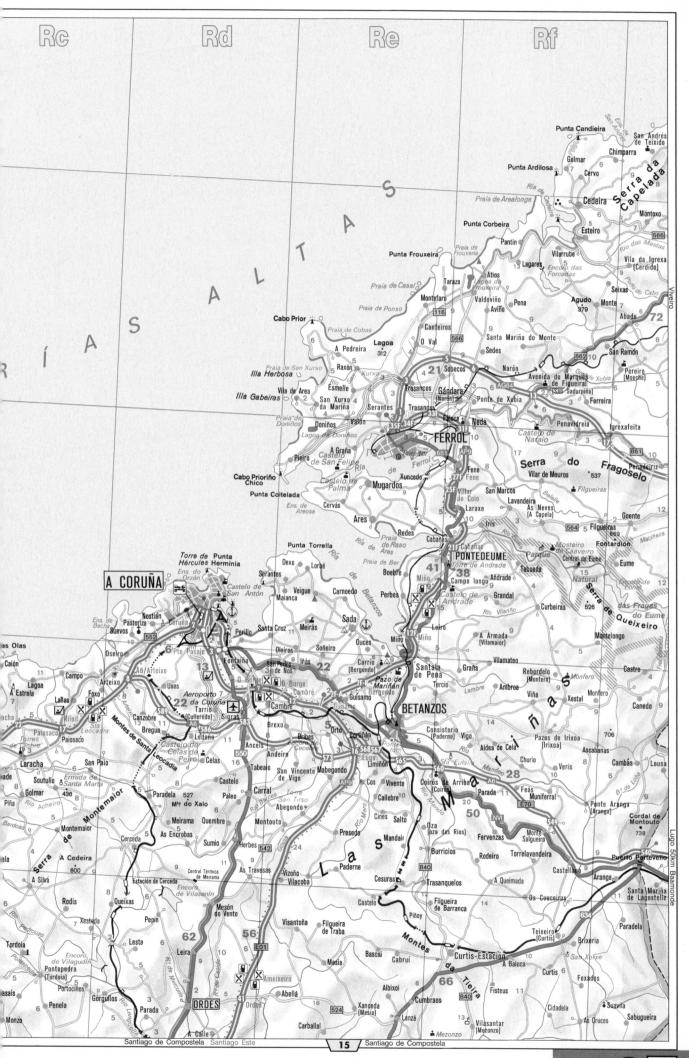

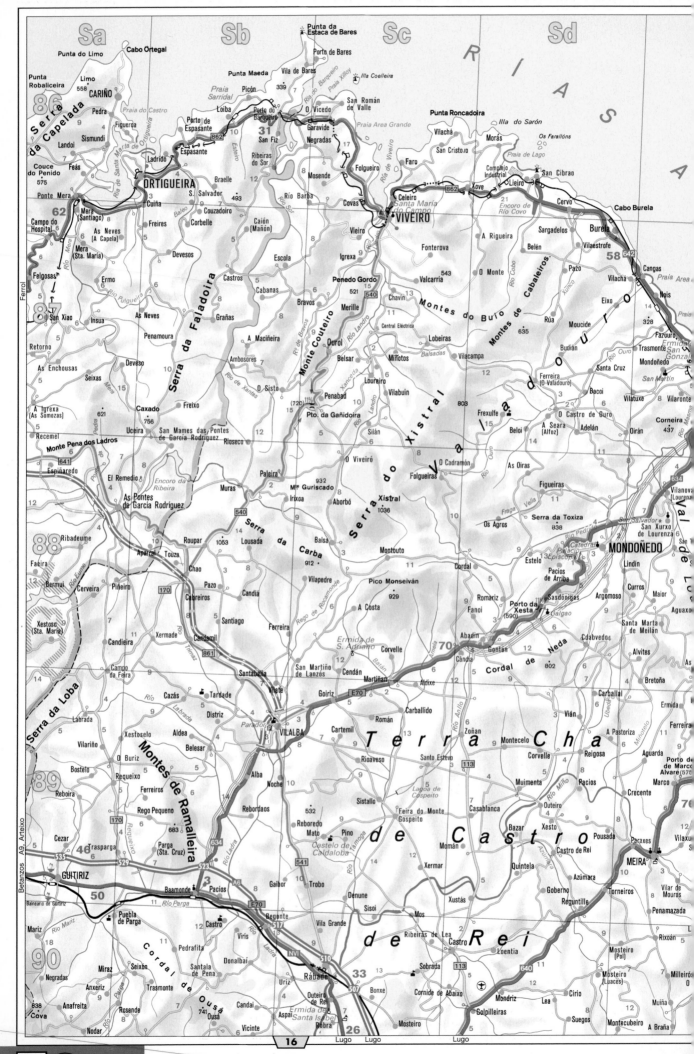

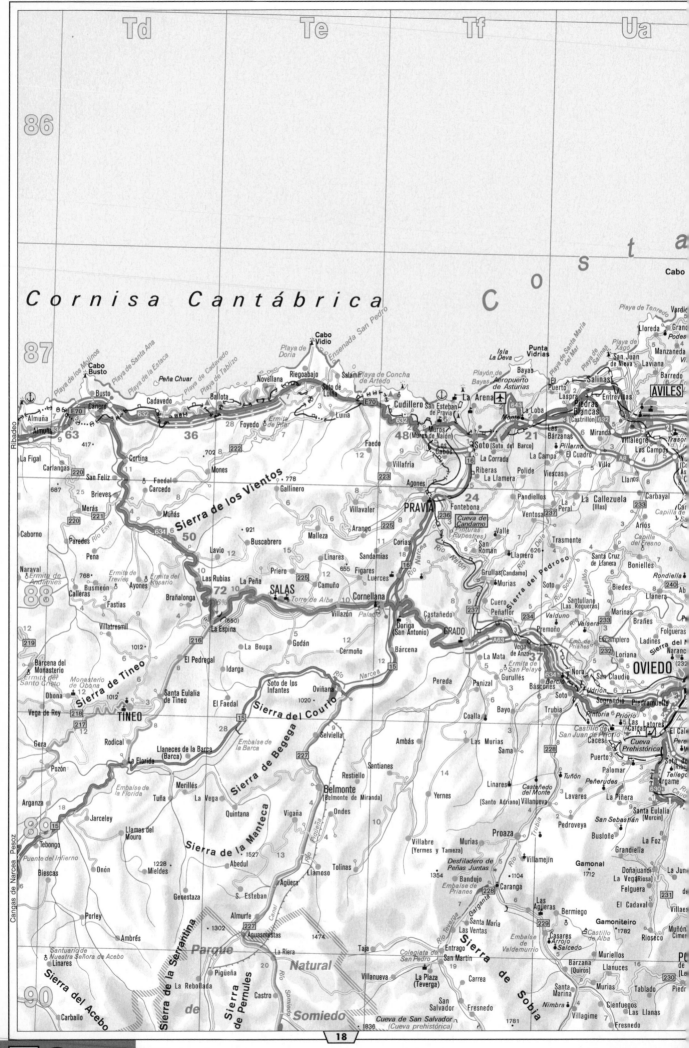

V e r d e

LUANCO
(Gozón)
Ermita del Carmen
Playa de la Palmera
Ermita de San Pedro
239
Piedeloro
CANDÁS
(Carreño)
Perlora
Albandi   Cabo Torres
Carrió
110
Musel-Arnao   San
Rebollada   Jove   Playa de   Playa de la Nora   Lorenzo
19   Veriña   San Lorenzo   Playa de Playa de la Nora   Playa
Valle   Poago   Ensenada   de Merón
Ambás   Monteana   Parador   San   de España   Villaverde   Careñes   Argüerin   Oles   131   Tazones   Playa de Rodilos   Cabo Lastres
Melendrera   Tremañes   Clemente   Cimadevilla   Mar   La Busta
Somió   Cabueñes   Ermita   Castiello   Cerra   El Puntal   El Olivar   Luces   Ermita de San Roque
Sotiello   GIJÓN   Bernueces   11   de Grauderroble   632   256   Vallina   Selorio   Lastres   Playa de Lastres
Porceyo   Granda   66   Deva   Venta   26   Bedriñana   Onón   Bárcena   353   257
A8   Mareo de Arriba   de Arriba   Arroes   de las Ranas   Capilla   Lue   Sales   46   COLUNGA   Playa de
18   Pinzales   248   Santurio   A8110   10   Carda   10   de Tornón   San Salvador   E70   A8   632   La Isla   La
26   Salcedo   La Pedrera   Bárcena   Peón   537   Sariego   Priesca   de Priesca   Gobiendes   Playa de La Isla
Peñaferruz   Huerces   La Camocha   Fonfría   Grases   VILLAVICIOSA   La Vega   Pernús   La Riera   Santiago   E70   Berbes
Piñera   246   Fano   San Pelayo   Turbeño   Fuentes   Santa   Carrandi   de Gobiendes   Pradn   38   539
Pruvia   La Felguera   Lavandera   Rozadas   113   Amandi   La   Eugenia   Coro   Santa   Pivierda   Sierra   del   Sueve   Linares
517   Quintana   Santa   Candanal   San Juan   Magdalena   Coro   San Feliz   Capilla de   Breña   Villar   Mirador   Calabrez
Ermita   Alto de   314   Eulalia   de Amandi   Lugás   Mártires   258   Cofiño   del Fito   12
de Pinuco   la Madera   Muñó   Ceñal   Argañoso   12   Ambás   Mogovio   255   Viñón   Ermita de   Sietes   Fano   Gramedo   1159   La Vita   Margolles
La Campana   Cima   Monasterio   255   San Mamés   Libardón   260   15
Pañeda   Collada   731   19   de Valdediós   Celada   Llares   260   La Cofina   Fios   12   Lloviú
13   Ares   La Rimada   Aveno   El Conventin   Pandenes   Arriendo   Santa   Anayo   259   Robledo   Cuadroveña   2   ARRIONDAS
Luggones   NOREÑA   Celles   140   LA VEGA (Sariego)   Eulalia   546   Borines   883   625   (Parres)
La Fresnada   POLA   Vega   Sariego   Fresnedo   (Cabranes)   Miyares   Vallobal   CANGAS
Bebes   Santa   DE SIERRA   de Pola   113   (San Román)   Cuenya   Torazo   Cereceda   Sorribas   de Onís
452   Bárbara   (Siero)   Marcenado   250   Camás   Lpdeña   Ermita de   Villamayor   Arobes   Parres
A64   449   El Berrón   Camino   Paraes   10   Santa Ana   Monés   Viábaño   8   Vallóbil
Granda   447   Negales   E70   140   Lieres   Ermita de los   Villabajo   258   Monte   Severos de Huergo   Lago   Caño
Tiñana   Gijún   444   Mártires   Tresali   634   Puente   Argandenes   Valles   41   Caldevilla   Parre   Ruinas
Hevia   Traspando   Ceceda   Coya   Romano   Valle   Priede   Fresnidiello   Tospe   Ibéricas
Julián   Pumarin   Valdesoto   La Roza   NAVA   Puente 10   INFIESTO   Pesquerín   Lago   Caño
Prados   17   Malledo   Pumarabule   Lamuño   Fuentesanta   Romano   762   (Piloña)   60
Santa Polonia   Moneca   Caballeros   251   Biercos   Arenas   815   Montes   Llerandi   Tornín
Solad   Arenas   Martimporrás   Valle   de Sebares   El Pico   Puente Romano
244S   Frieres   Gargantada   Suares   (Bimenes)   Cobayas   Otero   Villarcazo   Pervis   Vis
17   Riaño   Pando   Collada   Piñera   Melendreras   861   Lozana   Ermita   Tornín   (Amieva)
Tudela   Lada   246   Tuilla   Bimenes   La   Cadapereda   La Villa   de   Garganta
Veñeros   Cotorraso   Santa Gadia   Encarnada   Sierra   Artedosa   Melendreras   Antonio   261   Cazo   Santillán
El Carmen   Las Piezas   LANGREO   Ciriego   Conduiño   Grandasllanas   Ovana   La Villa   Aves   1102   Priesca   Sebarga   Villaverde
La Trapa   17   Sama   Santa Gadia   Ordiego   254   Ligüeria   1420   Ambingue   Valle   Gargantas
709   San Tirso   SOTONDRIO   Triguero   Riofabar   Rozapanera   del Moro   Carangas
El Campo   Ciaño   (San Martin del   Tiraña   291   La Marea   Aves   Natural
Capilla de Carbayo   El Entrego   Rey Aurelio)   Ordaliego   Las Tablas   1221   908   Gargantas
MIERES   Santa Rosa   Castiello   Rebollada   Cueva   1133   Puerto   Valle   Parque   Sotos   Natural
111   Rioturbio   Los   de la Cabeza   Condado   Capilla   Las Tablas   Arnicio   del Moro   Santillán
(209)   La Nueva   El Carbayal   Barredos   Ferrera   de Santa Rita   Muñera   Campiellos   Bueres   1559   Cadenaba   261
103   La Cruz   POLA   Santa Rita   17   Nieves   Balneario   Beleño   Viego
Villasola   1046   El Galeyo   de Laviana   Lorio   Soto   Río Nalón   Puerto   Orlé   1838   de Mestas   (Ponga)
Turón   La Felguera   Quinzanas   (Laviana)   de Lorio   Rioseco (Sobrescobio)   Taranes   Cordal de Ponga
Figaredo   1096   Urbiés   Canzana   Puente   Rioseco (Sobrescobio)   Abiegos   261
Villandio   252   Acebal   La Pola   Agués   Coballes   Cuevas del   Yano   Sobrefoz
Sovilla   Turón   Villoria   1231   Soto   Embalse   Nieves   Bollo   1961
Santa Cruz   Fornos   Grandiella   de Tanes   Campo de Caso (Caso)   1841
de Mieres   Navaliego   Parque   Cueva del Bollo   Veneros
66   Moreda   Sierra de Navaliego   Desfiladero   Belerda   Soto
Caborana   La Colladona   (850)   Peña Mea   677   Campo de Caso (Caso)   Pendones
Aguería   Piñeres   San Vicente   1560   Caleo   La Foz
San   Corigos   de Serrapio   1403   Sobrecastiello   1899
Miguel   Nembra   Cabañaquinta (Aller)   Natural   de   La Felguerina   17
112   Soto   (434)   Levinco   Pelúgano   Redes   Riaño
Cristina   Enfistiela   Bello   Capilla   Río Del Alba   1648   1862
Iguera   253   de   Entrepeñas   1638   Coyanzo   Llanos
Cordal de Murias   San Julián
y Santibáñez   Sierra de
Murias   Conforcos   Cuérigo
Bos   Negro

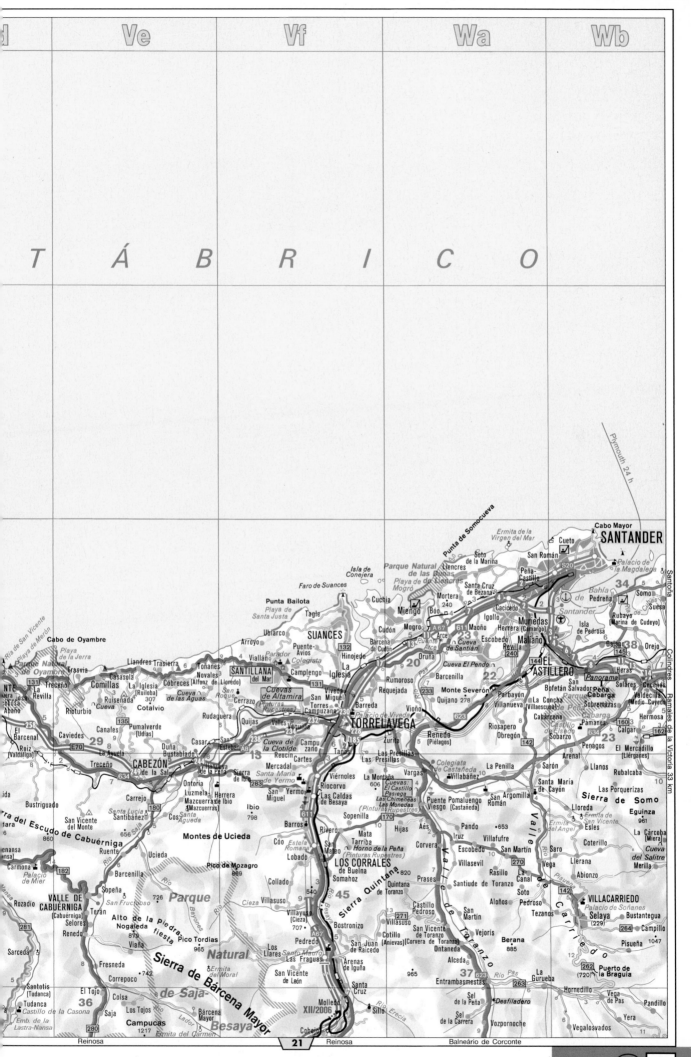

T Á B R I C O

Plymouth 24 h

Cabo Mayor
SANTANDER
Ermita de la
Virgen del Mar
Cueto
Punta de Somocueva
San Román
Peña-
Castillo
Palacio de
la Magdalena
Soto
de la Marina
Liencres
Parque Natural
de las Dunas
Playa de
Mogró
Santa Cruz
de Bezana
Bahía
de
Santander
34
Isla de
Conejera
Faro de Suances
Cuchía
Mortera
240
Igollo
Maoño
Herrera (Camargo)
Escobedo
Revilla
240
Muriedas
Maliaño
Pedreña
Somo
Suesa
Rubayo
(Marina de Cudeyo)
Isla
de Pedrosa
Punta Bailota
Playa de
Santa Justa
Tagle
Miengo
Boó
Mogro
A-67
Arce
611
Cacicedo
Cajano
38
Orejo
145
Cudón
Bárcena
de Cudón
SUANCES
132
Cueva
de Santián
23
El Pendo
Colindres
Santoña
Arroyo
Ubiarco
Viallán
Puente-
Avios
Hinojedo
Oruña
Barcenilla
22
144
EL
ASTILLERO
Panorama
Heras
Solares
Valdecilla
(Medio Cudeyo)
Sobremazas
Cecenes
Colsiderés
Rumoroso
Requejada
Vioño
Barreda
Monte Severón
Quijano 278
Parbayón
Villanueva (Villaescusa)
La Concha
Bofetán Salvador
San
Cabarceno
Peña
Cabarga
Castillo
de Eiseco
Pámanes
Cabárceno
Rioturbio
Trasierra
Toñanes
Novales
Cóbreces (Alfonz de Lloredo)
Campllengo
La
Iglesia
131
Quijas
San Miguel
Torres
Campuzano
230
TORRELAVEGA
Viveda
228
Sierra de Ibio
283
Riocorvo
Viérnoles
La Montaña
606
Vargas
Colegiata
de Castañeda
Villabáñez
La Penilla
Sarón
Arenal
Penágos
Calgar
162
160
3
634
23
Hermosa
El Mercadillo
(Liérganes)
Ramales de la Victoria 33 km
Ria de San Vicente
Playa de Merón
Cabo de Oyambre
Parque Natural
de Oyambre
131
Comillas
Treceño
La Iglesia
(Ruiloba)
307
Cuevas
de las Aguas
San
Roque
Cerrazo
Rudaguera
Valles
237
Cuevas:
El Castillo
Las Chimeneas
Las Monedas
(Pinturas Rupestres)
Puente Pomaluengo
(Castañeda)
San
Román
Argomilla
Santa María
de Cayón
Llanos
Rubalcaba
Las Porquerizas
Sierra de Somo
Eguinza
961
NTE
La
Revilla
258
El
Barcenal
Roiz
(Valdáliga)
La Ayuela
Treceño
631
Caviedes
Canales
Pumalverde
(Udias)
135
29
8
CABEZÓN
de la Sal
244
Duña
Bustablado
Villanueva
de la Peña
Cueva
de la Clotilde
Santa María
de Yermo
San Yermo
Miguel
Vioño
Quijano 278
Riosapero
Obregón
623
142
Sobarzo
San Vicente
del Monte
Rioturbio
Cueva
Rudaguera
Quijas
Esteban
San
238
A-8
13
Campuzano
Tanos
185
Zurita
Renedo
(Piélagos)
Santa Lucía
Santibáñez
Ontoria
Luzmela
Mazcuerras Ibio
(Mazcuerras)
Herrera
283
Ibio
798
Cos
Santa
Águeda
Mercadal
Cartes
Las Presillas
Las Presillas
Las Caldas
de Besaya
Sopenilla
170
Viesgo
Pando
653
Iruz
Villafufre
San Martín
Saro
Vega
Lloreda
Ermita de
San Vicente
Esles
Coterillo
La Cárcoba
(Miera)
Cueva
del Salitre
Merilla
Sra del Escudo de Cabuérniga
860
Bustriguado
Carrejo
San Vicente
del Monte
Ruente
656
Montes de Ucieda
Barros
Rivero
Mata
Tarriba
San
Mateo
Horno de la Peña
(Pinturas Rupestres)
Hijas
Aés
Corvera
Escobedo
Villasevil
Rasillo
Santiude de Toranzo
La
Canal
Soto
Pedroso
Aloños
270
Llerana
Abionzo
142
VILLACARRIEDO
Palacio de Soñanes
enansa
Carmona
182
Palacio
de Mier
Sopeña
Ucieda
Barcenilla
726
San Fructuoso
Parque
Río
Lobado
Estela
Romana
Cóo
820
LOS CORRALES
de Buelna
Somahoz
Quintana
de Toranzo
Prases
Villasevil
San
Martín
Vejorís
Berana
885
Tezanos
Selaya
(229)
Bustantegua
264
Campillo
Pisueña
1047
VALLE DE
CABUÉRNIGA
(Cabuérniga)
281
Selores
Renedo
Terán
Alto de la piedra
fiesta
Nogaleda
879
Pico Tordias
965
Viaña
Natural
Cieza
Villasuso
540
45
Sierra Quintana
Villayuso
(Cieza)
707
Pedredo
Bostronizo
271
Villasuso
Castillo
Pedroso
Cotillo
(Anievas)
San Vicente
de Toranzo
(Corvera de Toranzo)
Ontaneda
Alceda
37
623
La
Grueba
262
Puerto de
la Bragua
(720)
Sarcedá
Rozadio
Santotis
(Tudanca)
Tudanca
Emb. de la
Lastra-Nansa
El Tojo
36
Colsa
Saja
Los Tojos
Campucas
1217
280
Fresneda
Correpoco
742
Ermita
del Moral
Los
Llares
Santo Mauro
Las Fraguas
San Vicente
de León
Santa
Cruz
XII/2006
Molledo
Sillo
Río Erecia
San Juan
de Raicedo
Arenas
de Iguña
965
Entrambasmestas
Sel
de la Peña
Desfiladero
263
Sel
de la Carrera
Hornedillo
Río
Pas
Vega
de Pas
Pandillo
Yera
Vegalosvados
11
Sierra de Bárcena Mayor de Saja-Besaya
Cobejón
Reinosa
Ermita del Carmen
21
Reinosa
Balneário de Corconte
Vozpornoche

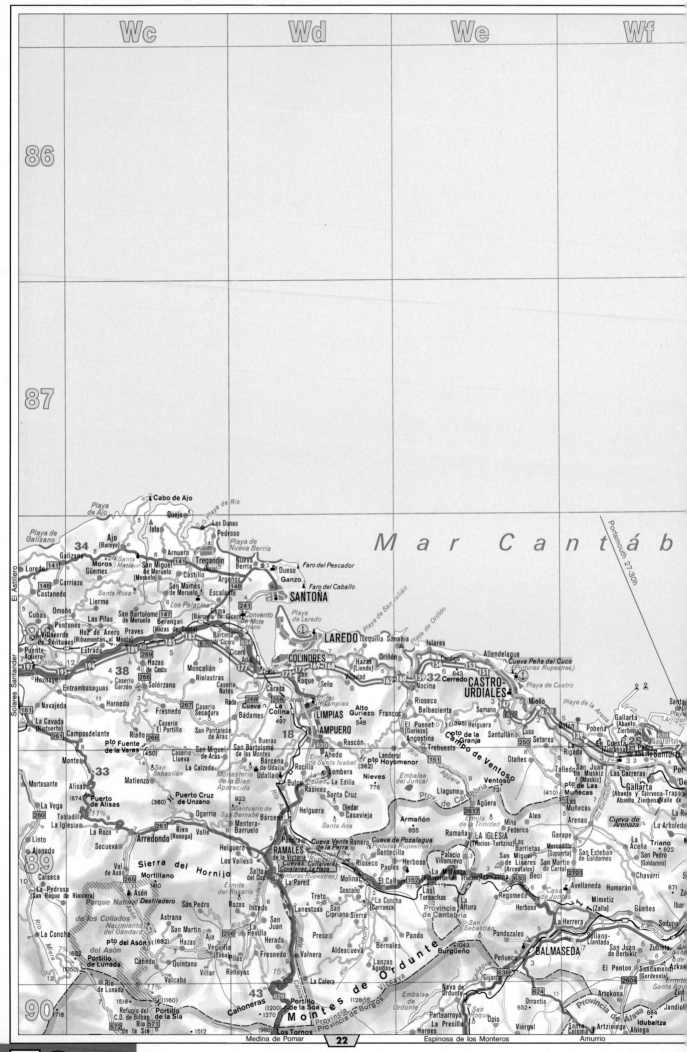

86

87

Mar Cantáb

Portsmouth 27-30h

↑Cabo de Ajo
Playa de Ajo
Quejo
Playa de Ris
Isla
Las Dunas
Pedroso
Playa de Galizano
Ajo (Bareyo)
Arnuero
219 Santa María
Playa de Nueva Berría
Nueva Berría 3 Dueso
34 Moros Güemes
Galizano
San Miguel de Meruelo (Meruelo) 141
Tregandín (Noja)
Ganzo
Loredo 141
146 Carriazo
Castillo
Argoños 148
Faro del Pescador
Castanedo
San Mamés de Meruelo
Escalante
Santoña
Faro del Caballo
Liermo
5 Cubas Omoño
Santa Rosa
Los Palacios
241
SANTOÑA
Playa de San Julián
Pontones
Las Pilas
San Bartolomé de Meruelo 147
Gama (Bárcena de Cicero)
Convento de Mote Hano
Playa de Laredo
Villaverde de Pontones
Berangas (Hazas de Cesto)
LAREDO
Iseguilla Sonabia
Playa de Oriñón
Puente-Agüero
Hoz de Anero Praves (Ribamontán al Monte)
Estrada
189 A8 185
E 70 de Cicero
634
Bárcena
Islares
Allendelagua
Palacio
12 197 194
269
Hazas de Cesto
Moncalián
177
Cicero
Adal
Treto
San Roque
COLINDRES 169-168
Hazas (Liendo)
Oriñón
Cerdigo
Cuerva Peña del Cuco (Pinturas Rupestres)
156 153
Hoznayo
195 4 38
266
Solórzano
Riolastras
173
Seña
162 160 159 32
Cerredo
Nocina
Rioseco
151
Playa de Castro
Navajeda
11 Hornedo
267
Caserío Garzón
Rada
Caserío Nates
Carasa
258
Parador
Cristo de Limpias
Balbacienta
Samano
CASTRO-URDIALES
Mioño
Playa de la Arena
161
La Cavada (Riotuerto)
261
Fresnedo
Caserío Secadura
Cueva Bádames
La Colina 497
LIMPIAS
Alto Guriezo Francos 548
El Puente (Guriezo)
643 Helguera
E70
Lusa
Setares
Union 139
Peña
Gallarta (Abanto Zierbena)
639
Camposdelante
Riaño
266
Caserío El Portillo
San Pantaleón de Aras
AMPUERO
18
Rascón
629
Angostina
Cueva Venta Ranero (Pinturas Rupestres)
pto de la Granja
Campo de Ventoso
250
La Rigada
Abanto y Cierveña-Trapaga Abanto Zierbena Valle de
Pobeña
Zierbena-San Pedro de Abanto Santurtzi
pto Fuente de la Veras (450)
Caserío Llueva
San Miguel de Aras
La Calzada
San Bartolomé de los Montes
Bárcena de Udalla
Ahedo
Landeral
pto Hoyomenor (362)
151
Trebuesto
Otañes
San Juan de Muskiz (Muskiz)
Las Carreras
Monte
San Sebastián
Udalla
Rocillo
Lombera
Nieves 776
Embalse del Juncal
Llaguno
Talledo
33 Matienzo
Monasterio de la Bien Aparecida
Bulco
Rásines
Santa Cruz
Agüera
Ventoso 731
pto de las Muñecas (410)
Arenao
Gallarta (Abanto y Cierveña-Trapaga Abanto Zierbena Valle de
La Arboleda
Mortesante Alisas (674)
Puerto de Alisas
Puerto Cruz de Unzano (360)
922
Ogarrio
Santuario de Bernabé
Helguera
Ojedar
Casavieja
Prov. de Cantabria
Agüera
2617
Ermita de la Trinidad
Alen
Las Muñecas
Cueva de Arenaza
La Vega
260 Tabladillo
La Iglesia
11% 261
Menera-Barruelo
Bárcena
Santa Ana
Armañón 855
Romaña
Mina Federico
Garape
Triano 822
La Aceña
La Roza
Riva (Ruesga)
Valle
La Iglesia (Trucios-Turtzioz)
Las Barrietas
Mercadillo (Sopuerta)
San Esteban de Galdames
Socueva
Arredondo
Helguero
Los Valles
RAMALES de la Victoria
Cuevas: Cullalvera, Covalanas, La Haza (Pinturas Rupestres)
Rioseco
Santecilla
Herboso
paules
Palacio Villanuevo 3
San Miguel de Linares (Arcentales)
San Martín de Cartal
Beci
Avellaneda Humarán 871
89 Calseca
10
Linto
Ajanedo
Val de Asón
Mortillano
410
Salto del Oso
La Pared
Molinar
Soscaño
El Callejo 152
La Matanza (Villaverde de Trucios)
Traslaviña
630
2701
Casa de Juntas
Mimetiz (Zalla)
Ibar
La Pedrosa (San Roque de Riomera)
Asón
Parque Natural Desfiladero de los Collados
265
Ermita del Rosario
Incedo
Rozas
Treto
Lanestosa
San Cipriano
La Concha Carranza
Las Toreachas
Regomedo
La Altura
Herbosa
Chavarri
del Asón
de los Collados
Nacimiento del Gándara
San Pedro
Astrana
San Martín
256
La Revilla
San Juan
Herada
Presa
Sierra
Pando
Provincia de Cantabria
San Sebastián
Pandozales
La Herrera
Sollano-Llantada
San Juan de Berbikiz
Zubieta
Azkai
La Concha
Miera
7%
pto del Asón (682)
Hazas (Soba)
Veguilla
Fresnedo
Valnera
Aldeacueva
Bernales
Burgueño
1043
Peñueco
BALMASEDA
El Ponton
Sandamendi (Gordexola)
2604
Artekona
1632
Portillo de Lunada
Cañedo
Quintana
Villar
Rehoyos
15%
La Calera
Lanzas Agudas
Gijano
636
624 11
Orrantia 652
Provincia de Álava
684
Idubaltza
350
Río de Lunada
7% 11%
1518 (1160)
Refugio del C.D. de Bilbao 572 571
Portillo de la Sía
Río de la Sía
1270
629
Portillo de la Soa
(960) Los Tornos
1128de Ciudad
Montes de Ordunte
Embalse de Ordunte
Nava de Ordunte
Parteaarroyo
Hornes
La Presilla
Opio
San Roque
Viérgol
Santa Coloma
Abiega
Santa Águeda
Artziniega
90 1718
Cañoneras
1512
Montes de Ordunte
Provincia de Burgos Provincia de Vizcaya
Amurrio

C o

C o s t a

I. Billano Playa de Armintza
Playa de Plentzia
Ermita de San Juan de Gaztelugatxe ✠ Cabo Matxitxako
Fann-Uresaranses Armintza Arteta Basigo (Bakio)
Elexalde Auzoa [Gorliz] Urizar [Lemoiz] Playa de Bakio ✠ San Pelaio
Elejade [Barrica] Plentzia Goierri Andraka Zubiaur San Miguel
La Campa (Urduliz) Elorza Butron Gatika [Gatika] Arrondo [Maruri-Jatabe] Billela
Egusquiza Elizalde [Laukiz] Garai [Gatika] Palacio de Billela Mesterika [Meñaka]
GORTA (Getxo) 2704 Unbe Basozabal Andra Mari de Meñaka-Barren Elejalde [Meñaka]
Elexalde [Leioa] Zabaloetxe [Loiu] Maurolas 2121 Alday [Fruiz] Libano [Forua]
O [Erandio] [Sondika] Lauro Aeroporto de Bilbao Fika Meaka Fruiz Errigoiti
 TE [Erandio] Elotxelerri San Mames Goitiolza Meaka Andra-Mari [Morga] Ugarte [Muxika]
Arteaga-San Martin (Zamudio) Garaiolza Flores
BILBAO Lezama 2713 Astorecas 563 Astelarra 13
Etxeba o San Andres [Etxebarri] LARRABETZU 7 Adanas Zugastieta Oca Goracica Elixaldea Ibarruri
Aguirre Amorebieta San Martin
ARIZGOITI [Basauri] La Cruz [Galdakao] AMOREBIETA (Amorebieta-Etxano)
Galdakao Amprebieta
Zaratamo Uransolo AP68 Elexalde [Bedia]
ARRIGOR-RIAGA Arrigorriaga Elexalde-Zeeta [Ereño] Elorriaga Garay (San Miguel)
Autopista Solución Sur Aguirre Eroso San Antonio Euba Garai
UGAO MIRABALLES E05 E80 Ereño Rio Ibaizabal Berriz-Olakueta [Berriz]
Araba [Arrankudiaga] E804 625 Amezola Bernagoitia Urtemondo Orozqueta DURANGO
Aresandiaga Zelaia [Igorre] Ermita de San Cristóbal Izurtza Abadiño Zelaieta [Abadiño] Berriozabal Arrabios [Atxondo]
Arcalanda 37 Aracaldo Zubialde [Zeberio] Ugarana [Dima] Bikarregi Mañaria Cueva de Bolinkoba 632
Llodio 765 Untzeta Gezala Vildosolo [Castillo y Eleiabeitia] Cuevas de San Lorenzo Mendiola ELORRIO Elgeta
33 Ermita de San Martin Parque Natural de Urkiola

BERMEO Isla de Izaro Playa de Laga
Torre de Ercilla Mundaka Gamecho Cabo Ogoño
Alto del Sollube 340 Albóniga Artigas La Iglesia (Sukarrieta) Elantxobe
Arronategui 10% Axpe de Busturi (Busturia) Ermita de San Pedro Ibarrangelu [Ibarrangelu] Ea Playa de Ea
Ermita de Emerando 663 Sta. Elena de Emerando Altamira [Busturia] Kanala 3 Natxitua Bedarona
Sollube de Santillandi San Kristobal 2235 Cueva de Santimamiñe Basechetas Ispaster-Elejalde [Ispaster] LEKEITIO Playa de Carraspio
631 San Lorenzo de Mesterica Murueta Arteaga Elexalde-Zeeta [Ereño] Solarte Licona Zelaia [Mendexa]
44 Forua 14 Castillo de Arteaga 2238 Zelaieta Barrainka
GERNIKA-LUMO Idokiliz Zabala Mendieta (Ajangiz) Gabika Cueva de Lumentxa
2121 Belendiz Elejalde [Nabarniz] Oleta Renteria ONDARROA Saturraran
Loiola (Arratzu) Eguen [Gizaburuaga] Elexalde [Amoroto] 2405 Asterrica
Rio Oka Olabe de San Pablo 724 Meredudi Ribera [Berriatua] 638 MUTRIKU Olatz DEBA
365 2224 Berreño Zubero Cueva Ubilla-Urberuaga Pico Arno 610 Itziar [Deba]
Marmiz Elejalde [Mendaia] Malax Ermita de Santa Eufemia Plazakola Samikel Arretxinaga Asti-garribia 10 Itziar
Ermita Santiago Arbacegui y Gerrikaiz Zeinka Markina-Xemein Larruskain Erbera [Etxebarria] Azpilgoeta Lasturbea Lastur
Albiz Monitibar [Munitibar-Arbatzegi Gerrikaitz] Bólibar Iturreta Ukraregi Barinaga Debal Elgoibar 634 Ugarte Berri
Zugastieta Monumento a Simón Bolívar 633 Aginaga Urko (360) 2636 Altzola
Magunas Oiz 1026 Gerena Goitana Aginaga Arrate 94 ELGOIBAR 106
Puerto de Trabakua (440) Osma Ermita de Nuestra Senora de Arrate Azkue Sallabente (396) 2634
Komentuondo 2301 ERMUA EIBAR Mältzaga Eibar Bergara 66 Soraluce-Placencia de las Armas AZKOITIA
Berri Urfategi
Ermita de San Martín Sanatorio Psiquiátrico Egotxeaga Santiago Basalgo Osintxu
San Agustín [Atxondo] Apataimonasterio 2639 Arantzeta 2632 Berrio Elgeta Mekolalde 627 895 Arrieta-Mendi
ELORRIO Kenita Ubera BERGARA 631 Aginaga Elosua
789

Donostia-San Sebastian Donostia-Centre Provincia de Guipuzcoa Provincia de Vizcaya Zumaia

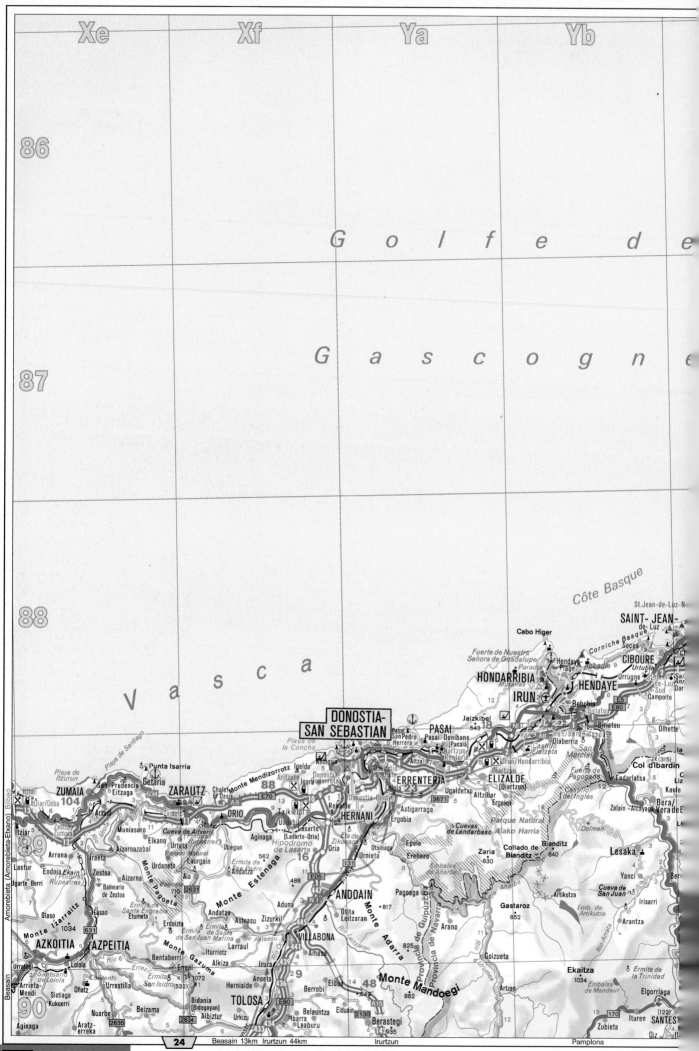

Golfe de

Gascogne

Côte Basque

St.Jean-de-Luz-N

SAINT- JEAN-
de- Luz

Corniche Basque   Socoa

CIBOURE
Urtubie

Cabo Higer

Fuerte de Nuestra
Señora de Guadalupe
Parador

Hendaye-
Plage   Abbadia

Urrugne

HENDAYE

HONDARRIBIA

Murailles

IRUN

Behobia   Biriatou

E5   E80

12   Jaizkibel
543

Irun/Bera/Bidasoa

Olaberria

Olhette

Vasca

DONOSTIA-
SAN SEBASTIAN

Playa de
la Concha

PASAI

Pasai
San Pedro   Herrera

Pasai Donibane
(Pasaia)

Altza

Castillo

Irun/Hondarribia

San
Marcial

Col d'Ibardin

Endarlatsa

Kaule

Igeldo

Antigua
Donostia-
Este

Aritzeta   Igara

88

Donostia-Centro   ERRENTERIA
23

Astigarraga

Ugaldetxo

Altzibar

3671   5

Ergoien

Fuerte de
Pagogaña

ELIZALDE
(Diartzun)

Castillo
del Inglés

Bera/
Vera de E

Punta Isarria

ZUMAIA
104

Playa de Santiago

Getaria

San Prudencio
Eitzaga

Monte Mendizorrotz

ZARAUTZ

634

Chalet
El Oasis

E70   13   A8   13

ORIO

Txikierdi

Rekalde

Usurbil

HERNANI

Ergobia

Parque Natural
Aiako Harria

Zalain   Alcayaga

Dolmen

Zalza

12

Playa de
Itzurun

Itziar/Deba
13

Zumaia

Artadi

Iraeta

Aizarnazabal

Cueva de Altxerri

Elkano

Urteta

Aginaga

Lasarte
(Lasarte-Oria)

Oria

Hipodromo
de Lasarte
16

Otsinaga

Urnieta

Epele

Ereñozu

Cuevas
de Landarbaso

Zaria
630

Embalse
de Añarbe

Collado de
Bianditz

Bianditz

840

Lesaka

Itziar

Zestoa

Lastur

Endoja

Ugarte Berri

Ekain
Pinturas
Rupestres

Zestoa

Aizarna

Balneario
de Zestoa

Ermita de
Santa Engracia

562

Laurgain

Ubegun

Ermita
de Andatza

488

11

E05

131

447

Pagoaga

Arano

Artikutza

Gastaroz
652

Emb. de
Artikutza

Cueva de
San Juan

Irisarri

Arantza

Yanci

Olaso

Monte Pagoeta
710

2631

Erdoizta

Etumeta

Andatza

Asteasu

Zizurkil

ANDOAIN

Otita
Leitzaran

817

825

Goizueta

Monte Izarraitz
1034   631

AZKOITIA   AZPEITIA

Loiola

Arrieta-
Mendi

Convento
Urrestilla

Santuario
de Loiola

Oñatz

Sistiaga
Kukuerri

Nuarbe

Beizama

Aratz-
erreka

Río 6

Ermita
San Isidro
(532)

Bentaberri

Monte Gazuma

Larraul

Alkiza

Irura

Ermita de Santa
de San Juan Marina

Anoeta

HerniaIde

VILLABONA

441

Amasa

439

Berrobi

Elduain

29

36

TOLOSA

E80

Bidania
(Bidegoyan)

Albiztur

Urkizu

Ibarra
Leaburu

Belauntza

Elduain

2130   935

Berastegi

142

Monte Mandoegi

862

Artzan

Ekaitza
1034

Ermita de
la Trinidad

Embalse
de Mendaur

Elgorriaga

15   170

Zubieta

Ituren   SANTES

Oiz

(122)

Arano

Monte Adarra

Provincia de Guipúzcoa

Provincia de Navarra

Río Urumea

Río Araxo

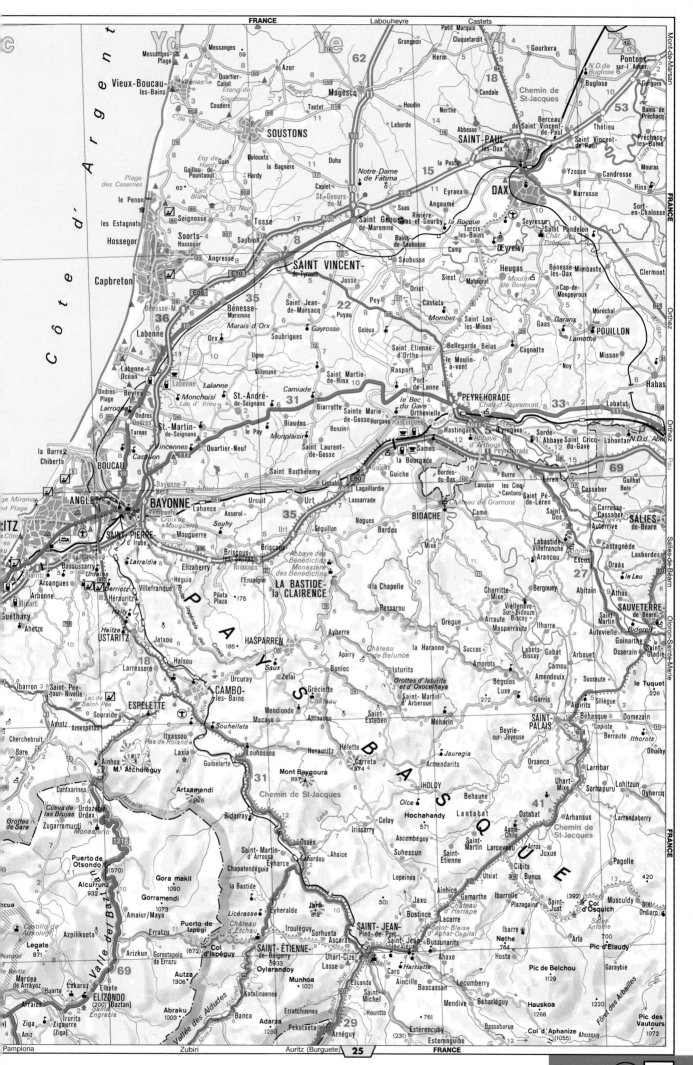

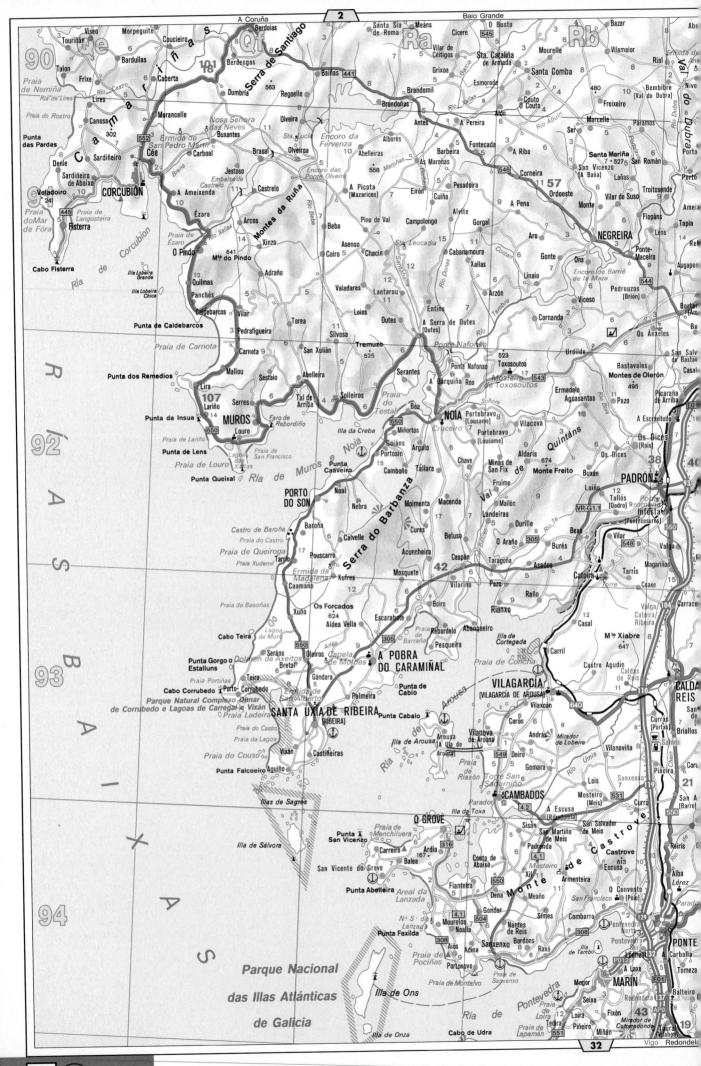

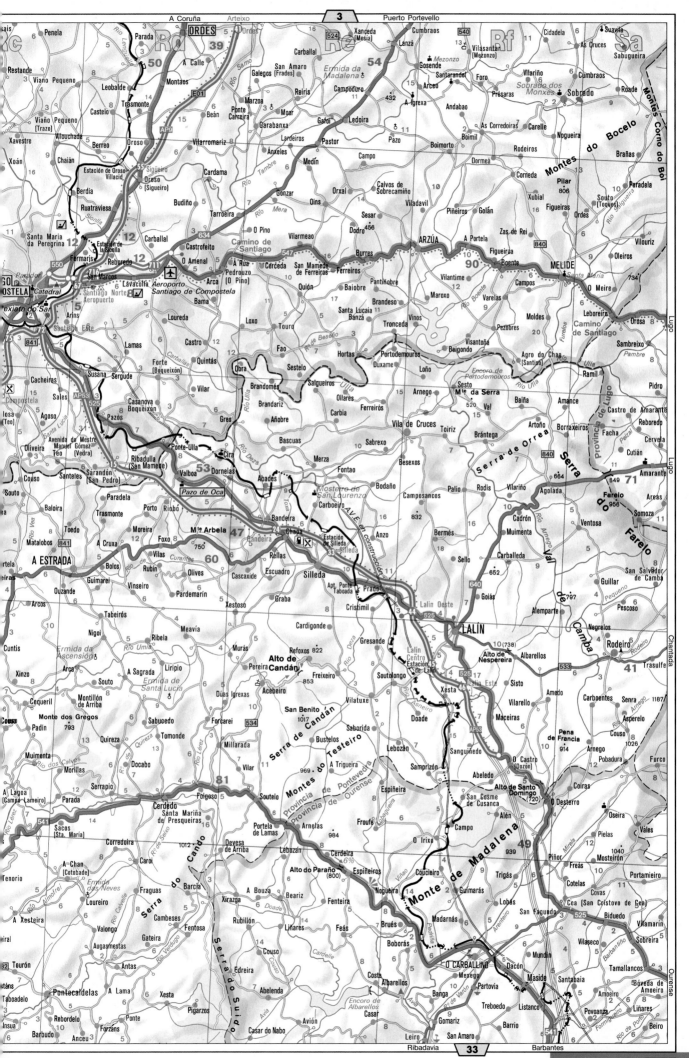

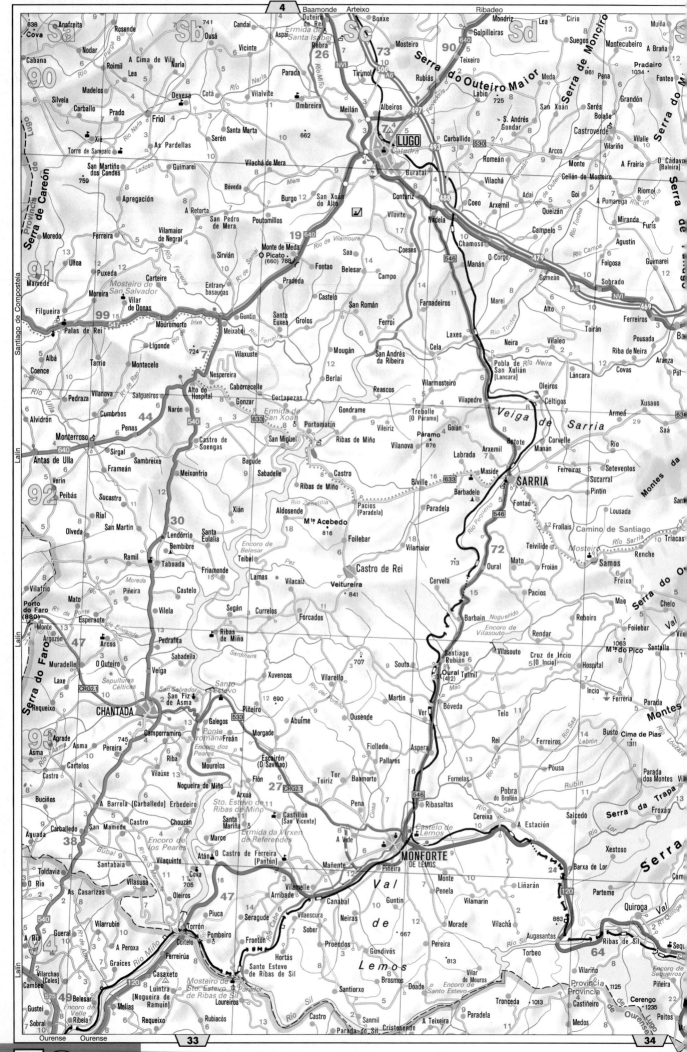

Baamonde Arteixo   Ribadeo

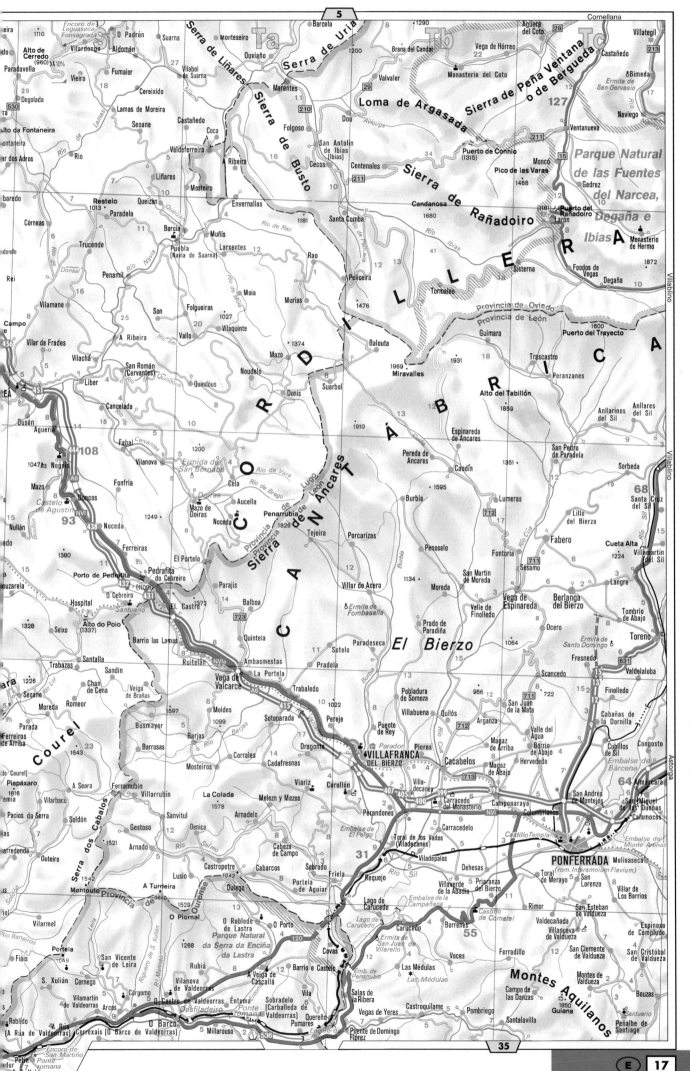

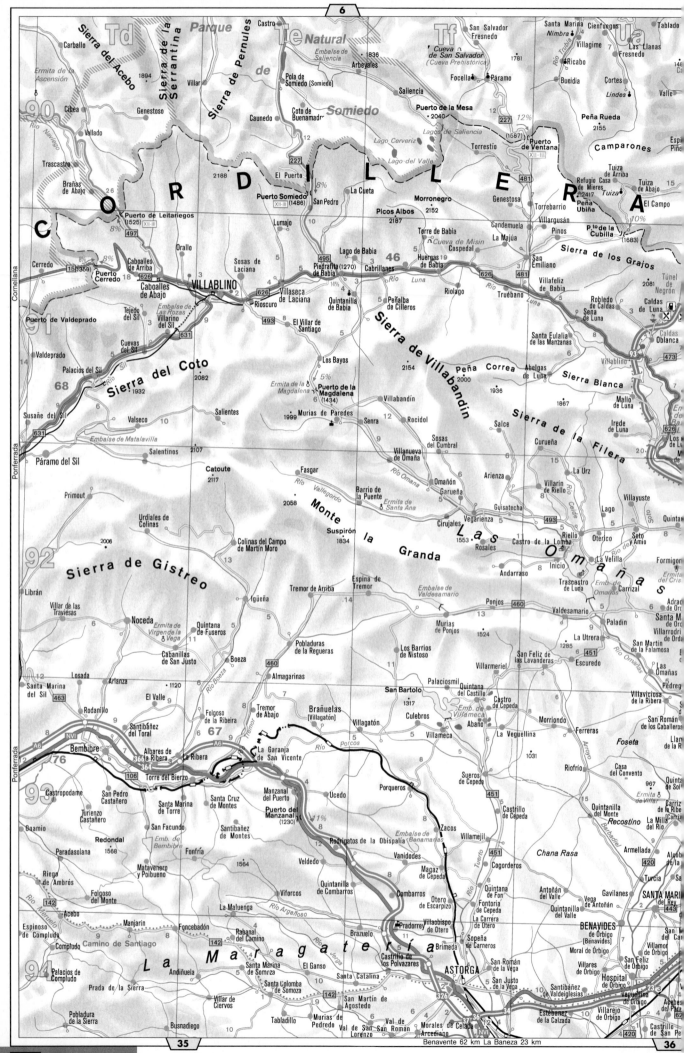

Benavente 62 km La Bañeza 23 km

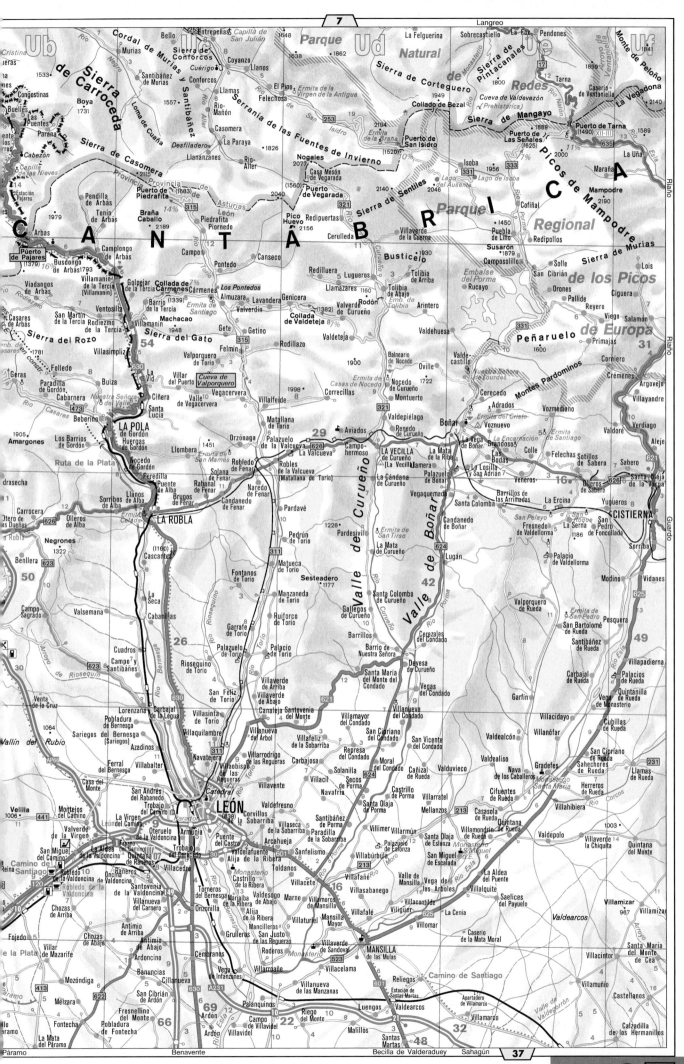

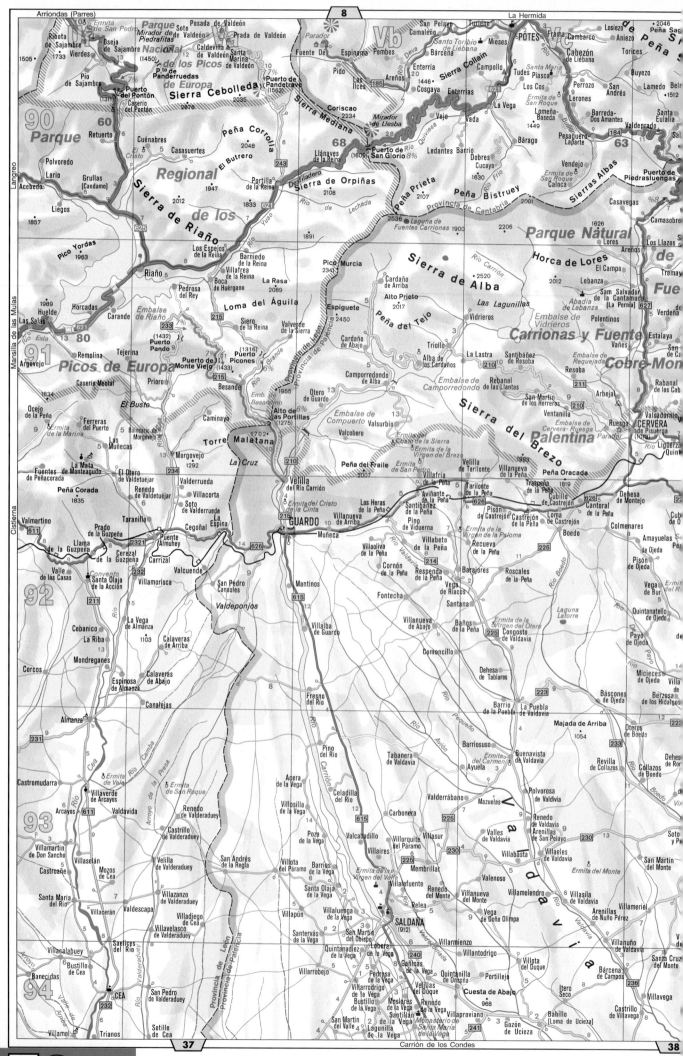

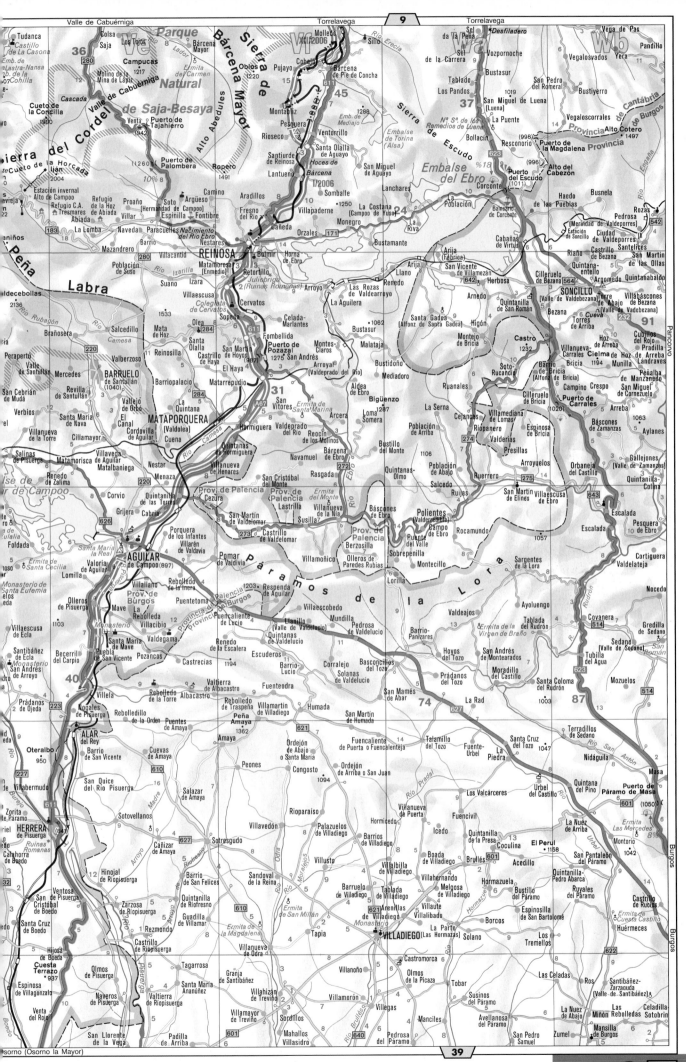

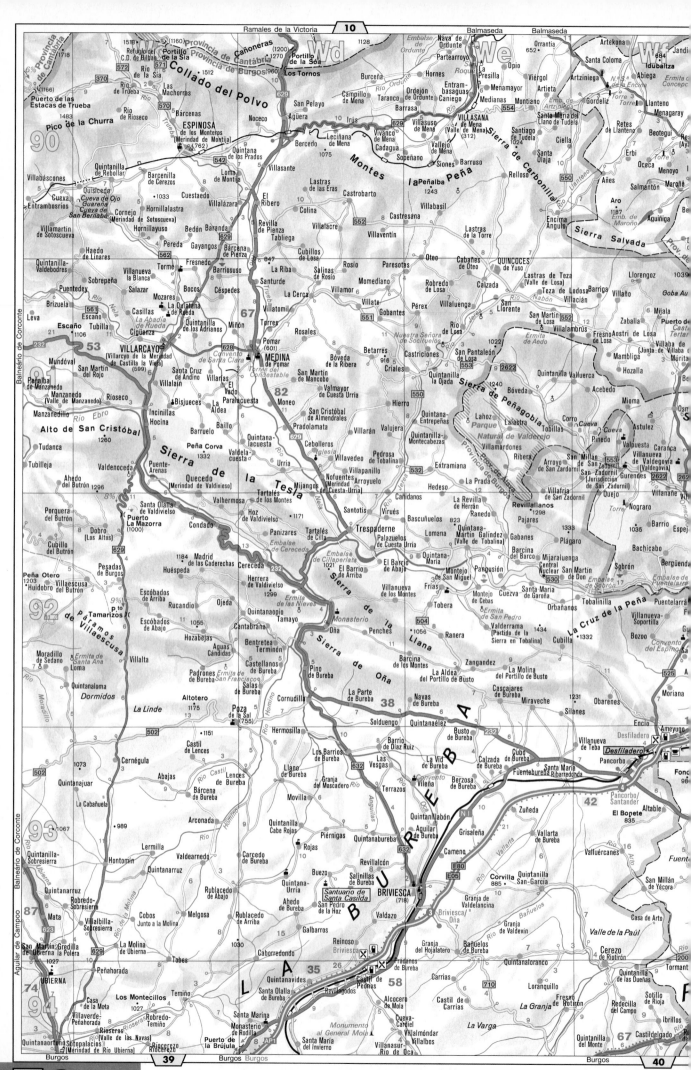

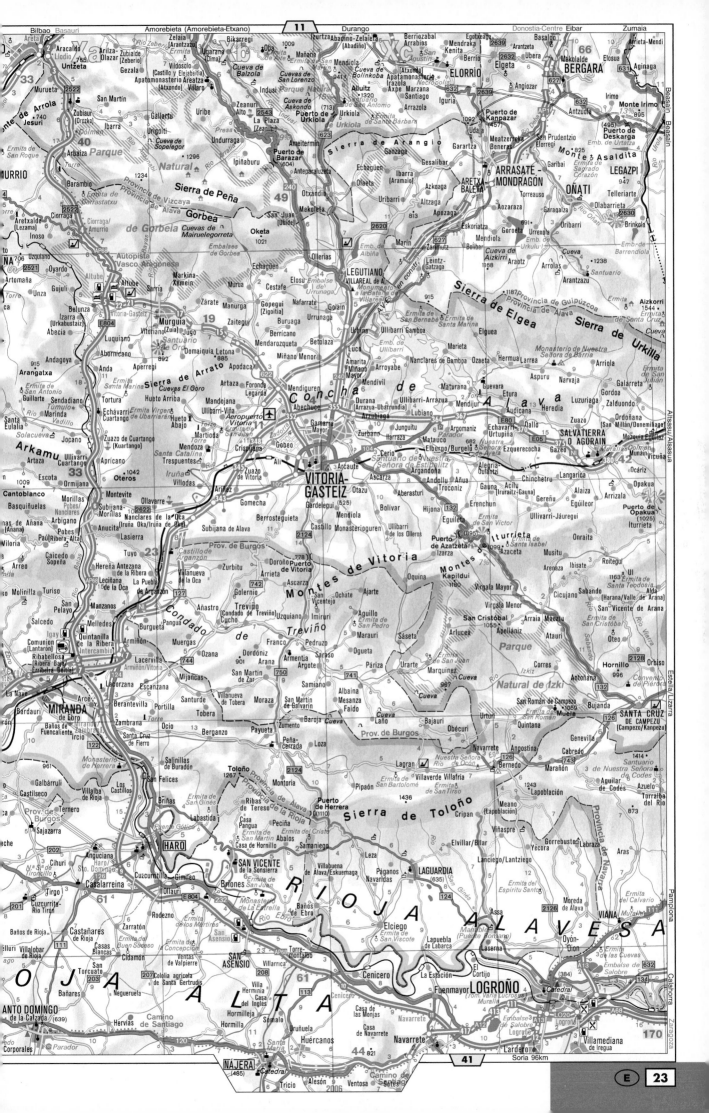

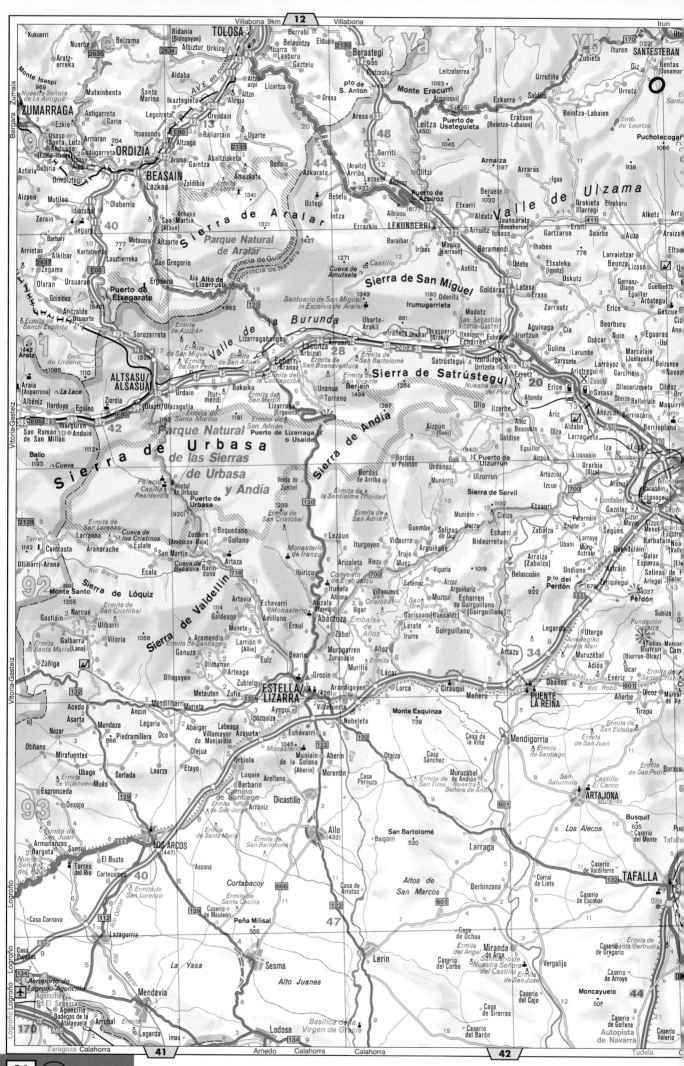

FRANCE

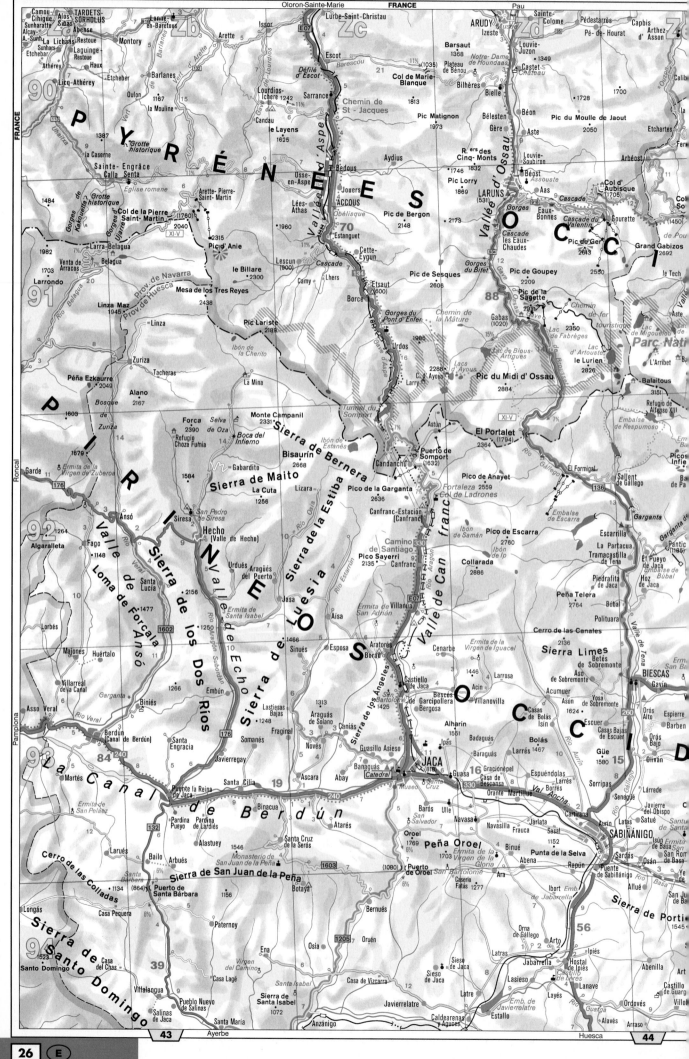

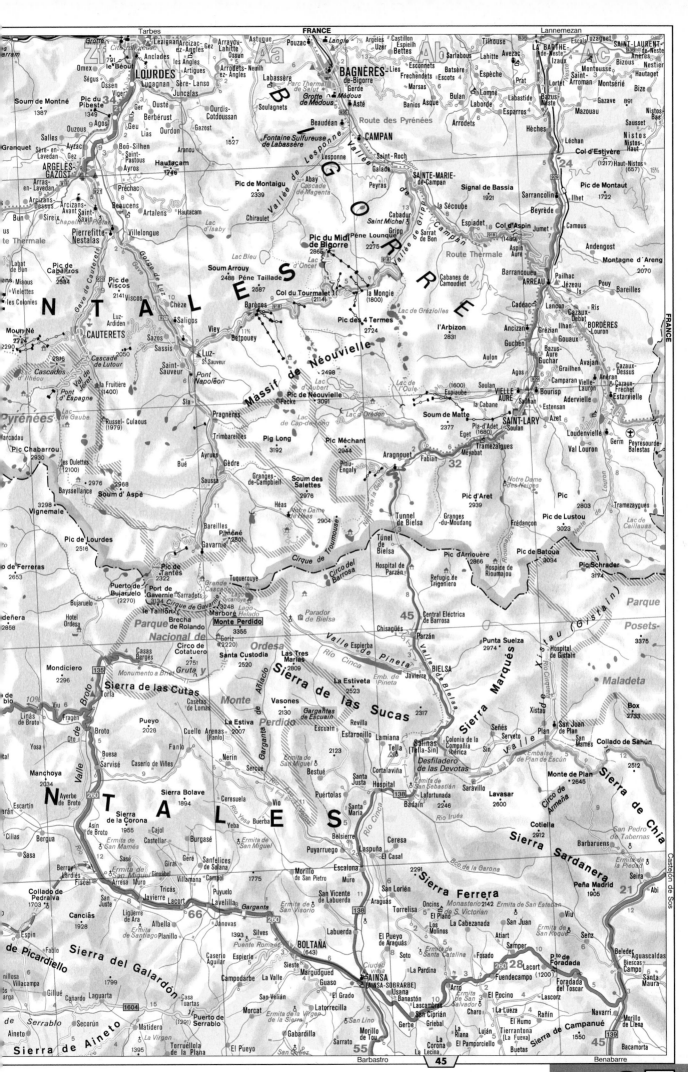

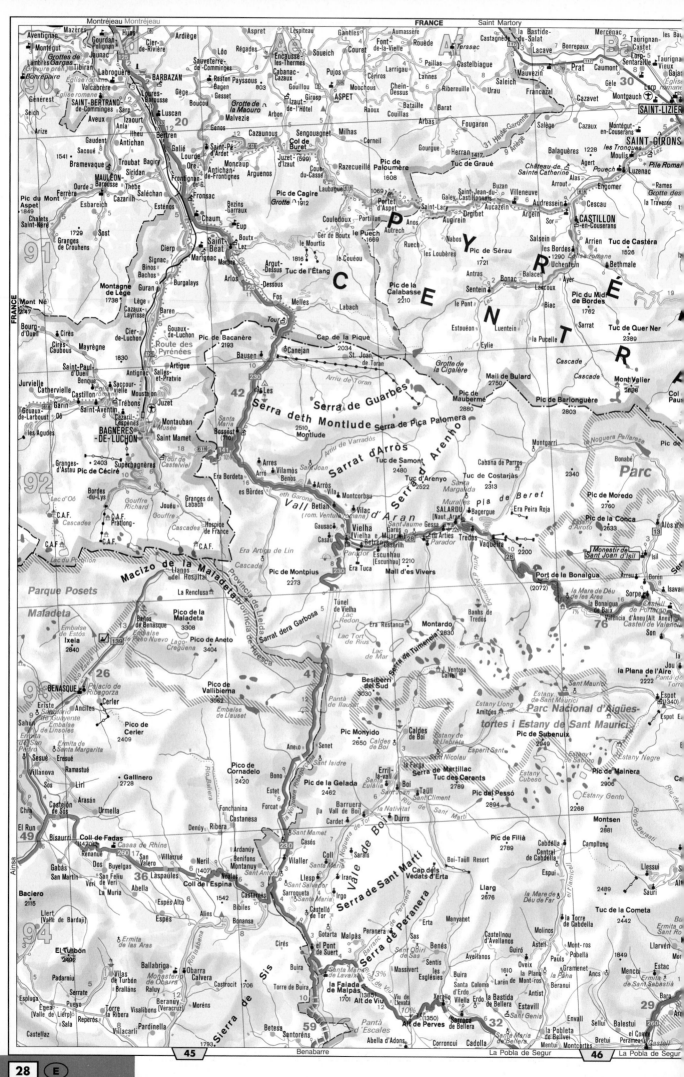

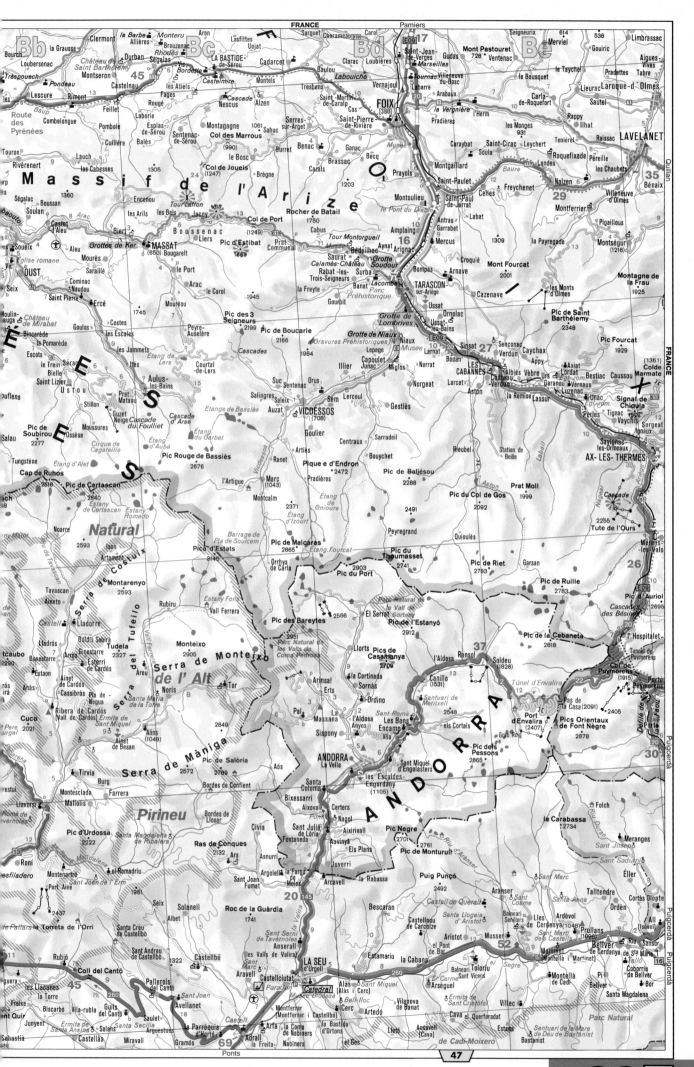

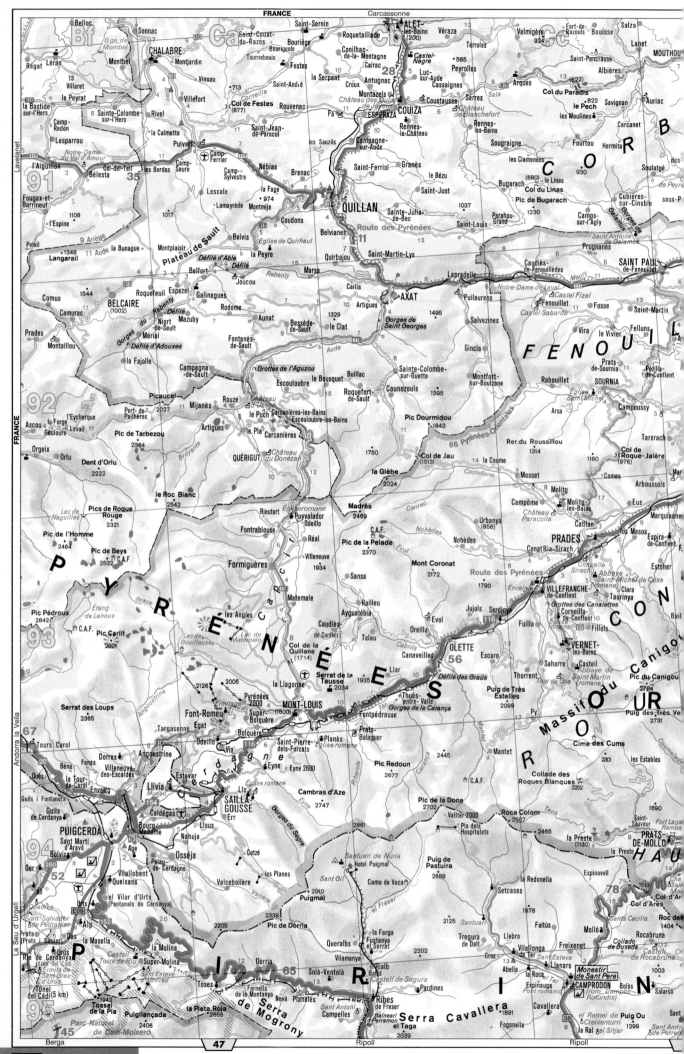

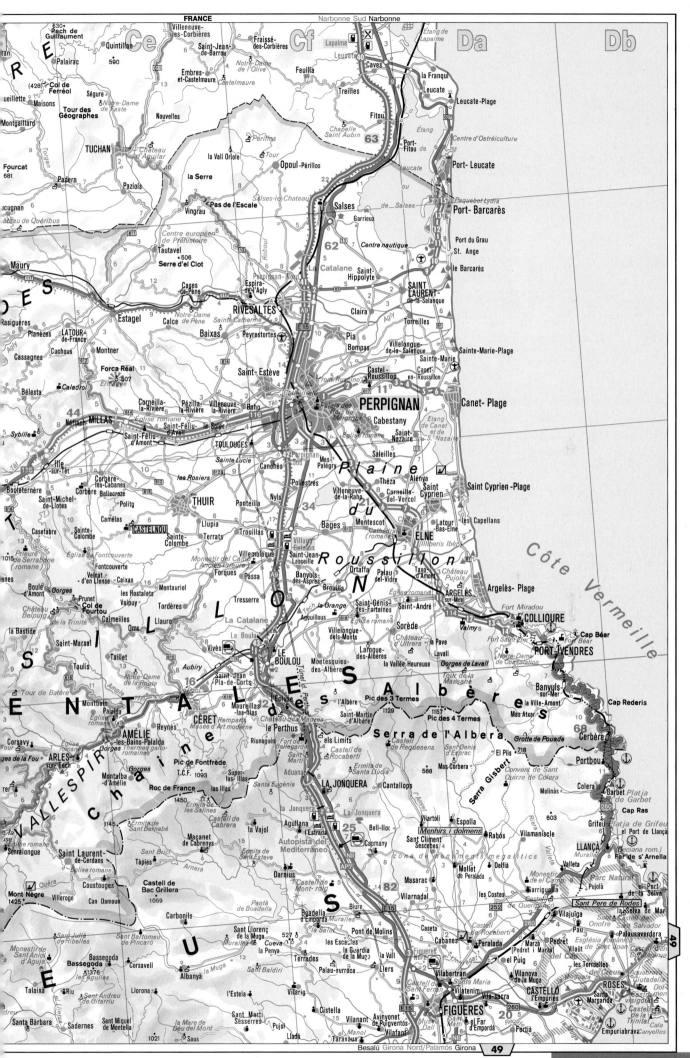

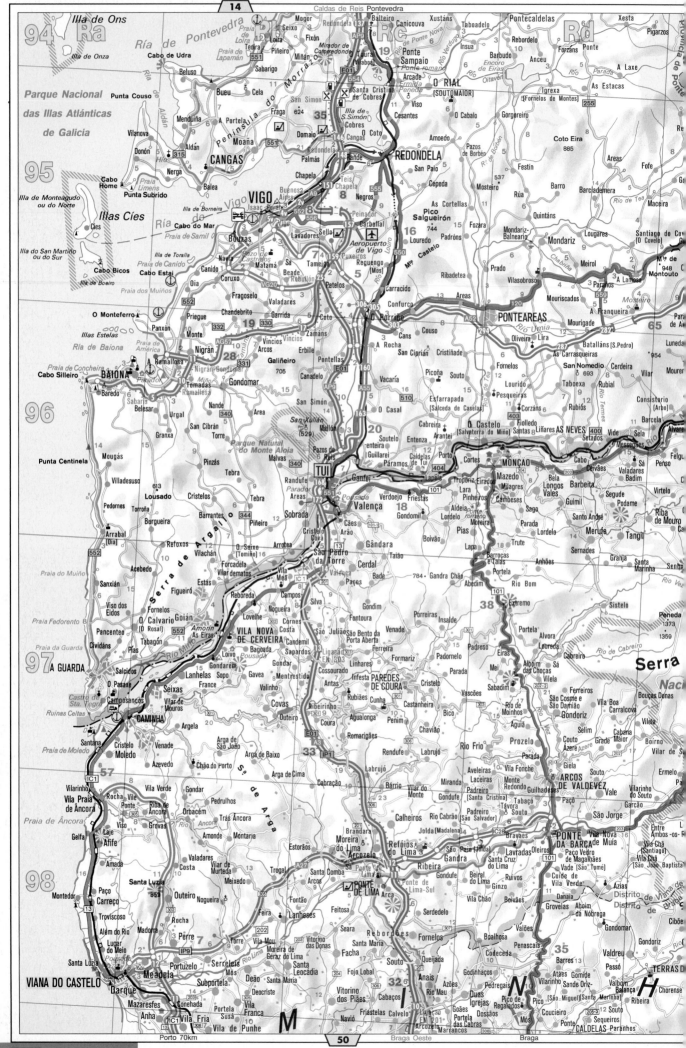

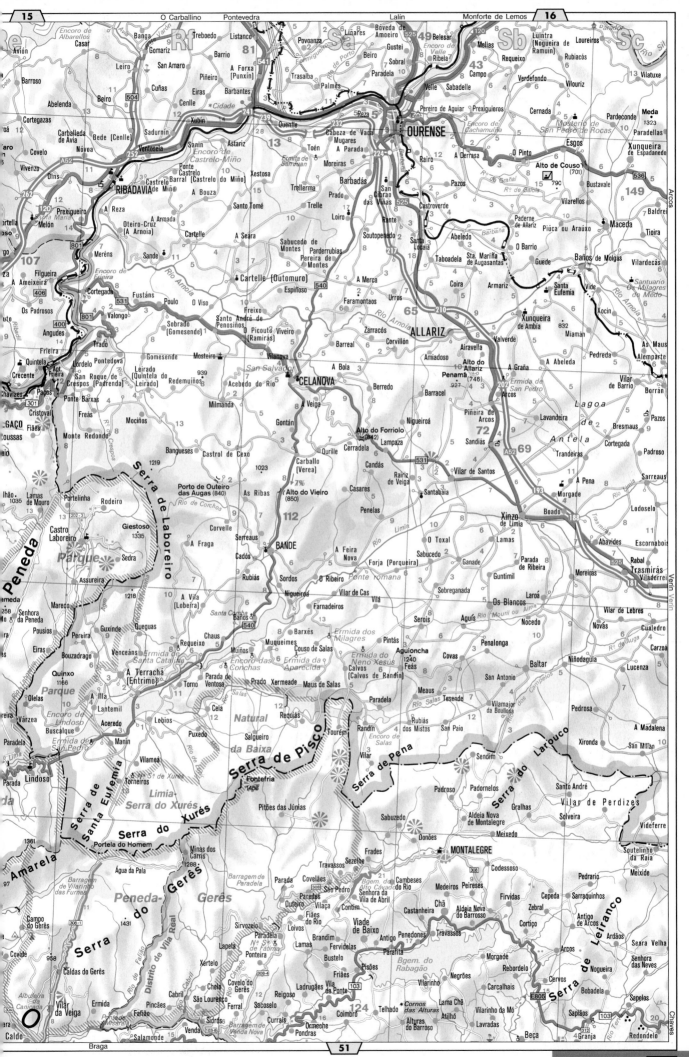

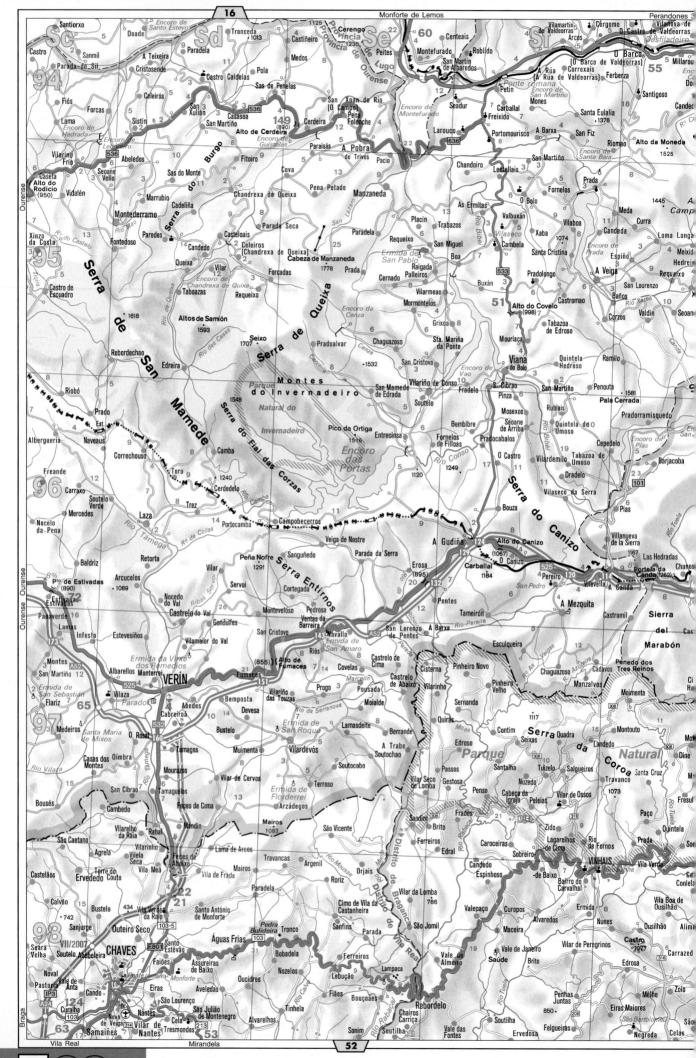

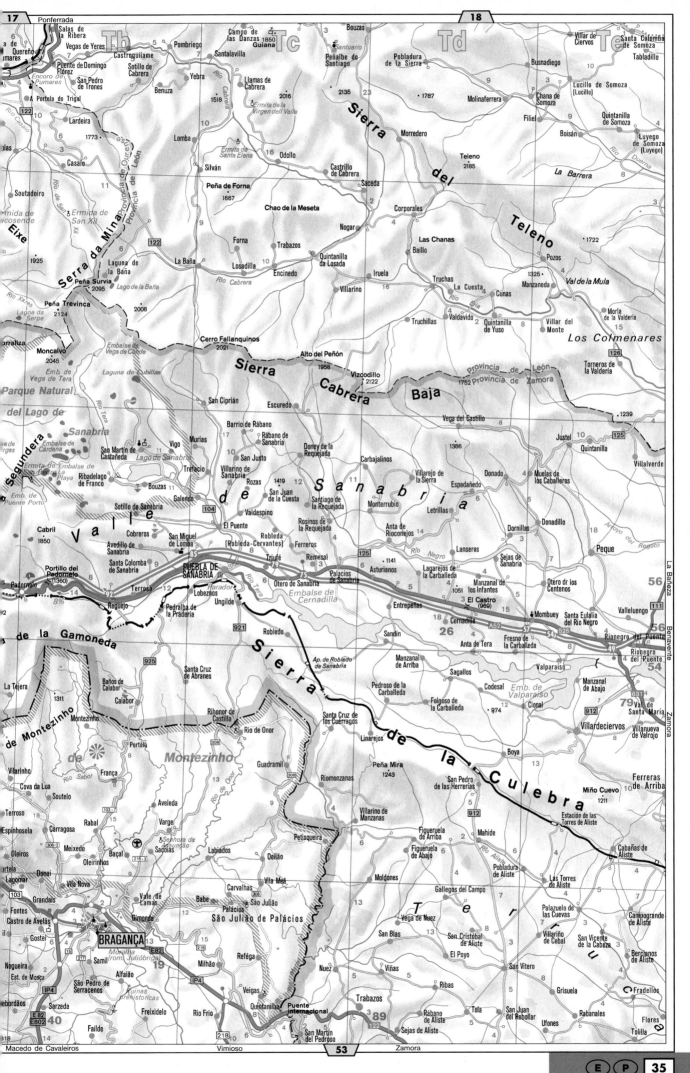

Tb
Tc
Td
Te

Salas de la Ribera
Vegas de Yeres
Puente de Domingo Flórez
San Pedro de Trones
A Portela do Trigal
Encoro de Pumares
122
Lardeira
Casaio
Soutadoiro
Eixe
Ermida de icosende
Ermida de San XII
Serra da Mina
Provincia de Ourense
Provincia de León
122
Laguna de la Baña
Peña Survia
2095
Peña Trevinca
2124
Lagoa da Serpe
Moncalvo
2045
Emb. de Vega de Tera
Parque Natural del Lago de
Sanabria
Embalse de Cárdena
Embalse de San Pedro La Playa
Ermita de
Emb. de Puente Porto
Segundera
de la Gamoneda
de Montezinho
de
Montezinho
Vilarinho
Cova da Lua
Soutelo
Terroso
Espinhosela
Carragosa
Meixedo
Oleiros
Donai
Lagomar
Portela
103
Grandais
Fontes
Castro de Avelãs
Gostei
Nogueira
Est. de Mosca
IP4
ebordãos
Sarzeda
Failde
E 82
E802
40

Castroquilame
Sotillo de Cabrera
Pombriego
Benuza
Lomba
Silván
Peña de Forna
1667
La Baña
Losadilla
Lago de la Baña
2008
Cerro Fallanquinos
2021
Laguna de Cubillas
Río Tera
Campo de las Danzas
Guiana
Santalavilla
Yebra
1518
Ermita de la Virgen dell Valle
Odollo
Ermita de Santa Elena
Chao de la Meseta
Forna
Trabazos
Encinedo
Villarino
Santuario
2016
2135
16
Castrillo de Cabrera
Saceda
Nogar
Quintanilla da Losada
Sierra
del
Teleno
Teleno
2185
La Barrera
Morredero
Corporales
Las Chanas
Baillo
Iruela
1787
Vega del Castillo
Alto del Peñón
1956
Vizcodillo
2122
Sierra
Cabrera
Baja
Escuredo
San Ciprián
Barrio de Rábano
Rábano de Sanabria
Doney de la Requejada
Carbajalinos
1386
Peñalbe de Santiago
Pobladura de la Sierra
Busnadiego
Molinaferrera
Filiel
Chana de Somoza
Lucillo de Somoza
(Lucillo)
Boisán
Villar de Ciervos
Tabladillo
Santa Colomba de Somoza
Quintanilla de Somoza
Luyego de Somoza
(Luyego)
Río Duerna
Truchas
La Cuesta
Cunas
Manzaneda
Val de la Mula
Villar del Monte
Morla de la Valdería
Los Colmenares
1722
1325
Valdavido
Quintanilla de Yuso
Truchillas
Provincia de León
Provincia de Zamora
1752
Torneros de la Valdería
126
1239
Justel
Quintanilla
125
Villalverde

San Martín de Castañeda
Ribadelago de Franco
Bouzas
Galende
Cabril
1850
Avedillo de Sanabria
Cobreros
Portillo del Padornelo
(1360)
Padornelo
Regueijo
Lago de Sanabria
Vigo
Murias
San Justo
Trefacio
Villarino de Sanabria
Rozas
1419
San Juan de la Cuesta
Valle
de
Sanabria
Valdespino
Robleda
(Robleda-Cervantes)
El Puente
Santa Colomba de Sanabria
San Miguel de Lomba
Triufé
Terroso
Lobeznos
Pedralba de la Pradería
Ungilde
921
Robledo
Santiago de la Requejada
Rosinos de la Requejada
Ferreros
Remesal
Otero de Sanabria
Palacios de Sanabria
104
92
Parador
Río Tera
Embalse de Cernadilla
17
10
12
Villarejo de la Sierra
Monterrubio
Anta de Rioconejos
Asturianos
125
1141
Espadañedo
Letrillas
Lanseros
Lagarejos de la Carballeda
1051
Donado
Dornillas
Sejas de Sanabria
Manzanal de los Infantes
El Castro
(969)
Cernadilla
Sandín
Anta de Tera
A52
Muelas de los Caballeros
Peque
Donadillo
Otero de los Centenos
Mombuey
Fresno de la Carballeda
Santa Eulalia del Río Negro
Rionegro del Puente
Rionegro del Puente
Valleluengo
Vallaluengo
111
La Bañeza
Benavente
56
56
54
Zamora

La Tejera
1311
Baños de Calabor
Calabor
Montezinho
de
Portelo
Rihonor de Castilla
Río de Onor
Santa Cruz de Abranes
925
Santa Cruz de los Cuerragos
Linarejos
Sierra
de
la
Culebra
308
França
Guadramil
Río Sabor
13
Aveleda
Varge
Rabal
15
103-7
Baçal
Oleirinhos
308-3
Vila Nova
Gimonde
103
Vale de Lamas
218-3
Sagóias
Labiados
Deilão
Rio de Onor
308
Petisqueira
Riomonzanas
Peña Mira
1243
Vila Meã
Carvalhas
Babe
São Julião
Palácios
São Julião de Palácios
Vega de Nuez
Villarino de Manzanas
San Pedro de las Herrerías
Boya
13
Miño Cuevo
1211
Figueruela de Arriba
Figueruela de Abajo
Moldones
Gallegos del Campo
Mahide
Río Aliste
Pobladura de Aliste
Villardeciervos
6314
79
912
Estación de las Torres de Aliste
Villanueva de Valrojo
Val de Santa María
Ferreras de Arriba
912
Las Torres de Aliste
Cabañas de Aliste
Manzanal de Abajo
Valparaíso
Sagallos
Pedroso de la Carballeda
Folgoso de la Carballeda
974
Codesal
Emb. de Valparaíso
Cional
Manzanal de Arriba

Vimioso
BRAGANÇA
Muralha (from Juliobriga)
E82
15
217
Samil
São Pedro de Serracenos
IP4
19
216
Alfaião
Milhão
Refêga
Ruinas prehistoricas
Veigas
Freixidelo
Rio Frio
218
Quintanilha
Puente internacional
San Martín del Pedroso
89
122
Sejas de Aliste
Trabazos
Nuez
Viñas
Ribas
Tola
Rábano de Aliste
San Juan del Rebollar
Ufones
Palazuelo de las Cuevas
Villariño de Cebal
San Vicente de la Cabeza
Bercianos de Aliste
Campogrande de Aliste
San Cristóbal de Aliste
El Poyo
San Blas
San Vitero
Grisuela
Tierra
Fradellos
Flores
Tolilla

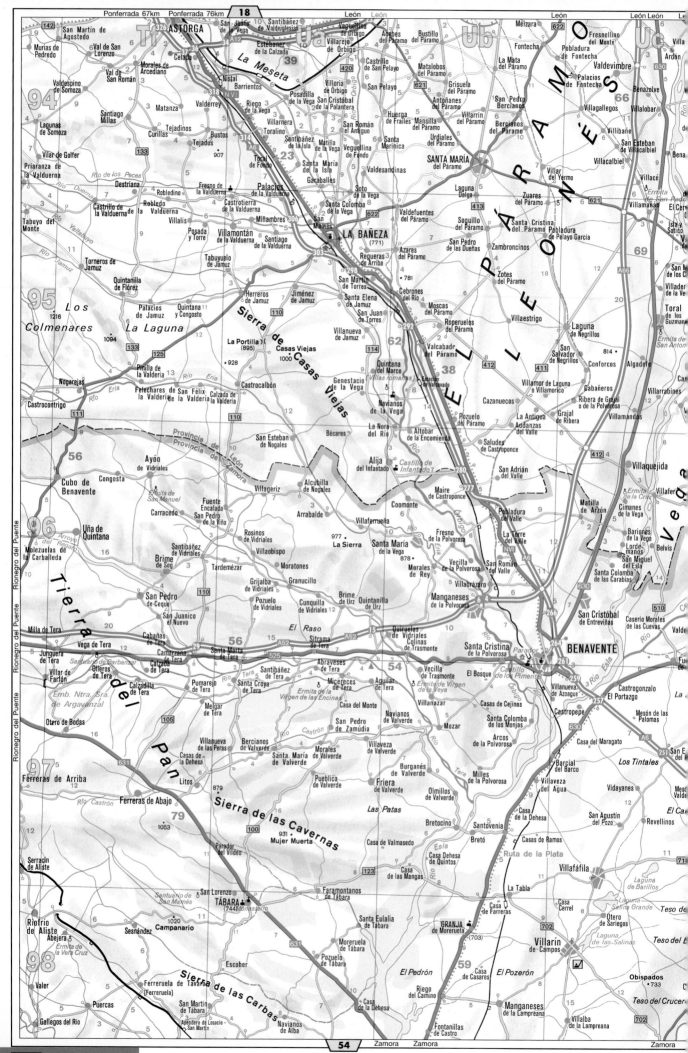

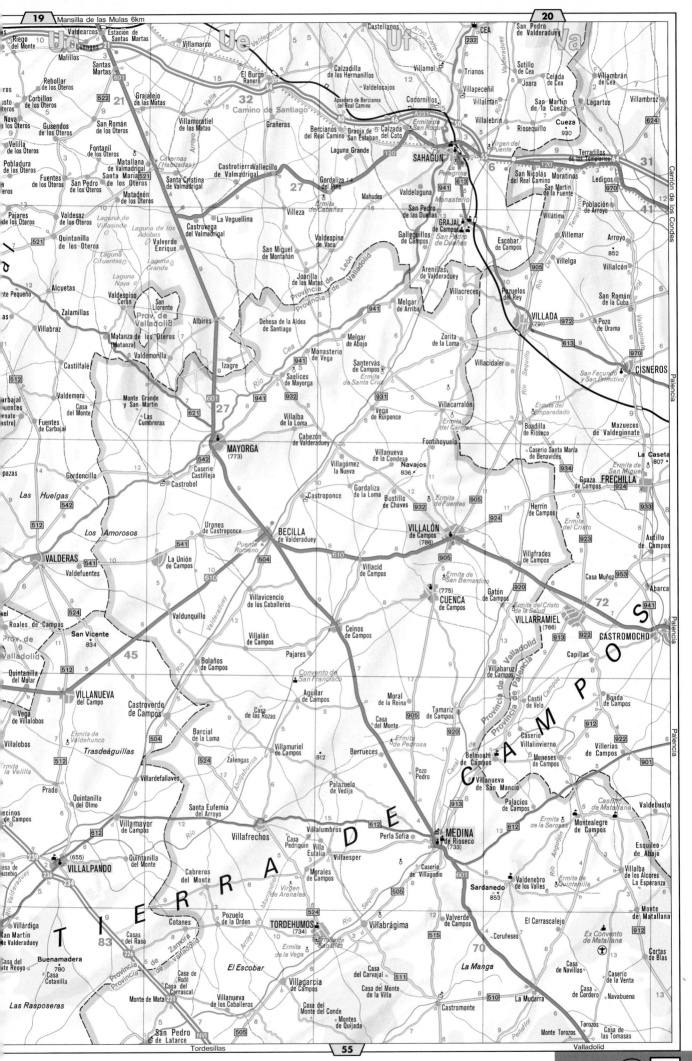

Mansilla de las Mulas 6km

CEA

Castellanos

San Pedro
de Valderaduey

Valdearcos
Riego
del Monte
Luengos
Malillos
Villamarco
Villamol
Trianos
Sotillo
de Cea
Villambrán
de Cea
Estación de
Santas Martas
Villamartin
El Burgo
Ranero
Villalobos
Joara
Celada de Cea
Santas
Martas
Rebollar
de los Oteros
Calzadilla
de los Hermanillos
Villapeceñil
Villambroz
Corbillos
de los Oteros
Grajalejo
de las Matas
Villalmán
San Martín
de la Cueza
Lagartos
Camino de Santiago
Apeadero de Bercianos
del Real Camino
Codornillos
Nava
Villamoratiel
de las Matas
Villalebrín
Riosequillo
Cueza
930
Gusendos
de los Oteros
San Román
de los Oteros
Graneras
Bercianos
del Real Camino
Granja de
San Esteban
Calzada
del Coto
Ermita de
San Roque
Villada
Fontanil
de los Oteros
Matallana
de Valmadrigal
Santa María 521
de los Oteros
Matadeón
de los Oteros
SAHAGÚN
613
La
Peregrina
San Nicolás
del Real Camino
Moratinos
Terradillos
de los Templarios
Pobladura
de los Oteros
Santa Cristina
de Valmadrigal
Castrotierra
Vallecillo
de Valmadrigal
Gordaliza
del Pino
Mahudes
Valdelaguna
941
Monasterio
San Pedro
de las Dueñas
GRAJAL
de Campos
Población
de Arroyo
Villátima
Pajares
de los Oteros
Valdesaz
de los Oteros
La Veguellina
Villeza
Ermita
de Cabañas
San Pedro
de las Dueñas
Galleguillos
de Campos
Escobar
de Campos
Villemar
Arroyo
852
Quintanilla
de los Oteros
Castrovega
del Valmadrigal
Valverde
Enrique
Valdespino
de Vaca
Arenillas
de Valderaduey
Villalcón
521
Laguna de
Villasinde
Laguna de los
Adobes
San Miguel
de Montañán
Villacreces
Pozuelos
del Rey
Villelga
Villalón
Alcuetas
Valdespino
Cerón
San
Llorente
Castroverde
del Valmadrigal
Albires
Joarilla
de las Matas
Melgar
de Arriba
Villada
(791)
972
Pozo
de Urama
Zalamillas
Laguna
Cifuentes
Laguna
Grande
Dehesa de la Aldea
de Santiago
Melgar
de Abajo
Zorita
de la Loma
San Román
de la Cuba
Villabraz
Prov. de
Valladolid
Monasterio
de Vega
Santervás
de Campos
Villacidaler
613
970
Castilfalé
Matanza de los Oteros
(Matanza)
Izagre
Saelices
de Mayorga
941
Ermita
de Santa Cruz
CISNEROS
San Facundo
y San Primitivo
512
Valdemora
Valdemorilla
932
931
Villacarralón
Ermita del
Emparedado
Casa
del Monte
621
Villalba
de la Loma
Vega
de Ruiponce
Ermita
del Carmen
Boadilla
de Rioseco
Mazuecos
de Valdeginnate
Fuentes
de Carbajal
Monte Grande
y San Martín
601
27
MAYORGA
(773)
Villanueva
de la Condesa
Navajos
836
Fontihoyuelo
934
Caserío Santa María
de Benavides
La Caseta
807
Las
Cumbreras
542
Villagómez
la Nueva
Guaza
de Campos
FRECHILLA
924
Gordoncillo
Caserío
Castilleja
Castrobol
Castroponce
Gordaliza
de la Loma
Bustillo
de Chaves
932
Ermita
de Fuentes
905
924
Herrín
de Campos
933
Las Huelgas
542
Los Amorosos
Urones
de Castroponce
BECILLA
de Valderaduey
Villacid
de Campos
923
Autillo
de Campos
512
541
Puente
Romano
504
610
Ermita de
San Bernardino
VILLALÓN
de Campos
(786)
905
Villafrades
de Campos
Casa Muñoz
953
Abarca
VALDERAS
541
La Unión
de Campos
610
Villavicencio
de los Caballeros
CUENCA
de Campos
(775)
Gatón
de Campos
920
Ermita del Cristo
de la Salud
72
941
524
Valdunquillo
Villalán
de Campos
Ceinos
de Campos
VILLARRAMIEL
(766)
913
922
CASTROMOCHO
Roales de Campos
San Vicente
834
Pajares
Capillas
Prov. de
Valladolid
512
45
Bolaños
de Campos
Convento de
San Francisco
Villabaruz
de Campos
Castil
de Vela
Boada
de Campos
Quintanilla
del Molar
VILLANUEVA
del Campo
Castroverde
de Campos
Aguilar
de Campos
Moral
de la Reina
Tamariz
de Campos
905
Caserío
Villalinvierno
912
Villerías
de Campos
922
Vega
de Villalobos
Ermita de
Valdehunco
504
Casa
de las Rozas
Casa
del Monte
920
Belmonte
de Campos
Meneses
de Campos
901
Villalobos
Trasdeáguillas
Barcial
de la Loma
Villamuriel
de Campos
Berrueces
812
Ermita
de Pedrosa
Villanueva
de San Mancio
Prado
512
524
Zalengas
Pozo
Pedro
913
Palacios
de Campos
Castillo
de MataNaña
Valdebusto
Villardefallaves
Palazuelo
de Vedija
Santa Eufemia
del Arroyo
Ermita
de la Serosas
Montealegre
de Campos
Esquileo
de Abajo
Quintanilla
del Olmo
Quintanilla
del Monte
612
Villamayor
de Campos
Villafrechos
Villalumbroso
612
Perla Sofía
MEDINA
de Rioseco
(733)
612
Valdenebro
de los Valles
Ermita de
Quintanilla
Villalba
de los Alcores
La Esperanza
239
236
234
VILLALPANDO
(655)
Casa
Pedriquín
Villa
Eulalia
Villaesper
Caserío
de Villagodio
601
Villárdiga
780
Casa
Cotanilla
Cabreros
del Monte
Morales
de Campos
Sardanedo
853
El Carrascalejo
912
San Martín
de Valderaduey
Buenamadera
TIERRA
83
Cotanes
Pozuelo
de la Orden
524
TORDEHUMOS
(734)
Villabrágima
515
Valverde
de Campos
Coruñeses
Ex Convento
de Matallana
Cortas
de Blas
Casas
del Raso
Ermita
de la Vega
Ermita
de Santidas
70
La Manga
Casa
de Navillas
Caserío
de la Venta
Las Rasposeras
Casa de
Rodé
El Escobar
Villagarcía
de Campos
Casa
del Carvajal
511
Casa
de Cordero
Navabuena
Casa del
Carrascal
Monte de Mata
221
Villanueva
de los Caballeros
Casa del Monte
de la Villa
510
La Mudarra
Castromonte
Torozos
Casa de
las Tomasas
San Pedro
de Latarce
505
Casa del
Monte del Conde
Montes
de Quijada
Monte Torozos
13

Tordesillas
Valladolid

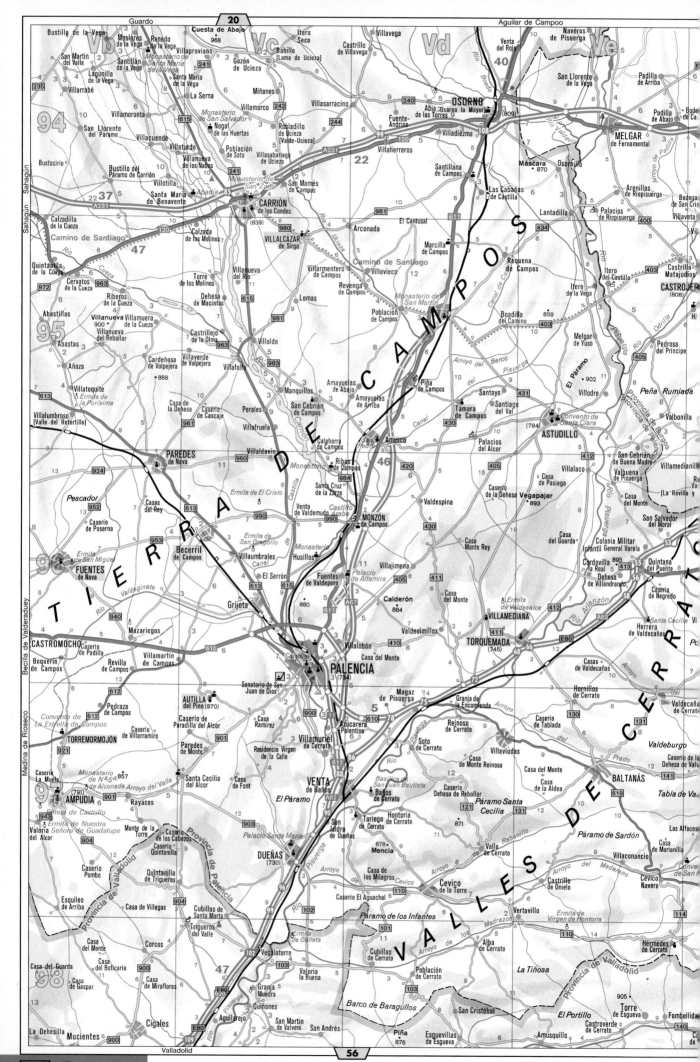

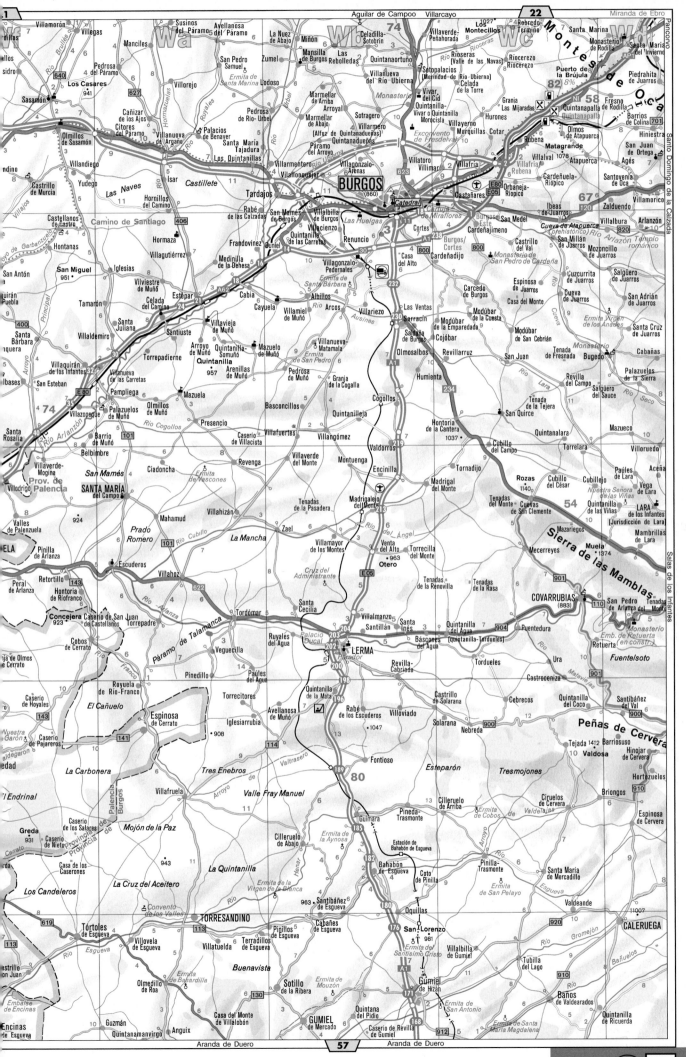

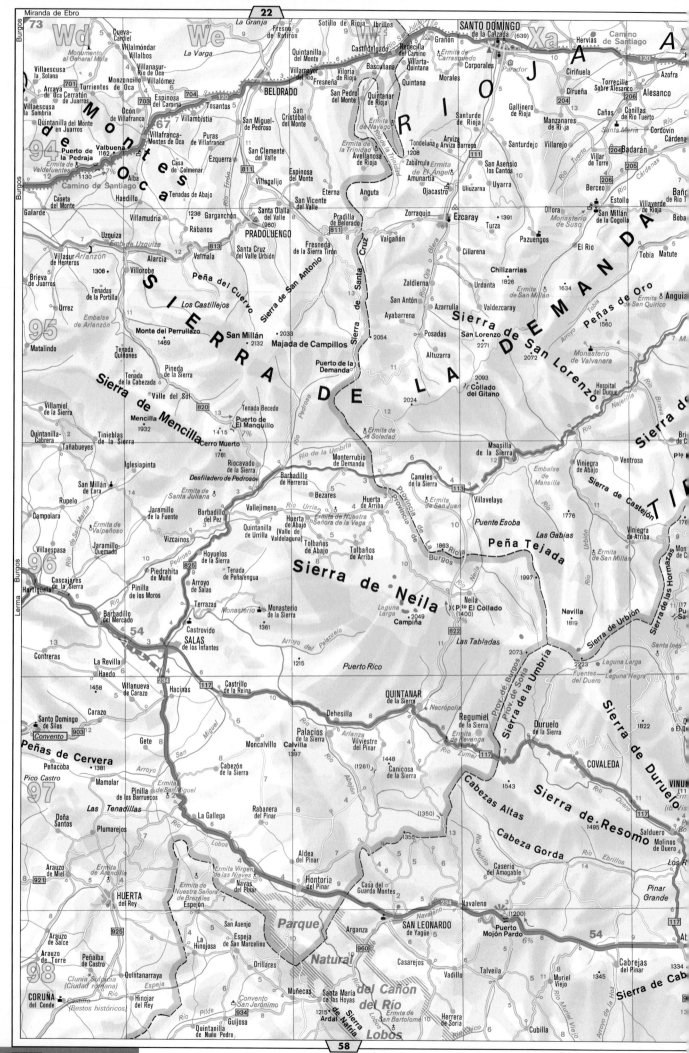

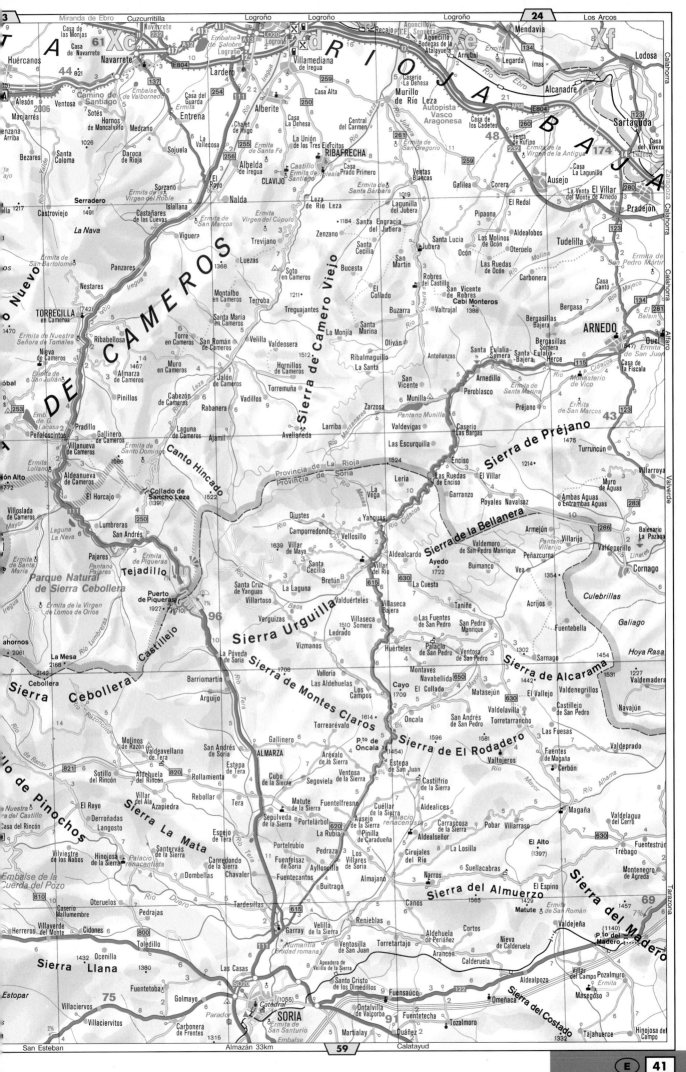

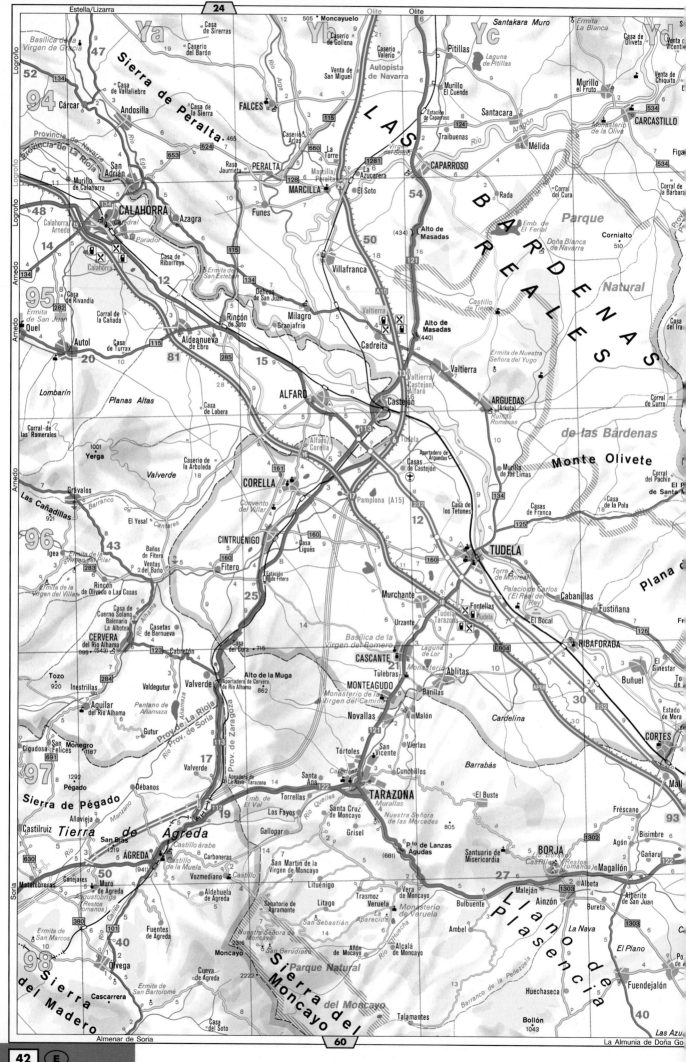

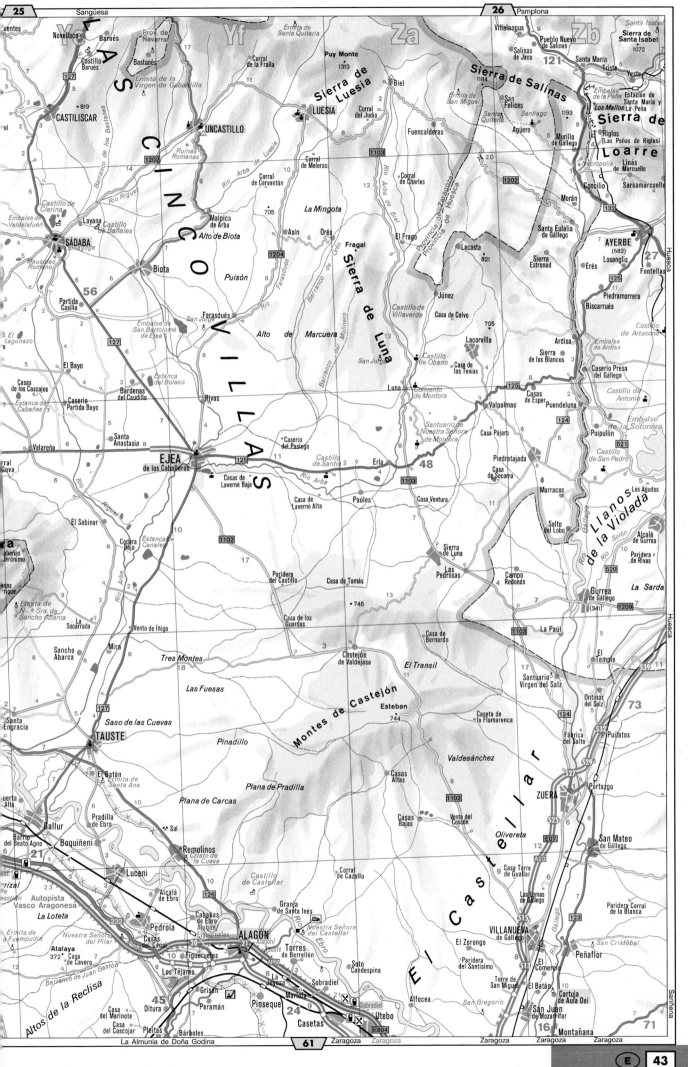

Y c   Y f   Z a   Z b

Fuentes
Novellaco
Barués
Prov. de Navarra
Castillo Barués
7
127
CASTILISCAR
819
3

Santa Isabel
Villalangua 9
Sierra de Santa Isabel
1072
Pueblo Nuevo de Salinas
Salinas de Jaca
Santa Maria Triste
121
Yeste
Zb

UNCASTILLO
Ruinas Romanas
1202

Corral de la Fraila
11
Puy Monte
1313
Sierra de Luesia
LUESIA
Corral del Judio
Biel
Corral de Meleras
1103

Sierra de Salinas
1184
San Felices
Ermita de San Miguel
Santa Quiteria
Agüero
Santiago 1193

Sierra de LOARRE
Riglos (Las Peñas de Riglos)
Murillo de Gállego
Los Mallos La Peña
132

Ermita de la Virgen de Gabardilla

Castillo de Clerina
Embalse de Valdelafuén
Layana
Castillo de Bañales
SÁDABA
Mausoleo Romano
Sinagoga
5
3
56

Malpica de Arba
Alto de Biota
Biota
1204

La Mingota
705
Asín
Orés
Fragal
El Frago
Júnez
Casa de Calvo
705

Necrópolis
Linás de Marcuello
Concilio
Morán
1202
Santa Eulalia de Gállego
Lacasta
821

AYERBE
(582)
Losanglis
27
Fontellas
125
11
Piedramorrera
Biscarrués
Ardisa
Castillo de Artasona
Embalse de Ardisa

Partida Casilla
Bardenas del Caudillo
Caserío Partida Bayo
El Bayo
Casas de los Cascajos
Estanca del Bolaso
3
5
Rivas
127

Farasdués
San Jorge
Alto de Marcuera
San Jorge
Castillo de Obano
Casa de las Tenias
Lacorvilla
Sierra de los Blancos
Sierra Estronad

Sierra de Luna
Luna
Convento de Montora
Valpalmas
125
Casas de Esper
Puendeluna
124
Castillo de Antonio
Caserío Presa del Gállego
Castillo de San Pedro
Puipullín
521

Valareña
Santa Anastasia
EJEA de los Caballeros
125
Casas de Laverné Baja
Castillo de Santía
Erla
48
1103
Casa de Socorro
Piedratajada
Marracos
Salto del Lobo
Llanos de la Violada
Los Agudos
Alcalá de Gurrea
520
Paridera de Rivas
Embalse de la Sotonera

El Sabinar
Codera Baja
Estanca de Canales
1102
Paridera del Castillo
Casa de Laverné Alta
Paúles
Casa Ventura
Sierra de Luna
Las Pedrosas
Casa de Tomás
745
Campo Redondo
Gurrea de Gállego
(341)
1209
La Sarda

Ermita de N.ª Sra. de Sancho Abarca
La Socarrada
Venta de Íñigo
Sancho Abarca
Mira
Tres Montes
18
Castejón de Valdejasa
Casa de los Guardas
El Transil
Casa de Bernardo
La Paúl
1103
El Temple
539 11
73

Santa Engracia
127
Saso de las Cuevas
Las Fuesas
Montes de Castejón
Esteban
744
Santuario Virgen del Salz
Caseta de la Flamarenca
124
Ontinar del Salz
532
Puilatos
529

TAUSTE
El Batán
Ermita de Santa Ana
Pinadillo
Valdesánchez
Fábrica del Salto
521

Plana de Pradilla
Plana de Carcas
1102
Casas Altas
Venta del Coscon
Olivereta
E07
525
521
ZUERA
Portazgo
San Mateo de Gállego
12

Gallur
Barrio del Beato Agno
21
Boquiñeni
El Batán
Sal
Remolinos
Cristo de la Cueva
Casas Bajas
Casa Torre de Guallar
515
A23
Las Lomas de Gállego
Paridera Corral de la Blanca
123
San Cristóbal
Peñaflor
71

Autopista Vasco Aragonesa
La Loteta
Luceni
Alcalá de Ebro
126
Castillo de Castellar
Corral de Cazallo
El Castellar
El Zorongo
Paridera del Santísimo
Torre de San Miguel
El Batán
Cartuja de Aula Dei
515
513
16

Ermita de Fuempudia
Atalaya
372
Casa de Cavero
Pedrola
Casas del Cañal
232
Nuestra Señora del Pilar
Cabañas de Ebro
Figueruelas
ALAGÓN
20
Nuestra Señora del Castellar
Soto Candespina
Alfocea
San Gregorio
Villanueva de Gállego
El Comercio

45
Oitura
Peramán
Grisén
Pinseque
24
Casetas
E804
Bárboles
Pleitas
61
Zaragoza
La Almunia de Doña Godina
Zaragoza
Zaragoza
Zaragoza
Zaragoza

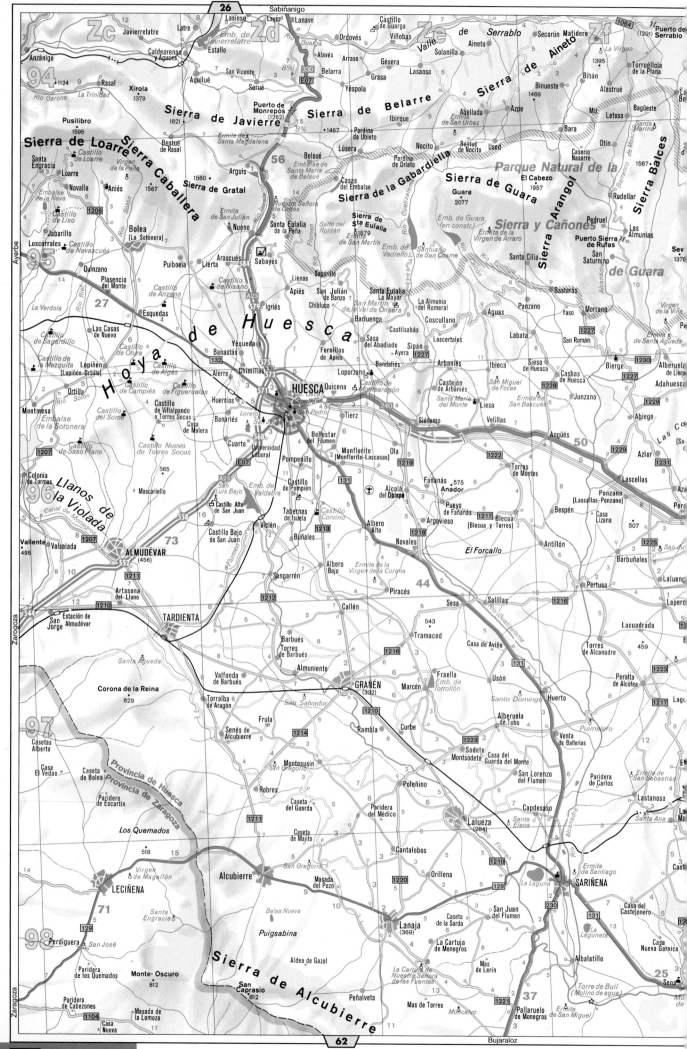

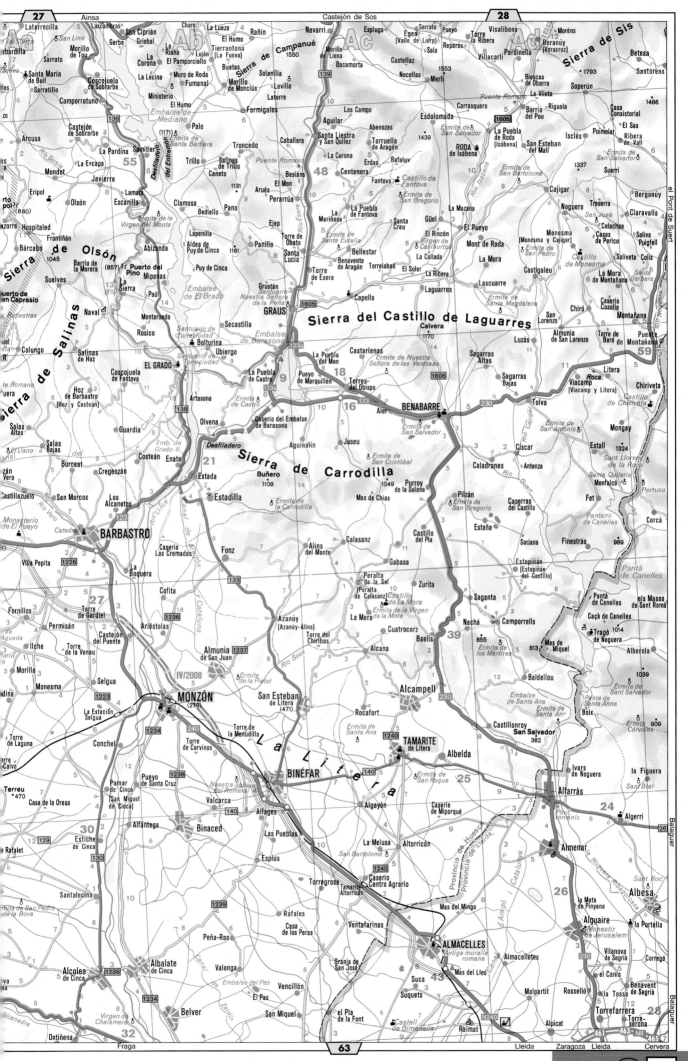

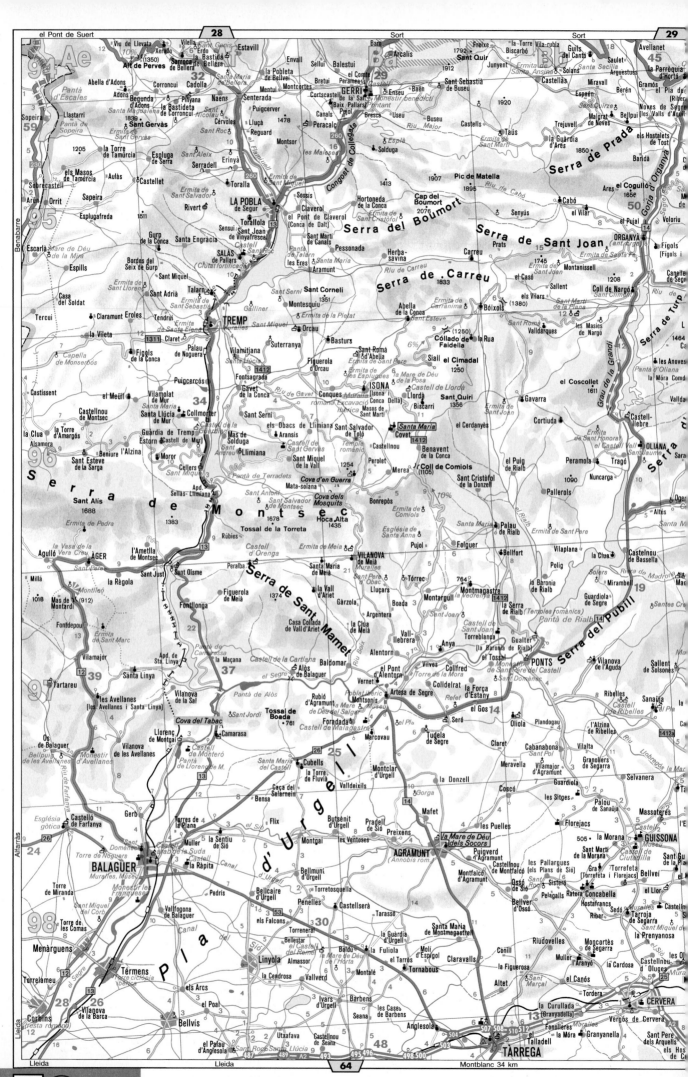

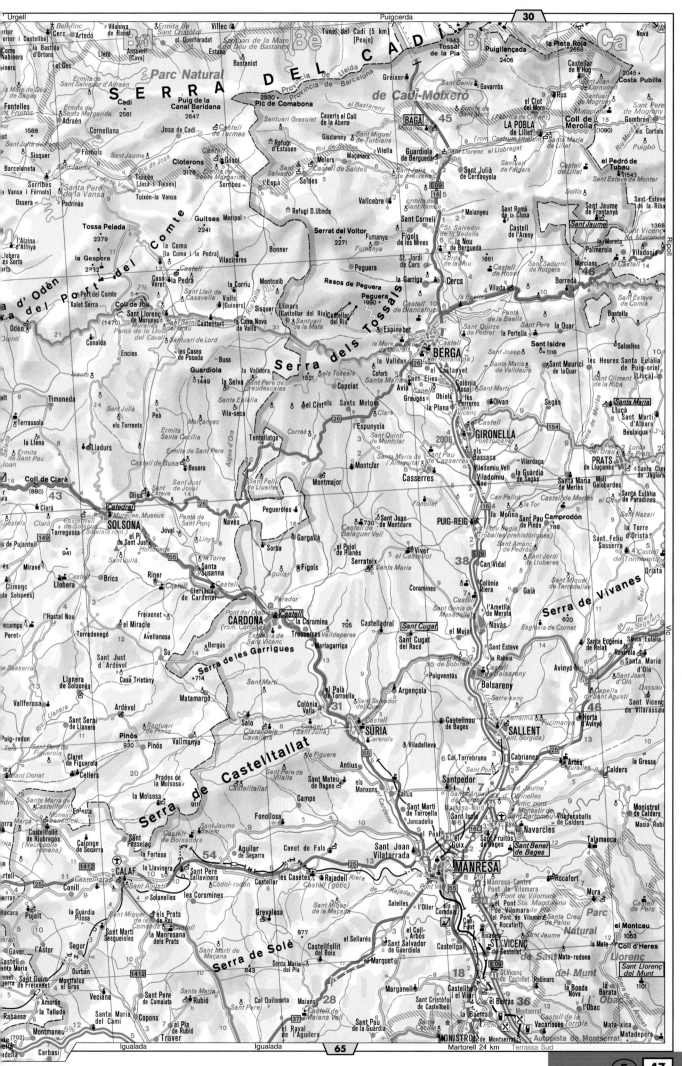

Perpignan Sud Perpignan Roses

Golf
de
Roses

Parc Natural
dels Aiguamolls
de l'Empordà

Dc   Dc

Cistella
Vilanant
Avinyonet de Puigventós
Vilafant
FIGUERES
20 CASTELLÓ
d'Empúries
el Far
d'Empordà
Fortià
Santa Margarida
Castell de Sant Ferran
Vila-sacra
Castell de
la Trinitat
Canyelles
Cala Jóncols
Cala
Canyelles
l'Almadrava
Montjoi
Cap de Norfeu
Empuriabrava
Punta Falconera

Santa Llogaia
d'Alguema
Borrassà
Museu
Dalí
260
Riumors
la Bomba

Taravaus
Sant Pere
Navata
Ordis
Creixell
Vilamalla
Siurana
Bàscia
Vilamacolum
Sant Tomà
de Fluvià
Sant Pere
Pescador
Bon Relax

Espinavessa
Pontós
Ermedàs
Romanyà
Garrigàs
Estanyet
Palau
de Santa
Eulàlia
Sant Miquel
de Fluvià
Torroella
de Fluvià
l'Armentera
Saldet

Orfes
Parets
d'Empordà
Castell
de Pontós
Vilajoan
d'Empordà
Església
Vallveralla
Sant Mori
Vila-robau

Ollers
Gallines
Bàscara
Calabuig
Vilaür
Saus
Montiró
Palauborrell
Sant Quirze
Cinclaus
Museu
Empúries
Ruines d'Empúries

Vilademuls
Viladamat
les Corts
Sant Feliu
L'ESCALA
Montgó
Cala Montgó

Vilavenut
Sant Marçal
de Quarantella
Orriols
la Móra
Llampaies
Albons
Bellcaire
d'Empordà
Riells
de Dalt
Punta de Castell

Pujals
dels Pagesos
Mas
Nicolau
la Mata
Viladasens
Colomers
la Tallada
d'Empordà
Sobrestany
Castell de
Rocamaura
Cap d'Oltrera

les Olives
Vilafreser
Sant Jordi
Desvalls
Jafre
Santa
Caterina
Sta. Maria
dels Masos
l'Estartit

Santa Llogaia
del Terri
Cervià
de Ter
Raset
Montgrí
Ullà
Castell de Montgrí
les Illes Medes

Prades
del Terri
Sant Andreu
del Terri
la Castellana
Medinyà
VERGES
Canet
de Verges
les Grielles

Olivars
Bordils
Flaçà
Foixà
la Sala
Ultramort
TORROELLA
de Montgrí
Platja
de Pals

Sant Julià
de Ramis
Palagret
Sant Martí
la Pera
Serra
de Daró
Gualta
Molins antics
Fontanilles
Mas Pinell

Celra
Juià
Vilosa
Pedrinyà
Caça
de Pelràs
Llabià
Ciutat ibèrica
d'Ullastret
el Daró

GIRONA
Campdorà
Madremanya
Vilers
Millars
Corçà
Ullastret
Palau-sator
els Masos
de Pals

Castell
d'Empordà
Fontclara
Sant Julià
de Boada
sa Riera
Aiguafreda

els Àngels
Monells
Canapost
Peratallada
Torre de les Hores
Pals
PALS
Regencós
Begur

Sant Sadurní
de l'Heura
Palau
episcopal
Vullpellac
(Forallac)
Sant Feliu
de Boada
el Pla
de Pals
sa Tuna

Castellar
de la Selva
Cruïlles
LA BISBAL
d'Empordà
Fonteta
Sant Susanna
de Peralta
Torrent
Puigcalent
Fornells
Parador
Aiguablava

Palau-sacosta
Quart
Sant Mateu
de Montnegre
Montnegre
Sant Miquel
de Cruïlles
Sant Pol
Sant Climent
de Peralta
Llofriu
66
Esclanyà
Tamariu
Cova del Bisbe
Cala Pedrosa

Fornells
de la Selva
Llambilles
Mas la Caseta
Santa
Llúcia
PALAFRUGELL
Vila-seca

Girona
aeroport/Cassà
Campllong
Santa
Pellaia
Sant Cebrià
de Lledó
Torroella
Montras
Santa
Margarida
Far de Sant Sebastià

l'Estació de
Riudellots
Cassà
de la Selva
Coll de la
Ganga
Bell-lloc
Dolmen
Castell de
Vila-roma
Ermedàs
Calella
de Palafrugell
Llafranc

les Gavarres

Sant Andreu
Salou
Serinyà
Puig d'Arques
Sant Cebrià
dels Alls
Vall-
llobrega
Casa
Potes
Cap Roig

Esclet
Bruguera
Cova d'en Daina
Castellbarri
(Poblat ibèr.)
Calonge
Sant Joan
Sant Daniel
Platja del Castell
Platja de la Fosca
la Fosca

CALDES
de Malavella
LLAGOSTERA
Gaià
Penedès
Romanyà
de la Selva
Cabanyes
Bell-lloc
Menhir
de Vallvanera
Mas Nou
Sant Antoni
de Calonge
Torre Valentina
PALAMÓS
Museu

Vidreres
Col·lecció
l'Automòbils
Antics
Santa Sedina
Can Tranxinet
Castell
d'Aro
Croda
Platja d'Aro
[Castell-Platja d'Aro]
Platja de S'Agaró

Caulès de Vidreres
Casa
Barraqué
Casa
Risec
Sant Baldiri
Solius
Castell
de Solius
Santa Cristina
d'Aro
SANT FELIU
de Guíxols
S'Agaró
Platja de Sant Pol
Museu
Monestir de
Sant Benet
Platja de Sant Pol

Cabanyes
la Creu
de Lloret
Lloret
Blau
Rosamar
Salionç
Carretera
de la Costa
Canyet de Mar
Platja de Canyet

Valldemaria
Serrabrava
Roca Grossa
Giverola
Sant Grau
TOSSA de Mar
Muralles (Vila Vella)
Ruines romàniques

los Pinares
Water
World Parc
Condado
de Jaruco
Santa Cristina
Martosa
Santa Maria
de Llorell
Canyelles
Platja de Canyelles

Botànic
Mar
Castell de Sant Joan
LLORET de Mar
(Lauretum rom.)
Fenals
Platja de Fenals

BLANES
(Blanda rom.)
Monestir
de Santa Anna
Platja de Treumal
Platja de Sant Joan
Platja de Sabanell

ALGRAT de Mar

Perpignan

Da   **LLANÇÀ**   Db
(Deciana rom.)
el Port de Llançà
Far de s'Arnella

89
Valleta
Cap Gros
el
Golfet

Castell
de Quermançó
Sant
Onofre
Sant Pere de Rodes
el Port
de la Selva
Far de Creus

Vilajuïga
la Selva de Mar
Parc Natural
Cap de
Creus

Pau
Palau
saverdera
Castell de
Sant Salvador
21
del Cap
Illa de Portlligat

Pedret
Església
romànica
de Sant Joan
Castell d'en
Bulalaranya
Illa Massina
Punta Oliguera

Vilaüt
el Pení
513
Sant
Sebastià
Far de Cala Nans

les Torroelles
Església
pre-romànica
de Sant Tomàs
Cadaqués
Museu

CASTELLÓ
l'Empúries
Aiguabrava
Ciutadella
ROSES
de Creus

93
Santa
Margarida
Castell
visigòtic
Montjoi

Castell
de la
Trinitat
Canyelles
l'Almadrava
Cap de Norfeu

Empuriabrava
Cala
Canyelles
Cala Jóncols

Punta Falconera

Parc Natural
Golf
de
Roses

San Pere
Pescador
dels Aiguamolls
de l'Empordà

Bon Relax

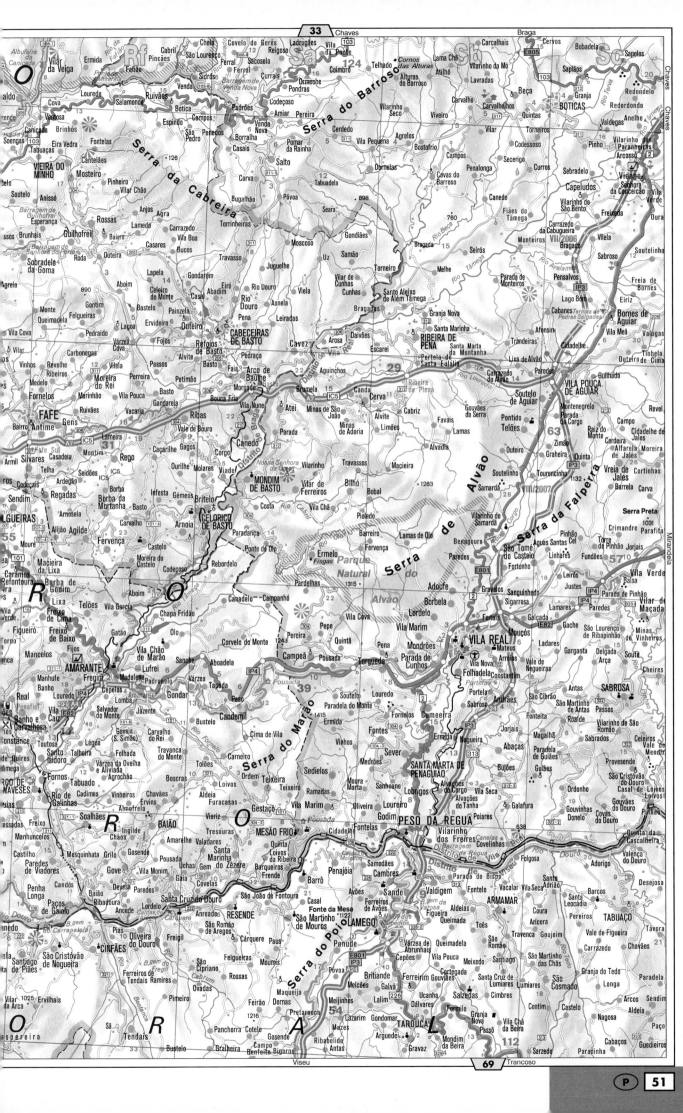

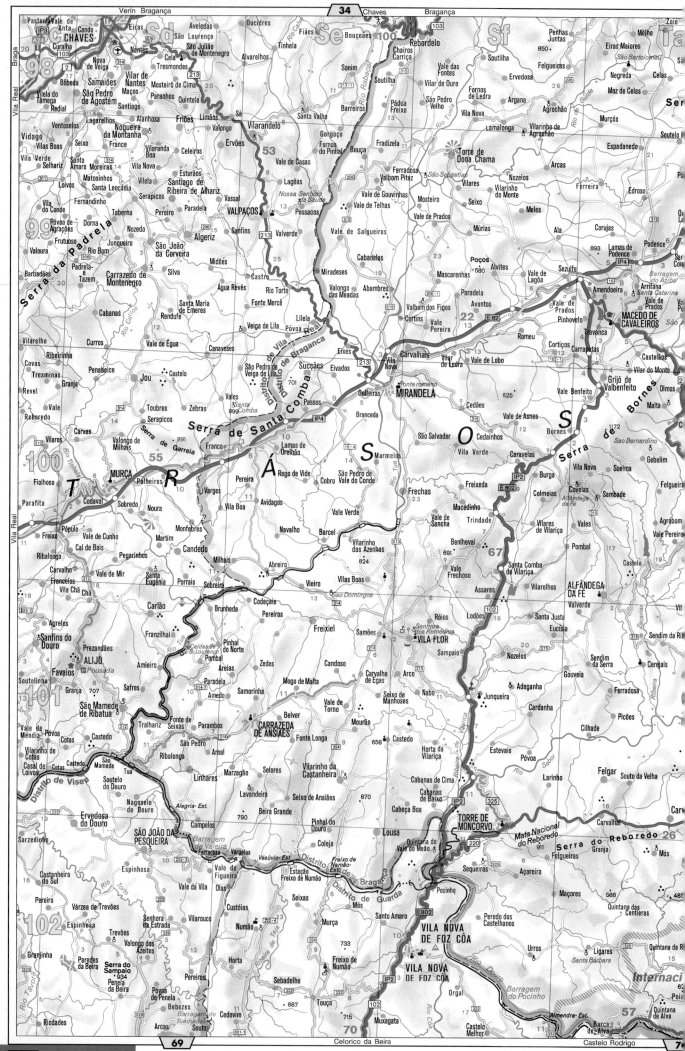

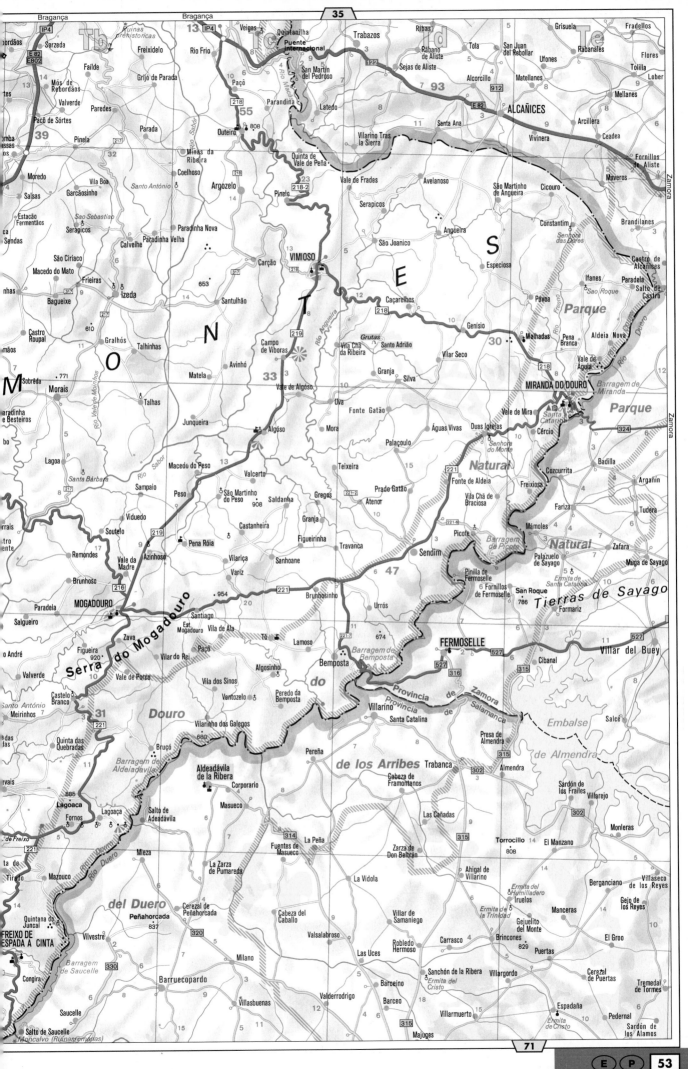

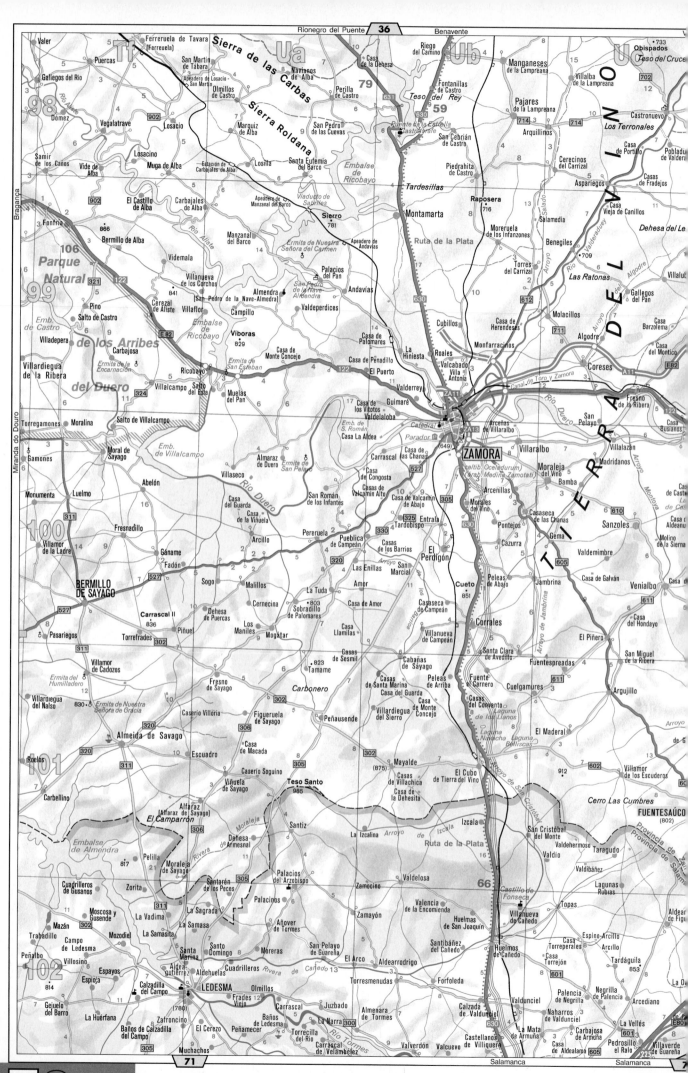

Valer
Ferreruela de Tavara
(Ferreruela)
Sierra de las Carbas
Ua
Ub
U
Obispados
733
Teso del Cruce

Tf
San Martín de Tábara
Naviános de Alba
Riego del Camino
Manganeses de la Lampreana
15
Villalba de la Lampreana

Puercas
Apeadero de Losacio - San Martín
Casa de la Dehesa
702
12

Gallegos del Río
Olmillos de Castro
Perilla de Castro
Fontanillas de Castro
79
Pajares de la Lampreana
714
714
Castronuevo

98
Río Aliste
Dómez
Vegalatrave
902
Losacio
Marquiz de Alba
San Pedro de las Cuevas
631
Teso del Rey
630
59
Puente de la Estrella Castrotorafe
Arquillinos
Los Terronales

Losacino
Santa Eufemia del Barco
San Cebrián de Castro
Cerecinos del Carrizal
Casas de Portillo
Pobladu de Valdera

Samir de los Caños
Vide de Alba
Muga de Alba
Estación de Carbajales de Alba
Losilla
Embalse de Ricobayo
Piedrahita de Castro
Asparíegos
Casas de Fradejos

El Castillo de Alba
Carbajales de Alba
Tardesillas
Raposera
716
13
Salamedia
Dehesa del Le

Bragança
1
Fontría
902
Apeaderos de Manzanal del Barco
Viaducto de Sabrías
Sierro
781
Montamarta
Moreruela de los Infanzones
Benegiles
Dehesa del Valderaduey
Villalut

3
866
Bermillo de Alba
Videmala
Manzanal del Barco
Ermita de Nuestra Señora del Carmen
Ruta de la Plata
Torres del Carrizal
709
Las Ratonas
Villallut

106
Parque Natural
321
122
Villanueva de los Corchos
841
Almendra
San Pedro de la Nave-Almedra
Palacios del Pan
630
612
10
Gallegos del Pan

99
Pino
Cerezal de Aliste
Villaflor
Campillo
Valdeperdices
Andavías
Cubillos
Casa de Herendeses
711
Molacillos
Algodre
Casa Barzolema

Emb. de Castro
Salto de Castro
Viboras
829
Casa de Monte Concejo
Casa de Palomares
Monfarracinos
Casa del Montico
E82

Villadepera
Embalse de Ricobayo
Casa de Peñadillo
La Hiniesta
Roales
Valcabado Villa Antonia
Coreses
A11

de los Arribes
Carbajosa
Ermita de la Encarnación
Ermita de San Esteban
122
El Puerto
Valcabado
Canal de Toro y Zamora
Río Duero
Fresno de la Ribera
122

Villardiega de la Ribera
Ricobayo
Salto del Esla
Muelas del Pan
Valderrey
ZA11
San Pelayo
Casa Busianos

del Duero
324
Villalcampo
11
Guimaré
Catedral
ZA13
Arceñas de Villaralbo

Torregamones
Moralina
Salto de Villalcampo
17
Casa de los Vítotos
Valdelaloba
Parador
(649)
ZAMORA
Villaralbo
Villalazán

Moral de Sayago
Emb. de Villalcampo
Almaraz de Duero
Casa La Aldea
Casa de las Chanas
(celtib. Ocelodurum)
(árab. Medina Zamotati)
Moraleja del Vino
Madridanos

Gamones
Villaseco
Ermita de San Pelayo
Carrascal de las Chanas
527
Arcenillas
Bamba
Casa de Castu

Monumenta
Luelmo
Abelón
Río Duero
Casa de Congosta
Casa de Valcamín Alto
Casa de Valcamín de Abajo
305
Morales del Vino
Casaseca de las Chanas
610
Casa de Aldeanu

100
311
Fresnadillo
Casa del Guarda
San Román de los Infantes
10
325
Entrala
630
Pontejos
Gema
Sanzoles
Molino de la Sierna

Villamor de la Ladre
14
Gáname
Casa de la Viñuela
Pererüela
330
Tardobispo
Cazurra
Valdemimbre
605

9
Fadón
Arcillo
320
Pueblica de Campeán
Casas de los Barrios
El Perdigón
Peleas de Abajo
Jambrina
Casa de Galván
Venialbo

527
Sogo
Malillos
Las Enillas
San Marcial
Cueto
851
Casaseca de Campeán
611

BERMILLO DE SAYAGO
Carrascal II
836
Dehesa de Puercas
Cernecina
Sobradillo de Palomares
803
Casa de Amor
Amor
La Tuda
Corrales
El Piñero

527
Piñuel
Los Maniles
Mogátar
Casa Llamilas
Villanueva de Campeán
Santa Clara de Avedillo
San Miguel de la Ribera

311
Pasariegos
Torrefrades
302
Casas de Sesmil
Cabañas de Sayago
Fuentespreadas
Casa del Hondayo

Villamor de Cadozos
823
Tamame
Carbonero
Casas de Santa Marina
Peleas de Arriba
Fuente el Carnero
Cuelgamures
611
Arguillo

Ermita del Humilladero
Fresno de Sayago
302
Casa del Guarda
Casa de Monte Concejo
Casas del Convento
El Maderal

Villardiega del Nalso
830
Ermita de Nuestra Señora de Gracia
Caserío Villòria
Figueruela de Sayago
Villardiega del Sierro
Laguna de los Llanos
Arroyo

320
Almeida de Savago
306
Peñausende
Laguna Navacha Laguna Bellíscas
de G

101
320
Escuadro
Casa de Macada
305
302
Mayalde
El Maderal
602
Villamor de los Escuderos
60

Roelos
311
Caserío Soguino
(875)
Casas de Villachica
El Cubo de Tierra del Vino
912

Carbellino
Viñuela de Sayago
Teso Santo
985
Casa de la Dehesita
Cerro Las Cumbres
FUENTESAÚCO
(802)

Alfaraz (Alfaraz de Sayago)
El Camparrón
306
Santiz
Izcala
Izcala
San Cristóbal del Monte
Valdehermoso
Taragudo
Provincia de

Embalse de Almendra
Pelilla
817
21
Moraleja de Sayago
Dehesa de Armesnal
Palacios del Arzobispo
La Izcalina
Ruta de la Plata
Valdío
Valdibáñez
Provincia de Salama

Cuadrilleros de Gusanos
Zorita
305
Santarén de los Peces
Palacinos
Zamocino
Valdelosa
66
Castillo de Fonseca
Lagunas Rubias

Moscosa y Gusende
311
La Sagrada
Palacios
Zamayón
Valencia de la Encomienda
Topas
Villanueva de Cañedo
Aldear de Figu

Mazán
Mozodiel
La Vadima
La Samasa
Añover de Tormes
Huelmas de San Joaquín
Espino-Arcillo
Arcillo

Trabadillo
Campo de Ledesma
La Samasita
Santo Domingo
Moreras
San Pelayo de Guareña
Santibáñez del Cañedo
Casa Torreperales
Tardáguila
853

Peñalbo
Villosino
Santa Marina
Cuadrilleros
El Arco
Aldearrodrigo
Huelmos de Cañedo
Casa Torrejón
601

102
814
Espayos
Espoja
Aldea gutiérrez
Aldehuelas
Rivera
Torresmenudas
Forfoleda
Palencia de Negrilla
Negrilla de Palencia
Arcediano

Gejuelo del Barro
Calzadilla del Campo
LEDESMA
Olmillos
Juzbado
Calzada de Valdunciel
Valdunciel
Naharros de Valdunciel
La Vellès
601

La Huérfana
Zafroncino
Frades Viejo
Carrascal
Almenara de Tormes
630
La Mata de Armuña
Carbajosa de Armuña
La O

Baños de Calzadilla del Campo
El Cerezo
Peñamecer
Baños de Ledesma
La Narra
300
Río Tormes
Valverdón
Valcuevo
Castellanos de Villiquera
Casa de Aldealama
605
Pedrosillo el Ralo
Villaverde de Guareña
225

Muchachos
Torrecilla del Río
Carrascal de Velambélez

TIERRA DEL VINO

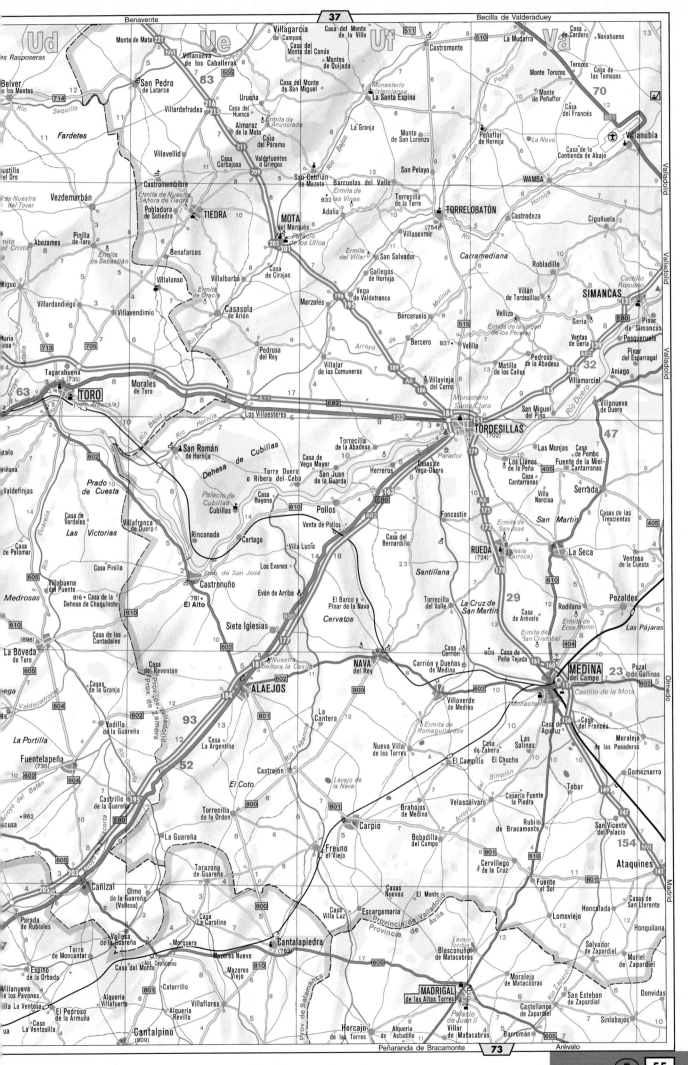

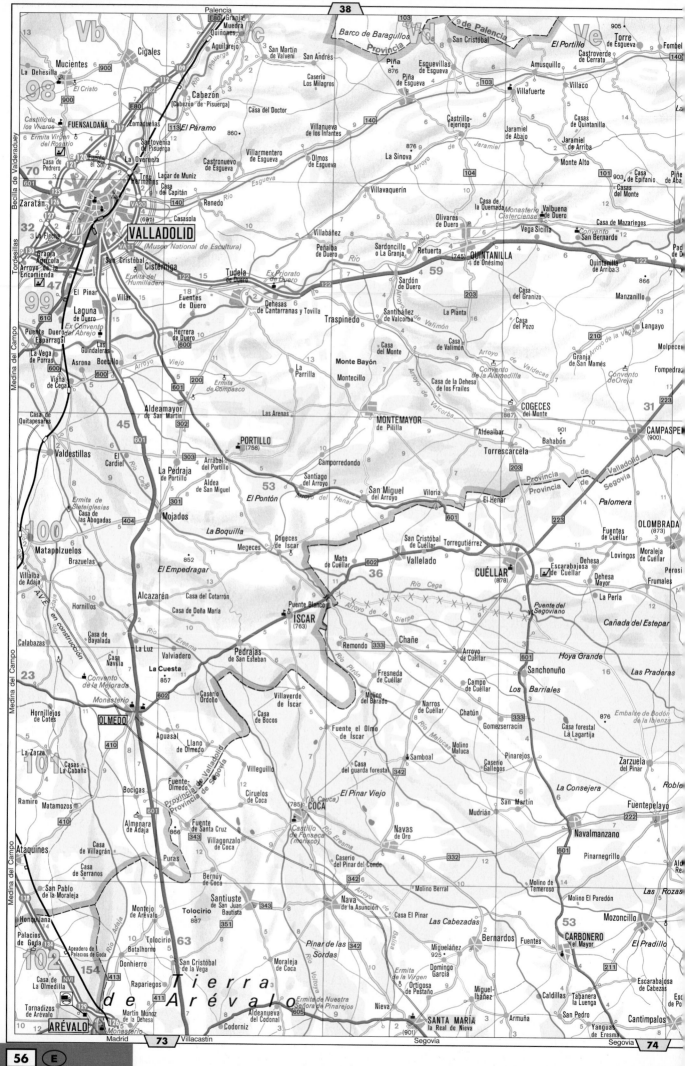

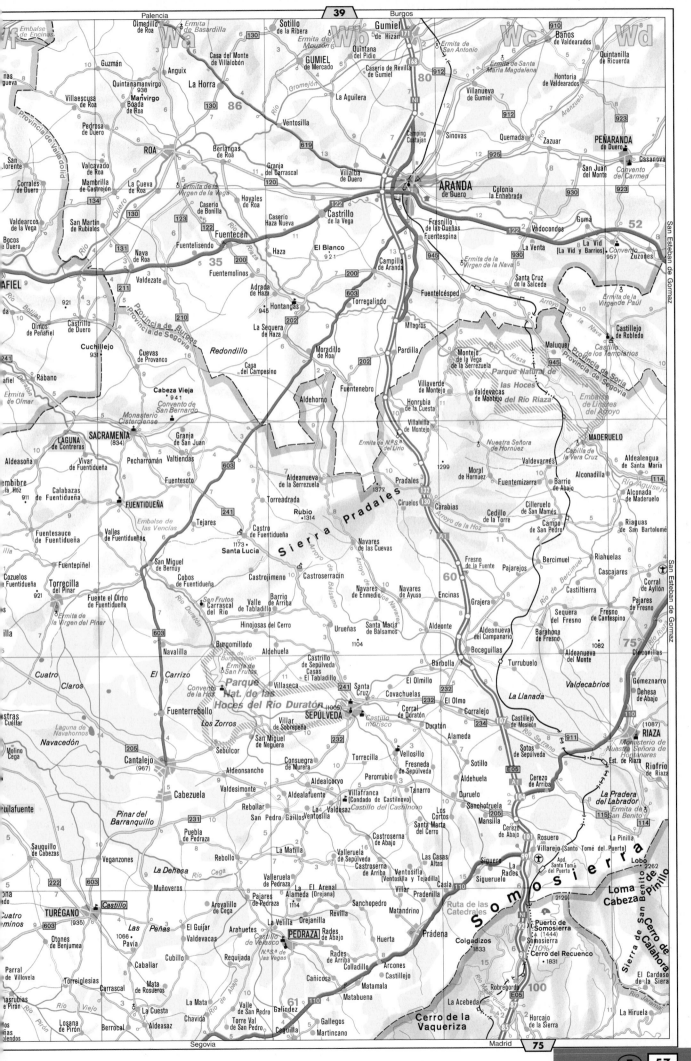

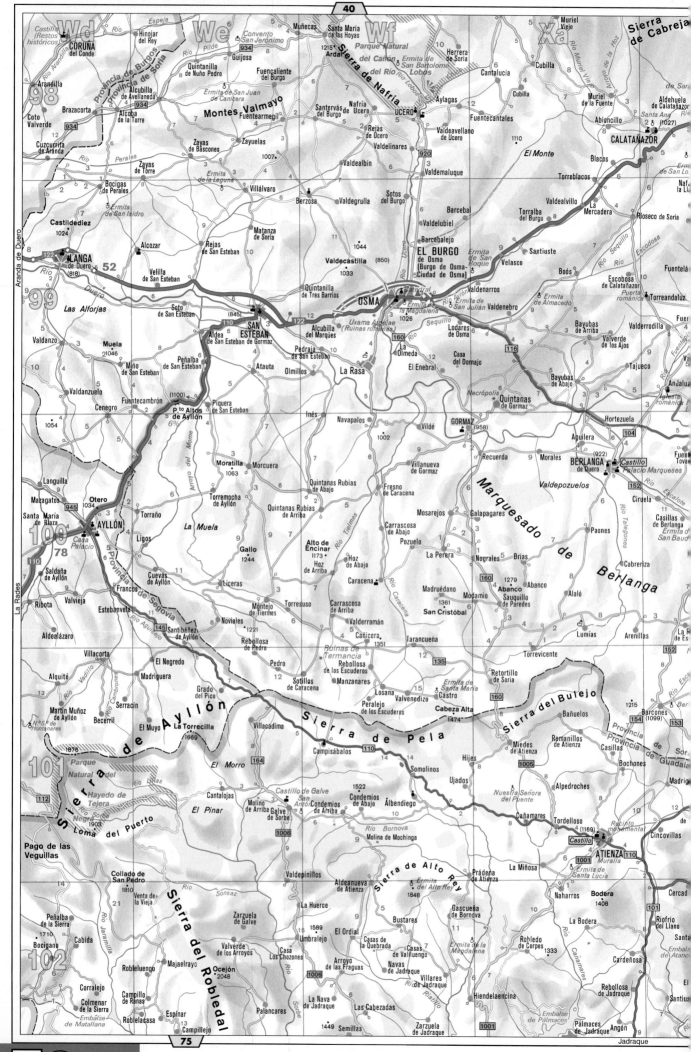

Wd We Wf Xa

98

Castillo
(Restos
históricos)
CORUÑA
del Conde

Hinojar
del Rey

Espeja

Muñecas

Santa María
de las Hoyas

Convento
San Jerónimo

Arandilla

Provincia de Burgos
Provincia de Soria

Quintanilla
de Nuño Pedro

Guijosa

Fuencaliente
del Burgo

Alcubilla
de Avellaneda

934

Ermita de San Juan
de Canicera

Alcoba
de la Torre

Brazacorta

934

Coto
Valverde

934

Cuzcurrita
de Aranda

12

Montes Valmayo

Fuentearmegil

Santervás
del Burgo

Santa María
de las Hoyas

Ardal
1215

Sierra de Nafría

Parque Natural
del Cañón
del Río Lobos

Ermita de
San Bartolomé
de Lobos

Herrera
de Soria

Cantalucia

Cubilla

Cubilla

Muriel
Viejo

Sierra
de Cabreja

Nafría
de Ucero

Aylagas

Muriel
de la Fuente

Aldehuela
de Calatañazor

Zayas
de Bascones

Zayuelas

1007

Villálvaro

Rejas
de Ucero

UCERO

2

Fuentecantales

Abioncillo

Santa Ana
(1027)

2

CALATAÑAZOR

Bocigas
de Perales

Zayas
de Torre

Ermita
de la Laguna

Berzosa

Valdegrulla

Valdeavellano
de Ucero

Valdelinares

920

Velilla
de San Esteban

1110

El Monte

Blacos

de Sar

Naf
la L

Castildediez
1024

Alcozar

Rejas
de San Esteban

Matanza
de Soria

11

1044

Valdealbín

Sotos
del Burgo

Barcebal

Valdemaluque

Torreblacos

Ríoseco de Soria

Ermita
de San
de San Lo

LANGA
de Duero
(818)

52

Duero

Las Alforjas

Soto
de San Esteban

(845)

Valdecástilla
1033

(850)

Valdelubiel

EL BURGO
de Osma
(Burgo de Osma-
Ciudad de Osma)

Barcebalejo

Valdealvillo

Torralba
del Burgo

La Mercadera

Ermita
de San
Roque

Santiuste

Ríoseco de Soria

Escobosa
de Calatañazor

Fuentel

99

122

Velilla
de San Esteban

110

SAN
ESTEBAN

Quintanilla
de Tres Barrios

122

Alcubilla
del Marqués

OSMA

Catedral

Uxama Argelae
(Ruinas romanas)

Ermita de
la Magdalena
1026

Ermita de
San Julián

Valdenarros

Velasco

Boós

Valdenebro

Lodares
de Osma

160

116

Bayubas
de Arriba

Valverde
de los Ajos

Valderrodilla

Puerta
románica

Torreandaluz

Muela
21046

Aldea
de San Esteban de Gormaz

Peñalba
de San Esteban

Pedraja
de San Esteban

10

La Olmeda

El Enebral

Casa
del Dornajo

12

Bayubas
de Abajo

Tajueco

Fuente

Valdanzo

Miño
de San Esteban

Fuentecambrón

(1100)

Piquera
de San Esteban

Ataúta

Olmillos

La Rasa

Necrópolis

Quintanas
de Gormaz

Hortezuela

104

AndaluJa

Iglesia
románica

Valdanzuelo

Cenegro

P.to Altos
de Ayllón
6%

Inés

Navapalos

Vildé

1002

Villanueva
de Gormaz

GORMAZ
(958)

Recuerda

Morales

Aguilera

BERLANGA
de Duero

(922)

Castillo
Palacio Marqueses

Fuen
Tovar

152

Ciruela

1054

Moratilla
1063

Morcuera

Quintanas Rubias
de Abajo

Fresno
de Caracena

Mosarejos

Galapagares

Marquesado de Berlanga

Valdepozuelos

Casillas
de Berlanga

Ermita de
San Baud

Languilla

Mazagatos

945

Otero
1034

Torremocha
de Ayllón

Quintanas Rubias
de Arriba

Carrascosa
de Abajo

Pozuelo

Nograles

Brias

Paones

Cabrenza

Santa María
de Riaza

AYLLÓN

100

78

Casa
Palacio

Ligos

La Muela

Gallo
1244

Alto de
Encinar
1173

Hoz
de Abajo

La Perera

160

1279

Abanco

Alaló

Lumías

Arenillas

152

110

Saldaña
de Ayllón

Torraño

Cuevas
de Ayllón

Líceras

Hoz
de Arriba

Caracena

Madruédano

Modamio

Sauquillo
de Paredes

La R
de A

Ribota

Valvieja

Francos de Segovia

Provincia de Segovia

Estebanvela

Río Aguisejo

Montejo
de Tiermes

Torresuso

Carrascosa
de Arriba

1361

San Cristóbal

1221

145

Santibáñez
de Ayllón

Noviales

Valderromán

Cañicera

Tarancueña

Torrevicente

152

Villacorta

El Negredo

Madriguera

Rebollo
de Pedro

Pedro

Sotillos
de Caracena

Rebollosa
de los Escuderos

Manzanares

1351

135

Torrevicente

Provincia de So

Alquité

13

Grado
del Pico

12

Losana

Valvenedizo

Castro

15

Ermita de
Santa María

Retortillo
de Soria

160

1215

Barcones
(1099)

154

153

Martín Muñoz
de Ayllón

Becerril

El Muyo

La Torrecilla
1669

Villacádima

Peralejo
de los Escuderos

Cabeza Alta
1474

Sierra del Butejo

Bañuelos

Provincia de Guadala

Serracín

N.a S.a de
Frontanares

Sierra de Pela

110

Campisábalos

Miedes
de Atienza

Romanillos
de Atienza

Casillas

Bochones

Madrig

101

Parque
Natural del

112

Hayedo de
Tejera

Loma del Puerto

Sierra Negra
1903

El Morro

164

1006

Cantalojas

Castillo de Galve
San Antó

Molino
de Arriba

Galve
de Sorbe

Condemios
de Abajo

Condemios
de Arriba

Álbendiego

1522

Somolinos

14

Hijes

1005

Ujados

Nuestra Señora
del Puente

Alpedroches

Cañamares

Tordelloso

12

Recinto
monumental

Cincovillas

Pago de las
Veguillas

Collado de
San Pedro

1810

Venta de
la Vieja

21

El Pinar

Molina de Mochinga

Valdepinillos

Aldeanueva
de Atienza

Sierra de Alto Rey

Ermita
del Alto Rey
1848

Prádena
de Atienza

Castillo
1001

ATIENZA
Muralla

110

Ermita de
Santa Lucía

Naharros

Bodera
1408

La Bodera

101

Cercad

Peñalba
de la Sierra
1710

Bociguano

102

Cabida

Río Jaramilla

Zarzuela
de Galve

La Huerce

1589

Umbralejo

El Ordial

Bustares

Casas
de Quebrada

Gascueña
de Bornova

La Miñosa

11

Robledo
de Corpes
1333

Riofrío
del Llano

La Bodera

Embal
de Atanc

Corralejo

Colmenar
de la Sierra

Espinar

Robleluengo

Majaelrayo

Ocejón
2048

Valverde
de los Arroyos

Las Chozones

Casa
de Valiluengo

Casas
de Valiluengo

Navas
de Jadraque

Villares
de Jadraque

Ermita de la
Magdalena

Cardeñosa

Embalse
de Matallana

Campillo
de Ranas

Robleacasa

Campillejo

13

Palancares

1449

La Nava
de Jadraque

Semillas

Las Cabezadas

Zarzuela
de Jadraque

Hiendelaencina

1001

Embalse
de Pálmaces

Pálmaces
de Jadraque

Angón

Santiu

Jadraque

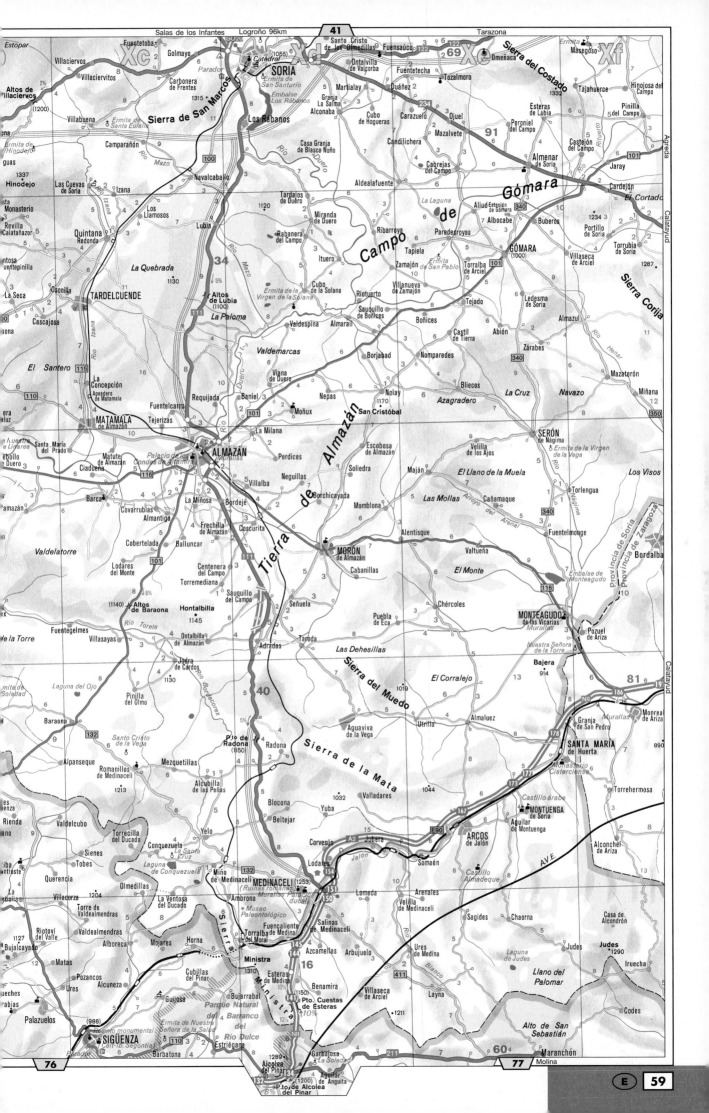

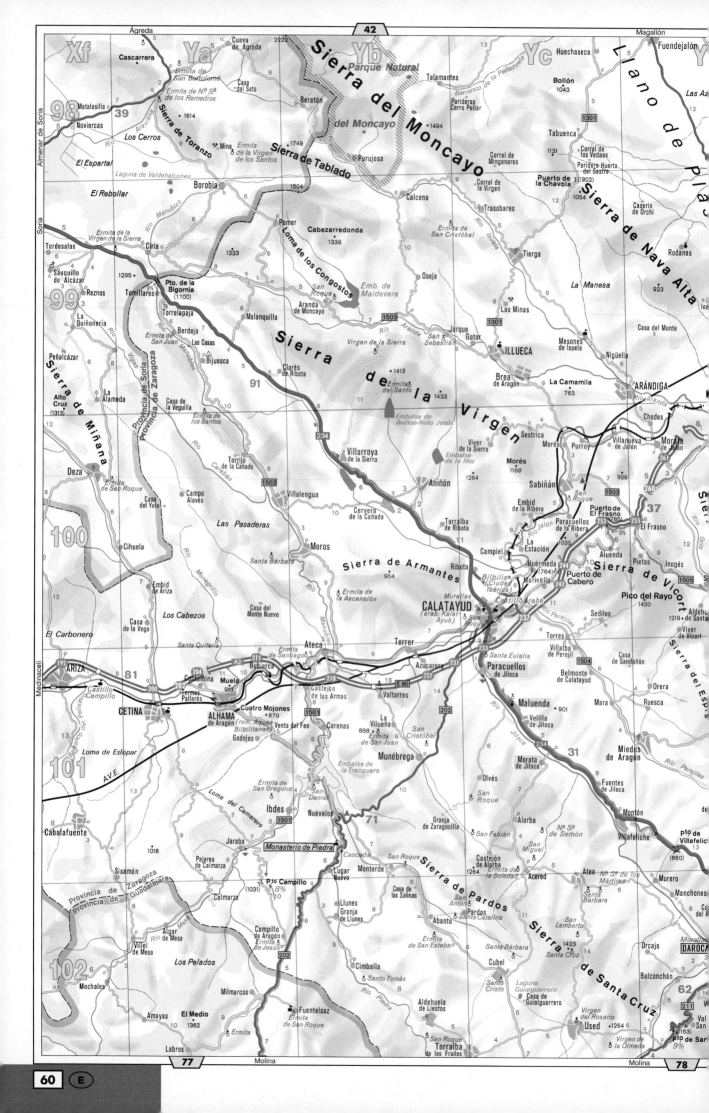

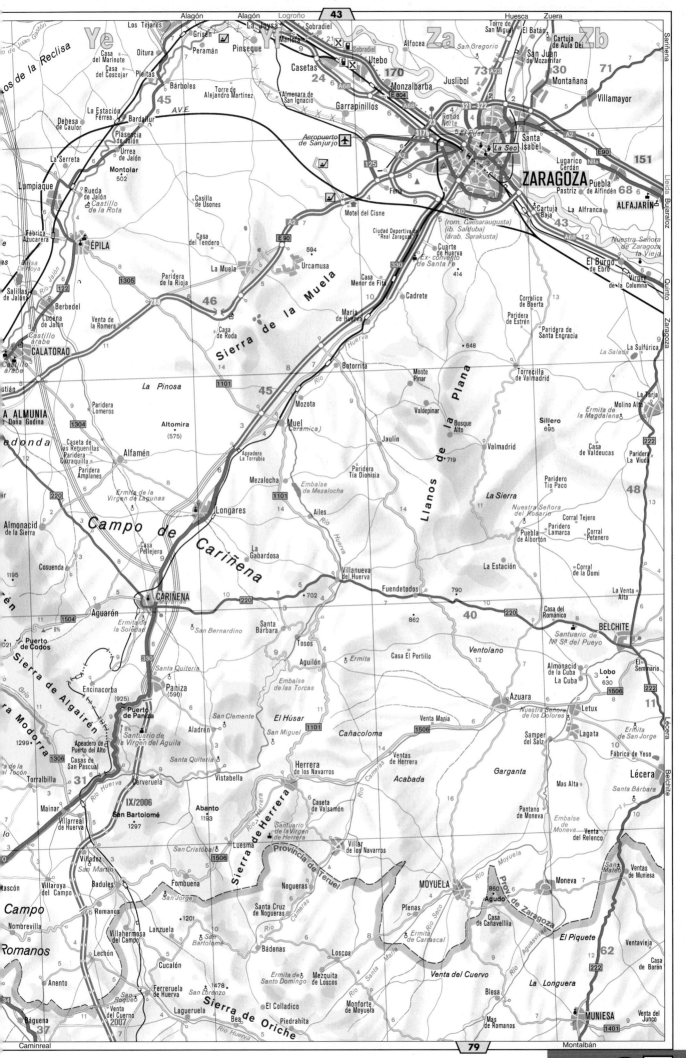

ZARAGOZA

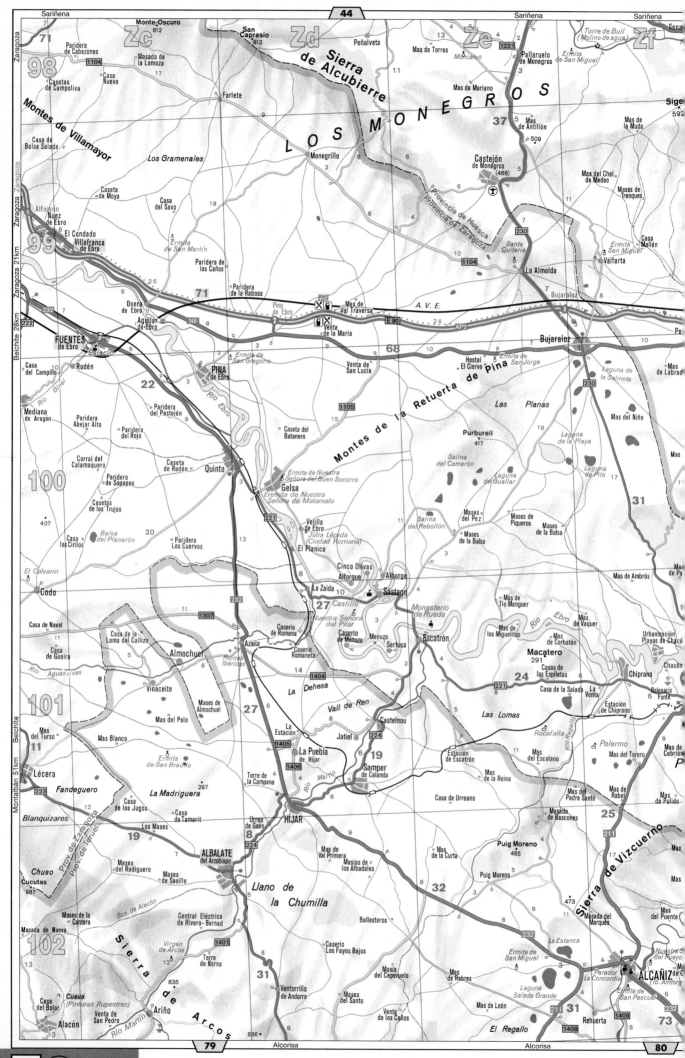

Sariñena · Sariñena · Sariñena

7 71
98

ZC
Monte-Oscuro
812
San Caprasio
812

Zd

Ze
13
1221

Zf
Torre de Buil
(Molino de agua)
Sena

Pardera
de Cabezones
1104
Masada
de la Lomoza
17
Casa
Nueva

Peñalveta
Mas de Torres
Moncalvo

Pallaruelo
de Monegros

Ermita
de San Miguel

Casetas
de Campoliva

Farlete

Sierra
de Alcubierre

L   O   S   M   O   N   E   G   R   O   S

37
5
Mas
de Antillón
509

Mas de Mariano

Sige 592

Mas del Chel
de Medeo

Mases de
Trenques

Montes de Villamayor

Casa de
Balsa Salada

Los Gramenales

Monegrillo

6

6

6

Castejón
de Monegros
(466)

6

6

Mas de
la Muda

Caseta
de Moya

Casa
del Saxo

18

6

6

Provincia de Huesca
Provincia de Zaragoza

7

230

Santa
Quiteria

Ermita
de San Miguel

Casa
Mallén

Alfajarín
Nuez
de Ebro
El Condado
Villafranca
de Ebro

99

Ermita
de San Martín

Paridera de
los Caños

10

1104

La Almolda

7

Valfarta

25

Paridera
de la Rabosa

71

Paridera
de la Rabosa

A. V. E.

Bujaraloz

8

222

232
7

Osera
de Ebro

Aguilar
de Ebro

NII

Pina
de Ebro

2

Pina
Mas de
Val Traversa

E 90

24

AP2

Bujaraloz

10

Pe

FUENTES
de Ebro

Estación

Rodén

22

Venta
de la María

68

Hostal
"El Ciervo"

Ermita
de San Jorge

10

230

10

Mas
de Labrad

Casa
del Campillo

Río Ginel

Ermita de
San Gregorio

3

Venta
de San Lucía

Laguna
de la Salineta

Mas del Niño

Mediana
de Aragón

Paridera
Abejar Alto

Paridera
del Pastejón

Río Ebro

1105

15

Las   Planas

19

Laguna
de la Playa

Paridera
del Rojo

Caseta del
Batanero

Purburell
417

Laguna
de Pito

17

31

Corral del
Calamaquero

Caseta
de Rodén

Quinto

3

Ermita de Nuestra
Señora del Buen Socorro

Gelsa

Salina
del Camarón

Salina
del Rebollón

Mases
del Pez

Mases
de Piqueros

100

Paridero
de Sopapos

Casetas
de los Trujos

221

Ermita de Nuestra
Señora de Matamalo

Laguna
de Guallar

Mases
de la Balsa

407

Balsa
del Planerón

20

Paridera
Los Cuervos

13

Velilla
de Ebro
Julia Lépida
(Ciudad Romana)

El Planico

Mases
de la Balsa

Casa
los Cirilos

El Calvario

Cinco Olivas
Alforque

Alborge

Mas de Ambrós

Mas
de Pa

Codo

Casa de Naval

11

232

1307

La Zaida

10

27 Castillo
Nuestra Señora
del Pilar

Sástago

3

Monasterio
de Rueda

Mas de
Tío Manguer

Río   Ebro

Mas
de Vaquer

Urbanización
Playas de Chacó

11

Casa de la
Loma del Callizo

Casa
de Guaira

Almochuel

Azaila

Ruinas
Ibéricas

Caserío
de Romana

Caserío
de Menuza

Menuza

Sertusa

Escatrón

Mas de
los Miguelitos

Mas de
Corbatón

Macatero
291

Casas de
las Espiletas

Chacón

Río Aguasvivas

Caserío
Romaneta

14

1404

24

221

Casa de la Salada

La
Venta

Balneario
Fontá

101

Vinaceite

Mas del Polo

27

Mases de
Almochuel

La   Dehesa

Vall de Ren

Las Lomas

Rocafalla

Palermo

Mas del Torero

Estación
de Chiprana

Chiprana

Mas
del Turso

11

Mas Blanco

La
Estación

Jatiel

224

Castelnou

6 19

Estación
de Escatrón

11

Mas
del Escolano

Mas de
Cebrián

Lécera

223

Fandeguero

1405

La Puebla
de Híjar

1406

Samper
de Calanda

Mas
de la Reina

Mases

Mas del
Padre Santo

Mas de
Rabel

Ermita
de San Braulio

Torre de
la Campana

4

Río   Martín

Casa de Urreano

25

Blanquizares

12

Casa
de los Jugos

La Madriguera

297

Casa de Tamarit

Urrea
de Gaén

8

Híjar

Masada
de Bascones

211

Sierra de Vizcuerno

Los Mases

19

7

224

ALBALATE
del Arzobispo

Mas de
Val Primera

Masías de
los Albadales

Puig Moreno
465

Mas

Chuso
Cucutas
987

Mases
del Radiguero

Mases
de Sasillo

Llano de
la Chumilla

2

Mas de
la Curta

Puig Moreno

32

473

Masada del
Marqués

Mas
del Puente

Masada de Nueva

102

13

Bco. de Alacón

Central Eléctrica
de Rivera-Bernad

Ballesteros

La Estanca

Ermita de
San Miguel

232

Nuestra S
del Pueyo

Virgen
de Arcos

1401

Torre
de Norna

12

31

Caserío
Los Fayos Bajos

Masía
del Ceperuelo

Mas
de Robres

Laguna
Salada Grande

ALCAÑIZ
(b. Amtorg

Parador
La Concordia

Ermita de
San Pascual

Cueva
(Pinturas Rupestres)

Casa
del Bolar

Venta de
San Pedro

Ariño

835

Sierra   de   Arcos

Ventorrillo
de Andorra

Mases
del Santo

Mas
de León

Venta
de los Caños

El   Regallo

1408

211 31

1409

73

232

Alacón

Río Martín

836

Alcorisa · Alcorisa

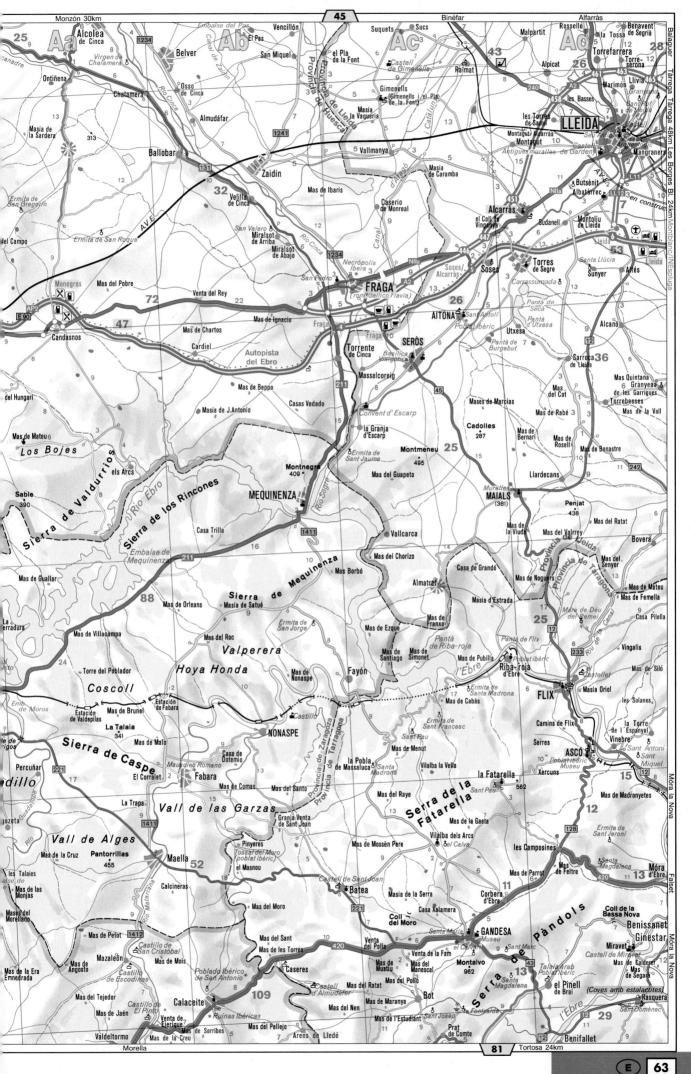

25
9
A a
Monzón 30km
Alcolea
de Cinca
1234
Belver
1
Ontiñena
6
Virgen de
Chalamera
Osso
de Cinca
A b
Embalse del Pas
Vencillón
El Pas
San Miquel
el Pla
de la Font
Castell
de Gimenells
Provincia de Huesca
Provincia de Lleida
Suquets
Sucs
A c
Binéfar
Malpartit
Raïmat
Gimenells
(Gimenells i el Pla
de la Font)
Alfarràs
Rosselló
la Tossa
Benavent
de Segrià
Torrefarrera
Torre-
serona
Alpicat
26
Marimón
LLEIDA
28
Balaguer
Tàrrega 48km Les Borges Bl. 24km Montblanc/INEspluga

Chalamera
Masía de la Sardera
313
Ballobar
131
Zaidín
32
Velilla
de Cinca
AVE
Almudáfar
Mas de Ibarís
Ermita de
San Gregorio
Ermita de San Roque
del Campo
San Valero
Miralsot
de Arriba
Miralsot
de Abajo
Río Cinca
1234
1241
Vallmanya
Masía
la Vaquería
Masía
de Caramba
Canal de Zaidín
Necrópolis Ibera
San Pedro
3
Caserío
de Monreal
Canal de Aragón y Catalunya
FRAGA
(rom: Gallico Flavia)
Nila
A2
446
447
151
Alcarràs
el Coll de
Vinagreny
Sudanell
les Torres
de Segre
Montagut Alcarràs
Montagut
Antigues muralles de Gardeny
Butsènit
Albatàrrec
Montoliu
de Lleida
7
53
en construc

Monegros
Mas del Pobre
72
Venta del Rey
22
Necrópolis
Soses/
Alcarràs
Soses
Torres
de Segre
Carrassumada
Sunyer
Santa Llúcia
Alfés
Lleida
E 90
AP2
47
Candasnos
Mas de Chartos
Cardiel
Autopista
del Ebro
Mas de Ignacio
Fraga
4
211
Torrente
de Cinca
SERÒS
26
AITONA
Sant Antolí
Poblat Ibèric
Pantà de
Secà
Pantà
de Utxesa
Utxesa
Alcanó
Pantà de
Burgebut
Sarroca
de Lleida
36
12
Mas Quintana
Granyena
de les Garrigues
Torrebesses
Mas de la Vall

del Hungari
Mas de Beppo
Mas de Mateu
6
Los Bojes
Masía de J.Antonio
Casas Vedado
Massalcoreig
45
Convent d' Escarp
la Granja
d'Escarp
Ermita de
Sant Jaume
Montmeneu
495
Mas del Guapeto
Cadolles
287
Mases de Marcias
Mas
del Cot
Mas de Rabé
3
Mas de
Bernari
Mas de
Rosell
Mas de Bonastre
25
15
Llardecans
242

els Arcs
Sierra de Valdurrios
Sable
390
Montnegre
409
MEQUINENZA
Río Ebro
Sierra de los Rincones
Río Segre
Muralles
MAIALS
(381)
Penjat
438
Mas del Ratat
Mas de
la Viuda
Mas del Valrrey
Bovera
Provincia de Lleida
Provincia de Tarragona
Mas del
Senyor
Mas de Mateu
Mas de Femella

Mas de Guallar
88
Casa Trilla
Embalse de
Mequinenza
211
1411
16
Vallcarca
Mas del Chorizo
14
Sierra de Mequinenza
Sierra de
Mequinenza
Mas de Orleans
Masía de Satué
9
10
Mas Borbó
Casa de Grandó
Almatret
Mas de Noguers
25
12
Mare de Déu
del Remei
Casa Pilella
17

la erradura
Mas de Villacampa
Valperera
Hoya Honda
Ermita de
San Jorge
Mas del Roc
Mas de Ezque
Mas de
Franxo
Pantà de
Riba-roja
Pantà de Flix
233
Río de la Canal
Vingalis
Mas de Siló

24
Torre del Poblador
Coscoll
Emb.
de Moros
Mas de Brunel
Estación
de Valdepilas
Estación
de Fabara
La Talaia
341
Mas de Malo
Sierra de Caspe
NONASPE
Castillo
Mas de
Nonaspe
Fayón
Mas de
Santiago
Mas de
Simonet
Provincia de Zaragoza
Provincia de Tarragona
l'Ebre
Mas de Cabàs
Ermita de
Santa Madrona
Riba-roja
d'Ebre
Poblat Ibèric
Museu
Castellet
FLIX
Masía Oriol
les Solanes
Camins de Flix
la Torre
de l' Espanyol
Vinebre
Sant Antoni
ASCÓ
Sant
Miquel
15
12
Móra la Nova

Percuñar
221
El Corralet
Mausoleo Romano
2
Fabara
Mas de Comas
Mas del Santo
la Pobla
de Massaluca
Santa
Madrona
Ermita de
Sant Francesc
Sant Pau
Mas de Menut
Vilalba la Vella
Serres
Poblat Ibèric
Museu
Xercuns
la Fatarella
562
Sant Pau
Mas de Madronyetes
12

dillo
La Trapa
Vall de las Garzas
Mas del Raye
Serra de la Fatarella
Mas de la Gaeta
Ermita de
Sant Jeroni
128
Vall de Alges
Mas de la Cruz
Pantorrillas
455
1411
Maella
52
Granja Venta
de Sant Joan
Vilalba dels Arcs
el Calva
les Camposines
Santa
Magdalena
Móra
d'Ebre
420
11
13

les Talaies
Mas de las
Monjas
Mases del
Morellano
Mas de la Era
Emnedrada
Mas de
Angosto
Mazaleón
Mas de Petot
1412
Castillo de
San Cristóbal
Castillo de
Escodinas
Pinyeres
Tossal del Moro
poblat ibèric
el Masnou
Castell de Sant Joan
Mas del Moro
Mas de Mois
Poblado Ibérico
de San Antonio
Caseres
Mas del Sant
Mas de les Torres
420
Venta
del Polla
Masía de la Serra
Casa Xalamera
Coll
del Moro
221
Mas de Mossèn Pere
Corbera
d'Ebre
11
Mas de Parrot
Mas
de Feltre
Coll de la
Bassa Nova
Benissanet
Ginestar

Mas de Jaén
Mas de Mateu
Calaceite
109
Valdeltormo
Venta de
Ejerique
Mas de la Creu
Ruinas Ibéricas
Mas de Sorribes
Mas del Pellejo
Arens de Lledó
Mas del Ratat
Castell
d'Almudèfer
Mas del Nen
Mas de Maranya
Mas de l'Estudiant
Prat
de Comte
Bot
Montalvo
962
Santa
María
Museu
GANDESA
Sant Marc
el Calvari
Venta de la Fam
Serra de Pàndols
Talaia àrab
Poblat Ibèric
el Pinell
de Brai
(Coves amb estalactites)
43
13
Santa
Magdalena
Miravet
Castell de Miravet
Mas de Calderer
Mas de Segara
Rasquera
Sant Domènec
29
12
l'Ebre
Móra la Nova
Falset

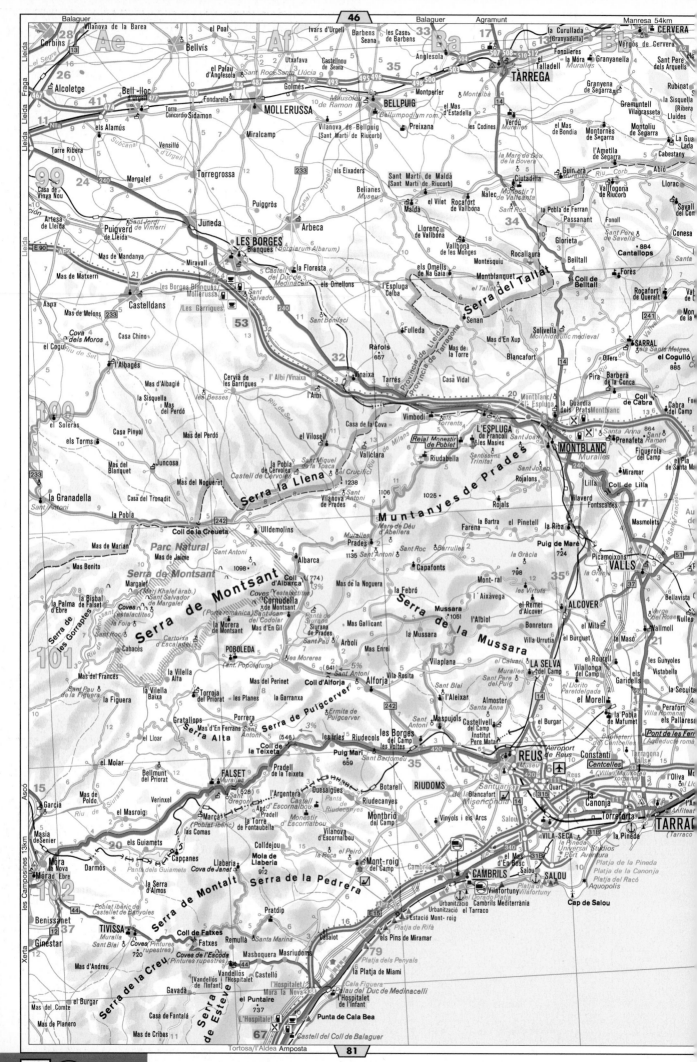

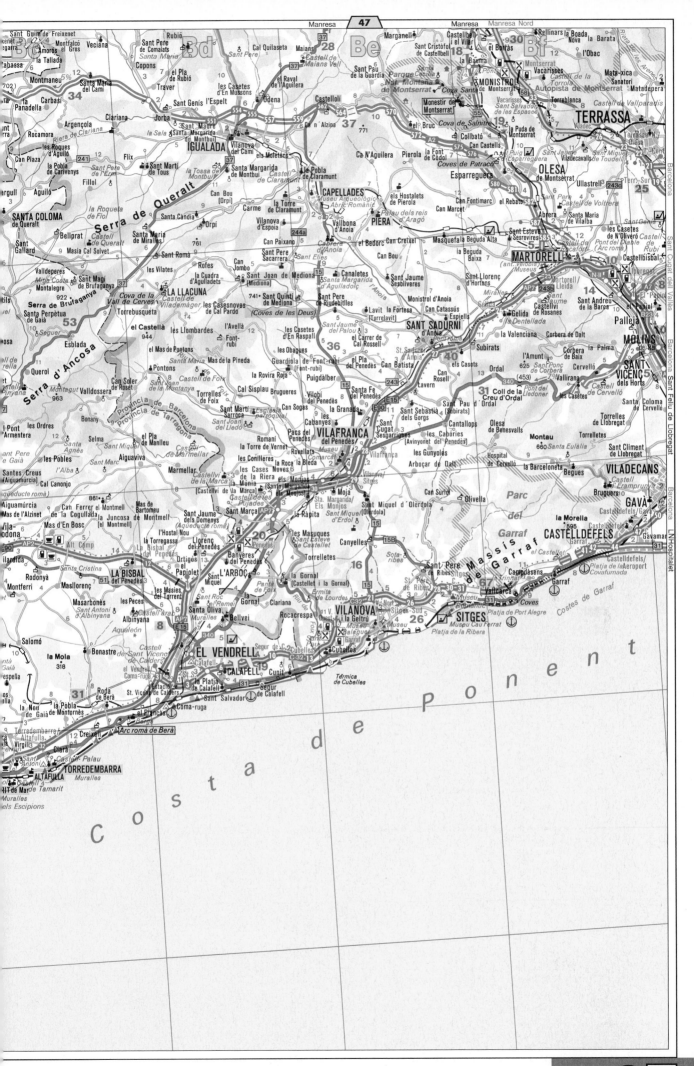

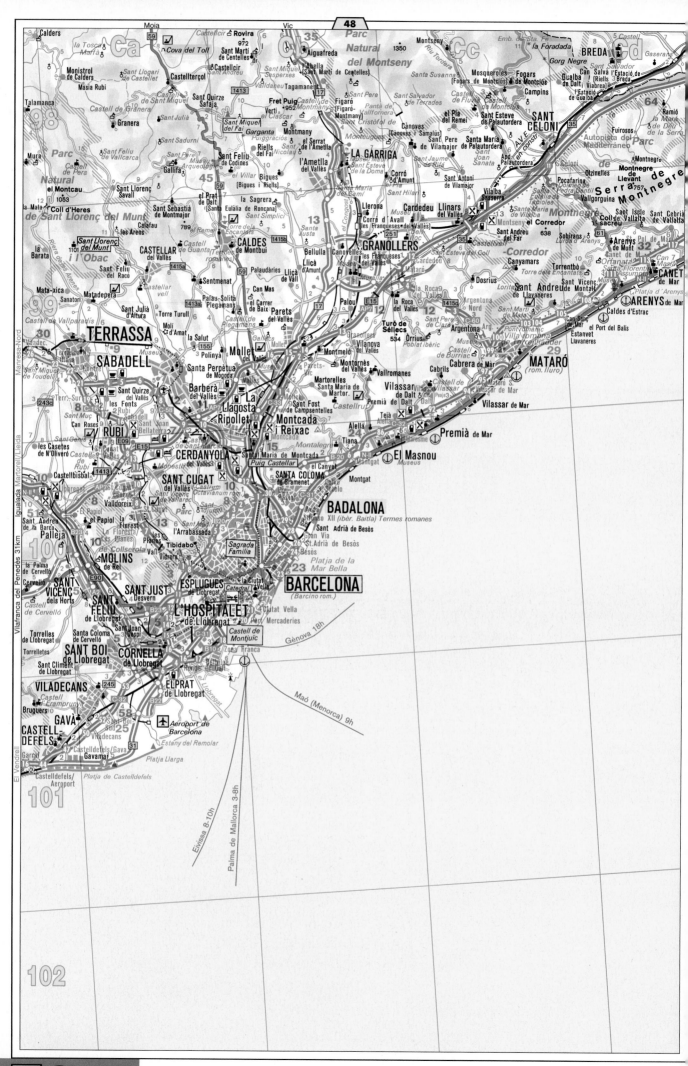

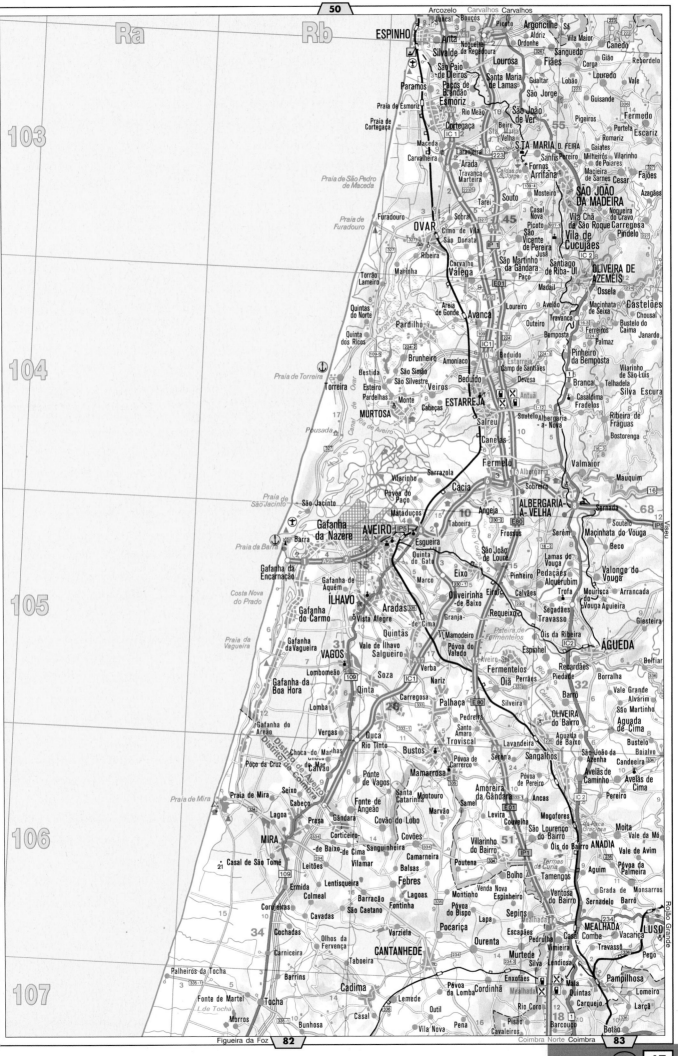

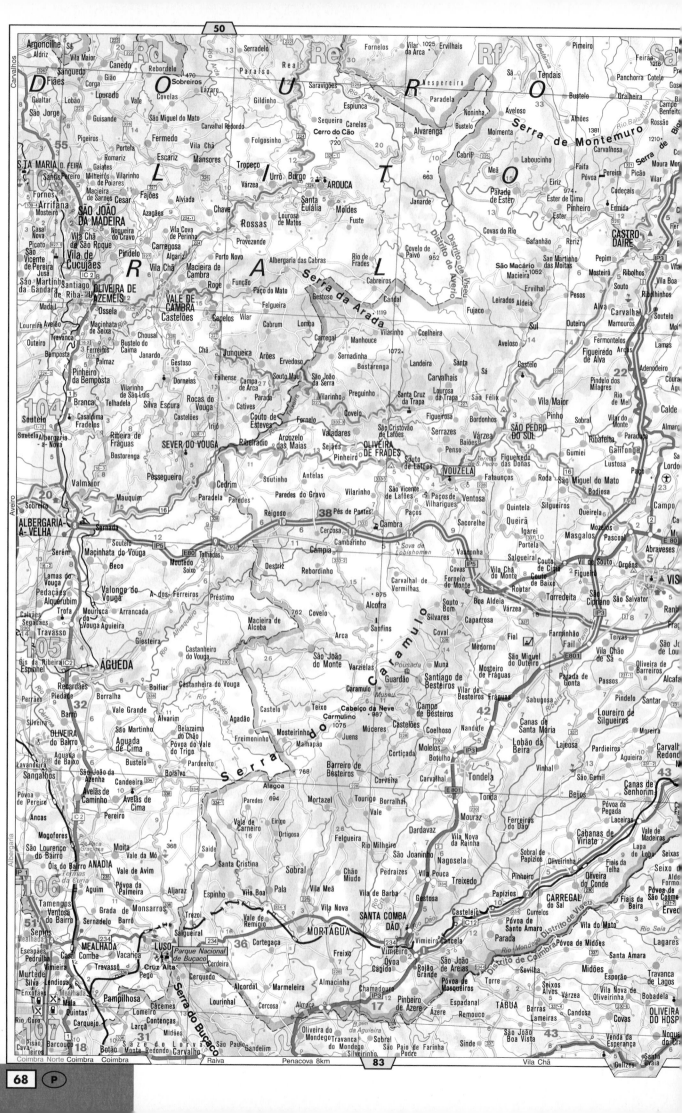

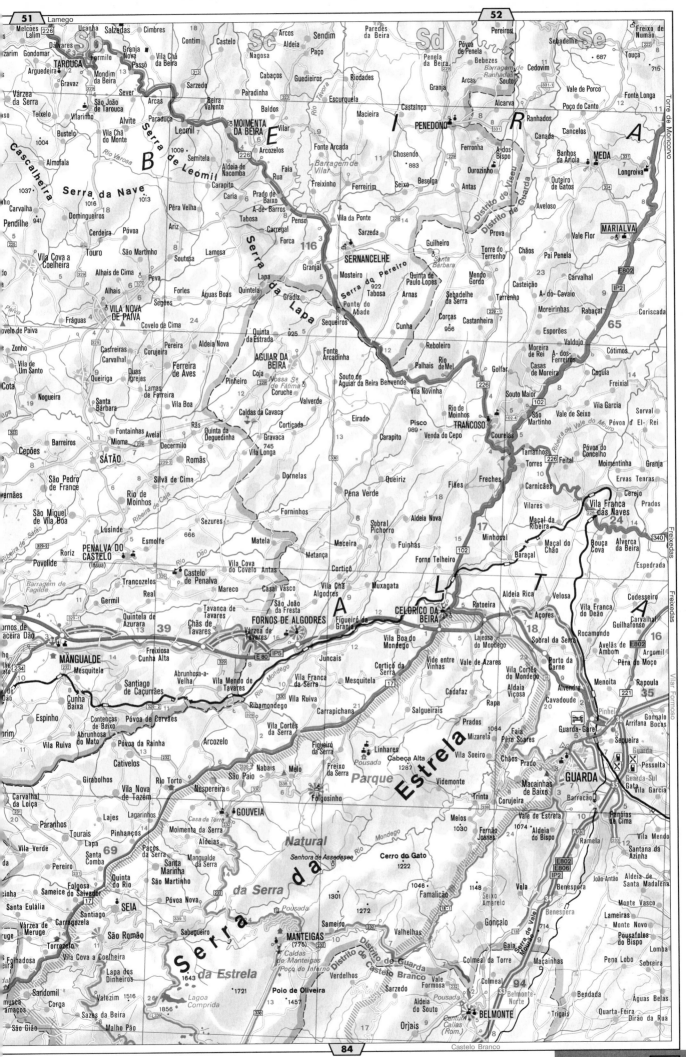

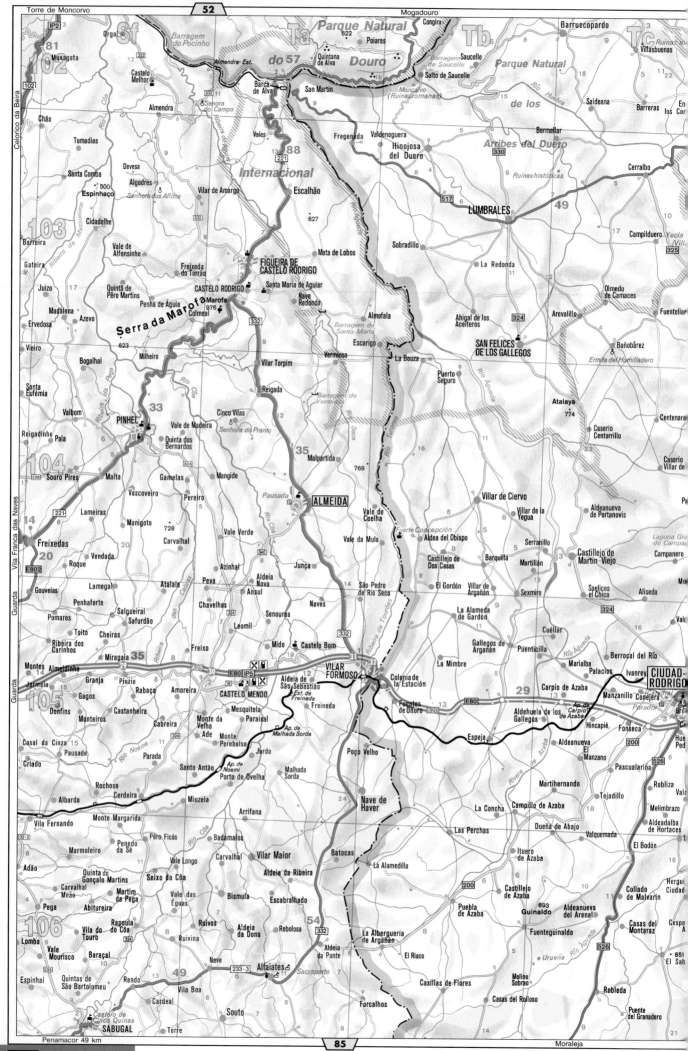

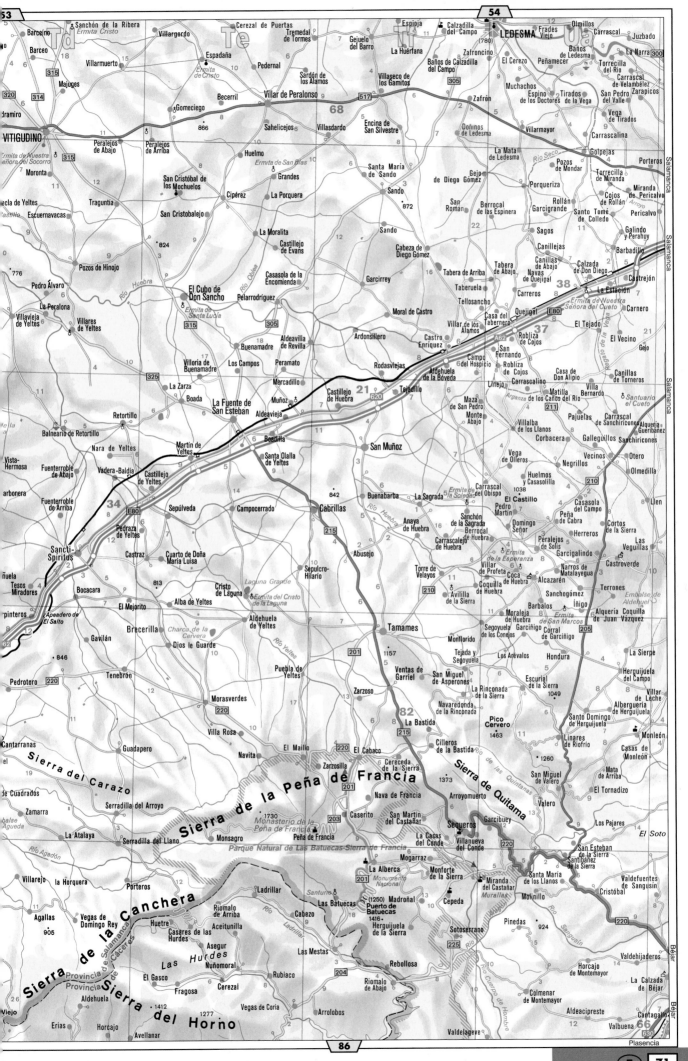

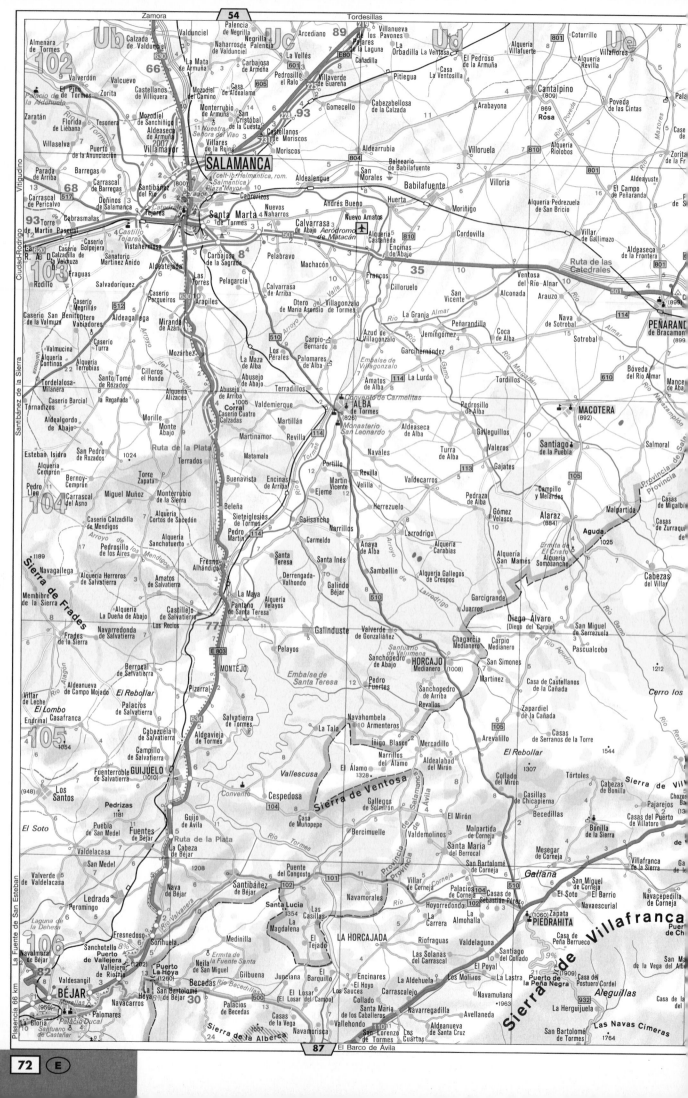

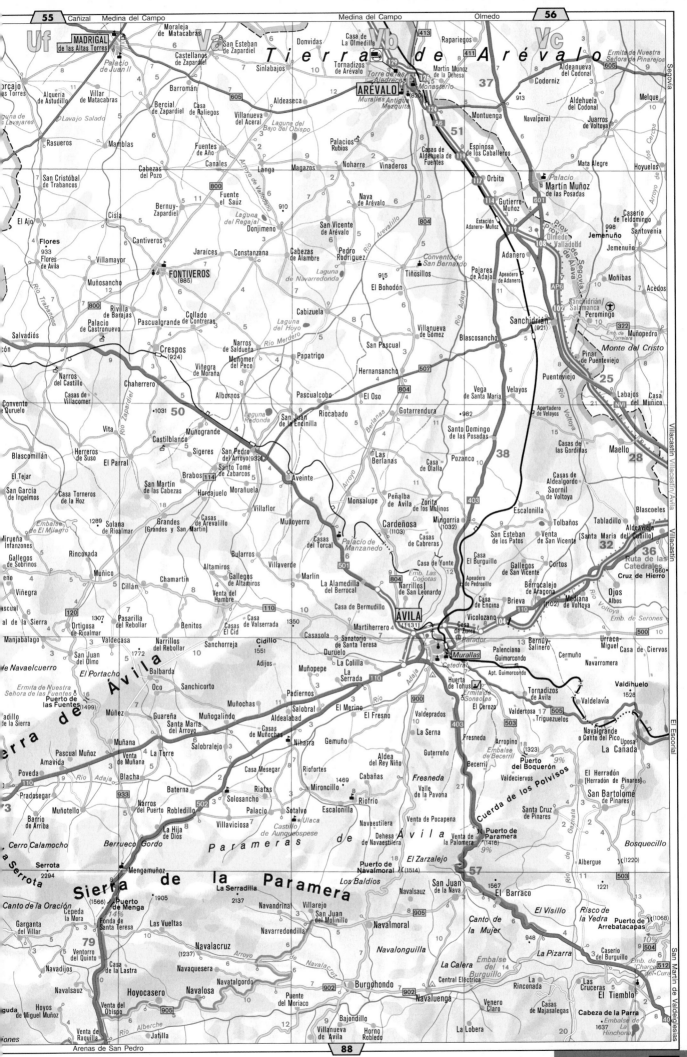

Uf   Va   Vb   Vc

MADRIGAL de las Altas Torres

Tierra de Arévalo

ARÉVALO

FONTIVEROS
(885)

Sierra de Ávila

ÁVILA
(1131)

Sierra de la Paramera

Parameras de Ávila

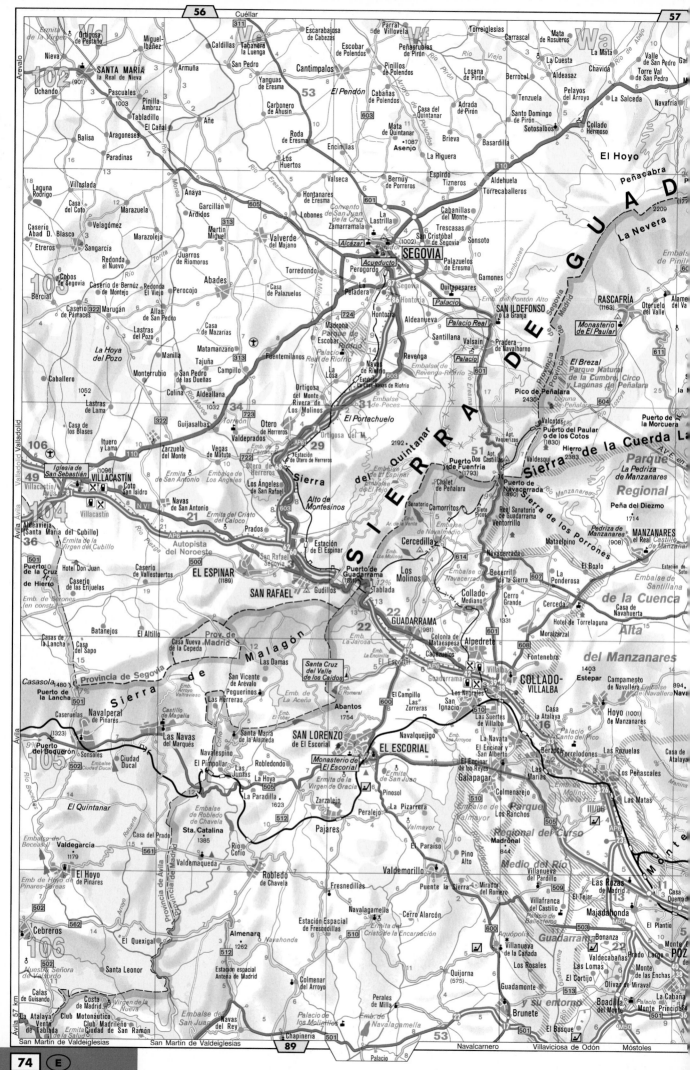

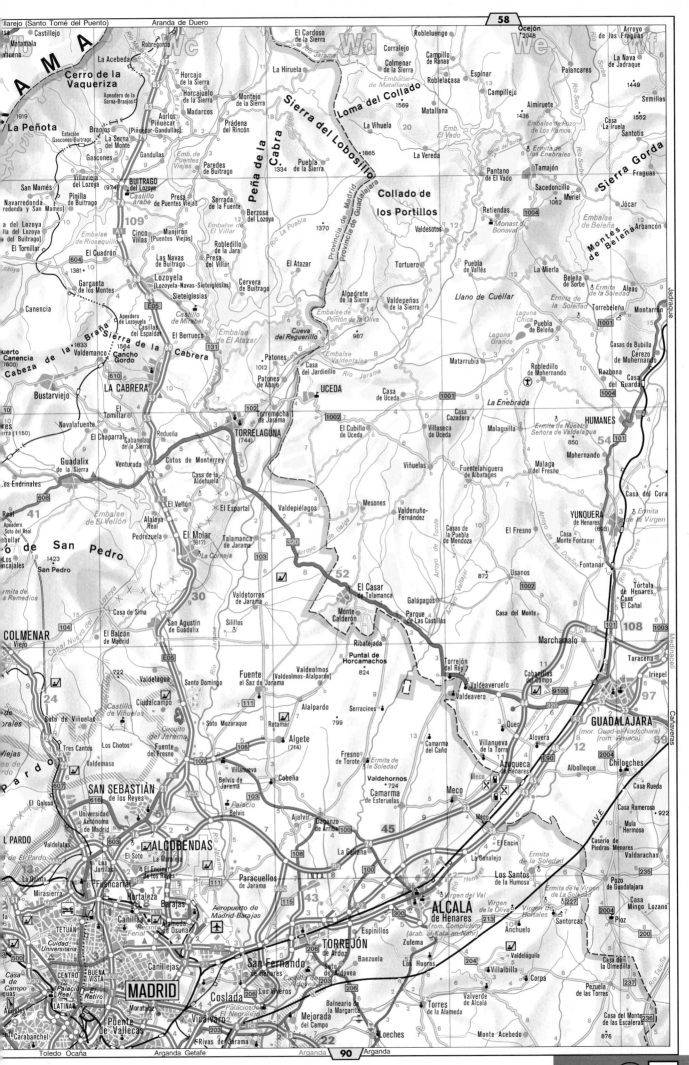

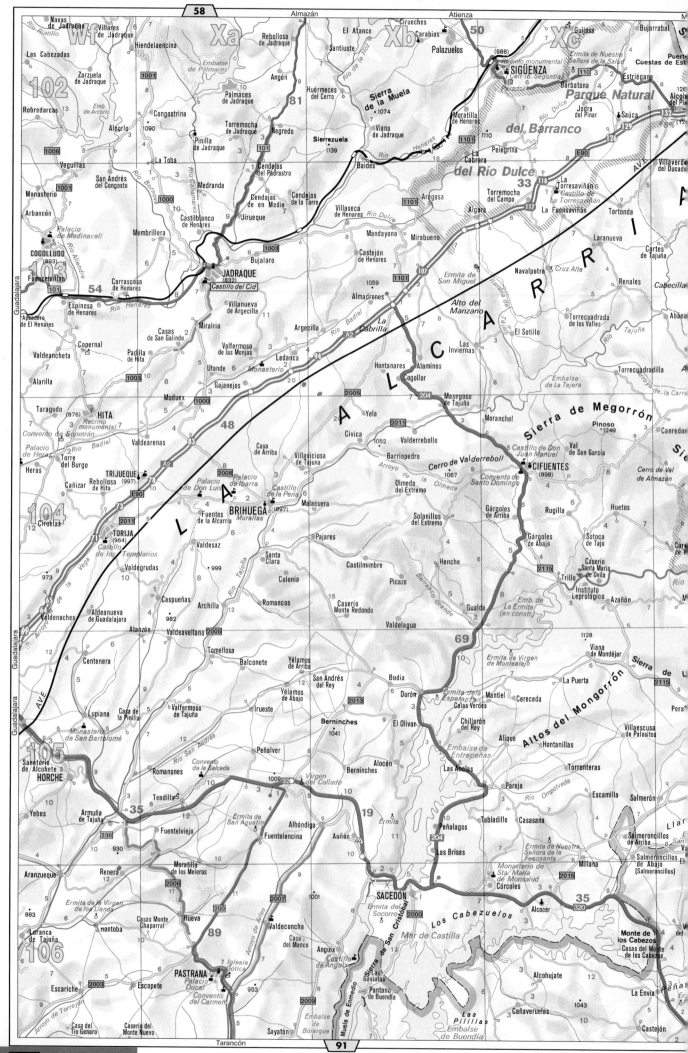

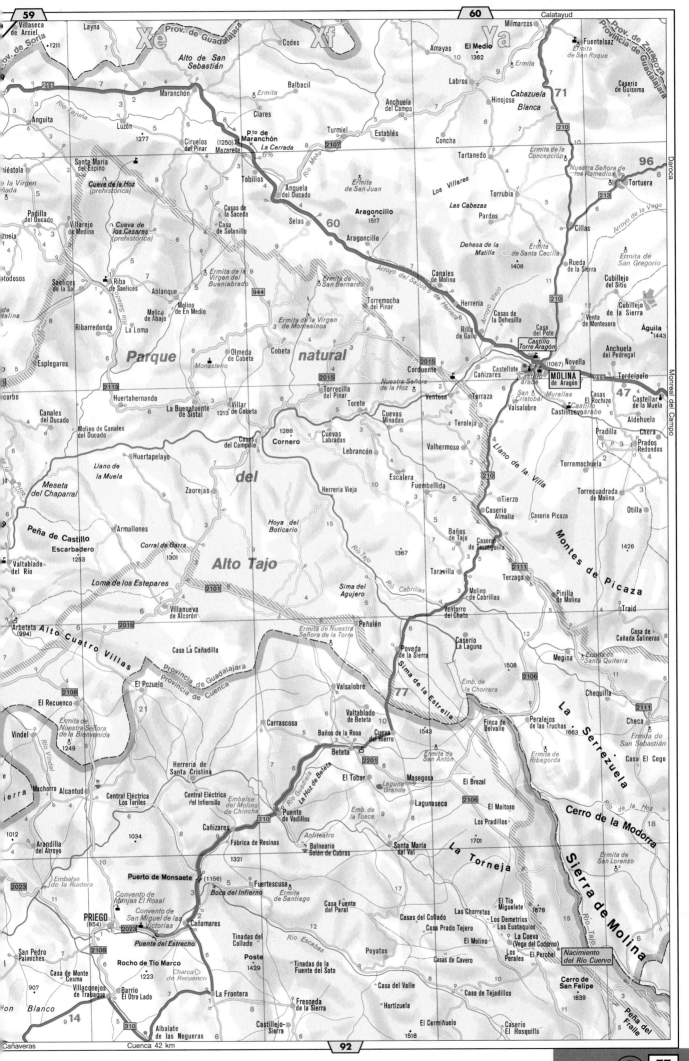

Calatayud

Prov. de Guadalajara

Xe   Xf   Ya

Prov. de Zaragoza
Provincia de Guadalajara

Villaseca
de Arciel
Layna
Prov. de Soria
·1211
Codes
Milmarcos
Amayas
El Medio
1362
Fuentelsaz
Ermita
de San Roque
Caserío
de Guisema

Alto de San
Sebastián
Maranchón
Balbacil
Labros
Ermita

211
Río Tajuña
2
Clares
Anchuela
del Campo
Hinojosa
Concha
Cabazuela
Blanca
71

Anguita
Luzón
1277
Ciruelos del Pinar
Mazarete
P.to de
Maranchón
(1250)
La Cerrada
6%
Turmiel
Establés
Tartanedo
210
Ermita de la
Concepción
Nuestra Señora de
los Remedios
Tortuera

Santa María
del Espino
Cueva de la Hoz
(prehistórica)
Tobillos
Anguela
del Ducado
Río Mesa
Ermita
de San Juan
Los Villares
Torrubia
Pardos
213
Cillas
96
8

Padilla
del Ducado
Villarejo
de Medina
Cueva de
los Casares
(prehistórica)
Casas de
la Saceda
Casa de
Solanillo
Selas
Aragoncillo
1517
Las Cabezas
Dehesa de la
Matilla
Ermita
de Santa Cecilia
1408
Rueda
de la Sierra
Cubillejo
del Sitio
Ermita de
San Gregorio

Saelices
de la Sal
Riba
de Saelices
Ablanque
Ermita de la
Virgen del
Bueniabrado
San Bernardo
944
Canales
de Molina
Herrería
210
Cubillejo
de la Sierra
Venta
de Montesoro
Águila
·1443

Ribarredonda
La Loma
Molino
de Abajo
Molino
de En Medio
Torremocha
del Pinar
Ermita de la Virgen
de Montesinos
Casas de
la Dehesilla
Rillo
de Gallo
Casa
del Pote
Castillo
Torre Aragón
Anchuela
del Pedregal

Esplegares
Parque
Huertahernando
Olmeda
de Cobeta
natural
Monasterio
Cobeta
2015
Corduente
Nuestra Señora
de la Hoz
2015
Cañizares
Castellote
Castillo
árabe
Novella
(1067)
MOLINA
de Aragón
211
47
Tordelpalo
Monreal del Campo

2113
La Buenafuente
de Sistal
Villar
de Cobeta
1213
Torecilla
del Pinar
Torete
Ventosa
Terraza
San
Cristóbal
Valsalobre
Murallas
Castillo
árabe
Castilnuevo
Casas
El Rochizo
Castellar
de la Muela
Aldehuela
Chera

Canales
del Ducado
Molino de Canales
del Ducado
Huertapelayo
Casas
del Campillo
Cornero
1288
Cuevas
Minadas
Cuevas
Labradas
Teroleja
Valhermoso
210
Pradilla
Torremochuela
Prados
Redondos

Llano de
la Muela
Zaorejas
del
Herrería Vieja
Escalera
Fuembellida
Tierzo
Caserío
Almalla
Caserío Picaza
Torrecuadrada
de Molina
Otilla

Meseta
del Chaparral
Hoya del
Boticario
15
Baños
de Tajo
Caserío
de Terzaguilla
1426

Peña de Castillo
Escarbadero
1253
Corral de Garra
1301
Alto Tajo
Río Tajo
1367
Río Cabrillas
Taravilla
Molino
de Cabrillas
2111
Terzaga
Pinilla
de Molina
Montes de Picaza
Traid

Valtablado
del Río
Loma de los Estepares
2101
Villanueva
de Alcorón
Sima del
Agujero
Ventorro
del Chato
Casa de
Cañada Salineras

Arbeteta
(994)
Alto Cuatro Villas
2015
Ermita de Nuestra
Señora de la Torre
Peñalén
Poveda
de la Sierra
Caserío
La Laguna
1508
Megina
Ermita de
Santa Quiteria

Casa La Cañadilla
Provincia de Guadalajara
Valsalobre
Sima de la Estrella
77
Emb. de
la Chorrera
2106
La Serrezuela
Chequilla

El Pozuelo
Provincia de Cuenca
Valtablado
de Beteta
10
Finca de
Belvalle
Peralejos
de las Truchas
1663
2111
Checa
Ermita de
San Sebastián

2108
El Recuenco
21
Carrascosa
Baños de la Rosa
5
Cueva
del Hierro
1543
Ermita de
Ribagorda
Casa El Cego

Vindel
Ermita de
Nuestra Señora
de la Bienvenida
1249
Beteta
2201
Ermita de
San Antón

Machorro
Alcantud
Herrería de
Santa Cristina
El Tobar
Laguna
Grande
Masegosa
El Brezal
2106
El Maitoso

Central Eléctrica
Los Toriles
Central Eléctrica
del Infiernillo
Embalse
del Molino
de Chincha
Río Guadiela
La Hoz de Beteta
210
Puente
de Vadillos
Emb. de
la Tosca
Lagunaseca
Los Pradillos
1701
La Torneja

1012
Arandilla
del Arroyo
1034
Cañizares
Fábrica de Resinas
1321
Anfiteatro
Balneario
Solán de Cabras
Santa María
del Val
El Tío
Miguelete
1678
Las Chorretas
Los Demetrios
Los Eustaquios
15
Sierra de Molina

2023
Embalse
de la Ruidera
11
Puerto de Monsaete
(1156)
5
Convento de
Monjas El Rosal
Fuertescusa
Boca del
Infierno
Ermita
de Santiago
Casa Fuente
del Peral
Casas del Collado
Casa Prado Tejero
La Cueva
(Vega del Codorno)
Los Perales
El Perchel
Ermita
de San Lorenzo

PRIEGO
(B54)
2023
Convento de
San Miguel de las
Victorias
Cañamares
Tinadas del
Collado
Poyatos
El Molino
Casas de Cavero
Nacimiento
del Río Cuervo
1839
Cerro de
San Felipe

San Pedro
Palmiches
2108
Puente del Estrecho
Poste
1429
Tinadas de la
Fuente del Soto
Casa del Valle
Casa de Tejadillos
Caserío
El Hosquillo

Casa de Monte
Cesma
907
Villaconejos
de Trabaque
Rocho de Tío Marco
1223
Barrio
El Otro Lado
La Frontera
Fresneda
de la Sierra
El Cermiñuelo
1518
Peña del
Fraile

Blanco
14
310
Río Escabas
Castillejo-
Sierra
Hortizuela

Cañaveras
Cuenca 42 km
92
Albalate
de las Nogueras

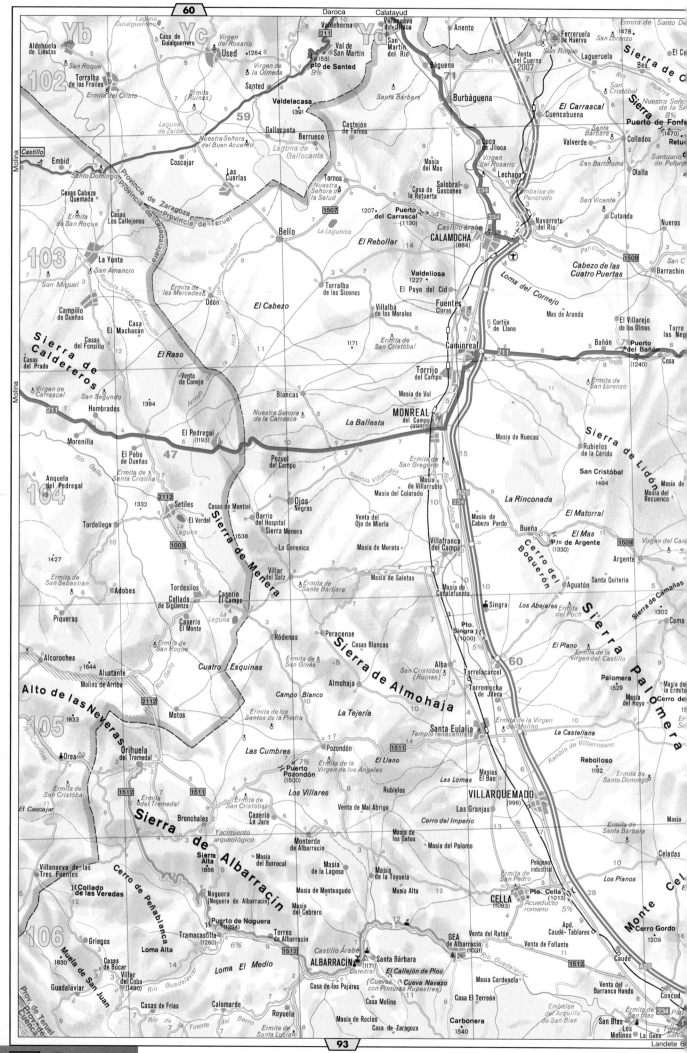

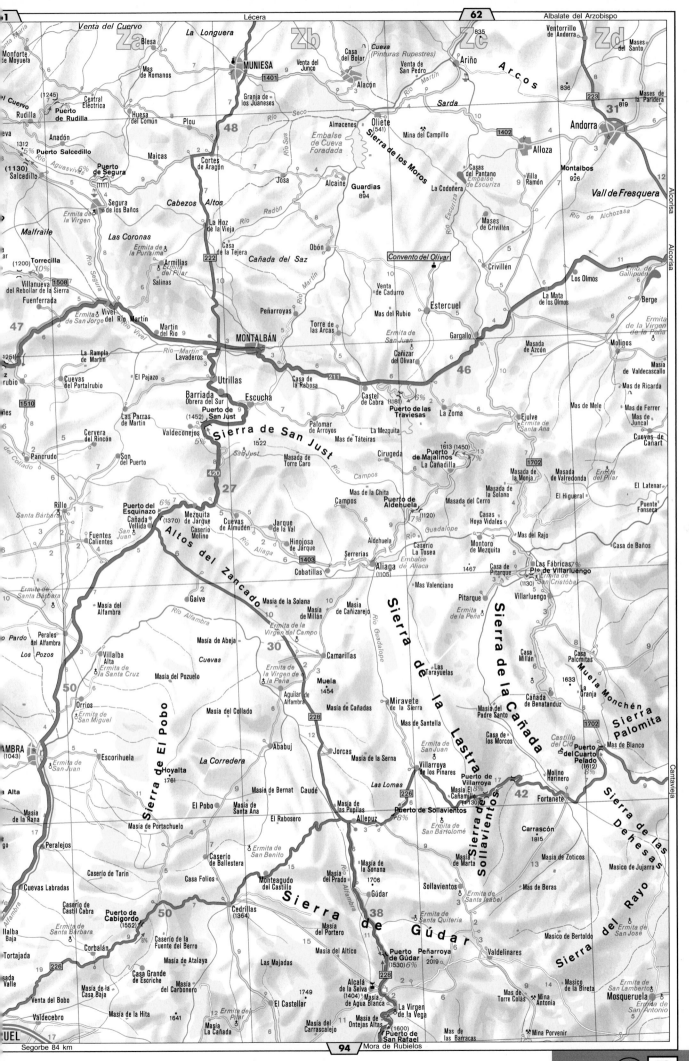

Venta del Cuervo   La Longuera   Za   Zb   Zc   Ventorrillo de Andorra   Zd   Mases del Santo

Blesa   Cueva (Pinturas Rupestres)   835   Ariño

Monforte de Moyuela   Mas de Romanos   MUNIESA   Casa del Bolar   Venta de San Pedro   836

Rudilla (1245)   Central Eléctrica   1401   Venta del Junco   Alacón   Río Martín   223   Mases de la Parridera   819

El Cuervo   Puerto de Rudilla (1111)   Granja de los Juaneses   Sarda   31   Andorra

Anadón   1312   Huesa del Común   Plou   Río Seco   Oliete (541)   1402   Alloza

5% Puerto Salcedillo   Maicas   Cortes de Aragón   Almacenes   Mina del Campillo   Montalbos 926   12

(1130) Salcedillo   6% Puerto de Segura (1111)   Josa   Alcaine   Casas del Pantano Embalse de Escuriza   Villa Ramón   Vall de Fresquera

Ermita de la Virgen   Segura de los Baños   Cabezos Altos   Guardias 894   La Codoñera   Emb. de Gallipuén

Malfraile   Las Coronas   La Hoz de la Vieja   Radón   Obón   Mases de Crivillén   Berge

(1200) Torrecilla 10%   Ermita de la Purísima   Casa de la Tejera   Cañada del Saz   Convento del Olivar   Crivillén   Ermita de la Virgen de la Peña

1508 Villanueva del Rebollar de la Sierra   222   Armillas   Ermita del Pilar   Salinas   Venta de Cadurro   Masada de Azcón   La Mata de los Olmos   Molinos

Fuenferrada   Peñarroyas   Mas del Rubio   Estercuel   Masía de Valdecascallo

47   Ermita de San Jorge   Vivel del Río Martín   Martín del Río   Torre de las Arcas   Ermita de San Juan   Gargallo   Mas de Ricarda

1251   La Rampla de Martín   MONTALBÁN   Cañizar del Olivar   46   Mas de Mele   Mas de Ferrer

rubio   Cuevas del Portalrubio   Lavaderos   Río Martín   211   Mas de Juncal

1510   El Pajazo   Utrillas   Casa de la Rabosa   Castel de Cabra (1181) 6%   Cuevas de Cañart

ñes   Las Parras de Martín   Barriada Obrera del Sur   Escucha   Puerto de las Traviesas   La Zoma   Ejulve   Ermita de Santa Ana

Cervera del Rincón   Puerto de San Just (1452)   Palomar de Arroyos   La Mezquita   1613 (1450)   1702   El Latenar

Pancrudo   Valdeconejos 5%   Sierra de San Just   1522   Mas de Táteiras   Cirugeda   Puerto de Majalinos La Cañadilla 7%   Masada de la Monja   Masada de Valredonda   Puente Fonseca

Rillo   Son del Puerto   San Just   Masada de Torre Caro   Campos   Mas de la Chita   Masada del Cerro   Masada de la Solana   El Higueral

Santa Bárbara   420   27   Campos   Puerto de Aldehuela (1120) 7%   Casas Hoya Vidales   Casa de Baños

Puerto del Esquinazo   6%   Mezquita de Jarque (1370)   Cuevas de Almudén   Jarque de la Val   Aldehuela   Guadalope   Montoro de Mezquita   Mas del Rajo

Cañada Vellida   Caserío Molino   San Juan   Río Aliaga   Hinojosa de Jarque   Serrerías   Caserío La Tosca   1467   Casa de Pitarque   Las Fábricas 7%

Fuentes Calientes   Altos del Zancado   1403   Cobatillas   Aliaga (1105)   Embalse de Aliaca   Pte. de Villarluengo (1130)   Ermita de San Cristóba

Ermita de Santa Bárbara   Masía del Alfambra   Galve   Río Alfambra   Masía de la Solana   Masía de Millán   Mas Valenciano   Pitarque   Sierra de la Cañada   Villarluengo

   Masía de Cañizarejo   Sierra de la Lastra   Ermita de la Peña   Casa Millán   Casa Palomitas   Muela Monchén

Pardo   Perales del Alfambra   Masía de Abeja   Ermita de la Virgen del Campo   Cuevas   30   Camarillas   1633   La Granja   Sierra Palomita

Los Pozos   Villalba Alta   Ermita de la Santa Cruz   Masía del Pozuelo   Ermita de la Virgen de la Peña   Las Tarayuelas   Cañada de Benatanduz   Casa Millán

50   Orrios   Ermita de San Miguel   Muela 1454   Masía del Padre Santo   1702

   Masía del Collado   Aguilar de Alfambra   Miravete de la Sierra   Masía de Cañadas   Casa de los Morcos   Castillo del Cid   Puerto del Cuarto Pelado (1612)   Mas de Blanco

AMBRA (1043)   Ermita de San Juan   Escorihuela   Hoyalta 1761   La Corredera   228   Mas de Santella   Ermita de San Juan   Villarroya de los Pinares   Molino Harinero   8%

Alta   Jorcas   Masía de la Serna   Puerto de Villarroya 8%   Masía El Cañamillo (1130)   42   Fortanete

Masía de la Rana   Sierra de El Pobo   Las Lomas   Masía de Bernat   Caudé   226   Carrascón 1815   Masía de Zoticos   Sierra de las Dehesas

Peralejos   El Pobo   Masía de Santa Ana   El Rabosero   Masía de las Pupilas   Puerto de Sollavientos 8%   Ermita de San Bartolomé   Masico de Jujarra

Cuevas Labradas   Masía de Portachuelo   Caserío de Ballestera   Ermita de San Benito   Allepuz   Sierra de Sollavientos   Masía de Marta   Mas de Boras   Sierra del Rayo

Caserío de Castil Cabra   Casa Folios   Masía del Prado   Masía de la Sonana 1706   Sollavientos   Ermita de Santa Isabel   Ermita de San José

go   Ermita de Santa Bárbara   Puerto de Cabigordo (1552) 6%   Caserío de la Fuente del Berro   Monteagudo del Castillo   Gúdar   Ermita de Santa Quiteria   Masico de Bertoldo

Ilalba Baja   Corbalán   50   Cedrillas (1364)   Sierra de Gúdar   Masía del Portero   38   Valdelinares   Masico de la Bireta   Ermita de San Lamberto

Tortajada   226   Masía de Atalaya   Masía del Altico   Las Majadas   Puerto de Gúdar (1530) 6%   Peñarroya 2019   Ermita de San Antonio

sada Valle   Venta del Bobo   Casa Grande de Escriche   Masía del Carbonero   228   Mas de Torre Colás   Mina Antonia   Mosqueruela

Valdecebro   Masía de la Casa Baja   1749   El Castellar   Alcalá de la Selva (1404)   Masía de Agua Blanca   La Virgen de la Vega   Mina Porvenir

UEL   Masía de la Hita   1641   Ermita de Pilar   Masía La Cañada   Masía del Carrascalejo   Masía de Ontejas Altas   Puerto de San Rafael (1600)   Mas de las Barracas

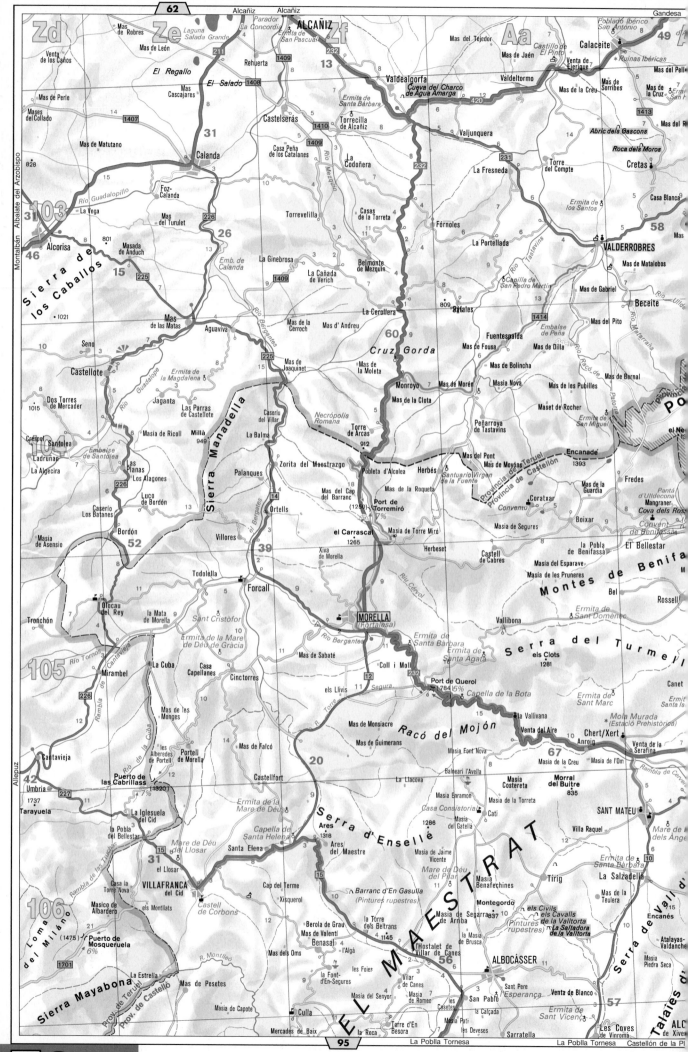

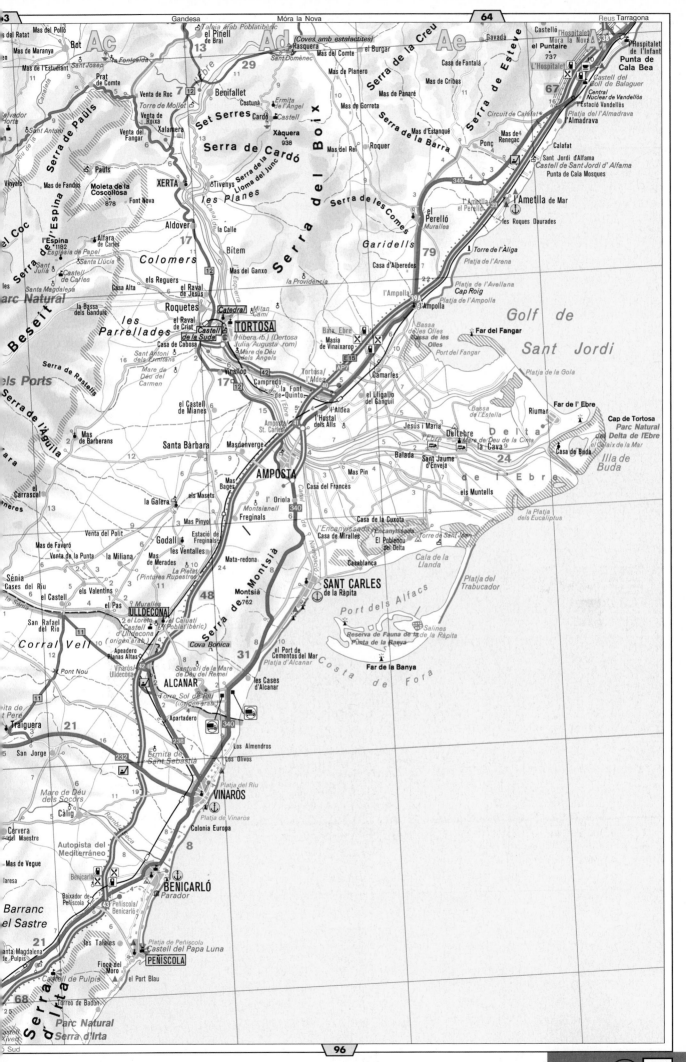

Mas del Polló
Mas del Ratat
el Pinell
de Brai
Talaia àrab Poblatibèric
el Puntaire
Castelló Hospitalet/
Móra la Nova
338
Mas de Maranya
Bot
Ac
13
Ad
(Coves amb estalactites)
Rasquera
Ae
Gavadà
737
L'Hospitalet
Hospitalet
de l'Infant
Punta de
Cala Bea
Mas de l'Estudiant
Sant Josep
la Fontcalda
Mas del Comte
el Burgar
Serra de la Creu
Casa de Fantalá
Castell del
Coll de Balaguer
Prat
de Comte
Venta de Roc
7
12
Benifallet
Mas de Planero
Mas de Cribas
67
Central
Nuclear de Vandellòs
Torre de Mollet
Costuná
Cardó
Ermita
de l'Angel
Mas de Panaré
Serra de Esteve
16
l'Estació Vandellòs
Venta de
Roixa
Castell
Mas de Gorreta
Circuit de Calafat
l'Almadrava
Venta del
Fangar
Xalamera
Xàquera
938
Mas del Rei
Roquer
Mas d'Estanqué
Serra de la Barra
Mas de
Renegac
Ponç
340
Calafat
Castell de Sant Jordi d'Alfama
Pauls
Serra de Cardó
Serra de la
Lloma del Junc
Tivenys
Mas de
Ponç
Punta de Cala Mosques
XERTA
Serra de les Comes
l'Ametlla
el Perelló
l'Ametlla de Mar
Moleta de la
Coscollosa
878
Font Nova
les Planes
Garidells
79
39
les Roques Daurades
Aldover
la Calle
el Perelló
Muralles
Torre de l'Àliga
Platja de l'Arena
Colomers
Bítem
Casa d'Alberedes
Platja de l'Avellana
Cap Roig
els Reguers
el Raval
de Jesús
la Providència
l'Ampolla
Platja de l'Ampolla
Golf de
Roquetes
Catedral
Mitan
Camí
Baix Ebre
l'Ampolla
Bassa
de les Olles
Far del Fangar
Sant Jordi
les Parrellades
el Raval
de Crist
Castell
de la Suda
TORTOSA
(Hibera rb.) (Dertosa
Julia Augusta rom)
Masia
de Vinaixarop
Bassa de les
Olles
Port del Fangar
Platja de la Gola
Delta
Casa de Cabossa
E15
Camarles
Far de l'Ebre
Cap de Tortosa
Mare de Déu
del Carmen
VinaÌlop
42
Campredó
AP7
Tortosa/
l'Aldea
la Font
de Quinto
l'Aldea
el Lligallo
del Ganguil
Bassa
de l'Estella
Riumar
Parc Natural
del Delta de l'Ebre
el Castell
de Mianes
15
l'Hostal
dels Alls
Jesús i Maria
Deltebre
Mare de Deu de la Cinta
el Calaix de la Mar
Illa de
Buda
Mas
de Barberans
Amposta
St. Carles
Balada
Sant Jaume
d'Enveja
la Cava
24
Santa Bàrbara
Masdenverge
AMPOSTA
Mas Pin
els Muntells
d e l   E b r e
Casa de Buda
la Galera
els Masets
Casa del Francès
l'Oriola
Mas Pinyol
Montsianell
Freginals
340
6
Casa de la Cuxota
l'Encanyissada
Encanyissada
la Platja
dels Eucaliptus
el Carrascal
13
Venta del Polit
Godall
Estació de
Freginals
les Ventalles
Casa de Miralles
El Poblenou
del Delta
Torre de Sant Joan
Casablanca
Cala de la
Llanda
Platja del
Trabucador
Mas de Favaró
Venta de la Punta
la Miliana
Mas
de Merades
10
La Pietat
(Pintures Rupestres)
Mata-redona
24
Montsià
762
Sant Carles
de la Ràpita
Port dels Alfacs
Sènia
Cases del Riu
el Castell
els Valentins
el Pas
48
ULLDECONA
Muralles
el Caluati
Castell
d'Ulldecona
(origen àrab)
el Loreto
Castell Poblat ibèric
Cova Bonica
Serra de Montsià
Reserva de Fauna de la Ràpita
Punta de la Banya
Salines
de la Ràpita
Far de la Banya
San Rafael
del Rio
Corral Vell
Pont Nou
11
Apeadero
Planas Altas
Vinaròs-
Ulldecona
42
Santuari de la Mare
de Déu del Remei
31
el Port de
Cementos del Mar
Platja d'Alcanar
Costa
d e
F o r a
Traiguera
21
ALCANAR
Torre Sol de Riu
(origen àrab)
2
les Cases
d'Alcanar
Apartadero
340
San Jorge
238
Los Almendros
11
232
Ermita de
Sant Sebastià
Los Olivos
Mare de Déu
dels Socors
11
19
Platja del Riu
VINARÒS
Càlig
Platja de Vinaròs
Cervera
del Maestre
Colonia Europa
Autopista del
Mediterráneo
8
Mas de Vegue
laresa
Benicarló
Barranc
el Sastre
BENICARLÓ
Parador
Baixador de
Peñiscola
Peñiscola/
Benicarló
21
les Talaies
Platja de Peñiscola
Castell del Papa Luna
Santa Magdalena
de Pulpis
Finca del
Moro
PEÑISCOLA
68
Castell de Pulpis
el Port Blau
Serra d'Irta
Torreó de Badón
25
Parc Natural
Serra d'Irta
Sud

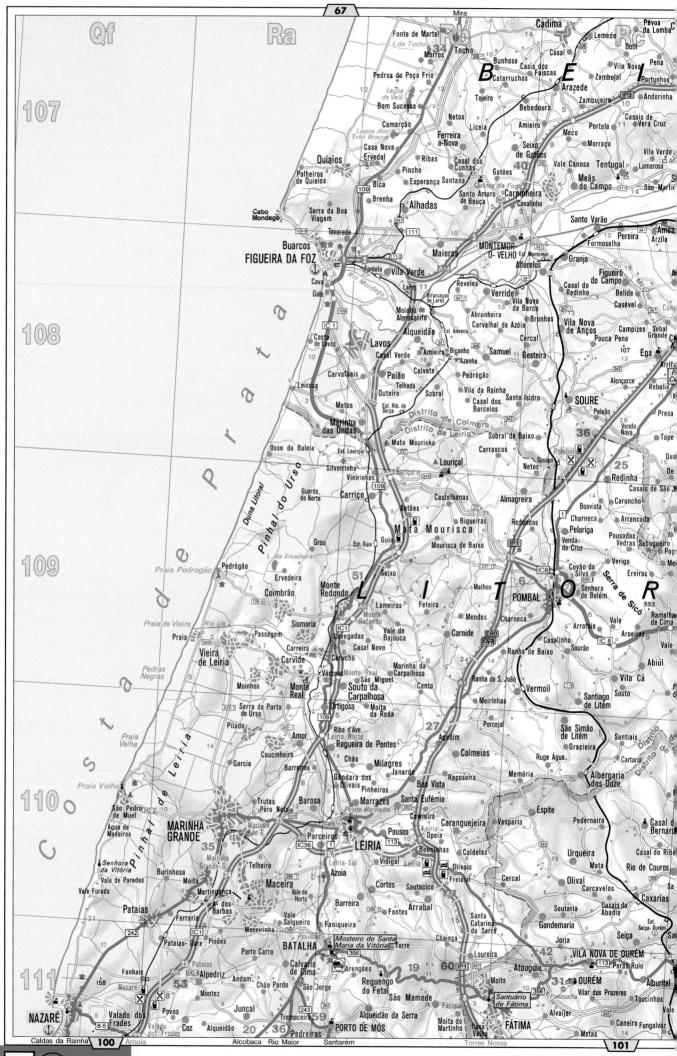

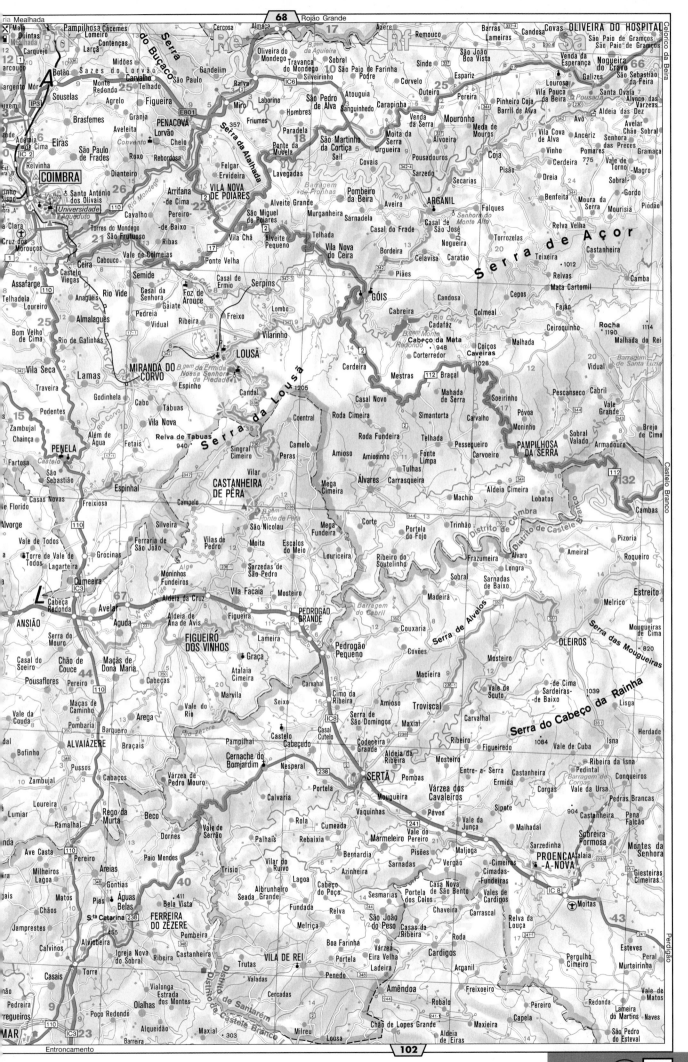

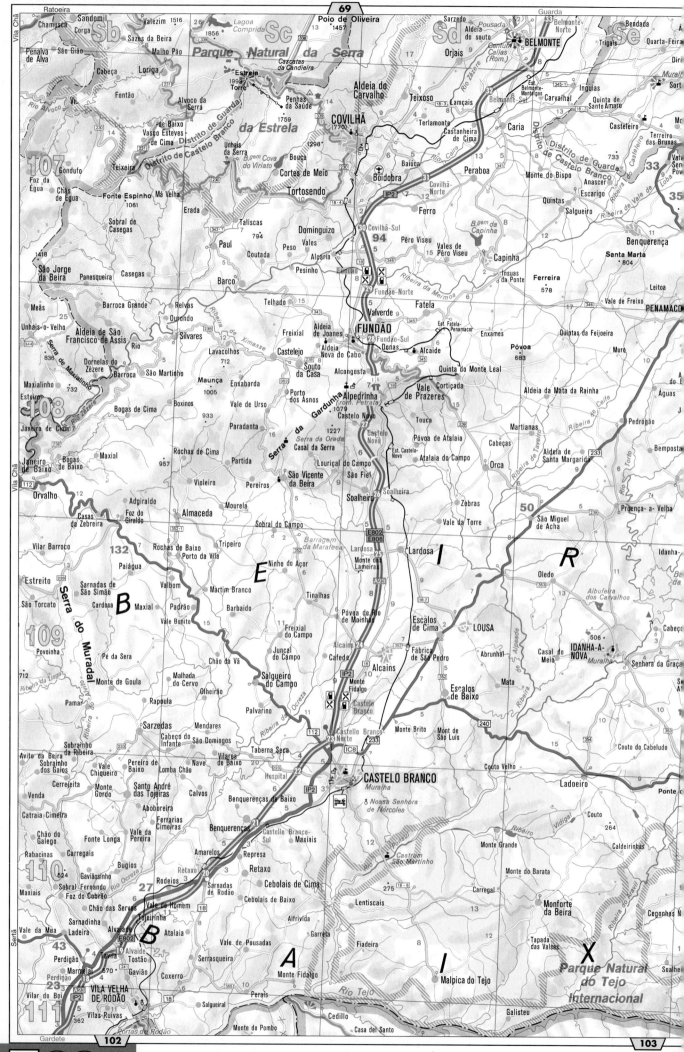

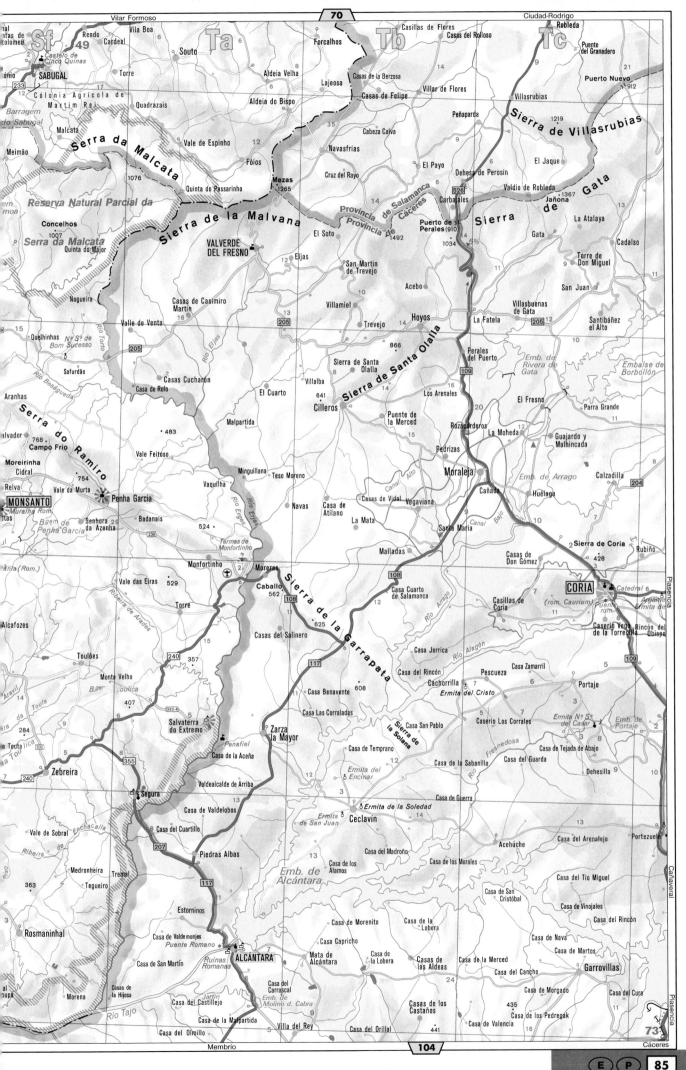

Vilar Formoso
Ciudad-Rodrigo

Sf
49
Ta
Tb
Tc

Rendo
Cardeal
Vila Boa
Souto
Casillas de Flores
Casas del Rolloso
Robleda
Puente del Granadero

2
Castelo de Cinco Quinas
SABUGAL
Torre
Aldeia Velha
8
Forcalhos
Casas de la Berzosa
Villar de Flores
14
Villasrubias
Puerto Nuevo
21
912

233
12
Colónia Agrícola de Martim Rei
Quadrazais
Aldeia do Bispo
8
Lajeosa
Casas de Felipe
9

Meimão
Malcata
Vale de Espinho
12
Peñaparda
Sierra de Villasrubias
1219

Serra da Malcata
Fóios
1076
Cabeza Calva
Navasfrías
El Payo
El Jaque

Reserva Natural Parcial da
Quinta do Passarinho
Mezas
1265
Cruz del Rayo
Dehesa de Perosin
6
Valdio de Robleda
Jañona
1367
13

Concelhos
Serra da Malcata
1007
14
Provincia de Salamanca
Cáceres
526
Carbajales
Sierra de Gata
La Atalaya

Quinta do Major
Sierra de la Malvana
El Soto
Provincia de
1492
Puerto de Perales (910)
4
5%
Gata
Cadalso

Nogueira
VALVERDE DEL FRESNO
Eljas
12
San Martin de Trevejo
1034
11
San Juan
Torre de Don Miguel
9
11

Valle de Venta
205
Casas de Casimiro Martin
16
13
Villamiel
Acebo
La Fatela
Villasbuenas de Gata
205
12
Santibáñez el Alto

15
Quelhinhas
Nª Sª de Bom Sucesso
205
Trevejo
14
Hoyos
866
Perales del Puerto
109
Emb. de Rivera de Gata
Embalse de Borbollón

Safurdão
Río Torto
Casas Cucharón
Sierra de Santa Olalla
8
El Fresno
Parra Grande
11

Aranhas
Río Besagueda
Casa de Rolo
El Cuarto
Villalba
641
Cilleros
Sierra de Santa Olalla
14
Los Arenales
20
Rozacorderos
La Moheda
12
Guajardo y Malhincada

Salvador
768
Campo Frio
483
Malpartida
Puente de la Merced
15
Pedrizas

Moreirinha
Cidral
Vale Feitoso
754
Minguillana
Teso Moreno
Moraleja
Emb. de Arrago
Calzadilla
204

Serra do Ramiro
Vaquilha
Casas de Vidal
Vegaviana
Cañada
Huélaga
10

MONSANTO
Penha Garcia
Navas
Casa de Atilano
Santa Maria
Canal Alto

Muralha Rom.
Badanais
524
La Mata
Canal Bajo
Casas de Don Gómez
2
Sierra de Coria
428
Rubiño

Buen de Penha Garcia
Senhora da Azenha
29
238
Termas de Monfortinho
Malladas
108
CORIA
(rom. Caurium)
Catedral
6
Argam Ermita de

(Rom.)
Monfortinho
2
Moreras
108
Casa Cuarto de Salamanca
12
Casillas de Coria
11
Puente rom.

Alcafozes
Vale das Eiras
529
Caballo
562
108
625
Casa Jorrica
Río Arrago
Río Alagón
Caserío Vega de la Torrecilla
Rincón del Obispo

Torre
Casas del Salinero
Sierra de la Garrapata
Casa del Rincón
Pescueza
Casa Zamarril
109

Toulões
240
357
117
608
Casa Benavente
Cachorrilla
7
Portaje
4

Monte Velho
407
11
Ermita del Cristo
Caserío Los Corrales
Ermita Nª Sª del Casar
Emb. de Portaje
2

Aravil
332.4
5
Casa Las Corraladas
Sierra de la Solana
Casa San Pablo
3

284
Salvaterra do Extremo
Zarza la Mayor
Casa de Temprano
12
Casa de la Sabanilla
Casa del Guarda
Casa de Tejada de Abajo

Touta lica
332
Penafiel
Casa de la Aceña
Ermita del Encinar
Fresnedosa
Dehesilla
9
10

7
240
Zebreira
355
Valdeaicalde de Arriba
3
Casa de Guerra

Segura
Casa de Valdelobos
13
Ermita de San Juan
Ermita de la Soledad
14
13
Portezuelo

Vale de Sobral
Enchacalla
Casa del Cuartillo
Ceclavín
Acehúche
Casa del Arenalejo

Medronheira
207
Piedras Albas
13
Casa del Madroño
Casa de los Morales
Casa del Tio Miguel

363
Tremal
Tegueiro
117
Casa de los Alamos
Casa de Vinojales

Emb. de Alcántara
Estorninos
Casa de San Cristóbal
Casa del Rincón

3
Casa de Valdemonjes
Casa de Morenito
Casa de la Lobera
Casa de Nava

Rosmaninhal
Puente Romano
ALCÁNTARA
Casa Capricho
Casa de la Lobera
Casas de la Merced
Casa de Martos
Garrovillas

Casa de San Martín
Ruinas Romanas
7
Mata de Alcántara
Casas de las Aldeas
Casa del Cancho
Casa del Cura

Casas de la Hijosa
Jardín
Emb. de Molino d. Cabra
435
Casa de Morgado

Morena
Casa del Castillejo
Villa del Rey
Casas de los Castaños
Casa de Valencia
Casa de los Pedregal
11

Río Tajo
Casa de la Malpartida
Casa del Orillal
441
16

Casa del Olmillo

Membrio
Cáceres

73

E P 85

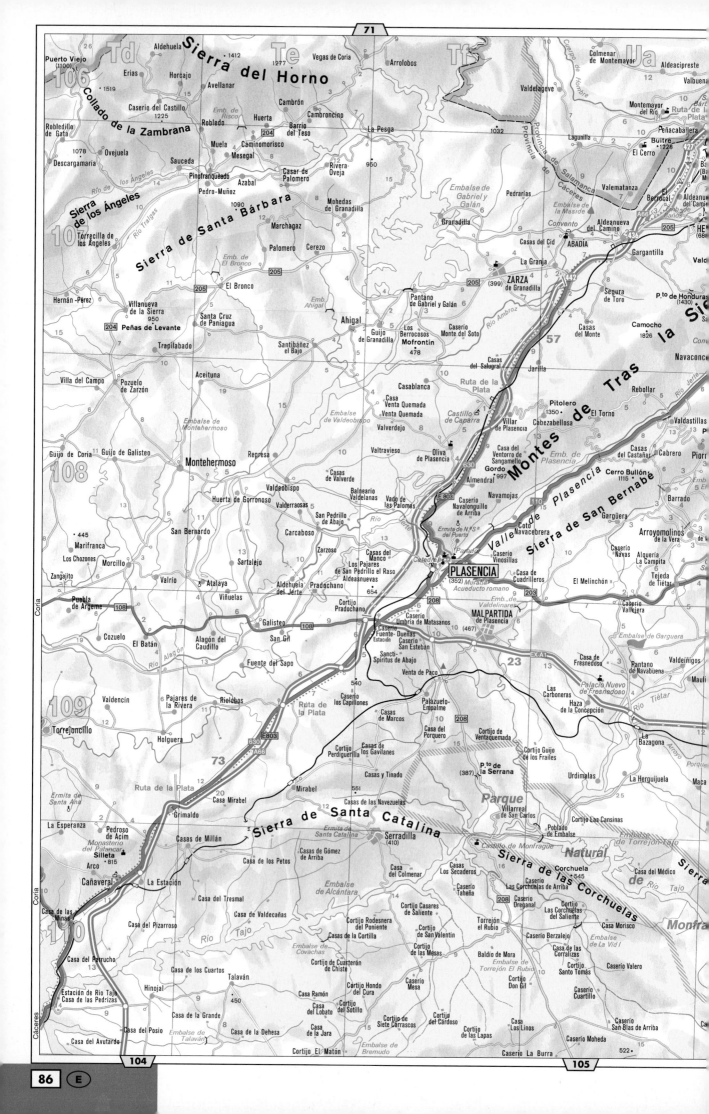

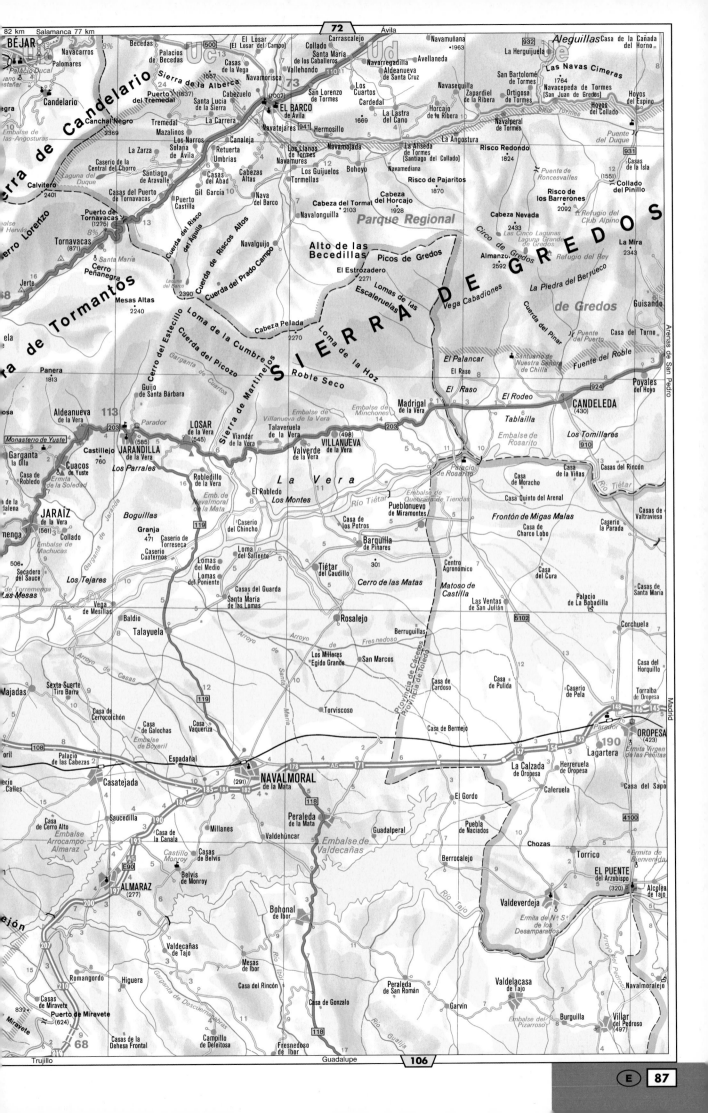

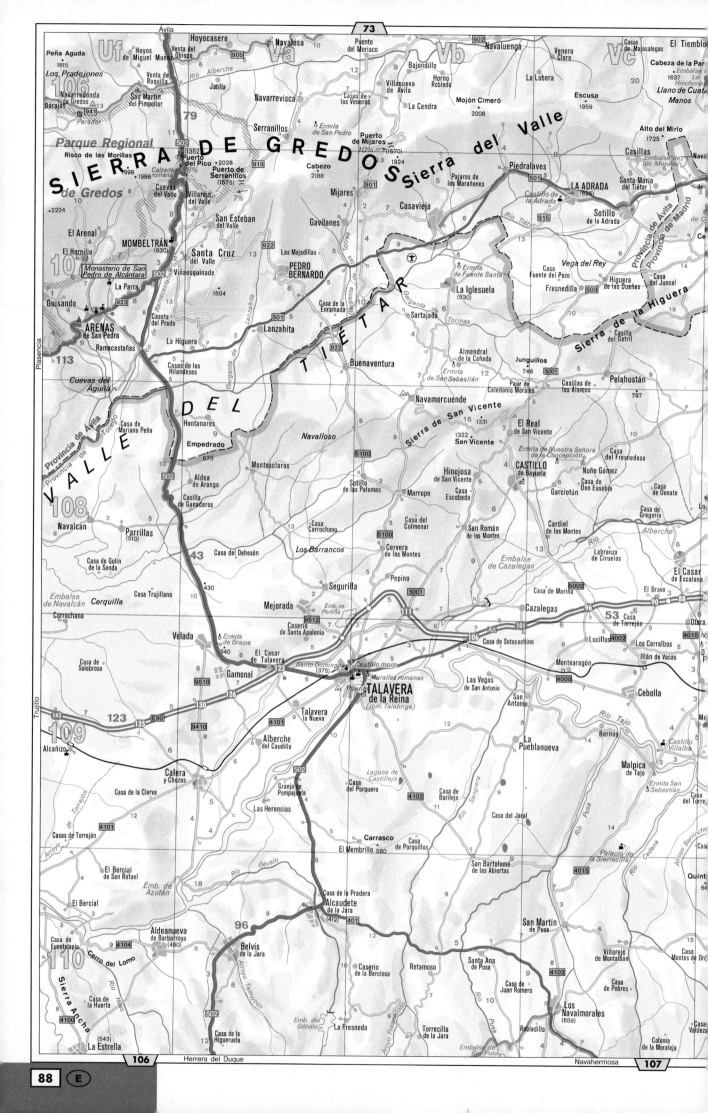

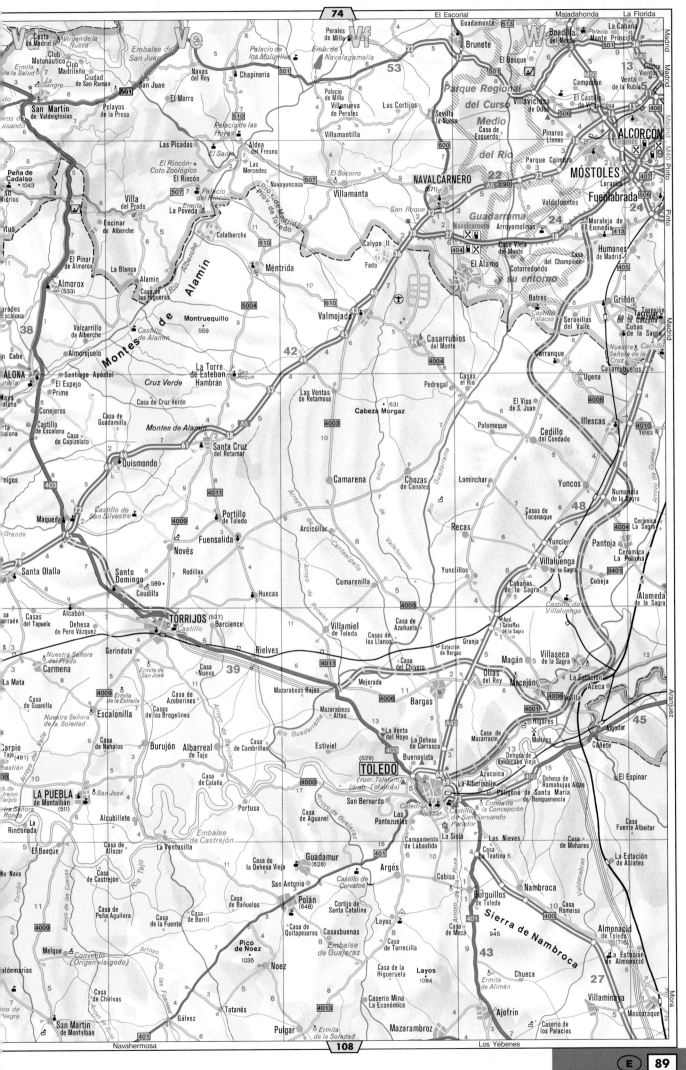

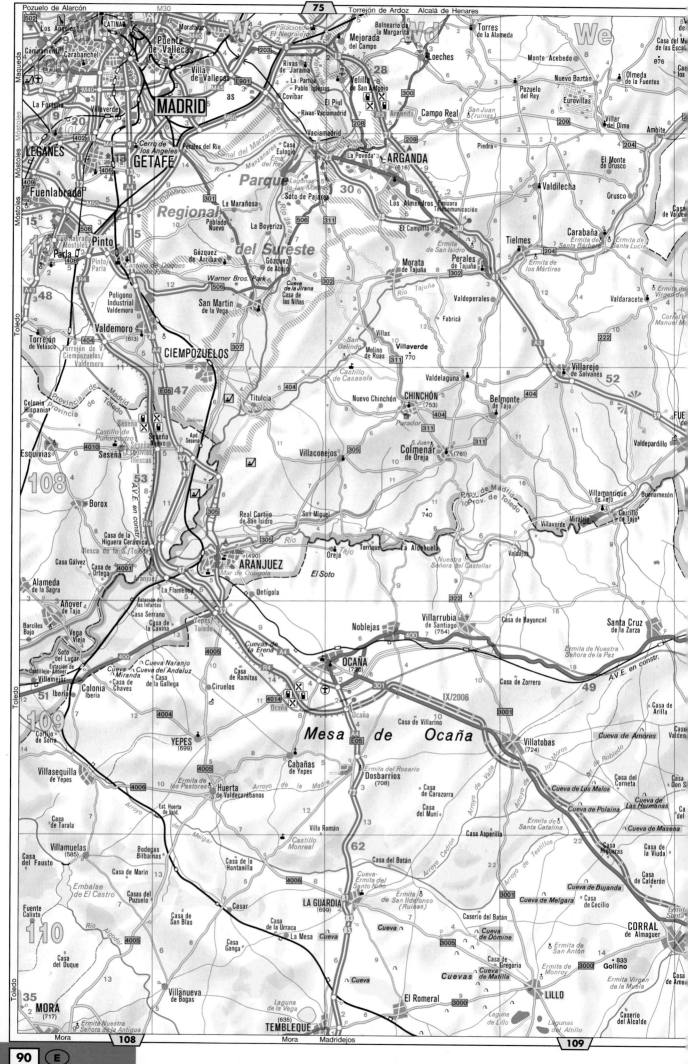

Pozuelo de Alarcón   M30   Torrejón de Ardoz   Alcalá de Henares
502
A5
Los Ángeles   LATINA   Moratalaz   M40
Campamento   Carabanchel   Puente   M45
de Vallecas   Palacio de
El Negralejo   Mejorada   Balneario de
del Campo   la Margarita   Torres
de la Alameda   Casa de
de las Escal

La Fortuna   Villaverde   203   Rivas   Monte Acebedo   876
de Jarama   La Partija   Velilla   300   Nuevo Baztán
28   de San Antonio   Olmeda
9   20   E901   Pablo Iglesias   Pozuelo   de la Fuentes
MADRID   M50   Covibar   El Piul   del Rey   Eurovillas
Rivas-Vaciamadrid   208   Campo Real
LEGANÉS   402   Vaciamadrid   209   Villar
Cerro de   Perales del Río   Casa   del Olmo
los Ángeles   Eulogio   209
406   ARGANDA   Ambite
FUENLABRADA   409   La Poveda   (616)   El Monte
M50   Río   Manzanares   de Orusco
A1   Casa   204
301   del Rey   Emb.   San Juan
Parque   La Marañosa   Lagunas   (ruinas)   Piedra   Valdilecha
15   506   de las Madres   Orusco   Casa
Pinto   Regional   Poblado   Soto de Pajares   Los Almendros   Emisora   32   de Valde
A42   Nuevo   La Boyeriza   Telecomunicación   30   Carabaña   Ermita de
Parla   408   Pinto/   506   311   El Campillo   30   Tielmes   204   Santa Bárbara   Ermita de
Parla   del Sureste   Gózquez   302   Morata   Perales   41   Santa Lucía
48   Castillo de Duques   de Arriba   Gózquez   de Tajuña   de Tajuña   302   Ermita de
del Frías   de Abajo   Ermita   los Mártires
12   Warner Bros. Park   Cueva   de San Isidro   12   Valdaracete
Polígono   506   de la Jirana   Río   Tajuña   Ermita de
Industrial   Casa de   Valdeperales   9   Virgen del
Valdemoro   San Martín   las Niñas   Fábrica   222
Valdemoro   de la Vega   12   Corral de
(613)   26   Villas   A3   Manuel M
Torrejón   404   307   San   Villaverde   48   Villarejo   52
de Velasco   Torrejón de V./   Galindo   311   770   de Salvanés   FUE
Ciempozuelos/   Molino   Valdelaguna
Valdemoro   CIEMPOZUELOS   de Ruas   311   Valdepardillo
11   29   Nuevo Chinchón   CHINCHÓN   404
E05   47   Titulcia   (753)   Belmonte   11
Colonia   Salinas   404   de Tajo
Hispania   Provincia de   404   Parador   311   S. Juan   311
Sesena   Madrid   Villaconejos   305   Colmenar   (761)   16   Villamanrique
Castillo de   de Toledo   739   de Oreja   de Tajo   Buenamesón
Esquivias   Puñonrostro   36   Prov. de Madrid   Villaverde   Castillo
4010   Sesena   Apd. Sesena   740   Prov. de Toledo   Miralrío   de Tajo
Esquivias   Nuevo   39   11   10   Villaverde
108   Illescas   53   305   San Miguel   Valdajos
Borox   Real Cortijo   San Miguel   Oreja   Torrique   La Aldehuela   Valdajos
11   de San Isidro   305   Río   Tajo   Nuestra   322
Casa de la   305   Oreja   Señora del Castellar
Higuera Cerámica   R4
Casa Gálvez   Illesca de la S./Toledo   Mar de Ontígola   Casa de Bayuncal   Santa Cruz
Casa de   4001   Castillo   (490)   El Soto   16   de la Zarza
Alameda   Ortega   ARANJUEZ   Villarrubia
de la Sagra   La Flamenca   Ontígola   Noblejas   Villarrubia   Casa del
Añover   Estación de   Yepes/   400   de Santiago   (754)   Corneta
de Tajo   las Infantas   Toledo   Cuevas de   400   Casa de
Barciles   Casa Serrano   la Erena   A4   Ermita de Nuestra   Don S
Bajo   Casa de   13   Señora de la Paz   A.V.E. en constr.
Vega   la Cavina   OCAÑA   18   49
Vieja   Soto   400   Cueva Naranjo   4005   R4   (730)   301
del Lugar   Cueva   Cueva del Andaluz   10   Casa de   IX/2006   3001   Casa de
Estación de   Miranda   Casa de   Ramitos   Ocaña   Casa de Zorrero   Arilla
51   Castillejo-Añover   Casa de   la Gallega   14   Casa de
Iberia   Villamejor   de Chaves   Ciruelos   11   4014   Villarino   Villatobas   Valde
Colonia   12   4004   Ocaña   Casa del   (724)   Cueva de Amores
109   Iberia   8   Ocaña   Mesa   de   Ocaña   Moros   Cueva de Los Malos   Casa
Cortijo   YEPES   A4   Don S
de Soria   (699)   E05   Cueva de Polaina
14   Cabañas   Ermita del Rosario   Valle   Cueva de
Villasequilla   4005   de Yepes   Dosbarrios   Arroyo   Casa del   Las Hermanas   del
de Yepes   4006   Huerta   Ermita de   (708)   Batán   Casa   Cueva de Masena
Ermita de   de Valdecarábanos   Casa de   Testillos   Cueva de Bujanda
los Pastores   Arroyo   de la Madre   Carazorra   Ermita de
Est. Huerta   Villa Román   Casa   Santa Catalina   22   Casa
Casa   de Vald.   Castillo   del Muni   Higueras   Casa
de Tarala   12   Monreal   62   Cerón   de la Viuda
Villamuelas   Bodegas   Casa de la   13   Casa del Batán   22   Casa
Casa   (585)   Bilbaínas   Hontanilla   Arroyo   de Calderón
del Fausto   Embalse   Casa de Marín   4006   Cueva-   Cueva de Melgara   Casa de
de El Castro   Casas del   Ermita del   Cecilio   Ermita
Casar   Puzuelo   Casa de   Santo Niño   Ermita de   3001   Santa
Fuente   San Blas   Casa   LA GUARDIA   San Ildefonso   83   Cueva de Melgara   CORRAL
Calixto   4005   Ganga   (699)   (ruinas)   Caserío del Batán   de Almaguer
110   La Mesa   85   3005   14   • 833
Casa   Cueva   Cueva   Ermita de   Gollino
del Duque   13   de Dómine   San Antón   3000   Lillo   Ermita Virgen
35   Villanueva   Cuevas   Casa de   3000   de la Muela   Casa de
MORA   de Bogas   El Romeral   Gregorio   Ermita de   LILLO   Caserío
(717)   Cueva   Monroy   del Alcalde
Ermita Nuestra   Laguna   Laguna   Laguna
Señora de la Antigua   de la Vega   TEMBLEQUE   de Lillo   Lagunas
del Altillo
Mora   108   Mora   Madridejos   109

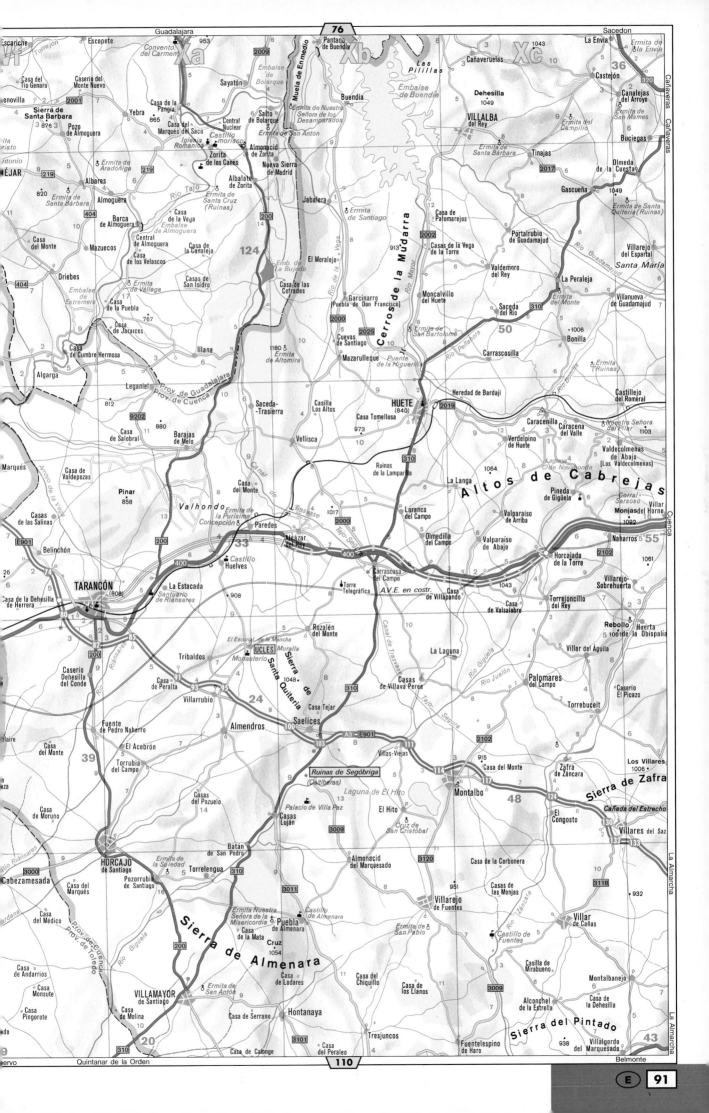

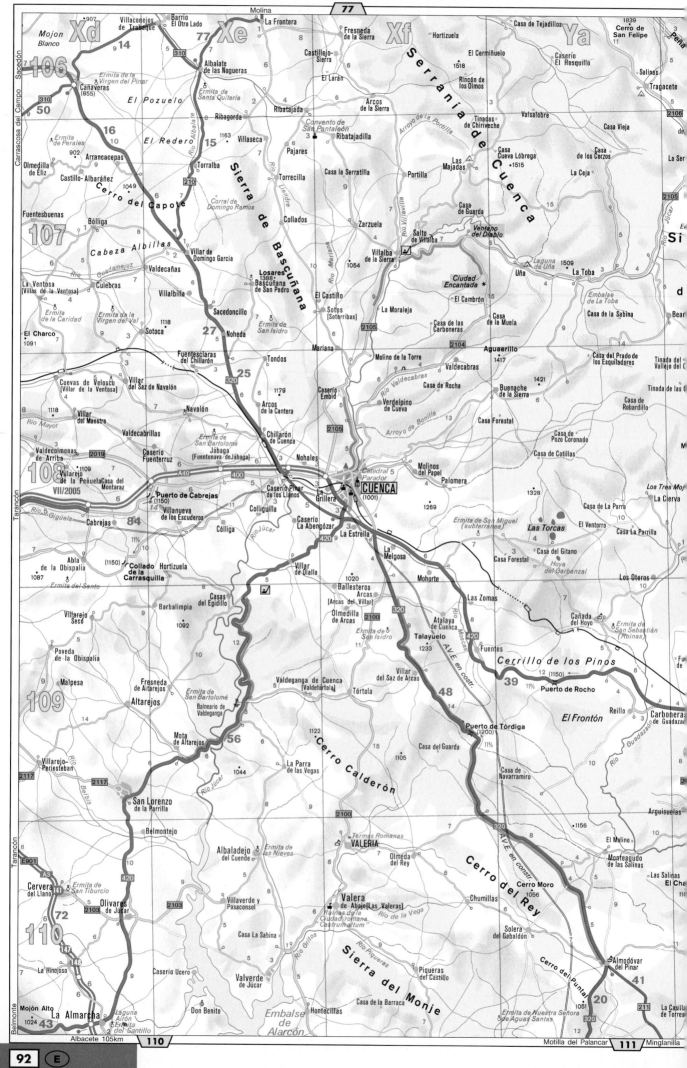

Mojon Blanco
Xd
14
106
Sacedón
Carrascosa del Campo
50
107
109
108
VII/2005
Tarancón
110
Tarancón
Belmonte
Albacete 105km
92 (E)

Villaconejos de Trillaque
Barrio El Otro Lado
77
Molina
La Frontera
Xe
Fresneda de la Sierra
Hortizuela
Casa de Tejadillos
1839
Cerro de San Felipe
Peña
Xf
Ya

Ermita de la Virgen del Pinar (855)
Albalate de las Noguéras
Castillejo-Sierra
El Cermiñuelo
Caserío El Hosquillo
Salinas
Tragacete
Cañaveras
310
310
El Larán
1518
Rincón de los Olmos
Serranía de Cuenca
16
Ermita de Perales
902
Arrancacepas
El Reder
15
1163
Villaseca
Pajares
Ribatajada
Arcos de la Sierra
3
Tinadas de Chiriveche
Casa Cueva Lóbrega
1515
Casa Vieja
Casa de los Corzos
La Ser
Olmedilla de Eliz
Castillo-Albarañez
1049
Torralba
210
Torrecilla
Ribagorda
Ribatajadilla
Convento de San Pantaleón
Portilla
Las Majadas
La Ceja
2106
Fuentesbuenas
Bólliga
Cerro del Capote
Corral de Domingo Ramos
Río Liendre
Collados
Casa la Serratilla
1054
Zarzuela
Arroyo de la Portilla
Río Villalvilla
Salto de Villalba
Casa de Guarda
Ventano del Diablo
2105
107
Cabeza Albillas
Villar de Domingo García
1
Losares 1388
Bascuñana de San Pedro
Río Mariana
Villalba de la Sierra
Ciudad Encantada *
Laguna de Uña
1509
La Toba
2105
Si
La Ventosa (Villas de la Ventosa)
Valdecañas
Villalbilla
Sierra de Bascuñana
El Castillo
Sotos (Sotorribas)
El Cambrón
Uña
Embalse de La Toba
Casa de la Sabina
Bear
Ermita de la Caridad
Ermita de la Virgen del Val
Sacedoncillo
1118
Ermita de San Isidro
Noheda
La Moraleja
Casa de las Carboneras
Casa de la Muela
27
El Charco 1091
Sotoca
Fuentesclaras del Chillarón
Tondos
Mariana
Molino de la Torre
Río Valdecabras
Valdecabras
2104
Aguaerillo
1417
Casa del Prado de los Esquiladores
Tinada del Vallejo del
1118
Villar del Maestre
Cuevas de Velasco (Villar de la Ventosa)
Villar del Saz de Navalón
320
25
1179
Arcos de la Cantera
Caserío Embid
Verdelpino de Cueva
Casa de Rocha
1421
Buenache de la Sierra
Casa Forestal
Tinada de las
Casa de Robardillo
Río Mayor
Navalón
Ermita de San Bartolomé Jábaga (Fuentenava de Jábaga)
Chillarón de Cuenca
2105
Arroyo de Bonilla
13
Casa de Pozo Coronado
Casa de Cotillas
Valdecolmenas de Arriba
2019
Caserío Fuenterruz
Nohales
Molinos del Papel
Palomera
1328
Casa de La Parra
Los Tres Juncos
Villarejo de la Peñuela
Casa del Montaraz
1109
A40
400
Catedral Parador
CUENCA (1001)
1269
Las Torcas
El Ventorro
La Cierva
84
Puerto de Cabrejas (1150)
Villanueva de los Escuderos
Caserío Pinar de los Llanos
Grillera
Ermita de San Miguel (subterránea)
Casa La Pacrilla
Río Gigüela
11
Colliguilla
420
Río Júcar
Caserío La Abengózar
La Estrella
Casa Forestal
Hoya del Garbanzal
Los Oteros
Cabrejas
Cólliga
La Melgosa
Casa del Gitano
Abla de la Obispalía
(1150)
Collado de la Carrasquilla
Hortizuela de Olalla
Villar de Olalla
Mohorte
La Zomas
Cañada del Hoyo
Ermita de San Sebastián (Ruinas)
1087
Ermita del Santo
Villarejo Seco
Barbalimpia
Casas del Egidillo
1092
1020
Ballesteros
Arcas (Arcas del Villar)
Olmedilla de Arcas
2100
320
Atalaya de Cuenca
Cerrillo de los Pinos
12 (1150)
Puerto de Rocho
Fu
Poveda de la Obispalía
Ermita de San Bartolomé
12
Ermita de San Isidro
11
Talayuelo 1233
Fuentes
A.V.E. en constr.
39
11%
Reillo
El Frontón
Carbonera de Guadaza
109
Malpesa
Fresneda de Altarejos
Altarejos
Balneario de Valdeganga
Valdeganga de Cuenca (Valdetórtola)
Tórtola
Villar del Saz de Arcas
48
14
Puerto de Tórdiga (1200)
Casa del Guarda
11%
2117
Villarejo-Periesteban
Mota de Altarejos
56
1122
La Parra de las Vegas
1105
Casa de Navarramiro
1156
El Molino
Arguisuelas
2117
1044
Río Júcar
Belbis
San Lorenzo de la Parrilla
Belmontejo
2100
320
A.V.E. en constr.
Monteagudo de las Salinas
Las Salinas El Cha
E901
Albaladejo del Cuende
Ermita de las Nieves
VALERIA
Termas Romanas
Olmeda del Rey
Cerro del Rey
Cerro Moro 1056
Cervera del Llano
A3
141
Ermita de San Tiburcio
420
Olivares de Júcar
2103
2103
Villaverde y Pasaconsol
Valera de Abajo (Las Valeras)
Ruinas de la Ciudad romana "Castrum altum"
Río de la Vega
Chumillas
320
Solera del Gabaldón
Cerro del Punta
Almodóvar del Pinar
41
72
147
148
La Hinojosa
Caserío Ucero
Valverde de Júcar
Casa La Sabina
Río Gritos
Piqueras del Castillo
Sierra del Monje
Ermita de Nuestra Señora de Aguas Santas
1051
20
211
La Casilla de Torres
110
Mojón Alto 1024
La Almarcha
43
Laguna Airón
Ermita de Santillo
Don Benito
Embalse de Alarcón
Hontecillas
Casa de la Barraca
Río Piqueras
320
12

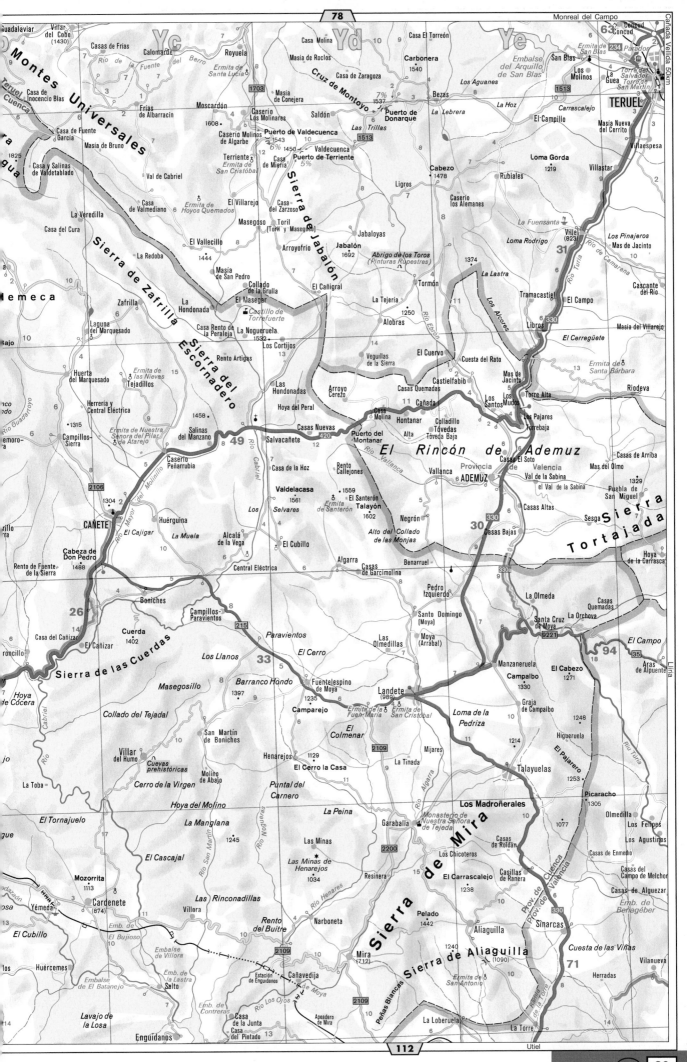

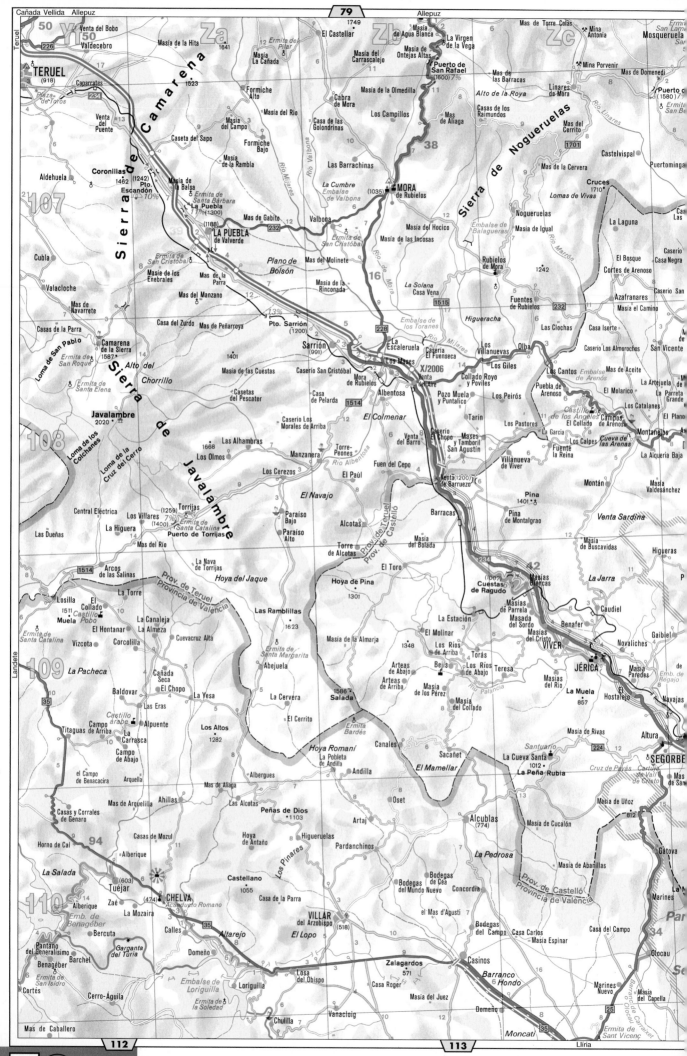

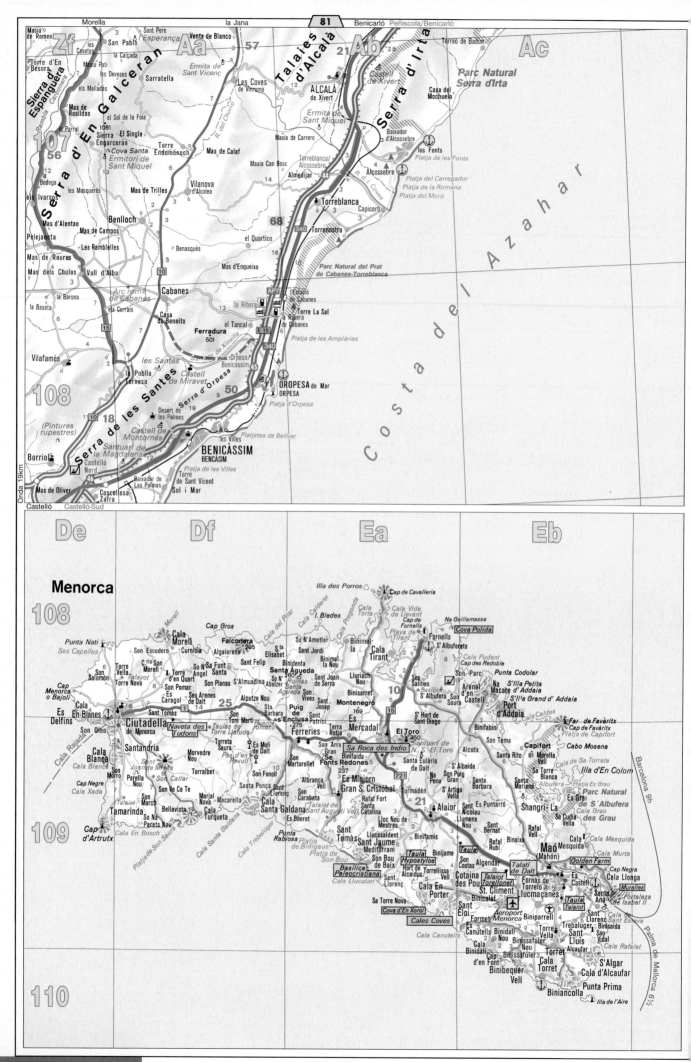

Morella   la Jana   Benicarló Peñiscola/Benicarló

Zf   **Aa**   **Ab**   **Ac**

Masia de Romeo
San Pablo   Sant Pere d'Esperança   Venta de Blanco   Torreó de Badun
les Casetes   la Calçada   57
Torre d'En Besora   Masia Pati   Ermita de Sant Vicenç   Parc Natural Serra d'Irta
Sierra Espangüera   les Deveses   Sarratella   Les Coves de Vinromá   ALCALÀ de Xivert   Castell de Xivert   Casa del Mochuelo
els Mallades   R. del Chorro   Talaies d'Alcalà   21
Mas de Rosildos   el Sol de la Foia   Ermita de Sant Miquel   Baixador d'Alcossebre   les Fonts
1081   Serra d'Irta   Platja de les Fonts
El Parral   El Single   Torre Endomènech   Masia de Carrero   Alcossebre   Platja del Carregador
Sierra Engarcerán   Cova Santa   Mas de Calaf   Torreblanca/Alcossebre,   Platja de la Romana
Ermitori de Sant Miquel   13   Masia Can Bosc   Platja del Moro
la Bodega   les Mosqueres   Mas de Trilles   Almedíjar   R. d. l. Coves
els Ivarsos   Vilanova d'Alcolea   44
Mas d'Alentao   les Ramblelles   Torreblanca   Capicorb   Costa del Azahar
Pelejaneta   Mas de Campos   Benasqués   68   Torrenostra
Mas de Roures   Benlloch   el Quartico   Torrenostra   340
Mas dels Chulos   Vall d'Alba   Mas d'Enqueixa   Parc Natural del Prat de Cabanes-Torreblanca
la Barona   Arc romà de Cabanes   16
la Baseta   els Cerrais   Cabanes   l'Estació de Cabanes   AP7
Casa de Beneito   la Ribera   Torre La Sal   la Ribera de Cabanes
Vilafamés   Ferradura   13   el Tancal   Platja de les Amplàries
501   Barranc de Xinxilla   E 15   340
la Poblla Tornesa   les Santes   Orpesa/Benicàssim   Platja de les Amplàries
Castell de Miravet   Serra d'Orpesa   ORPESA de Mar   Costa del Azahar
108   Serra de les Santes   50   ORPESA
Desert de les Palmes   Platja d'Orpesa
(Pintures rupestres)   18   Castell de Montornés   Platjetes de Bellver
Borriol   10   Santuari de la Magdalena   les Villes
Castelló Nord   BENICÀSSIM   BENCASIM
46   Platja de les Villes
Mas de Oliver   Torre de Sant Vicent   Platja de Sant Vicent
Coscollosa-Zafra   Sol i Mar
Onda 19km
Castelló   Castelló-Sud

De   **Df**   **Ea**   **Eb**

Menorca

Illa des Porros   Cap de Cavalleria
108   Morell   Cala Calderer   I. Bledes   Cala Torta   Cala Vida de Llevant   Cap de Fornells   Na Guillemassa
Cap Gros   Cala del Pilar   So N'Ametler   Sant Jordi   Cala Pregonda   Playa de Tirant   Fornells   Cova Polida
Cala Morell   Falconera   205   Binimel-la   S'Albufereta
Punta Nati   Curniola   Sta Elisabet   Binimel-la Nou   Cala Tirant   Cala Pudent Cap des Redoble
Ses Capelles   Son Escudero   Algaiarens   Sant Felip   Santa Agueda   Sant Joan de Serra   Ses Salines   Son Parc   Punta Codolar
C rio Son Morell   So N'Sa Font Angel Santa   Ruïnes Santa Agueda   S'Albufera   Na S'Illa Petita   Macate d'Addaia
Torre Vella   Son Pomar   So N'Planas   S'Almuadina   Abalzer   Binisarret   Santa   S'Illa Grand d'Addaia
Torre Nova   Son Quart   Son Vives   Montenegro   169   S'Hort de   Arenal d'en Castell   Port d'Addaia
Cap Menorca o Bajolí   Es Caragol   Son Toni Martí   Puig de s'Enclusa   Sant Patrici   Es Mercadal   Sant Diego   Binifabini   Far de Favàritx
Cala En Blanes   Son Pomar   Ses Arenes de Dalt   Alputze Nou   Ferreries   275   Terra Rotja   El Toro   Santuari de Sa Roca des Indio   Alcotx   Son Tema   Cap de Favàritx
Es Delfins   Sant Tomàs   1   14   25   Es Molí de Dalt   350   Sa Roca des Indio   Santa Rito   Cabo Mosena
Son Oleo   Ciutadella de Menorca   Naveta des Tudons   Taules d'en Ramano   Torreta   Son Arro   Binifaida   72 1   Santa Eulària de Dalt   S'Albaida   Capifort   61   Illa d'En Colom
Santandria   Morvedre Nou   Saura   Pas d'en Revull   Sant Llorenç   Se Fonts Redones   237   Na Pena   Son Puig Gran   Santa Barbara   Sa Torre Blanca   Parc Natural de S'Albufera
Cala Blanca   Son March   Torralbet   Son Fonoll   10   Albranca Vell   Es Migjorn Gran   S. Cristóbal   Turmadén   21   Alaior   S'Artiga Vella   Santa Mariana   Es Grau
Cala Blanca   Cap Negre   Parella Nou   Son Ve Ce Te   Macarella   Marjal Nova   Es Boeret   Talaiot de Sant Augustí Vell   Rafal Fort Santa Catalina   Llumena Nou   Rafal Rubí   Sa Cudia Vella   Cala Grao des Grau
Tamarinda   Son Catlar   Sant Joaime de Missa   Cala Santa Galdana   Son Carabata   Son Martorellet   Lloc Nou de Mestres   Binifamis   Es Puntarró Nicolau   Sant Bernat   Binaixa   Maó (Mahón)   Cala Mesquida
109   So Na Parets Nou   Bellavista   Cala Turqueta   Punta Rabiosa   Platja de Biniagaus   Sant Tomàs   Llucasaldent   Taula   Son Costas Algendar   Talatí de Dalt   Fornàs de Torrello   Golden Farm   Cala Murta
Cap d'Artrutx   Cala En Bosch   Platja de Son Saura   Sant Jaume Mediterrani   Son Bou de Baix   Hort de Alcaidus   Torrellissa Vell   Taula Hypostylos   Binijame   Cotaina des Pou   Talaiot Torrellonet   Cap Negra   Cala Llonga
110   Basílica Paleocristiana   Cala Llucalari   Son Lloren   Cala En Porter   Sant Eloi   Binicalaf   St. Climent   Llucmaçanes   Taula Talaiot   Es Castell   Muralles
Sa Torre Nova   Cova d'En Xoroi   Aeroport Menorca   Formet   Biniparrell   Torre Vella   Sant Lloren   Portaleza de Isabel II   Santa Ana
Cales Coves   Es Canutells   Binidalí   Binissafúller   Sant Lluís   Trebalúger   Binisaida   Barcelona 9h
Binidalí Nou   Binissafúller Nou   Torret   Alcaufar   Santa Ana
Cap d'en Font   Binibequer Vell   Cala Torret   Cala d'Alcaufar   S'Algar   Palma de Mallorca 6¾
Biniancolla   Punta Prima   Sant Vidal
Illa de l'Aire

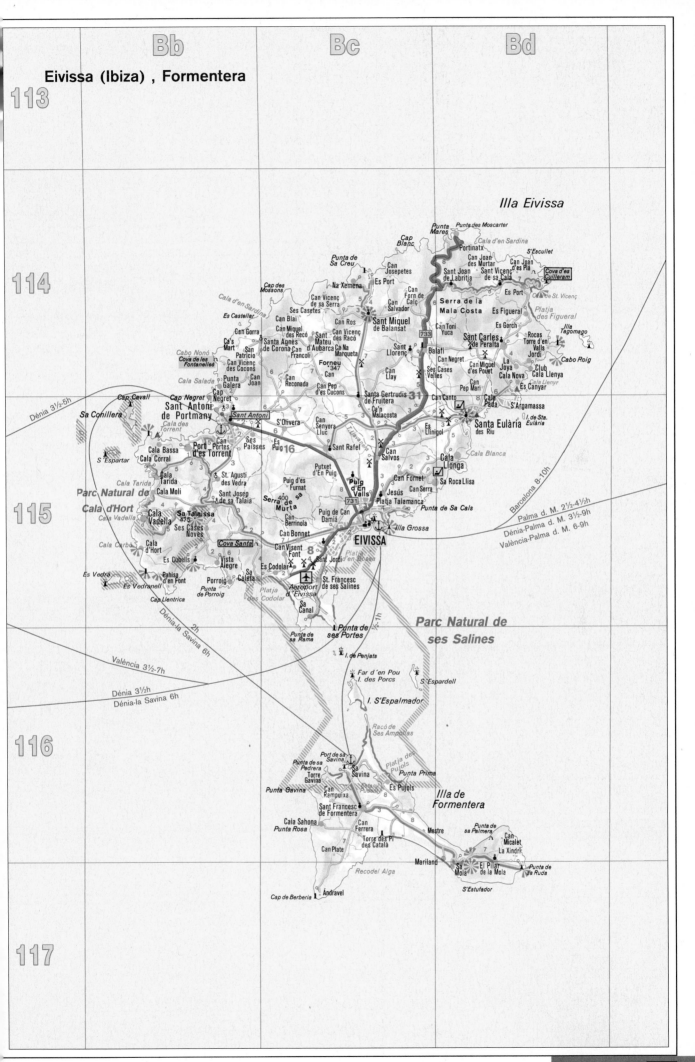

Eivissa (Ibiza) , Formentera

Bb

Bc

Bd

Illa Eivissa

Punta des Moscarter
Punta
Mares
Cap
Blanc
Cala d'en Sardina
S'Escullet
Portinatx
Punta de
Sa Creu
Can Joan
des Murtar
Can Joan
des Pla
Cova d'es
Cuilleram
Can Josepetes
Sant Joan
de Labritja
Sant Vicenç
de sa Cala
Es Port
Na Xemena
Es Port
Cala de St. Vicenç
Cap des
Mossons
Can Vicenç
de sa Serra
Can
Forn de
Calç
Serra de la
Mala Costa
Platja
des Figueral
Ses Casetes
Can
Salvador
Sant Miquel
de Balansat
Es Figueral
Illa
Tagomago
Can Blai
Can Ros
Can Toni
Yuca
Es Gorch
Es Castellar
Can Gorra
Can Miquel
des Recó
Sant
Mateu
d'Aubarca
Can Vicenç
des Racó
Sant
Llorenç
Sant Carles
de Peralta
Rocas
Torre d'en
Valls
Jordi
Ca's
Mart
Santa Agnès
de Corona
Ca Na
Marqueta
Balafi
La
Joya
Cala Nova
Cabo Roig
San
Patricio
Can
Francolí
Cabo Nonó
Cova de les
Fontanelles
Can Vicenç
des Cocons
Forneu
347
Can Negret
Can Miquel
d'es Pouet
Club
Cala Llenya
Can
Cala Llenya
Can Llay
Ses Cases
Velles
Can
Pep Mari
Es Canyar
Cala Salada
Can
Can Pep
d'es Cucons
Santa Gertrudis
de Fruitera
Can Canto
Cala
Pada
S'Argamassa
Punta
Galera
Can
Reconada
31?
I. de Sta.
Eulària
Cap Cavall
Cap Negret
Ca'n
Malacosta
Es
Llinigol
Santa Eulària
des Riu
Dénia 3½-5h
Sant Antoni
de Portmany
Cap
Negret
S'Olivera
Can
Senyora
Lluc
Santa Eulària
des Riu
Sa Conillera
Sant Antoni
Cala des
Torrent
Ses
Paisses
Es
Puig 16
Sant Rafel
Can
Salvos
Cala
Llonga
Cala Blanca
S'Espartar
Cala Bassa
Cala Corral
Port
d'es Torrent
Can
Portes
Sant
Agustí
des Vedra
Putxet
d'En Puig
Puig d'es
Furnat
Puig
d'En
Valls
Can Fornet
Can Serra
Sa Roca Llisa
Cala
Tarida
Cala Moli
Sant Josep
de sa Talaia
Serra
de
Murta
Puig de Can
Damiá
Jesús
Platja Talamanca
Punta de Sa Cals
Parc Natural de
Cala d'Hort
Cala Vadella
Sa Talaissa
475
Can
Berrinola
731
Barcelona 8-10h
Cala Vadella
Ses Cases
Noves
Can Bonnet
EIVISSA
Illa Grossa
Palma d. M. 2½-4½h
Dénia-Palma d. M. 3½-9h
València-Palma d. M. 6-9h
Cala Carbó
Cala
d'Hort
Can Visent
Font
8
Sant Jordi d'en Bossa
Es Cubells
Vista
Alegre
Es Codolar
Es Vedrá
Pahisa
d'en Font
Sa
Caleta
St. Francesc
de ses Salines
Es Vedranell
Punta
de Porroig
Porroig
Platja
des Codolar
Aeroport
d'Eivissa
Cap Llentrica
Sa
Canal
Parc Natural de
ses Salines
Dénia-la Savina 6h
2h
Punta de
sa Rama
Punta de
ses Portes
½-1h
València 3½-7h
I. de Penjats
Dénia 3½h
Dénia-la Savina 6h
Far d'en Pou
I. des Porcs
S'Espardell
I. S'Espalmador
Racó de
Ses Ampollas
Port de sa
Savina
Platja des
Pujols
Punta de sa
Pedrera
Torre
Gavina
Sa
Savina
Punta Prima
Es Pujols
Illa de
Formentera
Punta Gavina
Can
Rampuixa
Sant Francesc
de Formentera
Can
Ferrera
Mestre
Punta de
sa Palmera
Can
Micalet
La Xindri
Cala Sahona
Punta Rosa
Torre des Pí
des Català
Mariland
Sa
Mola
El Pilar
de la Mola
Punta de
sa Ruda
Can Plate
Recodel Alga
S'Estufador
Cap de Berbería
Andravel

E 97

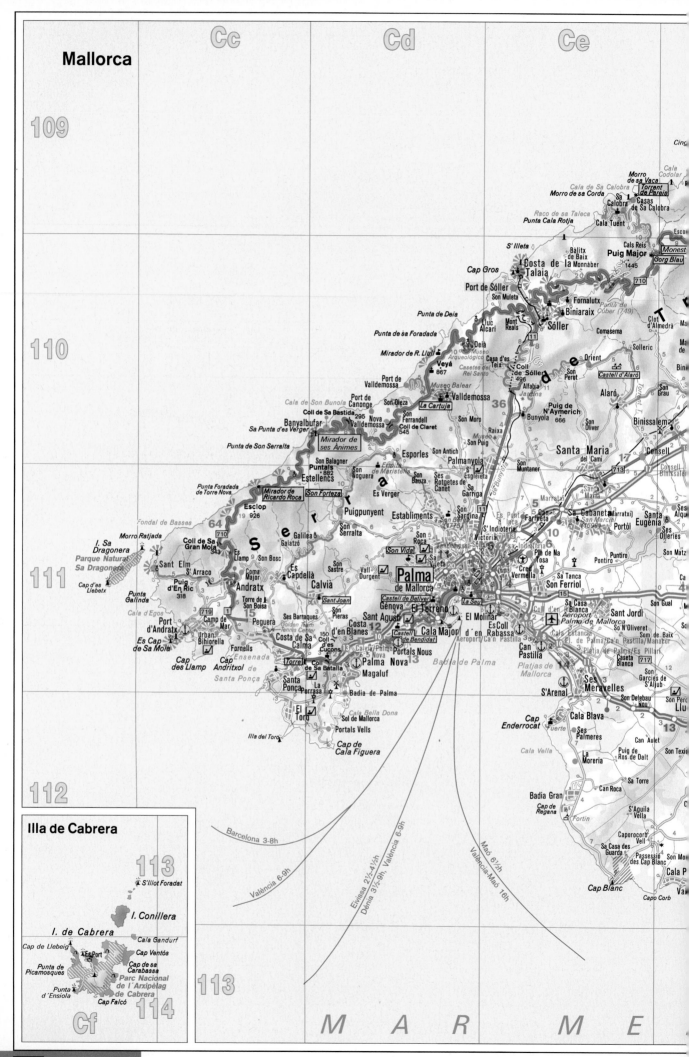

Mallorca

Cc
Cd
Ce

109

110

111

112

Cing

Morro de sa Vaca
Morro de sa Corda
Cala de Sa Calobra
Torrent de Pareis
Casas de Sa Calobra
Cala Codolar
Punta Cala Rotja
Raco de sa Taleca
Cala Tuent
Escor

S' Illeta
Bàlitx de Baix
Cals Reis
Monest
Gorg Blau
Puig Major
1445
710

Cap Gros
Costa de la Monnàber
Costa de Talaia
Port de Sóller
Son Muleta
Fornalutx
Biniaraix
Sóller
Clot d'Almedrà
Punta de Cúber (749)

Punta de Deià
Lluc Alcari
Mont Reals
Deià
Comasema
Solleric
Bini

Punta de sa Foradada
Mirador de R. Llull
Museo Arqueológico
Casa d'es Teix
Coll de Sóller
496
Orient
Castell d'Alaró
Son Perot

Veyá
867
Caseted del Rei Santo
Alfabia Jardins
Alaró
Son Grau

Port de Valldemossa
Museo Balear
Valldemossa
Son Moro
Bunyola
Puig de N'Aymerich
666
Son Oliver
Binissalem

Cala de Son Bunola
Son Oleza
La Cartuja
Son Ferrandell
Son Puig
Raixa
Museo
Son Antich
Santa Maria del Cami
17
Consell

Coll de Sa Bastida
295
Nova Valldemossa
Coll de Claret
545
Son Muntaner
Santa Maria
Consell Binissale

Banyalbufar
Sa Punta d'es Verger
Esporles
Ermita de Maristella
Palmanyola
Esgleieta
Ses Rotgetes de Canet
Sa Garriga
Marratxí
Sa Cabaneta
Marratxí
Santa Eugènia
Portól
Ses Olleries
Son Matz

Punta de Son Serralta
Mirador de ses Ànimes
Son Balagner
Puntals
882
Estellencs
Son Noguera
Es Verger
Son Bauza
Son Pont
Can Farineta
San Marcial
S' Indioteria
Pontiro
Puntiro
Son

Punta Foradada de Torre Nova
Mirador de Ricardo Roca
Son Forteza
Puigpunyent
Establiments
Son Sardina
10
Pla de Na Tesa
Puntiro

Esclop
19 926
64
710
Galilea
Galatzó
Son Serralta
Son Roca
Son Vida
Victoria
Creu Vermella
Son Ferriol
41

I. Sa Dragonera
Parque Natural Sa Dragonera
Morro Ratjada
Sant Elm
Coll de Sa Gran Mola
343
Es Llamp
Son Bosc
Es Capdellà
Son Sastre
Vall Durgent
Palma de Mallorca
La Seu
Sa Tanca
Sa Casa d'en
15
Sa Casa Blanca
Sant Jordi

Cap d'es Llebetx
Puig d'En Ric
318
S' Arraco
Coma Major
Calvià
Sant Joan
Sant Agustí
Génova
Castell de Bellver
El Terreno
El Molinar
Es Coll
Aeroport/Ca'n Pastilla
Aeroport Palma de Mallorca
So N'Oliveret
Son de Baix

Punta Galinda
Andratx
Torre d'en Boisa
Sóh Pieras
Castell de Bendidat
Cala Major
El Arenal
Can Pastilla
Pl. de Palma/Ca'n Pastilla/Manacor
Platja de Palma/Es Pillarí
Caseta Blanca
717
Son Garcíes de S'Aljub

Port d'Andratx
719
1
15
Camp de Mar
Urban. Bihiorella
Peguera
Ses Barraques
Golden Team Tennis Center
150
Costa d'en Blanes
Portals Nous
Palma Nova
Badia de Palma
Platjas de Mallorca
Ses Meravelles
Son Delebau Nou
Liu

Es Cap de Sa Mola
Cap des Llamp
Cap Andritxol
Fornells
Ensenada de Santa Ponça
Costa de Sa Calma
Coll d'es Cucons
Torrell
Coll de Sa Batalla
Magaluf
13
Cap Enderrocat
Fuerte
Ses Palmeres
Cala Blava
13

Santa Ponça
La Porrassa
El Toro
Badia de Palma
Cala Bella Dona
Sol de Mallorca
Portals Vells
Illa del Toro
Cap de Cala Figuera
Cala Vella
Can Aulet
Puig de Ros de Dalt
Son Texin

Badia Gran
Cap de Regana
Fortin
S'Aguila Vella
Sa Torre
Can Roca
La Moreria
Caporocorb Vell
Sa Casa dels Guarda
Passessió des Cap Blanc
Son Mo
Cap Blanc
Capo Corb
Cala Va

113

Illa de Cabrera

113

114

Cf

S'Illot Foradat
I. Conillera
Cap de Llebeig
Es Port
I. de Cabrera
Cala Gandurf
Cap Ventós
Cap de sa Carabassa
Punta de Picamosques
Parc Nacional de l´Arxipèlag de Cabrera
Punta d'Ensiola
Cap Falcó

Barcelona 3-8h
València 6-9h
Eivissa 2½-4½h
Dénia 3½-9h València 6-9h
Maó 6½h
València-Maó 16h

M A R M E

M E

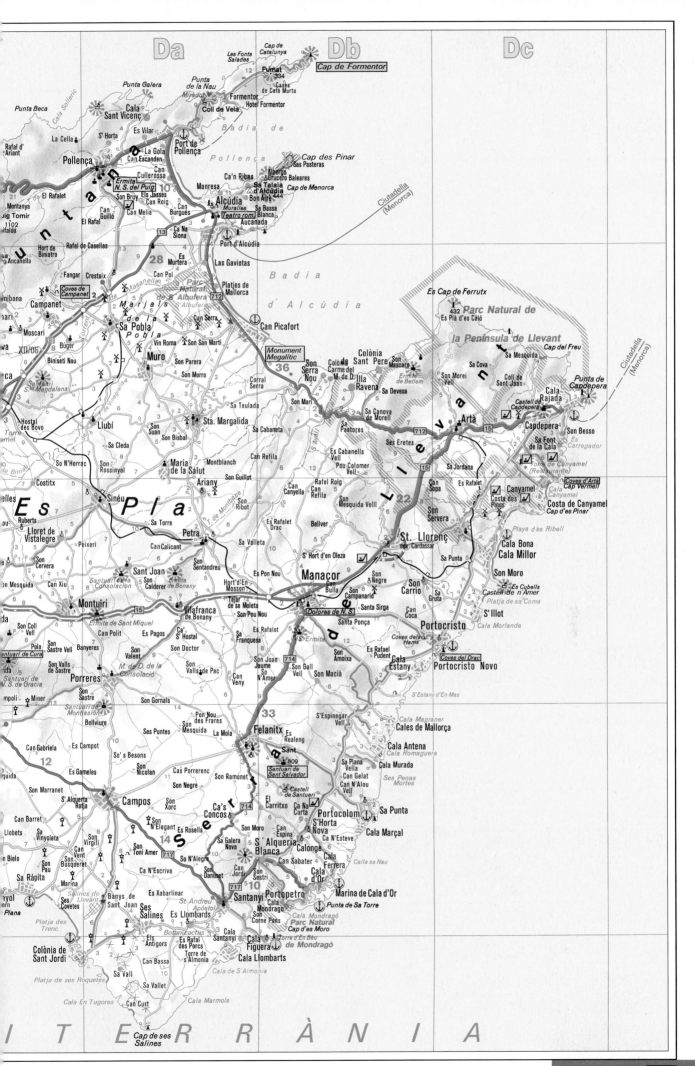

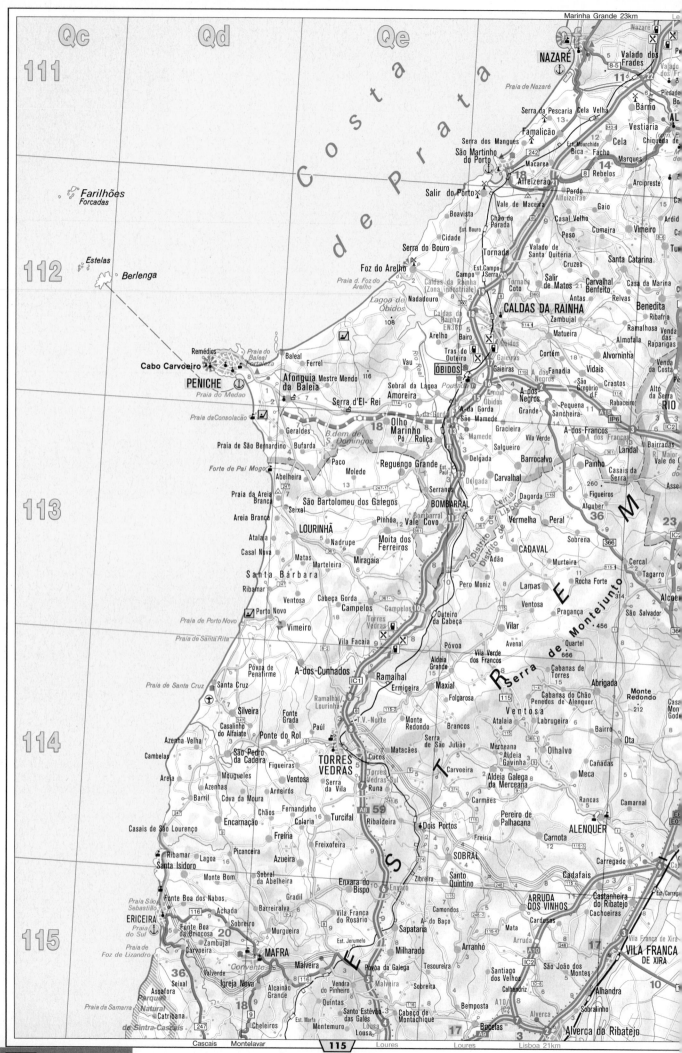

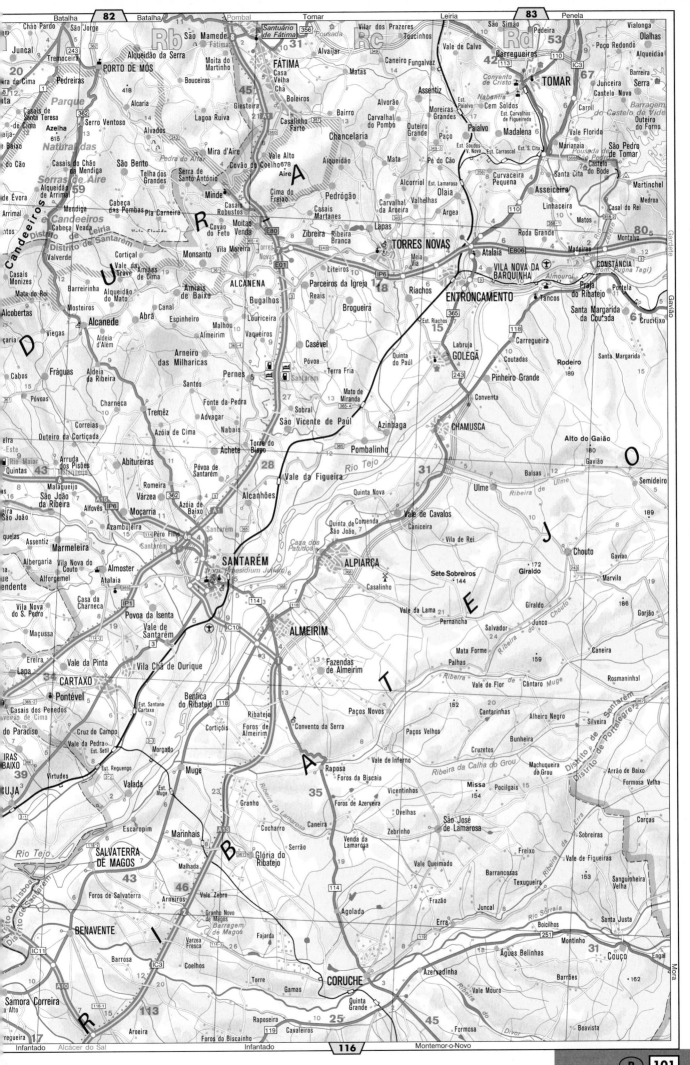

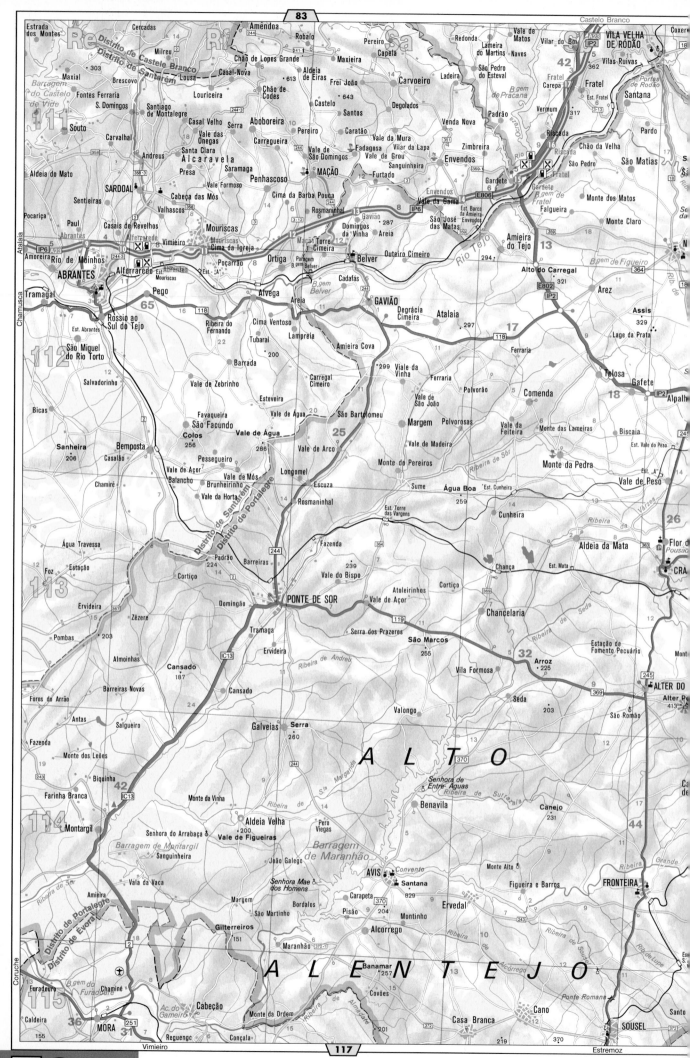

Castelo Branco

Estrada
dos Montes
Cercadas
Amêndoa
244
Robalo
Pereiro
Capela
Redonda
Lameira
do Martins
Vilar do Boi
IP2
Vila Velha
DE RODÃO
A23
Coxer
18

Milreu
Chão de Lopes Grande
241.1
Maxieira
Carvoeiro
Ladeira
São Pedro
do Esteval
42
362
Vilas Ruivas
Distrito de Castelo Branco
Distrito de Santarém
•303
Lousã
Casal-Nova
Aldeia
de Eiras
Frei João
•613
Chão de
Codes
Fratel
Carepa
IP2
17
Fratel
Est. Fratel
3-13
Santana

Maxial
Brescovo
Louriceira
Castelo
•643
Degolados
B.gem
de Pracana
Padrão
Vermum
•317
Pardo

Barragem
do Castelo
de Vide
Fontes Ferraria
S. Domingos
Santiago
de Montalegre
244-3
Aboboreira
10
Pereiro
Caratão
Santos
Venda Nova
Vale da Mura
Vilar da Lapa
351
Zimbreira
16
Riscada
Riscada
São Pedro
Chão da Velha
São Matias

111
Souto
Carvalhal
Andreus
Casal Velho
Serra
Santa Clara
A l c a r a v e l a
Saramaga
Carregueira
244
Vale de
São Domingos
Fadagosa
Vale de Grou
Sanguinheira
Envendos
359
Gardete
X
X
Fratel
São Pedro
18

Aldeia do Mato
358
Presa
Penhascoso
MAÇÃO
Cima da Barba Pouca
Furtado
•287
IP6
Envendos
E806
B.gem de
Fratel
Falgueira
Monte dos Matos

SARDOAL
358-3
Vale Formoso
Rosmaninhal
Gavião
São José
das Matas
359
Est. Barca
da Amieira-
Envedos
Gardete
15
Monte Claro

Sentieiras
Cabeça das Mós
Valhascos
358
13
Areia
8
IP6
Vale da Gama
Amieira
do Tejo
359
13

Pocariça
Paul
Casais de Revelhos
Mouriscas
12
Macão Torre
Cimeira
Domingos
da Vinha
Rio Tejo
Alto do Carregal
18

Abrantes
IP6 A23
5
Vimieiro
X
Cima da Igreja
12
Belver
Outeiro Cimeiro
294
321
E802
IP2
Arez
364
B.gem de Figueiró

Amoreira
Rio de Moinhos
244-3
10
Poçarrão
8
Ortiga
Parragem
B.gem Belver
Cadafás
244
13
Assis
329

ABRANTES
Alferrarede
Est. "A"
Cadafás
Alvega
Areia
GAVIÃO
Degrácia
Cimeira
Atalaia
297
17
Lage da Prata

Tramagal
Pego
16
118
Cima Ventoso
11
Ferraria
1038
Telosa
Gafete

Rossio ao
Sul do Tejo
Ribeira do
Fernando
Tubaral
Lampreia
Amieira Cova
•299
Viale da
Vinha
11
Polvorão
Comenda
IP2
18
Alpalh

112
São Miguel
do Rio Torto
22
•200
Barrada
Carregal
Cimeiro
Ferraria
Vale de
São João
Monte das Lameiras
Biscaia
Est. Vale do Peso

Salvadorinho
Vale de Zebrinho
Esteveira
São Bartolomeu
Margem
Polvorosas
Vale da
Feiteira

Bicas
Favaqueira
São Facundo
Vale de Água
20
25
Vale de Madeira
Monte da Pedra
Vale de Peso
26

Sanheira
Bemposta
Colos
256
Vale de Água
286
Vale de Arco
Monte do Pereiros
Ribeira de Sor
Flor d
Pousão

Casalão
Pessegueiro
Longomel
Sume
Água Boa
259
Est. Cunheira
CRA

Vale de Açor
Vale de Mós
Escuza
Cunheira

Chamiré
Balancho
Brunheirinho
Rosmaninhal
Est. Torre
das Vargens

113
Água Travessa
Vale da Horta
14
244
Fazenda
364
7
Aldeia da Mata
363

Foz
Estação
367
Padrão
224
14
Barreiras
•239
7
Chança
Est. Mata

Ervideira
Zêzere
Cortiço
Vale do Bispo
Cortiço
369
32

Pombas
•203
Domingão
PONTE DE SOR
Vale de Açor
Chancelaria
Alter do
245

Almoinhas
IC13
Tramaga
Serra dos Prazeres
119
11
São Marcos
255
5
Arroz
•225
Alter P
413

Cansado
187
Ervideira
Ribeira de Andreu
Vila Formosa
Seda
203
São Romão

Foros do Arrão
Barreiras Novas
Cansado
24
Valongo

Antas
Salgueiro
Galveias
Serra
•260
A L T O
370
13

Fazenda
Monte dos Leões
19
244
Senhora de
Entre-Águas
Ribeira de
Surrã
Canejo
231
17

Biquinha
42
IC13
Monte da Vinha
14
Benavila
44

Farinha Branca
IC13
Aldeia Velha
•200
Pero
Viegas
5

114
Montargil
Senhora do Arrabaça
Vale de Figueiras
Barragem de
Maranhão
Monte Alto

Barragem de Montargil
Sanguinheira
João Galego
AVIS
Convento
Figueira e Barros
FRONTEIRA

Vala da Vaca
Senhora Mãe
dos Homens
Santana
829
243

Distrito de Portalegre
Distrito de Évora
Amieira
Margem
Bordalos
Carapeta
370
204
Ervedal
Ribeira Grande

18
2
Gilterreiros
São Martinho
Pisão
Montinho
Alcorrego
10

115
Furadouro
Chaminé
151
Maranhão
370-1
Banamar
•257
Covões
Alcorrego
Ribeira de
12

Caldeira
36
B.gem do
Furadouro
2
Ac. do
Gameiro
Cabeção
Monte da Ordem
•201
Casa Branca
Cano
Ponte Romana
Rib do Lupe
Santo

155
MORA
31
251
Reguengo
Conçala
372
•219
370
SOUSEL
372

A L E N T E J O

Vimieiro
Estremoz

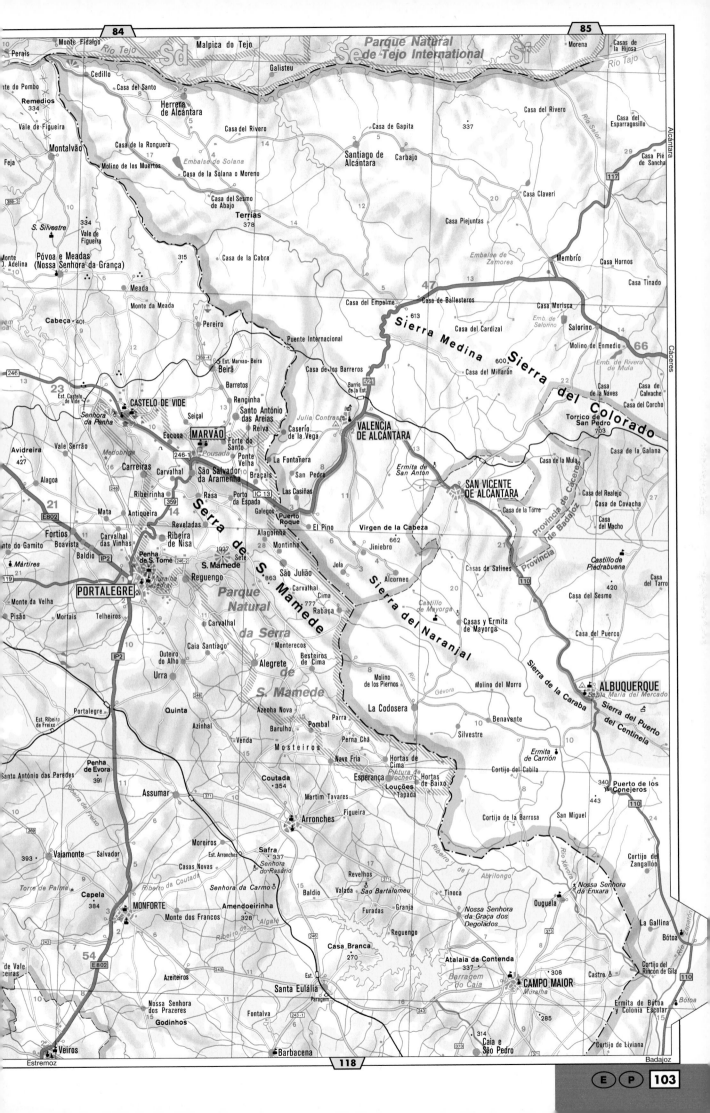

Monte Fidalgo
Perais
Malpica do Tejo
Galisteu
Rio Tejo
Parque Natural de Tejo International
Rio Tajo
Morena
Casas de la Hijosa

Cedillo
Casa del Santo
Casa del Rivero
Casas de la Esparragosillo
Alcántara

nte do Pombo
Herreta de Alcántara
Casa del Rivero
Casa de Gapita
337
Casa Pié de Sancha

Remedios 334
Casa de la Ronguera
17
Santiago de Alcántara
Carbajo
29
117

Vale de Figueira
4
Embalse de Solana
Casa Claveri
Feja
Montalvão
Molino de los Muertos
Casa de la Solana o Moreno
Casa Piejuntas
Membrío
Casa Hornos

359-3
10
Casa del Sesmo de Abajo
12
20
Casa Tinado

334
Terrias 378
14
47
13

S. Silvestre
Vale de Figueira
Casa de la Cabra
Casa del Empalme
Casa de Ballesteros
Emb. de Zamores
Casa Morisca

nte J. Adelina
315
Meada
613
600
Salorino
14

Póvoa e Meadas (Nossa Senhora da Grança)
Monte da Meada
Sierra Medina
Casa del Cardizal
Emb. de Salorino
Molino de Enmedio
66

Cabeça 401
Pereiro
Puente Internacional
Casa del Millarón
Sierra del Colorado
22
Casa de la Naves
Casa de Calvache

246
13
359-4
Est. Marvao-Beira
Casa de los Barreros
521
Casa del Corcho

23
Beirã
Barrios
Barrio de la Est.
Torrico de San Pedro 703
27

Est. Castelo de Vide
Barretos
Ranginha
Santo António das Areias
Julia Contraste
VALENCIA DE ALCÁNTARA
Casa de la Galana

CASTELO DE VIDE
Seiçal
Relva
Caserío de la Vega
Casa de la Mula

Senhora da Penha
Escusa
MARVÃO
Forte do Santo
La Fontañera
San Pedro
Ermita de San Antón
SAN VICENTE DE ALCÁNTARA
Casa del Realejo

Avidreira 427
Vale Serrão
Medobriga
246-1
Pousada
Ponte Velha
Braçais
Las Casiñas
Casa de la Torre
Casa de Covacha

Carvalhal
São Salvador da Aramenha
Porto da Espada
IC 13
Galegos
Virgen de la Cabeza
21
Casa del Macho

Alagoa
Carreiras
Ribeirinha
359
Rasa
Puerto Roque
El Pino
662
Provincia de Cáceres de Badajoz
Castillo de Piedrabuena

21
E802
Mata
Antiqueira
14
Reveladas
Alagoinha
Montinho
Jiniebro
Provincia
420
Casa del Tarro

Fortios
Carvalhal das Vinhas
Ribeira de Nisa
28
São Julião
Jola
Alcorneo
20
110
Casa del Sesmo

Boavista
Baldio
IP2
1027
Sete
Cima
Carvalhal
Castillo de Mayorga
Casas de Salines
Casa del Puerco

Mártires
Penha de S. Tomé
246-2
S. Mamede 863
777 Rabaça
Sierra del Naranjal
Casas y Ermita de Mayorga

119
21
PORTALEGRE
Muralha
Reguengo
Parque Natural da Serra
Monterecos
Besteiros de Cima
Molino del Morro
Sierra de la Caraba
ALBUQUERQUE
Santa Maria del Mercado

Monte da Velha
Carvalhal
11
de
Alegrete
de
Molino de los Piernos
10
Benavente
Sierra del Puerto del Centinela

Pisão
Mortais
Telheiros
Outeiro do Alho
S. Mamede
Azenha Nova
Parra
La Codosera
Silvestre
10
Puerto de los Conejeros
340

Urra
Caia Santiago
Barulho
Pombal
Perna Chã
Ermita de Carrión
443
110

Portalegre
Quinta
246
Azinhal
Venda
Mosteiros
Nave Fria
Hortas de Cima
Pintura de rocheda
Esperança
Cortijo del Cabila
San Miguel
24

Est. Ribeiro de Freixo
IP2
15
Coutada 354
Martim Tavares
Louções
Tapada
Hortas de Baixo
Cortijo de la Barrosa
Cortijo del Zangallón

Penha de Evora 391
Assumar
371
Figueira
Arronches
Revelhos
371
17
Ribeira de Abrilongo
Nossa Senhora da Enxara

Santo António das Paredes
11
Moreiros
Est. Arronches
Safra 337
Senhora do Rosário
Revelhos
São Bartolomeu
Tinoca
Ouguela
Rio Xévora
La Gallina

10
369
Vaiamonte 393
Salvador
5
Casas Novas
Senhora da Carmo
15
Valada
Granja
Nossa Senhora da Graça dos Degolados
373
Bótoa

Torre de Palma
Capela 384
MONFORTE
Amendoeirinha 328
Baldio
Furadas
Abrilongo
Reguengo
Ribeira de Algal

243
2
Monte dos Francos
Casa Branca 270
Atalaia da Contenda 337
308
Castro
Cortijo del Rincón de Gila

54
E802
Azeiteiros
243
Barragem do Caia
CAMPO MAIOR *Muralha*
110
Rio Gévora

de Vale ceiras
8
Nossa Senhora dos Prazeres
Godinhos
243
Est.
Santa Eulália
Paragem
243-1
Caia e São Pedro
285
Ermita de Bótoa y Colonia Escolar

Veiros
Fontalva
Barbacena
373
314
Cortijo de Liviana

Estremoz
118
Badajoz

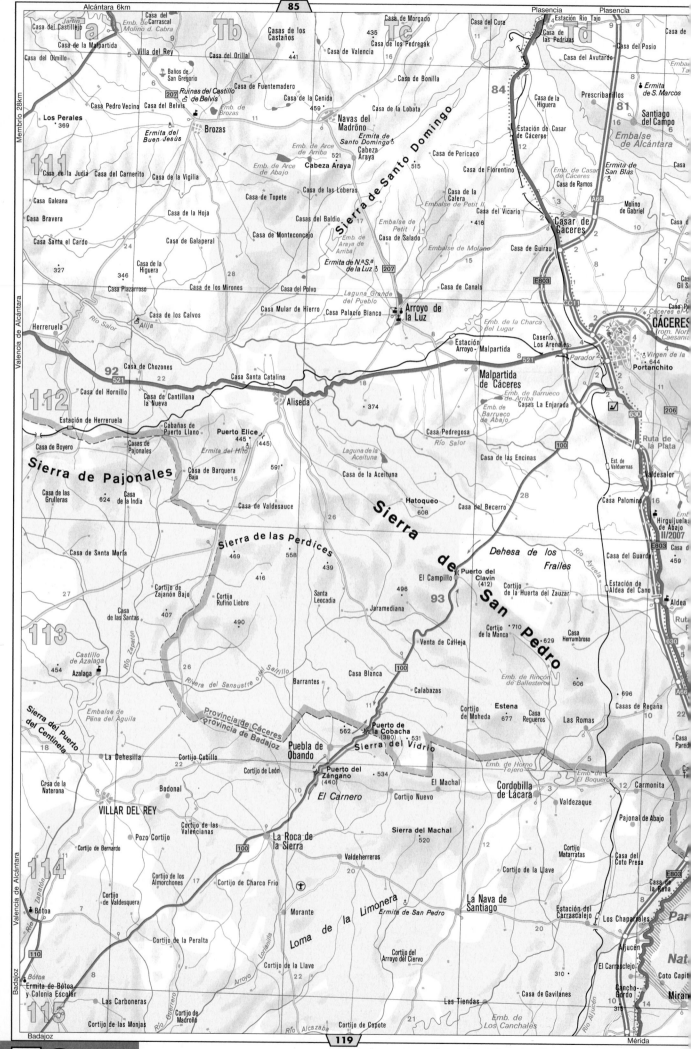

Alcántara 6km

Membrío 28km

Valencia de Alcántara

Plasencia   Plasencia

Casa del Castillejo

Casa del Carrascal

Casa del Molino d. Cabra

Casa del Orillal

Casas de los Castaños

Casa de Morgado

Casa del Cura

Estación Río Tajo

Casa de las Pedrizas

Casa del Posio

Casa del Olmillo

Villa del Rey

Casa de la Malpartida

Casa de Valencia

Casa de los Pedregák

Casa de la Higuera

Prescribanillos

Ermita de S. Marcos

Baños de San Gregorio

Casa de Fuentemadero

Casa de Bonilla

Santiago del Campo

Casa Pedro Vecino

Ruinas del Castillo de Belvis

Casa de la Cenida

Estación de Casar de Cáceres

Casa de la Lobata

Embalse de Alcántara

Los Perales   369

Casa del Belvis

Emb. de Brozas

Navas del Madroño

Casa de Pericaco

Ermita de San Blas

BROZAS

Ermita del Buen Jesús

Ermita de Santo Domingo

Casa de Florentino

Casa de Casar de Cáceres

Casa de Ramos

Casa de la Judía

Casa del Carnerito

Casa de la Vigilia

Emb. de Arce de Arriba   521

Cabeza Araya

Casa de la Calera

Embalse de Petit II

Casa del Vicario

Casar de Cáceres

Casa Galeana

Casa de Topete

Cabeza Araya   515

Embalse de Petit I

Casa de Salado

Molino de Gabriel

Casa Bravera

Casa de la Hoja

Casas del Baldío

Emb. de Araya de Arriba

Embalse de Molano

Casa de Guirau

Casa Santa el Cardo   24

Casa de Galaperal

Casa de Monteconcejo

Ermita de N.ª S.ª de la Luz   207

Casa de la Higuera   327   346

Casa Plazarroso

Casa de los Mirones

Casa del Polvo

Laguna Grande del Pueblo

Casa de Canals

CÁCERES

Herreruela

Casa de los Calvos

Alija

Río Salor

Casa Mular de Hierro

Casa Palacio Blanco

Arroyo de la Luz

Emb. de la Charca del Lugar

Caserío Los Arenales

Parador

Virgen de la   644

Portanchito

Casa de Chozones   92   521

Casa Santa Catalina

Estación Arroyo - Malpartida   8   521

Casa de Cañáceres

Casa del Hornillo

Casa de Cantillana la Nueva

Aliseda

Malpartida de Cáceres

Emb. de Barrueco de Arriba

Casas La Enjarada   206

Estación de Herreruela

Cabañas de Puerto Llano

Puerto Elice   445   (445)

374

Emb. de Barrueco de Abajo

Ruta de la Plata

Casa de Boyero

Casas de Pajonales

Ermita del Hito

Casa Pedrosa

Río Salor

Est. de Valduernas

Valdesalor

Casa de las Grulleras

Casa de Barquera Baja   15   591

Casa de Valdesauce   26

Laguna de la Aceituna

Casa de las Encinas

Casa Palomino   16

Sierra de Pajonales   624

Casa de la India   407   490   469   558

Casa de la Aceituna

Hatoqueo   608

Casa del Becerro   28

Emb. Hirguijuela de Abajo   II/2007

Sierra de las Perdices   439

Santa Leocadia   496

Jaramediana

El Campillo

Puerto del Clavín   (412)

Dehesa de los Frailes

Río Ayuela

Casa del Guarda   459

Casa de Santa María   416

Cortijo de Zajanón Bajo

Cortijo Rufino Liebre

Cortijo de la Huerta del Zauzar

Estación de Aldea del Cano

Casa de las Santas   27

93

Cortijo de la Manca   710   629

Casa Herrumbroso

Aldea

Castillo de Azalaga   454

Azalaga

Río Zapatón   26

Rivera del Sansustre

Rivera del Sansustre

Barrantes

Casa Blanca   100

Calabazas

Emb. de Rincón de Ballesteros   606   696

Casas de Regaña   22

Sierra del Puerto del Centinela   18

Embalse de Peña del Águila

Provincia de Cáceres Provincia de Badajoz   11

Puerto de la Cobacha   (380)   531

Cortijo de Moheda

Estena   677

Casa Regueros

Las Romas   10

La Dehesilla

Cortijo Cubillo   22

Puebla de Obando   562

Sierra del Vidrio

Emb. de Horno Tejero

Emb. de El Boquerón

Casa de la Naterona

Cortijo de León

Puerto del Zángano   (440)   534

El Machal

Cordobilla de Lácara   3

Carmonita   12

Bodonal

El Carnero

Cortijo Nuevo

Valdezaque

Pajonal de Abajo

VILLAR DEL REY

Cortijo de las Valencianas   100

La Roca de la Sierra

Sierra del Machal   520   12

Cortijo Matarratas

Casa del Coto Presa

Pozo Cortijo

Cortijo de Bernardo   11

Valdeherreros

Cortijo de la Llave

Casa de la Reña

Cortijo de los Almorchones   17

Cortijo de Charco Frío   20

Cortijo de Valdesquera

Morante

Ermita de San Pedro

La Nava de Santiago

Estación del Carrascalejo

Los Chaparrales

Bótoa   7

Cortijo de la Peralta

Cortijo de la Llave   22

Cortijo del Arroyo del Ciervo

Aljucén

El Carrasclejo

Coto Capi

Ermita de Bótoa y Colonia Escolar

Las Carboneras

Cortijo de Madroño

310   315

Gancho-Gordo   14

Miran

Cortijo de las Monjas

Cortijo de Capote   21

Las Tiendas

Casa de Gavilanes

Emb. de Los Canchales

Badajoz   Badajoz   Mérida

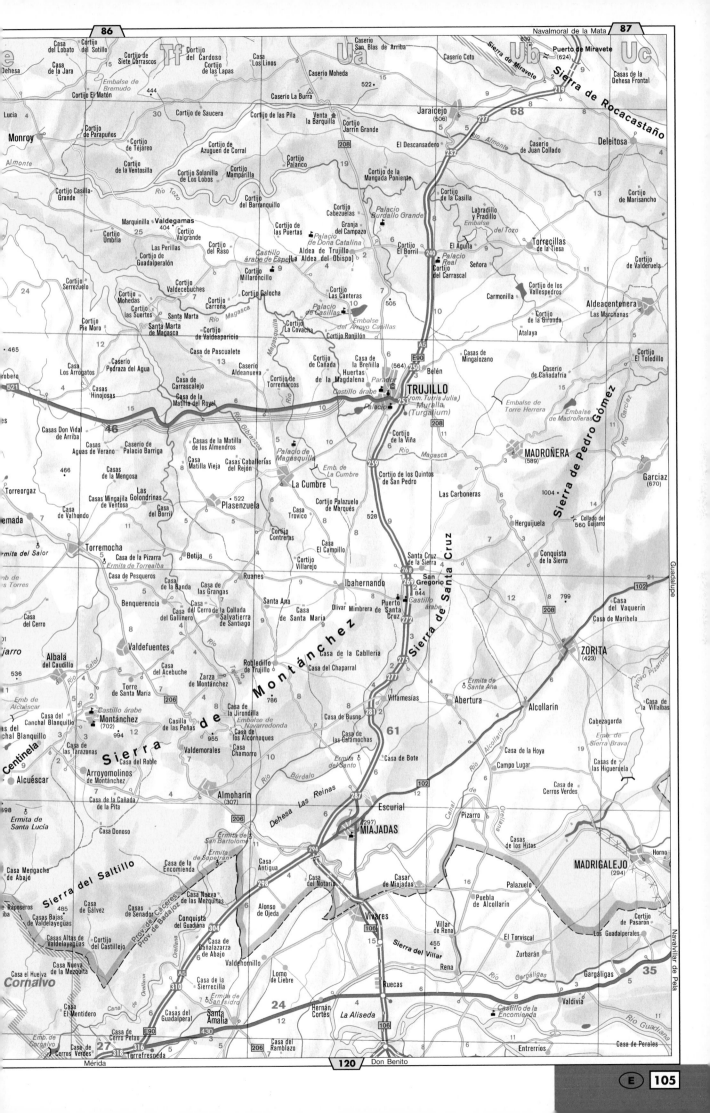

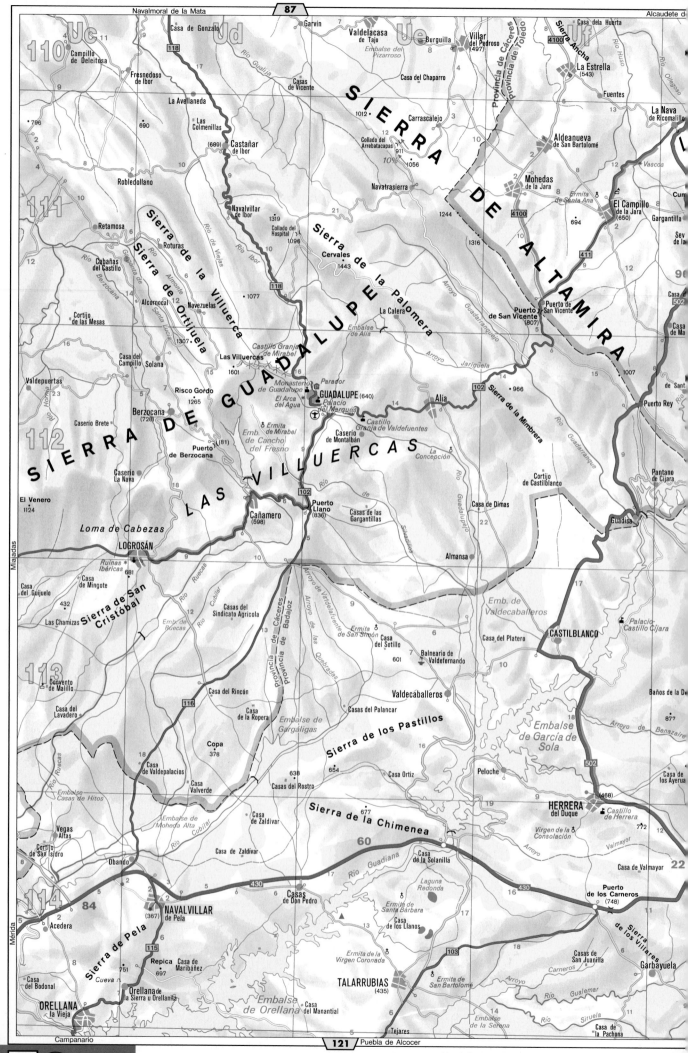

SIERRA DE ALTAMIRA

SIERRA DE GUADALUPE

SIERRA DE LA VILLUERCA

Sierra de Ortijuela

LAS VILLUERCAS

Sierra de la Palomera

Sierra de la Mimbrera

Sierra de San Cristóbal

Sierra de los Pastillos

Sierra de la Chimenea

Sierra de Pela

Sierra de los Villares

110

111

112

113

114

Uc

Ud

Ue

Uf

Campillo de Deleitosa
Fresnedoso de Ibor
La Avellaneda
Las Colmenillas
Castañar de Ibor
Robledollano
Navalvillar de Ibor
Retamosa
Roturas
Cabañas del Castillo
Alcornocal
Navezuelas
Cortijo de las Mesas
Casa del Campillo
Solana
Las Villuercas
Risco Gordo
Valdepuertas
Berzocana
Caserío Brete
Puerto de Berzocana
Caserío La Nava
El Venero
Loma de Cabezas
LOGROSÁN
Ruinas Ibéricas
Casa de Mingote
Casa del Güijuelo
Las Chamizas
Convento de Malillo
Casa del Lavadero
Obando
Vegas Altas
Cortijo de San Isidro
Acedera
ORELLANA la Vieja
NAVALVILLAR de Pela
Repica
Casa de Maribáñez
Casa de Valdepalacios
Copa
Casa Valverde
Casa de Zaldívar
Casa de Zaldívar
Casa del Rincón
Casa de la Ropera
Casas del Palancar
Casas del Rostro
Embalse de Gargáligas
Emb. de Ruecas
Casas del Sindicato Agrícola
Casas del Bodonal
Embalse Casas de Hitos
Embalse de Moheda Alta
ORELLANA de la Sierra u Orellanita
Embalse de Orellana
Casa del Manantial
Casas de Don Pedro
Ermita de Santa Bárbara
Laguna Redonda
Ermita de los Llanos
TALARRUBIAS
Ermita de la Virgen Coronada
Ermita de San Bartolomé
Casas de San Juanilla
Tejares
Embalse de la Serena
Casa de la Pachona
Garbayuela

Garvín
Valdelacasa de Tajo
Burguilla
Villar del Pedroso
Casa de Gonzalo
Casas de Vicente
Casa del Chaparro
Carrascalejo
Collado del Arrebatacapas
Navatrasierra
Cervales
La Calera
Castillo Granja de Mirabel
Monasterio de Guadalupe
El Arca del Agua
GUADALUPE
Palacio del Marqués
Ermita de Mirabel de Cancho del Fresno
Emb. de Alía
Caserío de Montalbán
Castillo Granja de Valdefuentes
Alía
La Concepción
Puerto Llano
Casas de las Gargantillas
Cañamero
Almansa
Casa de Dimas
Casa del Platero
Casa del Sotillo
Balneario de Valdefernando
Ermita de San Simón
VALDECABALLEROS
Emb. de Valdecaballeros
CASTILBLANCO
Palacio-Castillo Cíjara
Cortijo de Castilblanco
Pantano de Cíjara
Guadisa
Puerto Rey
Embalse de García de Sola
Peloche
Casa Ortiz
HERRERA del Duque
Castillo de Herrera
Baños de la D
Casa de los Ayerua
Virgen de la Consolación
Puerto de los Carneros
Casa de Valmayor
Casa de la Solanilla

Sierra Ancha
Casa de la Huerta
La Estrella
Fuentes
La Nava de Ricomalillo
Aldeanueva de San Bartolomé
Mohedas de la Jara
Ermita de Santa Ana
El Campillo de la Jara
Gargantilla
Puerto de San Vicente
Puerto de San Vicente

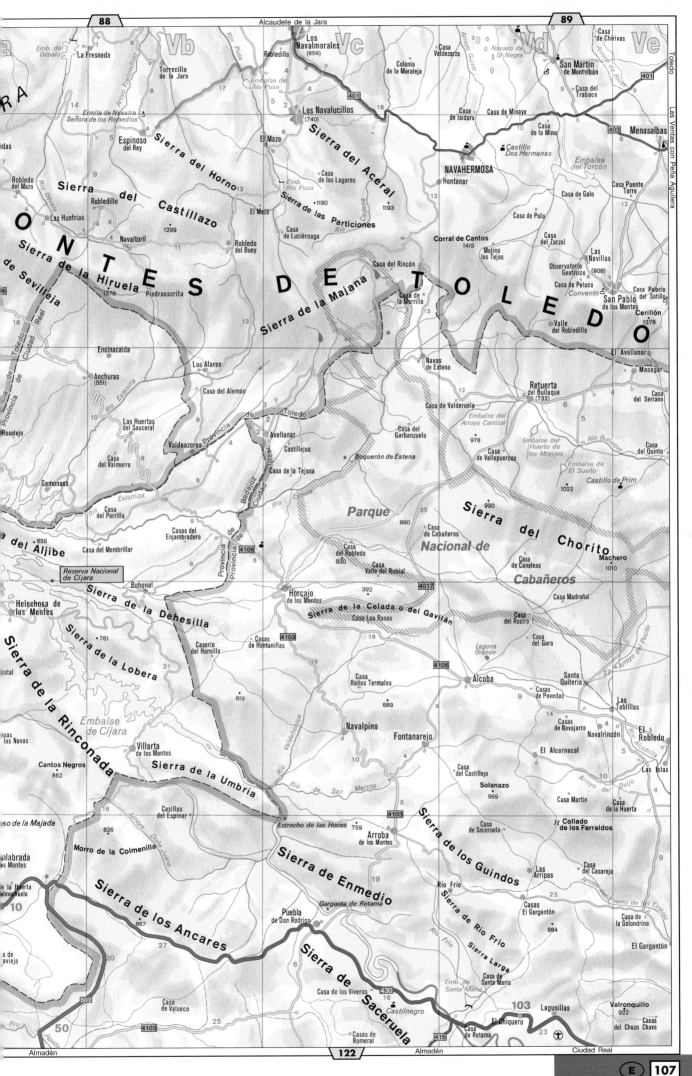

Alcaudete de la Jara
Toledo
Vb
Vc
Vd
Ve

Emb. del Gébalo
La Fresneda
Los Navalmorales (659)
Robledillo
Río Pusa
Casa de Chirivas
San Martín de Montalbán
Navazo de la Negra
Arroyo Guino
401
Casa del Trabuco
Casa Valdezarza

Torrecilla de la Jara
Embalse de Río Pusa
401
Colonia de la Moraleja
Río Pusa
Casa de Isidora
Casa de Minaya
403
Menasalbas
Casa de la Mina

14
Ermita de Nuestra Señora de los Remedios
Los Navalucillos (740)
18
10
Castillo Dos Hermanas
Embalse del Torcón
Las Ventas con Peña Aguilera

Espinoso del Rey
Sierra del Horno
El Mazo
Sierra del Aceral
NAVAHERMOSA
Hontanar
Casa Puente Torre

Robledo del Mazo
13
Casa de los Lagares
Emb. Río Pusa
Sierra de las Particiones
1193
13
Casa de Galo
12

Sierra del Castillazo
Robledillo
Las Hunfrias
Río Gébalo
1299
El Mazo
1190
Río Cedena
Casa de Polo
Casa del Zarzal
Las Navillas (908)
Observatorio Geofísico

Navaltoril
11
Robledo del Buey
Casa de Luciérnaga
Corral de Cantos 1419
Molino los Tejos
Casa de Peluco
Convento
San Pablo de los Montes
Casa Palacio del Sotillo
Cerillón 1378

Sierra de la Hiruela 1378
Piedraescrita
Sierra de la Majana
Casa del Rincón
Casa de la Morrilla
13
Valle del Robledillo

Sierra de Sevilleja
13
DE
TOLEDO
El Avellanar
Masegar

Encinacaida
Los Alares
Navas de Estena
Retuerta del Bullaque (732)
6
Casa del Serrano

Anchuras (551)
Casa del Alemán
Toledo
de Toledo de Ciudad Real
3
2
Casa de Valderuelo
12
Embalse del Arroyo Carrizal
Embalse del Huerto de los Monjes
5
Río Bullaque
Casa del Quinto

Las Huertas del Sauceral
Valdeazores
4
Avellanar
Castillejos
Casa del Garbanzuelo
978
Casa de Vallepuercos
Embalse de El Sueño

Casa del Valmorro
Gamonoso
Provincia de Ciudad Real
Casa de la Tejona
Boquerón de Estena
Castillo de Prim
1022

Estomiza
Casa del Parrilla
Parque
890
35
Casa de Cabañeros
Sierra del Chorito
990
Casa del Quinto

del Aljibe 655
Casas del Enjambradero
Casa de Membrillar
Badajoz Ciudad
4106
8
8
Nacional de
Casa del Robledo 830
Casa Valle del Rubial
Casa de Canaleas
Machero 1010

Reserva Nacional de Cíjara
Bohonal
Sierra de la Dehesilla
Provincia de
4106
Horcajo de los Montes
392
4017
Cabañeros
Casa Madroñal

Helechosa de los Montes
761
819
Sierra de la Celada o del Gavilán
Casa Los Rasos
18
Casa del Rostro
Casa del Goro

Sierra de la Lobera
Casas del Hornillo
4103
Casas de Hontanillas
18
4106
Alcoba
Santa Quiteria
17

Sierra de la Rinconada
Embalse de Cíjara
819
Casa Baños Termales
889
Casas de Povedas
9
Las Tablillas

Villarta de los Montes
Navalpino
Fontanarejo
14
Casas de Navajarra
Navalrincón
El Robledo 5
Río Alcobilla

Cantos Negros 862
Sierra de la Umbría
4
El Alcornocal
Las Islas

estal
Casillas del Espinar
Arroyo Doña Juana
Estrecho de las Hoces 759
4103
Casa del Castillejo
Solanazo 969
Casa Martín
Casa de la Huerta
10

so de la Majada
18
826
Arroba de los Montes
Casa de Saceruela
Collado de los Farraldos
Casa del Casarejo

Morro de la Colmenilla
Sierra de Enmedio
19
Sierra de los Guindos
Río Frío
Las Arripas
Casa del Casarejo

lalabrada s Montes
Sierra de los Ancares
867
Garganta de Retama
Sierra de Río Frío
Casas El Gargantón 884
25
El Gargantón

la Huerta lmochuelo
10
Puebla de Don Rodrigo
Sierra Larga
Casa de la Golondrina

Sierra de Saceruela
Casa de los Viveros
430
Castilnegro
Emb. de Santa María
Casa de Santa María
103
Lagunillas
Valronquillo 922
Casas del Chozo Chavo

502
50
4103
27
20
Casa de Valseco
25
Casas de Romeral
415
Casa de Retama
El Chiquero
23

Almadén
122
Almadén
Ciudad Real
E 107

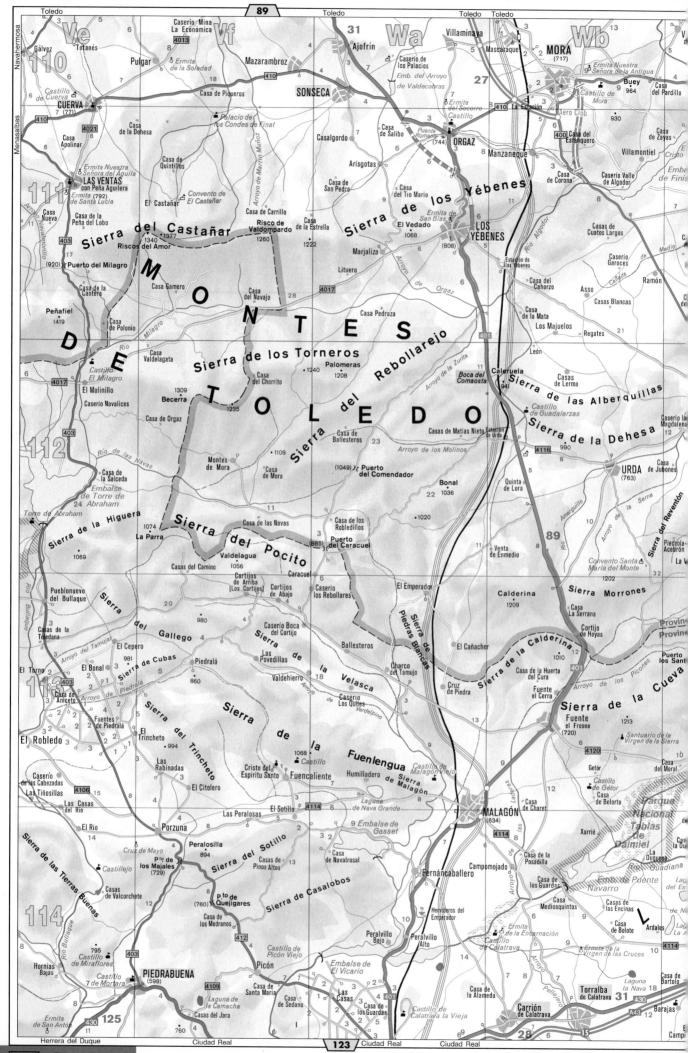

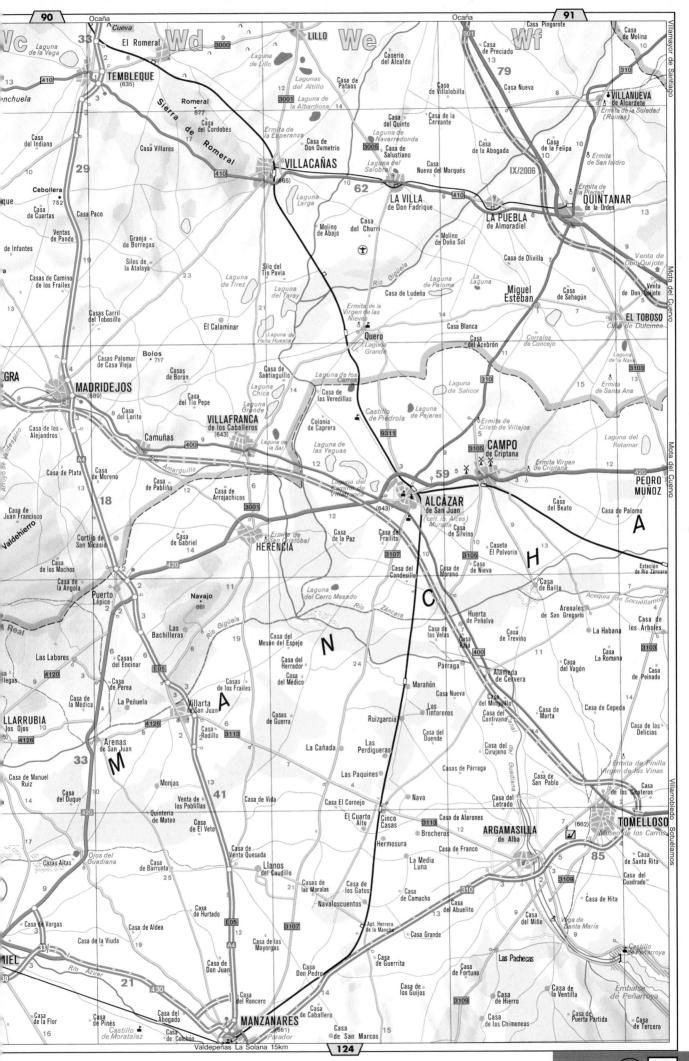

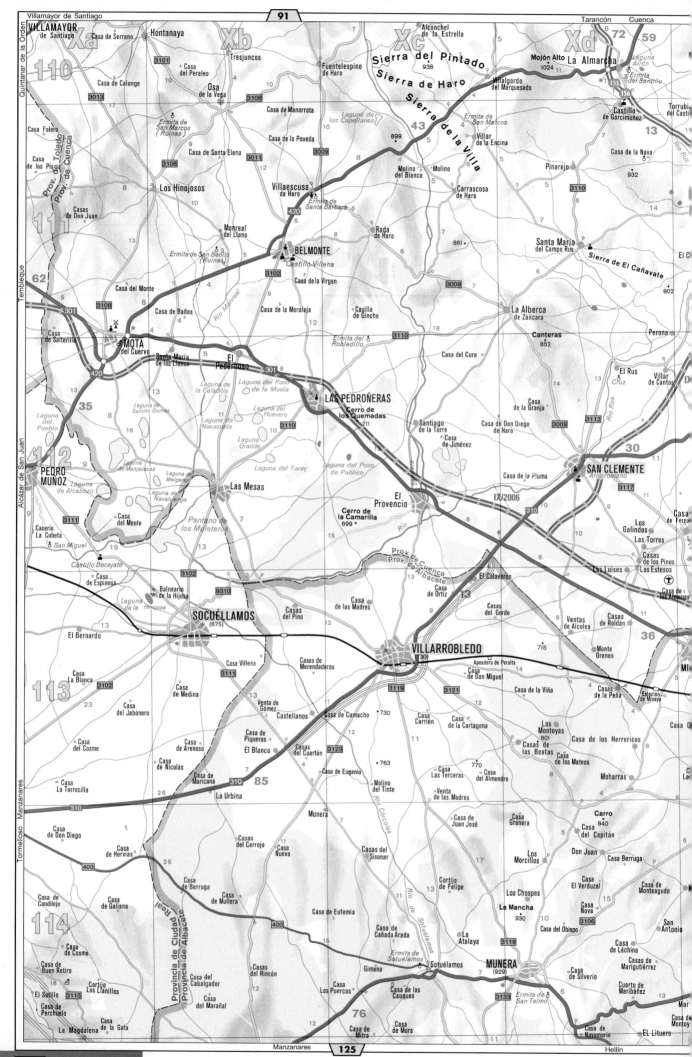

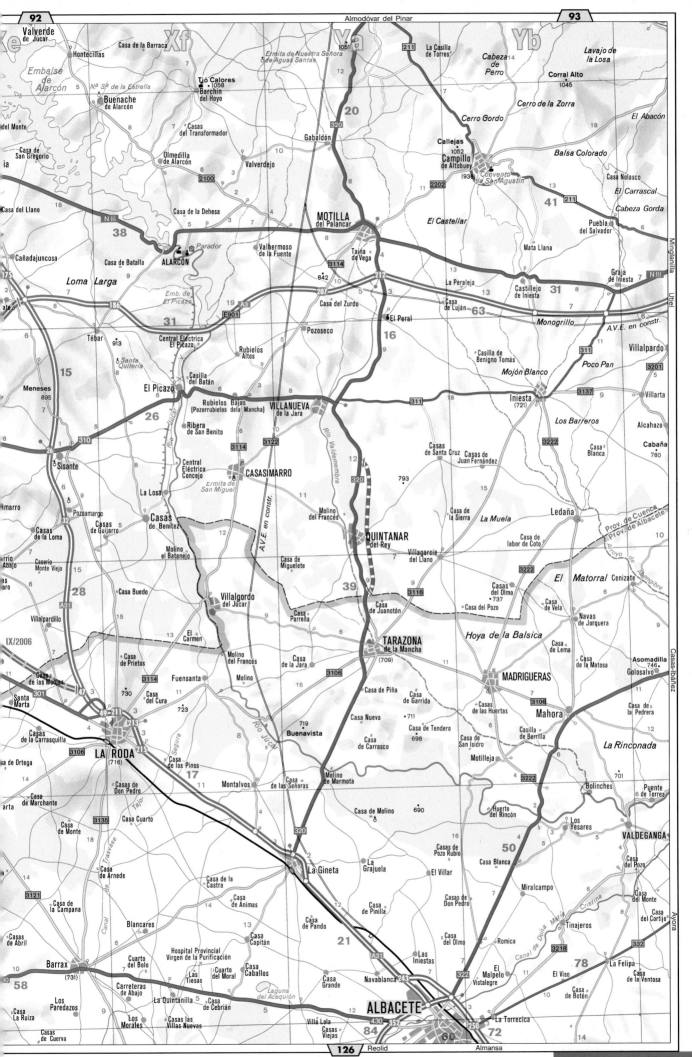

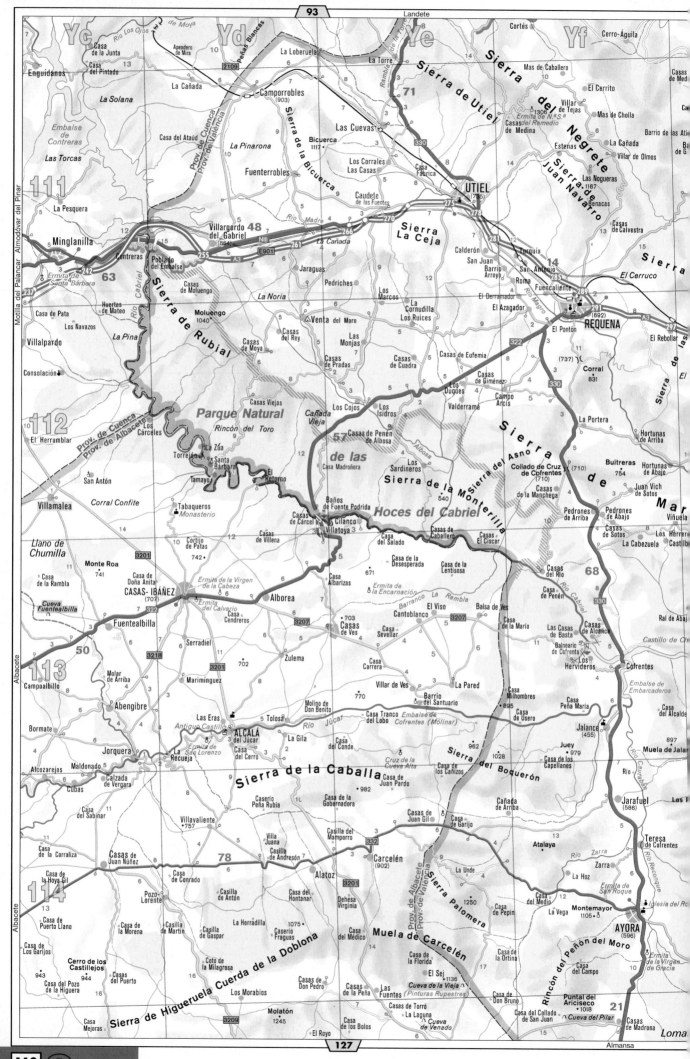

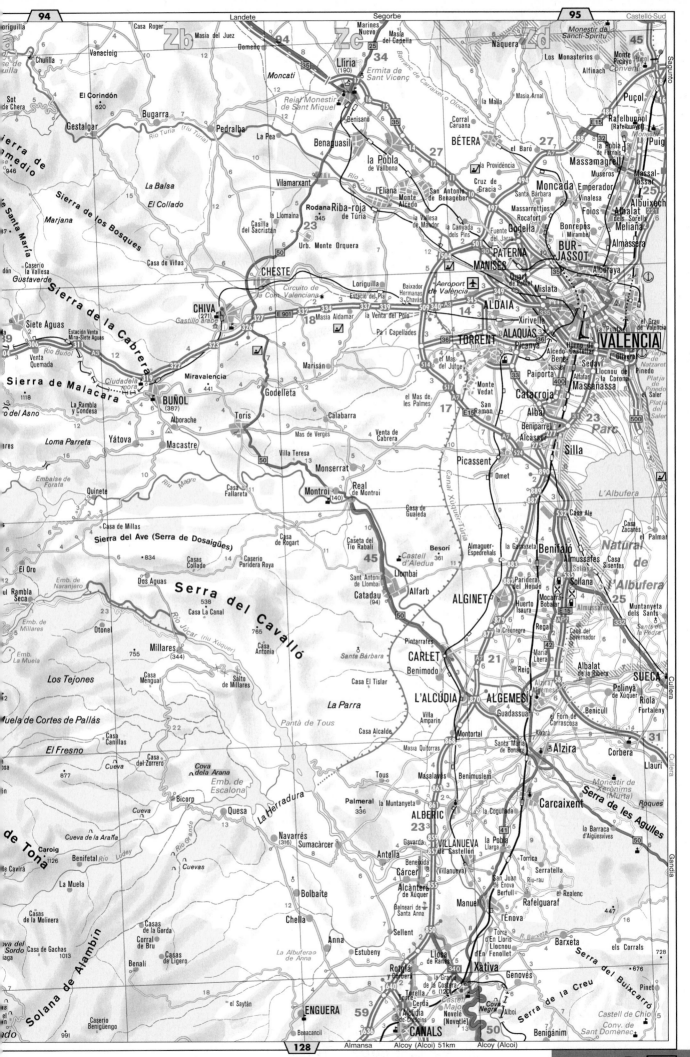

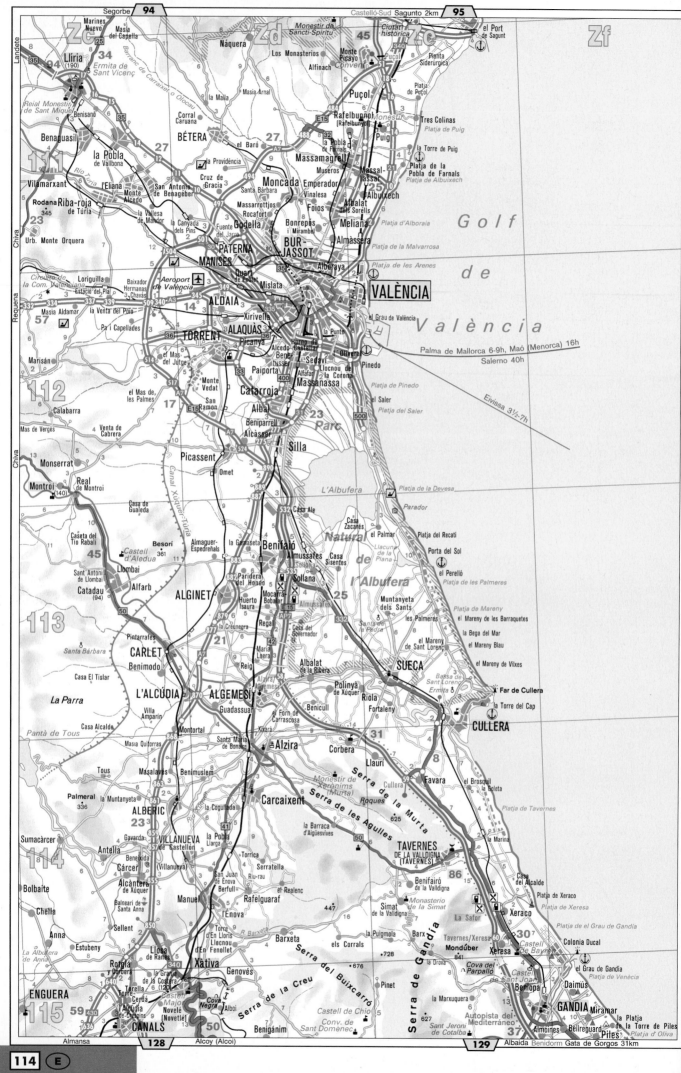

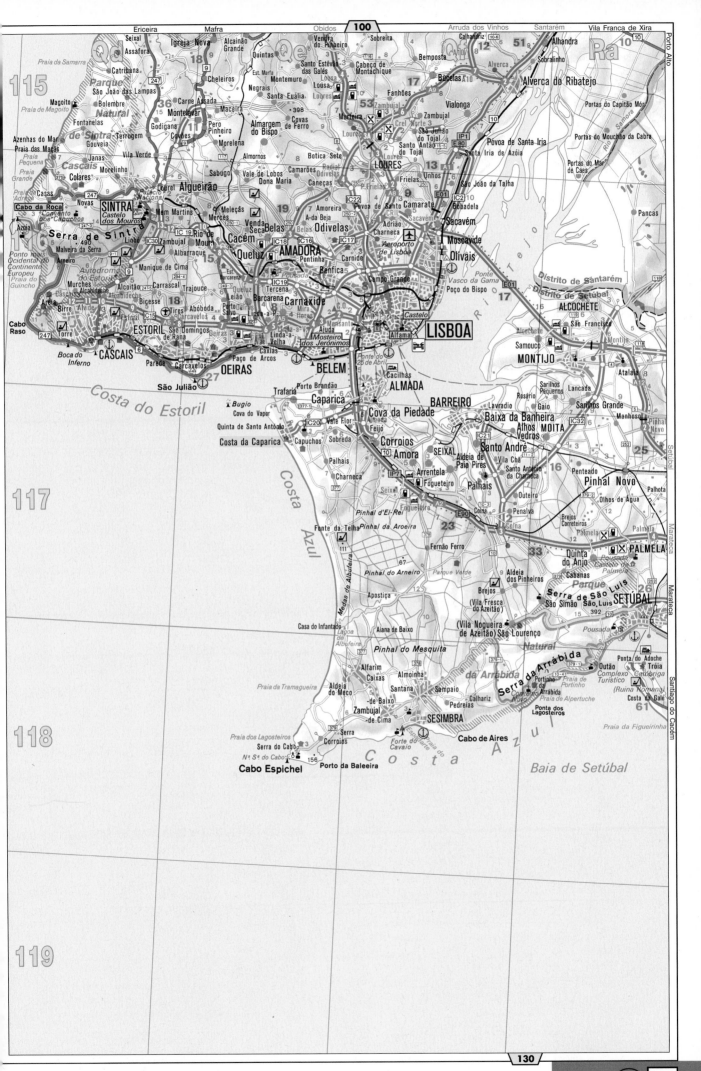

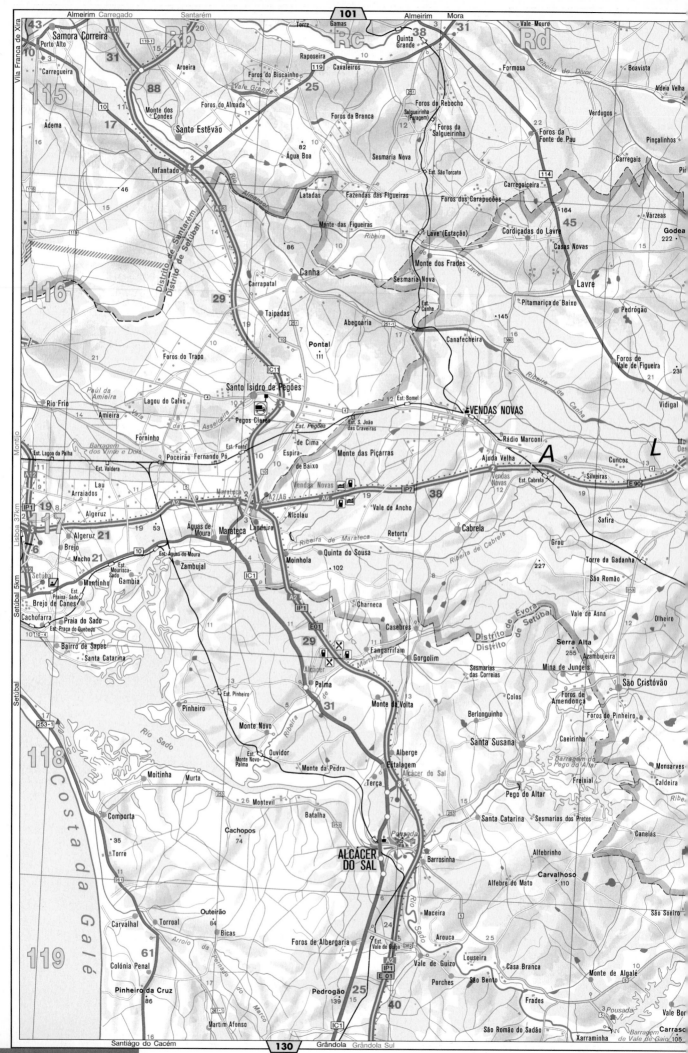

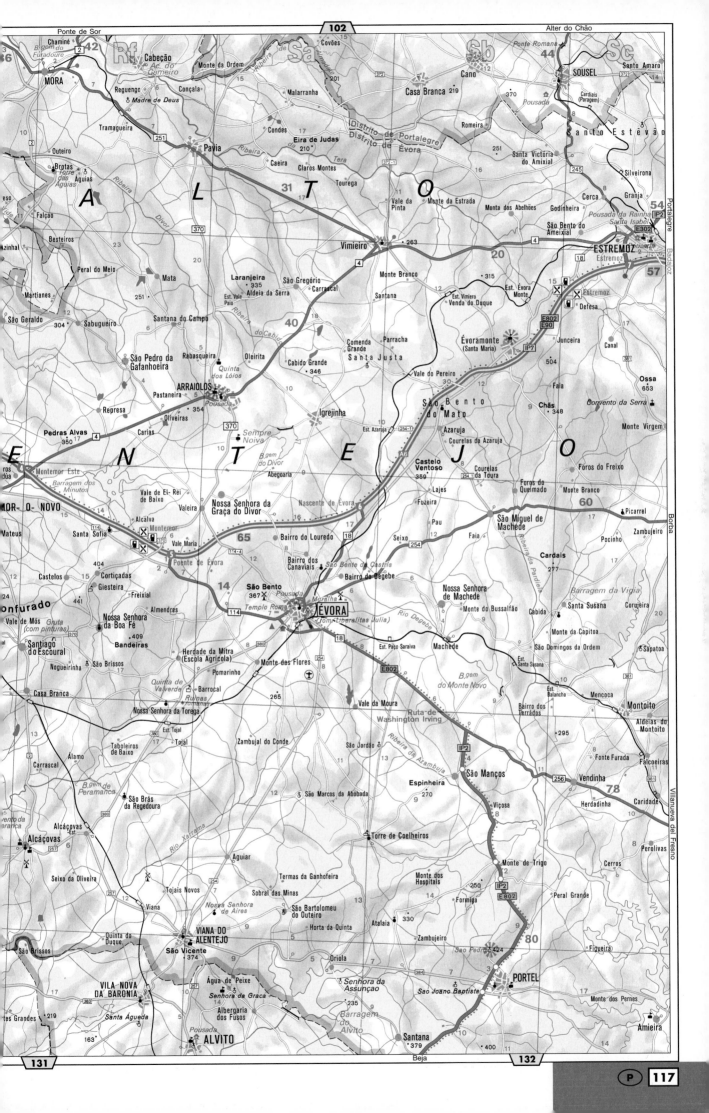

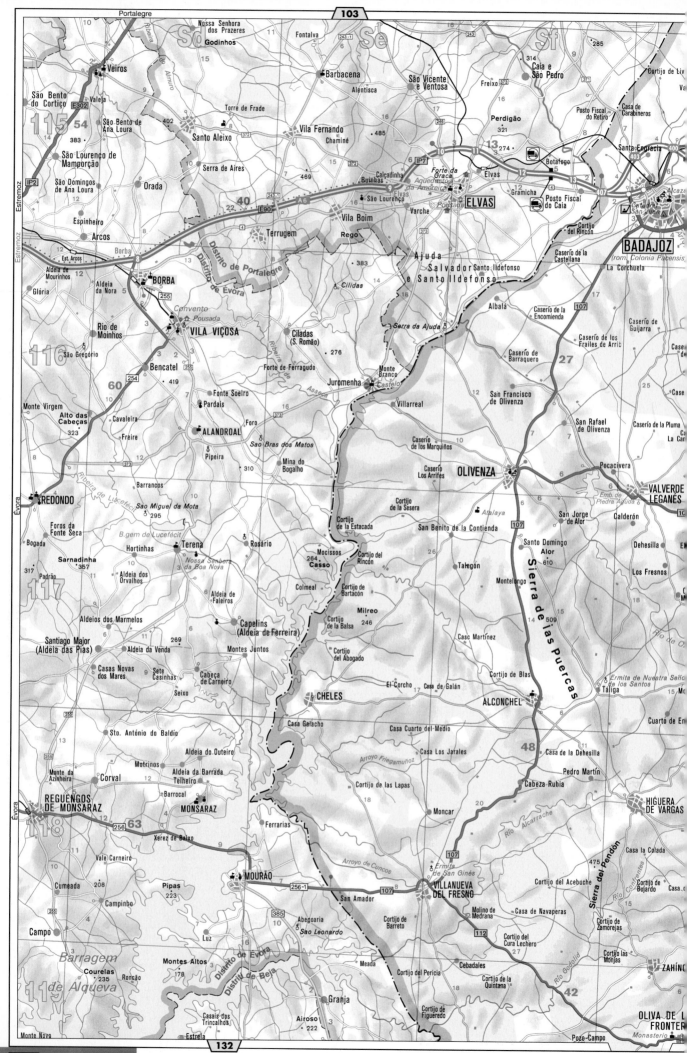

Portalegre

Nossa Senhora
dos Prazeres
Godinhos

Fontalva

Caia e
São Pedro

Cortijo de Liv

285

Veiros

Barbacena

São Vicente
e Ventosa

Freixo

Perdigão
321

314

Santa Engracia

Posto Fiscal
do Retiro

Casa de
Carabineros

São Bento
do Cortiço

Valeja

Alentisca

São Bento de
Ana Loura

Torre de Frade

Vila Fernando
Chaminé

485

Perdigão
321

Botafego

São Lourenço de
Mamporção

Santo Aleixo

274

13

São Domingos
de Ana Loura

Serra de Aires

Orada

469

Calçadinha
Buinhas

Forte da
Graça

Elvas

Gramicha

BADAJOZ
(rom. Colonia Pacensis)

Espinheiro

Arcos

Aldeia de
Mourinhos

Borba

BORBA

Terrugem

Vila Boim

Rego

São Lourenço

Varche

Polisoa

ELVAS

Posto Fiscal
do Caia

Cortijo
del Rincón

Caserío de la
Castellana

La Corchuela

Glória

Aldeia
da Nora

Rio de
Moinhos

Convento
Pousada

VILA VIÇOSA

Ciladas
(S. Romão)

383

Ajuda
Salvador Santo Ildefonso
e Santo Ildefonso

Albalá

Caserío de la
Encomienda

Caserío de
Guijarra

São Gregório

Bencatel

419

276

Serra da Ajuda

Caserío de
Barraquero

27

Caserío de los
Frailes de Arrib

Monte Virgem

Alto das
Cabeças
323

254

60

Fonte Soeiro

Pardais

Monte
Branco

Juromenha

Castelo

San Francisco
de Olivenza

San Rafael
de Olivenza

Caserío de la
Pluma
La Car

Cavaleira

Freire

ALANDROAL

São Bras dos Matos

Villarreal

Caserío de
los Marquiños

Pipeira

Mina do
Bogalho

310

Caserío
Los Arrifes

OLIVENZA

Pocacivera

VALVERDE
LEGANÉS

Barrancos

REDONDO

São Miguel da Mota
295

Foros da
Fonte Seca

B.gem de Lucefécit

Cortijo
de la Sesera

San Benito de la Contienda

San Jorge
de Alor

Calderón

Dehesilla

Bogada

Sarnadinha
357

Hortinhas

Terena

Rosário

Mocissos
264
Casso

Cortijo del
Rincón

26

Talegón

Santo Domingo
Alor
610

Los Fresnos

Padrão
317

Aldeia dos
Orvalhos

Nossa Senhora
da Boa Nova

Colmeal

Cortijo de
Bartacón

Montelongo

Sierra de las Puercas

Aldeios dos Marmelos

Aldeia de
Faleiros

Milreo
246

Cortijo
de la Balsa

509

Santiago Major
(Aldeia das Pias)

Aldeia da Venda

269

Capelins
(Aldeia de Ferreira)

Montes Juntos

Cortijo
del Abogado

El Corcho

Casa de Galán

Casc Martínez

Cortijo de Blas

Ermita de Nuestra Señor
de los Santos

Táliga

Casas Novas
dos Mares

Sete
Casinhas

Cabeça
de Carneiro

CHELES

ALCONCHEL

Cuarto de

Seixo

Sto. António do Baldio

Casa Galacho

Casa Cuarto del-Medio

Casa Los Jarales

48

Casa de la Dehesilla

Aldeia do Outeiro

Pedro Martín

HIGUERA
DE VARGAS

Monte da
Azinheira

Corval

Motrinos

Aldeia da Barrada
Telheiro

Cortijo de las Lapas

Moncar

20

Cabeza-Rubia

REGUENGOS
DE MONSARAZ

118

63

MONSARAZ

Barrocal

Ferrarias

Arroyo Friegamuñoz

18

Sierra del Pendón

Casa la Colada

Xerez de Baxo

Arroyo de Cuncos

107

Ermita
de San Ginés

VILLANUEVA
DEL FRESNO

Cortijo del Acebuche

Cortijo de
Bujardo

Vale Carneiro

Cumeada

Pipas
223

San Amador

Molino de
Medrana

Casa de Navaperas

Cortijo de
Zamorejas

Campinho

MOURÃO

256-1

385

Abegoaria
São Leonardo

Cortijo de
Barreto

112

Cortijo del
Cura Lechero

27

Campo

Luz

Barragem
de Alqueva

Montes Altos
178

Courelas
235

Roncão

Distrito de Évora

Meada

Granja

Cortijo del Pericia

Cortijo de la
Quintana

42

ZAHIN

Monte Novo

Casais dos
Trincalhos

Estrela

Airoso
222

Cortijo de
Figueredo

Pozo-Campo

OLIVA DE L
FRONTER

Monasterio de

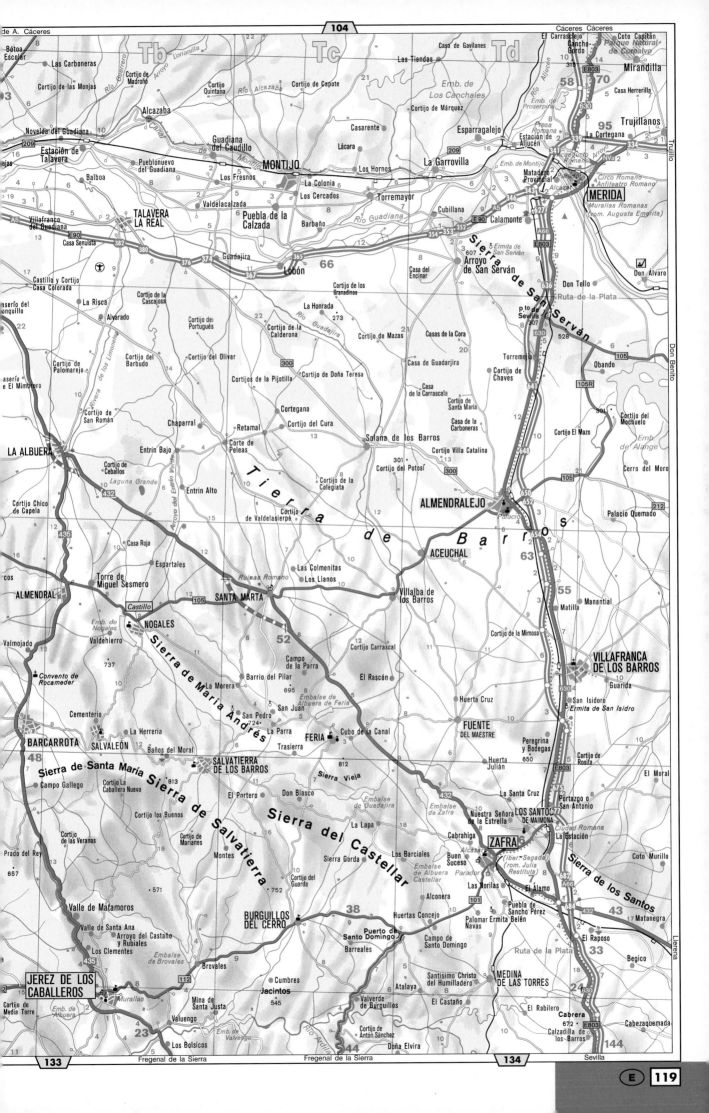

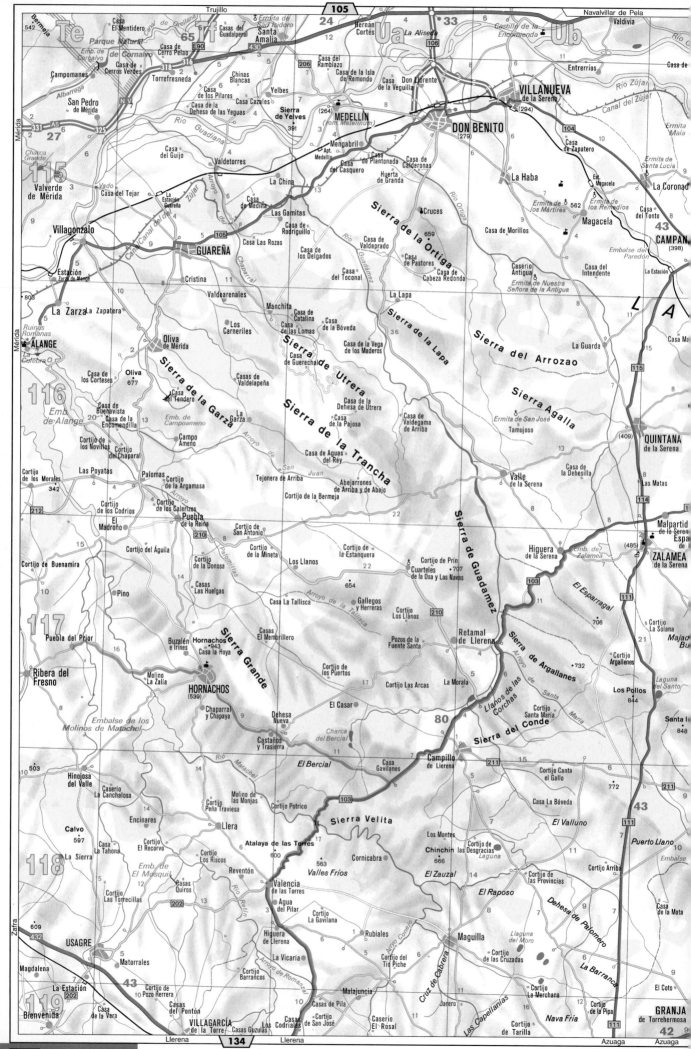

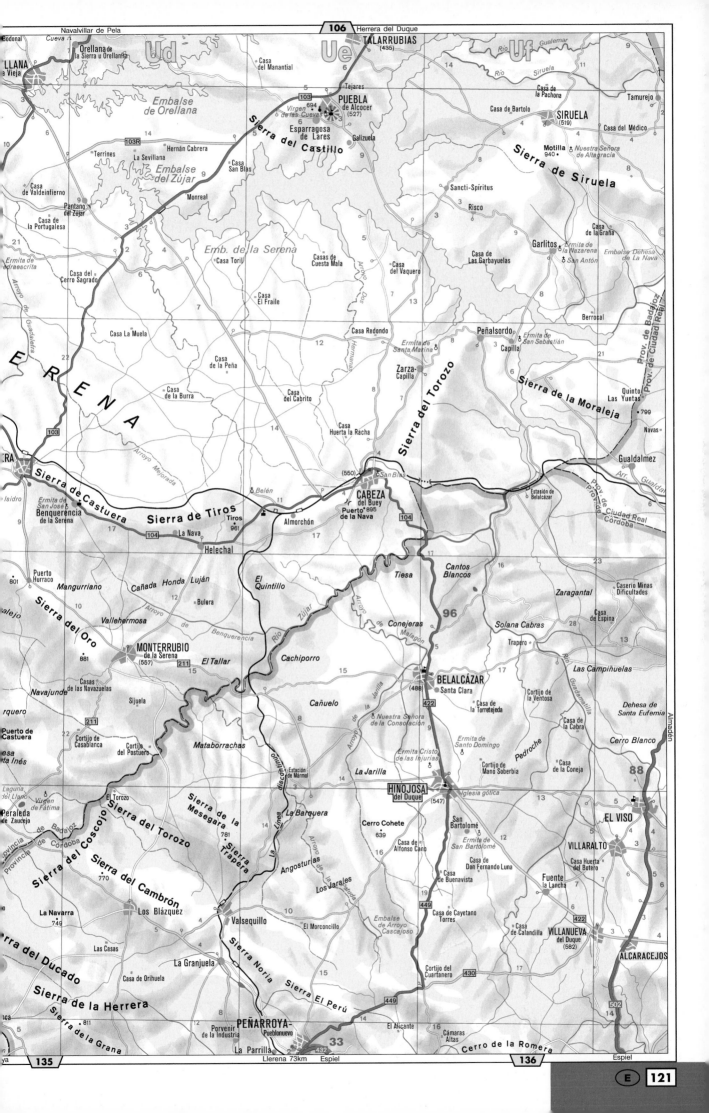

Ud   Ue   Uf

Bodonal
Cueva
LLANA
a Vieja
Orellana
de la Sierra u Orellanita
TALARRUBIAS
(435)
Casa
del Manantial
Río
Gualemar

10
Terrines
La Sevillana
Embalse
de Orellana
103R
Hernán Cabrera
Siruela
Casa de
la Pachona
Tamurejo

Casa de
Valdeinfierno
Casa
San Blas
Monreal
Tejares
103
Virgen
de las Cuevas
694
PUEBLA
de Alcocer
(527)
Galizuela
Casa de Bartolo
SIRUELA
(519)
Casa del
Médico

Pantano
del Zújar
Embalse
del Zújar
Sierra del Castillo
Esparragosa
de Lares
Motilla
940
Nuestra Señora
de Altagracia

Casa de
la Portugalesa
Casa del
Cerro Sagrado
Emb. de la Serena
Casa Toril
Casas de
Cuesta Mala
Sancti-Spíritus
Risco
Garlitos
Ermita de
la Wazarena
San Antón
Embalse Dehesa
de La Nava
Casa de
la Graña

Ermita de
edraescrita
Casa
El Fraile
Casa del
Vaquero
Casa de
Las Garbayuelas
Berrocal

ERENA
Casa La Muela
Casa
de la Peña
Casa Redondo
Ermita de
Santa Marina
Peñalsordo
Capilla
Ermita de
San Sebastián
Quinto
Las Yuntas
799

Casa de
la Burra
Casa
del Cabrito
Zarza-
Capilla
Sierra del Torozo
Sierra de la Moraleja
Navas

Casa
Huerta la Racha
Gualdalmez
Arr. Gualdal

Sierra de Castuera
(550)
San Blas
Estación de
Belalcázar
Prov. de Ciudad Real
Prov. de Córdoba

Isidro
Ermita de
San José
Benquerencia
de la Serena
Belén
CABEZA
del Buey
(527)
Puerto 895
de la Nava
104

Sierra de Tiros
Tiros
961
Almorchón
17

La Nava
104
Helechal
17
Cantos
Blancos
23

Puerto
Hurraco
801
Mangurriano
Cañada Honda
Luján
El
Quintillo
Tiesa
96
Zaragantal
Caserío Minas
Dificultades

Sierra del Oro
Vallehermosa
Bulera
Conejeras
Solana Cabras
Casa
de Espina

Navajunde
881
MONTERRUBIO
de la Serena
(557)
211
El Tallar
Cachiporro
Trapero
Las Campiñuelas
13

Casas de
las Navazuelas
Sijuela
Cañuelo
BELALCÁZAR
(488)
Santa Clara
Cortijo de
la Ventosa
Dehesa de
Santa Eufemia

Puerto de
Castuera
211
Cortijo de
Casablanca
Cortijo
del Postuero
Mataborrachas
Nuestra Señora
de la Consolación
422
Casa de
la Torretejeda
Casa de
la Cabra
Cerro Blanco

ta Inés
Estación
de Mármol
La Jarilla
Ermita Cristo
de las Injurias
Ermita de
Santo Domingo
Pedroche
88

Laguna
del Llano
Virgen
de Fátima
El Torozo
Sierra de la
Mesegara
781
La Barquera
HINOJOSA
del Duque
(547)
Iglesia gótica
Cortijo de
Mano Soberbia
Casa
de la Coneja
Almadén

Peraleda
de Zaucejo
Sierra del Torozo
Sierra
Trapera
Cerro Cohete
639
San
Bartolomé
Ermita de
San Bartolomé
EL VISO

Sierra del Coscojo
Sierra del Cambrón
770
La
Línea
Angosturas
Casa de
Alfonso Cano
Casa de
Don Fernando Luna
VILLARALTO
Casa Huerta
del Botero

La Navarra
749
Los Blázquez
Los Jarales
19
449
Casa de
Buenavista
Fuente
la Lancha

Sierra del Ducado
Valsequillo
El Morconcillo
Embalse de
Arroyo
Cascajoso
Casa de Cayetano
Torres
422
VILLANUEVA
del Duque
(582)

La Granjuela
Casa de Orihuela
Casa
de Calandilla
ALCARACEJOS

Sierra de la Herrera
Sierra de la Grana
811
Porvenir
de la Industria
PEÑARROYA-
Pueblonuevo
33
El Alicante
Cámaras
Altas
Cortijo del
Cuartanero
430
449
502

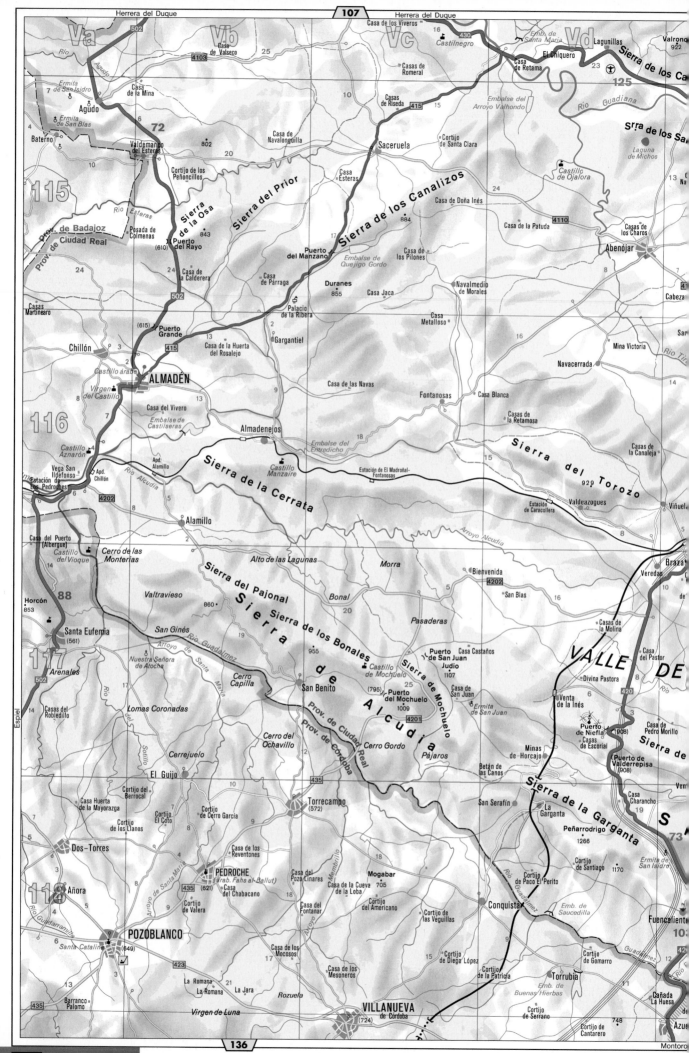

Herrera del Duque
Herrera del Duque

Va
502
Vb
Vc
Vd

Casa de los Viveros
16
430
Castilnegro
Emb. de Santa Maria
Lagunillas
Valrona
922
Srra de los Ca

Río
Agudo
Casa de Valseco
25
El Chiquero
Casa de Retama
23
125
Sierra de los Sa

4103
Casas de Romeral
Casa de Retama

Ermita de San Isidro
7
Casa de la Mina
6
Casas de Riseda
415
15
Embalse del Arroyo Valhondo
Río Guadiana
Srra de los Sa

Agudo
72
Casa de Navalonguilla
10
Sacuerela
Cortijo de Santa Clara
Laguna de Michos

Ermita de San Blas
4
802
Casa de Esteras
Castillo de Ojalora

Baterno
Valdemanco del Esteras
10
20
Sierra del Prior
Casa de Doña Inés
24

Cortijo de los Peñoncillos
Sierra de los Canalizos
Casa de la Patuda
4110
Casas de los Charos

115
Río Esteras
Posada de Colmenas
Sierra de la Osa
17
884
Casa de la Patuda
Abenójar

Prov. de Badajoz Prov. de Ciudad Real
843
Puerto del Rayo
610
Puerto del Manzano
Sierra de los Canalizos
Casa de los Pilones
8
Cabeza

24
24
Casa de la Calderera
Embalse de Quejigo Gordo
Navalmedio de Morales

502
Casa de Párraga
Durones
855
Casa Jaca
Casa Metalloso
16
Mina Victoria

Casas Martinearo
615
Puerto Grande
415
Palacio de la Ribera
2
Gargantiel
Navacerrada
Río Til

Chillón
3
13
Casa de la Huerta del Rosalejo
9
Casa de las Navas
Fontanosas
Casa Blanca
14
Sar

Castillo árabe
ALMADÉN
Casas de la Retamosa
Sierra del Torozo

116
Virgen del Castillo
8
13
Casa del Vivero
Embalse de Castilseras
Almadenejos
18
Embalse del Entredicho
15
929
Casas de la Canaleja

Castillo Aznarón
4
Apd. Alamillo
Castillo Manzaire
Estación de El Madroñal-Fontanosas
Estación de Caracollera
Valdeazogues
Viñuela

Vega San Ildefonso
Apd. Chillón
Río Alcudia
Sierra de la Cerrata
Braza

Estación de Los Pedroches
4202
8
5
Alamillo
2
Arroyo Alcudia
Veredas

Casa del Puerto (Albergue)
Cerro de las Monterias
Alto de las Lagunas
Morra
Bienvenida
4202
Casas de la Molina

Castillo del Vioque
14
Sierra del Pajonal
Sierra de los Bonales
Bonal
20
San Blas
16
Casa del Pastor

Horcón
853
88
Valtravieso
860
Sierra de Alcudia
Pasaderas
Casas de Escorial
8
Casa

Santa Eufemia
561
San Ginés
Río Guadalmez
19
955
Puerto de San Juan Judio
Casa Castaños
1107
Divina Pastora
420

117
Arenales
Nuestra Señora de Atocha
Cerro Capilla
Castillo de Mochuelo
Sierra de Mochuelo
Casa de San Juan
Venta de la Inés
6
Sierra de

502
17
Arroyo de Santa María
San Benito
795
Puerto del Mochuelo
1009
25
Ermita de San Juan
Puerto de Niefla
908
Casas de Escorial

Espiel
14
Casas del Robledillo
Lomas Coronadas
Prov. de Ciudad Real
4201
Puerto de Pedro Morillo
Puerto de Valderrepisa
908
Sierra de

Cerrejuelo
Cerro del Ochavillo
Prov. de Córdoba
Cerro Gordo
Pájaros
Minas de Horcajo
Casa Charancho
19
Ven

El Guijo
2
Cortijo del Berrocal
435
Betán de las Canos
Sierra de la Garganta
73

Dos-Torres
Casa Huerta de la Mayorazga
Cortijo El Coto
Cortijo de Cerro García
Torrecampo
572
9
San Serafín
La Garganta
Peñarrodrigo
1266

Cortijo de los Llanos
10
Cortijo de Santiago
1170
Ermita de San Isidro

5
Casa de los Reventones
18
Río Guadalmez

118
Añora
PEDROCHE
(árab. Fahs al-Ballut)
435
621
Casa del Chabacano
Casa del Pozo Linares
Mogabar
705
Casa de la Cueva de la Loba
Cortijo del Americano
Conquista
Emb. de Saucedilla
Fuencaliente
103

Cortijo de Valera
Casa del Fontanar
Cortijo de las Veguillas
Cortijo de Paco El Perito
42

Río Guadarramilla
POZOBLANCO
Santa Catalina
649
423
Casa de los Mocosos
17
15
Cortijo de Diego López
Cortijo de la Patricia
Torrubia
Cortijo de Buenas Hierbas
Cortijo de Gomarro
12

13
Barranco Palomo
435
La Romana
La Romana
La Jara
21
Rozuela
Casa de los Mesoneros
Cortijo de Serrano
748
Cañada La Huesa
Azue

Virgen de Luna
VILLANUEVA de Córdoba
724
Cortijo de Cantarero
Montoro

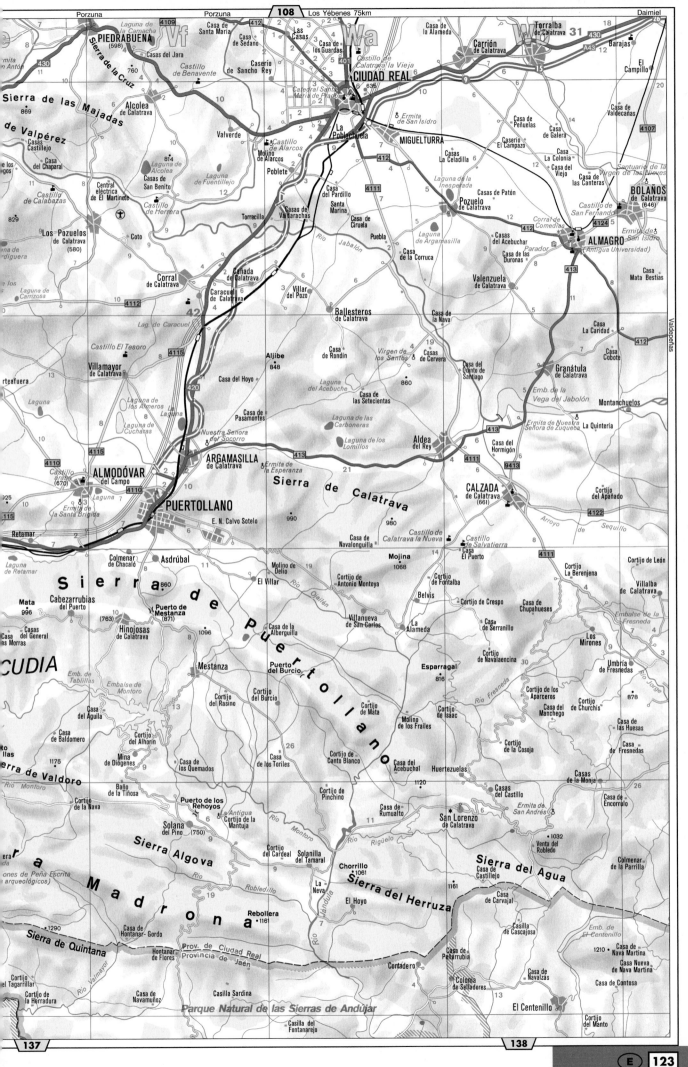

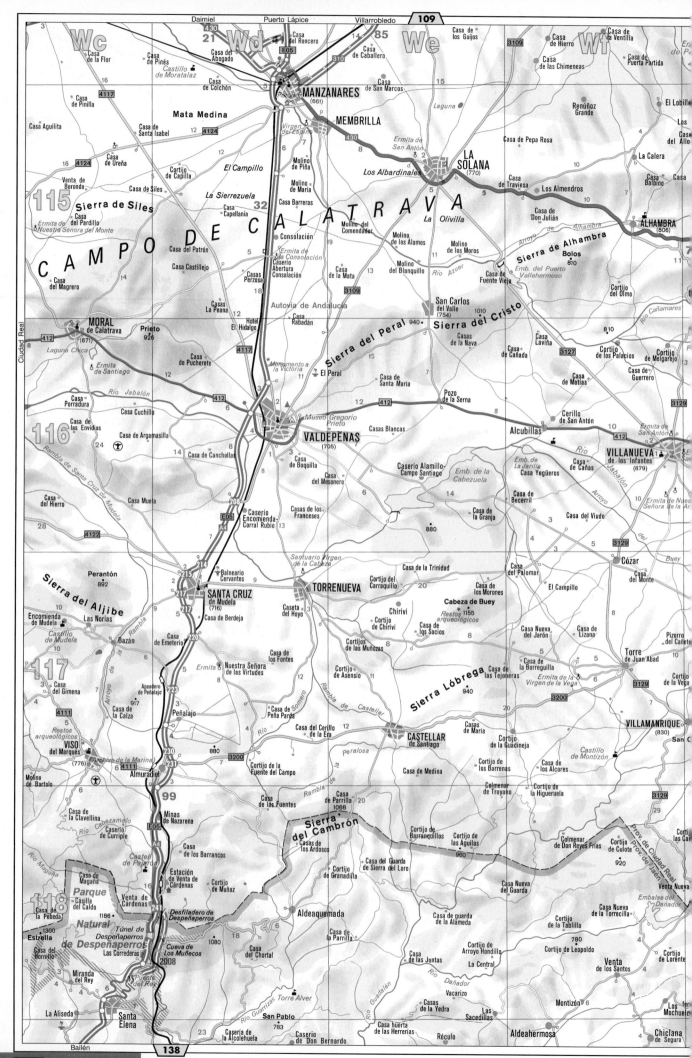

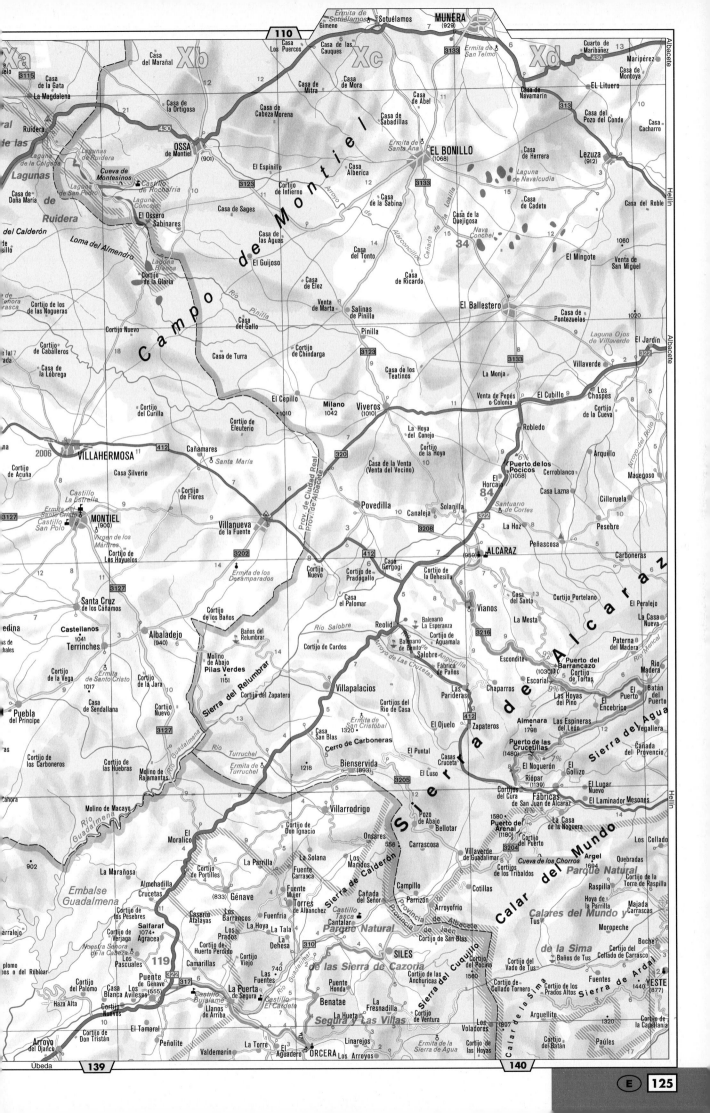

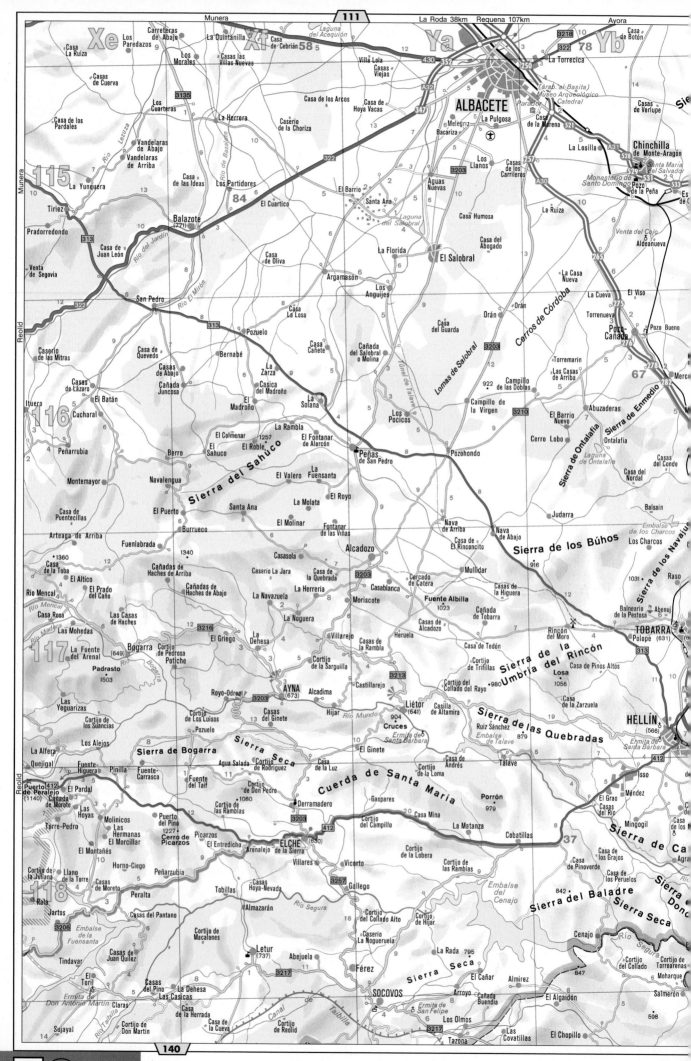

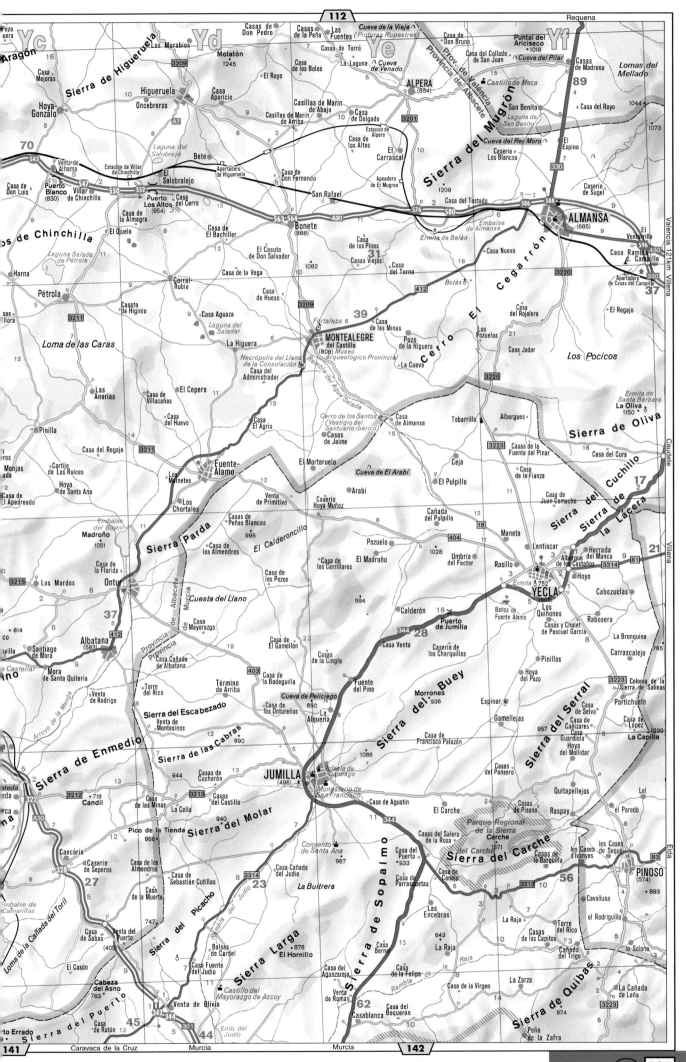

Requena

Aragón

Yc ... **Yd** ... **Ye** ... **Yf**

Casas de Don Pedro
Los Morabios
Casas de la Peña
Las Fuentes
Molatón 1245
Cueva de la Vieja (Pinturas Rupestres)
Casa de Don Bruno
Casa del Collado de San Juan
Cueva del Pilar
Casas de Madrona
Lomas del Mellado
Puntal del Ariciseco 1018

Sierra de Higueruela
Casa Mejoras
Casa Aparicio
El Royo
Casa de los Bolos
Castillo de Meca
San Benito
Laguna de San Benito
Casa del Royo 1044
89
1073

Higueruela
Oncebreros
Casillas de Marín de Abajo
Casillas de Marín de Arriba
Casa de Delgado
ALPERA (854)
Cueva de Venado
Sierra del Mugrón
Casa del Collado

10
Hoya-Gonzalo
A7

70
543
Venta de Alhama
547
Estación de Villar de Chinchilla
Bete
El Salobralejo
El Carrascal
Cueva del Rey Moro
El Espino
Caserío Los Blancos
330
7
Caserío de Sugel

Casa de Don Luis
Puerto Blanco (830)
Villar de Chinchilla
550
552
Puerto Los Altos (954) 3%
Casa del Cerro
San Rafael
1209
Apeadero de El Mugron
Casa del Tostado
586
588
ALMANSA (685)
9
Valencia 121km Villena
El Ventorrillo

os de Chinchilla
Casa de la Almagra
El Ojuelo
13
Bonete (888)
563-564
576
580
A30
11
Embalse de Almansa
Ermita de Belén
596
Casas d. Campillo
430
330
37
Apartadero de Casas del Campillo

Laguna Salada de Pétrola
11
El Casuto de Don Salvador
Casa de El Bachiller
Casa de los Pinos
Casas Viejas
31
Casa del Torno
18
Casa Nueva
1082
El Regajo

Horna
Pétrola
Casa de la Vega
Casa de Hueso
3209
412
Botás
1107
El Cegarrón

Casato de Higinio
Casa Aguaza
Laguna del Saladar
La Higuera
Fortaleza 6
39
Casa de las Minas
Pozo de la Higuera
Casa del Rojalero
Los Pozuelos
21
Casa Jodar
Los Pocicos

3211
7
Loma de las Caras
Corral-Rubio
MONTEALEGRE del Castillo (808) Museo Arqueológico Provincial
Cerro El
3220

12
Las Anorias
Casa de Villacañas
El Cepero
Necrópolis del Llano de la Consolación
Casa del Administrador
La Cueva
Cerro de los Santos (Vestigio del Santuario Ibérico)
Casa de Almansa
Tobarrilla
Albergues
Ermita de Santa Bárbara
La Oliva 1150
Sierra de Oliva

Pinilla
Casa del Huevo
Casa El Agrio
Casas de Jaime
15
3223
Casas de la Fuente del Pinar
16
Casa del Cura
Sierra del Cuchillo
17

Monjas
Cortijo de Los Ruices
Casa de Santa Ana
3211
Los Mennetes
Fuente-Álamo
El Morteruelo
Cueva de El Arabí
Ceja
Casa de la Fianza
Casa de Juan Camacho
Sierra de la Lácera

Casa de El Apedreado
Hoya de Santa Ana
Los Chortales
12
Venta de Primitivo
Arabí
El Pulpillo
11
Sierra del

Embalse del Bayco
Madroño 1051
Sierra Parda
Casas de Peñas Blancas 995
Casa de los Almendros
El Calderoncillo
Casería Hoya Muñoz
Pozuelo
El Madroño
1028
Umbría del Factor
Cañada del Pulpillo
18
404
Maneta
Lentiscar
Albergue del Manco de los Castaños
Herrada 9
3314
81
21
Villena

3215
Los Mardos
Casa de la Florida
Ontur
Cuesta del Llano
Casa de los Pozos
Casa de los Cerrilares
994
Rasillo
YECLA (605)
Ermita 752
Hoyo
Cabezuelas

2
37
Albacete
Casa Mayorazgo
3
Calderón
16
Puerto de Jumilla
Baños de Fuente Álamo
Los Quiñones
Rabosera
La Bronquina
765

Albatana (583)
412
Provincia Provincia
19
Casa de El Gamellón
344
28
Casa Venta
Casería de los Charquillos
Casas y Chalet de Pascual García
Carrascalejo

Santiago de Mora
Casa Cañada de Albatana
Torre del Rico
Casa de la Cingla
Fuente del Pino
Morrones 936
Hoya del Pozo
Pinillos
3223
Colonia de la Sierra de Salinas

Mora de Santa Quiteria
Venta de Rodrigo
403
Casa de la Bodeguilla
Término de Arriba
Cueva de Peliciego 850
La Alquería
Sierra del Buey
Casa de Francisco Palazón
Espinar
Gamellejas
957
Casa de Selva
Casa Guardiola
Casa de López
1239

A30
322
Sierra del Escabezado
Venta de Montesinos
Sierra de las Cabras
890
Casa de los Ontureños
1088
Sierra del Serral
Casas del Pansero
Hoya del Mollidar
La Capilla

Sierra de Enmedio
12
944
Casas de Cucharón
3213
Casas del Castillo
JUMILLA (496)
Iglesia de Santiago
Monasterio de San Francisco
Casa de Agustín
Casas de Pisano
24
Quitapellejos
Lel

3212
718
Candil
Casa de las Minas
La Celia
940
Sierra del Molar
11
344
El Carche
Parque Regional de la Sierra Carche
Raspay
el Paredó

Pico de la Tienda 866
Caserío de Seperos
Casa de los Almendros
Casa de Sebastián Cutillas
3314
23
Casa Cañada del Judío
Convento de Santa Ana 967
Casa del Puerto 933
Casas del Salero de la Rosa
Carche 1371
Sierra del Carche
les Cases d'Ivanyes
les Cases de Sequé
83
Elda

27
Casa de la Muerte
La Buitrera
Sierra de Sopalmo
Casa de Parrasquetas
Casa de Conejo
3213
10
56
PINOSO (574)
893

328
Cancárix
Venta del Puerto 405
940
747
Casa Fuente del Judío
Balsas de Cardel
El Hornillo 878
Casa del Aguzarejo
Casa Berna
Las Encebras
643
La Raja
Cavallusa
el Rodriguillo

Casa de Sabas
Sierra del Picacho
Sierra Larga
Venta de Román
Casa de la Felipa
La Raja
Casas de los Capitos
Torre del Rico
La Solana

El Casón
Cabeza del Asno 763
Venta de Olivia
342-344
301
Castillo del Mayorazgo de Azcoy
Sierra de Sopalmo
62
Casa del Boquerón
Casa Casablanca
10
La Zarza
Casa de la Virgen
La Cañada de Leña
3223
Sierra de Quibas
974
Peña de la Zafra

45
Casa de Ratón 13
44
Emb. del Judío
Sierra del Puerto

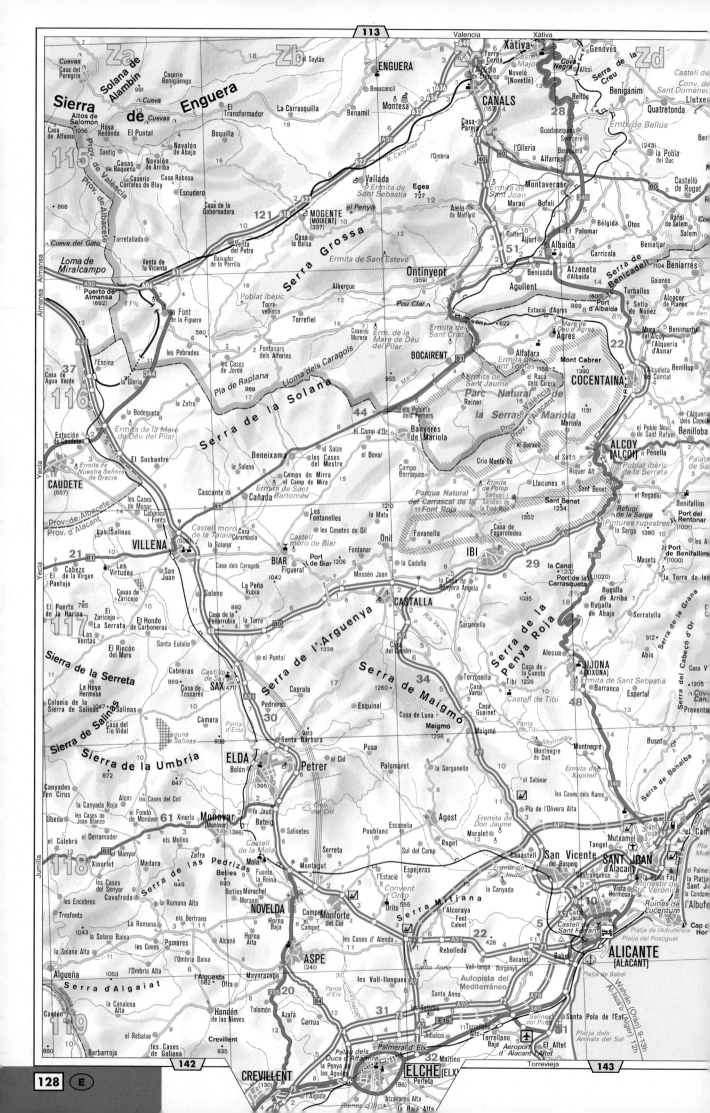

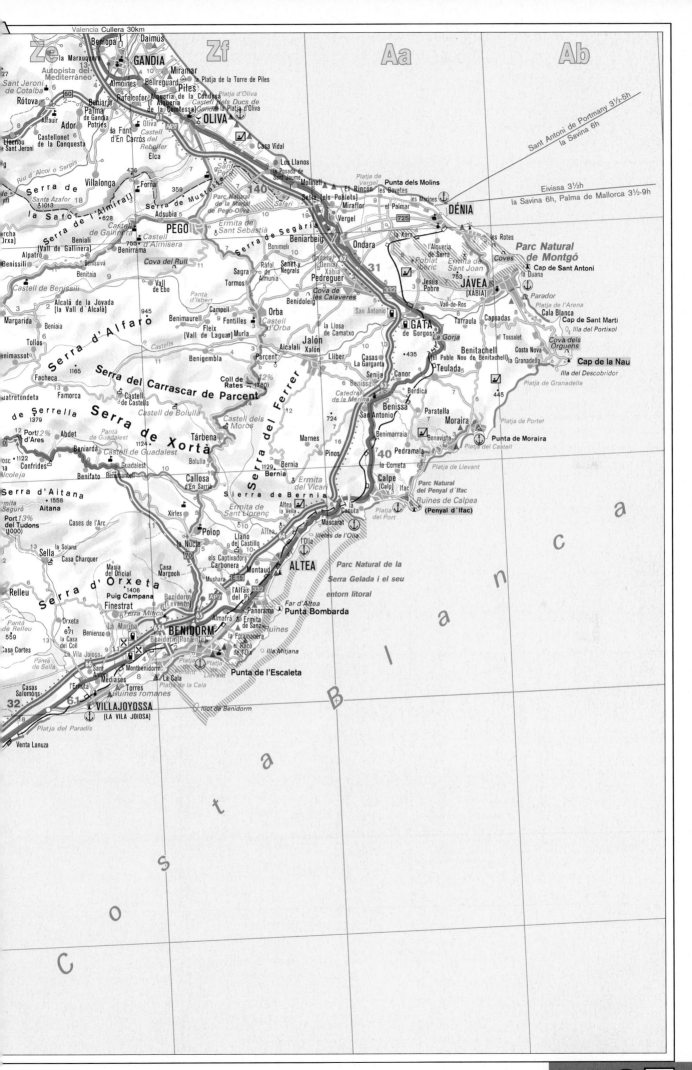

Qf
Ra
Rc

119
120
121
122
123

Tróia
Alcácer do Sal   Marate
Pinheiro da Cruz
86
21
Pedrogão
139
E01
Martim Afonso
61
16
Brejos do Fetal
IC1
Ameiras
de Baixo
Grand
Norte
Ervideira
IC33
Aldeia do Futuro
Fontaínhas
261
Apaúlinha
Clha
Pas
Água de Porco
GRÂNDOLA
Palhotas
•309
261-2
N.ª S.ª
do Penha
4
Ruínas Rom.
Caveira
325
Atalaia
249
18
IC1
Praia de Melides
Lagoa de
Melides
Melides
Penha
120
Canal Caveira
Botinas
Serra
Santa Margarida
da Serra
11
Mina da C
Praia de Santo André
Costa
Brescos
30
São Francisco da Serra
de
•271
Nicolau
Mosqueirão
Cruz de
João Mendes
Lagoa
de
Santo André
Foros da Quinta
Roncão
Grândola
Tanganhal
Deixa-o-Resto
10
261
IC33
Relvinhas
Carapeleiro
Santo André
Santa Cruz
137
Várzea Nova
261-5
Pomar Grande
São Bartolomeu
da Serra
Bejinhos
261
Cova do Gato
Miróbriga
11 121
35
Bebeda
261-3
SANTIAGO
DO CACÉM
Abela
Ribeira
de
Est. Abela
Quinta da Cô
2
21
IP8
Relvas
Verdes
Pousada
Praia da Laguna
8
Ortiga
Chãos
18
IP8
Est. Dalda
Ceroa Velha
120
390
Cabo de Sines
4
Paiol
26
Vale Miguel
Cerro da Corte
SINES
4
152
261
145
5
Castanheiro
São Domingos
Praia da Provença
Provença
Chaparral
103
IC4
12
Muda
Vale de Água
Foros do Malhão
Praia de São Torpes
120-1
Arneiro
•214
Solposta
Foros de
Cadouços
B.gem Fonte
Praia de Morgavel
24
Vale da Roca
Praia d. Oliveirinha
Praia do Burrinho
B.gem
de Morgavel
10
Sonega
Foros do
Arncirinho
Vale Pereiro
7
Porto Covo
da Bandeira
Vale Manhãs
Distrito de Setúb
Barragem
de Campilhas
Foros do
Sobralinho
Distrito de Beja
Tanganheira
120
Rata
109
Bicos 102
Foros do
Monte Novo
19
Praia de Aivados
Foros de Vale
Coelho
Casas Grandes
Courela
Foros do
Campo
Terrazina
Charnequinha
Silveiras
Camp
Serra
Cercal
341
Boavista
CERCAL
5
Casas
Novas
Coelheiras
Vales
Malhada
do Velho
•75
Fonte Santa
Salgadinho
389
Caeiros
Rabo do Lobo
390
Catifarras
Portelinha
Campo Redondo
Malhadinha
do
390
Lajinha
Montecos Barranco do Bebedouro
Foros do Pereira
330
Ferrenho
Aldeia
do Cano
Ribeira
do Seissal
389
Barranco do S
Brunheiras
Ferraria
Barranquinho
Vila Nova
de Milfontes
Cercal
Caeiros
•277
Senhora das Neves
Vale Bacias
Pinheiro
Barranquinha
Monte
da Estrada
Praia das Furnas
393
Caldeira
SÃO LUÍS
Malhão
Reliquias
Parque
São Domingos
Cova
da Zorra
•303
Vale da Beja
324
Lagarteira
Vale de Casca
Ribeira
do Salto
34
58
Natural
Zambujeira
Cortinhas
Soalheira
Vale de Lo
Vale de
Agrilhão
Carapetos
126
Vale
de Ferro
Nascedios
120
263
Zambujeiras
Nova Reguengo
Pequeno
275
Praia de Almograve
4
do
Troviscais
Reguengo
Pequeno
18
Monte Novo
de Troviscais
Vale de Figueiras
Medo Tojeiro
•87
•199
Gavião
282
Montinho
do Sudoeste Alentejano
81
Cabo Sardão
Cavaleiro
Cerro das Pedras
123
Costa
Fataca
Algoceira
ODEMIRA
Luzianes
•239
Valas
393
Marofanha
Aldeia da Bemposta
Nascedios
Estacas
Daroeiras
Boavista
dos Pinheiros
Azinheira
Vicentina
69
Touril
393-1
Tagariças
46
•164
Giz
209
Carrascal
Porto das Barcas
13
120
Camachos

Barranco da Vaca

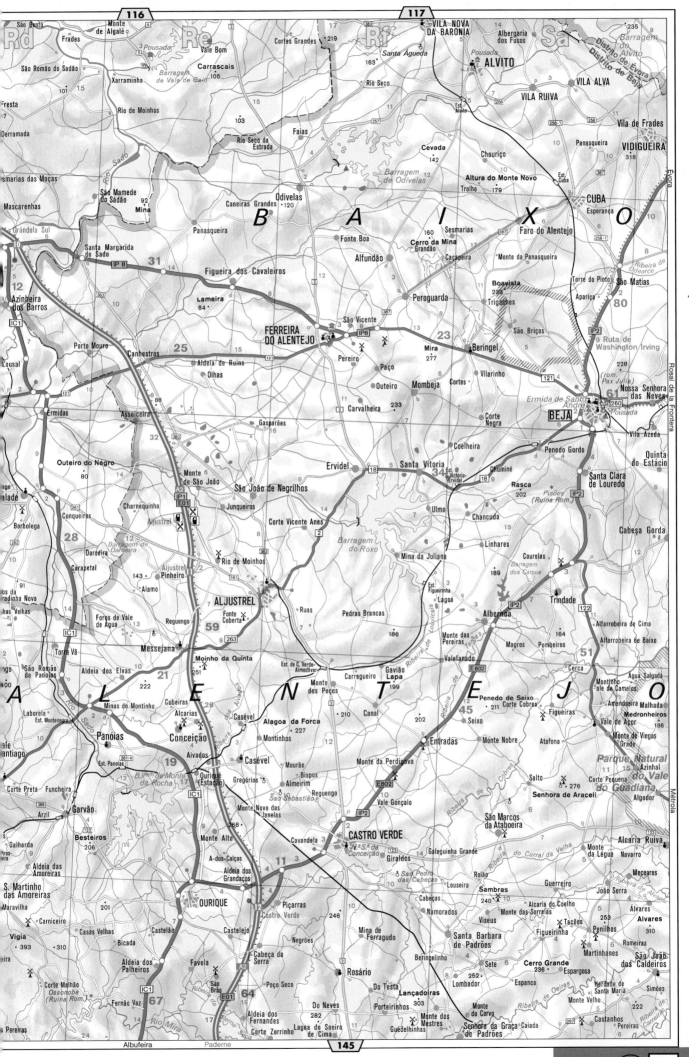

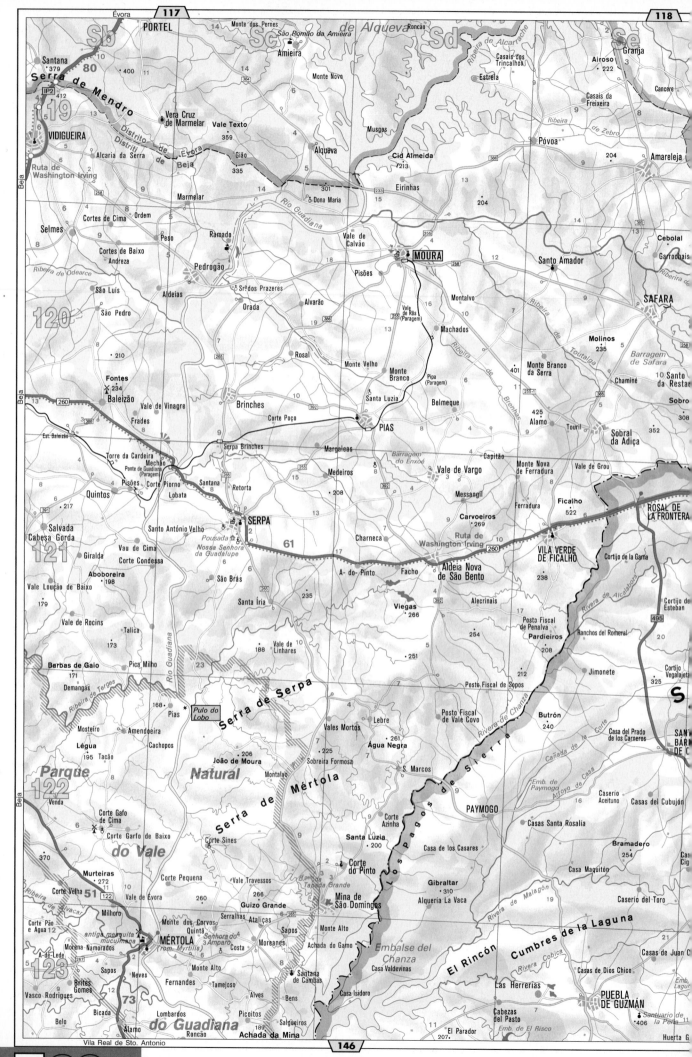

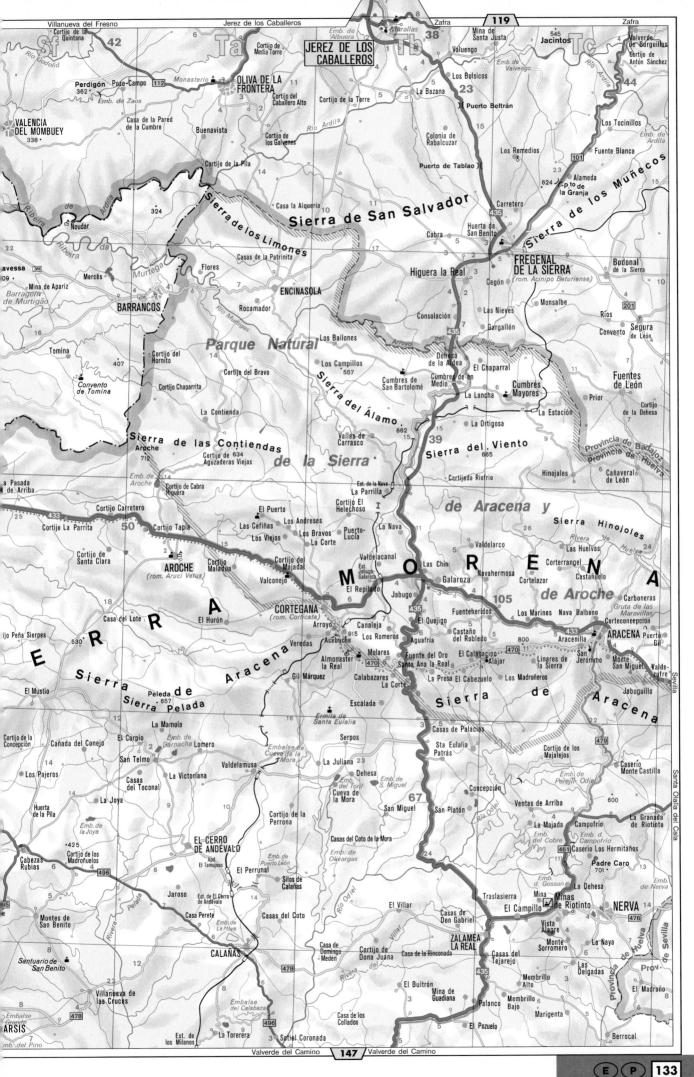

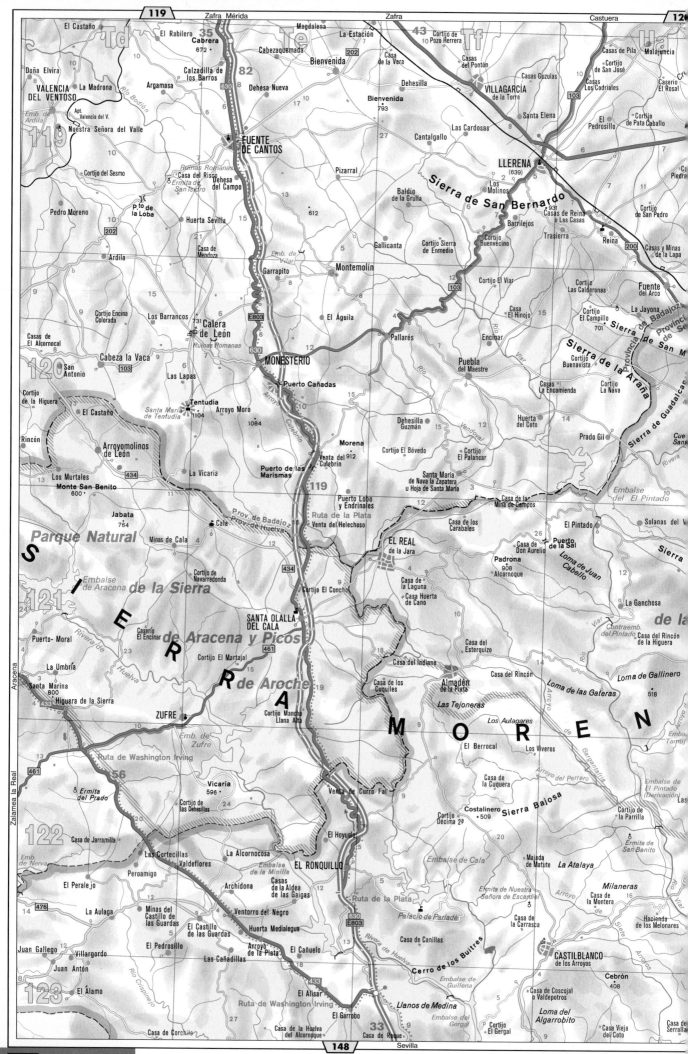

Zafra Mérida   Zafra   Castuera

El Castaño   El Rabilero 35   Magdalena   43 Cortijo de   Casas de Pila Malajuncia
Cabrera 672   Cabezaquemada   Pozo Herrera   Cortijo de
Doña Elvira   Bienvenida   Casa   Casas   San José Caserío
Calzadilla de 82   de la Vera   del Pontón   Casas El Rosal
VALENCIA La Madrona los Barros   Dehesa Nueva   Dehesilla   VILLAGARCÍA Los Codrales
DEL VENTOSO   Argamasa   de la Torre 103

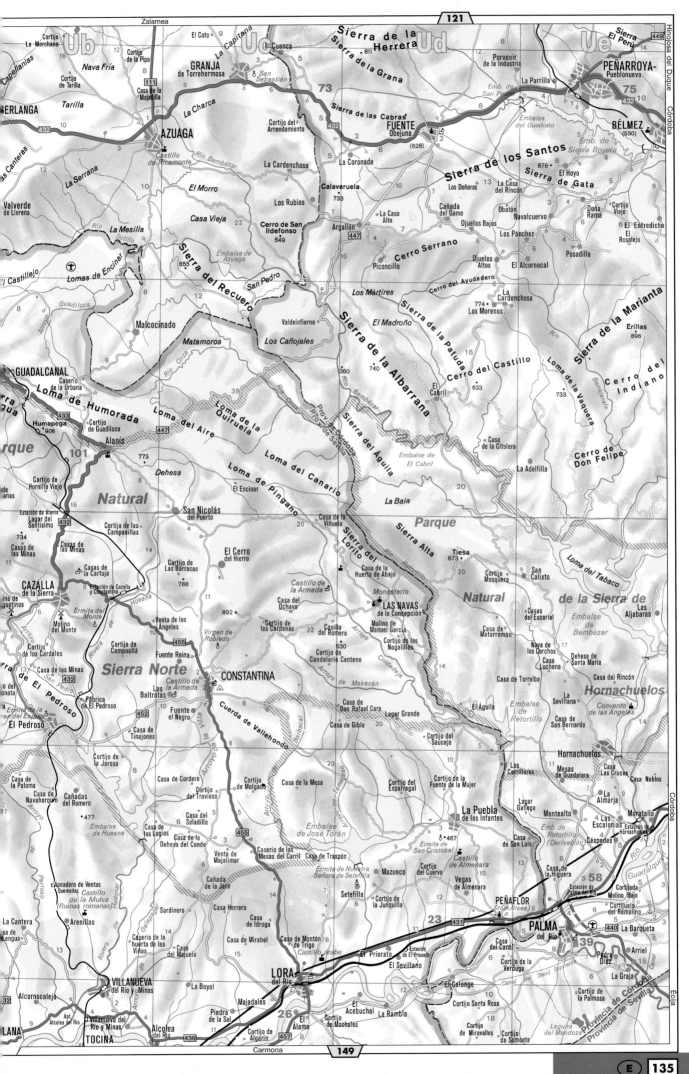

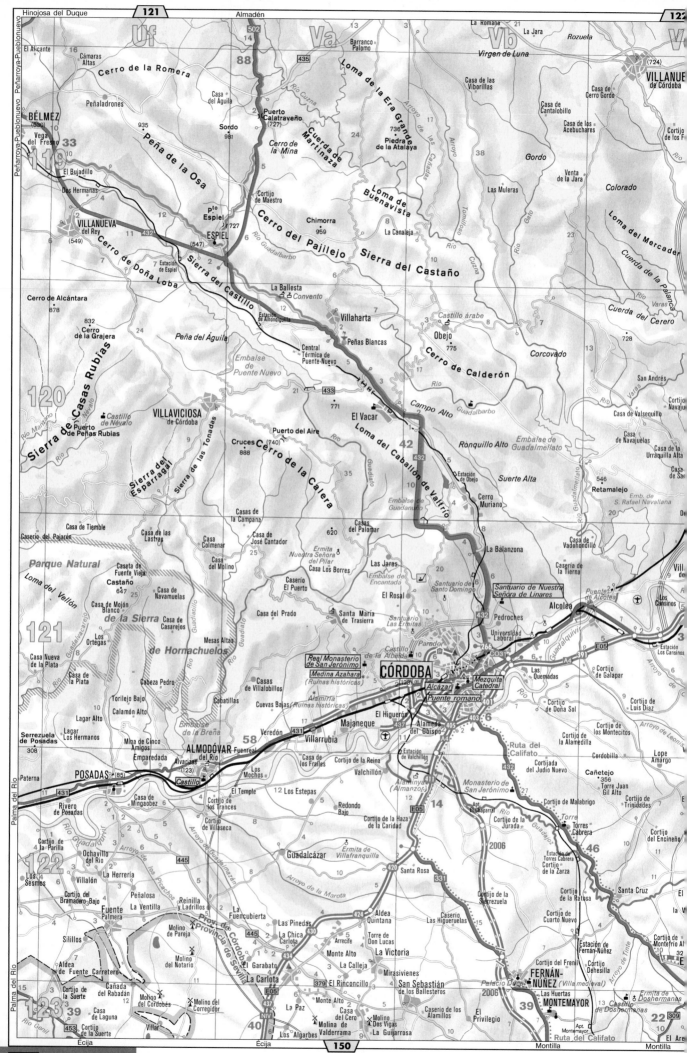

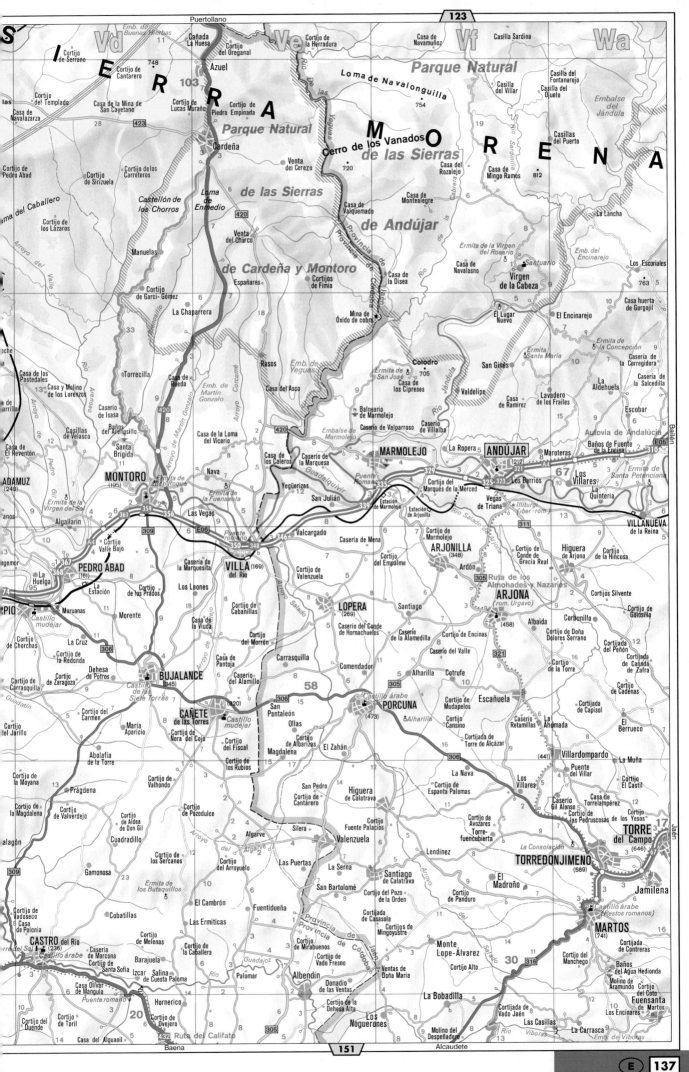

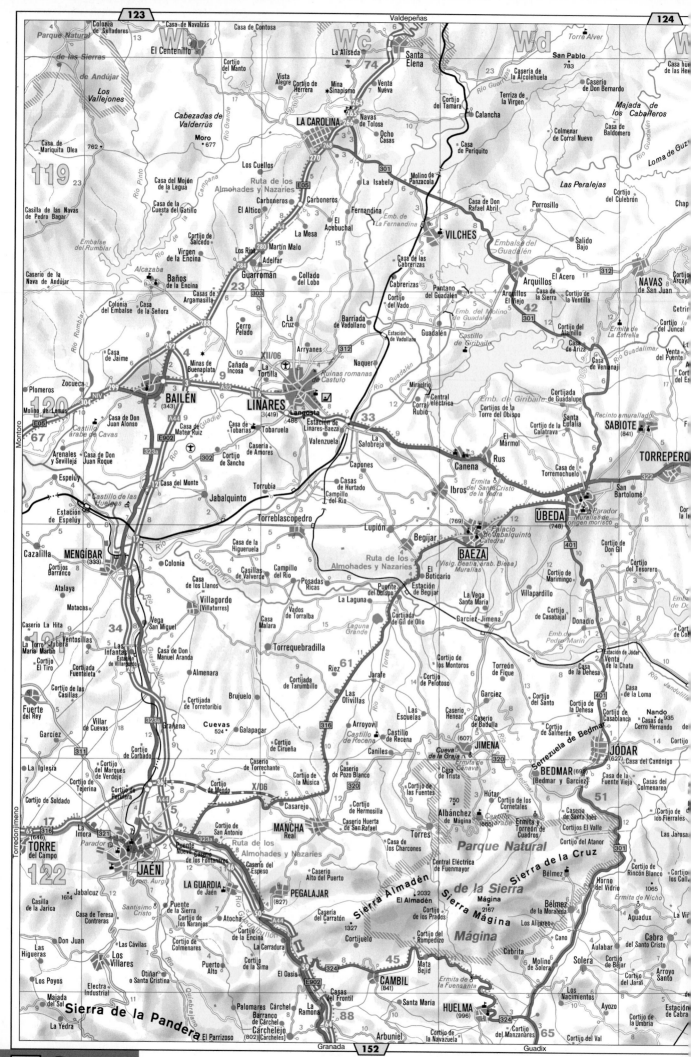

Valdepeñas

Torre Alver

Wc   Wc   Wd   Wd

Parque Natural
de las Sierras
de Andújar

Colonia
de Selladores
El Centenillo
Casa de Navalzás
Casa de Contosa
La Aliseda
San Pablo
783
Casa hu
de las He
Casería de
la Alcolehuela
Caserío
de Don Bernardo

Los
Vallejones

Casa de
Mariquita Olea
762
Cortijo
del Manto
74
Santa
Elena
Vista
Alegre
Cortijo de
Herrera
Mina
*Sinapismo
Venta
Nueva
Cortijo
del Tamara
Terriza de
la Virgen
Calancha
Majada de
los Caballeros

Cabezadas de
Valderrús
Moro
677
264
265
LA CAROLINA
266
Navas
de Tolosa
Ocho
Casas
10
Casa
de Periquito
Colmenar de
Corral Nuevo
Caserío de
Baldomero

119
23
Casa del Mojón
de la Legua
268
270
Los Cuellos
301
Molino de
Panzacola
Las Peralejas
Cortijo
del Culebrón
Chap

Casilla de las Navas
de Pedro Bagar
Casa de la
Cuesta del Gatillo
Ruta de los
Almohades y Nazaríes
E05
Carboneros
Carboneros
La Isabela
Casa de Don
Rafael Abril
Porrosillo
Cortijo
del Arcayo

Embalse
del Rumblar
El Altico
A4
La Mesa
El
Acebuchal
Fernandina
Emb. de
La Fernandina
VILCHES
Casería de la
Nava de Andújar
Virgen
de la Encina
280
Martín Malo
Embalse del
Guadalén
El Acero
Salido
Bajo
Navas
de San Juan
Cetrin
Alcazaba
Los Ríos
Adelfar
Guarromán
Collado
del Lobo
Casa de las
Cabrerizas
Arquillos
312
Colonia
del Embalse
Baños
de la Encina
303
Casas de
Argamasilla
Casa de
la Señora
La
Cruz
Barriada
de Vadollano
Cabrerizas
Cortijo
del Vado
Pantano
del Guadalén
Arquillos
El Viejo
42
301
Casa de
la Sierra
Cortijo de
la Ventilla
Cortijo del
Alamillo
Ermita de
La Estrella
Lt

288
Cerro
Pelado
Estación
de Vadollano
Emb. del Molino
de Guadalén
Guadalén
Castillo
de Giribaile
Emb. de Giribaile
Cortijo
del Juncal
Venta
del Puente
Cort
del E

Casa
de Jaime
292
4
Minas de
Buenaplata
9
Cañada
Incosa
XII/06
La Tortilla
312
Arryanes
Naquer
Miraelrío
Central
eléctrica
Cortijada
de Guadalupe
Casa
de Ariza
17

Plomeros
Zocueca
299
A32
116
Ruinas romanas
de Cástulo
Río Guadalén
Corral
Rubio
Cortijos de la
Torre del Obispo
Santa
Eulalia
Recinto amurallado
SABIOTE
(841)
Casa
de Venianají

120
304
BAILÉN
(343)
A44
Langosta
486
33
La
Salobreja
El
Mármol
Cortijo de
Calatrava
TORREPER

Molino de Lamas
E05
67
Castillo
árabe de Cavas
Casa de Don
Juan Alonso
E902
Casa de
Mateo Ruiz
Estación de
Linares-Baeza
Valenzuela
Rus
Canena
Casa de
Torremochuelo
322
San
Bartolomé

Arenales
y Sevillejá
323a
302
Casa de Don
Juan Roque
Cortijo
de Sancho
Casería
de Amores
Capones
Ibros
Ermita del
Santo Cristo
de la Yedra
UBEDA
(748)
Parador
Murallas de
origen morisco
Cort

Espelúy
Casa del Monte
Jabalquinto
Torrubia
Casas
de Hurtado
Campillo
del Río
Lupión
Begíjar
Palacio
de Jabalquinto
Catedral
12
Cortijo de
Don Gil
Cortijo del
Tesorero

Estación
de Espelúy
Castillo de las
Huelgas
Torreblascopedro
Colonia
Casa de la
Higueruela
Ruta de los
Almohades y Nazaríes
BAEZA
(Visig. Beatia, árab. Biesa)
Murallas
El
Boticario
401
Cortijo de
Marimingo
Cort
del

Cazalilla
MENGÍBAR
(333)
Casillas
de Valverde
Campillo
del Río
Posadas
Ricas
Puente
del Obispo
Estación
de Begíjar
La Vega
Santa María
Villapardillo
Cortijo
de Casabajal
Emb

Cortijos
Barránco
Atalaya
Colonia
Casa de la
Higueruela
Guadalquivir
Casa
de los Llanos
La Laguna
Laguna
Grande
Cortijada
de Gil de Olio
Garciez-Jimena
Donadío
Cortijo
de Pedro Marín

Matacas
Caserío La Hita
191
Villagordo
(Villatorres)
Vega
San Miguel
Vados
de Torralba
15
Torrequebradilla
Cortijo de
los Montoros
Torreón
de Fique
Casa
de la Dehesa
Estación de Jódar
Venta
de la Chata
Río Jandulilla
Cort

La Torre
María Martín
Ventosillas
Estación
de Villargordo
34
Casa de Don
Manuel Aranda
Almenara
61
Riez
Jarafe
Cortijo de
Pelotoso
Garciez
Cortijo
del Santo
Casa
de la Loma

Cortijo
El Tiro
Cortijada
Fuenteleta
Guadalbullón
Brujuelo
Cortijada
de Tarumbillo
Las
Olivillas
Caserío
Henear
Caserío
de Badulla
401
Cortijo de
la Dehesa
Cortijo de
Casablanca
Nando
935
Casas de
Cerro Hernando
Cortijo

Cortijo de
las Casillas
323a
Grañena
Cuevas
524
Galapagar
Cortijo
de Cirueña
Arroyovil
Castillo
de Recena
Las
Escuelas
Cortijo de
Salmerón
JIMENA
(607)
Serrezuela de Bedmar
JÓDAR
(627)
Cortijo de
los Fierrales

Fuerte
del Rey
Garciez
Villar
de Cuevas
311
Caserío de
Torrechante
Caserío
de Pozo Blanco
Caniles
Cueva
de la Graja
Ermita de
Cánava
320
BEDMAR
(Bedmar y Garciez)
Casa del
Colmenareo
Casas del
Colmenareo

La Iglesia
Cortijo
del Marqués
de Verdejo
Cortijo de
Corbadol
Cortijo de
la Música
Cortijo
de las Fuentes
Casa
de Trista
Hútar
750
Cortijo de los
Cornetales
Caserío
de Santa Inés
Cortijos El Valle
51
Cortijo de
los Coll

Cortijo de
Tejerina
Cortijo de
Perillera
Cortijo
de Mendo
X/06
Albánchez
de Mágina
(665)
Ermita y
Torreón de
Cuadros
Cortijo del Atanor
Cortijo de
Rincón Blanco

Cortijo de Soldado
36
5
Cortijo de
San Antonio
323a
Casarejo
Cortijo de
Hermosilla
320
Torres
Castillo
árabe
Parque Natural
Cortijo
los Coll

17
316
La
Imora
321
Parador
Puente
Nuevo
Casería
de los Fontanares
Ruta de los
Almohades y Nazaríes
Caserío Huerta
de San Rafael
Casa de
los Charcones
Central Eléctrica
de Fuenmayor
Sierra de la Cruz
Horno
del Vidrio
1065
Ermita de Nicho

TORRE
del Campo
65
(646)
122
JAÉN
(rom. Aurgi)
LA GUARDIA
de Jaén
PEGALAJAR
(827)
Caserío
Alto del Puerto
Sierra Almadén
El Almadén
2032
Sierra de la Sierra
Bélmez
Bélmez
de la Moraleda
Aguadux
La Vi

Jabalcuz
1614
Casilla
de la Jarica
Santísimo
Cristo
Casa de Teresa
Contreras
Puente
de la Sierra
Cortijo de
los Naranjos
Atocha
Caseria
del Carratán
1327
Cortijuelo
Cortijo del
Rompedizo
Mágina
2167
Sierra Mágina
Los Alijares
Los
Nacimientos
Cabra
del Santo Cristo

Don Juan
Las Cávilas
Puerto
Alto
Cortijo de
Colmenares
La Cerradura
Cortijo
de la Sima
Mágina
Cabrita
Cano
Molino
de Solera
Cortijo
del Jaral

Las
Higueras
Los
Villares
Electra
Industrial
Otiñar
o Santa Cristina
El Oasis
324
Ermita de
la Fuensanta
Mata
Bejid
Solera
Cortijo
de Béjar
Arroyo
Santo

Los Poyos
Majada
del Sol
11
CAMBIL
(841)
Casas
del Frontil
Santa María
HUELMA
(996)
324
Aulabar
65
Cortijo de
Cabra

Sierra de la Pandera
La Yedra
Palomares
Barranco
de Cárchel
Cárchel
88
La
Ramona
El Oasis
Cárchelejo
(802) (Cárcheles)
Arbuniel
Cortijo de
la Navazuela
2
Cortijo
del Manzanares
Cortijo
de la Umbría
Estación
de Cabra

Granada
Guadix

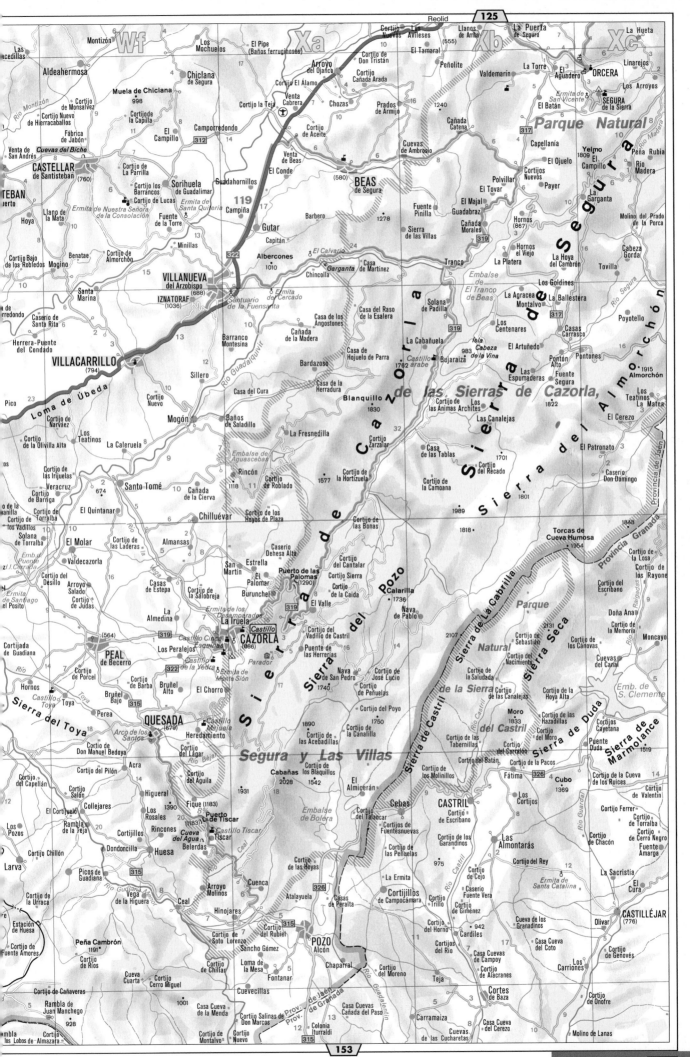

Montizón Wf
Las
cedillas
Aldeahermosa
Muela de Chiclana
998
Cortijo
de Monsalvez
Cortijo Nuevo
de Hierracaballos
Fábrica
de Jabón
Venta de Cuevas del Biche
San Andrés
CASTELLAR
de Santisteban (760)
TEBAN
uerto
Hoya
Llano de
la Mata
Cortijo Bajo
de los Robledos Mogino
Santa
Marina
de
rredondo
Caserío de
Santa Rita
Herrera-Puente
del Condado
VILLACARRILLO (794)
Pico 23
Loma de Úbeda
Cortijo de
Narváez
Cortijo de
la Olivilla Alta
Los
Teatinos
La Caleruela
Cortijo de
las Irijuelas
Veracruz
de la
anilla
Cortijo de
Barriga
El Quintanar
Cortijo de
Torralbá
Cortijo de
los Vadillos
Solana
de Torralba
El Molar
Valdecazorla
Cortijo de
las Laderas
Emb. del
z.II.Cerrada
Ermita
de Santiago
el Posito
Cortijo del
Desillo
Arroyo
Salado
Cortijada
de Guadiana
PEAL (564)
de Becerro
Cortijo
de Porcel
Hornos
Castillo de
Toya
Sierra del Toya
Bruñel
Bajo
Cortijo de
Barba
Bruñel
Alto
Perea
Toya
315
QUESADA (679)
Cortijo
de Don Manuel Bedoya
Cortijo
del Capellán
Cortijo
Salón
Cortijo
del Pilón
El Cortijuelo
Collejares
Rambla
de la Teja
Los
Pozos
Larva
Cortijo
de la Urraca
Estación
de Huesa
Cortijo de
Fuente Amores
Peña Cambrón
1191
Cortijo
de Ríos
928
Cuevas del
Biche
Cortijo de Cañaveras
Rambla de
Juan Manchego
mbla
de
los Lobos-el-Almazara
Los Mochuelos
El Pipe
(Baños ferruginosos)
Chiclana
de Segura
Cortijo
de la Capilla
El Campillo
312
Campotredondo
Sorihuela
de Guadalimar
Cortijo los
Barrancos
Cortijo de Lucas
Fuente
de la Torre
Ermita de
Santa Quiteria
Guadahornillos
Cortijo la Teja
Venta
Cabrera
El Conde
Gutar
119
Campiña
Barbero
Minillas
322
Capitán
VILLANUEVA
del Arzobispo (688)
IZNATORAF (1036)
Santuario
de la Fuensanta
Ermita
del Cercado
Albercones
1010
El Calvario
Barranco
Montesina
Chincolla
Garganta
Cañada
de la Madera
Mogón
Baños
de Saladillo
Sillero
Casa del Cura
Casa de los
Angostones
Bardazoso
Casa de
Hojuelo de Parra
Casa de la
Herradura
Blanquillo
1830
Cañada
de la Cierva
674
Santo Tomé
Rincón
Cortijo de
Roblado
1118 11
1577
Cortijo de
la Hortizuela
Chilluévar
Almansas
Cortijo de
los Hoyos de Plaza
Cortijo de
las Bonas
Caserío
Dehesa Alta
La Calerela
Cortijo de
la Salobreja
San Martín
Estrella
El
Palomar
Puerto de las
Palomas (1290)
Burunchel
La
Almedina
319
El Valle
Cortijo del
Cantalar
Cortijo
Sierra
Ermita de los
Desamparados
La Iruela
Castillo
Castillo Cinco
Esquinas
CAZORLA (866)
Los Peralejos
Cortijo del
Vadillo de Castril
Castillo
de la Yedra
Ermita de
Monte Sión
Puente de
las Herrerías
Parador
Nava
de San Pedro
1740
Cortijo de
José Lucio
322
Cortijo del
Lágar
Heredamiento
Castillo
Majuela
Arco de los
Santos
Cortijo de
la Salobreja
Cortijo de
Peñuelas
Cortijo del
Poyo
Acra
Higueral
1890
Cortijo de
las Acebadillas
Cortijo de
la Canalilla
1750
Cortijo de
las Tabernillas
Cortijillos
Los
1390
Fique (1183)
8%
Puerto
de Tiscar (1183)
Cabañas
2028
Cortijo de
los Bláquillos
1542
El
Almicerán
Cortijo del
Talancar
Cortijo de
Fuentesnuevas
Los Rosales
Rincones
Cueva
del Agua
Castillo Tiscar
Belerdas
Embalse
de Bolera
1931
18
Dondoncilla
Huesa
Cortijo Chillón
Picos de
Guadiana
315
Vega de
la Higuera
Cuenca
Cortijo de
las Hoyas
326
Cortijillos de
Campocámara
La Ermita
Atalayuela
Casas
de Peralta
Cebas
CASTRIL
Cortijo
de Escribano
Cortijo de los
Garandinos
975
Arroyo
Molinos
Ceal
Hinojares
315
Cortijo de
Soto Lorenzo
Cortijo
del Rubiel
POZO
Alcón
Chaparral
Cortijo del
Moreno
Cortijo de
Alacranes
Teja
Sancho Gómez
Loma de
la Mesa
Fontanar
Cuevecillas
Casa Cueva
de la Menda
Cortijo Salinas de
Don Marcos
Cortijo
Nuevo
315
Cueva
Cuarta
Cortijo
Cerro Miguel
Cortijo de
Chillar
1001
Prov.
de Jaén
Prov.
de Granada
Cortijo de
Montalvo
Casa Cuevas
Cañada del Paso
Carramaiza
Colonia
Iturraldi
Cueva de los
Granadinos
942
Casa
Cuevas de Campoy
Cueva de
la Cucharetas
Cortijo del
Horno
Cardiles
Cortijos
del Río
Caserío
Fuente Vera
Cortijo
del Trillo
Cortijo de
Giménez
Cortijo
del Rey
Las Almontarás
Cortijo
de Cejo
Cortijo
del Horno
Casa Cueva
del Cerezo
Cortes
de Baza
Molino de Lanas

Las
Avileses
Llanos
de Arriba
(555)
Xb
La Puerta
de Segura
La Hueta
Linarejos
Cortijo
Nuevos
El Tamaral
Peñolite
La Torre
El
Aguadero
ORCERA
Los
Arroyos
Cortijo de
Don Tristán
Arroyo
del Ojanco
Cortijo
Cañada Arada
Chozas
1240
Valdemarín
Ermita de
San Vicente
SEGURA
de la Sierra
Venta
del Álamo
Prados
de Armijo
Cañada
Catena
Cuevas
de Ambrosio
El Batán
317
Parque Natural
Peña Rubia
Yelmo
1809
El
Campillo
Beas
de Segura
Sierra
de las Villas
1278
Fuente
Pinilla
El Majal
Guadabraz
Cortijos
Nuevos
El Ojuelo
Polvillar
El Tovar
Payer
Capellania
Cañada
Morales
319
Hornos
(867)
La Garganta
10
Cabeza
Gorda
Hornos
el Viejo
La Platera
La Hoya
del Cambrón
Molino del Prado
de la Porca
Tovilla
Embalse de
El Tranco
de Beas
Tranco
Casa de
Martínez
Los Goldines
317
La Agracea
Montalvo
La Ballestera
Poyotello
319
Solana
de Padilla
Los
Centenares
La Cabañuela
Casas
Carrasco
Casa del Raso
de la Esalera
Cabeza
de la Viña
983
Castillo
1762 árabe
Bujaraiz
Isla
El Artuñedo
Pontón
Alto
1915
Almorchón
Fuente
Segura
Los
Teatinos
La Matea
El Cerezo
32
Cortijo de
las Ánimas Archites
Las
Espumaderas
1822
de las Sierras de Cazorla,
Cortijo
Zarzalar
Casa
de las Tablas
1701
El Patronato
Cortijo
del Recado
Caserío de
Don Domingo
1801
1989
1818
Torcas de
Cueva Humosa
1954
1848
Sierra de la Cabrilla
Provincia Granada
Provincia de Jaén
Sierra del Almorchón
Cortijo del
Escribano
Doña Ana
2131
Cortijo de
la Memoria
Moncayo
Sierra
Seca
2107
Cortijo de
Sebastián
Cortijo del
Nacimiento
Cortijo de
los Cánovas
Cuevas
del Canal
Parque
Natural
Calarilla
1736
Nava
de Pablo
Pozo
Cortijo de
la Caida
Cortijo de
la Saludada
Cortijo de
las Canalejas
Cortijo de
la Hoya Alta
Emb. de
S. Clemente
Moro
1833
Cortijo de las
Hazadillas
Cortijos
Cayetano
Sierra de Duda
Sierra de
Marmolance
1519
de la Sierra
Río Castril
Cortijo
del Moro
Puente
Duda
Sierra de Castril
Cortijo de
las Tabernillas
Cortijo de
la Corcolón
Cortijo del
Batán
Cortijo de la Pacos
Fátima
326
Cubo
1369
Cortijo de la Cueva
de los Ruices
Cortijo de
Valentín
del Castril
Segura y Las Villas
Cortijo de
los Molinillos
Los
Cortijos
Cortijo Ferrer
Cortijo de
Torralba
Cortijo de
Cerro Negro
Fuente
Amarga
La Sacristía
La Ermita
12
El
Cura
Ermita de
Santa Catalina
CASTILLÉJAR (776)
Olivar
Los
Carriones
Cortijo de
Genovés
Cortijo de
Onofre

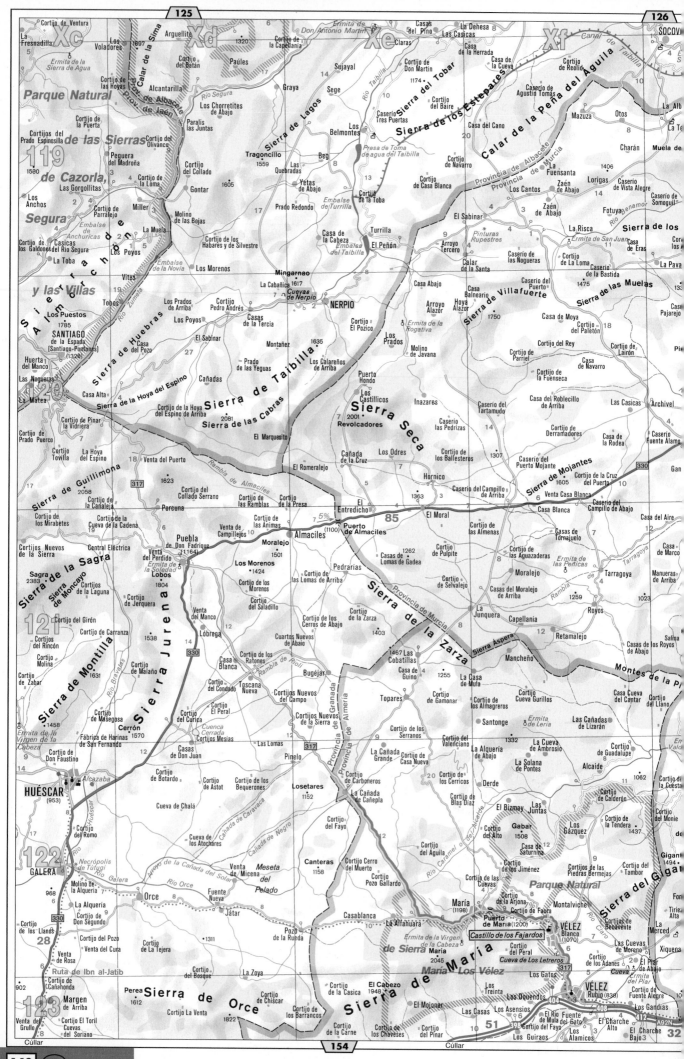

Xc
Xd
Xe
Xf

SOCOV

La Fresnadilla
Cortijo de Ventura
Los Voladores
Arguellite
1320
Casas del Pino
La Dehesa
Las Casicas

Ermita de Don Antonio Martin
Casa de la Herrada

Ermita de la Sierra de Agua
Calar de la Sima
1897
Paúles
Cortijo de la Capellania
Claras
Cortijo de Don Martin
Casa de la Cueva
Cortijo de Reolid
La Al

Parque Natural
Por. de Albacete
Prov. de Jaén
Cortijo del Batán
Alcantarilla
Río Segura
Sege
Sujayal
14
1174
Sierra del Tobar
Caserío de Agustín Tomás
Mazuza
Otos
La Te

Cortijo de las Hoyas
Los Chorretites de Abajo
Graya
Sierra de Lagos
Sege
Caserío Tres Puertas
Casa del Baire
La Fuensanta
1406
Lorigas
Caserío de Vista Alegre
Charán
Muela de

Cortijo de la Puerta
Paralis las Juntas
Los Belmontes
Presa de Toma de agua del Taibilla
Sierra de los Estepares
Calar de la Peña del Águila

Cortijos del Prado Espinosilla de las Sierras
119
1580
Peguera del Madroña
Cortijo del Olivanco
Tragoncillo
1559
Las Quebradas
Beg
Casa del Cano
Provincia de Albacete
Provincia de Murcia
Zaén de Abajo
Zaén de Abajo
14
Los Cantos
Fotuya

de Cazorla,
Las Gorgollitas
Cortijo del Collado
Cortijo de la Loma
1605
Yétas de Abajo
Prado Redondo
13
Cortijo de Navarro
Cortijo de Casa Blanca
La Risca
Sierra de los

Los Anchos
Cortijo de Parralejo
Miller
Molino de las Bojas
17
Embalse de Turrilla
El Sabinar
Ermita de San Juan
Casa de Eras
Cor
los A

Segura
Embalse de Anchuricas
La Muela
Cortijo de los Habares y de Silvestre
Turrilla
Casa de la Cabeza
El Peñón
Arroyo Tercero
Caserío de las Nogueras
Cortijo de La Loma
1475
Caserío de la Bastida
La Pava

Cortijo de los Galdones del Río Segura
Casicas
Los Poyos
Embalse de la Novia
Los Morenos
Mingarnao
Embalse del Taibilla
Casa Abajo
Casa Balneario
Calar de la Santa
1750
Caserío del Puerto
Sierra de las Muelas

La Toba
Vites
La Cabañica 1617
Cuevas de Nerpio
7
Casa de Moya
Sierra de Villafuerte
Cortijo del Paletón
18
Cor
Paj

y las Villas
19
Río Zumeta
Tobos
La Cabañica
La Cabañica
NERPIO
Cortijo El Pozico
Los Prados
Cortijo del Rey
Cortijo de Lairón
Cor

Los Puestos
1785
Los Prados de Arriba
Cortijo Pedro Andrés
Casas de la Tercia
2
Ermita de la Rogativa
Molino de Javana
Cortijo de Parriel
Casa de Navarro
Pi

SANTIAGO de la Espada (Santiago-Pontones)
(1328)
Los Poyos
El Sabinar
Montañez
1635
Los Calareños de Arriba
Puerto Hondo
Cortijo de la Fuenseca

Huerta del Manco
Casa del Pozo
27
Prado de las Yeguas
Puerto Hondo
Los Castillicos
Inazares
Caserío del Tartamudo
Casa del Roblecillo de Arriba
Las Casicas
Archivel

Las Nogueras
Casa Alta
Cañadas
Sierra de Taibilla
Sierra Seca
Caserío las Pedrizas
14
Cortijo de Derramadores
Casa de la Rodea
Caserío Fuente Álamo

La Matea
Sierra de la Hoya del Espino
Cortijo de la Hoya del Espino de Arriba
2081
Sierra de las Cabras
El Marquesito
2001 Revolcadores
Cañada de la Cruz
Los Odres
Cortijo de los Ballesteros
Caserío del Puerto Mojante
1307
330

Cortijo de Pinar la Vidriera
7
Hornico
Caserío del Campillo de Arriba
Sierra de Mojantes
Venta Casa Blanca
Caserío del Campillo de Abajo
Gan

Cortijo de Prado Puerco
Cortijo Tovilla
La Hoya del Espino
18
Venta del Puerto
Rambla de Almaciles
El Romeralejo
1363
3
1605
6
Casa del Aire

Cortijo de la Cañaleja
Sierra de Guillimona
2058
1623
Cortijo del Collado Serrano
Cortijo de las Ramblas
Cortijo de la Presa
El Entredicho
85
El Moral
Casa Blanca
Casas de Marco
Casa de

Cortijo de los Mirabetes
Porcuna
Venta de Campillejos
10
5%
Puerto de Almaciles
Cortijo de las Almenas
Cortijo de Tornajuelo
Ermita de las Peñicas

Cortijos Nuevos de la Sierra
Cortijo de la Cueva de la Cadena
19
6
Cortijo de las Ánimas
Moralejo
Almaciles
(1100)
Casas de Lomas de Gadea
1262
Cortijo de Pulpite
Cortijo de las Aguazaderas
Moralejo
Tarragoya
Manueras de Arriba

Central Eléctrica
Puebla de Don Fadrique (1164)
1501
Los Morenos
1424
Cortijo de los Lomas de Arriba
Pedrarias
Cortijo de Selvaleje
Casas del Moralejo de Arriba
1259
Rambla
1023

Sagra 2383
Sierra de Moncayo
Venta del Perdido
Ermita de la Soledad
Lobos 1804
Cortijo del Saladillo
Cortijo de los Cerros de Abajo
Cortijo de la Zarza
La Junquera
Capellania
Royos

Cortijo del Girón
121
Cortijo de la Laguna
Cortijo de Jerquera
Venta del Manco
12
Lóbrega
1403
1467 Las Cobatillas
Sierra Áspera
12
Retamalejo
Casas de los Royos de Abajo

Cortijos del Rincón
1538
Cortijo de Carranza
Casa Blanca
Cortijo de los Ratones
Rambla de Ripli
Bugéjar
Casa de Guino
1255
Mancheño
Salina

Cortijo Molina
Sierra de Montilla
Cortijo de Zabar
1631
Cortijo de Malaño
Toscana Nueva
Cortijos Nuevos del Campo
Topares
Cortijo de Gamonar
La Casa de Mula
Cortijo de los Almagreros
Cortijo Cueva Gurillos
Casa Cueva del Cantar
Cortijo del Llano

1458
Cortijo de Masegosa
Cerrón 1570
Cortijo del Condado
Cortijo El Peral
Cortijos Nuevos de la Sierra
Santonge
Ermita de Leria
Las Cañadas de Lizarán
Alcaide

Ermita de la Virgen de la Cabeza
Fábrica de Harinas de San Fernando
Sierra Jurena
Cuenca Cerrada
Cortijos Mesías
Cortijo de los Serranos
1332
La Cueva de Ambrosio
Cortijo de Guadalupe

Cortijo de Don Faustino
9
Casas de Don Juan
Las Lomas
Pinelo
Cortijo del Valenciano
La Alquería de Abajo
La Solana de Pontes

14
Alcazaba
Cortijo de Botardo
Cortijo de Astot
Cortijo de los Bequerones
Losetares 1152
Cortijo de Carboneros
Cortijo de Blas Díaz
Derde
El Bizmay
Las Juntas
1062
Cortijo de la Cuesta

HUÉSCAR (953)
Cueva de Chalá
La Cañada de Cañepla
Gabar 1508
Los Gázquez
Cortijo de la Tendera 1437
Cortijo del Monie

17
Cortijo del Romo
Cañada de Caravaca
Cueva de los Atocháres
Cortijo del Fayo
Provincia de Granada
Provincia de Almería
La Cañada Grande
Cortijo de Casa Nueva
Cortijo del Alto
Casa de Saturnina

122
GALERA
Necrópolis de Tútugi
968
Cañada de Negro
Venta de Micena
Meseta del Pelado
Canteras 1158
Cortijo Cerro del Muerto
20
Cortijo de los Cerricos
Cortijos de las Piedras Bermejas
Cortijo del Tambor
Gigant 1494

Molino de la Alquería
Orce
Arroyo de la Cañada del Solar
Río Orce
Fuente Nueva
Játar
Cortijo Pozo Gallardo
Parque Natural
Cortijo de los Jiménez
Font

La Alquería
Cortijo de Don Segundo
Casablanca
La Alfahuara
María (1198)
Cortijo de la Arjona
Cortijo de Faura
Montalviche
Sierra del Gigan

330
28
Cortijo de los Llanos
Cortijo del Pozo
Cortijo del Bosque
Pozo de la Rueda
Ermita de la Virgen de la Cabeza
Castillo de los Fajardos
Puerto de María
404
Los Tiriea Alta

Venta de Rosa
Venta del Cura
1311
Cortijo del Peral
María 2045
Cueva de Los Letreros
VÉLEZ Blanco (1070)
Cortijos de Benavente
La Merced

Ruta de Ibn al-Jatib
de Sierra María
Los Vélez
317
Las Cuevas de Moreno
408
Las Cuevas del Piar

902
Cortijo de Cañahonda
Perea
Sierra de Orce
Cortijo de Chíscar
El Cabezo 1948
El Mojonar
María Los Vélez
Los Gatos
VÉLEZ Rubio (838)
Cortijo de Fuente Alegre

123
Margen de Arriba
1612
Cortijo La Venta
1822
Cortijo de los Barrancos
Sierra de María
Las Casas
Los Treinta
Los Oquendos
Los Asensios
El Río Fuente de Mula del Gato
El Charche Alto
El Charche Bajo 3
Xiquena

Venta del Grullo
Cuevas El Toril del Soriano
Cortijo de la Carne
Cortijo del Pinar
10
51
Los Guiraos
Los Alamicos
A92N
32

Cúllar
Cúllar

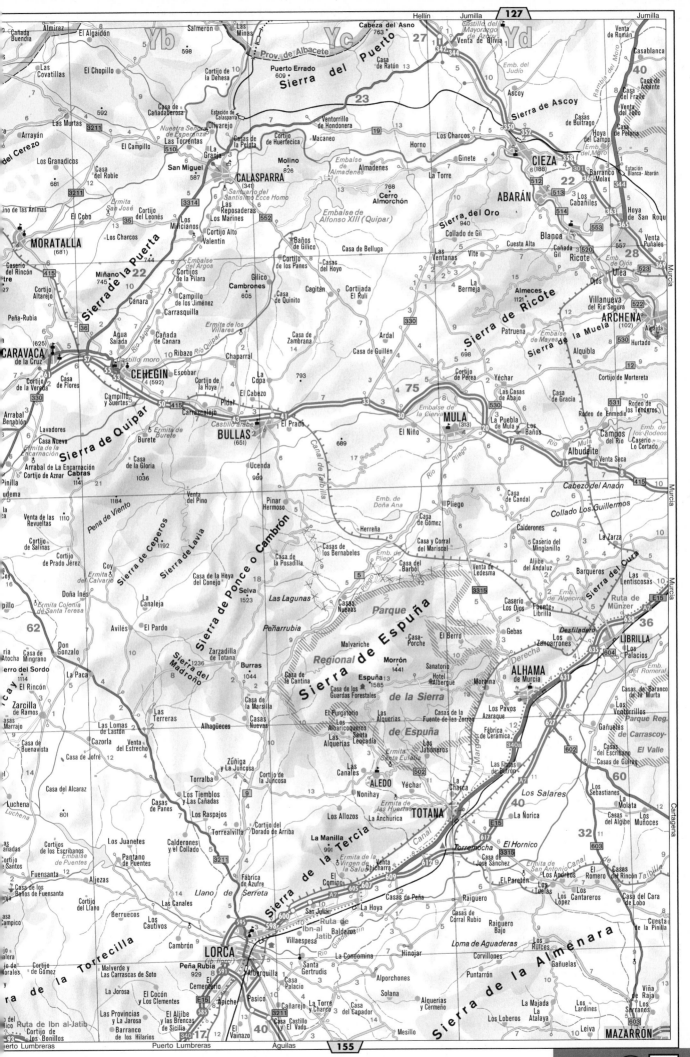

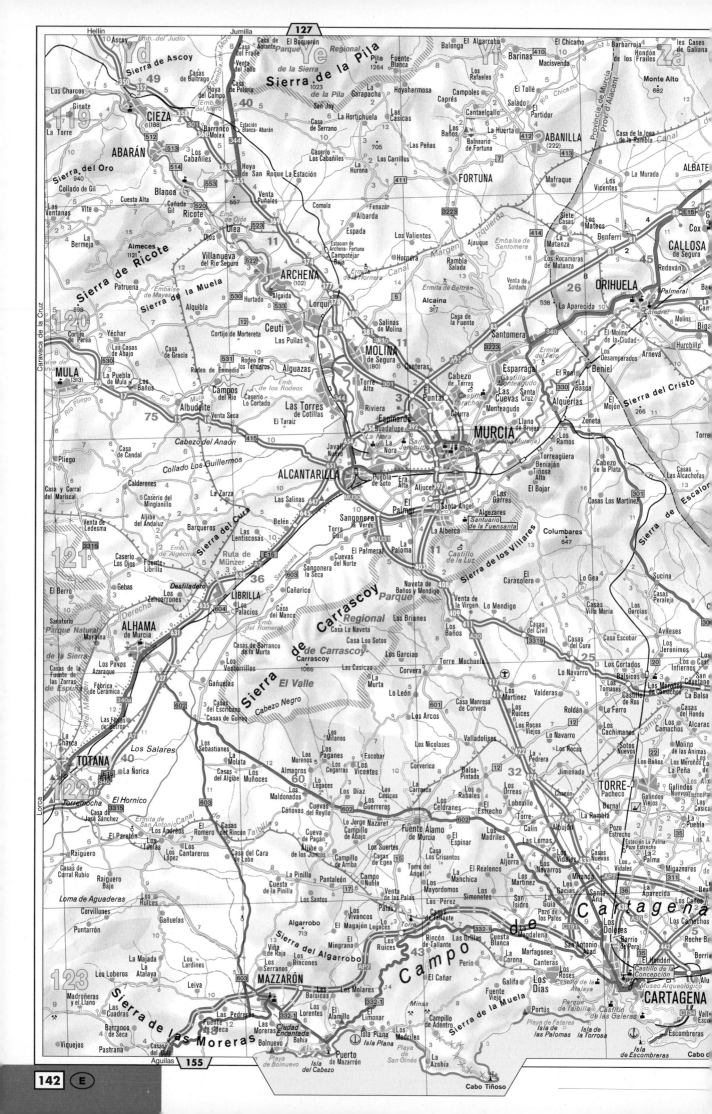

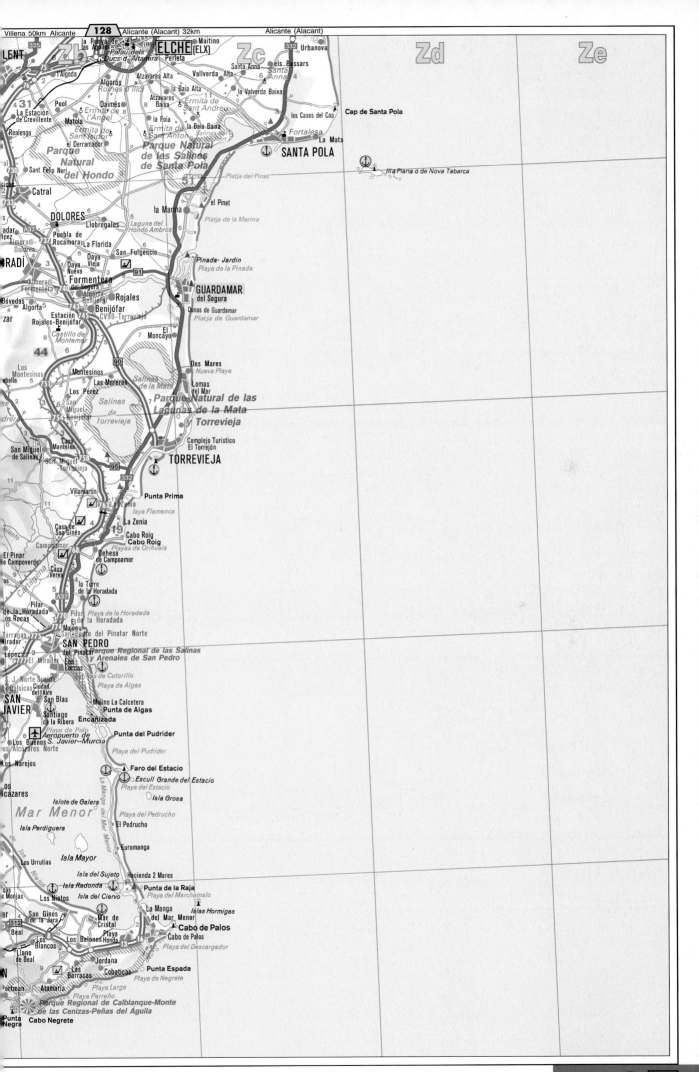

Zb   Zc   Zd   Ze

LENT

325   la Penya de
les Àguiles   (86)   ELCHE [ELX]   332   Urbanova
Palau dels
Ducs d'Atamira   Perleta   Maitino
l'Algoda   els Bassars
Algorós   Santa Anna   Santa
Runes d'Illici   Vallverda Alta   Anna
31   Puçol   Atzavares Alta   la Baia Alta   les Cases del Cap
4   Daimés   Atzavares   11   Cap de Santa Pola
Ermita de   Baixa   Ermita de
l'Àngel   la Foia   Sant Andreu
Matola   la Baia Baixa
La Estación   Ermita de   Ermita de   Salines del
de Crevillente   Sant Isidor   Sant Anton   Sort   Fortalesa
Realengo   el Derramador   SANTA POLA
730   Sant Felip Neri   Parque Natural   Illa Plana o de Nova Tabarca
de les Salines
Catral   Parque   de Santa Pola   Platja del Pinet
Natural
del Hondo

733   la Marina   el Pinet
DOLORES   Platja de la Marina
Llobregales   Laguna del
Hondo Ambroz
Puebla de   La Florida
Rocamora   San Fulgencio
RADÍ   Daya   Daya   Pinada- Jardin
Nueva   Vieja   Playa de la Pinada
Formentera   91
Bóvedas   del Segura   GUARDAMAR
Algorfa   Rojales   del Segura
zar   Estación   Benijófar   Dunas de Guardamar
Rojales-Benijófar   CV90-Torrevieja   Platja de Guardamar
El
Castillo de   Moncayo
Montemar
44   Dos Mares
90   Nueva Playa
Los   Montesinos   Lomas
Montesinos   Las Moreras   del Mar
751   Los Pérez   Salinas   Parque Natural de las
de la Mata   Lagunas de la Mata
San   Salinas   Torrevieja
Miguel   de
754   Benijófar   Torrevieja
Casa   Complejo Turístico
drera   Manteles   El Torrejón
San Miguel   San Miguel   TORREVIEJA
de Salinas   -Torrevieja   95   332
11   Villamartín   Punta Prima
La Zenia   laya Flamenca
11   La Zenia
Casa de   Cabo Roig
San Ginés   19   Cabo Roig
Campoamor   768   Playas de Orihuela
El Pinar   Dehesa
de Campoverde   Casa   de Campoamor
Verea   la Torre
de la Horadada
Pilar   Pilar   Playa de la Horadada
de la Horadada   Playa de la Horadada
los Rocas   A37   El   del Pinatar Norte
770   Mojón
rragas   775   San-Pedro
2   SAN PEDRO   Parque Regional de las Salinas
irador   del Pinatar   y Arenales de San Pedro
López   El Mirador   Los
Lorcas   nas de Cotorillo
S. J. Norte Sucina   Playa de Algas
Balsicas   Ciudad
del Aire   Playa de Algas
SAN   San Blas   Molino La Calcetera
JAVIER   Santiago   Punta de Algas
de la Ribera   Encañizada
84   Playa de Palo
Los Buenos S.   Aeropuerto de   Punta del Pudrider
s Alcázares Norte   Javier--Murcia   Playa del Pudrider
Los Narejos   Faro del Estacio
Escull Grande del Estacio
os   Playa del Estacio
cázares   Islote de Galera   Isla Grosa
Mar Menor   Playa del Pedrucho
Isla Perdiguera   El Pedrucho
Euromanga
Isla Mayor
Los Urrutias   Isla del Sujeto   Hacienda 2 Mares
sas   Isla Redonda   Punta de la Raja
Monjas   Los Nietos   Isla del Ciervo   Playa del Marchamalo
San Ginés   La Manga   Islas Hormigas
ar   de la Jara   del Mar Menor
312   Mar de   CABO DE PALOS
Beal   Cristal   Cabo de Palos
Los   Playa
Los Belones Honda   Playa del Descargador
Blancos
Llano   Jordana
de Beal   Punta Espada
N   Las   Cobáticas   Playa de Negrete
Barracas
Portman   Atamaría   Playa Larga
Punta   Parque Regional de Calblanque-Monte   Playa Parreño
Negra   Cabo Negrete   de las Cenizas-Peñas del Águila

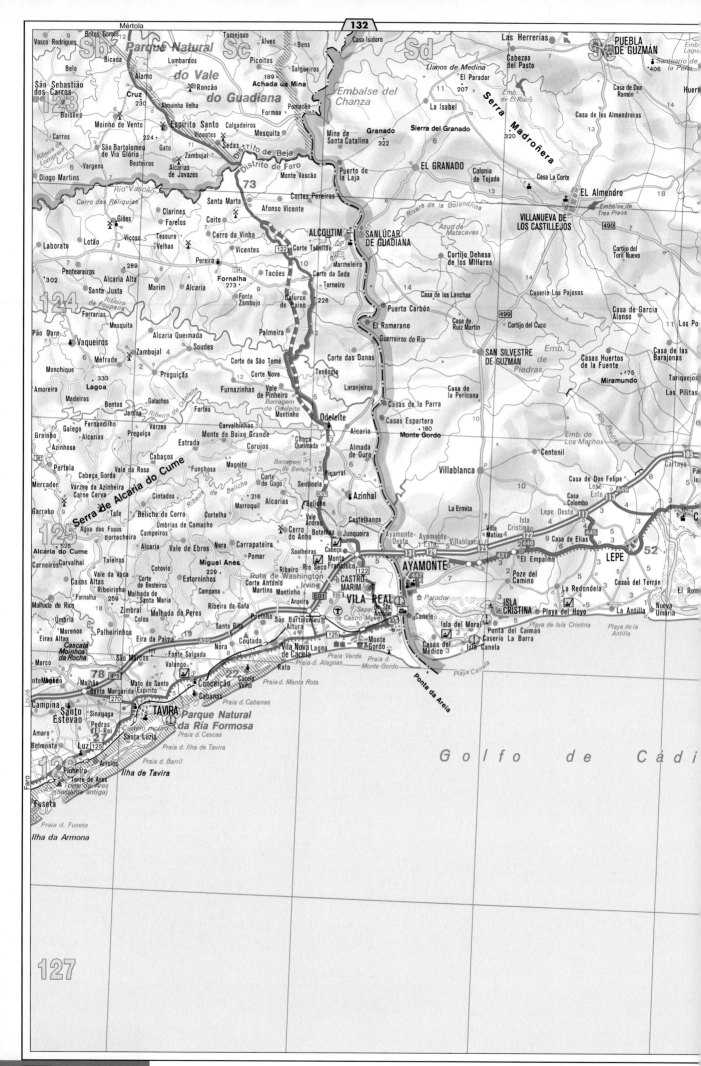

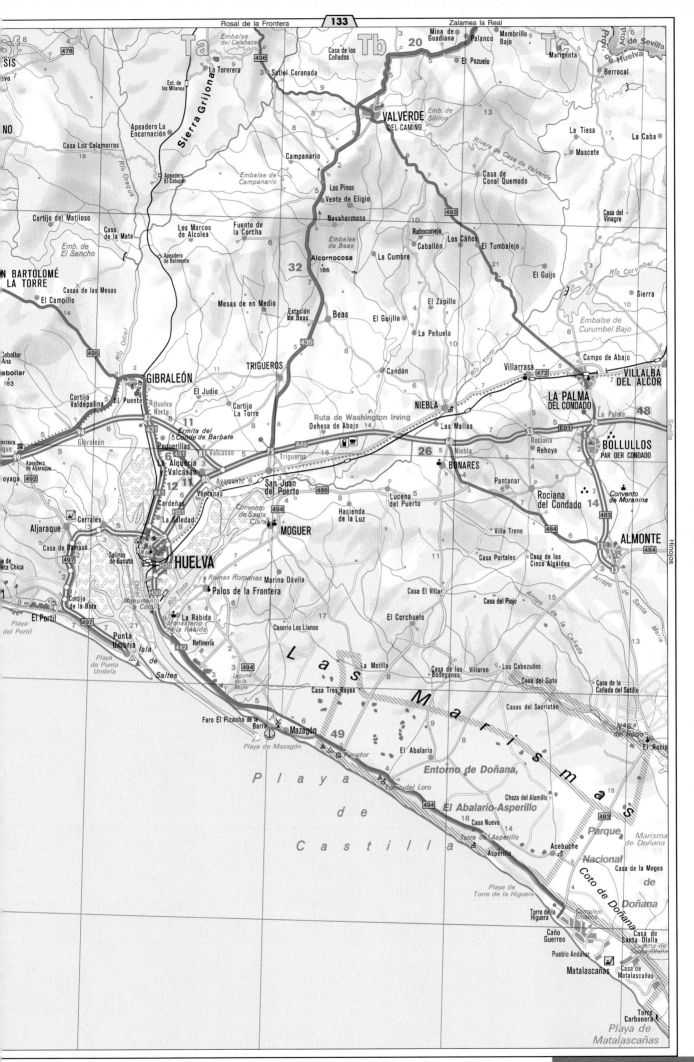

Ta
Tb
Tc
Prov. de Sevilla

Prov. de Huelva

20

Mina de Guadiana
Palanco
Membrillo Bajo
Marigenta
Berrocal

El Pozuelo

Casa de los Collados

Sotiel Coronada

Embalse del Calabazar

La Torrera

Est. de los Milanos

Apeadero La Encarnación

Casa Los Calamorros

Apeadero El Cobujón

Campanario

Embalse de Campanario

Emb. de Silillos

VALVERDE DEL CAMINO

La Tiesa
La Caba

Mascote

Casa de Conal Quemado

Rivera de Casa de Valverde

493

Los Pinos
Venta de Eligio

Navahermosa

Casa del Vinagre

Raboconejo
Los Cãos
El Tumbalejo

El Guijo

Río Corumbel

Caballón
La Cumbre

Sierra

Embalse de Beas

Alcornocosa
186

El Zapillo

La Peñuela

Embalse de Curumbel Bajo

Casa de la Mata

Los Marcos de Alcolea

Fuente de la Corcha

Emb. de El Sancho

N BARTOLOMÉ LA TORRE

Casas de las Mesas
El Campillo

495

Mesas de en Medio

Estación de Beas

Beas

El Guijllo

10

Campo de Abajo

Cortijo del Matiloso

Río Odiel

32

435

TRIGUEROS

Candón

Villarrasa
472

VILLALBA DEL ALCOR

Cebollar Ana

Cebollar
183

GIBRALEÓN

El Judio

Cortijo La Torre

NIEBLA

Las Mallas

Río Tinto

LA PALMA DEL CONDADO

La Palma

48

Sevilla

Cortijo Valdepalina

El Puente

Huelva Norte

431

Ermita del Conde de Barbate

Ruta de Washington Irving
Dehesa de Abajo 14

E01

Rociana
Rehoya

BOLLULLOS PAR DER CONDADO

94

Gibraleón

Peguerillas

Valcasao

A49

26

Niebla

Apeadero de Aljaraque

99

La Alquería Valcasao

Triguros

60

BONARES

492

oyaga

12 11

441

Ventanas

Ayamonte

486

San Juan del Puerto

Lucena del Puerto

Pantanar

Rociana del Condado 14

483

Convento de Moranina

Cárdenas

H31

Convento de Santa Clara

494

Hacienda de la Luz

Villa Trene

484

ALMONTE

Aljaraque

Corrales

La Soledad

MOGUER

Casa de Damaso

Salinas de Bacuta

497

HUELVA

Ruinas Romanas

Marina Dávila

Casa El Villar

Casa del Piojo

Casa de las Cinco Algáidas

484

Hinojos

Cortijo de la Bota

Odiel

Monumento a Colón

Palos de la Frontera

Casa El Villar

El Corchuelo

Arroyo de

Arroyo de la Cañada

El Portil

497

La Rábida
Monasterio de la Rábida

Casario Los Llanos

Playa del Portil

Punta Umbría

442

Refinería

Playa de Punta Umbría

Isla de Saltes

494

La Matilla

Casa de los Bodegones

Villareo

Los Cabezudos

Casa del Gato

Casa de la Cañada del Sotillo

Laguna de la Mujer

Casa Tres Rayas

Casas del Sacristán

L a s   M a r i s m a s

Faro El Picacho de la Barra

Mazagón

49

N-442 del Rocío

El Rocío

Playa de Mazagón

El Parador

El Abalario

Entorno de Doñana,

P l a y a

Torre del Loro

El Abalario-Asperillo

494

Choza del Alamillo

15

d e

Casa Nueva

Parque

Marisma de Doñana

C a s t i l l a

Torre del Asperillo

Asperillo

Acebuche

Nacional

Casa de la Mogea

Coto de Doñana

de

Playa de Torre de la Higuera

Complejo Turístico

Caño Guerreo

Casa de Santa Olalla

Laguna de Santa Olalla

Torre de la Higuera

Pueblo Andaluz

Matalascañas

Casa de Matalascañas

Torre Carbonera

Playa de Matalascañas

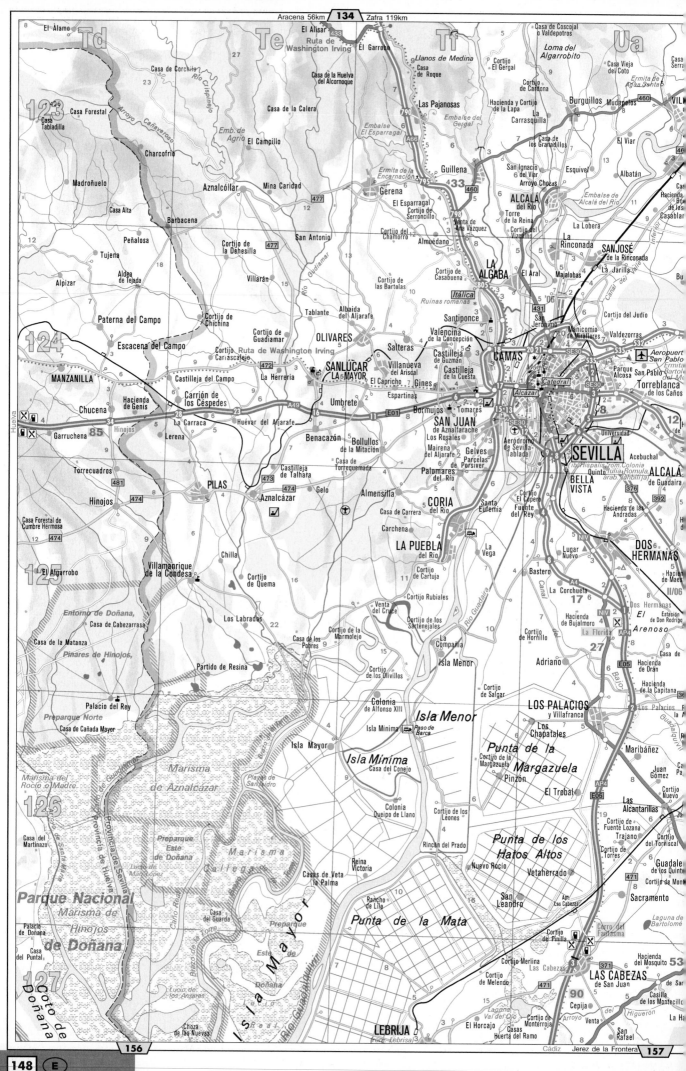

Td

Te

Tf

Ua

El Álamo

Casa de Corchila

El Alisar

Ruta de
Washington Irving

El Garrobo

Llanos de Medina

Casa de Coscojal
o Valdepotros

Loma del
Algarrobito

Casa Vieja
del Coto

Ermita de
Agua Santa

Casa
Serr

123

Casa Forestal

Casa
Tabladilla

Casa de la Huelva
del Alcornoque

Casa
de Roque

Las Pajanosas

Cortijo
El Gergal

Hacienda y Cortijo
de la Lapa

Cortijo
de Cardona

La
Carrasquilla

Burguillos

Mudapelos

460

VIL

46

Charcofrío

Emb. de
Agrio

Casa de la Calera

790

Embalse del
Gergal

Casa de
los Granadillos

El Viar

Madroñuelo

El Campillo

Embalse
El Esparragal

A66

Ermita de la
Encarnación

195

Guillena

433

460

San Ignacio
del Vipr

Arroyo Choras

Esquivel

Albatán

Embalse de
Alcalá del Río

11

Hacienda
de
la Casáblar

Casa Alta

Aznalcóllar

Mina Caridad

477

Gerena

El Esparragal

Cortijo de
Serroncillo

798

ALCALÁ
del Río

Torre
de la Reina

Cortijo del
Vizcaíno

La Lobera

Barbacena

San Antonio

Cortijo del
Chamorro

Almuédano

Venta de
Ana Vázquez

La
Rinconada

SAN JOSÉ
de la Rinconada

12

Peñalosa

Cortijo de
la Dehesilla

477

LA
ALGABA

El Aral

Majalobas

La Jarilla

Tujena

18

Villarán

15

305

431

'06

San

Cortijo del Judío

Alpízar

Aldea
de Tejada

Cortijo de
las Bartolas

Itálica

Ruinas romanas

Santiponce

San
Jerónimo

431

Manicomio
de Miraflores

Valdezorras

532

Paterna del Campo

Cortijo de
Chichina

Tablante

Albaida
del Aljarafe

Valencina
de la Concepción

SE30

535

Aeropuert
San Pablo

Ermita
Bartol
del M

124

Escacena del Campo

Cortijo de
Guadiamar

Ruta de Washington Irving

Cortijo
Carrascalejo

OLIVARES

Salteras

Castilleja
de Guzmán

CAMAS

Catedral

SE30

Parque
Alcosa

San Pablo

Torreblanca
de los Caños

472

SANLÚCAR
LA MAYOR

Villanueva
del Ariscal

Castilleja
de la Cuesta

Alcázar

SE30

8

MANZANILLA

Castilleja del Campo

La Herrería

El Capricho

Gines

Espartinas

SAN JUAN

2

2

12

Hacienda
de Genis

Carrión de
los Céspedes

Umbrete

A49

16

E01

Bormujos

Tomares

de Aznalfarache

15 13

Universidad

Chucena

28

23

Huévar del Aljarafe

Los Rosales

Aeródromo
de Sevilla-
Tablada

SEVILLA

Acebuchal

34

Hinojos

85

La Carraca

Lerena

Benacazón

Bollullos
de la Mitación

Mairena
del Aljarafe

Gelves

Parcelas
de Porsiver

SEVILLA

Ibi Hispalis from Colonia
Julia Romula
arab. Ishbiliya

ALCALÁ
de Guadaira

Garruchena

Torrecuadros

481

Casa de
Torrequemada

Castilleja
de Talhara

473

Palomares
del Río

Quinta

BELLA
VISTA

376

Hinojos

474

PILAS

474

Aznalcázar

Gelo

Almensilla

Casa de Carrera

CORIA
del Rio

Santa
Eufemia

Cortijo
El Copero

Fuente
del Rey

Hacienda de las
Andradas

392

Casa Forestal de
Cumbre Hermosa

12

474

Carchena

LA PUEBLA

del Rio

La
Vega

NIV

Lugar
Nuevo

DOS
HERMANAS

125

El Algarrobo

Villamanrique
de la Condesa

Chilla

Cortijo de
Quema

16

Cortijo
de Cartuja

11

Bastero

A4

La Corchuela

17

Hacien
de Maes

II/06

Entorno de Doñana,
Casa de Cabezarrasa

Los Labrados

22

Cortijo Rubiales

Venta
del Cruce

Cortijo de los
Sartenejales

Rio Guadaira

10

Hacienda
de Bujalmoro

NIV

Estación
de Don Rodrigo

El
Arenoso

AP4

Dos Hermanas

Casa de la Matanza

Pinares de Hinojos,

Casa de los
Pobres

Cortijo de la
Marmolejo

La
Compañia

15

Cortijo
de Hornillo

La Florida

27

Casa de
Orán

Partido de Resina

Isla Menor

Adriaño

E05

Hacienda
de la Capitana

36

Palacio del Rey

Preparque Norte

Casa de Cañada Mayor

Colonia
de Alfonso XIII

Cortijo
de Salgar

LOS PALACIOS

y Villafranca

Los Palacios

Guadalqui

Isla Menor

Los
Chapatales

Marisma del
Rocío o Madre

Marisma

de Aznalcázar

Isla Mínima

Paso de
Barca

Isla Mayor

Isla Minima

Casa del Conejo

Cortijo de la
Margazuela

Punta de la
Margazuela

Pinzón

Maribáñez

Juan
Gómez

Cortijo
Nuevo

126

Casa del
Martinazo

Preparque
Este
de Doñana

Marisma

Gallega

Colonia
Queipo de Llano

Cortijo de los
Leones

El Trobal

E05

Las
Alcantarillas

19

Punta de los
Hatos Altos

Cortijo de
Fuente Lozana

Trajano

Cortijo de
Torres

Cortijo
del Torviscal

Parque Nacional

Marisma de

Hinojos

Casa
del Guarda

Preparque

Rincón del Prado

Reina
Victoria

Casas de Veta
la Palma

10

Nuevo Rocío

Vetaherrado

Guadale
de los Quint

471

Cortijo de Mon

Laguna
de Bartolomé

Palacio
de Doñana

Rancho
de Lila

San
Leandro

Apt. Las Cabezas

Sacramento

Cerro del
Fantasma

Casa
del Puntal

Punta de la Mata

Cortijo
de Pinilla

Hacienda
del Mosquito

127

Coto
de
Doñana

Choza
de las Nuevas

Cortijo Merlina

Las Cabezas

90

371

53

LAS CABEZAS
de San Juan

de Sar

Cortijo
de Melendo

471

Cepija

Casilla
de San Montecillo

LEBRIJA

from Lebrisa

El Horcajo

Laguna
Val del Ojo

Cortijo de
Monterroja

Casas
Huerta del Ramo

Arroyo

Venta

San
Rafael

La Ha

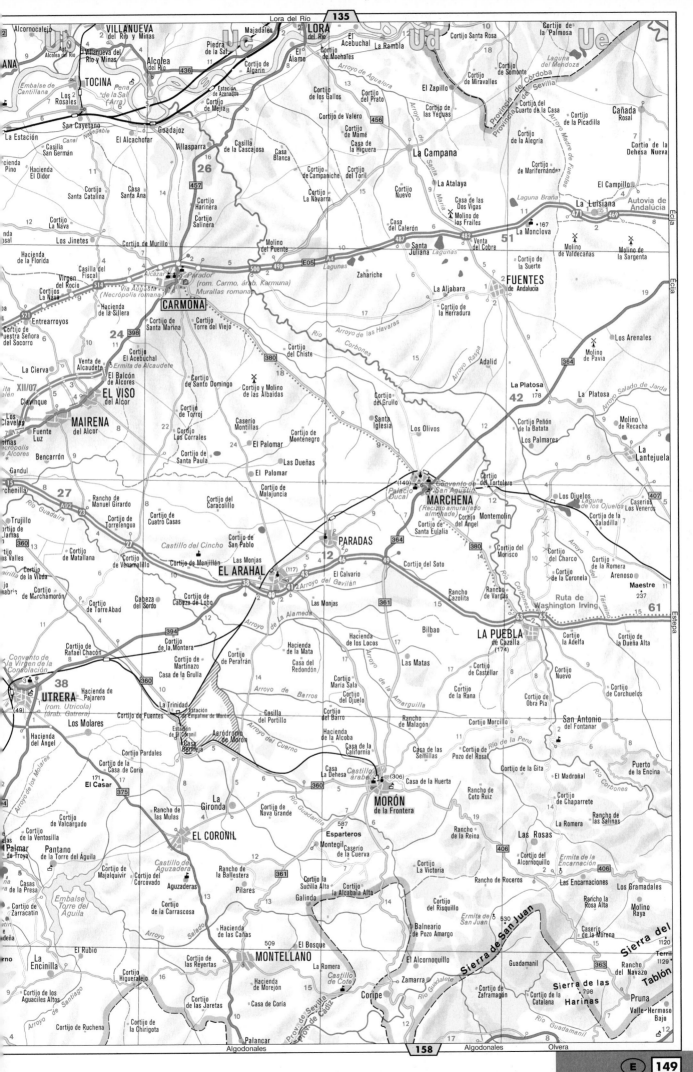

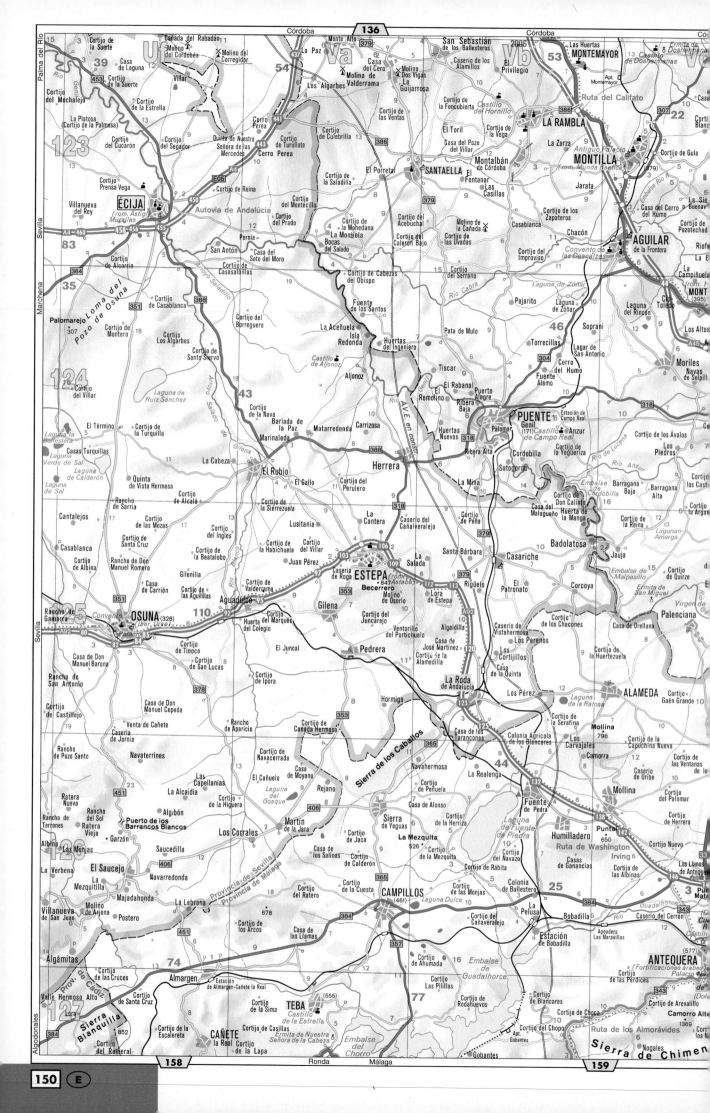

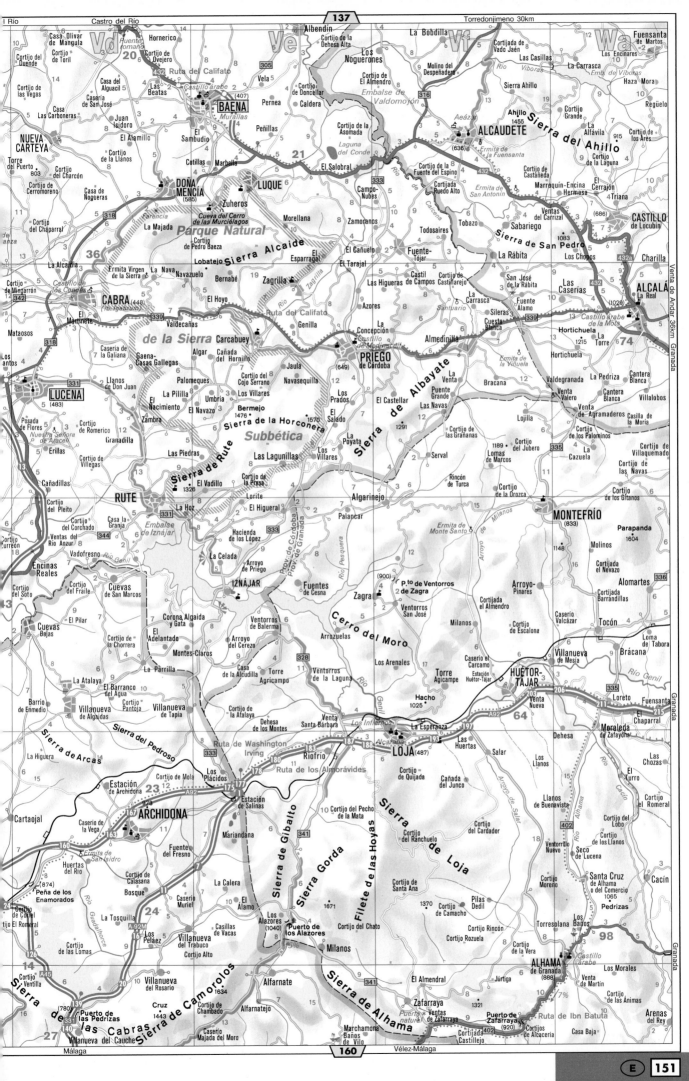

Castro del Río   Torredonjimeno 30km

I Río

Casa Olivar
de Mangula   Hornerico   La Bobdilla   Vi   Wa   Fuensanta
de Martos

Cortijo del
Duende   Cortijo
de Toril   Fuente
romana   20   Cortijo de la
Dehesa Alta   Los
Nogüerones   Cortijada de
Vado Jaén   Las Casillas   La Carrasca   Los Encinares   Emb. del Víboras
Cortijo del
de Ovejero   Ruta del Califato   Cortijo de
El Almendro   Molino del
Despeñadero   Río Víboras   Haza Mora
Cortijo de
las Vegas   Casa del
Alguacil   Las
Beatas   432   305   Vela   Cortijo de
Doncellar   Embalse de
Valdomojón   Sierra Ahillo   316

Casería
de San José   Castillo árabe   Pernea   Caldera   Ahillo 1455   ALCAUDETE   Sierra del Ahillo   Cortijo
Grande   La Alfávila   915   Cortijo de
los Arés

NUEVA
CARTEYA   Casa
Las Carboneras   Juan
Isidoro   El Alamillo   BAENA (407)   Peñillas   Laguna
del Conde   21   El Salobral   333   Campo-
Nubes   (636)   Ermita de
la Fuensanta   Cortijo de la
Fuente del Espino   432   Cortijo de
Castañeda   El
Cerrajón   Triana   10

Torre
del Puerto
803   Cortijo del
Charcón   Cotillas   Marbella   DOÑA
MENCIA (585)   LUQUE   Cortijada
Ruedo Alto   Marroquín-Encina
Hermosa

Cortijo de
Cerromoreno   Casa de
Nogueras   Zuheros   Morellana   Zamoranos   Todosaires   Tobazo   Ermita de
San Antonín   Ventas del
Carrizal   (686)   CASTILLO
de Locubin

318   Parencia   Cueva del Cerro
de las Murciélagos   Sabariego   1083   Charilla

Cortijo del
Chaparral   La Majada   Parque Natural   El Cañuelo   Fuente-
Tojar   La Rábita   Los Chopos   Sierra de San Pedro   432a

36   Ermita de
Pedro Baeza   El Tarajal   El Esparragal   Castil
de Campos   Cortijo de
Castillarejo   Las
Caserías   432   ALCALÁ
La Real

La Alcaidía   Ermita Virgen
de la Sierra   La Nava   Navazuelo   19   Zagrilla   San José
de la Rábita   La
Carrasca   (1029)   Castillo árabe
de la Mota

Cortijo de
Mingarrón   342   Castillo de
los Condes   Bernabé   Zagrilla   Las Higueras
de Campos   Fuente
Alamo   Sileras   339   13   La Torre   74

CABRA (448)
(Ib. Igabrum)   El Hoyo   Azores   La
Concepción   Santuario   Cuesta
Blanca   Hortichuela   La Pedriza   Cantera
Blanca

El
Martinete   Valdecañas   Carcabuey   Genilla   Castillo
de Medinaceli   Almedinilla   Hortichuela   1215   Cantera
Blanca

318   Caserío de
la Galiana   Algar   Cañada
del Hornillo   Jaula   PRIEGO
de Córdoba (649)   Ermita de
la Viñuela   Villalobos

de la Sierra   Gaena-
Casas Gallegas   Cojo Serrano   Navasequilla   12   Bracana   Valdegranada   Venta
Valero   Venta de
Agramaderos   Casilla
de la Moria

Llanos
de Don Juan   Palomeques   Cortijo del
Cojo Serrano   Los Villares   La Venta   Puente
Grande   Lojilla

LUCENA (483)   La Pililla   Umbria   Bermejo 1476   El Salado   El Castellar   Las Navas   335   La
Cazuela   Cortijo de
Villaquemado

El
Nacimiento   El Navazo   1570   12   Los
Prados   Sierra
de Albayate   Cortijo de
las Grañanas   Lomas
de Marcos   Cortijo de
las Navas

Posada
de Flores   Zámbra   Sierra de la Horconera   La Poyata   Serval   1189   Cortijo
del Jubero

Nuestra Señora
de Araceli   Granadilla   Subbética   La
Villares   Rincón
de Turca   Cortijo de
los Gitanos

Cortijo de
Romerico   12   Las Piedras   Las Lagunillas   Los
Villares   Cortijo de
la Orozca

Cañadillas   Cortijo de
Villegas   Sierra de Rute   1326   El Vadillo   Cortijo de
la Presa   Algarinejo   15   MONTEFRÍO (833)   Parapanda
1604

RUTE (331)   Lorite   Palancar   Ermita de
Monte Santo   Molinos

Cortijo
del Pleito   La Hoz   El Higueral   Cortijada
el Nevazo   336

Cortijo
del Corchado   Casa la
Granja   344   Embalse
de Iznájar   Hacienda
de los López   533   1148   16   Alomartes

Ventas del
Río Anzur   Vadofresno   Río Genil   La Celada   Fuentes
de Cesna   (900)   P.to de Ventorros
2 de Zagra   Arroyo-
Pinares   Cortijada
Barrándillas

Encinas
Reales   Cortijo
del Fraile   Cuevas
de San Marcos   Arroyo
de Priego   Zagra   Ventorros
San José   Cortijada
el Almendro   Caserío
Valcázar   Tocón

Cortijo
del Soto   El Pilar   IZNÁJAR   Cerro del Moro   Milanos   Cortijo
de Escalona   Loma
de Tabora

Cuevas
Bajas   Corona Algaida
y Gata   Ventorros
de Balerma   Arrozuelas   Los Arenales   Caserío el
Carcamo   Villanueva
de Mesía   Brácana

El
Adelantado   Arroyo
del Cerezo   Torre
Agicampe   Estación
Huétor-Tájar   Río Genil

La Atalaya   Cortijo de
la Chorrera   Montes-Claros   328   Casa
de la Alcudilla   Torre
Agricampo   11   Ventorros
de la Laguna   HUÉTOR-
TAJAR   203   Venta
Nueva   335   Loreto   Fuensanta

El Barranco
del Agua   Cortijo
Pantoja   La Párrilla   Hacho
1025   64   A92   197   211   215   Granada

Barrio
de Enmedio   Villanueva
de Algaidas   Villanueva
de Tapia   Cortijo de
la Atalaya   Dehesa
de los Montes   Venta
Santa Bárbara   Los Infiernos   La Esperanza   Dehesa   El
Chaparral

Sierra del Pedroso   Ruta de Washington
Irving   183   187   188   Alcazaba   195   Las
Huertas   Moraleda
de Zafayona

Sierra de Arcas   La Higuera   14   333   Riofrío   LOJA (487)   Salar   Los
Llanos   El
Turro   Las
Chozas

180   178   Ruta de los Almorávides   Cortijo
de Quijada   Cañada
del Junco   Llanos
de Buenavista   Cortijo
el Romeral

Estación
de Archidona   23   12   Los Plácidos   175   177   Estación
de Salinas   Cortijo
del Ranchuelo   402   Cortijo del
Lobo   Cortijo de
los Llanos

Cartaojal   160   167   ARCHIDONA   973   A92   Mariandana   341   10   Cortijo del Pecho
de la Mata   Sierra
de Loja   Ventorrillo
Nuevo   18   Seco
de Lucena

Caserío de
la Vega   163   11   Fuente
del Fresno   Sierra de Gibalto   Sierra Gorda   Filete de las Hoyas   Cortijo
del Cardador   Cortijo
Moreño   Santa Cruz
de Alhama
o del Comercio 1065   Cacín

Ermita de
San Isidro   Cortijo
de Calasana   La Calera   341   Cortijo de
Santa Ana   1370   Cortijo de
Camacho   Cortijo
del Romeral   Pedrizas

Huertas
del Río   (874)   Bosque   Caserío
Muriel   El Alamo   1671   Pilas
Dedil   Cortijo Rincón   Torresplana   Los
Baños   98

Peña de los
Enamorados   10   La Tosquilla   Casillas
de Vacas   Los
Alazores (1040)   Cortijo del Chato   Cortijo
Rozuela   Cortijo
de la Vera   Castillo
árabe

24   160   167   A-92M   24   Villanueva
del Trabuco   Cortijo Alto   Puerto de
los Alazores   Milanos   El Almendral   Zafarraya   Cortijo
de Alcaceria   ALHAMA
de Granada (888)   Las Morales

Cortijo
de las Lomas   139   Los
Peláez   Villanueva
del Rosario   1634   Cruz
1443   Cortijo de
Chambado   Alfarnate   341   Júrtiga   Venta
de Martin   Venta
del Martin   Arenas
del Rey

126   Sierra de las Cabras   Sierra de Camorolos   Alfarnatejo   15   1321   Puerto de
Zafarraya (920)   Ruta de Ibn Batuta   Casa Baja

14   A45   (780)   Puerto de
las Pedrizas   331   Marchamona   Puerto (natural)
de Zafarraya   Ventas
de Zafarraya   402   Cortijada
Castillejo   Cortijo
de las Ánimas

27   140   Villanueva del Cauche   Casería Majada
del Moro   Baños
de Vilo   Ruta de Ibn Batuta

Málaga   Vélez-Málaga

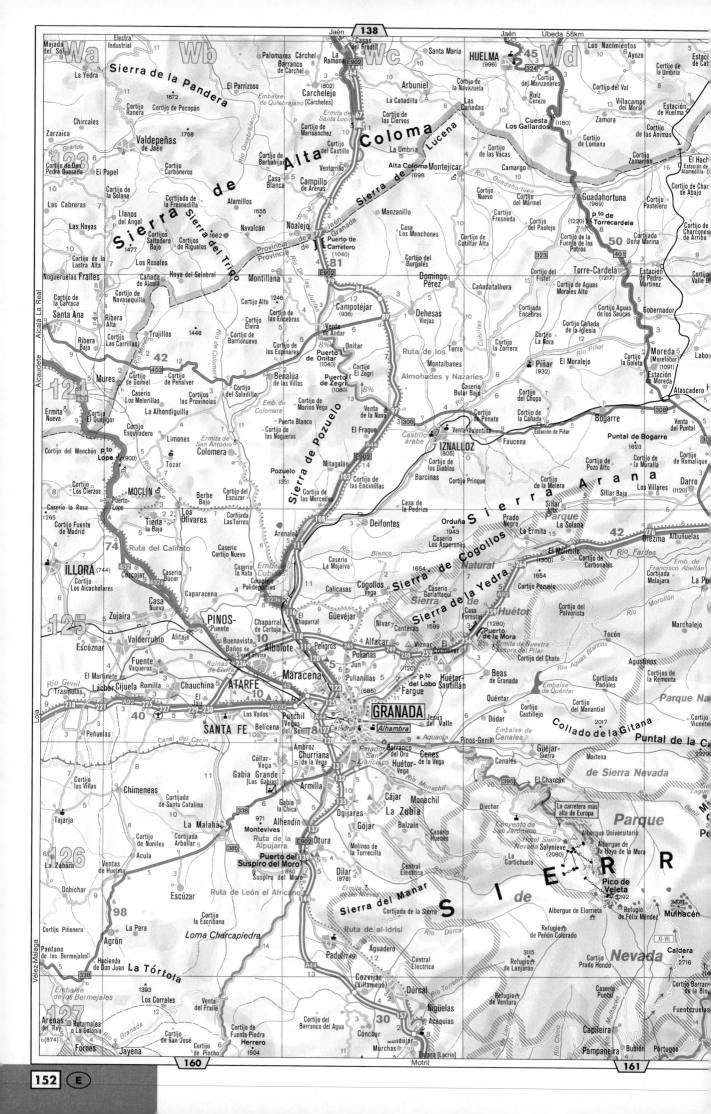

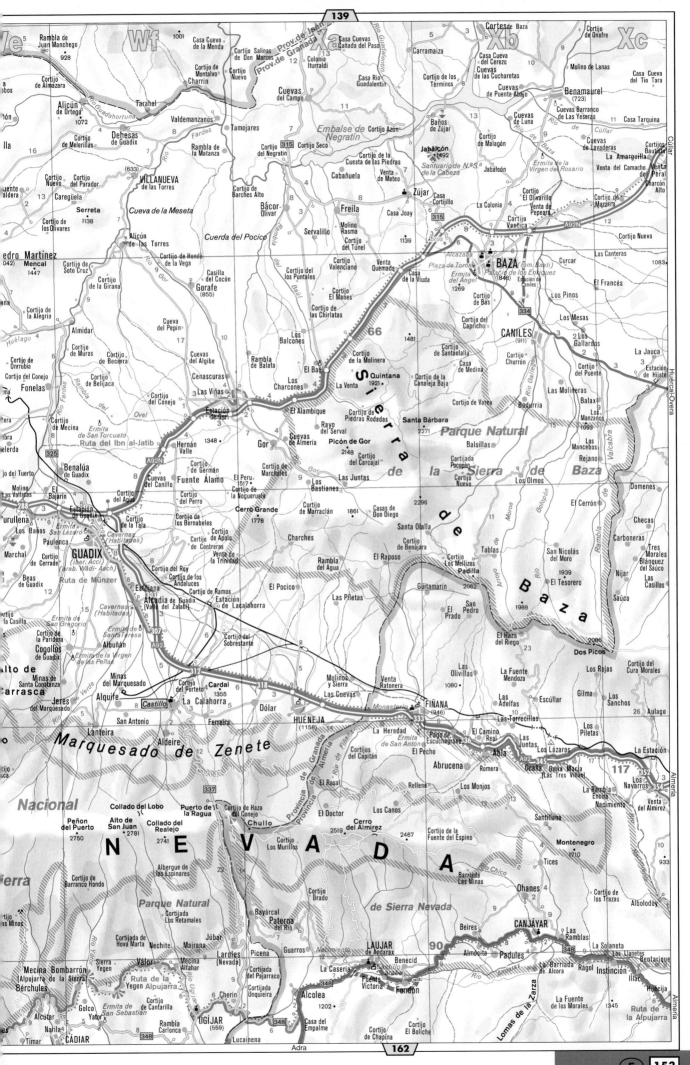

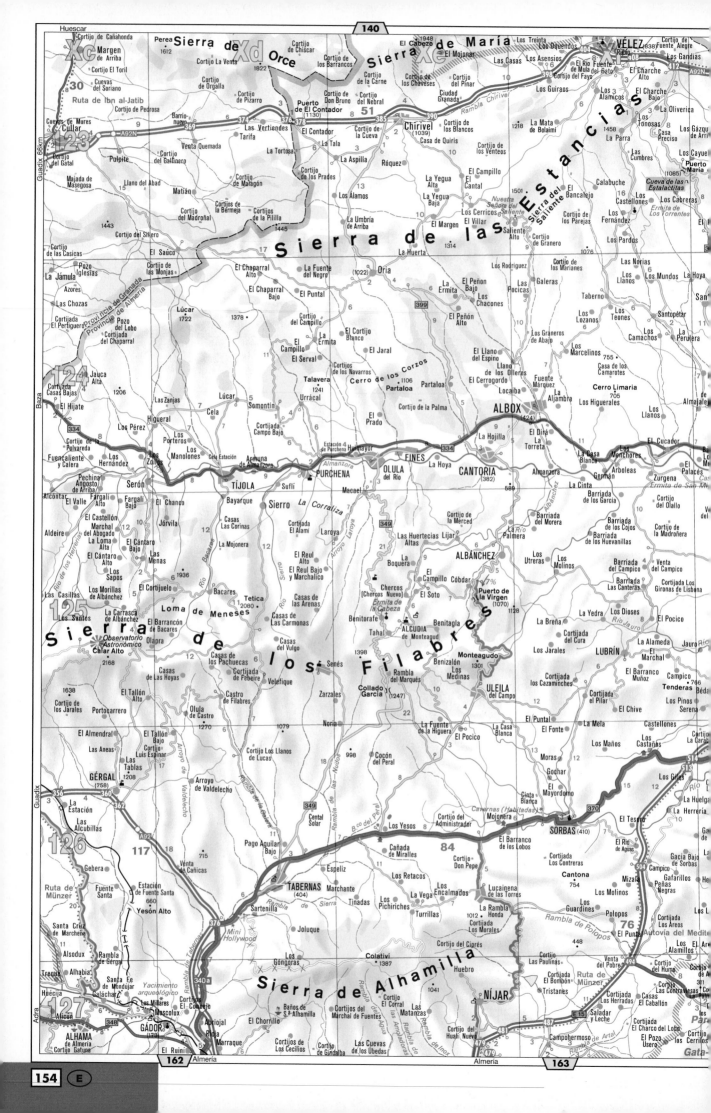

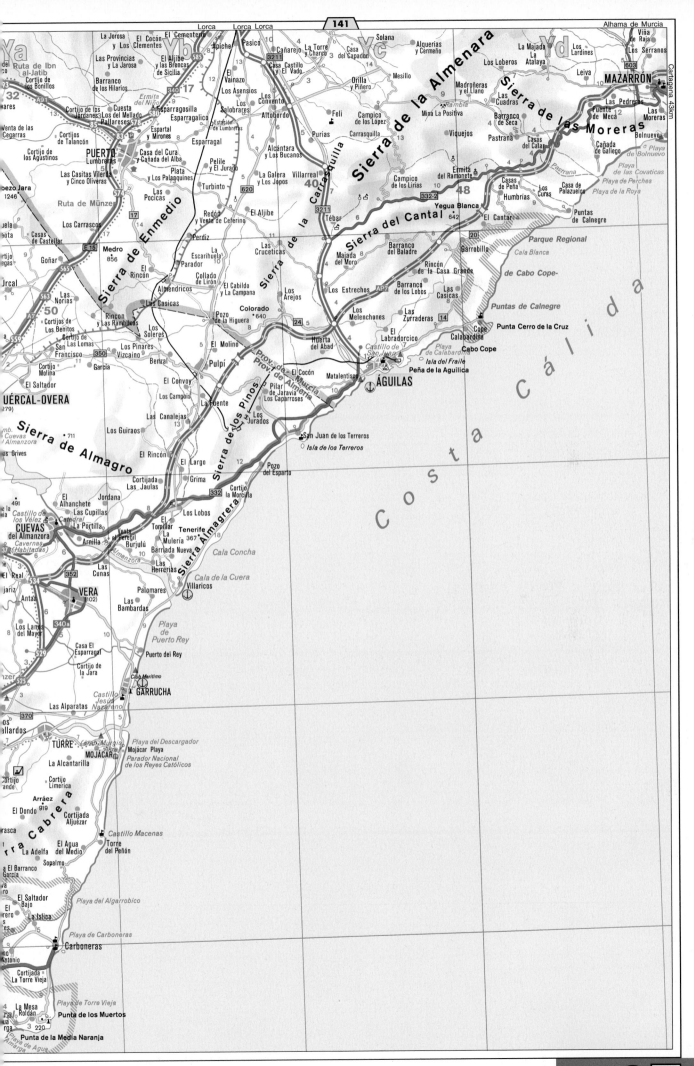

Lorca Lorca Lorca

Alhama de Murcia

Cartagena 43km

La Jorosa
y Los Clementes
El Cocón
El Cementerio
Solana
Viña
de Raja
Los Serranos
Las Provincias
y La Jarosa
El Aljibe
y las Brencas
de Sicilia
Apiche
Pasico
Cañarejo
La Torre
y Charco
Casa
del Capadón
Alquerías
y Cermeño
La Majada
La Atalaya
Los
Lardines
MAZARRÓN
Ruta de Ibn
al-Jatib
Barranco
de los Hilarios
El Vainazo
Casa Castillo
y El Vado
Mesillo
Los Loberos
Las Cuadras
Leiva
Cortijo de
los Bonillos
Los Asensios
Orilla
y Piñero
Madroñeras
y el Llano
603
Las Pedreras
Cortijo de los
Jordanes
Cuesta
de la Virgen
Esparragosilla
Los
Salobrares
Los
Convento
Feli
Campico
de los López
Mina La Positiva
Barranco
de Seca
Fuente
de Mecá
Las
Moreras
Los del Mellado
Pallareses
Esparragalico
Altobordo
Purias
Carrasquilla
Viquejos
Pastrana
Casas
del Cala
Cañada
de Gallego
Playa
de Bolnuevo
Venta de las
Cegarras
Cortijos
de Talancón
PUERTO
Lumbreras
Esparragal
Estación
de Lumbreras
Alcántara
y Los Bucanos
Ermita
del Ramonete
Casas
de Peña
Humbrías
Casas
del Palazuelos
Playa
de las Covaticas
Playa de Perches
Cortijo
de los Agustinos
Las Casitas Vilerda
y Cinco Oliveras
Casa del Cura
y Cañada del Alba
Pelile
y El Jurado
La Galera
y Los Jopos
Villarreal
Campico
de los Lirias
Las
Curas
Playa de la Roya
Plata
y Los Palagquines
Turbinto
620
Redón
y Venta de Ceferino
El Aljibe
Tébar
El Cantar
El Cantar
Puntas
de Calnegre
Las
Pocicas
Ruta de Münzer
Los Carrascos
Perdiz
Las Cruceticas
Majada
del Moro
Barranco
del Baladre
Garrobillo
Parque Regional
Cala Blanca
Medro
La
Escarihuela
Parador
El
Rincón
Colorado
Rincón
de la Casa Grande
de Cabo Cope-
Goñar
El Cabildo
y La Campana
Los
Arejos
Los Estrechos
Barranco
de los Lobos
Las
Casicas
Las
Norias
Almendricos
Collado
de Lirón
Los Melenchones
Las
Zurraderas
Puntas de Calnegre
Cortijos de
Los Benitos
Las Casicas
Pozo
de la Higuera
El
Labradorcico
Cope
Calabardina
Punta Cerro de la Cruz
Cortijo de
San Las Lomas
Francisco
Los Pinares
Vizcaíno
El Molino
Huerta
del Abad
Cabo Cope
Cortijo
Molina
García
Benzal
Pulpí
Castillo de
San Juan
Playa
de Calabardina
Isla del Fraile
El Saltador
El Convoy
La Fuente
ÁGUILAS
Peña de la Aguilica
Los Campois
El Cocón
Matalentisco
ÚERCAL-OVERA
Las Canalejas
Pilar
de Jaravia
Los Caparroses
Los
Jurados
Sierra de Almagro
Los Guiraos
El Rincón
El Largo
San Juan de los Terreros
Grima
Pozo
del Esparto
Isla de los Terreros
Cortijada
Las Jaulas
Cortijo
la Morcilla
El Alhanchete
Jordana
332
Castillo de
los Vélez
Las Cupillas
El
Tomillar
Tenerife
CUEVAS
del Almanzora
La Portilla
Venta
el Peregil
La
Mulería
Cavernas
(Habitadas)
Arnilla
Burjulú
Barriada Nueva
El Real
Las
Cunas
Las
Herrerías
Cala Concha
Antas
Palomares
Villaricos
Cala de la Cuera
VERA
Las
Bambardas
Los Llanos
del Mayor
Playa
de Puerto Rey
Casa El
Esparragal
Puerto del Rey
Cortijo de
la Jara
Club Marítimo
Castillo
Jesús
Nazareno
GARRUCHA
Las Alparatas
Playa del Descargador
TURRE
Mojácar Playa
La Alcantarilla
MOJÁCAR
Parador Nacional
de los Reyes Católicos
Cortijo
Limerica
Arráez
El Dondo
Cortijada
Aljuézar
Castillo Macenas
La Adelfa
El Agua
del Medio
Torre
del Peñón
Sopalmo
El Saltador
Bajo
La Istica
Playa del Algarrobico
Playa de Carboneras
La Mesa
Roldán
Carboneras
Cortijada
La Torre Vieja
Punta de los Muertos
Playa de Torre Vieja
Punta de la Media Naranja

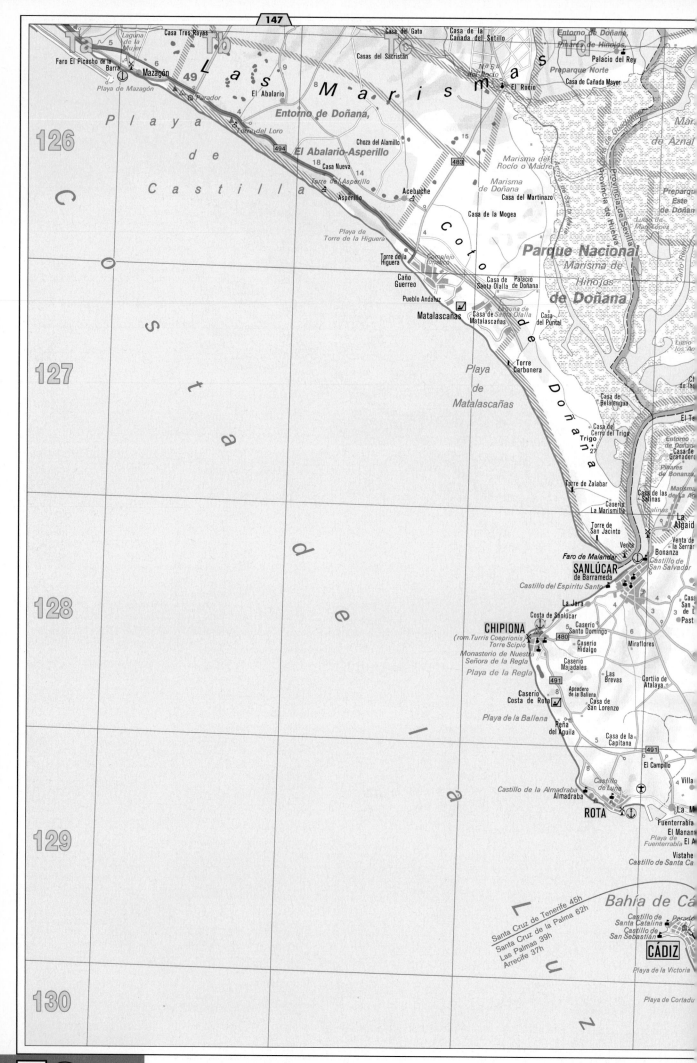

Laguna de la Mujer
Casa Tres Rayas
Casa del Gato
Casa de la Cañada del Sotillo

Faro El Picacho de la Barra
Mazagón
49
El Abalario
Casas del Sacristán

Playa de Mazagón
El Parador
9
8
L a s   M a r i s m a s
Na
del Rocío
El Rocío

Entorno de Doñana, Pinares de Hinojos
Palacio del Rey

Preparque Norte
Casa de Cañada Mayor

494
El Abalario-Asperillo
Choza del Alamillo
15

483
Marisma del Rocío o Madre

18 Casa Nueva
14
Palacio del Rey

Torre del Asperillo
Marisma de Doñana

Asperillo
Acebuche
Casa del Martinazo

Casa de la Mogea

Playa de Torre de la Higuera
4
Parque Nacional
Preparque Este de Doñana

Marisma de Hinojos

Torre de la Higuera
Complejo turístico
Casa de Santa Olalla
Palacio de Doñana
de Doñana

Caño Guerreo
Pueblo Andaluz

Matalascañas
Casa de Santa Olalla de Matalascañas
Laguna de Santa Olalla
Casa del Púntal

Playa de Matalascañas
Torre Carbonera

Casa de Belalengua

El Te

Casa del Cerro del Trigo
Trigo 27

Entorno de Doñana, Casa de Granadero

Pinares de Bonanza

Torre de Zalabar
Casa de las Salinas
Marisma de La A

Caserío La Marismilla
Salinas
La Algaid

Torre de San Jacinto
X

Venta
Venta de la Serrar

Faro de Malandar
Castillo de San Salvador

SANLÚCAR de Barrameda
Bonanza

Castillo del Espíritu Santo

La Jara
Casa San de L Past

128
Costa de Sanlúcar
Caserío Santo Domingo

CHIPIONA
480
Caserío Hidalgo

(rom.Turris Coeprionis)
Torre Scipio
Caserío Majadales
Miraflores

Monasterio de Nuestra Señora de la Regla
Playa de la Regla
Las Brevas
Cortijo de Atalaya

Caserío Costa de Rota
491
Apeadero de la Ballena

8
Casa de San Lorenzo

Playa de la Ballena
Peña del Aguila

Casa de la Capitana
491

El Campillo

Castillo de Luna
Villa

Castillo de la Almadraba
Almadraba

ROTA
La M
Fuenterrabía
El Manan
Playa de Fuenterrabía El A

Vistahe
Castillo de Santa Ca

Bahía de Cá

Santa Cruz de Tenerife 45h
Santa Cruz de la Palma 62h
Las Palmas 39h
Arrecife 37h
Castillo de Santa Catalina
Parado
Castillo de San Sebastián

CÁDIZ

Playa de la Victoria

Playa de Cortadu

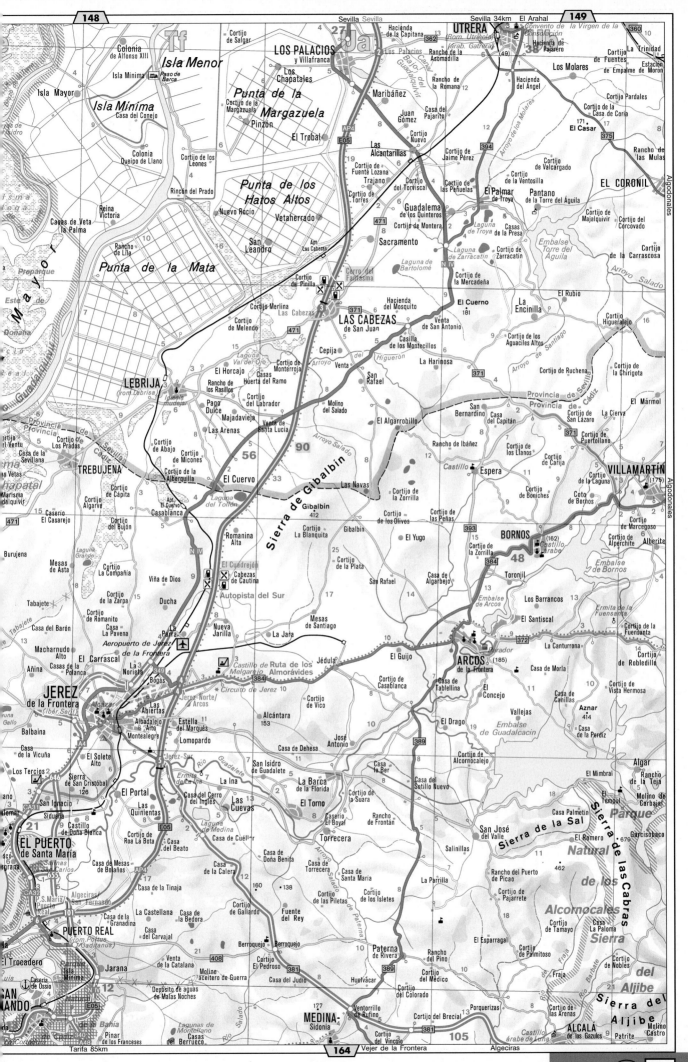

Sevilla Sevilla

Sevilla 34km El Arahal

360 10

Convento de la Virgen de la
Consolación

UTRERA

27 Ja

Rom. Utricula Jarab. Gatrera

362 13

Hacienda
de la Capitana

Los Palacios Rancho de la
Asomadilla

(49) 38 Cortijo La Trinidad
de Fuentes

Hacienda
de Pajarero Estación
de Empalme de Morón

LOS PALACIOS
y Villafranca

Los Chapatales

Punta de la
Margazuela

Pinzón

El Trobal

Maribáñez

Rancho de
la Romana 12

Rancho del
Ángel

Los Molares

Cortijo
de Fuentes Cortijo Pardales

Cortijo de la
Casa de Coria

Colonia
de Alfonso XIII

Isla Menor

Isla Mínima Paso de
Barca

Isla Mayor

Isla Mínima Casa del Conejo

Colonia
Queipo de Llano

Cortijo de los
Léones

Punta de la

AP4

E05

Juan
Gómez

Casa del
Pajarito

Cortijo de la
Margazuela Las
Alcantarillas

394

171 17

375

El Casar

Rancho de
las Mulas

EL CORONIL

Punta de los
Hatos Altos

Reina
Victoria

Casas de Veta
la Palma

Nuevo Rocío

Vetaherrado

San
Leandro

Apt.
Las Cabezas

Cortijo de
Salgar

Cortijo de
Fuente Lozana

Trajano

19

Cortijo de
Torres

Cortijo del Torviscal

Cortijo de
las Peñuelas

El Palmar
de Troya

Cortijo de
Jaime Pérez

Cortijo
de Valcargado

Pantano
de la Torre del Águila

Cortijo de
Majalquivir

Cortijo del
Corcovado

Cortijo
de la Carrascosa

Rincón del Prado

471

Guadalema
de los Quinteros

Cortijo de Montera

Laguna
de Troya 181

Casas
de la Presa

Punta de la Mata

Cortijo
de Pinilla

Cerro del
Fantasma

471

Cortijo Merlina

Las Cabezas

Cortijo
de Melendo

Cortijo
de Abajo

371

Sacramento

Laguna de
Bartolomé

Laguna
de Zarracatín

Cortijo de
Zarracatín

Cortijo de
la Mercadeña

N IV

Embalse
Torre del
Águila

El Rubio

LAS CABEZAS
de San Juan

Hacienda
del Mosquito

El Cuerno

La
Encinilla

Venta
de San Antonio

Casilla
de los Montecillos

La Harinosa

9

Cepija

Venta

del

Higuerón

San
Rafael

San
Bernardino

Casa
del Capitán

Cortijo de los
Aguaciles Altos

Cortijo de
Higueralejo

Provincia de Sevilla

Provincia de Cádiz

16

Cortijo de
la Chirigota

LEBRIJA rom. Lebrisa

3

Iglesia
mudéjar

Laguna
Val del Ojo

El Horcajo

Casas
Huerta del Ramo

Cortijo de
Monterroja

Arroyo

Molino
del Salado

El Algarrobillo

Rancho de Ibáñez

12

Rancho de
los Rasillos

Cortijo del Labrador

El Mármol

371

Cortijo de
Cañja

El Cortijo de
Puertollano

La Cierva

VILLAMARTÍN

(175)

Pago
Dulce

Majadavieja

Venta de
Santa Lucía

56 90

Castillo Espera

11

Cortijo de
Boniches

Coto
de Bornos

Cortijo de
la Laguna

Las Arenas

TREBUJENA

Provincia
de Cádiz

Cortijo
de Abajo

Cortijo
de Micones

El Cuervo

33

Sierra de Gibalbín

Las Navas

Cortijo de
la Zorrilla

Cortijo de
los Olivos

Cortijo de
las Peñas

393

Cortijo de
la Zorrilla

BORNOS

(162)

Castillo
árabe

Cortijo de
Alperchite

Alberite

Cortijo de
Marcegoso

Cortijo
de Cápita

Cortijo de la
Alberquilla

Apt.
El Cuervo

Casablanca

Laguna
del Tollón

N IV

Gibalbín

412

Cortijo de
La Blanquita

Gibalbín

25

Cortijo de
la Plata

El Yugo

San Rafael

Casa de
Algarbejo

384

Toronjil

48

Embalse
de Bornos

471

Caserío
El Casarejo

Cortijo
Algarve

Cortijo
del Bujón

El Cuadrejón

Cabezas
de Cautina

17

14

Los Barrancos

13

El Santiscal

Ermita
de la Fuensanta

Burujena

Mesas
de Asta

Laguna
Grande

Cortijo
La Compañía

Viña de Dios

Autopista del Sur

Ducha

Casa
La Pavena

Mesas
de Santiago

10

ARCOS
de la Frontera

Parador

(185)

La Canturrona

372

Cortijo de
la Fuensanta

14

Cortijo de
Robledillo

Tabajete

Casa del Barón

Cortijo
de la Zarpa

15

Cortijo de
Romanito

Nueva
Jarilla

La Parra

La Jara

Jédula

El Guijo

Casa de
Casablanca

Casa de
Tablellina

Casa de Morla

El
Concejo

Casa de
Canillas

Cortijo de
Vista Hermosa

Macharnudo
Alto

Añina

Casas de la
Polanca

El Carrascal

Aeropuerto de Jerez
de la Frontera

La Noriela

Bogas

Castillo de Ruta de los
Melgarejo ALMORÁVIDES

384

Circuito de Jerez 10

Vallejas

Aznar

414

Casa
de la Perdiz

Balbaina

JEREZ
de la Frontera

(Ibér. Sérit)

Alcázar

Las
Abiertas

349

Jerez-Norte/
Arcos

Albadalejo
Alto

Estella
del Marqués

Monteálegre

Lomopardo

Alcántara

153

Cortijo
de Vico

José
Antonio

El Drago

19

Embalse
de Guadalcacín

Casa de la Vicuña

El Solete
Alto

Jerez-Sur

A4

Casa de Dehesa

11

Cortijo de
Alcornocalejo

389

Algar

Los Tercios

646

Sierra
de San Cristóbal

126

Las
Quinientas

Río

San Isidro
de Guadalete

Ermita
de la Ina

La Ina

La Barca
de la Florida

Casa
la Ber

Casa del
Satillo Nuevo

El Mimbral

Rancho
de la Teja

San Ignacio

Sidueña

El Portal

Casa del Cerro
del Inglés

Las
Cuevas

13

El Torno

Cortijo de
la Suara

Casa Palmetín

San José
del Valle

El Tengul

Molino de
Carbajal

EL PUERTO
de Santa María

CA31

Castillo
de Doña Blanca

Cortijo de
Roa La Bota

Casa
del Beato

Laguna
de Medina

Casa de Cuéllar

Caserío
El Boyal

Rancho
de Frontón

Salinillas

Sierra de la Sal

El Romero

679

Garcisobaco

Parque

CA32

P.S María
Puerto
Real

Algeciras
San Fernando

AP4

17

Casa de Mesas
de Bolaños

Cortijo de
la Tinaja

Casa de
Doña Benita

Casa de
Torrecera

Torrecera

Casa de
Santa Maria

462

Rancho del Puerto
de Picao

Cortijo de
Pajarrete

Natural

Alcornocales

101

Casa de
la Granadina

La Castellana Casa de
la Bedora

Cortijo de
Gallardo

La Parrilla

Cortijo de
Tamayo

Cortijo de
Nobles

Sierra

Casa del Carvajal

160

138

Fuente
del Rey

Cortijo de
las Piletas

Cortijo de
los Isletes

El Esparragal

Casa
La Paloma

del

PUERTO REAL
(rom. Portus
Gaditanus)

El Trocadero

Jarana

Venta
de la Catalana

21

Berroquejo Berroquejo

408

Molino
aceitero de Guerra

Cortijo
El Pedroso

381

Casa
del Judío

Huelvácar

Rancho
del Pino

Cortijo
del Médico

Aljibe

Cortijo
de Fraja

21

Sierra del

Caseria
de Ossio

12

Depósito de aguas
de Malas Noches

389

Paterna
de Rivera

105

Cortijo de
Palmitoso

Alcalá
de los Gazules

Aljibe

Molino
Castro

Patrite

SAN
FERNANDO

440

E05

E05

Bahía

Laguna de
Montellano

Río

Pinar
de los
Franceses

Casas
del Berrueco

177

Ventorrillo
de Rufino

MEDINA-
Sidonia

Cortijo
del Vinagre

381

Cortijo
del Colorado

Porquerizas

Cortijo de
las Arenas

Castillo
árabe de Luna

85km Tarifa

Vejer de la Frontera Algeciras

164

(E) 157

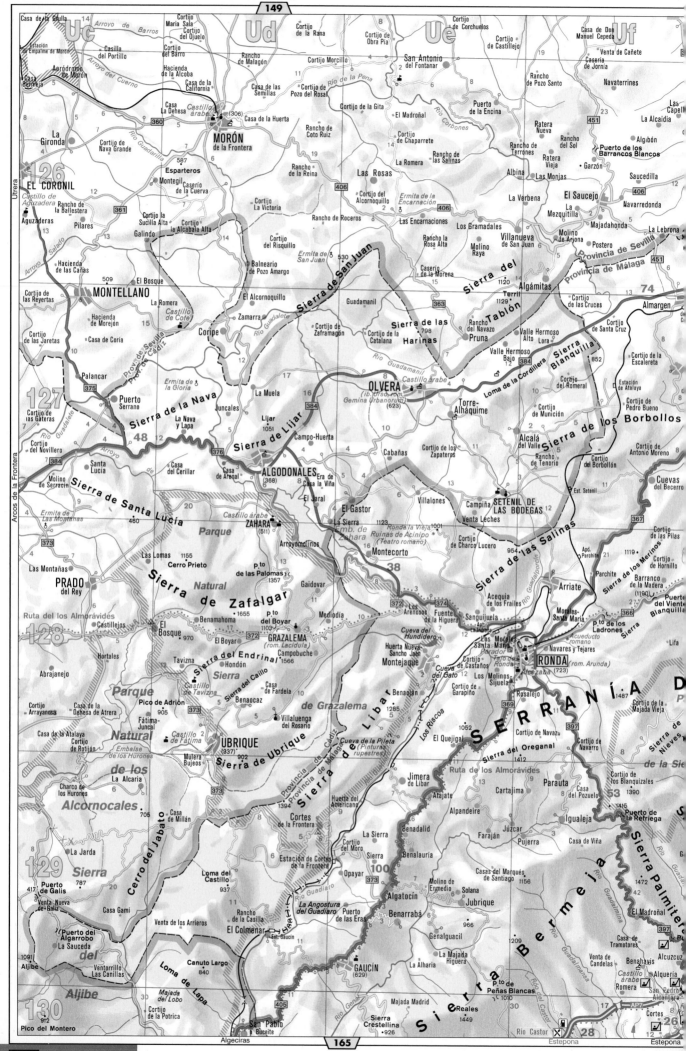

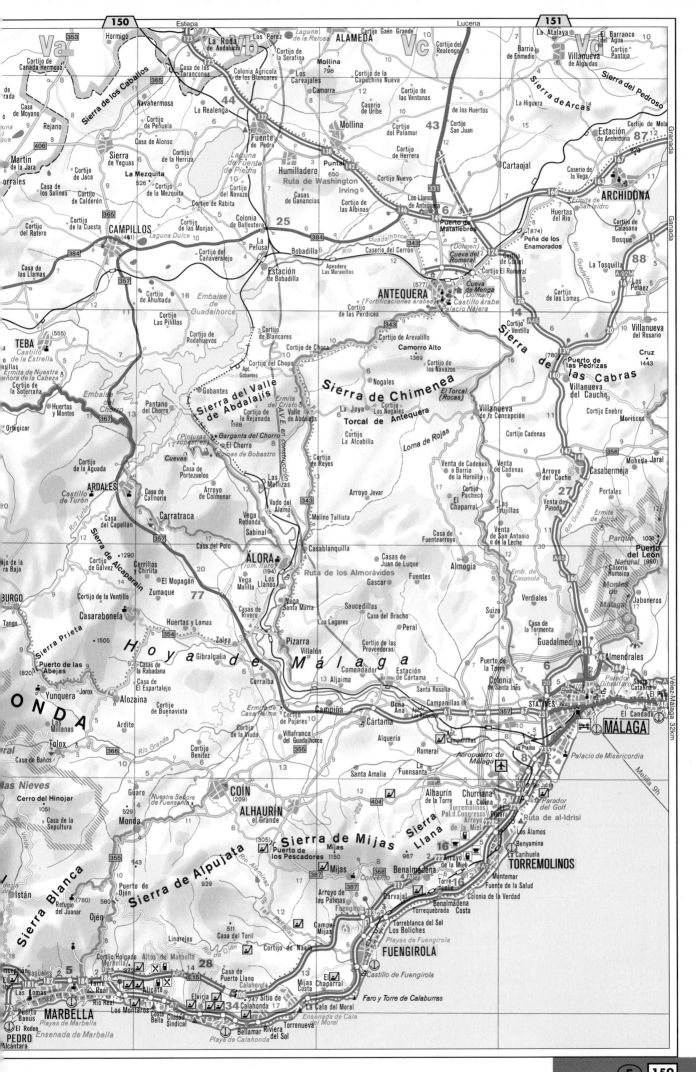

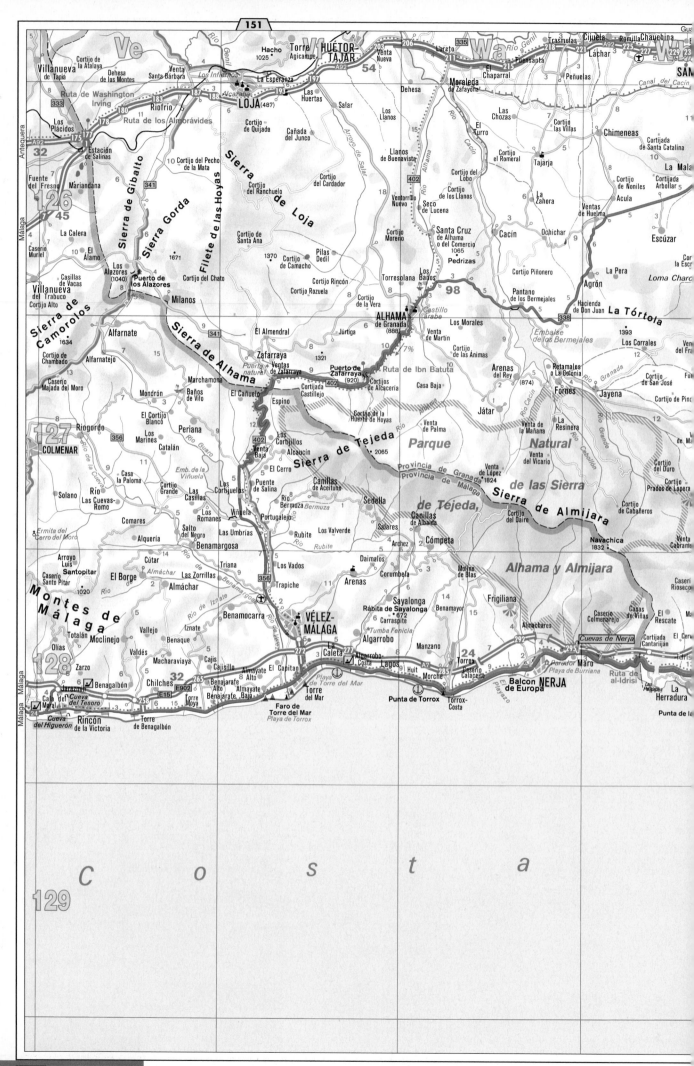

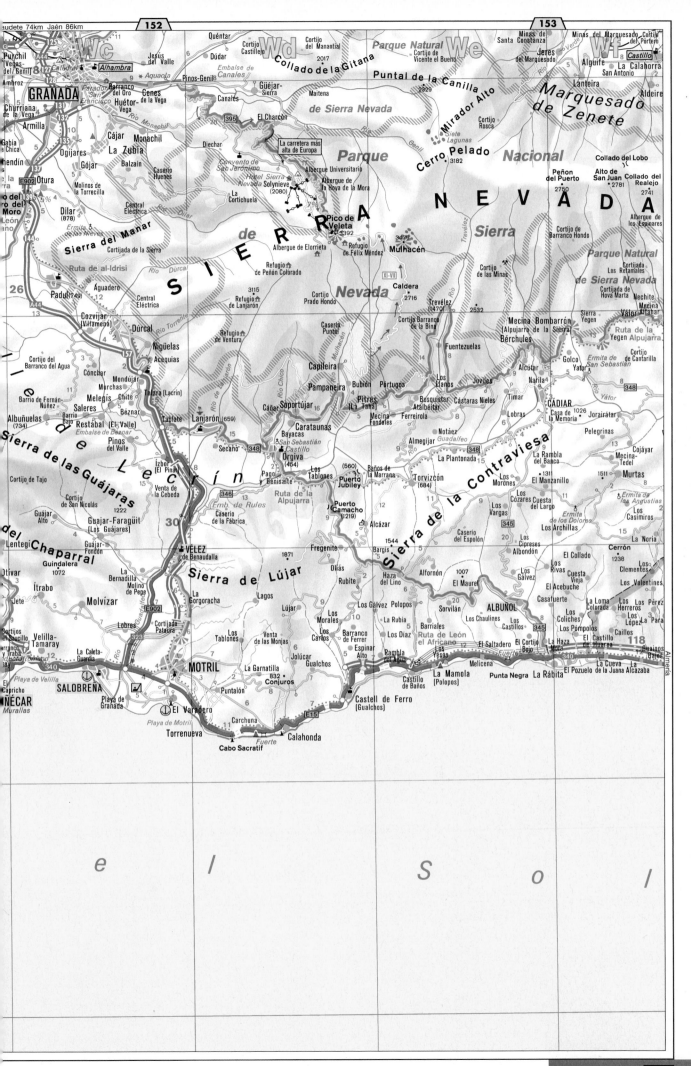

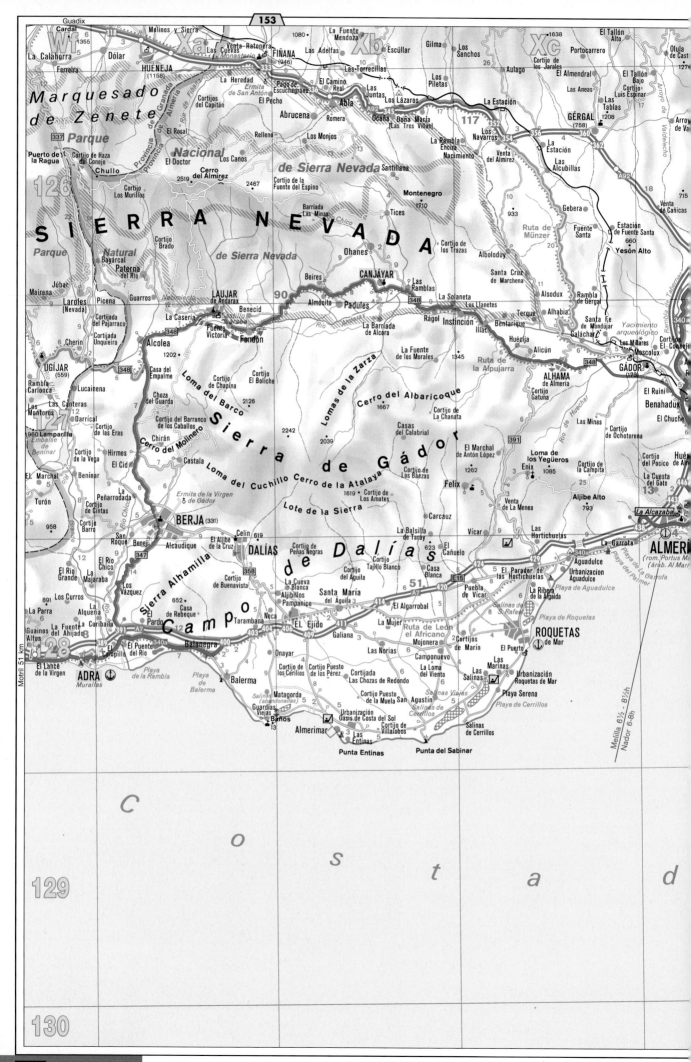

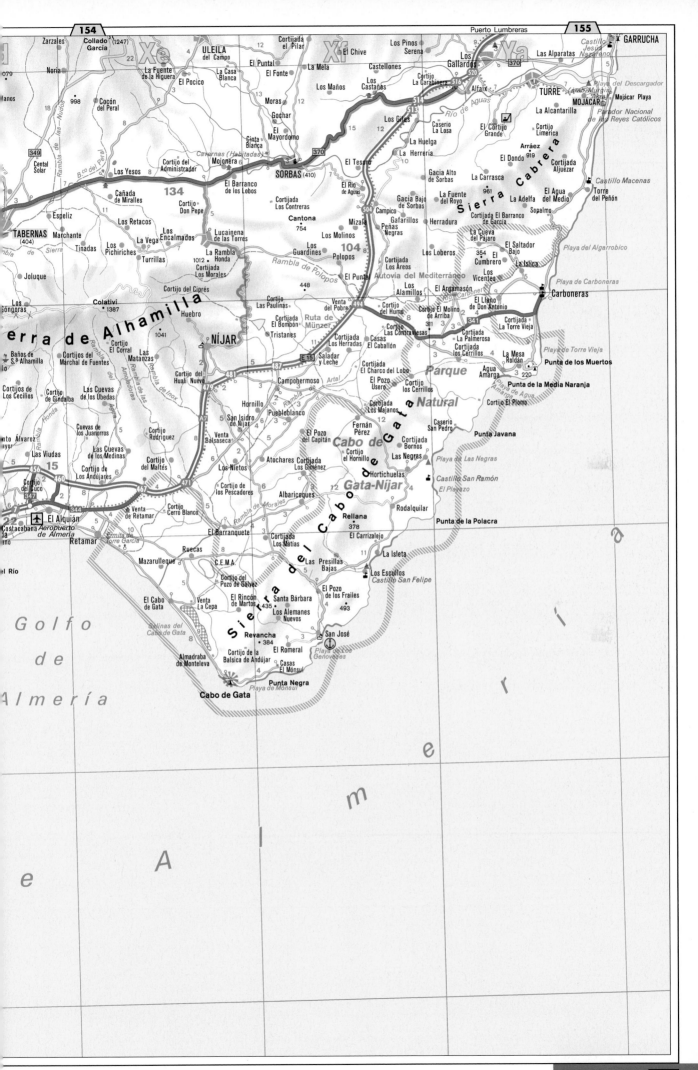

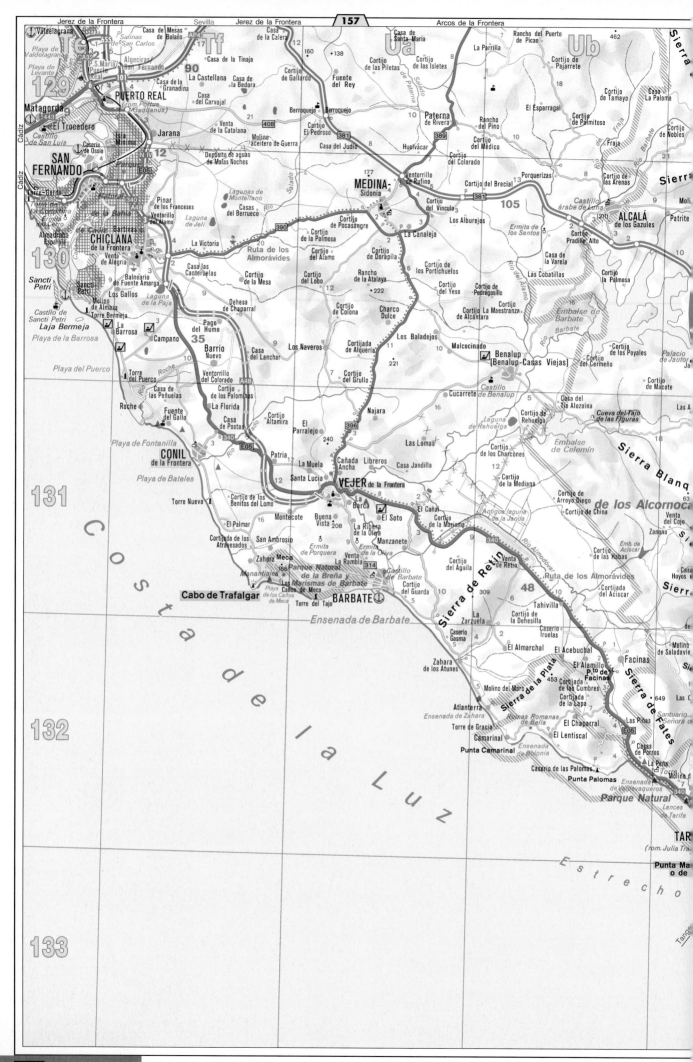

Valdelagrana
Playa de
Valdelagrana
Playa de
Levante
129
Matagorda
El Trocadero
Cádiz
Castillo de
San Luis
SAN
FERNANDO
Torre Gorda
Ermita del Cerro
La Cortadura
130
Sancti Petri
Almadraba Española
Castillo de
Sancti Petri
Laja Bermeja
Playa de la Barrosa
Playa del Puerco
Playa de Fontanilla
131
Playa de Bateles

Costa de la Luz

132

133

Algeciras/
San Fernando
P.S.María/
Puerto Real
PUERTO REAL
(rom. Portus Gaditanus)
Isla Mínima
Jarana
Casería de Ossio
CHICLANA
de la Frontera
Venta de Alegría
Balneario de Fuente Amarga
Los Gallos
Molino de Almaza
Torre Bermeja
La Barrosa
Campano
Pago del Humo
35
Barrio Nuevo
Casa del Lanchar
Torre del Puerco
Casa de las Peñuelas
Roche
Fuente del Gallo
Casa de Postas
CONIL
de la Frontera
Torre Nueva
El Palmar
Cortijada de los Atravesados
San Ambrosio
Montecote
Buena Vista
Zahora Meca
Manantiales
Cabo de Trafalgar
Playa de los Caños de Meca
Torre del Tajo

Casa de Mesas de Bolaños
La Castellana
Casa de la Granadina
Casa del Carvajal
Venta de la Catalana
Molino aceitero de Guerra
Pinar de los Franceses
Ventorrillo del Álamo
Casas del Berrueco
La Victoria
Casa las Canteruelas
Dehesa de Chaparral
Laguna de la Paja
Pago del Humo
Ventorrillo del Colorado
Cortijo de los Palomos
La Florida
Cortijo Altaira
El Parralejo
Patria
La Muela
Santa Lucía
Cortijo de los Benitos del Lomo
La Ribera de la Oliva
Ermita de Porquera
La Rambla
Castillo de Barbate
Cortijo del Guarda
BARBATE
Ensenada de Barbate

Casa de la Calera
Cortijo de Gallardo
Fuente del Rey
Berroquejo Berroquejo
Cortijo El Pedroso
Casa del Judío
Cortijo de Pocasangre
Cortijo de la Palmosa
Cortijo del Álamo
Cortijo del Lobo
Cortijo de Colona
Los Naveros
Cortijada de Alquería
Cortijo del Grullo
Nájara
El Soto
Libreros
Cañada Ancha
VEJER de la Frontera
La Barca
El Cañal
Cortijo de la Marisma
Manzanete
Venta de la Oliva
Casa Jandilla
Las Lomas

Casa de Santa María
Cortijo de las Piletas
Cortijo de los Isletes
Paterna de Rivera
Huelvácar
Ventorrillo de Rufino
MEDINA-Sidonia
Cortijo del Vínculo
La Canaleja
Los Alburejos
Cortijo de Dorapila
Rancho de la Atalaya
Charco Dulce
Los Baladejos
Malcocinado
Benalup
(Benalup-Casas Viejas)
Castillo de Benalup
Cucarrete
Cortijo del Águila

La Parrilla
Rancho del Puerto de Pico
Rancho del Pino
Cortijo del Médico
Cortijo del Colorado
Cortijo del Brecial
Cortijo de los Santos
Cortijo de los Portichuelos
Cortijo del Yeso
Cortijo La Maestranza de Alcántara
Cortijo de Pedregosillo
Laguna de Rehuelga
Cortijo de Rehuelga
Cortijo de los Charcones
Antigua laguna de la Janda
Cortijo de la Mediana
Embalse de Celemín
Cortijo de Arroyo Diego
Cortijo de China
Emb. de Aciscar
Cortijo de las Habas
Ruta de los Almorávides
Cortijada del Aciscar
Venta de Retín
Sierra de Retín
48
Tahivilla
La Zarzuela
Cortijo de la Dehesilla
Casa de la Zarzuela
Casa de la Zarzuela
Cortijo de Porquerizas

Cortijo de Tamayo
El Esparragal
Cortijo de Palmitoso
Fraja
ALCALÁ de los Gazules
Castillo árabe de Luna
105
Ermita de los Santos
Cortijo Pradillo Alto
Casa de la Varela
Las Cobatillas
Cortijo la Palmosa
Embalse de Barbate
Río Barbate
Cortijo de los Poyales
Cortijo del Cermeño
Cortijo de Macote
Cueva del Tajo de las Figuras
Casa del Tío Alozaina
Sierra Blanq.
de los Alcornoca
Venta del Cojo
Zanona
Cortijada de las Cumbres
Cortijada de la Lapa
El Chaparral
El Lentiscal
Las Piñas
Santuario de Señora
Casas de Porros
La Peña
Molino d
Parque Natural

Casa La Paloma
Cortijo de Nobles
Cortijo de las Arenas
Sierra
Moli
Patrite
Sierra
Las A
Palacio de Jautor
Ja
Sierra
Sierra
Facinas
P.to de Facinas
Sierra de Fates
Las C
Molino de Saladavieja
Sie
Molino d
TAR
(rom. Julia Tra
Punta Ma
o de
Estrecho
Punta Palomas
Ensenada de Valdevaqueros
Lances de Tarifa

El Almarchal
El Acebuchal
El Alamillo
Caserío Iruelas
Caserío Gasma
Caserío de las Palomas
Zahara de los Atunes
Molino del Moro
Atlanterra
Ensenada de Zahara
Torre de Gracia
Camarinal
Punta Camarinal
Ensenada de Bolonia
Ruinas Romanas de Bella

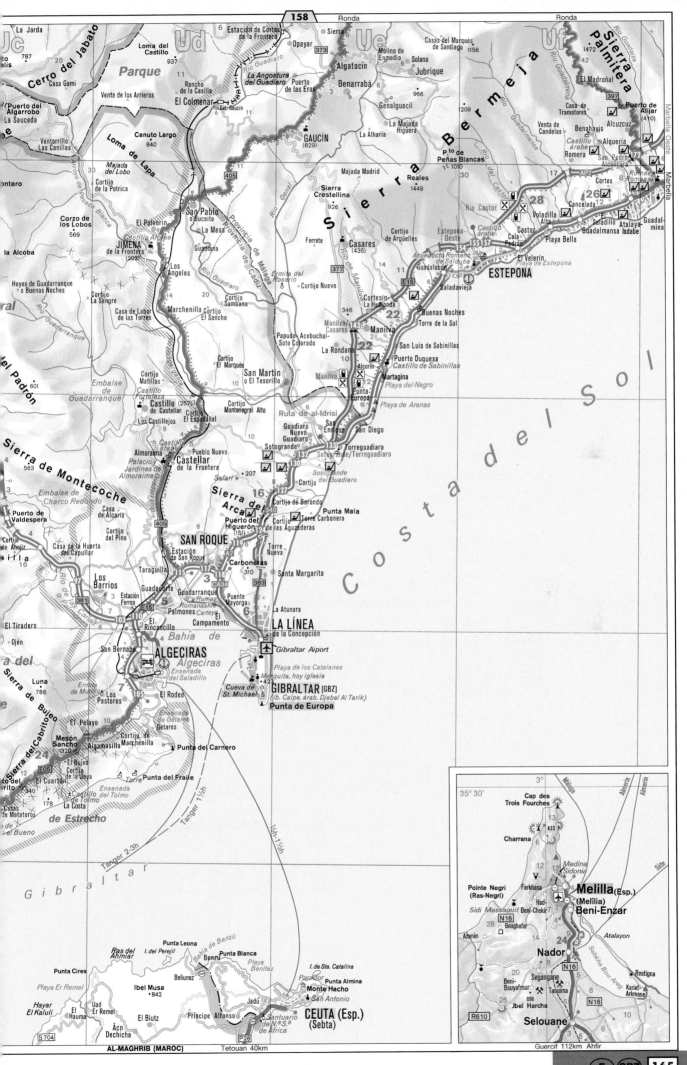

III

OCEANO ATLÂNTICO

ESPAÑA

Porto

PORTUGAL 40°

280 km

LISBOA

Açores (Port.)

Corvo
Flores
São Jorge
Graciosa
Terceira
Pico
São Miguel
Ponta Delgada
Santa Maria

520 km
New York
4100 km

1400 km

980 km

960 km

950 km

AR-RIBÂT

Madeira
(Port.) Funchal
Porto Santo
Ilhas Desertas

550 km

Ilhas Selvagens
(Madeira, Port.)

AL-MAGRHIB

Islas
Canarias
(España)
Santa
Cruz
de Tenerife
Las Palmas
de Gran Canaria

Rio de Janeiro
6800 km

AL JAZÂ'IR

MAWRÎ-
TANÎYAH

B

17°00'

O C E A N

A

17°10'

Baixa do Monis
Ilhéu Mole
Ponta do Tristão
Porto Moniz
Santa Madalena   Natação
Salão   Ilhéus da
Lamaceiros   Ribeira da Janela
1   Ribeira da Janela
Baixas do Furado   Achadas   Fajã das Contreiras
da Cruz
Ponta Alto
FajãNova   Ribeira Funda Cascata Fajã
32°50'   35 101   da Parreira   Seixal   Ponte Delgada
Cabo   Malbada
Lombada Velha   Fonte da Pedra   Fajã da Areia   Boa
Ponta do   Ribeira da Vaca   1022   Lombada
Pargo   Serrado   Pedreira   Chão da Ribeira
1   Pedregal   1241   101
Ponta do Pargo   Fonte do Barro   São Vicente   Falca de
Lombo   1066   Chão do Cedro   Terra Chã
Serra do Amparo   Pico Coentros   1511   Lombo   Lameiros   Achada da
Lombada   1225   Ramal   Achada do Cedro   Passo   Madeira
dos Marinheiros   1320   Parque Natural   1511   Lanço 104
101   Achada Grande   Ruivo do Paúl   Terça   Ginjas   Rosário
1193   25 Fontes   1640   Casa do Caramujo
Ponta   1016   110   Loural   Pico das
do Pesqueiro   Fajã da Ovelha   Malseira   Pico Gordo   Base N.W.   Estanquinhos   Vargem   228   Casado
223   Prazeres   210   1264   1421   208   Bica da Cana   Rocha Negra   1007 1725
2   Raposeira   Cascata do Risco   1405   Paul da Serra   1620   1299   Boca da
do Logarinho   Ribeira do Raposa   Rabaçal   Urze   Fonte do Juncal   Encumeada
Paul do Mar   211   9   1481 209   1595
Ponta Pequena   Casa do Lombo   110   Pousada dos   Pico Grand
52   do Mouro   Vinháticos   1657
Jardim do Mar   Estreito   Lombo da Estrela   19   Serra de Água
da Calheta   Lombo das Laranjeiras   Florencas   Pinheiro de Fora   Chão dos   Curral das F
222   Achada de Cª   Fajã Redonda   Terreiros
Ponta da Galé   Lombo do Brasil   Arco da   209   Pinheiro   1436   Terra Ch
Lombo   9   Calheta   Fontes   Achada
Calheta   do Doutor   Relógio do Poiso   104   Choro
Loreto   Lugar da Serra
Fajã do Mar   Lombada
Madalena do Mar   Canhas   de S. João
Lombada   Campanário   229
Ponta do Sol   Tabua
Ribeira   Quinta Grande   Caldeira
32°40'   Brava   Cabo Girão
3   Câmara de L

17°10'   17°00'

C   16°50'

Porto Santo   **II**

1:155.000

Ponta do Varadouro   Fonte da Areia   Baixa dos Barbeiros

Ilhéu de Ferro

Bárbara Gomes 227   Camacha

Eiras 176   Lapeiras   Pico do Castelo 437   Pico do Facho 517   Serra de Dentro   Ilhéu das Cenouras

Pico de Ana Ferreira 283   Tanque   Capela da Graça   Pico do Concelho 324

Ponta   Serra de Fora

Campo de Baixo   Pedras Pretas   Porto Santo (Vila Baleira)

Boqueirão de Baixo   Praia   Boqueirão de Cima

Ilhéu de Baixo ou da Cal   Funchal 1½h   Ilhéu de Cima

D   16°40'

A T L Â N T I C O

32°50'

Ponta de S. Jorge

São Jorge   Ponta de Santana
Cabaço da Quinta   101 9   Garnal   Faiac
Ribeira Funda   Santana
   219   Ponta do Clérigo

Madeira
km
1:155.000

Feiteiras   101   Faial
218   Eiras   Penha de Águia
Lombo de Baixo   590   Mazapes   Porto da Cruz
Casas das Queimadas   Lombo de Cima   103
Caldeirão Verde   Lombo Galego   Fontinha   Achadinha   Ponta do Espigão Amarelo
Achada do Teixeira 1407 1592   São Roque   Boca do Risco
Caldeirão do Inferno   Cruzinhas   217   Ponta do Bode   Ponta do Rosto
co Ruivo   Chiqueiros da Queimada   Achada do Cedro Gordo   108   Referta   Junqueira 101   Ponta de S. Lourenço   Ilhéu de Agostinho
co das Torres 1851   Lamaceiros   Portela 662   10   Ribeira Sêca   Castanho 589   Nataçao Prainha   Baía d' Abra
Fajã da Nogueira   14   109   Ponta das Gaivotas
Pico do Arieiro   Ribeiro Frio   21   8   Caniçal   Ilhéu do Farol
1818   Jardim   Fortaleza   Ponta do Altar
Cedro 1759   Balcões   103   João do Prado 1306   207   239   Machico   Ponta da Queimada
202   Poiso   202   Santo António da Serra   Matur
Madeira   1400   215   216   Covelopes 820   Roma   Água de Pena
Esteios 1346   103   203   Eira da Cruz   Cancela   João Frino   Aeroporto do Funchal   Ponta da Queimada
Pico Alto 1129   102   Aguas Mansas   Eiras   Ponta de S. Catarina
Barreira   Terceira da Luta   Achadinha   Fonte dos Almocreves   Safão   Santa Cruz
Laranjal   Verudas   201   206   Camacha   Torre Velha   Gaula   24
São Roque   Monte Choupana   Vale Paraíso   Levadas   32°40'
Santo António   Quinta do Palheiro Ferreiro   205   Tendeira   Porto Novo
Pico dos Barcelos 355   204   Assomada
Martinha   São Gonçalo   Caniço   101
Atlas   1   Reis Magos
FUNCHAL   Ponta da Oliveira
ta da Cruz   Ponta do Garajau
   Porto Santo 1½h

16°50'   16°40'

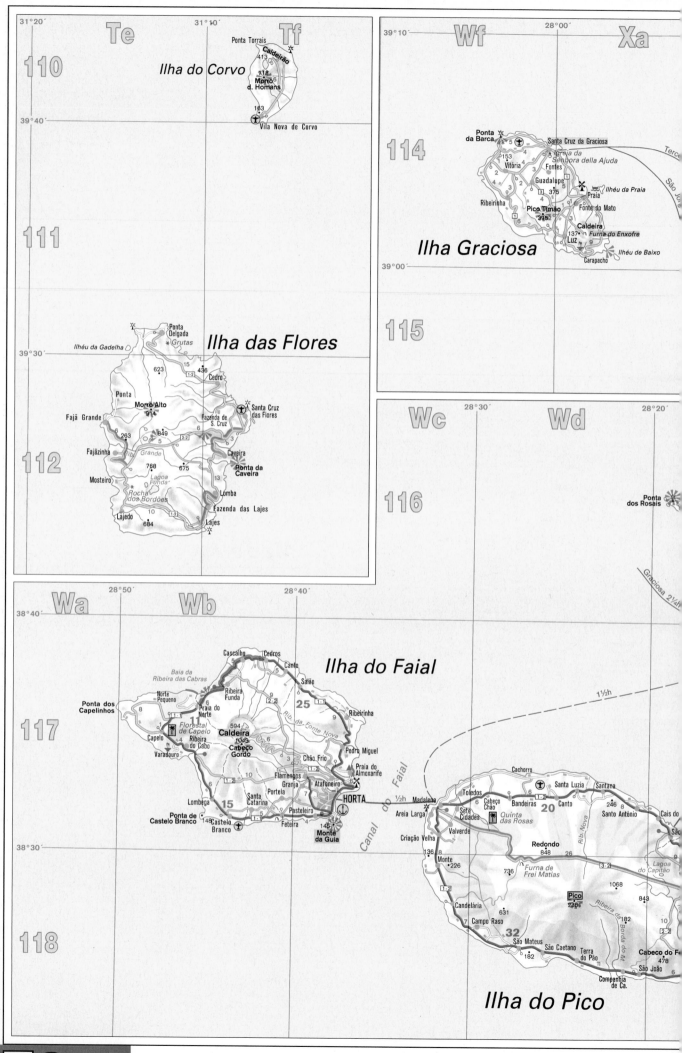

Te   31°10′   Tf

110

Ponta Torrais
Caldeirão
413
Ilha do Corvo
718
Morro
d. Homans

183
Vila Nova de Corvo

Wf   28°00′   Xa

114

Ponta
da Barca
Santa Cruz da Graciosa
153
Vitória
Igreja da
Senhora della Ajuda
Fontes
Guadalupe
375
Ilhéu da Praia
Pico Timão
398
Praia
Fonte do Mato
137
Luz
Caldeira
Furna do Enxofre
Ilhéu de Baixo
Carapacho

Ilha Graciosa

111

115

Ponta
Delgada
Grutas
Ilhéu da Gadelha
15
Ilha das Flores
623   436
Cedro
1-2
Ponta
Morro Alto
914
Fajã Grande
849
Fajã de
S. Cruz
Santa Cruz
das Flores
263
5
2-2
3
Fajãzinha
Ribª Grande
Caveira
768
675
13
Ponta da
Caveira
Mosteiro
Lagoa
Funda
Rocha
dos Bordões
Lomba
10
Fazenda das Lajes
Lajedo
684
1-2
Lajes

112

Wc   28°30′   Wd   28°20′

116

Ponta
dos Rosais

Graciosa 2¼h

Wa   28°50′   Wb   28°40′

38°40′

Baía da
Ribeira das Cabras
Cascalho
Cedros
Canto
5
Salão
Ilha do Faial
Norte
Pequeno
Ribeira
Funda
6
2-2
25
Ribeirinha
Ponta dos
Capelinhos
Praia do
Norte
1-1
1
9
Florestal
de Capelo
594
Capelo
Ribeira
do Cabo
Caldeira
1043
Cabeço
Gordo
6
3
Chão Frio
Varadouro
4
Pedro Miguel
10
Flamengos
Granja
Praia do
Almoxarife
1-2
Santa
Catarina
Portela
7
Atafoneiro
Lombega
15
Pasteleiro
HORTA
Ponta de
Castelo Branco
148
Castelo
Branco
Feteira
1-1
145
Monte
da Guia

117

Canal do Faial
½h
Madalena
Areia Larga
Criação Velha
136
Monte
226
Toledos
Cabeço
Chão
Cachorro
Bandeiras
Santa Luzia
Santana
Canto
246
Santo António
Sete
Cidades
Quinta
das Rosas
20
Valverde
Redondo
848
26
Furna de
Frei Matias
3-2
Lagoa
do Capitão
736
1068
1-2
843
Candelária
631
Pico
2351
Ribeira da Borda do M.
182
Campo Raso
32
10
São Mateus
2-2
São Caetano
Terra
do Pão
Cabeço do F
478
182
São João
Companhia
de Ca.

118

Ilha do Pico

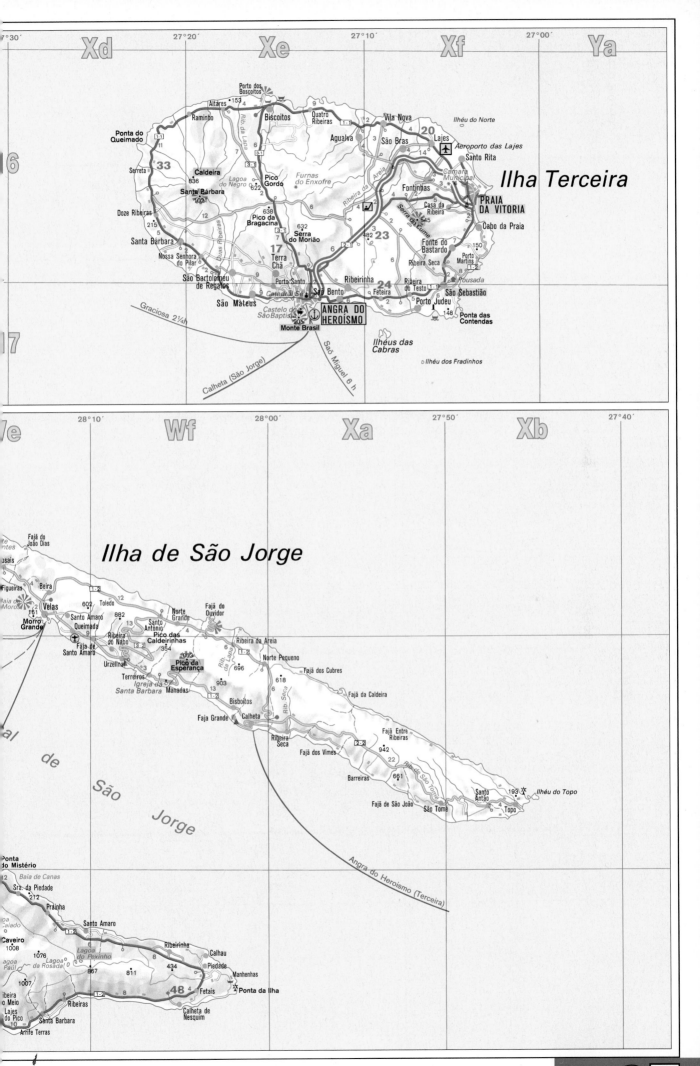

Ilha Terceira

Ilha de São Jorge

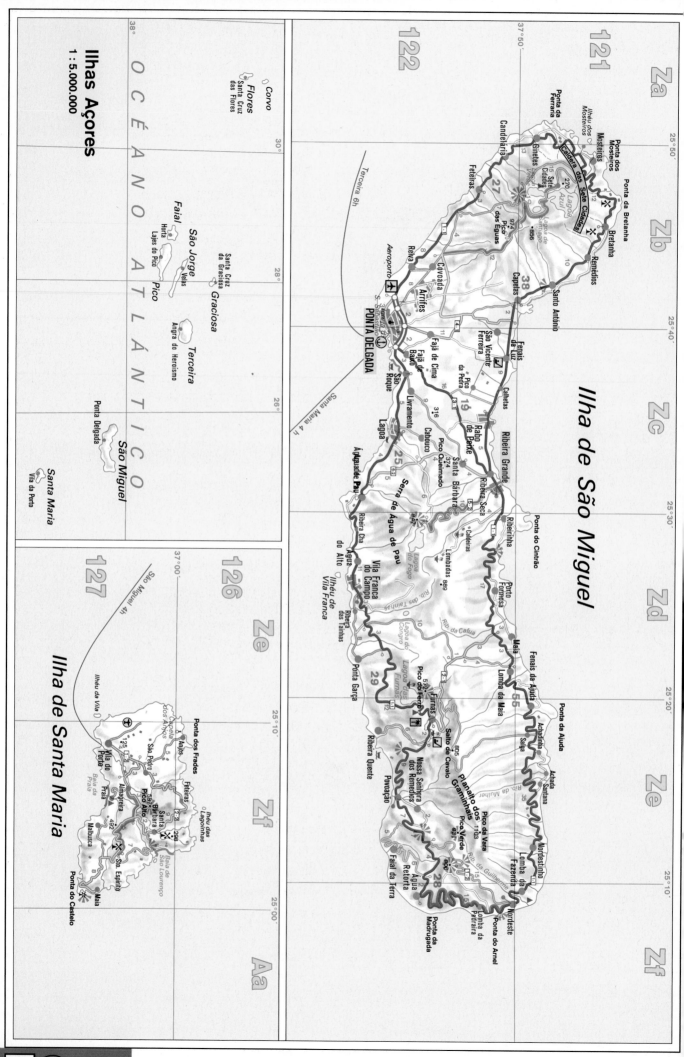

Ilha de São Miguel

Ilha de Santa Maria

Ilhas Açores

1 : 5.000.000

Corvo
Santa Cruz
das Flores

Flores

O C É A N O   A T L Â N T I C O

Faial
Horta
Lajes do Pico

São Jorge
Velas

Santa Cruz
da Graciosa

Graciosa

Pico

Angra do Heroísmo

Terceira

Ponta Delgada

São Miguel

Vila do Porto

Santa Maria

Islas Canarias

1:4 000 000

OCÉANO ATLÁNTICO

Ilhas Selvagens
(Port.)

La Palma
San Andrés
y Sauces
3423
Los Llanos ⊕ Santa Cruz
de Aridane de la Palma
Tenerife
Fuencaliente
de la Palma LA LAGUNA ⊕ SANTA CRUZ
Puerto de la Cruz DE TENERIFE
Garachico
Vallehermoso Santiago 3718·
d.T. P. de Teide
La Gomera 1487 San
Los LAS PALMAS
Cristianos DE GRAN CANARIA
San Nicolás 1949
Frontera de la Gomera 1501 San Bartolomé ⊕ Telde
Valverde de Tirajana
Hierro Taibique Maspalomas
Gran Canaria

Haría
Lanzarote
Playa Blanca ⊕ Arrecife
Tías
Corralejo
Fuerteventura
⊕ Puerto del Rosario
Tuineje
Gran Tarajal
Jandía Playa

Hassi-Onuz
235
El-Khaoula
Tarfaya AL - MAGRHIB
Sebkha Tah 256
275
Sebkha 115
Oumm El Haggounia G'Aydat
Debua Al
Western Sahara Ihoucha
Al-'Ayun Anakch
(Laâyoune)

La Palma

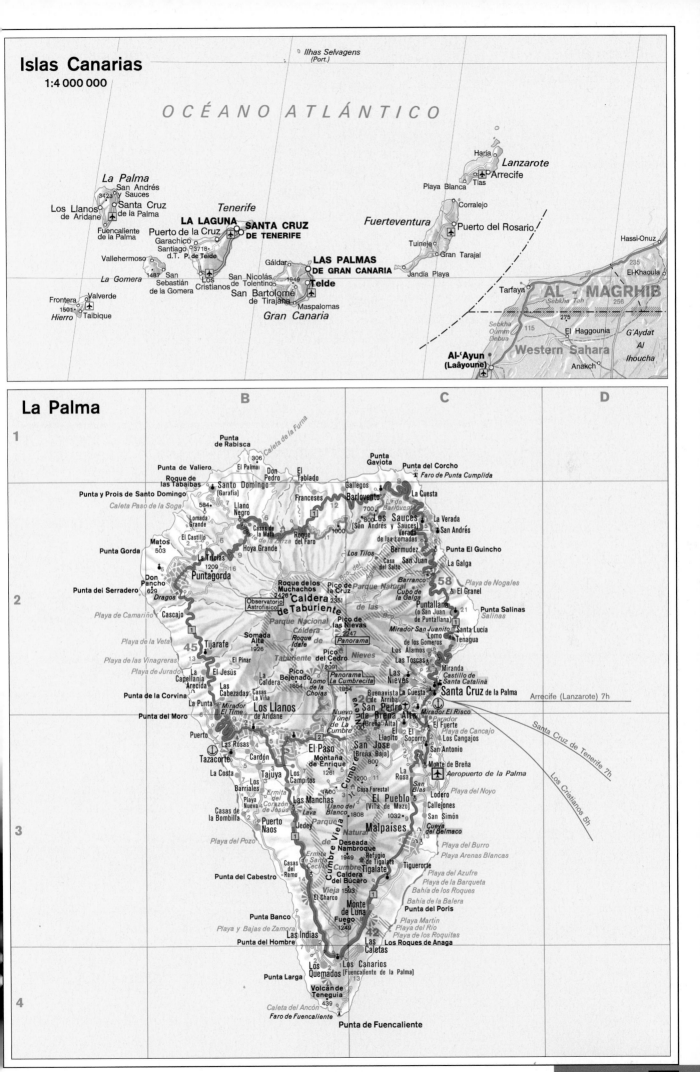

Punta
de Rabisca
Caleta de la Furna
Punta de Valiero 306
Roque de El Palmar Don El
las Tabaibas Pedro Tablado
Punta y Prois de Santo Domingo Santo Domingo
(Garafía) Punta Gaviota
Caleta Paso de la Soga 584· Llano Franceses Gallegos Punta del Corcho
Lomada Negro Faro de Punta Cumplida
Grande 12 Barlovento
El Castillo 2 6 Casas de Isla La Cuesta
Matos 503 la Mata Los Sauces de La Verada
Punta Gorda de la Zarza 700 (San Andrés y Sauces) Barlovento San Andrés
La Triolas 1209 16 Hoya Grande Roque 1000 Verada
Don Puntagorda del Faro de las Lomadas Punta El Guincho
Pancho 629 Los Tilos Bermudez San Juan La Galga
Punta del Serradero Dragos Roque de los Pico de Casa San Juan
Muchachos El Cubo de Barranco 58
2426 Cielo 2351 Parque Natural la Galga El Granel Playa de Nogales
Observatorio Caldera Puntallana Punta Salinas
Playa de Camariño Astrofísico de Taburiente de las (o San Juan Salinas
Cascajo Pico de de Puntallana) 21
45 Somada las Nieves Mirador San Juanito Santa Lucía
Playa de la Veta Tijarafe Alta 2247 Panorama Los Álamos Lomo Tenagua
1926 Roque de de los Gomeros
13 El Pinar Caldera Idafe Nieves Las Toscas
Playa de las Vinagreras Taburiente Pico Miranda
Playa de Jurado La El Jesús del Cedro Panorama Las Castillo de
Capellanía 2091 La Cumbrecita Nieves Santa Catalina
Arecida La Pico 1854 Buenavista La Cuesta
Punta de la Corvina Cabezadas Caldera Bejenado Lomo de Arriba Santa Cruz de la Palma
La Punta Las 1854 de la San Pedro Mirador El Risco
Mirador Cabezadas Choza (Breña Alta) Parador Arrecife (Lanzarote) 7h
Punta del Moro El Time Los Llanos 2 El El Playa de Cancajo
de Aridane Nuevo Llanito Fuerte Los Cangajos Santa Cruz de Tenerife 7h
Puerto Túnel Socorro
Las Rosas de La San José San Antonio
Cumbre (Breña Baja) Aeropuerto de la Palma Los Cristianos 5h
Tazacorte Cardón 2 Montaña La
de Enrique 800 Rosa Monte de Breña
La Costa 1261 San Playa del Noyo
Tajuya Los Casa Forestal Blas Lodero
Los Campitos 1400 El Pueblo Callejones
Barriales 11 Las Manchas (Villa de Mazo) San Simón
Playa Ermita Llano del Blanco 1032 Cueva
Casas de Nueva del Lava 1808 Malpaíses del Belmaco Playa del Burro
la Bombilla Corazón Jedey Parque Tiguerorte Playa Arenas Blancas
de Jesús Deseada Playa del Azufre
Puerto Natural Nambroque Playa de la Barqueta
Naos de 1949 Refugio Bahía de los Roques
Playa del Pozo Ermita de de Tigalate Caldera Bahía de la Balera
Santa Cecilia Cumbre Tigalate del Búcaro Punta del Poris
Casas Vieja 1593 Playa Martín
Punta del Cabestro del Remo El Charco Monte Playa del Río
de Luna Playa de los Roquitas
Fuego Los Roques de Anaga
Punta Banco 1249 Las
Playa y Bajas de Zamora Caletas
Las Indias Los Canarios
Punta del Hombre Los (Fuencaliente de la Palma)
Punta Larga Quemados 13
Volcán de
Teneguía
439
Caleta del Ancón
Faro de Fuencaliente Punta de Fuencaliente

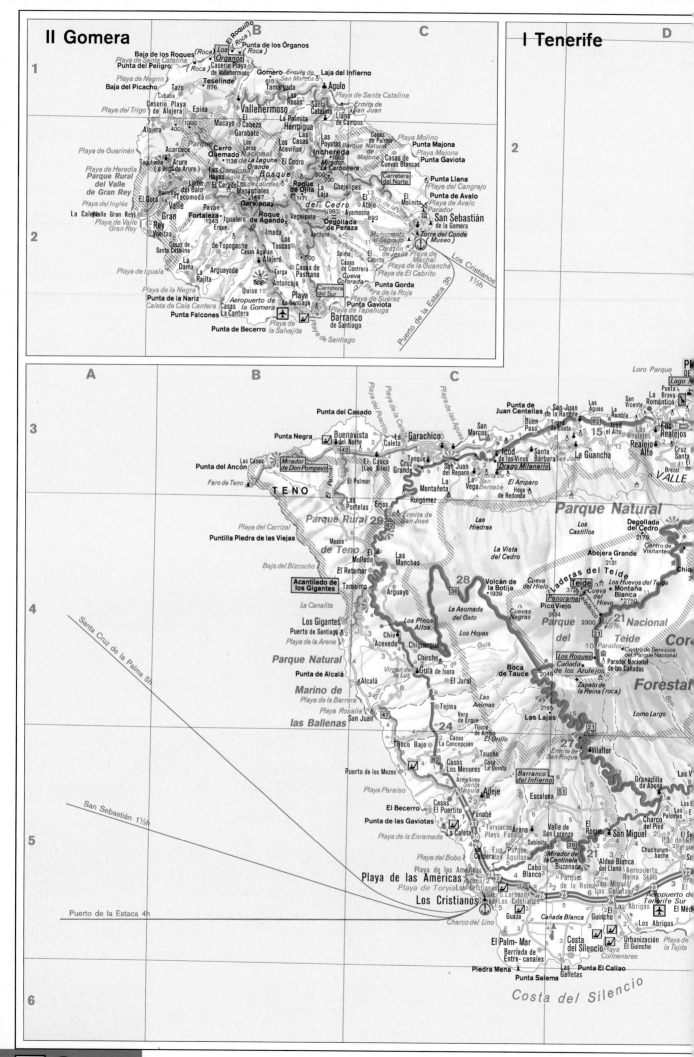

II Gomera

1

El Roquillo (Roca) **B**
Baja de los Roques (Roca) Los Punta de los Órganos (Roca)
Punta del Peligro Órganos
Playa de Santa Catalina Caserío Playa
de Vallehermoso Gomero Ermita de Laja del Infierno
Playa de Negrín Teselinde San Marcos
Baja del Picacho Tazo 615 Tamarguada Agulo
Cubaba 876 Las Santa Playa de Santa Catalina
Caserío Playa Rosas Catalina Ermita de
de Alojera Epina Vallehermoso El San Juan
Macayo La Palmita Llano
El Cabezo Hérmigua de Campos
Alpjera 1000 Garabato Las Casas de Palma Playa Molino
400 Cerro Los Los Acevinos Mirador Punta Majona
Playa de Guarinén Parque Quemado Loros Incheredo de Majona Playa Majona
Acardece 1136 La Laguna Las Poyatas La Carbonera Punta Gaviota
Taguluche Arure Nacional Grande El Cedro Parque Natural Casas
Parque Rural (u Vega de Arure) Las Garajonay Ermita 600 de de Cuevas Blancas
del Valle Hayas Bosque 700 Majona Punta Llana
de Gran Rey El Cerado Los de Lourdes Roque Carretera Playa del Cangrejo
Playa del Inglés Manantiales de Ojila del Norte Punta de Avalo
La Calet 1487 Chejelipes Playa de Avalo
Hornillo Garajonay del Cedro El Parador
Playa de Valle Lomo 1171 13 Molinito
Gran Rey El Goro del Balo Fortaleza Roque Bco.de la Villa San Sebastián
Valle Tecomodá 1243 de Agando 9 El Atajo 692 de la Gomera
Gran Pavón Igualero Vegaipala Ayamosna
Rey Vueltas Erque Imada Jerdune Monumento Torre del Conde
Casas de Los 11 el Sagrado Museo
Santa Catalina de Topogache Toscas Seima Corazón Playa de
La Casas Agalán Alajeró de Jesús Machal
Dama Arguayoda 500 Casas El Playa de la Guancha
de Pastrana Cabrito
La Casas Playa de El Cabrito
Playa de Iguala Rajita Targa de Contrera
800 Antoncojo Cueva Punta Gorda
Quise 15 Colorada Punta de la Roja
Punta de la Nariz Aeropuerto de Carretera Playa de Suárez
Caleta de Cala Cantera Casas la Gomera del Sur Punta Gaviota
Punta Falcones La Cantera Playa de Tapahuga
Barranco Playa de Santiago Los Cristianos
Punta de Becerro Playa de de Santiago 1½h
la Salvajita Playa de Santiago Puerto de la Estaca 3h

I Tenerife

C **D**

2

Loro Parque **P**
DE
Punta de Punta
Juan Centellas San Juan La La Brava
de la Rambla Aguas La Rambla La San Vicente
Punta del Casado San Buen Tierra Icod Romántica
3 Punta Negra La Marcos Paso de Costa El Alto Las Los
Buenavista Caleta Garachico 2 82 15 Realejos Realejos
Punta del Ancón del Norte Cruz Santa Icod Iglesia Cruz
42 Tanque Grande San Juan Bárbara de los Vinos de San José La Guancha Realejo Santa
Las Casas El Casco del Reparo Drago Milenario Alto El
Mirador (Los Silos) San Ermita de El Amparo VALLE
Faro de Teno de Don Pompeyo El Palmar La Montañeta San Bernabe Hoya Brezal
TENO Las Montañeta La de Redonda Parque Natural VALLE
Portelas Erjos Vega Degollada
Playa del Carrizal Parque Rural 29 Ruigómez Las del Cedro
Puntilla Piedra de las Viejas 82 Ermita de Hiedras Los 2179
Masca San José La Vista Castillos Centro de
Baja del Bízcocho de Teno Las del Cedro Abejera Grande Visitantes
El Manchas 2131
Acantilado de Moñedo 28 Volcán de Laderas del Teide
los Gigantes El Retamar La Botija Cueva Teide Los Huevos del Teide
Tamaimo 36 1939 del Hielo 3715 Montaña Chi
La Canalita Arguayo La Asomada Panorama Blanca
del Gato Pico Viejo Cueva 2750
4 Los Gigantes Chio del Hielo
Puerto de Santiago Acevedo Los Pinos Cuevas 3134 21 Nacional
Playa de la Arena Chiguergue Altos Negras Parque 2300 48% Teide
Chirche Las del Cor
Parque Natural Guía Hoyas Animas Los Roques Parador Centro de Servicios
Punta de Alcalá de Isora El Jaral Guía Cañada del Parque Nacional
Virgen Boca de los Azulejos de las Cañadas Forestal
Marino de de la Luz de Tauce Zapato de
Alcalá 2046 la Reina (roca)
Playa de la Barrera Tejina Las 2165 Lomo Largo
Playa Rosalía 47 Vera de Erque Lajas
las Ballenas San Juan Tijoce de Arriba 21
Tijoco Bajo 24 El Orillo 27
Casas Ermita de Vilaflor
Puerto de los Mozos La Concepción Taucho San Roque
82 Casas Casas Barranco Granadilla
Los Menores La Quinta del Infierno de Abona
Playa Paraíso Armeñime 51 Las V
Santa Las
El Becerro Casas Úrsula Escalona Palomas
Punta de las Gaviotas El Puertito Adeje Charco
Fañabé El Valle de del Pino Las
Playa de la Enramada La Caleta 31 Torviscas El Roque San Miguel Galletas
30 Arona San Lorenzo Chuchurum- El
Playa del Bobo Las Calderas Playa Fanabé Sabinita Mirador de Buzanada bache Aeropuerto
28 S. Eug. Parque la Centinela 21 Reina Sofía
Playa de las Américas Aroma 27 Aguilas Cabo Parque Aldea Blanca El
Playa de Toryia Los Cristianos El Blanco de la Reina del Llano Aeropuerto de
Valle S.Lorenzo Las Galletas Tenerife Sur
5 Los Cristianos S.Lorenzo 26 25 24 El Médano
Santa Cruz de la Palma 5h Guaza El El Abrigos Los Abrigos
Charco del Lino Guincho
El Palm- Mar Cañada Blanca Urbanización Playa de
El Guincho la Tejita
San Sebastián 1½h Barriada de Costa Colmenares
Entre- canales del Silencio Playa
Las
Piedra Mena Galletas
Puerto de la Estaca 4h Punta Salema Punta El Callao

6 Costa del Silencio

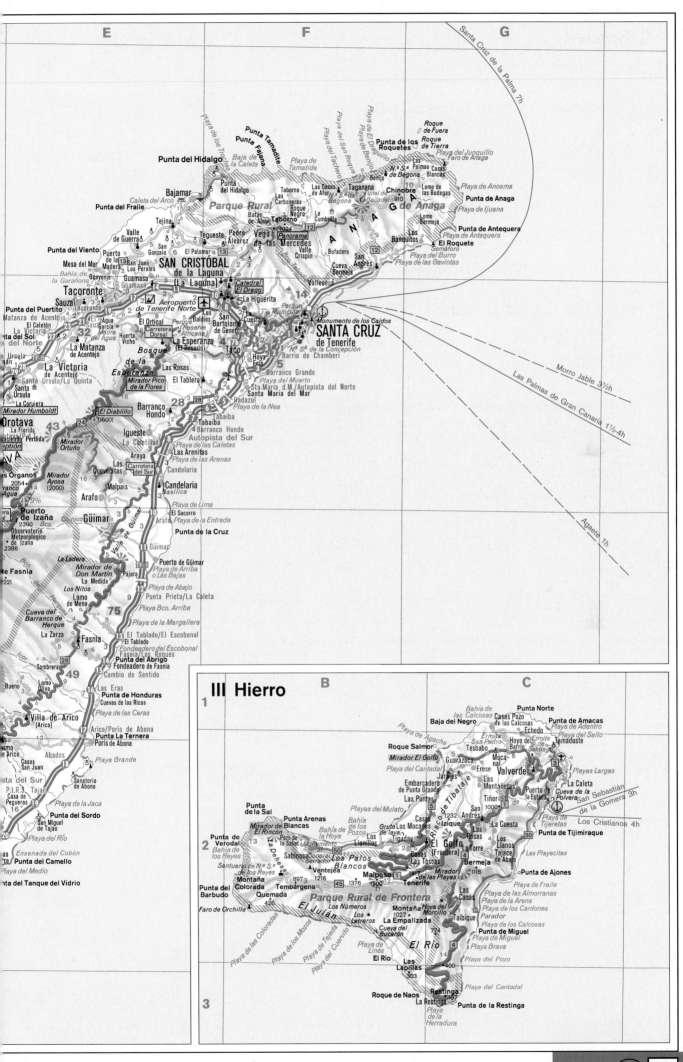

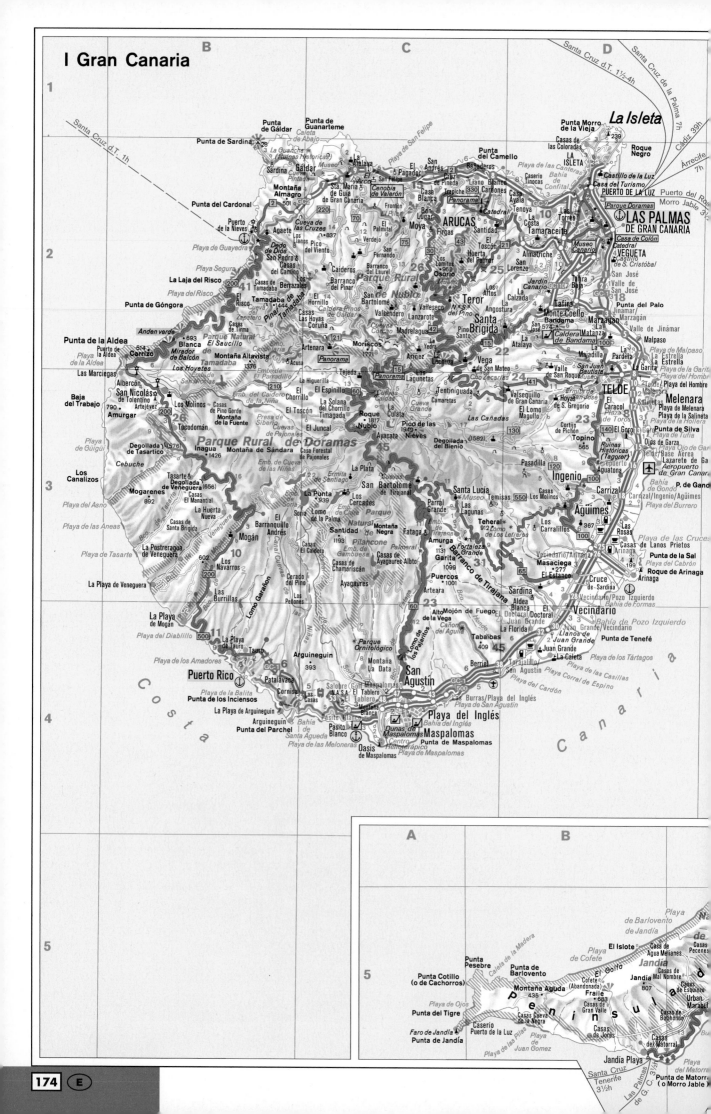

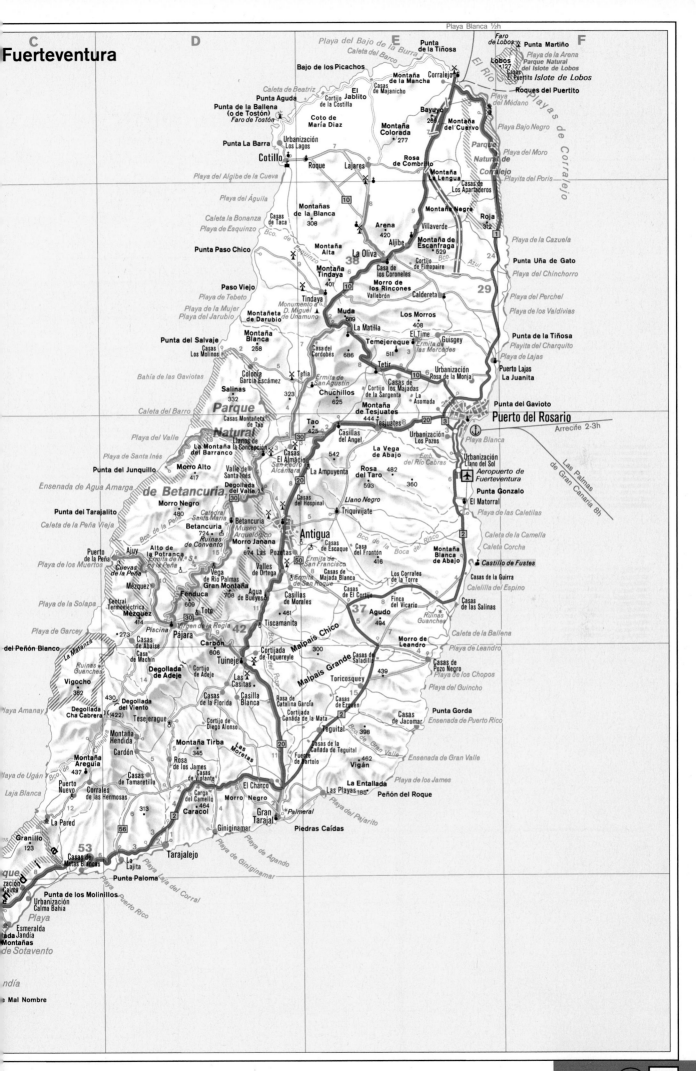

Fuerteventura

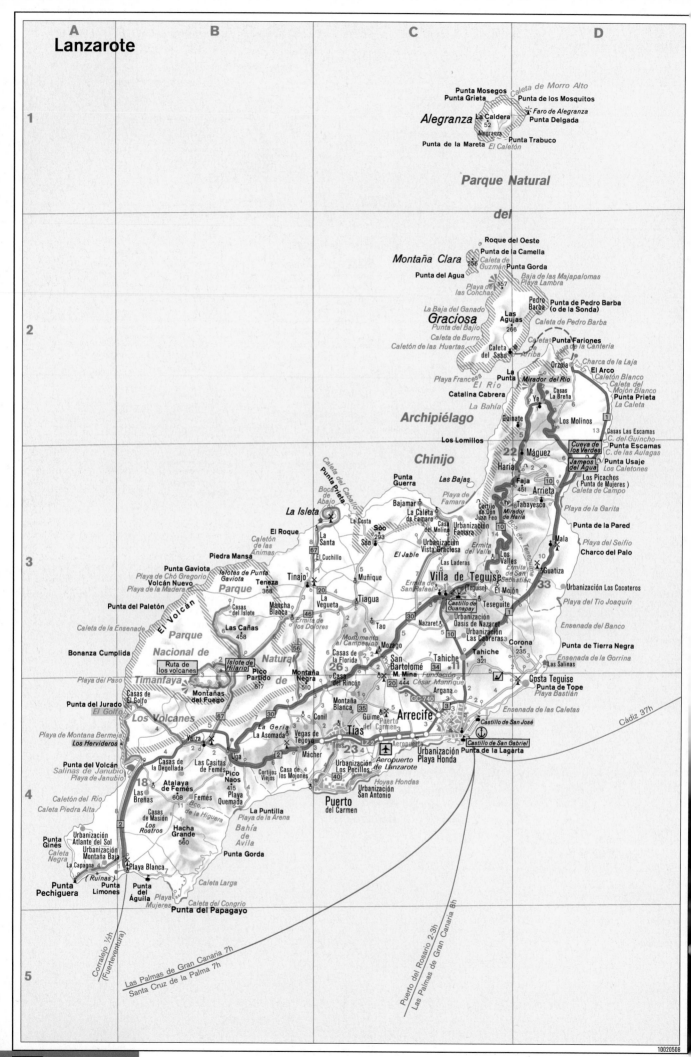

Lanzarote

A

B

C

D

1

Punta Mosegos
Punta Grieta
Caleta de Morro Alto
Punta de los Mosquitos
Faro de Alegranza
Alegranza La Caldera
52
Punta Delgada
Alegranza
Punta Trabuco
Punta de la Mareta
El Caletón

Parque Natural

del

2

Roque del Oeste
Montaña Clara Punta de la Camella
256 *Caleta de Guzmán*
Punta Gorda
Punta del Agua
Baja de las Majapalomas
Playa de las Conchas 157
Playa Lambra
La Baja del Ganado
Pedro Barba
Punta de Pedro Barba (o de la Sonda)
Graciosa Las Agujas
266
Caleta de Pedro Barba
Punta del Bajío
Caleta de Burro
Punta Fariones
ya de la Cantería
Caletón de las Huertas
Caleta de Arriba
Orzola
Charca de la Laja
El Arco
Caleta del Seba
Caletón Blanco
Playa Francesa La Punta
Caleta del Mojón Blanco
El Río Mirador del Río
Casas La Breña
Punta Prieta
Catalina Cabrera
La Bahía
Ye
La Caleta
Guinate
Los Molinos
Archipiélago 5
13 Casas Las Escamas
C. del Guincho
Los Lomillos
22 Máguez
Cueva de los Verdes
Punta Escamas
C. de las Aulagas
Chinijo
Haría
Jameos del Agua
Punta Usaje
2
Faja
Los Caletones
Punta Guerra
451
Los Picachos (Punta de Mujeres)
Las Bajas
Arrieta
10
Caleta de Campo
Bajamar
Playa de Famara
Cortijo de Don Juan Feo
Tabayesco
Playa de la Garita
La Caleta de Famara
Mirador de Haría
La Costa
Casa del Molino
Urbanización Famara
Punta de la Pared
Mala
Playa del Seifio
El Roque
Sòo
Urbanización Vista Graciosa
Ermita del Valle
Los Valles
10
Charco del Palo
293
Sòo
Ermita de San Sebastián
14
Piedra Mansa
El Jable
Las Laderas
10 Guatiza
3
Playa de Chó Gregorio
Punta Gaviota
Islotes de Punta Gaviota
Tinajo
Ermita de San Rafael
Villa de Teguise
33
Urbanización Los Cocoteros
Volcán Nuevo
Playa de la Madera
Teneza
368
[Teguise]
Parque
La Vegueta
Tiagua
El Mojón
Teseguite
Playa del Tío Joaquín
Punta del Paletón
20
Muñique
Tao
Caleta de la Ensenada
Casas del Islote
Mancha Blanca
46
Nazaret
Urbanización Oasis de Nazaret
Ensenada del Banco
El Volcán
Las Cañas
458
Ermita de los Dolores
La Vegueta
Urbanización Las Cabreras
Parque
Nacional de
Natural
Monumento al Campesino
Mozago
30
Corona
235
Punta de Tierra Negra
Bonanza Cumplida
Casas de la Florida
26 San Bartolomé
Tahiche
10
Tahiche
321
Ensenada de la Gorrina
Playa del Paso
Islote de Hilario
Pico Partido
517
Montaña Negra
510
Casa del Rincón
11
34 M. Mina
Fundación César Manrique
444
Las Salinas
Costa Teguise
Timanfaya
Montañas del Fuego
Montaña Blanca
35
20
Argana
Punta de Tope
Playa Bastián
Punta del Jurado
El Golfo
Conil
GC-740
Arrecife
3
Ensenada de las Caletas
Cádiz 37h
Los Volcanes
La Geria
Güíme
Puerto del Carmen
Castillo de San José
Playa de Montana Bermeja
Vegas de Tegoya
Tías
Castillo de San Gabriel
Los Hervideros
Yaiza
La Asomada
23 Aeropuerto
Urbanización Playa Honda
Uga
Mácher
Aeropuerto de Lanzarote
Punta de la Lagarta
Punta del Volcán
Casas de la Degollada
Las Casitas de Femés
Pico Naos
Cortijos Viejos
Casa de los Mojones
Urbanización Los Pocillos
Salinas de Janubio
415
40
Hoyas Hondas
Playa de Janubio
18 Atalaya de Femés
Femés
Playa Quemada
Urbanización San Antonio
4
Las Breñas
608
11
Bco. de la Higuera
Puerto del Carmen
Caletón del Río
Casas de Masión Los Rostros
La Puntilla
Playa de la Arena
Caleta Piedra Alta
Hacha Grande
560
Bahía de Ávila
Punta Ginés
Urbanización Atlante del Sol
Urbanización Montaña Baja
Punta Gorda
Caleta Negra
La Capagna
(Ruinas)
Playa Blanca
Punta del Águila
Punta Limones
Playa Mujeres
Punta Pechiguera
Caleta Larga
Punta del Papagayo
Caleta del Congrio

5

Corralejo 1/2h (Fuerteventura)
Las Palmas de Gran Canaria 7h
Santa Cruz de la Palma 7h
Puerto del Rosario 2-3h
Las Palmas de Gran Canaria 8h

10020508

Índice · Índex · Índice · Aurkibidea · Índice
Namenverzeichnis · Index · Elenco

ⓔ (Castellano) Instrucciones para su uso

El índice alfabético de topónimos incluye, sin abreviaturas, cuantos topónimos figuran en los mapas.

Los topónimos de geografía física aparecen precedidos de los signos ≈ (ríos, lagos, embalses, mares, etc.), o ▲ (montes, cordilleras, islas, comarcas, etc.). Los puntos de especial interés para el visitante (palacios, castillos, ruinas, cascadas, desfiladeros, etc.), figuran en el índice precedidos del signo ☆.

Detrás de cada nombre figura la abreviatura de la provincia española, del distrito portugués o, en su caso, el distintivo nacional para automóviles de Andorra (AND) o de Gibraltar (GBZ). Siguen a continuación el número de la página, las coordenadas de la cuadrícula y, cuando se trata de una población, el código postal. Si una población tiene asignados varios códigos postales, se incluye el menor precedido de un asterisco (*).

Ver relación de abreviaturas y ejemplos al final de estas instrucciones.

ⓔ (Català) Instruccions per al seu ús

L'índex alfabètic de topònims inclou, sense abreviatures, tots els topònims que apareixen als mapes.

Els topònims de geografia física surten precedits del signe ≈ (rius, llacs, pantans, mars, etc.), o ▲ (muntanyes, serralades, illes, comarques, etc.).

Els punts d'especial interès per al visitant (palaus, castells, ruïnes, congostos, etc.) hi són amb el símbol ☆ davant.

Al darrera de cada nom hi ha la abreviatura de la província espanyola, del districte portuguès o, si és el cas, el distintiu nacional per a automòbils d'Andorra (AND) o de Gibraltar (GBZ). Segueixen a continuació el número de la pàgina, les coordenades de la quadrícula i, quan es tracta d'una població, el codi postal. Si la població disposa de més d'un codi postal, el que s'inclou és el més petit amb un asterisc (*) al davant.

Vegeu la relació d'abreviatures i exemples al final d'aquestes instruccions.

ⓔ (Galego) Instruccións para o seu uso

O índice alfabético dos topónimos inclúe, sen abreviacións, cantos topónimos figuran nos mapas.

Os topónimos de xeografía física aparecen precedidos dos signos ≈ (ríos, lagos, encoros, mares, etc.), ou ▲ (montes, serras, illas, bisbarras, etc.). Os puntos de especial interés para o visitante (pazos, castelos, ruinas, cervenzas, desfiladeiros, etc.), figuran no índice precedidos do signo ☆.

Despois de cada nome vai a abreviatura da provincia española, do distrito portugués, ou, no seu caso, o indicativo nacional para os automóbiles de Andorra (AND) e de Xibraltar (GBZ), seguen logo o número da páxina, as coordenadas da cuadrícula e, cando se trata dunha poboación, o código postal. Se a poboación dispón de máis dun código postal, o que se inclúe é o mais pequeno, cun asterisco (*) diante.

Véxase relación de abreviaturas e exemplos ó remate destas instruccións.

ⓔ (Euskera) Erabilera

Tokizenen aurkibide alfabetikoak barne ditu, laburdura gabe, mapetan azaltzen diren hainbat tokizen.

Fisik geografiako tokizenak honako ezaugarriak aurretik dituztelarik azaltzen dira ≈ (hibaiak, lakuak, urtegiak, itsasoak eta abar), edo ▲ (mendiak, mendikateak, irlak, bailarak eta abar).

Bisitariarentzat bereziki ikusgarri diren lekuak ☆ dute aurretik aurkibidean (jauregiak, gazteluak, ormatzarrak, urjauziak, haizpitarteak eta abar).

Izen bakoitzaren atzean Espainiako probintzia eta Portugaleko barrutiaren laburdura agertzen da. Kasua denean kotxentzako bereizgarri nazional, hau da, Andorra (AND) eta Gibraltar (GBZ). Jarraian orrialdearen zenbakia, laukiaren koordinatuak eta herria denean posta kodea. Herri bati kode bat baino gehiago baldin badagokio txikiena agertzen da aurretik izartxo (*) bat duelarik.

Erabilera honen bukaeran eta adibideak ikusi laburduren zerrenda.

ⓟ Instruções para seu uso

O índice alfabético de topónimos inclui, sem abreviaturas, todos os topónimos que figuram nos mapas.

Os topónimos de geografia física aparecem precedidos de um dos sinais ≈ (rios, lagos, barragens, mares, etc.), ou ▲ (montes, cordilheiras, ilhas, comarcas, etc.).

Os pontos de especial interesse para o visitante (palácios, castelos, ruínas, cascatas, desfiladeiros, etc.), figuram no índice precedidos do sinal ☆.

Depois de cada nome aparece a abreviatura da província espanhola, do distrito português ou, nos casos de Andorra (AND) e Gibraltar (GBZ), o distintivo nacional para automóveis. Segue-se o número de página, as coordenadas da quadrícula e, quando se tratar de uma povoação, o código postal. E uma povoação tiver atribuídos vários códigos postais, incluir-se-á o menor precedido de um asterisco (*).

Ver relação de abreviaturas e examplos no fim destas instruçõs.

ⓓ Benutzungshinweise

Das alphabetische Namenverzeichnis umfasst alle Ortsnamen in ungekürzter Form, die in den Karten vorkommen.

Flüsse, Seen, Stauseen, Meere usw. erscheinen mit dem vorangestellten Zeichen ≈. Berge, Gebirge, Inseln usw. erscheinen mit dem vorangestellten Zeichen ▲.

Objekte von besonderem Interesse, wie etwa Schlösser, Burgen, Ruinen, Wasserfälle usw. sind durch das vorangestellte Zeichen ☆ kenntlich gemacht.

Hinter jedem Namen steht die Abkürzung der spanischen Provinz oder des portugiesischen Distrikts, bzw. das Autokennzeichen von Andorra (AND) und Gibraltar (GBZ). Es folgen die Seitenzahl und das Suchfeld, sowie die postalische Angabe bei Ortsnamen. Hat ein Ort mehrere Postleitzahlen, so ist die niedrigste Postleitzahl mit einem vorangestellten * aufgeführt.

Abkürzungsverzeichnis und Suchbeispiele stehen im Anschluss an diese Erklärung.

ⒼⒷ Instructions for use

The alphabetical index of place-names includes, without abbreviation, as many place-names as found on the map.

The place-names of physical geographical features are preceded by the symbol ≈ (rivers, lakes, reservoires, seas, etc.), or ▲ (mountains, mountain ranges, islands, regions, etc.).

Places of special interest to the visitor (palaces, castles, ruins, waterfalls, narrow passes, etc.), appear in the index preceded by the symbol ☆.

Each name is followed by the abbreviation of the Spanish province or the Portguese district and/or the country code plate of Andorra (AND) and Gibraltar (GBZ). The page number and the location-field follows as well as the postal information regarding the place names.

If one location has several postal codes, then the lowest postal code number is indicated by a * in front of it.

See list of abbreviations and examples at the end of these instructions.

Ⓘ Istruzioni per l'uso

L'indice alfabetico dei nomi di luogo comprende, senza abbreviazioni, tutti i nomi di luogo che figurano nelle cartine.

I nomi di geografia fisica appaiono preceduti dai segni ≈ (fiumi, laghi, laghi artificiali, mari, ecc.) o ▲ (monti, catene, isole, circoscrizioni, ecc.).

I luoghi che hanno uno speciale interesse (palazzi, castelli, rovine, cascate, passi, ecc.) nell'indice sono preceduti dal segno ☆.

Dopo ogni nome viene indicata rispettivamente l'abbreviazione delle province spagnole, dei distretti portoghesi o delle targhe automobilistiche di Andorra (AND) e Gibraltar (GBZ). Seguono il numero di pagina e del riquadro nel quale si trova il nome, poi il codice di avviamento postale del comune stesso. Nel caso in cui un comune abbia più di un codice postale, il codice principale viene elencato contrassegnato da un *.

Vedere la relazione di abbreviazioni ed esempi alla fine di queste istruzioni.

Index · Register · Skorowidz nazw · Rejstřík
Névmutató · Indeks · Register

Ⓕ Mode d'emploi

Cet index comprend tous les noms – non abrégés – cités dans les cartes.
Les noms de la géographie physique sont précédés par les symboles ≈ (fleuves et rivières, lacs, lacs de barrage, mers, etc.), ou ▲ (montagnes, chaînes, îles, contrées, etc.).
Les lieux spécialement intéressants (palais, châteaux, ruines, cascades, gorges, etc.) sont à l'index avec le symbole ☆ devant.
Après chaque nom est indiquée l'abréviation de la province espagnole ou du district portugais ainsi que l'abréviation de la plaque numéralogique de l'Andorre (AND) et de Gibraltar (GBZ). Viennent ensuite la numération des pages, les domaines de recherche ainsi que les codes postaux lorsqu'il s'agit de communes. Si une commune possède plusieurs codes postaux, un astérisque * apparaît avant l'indication du premier code postal.
La liste des abréviations et exemples se trouve à la fin de ces instructions.

Ⓝⓛ Gebruiksaanwijzing

De alfabetische index van de plaatsnamen bevat zonder afkortingen alle namen van de plaatsen die op de kaarten voorkomen.
De plaatsnamen van de phisische aardrijkskunde worden voorafgegaan door het teken ≈ (rivieren, meren, stuuwdammen, zeeën, enz.) of door ▲ (bergen, bergketens, eilanden, landstreken, enz.).
De punten die van speciaal belang voor de bezoeker zijn (palijzen, kastelen, ruines, watervallen, ravijnen, enz.) zijn aangeduid met het teken ☆.
Achter elke naam staat de afkorting van de Spaanse provincie of het Portugees district, bijvoorbeeld het autokenteken van Andorra (AND) en Gibraltar (GBZ). Vervolgens de bladzijde en de overeenkomstige ruit, alsmede de post betreffende vermelding van den plaatsnamen.
Heeft een plaats meerdere postcodes, dan is de laagste postcode met een voorafgaande * opgegeven.
Zie de lijst van de afkortingen en de voorbeelden aan het einde van deze gebruiksaanwijzing.

Ⓟⓛ Wskazówki dla użytkownika

Alfabetyczny indeks nazw obejmuje nazwy wszystkich miast i gmin oznaczonych na mapie. Wszystkie nazwy podane są w ich zupełnym brzmieniu.
Znak: ≈ umieszczono przed nazwami rzek, jezior, zbiorników retencyjnych, mórz itp.
Oznakowanie: ▲ umieszczono przed nazwami szczytów i pasm górskich, wysp itp.
Znakiem: ☆ oznaczono obiekty szczególnie atrakcyjne turystycznie, jak zamki, fortece, ruiny, wodospady itp.
Za każdą nazwą umieszczone są skróty hiszpańskich prowincji lub portugalskich dystryktów albo rejestracje samochodowe Andory (AND) lub Gibraltaru (GBZ).
Po tym następują numery stron, współrzędne skorowidzowe a także dane dotyczące kodu pocztowego danych miejscowości.
W przypadku, kiedy dana miejscowość posiada kilka kodów pocztowych, to przed niniejszym kodem pocztowym umieszczono * („gwiazdkę").
Patrz: indeks skrótów i przykłady wyszukiwania pod niniejszymi wskazówkami.

Ⓒⓩ Informace k vyhledávání

Alfabeticky řazený seznam jmen obsahuje názvy všech měst a obcí, které jsou na mapě vyznačeny. Všechny názvy jsou uvedeny v nezkrácené podobě.
Řeky, jezera, přehrady, moře, atd. jsou uvedeny s předřazeným symbolem ≈.
Hory, pohoří, ostrovy, atd. jsou uvedeny s předřazeným symbolem ▲.
Pamětihodnosti jako zámky, hrady, zříceniny a neobvyklé přírodní útvary nebo jevy jako vodopády atd. jsou uvedeny s předřazeným symbolem ☆.
Za každým názvem místa je uvedena zkratka španělské provincie nebo portugalského distriktu, eventuálně jsou zde uvedena mezinárodní označení automobilů Andory (AND) a Gibraltaru (GBZ). Za nimi následují čísla stránky a vyhledávací čtverec, stejně jako poštovní směrovací číslo u obce.
Má-li obec/město více poštovních směrovacích čísel, je před nejnižším poštovním směrovacím číslem uvedena * (hvězdička).
Viz i seznam zkratek a příkladů vyhledávání v závěru této informace.

Ⓗ Használati utasítás

Az ábécé szerint rendezett névjegyzék tartalmazza mindazon városok községek nevét, amelyek a térképen találhatók. A térképen minden n rövidítés nélkül szerepel.
Folyók, tavak, duzzasztással nyert tárolómedencék, tengerek, stb. neve térképen ≈ elöjellel szerepel. Hegyek, hegységek, szigetek, stb. neve elöjellel szerepel.
Különlegesen érdekes objektumok, mint például kastélyok, várak, várromc vízesések, stb. neve elött ☆ jel áll.
Minden név után a spanyol tartomány vagy portugál körzet rövidíte megnevezése, illetve Andorra (AMD) és Gibraltár (GBZ) autorendszámje áll. Ezután következik lapszám és keresötáblázat, valamint helységek esete a postai adatok.
Ha egy helység több irányítószámmal rendelkezik, a legalacsonyał irányítószám felvezetése egy elé állított * történik.
Lásd ehhez a rövidítési jegyzéket és keresö példákat e magyarázat végén

Ⓓⓚ Brugervejledning

Den alfabetiske navnefortegnelse omfatter navnene på alle byer c kommuner, som er anført på kortene. Alle navne gengives i uforkortet form Floder, søer, opstemmede søer, have osv. er kendetegnet ved d foranstillede tegn ≈.
Bjerge, bjergkæder, øer osv. er kendetegnet ved det foranstillede tegn ▲.
Objekter af særlig interesse, som for eksempel slotte, borge, ruiner, vandfa osv. er kendetegnet ved det foranstillede tegn ☆.
Efter hvert navn står forkortelsen af en spansk provins eller et portugisi distrikt hhv. de internationale bilkendingsmærker for Andorra (AND) Gibraltar (GBZ). Derefter følger sidetal og søgefelt samt angivelse postnummer i forbindelse med navne på byer og landsbyer.
Hvis en by eller landsby har flere postnumre, er det laveste postnumm kendetegnet ved det foranstillede tegn *.
Se hertil fortegnelsen over forkortelser og søge-eksempler i tilslutning denne forklaring.

Ⓢ Användarinformation

Den alfabetiska förteckningen över namn omfattar namnen på alla städ och kommuner som förekommer på kartorna. Alla namn återges oavkortat Före älvar, sjöar, vattenmagasin, hav etc. finns tecknet ≈. Före ber bergskedjor, öar etc. finns tecknet ▲.
Särskilt intressanta objekt, som t. ex. slott, borgar, ruiner, vattenfall etc. h märkts med tecknet ☆.
Efter varje namn står förkortningen för den spanska provinsen eller d portugisiska distriktet, resp landsmärket för Andorra (AND) och Gibralta (GBZ). Sedan följer idnumren och sökfältet, samt postnumret vid ortsnamn Om en ort har flera postnummer så har det lägsta postnumret märkts me tecknet *.
Jämför härtill även förkortningsförteckningen och sökexemplen i anslutnin till denna upplysning.

Índice de nombres · Índice de nomes · Namenverzeichnis · Index of names
Elenco dei nomi · Index des noms · Namenregister · Skorowidz nazw
Rejstřík jmen · Névjegyzék · Navnefortegnelse · Namnförteckning

☆	Ababuj	(Ter)	**79**	Zb105	✉		44155
▲	Abacón, El		**111**	Yc111			
≈	Agadón, Río		**71**	Td106			
	Aveiro	(Av)	67	Rc105	✉	*	3800-002

① ② ③ ④ ⑤ ⑥ ⑦

	②	③	④	⑤	⑦
Ⓔ	Nombre	Provincia/ Distrito	Número de página	Coordenadas de localización	Código postal
Ⓟ	Nome	Provincia/ Distrito	Número da página	Coordenadas de localização	Código postal
Ⓓ	Name	Provinz/Distrikt	Seitenzahl	Suchfeldangabe	Postleitzahl
ⒼⒷ	Name	Province/District	Page number	Grid search reference	Postal code
Ⓘ	Nome	Province/Distretto	Numero di pagina	Riquadro nel quale si trova il nome	Codice postale
Ⓕ	Nom	Province/District	Numéro de page	Coordonnées	Code postal
ⓃⓁ	Naam	Provincie/District	Paginanummer	Zoekveld-gegevens	Postcode
ⓅⓁ	Nazwa	Prowincja/Dystrykt	Numer strony	Współrzędne skorowidzowe	Kod poscztowy
ⒸⓏ	Název	Provincie/Obvod	Číslo strany	Údaje hledacího čtverce	Poštovní směrovací čislo
Ⓗ	Név	Tartomány/Kerület	Oldalszám	Keresőhálózat megadása	Iranyitoszám
ⒹⓀ	Navn	Provins/Distrikt	Sidetal	Kvadratangivelse	Postnummer
Ⓢ	Namn	Provins/Distrikt	Sidnummer	Kartrutangivelse	Postnummer

①

Ⓔ	☆ Curiosidade	▲ Paisaje	≈ Aguas
Ⓟ	☆ Ponto de interesse	▲ Paisagem	≈ Águas
Ⓓ	☆ Sehenswürdigkeit	▲ Landschaft	≈ Gewässer
ⒼⒷ	☆ Place of interest	▲ Landscape	≈ Waters
Ⓘ	☆ Curiosità	▲ Paesaggio	≈ Acque
Ⓕ	☆ Curiosité	▲ Paysage	≈ Eaux
ⓃⓁ	☆ Bezienswaardigheid	▲ Landschap	≈ Wateren
ⓅⓁ	☆ Interesujące obiekt	▲ Zabytek krajobrazowy	≈ Wody
ⒸⓏ	☆ Pozoruhodnost	▲ Příroda	≈ Vodstvo
Ⓗ	☆ Látványosság	▲ Táj	≈ Vizek
ⒹⓀ	☆ Seværdighed	▲ Landskab	≈ Vande
Ⓢ	☆ Sevärdhet	▲ Landskap	≈ Vatten

⑥

Ⓔ Código postal más bajo en lugares con varios códigos postales
Ⓟ Código postal menor em caso de cidades com vários códigos postais
Ⓓ Niedrigste Postleitzahl bei Orten mit mehreren Postleitzahlen
ⒼⒷ Lowest postcode number for places having several postcodes

Ⓘ Il codice di avviamento postale più basso in località comprendenti parecchi codici di avviamento postale
Ⓕ Code postal le plus bas pour les locaités à plusieurs codes posteaux
ⓃⓁ Laagste postcode bij gemeenten met meerdere postcodes
ⓅⓁ Najwyższy kod pocztowy w przypadku miej-scowości z wieloma kodami pocztowymi

ⒸⓏ Má-li obec/město více poštovních směrovacích čísel, je před nejnižším poštovním směrovacím číslem uvedena * (hvězdička)
Ⓗ Több irányítószámmal rendelkező helységeknél a legalacsonyabb irányítószám
ⒹⓀ Laveste postnummer ved byer med flere postnumre
Ⓢ Lägsta postnumret vid uppgifter med flera postnummer

E

Ⓔ España
Ⓟ Espanha
Ⓓ Spanien
GB Spain
Ⓘ Spagna
Ⓕ Espagne
NL Spanje
PL Hiszpania
CZ Španělsko
Ⓗ Spanyolország
DK Spanien
Ⓢ Spanien

A - B - C - D - E - F - G - H - I - J - K - L - M - N - Ñ - O - P - R - S - T - U - V - W - X - Y - Z

A

☆Ababuj (Ter) 79 Zb105 ✉44155
▲Abacón, El 111 Yc111
Abad Don Blasco, Caserío (Seg) 74 Vd103
Abade (Cor) 3 Sa87 ✉15563
Abades (Pon) 15 Re92 ✉36589
Abades (Seg) 74 Ve103 ✉40141
Abadía (Các) 86 Ua107
Abadín (Lug) 4 Sd88
Abadiño (Viz) 11 Xc90 ✉48220
Abadiño-Zelaieta (Viz) 11 Xc90 ✉48220
Abáigar (Nav) 24 Xf93
Abaira (Lug) 5 Sf88
Abajas (Bur) 22 Wc93
≈Abajo, Boca de (Palm) 176 B3
≈Abajo, Caleta de (Palm) 174 C1
Abajo, Cortijo de (Sev) 157 Tf127
Abajo, Cortijos de (Ciu) 108 Vf113
▲Abajo, Playa de (Ten) 173 E4
≈Abajo, Río de 57 Wa102
Abalario, El (Huel) 147 Tb126
Ábalos (Rio) 23 Xb93
Abaltzisketa (Gui) 24 Xf90 ✉20269
Abánades (Gua) 76 Xd103
▲Abanco 58 Xa100
Abanco (Sor) 58 Xa100 ✉42368
Abandames (Ast) 8 Vc89 ✉33579
☆Abania 8 Uf88
Abanilla (Mur) 142 Yf119 ✉30640
Abanillas (Can) 8 Vd88 ✉39549
Abano (Leó) 18 Tf93 ✉24397
Abaño (Can) 9 Vd88 ✉39549
▲Abanto 61 Ye101
Abanto (Zar) 60 Yb102 ✉50375
▲Abantos 74 Vf105
Abanto y Ciérvena-Abanto Zierbena (Viz) 10 Wf89
Abanto-Zierbena (Viz) 10 Wf88 ✉48500
Abantro (Ast) 7 Ud89 ✉33994
Abarán (Mur) 141 Yd119
Abarca (Pal) 37 Vb96
▲Abartán 25 Yc90
Abárzuza (Nav) 24 Xf92
Abastas (Pal) 38 Vb95 ✉34307
Abastillas (Pal) 38 Vb95 ✉34307
▲Abaurrea, Puerto de 25 Ye91
Abaurrea Alta (Nav) 25 Ye91
Abaurrea Baja (Nav) 25 Ye91
Abavides (Our) 33 Sc96 ✉32695
Abay (Hues) 26 Zc93 ✉22713
▲Abayo, Cuesta de 20 Vc94
Abdet (Ali) 129 Ze116 ✉03517
Abechuko (Ála) 23 Xb91
Abedes (Our) 34 Sd97 ✉32615
Abedul (Ast) 6 Te89
▲Abedules, Alto 21 Ve90
Abegondo (Cor) 3 Re89 ✉15318
Abejar (Sor) 40 Xb98 ✉42146
▲Abejares, Los 78 Ye105
Abejarrones de Arriba y de Abajo (Bad) 120 Ua116
▲Abejas, Puerto de las 159 Va128
Abejera (Zam) 36 Tf98 ✉49591
▲Abejera Grande (Ten) 172 D4
≈Abejón, Río 40 Wf97
Abejuela (Alm) 155 Ya123 ✉04691
Abejuela (Alb) 126 Xf118 ✉02439
Abejuela (Ter) 94 Za109 ✉44422
Abeleda, A (Our) 33 Sb95 ✉32980
Abeledo (Pon) 15 Rf93
Abeledo (Our) 33 Sb95 ✉32690
Abeledos (Our) 34 Sd95
Abelenda (Cor) 3 Rc90 ✉15873
Abelenda (Our) 33 Re94 ✉32520
Abelgas de Luna (Leó) 18 Ua91
Abella (Hues) 28 Ad94 ✉22472
Abella (Gir) 30 Cb95 ✉17869
Abellá (Cor) 3 Re90
Abella, l' (Bar) 48 Cb98 ✉08592
Abellada (Hues) 44 Ze94
Abella d'Adons (Lle) 28 Ae94 ✉25556
Abella de la Conca (Lle) 46 Ba95 ✉25651
▲Abelleira, Punta 14 Ra94
Abelleiras (Cor) 14 Ra91
Abelleiro (Cor) 14 Qf92 ✉15541
Abelón (Zam) 54 Tf100
Abena (Hues) 26 Zd93 ✉22620
Abengibre (Alb) 112 Yc113 ✉02250
≈Abengibre, Arroyo de 111 Yc113
Abengózar, Caserío La (Cue) 92 Xe108
Abenilla (Hues) 26 Ze94 ✉22621
Abenójar (Ciu) 122 Vd115
Abenozas (Hues) 44 Ac95 ✉22437
Abenuj (Alb) 126 Yb117
Aberasturi (Ála) 23 Xc92 ✉01193
Aberin (Nav) 24 Xf93
Abersturi = Aberasturi (Ála) 23 Xc92
Abertura (Các) 105 Ub113 ✉10262
Abertura Consolación, Caserío (Ciu) 124 Wd115
Abete, Caserío de (Nav) 25 Yc94
Abetxuco = Abechuko (Ála) 23 Xb91
Abezames (Zam) 55 Ud99 ✉49834
Abezia = Abecia (Ála) 23 Xa91 ✉01449
Abi (Hues) 26 Ac94 ✉22463
Abiada (Can) 21 Ve90 ✉39210
Abia de las Torres (Pal) 38 Vd94 ✉34491
Abiega (Ála) 22 Wf90
Abiego (Hues) 44 Zf96 ✉22143
Abiegos (Ast) 7 Ue89 ✉33557
Abiertas, Las (Cád) 157 Tf128 ✉11400
▲Abillo 151 Vf123
Abínzano (Nav) 25 Yd93
Abio (Ali) 128 Zd117 ✉03100
Abió (Tar) 64 Bb99
Abión (Sor) 59 Xe99
Abioncillo (Sor) 58 Xa98 ✉42193
Abionzo (Can) 9 Wb89 ✉39639
Abizanda (Hues) 45 Ab95 ✉22392
Abla (Alm) 153 Xb126 ✉04510
Abla de la Obispalía (Cue) 92 Xd108
Ablaña de Arriba (Ast) 7 Ub89
Ablaneda (Ast) 5 Tc89
▲Ablaniego, Sierra de 5 Tc88
Ablanque (Gua) 77 Xe103 ✉19442
Ables (Ast) 6 Ua88 ✉33424
Ablitas (Nav) 42 Yc97 ✉31523
▲Abodi, Sierra de 25 Yf91
Abogado, Cortijo del (Bad) 118 Se117
Abolafia de la Torre (Córd) 137 Vd121
▲Abona, Punta de (Ten) 173 E5
Abona, Sanatorio de (Ten) 173 E5
Aborbó (Lug) 4 Sc88
Abornícano (Ála) 23 Xa91
☆Abraham, Torre de 108 Ve112
Abrajanejo (Cád) 158 Uc128 ✉11630
▲Abraku 13 Yd90
Abraveses de Tera (Zam) 36 Ua97 ✉49624
☆Abrejo, Ex Convento del 56 Vb99
▲Abreo (Ten) 172 D4
Abrera (Bar) 65 Bf99 ✉08630
Abres, Ría de (Ast) 5 Sf88
▲Abrigo, Punta del (Ten) 173 E4
Abrigos, Los (Ten) 172 D5 ✉38639
Abriojal (Alm) 162 Xd127 ✉04260
Abrucena (Alm) 153 Xb126 ✉04520
Abuíme (Lug) 16 Sc93
≈Abuín, Río 14 Rb91
Abusejo (Sal) 71 Tf104 ✉37640
Abusejo de Abajo (Sal) 72 Uc103
Abusejo de Arriba (Sal) 72 Uc103
Abuzaderas (Alb) 126 Yb116
▲Acabada 61 Za101
Acardece (Ten) 172 B2 ✉38892
Acebadillas, Cortijo de las (Jaé) 139 Xa121
Acebal (Ast) 7 Uc89
Acebal (Ast) 8 Vb88
Acebeda, La (Mad) 57 Wc102 ✉28755
Acebedo (Leó) 20 Uf90 ✉24996
Acebedo (Ála) 22 Wf91 ✉01427
Acebedo (Pon) 32 Rb97
▲Acebedo, Monte 16 Sc92
Acebedo do Río (Our) 33 Rf96
Acebeiro (Pon) 15 Re93
Acebes del Páramo (Leó) 36 Ua94
Acebo (Lug) 5 Se89
Acebo (Leó) 18 Td94
Acebo (Các) 85 Tb107 ✉10857
▲Acebo, Alto de 5 Ta90
▲Acebo, Sierra del 6 Td90
Acebosa, La (Can) 9 Vd88
Acebrón, El (Cue) 91 Xa109
Acebuchal (Sev) 148 Ua124
Acebuchal, Cortijo del (Córd) 150 Vb123
Acebuchal, Cortijo El (Sev) 149 Ub124
Acebuchal, El (Cád) 164 Ub132
Acebuchal, El (Jaé) 138 Wc119
Acebuchal, El (Sev) 135 Ud123
Acebuche (Huel) 156 Tc126
Acebuche (Huel) 133 Tb121
Acebuche, Cortijo del (Bad) 118 Sf118
Acebuche, El (Gra) 161 Wf128
≈Acebuche, Laguna del 123 Wa116
Aceca (Tol) 89 Wa109 ✉45292
Acedera (Bad) 106 Uc114 ✉06730
Acedillo (Bur) 21 Wa93 ✉09129
Acedo (Nav) 24 Xe93 ✉31282
Acedos (Seg) 73 Vd103
Acehúche (Các) 85 Tc110
Aceite, Cortijo de (Jaé) 139 Xa119
▲Aceitero, La Cruz del 39 Wa97
Aceituna (Các) 86 Te108 ✉10666
≈Aceituna, Laguna de la 104 Tc112
Aceitunilla (Các) 71 Te106
Aceituno (Huel) 132 Se122
Aceña (Bur) 39 Wd96
Aceñuela, La (Sev) 150 Va124
Acequia de los Frailes (Mál) 158 Ue128
Acequias (Gra) 161 Wc127 ✉18657
≈Acequión, Laguna del 111 Xf114
Acera de la Vega (Pal) 20 Vb93 ✉34111
▲Aceral, Sierra del 107 Vc111
Acered (Zar) 60 Yc102 ✉50347
Aceredo (Our) 33 Rf97 ✉32870
Acero, El (Jaé) 138 Wd119
Aceuchal (Bad) 119 Td117 ✉06207
Acevedo (Ten) 172 C4
Acevedo (Ast) 5 Ta87
Aceviños, Los (Ten) 172 B2 ✉38890
≈Acheiro, Río 3 Rc89
▲Acibal 14 Rc93
Aciberos (Zam) 35 Ta96 ✉49574
Acilu (Ála) 23 Xd92
Acin (Hues) 26 Zd93
☆Acinipo, Ruinas de 158 Ue128
Aciscar, Cortijada del (Cád) 164 Ub131
≈Aciscar, Embalse de 164 Ub131
Acra (Jaé) 139 Wf122 ✉23488
Acrijos (Sor) 41 Xe96
Acula (Gra) 152 Wb126 ✉18131
Acumuer (Hues) 26 Zd93 ✉22612
Acuña, Cortijo de (Ciu) 125 Xa116
Acuncheira (Cor) 14 Ra92 ✉15937
Acusa (Palm) 174 B2
Adahuesca (Hues) 44 Zf96 ✉22147
Adai (Lug) 16 Sd91
Adal (Can) 10 Wd88 ✉39761
Adalia (Vall) 55 Uf99 ✉47129
≈Adalia, Arroyo 55 Ud99
Adalid (Sev) 149 Ud124
Adamuz (Córd) 137 Vc120 ✉14430
Adanas (Viz) 11 Xb89
Adanero (Ávi) 73 Vc103 ✉05296
Adanes, Cortijo de los (Alm) 140 Xf122
Adansa (Nav) 25 Ye92
▲Adarra, Monte 12 Ya89
Adeje (Ten) 172 C5 ✉38670
Adeje, Cortijo de (Palm) 175 D4
▲Adeje, Degollada de (Palm) 175 D4
Adelán (Lug) 4 Sd87
Adelantado, El (Córd) 151 Vd125 ✉14978
☆Adelantado, Parador Nacional de El 139 Xa121
Adelfa, Cortijo La (Sev) 149 Ue125
Adelfa, La (Alm) 163 Ya126
Adelfar (Jaé) 138 Wc119
Adelfas, Las (Alm) 153 Xb125 ✉04510
Adelfilla, La (Córd) 135 Ue120
Ademuz (Val) 93 Ye108 ✉46140
▲Adentro, Playa del (Ten) 173 C1
▲Adi, Monte 25 Yd90
Adijos (Ávi) 73 Va105
Adiós (Nav) 24 Yb92
Administrador, Cortijo del (Alm) 154 Xe126
☆Administrante, Cruz del 39 Wb96
Adoáin (Nav) 25 Ye92
Adobes (Gua) 78 Yb104 ✉19325
≈Adobes, Laguna de los 37 Ue95
Adons (Lle) 46 Ae94 ✉25556
Ador (Val) 129 Ze115 ✉46729
Adra (Alm) 162 Wf128 ✉04770
≈Adra, Río 162 Xa128
☆Adrada, Castillo de la 88 Vc107
Adrada, La (Ávi) 88 Vc107 ✉05430
Adrada de Haza (Bur) 57 Wb99 ✉09462
Adrada de Pirón (Seg) 74 Vf102
Adradas (Sor) 59 Xd100 ✉42216
Adrados (Leó) 19 Ue91 ✉24859
Adrados (Seg) 57 Vf100 ✉40354
Adrados de Ordás (Leó) 18 Ua92
Adraén (Lle) 47 Bd95
Adrall (Lle) 29 Bc95 ✉25797
Adraño (Cor) 14 Qf91 ✉15293
Adri (Gir) 48 Ce96 ✉17199
Adriano (Sev) 148 Ua125 ✉41728
▲Adrión, Pico de 158 Ud128
Adsubia (Ali) 129 Zf115
Aduna (Gui) 12 Xf89 ✉20150
☆Aedo, Ermita de 22 We91
Aés (Can) 9 Wa89
☆Africana, Reserve (Ten) 173 E3
▲Agache, Playa de (Ten) 173 C2
≈Agadón, Río 71 Td106
Agaete (Palm) 174 C3
Agaete (Palm) 174 B2
▲Agalla, Sierra 120 Ub116
Agallas (Sal) 71 Td106 ✉37510
▲Agando, Playa de (Palm) 175 D4
▲Agando, Roque de (Ten) 172 B2
Age (Gir) 30 Bf94 ✉17529
Àger (Lle) 46 Ae96
Agés (Bur) 39 Wd94
Aginaga (Gui) 11 Xd89
Aginaga (Gui) 12 Xf90
Aginaga = Aguiñiga (Ála) 22 Wf90
Agolada (Pon) 15 Rf92 ✉36520
Agón (Zar) 42 Yd97
Agoncillo (Rio) 41 Xe94 ✉26160
Agones (Ast) 6 Tf87 ✉33129
Agorreta (Nav) 25 Yd91 ✉31639
Agoso (Cor) 15 Rc92 ✉15886
Agost (Ali) 128 Zc118 ✉03698
Agra (Alb) 126 Yb118 ✉02409
Agracea (Jaé) 125 Xb118 ✉23369
Agracea, La (Jaé) 139 Xb120
Agrade (Lug) 16 Sa93
Agramón (Alb) 127 Yc118
Agramunt (Lle) 46 Ba98 ✉25310
Ágreda (Sor) 42 Ya97
▲Ágreda, Tierra de 42 Ya97
Agres (Ali) 128 Zc116 ✉03837
☆Agres, Estació d' 128 Zc116
≈Agrio, Embalse de 148 Te123
Agro do Chao (Cor) 15 Rf91 ✉15808
Agrón (Gra) 160 Wb126
Agros, Os (Lug) 4 Sd88
▲Agua, Barranco del (Ten) 173 D3
▲Agua, Barranco del (Ten) 171 C2
▲Agua, Barranco del (Ten) 172 B2
▲Agua, Cabo del 142 Za123
Agua, Cortijo del (Gra) 153 Wf125
☆Agua, Cueva del 139 Wf122
▲Agua, Punta del (Palm) 176 C2
▲Agua, Sierra del 135 Ub120
▲Agua, Sierra del 125 Xd117
▲Agua, Sierra del 123 Wb118
▲Agua, Sierra del 93 Yb107
Agua Amarga (Alm) 163 Ya127
≈Agua Amarga, Ensenada de (Palm) 175 D3
▲Agua Amarga, Playa de 163 Ya127
Aguachal, Caserío El (Pal) 38 Vd97
Aguaciles Altos, Cortijo de los (Sev) 157 Ub127
Aguada (Lug) 16 Sa93
Aguada, Cortijo de la (Mál) 159 Va127
Agua de Bueyes (Palm) 175 D3 ✉35638
Agua del Medio, El (Alm) 155 Ya126 ✉04638
Agua del Pilar (Bad) 120 Ua118
▲Aguaderas, Loma de 141 Yc122
Aguadero (Gra) 161 Wc126
Aguadero, El (Jaé) 125 Xb119
Aguadulce (Alm) 162 Xc128 ✉04720
Aguadulce (Sev) 150 Va125 ✉41550
▲Aguadulce, Playa de 162 Xc128
Aguadux (Jaé) 138 We122
▲Aguaerillo 92 Ya108
Aguafría (Huel) 133 Tb121
Agua Garcia (Ten) 173 E3 ✉3835
≈Agualora, Arroyo de 149 Ud123
Aguamala, Cortijo de (Alb) 125 Xc117
≈Aguanal, Río 23 Wf93
Aguarda (Lug) 4 Se89
Aguarón (Zar) 61 Ye101
Aguas (Hues) 44 Ze95 ✉22141
☆Aguas, Cueva de las 9 Ve88
Aguas, Las (Ten) 172 D3 ✉38429
▲Aguas, Playa de las (Ten) 172 C
≈Aguas, Río de 154 Ya126
Aguasal (Vall) 56 Vc101 ✉47418
Agua Salada (Mur) 141 Yb120 ✉30439
Agua Salada (Alb) 126 Xf117
≈Agua Salada, Rambla del 127 Ye116
Aguasantas (Cor) 14 Rb92
≈Aguas Blancas, Río 152 Wd125
Aguascaldas (Hues) 26 Ac94 ✉22451
Aguas Cándidas (Bur) 22 Wc92
≈Aguascebas, Embalse de 139 Xa120
Aguas de los Sauces, Cortijo (Gra) 152 Wd124
Aguasmestas (Ast) 6 Te89 ✉3384
Aguas Morales Alto, Cortijo de (Gra) 152 Wd124
Aguas Nuevas (Alb) 126 Ya115 ✉02049
≈Aguasvivas, Río 61 Za102
Aguatón (Ter) 78 Ye104
Aguatona (Palm) 174 D3
Aguaviva (Ter) 80 Ze104 ✉44566
Aguaviva de la Vega (Sor) 59 Xd101 ✉42258
Aguazaderas, Cortijo de las (Mur) 140 Xf121
▲Aguda 72 Ue104
▲Aguda, Montaña (Palm) 174 B5
▲Aguda, Peña 73 Uf106
▲Aguda, Punta (Palm) 175 D1
☆Aguda de Torà, l' 47 Bc98
≈Agudín, Río 72 Ue105
▲Agudo (Palm) 175 E3
Agudo (Ciu) 122 Va115 ✉13410
▲Agudo 3 Rf87
▲Agudo 61 Za102
≈Agudo, Río 122 Va114
Agudos, Los (Hues) 43 Zb96
≈Águeda, Embalse de 71 Td105
≈Águeda, Río 70 Tb104
Águeda del Caudillo (Sal) 71 Td10
≈Agüeira, Río 5 Ta89
Agüera (Ast) 6 Te89
Agüera (Bur) 22 Wd90
≈Agüera, Río 10 We89
Agüera del Coto (Ast) 5 Tc90
Agüeras, Las (Ast) 6 Ua89
Agüería (Ast) 7 Ub90
Agüero (Hues) 43 Zb94
Agües (Ast) 7 Ud89
Agüica de Mula, Cortijo de (Mur) 140 Ya122
Agüimes (Palm) 174 D3
Agueria (Lug) 17 Sf92
Águila (Cád) 157 Te129
▲Águila 77 Yb103
▲Aguila, Cañon del (Palm) 174 C4
Águila, Cortijo del (Cád) 164 Ua13
Águila, Cortijo del (Alm) 162 Xb128
Águila, Cortijo del (Alm) 140 Xe122
Águila, Cortijo del (Jaé) 139 Wf122
Águila, Cortijo del (Bad) 120 Tf117

Águila, Cuevas del 88 Uf 108
uila, El (Bad) 134 Te 120
uila, El (Córd) 135 Ud 121
uila, El (Các) 105 Ub 111
Águila, Loma del 20 Va 91
Águila, Peña del 136 Uf 120
Águila, Playa del (Palm) 175 D 2
Águila, Punta del (Palm) 176 B 4
Águila, Sierra del 135 Ud 120
uilafuente (Seg) 57 Vf 101 ⊠ 40340
uilar (Ast) 7 Ub 89 ⊠ 33619
uilar (Hues) 44 Ac 95 ⊠ 22461
Aguilar 47 Be 97
uilar, Caserío (Hues) 27 Zf 94
uilar de Alfambra (Ter) 79 Zb 105 ⊠ 44156
juilar de Anguita (Sor) 77 Xd 102
uilar de Boixadors = Aguilar de Segarra (Bar) 47 Bd 98
uilar de Bureba (Bur) 22 We 93 ⊠ 09249
juilar de Campoo (Pal) 21 Ve 92 ⊠ 34800
Aguilar de Campoo, Embalse de 21 Vd 92
juilar de Campos (Vall) 37 Ue 97 ⊠ 47814
juilar de Codés (Nav) 23 Xd 93
uilar de Ebro (Zar) 62 Zc 99 ⊠ 50175
juilar de la Frontera (Córd) 150 Vc 123 ⊠ 14920
juilar del Río Alhama (Rio) 42 Ya 97
juilar de Montuenga (Sor) 59 Xe 101 ⊠ 42259
juilar de Segarra = Aguilar de Boixadors (Bar) 47 Bd 98 ⊠ 08256
juilar de Tera (Zam) 36 Ua 97 ⊠ 49624
juilarejo (Vall) 56 Vc 98 ⊠ 47281
juilas (Mur) 155 Yc 124
juilas, Cortijo de las (Ciu) 124 We 118
juila Vella, S' (Bal) 98 Ce 112
juilera (Sor) 58 Xa 100 ⊠ 42366
juilera, La (Can) 21 Vf 91 ⊠ 39213
juilera, La (Bur) 57 Wb 98 ⊠ 09370
Aguilica, Peña de la 155 Yc 124
juilillas, Cortijo de las (Sev) 150 Uf 125
guillo (Bur) 23 Xc 92 ⊠ 09216
guilón (Zar) 61 Yf 101
guinaga (Gui) 23 Xd 90
guinaga (Nav) 24 Yb 91
guinalín (Hues) 45 Ac 96
guiñiga (Ála) 22 Wf 90
guiño (Cor) 14 Qf 93 ⊠ 15965
Aguioncha 33 Sb 97
guirre (Viz) 11 Xa 89
guis (Our) 33 Sb 97 ⊠ 32634
Aguisejo, Río 58 Wd 100
Agujas, Las (Palm) 176 C 2
Agujero, Sima del 77 Xf 104
gullana (Gir) 31 Cf 94 ⊠ 17707
gullent (Val) 128 Zc 116 ⊠ 46890
Agulles, les 31 Cd 95
Agulles, Serra de les 114 Zd 114
gulló (Lle) 46 Ae 96
gulo (Ten) 172 B 1 ⊠ 38830
guoló (Tar) 65 Bc 99
gustín (Lug) 16 Se 91
Agustín, Castelo de 17 Sf 92
gustinos (Gra) 152 Wd 125
gustinos, Cortijo de los (Mur) 155 Ya 123
gustinos, Los (Val) 93 Yf 110
gustín Tomás, Caserío de (Alb) 140 Xf 119
guzaderas (Sev) 149 Uc 126
Aguzaderas, Castillo de las 149 Uc 126
Aguzaderas, Cortijo de las (Cád) 165 Ue 131
guzaderas Viejas, Cortijo de (Huel) 133 Ta 120
hedo de Bureba (Bur) 22 Wd 93
hedo del Butrón (Bur) 22 Wb 91
higal (Các) 86 Te 107 ⊠ 10650
higal de los Aceiteros (Sal) 70 Tb 103 ⊠ 37248
higal de Villarino (Sal) 53 Td 102 ⊠ 37173
hillas (Val) 94 Za 110 ⊠ 46176
▲ Ahillo, Sierra de 151 Wa 123
hillones (Bad) 134 Ua 119 ⊠ 06940
≈ Ahogaburros, Río 37 Ue 97
hojiz, Cortijo de (Cád) 165 Uc 131
humada, Cortijo de (Mál) 159 Vb 126
humada, La (Jaé) 137 Vf 121
Aia (Gui) 12 Xf 89 ⊠ 20809
Aia = Aya (Gui) 24 Xf 91 ⊠ 20809
Aibar/Oibar (Nav) 25 Yd 93
☆ Aicibán, Ermita de 24 Xf 91
Aielo de Malferit (Val) 128 Zc 115 ⊠ 46812
Aielo de Rugat (Val) 128 Ze 115
Aielo de Rugat (Val) 128 Ze 115
Aiguablava (Gir) 49 Db 97
Aiguafreda (Bar) 48 Cb 98 ⊠ 08591
Aiguafreda (Gir) 49 Db 97
≈ Aiguamòg, Arriu d' 28 Af 92
Aiguamúrcia (Tar) 65 Bc 101
Aiguamúrcia (Tar) 65 Bc 100
Aiguaviva (Gir) 49 Ce 97 ⊠ 17181
Aiguaviva (Tar) 65 Bd 100 ⊠ 43714
Aigües (Ali) 128 Zd 118 ⊠ 03569
Ailes (Zar) 61 Yf 100 ⊠ 50152
Aín (Cas) 95 Ze 109 ⊠ 12222
Aincioa (Nav) 25 Yd 91
Ainet de Besan (Lle) 29 Bb 93 ⊠ 25573
Ainet de Cardós (Lle) 29 Bb 93
Aineto (Lle) 29 Bb 93 ⊠ 25577
Aineto (Hues) 44 Ze 94 ⊠ 22623
▲ Aineto, Sierra de 44 Zf 94
Ainielle (Hues) 27 Ze 93
Ainsa (Hues) 27 Aa 94 ⊠ 22330
Ainsa-Sobrarbe (Hues) 27 Aa 94
Ainzón (Zar) 42 Yc 98
Aiós (Pon) 14 Ra 94
Airavella (Our) 33 Sb 95
▲ Aire, Illa de l' (Bal) 96 Eb 110
▲ Aire, Loma del 135 Uc 120
▲ Aire, Puerto del 136 Va 120
≈ Airón, Laguna 110 Xd 110
≈ Airoto, Estany d' 28 Ba 92
Airraia-Maeztu (Ála) 23 Xd 92
Aísa (Hues) 26 Zc 92
▲ Aitana 129 Ze 117
▲ Aitana, Serra d' 129 Ze 117
☆ Aite, Ermita de 11 Xb 90
Aitona (Lle) 62 Ac 100 ⊠ 25182
▲ Aitzkorri = Aizkorri 23 Xe 91
Aixàvega, l' (Tar) 64 Ba 101
Aixirivall (AND) 29 Bd 94
Aixovall (AND) 29 Bc 94
Aizarna (Gui) 12 Xe 89 ⊠ 20749
Aizarnazabar (Gui) 12 Xe 89
Aizcurqui = Aizkurgi (Nav) 25 Ye 92
☆ Aizkirri, Cueva de = Aizquirri, Carvena de 23 Xd 91
☆ Aizkolegi, Castillo de 13 Yc 89
▲ Aizkorri = Aitzkorri 23 Xe 91
Aizkurgi = Aizcurqui (Nav) 25 Ye 92
Aizpea (Gui) 24 Xe 90
Aizpún (Nav) 24 Ya 91
☆ Aizquirri, Caverna de = Aizkirri, Cueva de 23 Xd 91
Aja (Can) 10 Wc 89 ⊠ 39806
Ajalvir (Mad) 75 Wd 105 ⊠ 28864
Ajamil (Rio) 41 Xd 96 ⊠ 26133
Ajanedo (Can) 10 Wb 89 ⊠ 39728
Ajangiz (Viz) 11 Xc 89 ⊠ 48320
Ajarte (Bur) 23 Xc 92 ⊠ 09216
Ajauque (Mur) 142 Yf 120 ⊠ 30628
☆ Ajedreces, Torre de los 73 Vb 102
Ajo (Can) 10 Wc 88 ⊠ 39170
▲ Ajo, Cabo de 10 Wc 87
Ajo, El (Ávi) 73 Uf 103 ⊠ 05370
▲ Ajo, Playa de 10 Wc 87
Ajofrín (Tol) 108 Wa 110
▲ Ajones, Punta de (Ten) 173 C 2
Ajuy (Palm) 175 D 3 ⊠ 35628
▲ Akerrena 25 Yf 91
Akerreta (Nav) 25 Yc 91 ⊠ 31698
Akorda (Viz) 11 Xc 88 ⊠ 48311
Alacón (Ter) 79 Zb 102
▲ Alacón, Barranco de 62 Zc 102
Alacranes, Cortijo de (Gra) 139 Xb 122
Alacuás = Alaquàs (Val) 114 Zd 112
Aladrén (Zar) 61 Yf 101
Alaejos (Vall) 55 Ue 101 ⊠ 47510
Alagón (Zar) 43 Yf 98
≈ Alagón, Río 85 Tc 109
Alagón del Caudillo (Các) 86 Te 109
Alagones, Los (Ter) 80 Ze 104
Alaior (Bal) 96 Ea 109 ⊠ 07730
▲ Alaiz, Sierra de 25 Yc 92
Alaiza (Ála) 23 Xd 92 ⊠ 01207
Aljár (Huel) 133 Tc 121
Alajeró (Ten) 172 B 2
Alalaya Real (Mad) 75 Wc 104
Alaló (Sor) 58 Xa 100 ⊠ 42368
Alalpardo (Mad) 75 Wd 105 ⊠ 28130
Alameda (Mál) 150 Vc 125 ⊠ 29530
Alameda (Bad) 133 Tc 119
Alameda (Seg) 57 Wc 101
≈ Alameda, Arroyo de la 149 Uc 125
Alameda, La (Alm) 154 Xf 125 ⊠ 04271
Alameda, La (Ciu) 123 Wa 117
Alameda, La (Seg) 57 Wb 102
Alameda, La (Sor) 60 Xf 99 ⊠ 42126
Alameda de Cervera (Ciu) 109 Wf 113 ⊠ 13690
Alameda de Gardón, La (Sal) 70 Tb 105
Alameda de la Sagra (Tol) 90 Wb 108 ⊠ 45240
Alameda del Obispo (Córd) 136 Vb 121
Alameda del Valle (Mad) 74 Wa 103 ⊠ 28749
Alameda de Osuna (Mad) 75 Wc 106
Alamedilla (Gra) 153 We 123 ⊠ 18520
Alamedilla, Caserío de la (Jaé) 137 Vf 121
☆ Alamedilla, Convento de la 56 Vd 99
Alamedilla, Cortijo de la (Sev) 150 Vb 125
Alamedilla, Cortijo de la (Córd) 136 Vb 121
Alamedilla del Berrocal, La (Ávi) 73 Vb 104
Alamí, Cortijada El (Alm) 154 Xd 125
Alamicos, Los (Alm) 154 Xf 123
Alamillo (Ciu) 122 Vb 116 ⊠ 13413
Alamillo, Caserío del (Córd) 137 Ve 121
Alamillo, Cortijo del (Jaé) 138 Wd 120
Alamillo, El (Cád) 164 Ub 132 ⊠ 11391
Alamillo, El (Mur) 142 Ye 123
Alamillo-Campo Santiago, Caserío (Ciu) 124 We 116
Alamillos (Jaé) 152 Wb 123
Alamillos, Caserío de los (Córd) 136 Vb 123
Alamillos, Los (Alm) 163 Xf 126 ⊠ 04149
Alamín (Mad) 89 Ve 107
☆ Alamín, Castillo de 89 Ve 107
▲ Alamín, Montes de 89 Ve 107
≈ Alaminas de Las Pasadas, Río 159 Vb 129
Alaminos (Gua) 76 Xb 103 ⊠ 19490
☆ Alaminya 136 Vb 122
☆ Alamiria 136 Va 121
Álamo, Cortijo del (Cád) 164 Ua 130
Álamo, Cortijo del (Jaé) 138 We 121
Álamo, Cortijo El (Jaé) 139 Xa 119
Álamo, El (Mál) 151 Ve 126
Álamo, El (Sev) 149 Uc 123
Álamo, El (Sev) 134 Td 123
Álamo, El (Bad) 119 Td 118
Álamo, El (Ávi) 72 Ud 105
Álamo, El (Mad) 89 Wa 107
≈ Álamo, Río del 164 Ub 130
▲ Álamo, Sierra del 133 Tb 120
Álamos, Cortijo de los (Mur) 140 Ya 119
Álamos, Los (Ten) 171 C 2
Álamos, Los (Mál) 159 Vd 129
Álamos, Los (Alm) 154 Xe 123
▲ Álamos, Sierra de los 140 Ya 119
Alamús, els (Lle) 64 Ae 99
Alange (Bad) 120 Te 116 ⊠ 06840
≈ Alange, Embalse de 120 Te 116
Alanís (Sev) 135 Ub 120
▲ Alano 26 Zb 91
Alaquàs (Val) 114 Zd 112 ⊠ 46970
Alaraz (Sal) 72 Ue 104 ⊠ 37312
Alarba (Zar) 60 Yc 101 ⊠ 50345
Alarcia (Bur) 40 We 95 ⊠ 09199
Alarcón (Cue) 111 Xf 111
≈ Alarcón, Embalse de 92 Xe 110
≈ Alarconcillos, Arroyo de 125 Xc 115
☆ Alarcos, Castillo de 123 Wa 115
Alar del Rey (Pal) 21 Ve 93 ⊠ 34480
Alares, Los (Tol) 107 Vb 112
Alarilla (Gua) 76 Wf 103 ⊠ 19227
Alaró (Bal) 98 Ce 110
☆ Alaró, Castell d' (Bal) 98 Ce 110
Alàs (Lle) 29 Bd 94
Alàs i Cerc (Lle) 29 Bd 94
Alastrué (Hues) 44 Zf 94
Alastuey (Hues) 26 Zb 93
Alatoz (Alb) 112 Yd 114 ⊠ 02152
Alavés (Hues) 44 Zd 94
▲ Alavesa, Rioja 23 Xc 93
Alazores, Los (Gra) 160 Ve 126
▲ Alazores, Puerto de los 160 Ve 126
Alba (Lug) 4 Sb 89
Alba (Pon) 14 Rc 94
Alba (Bur) 40 We 94
Albá (Lug) 16 Sa 91
☆ Alba, Castillo de 6 Ua 89
☆ Alba, l' 65 Bc 100
▲ Alba, Peña de 25 Yd 90
≈ Alba, Río Del 7 Ud 89
▲ Alba, Sierra de 20 Vc 91
☆ Alba, Torre de 6 Te 88
Albacastro (Bur) 21 Ve 92 ⊠ 34492
Albacete (Alb) 126 Ya 115 ⊠ *02001
Albadalejo Alto (Cád) 157 Tf 128
Alba de Cerrato (Pal) 38 Vd 98 ⊠ 34219
Alba de los Cardaños (Pal) 20 Vb 91 ⊠ 34888
Alba de Tormes (Sal) 72 Ud 104 ⊠ 37800
Alba de Yeltes (Sal) 71 Te 104 ⊠ 37478
Albagés, l' (Lle) 64 Ae 100
Albagés, l' (Cas) 95 Ze 107
Albaida (Jaé) 137 Vf 121
Albaida (Val) 128 Zc 115 ⊠ 46860
☆ Albaida, Castillo de la 136 Vb 121
▲ Albaida, Port d' 128 Zd 116
Albaida, S' (Bal) 96 Ea 109
Albaida del Aljarafe (Sev) 148 Tf 124 ⊠ 41809
Albaidas, Cortijo y Molino de Las (Sev) 149 Uc 124
Albaina (Bur) 23 Xc 92 ⊠ 09216
Albal (Val) 114 Zd 112 ⊠ 46470
Albalá (Bad) 118 Sf 116
Albalá de Caudillo (Các) 105 Te 113
Albaladejo (Ciu) 125 Xb 117 ⊠ 13340
Albaladejo del Cuende (Cue) 92 Xe 110 ⊠ 16111
Albalat de la Ribera (Val) 114 Zd 113 ⊠ 46687
Albalat dels Sorells (Val) 114 Zd 111 ⊠ 46135
Albalat dels Tarongers (Val) 95 Ze 110
≈ Albalate, Río 92 Xe 107
Albalate de Cinca (Hues) 45 Ab 98 ⊠ 22534
Albalate del Arzobispo (Ter) 62 Zc 102 ⊠ 44540
Albalate de las Nogueras (Cue) 92 Xe 106 ⊠ 16841
Albalate de Zorita (Gua) 91 Xa 107 ⊠ 19117
Albalatillo (Hues) 44 Zf 98 ⊠ 22220
Albánchez (Alm) 154 Xe 125
≈ Albánchez, Río 154 Xf 125
Albánchez de Mágina (Jaé) 138 Wd 122
Albandi (Ast) 7 Ub 87 ⊠ 33492
Albanyà (Gir) 31 Ce 95
Albarca (Tar) 64 Af 101 ⊠ 43360
▲ Albarca, Coll d' 64 Af 101
Albarda (Mur) 142 Ye 120
≈ Albardana, Río 91 Wf 110
▲ Albardinales, Los 124 We 115
≈ Albardiosa, Laguna de la 109 We 110
Albaredo (Lug) 17 Se 91
Albarellos (Our) 15 Rf 94
Albarellos (Pon) 15 Rf 93 ⊠ 36516
Albarellos (Our) 34 Sd 97
≈ Albarellos, Encoro de 15 Re 94
Albares (Gua) 91 Wf 107 ⊠ 19112
Albares de la Ribera (Leó) 18 Td 93 ⊠ 24310
▲ Albaricoque, Cerro del 162 Xb 127
Albaricoqueros, Los (Mur) 141 Yc 122
Albaricoques (Alm) 163 Xf 127 ⊠ 04116
Albarizas, Cortijo de (Jaé) 137 Ve 121
▲ Albarquillas, Sierra de las 108 Wb 112
Albarracín (Ter) 78 Yd 106
▲ Albarracín, Sierra de 78 Yc 106
▲ Albarrana, Sierra de la 135 Ud 120
Albarreal de Tajo (Tol) 89 Ve 109 ⊠ 45522
≈ Albarrega, Arroyo 120 Te 115
▲ Albas, Sierras 20 Vc 90
Albatán (Sev) 148 Ua 123
Albatana (Alb) 127 Yc 117 ⊠ 02653
Albatàrrec (Lle) 62 Ad 99
Albatera (Ali) 142 Za 119 ⊠ 03340
≈ Albatera, Canal de 142 Za 119
▲ Albayate, Sierra de 151 Vf 124
Albeiros (Lug) 16 Sc 90
Albeiza = Albéniz (Ála) 24 Xe 91
▲ Albela, Montes da 16 Se 92
Albelda (Hues) 44 Ac 97 ⊠ 22558
Albelda de Iregua (Rio) 41 Xd 94 ⊠ 26120
Albella (Hues) 27 Zf 94 ⊠ 22371
Albendea (Cue) 77 Xd 106 ⊠ 16812
Albendiego (Gua) 58 Wf 101 ⊠ 19275
Albendín (Córd) 137 Ve 122
Albéniz (Ála) 24 Xe 91
Albentosa (Ter) 94 Zb 108 ⊠ 44477
≈ Albentosa, Río 94 Zb 108
Albeos (Pon) 33 Re 96 ⊠ 36429
▲ Albera, Serra de l' 31 Cf 94
Alberca, La (Mur) 142 Yf 121 ⊠ 30150
Alberca, La (Sal) 71 Tf 106 ⊠ 37624
▲ Alberca, Sierra de la 87 Uc 106
Alberca de Záncara, La (Cue) 110 Xd 111
≈ Alberche, Río 89 Ve 107
Alberche del Caudillo (Tol) 88 Va 109 ⊠ 45695
Albercón (Palm) 174 B 3
▲ Albercones 139 Xa 119
Alberedes de Portell, les (Cas) 80 Ze 105
Albergue (Córd) 122 Va 117
Albergue de los Castaños (Mur) 127 Yf 117
Albergue de los Espinares (Gra) 153 Wf 126
Alberguería (Our) 34 Sc 96
Alberguería de Argañán, La (Sal) 70 Tb 106
Alberguería de Herguijuela (Sal) 71 Ua 105
Albergues (Val) 94 Za 109
Alberic (Val) 113 Zc 114 ⊠ 46260
Alberique (Val) 94 Yf 110
Alberite (Cád) 157 Uc 128
Alberite (Rio) 41 Xd 94 ⊠ 26141
≈ Alberite, Río 164 Uc 130
Alberite de San Juan (Zar) 42 Yd 98 ⊠ 50529
Albero Alto (Hues) 44 Ze 96 ⊠ 22112
Albero Bajo (Hues) 44 Zd 96 ⊠ 22255
Alberola (Lle) 44 Ae 97 ⊠ 25611
Alberquilla (Mur) 141 Yb 123
Alberquilla, Cortijo de la (Sev) 157 Tf 127
Alberquilla, La (Mur) 140 Ya 119
Alberquilla, La (Tol) 89 Wa 109
Alberuela de Liera (Hues) 44 Zf 96
Alberuela de Tubo (Hues) 44 Ze 97 ⊠ 22212
Albesa (Lle) 44 Ae 98 ⊠ 25135
Albet (Lle) 29 Bc 94 ⊠ 25712
Albeta (Zar) 42 Yc 98 ⊠ 50549
Albi, l' (Lle) 64 Af 100 ⊠ 25450
Albiasu (Nav) 24 Ya 90 ⊠ 31877
▲ Albilla, Fuente 126 Ya 117
Albillos (Bur) 39 Wb 95 ⊠ 09239
Albina (Sev) 158 Ue 126
Albina, Cortijo de (Sev) 150 Uf 125
≈ Albina, Embalse de 23 Xc 90
Albinas, Cortijo de las (Mál) 159 Vc 126
Albinyana (Tar) 65 Bc 101 ⊠ 43716
Albiol, l' (Tar) 64 Ba 101 ⊠ 43479
Albires (Leó) 37 Ue 95
Albixoi (Cor) 3 Re 90 ⊠ 15685
Albiz (Viz) 11 Xc 89 ⊠ 48382
Albiztur (Gui) 12 Xf 90 ⊠ 20495
Albocabe (Sor) 59 Xe 99 ⊠ 42132
Albocàsser (Cas) 80 Aa 106
Alboi (Val) 114 Zd 115
Albolleque (Gua) 75 We 105 ⊠ 19160
Alboloduy (Alm) 162 Xc 126 ⊠ 04531
Albolote (Gra) 152 Wc 125 ⊠ 18220
Albondón (Gra) 161 We 128
Alboniga (Viz) 11 Xb 88
Albons (Gir) 49 Da 96 ⊠ 17136
☆ Alboquers, Església d' 48 Ca 97
Alborache (Val) 113 Zb 112 ⊠ 46369
▲ Alboraia, Platja d' 114 Ze 111
Alborajico (Alb) 127 Yc 117
Alboraya (Val) 114 Zd 112 ⊠ 46120
Alborea (Alb) 112 Yd 113 ⊠ 02215
Alboreca (Gua) 59 Xc 102 ⊠ 19264
Alborés (Cor) 14 Ra 91
Alborge (Zar) 62 Zd 100 ⊠ 50781
Albornos (Ávi) 73 Va 103 ⊠ 05358
▲ Albos, Picos 18 Tf 90
≈ Albosa 112 Ye 112
Albox (Alm) 154 Xf 124 ⊠ 04800
Albranca Vell (Bal) 96 Ea 109
Albudeite (Mur) 142 Yd 120 ⊠ 30190
≈ Albuera, Embalse de 133 Tb 119
Albuera, La (Bad) 119 Tb 116 ⊠ 06170
≈ Albuera, Laguna La 108 Wc 114
≈ Albuera Castellar, Embalse de 119 Td 118
≈ Albuera de Feria, Embalse de 119 Tc 117
≈ Albufera, L' 114 Zd 112
▲ Albufera, Parc Natural de l' 114 Zd 112
▲ Albufera, Parc Natural de S' (Bal) 99 Da 110
≈ Albufera, S' (Bal) 99 Da 110
Albufera, S' (Bal) 96 Ea 108
≈ Albufera, S' (Bal) 96 Eb 109
▲ Albufera des Grau, Parc Natural de S (Bal) 96 Eb 109
Albufereta, l' (Ali) 128 Zd 118
▲ Albufereta, Platja de l' 128 Zd 118
Albufereta, S' (Bal) 96 Ea 108
Albuixech (Val) 114 Ze 111 ⊠ 46550
▲ Albuixech, Platja de 114 Ze 111
Albujón (Mur) 142 Yf 122
Albuñán (Gra) 153 Wf 125
Albuñol (Gra) 161 We 128 ⊠ 18700
Albuñuelas (Gra) 161 Wc 127
Albuñuelas (Gra) 152 We 125
Alburejos, Los (Cád) 164 Ua 130 ⊠ 11170
Alburquerque (Bad) 103 Ta 113 ⊠ 06510

Alcabala Alta, Cortijo La (Sev) 158 Ud 126
Alcabón (Tol) 89 Vd 109
Alcacería, Cortijos de (Gra) 160 Vf 127
Alcachofar, El (Sev) 149 Ub 123
Alcachofares, Cortijo Los (Gra) 152 Wa 125
Alcadima (Alb) 126 Xf 117
Alcadozo (Alb) 126 Ya 117 ⊠ 02124
Alcahozo (Cue) 111 Yc 112 ⊠ 16290
Alcaide (Alm) 140 Xf 122
Alcaide, Cortijo del (Gra) 161 Wb 128
▲ Alcaide, Sierra 151 Ve 123
Alcaidía, La (Córd) 151 Vd 124
Alcaidía, La (Sev) 150 Uf 126
▲ Alcaina 142 Yf 120
Alcaine (Ter) 79 Zb 103 ⊠ 44792
Alcalá (Ten) 172 C 4
Alcalá, Cortijo de (Sev) 150 Uf 125
▲ Alcalá, Punta de (Ten) 172 B 4
▲ Alcalà, Talaies d' 80 Ab 106
≈ Alcalaboza, Rivera de 132 Se 121
Alcalá de Ebro (Zar) 43 Ye 98
Alcalá de Guadaira (Sev) 148 Ua 124
Alcalá de Gurrea (Hues) 43 Zb 96
Alcalá de Henares (Mad) 75 Wd 106
Alcalá de la Jovada (Ali) 129 Ze 116
Alcalá de la Selva (Ter) 79 Zb 106
Alcalá de la Vega (Cue) 93 Yc 108
Alcalá del Júcar (Alb) 112 Yd 113
Alcalá del Obispo (Hues) 44 Ze 96
Alcalá de los Gazules (Cád) 164 Ub 130
Alcalá del Río (Sev) 148 Ua 123
≈ Alcalá del Río, Embalse de 148 Ua 123
Alcalá del Valle (Cád) 158 Uf 127
Alcalá de Moncayo (Zar) 42 Yb 98
Alcalá la Real (Jaé) 151 Wa 124
Alcalalí (Ali) 129 Zf 116 ⊠ 03728
Alcalde, Caserío del (Tol) 109 We 110
Alcampell (Hues) 44 Ac 97 ⊠ 22560
Alcana (Hues) 44 Ac 97
Alcanà (Ali) 128 Za 118
Alcanadre (Rio) 41 Xf 94 ⊠ 26509
≈ Alcanadre, Río 44 Zf 95
≈ Alcanadre, Río 63 Aa 98
Alcanar (Tar) 80 Ac 105 ⊠ 43530
▲ Alcanar, Platja d' 80 Ad 105
Alcanetos, Los (Hues) 45 Aa 96
Alcañices (Zam) 53 Td 98 ⊠ 49500
Alcañiz (Ter) 80 Zf 102 ⊠ 44600
Alcañizo (Tol) 88 Uf 109 ⊠ 45687
Alcanó (Lle) 62 Ad 100
Alcántara (Cád) 157 Ua 128
Alcántara (Các) 85 Ta 110
▲ Alcántara, Cerro de 136 Uf 120
Alcántara, Cortijo de (Cád) 164 Ua 130
≈ Alcántara, Embalse de 85 Ta 110
Alcántara de Júcar = Alcàntera de Xúquer (Val) 113 Zc 114
Alcántara y Los Bucanos (Mur) 155 Yb 123
Alcantarilla (Mur) 142 Ye 121 ⊠ 30820
Alcantarilla (Alb) 140 Xd 119 ⊠ 02489
Alcantarilla, La (Alm) 155 Ya 126 ⊠ 04638
Alcantarillas, Las (Sev) 157 Ua 126
Alcàntera de Xúquer (Val) 113 Zc 114 ⊠ 46293
Alcantud (Cue) 77 Xd 105 ⊠ 16812
▲ Alcaparaín, Sierra de 159 Va 128
Alcaracejos (Córd) 121 Va 118 ⊠ 14480
Alcaraces (Mur) 142 Za 122
▲ Alcarama, Sierra de 41 Xe 97
Alcaraz (Alb) 125 Xd 116 ⊠ 02300
▲ Alcaraz, Sierra de 125 Xd 117
Alcaria, La (Cád) 158 Uc 129
≈ Alcarrache, Río 118 Sf 118
Alcarràs (Lle) 62 Ad 99
Alcàsser (Val) 114 Zd 112
Alcaucín (Mál) 160 Vf 127
Alcaudete (Jaé) 151 Vf 123 ⊠ 23660
☆ Alcaudete, Ermita 149 Ub 124
Alcaudete de la Jara (Tol) 88 Va 110 ⊠ 45662
Alcaudique (Alm) 162 Xa 128 ⊠ 04769
Alcaufar (Bal) 96 Eb 109 ⊠ 07713
Alcayaga (Nav) 12 Yb 89
Alcazaba (Bad) 119 Tb 115 ⊠ 06182
Alcazaba, La (Alm) 161 Wf 128 ⊠ 04778
≈ Alcazaba, Río 119 Tc 115
Alcázar (Gra) 161 Wd 127
☆ Alcázar 119 Td 115
☆ Alcázar 119 Td 118
☆ Alcázar 89 Vf 109
Alcázar del Rey (Cue) 91 Xb 108 ⊠ 16464
☆ Alcázar del Rey Don Pedro, Parador 149 Uc 124
Alcázar de San Juan (Ciu) 109 We 112
Alcazarén (Vall) 56 Vb 100
Alcazarén (Sal) 71 Ua 104
Alceda (Can) 9 Wa 89 ⊠ 39680
Alcedo (Ála) 22 Wf 92 ⊠ 01423
≈ Alchozasa, Río de 79 Zd 103
Alcíbar y Carrica = Altzibar (Gui) 12 Ya 89
Alcira = Alzira (Val) 114 Zd 114
Alciri (Ali) 128 Za 118 ⊠ 03649
Alcoba (Ciu) 107 Vd 113
▲ Alcoba, Piedra de la 165 Uc 130
Alcoba de la Ribera (Leó) 18 Ub 93 ⊠ 24393
Alcoba de la Torre (Sor) 58 Wd 98 ⊠ 42351
Alcobaza (Bad) 119 Ta 118
Alcobendas (Mad) 75 Wc 105 ⊠ *28100
≈ Alcobilla, Río 107 Ve 113
Alcocer (Cue) 76 Xc 106
Alcocer de Planes (Ali) 128 Zd 116 ⊠ 03841
Alcocero de Mola (Bur) 22 Wd 94 ⊠ 09258
☆ Alcohete, Sanatorio de 76 Wf 105
Alcohujate (Cue) 76 Xc 106 ⊠ 16537
Alcoies, les (Ali) 128 Zd 117
Alcolea (Alm) 162 Xa 127 ⊠ 04480
Alcolea (Córd) 136 Vc 121 ⊠ 14610
≈ Alcolea, Laguna de 123 Vf 115
≈ Alcolea, Río 58 Xb 101
Alcolea de Calatrava (Ciu) 123 Vf 115 ⊠ 13107
Alcolea de Cinca (Hues) 45 Aa 98 ⊠ 22410
Alcolea del Pinar (Gua) 76 Xd 102 ⊠ 19260
▲ Alcolea del Pinar, Puerto de 76 Xd 102
Alcolea del Río (Sev) 149 Uc 123
Alcolea de Tajo (Tol) 87 Uf 110 ⊠ 45571
Alcoletge (Lle) 64 Ae 99 ⊠ 25660
Alcollarín (Các) 105 Ub 113
≈ Alcollarín, Río 105 Ub 113
Alconaba (Sor) 59 Xd 98 ⊠ 42134
Alconada (Sal) 72 Ud 103 ⊠ 37329
Alconada de Maderuelo (Seg) 57 Wd 100 ⊠ 40529
Alconadilla (Seg) 57 Wc 100 ⊠ 40529
Alconchel (Bad) 118 Sf 117 ⊠ 06131
Alconchel de Ariza (Sor) 59 Xf 101
Alconchel de la Estrella (Cue) 110 Xc 110 ⊠ 16433
Alconera (Bad) 119 Td 118 ⊠ 06393
Alcóntar (Alm) 154 Xc 124
Alcora, L' (Cas) 95 Ze 108 ⊠ 12110
≈ Alcora, Pantà d' 95 Ze 108
Alcoraya, l' (Ali) 128 Zc 118
Alcorcillo (Zam) 53 Td 98 ⊠ 49517
Alcorcón (Mad) 89 Wb 106
▲ Alcores, Los 93 Ye 107
☆ Alcores, Necrópolis de los 149 Ub 124
Alcorin (Mál) 165 Ue 130 ⊠ 29691
Alcorisa (Ter) 80 Zd 103 ⊠ 44550
Alcorneo (Các) 103 Se 113
Alcornocal (Các) 106 Ud 111
Alcornocal, El (Córd) 135 Ue 119
Alcornocal, El (Ciu) 107 Vd 113
Alcornocalejo (Sev) 135 Ub 123
Alcornocalejo, Cortijo de (Cád) 157 Ub 129
▲ Alcornocales, Parque Natural de los 164 Uc 130
▲ Alcornocosa 147 Tb 124
Alcornocosa, La (Sev) 134 Te 122 ⊠ 41899
Alcornoque (Sev) 134 Tf 121
Alcornoquillo, Cortijo del (Sev) 158 Ue 126
Alcornoquillo, El (Sev) 158 Ud 127
Alcoroches (Gua) 78 Yb 105 ⊠ 19310
Alcorrín, Cortijo de (Sev) 150 Uf 123
Alcossebre (Cas) 96 Ab 107 ⊠ 12579
Alcotas (Ter) 94 Zb 108
Alcotas, Las (Val) 94 Za 110
Alcotx (Bal) 96 Eb 109
Alcover (Tar) 64 Bb 101 ⊠ 43460
Alcoy/Alcoi (Ali) 128 Zd 116
Alcozar (Sor) 58 We 99 ⊠ 42320
Alcozarejos (Alb) 112 Yc 113 ⊠ 02249
Alcubierre (Hues) 44 Zd 98 ⊠ 22251
▲ Alcubierre, Sierra de 44 Zd 98
Alcubilla de Avellaneda (Sor) 58 We 98 ⊠ 42351
Alcubilla de las Peñas (Sor) 59 Xc 101 ⊠ 42213
Alcubilla del Marqués (Sor) 58 Wf 99
Alcubilla de Nogales (Zam) 36 Ua 96 ⊠ 49696
Alcubillas (Ciu) 124 Wf 116 ⊠ 13391
Alcubillas, Las (Alm) 162 Xc 126 ⊠ 04558
Alcubillete (Tol) 89 Ve 109
Alcublas (Val) 94 Zb 110 ⊠ 46172
Alcúdia (Bal) 99 Da 109
≈ Alcúdia, Badia d' (Bal) 99 Db 110
Alcúdia, l' (Val) 113 Zc 113 ⊠ 46250
≈ Alcudia, Río 122 Vb 116
▲ Alcudia, Valle de 122 Vd 117
Alcudia de Carlet = Alcúdia, l' (Val) 113 Zc 113
Alcúdia de Crespins, l' (Val) 128 Zc 115 ⊠ 46690
Alcudia de Guadix (Gra) 153 Wf 125 ⊠ 18511
Alcudia de Monteagud (Alm) 154 Xe 125 ⊠ 04276
Alcudia de Veo (Cas) 95 Zd 109 ⊠ 12222
Alcudieta del Comtat, l' (Ali) 128 Zd 116
Alcuéscar (Các) 105 Te 113
≈ Alcuéscar, Embalse de 105 Te 113
Alcuetas (Leó) 37 Ud 95 ⊠ 24207
Alcuneza (Gua) 59 Xc 102 ⊠ 19264
▲ Alcurrunz 13 Yc 89
Alcútar (Gra) 161 We 127
Alcuzcuz (Mál) 165 Uf 129
Alda (Ála) 23 Xe 92 ⊠ 01117
Aldaba (Nav) 24 Yb 91 ⊠ 31892
Aldaba (Gui) 24 Xf 90 ⊠ 20267
Aldaia (Val) 114 Zd 112 ⊠ 46960
Aldán (Pon) 32 Rb 95
Aldaris (Cor) 14 Rb 92
▲ Aldasur 25 Ye 92
Aldatz (Nav) 24 Ya 90 ⊠ 31878
Alday (Viz) 11 Xb 88
Aldea (Lug) 4 Sb 89
Aldea, l' (Tar) 80 Ad 104 ⊠ 43896
Aldea, La (Bur) 22 Wc 91 ⊠ 09554
▲ Aldea, Playa de la (Palm) 174 A 2
▲ Aldea, Punta de la (Palm) 174 B 2
Aldea Blanca (Palm) 174 D 3 ⊠ 35119
Aldea Blanca del Llano (Ten) 172 D 5
Aldeacentenera (Các) 105 Uc 111 ⊠ 10251
Aldeacipreste (Sal) 86 Ua 106 ⊠ 37718
Aldeacueva (Viz) 10 Wd 89 ⊠ 48891
Aldeadalba de Hortaces (Sal) 70 Tc 105
Aldeadávila de la Ribera (Sal) 53 Tc 101
Aldea de Arango (Tol) 88 Va 108
Aldea de Cela (Cor) 3 Rf 89 ⊠ 15313
Aldea de Don Gil, Cortijo de (Córd) 137 Vd 122
Aldea de Ebro (Can) 21 Vf 91 ⊠ 39213
Aldea de Gazol (Hues) 44 Zd 98
Aldea de la Valdoncina, La (Leó) 19 Ub 93
Aldea del Cano (Các) 104 Te 113 ⊠ 10163
Aldea del Fresno (Mad) 89 Ve 107 ⊠ 28620
Aldea del Obispo, La (Các) 105 Ua 111 ⊠ 10291
Aldea del Pinar (Bur) 40 Wf 97 ⊠ 09660
Aldea del Portillo de Busto, La (Bur) 22 We 92 ⊠ 09211
Aldea del Puente, La (Leó) 19 Ue 93
Aldea del Rey (Ciu) 123 Wa 116 ⊠ 13380
Aldea del Rey Niño (Ávi) 73 Vb 105 ⊠ 05197
Aldea de Puy de Cinca (Hues) 45 Ab 95
Aldea de San Esteban (Sor) 58 We 99 ⊠ 42345
Aldea de San Miguel (Vall) 56 Vc 100 ⊠ 47160
Aldea de Tejada (Huel) 148 Td 124
Aldea de Trujillo (Các) 105 Ua 111
Aldea en Cabo (Tol) 89 Vd 107
Aldeagallega (Sal) 72 Ub 103 ⊠ 37187
Aldeagutiérrez (Sal) 54 Tf 102
Aldealabad (Ávi) 73 Va 105 ⊠ 05520
Aldealabad del Mirón (Ávi) 72 Ud 105
Aldealafuente (Seg) 57 Wb 101 ⊠ 40389
Aldealafuente (Sor) 59 Xd 98 ⊠ 42134
Aldealázaro (Seg) 58 Wd 100
Aldealbar (Vall) 56 Vd 100 ⊠ 47313
Aldealcardo (Sor) 41 Xe 96
Aldealcorvo (Seg) 57 Wb 101 ⊠ 40389
Aldealengua (Sal) 72 Uc 103 ⊠ 37350
Aldealengua de Santa María (Seg) 57 Wd 100
Aldealgordo de Abajo (Sal) 72 Ub 104 ⊠ 37183
Aldealices (Sor) 41 Xe 97 ⊠ 42180
Aldeallana (Seg) 74 Ve 103 ⊠ 40153
Aldealobos (Rio) 41 Xe 95 ⊠ 26145
Aldealpozo (Sor) 41 Xe 98 ⊠ 42112
Aldealseñor (Sor) 41 Xe 97 ⊠ 42180
Aldeamayor de San Martín (Vall) 56 Vc 99
Aldeanueva (Alb) 126 Yb 115
Aldeanueva (Sal) 70 Tc 105
Aldeanueva (Seg) 74 Vf 103
Aldeanueva, Caserío (Các) 105 Ua 112
Aldeanueva de Atienza (Gua) 58 Wf 102 ⊠ 19244
Aldeanueva de Barbarroya (Tol) 88 Uf 110 ⊠ 45661
Aldeanueva de Cameros (Rio) 41 Xc 96 ⊠ 26123
Aldeanueva de Campo Mojado (Sal) 72 Ub 105
Aldeanueva de Ebro (Rio) 42 Ya 95 ⊠ 26559
Aldeanueva de Figueroa (Sal) 54 Uc 102 ⊠ 37429
Aldeanueva de Guadalajara (Gua) 76 Wf 104 ⊠ 19152
Aldeanueva del Arenal (Sal) 70 Tc 106
Aldeanueva de la Serrezuela (Seg) 57 Wb 100 ⊠ 40532
Aldeanueva de la Vera (Các) 87 Ub 108 ⊠ 10440
Aldeanueva del Camino (Các) 86 Ua 107 ⊠ 10740
Aldeanueva del Campanario (Seg) 57 Wc 100 ⊠ 40568
Aldeanueva del Codonal (Seg) 56 Vc 102 ⊠ 40462
Aldeanueva del Monte (Seg) 57 Wc 101 ⊠ 40517
Aldeanueva de Portanovis (Sal) 70 Tc 104
Aldeanueva de San Bartolomé (Tol) 106 Uf 111
Aldeanueva de Santa Cruz (Ávi) 87 Ud 106
Aldeaquemada (Jaé) 124 Wd 118 ⊠ 23215
Aldea Quintana (Córd) 136 Va 122 ⊠ 14191
Aldea Real (Seg) 56 Vf 101 ⊠ 40292
Aldearrodrigo (Sal) 54 Ub 102 ⊠ 37110
Aldearrubia (Sal) 72 Ud 102 ⊠ 37340
Aldeasaz (Seg) 74 Wa 102
Aldeaseca (Ávi) 73 Vb 102 ⊠ 05212
Aldeaseca de Alba (Sal) 72 Ud 104 ⊠ 37870
Aldeaseca de Armuña (Sal) 72 Ub 102
Aldeaseca de la Frontera (Sal) 72 Ue 103 ⊠ 37317
Aldeasnuevas (Các) 86 Tf 108
Aldeasoña (Seg) 57 Vf 100 ⊠ 40235
Aldeatejada (Sal) 72 Ub 103 ⊠ 37187
Aldea Vella (Cor) 14 Ra 93 ⊠ 15948
Aldeavieja (Sal) 71 Te 104
Aldeavieja (Ávi) 73 Vd 104 ⊠ 05193
Aldeavieja de Tormes (Sal) 72 Uc 105 ⊠ 37779
Aldeavilla de Revilla (Sal) 71 Te 103
Aldeayuste (Sal) 72 Ue 103 ⊠ 37317
Aldeguer (Lug) 5 Se 89
Aldehorno (Seg) 57 Wb 99 ⊠ 40533
≈ Aldehuel, Embalse de 71 Ub 104
Aldehuela (Seg) 57 Wb 100
Aldehuela (Các) 71 Td 106 ⊠ 10638
Aldehuela (Seg) 74 Vf 103
Aldehuela (Gua) 77 Yb 104 ⊠ 19354
Aldehuela (Ter) 79 Zb 104
Aldehuela (Ter) 94 Yf 107
Aldehuela, La (Jaé) 137 Wa 120
Aldehuela, La (Ávi) 72 Ud 106 ⊠ 05593
Aldehuela, La (Tol) 90 Wd 108
☆ Aldehuela, Palacio de la 72 Ub 102
▲ Aldehuela, Puerto de 79 Zc 104
Aldehuela de Ágreda (Sor) 42 Ya 98
Aldehuela de Calatañazor (Sor) 58 Xb 98 ⊠ 42193
Aldehuela de Fuentes, Caserío de (Ávi) 73 Vb 102
Aldehuela de la Bóveda (Sal) 71 Tf 103
Aldehuela de Las Flores, Caserío (Sal) 72 Ue 102
Aldehuela del Codonal (Seg) 73 Vc 102 ⊠ 40462
Aldehuela de Liestos (Zar) 60 Yb 102 ⊠ 50374
Aldehuela del Jerte (Các) 86 Te 1
Aldehuela de los Gallegos (Sal) 70 Tc 105
Aldehuela de Periáñez (Sor) 41 Xe 98
Aldehuela de Rincón (Sor) 41 Xc
Aldehuela de Santa Cruz (Zar) 60 Yd 100
Aldehuela de Yeltes (Sal) 71 Te 10 ⊠ 37639
Aldehuelas (Sal) 54 Ua 102
Aldehuelas, Las (Sor) 41 Xd 97 ⊠ 42173
Aldeire (Alm) 154 Xc 125 ⊠ 04897
Aldeire (Gra) 153 Wf 126 ⊠ 18514
Aldenueva del Camino (Các) 86 Ua 107
Aldeonsancho (Seg) 57 Wa 101 ⊠ 40380
Aldeonte (Seg) 57 Wb 100 ⊠ 4053
Aldeyuso (Vall) 56 Vf 99 ⊠ 47313
Aldixe (Lug) 4 Sc 89
Aldomán (Lug) 17 Sf 90
Aldosa, l' (AND) 29 Bd 93
Aldosende (Lug) 16 Sc 92 ⊠ 2761
☆ Aldovea, Castillo de 75 Wd 106
Aldover (Tar) 80 Ac 103 ⊠ 43591
Aldunate (Nav) 25 Yd 93 ⊠ 31449
Alea (Ast) 7 Uf 88 ⊠ 33345
Aleas (Gua) 75 Wf 103 ⊠ 19237
▲ Alecos, Los 24 Yb 93
Alecua (Ali) 128 Zc 117
Aledo (Mur) 141 Yc 122 ⊠ 30859
☆ Aledua, Castell d' 113 Zc 113
Alegia (Gui) 24 Xf 90 ⊠ 20260
Alegranza (Palm) 176 C 1
▲ Alegranza (Palm) 176 C 1
Alegría, Cortijo de la (Gra) 153 We 124
Alegría, Cortijo de la (Sev) 149 Ue 123
Alegria-Dulantzi (Ála) 23 Xc 91
▲ Aleguillas 72 Ue 106
Aleicar, l' (Tar) 64 Ba 101
Aleje (Leó) 19 Uf 91 ⊠ 24960
Alejos, Los (Alb) 126 Xe 117 ⊠ 02448
Alella (Bar) 66 Cb 100 ⊠ 08328
Alemanes, Caserío Los (Ter) 93 Ye 107
Alemanes Nuevos, Los (Alm) 163 Xf 128
Alemparte (Pon) 15 Rf 92 ⊠ 36511
Alemparte (Our) 33 Sc 95
Alen (Viz) 10 We 89 ⊠ 48870
Alén (Our) 15 Rf 93
Alentisque (Sor) 59 Xd 100 ⊠ 4222
Alentorn (Lle) 46 Ba 97 ⊠ 25736
Aler (Hues) 44 Ac 96 ⊠ 22588
Alera (Nav) 42 Yd 95
Alerre (Hues) 44 Zd 96 ⊠ 22194
Alesanco (Rio) 40 Xb 94 ⊠ 26324
Alesón (Rio) 41 Xb 94
Alevia (Ast) 8 Vc 88 ⊠ 33579
Alfabia (Bal) 98 Ce 110
Alfacar (Gra) 152 Wc 125 ⊠ 18170
≈ Alfacs, Port dels 80 Ad 105
Alfafar (Val) 114 Zd 112 ⊠ 46910
Alfafara (Ali) 128 Zc 116 ⊠ 03838
Alfages (Hues) 45 Ab 98
Alfahuara, La (Alm) 140 Xe 122 ⊠ 04830
Alfaix (Alm) 155 Ya 126 ⊠ 04288
Alfajarín (Zar) 62 Zb 99
Alfambra (Ter) 79 Yf 105 ⊠ 44160
≈ Alfambra, Río 79 Za 105
Alfamén (Zar) 61 Ye 100
☆ Alfándiga, Castillo de 95 Zd 109
Alfántega (Hues) 45 Aa 98
▲ Alfara 80 Ab 104
Alfara de Algimia (Val) 95 Zd 110 ⊠ 46148
Alfara de Carles = Alfara dels Ports (Tar) 80 Ac 103 ⊠ 43528
Alfara dels Ports = Alfara de Carles (Tar) 80 Ac 103
Alfaraz (Zam) 54 Ua 101
Alfaraz de Sayago (Zam) 54 Ua 101 ⊠ 49177
Alfarb (Val) 113 Zc 113
Alfarnate (Mál) 160 Ve 127 ⊠ 29194
Alfarnatejo (Mál) 160 Ve 127 ⊠ 29194
Alfaro (Rio) 42 Yb 95 ⊠ 26540
▲ Alfaro, Serra d' 129 Ze 116
Alfarràs (Lle) 44 Ad 97
Alfarrasí (Val) 128 Zd 115 ⊠ 46893
Alfàs del Pi, l' (Ali) 129 Zf 117 ⊠ 03580
Alfauir (Val) 129 Ze 115 ⊠ 46725
Alfávila, La (Jaé) 151 Wa 123

fera, La (Alb) 126 Xe 117
⊠02448
fés (Lle) 62 Ad 99
finach (Val) 114 Zd 111
focea (Zar) 43 Za 98 ⊠50120
foces, Los (Pal) 38 Vf 97
fondeguilla (Cas) 95 Ze 109
⊠12609
Alfonso XIII, Embalse de
141 Yc 119
lfonso XIII, Refugio de (Hues)
26 Ze 92
Alforjas, Las 58 Wd 99
lfornón (Gra) 161 We 128
lforque (Zar) 62 Zd 100 ⊠50783
lfoz (Lug) 4 Sd 87
lfoz de Bricia (Bur) 21 Wa 91
⊠09572
lfoz de Lloredo (Can) 9 Ve 88
lfoz de Quintanadueñas (Bur)
39 Wb 94
lfoz de Santa Gadea (Bur)
21 Wa 91 ⊠09571
lfranca, La (Zar) 61 Zb 99
⊠50195
lgá, l' (Cas) 80 Zf 106
lgaba, La (Sev) 148 Tf 124
⊠41980
lgadefe (Leó) 36 Uc 95 ⊠24238
lgaiarens (Bal) 96 Df 108
▲Algaiat, Serra d' 128 Za 119
lgaida (Bal) 99 Cf 111 ⊠07210
lgaida (Mur) 142 Ye 120
lgaida, La (Cád) 156 Te 128
⊠11549
lgaidilla (Sev) 150 Vb 125
lgaidón, El (Mur) 126 Yb 119
▲Algairén, Sierra de 61 Ye 101
lgallarín (Córd) 137 Vd 120
lgamasilla (Cád) 165 Ud 132
lgámitas (Sev) 158 Uf 126
lgámitas, Las (Cád) 164 Uc 131
lgar (Cád) 157 Uc 129 ⊠11639
lgar (Córd) 151 Ve 124 ⊠14811
lgar, El (Mur) 143 Za 123 ⊠30366
lgar, S' (Bal) 96 Eb 110
▲Algaralleta 26 Za 92
lgarbes, Cortijo Los (Sev)
150 Uf 124
lgarbes, Los (Córd) 150 Va 123
lgar de Mesa (Gua) 60 Ya 102
⊠19332
lgar de Palancia (Val) 95 Zd 110
⊠46593
≈Algar de Palancia, Embalse de
95 Zd 110
lgarga (Gua) 91 Wf 107
lgarín, Cortijo de (Sev) 149 Uc 123
lgarinejo (Gra) 151 Vf 125
⊠18280
lgarra (Cue) 93 Yd 108 ⊠16338
≈Algarra, Río 93 Yd 109
lgarrobal, El (Alm) 162 Xb 128
▲Algarrobico, Playa del 163 Ya 126
lgarrobillo, El (Sev) 157 Ua 127
▲Algarrobito, Loma del 134 Ua 123
lgarrobo (Mál) 160 Vf 128
⊠29750
▲Algarrobo 142 Ye 123
lgarrobo, El (Huel) 148 Td 125
lgarrobo, El (Mur) 142 Yf 119
⊠30648
▲Algarrobo, Puerto del 158 Uc 129
▲Algarrobo, Sierra del 142 Ye 123
Algarrobo-Costa (Mál) 160 Vf 128
Algarve (Córd) 137 Ve 122
≈Algarve, Arroyo del 137 Ve 122
Algarve, Cortijo (Cád) 157 Tf 127
☆Algás, Castillo de 44 Zc 95
▲Algas, Playa de 143 Zb 122
▲Algas, Punta de 143 Zb 122
≈Algas, Río 80 Ab 103
Algatocín (Mál) 158 Ue 129
Algayón (Hues) 44 Ac 98
Algecira, La (Ter) 80 Zd 104
Algeciras (Cád) 165 Ud 132
⊠•11101
≈Algeciras, Bahía de 165 Ud 132
≈Algeciras, Embalse de 142 Yd 121
Algemesí (Val) 114 Zd 113 ⊠46680
Algendar (Bal) 96 Eb 109
Algerri (Lle) 44 Ad 98 ⊠25130
▲Alges, Vall de 63 Aa 102
Algete (Mad) 75 Wd 105 ⊠28110
Algezares (Mur) 142 Yf 121
⊠30157
☆Algibe, Castillo 165 Ud 130
Algibón (Sev) 150 Uf 126
Algimia de Alfara (Val) 95 Zd 110
⊠46148
Algimia de Almonacid (Cas)
95 Zd 109 ⊠12414
Alginet (Val) 114 Zd 113 ⊠46230
Algoda, l' (Ali) 143 Zb 119
Algodonales (Cád) 158 Ud 127
⊠11680
≈Algodor, Río 108 Wb 111
Algodre (Zam) 54 Uc 99 ⊠49539
≈Algodre, Arroyo del 54 Uc 99
Algora (Gua) 76 Xb 103 ⊠19268
Algorfa (Ali) 143 Zb 120 ⊠03169
Algorós (Ali) 143 Zb 119
Algorta (Viz) 11 Xa 88
▲Algova, Sierra 123 Vf 118
Alguaire (Lle) 44 Ad 98 ⊠25125
Alguazas (Mur) 142 Ye 120
⊠•30560
≈Àlguema, el Riera d' 49 Cf 95
Algueña (Ali) 128 Za 118 ⊠03668
▲Alguesta, l' 128 Za 119
Alhabía (Alm) 162 Xc 127
Alhagüeces (Mur) 141 Yb 122
≈Alhama, Río 160 Wa 126
≈Alhama, Río 41 Xf 97
≈Alhama, Río 42 Ya 96
▲Alhama, Sierra de 160 Ve 127
Alhama de Almería (Alm)
162 Xc 127
Alhama de Aragón (Zar) 60 Ya 101
Alhama de Granada (Gra)
160 Wa 127 ⊠18120
Alhama de Murcia (Mur) 141 Yd 121
⊠30840
☆Alhambra 152 Wc 125
Alhambra (Ciu) 124 Wf 115
⊠13248
≈Alhambra, Arroyo de 124 Wf 115
▲Alhambra, Sierra de 124 Wf 115
Alhambras, Las (Ter) 94 Za 108
⊠44423
▲Alhamilla, Sierra de 163 Xe 127
Alhanchete, El (Alm) 155 Ya 125
⊠04619
Alharia, La (Mál) 165 Ue 129
Alharilla (Jaé) 137 Vf 121
☆Alharilla, Ermita de 137 Vf 121
▲Alharín 26 Zc 93
Alhaurín de la Torre (Mál)
159 Vc 129
Alhaurín el Grande (Mál)
159 Vb 129
Alhendín (Gra) 152 Wc 126
Alhondiguilla, La (Gra) 152 Wb 124
Alhorín, Cortijo del (Ciu) 123 Vf 117
Ali (Ála) 23 Xb 91 ⊠01010
Alía (Các) 106 Ue 112
≈Alía, Embalse de 106 Ue 111
Aliaga (Ter) 79 Zb 104 ⊠44150
≈Aliaga, Embalse de 79 Zb 104
≈Aliaga, Río 79 Zb 104
Aliaguilla (Cue) 93 Ye 110 ⊠16313
▲Aliaguilla, Sierra de 93 Yd 110
Alicante/Alacant (Ali) 128 Zd 118
Alicante, El (Córd) 121 Ue 119
Alicate (Mál) 159 Vb 129 ⊠29600
Alicún (Alm) 162 Xc 127
Alicún de las Torres (Gra)
153 Wf 123
Alicún de Ortega (Gra) 153 Wf 123
≈Aliendre, Río 76 Wf 103
☆Áliga, Torre de l' 80 Ae 103
☆Alija 104 Tb 112
Alija de la Ribera (Leó) 19 Uc 93
⊠24199
Alija del Infantado (Leó) 36 Ua 96
⊠24761
Alijar (Cád) 156 Te 128
▲Alíjar, Puerto de 158 Uf 129
Alijares, Los (Jaé) 138 Wd 122
☆Alimán, Ermita de 89 Wa 110
Alins (Hues) 28 Ad 94 ⊠22473
Alins (Lle) 29 Bb 93 ⊠25574
Alíns del Monte (Hues) 45 Ac 96
Alinyà (Lle) 47 Bc 95
Alió (Tar) 64 Bb 101
Alique (Gua) 76 Xc 105 ⊠19129
Alisar, El (Sev) 134 Te 123 ⊠41889
Alisas (Can) 10 Wc 89
▲Alisas, Puerto de 10 Wc 89
Aliseda (Các) 104 Tb 112 ⊠10550
Aliseda (Sal) 70 Tc 104
▲Aliseda, La 105 Ua 114
Aliseda de Tormes, La (Ávi)
87 Ud 107 ⊠05630
≈Aliste, Río 54 Tf 99
Alitaje (Gra) 152 Wb 125
Aliud (Sor) 59 Xe 99 ⊠42132
Aliva, Refugio de (Can) 8 Vb 90
Aljabara, La (Sev) 149 Ud 124
Aljabaras, Las (Córd) 135 Ue 121
⊠14730
Aljaima (Mál) 159 Vc 128 ⊠29592
Aljambra, La (Alm) 154 Xf 124
⊠04814
Aljaraque (Huel) 147 Sf 125
⊠21110
Aljariz (Alm) 155 Ya 125 ⊠04629
Aljezas y El Llano (Mur) 141 Ya 122
▲Aljibe 165 Uc 129
Aljibe (Palm) 175 E 2
▲Aljibe 123 Wa 116
▲Aljibe, Sierra del 164 Uc 130
▲Aljibe, Sierra del 124 Wc 117
▲Aljibe, Sierra del 107 Va 112
▲Aljibe Alto 162 Xc 127
Aljibe de la Cruz, El (Alm)
162 Xa 128
Aljibe del Andaluz (Mur) 142 Yd 121
Aljibe de los Juncos (Mur)
142 Ye 122
Aljibete, El (Mur) 155 Yb 123
Aljibe y las Brencas de Sicilia, El
(Mur) 155 Yb 123
Aljibillos (Alm) 162 Xb 128
Aljonoz (Sev) 150 Va 124
☆Aljonoz, Castillo de 150 Va 124
Aljorf (Val) 128 Zc 115
Aljorra, La (Mur) 142 Yf 122
⊠30390
Aljube (Alb) 127 Yc 117 ⊠02512
Aljucén (Bad) 104 Te 114
≈Aljucén, Río 119 Td 115
Aljucer (Mur) 142 Yf 121 ⊠30152
Aljuezar, Cortijada (Alm) 155 Ya 126
Alkibar (Gui) 24 Xe 91
Alkiza (Gui) 12 Xf 89 ⊠20494
Alkotz (Nav) 24 Yb 90 ⊠31797
All (Gir) 29 Be 94
All (Gir) 30 Bf 94
Allande (Ast) 5 Tc 89
Allariz (Our) 33 Sb 95 ⊠32660
▲Allariz, Alto do 33 Sb 95
Allas de San Pedro (Seg) 74 Ve 103
Allendelagua (Can) 10 We 88
⊠39798
Allepuz (Ter) 79 Zb 106 ⊠44145
Aller (Ast) 7 Uc 89
Aller = Cabañaquinta (Ast) 7 Uc 89
≈Aller, Río 19 Uc 90
Alles (Ast) 8 Vb 88 ⊠33578
Allín (Nav) 24 Xf 92
Allo (Cor) 2 Ra 90
Allo (Nav) 24 Xf 93 ⊠31262
Allonca, A (Lug) 5 Ta 89 ⊠27113
☆Allors, Pazo de 2 Rb 89
Alloz (Nav) 24 Ya 92 ⊠31292
≈Alloz, Embalse de 24 Ya 92
Alloza (Ter) 79 Zc 103 ⊠44509
Allozos, Los (Mur) 141 Yc 122
Allué (Hues) 26 Ze 94
Allueva (Ter) 79 Yf 103 ⊠44492
▲Alluitz 23 Xc 90
☆Almacedo, Ermita de 58 Xa 99
Almacelles (Lle) 44 Ac 98 ⊠25100
Almacelletes (Lle) 44 Ad 98
Almacenes (Ter) 79 Zb 103
Almáchar (Mál) 160 Ve 128
≈Almáchar, Río de 160 Ve 128
Almachares (Mál) 160 Wa 128
Almaciles (Gra) 140 Xe 121
⊠18829
▲Almaciles, Puerto de 140 Xe 121
≈Almaciles, Rambla de 140 Xd 120
Almadén (Ciu) 122 Vb 116
▲Almadén, El 138 Wc 122
▲Almadén, Sierra 138 Wc 122
Almadén de la Plata (Sev)
134 Tf 121
Almadenejos (Ciu) 122 Vb 116
⊠13480
Almadenes (Mur) 141 Yc 119
≈Almadenes, Embalse de
141 Yc 119
☆Almadeque, Castillo 59 Xe 101
Almadraba (Cád) 156 Td 129
☆Almadraba, Castillo de la
156 Td 129
Almadraba de Monteleva (Alm)
163 Xe 128
Almadraba Esparola (Cád)
164 Te 130
Almadrava, l' (Gir) 49 Db 95
Almadrava, l' (Tar) 80 Af 103
▲Almadrava, Platja de l' 80 Af 103
Almadrones (Gua) 76 Xb 103
⊠19490
Almafrà (Ali) 129 Zf 117
Almagarinos (Leó) 18 Te 92
⊠24374
▲Almagrera, Sierra 155 Yb 125
Almagreros, Cortijo de los (Alm)
140 Xf 121
Almagro (Ciu) 123 Wb 115 ⊠13270
▲Almagro, Montaña (Palm) 174 B 2
▲Almagro, Sierra de 155 Ya 124
Almagros (Mur) 142 Ye 122
Almaguer-Espedreñals (Val)
114 Zd 113
Almajalejo (Alm) 154 Ya 124
Almajano (Sor) 41 Xd 97 ⊠42180
Almajar (Cád) 157 Te 129
Almallá, Caserío de (Gua)
77 Ya 104
Almaluez (Sor) 59 Xe 101 ⊠42258
Almandoz (Nav) 25 Yc 90 ⊠31796
Almansa (Alb) 127 Yf 115 ⊠02640
Almansa (Các) 106 Ue 112
≈Almansa, Embalse de 127 Yf 115
▲Almansa, Puerto de 128 Za 116
Almansas (Jaé) 139 Wf 121
Almantiga (Sor) 59 Xc 100 ⊠42212
Almanza (Leó) 20 Uf 93 ⊠24170
☆Almanzor 136 Vb 122
≈Almanzora, Río 155 Yb 125
≈Almar, Río 72 Ud 103
Almarail (Sor) 59 Xd 99 ⊠42191
Almaraz (Các) 87 Uc 110 ⊠10350
Almaraz de Duero (Zam) 54 Ua 100
⊠49180
Almaraz de la Mota (Vall) 55 Ue 98
⊠47861
Almarcha, La (Cue) 110 Xd 110
⊠16740
Almarchal, El (Cád) 164 Ub 132
⊠11393
Almargen (Mál) 158 Uf 127 ⊠29330
Almarja, La (Córd) 135 Ue 122
Almarza (Sor) 41 Xd 97 ⊠42169
Almarza de Cameros (Rio) 41 Xc 95
⊠26111
Almàssera (Val) 114 Zd 111
⊠46132
Almassor (Lle) 46 Af 98 ⊠25261
Almatret (Zar) 62 Ac 101
Almatriche (Palm) 174 D 2
Almayate Alto (Mál) 160 Vf 128
⊠29749
Almayate Bajo (Mál) 160 Vf 128
⊠29749
Almazán (Sor) 59 Xc 100
▲Almazán, Tierra de 59 Xd 100
Almazara, Cortijo de (Jaé)
153 Wf 123
Almazarán (Alb) 126 Xf 118
Almázcara (Leó) 18 Td 93
Almazora/Almassora (Cas)
95 Zf 109
Almazorre (Hues) 45 Aa 95
⊠22148
Almazul (Sor) 59 Xf 99 ⊠42126
▲Almeces 141 Yd 120
Almedíjar (Cas) 96 Ab 107
Almedíjar (Cas) 95 Zd 109
Almedina (Ciu) 125 Xa 117 ⊠13328
Almedina, La (Jaé) 139 Wf 121
Almedinilla (Córd) 151 Vf 124
⊠14812
Almegíjar (Gra) 161 We 127
Almeida de Savago (Zam) 54 Tf 101
Almenar (Lle) 44 Ad 98 ⊠25126
Almenara (Jaé) 138 Wb 121
▲Almenara 125 Xd 117
▲Almenara 74 Ve 106
Almenara (Cas) 95 Ze 110 ⊠12590
☆Almenara, Castillo de 135 Ud 122
☆Almenara, Castillo de 91 Xb 110
▲Almenara, Sierra de 91 Xa 110
▲Almenara, Sierra de la 155 Yc 123
Almenara de Adaja (Vall) 56 Vb 101
⊠47419
Almenara de San Ignacio (Zar)
61 Yf 98
Almenara de Tormes (Sal)
54 Ub 102 ⊠37115
Almenar de Soria (Sor) 59 Xe 98
Almenas, Cortijo de las (Mur)
140 Xf 121
Almendra (Sal) 53 Td 101 ⊠37176
Almendra (Zam) 54 Ua 99 ⊠49183
≈Almendra, Embalse de 53 Te 101
Almendral (Bad) 119 Tb 117
⊠06171
Almendral (Các) 86 Tf 108
Almendral, El (Gra) 160 Vf 127
⊠18128
Almendral, El (Alm) 154 Xc 126
⊠04559
Almendral de la Cañada (Tol)
88 Vb 107 ⊠45631
Almendralejo (Bad) 119 Td 116
⊠06200
Almendrales (Mál) 159 Vd 128
Almendricos (Mur) 155 Yb 124
⊠30893
Almendro, Cortijada El (Gra)
151 Vf 125
Almendro, El (Huel) 146 Se 123
⊠21593
▲Almendro, Loma del 125 Xa 115
Almendros (Cue) 91 Xa 109
⊠16420
Almendros, Los (Ciu) 124 Wf 115
Almendros, Los (Cas) 80 Ad 105
Almendros, Los (Mad) 90 Wd 107
Almensilla (Sev) 148 Tf 125
⊠41111
Almería (Alm) 162 Xd 128
≈Almería, Golfo de 162 Xd 128
Almerimar (Alm) 162 Xb 128
⊠04711
≈Almeros, Laguna de los
123 Vf 116
Almeza, La (Val) 94 Za 109
⊠46178
Almicerán, El (Jaé) 139 Xa 122
Almidar (Gra) 153 Wf 124
▲Almijara, Sierra de 160 Wa 127
▲Almina, Punta 165 Ue 133
▲Almirall, Serra de l' 129 Ze 115
Almirez (Alb) 126 Ya 118
▲Almirez, Cerro del 153 Xa 126
Almiruete (Gua) 75 We 102
⊠19225
☆Almisera, Castell d' 129 Zf 115
Almochuel (Zar) 62 Zc 101 ⊠44591
Almócita (Alm) 162 Xb 127
≈Almodóvar, Río 164 Ub 131
Almodóvar del Campo (Ciu)
123 Vf 116
Almodóvar del Pinar (Cue)
92 Ya 110 ⊠16215
Almodóvar del Río (Córd)
136 Uf 122
≈Almofrei, Río 15 Rc 94
Almogía (Mál) 159 Vc 128
Almoguera (Gua) 91 Xa 107
⊠19115
☆Almoguera, Central de 91 Xa 107
≈Almoguera, Embalse de
91 Xa 107
Almohadilla (Jaé) 125 Xb 118
Almohaja (Ter) 78 Yd 105 ⊠44369
▲Almohaja, Sierra de 78 Yd 105
Almohalla, La (Ávi) 72 Ud 106
⊠05515
Almoharín (Các) 105 Tf 113
Almoines (Val) 129 Ze 115 ⊠46723
Almolda, La (Zar) 62 Ze 99 ⊠50178
Almonacid de la Cuba (Zar)
61 Zb 101 ⊠50133
Almonacid de la Sierra (Zar)
61 Ye 100 ⊠50108
Almonacid del Marquesado (Cue)
91 Xb 110 ⊠16431
Almonacid de Toledo (Tol)
89 Wa 110 ⊠45420
Almonacid de Zorita (Gua)
91 Xa 107 ⊠19118
Almonaster la Real (Huel)
133 Tb 121 ⊠21350
≈Almonia, Cala de S' (Bal)
99 Da 113
Almontarás, Las (Gra) 139 Xb 122
Almonte (Huel) 147 Tc 125 ⊠21730
≈Almonte, Río 105 Ub 111
Almor (Gir) 48 Ce 95
Almoradí (Ali) 143 Zb 120 ⊠03160
☆Almoraima (Cád) 165 Ud 131
⊠11351
▲Almorchón 139 Xc 120
Almorchón (Bad) 121 Ue 116
▲Almorchón, Cerro 141 Yc 119
Almorchón, Cortijo de (Jaé)
139 Wf 119
▲Almorchón, Sierra de 139 Xb 120
Almorchones, Cortijo de los (Bad)
104 Tb 114
Almorochos, Caserío Los (Cas)
94 Zc 108
Almorojuelo (Tol) 89 Vd 107
Almorox (Tol) 89 Vd 107 ⊠45900
▲Almorranes, Playa de las (Ten)
173 C 2
Almoster (Tar) 64 Ba 101 ⊠43393
Almuadina, S' (Bal) 96 Df 108
Almudáfar (Hues) 63 Ab 99
Almudaina (Ali) 128 Zd 116
⊠03827
☆Almudèfer, Castell d' 63 Ab 102
Almudema, La (Mur) 141 Ya 120
Almudévar (Hues) 44 Zc 96
Almuédano (Sev) 148 Tf 124
▲Almuerzo, Sierra del 41 Xe 97
Almuña (Ast) 6 Tc 87 ⊠33700
Almuñécar (Gra) 161 Wb 128
Almunia de Doña Godina, La (Zar)
61 Yd 100 ⊠50100
Almunia del Romeral, La (Hues)
44 Ze 95 ⊠22141
Almunia de San Juan (Hues)
45 Ab 97 ⊠22420
Almunia de San Lorenzo (Hues)
44 Ad 96 ⊠22585
Almunias, Las (Hues) 44 Zf 95
⊠22144
Almuniente (Hues) 44 Zd 97
⊠22255
Almuradiel (Ciu) 124 Wd 117
⊠13760
Almurfe (Ast) 6 Te 89 ⊠33843
Almusafes = Almussafes (Val)
114 Zd 113
Almussafes (Val) 114 Zd 113
⊠46440
Almuzara (Leó) 19 Uc 91 ⊠24838
Alobras (Ter) 93 Yd 107 ⊠44134
Alocén (Gua) 76 Xb 105
Alojera (Ten) 172 B 2 ⊠38852
Alomartes (Gra) 151 Wa 125
⊠18350
Alón (Cor) 14 Rb 91
Aloños (Can) 9 Wa 89 ⊠39649
Alonso de Ojeda (Các) 105 Ua 114
⊠10109
Alonsotegui (Viz) 11 Xa 89
▲Alor 118 Sf 117
Álora (Mál) 159 Vb 128
Alòs de Balaguer (Lle) 46 Af 97
Alòs de Gil = Alòs d'Isil (Lle)
28 Ba 92
Alòs d'Isil = Alòs de Gil (Lle)
28 Ba 92
Alosno (Huel) 147 Sf 123 ⊠21520
Alou, l' (Bar) 48 Ca 96
Alovera (Gua) 75 We 105 ⊠19208
Alozaina (Mál) 159 Va 128 ⊠29567
Alp (Gir) 30 Bf 94 ⊠17538
Alpandeire (Mál) 158 Ue 129
⊠29460

Alpanseque (Sor) 59 Xb 101 ⊠ 42213
Alparatas, Las (Alm) 155 Ya 125
Alpartir (Zar) 61 Yd 100 ⊠ 50109
Alpatró (Ali) 129 Ze 116
Alpedrete (Mad) 74 Vf 105 ⊠ 28430
Alpedrete de la Sierra (Gua) 75 Wd 103 ⊠ 19184
Alpedroches (Gua) 58 Xa 101 ⊠ 19276
Alpeñes (Ter) 79 Yf 104 ⊠ 44721
Alpens (Bar) 48 Ca 96 ⊠ 08587
Alpera (Alb) 127 Ye 115 ⊠ 02690
Alperchite, Cortijo de (Cád) 157 Ub 128
Alpizar (Huel) 148 Td 124
Alporchones (Mur) 141 Yc 123
Alpuente (Val) 94 Yf 109 ⊠ 46178
Alpujarra de la Sierra (Gra) 161 Wf 127
▲ Alpujarras, Las 161 Wd 127
▲ Alpujata, Sierra de 159 Vb 129
Alputze Nou (Bal) 96 Df 108
Alquería (Mál) 165 Uf 129
Alquería (Mál) 160 Ve 127
Alquería (Mál) 159 Vc 128
Alquería, Cortijada de (Cád) 164 Ua 130
Alquería, La (Alm) 162 Xa 128
Alquería, La (Gra) 140 Xc 122
Alquería, La (Mur) 127 Ye 117
Alquería Alizaces (Sal) 72 Uc 104
Alquería Baja, la (Cas) 94 Zc 108
Alqueria Blanca, S' (Bal) 99 Db 112
Alquería Carabias (Sal) 72 Ud 104
Alquería Castañeda (Sal) 72 Ud 103
Alquería Cemprón (Sal) 72 Ub 104
Alquería Continos (Sal) 72 Ub 103
Alquería Coquilla de Juan Vázquez (Sal) 71 Ua 104
Alquería Cortos de Sacedón (Sal) 72 Ub 104
Alqueria d'Asnar, l' (Ali) 128 Zd 116 ⊠ 03829
Alquería de Abajo, La (Alm) 140 Xf 122
Alquería de Astudillo (Ávi) 73 Uf 102
Alquería de la Condesa/Alquería de la Comtessa, l' (Val) 129 Zf 115
Alqueria dels Capellans, l' (Ali) 128 Zd 116
Alqueria de Serra, l' (Ali) 129 Aa 116
Alquería Gallegos de Crespos (Sal) 72 Ud 104
Alquería Gueribáñez (Sal) 71 Ub 104
Alquería Herreros de Salvatierra (Sal) 72 Ub 104
Alquería La Campita (Các) 86 Ua 108
Alquería La Dueña de Abajo (Sal) 72 Ub 104
Alquería La Vaca (Huel) 132 Sd 122
Alquería Pedrezuela de San Bricio (Sal) 72 Ue 103
Alquería Revilla (Sal) 55 Ue 102
Alquería Riolobos (Sal) 72 Ue 102
Alquerías (Mur) 142 Yf 120
Alquerías, Las (Mur) 141 Yc 122
Alquería Sanchotuerto (Sal) 72 Uc 104
Alquería San Mamés (Sal) 72 Ud 104
Alquerías del Niño Perdido (Cas) 95 Zf 109 ⊠ 12539
Alquería Somosancho (Sal) 72 Ue 104
Alquerías y Cermeño (Mur) 141 Yc 123
Alquería Terrubias (Sal) 72 Ub 103
Alquería Velayos (Sal) 72 Uc 104
Alquería Villafuerte (Sal) 72 Ud 102
Alquería y Valcasao, La (Huel) 147 Ta 125
Alqueries, Ses (Bal) 98 Cf 111
Alqueria Rotja, S' (Bal) 99 Cf 112
Alquézar (Hues) 45 Aa 96
Alquián, El (Alm) 163 Xd 127
Alquibla (Mur) 142 Yd 120
Alquife (Gra) 153 Wf 125 ⊠ 18518
Alquité (Seg) 58 Wd 101
≈ Alsa, Embalse de 21 Wa 90
Alsamora (Lle) 46 Ae 96 ⊠ 25632
Alsodux (Alm) 162 Xc 126 ⊠ 04568
▲ Alta, Loma 78 Yc 106
Altable (Bur) 22 Wf 93 ⊠ 09219
▲ Alta Coloma 152 Wc 123
▲ Alta Coloma, Sierra de 152 Wb 123
Altafulla (Tar) 65 Bc 102 ⊠ *43893
Altamira, Cortijo (Cád) 164 Tf 131
☆ Altamira, Cuevas de 9 Vf 88
☆ Altamira, Palacio de 38 Vd 96
▲ Altamira, Sierra de 106 Ue 111
Altamira San Kristobal (Viz) 11 Xb 88
Altamiros (Ávi) 73 Va 104 ⊠ 05141
Alt Àneu (Lle) 28 Ba 93
▲ Altarejo 94 Za 110
Altarejo, Cortijo (Mur) 141 Ya 120
Altarejos (Cue) 92 Xd 109 ⊠ 16780
Alta-riba (Lle) 47 Bc 98 ⊠ 25215
☆ Alta-riba 48 Cb 97
≈ Altas, Rías 2 Qe 89
▲ Altavista (Palm) 174 B 2
Altea (Ali) 129 Zf 117 ⊠ 03590
☆ Altea, Far d' 129 Zf 117
Altea la Vella (Ali) 129 Zf 117 ⊠ 03599
Altés (Lle) 46 Bb 96
Altet (Lle) 46 Ba 98 ⊠ 25350
Altet, l' (Ali) 143 Zc 119
Altico, El (Jaé) 138 Wb 119
Altico, El (Alb) 126 Xe 117
Altillo, El (Seg) 74 Vd 104
≈ Altillo, Lagunas del 109 We 110
Alto (Lug) 16 Sd 91
Alto, Cortijo (Mál) 160 Vd 126
Alto, Cortijo (Jaé) 152 Wb 124
Alto, Cortijo (Mur) 141 Yb 119
Alto, Cortijo (Jaé) 137 Vf 122
Alto, Cortijo del (Alm) 140 Xf 122
▲ Alto, El 41 Xe 97
▲ Alto, El 55 Ue 100
Altobar de la Encomienda (Leó) 36 Ub 96 ⊠ 24792
Altobordo (Mur) 155 Yc 123
Alto del Puerto, Caserío (Jaé) 138 Wc 122
▲ Alto de San Juan 153 Wf 126
Alto do Hospital (Lug) 16 Sb 91
▲ Altomira 61 Ye 100
☆ Altomira, Ermita de 91 Xb 107
☆ Alto Rey, Ermita del 58 Wf 102
▲ Alto Rey, Sierra de 58 Wf 101
Altorricón (Hues) 44 Ac 98
Altos, Los (Palm) 174 C 2
Altos, Los (Córd) 150 Vc 124
Altos, Los (Bur) 22 Wc 92 ⊠ 09559
▲ Altos, Los 94 Za 109
▲ Altos, Puerto Los 127 Yd 115
▲ Altos de Ayllón, Puerto 58 We 99
▲ Alto Tajo, Parque Naturel del 77 Xe 104
▲ Altotero 22 Wc 92
▲ Alt Pirineu, Parc Natural de l' 28 Ba 92
Altron (Lle) 28 Ba 94 ⊠ 25567
Altsasu/Alsasua (Nav) 24 Xe 91 ⊠ 31800
Altura (Cas) 94 Zc 109 ⊠ 12410
Altura, La (Can) 10 We 89 ⊠ 39880
Altuzarra (Rio) 40 Wf 95
☆ Altxerri, Cueva de 12 Xf 89
Altza (Gui) 12 Ya 89
Altzaga (Viz) 11 Xa 89 ⊠ 48950
Altzaga (Ála) 23 Xc 90
Altzaga = Alzaga (Gui) 24 Xf 90 ⊠ 20248
Altzibar (Gui) 12 Ya 89 ⊠ 20180
Altzibar = Alcíbar y Carrica (Gui) 12 Ya 89 ⊠ 20180
Altzo (Gui) 24 Xf 90 ⊠ 20268
Altzoazpi (Gui) 24 Xf 90
Altzola (Gui) 11 Xd 89
Aluenda (Zar) 60 Yc 100 ⊠ 50322
Alumbras (Mur) 142 Za 123
Alustante (Gua) 78 Yb 105 ⊠ 19320
Alvarado (Bad) 119 Tb 116 ⊠ 06170
Alvarizas (Córd) 136 Uf 122
☆ Alver, Torre 124 Wd 118
Alvidrón (Lug) 16 Sa 92
Alvite (Cor) 14 Ra 91
Alvites (Lug) 4 Se 88
Alzaga (Gui) 24 Xf 90
Alzina, l' (Lle) 46 Ae 96
Alzina d'Alinyà, l' (Lle) 47 Bc 95
Alzira (Val) 114 Zd 114 ⊠ 46600
Alzórriz (Nav) 25 Yd 92
Alzuza (Nav) 25 Yc 91 ⊠ 31486
▲ Amacas, Punta de (Ten) 173 C 1
▲ Amadores, Playa de los (Palm) 174 B 4
≈ Amadorio, Río 129 Zd 117
Amaitermín (Viz) 23 Xb 90
Amaiur/Maya (Nav) 13 Yd 89
▲ Amanay, Playa (Palm) 175 C 4
Amance (Pon) 15 Rf 92
Amandi (Ast) 7 Ud 88 ⊠ 33311
Amarante (Lug) 15 Sa 92
≈ Amargá, Laguna 150 Vc 125
▲ Amargones 19 Ub 91
Amarguilla (Alm) 153 Xc 125 ⊠ 04897
≈ Amarguilla, Arroyo de la 149 Ud 125
Amarguilla, La (Gra) 153 Xc 123
≈ Amarguillo, Río 109 Wd 112
Amarita (Ála) 23 Xc 91 ⊠ 01520
Amasa (Gui) 12 Xf 89 ⊠ 20150
Amates, Cortijo de los (Alm) 162 Xb 127
Amatos de Alba (Sal) 72 Ud 103 ⊠ 37890
Amatos de Salvatierra (Sal) 72 Ub 104 ⊠ 37788
Amatriain (Nav) 25 Yc 93 ⊠ 31395
Amavida (Ávi) 73 Uf 105 ⊠ 05560
Amaya (Bur) 21 Vf 93 ⊠ 09136
▲ Amaya,Peña 21 Vf 93
Amayas (Gua) 77 Ya 102 ⊠ 19332
Amayuelas de Abajo (Pal) 38 Vd 95 ⊠ 34429
Amayuelas de Arriba (Pal) 38 Vd 95 ⊠ 34429
Amayuelas de Ojeda (Pal) 20 Vd 92 ⊠ 34485
Ambás (Ast) 7 Ub 87
Ambás (Ast) 6 Tf 89
Ambas Aguas o Entrambas Aguas (Rio) 41 Xf 96
Ambasmestas (Leó) 17 Ta 92 ⊠ 24524
Ambel (Zar) 42 Yc 98 ⊠ 50546
Ambingue (Ast) 7 Ue 89 ⊠ 33557
Ambite (Mad) 90 We 106 ⊠ 28580
Amboade (Cor) 3 Rc 89
Ambosores (Lug) 4 Sb 87
Ambrés (Ast) 6 Td 89
Ambroa (Cor) 3 Rf 89
Ambrona (Sor) 59 Xc 102 ⊠ 42230
Ambroz (Gra) 152 Wc 126 ⊠ 18102
≈ Ambroz, Río 86 Tf 107
Ameixanda (Cor) 14 Rc 91
Ameixeira, A (Pon) 33 Re 95 ⊠ 36885
Ameixenda, A (Cor) 14 Qf 91 ⊠ 15298
Amenal, O (Cor) 15 Rd 91
Amer (Gir) 48 Cd 96 ⊠ 17170
▲ América, Praia 32 Rb 96
▲ América, Praia de 32 Rb 96
Americano, Cortijo del (Córd) 122 Vc 118
Ames (Cor) 14 Rc 91
Améscoa Baja (Nav) 24 Xf 92
Ametlla, La = Ametlla del Vallès, l' (Bar) 66 Cb 98
Ametlla del Vallès, l' (Bar) 66 Cb 98
Ametlla de Mar, l' (Tar) 80 Ae 103 ⊠ 43860
Ametlla de Merola, l' (Bar) 47 Bf 97 ⊠ 08672
Ametlla de Montsec, l' (Lle) 46 Ae 96 ⊠ 25692
Ametlla de Segarra, l' (Lle) 64 Bb 99 ⊠ 25217
Ameyugo (Bur) 22 Wf 93 ⊠ 09219
Amezketa (Gui) 24 Xf 90 ⊠ 20268
Amezola (Viz) 11 Xa 90 ⊠ 48499
Amiadoso (Our) 33 Sb 95
Amieva (Ast) 7 Uf 89 ⊠ 33558
Amil (Pon) 15 Rc 93
Amillano (Nav) 24 Xf 92 ⊠ 31290
Amitges (Lle) 28 Af 93
Amoedo (Pon) 32 Rc 95
Amoeiro (Our) 33 Sa 94 ⊠ 32170
Amogable, Caserío del (Sor) 40 Xa 97
Amor (Zam) 54 Ua 100
Amorebieta (Viz) 11 Xb 89
Amorebieta-Etxano (Viz) 11 Xb 89 ⊠ 48340
☆ Amores, Cueva de 90 We 109
☆ Amorín 32 Rb 97
Amorós (Lle) 47 Bc 99
▲ Amorosos, Los 37 Ud 96
Amoroto (Viz) 11 Xc 89 ⊠ 48289
▲ Amparo, El (Ten) 172 C 3 ⊠ 38438
▲ Ampláries, Platja de les 96 Ab 108
Ampolla, l' (Tar) 80 Ae 104 ⊠ 43895
▲ Ampolla, Platja de l' 80 Ae 104
≈ Ampollos, Racó de Ses (Bal) 97 Bc 116
Amposta (Tar) 80 Ad 104 ⊠ 43870
Ampudia (Pal) 38 Vb 97 ⊠ 34191
Ampuero (Can) 10 Wd 88 ⊠ 39840
Ampuyenta, La (Palm) 175 E 3 ⊠ 35637
Amunarrizqueta (Nav) 25 Yc 93 ⊠ 31395
Amunartia (Rio) 40 Wf 94 ⊠ 26270
Amunt, l' (Bar) 65 Bf 100
▲ Amurga (Palm) 174 C 3
▲ Amurgar (Palm) 174 B 3
Amurrio (Ála) 23 Xa 90 ⊠ 01470
Amusco (Pal) 38 Vd 95 ⊠ 34420
Amusquillo (Vall) 56 Ve 98 ⊠ 47177
☆ Amutxete, Cueva de 24 Ya 91
Anadón (Ter) 79 Za 103
▲ Anador 44 Ze 96
Anafreita (Lug) 4 Sa 90 ⊠ 27229
▲ Anaga (Ten) 173 F 2
☆ Anaga, Faro de (Ten) 173 G 2
▲ Anaga, Los Roques de (Ten) 171 C 3
▲ Anaga, Parque Rural de (Ten) 173 F 2
▲ Anaga, Punta de (Ten) 173 G 2
≈ Añamaza, Río 42 Ya 97
Añana (Ála) 23 Xa 92
▲ Anaón, Cabezo del 142 Yd 121
≈ Añarbe, Embalse de 12 Ya 89
≈ Añarbe, Río 12 Ya 89
Anàs (Lle) 29 Bb 93
Añastro (Bur) 23 Xb 92 ⊠ 09215
Añavieja (Sor) 42 Ya 97 ⊠ 42108
Anaya (Seg) 74 Ve 103 ⊠ 40121
Anaya de Alba (Sal) 72 Ud 104 ⊠ 37863
Anaya de Huebra (Sal) 71 Tf 104 ⊠ 37465
▲ Anayet, Pico de 26 Zd 92
Anayo (Ast) 7 Ud 88 ⊠ 33534
Ancanella (Bal) 99 Cf 110
▲ Ancares, Sierra de 17 Ta 92
▲ Ancares, Sierra de los 107 Vb 114
Anceis (Cor) 3 Rd 89
Anceu (Pon) 32 Rd 94 ⊠ 36829
▲ Ancha, Sierra 106 Uf 110
▲ Ancha, Val 26 Zd 93
Anchóriz (Nav) 25 Yc 91
Anchos, Los (Jaé) 140 Xc 119 ⊠ 23294
Anchuela del Campo (Gua) 77 Xf 102 ⊠ 19287
Anchuela del Pedregal (Gua) 77 Yb 103 ⊠ 19350
Anchuelo (Mad) 75 We 106 ⊠ 28818
Anchuras (Ciu) 107 Vb 112 ⊠ 13117
Anchurica, La (Mur) 141 Yc 122
Anchuricas, Cortijo de las (Jaé) 125 Xc 118
≈ Anchuricas, Embalse de 140 Xc 119
Anchurón, El (Gra) 152 We 124
Anciles (Hues) 28 Ad 93 ⊠ 22469
Ancín (Nav) 24 Xe 93
Ancla, El (Cád) 156 Te 129
Anclas, Las (Gua) 76 Xb 105 ⊠ 19128
≈ Ancón, Caleta del (Ten) 171 B 4
▲ Ancón, Punta del (Ten) 172 B 3
▲ Ancosa, Serra d' 65 Bc 100
Ancs (Lle) 28 Ba 94 ⊠ 25591
Andabao (Cor) 15 Rf 90 ⊠ 15807
≈ Andallón, Río 6 Ua 88
Andaluces, Cortijo de los (Gra) 153 Wf 125
Andaparaluzeta = Anteparaluceta (Viz) 23 Xb 90
≈ Andarax, Río 162 Xb 127
Andarraso (Leó) 18 Tf 92 ⊠ 24127
Andatza (Gui) 12 Xf 89 ⊠ 20809
Andavías (Zam) 54 Ua 99
Andeiro (Cor) 3 Re 89 ⊠ 15669
☆ Anden verde (Palm) 174 B 2
Andés (Ast) 5 Tb 87
▲ Andía, Sierra de 24 Ya 91
Andilla (Val) 94 Zb 109 ⊠ 46170
Andiñuela (Leó) 18 Te 94 ⊠ 24722
Andoain (Gui) 12 Xf 89 ⊠ 20140
Andoin (Ála) 24 Xe 91 ⊠ 01260
Andoín = Andoin (Ála) 24 Xe 91
Andollu (Ála) 23 Xc 92 ⊠ 01193
Andorra (Ter) 79 Zd 103 ⊠ 44500
Andorra La Vella (AND) 29 Bd 93
Andosilla (Nav) 42 Ya 94 ⊠ 31261
Añdrade (Cor) 3 Rf 88
☆ Andrade, Castelo de 3 Rf 88
☆ Andrade, Torre de 3 Rf 88
Andraka (Viz) 11 Xa 88 ⊠ 48620
Andra-Mari (Viz) 11 Xb 89
☆ Andra Mari, Arnotegiko 24 Yb 92
Andra María de Meñuka-Barrena = A. Mari de Meñaka-Barrena (Viz) 11 Xb 88
Andra Mari de Meñaka-Barrena=A. María de Meñuka-Barrena (Viz) 11 Xb 88
András (Pon) 14 Rb 93 ⊠ 36628
Àndravel (Bal) 97 Bc 117
Andreos, Los (Mur) 142 Yd 122
Andrés Bueno (Sal) 72 Uc 103
Andreses, Los (Huel) 133 Ta 121 ⊠ 21239
Andrín (Ast) 8 Vb 88
▲ Andritxol, Cap (Bal) 98 Cc 111
Andújar (Jaé) 137 Vf 120
Andújares, Cortijo de los (Alm) 163 Xe 127
Añe (Seg) 74 Ve 102 ⊠ 40492
Aneas, Las (Alm) 154 Xc 126 ⊠ 04559
▲ Aneas, Playa de las (Palm) 174 B 3
Anento (Zar) 78 Ye 102 ⊠ 50369
☆ Anes 7 Ub 88
Añés (Ála) 22 Wf 90
Aneto (Hues) 28 Ae 93 ⊠ 22487
▲ Aneto, Pico de 28 Ad 93
▲ Àneu, Vall d' 28 Ba 93
Añézcar (Nav) 24 Yb 91
Ángel, Cortijo del (Sev) 149 Ud 125
Ángel, El (Mál) 159 Va 129
☆ Ángel, Ermita de El 40 Wf 94
☆ Ángel, Ermita del 153 Xb 124
☆ Ángel, Ermita de l' 143 Zb 119
☆ Ángel, Ermita del 9 Wb 89
☆ Ángel, Ermita del 24 Ya 94
☆ Ángel, Ermita de l' 80 Ad 103
≈ Ángel, Río del 39 Wb 96
☆ Ángeles, Castillo de los 94 Zc 108
☆ Ángeles, Cerro de los 90 Wb 107
☆ Ángeles, Convento de los 135 Ue 121
≈ Ángeles, Embalse de Los 74 Ve 104
Ángeles, Los (Cád) 165 Ud 130
Ángeles, Los (Mad) 75 Wb 106
≈ Ángeles, Río de los 86 Td 107
▲ Ángeles, Sierra de los 26 Zc 93
▲ Ángeles, Sierra de los 86 Td 107
Ángeles de San Rafael, Los (Seg) 74 Ve 104
☆ Àngels, els 49 Cf 97
Angiozar = Anguiozar (Gui) 23 Xd 90 ⊠ 20578
Anglès (Gir) 48 Cd 97
Anglesola (Lle) 46 Ba 99 ⊠ 25320
Angón (Gua) 76 Xa 102
≈ Angorrilla, Río de 125 Xc 117
Angostina (Can) 10 We 88 ⊠ 3978
Angostina (Ála) 23 Xd 93 ⊠ 01118
Angosto de Arriba (Alm) 154 Xc 12 ⊠ 04897
Angostura, La (Palm) 174 D 2 ⊠ 35309
Angostura, La (Ávi) 87 Ud 106 ⊠ 05631
☆ Angostura del Guadiaro, La 158 Ud 129
≈ Angosturas, Embalse de las 87 Ub 106
▲ Angosturias 121 Ue 118
Anguciana (Rio) 23 Xa 93 ⊠ 26210
Angudes (Pon) 33 Re 95 ⊠ 36428
Angüés (Hues) 44 Zf 96
Anguiano (Rio) 40 Xb 95 ⊠ 26322
Anguijes, Los (Alb) 126 Ya 115 ⊠ 02140
≈ Anguijón, Río 37 Va 97
≈ Anguilas, Río 22 Wd 93
Anguiozar (Gui) 23 Xd 90
Anguita (Gua) 77 Xd 102 ⊠ 19283
Anguix (Bur) 57 Wa 98 ⊠ 09312
Anguix (Gua) 76 Xb 106 ⊠ 19119
☆ Anguix, Castillo de 76 Xb 106
☆ Angustias, Ermita de las 161 Wf 127
Anguta (Rio) 40 Wf 94 ⊠ 26288
Aniago (Vall) 55 Va 99 ⊠ 47239
Aniés (Hues) 44 Zc 95
Anievas (Can) 9 Vf 89
Aniezo (Can) 8 Vc 90 ⊠ 39571
≈ Ánimas, Caletón de las (Palm) 176 B 3
Ánimas, Cortijo de las (Gra) 160 Wa 127
Ánimas, Cortijo de las (Jaé) 152 We 123
Ánimas, Cortijo de las (Gra) 140 Xd 121
Ánimas, Cortijo de las (Jaé) 139 Xb 120
▲ Ánimas, Las (Ten) 172 C 4
▲ Ànimes, Mirador de ses (Bal) 98 Cd 110
Añina (Cád) 157 Te 128 ⊠ 11400
Aniñón (Zar) 60 Yb 100
≈ Aniñón-Niño Jesús, Embalse de 60 Yb 100
▲ Añisclo, Garganta de 27 Aa 93
Aniz (Nav) 25 Yc 90 ⊠ 31796
Anllares del Sil (Leó) 17 Tc 91 ⊠ 24488
Anllarinos del Sil (Leó) 17 Tc 91 ⊠ 24488
≈ Anllo, Río 4 Sd 89
≈ Anllóns, Río 3 Rc 89
Anllós (Cor) 2 Ra 89
Anna (Val) 113 Zc 114 ⊠ 46820
≈ Anna, La Albufera de 113 Zc 114
Añobre (Pon) 15 Re 92
Anocíbar (Nav) 24 Yc 91
Anoeta (Gui) 12 Xf 90 ⊠ 20270
☆ Anoia, Cabrera d' 65 Be 100
≈ Anoia, l' 65 Be 100
Añón de Moncayo (Zar) 42 Yb 98
Añora (Córd) 122 Va 118 ⊠ 14450
Añorbe (Nav) 24 Yb 93 ⊠ 31154
Anorias, Las (Alb) 127 Yc 116 ⊠ 02512
Anós (Cor) 2 Ra 90
▲ Anosma, Playa de (Ten) 173 G 2
Añover de Tajo (Tol) 90 Wb 109 ⊠ 45250
Añover de Tormes (Sal) 54 Ua 102 ⊠ 37111
Anoves, les (Lle) 46 Bc 96 ⊠ 25790
Anoz (Nav) 24 Yb 91
Anoz (Nav) 24 Yc 91
Añoza (Pal) 38 Vb 95 ⊠ 34307
Anquela del Ducado (Gua) 77 Xf 103 ⊠ 19287
Anquela del Pedregal (Gua) 78 Yb 104 ⊠ 19357
Anroig (Cas) 80 Aa 105 ⊠ 12370
≈ Ansares, Lucio de los 156 Te 127
Anserall (Lle) 29 Bc 94 ⊠ 25798
Ansó (Hues) 26 Zb 92
▲ Ansó, Valle de 26 Zb 92
Ansoáin (Nav) 24 Yc 91
Ansovell (Lle) 29 Bd 95 ⊠ 25722
Anta de Ríoconejos (Zam) 35 Td 96
Anta de Tera (Zam) 35 Td 96

tas (Alm) 155 Ya 125 ⊠ 04628
tas (Pon) 15 Rd 94
Antas, Río 154 Ya 125
tas de Ulla (Lug) 16 Sa 92
Antela, Lagoa de 33 Sc 96
tella (Val) 113 Zc 114 ⊠ 46266
tenza (Hues) 44 Ad 96 ⊠ 22589
teparaluzeta (Viz) 23 Xb 90
tequera (Mál) 159 Vc 126 ⊠ 29200
Antequera, Playa de (Ten) 173 G 2
Antequera, Punta de (Ten) 173 G 2
tes (Cor) 14 Ra 91
tezana de la Ribera (Ála) 23 Xa 92 ⊠ 01220
tigors, Els (Bal) 99 Da 113
tigua (Palm) 175 D 3
tigua, Caserío (Bad) 120 Ub 115
Antigua, La 123 Vf 118
tigua, La (Leó) 36 Ub 95 ⊠ 24796
tigüedad (Pal) 39 Vf 97
tilla, La (Huel) 146 Se 125 ⊠ 21449
Antilla, Playa de la 146 Se 125
ntillón (Hues) 44 Zf 96
ntimio de Abajo (Leó) 19 Uc 94 ⊠ 24251
ntimio de Arriba (Leó) 19 Uc 93 ⊠ 24391
ntist (Lle) 28 Af 94 ⊠ 25513
ntius (Bar) 47 Be 98
ntoñana (Ála) 23 Xd 92 ⊠ 01128
ntoñán del Valle (Leó) 18 Ua 93
ntoñanes del Páramo (Leó) 36 Ub 94
ntoñanzas (Rio) 41 Xe 95
ntoncojo (Ten) 172 B 2 ⊠ 38813
Antonio, Castillo de 43 Zb 96
ntonio Montoya, Cortijo de (Ciu) 123 Wa 117
ntonio Moreno, Cortijo de (Mál) 158 Uf 127
ntón Sánchez, Cortijo de (Bad) 119 Tc 119
ntzuola (Gui) 23 Xd 90 ⊠ 20577
ñua (Ála) 23 Xc 92 ⊠ 01192
nucita (Ála) 23 Xa 92 ⊠ 01428
nué (Nav) 25 Yc 91
☆ Anunciada, Ermita de la 55 Ue 98
nxeles (Cor) 15 Re 91
nxeles, Os (Cor) 14 Rb 91
nxeriz (Lug) 4 Sa 90 ⊠ 27229
nya (Lle) 46 Ba 97 ⊠ 25738
≈ Anyet, l' 31 Cf 94
nyos (AND) 29 Bd 93
nzánigo (Hues) 26 Zc 94
☆ Anzano, Castillo de 44 Zc 95
nzo (Pon) 15 Re 92 ⊠ 36512
nzur (Córd) 150 Vb 124
≈ Anzur, Río 150 Vc 124
oiz (Nav) 25 Yd 92 ⊠ 31430
orlos (Mad) 75 Wc 102
os (Nav) 25 Yd 92 ⊠ 31481
ós (Lle) 29 Bc 93
ostri de Losa (Bur) 22 Wf 91
ozaratza (Gui) 23 Xd 90 ⊠ 20550
pañado, Cortijo del (Ciu) 123 Wb 116
paral (Cor) 4 Sb 88
parceros, Cortijo de los (Ciu) 123 Wb 117
☆ Aparecida, Ermida da 33 Sa 97
Aparecida, La (Ali) 142 Yf 120 ⊠ 03311
Aparecida, La (Mur) 142 Za 122 ⊠ 30395
☆ Aparecida, La 42 Yb 98
Apartadero de Villamarco (Leó) 19 Ue 94
Apatamonasterio (Viz) 23 Xb 90 ⊠ 48291
Apatamonasterio Irazola (Viz) 23 Xc 90
Apellániz (Ála) 23 Xd 92
Aperregi (Ála) 23 Xa 91 ⊠ 01139
Apianiz = Apellániz (Ála) 23 Xd 92
Apiche (Mur) 141 Yb 123
Apiés (Hues) 44 Zd 95
Apodaca (Ála) 23 Xb 91
Apodaka = Apodaca (Ála) 23 Xb 91 ⊠ 01138
Apolo, Cortijo de (Gra) 153 Wf 125
☆ Apòstols, els 47 Bc 97
Apotzaga = Apozaga (Gui) 23 Xc 90 ⊠ 20530
Apozaga (Gui) 23 Xc 90
Apregación (Lug) 16 Sb 91
Aprícano (Ála) 23 Xa 91
Aprikano = Aprícano (Ála) 23 Xa 91 ⊠ 01439
☆ Aquabrava 31 Db 95
☆ Aqualeón 65 Bc 101
☆ Aquaola 152 Wc 125
☆ Aqüeducte romà, Pont de les 64 Bb 101
▲ Àquila, Serra de l' 80 Ab 104
▲ Aquilanos, Montes 35 Tc 94
Aquilué (Hues) 44 Zd 94
☆ Aquopolis 64 Bb 102
Aquópolis (Mad) 74 Wa 106
Ara (Hues) 26 Zd 94 ⊠ 22620
≈ Ara, Río 27 Zf 93
Arabayona (Sal) 72 Ud 102
Arabell = Aravell (Lle) 29 Bc 94
Arabí (Mur) 127 Ye 116
☆ Arabí, Cueva del 127 Ye 116
Aracaldo (Viz) 11 Xa 90
Aracena (Huel) 133 Tc 121 ⊠ 21200
≈ Aracena, Embalse de 134 Td 121
▲ Aracena, Sierra de 133 Ta 121
Aracenilla (Huel) 133 Tc 121
Aradillos (Can) 21 Vf 90 ⊠ 39212
☆ Aradóñiga, Ermita de 91 Xa 107
Arafo (Ten) 173 E 3 ⊠ 38550
≈ Aragón, Río 25 Za 93
Aragoncillo (Gua) 77 Xf 103 ⊠ 19344
▲ Aragoncillo 77 Xf 103
Aragonés, Caserío del (Nav) 25 Yc 94
Aragoneses (Seg) 74 Vd 102 ⊠ 40123
≈ Aragón Subordán, Río 26 Zb 92
≈ Aragón y Cataluña, Canal de 45 Ab 96
Aragosa (Gua) 76 Xb 103 ⊠ 19294
Araguás (Hues) 27 Aa 94
Araguás del Solano (Hues) 26 Zc 93
Aragüés del Puerto (Hues) 26 Zb 92
Arahal, El (Sev) 149 Uc 125
Arahuetes (Seg) 57 Wa 102 ⊠ 40173
Araia (Ála) 24 Xe 91 ⊠ 01250
Araia (Cas) 95 Ze 108
Araitz (Nav) 24 Ya 90
Araizotz (Nav) 24 Yb 91
Arakil (Nav) 24 Ya 91
≈ Arakil, Río 24 Yb 91
Aral, El (Sev) 148 Tf 124 ⊠ 41989
▲ Aralar, Sierra de 24 Xf 90
Aralla de Luna (Leó) 18 Ua 91
Arama (Gui) 24 Xf 90 ⊠ 20248
Aramaio (Ála) 23 Xc 90 ⊠ 01169
Aramendía (Nav) 24 Xf 92
Aramunt (Lle) 46 Ba 95 ⊠ 25518
▲ Aran, Vall d' 28 Ae 92
Arana (Bur) 23 Xb 92 ⊠ 09215
▲ Arana, Sierra 152 Wd 124
▲ Araña, Sierra de la 134 Ua 120
Aranarache (Nav) 24 Xe 92 ⊠ 31271
Arancedo (Ast) 5 Tb 87 ⊠ 33756
Arancón (Sor) 41 Xe 98
≈ Aranda, Río 60 Yb 99
Aranda de Duero (Bur) 57 Wc 99 ⊠ 09400
Aranda de Moncayo (Zar) 60 Yb 99 ⊠ 50259
Arándiga (Zar) 60 Yd 99
Arandigoyen (Nav) 24 Ya 92 ⊠ 31292
Arandilla (Bur) 58 Wd 98 ⊠ 09410
☆ Arandilla, Ermita de 40 Wd 97
≈ Arandilla, Río 57 Wd 98
Arandilla del Arroyo (Cue) 77 Xd 105 ⊠ 16812
Aranga (Cor) 3 Sa 89
Aranga (Cor) 3 Rf 89
Arangas (Ast) 8 Vb 89 ⊠ 33554
▲ Arangatxa 23 Xa 91
Arango (Ast) 6 Te 88 ⊠ 33128
▲ Arangoiti 25 Ye 93
▲ Arangol, Sierra 44 Zf 95
Arangozqui (Nav) 25 Ye 92
Aranguren (Nav) 25 Yc 92 ⊠ 31192
Aranjuez (Mad) 90 Wc 108 ⊠ 28300
Arano (Nav) 12 Ya 89 ⊠ 31754
Araño, O (Cor) 14 Rb 92
Arànser (Lle) 29 Be 94
≈ Arànser, Riu d' 29 Bd 94
Aransís (Lle) 46 Af 96
Arante (Lug) 5 Sf 88 ⊠ 27714
Arantei (Pon) 32 Rc 96
Arantza (Nav) 12 Yb 89 ⊠ 31790
Arantzazu (Viz) 11 Xb 90 ⊠ 48140
Arantzazu (Gui) 23 Xd 91 ⊠ 20567
Arantzeta (Gui) 11 Xd 90
Arañuel (Cas) 94 Zd 108 ⊠ 12232
Aranyó, l' (Lle) 46 Bb 98
Aranza (Lug) 16 Se 91 ⊠ 27689
Aránzazu (Gui) 23 Xd 91
≈ Aranzuelo, Río 57 Wc 98
Aranzueque (Gua) 76 Wf 106 ⊠ 19141
Araós (Lle) 29 Bb 93
Araotz = Araoz (Gui) 23 Xd 91 ⊠ 20567
Araoz (Gui) 23 Xd 91
Arapiles (Sal) 72 Uc 103 ⊠ 37796
☆ Aras, Ermita de las 28 Ad 94
Arasán (Hues) 28 Ad 93
Arascués (Hues) 44 Zd 95
Aras de Alpuente (Val) 93 Yf 109
Aras o Tres Aras (Nav) 23 Xd 93
Aratorés (Hues) 26 Zc 93
▲ Aratz 24 Xe 91
Aratzerreka (Gui) 24 Xe 90
Arauzo (Sal) 72 Ue 103
Arauzo de Miel (Bur) 40 Wd 97 ⊠ 09451
Arauzo de Salce (Bur) 40 Wd 98 ⊠ 09451
Arauzo de Torre (Bur) 40 Wd 98 ⊠ 09451
Aravaca (Mad) 75 Wb 106
Aravell (Lle) 29 Bc 94 ⊠ 25712
≈ Araviana, Río 60 Ya 98
≈ Araxes, Río 24 Xf 90
Araya (Ten) 173 E 3 ⊠ 38540
▲ Araya, Cabeza 104 Tc 111
≈ Araya, Embalse de 104 Tc 111
Arazuri (Nav) 24 Yb 92 ⊠ 31170
Arbacegui y Gerrikaiz (Viz) 11 Xc 89
≈ Arba de Biel, Río 43 Za 95
≈ Arba de Luesia, Río 43 Yf 95
Arbaiza (Viz) 23 Xa 90 ⊠ 48419
Arbancón (Gua) 75 Wf 103
Arbaniés (Hues) 44 Ze 96
Arbás (Leó) 19 Ub 90
☆ Arbayún, Foz de 25 Ye 92
Arbejal (Pal) 20 Vc 91 ⊠ 34846
▲ Arbela, Monte 15 Rd 92
Arbeteta (Gua) 77 Xd 105 ⊠ 19492
Arbeyales (Ast) 18 Te 90
Arbieto (Ála) 23 Xa 90
Arbizu (Nav) 24 Xf 91 ⊠ 31839
Arbo (Pon) 32 Re 96
Arboç, l' (Tar) 65 Bd 101 ⊠ 43720
Arboçar de Dalt (Bar) 65 Be 100
Arboleas (Alm) 154 Xf 124 ⊠ 04660
Arboleda, Caserío de la (Rio) 42 Ya 96
Arboleda, La (Viz) 10 Wf 89 ⊠ 48520
Arbolí (Tar) 64 Af 101
Arbollar, Cortijada (Gra) 152 Wb 126
≈ Arbón, Embalse de 5 Tb 88
Arboniés (Nav) 25 Ye 92
Arbós = Arboç, l' (Tar) 65 Bd 101
Arbúcies (Gir) 48 Cd 98
≈ Arbúcies, Riera d' 47 Cc 98
Arbués (Hues) 26 Zb 93
Arbujuelo (Sor) 59 Xd 102 ⊠ 42240
Arbuniel (Jaé) 152 Wc 123 ⊠ 23193
Arca (Cor) 15 Rd 91 ⊠ 15821
Arca (Pon) 15 Rd 93 ⊠ 36684
▲ Arca, Sierra del 165 Ud 131
Arcabell = Arcavell (Lle) 29 Bc 94
Arcade (Pon) 32 Rc 94
☆ Arca del Agua, El 106 Ud 112
Arcahueja (Leó) 19 Ud 93 ⊠ 24227
Arcalís (Lle) 46 Ba 94
Arcas (Cue) 92 Xf 109 ⊠ 16123
Arcas, Cortijo Las (Bad) 120 Ua 117
▲ Arcas, Sierra de 151 Vd 126
Arcas del Villar (Cue) 92 Xf 109
Arcaute (Ála) 23 Xc 91
Arcavell (Lle) 29 Bc 94 ⊠ 25799
Arcayán, Cortijo del (Jaé) 138 We 119
Arcayos (Leó) 20 Uf 93 ⊠ 24171
Arce (Can) 9 Wa 88 ⊠ 39478
Arce (Bur) 23 Xa 92 ⊠ 09218
Arce (Nav) 25 Yd 91 ⊠ 31438
Arce/Artzi (Nav) 25 Yd 91
☆ Arce, Puente 9 Wa 88
▲ Arce, Valle de 25 Yd 91
≈ Arce de Abajo, Embalse de 104 Tb 111
≈ Arce de Arriba, Embalse de 104 Tb 111
Arcediano (Sal) 72 Uc 102 ⊠ 37429
Arceñas de Villaralbo (Zam) 54 Ub 100
Arcenillas (Zam) 54 Ub 100 ⊠ 49151
Arcentales (Viz) 10 We 89 ⊠ 48879
Arceo (Cor) 15 Rf 90 ⊠ 15818
Arcera (Can) 21 Vf 91 ⊠ 39213
Archena (Mur) 142 Ye 120 ⊠ 30600
Archidona (Mál) 151 Vd 126 ⊠ *29300
Archidona (Sev) 134 Te 122
Archilla (Gua) 76 Xa 104 ⊠ 19411
Archillas, Los (Gra) 161 Wf 127
▲ Archipiélago Chinijo, Parque Natural del (Palm) 176 C 2
Archites, Los (Jaé) 139 Xb 120
Archivel (Mur) 140 Ya 120 ⊠ 30195
Arcicóllar (Tol) 89 Vf 108
Arcillera (Zam) 53 Te 98 ⊠ 49514
Arcillo (Zam) 54 Ua 100 ⊠ 49272
Arcillo (Sal) 54 Uc 102
▲ Arciseco, Puntal del 112 Yf 115
Arco (Các) 86 Td 110
≈ Arco, Caleta del (Ten) 173 E 2
▲ Arco, El (Palm) 176 D 2
☆ Arco, El (Palm) 174 C 2
Arco, El (Sal) 54 Ub 102 ⊠ 37110
Arconada (Bur) 22 Wc 93 ⊠ 09592
Arconada (Pal) 38 Vd 95 ⊠ 34449
Arcones (Seg) 57 Wb 102 ⊠ 40164
Arcos (Cor) 14 Qf 91
Arcos (Pon) 15 Rc 93
Arcos (Lug) 16 Sd 90
Arcos (Lug) 16 Sb 93
Arcos (Our) 17 Sf 94
Arcos (Our) 33 Sb 96
Arcos (Pon) 32 Rb 96
Arcos (Bur) 39 Wb 95
Arcos, Cortijo de los (Mál) 150 Va 126
≈ Arcos, Embalse de 157 Ub 128
Arcos, Los (Mur) 142 Ye 122
Arcos, Los (Bad) 119 Ta 117
Arcos, Los (Nav) 24 Xe 93 ⊠ 31210
▲ Arcos, Sierra de 62 Zc 102
Arcos de Jalón (Sor) 59 Xe 101
Arcos de la Cantera (Cue) 92 Xe 108 ⊠ 16191
▲ Arcos de la Frontera (Cád) 157 Ub 128 ⊠ 11630
Arcos de la Polvorosa (Zam) 36 Ub 97 ⊠ 49699
Arcos de la Sierra (Cue) 92 Xf 106 ⊠ 16141
Arcos de las Salinas (Ter) 94 Yf 109 ⊠ 44421
☆ Arc romà de Berà 65 Bc 102
☆ Arc romà de Cabanes 95 Aa 108
Arcs, els (Lle) 46 Af 98 ⊠ 25144
Arcs, els (Hues) 63 Aa 100
Arcucelos (Our) 34 Sd 96 ⊠ 32621
Arculanda (Viz) 11 Xa 90
Arcusa (Hues) 45 Aa 95 ⊠ 22149
Ardaiz (Nav) 25 Yd 91
Ardal (Mur) 141 Yc 120
▲ Ardal 58 Wf 98
▲ Ardal, Alto de 76 Xd 103
▲ Ardal, Sierra de 125 Xd 118
Ardales (Mál) 159 Va 127 ⊠ 29550
Ardales (Ciu) 108 Wb 114
Ardaña (Cor) 2 Rb 89 ⊠ 15109
≈ Ardanabi, Río 23 Xa 90
Ardanaz (Nav) 25 Yc 92
Ardanaz de Izagandoa (Nav) 25 Yd 92
Ardanúy (Hues) 28 Ad 94
Ardèvol (Lle) 47 Bd 97
Ardia (Pon) 14 Ra 94
Ardidos (Seg) 74 Ve 103
Ardila (Bad) 134 Td 120
≈ Ardila, Río 119 Tc 119
▲ Ardilosa, Punta 3 Rf 86
Ardisa (Zar) 43 Zb 95 ⊠ 50614
≈ Ardisa, Embalse de 43 Zb 95
Ardisana (Ast) 8 Va 88 ⊠ 33507
Ardite (Mál) 159 Va 128 ⊠ 29108
Ardón (Jaé) 137 Vf 121
Ardón (Leó) 19 Uc 94
Ardoncino (Leó) 19 Uc 94 ⊠ 24251
Ardonsillero (Sal) 71 Tf 103 ⊠ 37460
Ardòvol (Lle) 29 Be 94
Area (Pon) 32 Rb 96
▲ Area Grande, Praia 4 Sc 86
▲ Arealonga, Praia 3 Rf 87
▲ Area Longa, Praia 4 Se 87
▲ Arealonga, Praia de 5 Se 87
Areas (Lug) 16 Sa 92 ⊠ 27578
Areas (Pon) 32 Rc 95
Areas (Pon) 32 Rd 95
Areas (Pon) 32 Rc 96
Areatza = Arenaza (Ála) 23 Xd 92 ⊠ 01129
Areatza-Villaro (Viz) 23 Xb 90
Arecida (Ten) 171 B 2
▲ Areguia, Montaña (Palm) 175 C 4
Areitio (Viz) 11 Xc 89 ⊠ 48269
Arejos, Los (Mur) 155 Yc 124 ⊠ 30889
Arellano (Nav) 24 Xf 93 ⊠ 31263
Arén (Hues) 44 Ae 95
▲ Arena (Palm) 175 E 2
Arena, La (Ast) 6 Tf 87 ⊠ 33125
▲ Arena, Platja de l' 128 Ab 116
▲ Arena, Platja de l' 80 Ae 103
▲ Arena, Playa de la (Ten) 172 B 4
▲ Arena, Playa de la (Ten) 173 C 2
▲ Arena, Playa de la (Palm) 175 F 1
▲ Arena, Playa de la (Palm) 176 B 4
▲ Arena, Playa de la 10 Wf 88
Arenal (Can) 9 Wb 89
≈ Arenal, Arroyo del 59 Xe 100
Arenal, El (Córd) 150 Vc 123
Arenal, El (Seg) 57 Wb 102 ⊠ 40176
Arenal, El (Ávi) 88 Uf 107 ⊠ 05416
▲ Arenal, Puerto de la 125 Xd 118
Arenal, S' (Bal) 98 Ce 111
Arenal d'en Castell (Bal) 96 Eb 108
Arenalejo (Alb) 126 Xf 118
Arenales (Gra) 152 Wc 125
▲ Arenales 122 Va 117
Arenales (Sor) 59 Xe 102
Arenales, Caserío Los (Các) 104 Td 112
Arenales, Los (Gra) 151 Vf 125
Arenales, Los (Sev) 149 Ue 124
Arenales, Los (Các) 85 Tb 108
Arenales de San Gregorio (Ciu) 109 Wf 113 ⊠ 13619
Arenales y Sevilleja (Jaé) 138 Wa 120
Arenals del Sol, Els (Mur) 143 Zb 122
▲ Arenals del Sol, Platja dels 128 Zc 119
Arenao (Viz) 10 Wf 89
Arenas (Mál) 160 Vf 128
Arenas (Ast) 7 Uc 88
Arenas (Ast) 7 Ud 89
Arenas (Can) 8 Vd 89
Arenas, Cortijo de las (Cád) 164 Ub 130
Arenas, Cortijo de las (Mál) 158 Uf 127
☆ Arenas, Cuevas de las 94 Zc 108
Arenas, Las (Sev) 157 Tf 127
Arenas, Las (Ast) 8 Vb 89
Arenas, Las (Vall) 56 Vc 99
▲ Arenas, Playa de 165 Ue 131
▲ Arenas, Play de las (Ten) 173 E 3
▲ Arenas Blancas, Playa (Ten) 171 C 3
▲ Arenas Blancas, Punta (Ten) 173 B 2
Arenas de Iguña (Can) 9 Vf 89 ⊠ 39450
Arenas del Rey (Gra) 160 Wa 127 ⊠ 18126
Arenas de San Juan (Ciu) 109 Wd 113 ⊠ 13679
Arenas de San Pedro (Ávi) 88 Uf 107 ⊠ 05400
Arenaza (Ála) 23 Xd 92 ⊠ 01129
☆ Arenaza, Cueva de 10 Wf 89
Arenes, les (Bar) 66 Ca 99
▲ Arenes, Platja de les 114 Ze 112
≈ Arenes, Riera de les 66 Ca 99
Arenes de Dalt, Ses (Bal) 96 Df 108
▲ Arenho, Serra d' 28 Af 92
Arenillas (Sev) 135 Ub 122
Arenillas (Sor) 58 Xa 100 ⊠ 42368
Arenillas de Muñó (Bur) 39 Wa 95
Arenillas de Nuño Pérez (Pal) 20 Vc 93
Arenillas de Ríopisuerga (Bur) 38 Ve 94
Arenillas de San Pelayo (Pal) 20 Vc 93 ⊠ 34473
Arenillas de Valderaduey (Leó) 37 Uf 95 ⊠ 24329
Arenillas de Villadiego (Bur) 21 Wa 93 ⊠ 09133
Arenitas, Las (Ten) 173 E 3
Areños (Can) 20 Vb 90 ⊠ 39582
Areños (Pal) 20 Vd 91 ⊠ 34849
≈ Arenós, Embalse de 94 Zc 108
≈ Arenosillo, Arroyo 137 Vd 120
Arenoso (Sev) 149 Ue 125
≈ Arenoso, Arroyo 137 Vd 120
▲ Arenoso, El 148 Ua 125
Arenosos, Los (Mál) 158 Ue 128 ⊠ 29400
Arens de Liedó (Ter) 63 Ab 103
≈ Arenteiro 15 Rf 94
▲ Arenyo, Tuc d' 28 Af 92
☆ Arenys, Lurda d' 66 Cd 99
▲ Arenys, Platja d' 66 Cd 99
Arenys de Mar (Bar) 66 Cd 99 ⊠ 08350
Arenys de Munt (Bar) 66 Cd 99 ⊠ 08358
Arenzana de Abajo (Rio) 41 Xb 94 ⊠ 26311
Arenzana de Arriba (Rio) 41 Xb 94 ⊠ 26312
Areos, Cortijada Los (Alm) 163 Xf 126
Areosa (Cor) 2 Ra 90
≈ Areosa, Ensenada de 3 Re 88
Ares (Cor) 3 Re 88
Ares (Lle) 46 Bb 95
▲ Ares 80 Zf 106
▲ Ares, Coll d' 30 Cc 94
Ares, Cortijo de los (Jaé) 151 Wa 123
▲ Ares, Port d' 129 Ze 116
≈ Ares, Ría de 3 Re 88
Aresandiaga (Viz) 11 Xa 90 ⊠ 48499
Ares del Bosc (Ali) 129 Ze 116
Ares del Maestre (Cas) 80 Zf 106 ⊠ 12165
Areso (Nav) 24 Ya 90 ⊠ 31876
Arestui (Lle) 29 Bb 93 ⊠ 25595
Aretxabaleta (Gui) 23 Xc 90 ⊠ 20550
Aretxalde (Ála) 23 Xa 90
Àreu (Lle) 29 Bb 93
Arevalillo (Sal) 70 Tc 103
Arevalillo (Ávi) 72 Ud 105 ⊠ 05153
Arevalillo, Cortijo de (Mál) 159 Vc 127
≈ Arevalillo, Río 73 Vb 103
Arevalillo de Cega (Seg) 57 Wa 102 ⊠ 40185
Arévalo (Ávi) 73 Vb 102
▲ Arévalo, Tierra de 73 Vb 102
Arévalo de la Sierra (Sor) 41 Xd 97
Arévalos, Los (Sal) 71 Ua 105
Arfa (Lle) 29 Bc 95 ⊠ 25713
≈ Arga, Río 25 Yc 91
▲ Argallanes, Sierra de 120 Ub 117

Argallenes, Cortijo (Bad) 120 Ub 117
▲Argallo, Serra de 32 Rb 97
Argallón (Córd) 135 Ud 119
Argalo (Cor) 14 Ra 92 ✉15217
Argamasa (Bad) 134 Td 119
Argamasa, Cortijo de la (Bad) 120 Tf 116
Argamasilla, Cortijo de la (Córd) 150 Vc 124
≈Argamasilla, Laguna de 123 Wa 115
Argamasilla de Alba (Ciu) 109 Wf 114 ✉13710
Argamasilla de Calatrava (Ciu) 123 Vf 116 ✉13440
Argamasón (Alb) 126 Xf 115
Argamasón, El (Alm) 163 Ya 126
Argamassa, S' (Bal) 97 Bd 115
Argame (Ast) 6 Ua 89 ✉33163
Argana (Palm) 176 C 4
Arganda (Mad) 90 Wd 107
Argandenes (Ast) 7 Ud 88 ✉33539
Argandoña (Ála) 23 Xc 91 ✉01193
Argañín (Zam) 53 Te 100
Argañoso (Ast) 7 Uc 88 ✉33314
≈Argañoso, Río 18 Te 93
Arganza (Ast) 6 Td 89 ✉33875
Arganza (Leó) 17 Tb 93 ✉24546
Arganza (Sor) 40 Wf 98 ✉42141
☆Arganzón, Castillo de 23 Xb 92
▲Argasada, Loma de 17 Tb 90
Argavieso (Hues) 44 Ze 96 ✉22135
Argecilla (Gua) 76 Xb 103 ✉19196
▲Argel 125 Xd 118
Argelaguer (Gir) 48 Cd 95 ✉17853
Argelita (Cas) 95 Zd 108 ✉12230
☆Argeme, Ermita de 85 Td 109
Argençola (Bar) 47 Be 97
Argençola (Bar) 65 Bc 99
Argensola = Argençola (Bar) 65 Bc 99
Argente (Ter) 78 Ye 104 ✉44165
▲Argente, Puerto de 78 Ye 104
Argentera (Lle) 46 Ba 97 ✉25736
Argentera, l' (Tar) 64 Af 102 ✉43773
Argentona (Bar) 66 Cc 99 ✉08310
Argés (Tol) 89 Vf 110
▲Argible 25 Za 92
Argilaga, l' (Tar) 64 Bb 101 ✉43765
Argolell (Lle) 29 Bc 94 ✉25799
☆Argolibio 8 Uf 89
Argomaiz = Argomaniz (Ála) 23 Xc 91
Argomaniz (Ála) 23 Xc 91 ✉01192
Argomedo (Bur) 21 Wb 91 ✉09572
Argomilla (Can) 9 Wa 89
Argomoso (Lug) 4 Sd 88
Argoños (Can) 10 Wd 88 ✉39197
≈Argos, Embalse del 141 Yb 120
≈Argos, Río 140 Ya 120
Argote (Bur) 23 Xb 92 ✉09217
Argovejo (Leó) 19 Uf 91 ✉24989
Argozón (Lug) 16 Sa 93
Arguayo (Ten) 172 C 4 ✉38690
Arguayoda (Ten) 172 B 2 ✉38860
Arguedas (Nav) 42 Yc 95 ✉31513
Argüébanes (Can) 8 Vc 89
Argüelles, Cortijo de (Mál) 165 Ue 130
Argüerín (Ast) 7 Ud 87
Argüeso (Can) 21 Ve 90 ✉39212
Arguellite (Alb) 125 Xd 118 ✉02484
▲Arguenya, Serra de l' 128 Zb 117
Arguestues (Lle) 29 Bb 95
Arguijo (Sor) 41 Xc 97 ✉42169
Arguiñariz (Nav) 24 Ya 92 ✉31174
Arguineguín (Palm) 174 B 4
▲Arguineguín (Palm) 174 C 4
Arguis (Hues) 44 Zd 95 ✉22150
Arguisuelas (Cue) 92 Yb 110 ✉16360
Ariany (Bal) 99 Da 111 ✉07529
Aribe (Nav) 25 Ye 91 ✉31671
Arico (Ten) 173 E 4 ✉38260
Arienza (Leó) 18 Tf 92 ✉24132
Ariéstolas (Hues) 45 Ab 97
Arija (Bur) 21 Wa 91 ✉09570
Arilza-Olazar (Viz) 11 Xa 90
Arinaga = Puerto de Arinaga (Palm) 174 D 3 ✉35118
▲Arinaga, Roque de (Palm) 174 D 3
Ariñez (Ála) 23 Xb 92 ✉01195
Ariñez (Palm) 174 C 2
Aringo (Zar) 25 Yf 93
Ariniz = Ariñez (Ála) 23 Xb 92 ✉01195
Ariño (Ter) 79 Zc 102 ✉44547
Aríns (Cor) 15 Rc 91
Arinsal (AND) 29 Bc 93
Arintero (Leó) 19 Ud 91 ✉24845
Arísgotas (Tol) 108 Wa 111
Aristot (Lle) 29 Bd 94 ✉25722
Arístregui (Nav) 24 Yb 91
Aristu (Nav) 25 Ye 91 ✉31448
Aritzalde (Gui) 24 Xe 91
Aritzu (Nav) 25 Yc 91 ✉31798
Áriz (Nav) 24 Yb 91
Ariza (Zar) 60 Xf 101 ✉50220
Arizala (Nav) 24 Xf 92 ✉31177
Arizaleta (Nav) 24 Ya 92 ✉31177
Arizgoiti (Viz) 11 Xa 89 ✉48970
Arizkun (Nav) 13 Yd 89 ✉31713
Arizkuren (Nav) 25 Ye 91
Arjona (Jaé) 137 Vf 121 ✉23760
Arjona, Cortijo de la (Alm) 140 Xf 122
Arjonilla (Jaé) 137 Vf 121 ✉23750
▲Arkamu, Sierra de 22 Wf 91
Arkaute = Arcaute (Ála) 23 Xc 91 ✉01192
Arlanza (Leó) 18 Td 93 ✉24319
≈Arlanza, Río 40 Wf 97
Arlanzón (Bur) 39 Wd 95
≈Arlanzón, Embalse de 40 Wd 95
≈Arlanzón, Río 39 Vf 95
Arlas, Caserío (Nav) 42 Yb 94
Arlegui (Nav) 24 Yb 92 ✉31191
≈Arlés 14 Ra 93
≈Arles, Arroyo de 76 Xa 106
Arlós (Ast) 6 Ua 88
Arlucea (Ála) 23 Xc 92
Arluzea = Arlucea (Ála) 23 Xc 92 ✉01216
Armada, A (Vilamaior) (Cor) 3 Rf 88 ✉15689
Armada, A (Our) 33 Rf 95 ✉32822
☆Armada, Castillo de la 135 Uc 121
Armadès (Gir) 49 Ce 96
Armallones (Gua) 77 Xe 104 ✉19461
Armañanzas (Nav) 24 Xe 93 ✉31228
▲Armantes, Sierra de 60 Yb 100
Armariz (Our) 33 Sb 95
▲Armas 159 Va 129
Armeá (Lug) 16 Se 92
Armejún (Sor) 41 Xe 96
Armellada (Leó) 18 Ua 93 ✉24284
▲Armeña, Circo de 27 Ab 93
Armeñime (Ten) 172 C 5 ✉38678
≈Armental, Río de 16 Sb 94
Armentera, l' (Gir) 49 Da 95 ✉17472
Armenteros (Sal) 72 Ud 105 ✉37755
Armentia (Bur) 23 Xb 92 ✉09215
Armesto (Lug) 17 Se 92
Armilla (Gra) 152 Wc 126 ✉18100
Armillas (Ter) 79 Za 103 ✉44742
Armíndez, Cortijo de (Jaé) 139 We 121
Armiñón (Ála) 23 Xa 92
Armintza (Viz) 11 Xa 88 ✉48620
▲Armintza, Playa de 11 Xa 88
Armuña (Seg) 74 Ve 102 ✉40494
Armuña de Almanzora (Alm) 154 Xd 124 ✉04888
Armuña de Tajuña (Gua) 76 Wf 105 ✉19135
Armunia (Leó) 19 Uc 93 ✉24009
Arnadelo (Leó) 17 Ta 93 ✉24567
Arnado (Leó) 17 Sf 93 ✉24568
▲Arnaiza 24 Ya 90
Arnedillo (Rio) 41 Xe 95 ✉26589
Arnedo (Bur) 21 Wa 91
Arnedo (Rio) 41 Xf 95 ✉26580
Arnego (Pon) 15 Rf 92
Arnego (Pon) 15 Sa 93
≈Arnego, Río 15 Rf 92
▲Arnela 4 Sc 88
Arnelas (Our) 15 Re 93 ✉32520
☆Arnella, Far de s 31 Db 94
≈Arnera 31 Ce 94
Arnes (Tar) 80 Ab 103 ✉43597
Arneva (Ali) 142 Za 120 ✉03312
Arnilla (Alm) 155 Ya 125 ✉04619
▲Arno, Pico 11 Xd 89
Arnoia, A (Our) 33 Rf 95 ✉32417
≈Arnoia, Río 33 Sa 95
Arnuero (Can) 10 Wc 88 ✉39195
Aro (Cor) 14 Rb 91 ✉15838
▲Aro 22 Wf 90
▲Aro, Platja d' 49 Da 98
Arobes (Ast) 7 Ue 88 ✉33546
▲Aroche 133 Ta 120
Aroche (Huel) 133 Ta 121 ✉21240
Arona (Ten) 172 C 5 ✉38640
Aróstegui (Nav) 24 Yb 91
Arou (Cor) 2 Qf 89 ✉15121
≈Arou, Enseada de 2 Qf 89
Arousa (Cor) 14 Ra 93
▲Arousa, Illa de 14 Ra 93
≈Arousa, Ría de 14 Ra 93
Arquella (Val) 94 Yf 109
▲Arques, Puig d' 49 Cf 97
Arquillinos (Zam) 54 Uc 98 ✉49126
Arquillo (Alb) 125 Xd 116
≈Arquillo de San Blas, Embalse del 78 Ye 106
Arquillos (Jaé) 138 Wd 119 ✉23230
Arquillos El Viejo (Jaé) 138 Wd 120
Arquisquil (Nav) 24 Ya 90
Arrabal (Pon) 32 Ra 96
Arrabalde (Zam) 36 Ua 96 ✉49696
Arrabal de Benablón (Mur) 141 Ya 120
Arrabal de La Encarnación (Mur) 141 Ya 120
Arrabal del Portillo (Vall) 56 Vc 100
Arrabal de Oricain = Oricain (Nav) 25 Yc 91
Arrabasada, l' (Tar) 64 Bb 102
Arrabassada, l' (Bar) 66 Ca 100
Arraco, S' (Bal) 98 Cc 111
▲Arráez 155 Ya 126
≈Arrago, Embalse de 85 Tc 108
≈Arrago, Río 85 Tb 109
Arraia-Maeztu (Ála) 23 Xd 92 ✉01120
Arraibi (Viz) 11 Xb 89 ✉48330
Arraioz (Nav) 13 Yc 90 ✉31794
Arraitz (Nav) 24 Yc 90
Arraiza (Nav) 24 Yb 92 ✉31174
Arrancacepas (Cue) 92 Xd 107 ✉16855
Arrankudiaga (Viz) 11 Xa 89 ✉48498
Arrarats (Nav) 24 Yb 90 ✉31866
Arrasate-Mondragón (Gui) 23 Xd 90
Arraso (Hues) 44 Ze 94 ✉22622
≈Arrata, Río = Latsa, Río 12 Yb 89
Arrate (Gui) 11 Xd 89 ✉20600
≈Arratia, Río 23 Xb 90
▲Arrato, Sierra de 23 Xb 91
Arratzu (Viz) 11 Xc 89 ✉48383
Arraya de Oca (Bur) 40 Wd 94 ✉09292
Arrayán (Mur) 141 Ya 119
Arrayanes (Jaé) 138 Wc 120
Arrayanosa, Cortijo (Cád) 158 Uc 128
Arrázola (Viz) 23 Xc 90
Arrazola = Arrázola (Viz) 23 Xc 90 ✉48291
Arrazua-Ubarrundia (Ála) 23 Xc 91 ✉01520
Arreba (Bur) 21 Wb 91 ✉09572
▲Arrebatacapas, Collado de 106 Ue 111
▲Arrebatacapas, Puerto de 73 Vd 106
Arrecife (Palm) 176 C 4 ✉35500
Arrecife (Córd) 136 Va 122
Arrecifes, Caserío Los (Bad) 118 Se 116
Arredondas (Ast) 5 Sf 88 ✉33775
Arredondo (Can) 10 Wc 89 ✉39813
▲Arreguia 25 Ye 91
Arrendamiento, Cortijo del (Bad) 135 Uc 119
Arreo (Ála) 23 Xa 92 ✉01426
Arres (Lle) 28 Ae 92
Arresa (Hues) 27 Zf 94 ✉22372
Àrreu (Lle) 28 Ba 92
Arriaran (Gui) 24 Xe 90 ✉20218
Arriate (Mál) 158 Uf 128 ✉29350
≈Arriba, Caleta de (Palm) 176 D 2
Arriba, Cortijo (Bad) 120 Ub 118
Arriba, Cortijos de (Ciu) 108 Vf 113
▲Arriba, Majada de 20 Vc 93
Arribade (Lug) 16 Sc 94
▲Arriba o Las Bajas, Playa de (Ten) 173 E 4
Arribe (Nav) 24 Ya 90
Arriel (Córd) 135 Ue 122 ✉14700
Arrieta (Palm) 176 D 3 ✉35542
Arrieta (Viz) 11 Xb 89 ✉48114
Arrieta (Bur) 23 Xb 92 ✉09215
Arrieta (Nav) 25 Yd 91 ✉31438
Arrieta (Ála) 24 Xe 91 ✉01206
Arrieta = Arrietas (Gui) 24 Xe 91 ✉20215
Arrieta-Mendi (Gui) 12 Xe 90
▲Arrietara, Playa de 10 Wf 88
Arrietas (Gui) 24 Xe 91
Arrigorriaga (Viz) 11 Xa 89 ✉48480
▲Arrigunaga, Playa de 10 Wf 88
Arriola (Ála) 23 Xd 91
Arriondas (Ast) 7 Uf 88 ✉33540
Arriondo (Ast) 7 Ud 88 ✉33310
Arripas, Las (Ciu) 107 Vd 114
Arrizabalaga = Arrizala (Ála) 23 Xd 92
Arrizala (Ála) 23 Xd 92 ✉01207
Arro (Hues) 27 Ab 94 ✉22336
Arró (Lle) 28 Ae 92
Arroba de los Montes (Ciu) 107 Vc 114 ✉13193
≈Arrocampo-Almaraz, Embalse 87 Ub 110
Arroiabe = Arroyabe (Ála) 23 Xc 91 ✉01520
☆Arrojo 6 Ua 89
▲Arrola, Monte de 23 Xa 90
Arrolas (Gui) 23 Xd 91
Arrolobos (Các) 86 Tf 106 ✉10623
Arrona (Gui) 12 Xe 89
Arronategui (Viz) 11 Xb 88 ✉48370
Arrondo (Viz) 11 Xa 88
Arróniz (Nav) 24 Xf 93
Arropino (Ávi) 73 Vc 105
Arròs (Lle) 29 Bb 93
Arròs (Lle) 28 Ae 92
▲Arròs, Sarrat d' 28 Ae 92
Arrotea (Pon) 32 Rb 96
Arroyabe (Ála) 23 Xc 91
Arroya de la Plata (Sev) 134 Te 122
Arroyal (Can) 21 Vf 91
Arroyal (Bur) 39 Wb 94
Arroyivil (Jaé) 138 Wc 121
Arroyo (Huel) 133 Tb 121
Arroyo (Alb) 126 Ya 118
Arroyo (Can) 9 Vf 88
Arroyo (Can) 21 Vf 91
Arroyo (Pal) 37 Va 95 ✉34347
Arroyo, Caserío de (Nav) 24 Yb 94
Arroyo Alazor (Mur) 140 Xe 120
≈Arroyo Carneros 106 Uf 114
≈Arroyo Carrizal, Embalse del 107 Vd 112
≈Arroyo Cascajoso, Embalse de 121 Ue 118
≈Arroyo Casillas, Embalse del 105 Ua 111
Arroyo Cerezo (Val) 93 Yd 108 ✉46140
Arroyo Chozas (Sev) 148 Ua 123
Arroyo de Colmenar (Mál) 159 Vb 127
Arroyo de Cuéllar (Seg) 56 Vd 101
≈Arroyo de Guadalmez 121 Va 116
Arroyo de la Encomienda (Vall) 56 Vb 99 ✉47195
Arroyo de la Luz (Các) 104 Tc 112 ✉10900
Arroyo de la Miel (Mál) 159 Vc 129 ✉29631
Arroyo de las Fraguas (Gua) 58 Wf 102
Arroyo de las Palmas (Mál) 159 Vc 129
Arroyo del Castaño y Rubiales (Bad) 119 Tb 118
Arroyo del Cerezo (Córd) 151 Ve 125 ✉14978
Arroyo del Ciervo, Cortijo del (Bad) 104 Tc 114
Arroyo del Ojanco (Jaé) 139 Xa 119 ✉23340
Arroyo de Muñó (Bur) 39 Wa 95
Arroyo de Priego (Córd) 151 Ve 125 ✉14979
Arroyo de Salas (Bur) 40 We 96 ✉09615
Arroyo de San Serván (Bad) 119 Td 115
Arroyo de Verdelecho (Alm) 154 Xd 126 ✉04550
Arroyo Diego, Cortijo de (Cád) 164 Ub 131
≈Arroyo Dõna Juana 107 Vb 114
Arroyofrío (Alb) 125 Xc 118
Arroyofrío (Ter) 93 Yd 107
≈Arroyo Grande 89 Vd 108
Arroyo Hondillo, Cortijo de (Jaé) 124 We 118
Arroyo Jevar (Mál) 159 Vc 127 ✉29500
Arroyo Luis (Mál) 160 Ve 128
Arroyomolinos (Cád) 158 Ud 128 ✉11688
Arroyo Molinos (Jaé) 139 Wf 122
Arroyomolinos (Mad) 89 Wa 107 ✉28939
Arroyomolinos de la Vera (Các) 86 Ua 108 ✉10410
Arroyomolinos de León (Huel) 134 Td 120
Arroyomolinos de Montánchez (Các) 105 Tf 113
Arroyo Moro (Bad) 134 Te 120
Arroyomuerto (Sal) 71 Tf 105
Arroyo-Pinares (Gra) 151 Vf 125
Arroyos, Los (Jaé) 139 Xc 119
Arroyo Salado (Jaé) 139 Wf 121
Arroyo Santo (Jaé) 138 We 122
Arroyo Tercero (Mur) 140 Xe 119
≈Arroyo Valhondo, Embalse del 122 Vd 115
Arroyuelo (Bur) 22 Wd 91 ✉09549
Arroyuelo, Cortijo del (Córd) 137 Ve 122
Arroyuelos (Can) 21 Wa 91 ✉39232
▲Arrozao, Sierra del 120 Ub 116
Arrozuelas (Gra) 151 Ve 125
Arruazu (Nav) 24 Xf 91 ✉31840
Arrúbal (Rio) 41 Xe 94
Arruitz (Nav) 24 Ya 91 ✉31878
Ars (Lle) 29 Bc 94 ✉25799
Arsèguel (Lle) 29 Bd 94
Arseguell = Arsèguel (Lle) 29 Bd 94
Artà (Bal) 99 Dc 110
☆Artà, Coves d' (Bal) 99 Dc 111
Artadi = San Miguel de Artadi (Gui) 12 Xe 89 ✉20759
Artaiz (Nav) 25 Yd 92 ✉31422
Artaj (Val) 94 Zb 110 ✉46170
Artajona (Nav) 24 Yb 93 ✉31140
Artamont (Lle) 29 Bb 92
Artana (Cas) 95 Ze 109 ✉12527
Artariain (Nav) 25 Yc 93 ✉31395
Artasona (Hues) 45 Ab 96 ✉22390
☆Artasona, Castillo de 43 Zb 95
Artasona del Llano (Hues) 44 Zc 96 ✉22283
Artavia (Nav) 24 Xf 92 ✉31290
Artaza (Ála) 23 Xb 91
Artaza (Ála) 23 Xa 91
Artaza (Nav) 24 Xf 92 ✉31272
Artázcoz (Nav) 24 Yb 92
Artazu (Nav) 24 Ya 92 ✉31109
Arteaga (Viz) 11 Xc 88
Arteaga (Viz) 11 Xa 89
Arteaga (Nav) 24 Xf 92 ✉31241
☆Arteaga, Castillo de 11 Xc 88
Arteaga de Arriba (Alb) 126 Xe 117
Arteaga-San Martin (Viz) 11 Xa 89 ✉48170
Arteara (Palm) 174 C 3 ✉35108
Arteas de Abajo (Cas) 94 Zb 109
Arteas de Arriba (Cas) 94 Zb 109
Artedó (Lle) 29 Bd 94
☆Artedosa 7 Ud 89
≈Arteixo 3 Rd 89
Arteixo (Cor) 3 Rd 89 ✉15142
Artejévez (Palm) 174 B 3
Artejuela, La (Cas) 94 Zd 108
Artenara (Palm) 174 C 2 ✉35350
Artes (Cor) 2 Rc 89 ✉15108
Artés (Bar) 47 Bf 98
Artesa de Lleida (Lle) 64 Ae 99 ✉25150
Artesa de Segre (Lle) 46 Ba 97 ✉25730
Artesa d'Onda (Cas) 95 Ze 109
Arteta (Viz) 11 Xa 88
≈Artiba, Embalse de 11 Xa 89
Artieda (Nav) 25 Ye 92 ✉31480
Artieda (Hues) 25 Za 93
Arties (Lle) 28 Af 92 ✉25599
Artieta (Bur) 22 We 90 ✉09588
☆Artiga de Lin, Era 28 Ae 92
Artigas (Viz) 11 Xb 88
Artiga Vella, S' (Bal) 96 Ea 109
Artikutza (Nav) 12 Yb 89 ✉31754
≈Artikutza, Embalse de 12 Yb 89
Arto (Hues) 26 Zd 94 ✉22620
≈Arto, Río 22 Wf 93
Artoño (Pon) 15 Rf 92 ✉36528
Artosilla (Hues) 26 Ze 94
▲Artrutx, Cap d' (Bal) 96 De 109
Artuñedo, El (Jaé) 139 Xb 120
Artzan (Nav) 12 Ya 90
Artziniega (Ála) 22 Wf 90 ✉01474
Arucas (Palm) 174 C 2
Arués (Hues) 45 Ab 95
Arure (Ten) 172 B 2 ✉38892
Arviza o Arviza Barrena (Rio) 40 Wf 94
Arxemil (Lug) 16 Sd 91
Arxemil (Lug) 16 Sd 92
▲Arxipèlag de Cabrera, Parc Nacional de l' (Bal) 98 Cf 114
Arxuá (Lug) 16 Sb 93
Arzádegos (Our) 34 Se 97
Arzina de Ribelles, l' (Lle) 46 Bb 97
Arzón (Cor) 14 Ra 91
Arzoz (Nav) 24 Ya 92 ✉31291
Arzúa = Santa Maria de Arzua (Cor) 15 Rf 91
Arzubiaga (Ála) 23 Xc 91 ✉01520
Asados (Cor) 14 Rb 92 ✉15984
▲Asaldita, Monte 23 Xd 90
Asarta (Nav) 24 Xe 93 ✉31282
▲Asba 44 Aa 95
Ascabanas (Cor) 3 Rf 89 ✉15313
Ascara (Hues) 26 Zc 93 ✉22715
Ascarza (Ála) 23 Xc 91
Ascarza (Bur) 23 Xb 92 ✉09215
☆Ascensión, Ermida da 15 Rd 93
☆Ascensión, Ermita de la 18 Td 90
☆Ascensión, Ermita de la 60 Yb 100
Ascó (Tar) 62 Ad 101
Ascona (Nav) 24 Xf 93
Ascoy (Mur) 141 Yd 119 ✉30535
▲Ascoy, Sierra de 141 Yd 119
Asdrúbal (Ciu) 123 Vf 117
Asegur (Các) 71 Te 106 ✉10628
Asensio, Cortijo de (Ciu) 124 We 117
Asensios, Los (Mur) 155 Yb 123
Asensios, Los (Alm) 140 Xf 123
Asenso (Cor) 14 Ra 91 ✉15257
Asiego (Ast) 8 Va 89 ✉33555
▲Asiento, Sierra El 128 Yf 119
Asieso (Hues) 26 Zc 93 ✉22713
Asín (Zar) 43 Yf 95
Asín de Broto (Hues) 27 Zf 93
Askartxa = Ascarza (Ála) 23 Xc 91
☆Askondo, Cueva de 23 Xb 90
Asma (Lug) 16 Sa 93
Asma (Lug) 16 Sb 93
≈Asma, Río 16 Sa 93
≈Asneiro, Río 15 Rf 93
▲Asno, Cabeza del 127 Yc 119
▲Asno, Cerro del 113 Za 112
▲Asno, Playa del (Palm) 174 B 3
▲Asno, Sierra del 112 Ye 112
Asnurri (Lle) 29 Bc 94 ✉25799
Aso de Sobremonte (Hues) 26 Zd 93 ✉22638
Asomada (Palm) 176 B 4
Asomada, Cortijo de la (Córd) 151 Ve 123
Asomada, La (Palm) 175 E 2

▲Asomada del Gato, La (Ten) 172 C4
▲Asomadilla 111 Yc113
Asón (Can) 10 Wc89
▲Asón, Puerto del 10 Wc89
≈Asón, Río 10 Wc89
≈Aso Vellos, Río 27 Aa93
Aspa (Lle) 64 Ae100 ✉25151
Aspai (Lug) 16 Sc90
Aspariegos (Zam) 54 Uc98 ✉49124
Asparrena (Ála) 24 Xe91 ✉01250
Aspe (Ali) 128 Zb118 ✉03680
Aspera (Lug) 16 Sd93
▲Áspera, Sierra 140 Xf121
Asperelo (Pon) 15 Sa93 ✉36511
Asperillo (Huel) 156 Tc126
☆Asperillo, Torre de 147 Tc126
Asperones, Caserío Los (Gra) 152 Wc125
Aspilla, La (Alm) 154 Xe123
Aspuru (Ála) 23 Xd91 ✉01208
Aspurz (Nav) 25 Yf92 ✉31454
Asquel (Hues) 45 Aa95
Asrona (Vall) 56 Vb99
Assa (Ála) 23 Xc93 ✉01308
Asso (Tol) 108 Wb111
Asso-Veral (Zar) 26 Za93
☆Assumpta 66 Cd99
Astariz (Our) 33 Rf95 ✉32430
Asteasu (Gui) 12 Xf89 ✉20159
≈Asteasu, Río = Oria, Río 12 Xf89
Astelarra (Viz) 11 Xb89
Astell (Lle) 28 Af94 ✉25511
Asterrica (Viz) 11 Xd89
Asterrika = Asterrica (Viz) 11 Xd89 ✉48710
Astigarraga Ergobia (Gui) 12 Ya89
Astigarreta (Gui) 24 Xe90 ✉20218
Astigarribia (Gui) 11 Xd89 ✉20830
Astillero, El (Can) 9 Wb88
Astitz (Nav) 24 Ya91 ✉31879
Astor, l' (Bar) 47 Bc98
Astorecas (Viz) 11 Xb89
Astorga (Leó) 18 Tf94 ✉24700
Astot, Cortijo de (Gra) 140 Xd122
Astráin (Nav) 24 Yb92
Astrana (Can) 10 Wc89 ✉39806
Astudillo (Pal) 38 Ve95 ✉34450
Astulez (Ála) 22 Wf91 ✉01426
Astún (Hues) 26 Zc92
Asturianos (Zam) 35 Td96 ✉49325
Asún (Hues) 26 Zd93
Atajate (Mál) 158 Ue129 ✉29494
Atajo, El (Ten) 172 C2
Atalaya (Córd) 150 Vc124
Atalaya (Jaé) 138 Wa121
Atalaya (Bad) 119 Td118 ✉06329
☆Atalaya 118 Sf117
▲Atalaya 112 Yf114
Atalaya (Các) 105 Ub111
▲Atalaya 43 Ye98
Atalaya (Các) 86 Te108
▲Atalaya, Cerro de la 162 Xb127
Atalaya, Cortijo de (Cád) 156 Te128
Atalaya, Cortijo de la (Gra) 151 Ve125
Atalaya, La (Palm) 174 D2
Atalaya, La (Palm) 174 C2
Atalaya, La (Mál) 151 Vd125 ✉29311
Atalaya, La (Sev) 149 Ud123
Atalaya, La (Mur) 142 Yd123
▲Atalaya, La 134 Ua122
Atalaya, La (Alb) 110 Xc114
▲Atalaya, La 56 Vf98
Atalaya, La (Sal) 71 Td105 ✉37591
Atalaya, La (Các) 85 Tc107
Atalaya, La (Ávi) 89 Vd106 ✉05279
▲Atalaya, Piedra de la 136 Va119
Atalaya de Cuenca (Cue) 92 Xf109
▲Atalaya de las Torres 120 Tf118
Atalaya del Cañavate (Cue) 111 Xe111 ✉16710
Atalaya-Isdabe (Mál) 165 Uf130
Atalayas, Caserío (Jaé) 125 Xb118
Atalayas-Valdancher (Cas) 80 Ab106
Atalayuela (Jaé) 139 Xa122
Atalbéitar (Gra) 161 We127
Atamaría (Mur) 143 Zb123
Atán (Lug) 16 Sb93
Atance, El (Gua) 76 Xb102 ✉19266
≈Atance, Embalse de 58 Xb102
Atanor, Cortijo del (Jaé) 138 Wd122
Atanores (Córd) 151 Vc123
Atanzón (Gua) 76 Xa105
Atapuerca (Bur) 39 Wc94 ✉09199
☆Atapuerca, Cueva de 39 Wc95
Ataquines (Vall) 56 Vb101 ✉47210
Atarés (Hues) 26 Zc93
Atarfe (Gra) 152 Wb125 ✉18230
Atascadero (Gra) 152 We124
Ataun (Gui) 24 Xe90 ✉20211
Atauri (Ála) 23 Xd92 ✉01128
Atauta (Sor) 58 We99 ✉42345
Atazar, El (Mad) 75 Wd103 ✉28189
≈Atazar, Embalse de El 75 Wc103
Atea (Zar) 60 Yc102 ✉50348
Ateca (Zar) 60 Yb101 ✉50200
Atiart (Hues) 27 Ab94 ✉22452
Atienza (Gua) 58 Xa101 ✉19270
Atios (Cor) 3 Rf87
Atlanterra (Cád) 164 Ub132
Atocha (Jaé) 138 Wb122
Atochares (Alm) 163 Xf127 ✉04113
Atondo (Nav) 24 Yb91 ✉31868
Atravesados, Cortijada de Los (Cád) 164 Tf131
Atunara, La (Cád) 165 Ue131
▲Atxibiribil, Playa de 11 Wf88
Atxondo (Viz) 23 Xb90
Atxondo (Viz) 23 Xc90
Atzavares Alta (Ali) 143 Zb119
Atzavares Baixa (Ali) 143 Zc119
Atzeneta d'Albaida (Val) 128 Zd116 ✉46869
Atzeneta del Maestrat (Cas) 95 Zf107 ✉12132
Aucanada (Bal) 99 Da109 ✉07410
Aucello (Lug) 17 Ta92
Audanzas del Valle (Leó) 36 Ub95 ✉24796
Audicana (Ála) 23 Xd91
Audikana = Audicana (Ála) 23 Xd91 ✉01206
Augapesada (Cor) 14 Rc91 ✉15229
Augasantas (Lug) 16 Sd94
☆Augustobriga 42 Ya98
Aulabar (Jaé) 138 Wd122
Aulaga, La (Sev) 134 Td122 ✉41898
▲Aulagares, Los 134 Tf121
≈Aulagas, Caleta de las (Palm) 176 D3
Aulago (Alm) 153 Xc126 ✉04549
Aulàs (Lle) 46 Ae95
≈Aulencia, Río 74 Vf105
Aulesti (Viz) 11 Xc89 ✉48380
Auñón (Gua) 76 Xb105
☆Aunqueospese, Castillo de 73 Vb105
Aurín (Hues) 26 Zd93
≈Aurín, Río 26 Zd93
Auritz/Burguete (Nav) 25 Ye91 ✉31640
Aurizberri Espinal (Nav) 25 Yd91
Ausejo (Rio) 41 Xf94 ✉26513
Ausejo de la Sierra (Sor) 41 Xd97 ✉42172
≈Ausente, Lago del 19 Ud90
≈Ausines, Río 39 Wb95
Autilla del Pino (Pal) 38 Vc97 ✉34191
Autillo de Campos (Pal) 37 Vb96 ✉34338
Autol (Rio) 42 Ya95 ✉26560
▲Autza 13 Yd90
Auvinyà (AND) 29 Bd94
Auza (Nav) 24 Yb91 ✉31797
≈Avall, Torrent de (Bal) 99 Db111
▲Avalo, Playa de (Ten) 172 C2
▲Avalo, Punta de (Ten) 172 C2
Ávalos, Cortijo de los (Córd) 150 Vc124
▲Ave, Sierra del 113 Zb113
Avedillo de Sanabria (Zam) 35 Tb96 ✉49396
Aveinte (Ávi) 73 Vb104 ✉05357
Avellà, l' (Bar) 65 Bd100
▲Avellana, Platja de l' 80 Ae104
Avellanar (Ciu) 107 Vc112
Avellanar (Các) 86 Te106
Avellanar, El (Tol) 107 Ve112
Avellaneda (Rio) 41 Xd96
Avellaneda (Ávi) 72 Ud106 ✉05580
Avellaneda, La (Các) 106 Ud111
☆Avellanes, Bellpuig de les 46 Ae97
Avellanes, les (Lle) 46 Ae97 ✉25612
☆Avellanes, Monestir d' 46 Ae97
Avellanes i Santa Linya, les (Lle) 46 Ae97
Avellanet (Lle) 29 Bc94 ✉25714
Avellanos (Lle) 28 Af94 ✉25555
Avellanosa (Lle) 47 Bd97
Avellanosa del Páramo (Bur) 39 Wa94
Avellanosa de Muñó (Bur) 39 Wb97
Avellanosa de Rioja (Bur) 40 Wf94 ✉09267
≈Avencó, Riera del l' 48 Cb98
Avenida do Marqués de Figueroa (Cor) 3 Rf87
Avenida do Mestre Manuel Gómez (Cor) 15 Rd92
Aveno (Ast) 7 Uc88 ✉33519
▲Aves 7 Ue89
Avià (Bar) 47 Be96
Aviados (Leó) 19 Ud91 ✉24849
Ávila (Ávi) 73 Vb104
≈Avila, Bahía de (Palm) 176 B4
▲Ávila, Sierra de 73 Uf105
Avilés (Mur) 141 Yb121
Avilés (Ast) 6 Ua87 ✉33400
Avileses (Mur) 142 Za121 ✉30592
Avileses, Los (Jaé) 125 Xb118
Avililla de la Sierra (Sal) 71 Tf104 ✉37609
Avín (Ast) 8 Va88
Aviñante de la Peña (Pal) 20 Vb92 ✉34869
Avinazas (Jaé) 138 We120
Aviño (Cor) 3 Rf87
Avinyó (Bar) 47 Bf97
Avinyonet del Penedès (Bar) 65 Be100
Avinyonet de Puigventós (Gir) 31 Cf95
Avión (Our) 15 Re94 ✉32520
≈Avión, Río 20 Vb93
≈Avión, Río 58 Xb98
≈Aviouga 17 Tb90
Avozares, Cortijo de (Jaé) 137 Vf122
☆Axeitos, Dolmen de 14 Qf93
Axpe de Busturi (Viz) 11 Xb88
Axpe Marzana (Viz) 23 Xc90
Axpuru = Aspuru (Ála) 23 Xd91 ✉01208
Aya (Gui) 24 Xf91
Aya = Aia (Gui) 12 Xf89
Ayabarrena (Rio) 40 Wf95 ✉26289
Ayagaures (Palm) 174 C3 ✉35109
Ayala/Aiara (Ála) 22 Wf90
Ayamonte (Huel) 146 Sd125 ✉21400
Ayamosna (Ten) 172 B2 ✉38813
Ayechu (Nav) 25 Ye92 ✉31448
▲Ayedo 41 Xe96
Ayegui (Nav) 24 Xf93 ✉31240
Ayera (Hues) 44 Ze95 ✉22140
Ayerbe (Hues) 43 Zb95 ✉22800
Ayerbe de Broto (Hues) 27 Zf93
Ayesa (Nav) 25 Yd93 ✉31492
Aylagas (Sor) 58 Wf98 ✉42317
Aylanes (Bur) 21 Wb91
Ayllón (Seg) 58 Wd100
▲Ayllón, Sierra de 58 Wd101
Aylloncillo (Sor) 41 Xd97 ✉42162
Ayna (Alb) 126 Xf117 ✉02125
☆Aynosa, Ermita de la 39 Wb97
Ayódar (Cas) 95 Zd108 ✉12224
▲Ayódar, Collado de 95 Zd109
Ayoluengo (Bur) 21 Wa92
Ayones (Ast) 6 Td88
Ayóo de Vidriales (Zam) 36 Tf96
Ayora (Val) 112 Yf114 ✉46620
☆Ayosa, Mirador (Ten) 173 E3
Ayozo (Jaé) 138 Wd123
▲Ayudadero, Cerro del 135 Ud120
Ayuela (Pal) 20 Vc93
≈Ayuela, Embalse de 105 Te113
Ayuela, La (Can) 9 Ve89
≈Ayuela, Río 104 Td113
Ayuelas (Bur) 22 Wf92 ✉09219
Azabal (Các) 86 Te107 ✉10649
Azaceta (Ála) 23 Xd92
Azadinos (Leó) 19 Uc93 ✉24121
Azadón (Leó) 19 Ub93
Azafá (Ali) 128 Zb119
Azafranares (Cas) 94 Zc107
Azagador, El (Val) 112 Yf112
Azagala (Bad) 104 Ta113
Azagra (Nav) 42 Ya95 ✉31560
▲Azagradero 59 Xe99
▲Azahar, Costa del 95 Zf110
Azaila (Ter) 62 Zd101 ✉44590
☆Azalaga, Castillo de 104 Ta113
Azañón (Gua) 76 Xc104
Azanúy (Hues) 45 Ab97
Azanúy-Alins (Hues) 45 Ab97
Azapiedra (Sor) 41 Xc97
Azara (Hues) 44 Zf96 ✉22311
Azaraque (Mur) 141 Yd122 ✉30848
Azares del Páramo (Leó) 36 Ub95
Azarrulla (Rio) 40 Wf95 ✉26289
▲Azatzeta, Puerto de 23 Xc92
Azcamellas (Sor) 59 Xd102 ✉42230
▲Azcarate, Alto 11 Xd89
Azcoaga = Azkoaga (Ála) 23 Xc90
Azcona (Nav) 24 Ya92 ✉31177
▲Azcua, Monte 13 Yc89
Azkarai (Viz) 10 Wf89
Azkarate (Nav) 24 Xf90 ✉31891
Azkoaga (Ála) 23 Xc90 ✉01169
Azkoitia (Gui) 11 Xe89 ✉20720
▲Azkorri, Playa de 10 Wf88
Azkue (Gui) 11 Xd89
Azlor (Hues) 44 Zf96 ✉22311
Aznalcázar (Sev) 148 Te125
≈Aznalcázar, Marisma de 148 Te126
Aznalcóllar (Sev) 148 Te123
▲Aznar 157 Ub128
Aznar, Cortijo de (Mur) 141 Ya120
☆Aznarón, Castillo 122 Va116
Azofra (Rio) 40 Xb94 ✉26323
Azores (Gra) 154 Xc124
Azores (Córd) 151 Ve124 ✉14815
Azoz (Nav) 24 Yc91 ✉31194
Azpa (Nav) 25 Yc92 ✉31486
Azparren (Nav) 25 Ye91 ✉31439
Azpe (Hues) 44 Ze94
Azpeitia (Gui) 12 Xe89 ✉20730
Azpilgoeta (Gui) 11 Xd89 ✉20850
Azpilikueta (Nav) 13 Yc89
Azpiroz (Nav) 24 Ya90
▲Azpiroz, Puerto de 24 Ya90
Azqueta (Nav) 24 Xf93 ✉31241
Aztiria (Gui) 24 Xe90 ✉20220
Azuaga (Bad) 135 Ub119 ✉06920
≈Azuaga, Embalse de 135 Uc119
Azuara (Zar) 61 Za101 ✉50140
▲Azubias, Las 60 Yd98
Azucaica (Tol) 89 Wa109
Azucarera, La (Nav) 42 Yb94 ✉31340
Azucarera Palentina (Pal) 38 Vc97
Azud de Villagonzalo (Sal) 72 Ud103 ✉37874
≈Azud Hervás, Embalse 87 Ub107
Azuébar (Cas) 95 Zd109 ✉12490
Azuel (Córd) 137 Ve119 ✉14447
Azuelo (Nav) 23 Xd93 ✉31228
≈Azuer, Río 124 Xa116
▲Azufre, Playa del (Ten) 171 C3
Azuguen de Corral, Cortijo de (Các) 105 Tf111
▲Azulejos, Cañada de los (Ten) 172 D4
Azúmara (Lug) 4 Sd89
≈Azúmara 4 Sd89
Azún, Cortijo (Gra) 153 Xa123
Azuqueca de Henares (Gua) 75 We105 ✉19200
Azután (Tol) 87 Uf110
≈Azután, Embalse de 88 Uf110

B

Baamonde (Lug) 4 Sb89 ✉27371
Baamorto (Lug) 16 Sc93 ✉27417
Babel (Ali) 128 Zc118
▲Babel, Platja de 128 Zc119
Babezuelas, Cortijo (Các) 105 Ua111
Babilafuente (Sal) 72 Ud103 ✉37330
▲Baboseras, Las 95 Ze108
☆Bac, el 48 Cc96
Bacamorta (Hues) 44 Ac94 ✉22462
Bacares (Alm) 154 Xd125 ✉04889
≈Bacares, Río 154 Xd125
Bacariza (Alb) 126 Ya115
Bacarot (Ali) 128 Zc118 ✉03114
☆Bac Cabrera, Castell de 31 Ce94
Bachicabo (Ála) 22 Wf92 ✉01423
Bachilleras, Las (Ciu) 109 Wd113
≈Bachimaña, Embalse de 27 Ze92
▲Baciero 28 Ac94
Bacoi (Lug) 4 Sd87
Bacor-Olivar (Gra) 153 Xa123
Badaguás (Hues) 26 Zd93
Badaín (Hues) 27 Ab93
Badajoz (Bad) 118 Ta115 ✉*06001
Badalona (Bar) 66 Cb100 ✉*08910
Bádames (Can) 10 Wd88
Badarán (Rio) 40 Xb94
Bádenas (Ter) 61 Yf102
Badia Gran (Bal) 98 Ce112 ✉07609
Badia Palma (Bal) 98 Cd112
≈Badiel, Río 76 Xb103
Badilla (Zam) 53 Te100 ✉49214
Badolatosa (Sev) 150 Vb125 ✉41570
Badostáin (Nav) 25 Yc92
Badules (Zar) 61 Ye102 ✉50491
Badulla, Caserío de (Jaé) 138 Wd121
Baells (Hues) 44 Ac97 ✉22569
☆Baells, la 47 Bf96
≈Baells, Pantà de la 47 Bf96
Baén (Lle) 46 Ba95
Baena (Córd) 151 Ve123 ✉14850
Baeza (Jaé) 138 Wd121 ✉23440
Baezas, Cortijo de los (Alm) 162 Xb127
Baezuela (Mad) 75 Wd106
Bafaluy (Hues) 44 Ac95
Bagà (Bar) 47 Bf95
Bagergue (Lle) 28 Af92 ✉25598
Bagude (Lug) 16 Sb92 ✉27178
Bagüés (Hues) 25 Za93
Bagüeste (Hues) 44 Zf94
Báguena (Ter) 78 Yd102
Bahabón (Vall) 56 Ve100
Bahabón de Esgueva (Bur) 39 Wb97
Bahía (Mur) 142 Ye123
▲Bahía, La (Palm) 176 C2
▲Bahía de Cádiz, Parque Natural de la 164 Te130
Bahillo (Pal) 38 Vc94 ✉34127
Baia Alta, la (Ali) 143 Zc119
Baia Baixa, la (Ali) 143 Zc119
≈Baias, Río 23 Xa92
Baiasca (Lle) 29 Ba93 ✉25595
Baides (Gua) 76 Xb103 ✉19295
Baigorri (Nav) 24 Ya93
▲Baigura 25 Ye91
Bailén (Jaé) 138 Wb120
Baillo (Bur) 22 Wc91 ✉09515
Baillo (Leó) 35 Td95 ✉24740
Bailo (Hues) 26 Zb93 ✉22760
Bailones, Los (Huel) 133 Tb120
▲Bailota, Punta 9 Vf88
Baiña (Ast) 6 Ub89 ✉33682
Baiña (Pon) 15 Rf92 ✉36528
Baíñas (Cor) 14 Qf90
≈Baio, Río 2 Ra90
Baiobre (Cor) 15 Re91
Baio Grande (Cor) 2 Ra90
Baiona (Pon) 32 Ra96 ✉36300
≈Baiona, Ría de 32 Ra96
Baire, Cortijo del (Alb) 140 Xe119
Baiuca, A (Cor) 3 Rf90 ✉15310
Baixador d'Alcossebre (Cas) 96 Ab107
Baixador de Las Palmas (Cas) 95 Aa108
Baixador de Peñíscola (Cas) 80 Ac106
Baixador Hermanas Chavás (Val) 113 Zc112
≈Baixas, Rías 14 Qe93
Baix Pallars (Lle) 46 Ba95
▲Baja, La 135 Ud120
▲Baja, Rioja 41 Xe94
Bajamar (Palm) 176 C3
Bajamar (Ten) 173 E2 ✉38250
Bajarin, El (Gra) 153 We124
▲Bajas, Las (Palm) 176 C3
Bajauri (Bur) 23 Xc93
▲Bajío, Punta del (Palm) 176 C2
Bajo, El, Cortijo (Gra) 161 We128
▲Bajo, Punta del (Palm) 175 E3
▲Bajo de la Burra, Playa del (Palm) 175 E1
≈Bajo del Obispo, Laguna del 73 Vb102
Bajo de los Robledos, Cortijo (Jaé) 139 We119
≈Bajo-Guadalquivir, Canal del 148 Ua125
Bajondillo (Ávi) 88 Vb106
▲Bajo Negro, Playa (Palm) 175 F1
▲Bajosa, Sierra 134 Tf122
≈Bajoz, Río 55 Uf98
Bakaiku (Nav) 24 Xf91 ✉31810
Bakio (Viz) 11 Xb88 ✉48130
▲Bakio, Playa de 11 Xb88
Balada (Tar) 80 Ae104 ✉43879
Baladejos, Los (Cád) 164 Ua130
▲Baladre, Sierra del 126 Yb118
Balafi (Bal) 97 Bc114
Balaguer (Lle) 46 Ae98 ✉25600
≈Balagueras, Embalse de 94 Zb107
☆Balaguer Vell, Castell de 47 Be97
▲Balaitous 26 Ze91
Balanegra (Alm) 162 Xa128 ✉04713
Balanzona, La (Córd) 136 Vb121
Balarés (Cor) 2 Ra89
Balax (Gra) 153 Xb124 ✉18810
Balazote (Alb) 126 Xf115 ✉02320
Balbacienta (Can) 10 We88 ✉39788
Balbacil (Gua) 77 Xf102 ✉19281
Balbaina (Cád) 157 Te128
Balbarda (Ávi) 73 Va105 ✉05520
Balbases, Los (Bur) 39 Vf95 ✉09119
Balboa (Bad) 119 Tb115 ✉06195
Balboa (Leó) 17 Ta92 ✉24525
▲Balces, Sierra 44 Zf95
☆Balcón, Mirador de (Palm) 174 B2
Balconchán (Zar) 60 Yd102
Balcón de Alcores, El (Sev) 149 Ub124
Balcón de Madrid, El (Mad) 75 Wc104
Balcones, Los (Gra) 153 Xa124
Balconete (Gua) 76 Xa105 ✉19411
▲Baldaio, Praia de 2 Rb89
Baldazos (Mur) 141 Yc122
Baldellou (Hues) 44 Ad97 ✉22571
Baldío (Các) 87 Uc109
Baldío de la Grulla (Bad) 134 Tf119
Baldío de Mora (Các) 86 Tf110
Baldíos, Los (Ten) 173 F3
▲Baldíos, Los 73 Vb106
Baldomar (Lle) 46 Ba97 ✉25737
Baldovar (Val) 94 Yf109
Baldrei (Our) 33 Sc95
Baldriz (Our) 34 Sc96 ✉32680
Balea (Pon) 14 Ra94
Balea (Pon) 32 Rb95
☆Balear, Museo (Bal) 98 Cd110
▲Baleares, Islas = Balears, Illes (Bal) 98 Cb109
▲Balears, Illes (Bal) 98 Cb109

Baleira (Lug) 16 Se 90
Balenyà (Bar) 48 Cb 98
≈Baleo 4 Sb 87
≈Balera, Bahía de la (Ten) 171 C 3
Balerma (Alm) 162 Xa 128 ✉04712
▲Balerma, Playa de 162 Xa 128
Balestui (Lle) 46 Ba 94 ✉25591
Baliarraín (Gui) 24 Xf 90
Baliarrain = Baliarraín (Gui) 24 Xf 90 ✉20259
≈Baliera, Río 28 Ad 93
Balisa (Seg) 74 Vd 102 ✉40449
≈Balisa, Arroyo de 56 Vd 102
▲Balita, Playa de la (Palm) 174 B 4
Bàlitx de Baix (Bal) 98 Ce 110
Ballabriga (Hues) 28 Ad 94 ✉22484
Ballariáin (Nav) 24 Yb 91
≈Ballena, Caleta de la (Palm) 175 E 3
▲Ballena, Playa de la 156 Td 128
▲Ballena, Punta de la (Palm) 175 D 1
Ballesta, La (Córd) 136 Va 120 ✉14220
▲Ballesta, La 78 Yd 104
Ballestera, Caserío de (Ter) 79 Za 106
Ballestera, La (Jaé) 139 Xb 120
≈Ballestera, Laguna la 150 Ue 124
Ballestero, El (Alb) 125 Xd 115 ✉02614
Ballesteros (Ciu) 108 Wa 113
Ballesteros (Ter) 62 Zd 102
Ballesteros (Cue) 92 Xf 109
Ballesteros, Cortijo de los (Mur) 140 Xe 120
☆Ballesteros, Palacio de 74 Wa 106
Ballesteros de Calatrava (Zar) 123 Wa 115
▲Ballo 24 Xe 91
Ballobar (Hues) 63 Ab 99 ✉22234
Ballota (Ast) 6 Te 87
Balluncar (Sor) 59 Xc 100 ✉42212
Balma, La (Cas) 80 Ze 104
Balmaseda (Viz) 10 We 89 ✉48800
Balmonte (Ast) 5 Ta 88 ✉33778
Balmori (Ast) 8 Va 88 ✉33595
Balnario Fonté (Zar) 62 Zf 101
Balnario La Albotea (Rio) 42 Ya 96
Balnario La Pazana (Rio) 41 Xf 96
Balneari de Santa Anna (Val) 113 Zc 114
Balneari l'Avella = Balneario la Avella (Cas) 80 Aa 105
Balneario Cervantes (Ciu) 124 Wd 117
Balneario de Babilafuente (Sal) 72 Ud 103
Balneario de Benito (Alb) 125 Xc 117
Balneario de Cofrenta (Val) 112 Yf 113
Balneario de Fortuna (Mur) 142 Yf 119 ✉30630
Balneario de Fuente Amarga (Cád) 164 Tf 130
Balneario de Guitiriz (Lug) 4 Sa 90
Balneario de la Margarita (Mad) 75 Wd 106
Balneario de la Pestosa (Alb) 126 Yb 117
Balneario de Marmolejo (Jaé) 137 Ve 120
Balneario de Mestas (Ast) 7 Ue 89
Balneario de Panticosa (Hues) 26 Ze 92
Balneario de Pozo Amargo (Cád) 158 Ud 126
Balneario de Retortillo (Sal) 71 Td 104
Balneario de Valdefernando (Bad) 106 Ue 113
Balneario de Valdeganga (Cue) 92 Xe 109
Balneario la Avella = Balneari l'Avella (Cas) 80 Aa 105
Balneario La Esperanza (Alb) 125 Xc 117
Balneario Valdelanas (Các) 86 Te 108
Balneari Sant Vicens (Lle) 29 Bd 94
Balneari Senillers (Lle) 29 Be 94
Baloira (Pon) 15 Rc 92
Balones (Ali) 128 Zd 116 ✉03812
Balonga (Mur) 142 Yf 119
Balouta (Leó) 17 Tb 91 ✉24433
Balsa (Lug) 4 Sc 88
Balsa, Cortijo de la (Bad) 118 Se 117
Balsa, La (Mur) 142 Za 122
▲Balsa, La 113 Zb 111
≈Balsadas 4 Sc 87
Balsa de Ves (Alb) 112 Ye 113 ✉02214
Balsaín (Alb) 126 Yb 116
≈Bálsamo, Arroyo de 57 Wb 100
Balsa-Pintada (Mur) 142 Yf 122
Balsareny (Bar) 47 Bf 97 ✉08660
☆Balsareny, Castell de 47 Bf 97
Balsas de Cardel (Mur) 127 Yd 118
▲Balsica, Hoya de la 111 Yb 113
Balsica de Andújar, Cortijo de la (Alm) 163 Xe 128
Balsicas (Mur) 142 Za 122 ✉30591
Balsicas, Las (Mur) 142 Ye 123 ✉30868
Balsilla de Taray, La (Alm) 162 Xb 127
Balsillas (Gra) 153 Xb 124
≈Balsín, El 41 Xf 95
Baltanás (Pal) 38 Ve 97
Baltar (Our) 33 Sb 97 ✉32632
Balteiro (Pon) 32 Rc 94
Baltrotas, Las (Sev) 135 Uc 121
Balzaín (Gra) 152 Wc 126
☆Balzola, Cueva de 23 Xb 90
Bama (Cor) 15 Rd 91 ✉15822
Bamba (Zam) 54 Uc 100 ✉49157
Baña, A (Cor) 14 Rb 91 ✉15863
Baña, La (Leó) 35 Tb 95 ✉24746
≈Baña, Laguna de la 35 Tb 95
Bañaderos (Palm) 174 C 2 ✉35414
Banaguás (Hues) 26 Zc 93
☆Bañales, Castillo de 43 Ye 95
Bañares (Rio) 23 Xa 94 ✉26257
Banariés (Hues) 44 Zd 96
Banastás (Hues) 44 Zd 95
Banastón (Hues) 27 Ab 94
Bancalejo, El (Alm) 154 Xf 123
≈Banco, Ensenada del (Palm) 176 D 3
▲Banco, Punta (Ten) 171 B 3
Banda, Cortijo de la (Córd) 151 Vc 123
Bandaliés (Hues) 44 Ze 96
▲Bandama, Caldera de (Palm) 174 D 2
Bande (Our) 33 Sa 96 ✉32840
Bandeira (Pon) 15 Re 92
Bandujo (Ast) 6 Tf 89 ✉33114
Banecidas (Leó) 20 Uf 94 ✉24343
≈Baneiros, Río 17 Sf 94
Bañeza, La (Leó) 36 Ua 95 ✉24750
Banga (Our) 15 Rf 94 ✉32516
Bangueses (Our) 33 Rf 96 ✉32813
Banhs de Tredòs (Lle) 28 Af 93
Baniel (Sor) 59 Xd 99 ✉42218
Bañobárez (Sal) 70 Tc 103
Baño de la Tiñosa (Ciu) 123 Vf 118
Bañón (Ter) 78 Ye 103
▲Bañón, Puerto del 78 Yf 103
▲Baños 162 Xa 128
Baños (Our) 33 Sa 97
Baños (Our) 34 Sf 95
Baños (Các) 86 Ua 107
Baños, Cortijo de los (Ciu) 125 Xb 117
Baños, Los (Gra) 160 Wa 126
Baños, Los (Gra) 153 We 125
Baños, Los (Mur) 142 Yf 119
Baños, Los (Mur) 142 Yf 121
Baños, Los (Mur) 142 Za 122
Baños, Los (Mur) 141 Yd 120
Baños de Benasque (Hues) 28 Ad 93
Baños de Brochales (Ciu) 125 Xa 117
Baños de Calabor (Zam) 35 Tb 97 ✉49392
Baños de Calzadilla del Campo (Sal) 71 Tf 102
Baños de Cerrato (Pal) 38 Vd 97 ✉34200
Baños de Ebro (Ála) 23 Xb 93 ✉01307
Baños de Fitero (Rio) 42 Ya 96
Baños de Fuencaliente (Bur) 23 Xa 93
Baños de Fuensanta (Ciu) 123 Wa 115
Baños de Fuente Álamo (Mur) 127 Yf 117
Baños de Fuente de la Encina (Jaé) 137 Wa 120
Baños de Fuente Podrida (Val) 112 Yd 112
Baños de Gilico (Mur) 141 Yc 119 ✉30420
Baños de la Dehesilla (Bad) 106 Va 113
Baños de la Encina (Jaé) 138 Wb 119 ✉23711
Baños del Agua Hedionda (Jaé) 137 Wa 122
Baños de la Marrana (Gra) 161 Wd 127
Baños de la Peña (Pal) 20 Vc 92 ✉34878
Baños del Arenosillo (Córd) 137 Vd 120
Baños de la Rosa (Cue) 77 Xf 105
Baños de Ledesma (Sal) 54 Ua 102 ✉37115
Baños del Moral (Bad) 119 Tb 117
Baños del Relumbrar (Alb) 125 Xb 117
Baños de Molgas (Our) 33 Sb 95 ✉32701
Baños de Montemayor (Các) 86 Ua 107 ✉10750
Baños de Rioja (Rio) 23 Xa 93 ✉26241
Baños de Río Tobía (Rio) 40 Xb 94
Baños de Saladillo (Jaé) 139 Xa 120
Baños de San Cristóbal (Ciu) 123 Wa 115
Baños de Sierra Elvira (Gra) 152 Wb 125
Baños de Tajo (Gua) 77 Ya 104 ✉19390
Baños de Tus (Alb) 125 Xd 118
Baños de Valdearados (Bur) 39 Wc 98 ✉09450
Baños de Vilo (Mál) 160 Ve 127 ✉29710
Baños de Zújar (Gra) 153 Xb 123
Banquitos, Los (Ten) 173 G 2
Bañuelos (Gua) 58 Xa 101 ✉19276
Bañuelos, Cortijo (Gra) 160 Wb 128
≈Bañuelos, Río 39 Wd 98
Bañuelos de Bureba (Bur) 22 We 93 ✉09248
Bañugues (Ast) 7 Ub 87 ✉33448
Banuncias (Leó) 19 Uc 94 ✉24251
☆Banya, Far de la 80 Ad 105
Banyalbufar (Bal) 98 Cd 110 ✉07191
Banyeres (Bal) 99 Da 111
Banyeres del Penedès (Tar) 65 Bd 101
Banyeres de Mariola (Ali) 128 Zc 116 ✉03450
Banyoles (Gir) 48 Ce 96 ✉17820
≈Banyoles, Estany de 48 Ce 96
Banys de Busot (Ali) 128 Zd 117
Banys de Sant Joan (Bal) 99 Da 112
≈Bao, Embalse de 34 Sf 95
≈Baos, Río 41 Xd 96
Baquedano (Nav) 24 Xf 92 ✉31272
Bara (Hues) 44 Zf 95 ✉22622
Bárago (Can) 20 Vc 90
Baraguás (Hues) 26 Zd 93
▲Baragullos, Barco de 38 Vd 98
Barahona de Fresno (Seg) 57 Wc 100 ✉40517
Baraibar (Nav) 24 Ya 91 ✉31879
Barainka = Barrainca (Viz) 11 Xc 88 ✉48288
Barajas (Ciu) 108 Wc 114
Barajas (Mad) 75 Wc 106
Barajas (Ávi) 87 Uf 106 ✉05635
Barajas de Melo (Cue) 91 Xa 108 ✉16460
Barajores (Pal) 20 Vc 92
Barajuela (Córd) 137 Vd 122
Barakaldo (Viz) 11 Xa 89 ✉*48901
Baralla (Lug) 16 Se 91
Barambio (Ála) 23 Xa 90
Barañáin (Nav) 24 Yb 92
Baranda (Bur) 22 Wc 90
Barangón (Lug) 5 Se 90
Baraona (Sor) 59 Xc 101
▲Baraona, Altos de 59 Xc 100
Barásoain (Nav) 24 Yc 93
≈Barasona, Embalse de 45 Ab 96
Barata, la (Bar) 66 Bf 99
▲Barazar, Puerto de 23 Xb 90
Barba, Cortijo de (Jaé) 139 Wf 121
≈Barbacal, Arroyo de 135 Uc 122
Barbacena (Sev) 148 Td 123
Barbadás (Our) 33 Sa 95
Barbadelo (Lug) 16 Sd 92 ✉27616
≈Barbadiel, Arroyo 18 Ua 93
Barbadillo (Sal) 71 Ua 103 ✉37440
Barbadillo de Herreros (Bur) 40 We 96 ✉09615
Barbadillo del Mercado (Bur) 40 Wd 96 ✉09613
Barbadillo del Pez (Bur) 40 We 96 ✉09614
≈Barbadún, Río 10 Wf 89
Barbahijar, Cortijo de (Jaé) 152 Wb 123
Barbain (Lug) 16 Sd 92
Barbalimpia (Cue) 92 Xe 109 ✉16196
Barbalos (Sal) 71 Ua 104 ✉37607
Barbaño (Bad) 119 Tc 115 ✉06499
Barbantes (Our) 33 Rf 94
≈Barbantiño 15 Sa 94
▲Barbanza, Serra do 14 Ra 92
Barbarin (Nav) 24 Xf 93 ✉31243
Barbarroja (Ali) 128 Za 119 ✉03689
Barbaruens (Hues) 26 Ac 93 ✉22464
Barbastro (Hues) 45 Aa 96 ✉22300
Barbatáin (Nav) 24 Yb 92
Barbate (Cád) 164 Ua 131 ✉11160
☆Barbate, Castillo de 164 Ua 131
≈Barbate, Embalse de 164 Ub 130
≈Barbate, Ensenada de 164 Ua 132
≈Barbate, Río 164 Ub 129
Barbatona (Gua) 76 Xc 102 ✉19262
Barbeira (Cor) 14 Ra 91 ✉15837
≈Barbeira 14 Ra 91
Barbeitos (Lug) 5 Sf 90
Barbens (Lle) 46 Ba 98 ✉25262
Barbenuta (Hues) 26 Ze 93 ✉22637
Barberà de la Conca (Tar) 64 Bb 100
Barberà del Vallès (Bar) 66 Ca 99
Barbero (Jaé) 139 Xa 119
▲Barbero, Punta de (Ten) 172 B 4
Bárboles (Zar) 61 Ye 98
Barbolla (Seg) 57 Wb 101 ✉40530
Barbolla, La (Gua) 59 Xb 102 ✉19269
Barbolla, La (Sor) 59 Xb 99 ✉42291
Barbudo (Pon) 32 Rd 94 ✉36826
Barbudo, Cortijo del (Bad) 119 Tb 116
▲Barbudo, Punta del (Ten) 173 B 2
Barbués (Hues) 44 Zd 97
Barbuñales (Hues) 44 Zf 96 ✉22132
Barca (Ast) 6 Td 89
Barca (Sor) 59 Xc 100 ✉42210
≈Barca, Embalse de la 6 Te 89
Barca, La (Cád) 164 Ua 131
▲Barca, Punta da 2 Qe 90
Bárcabo (Hues) 45 Aa 95
Barca de Almoguera (Gua) 91 Xa 107
Barca de la Florida, La (Cád) 157 Ua 129 ✉11570
Barcala (Pon) 15 Rc 92
Barcarrota (Bad) 119 Ta 117 ✉06160
Barcebal (Sor) 58 Wf 99 ✉42318
Barcebalejo (Sor) 58 Wf 99 ✉42318
Barceíno (Sal) 53 Td 102
Barcela (Lug) 5 Ta 90 ✉27113
Barcela (Pon) 32 Re 96 ✉36435
Barcelona (Bar) 66 Cb 100 ✉*08001
Barceloneta, la (Lle) 47 Bc 95
Barceloneta, la (Bar) 65 Bf 101
Bárcena (Ast) 6 Tf 88
Bárcena (Ast) 7 Uc 88
Bárcena (Ast) 7 Ud 87
Bárcena (Can) 20 Vb 90
≈Barcena, Embalse de 17 Tc 93
Bárcena de Bureba (Bur) 22 Wc 93
Bárcena de Campos (Pal) 20 Vc 94
Bárcena de Cicero (Can) 10 Wc 88
Bárcena de Cícero (Can) 10 Wd 88
Bárcena de Cudón (Can) 9 Wa 88
Bárcena de Ebro (Can) 21 Vf 91
Bárcena de Pie de Concha (Can) 21 Vf 90
Bárcena de Pienza (Can) 22 Wd 90
Barcenal, El (Can) 9 Vd 88 ✉39549
Bárcena Mayor (Can) 9 Ve 90
▲Bárcena Mayor, Sierra de 9 Ve 90
Bárcenas (Bur) 22 Wc 90
Barcenilla (Can) 9 Wa 88
Barcenilla (Can) 9 Ve 89
Barcenilla de Cerezos (Bur) 22 Wc 90
Barceo (Sal) 53 Td 102 ✉37217
≈Barcés, Río 3 Rd 89
Barchel (Val) 94 Yf 110 ✉46312
Barches Alto, Cortijo de (Gra) 153 Xa 123
Barcheta = Barxeta (Val) 114 Zd 114
Barchín del Hoyo (Cue) 111 Xf 111
Barcia (Pon) 15 Rd 94 ✉36519
Barcia (Lug) 17 Sf 91
Barciademera (Pon) 32 Rd 95
Barcial, Caserío (Sal) 72 Ub 104
Barcial de la Loma (Vall) 37 Ue 97 ✉47674
Barcial del Barco (Zam) 36 Uc 97 ✉49760
Barciales, Los (Bad) 119 Td 118
Barcias (Lug) 16 Se 90
Barcience (Tol) 89 Ve 109 ✉45525
≈Barcience, Arroyo de 89 Ve 109
Barciles Bajo (Tol) 90 Wb 109
Barcina del Barco (Bur) 22 We 92 ✉09212
Barcina de los Montes (Bur) 22 We 92 ✉09593
Barcinas (Gra) 152 Wc 124
≈Barco, Caleta del (Palm) 175 E 1
▲Barco, Loma del 162 Xa 127
Barco, O (Our) 17 Ta 94 ✉32300
Barco de Ávila, El (Ávi) 87 Uc 106
Barco de Valdeorras, O (Our) 17 Ta 94
☆Barconcitos 58 Xb 101
Barcones (Sor) 58 Xb 101 ✉42368
Barco y Pinar de la Nava, El (Vall) 55 Uf 100
≈Barda, Ensenada da 2 Ra 89
Bardallur (Zar) 61 Ye 98 ✉50296
Bardauri (Bur) 23 Xa 92 ✉09219
Bardazoso (Jaé) 139 Xa 120
≈Bardenas, Canal de las 25 Ye 93
▲Bardenas, Las 42 Yc 94
Bardenas del Caudillo (Nav) 43 Ye 95
☆Bardés, Ermita 94 Zb 109
≈Bardoso 3 Rc 89
Bardullas (Cor) 14 Qe 90
Baredo (Pon) 32 Ra 96
Bareyo (Can) 10 Wc 88 ✉39170
▲Bareytes, Pic des (AND) 29 Bc 93
Bargas (Tol) 89 Vf 109 ✉45593
Bargas, Caserío Las (Rio) 41 Xe 95
Bargis (Gra) 161 We 128 ✉18710
Bargota (Nav) 24 Xe 93 ✉31229
Bariáin (Nav) 25 Yc 93
Baridà (Lle) 46 Bb 95
Bárig = Barx (Val) 114 Ze 114
Barillas (Nav) 42 Yc 97 ✉31523
≈Barillos, Laguna de 36 Uc 97
Barinaga (Viz) 11 Xd 89 ✉48278
Barinas (Mur) 142 Yf 119 ✉30648
Baríndano (Nav) 24 Xf 92
Bariones de la Vega (Leó) 36 Uc 96 ✉24239
Barizo (Cor) 2 Ra 89
≈Barizo, Ensenada e Porto de 2 Ra 89
Barjacoba (Zam) 34 Ta 96 ✉49582
Barjas (Leó) 17 Ta 93 ✉24521
≈Barjas, Río 17 Ta 93
≈Barloventa, Laguna de (Ten) 171 C 2
Barlovento (Ten) 171 C 2 ✉38726
▲Barlovento, Punta de (Palm) 174 B 5
▲Barlovento de Jandía, Playa de (Palm) 174 B 5
Barluenga (Hues) 44 Zd 95 ✉22192
Barniedo de la Reina (Leó) 20 Va 91 ✉24913
Baro (Lle) 28 Ba 94 ✉25593
Baró, el (Val) 114 Zd 111
Baroja (Ála) 23 Xb 93 ✉01211
Barón, Caserío del (Nav) 24 Ya 94
Baroña (Cor) 14 Qf 92 ✉15979
☆Baroña, Castro de 14 Qf 92
Barona, la (Cas) 95 Zf 108 ✉12193
Baronia de Rialb, la (Lle) 46 Bb 97
Barós (Hues) 26 Zc 93
≈Barqueiro, Ría do 4 Sb 86
▲Barquera, La 121 Ue 118
Barqueros (Mur) 142 Yd 121 ✉30179
Barqueta, La (Córd) 135 Ue 122 ✉14700
▲Barqueta, Playa de la (Ten) 171 C 3
Barquilla (Sal) 70 Tb 104 ✉37488
Barquilla de Pinares (Các) 87 Ud 108 ✉10318
Barquillo, El (Ávi) 72 Uc 106 ✉05692
Barquiña (Cor) 14 Ra 92
▲Barra (Palm) 175 D 1
Barra, Caserío La (Huel) 146 Sd 125
▲Barra, Serra de la 80 Ae 103
▲Barrabás 42 Yc 97
Barraca d'Aigüesvives, la (Val) 114 Zd 114
Barracas (Cas) 94 Zb 108 ✉12420
Barracas, Cortijo de las (Sev) 135 Uc 121
Barracas, Las (Mur) 143 Zb 123 ✉30385
Barracel (Our) 33 Sb 96 ✉32655
Barrachina (Ter) 78 Yf 103 ✉44220
Barrachinas, Las (Ter) 94 Zb 107
Barraco, El (Ávi) 73 Vc 106 ✉05110
Barrado (Các) 86 Ua 108 ✉10696
Barragana Alta (Córd) 150 Vc 124
Barragana Baja (Córd) 150 Vc 124
Barrainka (Viz) 11 Xc 88
Barral (Our) 33 Rf 95
▲Barraña, Praia de 14 Ra 93
▲Barranca, La 120 Ub 118
▲Barrancazo, Puerto del 125 Xd 117
Barranco (Ali) 128 Zd 117
Barranco, Cortijos (Jaé) 138 Wa 121
▲Barranco, La Montaña del (Palm) 175 D 3
▲Barranco Arriba, Playa (Ten) 173 E 4
≈Barranco Azul (Palm) 175 E 2
Barranco de Cárchel (Jaé) 152 Wc 123
Barranco de Ferrer (Gra) 161 Wd 128
Barranco de García, Cortijada El (Alm) 163 Ya 126
☆Barranco de Herque, Cueva del (Ten) 173 E 4
Barranco de la Bina, Cortijo (Gra) 161 We 127
Barranco del Agua, Cortijo del (Gra) 161 Wc 127
Barranco del Agua, El (Mál) 151 Vd 125
Barranco de la Madera (Mál) 158 Uf 128 ✉29400

rranco del Baladre (Mur)
155 Yc 124
rranco del Laurel (Palm) 174 C2
✉35421
rranco del Lobo (Mur) 155 Yc 124
rranco del Oro (Gra) 152 Wc 126
rranco de los Caballos, Cortijo
del (Alm) 162 Xa 127
rranco de los Hilarios (Mur)
155 Yb 123
rranco de los Lobos, El (Alm)
154 Xe 126
rranco del Pinar (Palm) 174 C2
rranco de Santiago (Ten) 172 B2
✉38811
rranco de Seca (Mur) 155 Yd 123
✉30876
Barranco Grande 76 Xb 104
rranco Hondo (Ten) 173 E3
rranco Hondo, Cortijo de (Gra)
161 Wf 126
rranco-Molax (Mur) 142 Yd 119
rranco Montesina (Jaé)
139 Xa 120
rranco Muñoz, El (Alm)
154 Xf 125
rrancón de Bacares, El (Alm)
154 Xd 125
rranco Palomo (Córd) 136 Va 118
rrancos, Cortijo (Bad) 120 Tf 118
rrancos, Cortijo de los (Gra)
140 Xe 123
rrancos, Cortijo Los (Jaé)
139 Wf 119
rrancos, Los (Cád) 157 Ub 128
✉11630
rrancos, Los (Bad) 134 Td 120
rrancos, Los (Jaé) 125 Xb 118
Barrancos, Los 88 Va 108
Barrancos Blancos, Puerto de los
150 Uf 126
rranco y Traba, Cortijada (Gra)
161 Wb 128
rranda (Mur) 140 Ya 120
✉30412
rrandillas, Cortijada (Gra)
151 Wa 125
rranquete, El (Alm) 163 Xe 128
✉04117
rranquillo, Cortijo del (Các)
105 Tf 111
Barranquillo, Pinar del 57 Wa 101
rranquillo Andrés, El (Palm)
174 B3
arranquillos, Cortijo de (Ciu)
124 We 118
arrantes (Các) 104 Tc 113
arrantes (Pon) 32 Rb 96
arraquero, Caserío de (Bad)
118 Sf 116
arraques, Ses (Bal) 98 Cd 111
arrax (Alb) 111 Xe 114 ✉02639
arreal (Our) 33 Sa 95
arreales (Bad) 119 Tc 118
arreda (Can) 9 Vf 88
arreda-Dos Amantes (Can)
20 Vc 90
arredo (Ast) 6 Ua 87
arregas (Sal) 72 Ub 103
arreiros (Lug) 5 Se 87
arrenas, Cortijo de los (Ciu)
124 We 117
≈Barrendiola, Embalse de 23 Xd 91
arrenes (Leó) 17 Tb 94
Barrera, La 35 Te 94
Barrera, Playa de la (Ten) 172 C4
arreras (Sal) 70 Tc 102 ✉37256
▲Barrerones, Risco de los
87 Ue 107
▲Barreros, Los 111 Yb 112
arreto, Cortijo de (Bad)
118 Se 118
arretó, el (Gir) 48 Cb 96
arriada de Alcora, La (Alm)
162 Xb 127 ✉04450
arriada de Entre-Canales (Ten)
172 C5
arriada de la Paz (Sev) 150 Va 124
arriada del Campico (Alm)
154 Xf 125
arriada del Morera (Alm)
154 Xf 125
arriada de los Cojos (Alm)
154 Xf 125
arriada de los García (Alm)
154 Xf 125
arriada de los Huevanillas (Alm)
154 Xf 125
arriada de Vadollano (Jaé)
138 Wc 120
arriada Las Canteras (Alm)
154 Xf 125
arriada Las Minas (Alm)
162 Xb 126
arriada Nueva (Alm) 155 Yb 125
arriales (Gra) 161 We 128
arriales, Los (Ten) 171 B3
▲Barriales, Los 56 Ve 101
arrica (Viz) 11 Xa 88

≈Barrié de la Maza, Encoro de
14 Rb 91
Barrientos (Leó) 36 Ua 94 ✉24394
Barrietas, Las (Viz) 10 We 89
✉48870
Barriga (Bur) 22 Wf 91
Barriga, Cortijo de (Jaé)
139 We 120
Barrilejos (Bad) 134 Tf 119
Barrillos (Leó) 19 Ud 92
Barrillos de las Arrimadas (Leó)
19 Ue 92 ✉24877
Barrio (Can) 20 Vb 90
Barrio (Can) 21 Ve 90
Barrio (Our) 33 Rf 94
Barrio, El (Alb) 126 Ya 115
Barrio, El (Ávi) 72 Ue 106 ✉05514
Barrio, O (Our) 33 Sb 95
Barrio Arroyo (Val) 112 Yf 111
✉46390
Barrio Bajo (Gra) 161 Wc 127
Barrio de Abajo (Cue) 111 Xe 112
Barrio de Abajo (Leó) 17 Tc 93
Barrio de Abajo (Seg) 57 Wc 100
Barrio de Arriba (Val) 112 Za 111
Barrio de Arriba (Seg) 57 Wb 100
Barrio de Arriba (Ávi) 73 Uf 105
Barrio de Arriba, El (Bur) 22 Wd 92
Barrio de Bricia (Bur) 21 Wa 91
✉09572
Barrio de Díaz Ruiz (Bur) 22 Wd 93
Barrio de Enmedio (Mál)
151 Vd 125
Barrio de Fernán-Núñez (Gra)
161 Wc 127
Barrio de Gisbert (Val) 112 Za 111
Barrio de la Morera (Hues) 45 Aa 95
Barrio de la Puebla (Pal) 20 Vc 92
Barrio de la Puente (Leó) 18 Tf 92
✉24133
Barrio de las Atienzas (Val)
112 Za 111
Barrio de la Tercia (Leó) 19 Uc 91
✉24689
Barrio del Beato Agno (Zar)
43 Ye 97
Barrio del Pilar (Bad) 119 Tc 117
Barrio del Pou (Hues) 44 Ad 95
✉22483
Barrio del Santuario (Alb)
112 Ye 113
Barrio del Teso (Các) 86 Te 107
Barrio de Muñó (Bur) 39 Vf 95
Barrio de Nuestra Señora (Leó)
19 Ud 92 ✉24150
Barrio de Peral (Mur) 142 Za 123
Barrio de Rábano (Zam) 35 Tc 96
Barrio de San Felices (Bur)
21 Ve 93
Barrio de San Pedro (Pal) 21 Vd 92
✉34810
Barrio de Santa María (Pal)
21 Vd 92
Barrio de San Vicente (Bur)
21 Ve 93 ✉34815
Barrio e Castelo (Our) 17 Ta 94
✉32311
Barrio El Otro Lado (Cue) 77 Xe 106
Barrio las Lamas (Leó) 17 Ta 92
Barrio-Lucio (Bur) 21 Vf 92
Barriomartín (Sor) 41 Xd 97
Barrio Nuevo (Cád) 164 Tf 130
✉11149
Barrionuevo (Gra) 154 Xd 123
Barrionuevo, Cortijo de (Gra)
152 Wb 124
Barrio Nuevo, El (Alb) 126 Yb 116
Barriopalacio (Can) 21 Ve 91
Barrio-Panizares (Bur) 21 Wa 92
Barriopedro (Gua) 76 Xb 104
✉19490
Barrios, Los (Cád) 165 Ud 131
✉11370
Barrios, Los (Jaé) 137 Vf 120
Barrios de Bureba, Los (Bur)
22 Wd 93
Barrios de Colina (Bur) 39 Wd 94
✉09199
Barrios de Gordón, Los (Leó)
19 Ub 91
Barrios de la Vega (Pal) 20 Vb 93
✉34111
≈Barrios de Luna, Embalse de los
18 Ua 91
Barrios de Luna, Los (Leó) 18 Ua 91
✉24148
Barrios de Nistoso, Los (Leó)
18 Tf 92 ✉24368
Barrios de Villadiego (Bur) 21 Vf 93
✉09124
Barriosuso (Pal) 20 Vc 93 ✉34470
Barriosuso (Bur) 22 Wc 91
Barriosuso (Bur) 39 Wd 97
Barro (Ast) 8 Vb 88
Barro (Pon) 14 Rc 93
Barro (Pon) 32 Rd 95
≈Barro, Caleta del (Palm) 175 D2
Barro, Cortijo (Alm) 162 Wf 127
Barro, Cortijo del (Sev) 149 Ud 125
▲Barro, Playa de 8 Vb 88

⭑Barroca, la 48 Cd 96
Barromán (Ávi) 73 Va 102
Barron (Ála) 23 Xa 91 ✉01428
Barros (Can) 9 Vf 89 ✉39408
≈Barros, Arroyo de 149 Uc 125
▲Barros, Tierra de 119 Tc 116
⭑Barrosa, Central Eléctrica de
27 Ab 92
▲Barrosa, Circo del 27 Aa 92
⭑Barrosa, Circo del 27 Aa 92
Barrosa, La (Cád) 164 Tf 130
✉11139
▲Barrosa, Playa de la 164 Te 130
Barrosas (Leó) 17 Sf 93 ✉24521
Barroso (Our) 33 Re 94 ✉32520
≈Barrueco de Abajo, Embalse de
104 Td 112
≈Barrueco de Arriba, Embalse de
104 Td 112
Barruecopardo (Sal) 53 Tc 102
✉37255
Barruelo (Bur) 22 Wc 91
Barruelo de Santullán (Pal) 21 Ve 91
Barruelo de Villadiego (Bur)
21 Vf 93 ✉09124
Barruelos del Valle (Vall) 55 Uf 98
Barruera (Lle) 28 Ae 93 ✉25527
⭑Barrulles 64 Ba 101
Barruso (Bur) 22 We 90 ✉09553
Bartacón, Cortijo de (Bad)
118 Se 117
Bartivas (Cád) 164 Tf 130 ✉11138
Bartolas, Cortijo de las (Sev)
148 Tf 124
≈Bartolomé, Laguna de
157 Ua 126
Bartra, la (Tar) 64 Ba 101
Barués (Zar) 25 Ye 94
Barx (Val) 114 Ze 114 ✉46758
Barxa, A (Our) 34 Sf 94
Barxa, A (Our) 34 Se 97
Barxas (Lug) 17 Se 93
Barxell, el (Ali) 128 Zc 116
Barxés (Our) 33 Sa 97
Barxeta (Val) 114 Zd 114 ✉46667
≈Barxeta, Río 114 Zd 114
Barxo de Lor (Lug) 16 Sd 93
Bárzana (Ast) 6 Ua 90
Bárzanas, Las (Ast) 6 Ua 87
Bas (Gir) 48 Cc 96
Bas, Cortijo de (Gra) 153 Xb 124
≈Basa, Río 26 Ze 94
Basaburua (Nav) 24 Yb 91
Basalgo (Gui) 11 Xd 90 ✉20570
Basarán (Hues) 27 Ze 93
Basardilla (Seg) 74 Vf 102 ✉40180
⭑Basardilla, Ermita de 39 Wa 98
⭑Basaura, Cueva de 24 Xf 92
Basauri (Viz) 11 Xa 89 ✉48970
Basca, La (Mur) 142 Yf 120
Bàscara (Gir) 49 Cf 96
Bascoi (Cor) 3 Re 90 ✉15685
Basconcillos (Bur) 39 Wb 95
Basconcillos del Tozo (Bur)
21 Wa 92 ✉09126
Báscones (Ast) 6 Ua 88
Báscones de Ebro (Pal) 21 Vf 92
Báscones del Agua (Bur) 39 Wb 96
Báscones de Ojeda (Pal) 20 Vc 92
Báscones de Zamanzas (Bur)
21 Wb 91
Bascuas (Pon) 15 Re 92 ✉36580
Bascuñana (Bur) 40 Wf 94 ✉09259
▲Bascuñana, Sierra de 92 Xe 107
Bascuñana de San Pedro (Cue)
92 Xe 107 ✉16191
Baseta, la (Cas) 95 Zf 108 ✉12193
≈Basí, Riera de 47 Ca 97
Basigo (Viz) 11 Xb 88 ✉48130
⭑Basílica visigótica 62 Ac 100
▲Basoñas, Praia de 14 Qf 93
Basozabal (Viz) 11 Xa 89
Basozábal (Viz) 11 Xa 89
Basquiñuelas (Ála) 23 Xa 92
✉01420
Bassa Blanca, Sa (Bal) 99 Db 109
Bassacs, els (Bar) 47 Bf 96
✉08680
Bassa dels Ganduls, la (Tar)
80 Ac 104
▲Bassa Nova, Coll de la 62 Ad 102
Bassars, els (Ali) 143 Zc 119
Bassegoda (Gir) 31 Cd 95 ✉17734
▲Bassegoda 31 Cd 95
Basseia (Gir) 49 Da 95
≈Basses, Fondel de (Bal)
98 Cc 111
Basses, les (Lle) 62 Ad 99
Bastanés (Nav) 43 Ye 94
≈Bastanés, Barranco de los
43 Ye 94
Bastanist (Lle) 47 Be 95
Bastarás (Hues) 44 Zf 95
≈Bastareny, el 47 Be 95
Bastavales (Cor) 14 Rb 92
Bastero (Sev) 148 Ua 125
▲Bastián, Playa (Palm) 176 D4
Bastianes, Los (Gra) 153 Xa 124
Bastida, Caserío de la (Mur)
140 Xf 120

▲Bastida, Col de Sa (Bal)
98 Cd 110
Bastida, La (Sal) 71 Tf 105 ✉37621
Bastida de Bellera, la (Lle) 28 Af 94
✉25555
Bastida d'Ortons, la (Lle) 29 Bc 95
Bastideta de Corroncui, la (Lle)
46 Af 95
Bastons (Gir) 48 Cd 96 ✉17174
Basturs (Lle) 46 Ba 96 ✉25655
▲Batalla, Col de sa (Bal) 98 Cf 110
▲Batalla, Coll de Sa (Bal)
98 Cd 111
▲Batalla, Serra de la 95 Zd 107
⭑Batalla de Orreaga, Monumento a
la 25 Yd 90
⭑Batalla de Villareal, Monumento a
la 23 Xc 91
Batalláns (Pon) 32 Rd 96 ✉36448
≈Batán 4 Sc 88
≈Batán, Arroyo del 55 Ud 101
Batán, Caserío del (Tol) 90 Wd 110
Batán, Cortijo del (Alb) 140 Xd 119
Batán, Cortijo del (Gra) 139 Xb 122
Batán, El (Jaé) 139 Xb 119
Batán, El (Alb) 126 Xe 116
Batán, El (Zar) 43 Ye 97
Batán, El (Zar) 43 Zb 98
Batán, El (Các) 86 Td 109
Batán de Abajo (Ten) 173 F2
Batán del Puerto (Alb) 125 Xe 117
Batán de San Pedro (Cue)
91 Xa 109
≈Batanejo, Embalse de 93 Yb 110
Batanejos (Seg) 74 Vd 104
✉40409
Batanera, La (Ciu) 123 Ve 118
Batanes, Caserío Los (Ter)
80 Ze 104
Batea (Tar) 62 Ab 102 ✉43786
Bateig (Ali) 128 Zb 118 ✉03600
▲Bateles, Playa de 164 Tf 131
Baterna (Ávi) 73 Va 105 ✉05130
Baterno (Bad) 122 Va 115 ✉06659
Batet (Gir) 30 Cb 95
Batet = Batet de la Serra (Gir)
48 Cd 95
Batet de la Serra (Gir) 48 Cd 95
✉17812
Batres (Mad) 89 Wa 107 ✉28979
⭑Batres, Castillo-Palacio de
89 Wa 107
Batuecas, Las (Sal) 71 Tf 106
▲Batuecas, Puerto de Las
71 Tf 106
▲Batuecas-Sierra de Francia,
Parque Natural de Las 71 Te 106
Batxicabo = Bachicabo (Ála)
22 Wf 92
Baúl, El (Gra) 153 Xa 124
≈Baúl, Rambla del 153 Xa 124
Bauma, la (Bar) 65 Bf 99
Bausen (Lle) 28 Ae 91 ✉25549
Bautista, Cortijos (Gra) 153 Xc 123
Bayacas (Gra) 161 Wd 127
✉18410
Bayárcal (Alm) 153 Xa 126
Bayarque (Alm) 154 Xd 125
✉04888
Bayas (Ast) 6 Tf 87 ✉33457
▲Bayas, Playón de 6 Tf 87
Bayo (Ast) 6 Tf 88
Bayo, El (Nav) 43 Ye 95
▲Bayón, Monte 56 Vd 99
≈Bayones, Río 9 Ve 89
Bayos, Los (Leó) 18 Te 91
⭑Bayren, Castell de 114 Ze 114
⭑Bayren, Castillo de 114 Ze 114
Bayubas de Arriba (Sor) 58 Xa 99
✉42366
▲Bayuyo (Palm) 175 E1
Baza (Gra) 153 Xb 124 ✉18800
≈Baza, Río de 153 Xb 123
▲Baza, Sierra de 153 Xb 125
Bazagona, La (Các) 86 Ua 109
✉10591
Bazán (Ciu) 124 Wc 117
Bazar (Cor) 2 Rb 90
Bazar (Lug) 4 Sd 89
Baztan (Nav) 13 Yd 90
▲Baztán, Valle del 13 Yd 89
Bea (Ter) 61 Yf 102 ✉44492
Beade (Pon) 32 Rb 95
Beal (Mur) 143 Za 123
Beamud (Cue) 92 Yb 107 ✉16152
Beán (Cor) 15 Rd 90
Beanturi = Berantevilla (Ála)
23 Xa 92
Bearín (Nav) 24 Xf 92
Beariz (Our) 15 Re 94 ✉32520
Beas (Huel) 147 Tb 124 ✉21630
≈Beas, Embalse de 147 Tb 124
Beasain (Gui) 24 Xe 90 ✉20200
Beas de Granada (Gra) 152 Wd 125
✉18184
Beas de Guadix (Gra) 153 We 125
✉18516
Beas de Segura (Jaé) 139 Xa 119
✉23280
Beasoáin (Nav) 24 Yb 91

Beatalobo, Cortijo de la (Sev)
150 Uf 125
Beatas, Las (Córd) 151 Vd 123
Beatos, Los (Mur) 142 Za 123
✉30367
≈Beatriz, Caleta de (Palm) 175 E1
Beba (Cor) 14 Ra 91 ✉15258
≈Beba, Río 14 Qf 91
Beberino (Leó) 19 Ub 91 ✉24608
▲Beca, Punta (Bal) 99 Cf 109
Bécares (Leó) 36 Ua 96
≈Beceas, Río 74 Vd 105
≈Beceas II, Embalse de 74 Vd 105
Becedas (Ávi) 72 Uc 106 ✉05610
Becedillas (Ávi) 72 Ue 105 ✉05153
▲Becedillas, Alto de las 87 Ud 107
≈Becedillas, Río 72 Uc 106
Beceite (Ter) 80 Ab 104 ✉44588
⭑Becejate, Castillo 110 Xa 112
Becerra, Cortijo de (Gra)
153 Wf 124
Becerreá (Lug) 17 Sf 91
▲Becerrero 150 Va 125
Becerril (Seg) 58 Wd 101 ✉40510
Becerril (Sal) 71 Te 102 ✉37148
Becerril (Ávi) 73 Vc 105
≈Becerril, Embalse de 73 Vc 105
Becerril de Campos (Pal) 38 Vc 96
✉34310
Becerril de la Sierra (Mad)
74 Wa 104 ✉28490
Becerril del Carpio (Pal) 21 Ve 92
✉34815
▲Becerro, El (Ten) 172 C5
▲Becerro, Punta del (Ten) 172 B2
≈Becha, Ensenada de 3 Rd 88
Bechí = Betxí (Cas) 95 Ze 109
Beci (Viz) 10 We 89
Becilla de Valderaduey (Vall)
37 Ue 96 ✉47670
Bedaio = Bedayo (Gui) 24 Xf 90
✉20268
Bédar (Alm) 154 Ya 125
Bedaroa = Bedarona (Viz) 11 Xc 88
Bedarona (Viz) 11 Xc 88 ✉48287
Bedayo (Gui) 24 Xf 90
Bede (Our) 33 Rf 95
Bedia (Viz) 11 Xb 89 ✉48390
Bediello (Hues) 45 Ab 95
Bedmar (Jaé) 138 Wd 122 ✉23537
≈Bedmar, Río de 138 Wd 122
Bedmar y Garcíez (Jaé) 138 Wd 122
Bedón (Bur) 22 Wc 90
Bedorc, el (Bar) 65 Be 100
Bedriñana (Ast) 7 Ud 88 ✉33315
Beg (Alb) 140 Xe 119 ✉02536
Bega del Mar, la (Val) 114 Ze 113
▲Begega, Sierra de 6 Te 89
Beges (Can) 8 Vc 89
Beget (Gir) 30 Cc 95 ✉17867
Begico (Bad) 119 Te 118
Begíjar (Jaé) 138 Wc 121
Begonte (Lug) 4 Sb 90 ✉27373
Begudà (Gir) 48 Cd 95
Beguda Baixa, la (Bar) 65 Bf 100
Begues (Bar) 65 Bf 101 ✉08859
Begunda d'Adons (Lle) 46 Af 95
Begur (Gir) 49 Db 97 ✉17255
Beigondo (Cor) 15 Rf 91 ✉15809
Beintza-Labaien (Nav) 24 Yb 90
▲Beira, Praia de 2 Qe 89
Beire (Nav) 25 Yc 94 ✉31393
Beires (Alm) 162 Xb 126 ✉04458
Beiro (Our) 33 Sa 94
Beiro (Our) 33 Rf 94
Beizama (Gui) 12 Xe 90 ✉20739
Béjar (Sal) 72 Ub 106
Béjar, Cortijo de (Jaé) 138 Wd 122
≈Béjar, Río 139 Wf 122
▲Bejenado, Pico (Ten) 171 B2
Bejís (Cas) 94 Zb 109 ✉12430
Bel (Cas) 80 Aa 105 ✉12512
Belagua (Nav) 26 Zb 91
≈Belague, Río 26 Za 91
Belalcázar (Córd) 121 Uf 117
Belandia (Viz) 22 Wf 90 ✉48460
Belarra (Hues) 44 Zd 94
▲Belarre, Sierra de 44 Ze 94
Belascoáin (Nav) 24 Yb 92
Belauntza = Belaunza (Gui)
12 Xf 90 ✉20491
Belaunza (Gui) 12 Xf 90
Belbimbre (Bur) 39 Vf 96 ✉09226
≈Belbis, Río 92 Xd 109
Belchite (Zar) 61 Zb 101 ✉50130
Belecón (Our) 33 Re 94 ✉32520
Beleder (Hues) 26 Ac 94 ✉22450
≈Belelle 3 Rf 88
Belén (Mur) 142 Ye 121
Belén (Mur) 142 Ye 121
⭑Belén 121 Ue 116
Belén (Các) 105 Ua 112
Belén (Lug) 4 Sd 87
⭑Belén, Ermita de 149 Ub 124
⭑Belén, Ermita de 127 Ye 115
Beleña (Sal) 72 Uc 104 ✉37789
≈Beleña, Embalse de 75 We 103
▲Beleña, Montes de 75 We 103
Beleña de Sorbe (Gua) 75 We 103
✉19237

Beleño (Ast) 7 Uf89 ⊠33557
Belerda (Gra) 153 We124 ⊠18515
Belerda (Ast) 7 Ue90 ⊠33996
Belerdas (Jaé) 139 Wf122
Belesar (Lug) 4 Sb89
Belesar (Lug) 16 Sc91
Belesar (Our) 33 Sb94 ⊠32950
Belesar (Pon) 32 Rb96
≈Belesar, Encoro de 16 Sb92
Bèlgida (Val) 128 Zd115 ⊠46868
Belianes (Lle) 64 Ba99 ⊠25266
Belicena (Gra) 152 Wb125 ⊠18101
Belijaca, Cortijo de (Gra) 153 Wf124
Belinchón (Cue) 91 Wf108
≈Bella Donna, Cala (Bal) 98 Cd112
Bellamar (Mál) 159 Vb130
▲Bellanera, Sierra de la 41 Xe96
Bellaterra (Bar) 66 Ca99 ⊠08193
Bellavista (Bal) 96 Df109 ⊠07609
Bellavista (Sev) 148 Ua125
Bellavista (Tar) 64 Bb101
Bellcaire = Bellcaire d'Empordà (Gir) 49 Da96
Bellcaire d'Empordà (Gir) 49 Da96
Bellcaire d'Urgell (Lle) 46 Af98 ⊠25337
Bellestar (Hues) 44 Ac95
Bellestar (Lle) 46 Af98 ⊠*25335
Bellestar, El (Cas) 80 Ab105
Bellestar del Flumen (Hues) 44 Zd96 ⊠22196
Bellfort (Lle) 46 Bb97 ⊠25747
≈Belliscas, Laguna 54 Ub101
☆Bell-lloc 29 Bd94
Bell-lloc (Gir) 31 Cf94
☆Bell Lloc 49 Da97
Bell-lloc (Gir) 49 Cf97
☆Bell-lloc 66 Cc99
Bell-lloc d'Urgell (Lle) 64 Ae99 ⊠25220
☆Bellmunt 48 Cb96
Bellmunt de Ciurana = Bellmunt del Priorat (Tar) 64 Ae102
Bellmunt del Priorat (Tar) 64 Ae102 ⊠43738
Bellmunt de Segarra (Lle) 65 Bc99
Bellmunt d'Urgell (Lle) 46 Af98 ⊠25336
Bello (Ast) 7 Uc90
Bello (Ter) 78 Yc103 ⊠44232
Bellostas, Las (Hues) 44 Zf94 ⊠22149
Bellotar (Alb) 125 Xc118 ⊠02460
Bellprat (Bar) 65 Bc99 ⊠43421
Bellpui (Lle) 46 Bb95 ⊠25795
Bellpuig (Lle) 64 Ba99 ⊠25250
Bellreguard (Val) 129 Zf115
Belltall (Tar) 64 Bb99 ⊠43413
▲Belltall, Coll de 64 Bb100
Bellulla (Bar) 66 Cb99
Bellús (Val) 128 Zd115 ⊠46839
≈Bellús, Embalse de 128 Zd115
Bellvei (Tar) 65 Bd101 ⊠43719
Bellveí (Lle) 46 Bb98
Bellver (Lle) 29 Be94
☆Bellver, Castell de (Bal) 98 Cd111
▲Bellver, Platjetes de 96 Aa108
Bellver de Cerdanya (Lle) 29 Be94 ⊠25720
Bellver d'Ossó (Lle) 46 Bb98
Bellvís (Lle) 46 Ae98
Bellviure (Bal) 99 Da112
☆Belmaco (Ten) 171 C3
Belmez (Jaé) 138 Wd122
Bélmez (Córd) 136 Ue119
Bélmez de la Moraleda (Jaé) 138 Wd122
Belmonte (Cue) 110 Xb111 ⊠16640
Belmonte (Ast) 6 Te89 ⊠33830
Belmonte (Can) 20 Vd90 ⊠39557
Belmonte de Calatayud (Zar) 60 Yc101
Belmonte de Campos (Pal) 37 Va97 ⊠34306
Belmonte de Mezquín (Ter) 80 Zf103
Belmonte de Miranda = Belmonte (Ast) 6 Te89
Belmonte de Tajo (Mad) 90 Wd108 ⊠28390
Belmontejo (Cue) 92 Xd110 ⊠16779
Belmontes, Los (Alb) 140 Xe119
Beloi (Lug) 4 Sd87
Belones, Los (Mur) 143 Zb123 ⊠30385
Belorado (Bur) 40 We94 ⊠09250
☆Belpuig, Castell 48 Cd95
Belsar (Lug) 4 Sc87
Belsierre (Hues) 27 Aa93 ⊠22363
Belsué (Hues) 44 Zd95
Beltejar (Sor) 59 Xd101 ⊠42248
☆Beltrán, Ermita de 142 Yf120
▲Beltrán, Puerto 133 Tb119
Beluso (Cor) 14 Rb92 ⊠15990
≈Beluso 14 Ra92
Beluso (Pon) 32 Rb95
Belver (Hues) 63 Ab98
Belver de los Montes (Zam) 55 Ud98 ⊠49830
Belvis (Ciu) 123 Wa117 ⊠13379
Belvis (Mad) 75 Wc105
Belvís (Leó) 36 Uc96
Belvis de Jarama (Mad) 75 Wc105 ⊠28862
Belvís de la Jara (Tol) 88 Va110
Belvís de Monroy (Các) 87 Uc110
Belzunce (Nav) 24 Yb91 ⊠31193
≈Bembézar, Embalse de 135 Ue121
≈Bembézar, Río 135 Ud120
Bembibre (Cor) 14 Rc90 ⊠15873
Bembibre (Lug) 16 Sb92 ⊠27556
Bembibre (Leó) 18 Td93 ⊠24300
Bembibre (Our) 34 Sf96 ⊠32562
≈Bembibre, Embalse de 18 Td93
Bemposta (Our) 34 Sd97
Benabarre (Hues) 44 Ac96 ⊠22580
Benablón (Mur) 141 Ya120
Benacancil (Val) 128 Zb115
Benacas (Val) 112 Yf111
Benacazón (Sev) 148 Te124
Benachera (Cas) 95 Zd108
Benadalid (Mál) 158 Ue129 ⊠29493
Benadresa (Cas) 95 Zf108
Benafarces (Vall) 55 Ue99 ⊠47880
▲Ben Afell, Platja 95 Aa109
Benafer (Cas) 94 Zc109 ⊠12449
Benafigos (Cas) 95 Ze107 ⊠12134
Benagalbón (Mál) 160 We128
Benagéber (Val) 94 Yf110
≈Benagéber, Embalse de 93 Yf110
Benagés, Caserío (Cas) 95 Zd107
Benaguasil (Val) 113 Zc111 ⊠46180
Benahadux (Alm) 162 Xd127 ⊠04410
Benahavís (Mál) 165 Uf129
Benajara, Cortijo de (Gra) 153 Xa125
Benajarafe (Mál) 160 We128 ⊠29790
≈Benajarafe, Río 135 Ue120
Benajarafe Alto (Mál) 160 Ve128
Benalauría (Mál) 158 Ue129
Benalí (Val) 113 Zb114
≈Benalija, Rivera de 134 Ua120
Benalmádena (Mál) 159 Vc129
Benalúa de Guadix (Gra) 153 Wf124
Benalúa de las Villas (Gra) 152 Wb124
Benalup (Cád) 164 Ub130
☆Benalup, Castillo de 164 Ub130
Benalup-Casas Viejas (Cád) 164 Ub130 ⊠11190
Benamahoma (Cád) 158 Ud128 ⊠11679
Benamargosa (Mál) 160 Ve127 ⊠29718
≈Benamargosa, Río de 160 Ve128
≈Benamarías, Embalse de 18 Tf93
Benamariel (Leó) 36 Uc94 ⊠24233
Benamaurel (Gra) 153 Xb123 ⊠18817
Benamayor (Mál) 160 Wa128
Benamejí (Córd) 150 Vc125
Benamira (Sor) 59 Xd102 ⊠42230
Benamocarra (Mál) 160 Vf128 ⊠29719
≈Benamor, Río 140 Xf119
Benamor de Abajo (Mur) 140 Ya120
Benaocaz (Cád) 158 Ud128 ⊠11612
Benaoján (Mál) 158 Ue128
Benaque (Mál) 160 Ve128 ⊠29791
Benarrabá (Mál) 158 Ue129
Benarruel (Cue) 93 Yd108
Benasal (Cas) 80 Zf106 ⊠12160
Benasau (Ali) 128 Zd116 ⊠03814
Benasque (Hues) 28 Ad93 ⊠22440
Benasqués (Cas) 95 Aa107
Benatae (Jaé) 139 Wf119
Benatae (Jaé) 125 Xc118
Benavent = Benavent de la Conca (Lle) 46 Ba96
Benavent de la Conca (Lle) 46 Ba96
Benavent de Segrià (Lle) 44 Ad98
Benavente (Bad) 103 Sf113 ⊠06519
Benavente (Zam) 36 Uc96 ⊠49600
☆Benavente, Castillo de 123 Vf114
Benavente, Cortijos de (Alm) 140 Xf122
Benavente de Aragón (Hues) 44 Ac95
Benavides (Leó) 18 Ua94
Benavides de Órbigo (Leó) 18 Ua94
≈Benazaire, Arroyo de 106 Uf113
Benazolve (Leó) 36 Uc94 ⊠24233
Bencarrón (Sev) 149 Ub124
Bendilló (Lug) 16 Se94
☆Bendinat, Castell de (Bal) 98 Cd111
Bendón (Ast) 5 Tb89
Benecid (Alm) 162 Xa127 ⊠04479
Benegiles (Zam) 54 Uc99 ⊠49123
Benegorri (Nav) 25 Yc93 ⊠31395
Beneixama (Ali) 128 Zb116 ⊠03460
Beneixida (Val) 113 Zc114 ⊠46293
Benejí (Alm) 162 Xa128
Benejúzar (Ali) 143 Za120 ⊠03390
Benés (Lle) 28 Af94
Benetúser = Benetússer (Val) 114 Zd112
Benetússer (Val) 114 Zd112 ⊠46910
Beniaia (Ali) 129 Ze116 ⊠03786
Beniaján (Mur) 142 Yf121
Benialfaquí (Ali) 129 Ze116
Benialí (Ali) 129 Ze115 ⊠03788
Beniarbeig (Ali) 129 Aa116 ⊠03778
Beniardá (Ali) 129 Ze116 ⊠03517
Beniarjó (Val) 129 Ze115 ⊠46722
Beniarrés (Ali) 128 Zd116 ⊠03850
≈Beniarrés, Pantà de 128 Zd116
Beniatjar (Val) 128 Zd115 ⊠46844
▲Benicadell, Serra de 128 Zd116
Benicarló (Cas) 80 Ac106 ⊠12580
Benicasim/Benicàssim (Cas) 96 Aa108
Benicolet (Val) 128 Zd115 ⊠46838
Benicull (Val) 114 Zd113 ⊠46689
Benidoleig (Ali) 129 Zf116 ⊠03759
Benidorm (Ali) 129 Zf117 ⊠*03501
▲Benidorm, Illot de 129 Zf118
Beniel (Mur) 142 Za120 ⊠30130
Benienso (Ali) 129 Ze117
Benifairó (Val) 114 Zd113 ⊠46450
Benifairó de la Valldigna (Val) 114 Ze114 ⊠46791
Benifairó de les Valls (Val) 95 Ze110 ⊠46511
Benifallet (Tar) 80 Ad103 ⊠43512
Benifallim (Ali) 128 Zd117 ⊠03816
▲Benifallim, Port de 128 Zd117
▲Benifassà, Monts de 80 Aa105
Benifato (Ali) 129 Ze116 ⊠03517
Benifayó = Benifaió (Val) 114 Zd113
Benifetal (Val) 113 Za114
Benifons (Hues) 28 Ad94 ⊠22474
Benigánim (Val) 114 Zd115 ⊠46830
Benigembla (Ali) 129 Zf116 ⊠03794
Benigüengo (Val) 128 Za115
Benijo (Ten) 173 F2 ⊠38129
▲Benijo, Playa de (Ten) 173 F2
Benijófar (Ali) 143 Zb120 ⊠03178
Benilloba (Ali) 128 Zd116 ⊠03810
Benillup (Ali) 128 Zd116 ⊠03827
Benimantell (Ali) 129 Ze116 ⊠03516
Benimarfull (Ali) 128 Zd116 ⊠03827
Benimarraia (Ali) 129 Aa116
Benimassot (Ali) 129 Ze116 ⊠03812
Benimaurell (Ali) 129 Zf116 ⊠03791
Benimeli (Ali) 129 Zf116 ⊠03769
Benimodo (Val) 113 Zc113 ⊠46291
Benimuslem (Val) 113 Zd114 ⊠46611
Benínar (Alm) 162 Wf127
≈Benínar, Embalse de 162 Wf127
Beniopa (Val) 114 Ze115 ⊠46700
Beniparrel (Val) 114 Zd112
Benirrama (Ali) 129 Ze116 ⊠03788
Benisa = Benissa (Ali) 129 Aa116
Benisanet = Benissanet (Tar) 64 Ad102
Benisanó (Val) 113 Zc111 ⊠46181
Benisoda (Val) 128 Zc116 ⊠46869
Benissa (Ali) 129 Aa116 ⊠03720
Benissanet (Tar) 62 Ad102 ⊠43747
Benissili (Ali) 129 Ze116
☆Benissili, Castell de 129 Ze116
Benissivà (Ali) 129 Ze116
Benisuera (Val) 128 Zd115 ⊠46839
Benita, La (Córd) 150 Vc123 ⊠14940
Benitachell/Poble Nou de Benitachell, el (Ali) 129 Aa116
Benitagla (Alm) 154 Xe125 ⊠04276
Benitandús (Cas) 95 Ze109
≈Benitandús, Pantá de 95 Ze109
Benitaya (Ali) 129 Ze116
Benítez, Cortijo (Mál) 159 Vb128
▲Benítez, Playa 165 Ud133
Benitorafe (Alm) 154 Xe125 ⊠04275
Benitos (Ávi) 73 Va104
Benitos, Cortijos de Los (Alm) 155 Ya124
Benitos del Lomo, Cortijo de los (Cád) 164 Tf131
Beniure (Lle) 46 Ae96 ⊠25632
Benizalón (Alm) 154 Xe125
Benllera (Leó) 19 Ub92 ⊠24123
Benlloch (Cas) 95 Aa107 ⊠12181
Benòs (Lle) 28 Ae92
Benquerencia (Các) 105 Tf113 ⊠10185
Benquerencia (Lug) 5 Se87 ⊠27792
≈Benquerencia, Arroyo de 121 Ud117
Benquerencia de la Serena (Bad) 121 Ud116 ⊠06429
Bensa (Lle) 46 Af98
Bentaberri (Gui) 12 Xe89
Bentarique (Alm) 162 Xc127 ⊠04569
Bentas (Nav) 24 Yb90
Bentretea (Bur) 22 Wd92 ⊠09593
Bentué de Nocito (Hues) 44 Ze95 ⊠22622
Bentué de Rasal (Hues) 44 Zc95
Benuza (Leó) 35 Tb94 ⊠24389
Benyamina (Mál) 159 Vd129
Benza (Cor) 15 Rc90 ⊠15687
Benzal (Alm) 155 Yb124 ⊠04647
Benzú (Cád) 165 Ud133
≈Benzú, Bahía de 165 Ud133
Beo (Cor) 2 Ra89 ⊠15113
Beorburu (Nav) 24 Yb91 ⊠31193
Beortegui (Nav) 25 Yd92 ⊠31483
Beotegui (Ála) 22 Wf90
Bequerones, Cortijo de los (Gra) 140 Xd122
▲Ber, Praia de 3 Re88
Bera/Vera de Bidasoa (Nav) 12 Yb89 ⊠31780
Beraiz (Nav) 25 Yc91 ⊠31799
Beramendi (Nav) 24 Yb91 ⊠31869
▲Berana 9 Wa89
Beranga (Can) 10 Wc88 ⊠39730
Berango (Viz) 11 Xa88 ⊠48640
Berantevilla (Ála) 23 Xa92 ⊠01211
Beranui (Lle) 28 Af94 ⊠25510
Beranúy (Hues) 28 Ad94
Berastegi (Gui) 24 Ya90 ⊠20492
≈Berasti, Riu de 28 Ba94
Beratón (Sor) 60 Yb98
Berbe Bajo (Gra) 152 Wb124
Berbedel (Zar) 61 Ye99 ⊠50294
Berbegal (Hues) 44 Zf97 ⊠22131
Berben (Cád) 157 Te129 ⊠11500
Berberana (Bur) 22 Wf91 ⊠09511
▲Berberia, Cap de (Bal) 97 Bc117
Berbes (Ast) 7 Uf88 ⊠33346
Berbikez = San Juan de Berbikiz (Viz) 10 Wf89
Berbinzana (Nav) 24 Ya93 ⊠31252
Berbusa (Hues) 26 Ze93
Bercedo (Bur) 22 Wd90 ⊠09569
Berceo (Rio) 40 Xa94 ⊠26327
Bercero (Vall) 55 Uf99 ⊠47115
Berceruelo (Vall) 55 Uf99 ⊠47115
Bérchules (Gra) 161 We127
Bercial (Seg) 74 Vd103 ⊠40144
≈Bercial, Charca del 120 Ua117
▲Bercial, El 120 Ua118
Bercial, El (Tol) 88 Uf110
Bercial de San Rafael, El (Tol) 88 Uf110
Bercial de Zapardiel (Ávi) 73 Va102 ⊠05229
Bercianos de Aliste (Zam) 35 Te98 ⊠49592
Bercianos del Páramo (Leó) 36 Ub94
Bercianos del Real Camino (Leó) 37 Uf94 ⊠24325
Bercianos de Valverde (Zam) 36 Ua97 ⊠49333
Bercimuel (Seg) 57 Wc100 ⊠40550
≈Bercimuel, Río de 57 Wc100
Bercimuelle (Sal) 72 Ud105 ⊠37750
Bercimuelle (Ávi) 72 Uf103
☆Berció 6 Ua88
Berciosa, Caserío de la (Tol) 88 Vb110
≈Berco, Arroyo del 38 Vd95
Bercuta (Val) 94 Yf110 ⊠46312
Berdejo (Zar) 60 Ya99 ⊠50316
Berdeogas (Cor) 14 Qf90 ⊠15151
Berdía (Cor) 15 Rc91
Berdoias (Cor) 2 Qf90 ⊠15128
Berducedo (Ast) 5 Tb89 ⊠33887
Berdún (Hues) 26 Za93
Berén (Lle) 46 Bb95
Berenjena, Cortijo La (Ciu) 123 Wb117
Berfull (Val) 114 Zd114 ⊠46666
Berga (Bar) 47 Bf96 ⊠08600
Berganciano (Sal) 53 Te102 ⊠37159
≈Bergantes, el 80 Ze104
≈Bergantes, Río 80 Zf105
▲Bergantiños 2 Rb89
Berganúy (Hues) 44 Ae95
Berganzo (Ála) 23 Xb93 ⊠01212
Bergara (Gui) 23 Xd90 ⊠20570
Bergasa (Rio) 41 Xf95 ⊠26588
Bergasillas Bajera (Rio) 41 Xf95 ⊠26588
Bergasillas Somera (Rio) 41 Xe95
Berge (Ter) 79 Zd103 ⊠44556
Bergonda = Bergüenda (Ála) 22 Wf92 ⊠01423
Bergondo (Cor) 3 Re89
Bergosa (Hues) 26 Zc93
Bergua (Hues) 27 Ze93 ⊠22373
Bergús (Bar) 47 Bd97
▲Beriain 24 Ya91
Beriáin (Nav) 24 Yc92
Berja (Alm) 162 Xa127 ⊠04760
Berlai (Lug) 16 Sc91
≈Berlanas, Arroyo de las 73 Vb10
Berlanas, Las (Ávi) 73 Vb104 ⊠05162
Berlanga (Bad) 135 Ub119 ⊠06930
Berlanga de Duero (Sor) 58 Xa100 ⊠42360
Berlanga del Bierzo (Leó) 17 Tc92 ⊠24438
Berlangas de Roa (Bur) 57 Wa98 ⊠09316
▲Bermeja (Ten) 173 C2
Bermeja, Cortijo de la (Bad) 120 Ua116
Bermeja, Cortijos de La (Gra) 154 Xd123
Bermeja, La (Mur) 141 Yd120 ⊠30610
▲Bermeja, Peña 8 Vc89
▲Bermeja, Sierra 165 Ue130
▲Bermeja, Sierra 105 Te114
≈Bermejales, Embalse de los 160 Wa127
▲Bermejo 151 Ve124
Bermellar (Sal) 70 Tc103 ⊠37291
Bermeo (Viz) 11 Xb88 ⊠48370
Bermés (Pon) 15 Rf92 ⊠36517
Bermiego (Ast) 6 Ua89 ⊠33118
Bermillo de Alba (Zam) 54 Tf99 ⊠49510
Bermillo de Sayago (Zam) 54 Tf10 ⊠49200
Bermudez (Ten) 171 C2 ⊠38729
Bermui (Cor) 4 Sa88
≈Bermuza, Río 160 Vf127
Bernabé (Córd) 151 Ve124
Bernabé (Alb) 126 Xf116
Bernabeles, Cortijo de los (Gra) 153 Wf125
Bernadilla, La (Gra) 161 Wc128
Bernagoitia (Viz) 11 Xb89 ⊠48290
Bernal (Mur) 142 Za122
Bernardo, El (Ciu) 110 Xa113
Bernardos (Seg) 56 Vd102 ⊠40430
Bernedo (Ála) 23 Xd93 ⊠01118
▲Bernera, Sierra de 26 Zc92
≈Bernesga, Río 19 Uc92
Bernia (Ali) 129 Zf116 ⊠03599
▲Bernia 129 Zf117
Berninches (Gua) 76 Xb105 ⊠19133
▲Berninches 76 Xb105
Bernoy-Cemprón (Sal) 72 Ub104
Bernueces (Ast) 7 Uc87 ⊠33394
Bernués (Hues) 26 Zc94
Bernúi de Montejo, Caserío de (Seg) 74 Vd103
Bernúy (Tol) 88 Vc109
Bernúy de Coca (Seg) 56 Vc101
Bernúy de Porreros (Seg) 74 Vf103
Bernúy-Salinero (Ávi) 73 Vc105
Bernuy Zapardiel (Ávi) 73 Va103
Berola de Grau (Cas) 80 Zf106
Berrande (Our) 34 Se97 ⊠32617
Berrazales, Los (Palm) 174 C2 ⊠35489
Berredo (Our) 33 Sa96
Berreño (Viz) 11 Xc89 ⊠48381
Berreo (Cor) 15 Rd91 ⊠15687
Berriatua (Viz) 11 Xd89 ⊠48710
Berrícano (Ála) 23 Xb91
Berriel (Palm) 174 C4 ⊠35107
Berrikao = Berrícano (Ála) 23 Xb91
≈Berrinches, Arroyo de 88 Vc109
Berrio (Viz) 23 Xc90
Berrioplano (Nav) 24 Yb91 ⊠31195
Berriozabal-Aramiño = Berriozábal-Arrabios (Viz) 11 Xc90
Berriozabal Arrabios (Viz) 11 Xc90
Berriozar (Nav) 24 Yb91 ⊠31013
Berriz (Viz) 11 Xc89 ⊠48240
Berrizaun (Nav) 12 Yb89 ⊠31790
Berriz-Olakueta (Viz) 11 Xc89
Berro (Alb) 126 Xe116 ⊠02329
Berro, El (Mur) 141 Yd121 ⊠30848
▲Berro, Teso del 36 Uc98
Berrobi (Gui) 12 Xf90 ⊠20493
Berrocal (Huel) 147 Tc123 ⊠21647
Berrocal (Bad) 121 Uf115

rocal (Seg) 74 Wa 102 ⊠ 40181
rocal, Cortijo del (Córd)
22 Vb 118
rocal, El (Sev) 134 Tf 122
rocal, El (Các) 86 Ua 107
rocal de Huebra (Sal) 71 Ua 104
⊠ 37609
rocal de la Espinera (Sal)
1 Ua 103
rocal del Río (Sal) 70 Tc 105
rocal de Salvatierra (Sal)
2 Ub 105 ⊠ 37795
rocalejo (Các) 87 Ud 110
⊠ 10392
rocalejo de Aragona (Ávi)
3 Vc 104 ⊠ 05194
rocosos, Los (Các) 86 Tf 107
roeta (Nav) 25 Yc 90 ⊠ 31796
rón, El (Ast) 7 Ub 88
roquejo (Cád) 157 Ua 129
rós Jussà (Lle) 29 Ba 93
rós Sobirà (Lle) 29 Bb 93
rosteguieta (Ála) 23 Xb 92
roy (Hues) 27 Zf 93
roztegieta = Berrosteguieta (Ála)
3 Xb 92
rrueces (Vall) 37 Uf 97 ⊠ 47813
rrueco (Zar) 78 Yd 103 ⊠ 50373
rrueco, El (Jaé) 137 Wa 121
⊠ 23649
rrueco, El (Mad) 75 Wc 103
⊠ 28192
errueco Gordo 73 Uf 105
rruecos (Mur) 141 Yb 122
rruguillas (Các) 87 Ud 109
rtamiráns (Cor) 14 Rc 91
rtizarana (Nav) 24 Yc 90
rtrans, els (Ali) 128 Za 118
ruete (Nav) 24 Yb 90 ⊠ 31866
rzalejo, Caserío (Các) 86 Ua 110
rzocana (Các) 106 Ud 112
⊠ 10129
erzocana, Puerto de 106 Ud 112
erzocana, Río 106 Uc 111
rzosa (Sor) 58 Wf 99 ⊠ 42351
rzosa (Mad) 74 Wa 105
rzosa de Bureba (Bur) 22 We 93
⊠ 09245
rzosa del Lozoya (Mad)
5 Wc 103
rzosa de los Hidalgos (Pal)
20 Vd 92 ⊠ 34485
rzosilla (Pal) 21 Vf 92
salú (Gir) 48 Ce 95
sande (Leó) 20 Va 91 ⊠ 24885
sarredonda (Lug) 17 Sf 93
Besaya, Río 9 Vf 89
scanó (Gir) 48 Ce 97
scaran (Lle) 29 Bd 94 ⊠ 25719
scós de Guarga (Hues) 27 Ze 94
Beseit, Ports de 80 Ab 104
Beseño, Río de 15 Re 91
setxeta (Viz) 11 Xc 88
sexos (Pon) 15 Re 92
siáns (Hues) 45 Ac 95
Besiberri del Sud 28 Ae 93
sora (Lle) 47 Bd 96 ⊠ 25286
Besora, Castell de 48 Cb 96
Besorí 113 Zc 113
spén (Hues) 44 Zf 96
Besses, les 64 Ae 100
stracà (Gir) 48 Cd 95
stué (Hues) 27 Aa 93
sullo (Ast) 5 Tc 89 ⊠ 33815
tancuria (Palm) 175 D 3
Betancuria (Palm) 175 D 3
Betancuria, Parque Rural de
(Palm) 175 D 3
tán de los Canos (Ciu)
122 Vd 117
tanzos (Cor) 3 Re 89 ⊠ 15300
Betanzos, Ría de 3 Re 88
te (Alb) 127 Yd 115
telu (Nav) 24 Ya 90 ⊠ 31890
tera (Val) 113 Zd 111 ⊠ 46117
tesa (Hues) 28 Ae 94 ⊠ 22583
tés de Sobremonte (Hues)
26 Zd 93
teta (Cue) 77 Xf 105 ⊠ 16870
ties (Ali) 128 Zb 118 ⊠ 03640
tlan (Lle) 28 Ae 92 ⊠ 25537
Betlem, Ermita de (Bal) 99 Db 110
tolatza = Betolaza (Ála) 23 Xc 91
tolaza (Ála) 23 Xc 91 ⊠ 01510
torz (Hues) 44 Aa 95 ⊠ 22148
tote (Lug) 16 Sd 92
trén (Lle) 28 Ae 92
txí (Cas) 95 Ze 109 ⊠ 12549
Bèu, Torre d'En (Bal) 99 Db 112
uda (Gir) 48 Ce 95 ⊠ 17850
ulaigua (Bar) 47 Ca 96
unza (Nav) 24 Yb 91 ⊠ 31867
exo (Cor) 14 Rb 92 ⊠ 15982
Beyos, Desfiladero de Los 8 Uf 89
Beza, Sierra de 8 Uf 89
Bezal, Collado de 19 Ud 90
ezana (Bur) 21 Wa 91 ⊠ 09572
ezares (Rio) 41 Xb 94 ⊠ 26312
ezas (Ter) 93 Ye 106 ⊠ 44121
ezi = Beci (Viz) 10 We 89 ⊠ 48870
Béznar (Gra) 161 Wc 127
≈ Béznar, Embalse de 161 Wc 127
Bézquiz (Nav) 25 Yc 93
▲ Biandita, Collado de 12 Yb 89
▲ Bianditz 12 Yb 89
Biar (Ali) 128 Zb 117 ⊠ 03410
☆ Biar, Castell moro de 128 Zb 117
≈ Biarra, Río 24 Xe 92
Bibán (Hues) 44 Zf 94
≈ Bibéi, Río 34 Sf 96
Bíbiles (Hues) 28 Ae 94
Bibioj (Cas) 95 Zd 107 ⊠ 12124
☆ Biche, Cuevas del 139 Wf 119
Bicorp (Val) 113 Zb 114 ⊠ 46825
▲ Bicuerca, Sierra de la 112 Yd 111
Bidania (Gui) 12 Xf 90 ⊠ 20496
≈ Bidassoa 12 Yb 89
Bidaurreta (Nav) 24 Ya 92 ⊠ 31174
Bidegoyan (Gui) 12 Xf 90 ⊠ 20496
Biduedo (Our) 15 Sa 94
Biduedo (Lug) 17 Se 92
≈ Bidueiro, Rego de 5 Sf 89
Biduido (Cor) 15 Rc 91
Biedes (Ast) 6 Ua 88
Biel (Zar) 43 Za 94 ⊠ 50619
Bielba (Can) 8 Vd 89
Bielsa (Hues) 27 Ab 93 ⊠ 22350
☆ Bielsa, Túnel de 27 Ab 92
▲ Bielsa, Valle de 27 Ab 93
☆ Bien Aparecida, Monasterio de la
10 Wd 89
▲ Bienio, Degollada del (Palm)
174 C 3
Bienservida (Alb) 125 Xc 117
⊠ 02360
Bienvenida (Bad) 134 Te 119
⊠ 06250
▲ Bienvenida 134 Tf 119
Bienvenida (Ciu) 122 Vc 117
⊠ 13596
☆ Bienvenida, Ermita de 87 Uf 110
Bierces (Ast) 7 Ud 88 ⊠ 33539
Bierge (Hues) 44 Zf 96 ⊠ 22144
Biert (Gir) 48 Ce 96 ⊠ 17199
▲ Bierzo, El 17 Tb 92
Biescas (Hues) 26 Ze 93
Biescas (Hues) 26 Ac 94
Biescas de Obarra (Hues) 44 Ad 94
Bigastro (Ali) 142 Za 120 ⊠ 03380
▲ Bigornia, Puerto de la 60 Ya 99
▲ Bigüenzo 21 Vf 91
Bigüézal (Nav) 25 Yf 92
☆ Bigüézal, Cuevas de 25 Ye 92
☆ Bigüézal, Puente de 25 Ye 92
Bigues (Bar) 66 Cb 98 ⊠ 08415
Bigues i Riells (Bar) 66 Cb 98
Bihiorella, Urbanización (Bal)
98 Cc 111
Bijuesca (Zar) 60 Ya 99 ⊠ 50316
Bikarregi (Viz) 11 Xb 90 ⊠ 48141
Bikuña = Vicuña (Ála) 23 Xe 91
Bilanane = Villanañe (Ála) 22 Wf 92
Bilbao (Sev) 149 Ud 125
Bilbao (Viz) 11 Xa 89
☆ Bilbilis 60 Yc 100
Billabaso (Viz) 11 Xa 88
▲ Billano, Isla 11 Xa 88
Billela (Viz) 11 Xa 88 ⊠ 48100
☆ Billela, Palcio de 11 Xa 88
Biloda = Villodas (Ála) 23 Xb 91
⊠ 01195
Bimeda (Ast) 17 Tc 90 ⊠ 33818
Bimenes (Ast) 7 Uc 89
Bimenes (Ast) 7 Uc 88
Binaced (Hues) 45 Ab 98 ⊠ 22510
Binacua (Hues) 26 Zb 93 ⊠ 22791
Binaixa (Bal) 96 Eb 109
Binéfar (Hues) 45 Ab 97
Biniagual, Caserío (Bal) 98 Cf 110
Biniali (Bal) 98 Cf 111 ⊠ 07143
≈ Biniali, Torrent de (Bal) 99 Cf 111
Biniamar (Bal) 98 Cf 110 ⊠ 07369
Biniancolla (Bal) 96 Eb 110
Biniaraix (Bal) 98 Ce 110 ⊠ 07101
Binibequer Vell (Bal) 96 Eb 110
Binibona (Bal) 99 Cf 110
Binicalaf (Bal) 96 Eb 109 ⊠ 07712
Binidali Nou (Bal) 96 Eb 109
Binidenfa (Bal) 96 Ea 108
Biniés (Hues) 26 Zb 93
Binifabini (Bal) 96 Eb 109
Binifaida (Bal) 96 Ea 109
Binifaldó (Bal) 99 Cf 109
Binifamis (Bal) 96 Ea 109
▲ Binigaus, Platja de (Bal)
96 Ea 109
Binijame (Bal) 96 Ea 109
Binimel.la (Bal) 96 Ea 108
Binimel.la Nou (Bal) 96 Ea 108
Biniparrell (Bal) 96 Eb 109 ⊠ 07711
Binisaida (Bal) 96 Eb 109
Binisarret (Bal) 96 Ea 108
Biniseti Nou (Bal) 99 Cf 110
Binissafúler Nou (Bal) 96 Eb 109
Binissalem (Bal) 98 Cf 110 ⊠ 07350
Binué (Hues) 26 Zd 93
Binueste (Hues) 44 Zf 94
Biosca (Lle) 46 Bc 97 ⊠ 25752
Biota (Zar) 43 Ye 95 ⊠ 50695
▲ Biota, Alto de 43 Yf 95
Birgara Barren = Virgala Menor
(Ála) 23 Xd 92 ⊠ 01129
Birgara Goien = Virgala Major (Ála)
23 Xd 92 ⊠ 01129
▲ Bisaurín 26 Zc 92
Bisaurri (Hues) 28 Ad 94 ⊠ 22470
Bisbal de Falset, la (Tar) 64 Ae 101
⊠ 43372
Bisbal del Penedès, la (Tar)
65 Bc 101
Bisbal d'Empordà, la (Gir) 49 Da 97
☆ Bisbe, Cova del 49 Db 97
Biscarbó (Lle) 46 Bb 94
Biscarri (Lle) 46 Ba 96 ⊠ 25657
Biscarrués (Hues) 43 Zb 95
Biscós de Garcipollera (Hues)
26 Zc 93
Bisimbre (Zar) 42 Yd 97 ⊠ 50561
Bisjueces (Bur) 22 Wc 91 ⊠ 09554
▲ Bistruey, Peña 20 Vc 90
Bítem (Tar) 80 Ad 103
Bitoriano = Vitoriano (Ála) 23 Xb 91
⊠ 01139
Biure (Gir) 31 Cf 94 ⊠ 17723
Biure de Gaià (Tar) 65 Bc 100
Biurrun (Nav) 24 Yb 92 ⊠ 31398
Biurrun-Olcoz (Nav) 24 Yb 92
Biville (Lug) 16 Sd 92 ⊠ 27612
Bixessarri (AND) 29 Bc 94
≈ Bizcocho, Baja del (Ten) 172 B 4
Bizmay, El (Alm) 140 Xf 122
Blacha (Ávi) 73 Va 105 ⊠ 05540
Blacos (Sor) 58 Xa 98 ⊠ 42193
▲ Blanca (Palm) 174 B 2
Blanca (Mur) 141 Yd 119 ⊠ 30540
≈ Blanca, Cala (Bal) 96 De 109
≈ Blanca, Cala (Bal) 97 Bd 115
☆ Blanca, Ermita La 25 Yd 94
Blanca, La (Mad) 89 Ve 107
▲ Blanca, Montañas de la (Palm)
175 E 2
Blancafort (Tar) 64 Ba 100
Blancafort (Tar) 64 Ba 102
Blancares (Alb) 111 Xf 114
Blancares, Cortijo de (Mál)
159 Vb 127
Blancas (Ter) 78 Yd 104 ⊠ 44314
▲ Blancas, Peñas 93 Yd 110
Blanco, Caserío (Bad) 118 Ta 116
Blanco, Cortijo (Córd) 150 Vc 123
Blanco, Cortijo El (Mál) 160 Ve 127
Blanco, Cortijo El (Alm) 154 Xe 124
Blanco, El (Alb) 110 Xb 113
▲ Blanco, El 57 Wb 99
▲ Blanco, Puerto El 127 Yc 115
≈ Blanco, Río 150 Uf 125
≈ Blanco, Río 59 Xe 102
Blancos, Caserío Los (Alb)
127 Yf 115
Blancos, Cortijo de los (Alm)
154 Xe 123
Blancos, Los (Mur) 143 Zb 123
⊠ 30382
Blancos, Os (Our) 33 Sb 97
⊠ 32634
Blanes (Gir) 49 Ce 98 ⊠ 17300
Blánquez del Saúco (Alm)
153 Xc 125
▲ Blanquilla, Sierra 164 Uc 131
▲ Blanquilla, Sierra 158 Uf 127
▲ Blanquilla, Sierra 158 Uf 128
▲ Blanquillo 139 Xa 120
Blanquita, Cortijo La (Cád)
157 Ua 128
Blanquitos, Los (Ten) 172 D 5
⊠ 38616
Blanquizales, Cortijo de los (Mál)
158 Uf 129
▲ Blanquizares 61 Zb 101
Blaquillos, Cortijo de los (Jaé)
139 Xa 122
Blas, Cortijo de (Bad) 118 Sf 117
Blascoeles (Ávi) 73 Vd 104 ⊠ 05193
Blascojimeno (Ávi) 73 Uf 104
⊠ 05147
Blascomillán (Ávi) 73 Uf 104
Blasconuño de Matacabras (Ávi)
55 Va 102 ⊠ 05299
Blascosancho (Ávi) 73 Vc 103
⊠ 05290
Blas Díaz, Cortijo de (Alm)
140 Xe 122
Blázquez, Los (Córd) 121 Ud 118
Blecua (Hues) 44 Ze 96 ⊠ 22133
Blecua y Torres (Hues) 44 Ze 96
Bleda, la (Bar) 65 Bd 100 ⊠ 08731
▲ Bledes, Illa (Bal) 96 Ea 108
Blesa (Ter) 61 Za 102 ⊠ 44790
Bliecos (Sor) 59 Xe 99 ⊠ 42128
Blocona (Sor) 59 Xd 101 ⊠ 42248
Boa Cambela (Our) 34 Sf 95
Boada (Lle) 46 Ba 97 ⊠ 25736
Boada (Sal) 71 Te 104 ⊠ 37290
Boada de Campos (Pal) 37 Va 97
⊠ 34305
Boada de Roa (Bur) 57 Wa 98
⊠ 09314
Boada de Villadiego (Bur) 21 Wa 93
⊠ 09125
Boada Nova, la (Bar) 47 Bf 99
Boadella d'Empordà (Gir) 31 Cf 95
Boades (Bar) 47 Bf 98
Boadilla (Sal) 71 Te 104 ⊠ 37208
Boadilla del Camino (Pal) 38 Vd 95
⊠ 34468
Boadilla del Monte (Mad) 74 Wa 106
⊠ 28660
Boadilla de Rioseco (Pal) 37 Va 95
⊠ 34349
Boado (Our) 33 Sb 96 ⊠ 32631
Boal (Ast) 5 Tb 88 ⊠ 33720
Boalo, El (Mad) 74 Wa 104 ⊠ 28413
Boaño (Cor) 2 Qf 89 ⊠ 15119
Boatella (Bar) 47 Ca 96
Bobadilla (Mál) 159 Vb 126
⊠ *29540
Bobadilla (Rio) 40 Xb 95
Bobadilla, La (Jaé) 137 Vf 123
Bobadilla del Campo (Vall)
55 Uf 101 ⊠ 47462
Bobadilla Estación (Mál) 159 Vb 126
Bobar, El (Alm) 163 Xd 128
⊠ 04120
Bobarás (Our) 15 Rf 94
Bobera = Bovera (Lle) 62 Ad 101
Bobes (Ast) 7 Ub 88 ⊠ 33429
▲ Bobia, Sierra de la 5 Ta 88
Bobia de Abajo (Ast) 8 Va 89
⊠ 33556
▲ Bobo, Playa del (Ten) 172 C 5
Bocacara (Sal) 71 Td 104 ⊠ 37593
Boca de Huérgano (Leó) 20 Va 91
Boca del Cortijo, Caserío (Ciu)
108 Vf 113
☆ Boca del Infierno 26 Zb 92
≈ Boca del Risco, Barranco de la
(Palm) 175 E 3
Bocairent (Val) 128 Zc 116 ⊠ 46880
Bocairente = Bocairent (Val)
128 Zc 116
Bocal, El (Nav) 42 Yc 96 ⊠ 31512
Bocas del Salado (Córd) 150 Va 123
Boceguillas (Seg) 57 Wc 100
⊠ 40560
▲ Bocelo, Montes do 15 Sa 90
Boche (Alb) 125 Xe 118
Bochones (Gua) 58 Xa 101
⊠ 19276
Bocígano (Gua) 58 Wd 102
Bocigas (Vall) 56 Vb 101 ⊠ 47419
Bocigas de Perales (Sor) 58 Wd 99
⊠ 42329
Bocines (Ast) 7 Ub 87 ⊠ 33449
Bocos (Bur) 22 Wc 91 ⊠ 09553
Bocos de Duero (Vall) 57 Vf 99
Bodaño (Pon) 15 Re 92
Bodas, Las (Leó) 19 Ue 91 ⊠ 24860
Bodega, la (Cas) 95 Zf 107
Bodegas Bilbaínas (Tol) 90 Wc 110
Bodegas de Carranxero (Bur)
38 Ve 94
Bodegas de Cea (Val) 94 Zb 110
Bodegas de la Atalayuela (Rio)
41 Xe 94
Bodegas del Mundo Nuevo (Val)
94 Zb 110
Bodegas de San Cristóbal (Bur)
38 Ve 94
Bodegueta, la (Ali) 128 Za 116
Bodera, La (Gua) 58 Xa 102
⊠ 19278
≈ Bodión, Río 134 Td 119
Bodón, El (Sal) 70 Tc 106
Bodonal (Bad) 104 Tb 114
Bodonal de la Sierra (Bad)
133 Tc 120 ⊠ 06394
≈ Bodón de la Ibienza, Embalse de
56 Ve 101
Bodurria (Gra) 153 Xb 124
Boebre (Cor) 3 Re 88
Boecillo (Vall) 56 Vb 99 ⊠ 47151
Boedo (Pal) 20 Vc 92
≈ Boedo, Río 20 Vd 93
≈ Boedo, Río 20 Vc 92
▲ Boeiro, Illa de 32 Ra 95
Boente (Cor) 15 Rf 91 ⊠ 15826
≈ Boente, Río 15 Rf 91
Boeret, Es (Bal) 96 Ea 109
Boeza (Leó) 18 Te 92 ⊠ 24312
≈ Boeza, Río 18 Te 93
Bofetán (Can) 9 Wa 88
Bogajo (Sal) 70 Tc 103 ⊠ 37291
Bogarra (Alb) 126 Xe 117 ⊠ 02130
≈ Bogarra, Río 126 Xe 117
▲ Bogarra, Sierra de 126 Xe 117
Bogarre (Gra) 152 Wd 124 ⊠ 18562
Bogás (Cád) 157 Tf 128
▲ Boguillas 87 Uc 108
Bohio y Casas de la Hinojosa (Các)
85 Ta 110
Bohodón, El (Ávi) 73 Vb 103
Bohonal (Bad) 107 Vb 113
Bohonal de Ibor (Các) 87 Ud 110
⊠ 10320
Bohoyo (Ávi) 87 Ud 107 ⊠ 05690
Boí (Lle) 28 Af 93
▲ Boi, Alto do 17 Se 93
▲ Boi, Vale de 28 Ae 94
Boimil (Cor) 15 Rf 90
Boimorto (Cor) 15 Rf 90 ⊠ 15818
Boiro (Cor) 14 Ra 93
Boiro = Boiro de Arriba (Cor)
14 Ra 93
Boiro de Arriba (Cor) 14 Ra 93
Boisán (Leó) 35 Te 94
☆ Boí-Taüll Resort 28 Af 94
Boix (Lle) 44 Ad 97
≈ Boix, Riu 46 Ba 97
▲ Boix, Serra del 80 Ad 103
☆ Boixadors, Castell de 47 Bd 98
Boixar (Cas) 80 Aa 104 ⊠ 12599
Bóixols (Lle) 46 Bb 95
Bojar, El (Mur) 142 Yf 121
▲ Bojes, Los 63 Aa 100
Bojons (Bar) 48 Ca 97
Bola, A (Our) 33 Sa 96
Bolaño (Lug) 16 Se 90 ⊠ 27122
Bolaños de Calatrava (Ciu)
123 Wc 115 ⊠ 13260
Bolaños de Campos (Vall) 37 Ue 96
⊠ 47675
≈ Bolarque, Embalse de 91 Xb 106
≈ Bolarque, Salto de 91 Xb 106
▲ Bolás 26 Zd 93
≈ Bolaso, Estanca del 43 Ye 95
▲ Bolave, Sierra 27 Zf 93
Bolbaite (Val) 113 Zc 114 ⊠ 46822
Boldís Sobirà (Lle) 29 Bb 93
Boldú (Lle) 46 Ba 98
Bolea (Hues) 44 Zc 95 ⊠ 22160
▲ Bolengue 93 Yb 110
≈ Bolera, Embalse de La
139 Xa 122
Bolibar (Viz) 11 Xc 89 ⊠ 48278
Bolibar (Gui) 23 Xc 90
Bolibar = Bolívar (Ála) 23 Xc 92
⊠ 01194
Boliche, Cortijo El (Alm) 162 Xa 127
Boliches, Los (Mál) 159 Vc 129
Bolinches (Alb) 111 Yb 114
☆ Bolinkoba, Cueva de 23 Xc 90
Bolívar (Ála) 23 Xc 92
Bolívar = Bolibar (Gui) 23 Xc 91
Bollacín (Can) 21 Wa 90
Bólliga (Cue) 92 Xd 107
☆ Bollo, Cueva del 7 Ud 89
▲ Bollón 60 Yc 98
Bollullos de la Mitación (Sev)
148 Tf 124
Bollullos Par del Condado (Huel)
147 Tc 124 ⊠ 21710
Bolmir (Can) 21 Vf 91 ⊠ 39213
Bolnuevo (Mur) 142 Ye 123
⊠ *30877
☆ Bolnuevo, Playa de 155 Ye 123
Bolo, O (Our) 34 Sf 95 ⊠ 32373
Bolón (Ali) 128 Zb 118
≈ Bolonia, Ensenada de 164 Ub 132
▲ Bolos 124 Wf 115
▲ Bolos 109 Wd 112
Bolos (Pon) 15 Rd 92
Bolòs (Gir) 30 Cc 95
Bolsicos, Los (Bad) 133 Tb 119
▲ Bolsón, Plano de 94 Za 107
Boltaña (Hues) 27 Aa 94 ⊠ 22340
Bolturina (Hues) 45 Ab 95
Bolulla (Ali) 129 Zf 116 ⊠ 03518
☆ Bolulla, Castell de 129 Zf 116
Bolvir (Gir) 30 Bf 94 ⊠ 17539
Bomba, la (Gir) 49 Da 95 ⊠ 17474
▲ Bombarda, Punta 129 Zf 117
Bombardas, Las (Alm) 155 Yb 125
Bombón, Cortijada El (Alm)
163 Xf 127
Bonabé (Lle) 28 Ba 92
▲ Bonaigua, Port de la 28 Af 92
Bonaigua de Baix, la (Lle) 28 Ba 93
Bon Aire (Bal) 99 Da 109 ⊠ 07409
▲ Bonal 122 Vc 117
▲ Bonal 108 Wa 112
Bonal, El (Ciu) 108 Ve 113 ⊠ 13129
▲ Bonalba, Serra de 128 Zd 118
Bonansa (Hues) 28 Ae 94 ⊠ 22486
Bonany (Tar) 65 Bc 100
☆ Bonany, Ermita de (Bal)
99 Da 111
Bonanza (Cád) 156 Te 128 ⊠ 11540
Bonanza (Mad) 74 Wa 106 ⊠ 28669
≈ Bonanza, Caleta la (Palm)
175 D 2
▲ Bonanza Cumplida (Palm)
176 B 3
Boñar (Leó) 19 Ue 91 ⊠ 24850
▲ Boñar, Valle de 19 Ud 92
Bonares (Huel) 147 Tb 125
⊠ 21830
Bonas, Cortijo de las (Jaé)
139 Xa 121
Bonastre (Tar) 65 Bc 101 ⊠ 43884
Bonavista (Ali) 129 Aa 116
Bonestarre (Lle) 29 Bb 93 ⊠ 25572
Bonete (Alb) 127 Yd 115 ⊠ 02691
▲ Bonete, El 22 Wf 93
Boñices (Sor) 59 Xe 99 ⊠ 42218
Boniches (Cue) 93 Yc 109 ⊠ 16311
Boniches, Cortijo de (Cád)
157 Ub 127
Bonielles (Ast) 6 Ua 88 ⊠ 33426
Bonilla (Cue) 91 Xc 107 ⊠ 16540
≈ Bonilla, Arroyo de 92 Xf 108

Bonilla, Caserío de (Bur) 57 Wa 99
≈Bonilla, Río 91 Xc 108
Bonilla de la Sierra (Ávi) 72 Ue 105 ✉05514
Bonillo, El (Alb) 125 Xc 115 ✉02610
Bonillos, Cortijo de los (Mur) 155 Ya 123
Bon Lugar (Palm) 174 C 2
Bonmatí (Gir) 48 Ce 97
Bonner (Lle) 47 Be 95
Bono (Hues) 28 Ae 93 ✉22487
Bon Relax (Gir) 49 Da 95
Bonrepòs (Lle) 46 Ba 96
Bonrepós i Mirambel (Val) 114 Zd 111
Bonretorn (Tar) 64 Ba 101
Bons, Les (AND) 29 Bd 93
Bonxe (Lug) 4 Sc 90
Boo (Ast) 7 Ub 89 ✉33675
Bóo (Can) 9 Wa 88
Boós (Sor) 58 Xa 99
Boqueixón (Cor) 15 Rd 92
Boquera, La (Alm) 154 Xe 125
Boquera, La (Hues) 45 Ab 96
Boquerín de Campos (Pal) 38 Vb 96
Boquerizo (Ast) 8 Vc 88 ✉33590
▲Boquerón, Cerro del 78 Ye 104
Boquerón, El (Mur) 142 Ye 119
▲Boquerón, Puerto del 74 Vd 105
▲Boquerón, Sierra del 112 Ye 114
☆Boquerón de Estena 107 Vc 112
▲Boquilla, La 56 Vc 100
Boquiñeni (Zar) 43 Ye 97 ✉50641
Bor (Lle) 29 Be 94 ✉25721
Borau (Hues) 26 Zc 93 ✉22860
☆Borbolla 8 Vc 88
Borbollón, Cortijo de (Mál) 158 Uf 127
≈Borbollón, Embalse de 85 Tc 108
▲Borbollos, Sierra de los 158 Uf 127
Borchicayada (Sor) 59 Xd 100 ✉42223
Borcos (Bur) 21 Wa 93 ✉09133
Bordalba (Zar) 60 Xf 100 ✉50229
Bordas de Arriba (Nav) 24 Ya 92
Bordas el Peletón (Nav) 24 Ya 91
Bordecorex (Sor) 59 Xb 100 ✉42367
≈Bordecorex, Río 59 Xc 101
Bordejé (Sor) 59 Xc 100
Borderes, les = Bòrdes, es (Lle) 28 Ae 92
Bòrdes, es (Lle) 28 Ae 92
Bòrdes, es = Borderes, les (Lle) 28 Ae 92
Bordes de Conflent (Lle) 29 Bc 93
Bordes de Llosar (Lle) 29 Bc 94
Bordes del Seix de Gurp (Lle) 46 Af 95
Bordeta, Era (Lle) 28 Ae 92
Bordils (Gir) 49 Cf 96 ✉17462
Bordón (Ter) 80 Ze 104
Borén (Lle) 28 Ba 93
Borge, El (Mál) 160 Ve 128 ✉29718
Borges Blanques, les (Lle) 64 Af 99 ✉25400
Borges del Camp, les (Tar) 64 Ba 101 ✉43350
Borgonyà (Bar) 48 Cb 96
Borgonyà del Terri (Gir) 49 Ce 96
Borgonyó (Ali) 128 Zc 119
Borines (Ast) 7 Ue 88 ✉33583
Borja (Zar) 42 Yc 97 ✉50540
Borjabad (Sor) 59 Xd 99 ✉42218
Bormate (Alb) 112 Yc 113 ✉02249
Bormujos (Sev) 148 Tf 124 ✉41930
▲Borneira, Illa de 32 Rb 95
Bornos (Cád) 157 Ub 128 ✉11640
Bornos, Cortijada (Alm) 163 Xf 127
≈Bornos, Embalse de 157 Ub 128
≈Bornova, Río 58 Wf 101
Borobia (Sor) 60 Ya 99 ✉42138
Boronas (Ast) 5 Tc 87 ✉33792
Borondo, Cortijo de (Cád) 165 Ue 131
Borox (Tol) 90 Wb 108 ✉45222
Borrán (Our) 33 Sc 96
Borràs, el (Bar) 47 Bf 99
Borrassà (Gir) 49 Cf 95
Borraxeiros (Pon) 15 Rf 92
Borredà (Bar) 47 Bf 96
Borreguero, Cortijo del (Sev) 150 Va 124
Borres (Ast) 5 Tc 88 ✉33878
Borrés (Hues) 26 Zd 93
Borricén (Mur) 142 Za 123
Borril, Cortijo El (Các) 105 Ua 111
Borriol (Cas) 95 Zf 108 ✉12190
▲Borriquillas, Punta de las (Palm) 175 E 4
≈Bosch, Cala En (Bal) 96 Df 109
Bosost = Bossòst (Lle) 28 Ae 92
Bosque (Mál) 151 Vd 126
Bosque, Cortijo del (Gra) 140 Xd 122
Bosque, El (Cád) 158 Ud 128 ✉11670
Bosque, El (Sev) 158 Uc 126
Bosque, El (Zam) 36 Ub 97
Bosque, El (Tol) 89 Vd 110
Bosque, El (Mad) 89 Wa 106 ✉28670
Bosque, El (Cas) 94 Zc 107
☆Bosque, Ermita de El 58 Xb 99
▲Bosquecillo 73 Vd 105
▲Bosques, Sierra de los 113 Zb 111
▲Bossa, Platja d'en (Bal) 97 Bc 115
Bossòst (Lle) 28 Ae 92
Bostelo (Lug) 4 Sa 89
Bostronizo (Can) 9 Vf 89 ✉39451
Bot (Tar) 80 Ac 102 ✉43785
☆Bota, Capella de la 80 Aa 105
Bota, Cortijo de la (Huel) 147 Sf 125
Botalhorno (Seg) 56 Vb 102
Botardo, Cortijo de (Gra) 140 Xd 122
Botarell (Tar) 64 Af 102 ✉43772
☆Botás 127 Ye 116
Botaya (Hues) 26 Zc 94 ✉22711
Boticario, El (Jaé) 138 Wc 121 ✉23529
▲Boticario, Hoya del 77 Xf 104
Botija (Các) 105 Tf 112 ✉10185
▲Botija, Volcán de la (Ten) 172 C 4
≈Botijas, Río 57 Vf 99
Bótoa (Bad) 104 Ta 114
☆Bótoa 104 Ta 114
Botorrita (Zar) 61 Yf 99 ✉50441
Bouga, La (Ast) 6 Te 88 ✉33891
≈Boullón 17 Sf 92
Bouloso (Lug) 5 Se 88
▲Boumort, Cap del 46 Ba 95
▲Boumort, Serra del 46 Ba 95
Bousés (Our) 34 Sc 97
Bouza (Our) 15 Re 94
Bouza (Our) 34 Sf 96
Bouza, A (Our) 33 Rf 95
Bouza, La (Sal) 70 Tb 104 ✉37488
Bouzadrago (Our) 33 Rf 97
Bouzas (Pon) 32 Rb 95
Bouzas (Leó) 35 Tc 94 ✉24414
Bouzas (Zam) 35 Tb 96
▲Bovalar, Monte 95 Zd 107
Bovar, el (Ali) 128 Zb 116
Bóveda (Lug) 16 Sd 93
Bóveda (Lug) 16 Sb 91
Bóveda (Ála) 22 We 91
Bóveda de Amoeiro (Our) 15 Sa 94
Bóveda de la Ribera (Bur) 22 Wd 91
Bóveda del Río Almar (Sal) 72 Ue 103
Bóveda de Toro, La (Zam) 55 Ud 101
Bóvedas, Las (Ali) 143 Zb 120
Bóvedo, Cortijo El (Bad) 134 Tf 120
Bovera (Lle) 62 Ad 101 ✉25178
Bovetes, les (Ali) 129 Aa 115
▲Box 26 Ac 93
▲Boya 19 Ub 90
Boya (Zam) 35 Td 97 ✉49561
Boyal, Caserío El (Cád) 157 Ua 129
Boyal, La (Sev) 135 Uc 123
Boyar, El (Cád) 158 Ud 128
▲Boyar, Puerto del 158 Ud 128
Boyeral, El (Nav) 25 Ye 93
≈Boyeril, Embalse de 87 Uc 109
Boyeriza, La (Mad) 90 Wc 107 ✉28339
Bozoo (Bur) 22 Wf 92 ✉09219
Brabos (Ávi) 73 Va 104
Bracana (Córd) 151 Vf 124 ✉14813
Brácana (Gra) 151 Wa 125
Bracas (Leó) 36 Uc 95
▲Bracons, Coll de 48 Cc 96
Brado, Cortijo (Alm) 153 Xa 126
Braelle (Cor) 4 Sb 86 ✉15339
Bràfim (Tar) 65 Bc 101
▲Braguía, Puerto de la 9 Wb 89
Brahojos de Medina (Vall) 55 Uf 101 ✉47461
Bralláns (Hues) 28 Ad 94
▲Bramadero 132 Se 122
Bramadero Bajo, Cortijo del (Córd) 136 Uf 122
Braña, A (Lug) 16 Se 90
▲Braña, Cabeza de la 75 Wb 103
☆Braña, Ermita de la 19 Ud 90
Braña, La (Ast) 5 Ta 88
≈Braña, Laguna 149 Ue 123
▲Braña Caballo 19 Uc 90
Braña de Carbaldetoso (Ast) 5 Tb 90
Braña del Candal (Ast) 17 Tb 90
Brañalonga (Ast) 6 Td 88 ✉33877
Brañas (Cor) 15 Sa 90
Brañas de Arriba (Ast) 18 Td 90 ✉33818
Brañavara (Ast) 5 Ta 88 ✉33728
Brañavieja (Can) 21 Vd 90 ✉39210
Brandariz (Pon) 15 Re 92
Brandeso (Cor) 15 Re 91 ✉15819
Brandilanes (Zam) 53 Te 99 ✉49511
Brandomés (Pon) 15 Re 92
Brandomil (Cor) 14 Ra 90
Brandoñas (Cor) 14 Ra 90
Brandoñas de Arriba (Cor) 2 Rc 90 ✉15684
Brañes (Ast) 6 Ua 88
Brañosera (Pal) 21 Ve 91 ✉34829
Brántega (Pon) 15 Rf 92
Brantoas (Cor) 2 Ra 89
Brañuas (Ast) 5 Tc 88 ✉33717
Brañuelas (Leó) 18 Te 93 ✉24360
Braojos (Mad) 75 Wc 102 ✉28737
Brasal (Cor) 14 Qf 91 ✉15151
≈Bras del Port, Salines del 143 Zc 119
≈Bravatas, Río 140 Xc 121
Bravo, Cortijo del (Huel) 133 Ta 120
Bravo, El (Tol) 88 Vc 108
Bravos (Lug) 4 Sc 87
Bravos, Los (Huel) 133 Ta 121 ✉21239
≈Bravos, Río de 4 Sb 87
Brazacorta (Bur) 58 Wd 98 ✉09490
≈Brazato, Ibones del 27 Ze 92
Brazatortas (Ciu) 122 Ve 117 ✉13450
Brazuelas (Vall) 56 Vb 100
Brazuelo (Leó) 18 Tf 94 ✉24716
Brea de Aragón (Zar) 60 Yc 99
Brea de Tajo (Mad) 91 Wf 107 ✉28596
Breceña (Ast) 7 Ud 88 ✉33310
Brecerilla (Sal) 71 Te 105
Brecial, Cortijo del (Cád) 164 Ub 130
Breda (Gir) 48 Cd 98 ✉17400
≈Brego, Río de 17 Ta 92
Bregua (Cor) 3 Rd 89
≈Bremudo, Embalse de 86 Tf 110
≈Breña, Embalse de la 136 Uf 121
Breña, La (Alm) 154 Xf 125
Breña Alta (Ten) 171 C 3 ✉38710
Breña Baja (Ten) 171 C 3
Breñas, Las (Palm) 176 B 4
▲Breña y Marismas de Barbate, Parque Natural de la 164 Tf 131
Brenes (Sev) 148 Ua 123 ✉41310
≈Brens 14 Qf 91
Bres (Ast) 5 Sf 88 ✉33775
Bresca (Lle) 46 Ba 95 ✉25592
Bresmaus (Our) 33 Sc 96 ✉32636
Bretal (Cor) 14 Qf 93 ✉15969
Brete, Caserío (Các) 106 Uc 112
Bretó (Zam) 36 Ub 97
Bretocino (Zam) 36 Ub 97 ✉49698
Bretoña (Lug) 4 Se 88 ✉27286
Bretui (Lle) 46 Ba 94 ✉25513
Bretún (Sor) 41 Xd 96
Brevas, Las (Cád) 156 Td 128 ✉11520
Brexo (Cor) 3 Re 89
Brezal (Ten) 172 D 3
▲Brezal, El 74 Wa 103
Brezal, El (Cue) 77 Ya 105
▲Brezo, Sierra del 20 Vc 91
Briallos (Pon) 14 Rc 93
Brianes, Los (Mur) 142 Ye 121
Brías (Sor) 58 Xa 100 ✉42368
Bribes (Cor) 3 Re 89
Bricia (Ast) 8 Va 88 ✉33594
Bricia (Bur) 21 Wb 91 ✉09572
Brics (Lle) 47 Bd 97 ✉25287
☆Briet, Monumento a 27 Zf 93
Brieva (Ávi) 73 Vc 104 ✉05194
Brieva (Seg) 74 Vf 102 ✉40180
≈Brieva, Río 40 Xb 95
Brieva de Cameros (Rio) 40 Xb 96 ✉26322
Brieva de Juarros (Bur) 40 Wd 95 ✉09198
Brieves (Ast) 6 Td 88 ✉33784
Brihuega (Gua) 76 Xa 104 ✉19400
Brimeda (Leó) 18 Tf 94 ✉24719
Brime de Sog (Zam) 36 Tf 96 ✉49629
Brime de Urz (Zam) 36 Ua 96 ✉49622
Briñas (Rio) 23 Xa 93 ✉26290
Brincola = Brinkola (Gui) 23 Xd 90
Brincones (Sal) 53 Td 102 ✉37217
Brinkola = Brincola (Gui) 23 Xd 90 ✉20220
Briño (Cor) 2 Ra 89 ✉15119
Brión (Cor) 14 Rb 91
Briones (Rio) 23 Xb 93 ✉26330
Briongos (Bur) 39 Wc 97
Brisas, Las (Gua) 76 Xb 105 ✉19128
Briviesca (Bur) 22 We 93 ✉09240
Brixeria (Cor) 3 Rf 90
Brizuela (Bur) 22 Wb 91 ✉09557
Brocheros (Ciu) 109 We 114
Bronchales (Ter) 78 Yc 105 ✉44367
Bronco, El (Các) 86 Te 107 ✉10660
≈Bronco, Embalse de El 86 Te 107
Bronquina, La (Mur) 127 Yf 117
Brosmos (Our) 16 Sc 94
Brosquil, el (Val) 114 Ze 114 ✉46409
Broto (Hues) 27 Zf 93 ✉22370
▲Broto, Valle de 27 Zf 93
Brovales (Bad) 119 Tb 118 ✉06389
≈Brovales, Embalse de 119 Tb 118
Brozas (Các) 104 Tb 111 ✉10950
≈Brozas, Embalse de 104 Tb 111
Bruc, el (Bar) 65 Be 99 ✉08294
Brués (Our) 15 Rf 94
▲Brufaganya, Serra de 65 Bc 100
≈Brugent, Riu 48 Cd 96
Brugos de Fenar (Leó) 19 Uc 92 ✉24648
Bruguera (Gir) 48 Cb 95
Bruguera (Gir) 49 Cf 97
Brugueres (Bar) 65 Bd 100
Bruguers (Bar) 65 Bf 101
Bruicedo (Lug) 17 Se 90 ✉27135
☆Brujas, Cueva de las 13 Yc 89
Brujuelo (Jaé) 138 Wb 121
▲Brújula, Puerto de la 39 Wc 94
Brull, el (Bar) 48 Cb 98 ✉08553
Brullés (Bur) 21 Wa 93
≈Brullés, Río 21 Vf 94
Bruñel Alto (Jaé) 139 Wf 121 ✉23488
Bruñel Bajo (Jaé) 139 Wf 121 ✉23488
Brunete (Mad) 89 Wa 106 ✉28690
Brunyola (Gir) 48 Ce 97 ✉17441
Búbal (Lug) 16 Sb 93
Búbal (Hues) 26 Zd 92
≈Búbal, Embalse de 26 Ze 92
Buberos (Sor) 59 Xe 99 ✉42132
Bubierca (Zar) 60 Ya 101 ✉50239
Bubión (Gra) 161 Wd 127
☆Bucarón (Ten) 173 B 2
☆Bucaron, Cueva del (Ten) 173 B 2
Bucesta (Rio) 41 Xd 95 ✉26132
Buciegas (Cue) 91 Xd 106 ✉16851
Buciños (Lug) 16 Sa 93
Búcor, Caserío (Gra) 152 Wb 125
▲Buda, Illa de 80 Af 104
Budía (Gua) 76 Xb 105
Budián (Lug) 4 Sd 87
Budiño (Cor) 15 Rd 91 ✉15821
Bueidia (Ast) 18 Ua 90
Buelles (Ast) 8 Vc 88
Buelles (Ast) 19 Ub 90
Buelna (Ast) 8 Vc 88 ✉33598
▲Buelna, Playa de 8 Vc 88
Bueña (Ter) 78 Ye 104 ✉44394
Buenabarba (Sal) 71 Tf 104
Buenache de Alarcón (Cue) 111 Xf 111
Buenache de la Sierra (Cue) 92 Ya 108 ✉16192
Buenafuente del Sistal, La (Gua) 77 Xe 104
▲Buenamadera 37 Ud 98
Buenamadre (Sal) 71 Te 103 ✉37209
Buenamesón (Mad) 90 We 108
Buenamira, Cortijo de (Bad) 120 Te 117
Buenasbodas (Tol) 107 Va 111 ✉45673
Buenas Noches (Mál) 165 Ue 130 ✉29693
Buenaventura (Tol) 88 Va 107 ✉45634
Buena Vista (Cád) 164 Ua 131
Buenavista (Gra) 152 Wb 125
Buenavista (Córd) 150 Vc 123
Buenavista (Bad) 133 Ta 119
▲Buenavista 111 Ya 113
▲Buenavista 39 Wa 98
Buenavista (Sal) 72 Uc 104 ✉37789
Buenavista (Tol) 89 Vf 109
Buenavista, Cortijo (Bad) 134 Ua 120
Buenavista, Cortijo de (Alm) 162 Xa 128
▲Buenavista, Loma de 136 Va 119
Buenavista de Arriba (Ten) 171 C 2 ✉38713
Buenavista del Norte (Ten) 172 B 3 ✉38480
Buenavista de Valdavia (Pal) 20 Vc 93 ✉34470
Buendía (Cue) 91 Xb 106
≈Buendía, Embalse de 91 Xb 106
☆Buen Jesús, Ermita del 104 Tb 111
Bueno, El (Ten) 173 E 4 ✉38589
Buenos, Cortijo Los (Bad) 119 Tb 118
Buenos, Los (Mur) 143 Zb 122
Buen Paso (Ten) 172 C 3 ✉38437
Buen Suceso (Bad) 119 Td 118
☆Buen Suceso, Ermita del 23 Xa 93
Buenvecino, Cortijo (Bad) 134 Tf 119
Buera (Hues) 45 Aa 96 ✉22146
Bueras (Can) 10 Wd 88 ✉39766
Buerba (Hues) 27 Aa 93 ✉22375
Bueres (Ast) 7 Ud 89
Buesa (Hues) 27 Zf 93 ✉22375
Buetas (Hues) 45 Ab 94 ✉22337
Bueu (Pon) 32 Rb 95
▲Buey 108 Wb 110
▲Buey, Cabeza de 124 We 117
▲Buey, Sierra del 127 Ye 118
Buezo (Bur) 22 Wd 93 ✉09247
Bufadero (Ten) 173 F 2 ✉38180
☆Bufalaranya, Castell d'en 31 Db 95
Bufalí (Val) 128 Zc 115 ✉46891
Bugalla de Abajo (Ali) 128 Zd 117
Bugalla de Arriba (Ali) 128 Zd 117
Bugallido (Cor) 14 Rc 91
Bugarra (Val) 113 Zb 111 ✉4616
Bugedo (Bur) 23 Wf 93
Bugedo (Bur) 39 Wd 95
Bugéjar (Gra) 140 Xe 121
Buger (Bal) 99 Cf 110 ✉07311
Buguda Alta, la (Bar) 65 Bf 100
▲Búhos, Sierra de los 126 Yb 11
☆Buil, Torre de 44 Zf 98
Buimanco (Sor) 41 Xe 96
▲Buio, Montes do 4 Sc 87
Buira (Hues) 28 Ae 94 ✉22486
Buira (Lle) 28 Af 94 ✉25555
Buitrago (Sev) 148 Ua 124
Buitrago (Sor) 41 Xd 97 ✉42162
Buitrago del Lozoya (Mad) 75 Wc 103
▲Buitre 141 Ya 120
▲Buitre 86 Ua 107
▲Buitrera, La 127 Yd 118
▲Buitreras 112 Yf 112
▲Buitres, Cerro de los 134 Tf 122
Buitrón, El (Huel) 133 Tb 123
▲Buixcarró, Serra del 114 Zd 115
Buiza (Leó) 19 Ub 91 ✉24608
Bujadillo, El (Córd) 136 Uf 119
☆Bujalamé, Castillo 125 Xb 118
Bujalance (Córd) 137 Vd 121 ✉14650
Bujalaro (Gua) 76 Xa 103 ✉1924
Bujalcayado (Gua) 59 Xb 102 ✉19266
Bujanda (Ála) 23 Xd 92 ✉01128
☆Bujanda, Cueva de 90 We 110
Bujaraiza (Jaé) 139 Xb 120
Bujaraloz (Zar) 62 Zf 100 ✉50177
Bujardo, Cortijo de (Bad) 118 Ta 118
Bujarrabal (Gua) 59 Xc 102 ✉19263
Bujaruelo (Hues) 27 Zf 92
≈Bujeda, Embalse de La 91 Xb 1
Bujeo, El (Cád) 165 Uc 132
▲Bujeo, Sierra de 165 Uc 132
Bujón, Cortijo del (Cád) 157 Tf 128
Bular Bajo, Caserío (Gra) 152 Wd 124
Bularros (Ávi) 73 Va 104 ✉05140
Bulbuente (Zar) 42 Yc 98 ✉50546
▲Bulejo, Sierra del 58 Xa 101
Bulera (Bad) 121 Ud 117
≈Bullaque, Río 107 Vd 112
Bullas (Mur) 141 Yb 120 ✉30180
▲Bullón, Cerro 86 Ua 108
≈Bullón, Río 20 Vc 90
Bulnes (Ast) 8 Vb 89 ✉33554
Buñales (Hues) 44 Zd 96 ✉22196
▲Buñero 45 Ab 96
Buniel (Bur) 39 Wb 95 ✉09230
Buño (Cor) 2 Rb 89
Buñol (Val) 113 Zb 112 ✉46360
≈Buñol, Río 113 Za 112
Buñuel (Nav) 42 Yd 97 ✉31540
Bunyola (Bal) 98 Ce 110 ✉07110
Buratai (Lug) 16 Sc 91
Burbáguena (Ter) 78 Ye 102
Burbia (Leó) 17 Tb 92 ✉24437
≈Burbia 17 Tb 93
Burceat (Hues) 45 Aa 96 ✉22315
Burceña (Bur) 22 Wd 90 ✉09587
Burcio, Cortijo del (Ciu) 123 Wa 11
▲Burcio, Puerto del 123 Wa 117
☆Burdallo Grande, Palacio 105 Ua 111
≈Búrdalo, Río 105 Ua 113
▲Bureba, La 22 Wd 93
≈Burejo, Río 21 Vd 92
Burela (Lug) 4 Sd 87 ✉27880
▲Burela, Cabo 4 Sd 86
Burés (Cor) 14 Rb 92
Bureta (Zar) 42 Yd 98 ✉50547
Burete (Mur) 141 Yb 120 ✉30439
☆Burete, Ermita de 141 Yb 120
Burg (Lle) 29 Bb 93 ✉25595
Burgalés, Cortijo del (Gra) 152 Wc 123
Burganés de Valverde (Zam) 36 Ub 97
Burgar, el (Tar) 64 Ba 101
Burgar, el (Tar) 64 Ae 103
Burgasé (Hues) 27 Zf 93
≈Burgebut, Pantà de 62 Ac 100
Burgo (Lug) 16 Sc 91
Burgo, El (Mál) 159 Va 128 ✉2942
Burgo, O (Pon) 33 Re 95
Burgo de Ebro, El (Zar) 61 Zb 99 ✉50730
Burgo de Osma, El (Sor) 58 Wf 99 ✉42300
Burgo de Osma-Ciudad de Osma (Sor) 58 Wf 99
Burgohondo (Ávi) 73 Vb 106 ✉05113

rgomillodo (Seg) 57 Wa 100 ✉40331
rgos (Bur) 39 Wb 94 ✉*09001
urgüeño 10 We 89
rgueira (Pon) 32 Rb 96
rguet, el (Tar) 64 Bb 101
rgueta (Bur) 23 Xa 92 ✉09294
rgui/Burgi (Nav) 25 Za 92
rguilla (Các) 106 Ue 110
rguillo, Caserío del (Ávi) 73 Vc 106
urguillo, Embalse de 73 Vc 106
rguillos (Sev) 148 Ua 123 ✉41220
rguillos del Cerro (Bad) 119 Tc 118 ✉06370
rguillos de Toledo (Tol) 39 Wa 110 ✉45112
riz, O (Lug) 4 Sa 89
rjasot = Burjassot (Val) 114 Zd 111
rjassot (Val) 114 Zd 111 ✉46100
rjulú (Alm) 155 Yb 125
rra, Caserío La (Các) 105 Ua 110
Burra, Majada de la 120 Uc 117
Burras 141 Yb 121
Burreo, Playa del (Palm) 174 D3
rres (Cor) 15 Re 91 ✉15819
Burriac, Castell de 66 Cc 99
rriana (Cas) 95 Zf 109 ✉12530
Burriana, Playa de 160 Wa 128
rricios (Cor) 3 Rf 89 ✉15387
rrillas, Las (Palm) 174 B3 ✉35149
Burro, Caleta de (Palm) 176 C2
Burro, Playa del (Ten) 171 C3
Burro, Playa del (Ten) 173 G2
urrueco (Alb) 126 Xf 116 ✉02329
uruaga (Ála) 23 Xb 91 ✉01138
urujena, Cortijo (Cád) 157 Te 128
urujón (Tol) 89 Ve 109
urunchel (Jaé) 139 Xa 121 ✉23479
Burunda, Valle de la 24 Xf 91
urutáin (Nav) 25 Yc 91
usa (Lle) 47 Bd 96 ✉25286
uscabrero (Ast) 6 Te 88 ✉33891
uscalque (Our) 33 Rf 97
usdongo de Arbás (Leó) 19 Ub 91
Buseo, Embalse de 113 Za 111
Buset, Sierra de 5 Tc 88
useu (Lle) 46 Ba 95 ✉25592
uslavín (Ast) 5 Tb 89
usloñe (Ast) 6 Ua 89 ✉33161
usmayor (Lug) 17 Sf 93
usmeón (Ast) 6 Td 88
usnadiego (Leó) 35 Td 94 ✉24724
usnela (Bur) 21 Wb 90 ✉09573
usot (Ali) 128 Zd 118 ✉03111
Busquil 24 Yb 93
usquistar (Gra) 161 We 127
usta, La (Ast) 7 Ue 87 ✉33316
ustablado (Can) 9 Ve 89
ustamante (Can) 21 Vf 90 ✉39292
ustantegua (Can) 9 Wb 89 ✉39696
ustantijo (Ast) 5 Tb 88
ustares (Gua) 58 Wf 102 ✉19244
ustarviejo (Mad) 75 Wb 103 ✉28720
ustasur (Can) 21 Vf 91
ustasur (Can) 21 Wa 90
ustavale (Our) 33 Sb 95
uste, El (Zar) 42 Yc 97 ✉50548
ustelo (Our) 34 Sd 97
ustelo de Fisteus (Lug) 17 Se 93 ✉27328
ustelos (Pon) 15 Re 93
Busticelo 19 Ud 91
ustidoño (Can) 21 Wa 91 ✉39213
ustillo de Cea (Leó) 20 Uf 94 ✉24172
ustillo de Chaves (Vall) 37 Uf 96 ✉47608
ustillo de la Vega (Pal) 20 Vb 94 ✉34116
ustillo del Monte (Can) 21 Vf 91 ✉39419
ustillo del Oro (Zam) 55 Ud 98 ✉49831
ustillo del Páramo (Bur) 21 Wa 93
ustillo del Páramo (Leó) 36 Ub 94
ustillo del Páramo de Carrión (Pal) 38 Vb 94
ustio, El (Ast) 8 Vc 88
ustiyerro (Can) 21 Wb 90 ✉39686
usto (Ast) 6 Td 87
usto (Ast) 7 Ub 87
usto (Lug) 16 Se 93
▲Busto, Cabo 6 Td 87
▲Busto, El 20 Uf 91
usto, El (Nav) 24 Xe 93 ✉31229
✩Busto, Ermita de 7 Ub 87
usto, O (Cor) 2 Ra 90
▲Busto, Sierra de 17 Ta 90
ustocirio (Pal) 38 Vb 94
usto de Bureba (Bur) 22 We 93 ✉09244
Bustos (Leó) 36 Tf 94 ✉24793
Bustriguado (Can) 9 Vd 89 ✉39593
Busturia (Viz) 11 Xb 88 ✉48350
✩Butaquillos, Ermita de los 137 Vd 122
▲Butihondo, Playa de (Palm) 175 C5
▲Butrero, El 20 Va 90
Butron (Viz) 11 Xa 88 ✉48110
▲Butrón 132 Se 122
Butsènit (Lle) 62 Ad 99
Butsènit d'Urgell (Lle) 46 Af 98
Buxán (Cor) 14 Rb 92
Buxán (Our) 34 Sf 95
Buxanda = Bujanda (Ála) 23 Xd 92
Buxantes (Cor) 14 Qf 91
✩Buxeda, Collado de 30 Cc 95
✩Buxu, Cueva del 8 Uf 88
Buyelgas (Hues) 28 Ad 94 ✉22470
Buyezo (Can) 20 Vd 90 ✉39571
Buzalén e Irines (Bad) 120 Tf 117
Buzanada (Ten) 172 D5 ✉38626
Buzarra (Rio) 41 Xe 95

C

C. A. Tresmares, Refugio (Can) 21 Ve 90
C. D. de Bilbao, Refugio del (Bur) 10 Wc 90
Caamaño (Cor) 14 Qf 93 ✉15996
✩Caaveiro, Convento de 3 Rf 88
▲Caaveiro, Punta 14 Ra 92
Caba, La (Huel) 147 Td 123
Cabacés = Cabassers (Tar) 64 Ae 101
Cabaco, El (Sal) 71 Tf 105 ✉37621
▲Cabadiones, Vega 87 Ue 107
▲Cabaleiros, Montes de 4 Sd 87
▲Caballa, Sierra de la 112 Yd 114
Caballar (Seg) 57 Wa 102 ✉40182
Caballera (Hues) 45 Ac 95
Caballera, Cortijo de la (Córd) 137 Vd 122
▲Caballera, Sierra de 44 Zc 95
Caballera Nueva, Cortijo La (Bad) 119 Tb 118
Caballero (Seg) 74 Vd 103
▲Caballero, Loma del 137 Vd 119
Caballeros (Ast) 7 Ub 88
Caballeros, Cortijo de (Ciu) 125 Xa 116
▲Caballeros, Majada de los 138 Wd 119
▲Caballo 85 Ta 109
≈Caballo, Caleta del (Palm) 176 C3
Caballón (Huel) 147 Tb 124
▲Caballón de Valfrío, Loma del 136 Va 120
▲Caballos, Sierra de los 150 Va 126
▲Caballos, Sierra de los 80 Zd 103
Cabalo, O (Pon) 32 Rc 95
▲Cabalo, Punta 14 Ra 93
≈Cabalos, Río 5 Ta 89
▲Cabalos, Serra dos 17 Sf 93
Cabana (Cor) 2 Ra 89
▲Cabaña 111 Yc 112
Cabana, la (Lle) 29 Bd 94
Cabaña, La (Mad) 74 Wa 106
Cabanabona (Lle) 46 Bb 97 ✉25748
Cabana de Bergantiños (Cor) 2 Ra 89
Cabana de Parros (Lle) 28 Af 92
Cabanamoura (Cor) 14 Ra 91
Cabañaquinta (Ast) 7 Uc 90 ✉33686
Cabanas (Cor) 3 Rf 88
Cabanas (Lug) 4 Sb 87
Cabanas (Lug) 15 Sa 90
Cabañas (Cád) 158 Ue 127 ✉11158
▲Cabañas 139 Xa 122
Cabañas (Leó) 36 Uc 95 ✉24205
Cabañas (Bur) 39 Wd 95
Cabañas (Ávi) 73 Vb 105 ✉05190
✩Cabañas, Ermita de 37 Uf 94
Cabañas de Aliste (Zam) 35 Te 97 ✉49592
Cabañas de Castilla, Las (Pal) 38 Vd 94 ✉34469
Cabañas de Ebro (Zar) 43 Yf 98
Cabañas de Jerónimo (Nav) 43 Ye 96
Cabañas de la Dornilla (Leó) 17 Tc 93 ✉24492
Cabañas del Ahalojero (Nav) 43 Yd 95
Cabañas de la Sagra (Tol) 89 Wa 108 ✉45592
Cabañas del Castillo (Các) 106 Uc 111 ✉10373
Cabañas de Polendos (Seg) 74 Vf 102 ✉40392
Cabañas de Puerto Llano (Các) 104 Tb 112
Cabañas de Sáyago (Zam) 54 Ub 101
Cabañas de Tera (Zam) 36 Tf 96 ✉49627
Cabañas de Virtus (Bur) 21 Wa 90 ✉09572
Cabañas de Yepes (Tol) 90 Wc 109 ✉45312
Cabaña Verónica (Leó) 8 Va 89
Cabanelles (Gir) 49 Ce 95 ✉17746
Cabanells Vell, Es (Bal) 99 Db 110
Cabañeros (Leó) 36 Uc 95 ✉24234
Cabañeros, Cortijo de (Gra) 160 Wb 127
▲Cabañeros, Parque Nacional de 107 Vd 112
Cabanes (Gir) 31 Cf 95 ✉17761
Cabanes (Cas) 95 Aa 108 ✉12180
Cabañes (Can) 8 Vc 89 ✉39584
✩Cabanes, Arc romà de 95 Aa 108
≈Cabañes, Estanca de 43 Ye 96
Cabañes de Esgueva (Bur) 39 Wb 98 ✉09350
Cabanes i Fonts (Ali) 128 Za 117
▲Cabaneta, Pic de la (AND) 29 Be 93
Cabaneta, Sa (Bal) 99 Db 110
Cabaneta, Sa (Bal) 98 Ce 111
Cabañica, La (Alb) 140 Xd 120
Cabañiles, Caserío Los (Mur) 142 Ye 119
Cabañiles, Los (Mur) 142 Yd 119
Cabanillas (Leó) 19 Uc 92 ✉24620
Cabanillas (Nav) 42 Yc 96 ✉31511
Cabanillas (Sor) 59 Xd 100 ✉42225
Cabanillas, Cortijo de (Córd) 137 Ve 121
Cabanillas de la Sierra (Mad) 75 Wc 104 ✉28721
Cabanillas del Campo (Gua) 75 We 105 ✉19171
Cabanillas del Monte (Seg) 74 Vf 103 ✉40160
Cabanillas de San Justo (Leó) 18 Td 92 ✉24319
Cabañuela (Gra) 153 Xa 123
Cabañuela, La (Jaé) 139 Xb 120
Cabañuela, Las (Bur) 22 Wc 93
Cabanyes (Gir) 49 Da 97
Cabanyes (Gir) 49 Ce 98
Cabanyes, les (Bar) 65 Be 100 ✉08794
Cabanzón (Can) 8 Vd 89
Cabárceno (Can) 9 Wb 88
Cabarcos (Leó) 17 Ta 93 ✉24569
Cabassers = Cabacés (Tar) 64 Ae 101
Cabdella (Lle) 28 Af 94 ✉25515
✩Cabdella, Central de 28 Af 94
≈Cabe, Río 16 Sc 94
Cabecés = Cabassers (Tar) 64 Ae 101
▲Cabecilla del Rey 76 Xd 103
▲Cabeçó d'Or, Serra del 128 Zd 117
▲Cabero, Puerto de 60 Yc 100
Caberta (Cor) 14 Qe 90 ✉15125
Cabestany (Lle) 64 Bb 99 ✉25217
▲Cabestro, Punta del (Ten) 171 B3
✩Cabeza, Castillo de la 7 Uc 89
Cabeza, La (Sev) 150 Uf 124
▲Cabeza Albillas 92 Xd 107
▲Cabeza Alta 58 Wf 101
Cabeza Araya (Các) 104 Tc 111
Cabezabellosa (Các) 86 Ua 108 ✉10729
Cabezabellosa de la Calzada (Sal) 72 Ud 102 ✉37490
Cabeza Calva (Sal) 85 Tb 107
Cabezadas, Caserío de las (Ciu) 108 Ve 113
Cabezadas, Las (Ten) 171 B2
▲Cabezadas, Las 56 Vd 102
Cabezadas, Las (Gua) 58 Wf 102
Cabeza de Béjar, La (Sal) 72 Uc 105
Cabeza de Campo - La Ribera (Leó) 17 Ta 93
Cabeza de Diego Gómez (Sal) 71 Tf 103
▲Cabeza de Don Pedro 93 Yb 108
Cabeza de Framontanos (Sal) 53 Td 101 ✉37174
Cabeza del Buey (Bad) 121 Ue 116 ✉06600
Cabeza del Caballo (Sal) 53 Tc 102
▲Cabeza de Lloroso 8 Va 89
Cabeza de Lobo, Cortijo de (Sev) 149 Uc 125
Cabeza del Sordo (Sev) 149 Uc 125
▲Cabeza de Perro 111 Yb 110
Cabeza de Vaca (Our) 33 Sa 95
Cabeza Gorda (Cád) 156 Te 128
Cabeza Gorda (Jaé) 139 Xc 119
▲Cabeza Gorda 111 Yc 111
Cabezagorda (Các) 105 Ub 113
Cabeza la Vaca (Bad) 134 Td 120 ✉06293
▲Cabeza Llana, Sierra de 126 Yb 118
≈Cabezamalo, Río 124 Wc 118
Cabezamesada (Tol) 91 Wf 110 ✉45890
Cabezanada, La (Hues) 27 Ab 94
Cabeza Pedro (Córd) 136 Uf 121
▲Cabeza Pinillo, Loma de 57 Wc 101
Cabezaquemada (Bad) 134 Te 119
Cabezarados (Ciu) 122 Ve 115 ✉13192
▲Cabezarredonda 60 Yb 99
Cabezarrubias del Puerto (Ciu) 123 Ve 117 ✉13591
Cabeza Rubia (Bad) 118 Sf 118
▲Cabezas, Las 77 Ya 103
▲Cabezas, Loma de 106 Uc 112
▲Cabezas Altas 40 Xa 97
Cabezas Altas (Ávi) 87 Uc 107 ✉05697
Cabezas de Alambre (Ávi) 73 Va 103 ✉05217
Cabezas de Bonilla (Ávi) 72 Ue 105 ✉05514
Cabezas de Cautina (Cád) 157 Tf 128
Cabezas del Obispo, Cortijo de (Sev) 150 Va 124
Cabezas del Pasto (Huel) 146 Se 123
Cabezas del Pozo (Ávi) 73 Va 103 ✉05211
Cabezas del Villar (Ávi) 72 Ue 104 ✉05148
Cabezas de San Juan, Las (Sev) 157 Ua 127 ✉41730
Cabezas Rubias (Huel) 133 Sf 122 ✉21580
▲Cabezo 140 Xe 123
Cabezo (Các) 71 Te 106 ✉10625
▲Cabezo 88 Va 107
▲Cabezo 93 Ye 107
Cabezo, El (Ten) 172 B2
Cabezo, El (Mur) 141 Yb 120
▲Cabezo, El 44 Zf 95
▲Cabezo, El 78 Yc 103
▲Cabezo, El 93 Ye 109
Cabezo de la Plata (Mur) 142 Za 121
▲Cabezo de las Cuatro Puertas 78 Ye 103
Cabezo de la Virgen (Ali) 128 Za 117
▲Cabezo del Cuervo 79 Yf 102
Cabezo de Torres (Mur) 142 Yf 120 ✉30110
▲Cabezo Gordo 132 Sf 122
✩Cabezón 19 Ub 90
Cabezón (Vall) 56 Vc 98
▲Cabezón, Alto del 21 Wb 90
Cabezón de Cameros (Rio) 41 Xc 95
Cabezón de la Sal (Can) 9 Ve 89
Cabezón de la Sierra (Bur) 40 We 97
Cabezón de Liébana (Can) 20 Vc 90
Cabezón de Pisuerga (Vall) 56 Vc 98
Cabezón de Valderaduey (Vall) 37 Uf 95
▲Cabezo Negro 142 Ye 122
Cabezos, Caserío de los (Vall) 38 Vb 97
▲Cabezos, Los 60 Ya 100
▲Cabezos, Monte de los 76 Xc 106
▲Cabezos Altos 79 Za 103
Cabezudos, Los (Huel) 147 Tc 125
Cabezuela (Seg) 57 Wa 101 ✉40396
Cabezuela, La (Val) 112 Yf 113 ✉46199
▲Cabezuela Blanca 77 Ya 102
Cabezuela del Valle (Các) 87 Ub 107 ✉10610
Cabezuela de Salvatierra (Sal) 72 Ub 105 ✉37795
Cabezuelas (Mur) 127 Yf 117
Cabezuelo (Ávi) 87 Uc 106
Cabezuelo, El (Huel) 133 Tb 121
Cabezuelos (Mad) 74 Vf 105
▲Cabezuelos, Los 76 Xb 106
Cabia (Bur) 39 Wa 95 ✉09239
Cabida (Gua) 58 Wd 102 ✉28190
▲Cabigordo, Puerto de 79 Za 106
Cabildo y La Campana, El (Mur) 155 Yb 124
▲Cabi Monteros 41 Xe 95
▲Cabio, Punta de 14 Ra 93
Cabizuela (Ávi) 73 Vb 103 ✉05165
✩Cable, Mirador del 8 Vb 90
Cabó (Lle) 46 Bb 95
≈Cabo, Porto do 3 Sa 87
≈Cabó, Riu de 46 Bb 95
Caboalles de Abajo (Leó) 18 Td 91 ✉24110
Caboalles de Arriba (Leó) 18 Td 91 ✉24111
Cabo Blanco (Ten) 172 C5 ✉38626
▲Cabo Cope-Puntas de Calnegre, Parque Regional de 155 Yd 124
Cabo de Gata, El (Alm) 163 Xe 128 ✉04150
≈Cabo de Gata, Salinas del 163 Xe 128
▲Cabo de Gata, Sierra del 163 Xf 128
Cabo de Palos (Mur) 143 Zb 123 ✉30370
Cabolafuente (Zar) 60 Xf 101 ✉50228
Caborana (Ast) 7 Ub 89 ✉33684
Cabòries, les (Bar) 65 Be 100
Cabornera (Leó) 19 Ub 91 ✉24608
Caborno (Ast) 6 Tc 88 ✉33792
Cabo Roig (Ali) 143 Zb 121 ✉03189
Caborrecelle (Lug) 16 Sc 91 ✉27177
Caborredondo (Bur) 22 Wd 93 ✉09191
Cabos, Los (Ast) 6 Tf 87 ✉33129
Cabra (Córd) 151 Vd 124 ✉14940
Cabra (Bad) 133 Tb 119
▲Cabra, Coll de 64 Bb 100
▲Cabra, Peña de la 75 Wc 102
≈Cabra, Río 150 Vb 124
≈Cabra, Río de 151 Vc 124
≈Cabra, Río de la 122 Vd 116
Cabra del Camp (Tar) 64 Bb 100 ✉43811
Cabra del Santo Cristo (Jaé) 138 We 122
Cabra de Mora (Ter) 94 Zb 107 ✉44409
Cabrahiga (Bad) 119 Td 118
Cabra Higuera, Cortijo de (Huel) 133 Ta 121
Cabrales (Ast) 8 Va 89
▲Cabras 141 Ya 120
▲Cabras, Sierra de las 159 Vd 127
▲Cabras, Sierra de las 157 Ub 129
▲Cabras, Sierra de las 140 Xd 120
▲Cabras, Sierra de las 135 Ud 119
▲Cabras, Sierra de las 127 Yd 117
Cabrasmalas (Sal) 72 Ub 103 ✉37120
Cabredo (Nav) 23 Xd 93 ✉31227
Cabreira (Pon) 32 Rc 96 ✉36458
Cabreiroá (Our) 34 Sd 97
Cabreiros (Lug) 4 Sb 88 ✉27834
Cabrejas (Cue) 92 Xd 108
▲Cabrejas, Altos de 91 Xc 108
▲Cabrejas, Puerto de 92 Xe 108
▲Cabrejas, Sierra de 40 Xb 98
Cabrejas del Campo (Sor) 59 Xe 98 ✉42130
Cabrejas del Pinar (Sor) 40 Xa 98 ✉42146
▲Cabrer, Mont 128 Zd 116
▲Cabrera 134 Te 119
▲Cabrera, Cruz de 120 Ua 118
▲Cabrera, Illa de (Bal) 98 Cf 114
Cabrera, La (Mad) 75 Wc 103 ✉28751
Cabrera, La (Gua) 76 Xb 102 ✉19267
▲Cabrera, Montaña (Ten) 171 C3
≈Cabrera, Río 35 Tc 95
▲Cabrera, Sierra 163 Ya 126
▲Cabrera, Sierra de la 113 Zb 112
▲Cabrera, Sierra de la 75 Wc 103
▲Cabrera Baja, Sierra 35 Tc 95
Cabrera de Mar (Bar) 66 Cc 99 ✉08349
Cabreras (Ali) 128 Za 117
Cabreras, Las (Jaé) 152 Wa 123
Cabreras, Los (Alm) 154 Xf 123 ✉04827
Cabreriza (Sor) 58 Xa 100
Cabrerizas (Jaé) 138 Wc 119
Cabrerizos (Sal) 72 Uc 103 ✉37193
Cabrero (Các) 86 Ua 108 ✉10616
Cabreros del Monte (Vall) 37 Ue 97 ✉47832
Cabreros del Río (Leó) 36 Uc 94
▲Cabresa, Illa de (Bal) 98 Cf 113
Cabretón (Rio) 42 Ya 97
Cabria (Pal) 21 Ve 92 ✉34811
Cabrianes (Bar) 47 Bf 98 ✉08650
≈Cabriel, Río 112 Yf 113
≈Cabriel, Río 93 Yb 109
▲Cabril 35 Tb 96
Cabril, El (Córd) 135 Ud 120
▲Cabrilla, La 76 Xb 103
▲Cabrilla, Sierra de La 139 Xb 121
Cabrillanes (Leó) 18 Tf 91 ✉24142
Cabrillas (Sal) 71 Tf 104 ✉37630
▲Cabrillas, Puerto de las 80 Ze 105
≈Cabrillas, Río 77 Xf 104
▲Cabrillas, Sierra de las 112 Yf 112
Cabrils (Bar) 66 Cc 99 ✉08348
Cabrita (Jaé) 138 Wd 122
Cabrito, El (Ten) 172 C2
▲Cabrito, Playa del El (Ten) 172 C2
▲Cabrito, Puerto del 165 Uc 132
▲Cabrito, Sierra del 165 Uc 132
▲Cabrón, Playa del (Palm) 174 D3
Cabruí (Cor) 3 Re 90

Cabueñes (Ast) 7 Uc87 ✉33394
Cabuérniga (Can) 9 Ve89
▲Cabuérniga, Valle de 21 Ve90
Cacabelos (Leó) 17 Tb93 ✉24540
Caçà de Canelles (Lle) 44 Ad97
Caçà de la Selva = Cassà de la Selva (Gir) 49 Cf97
Caçà de Pelràs (Gir) 49 Da96
Cáceres (Các) 104 Td112
☆Cáceres el Viejo 104 Td112
Caces (Ast) 6 Ua89 ✉33174
Cachafeiro (Pon) 15 Re93
≈Cachamuíña, Encoro de 33 Sb94
Cacheiras (Cor) 15 Rc92
▲Cachiporro 121 Ue117
▲Cachorros, Punta de = Cotillo, Punta (Palm) 174 A5
Cacicedo (Can) 9 Wa88 ✉39608
Cacín (Gra) 160 Wa126
≈Cacín, Río 151 Wa126
Cadafresnas (Leó) 17 Ta93 ✉24517
Cadagua (Bur) 22 Wd90 ✉09589
Cadalso (Các) 85 Tc107 ✉10865
▲Cadalso, Peña de 89 Vd107
Cadalso de los Vidrios (Mad) 89 Vd107 ✉28640
Cadapereda (Ast) 7 Ud89 ✉33536
Cadavedo (Lug) 4 Sd88 ✉27287
Cadavedo (Ast) 6 Td87 ✉33788
▲Cadavedo, Playa de 6 Td87
Cádavo, O (Lug) 16 Se90
Cádavos (Our) 34 Sf97
Cadeliña (Our) 34 Sd95 ✉32768
Cadenaba (Ast) 7 Uf89 ✉33557
Cadenas, Cortijo (Mál) 159 Vd127
Cadenas, Cortijo de (Jaé) 137 Wa121
Cades (Can) 8 Vd89 ✉39550
▲Cadí 47 Bd95
▲Cadí, Serra del 47 Be95
☆Cadí, Túnel del 47 Bf95
Cádiar (Gra) 161 We127
Cádiz (Cád) 156 Te129
≈Cádiz, Bahía de 156 Te129
Cadolla (Lle) 46 Af94 ✉25514
Cadolla, la (Ali) 128 Zc117
▲Cadolles 62 Ac100
Cadós (Our) 33 Sa96
Cadramón, O (Lug) 4 Sd88
Cadreita (Nav) 42 Yb95 ✉31515
Cadrete (Zar) 61 Za99 ✉50420
Cadrón (Pon) 15 Rf92 ✉36514
Cagitán (Mur) 141 Yc120
Cahecho (Can) 8 Vc90 ✉39571
Caheruelas, Las (Cád) 164 Uc132 ✉11391
Caicedo Yuso (Ála) 23 Xa92
≈Caicena, Río de 151 Vf123
Caída, Cortijo de la (Jaé) 139 Xa121
☆Caídas, Cuevas (Palm) 174 C3
▲Caídas, Piedras (Palm) 175 D4
≈Caidero de la Niña, Embalse del (Palm) 174 B3
Caideros (Palm) 174 C2
☆Caídos, Monumento de los (Ten) 173 F3
≈Cailes, Río 42 Ya98
▲Caillo, Sierra del 158 Ud128
Caillos (Alm) 161 Wf128
Caimari (Bal) 99 Cf110 ✉07314
Caín de Valdeón (Leó) 8 Va89
Caión (Cor) 3 Rc89
Caión (Cor) 4 Sb87
Cájar (Gra) 152 Wc126
Cajigar (Hues) 44 Ad95 ✉22587
▲Cajigar, El 93 Yc108
≈Cajigar, Río 44 Ad96
Cajisillo (Mál) 160 Ve128
Cajíz (Mál) 160 Ve128
Cajo, Caserío del (Nav) 24 Yb94
Cajol (Hues) 27 Zf93
Cala (Mál) 165 Uf130
Cala (Huel) 134 Te121 ✉21270
≈Cala, Embalse de 134 Tf122
Cala, la (Ali) 129 Zf117
▲Cala, Platja de la 129 Zf117
Cala Antena (Bal) 99 Db112 ✉07688
Calabacino, El (Huel) 133 Tb121
Calabardina (Mur) 155 Yc124 ✉30889
▲Calabardina, Playa de 155 Yc124
Calabarra (Val) 113 Zc112
Cala Bassa (Bal) 97 Bb115
Calabazares (Huel) 133 Tb121 ✉21342
Calabazas (Các) 104 Tc113
Calabazas (Vall) 56 Vb100 ✉47451
☆Calabazas, Castillo de 123 Ve115
Calabazas de Fuentidueña (Seg) 57 Vf100 ✉40356
▲Cala Bea, Punta de 64 Af103
Cala Binidali (Bal) 96 Eb109
Cala Blanca (Bal) 96 Df109
≈Cala Blanca 155 Yd124
Cala Blanca (Ali) 128 Ab116
Cala Blava (Bal) 98 Ce112 ✉*07609
Cala Bona (Bal) 99 Dc111 ✉07559
Calabor (Zam) 35 Tb97 ✉49392
Calabrez (Ast) 7 Uf88 ✉33566
Calabuche (Alm) 154 Xf123 ✉04828
Calabuig (Gir) 49 Cf96 ✉17483
☆Calaburras, Faro y Torre de 159 Vc129
≈Cala Cantera, Caleta de (Ten) 172 B2
Calaceite (Ter) 63 Ab102 ✉44610
Calaceite, Caserío (Mál) 160 Wa128
Cala Corral (Bal) 97 Bb115
Cala d'Alcaufar (Bal) 96 Eb110
Cala del Moral (Mál) 160 Ve128
≈Cala del Moral, Ensenada de 159 Vb130
Cala del Moral, La (Mál) 159 Vb129 ✉29720
Caladera, La (Ten) 171 B2
Cala d'Hoort (Bal) 97 Bb115
Cala d'Or (Bal) 99 Db112 ✉07660
Caladrones (Hues) 44 Ad96 ✉22589
Cala En Porter (Bal) 96 Ea109
Cala Estany (Bal) 99 Db111
Calaf (Bar) 47 Bd98 ✉08280
Calafat (Tar) 80 Af103
☆Calafat, Circuit de 80 Af103
Calafau (Bal) 66 Ca99
Calafell (Tar) 65 Bd101 ✉43820
Cala Ferera (Bal) 99 Db112
Cala Figuera (Bal) 99 Db113
▲Cala Figuera, Cap de (Bal) 98 Cd112
Calahonda (Gra) 161 Wd128 ✉18730
▲Calahonda, Playa de 159 Vb130
Calahorra (Rio) 42 Ya95 ✉26500
Calahorra, La (Gra) 153 Wf125 ✉18512
Calahorra de Boedo (Pal) 21 Vd93 ✉34407
Calahorra de Campos (Pal) 38 Vc95
≈Calalabazar, Embalse del 133 Ta123
Calalberche (Tol) 89 Ve107 ✉45909
Cala Llombarts (Bal) 99 Da113
Cala Llonega (Bal) 96 Eb109
Cala Llonga (Bal) 97 Bd115
Cala Major (Bal) 98 Cd111
Cala Mesquida (Bal) 96 Eb109 ✉07589
Cala Millor (Bal) 99 Dc111 ✉07560
Calaminar, El (Tol) 109 Wd111
Calamocha (Ter) 78 Ye103 ✉44200
▲Calamocho, Cerro 73 Uf105
Calamocos (Leó) 17 Td93 ✉24398
Cala Moli (Bal) 97 Bb115
Calamón Alto (Córd) 136 Uf121
Cala Mondrago (Bal) 99 Db112 ✉07691
Calamonte (Bad) 119 Td115 ✉06810
Cala Morell (Bal) 96 Df108
Cala Murada (Bal) 99 Db112 ✉07688
Calañas (Huel) 133 Ta123 ✉21300
Calancha (Jaé) 138 Wd119
Calanda (Ter) 80 Ze103 ✉44570
≈Calanda, Embalse de 80 Ze103
Cala Nova (Bal) 97 Bd114
Cala Pada (Bal) 97 Bd115 ✉07849
Cala Pi (Bal) 98 Cf112 ✉07639
Cala Rajada (Bal) 99 Dc110
▲Calar Alto 154 Xc125
Calar de la Santa (Mur) 140 Xe119 ✉30410
Calareños de Arriba, Los (Alb) 140 Xe120
Calares, Los (Jaé) 138 We120
▲Calarilla 139 Xa121
▲Cala Rotja, Punta (Bal) 98 Ce109
Cala Sahona (Bal) 97 Bc116
Calasana, Cortijo de (Mál) 151 Vd126
Cala Santa Galdana (Bal) 96 Df109
Cala Santanyí (Bal) 99 Da113
Cala Sant Vicenç (Bal) 99 Da109
Calasanz (Hues) 44 Ac96 ✉22514
Calas de Guisando (Ávi) 74 Vd106
Calasparra (Mur) 141 Yb119 ✉*30420
Calas Verdes (Gua) 76 Xb105
Calatañazor (Sor) 58 Xb98 ✉42193
Cala Tarida (Bal) 97 Bb115
Calatayud (Zar) 60 Yc100 ✉50300
Cala Tirant (Bal) 96 Ea108
Calatorao (Zar) 61 Ye99 ✉50280
Cala Torret (Bal) 96 Eb110
▲Calatrava, Campo de 123 Vf116
☆Calatrava, Castillo de 108 Wb114
Calatrava, Cortijo de la (Jaé) 138 Wd120
▲Calatrava, Sierra de 123 Wa116
☆Calatrava la Nueva, Castillo de 123 Wa116
☆Calatrava La Vieja, Castillo de 123 Wa114
▲Calatraveño, Puerto 136 Va119
Cala Tuent (Bal) 98 Ce109
Cala Turqueta (Bal) 96 Df109
Cala Vadella (Bal) 97 Bb115
Calaveras de Abajo (Leó) 20 Va92 ✉24170
Calaveras de Arriba (Leó) 20 Va92 ✉24170
☆Calaveres, Cova de les 129 Zf116
Calaverón, El (Alb) 110 Xc113
▲Calaveruela 135 Uc119
Cal Ballet (Tar) 65 Bc100
▲Calblanque-Monte de las Cenizas-Peñas del Águila, Parque Regional de 143 Zb123
Calçada, la (Cas) 95 Aa107
Cal Canonjo (Tar) 65 Bc100
Calcena (Zar) 60 Yb99 ✉50268
Calcineras (Zar) 63 Aa102
≈Calcón, Río 44 Ze95
≈Calcosas, Bahía de las (Ten) 173 C1
▲Calcosas, Playa de los (Ten) 173 C2
☆Caldaloba, Castelo de 4 Sc89
≈Caldarés, Río 26 Ze92
Caldas, Las (Ast) 6 Ua89 ✉33174
Caldas de Besaya, Las (Can) 9 Vf89 ✉39460
Caldas de Luna (Leó) 18 Ua91 ✉24146
Caldas de Reis (Pon) 14 Rc93
Caldearenas y Aguces (Hues) 44 Zc94
Caldebarcos (Cor) 14 Qf91
▲Caldebarcos, Punta de 14 Qf91
Caldelas (Pon) 32 Rc96
▲Caldera 161 We126
Caldera (Córd) 151 Ve123
▲Caldera, La (Palm) 176 C1
Caldera, La (Ten) 172 C5 ✉38660
▲Caldera de Taburiente, Parque Nacional de la (Ten) 171 B2
≈Calderer, Cala (Bal) 96 Ea108
▲Caldereros, Sierra de 78 Yb103
Caldereta (Palm) 175 E2
▲Calderina 108 Wb113
▲Calderina, Sierra de la 108 Wb113
≈Calderitos, Arroyo de 136 Vc121
Calderón (Mur) 127 Ye117
Calderón (Bad) 118 Ta117
Calderón (Val) 112 Ye111
▲Calderón 38 Vd96
▲Calderón, Cerro 92 Xf109
▲Calderón, Cerro de 136 Vb120
Calderón, Cortijo de (Mál) 150 Va126
Calderón, Cortijo de (Alm) 140 Xf122
≈Calderón, Laguna 150 Uf124
▲Calderón, Loma del 125 Xa115
▲Calderón, Sierra de 125 Xc118
Calderona, Cortijo de la (Bad) 119 Tc116
Calderonas (Mur) 141 Yd121
Calderonas, Cortijo Las (Bad) 134 Ua120
▲Calderoncillo, El 127 Yd117
Calderones y el Collado (Mur) 141 Yb122
Calders (Bar) 47 Ca98 ✉08275
Calderuela (Sor) 41 Xe98 ✉42112
≈Caldes, Cala (Bal) 96 Eb108
Caldes de Boí (Lle) 28 Ae93
☆Caldes de Boí 28 Af93
Caldes de Malavella (Gir) 49 Ce97 ✉17455
Caldes de Montbui (Bar) 66 Cb99 ✉08140
Caldes d'Estrac (Bar) 66 Cd99 ✉08393
Caldetes = Caldes d'Estrac (Bar) 66 Cd99
Caldevilla (Ast) 7 Ue88 ✉33584
Caldevilla de Valdeón (Leó) 20 Va90
Caldillas (Seg) 56 Ve102
Caldones (Ast) 7 Uc88 ✉33391
Caldueño (Ast) 8 Va88 ✉33507
Caleao (Ast) 7 Ud90 ✉33995
Calella (Bar) 48 Ce99 ✉08370
Calella de Palafrugell (Gir) 49 Db97 ✉17210
▲Calera, Cerro de la 136 Va120
Calera, La (Ten) 172 A2
Calera, La (Mál) 151 Ve126
Calera, La (Ciu) 124 Wf115
Calera, La (Các) 106 Ue111 ✉10137
Calera, La (Viz) 10 Wd89
▲Calera, La 73 Vb106
▲Calera, Punta de la (Ten) 172 A2
≈Calera, Río 10 Wd89
Calera de León (Bad) 134 Te120
Calera y Chozas (Tol) 88 Va109 ✉45686
Calerizos, Cortijo de los (Bad) 120 Tf116
▲Calero, El 36 Uc97
Calerón Bajo, Cortijo del (Córd) 150 Va123
Caleruega (Bur) 39 Wd98 ✉09451
▲Caleruela 108 Wb112
Caleruela (Tol) 87 Ue109 ✉45589
Caleruela, La (Jaé) 139 Wf120
☆Cales Coves (Bal) 96 Ea109
Cales de Mallorca (Bal) 99 Db112
≈Caleta, Baja de la (Ten) 173 F2
Caleta, La (Mál) 160 Vf128
Caleta, La (Ten) 172 C3
≈Caleta, La (Palm) 176 D2
Caleta, La (Palm) 174 D4
Caleta, La (Ten) 173 C2
Caleta, La (Ten) 172 C5
▲Caleta, Playa de la (Ten) 172 C3
Caleta, Sa (Bal) 97 Bb115
Caleta de Famara, La (Palm) 176 C3
Caleta del Sebo (Palm) 176 C2
Caleta-Guardia, La (Gra) 161 Wc128 ✉18680
≈Caleta Larga (Palm) 176 B4
≈Caleta Negra (Palm) 176 A4
≈Caletas, Ensenada de la (Palm) 176 C4
Caletas, Las (Ten) 171 C4
▲Caletas, Playa de la (Ten) 173 E3
▲Caletilas, Playa de las (Palm) 175 E3
Caletón, El (Ten) 173 E3
≈Caletón, El (Palm) 176 C1
≈Caletón Blanca (Palm) 176 D2
≈Caletones, Los (Palm) 176 D3
Caleyo, El (Ast) 6 Ua89
Caleyo, El (Ast) 7 Uc89
Calgar (Can) 9 Wb88 ✉39727
Calicasas (Gra) 152 Wc125 ✉18290
Càlig (Cas) 80 Ac106
▲Callahornos 41 Xb96
▲Callao, Punta El (Ten) 172 D5
Calldetenes (Bar) 48 Cb97 ✉08506
Calle, A (Cor) 15 Rd90
Calle, la (Tar) 80 Ad103
≈Callega, Marisma 148 Te126
Calleja, La (Córd) 136 Va122
▲Callejas 111 Yb111
☆Callejito de Plou, El 78 Yd106
Callejones (Ten) 171 C3
Callejos, Los (Ast) 8 Va88 ✉33507
Callén (Hues) 44 Zd97
Calleras (Ast) 6 Td88 ✉33873
Calles (Val) 94 Za110 ✉46175
Calles, Caserío Los (Các) 87 Ub109
Callezuela, La (Ast) 6 Ua88
Callobre (Cor) 3 Re89
Callosa d'En Sarrià (Ali) 129 Zf117 ✉03510
Callosa de Segura (Ali) 142 Za120 ✉03360
Callús (Bar) 47 Be98
Calmarza (Zar) 60 Ya102 ✉50238
Calo (Cor) 2 Qf90
≈Calobra, Cala de Sa (Bal) 98 Ce109
Calobra, Sa (Bal) 98 Ce109
Caloca (Can) 20 Vc90 ✉39572
Calomarde (Ter) 78 Yc106 ✉44126
Calonge (Bal) 99 Db112 ✉07669
Calonge (Gir) 49 Da97 ✉17251
Calonge, El (Córd) 135 Ud123 ✉14709
Calonge de Segarra (Bar) 47 Bc98 ✉08281
Calpe/Calp (Ali) 129 Aa117
☆Calpea, Ruïnes de 129 Aa117
Calpes, Los (Cas) 94 Zc108 ✉12428
Cal Quilaseta (Bar) 47 Bd99
▲Cals, Punta de Sa (Bal) 97 Bc115
Calseca (Can) 10 Wb89 ✉39728
Cal Sisplau (Bar) 65 Bd100
Cals Reis (Bal) 98 Ce110
Caltojar (Sor) 58 Xb100 ✉42367
Cal Torrebruna (Bar) 47 Bf98
Caluati, el (Ali) 46 Ac105
Ca l'Uix (Gir) 48 Cd97
☆Calva, el 62 Ac102
▲Calva, Sierra 35 Ta95
☆Calvari, el 64 Ba101
☆Calvari, Ermita del 80 Ab103
▲Calvario (Ten) 172 B2
Calvario, El (Sev) 149 Ud125 ✉41610
☆Calvario, El 139 Xa119
☆Calvario, El 62 Zb100
☆Calvario, Ermita del 141 Yb121
☆Calvario, Ermita del 112 Yd113
☆Calvario, Ermita del 23 Xd93
Calvario, O (Pon) 32 Rb97
Calvarrasa de Abajo (Sal) 72 Uc103 ✉37181
Calvarrasa de Arriba (Sal) 72 Uc103 ✉37191
Calvelle (Cor) 14 Ra92
≈Calvelle, Río 15 Rd94
≈Calvelo 2 Rc89
Calvera (Hues) 28 Ad94 ✉22485
▲Calvera 44 Ac95
Calvià (Bal) 98 Cd111
▲Calvilla 40 Wf97
▲Calvitero 87 Ub107
▲Calvo 120 Te118
Calvos (Our) 33 Sa97
≈Calvos, Río dos 15 Rc93
Calvos de Randín (Our) 33 Sa97
Calvos de Sobrecamiño (Cor) 15 Re91 ✉15819
Calypo II (Tol) 89 Vf107
Calzada, La (Palm) 174 D2 ✉35017
Calzada, La (Can) 10 Wc89
Calzada de Béjar, La (Sal) 71 Ub106
Calzada de Bureba (Bur) 22 We9[illegible] ✉09244
Calzada de Calatrava (Ciu) 123 Wb116 ✉13370
Calzada de Don Diego (Sal) 71 Ua103 ✉37448
Calzada de la Valdería (Leó) 36 Tf95
Calzada del Coto (Leó) 37 Uf94 ✉24342
Calzada de los Molinos (Pal) 38 Vc95 ✉34129
Calzada de Oropesa, La (Tol) 87 Ue109
Calzada de Tera (Zam) 36 Tf97 ✉49332
Calzada de Valdunciel (Sal) 54 Ub102 ✉37797
Calzada de Vergara (Alb) 112 Yc114 ✉02249
☆Calzada Romana de Caoro 8 Vb89
Calzadilla (Các) 85 Tc108 ✉1081[illegible]
Calzadilla de la Cueza (Pal) 38 Vb95 ✉34309
Calzadilla de la Valmuza (Sal) 72 Ub103 ✉37120
Calzadilla del Campo (Sal) 54 Tf102
Calzadilla de los Barros (Bad) 134 Te119 ✉06249
Calzadilla de los Hermanillos (Leó) 37 Uf94 ✉24343
Calzadilla de Mendigos, Caserío (Sal) 72 Ub104
Calzadilla de Tera (Zam) 36 Tf97 ✉49331
≈Camacha, Laguna de la 108 Vf114
Camacho, Cortijo de (Gra) 160 Vf126
▲Camacho, Puerto 161 Wd127
Camachos, Los (Alm) 154 Xf124
Camachos, Los (Mur) 142 Za122
Camachos, Los (Mur) 142 Za123
Camaleño (Can) 8 Vb90 ✉39587
▲Camamllera (Gir) 49 Cf96 ✉17465
▲Camamila, La 60 Yc99
Camañas (Ter) 78 Yf105 ✉44167
▲Camañas, Sierra de 78 Yf105
Cámara (Ali) 128 Za117
Cámaras Altas (Córd) 121 Uf119
Camarassa (Lle) 46 Af97
≈Camarassa, Pantà de 46 Af97
Camarena (Tol) 89 Vf108 ✉4518[illegible]
≈Camarena, Río 93 Ye107
▲Camarena, Sierra de 94 Yf107
Camarena de la Sierra (Ter) 94 Yf108 ✉44459
Camarenilla (Tol) 89 Vf108 ✉45181
▲Camarero, Loma del 60 Ya101
Camaretas (Palm) 174 C3 ✉3532[illegible]
Camargo (Gra) 152 Wd123
Camargo (Can) 9 Wa88 ✉39609
Camargo = Muriedas (Can) 9 Wa8[illegible] ✉39609
▲Camarilla, Cerro de la 110 Xc11[illegible]
Camarillas (Jaé) 125 Xb118
Camarillas (Ter) 79 Zb105 ✉4415[illegible]
≈Camarillas, Embalse de 127 Yc118
Camarinal (Cád) 164 Ub132
▲Camarinal, Punta 164 Ub132
Camariñas (Cor) 2 Qe90
▲Camariñas 14 Qe91
≈Camariñas, Ría de 2 Qe90
▲Camariño, Playa de (Ten) 171 B2
Camarles (Tar) 80 Ae104 ✉43894
Camarma de Esteruelas (Mad) 75 Wd105 ✉28816
Camarma del Caño (Mad) 75 Wd105
Camarmeña (Ast) 8 Va89 ✉33554
≈Camarón, Salina del 62 Ze100
Camarzana de Tera (Zam) 36 Tf97

mas (Sev) 148 Tf124 ⊠41900
nás (Ast) 7 Ud88
nasobres (Pal) 20 Vd90
⊠34849
nba (Our) 34 Sd96
camba, Río 34 Sd96
camba, Val de 15 Rf92
mbados (Pon) 14 Rb93
mbarco (Can) 8 Vc90 ⊠39571
mbás (Cor) 3 Sa89
mbeo (Our) 33 Sa94 ⊠32100
mbeses (Pon) 15 Rd94
nbil (Jaé) 138 Wc122 ⊠23120
mboño (Cor) 14 Ra92
mbre (Cor) 3 Re89
mbrils (Lle) 46 Bc96
mbrils (Tar) 64 Ba102 ⊠43850
mbrón (Mur) 141 Yb122
mbrón (Các) 86 Te106
mbrón, El (Córd) 136 Vc122
mbrón, El (Córd) 137 Ve122
mbrón, El (Cue) 92 Xf107
Cambrón, Peña 139 Wf122
Cambrón, Sierra del 124 We118
Cambrón, Sierra del 121 Ud118
mbroncino (Các) 86 Te106
⊠10629
Cambrones 141 Yb120
Cambrones, Río 58 Wd101
Cambrones, Río 74 Wa103
Camella, Caleta de la (Palm)
175 E3
Camella, Punta de la (Palm)
176 C2
melle (Cor) 2 Qf89 ⊠15121
Camello, Punta del (Ten) 173 E5
Camello, Punta del (Palm)
174 C2
meno (Bur) 22 We93 ⊠09245
Cameras, Río 61 Yf101
Camero Nuevo, Sierra de
40 Xb95
Cameros, Reserva Nacional de
40 Xb96
Cameros, Tierra de 40 Xb96
Camero Viejo, Sierra de 41 Xd95
Camesa, Río 21 Ve91
amijanes (Can) 8 Vd89 ⊠39594
aminayo (Leó) 20 Va91 ⊠24883
amino (Ast) 7 Uc88
amino (Can) 21 Ve90
amino de Chasna, El (Ten)
172 D3
Camino de Villafranca, Laguna
del 109 We112
aminomorisco (Các) 86 Te107
⊠10620
amino Real, El (Alm) 153 Xb126
⊠04510
aminreal (Ter) 78 Ye103 ⊠44350
amins de Flix (Tar) 62 Ad101
amoana, Cortijo de la (Jaé)
139 Xb120
amocha, La (Ast) 7 Uc88
⊠33350
Camocho 86 Ua107
Camorolos, Sierra de 160 Ve127
amorra (Mál) 150 Vb126 ⊠29532
amorra Alta, Cortijo de (Huel)
133 Sf122
amorritos (Mad) 74 Vf104
Camorro Alto 159 Vc127
amós (Gir) 48 Ce96
Camp, Monestir de el 31 Da94
ampa, La (Ast) 6 Ua87
ampa, La (Viz) 11 Xa88
Campa, Río 16 Sd91
Campalbo 93 Ye109
ampamento (Cád) 165 Ud131
⊠11314
ampamento (Mad) 90 Wb106
ampamento-Álvarez de Sotomayor
(Alm) 163 Xd127
ampamento de Labastida (Tol)
89 Vf109
ampana, Caserío La (Bad)
118 Ta116
ampana, La (Gra) 153 We124
ampana, La (Sev) 149 Ud123
⊠41429
ampana, La (Ast) 7 Ub88
⊠33192
Campana, Río de la 138 Wb119
Campañana, Embalse de la
17 Tb93
ampanario (Huel) 147 Tb123
ampanario (Bad) 120 Uc115
⊠06460
Campanario 36 Tf98
Campanario, Altos de 34 Ta95
Campanario, Embalse de
147 Ta123
ampanas (Nav) 24 Yc92 ⊠31397
ampanero (Sal) 70 Tc104
ampanero, El (Mur) 141 Ya119
ampanet (Bal) 99 Cf110 ⊠07310
Campanet, Coves de (Bal)
99 Cf110
ampaneta, La (Ali) 142 Za120
⊠03314
Campaniche, Cortijo de (Sev)
149 Uc123
▲Campanil, Monte 26 Zb92
Campanilla, Cortijo de la (Jaé)
139 We120
Campanillas (Mál) 159 Vc128
⊠*29590
Campanillas, Cortijo de las (Sev)
135 Ub121
Campano (Cád) 164 Tf130
⊠11130
Campañones (Ast) 6 Ub88
⊠33470
▲Campanué, Sierra de 45 Ab94
Camparañón (Sor) 59 Xc98
▲Camparejo 93 Yd109
▲Camparones 18 Ua90
▲Camparrón, El 54 Tf101
Campaspero (Vall) 56 Ve100
⊠47310
Campazas (Leó) 37 Ud96 ⊠24221
Campazo, Caserío El (Ciu)
123 Wb115
Campdàsens (Bar) 65 Bf101
Camp de Mar (Bal) 98 Cc111
Campdevànol (Gir) 48 Cb95
Camp d'Or, el (Ali) 128 Zb116
Campdorà (Gir) 49 Cf96
Campell (Ali) 129 Zf116 ⊠03791
Campelles (Gir) 30 Ca95 ⊠17534
Campello (Ali) 128 Zd118
Campello, el (Ali) 128 Zd118
⊠03560
Campelo (Lug) 16 Sd91 ⊠27163
≈Campelos, Río dos 33 Sb97
☆Campesino, Monumento al (Palm)
176 C3
Campet, el (Ali) 128 Zb118
Campezo/Kanpezu (Ála) 23 Xd93
Campico (Alm) 163 Xf126
Campico (Alm) 154 Xf125
Campico de las Lirias (Mur)
155 Yc123
Campico de los López (Mur)
155 Yc123
Campiel (Zar) 60 Yc100 ⊠50299
Campiellos (Ast) 7 Ud89 ⊠33993
☆Campiés, Castillo de 44 Zc96
Campilduero (Sal) 70 Tc103
⊠37273
Campillejo (Gua) 75 We102
⊠19223
Campillo (Alb) 125 Xc118 ⊠02462
Campillo (Can) 9 Wb89 ⊠39696
Campillo (Zam) 54 Ua99
Campillo (Seg) 74 Ve103 ⊠40153
Campillo, Caserío del (Bad)
118 Ta116
☆Campillo, Castillo 60 Xf101
Campillo, Cortijo del (Alm)
154 Xd124
Campillo, Cortijo del (Alb)
126 Ya118
Campillo, Cortijo El (Bad)
134 Ua120
Campillo, El (Alm) 162 Xa128
Campillo, El (Cád) 156 Te129
Campillo, El (Alm) 154 Xe123
Campillo, El (Alm) 154 Xd124
Campillo, El (Alm) 154 Xe125
Campillo, El (Sev) 148 Te123
Campillo, El (Sev) 149 Ue123
Campillo, El (Huel) 147 Sf124
Campillo, El (Mur) 141 Yb119
Campillo, El (Mur) 141 Ya121
Campillo, El (Jaé) 139 Xc119
Campillo, El (Jaé) 139 Wf119
Campillo, El (Huel) 133 Tc122
Campillo, El (Ciu) 124 Wf117
▲Campillo, El 124 Wd115
Campillo, El (Ciu) 123 Wc114
Campillo, El (Các) 102 Tc113
Campillo, El (Vall) 55 Uf101
⊠47460
Campillo, El (Mad) 74 Vf105
Campillo, El (Mad) 90 Wd107
Campillo, El (Ter) 93 Ye107
⊠44121
☆Campillo, Ermita del 91 Xc106
≈Campillo, Laguna del 90 Wd107
▲Campillo, Puerto 60 Ya102
Campillo de Abajo (Mur) 142 Ye122
Campillo de Abajo, Caserío del
(Mur) 140 Xf121
Campillo de Adentro (Mur)
142 Yf123 ⊠30868
Campillo de Altobuey (Cue)
111 Yb111 ⊠16210
Campillo de Aragón (Zar) 60 Ya102
Campillo de Aranda (Bur) 57 Wb99
⊠09493
Campillo de Arenas (Jaé)
152 Wc123 ⊠23130
Campillo de Arriba (Mur) 142 Ye122
Campillo de Arriba, Caserío del
(Mur) 140 Xf120
Campillo de Azaba (Sal) 70 Tb105
⊠37550
Campillo de Deleitosa (Các)
87 Uc110 ⊠10329
Campillo de Dueñas (Gua)
78 Yb103 ⊠19360
Campillo de la Jara, El (Tol)
106 Uf111 ⊠45578
Campillo de las Doblas (Alb)
126 Yb116 ⊠02511
Campillo de la Virgen (Alb)
126 Ya116 ⊠02129
Campillo de Llerena (Bad)
120 Ua118 ⊠06443
Campillo del Negro, El (Alb)
126 Yb116
Campillo de los Jiménez (Mur)
141 Yb120
Campillo del Río (Jaé) 138 Wc120
Campillo del Río (Jaé) 138 Wc121
Campillo de Ranas (Gua)
75 We102 ⊠19223
Campillo de Salvatierra (Sal)
72 Ub105 ⊠37778
Campillos (Mál) 150 Va126
⊠29320
Campillos, Los (Huel) 133 Tb120
Campillos, Los (Ter) 94 Zb107
▲Campillos, Majada de 40 We95
Campillos-Paravientos (Cue)
93 Yc109
Campillos-Sierra (Cue) 93 Yb108
Campillo y Melardes (Sal)
72 Ue104
Campillo y Suertes (Mur)
141 Yb120 ⊠30438
Campiña (Cád) 158 Ue127
Campiña (Mál) 159 Vc128
Campiña (Jaé) 139 Xa119
▲Campiña 40 Wf96
Camping Costaján (Bur) 57 Wb98
Campino (Bur) 21 Wb91
Campins (Bar) 48 Cc98 ⊠08470
Campiñuela, La (Córd) 150 Vc124
▲Campiñuelas, Las 121 Uf117
Campisábalos (Gua) 58 Wf101
Campita, Cortijo de la (Alm)
162 Xc127
Campitos, Los (Ten) 171 B3
⊠38170
Camplengo (Can) 9 Vf88 ⊠39360
Campllong (Lle) 28 Ba94
Campllong (Gir) 49 Cf97 ⊠17457
Camplongo de Arbás (Leó)
19 Ub91
Campo (Cor) 2 Rb89
Campo (Cor) 3 Rc89
Campo (Cor) 15 Re91
Campo (Our) 15 Rf93
Campo (Lug) 16 Sc91
Campo (Leó) 19 Uc91 ⊠24414
Campo (Hues) 26 Ac94 ⊠22450
Campo (Our) 33 Sb94
≈Campo, Caleta de (Palm) 176 D3
Campo, Caserío El (Gua) 78 Yc105
Campo, El (Ast) 7 Ub89
Campo, El (Ast) 18 Ua90
Campo, El (Pal) 20 Vc91 ⊠34847
Campo, El (Ter) 93 Ye107
▲Campo, El 93 Yf109
Campo, O = San Esteban do
Campo (Cor) 15 Re91
Campo Alavés (Zar) 60 Ya100
Campoalbillo (Alb) 112 Yc113
⊠02251
▲Campo Alto 136 Vb120
Campo Ameno (Bad) 120 Tf116
Campoamor/Urbanizaciones (Ali)
143 Zb121
Campo Arcis (Val) 112 Yf112
⊠46352
Campo Bajo, Cortijada (Alm)
154 Xd124
Campo Barraques (Ali) 128 Zc116
Campobecerros (Our) 34 Se96
⊠32626
▲Campo Blanco 78 Yc105
Campobuche (Cád) 158 Ud128
⊠11610
Campocámara, Cortijillos de (Gra)
139 Xa122
Campocerrado (Sal) 71 Te104
⊠37494
Campo Coy (Mur) 141 Ya121
⊠30410
▲Campo da Abore, Porto de =
Campo de Arbol, Puerto de
17 Se91
Campo da Feira (Lug) 4 Sa88
Campodarbe (Hues) 27 Aa94
⊠22348
Campo de Abajo (Huel) 147 Tc124
Campo de Abajo (Val) 94 Yf109
▲Campo de Arbol, Puerto de =
Campo da Abore, Porto de
17 Se91
Campo de Arriba (Val) 94 Yf109
Campo de Benacacira, el (Val)
94 Yf109
▲Campo de Cartagena 142 Yf123
Campo de Caso (Ast) 7 Ud89
⊠33990
Campo de Criptana (Ciu)
109 Wf112 ⊠13610
Campo de Cuéllar (Seg) 56 Vd101
Campo de Ebro (Can) 21 Wa92
⊠39250
Campo de la Parra (Bad)
119 Tc117
Campo de las Danzas (Leó)
35 Tc94
≈Campo del Cartagena, Canal
142 Yf122
Campo de Ledesma (Sal) 54 Tf102
Campo del Hospicio (Sal) 71 Tf103
Campo de Mirra/Camp de Mirra, el
(Ali) 128 Zb116
▲Campo de Montiel 125 Xb116
Campo de Peñaranda, El (Sal)
72 Ue103 ⊠37317
Campo de San Pedro (Seg)
57 Wc100 ⊠40551
Campo de Santo Domingo (Bad)
119 Td118
Campo de Val (Lug) 16 Se93
Campo de Villavidel (Leó) 19 Uc94
⊠24225
Campo do Hospital (Cor) 4 Sa87
⊠15359
Campodón (Mad) 89 Wa106
Campoduro (Cor) 15 Re90
⊠15686
Campofrío (Huel) 133 Tc122
≈Campofrio, Embalse de
133 Tc122
Campo Gallego (Bad) 119 Ta118
Campogrande de Aliste (Zam)
35 Te98 ⊠49592
Campohermoso (Alm) 163 Xf127
⊠04110
Campohermoso (Leó) 19 Ud91
⊠24849
Campo-Huerta (Cád) 158 Ud127
Campois, Los (Alm) 155 Yb124
Campol (Hues) 27 Zf94
Campo Lameiro (Pon) 15 Rc93
⊠36110
Campolara (Bur) 40 Wd96 ⊠09650
Campollo (Can) 20 Vc90 ⊠39577
Campo Longo (Cor) 3 Rf88
Campolongo (Cor) 14 Ra91
Campo Lugar (Các) 105 Ub113
⊠10134
Campomanes (Bad) 120 Te115
Campomanes (Ast) 18 Ub90
⊠33620
Campo-Mijas (Mál) 159 Vb129
Campomojado (Ciu) 108 Wb114
Campo-Nubes (Córd) 151 Vf123
Campo Nubla (Mur) 142 Ye122
Camponuevo (Alm) 162 Xb128
Campoo de Yuso (Can) 21 Vf90
Campo Real (Zar) 25 Ye93
⊠50689
Campo Real (Mad) 90 Wd106
⊠28510
☆Campo Real, Castillo de
150 Vb124
Campo Redondo (Hues) 43 Zb96
▲Campo Romanos 61 Yd102
Camporramiro (Lug) 16 Sb93
⊠27514
Camporredondo (Jaé) 139 Wf119
⊠23269
Camporredondo (Sor) 41 Xd96
Camporredondo (Vall) 56 Vc100
⊠47165
≈Camporredondo, Embalse de
20 Vb91
Camporredondo de Alba (Pal)
20 Vb91 ⊠34888
Camporrells (Hues) 44 Ad97
⊠22570
Camporrobles (Val) 112 Yd111
⊠46330
Camporrotuno (Hues) 45 Aa94
⊠22395
Campos (Bal) 99 Da112 ⊠07630
Campos (Cor) 15 Rf91
Campos (Ter) 79 Zb104 ⊠44158
≈Campos, Canal de 37 Uf97
Campos, Los (Ast) 6 Ua87
⊠33400
Campos, Los (Sor) 41 Xd97
⊠42173
Campos, Los (Sal) 71 Te103
≈Campos, Río 79 Zb104
▲Campos, Tierra de 37 Ud98
Campo-sagrado (Leó) 19 Ub92
Camposancos (Pon) 15 Rf92
Camposancos (Pon) 32 Ra97
Campos de Arenoso (Cas)
94 Zc108
Camposdelante (Can) 10 Wc88
Campos del Río (Mur) 142 Yd120
Camposines, les (Tar) 62 Ad102
Camposolillo (Leó) 19 Ue91
Campos y Salave (Ast) 5 Ta87
Campot, Es (Bal) 99 Cf112
Campotéjar (Gra) 152 Wc124
Campotéjar Baja (Mur) 142 Ye120
Campo y Santibáñez (Leó) 19 Uc92
Campredó (Tar) 80 Ad104
Camprodon (Gir) 30 Cc95 ⊠17867
▲Camprodon 47 Bf97
Camprovín (Rio) 41 Xb94
Camps (Bar) 47 Be98 ⊠08259
Camps, Los (Hues) 44 Ac95
▲Campucas 21 Ve90
Campules (Mur) 142 Yf119
⊠30648
Campuzano (Can) 9 Vf88 ⊠39300
Camuñas (Tol) 109 Wd112
⊠45720
Camuño (Ast) 6 Te88 ⊠33867
Canabal (Lug) 16 Sc94
Cañachar, El (Tol) 108 Wa113
▲Cañacoloma 61 Yf101
Ca Na Curta (Bal) 99 Db112
Cañada (Ali) 128 Zb116 ⊠03409
Cañada (Các) 85 Tc108
Cañada (Val) 93 Yd108
≈Cañada, Arrayo de la 147 Tc125
Cañada, Cortijo de (Các)
105 Ua112
Cañada, Cortijo de la (Gra)
152 Wd124
Cañada, La (Val) 112 Yf111
⊠46182
▲Cañada, La 112 Yd111
Cañada, La (Cue) 112 Yd111
Cañada, La (Ciu) 109 We113
Cañada, La (Ávi) 73 Vd105
⊠05294
▲Cañada, Sierra de la 79 Zc105
Cañada Arada, Cortijo (Jaé)
139 Xa119
▲Cañada Blanca (Ten) 172 D5
Cañada Buendía (Alb) 126 Ya119
Cañada Carbonera (Sal) 71 Td104
Cañada Catena (Jaé) 139 Xb119
⊠23289
Cañada de Agra (Alb) 126 Yb118
⊠02409
Cañada de Alcatá (Jaé) 152 Wb124
Cañada de Arriba (Val) 112 Ye114
Cañada de Benatanduz (Ter)
79 Zc105 ⊠44559
Cañada de Calatrava (Ciu)
123 Vf115
Cañada de Canara (Mur)
141 Yb120
Cañada de Cañepla, La (Alm)
140 Xe122 ⊠04839
Cañada de Gallego (Mur)
155 Yd123
Cañada de la Cierva (Jaé)
139 Wf120
Cañada de la Cruz (Mur)
140 Xe120 ⊠30414
Cañada de la Iglesia, Cortijo (Gra)
152 Wd124
Cañada de la Jara (Sev) 135 Uc122
Cañada de la Madera (Jaé)
139 Xa120
Cañada de la Mata, Cortijada
(Palm) 175 D4
Cañada del Conejo (Huel)
133 Sf122
Cañada de Leña, La (Mur)
127 Yf119
☆Cañada del Estrecho 91 Xc109
Cañada del Gamo (Córd)
135 Ud119 ⊠14299
Cañada del Hornillo (Córd)
151 Ve124
Cañada del Hoyo (Cue) 92 Ya109
⊠16340
Cañada del Junco (Gra) 151 Vf126
Cañada del Provencio (Alb)
125 Xd117 ⊠02448
Cañada del Pulpillo (Mur)
127 Ye117
Cañada del Rabadán (Córd)
136 Uf123
Cañada del Rosal (Sev) 149 Ue123
Cañada del Salobral o Molina (Alb)
126 Ya116
▲Cañada del Saz 79 Zb103
Cañada del Señor (Jaé) 125 Xc118
≈Cañada del Solar, Arroyo de la
140 Xd122
▲Cañada del Toril, Loma de la
127 Yc118
Cañada del Trigo (Mur) 127 Yf118
Cañada de Miralles (Alm)
154 Xe126
Cañada de Morote (Alb) 126 Xe118
⊠02449
Cañada de San Urbano, La (Alm)
163 Xd127 ⊠04120
Cañada de Tobarra (Alb) 126 Ya117
Cañada de Verich, La (Ter)
80 Zf103 ⊠44643
Cañada de Zafra, Cortijada de (Jaé)
137 Wa121
Cañadafría, Caserío de (Các)
105 Ub112
Cañada Gil (Mur) 141 Yd120
Cañada Grande, La (Alm)
140 Xe122 ⊠04839
Cañada Hermosa, Cortijo de (Mál)
150 Va125
Cañada Incosa (Jaé) 138 Wb120

Cañada Juncosa (Alb) 126 Xf 116 ⊠ 02326
Cañadajuncosa (Cue) 111 Xe 111
Cañada La Huesa (Córd) 137 Vd 118
Cañada Morales (Jaé) 139 Xb 119 ⊠ *23292
Cañadas (Alb) 140 Xd 120 ⊠ 02534
≈ Cañadas, Arroyo de las 136 Vb 119
Cañadas, Cortijo de las (Ciu) 124 Wf 118
▲ Cañadas, Las (Palm) 174 C 3
Cañadas, Las (Jaé) 152 Wd 123
Cañadas, Las (Mur) 141 Ya 122 ⊠ 30849
Cañadas, Las (Sal) 53 Td 101
☆ Cañadas, Parador Nacional de las (Ten) 172 D 4
▲ Cañadas, Puerto 134 Te 120
Cañadas de Haches de Abajo (Alb) 126 Xf 117
Cañadas de Haches de Arriba (Alb) 126 Xe 117
Cañadas de Lizarán, Las (Alm) 140 Xf 121
Cañadas del Romero (Sev) 135 Ub 122 ⊠ 41360
▲ Cañadas del Teide, Las (Ten) 172 D 4
Cañada Seca (Val) 94 Za 109
Cañadatalhora (Gra) 152 Wd 124
Cañada Vellida (Ter) 79 Za 104 ⊠ 44168
▲ Cañada Vieja 112 Yd 112
Canadelo (Pon) 32 Rb 96
Cañadilla (Sal) 72 Ud 102
Cañadilla, La (Jaé) 152 Wc 123
Cañadilla, La (Ter) 79 Zc 104 ⊠ 44158
Cañadillas (Córd) 151 Vd 124
Cañadillas, Las (Sev) 134 Te 123
▲ Cañadillas, Las 42 Xf 96
Ca N'Aguilera (Bar) 65 Be 99
Cañahonda, Cortijo de (Gra) 140 Xc 123
Cañal, El (Cád) 164 Ua 131 ⊠ 11150
Cañal, El (Seg) 74 Ve 102
▲ Canal, la 128 Zc 117
Canal, La (Can) 9 Wa 89
≈ Canal, Riu de la 62 Ad 101
Canal, Sa (Bal) 97 Bc 115
Canala (Viz) 11 Xb 88
≈ Canal Alto 85 Tb 108
≈ Canal Bajo 85 Tc 108
▲ Canal Baridana, Puig de la 47 Bd 95
Canalda (Lle) 47 Bd 96 ⊠ 25283
Canal de Berdún (Hues) 26 Za 93
▲ Canal de Berdún, La 26 Zb 93
Canaleja (Huel) 133 Tb 121
Canaleja (Alb) 125 Xc 116 ⊠ 02312
Canaleja (Leó) 19 Uc 93 ⊠ 24197
Canaleja (Ávi) 87 Uc 107
Canaleja, Cortijo de la (Gra) 140 Xc 120
Canaleja, La (Cád) 164 Ua 130 ⊠ 11170
Canaleja, La (Mur) 141 Yb 121
Canaleja, La (Córd) 136 Vb 119
Canaleja, La (Val) 94 Za 109 ⊠ 46178
Canaleja Baja, Cortijo de la (Gra) 153 Xa 124
Canalejas (Leó) 20 Va 92 ⊠ 24170
Canalejas, Cortijo de las (Gra) 139 Xb 121
Canalejas, Las (Alm) 155 Yb 124 ⊠ 04619
Canalejas, Las (Jaé) 139 Xb 120
Canalejas del Arroyo (Cue) 91 Xd 106 ⊠ 16857
Canalejas de Peñafiel (Vall) 57 Vf 99 ⊠ 47311
Canalejo, La (Mad) 75 We 105
Canales (Gra) 152 Wd 126 ⊠ 18191
Canales (Ast) 8 Va 89
Canales (Can) 9 Ve 88
Canales (Leó) 18 Ub 92 ⊠ 24120
Canales (Ávi) 73 Va 102 ⊠ 05212
Canales (Cas) 94 Zb 109
▲ Canales, Cerro de las 26 Zd 93
≈ Canales, Embalse de 152 Wd 125
Canales, Las (Mur) 141 Yc 122
Canales, Las (Mur) 141 Yb 122
Canales de la Sierra (Rio) 40 Wf 96 ⊠ 26329
Canales del Ducado (Gua) 77 Xd 104 ⊠ 19432
Canales de Molina (Gua) 77 Ya 103 ⊠ 19343
≈ Canaleta 80 Ac 103
Canaletes (Bar) 65 Be 100 ⊠ 08718
Canalilla, Cortijo de la (Jaé) 139 Xa 121
≈ Canalita, La (Ten) 172 B 4
▲ Canalizos, Los (Palm) 174 A 3
▲ Canalizos, Sierra de los 122 Vc 115
☆ Canalobre, Coves de 128 Zd 117
Canalosa Alta, la (Ali) 128 Za 119
Canals (Val) 128 Zc 115 ⊠ 46650
Canals (Lle) 46 Ba 95
Cañalveralejo, Caserío del (Sev) 150 Va 125
Ca n'Alzina (Bar) 65 Be 99
Cañamaque (Sor) 59 Xe 100 ⊠ 42220
Cañamares (Ciu) 125 Xb 116 ⊠ 13331
Cañamares (Gua) 58 Xa 101 ⊠ 19276
≈ Cañamares, Río 124 Wf 115
≈ Cañamares, Río 58 Xa 102
Ca Na Marqueta (Bal) 97 Bc 114
Cañamero (Các) 106 Ud 112 ⊠ 10136
Canapost (Gir) 49 Da 97 ⊠ 17113
Cáñar (Gra) 161 Wd 127
Cañar, El (Mur) 142 Yf 123
Cañar, El (Alb) 126 Ya 118 ⊠ 02437
Canara (Mur) 141 Yb 120 ⊠ 30439
Cañardo (Hues) 27 Zf 94
Cañarejo (Mur) 141 Yc 123
▲ Canaria, Costa (Palm) 174 B 4
Cañarico, El (Mur) 142 Ye 121 ⊠ 30849
☆ Canario, Jardín (Palm) 174 D 2
▲ Canario, Loma del 135 Uc 120
☆ Canario, Museo (Palm) 174 D 2
Canarios, Los (Ten) 171 B 4
▲ Cañas (Palm) 176 B 3
Cañas (Rio) 40 Xa 94 ⊠ 26325
≈ Cañas o Palmones, Río de las 165 Uc 131
Canastell (Ali) 128 Zc 118
Can Aulet (Bal) 98 Ce 112
☆ Cánava, Ermita de 138 Wd 122
Cañavate, El (Cue) 110 Xe 111 ⊠ 16738
▲ Cañavate, Sierra de El 110 Xd 111
Cañavedija (Cue) 93 Yd 110
Cañaveral (Các) 86 Td 110 ⊠ 10820
Cañaveral de León (Huel) 133 Tc 120
Cañaveralejo, Cortijo del (Mál) 159 Vb 126
Cañaveras (Cue) 92 Xd 106 ⊠ 16850
Cañaveras, Cortijo de (Jaé) 139 We 123
≈ Cañaveroso, Arroyo 148 Td 123
Cañaveruelas (Cue) 76 Xc 106 ⊠ 16537
Can Barret (Bal) 99 Cf 112
Can Bassa (Bal) 99 Da 113
Can Batista (Bar) 65 Be 100
Can Berrinola (Bal) 97 Bc 115
Can Blai (Bal) 97 Bc 114
Can Bondia (Bar) 48 Cb 96 ⊠ 08508
Can Bonnet (Bal) 97 Bc 115
Can Bou (Bar) 65 Be 100
Can Bou (Bar) 65 Bd 99
Can Branques (Bar) 48 Cb 96
Can Bulla (Bal) 99 Db 111
Can Burgués (Bal) 99 Da 109
▲ Cancajo, Playa de (Ten) 171 C 3
Can Calicant (Bal) 99 Da 111
Can Canto (Bal) 97 Bd 115
Can Canyella (Bal) 99 Db 111
Cancárix (Alb) 127 Yc 118
Can Castells (Bar) 65 Bf 99
Can Catassús (Bar) 65 Be 100
Cancelada (Mál) 165 Uf 130 ⊠ 29688
Cancelada (Lug) 17 Sf 91
Cancelas (Lug) 5 Sf 89
Cances (Cor) 2 Rb 89
Cances Grande (Cor) 2 Rb 89 ⊠ 15107
≈ Canchales, Embalse de los 119 Td 115
▲ Canchal Negro 87 Ub 106
Canchalosa, Caserío La (Bad) 120 Tf 118
▲ Canchera, Sierra de la 71 Td 106
Cancho-Gordo (Bad) 104 Td 114
▲ Cancho Gordo 75 Wc 103
▲ Canciás 27 Zf 94
Cancienes (Ast) 6 Ua 87 ⊠ 33470
Can Coca (Bal) 99 Db 111
Can Creixel (Bar) 65 Be 100
Can Cullerossa (Bal) 99 Da 109
Can Curt (Bal) 99 Da 113
Canda, A (Our) 34 Ta 96 ⊠ 32549
▲ Canda, Portela da 34 Ta 96
Candado, El (Mál) 159 Vd 128
Candai (Lug) 4 Sb 90 ⊠ 27157
Candamil (Lug) 4 Sb 88 ⊠ 27832
Cándamo (Ast) 8 Uf 89
☆ Candamo, Cueva de 6 Tf 88
▲ Candán, Alto de 15 Re 93
▲ Candán, Serra de 15 Re 93
Cándana de Curueño, La (Leó) 19 Ud 92
Candanal (Ast) 7 Uc 88
Candanchú (Hues) 26 Zc 92
Candanedo de Boñar (Leó) 19 Ud 92 ⊠ 24152
Candanedo de Fenar (Leó) 19 Uc 92 ⊠ 24648
▲ Candanosa 17 Tb 91
Candás (Ast) 7 Ub 87 ⊠ 33430
Candás (Our) 33 Sa 96
Candasnos (Hues) 63 Aa 100 ⊠ 22591
Candeda (Our) 34 Ta 94
Candeda (Our) 34 Sf 95
Candedo (Our) 34 Sd 95
Candelaria (Ten) 173 E 3 ⊠ *38509
≈ Candelaria, Embalse (Palm) 174 B 2
Candelario (Sal) 87 Ub 106 ⊠ 37710
▲ Candelario, Sierra de 87 Ub 107
Candelario Centeno, Cortijo de (Sev) 135 Uc 121
Candeleda (Ávi) 87 Ue 108 ⊠ 05480
▲ Candeleros, Los 39 Vf 97
Candell (Gir) 49 Da 96
Candemuela (Leó) 18 Tf 91 ⊠ 24144
Candiá (Lug) 4 Sb 88
Cándia (Lug) 4 Sd 88
Candieira (Lug) 4 Sa 88
▲ Candieira, Punta 3 Rf 86
▲ Candil 127 Yc 118
Candilichera (Sor) 59 Xe 98 ⊠ 42134
Candin (Leó) 17 Tb 92 ⊠ 24433
▲ Cando, Serra do 15 Rd 94
Candón (Huel) 147 Tb 124
Cañeda (Can) 21 Vf 90 ⊠ 39491
Canedo (Cor) 3 Sa 89
Cañedo (Can) 10 Wc 89 ⊠ 39806
≈ Cañedo, Rivera de 54 Ua 102
Canejan (Lle) 28 Ae 91 ⊠ 25548
Canela (Huel) 146 Sd 125
≈ Canelles, Embalse/Pantà de 44 Ad 97
≈ Canelles, Pantano de 44 Ad 96
Canelles de Segre (Lle) 46 Bc 95
Canena (Jaé) 138 Wd 120 ⊠ 23420
Canencia (Mad) 75 Wb 103
▲ Canencia, Puerto de 75 Wb 103
Canero (Ast) 6 Td 87 ⊠ 33787
▲ Canes, Coll de 48 Cc 95
Can Escanden (Bal) 99 Da 109
Ca N'Escriva (Bal) 99 Da 112
Can Espina (Bal) 99 Db 112
Ca N'Esteve (Bal) 99 Db 112
▲ Canet, Platja de 95 Ze 110
Canet d'Adri (Gir) 48 Ce 96 ⊠ 17199
Canet de Fals (Bar) 47 Be 98
Canet de Mar (Bar) 66 Cd 99 ⊠ 08360
Canet d'En Berenguer (Val) 95 Ze 110 ⊠ 46529
Canet de Verges (Gir) 49 Da 96 ⊠ 17134
Cañete (Tol) 89 Wa 109
Cañete (Cue) 93 Yc 108 ⊠ 16300
Cañete de las Torres (Córd) 137 Ve 121 ⊠ 14660
▲ Cañetejo 136 Vc 122
≈ Cañetejo de, Arroyo de 137 Ve 121
Cañete la Real (Mál) 158 Uf 127 ⊠ *29340
Canet lo Roig (Cas) 80 Ab 105 ⊠ 12350
Caneto (Hues) 45 Ab 95
Can Ferrera (Bal) 97 Bc 116
Can Ferrer de la Cogullada (Tar) 65 Bc 101 ⊠ 43812
Can Font (Bar) 47 Bf 98
Can Font (Gir) 48 Cd 96 ⊠ 17811
Can Fontimarc (Bar) 65 Bf 99
Can Forn de Calç (Bal) 97 Bc 114
Can Fornet (Bal) 97 Bc 115
Canfranc (Hues) 26 Zc 92 ⊠ *22880
Canfranc-Estación (Hues) 26 Zc 92
Can Frankoli (Bal) 97 Bc 114
Can Gabriela (Bal) 99 Cf 112
Cangajos, Los (Ten) 171 C 3
Cangas (Lug) 4 Se 87
Cangas (Pon) 32 Rb 95 ⊠ 36940
Cangas del Narcea (Ast) 5 Tc 89
Cangas de Onís (Ast) 7 Uf 88
Can Gelat (Bal) 99 Db 112
Can Gorra (Bal) 97 Bb 114
▲ Cangrejito, Punta del (Palm) 175 E 3
▲ Cangrejo, Playa del (Ten) 172 C 3
☆ Cangrejos, Los (Ten) 173 C 2
Cangues d'Onis (Ast) 7 Uf 88
Can Guilló (Bal) 99 Da 109
Caniás (Hues) 26 Zc 93
Cañicera (Sor) 58 Wf 100 ⊠ 42315
Cañicosa (Seg) 57 Wb 102 ⊠ 40163
Canicosa de la Sierra (Bur) 40 Wf 97 ⊠ 09692
Canicouva (Pon) 32 Rc 94
Cañidanos (Bur) 22 Wd 92
Canido (Pon) 32 Rb 95 ⊠ 36390
▲ Canido, Praia de 32 Rb 95
Cañigral, El (Ter) 93 Yd 107 ⊠ 44123
Caniles (Gra) 153 Xb 124 ⊠ 18810
Caniles (Jaé) 138 Wc 121
▲ Canilla, Puntal de la 152 We 126
Canillas (Mad) 75 Wc 106
Canillas de Abajo (Sal) 71 Ua 103 ⊠ 37448
Canillas de Aceituno (Mál) 160 Vf 127 ⊠ 29716
Canillas de Albaida (Mál) 160 Wa 127 ⊠ 29755
Canillas de Esgueva (Vall) 56 Vf 98 ⊠ 47185
Canillas de Río Tuerto (Rio) 40 Xa 94
Canillas de Torneros (Sal) 71 Ua 103
Canillejas (Sal) 71 Ua 103 ⊠ 37448
Canillejas (Mad) 75 Wc 106
Canillo (AND) 29 Bd 93
Canís, el = Alcanís (Lle) 44 Ad 98
Cañiza, A (Pon) 33 Re 95 ⊠ 36880
Cañizal (Zam) 55 Ud 102 ⊠ 49440
Cañizal de Rueda (Leó) 19 Ud 93 ⊠ 24165
Cañizar (Gua) 76 Wf 104 ⊠ 19197
Cañizar, El (Cue) 93 Yb 109
Cañizar de Amaya (Bur) 21 Ve 93 ⊠ 09135
Cañizar del Olivar (Ter) 79 Zc 104 ⊠ 44707
Cañizares (Cue) 77 Xe 105 ⊠ 16891
Cañizares (Gua) 77 Ya 103
Cañizo (Zam) 36 Uc 98
▲ Canizo, Alto do 34 Sf 96
Canizo, O (Our) 34 Sf 96 ⊠ 32548
▲ Canizo, Serra do 34 Sf 96
Canjáyar (Alm) 162 Xb 126
Can Joan (Bal) 97 Bb 114
Can Joan des Murtar (Bal) 97 Bd 114
Can Joan d'es Plá (Bal) 97 Bd 114
Can Jombo (Bar) 65 Bd 100
Can Jordi (Bal) 99 Da 112
Can Josepetes (Bal) 97 Bc 114
Can Llay (Bal) 97 Bc 114
Ca'n Malacosta (Bal) 97 Bc 115
Can Marcet (Bar) 65 Be 99
Can Mas (Bar) 66 Cb 99
☆ Can Masià, Torre de 66 Cd 99
Can Melia (Bal) 99 Da 109
Can Micalet (Bal) 97 Bd 116
Can Miguel d'es Pouet (Bal) 97 Bd 114
Can Miquel des Recó (Bal) 97 Bc 114
Can N'Alou Vell (Bal) 99 Db 112
Can Negret (Bal) 97 Bd 114
Cano (Jaé) 138 Wd 122
Caño (Ast) 7 Uf 89
Caño Guerrero (Huel) 156 Tc 127
▲ Cañojales, Los 135 Uc 120
▲ Cañoneras 10 Wd 90
Canonja, la (Tar) 64 Bb 102 ⊠ 43110
▲ Canonja, Platja de la 64 Bb 102
Canor (Ali) 129 Aa 116 ⊠ 03720
Canos (Sor) 41 Xe 98 ⊠ 42180
Canós, el (Lle) 46 Bb 98
Canos, Los (Alm) 153 Xa 126
Caños, Los (Huel) 147 Tc 124
Caños, Los (Mur) 142 Za 123
Canosa (Cor) 14 Qe 91
Caños de Meca, Los (Cád) 164 Tf 131 ⊠ 11159
▲ Caños de Meca, Playa de los 164 Tf 131
Canova de Morell (Bal) 99 Db 110
Cánovas (Mur) 142 Ye 122
Cánovas, Cortijo de los (Gra) 139 Xc 121
Canovelles (Bar) 66 Cb 99 ⊠ 08420
Cànoves (Bar) 48 Cc 98
Cànoves i Samalús (Bar) 48 Cc 98
Can Paixano (Bar) 65 Bd 99
☆ Can Pallot 47 Bf 97
Can Pastilla (Bal) 98 Ce 111 ⊠ 07610
Can Pep d'es Cucons (Bal) 97 Bc 114
Can Pep Mari (Bal) 97 Bd 114
Can Picafort (Bal) 99 Db 110
Can Plate (Bal) 97 Bc 116
Can Plaza (Tar) 65 Bc 99
Can Pol (Bal) 99 Da 110
Can Polit (Bal) 99 Da 111
Can Portes (Bal) 97 Bb 115
Can Rampuixa (Bal) 97 Bc 116
Can Recó (Bal) 97 Bc 114
Can Reconada (Bal) 97 Bc 114
Canredondo (Gua) 76 Xd 104 ⊠ 19431
Canredondo de la Sierra (Sor) 41 Xc 97 ⊠ 42153
Can Refila (Bal) 99 Db 111
Can Refila (Bal) 99 Db 110
Can Rei (Bal) 98 Cf 111
Ca'n Ribas (Bal) 99 Da 109
Can Roca (Bal) 98 Ce 112
Can Roig (Bal) 99 Da 109
Can Ros (Bal) 97 Bc 114
Can Rosell (Bar) 65 Be 100
Can Roses (Bar) 66 Ca 99
Cans (Pon) 32 Rc 96 ⊠ 36411
Can Sabater (Bal) 99 Db 112
Can Salvà (Bar) 48 Cd 98
Can Salvador (Bal) 97 Bc 114
Can Salvos (Bal) 97 Bc 115
Can Sanç de Mar (Bar) 66 Cd 99
Canseco (Leó) 19 Uc 91 ⊠ 24838
Can Senyora Lluc (Bal) 97 Bc 115
Can Serra (Bal) 97 Bc 115
Can Serra (Bal) 99 Da 110
Cansinas, Cortijo Las (Các) 86 Ua 109
Cansino, Cortijo (Jaé) 137 Vf 121
Cansinos, Los (Córd) 136 Vc 121 ⊠ 14610
Can Sogas (Bar) 65 Bd 100
Can Soler de Roset (Bar) 65 Bd 1
Can Sopa (Bal) 99 Db 111
Cantabrana (Bur) 22 Wd 92 ⊠ 09593
▲ Cantábrica, Cornisa 5 Ta 87
≈ Cantábrico, Mar 8 Va 86
▲ Cantadal, Playa del (Ten) 173 C
Cantaelgallo (Mur) 142 Yf 119
≈ Cantaelgallo, Arroyo de 89 Vf 10
Canta el Gallo, Cortijo (Bad) 120 Ub 118
Cantagallo (Sal) 86 Ub 106 ⊠ 37716
Cantal, El (Alm) 154 Xe 123 ⊠ 04825
▲ Cantal, Sierra del 155 Yc 123
Cantalapiedra (Sal) 55 Ue 102 ⊠ 37400
Cantalar (Jaé) 125 Xc 118
Cantalar, Cortijo del (Jaé) 139 Xa 121
Cantalejo (Seg) 57 Wa 101 ⊠ 40320
Cantalejos (Sev) 150 Uf 125
Cantalgallo (Bad) 134 Tf 119
Cantallops (Gir) 31 Cf 94 ⊠ 17708
Cantallops (Bar) 65 Be 100
▲ Cantallops 64 Bb 99
Cantalobos (Hues) 44 Ze 98 ⊠ 22216
Cantalojas (Gua) 58 We 101 ⊠ 19275
Cantalpino (Sal) 72 Ue 102 ⊠ 37405
Cantalucía (Sor) 58 Xa 98
Cantar, El (Mur) 155 Yd 123
Cantaracillo (Sal) 72 Uf 103 ⊠ 37319
Cantarero, Cortijo de (Córd) 137 Vd 121
Cantarero, Cortijo de (Jaé) 137 Ve 122
Cantareros, Los (Mur) 142 Yd 122 ⊠ 30858
▲ Cantares, Barranco de 42 Ya 96
Cantariján, Cortijada (Gra) 160 Wb 128
Cantarilla, Cortijo de (Gra) 161 Wf 127
Cantarinas (Sal) 70 Tc 105
Cántaro Alto, El (Alm) 154 Xc 125
Cántaro Bajo, El (Alm) 154 Xc 125
Cantarranas (Sal) 71 Td 105
Cantavieja (Ter) 80 Zd 105 ⊠ 4414
≈ Cantavieja, Rambla de 80 Zd 105
Canteiros (Cor) 3 Re 87 ⊠ 15541
▲ Cantera, Islote de La = Plana o de Nova Tabarca, Illa 143 Zd 120
Cantera, La (Sev) 150 Va 125
Cantera, La (Sev) 135 Ub 122
Cantera, La (Vall) 55 Uf 101
Cantera Blanca (Jaé) 151 Wa 124
Canteras (Gra) 152 Wc 125
Canteras (Mur) 142 Yf 120
Canteras (Mur) 142 Yf 123
▲ Canteras 140 Xe 122
▲ Canteras 110 Xd 112
Canteras, Cortijo Las (Các) 105 Ua 111
Canteras, Las (Gra) 153 Xc 124
▲ Canteras, Las 135 Ub 119
▲ Canteras, Playa de las (Palm) 174 D 2
▲ Canteria, Playa de la (Palm) 176 D 2
Cantillana (Sev) 149 Ub 123 ⊠ 41320
≈ Cantillana, Embalse de 149 Ub 123
Cantimpalos (Seg) 74 Ve 102 ⊠ 40360
Cantiveros (Ávi) 73 Va 103 ⊠ 0521
▲ Cantó, Coll del 29 Bb 94
Cantoblanco (Alb) 112 Ye 113 ⊠ 02214
▲ Cantoblanco 23 Xa 92

Canto Blanco, Cortijo de (Ciu) 123 Wa 117
☆Canto del Pico, Palacio 74 Wa 105
▲Canto Hincado 41 Xc 96
Cantón (Mur) 128 Za 119
▲Cantona 163 Xf 126
Cantonigròs (Bar) 48 Cc 96
Can Toni Yuca (Bal) 97 Bd 114
Cantoral de la Peña (Pal) 20 Vc 92 ✉34859
Cantoria (Alm) 154 Xe 124 ✉04850
▲Cantos, Corral de 107 Vd 111
Cantos, Los (Mur) 140 Xf 119
Cantos, Los (Cas) 94 Zc 108 ✉12428
▲Cantos Blancos 121 Uf 117
▲Cantos Negros 107 Va 113
Can Tranxinet (Gir) 49 Cf 98
Canturrona, La (Cád) 157 Ub 128
Cantusal, El (Pal) 38 Vd 95
Cañuelas (Mur) 142 Yd 122
▲Cañuelo 121 Ue 117
Cañuelo, El (Alm) 162 Xb 128
Cañuelo, El (Mál) 160 Vf 127 ✉29790
Cañuelo, El (Sev) 150 Va 126
Cañuelo, El (Sev) 134 Te 122
▲Cañuelo, El 39 Vf 97
Cañuelo, El (Cas) 94 Zd 108
Canuta, la (Ali) 129 Aa 117 ✉03710
≈Canutells, Cala (Bal) 96 Eb 109
Canutells, Es (Bal) 96 Eb 109
Canuto, Caserío de (Nav) 25 Yc 94
▲Canuto Largo 165 Ud 129
Can Varineta (Bal) 98 Ce 111
Can Vent (Bal) 99 Cf 112
Can Veny (Bal) 99 Da 111
Can Vicenç de la Serra (Bal) 97 Bc 114
Can Vicenç des Cocons (Bal) 97 Bb 114
Can Vicenç des Racó (Bal) 97 Bc 114
Can Vidal (Bar) 47 Bf 97 ✉08692
Can Visent Font (Bal) 97 Bc 115
Can Xiu (Bal) 99 Cf 111
Canya, la (Gir) 48 Cd 95
Canyada, la (Ali) 128 Zc 118
Canyada dels Pins, la (Val) 113 Zd 111
Canyada Roja, la (Ali) 128 Za 118
Canyades d'en Cirus (Ali) 128 Za 118
Canyamars (Bar) 66 Cc 99 ✉08318
Canyamel (Bal) 99 Dc 111 ✉07589
≈Canyamel, Cala (Bal) 99 Dc 111
☆Canyamel, Torre de (Bal) 99 Dc 110
Canyar, Es (Bal) 97 Bd 114
Canyelles (Gir) 49 Db 95
Canyelles (Gir) 49 Cf 98
Canyelles (Bar) 65 Be 101 ✉08811
≈Canyelles, Cala 49 Db 95
▲Canyelles, Platja de 49 Cf 98
Canyet, el (Bal) 66 Cb 100
▲Canyet, Platja de 49 Cf 98
Canyet de Mar (Gir) 49 Cf 98 ✉17246
≈Canyoles, Riu 128 Zc 115
Canzana (Ast) 7 Uc 89 ✉33987
Canzobre (Cor) 3 Rd 89 ✉15143
Capafons = Capafonts (Tar) 64 Ba 101
Capafonts (Tar) 64 Ba 101 ✉43364
Capagna, La (Palm) 176 A4
Caparacena (Gra) 152 Wb 125 ✉18290
☆Caparra, Castillo de 86 Tf 108
Caparroses, Los (Alm) 155 Yb 124
Caparroso (Nav) 42 Yc 94 ✉31380
▲Cap Blanc (Bal) 97 Bc 114
▲Cap Blanc (Bal) 98 Ce 112
Capçanes (Tar) 64 Ae 102 ✉43776
Capdellà, Es (Bal) 98 Cc 111
Cap del Terme (Cas) 80 Ze 106
Cap d'en Font (Bal) 96 Eb 110 ✉07711
Capdepera (Bal) 99 Dc 110 ✉07580
☆Capdepera, Castell de (Bal) 99 Dc 110
▲Capdepera, Punta de (Bal) 99 Dc 110
Capdesaso (Hues) 44 Ze 97 ✉22212
Capela, A (Cor) 3 Rf 88
▲Capelada, Serra da 3 Sa 86
Capella (Hues) 44 Ac 95 ✉22480
☆Capella 47 Bf 96
Capellades (Bar) 65 Be 99 ✉08786
Capellán, Cortijo del (Jaé) 139 We 122
≈Capellanes, Laguna de los 110 Xc 111
Capellanía (Mur) 140 Xf 121
Capellanía (Jaé) 139 Xb 119
Capellanía, Cortijo de la (Alm) 155 Ya 125
Capellanía, Cortijo de la (Alb) 140 Xe 119
Capellanía, La (Ten) 171 B2
Capellanías, Las (Sev) 150 Uf 126
▲Capellanías, Las 120 Ub 119
≈Capellas, Ses (Bal) 96 De 108
Capicorb (Cas) 96 Ab 107
▲Capifort (Bal) 96 Eb 109
▲Capifort, Platja de (Bal) 96 Eb 109
Capileira (Gra) 161 Wd 127 ✉18413
Capilla (Bad) 121 Uf 116 ✉06612
▲Capilla, Cerro 122 Vb 117
Capilla, Cortijo de (Ciu) 124 Wd 115
Capilla, Cortijo de la (Jaé) 139 Wf 119
▲Capilla, La 127 Yf 118
☆Capilla Residencia 24 Xe 92
Capillas (Pal) 37 Va 96 ✉34305
Capillones, Caserío Los (Các) 86 Te 109
Capisol, Cortijada de (Jaé) 137 Wa 121
Cápita, Cortijo de (Cád) 157 Tf 127
Capitán (Jaé) 139 Xa 119
Capitán, Cortijos del (Alm) 153 Xa 126
Capitán, El (Mál) 160 Vf 128
▲Capitana, La 135 Uc 119
▲Cap Major 28 Ba 93
Capmany (Gir) 31 Cf 94 ✉17750
Cap Negret (Bal) 97 Bb 115 ✉07819
Capolat (Bar) 47 Be 96 ✉08619
Capones (Jaé) 138 Wc 120
Caporocoró Vell (Bal) 98 Ce 112
▲Capote, Cerro del 92 Xd 107
Capote, Cortijo de (Bad) 119 Tc 115
Caprala (Ali) 128 Zb 117 ✉03610
Caprés (Mur) 142 Yf 119
Capricho, Cortijo del (Gra) 153 Xb 124
Capricho, El (Gra) 161 Wb 128
Capricho, El (Sev) 148 Tf 124
▲Capsacosta, Coll de 48 Cc 95
Capsadas (Ali) 128 Aa 116
Capsanes = Capçanes (Tar) 64 Ae 102
Capsec (Gir) 48 Cc 95 ✉17858
Captivadors, els (Ali) 129 Zf 117
Capuchina Nueva, Cortijo de la (Mál) 150 Vc 125
▲Caraba, Sierra de la 103 Sf 113
≈Carabán, Río 60 Ya 100
Carabaña (Mad) 90 We 107 ✉28560
Carabanchel (Mad) 90 Wb 106
▲Carabassa, Cap de sa (Bal) 98 Cf 114
▲Carabassa, la 29 Be 94
Carabias (Seg) 57 Wb 100 ✉40540
Carabias (Gua) 76 Xb 102 ✉19266
Carabinera, Cortijo La (Alm) 154 Ya 126
Caracena (Sor) 58 Wf 100 ✉42311
≈Caracena, Río 58 Wf 100
Caracena del Valle (Cue) 91 Xc 108
Caracenilla (Cue) 91 Xc 108 ✉16540
▲Caracol (Palm) 175 D4
Caracol, El (Palm) 174 D3 ✉35215
Caracolero, El (Mur) 142 Yf 121
Caracolillo, Cortijo del (Sev) 149 Uc 125
Caracuel (Ciu) 108 Vf 113
▲Caracuel, Puerto del 108 Wa 112
Caracuel de Calatrava (Ciu) 123 Vf 115 ✉13191
Caragol, Es (Bal) 96 Df 108
▲Caragols, Lloma dels 128 Zb 116
≈Caramel o del Alcaide, Río 140 Xe 122
Carande (Leó) 20 Uf 91 ✉24918
Caranga (Ast) 6 Tf 89 ✉33114
Carangas (Ast) 7 Ue 89
Carantoña (Cor) 2 Qf 90
▲Carants, Tuc des 28 Af 93
▲Caras, Loma de las 127 Yc 116
Carasa (Can) 10 Wd 88 ✉39762
Carataunas (Gra) 161 Wd 127 ✉18410
≈Caravaca, Cañada de 140 Xd 122
Caravaca de la Cruz (Mur) 141 Ya 120 ✉30400
Caravia (Ast) 7 Ue 88
Cara Vinagre (Lle) 46 Bc 97
Carazo (Bur) 40 Wd 97 ✉09611
▲Carazo, Sierra del 71 Td 105
Carazuelo (Sor) 59 Xe 98 ✉42134
▲Carba, Serra da 4 Sb 88
Carbajal de Fuentes (Leó) 37 Ud 95 ✉24206
Carbajal de la Legua (Leó) 19 Uc 93 ✉24196
Carbajal de Rueda (Leó) 19 Ue 92 ✉24161
Carbajales (Sal) 85 Tb 107
Carbajales de Alba (Zam) 54 Tf 99 ✉49160
Carbajalinos (Zam) 35 Td 96 ✉49324
Carbajo (Các) 103 Se 111 ✉10511
Carbajosa (Leó) 19 Ud 93 ✉24195
Carbajosa (Zam) 54 Tf 99 ✉49166
Carbajosa de Armuña (Sal) 72 Uc 102 ✉37798
Carbajosa de la Sagrada (Sal) 72 Uc 103 ✉37188
Carballa, A (Pon) 14 Rc 94
Carballal (Cor) 2 Ra 89
Carballal (Lug) 4 Sd 89
Carballal (Cor) 15 Rd 91
Carballal (Cor) 15 Re 90
Carballal (Pon) 32 Rc 95
Carballal (Our) 34 Sf 94
▲Carballal 34 Sf 96
≈Carballas 15 Rd 91
Carballeda (Pon) 15 Rf 92
Carballeda (Our) 35 Ta 94
Carballeda de Avia (Our) 33 Re 95 ✉32413
Carballeda de Valdeorras (Our) 17 Ta 94 ✉32336
Carballedo (Lug) 16 Sb 93
Carballido (Lug) 4 Sc 89
Carballido (Lug) 5 Sf 89
Carballido (Lug) 16 Sd 90
Carballino, O (Our) 15 Rf 94
Carballo (Cor) 2 Rb 89
Carballo (Lug) 16 Sa 90
Carballo (Ast) 18 Td 90 ✉33817
Carballo (Our) 33 Sa 96
▲Carbas, Sierra de las 36 Ua 98
Carbasí (Bar) 65 Bc 99
Carbayal (Ast) 6 Ua 88
Carbayal, El (Ast) 7 Uc 89
☆Carbayo, Capilla de 7 Ub 89
Carbellino (Zam) 54 Tf 101 ✉49211
Carbes (Ast) 8 Uf 89 ✉33558
Carbia (Pon) 15 Re 92 ✉36582
≈Carbò, Cala (Bal) 97 Bb 115
Carbó, El (Cas) 95 Zd 107
Carboal (Cor) 14 Qf 91 ✉15151
Carboeiro (Pon) 15 Re 92 ✉36546
Carboentes (Pon) 15 Sa 93 ✉36511
▲Carbón (Palm) 175 D3
Carbonales, Cortijo de (Gra) 152 Wd 125
Carbonera (Ali) 129 Zf 117 ✉03580
▲Carbonera 109 Wc 111
Carbonera (Pal) 20 Vb 93 ✉34117
Carbonera (Rio) 41 Xe 95 ✉26588
▲Carbonera 93 Yd 106
▲Carbonera, La 39 Vf 97
☆Carbonera, Mirador La (Ten) 172 B2
≈Carbonera, Rambla 95 Zf 107
Carbonera de Frentes (Sor) 59 Xc 98 ✉42190
▲Carboneras 165 Ud 131
Carboneras (Alm) 163 Ya 127
Carboneras (Alm) 153 Xc 125
Carboneras (Huel) 133 Tc 121 ✉21208
Carboneras (Alb) 125 Xd 117
Carboneras (Sor) 42 Ya 97
▲Carboneras, Cerro de 125 Xc 117
≈Carboneras, Laguba de las 123 Wa 116
Carboneras, Las (Ten) 173 F2 ✉38294
Carboneras, Las (Bad) 119 Ta 115
Carboneras, Las (Các) 105 Ub 112
Carboneras, Las (Các) 86 Ua 109
▲Carboneras, Playa de 163 Ya 126
≈Carboneras, Río 163 Ya 127
Carboneras de Guadazaón (Cue) 92 Yb 109 ✉16350
▲Carbonero, El 59 Xf 100
Carbonero de Ahusín (Seg) 74 Ve 102
Carbonero el Mayor (Seg) 56 Ve 102 ✉40270
Carboneros (Jaé) 138 Wc 119 ✉23211
Carboneros, Cortijo (Jaé) 152 Wb 123
Carboneros, Cortijo de (Alm) 140 Xe 122
Carboneros, Cortijo de los (Ciu) 125 Xa 117
Carbonils (Gir) 31 Ce 94
Carcaboso (Các) 86 Te 108 ✉10670
Carcabuey (Córd) 151 Ve 124 ✉14810
Carcagente = Carcaixent (Val) 114 Zd 114
Carcaixent (Val) 114 Zd 114 ✉46740
Carcajal, Cortijo del (Gra) 153 Xa 124
Cárcamo (Ála) 22 Wf 91
Carcamo, Caserío El (Gra) 151 Vf 125
Cárcar (Nav) 42 Ya 94
▲Carcas, Plana de 43 Yf 97
Carcastillo (Nav) 42 Yd 94 ✉31310
Carcauz (Alm) 162 Xb 127
Carcedo (Ast) 6 Td 88
Carcedo de Bureba (Bur) 22 Wd 93 ✉09592
Carcedo de Burgos (Bur) 39 Wc 95 ✉09193
Carcelén (Alb) 112 Ye 114
▲Carcelén, Muela de 112 Ye 114
Cárceles, Los (Alb) 112 Yc 112
Cárcer (Val) 113 Zc 114 ✉46294
▲Carche 127 Yf 118
Carche, El (Mur) 127 Ye 118
▲Carche, Sierra del 127 Ye 118
Cárchel (Jaé) 138 Wc 123
Carchelejo (Jaé) 152 Wc 123 ✉23192
Cárcheles (Jaé) 152 Wc 123
Carchena (Córd) 150 Vc 123 ✉14840
Carchena (Sev) 148 Tf 125 ✉41100
Carchuna (Gra) 161 Wd 128 ✉18730
Carcoá (Our) 33 Sc 97
Cárcoba, La (Can) 9 Wb 89
Carda (Ast) 7 Ud 88 ✉33316
Cardador, Cortijo del (Gra) 151 Vf 126
▲Cardal 153 Wf 125
Cardales, Cortijo de los (Sev) 135 Ub 121
Cardama (Cor) 15 Rd 91 ✉15688
Cardaño de Abajo (Pal) 20 Vb 91 ✉34888
Cardaño de Arriba (Pal) 20 Vb 91 ✉34888
Cardeal, Cortijo del (Ciu) 123 Wa 118
Cardedeu (Bar) 66 Cc 99 ✉08440
Cardejón (Sor) 59 Xf 99 ✉42138
▲Cardelina 42 Yc 97
≈Cardelle 15 Re 94
Cardeña (Córd) 137 Ve 119 ✉14445
≈Cárdena, Embalse de 35 Tb 96
Cardeñadijo (Bur) 39 Wb 95 ✉09194
Cardeñajimeno (Bur) 39 Wc 95 ✉09193
Cardenal (Ávi) 87 Ud 106
Cardeñas (Huel) 147 Ta 125
Cárdenas (Rio) 40 Xb 94
Cárdenas, Cortijo de las (Sev) 135 Uc 121
≈Cárdenas, Río 40 Xb 94
Cardenchosa, La (Bad) 135 Uc 119 ✉06929
Cardenchosa, La (Córd) 135 Ud 120
≈Cardener, el 47 Be 98
Cardenete (Cue) 93 Yb 110 ✉16373
Cardeñosa (Gua) 58 Xa 102 ✉19269
Cardeñosa (Ávi) 73 Vb 104 ✉05320
Cardeñosa de Volpejera (Pal) 38 Vb 95 ✉34309
Cardeñuela-Ríopico (Bur) 39 Wc 94
Cardes (Ast) 8 Uf 88
Cardet (Lle) 28 Ae 93 ✉25526
☆Cardete, Castillo El 125 Xb 118
Cardiel (Hues) 63 Ab 100
Cardiel, El (Vall) 56 Vb 100
Cardiel de los Montes (Tol) 88 Vc 108 ✉45642
Cardigonde (Pon) 15 Re 93
Cardiles (Gra) 139 Xb 122
Cardó (Tar) 80 Ad 103
▲Cardó, Serra de 80 Ad 103
Cardón (Ten) 171 B3
Cardón (Palm) 175 D4
▲Cardón, Playa del (Palm) 174 D4
Cardona (Bar) 47 Be 97 ✉08261
Cardona, Cortijo de (Sev) 148 Ua 123
▲Cardonal, Punta del (Palm) 174 B2
Cardones (Palm) 174 C2 ✉35415
▲Cardones, Playa de los (Ten) 173 C2
Cardos, Cortijo de (Alb) 125 Xc 117
Cardosa, la (Lle) 46 Bb 98 ✉25218
Cardosas, Las (Bad) 134 Tf 119
Cardoso, Cortijo del (Các) 86 Tf 110
Cardoso de la Sierra, El (Gua) 75 Wd 102 ✉28190
Caregue (Lle) 28 Ba 94 ✉25594
≈Caregue, Riu de 28 Ba 93
Caregüela (Gra) 153 Wf 123
Carelle (Cor) 15 Rf 90
Carenas (Zar) 60 Yb 101 ✉50212
Careñes (Ast) 7 Ud 87 ✉33314
▲Careón, Serra de 15 Sa 91
☆Cares, Desfiladero del 8 Vb 89
≈Cares, Río 8 Va 89
Carga del Camello (Palm) 175 D4
☆Caridad, Ermita de 92 Xd 107
Caridad, La (Ten) 172 D3 ✉38340
Caridad, La (Ast) 5 Tb 87 ✉33750
Carihuela, La (Mál) 159 Vd 129
Carija, Cortijo de (Cád) 157 Ub 127
Cariñena (Zar) 61 Ye 100 ✉50400
▲Cariñena, Campo de 61 Ye 100
Cariño (Cor) 4 Sa 86 ✉15360
Carlangas (Ast) 6 Td 87 ✉33787
☆Carles, Castell de 80 Ac 103
Carlet (Val) 113 Zc 113 ✉46240
☆Carlomagno, Silo de 25 Ye 90
Carlos, Los (Gra) 161 Wd 128 ✉18614
☆Carlos, Palacio de 42 Yc 96
☆Carlos V, Parador Nacional 87 Uc 108
Carlota, La (Córd) 136 Va 122 ✉14100
Carme (Bar) 65 Bd 99 ✉08787
☆Carme, El 29 Bd 94
Carmeldo (Sal) 72 Uc 104
☆Carmen, Central del 41 Xd 94
☆Carmen, Convento del 57 Wd 98
☆Carmen, Convento del 76 Xa 106
Carmen, Cortijo del (Córd) 137 Vd 121
Carmen, El (Cue) 111 Xf 113
Carmen, El (Ast) 7 Ub 89
☆Carmen, Ermita del 7 Ub 87
☆Carmen, Ermita del 8 Vd 89
☆Carmen, Ermita del 20 Vc 93
☆Carmen, Ermita del 21 Ve 90
☆Carmen, Ermita del 37 Uf 95
☆Carmen, Monestir del 95 Ze 109
Carmena (Tol) 89 Vd 109 ✉45531
Cármenes (Leó) 19 Uc 91
▲Cármenes, Collada de 19 Uc 91
Carmona (Sev) 149 Uc 124 ✉41410
Carmona (Can) 9 Vd 89 ✉39558
Carmonilla (Các) 105 Ub 111
Carmonita (Bad) 104 Td 114 ✉06488
Carne, Cortijo de la (Alm) 154 Xe 123
Carneriles, Los (Bad) 120 Tf 116
Carnero (Sal) 71 Ua 103 ✉37440
▲Carnero, El 104 Tc 114
▲Carnero, Punta del 165 Ud 132
▲Carneros, Puerto de los 106 Uf 114
Carnes (Cor) 2 Qf 90
Carnoedo (Cor) 3 Re 88 ✉15169
Carnota (Cor) 14 Qf 92
▲Carnota, Praia de 14 Qf 92
Caroi (Pon) 15 Rd 94
▲Caroig 113 Za 114
Carolina, La (Jaé) 138 Wc 119 ✉23200
Carpio (Vall) 55 Uf 101 ✉47470
Carpio, El (Córd) 137 Vc 121 ✉14620
Carpio, El (Huel) 133 Ta 122
Carpio-Bernardo (Sal) 72 Uc 103
Carpio de Azaba (Sal) 70 Tc 105 ✉37497
Carpio de Tajo, El (Tol) 88 Vd 109 ✉45533
Carpio Medianero (Ávi) 72 Ud 105 ✉05151
Carraca, Cortijo de la (Jaé) 152 Wa 124
Carraca, La (Sev) 148 Te 124
Carracedelo (Leó) 17 Tb 93 ✉24549
Carracedo (Pon) 14 Rc 93
Carracedo (Zam) 36 Tf 96
Carracedo del Monasterio (Leó) 17 Tb 93
Carracido (Pon) 32 Rc 95 ✉36415
≈Carraixet o Olocau, Barranc de 113 Zc 111
Carral (Cor) 3 Rd 89
≈Carral 3 Rc 89
▲Carrales, Puerto de 21 Wb 91
Carrallillos, Los (Palm) 174 D3
Carraluz (Ast) 19 Ub 90 ✉33629
Carramaiza (Gra) 153 Xb 123
▲Carramediana 55 Uf 99
Carrandi (Ast) 7 Ue 88 ✉33329
☆Carrànima, Ermita de 46 Ba 95
Carranque (Tol) 89 Wa 107 ✉45216
Carranza (Viz) 10 Wd 89 ✉48891
Carranza, Cortijo de (Gra) 140 Xc 121
Carraquillo, Cortijo del (Ciu) 124 We 117
▲Carrasca, Alto de la 153 We 125
Carrasca, La (Alm) 163 Ya 126
Carrasca, La (Córd) 151 Vf 124
Carrasca, La (Jaé) 151 Wa 123 ✉23614
Carrasca, La (Mur) 142 Ye 122
Carrasca, La (Val) 94 Yf 109 ✉46178
Carrasca de Albánchez, La (Alm) 154 Xc 125
Carrascal (Zam) 54 Ub 100 ✉49193
Carrascal (Sal) 54 Ua 102
Carrascal (Seg) 74 Vf 102
Carrascal, Cortijo (Bad) 119 Tc 117

Carrascal, Cortijo del (Các) 105 Ub 111
Carrascal, El (Cád) 157 Tf 128
Carrascal, El (Alb) 127 Ye 115
▲Carrascal, EL 111 Yb 111
▲Carrascal, El 78 Ye 102
Carrascal, el (Tar) 80 Ac 104
▲Carrascal, El 80 Zf 104
☆Carrascal, Ermita de 61 Za 102
▲Carrascal, Puerto del 24 Yc 92
▲Carrascal, Puerto del 78 Yd 103
Carrascal de Barregas (Sal) 72 Ub 103 ✉37129
Carrascal del Asno (Sal) 72 Ub 104 ✉37609
Carrascal del Obispo (Sal) 71 Ua 104 ✉37451
Carrascal del Río (Seg) 57 Wa 100
Carrascal de Pericalvo (Sal) 72 Ub 103 ✉37449
Carrascal de Sanchiricones (Sal) 71 Ua 104 ✉37453
Carrascal de Velambélez (Sal) 54 Ua 102
Carrascalejo (Mur) 141 Yb 120
Carrascalejo (Mur) 127 Yf 117
Carrascalejo (Các) 106 Ue 111 ✉10331
Carrascalejo (Ávi) 72 Ud 106 ✉05580
▲Carrascalejo 93 Ye 107
Carrascalejo, Cortijo (Sev) 148 Te 124
Carrascalejo, El (Bad) 104 Td 114
Carrascalejo, El (Vall) 37 Va 98
▲Carrascalejo, El 93 Ye 110
Carrascalejo de Huebra (Sal) 71 Tf 104 ✉37465
▲Carrascal II 54 Tf 100
Carrascalina (Sal) 71 Ua 102
Carrascalino (Sal) 71 Ua 104 ✉37170
▲Carrascar de Parcent, Serra del 129 Zf 116
Carrasco (Sal) 53 Td 102 ✉37217
▲Carrasco 88 Vb 109
▲Carrascón 79 Zc 106
Carrascos, Los (Mur) 155 Ya 123 ✉30393
Carrascosa (Alb) 125 Xc 118
Carrascosa (Cue) 77 Xf 105 ✉16879
Carrascosa, Cortijo de la (Sev) 149 Ua 126
Carrascosa de Abajo (Sor) 58 Wf 100 ✉42311
Carrascosa de Arriba (Sor) 58 Wf 100 ✉42344
Carrascosa de Haro (Cue) 110 Xc 111 ✉16649
Carrascosa de Henares (Gua) 76 Wf 103 ✉19247
Carrascosa de la Sierra (Sor) 41 Xe 97 ✉42180
Carrascosa del Campo (Cue) 91 Xb 108 ✉16555
Carrascosa de Tajo (Gua) 76 Xd 104 ✉19431
Carrascosilla (Cue) 91 Xc 107
▲Carrascoy, Sierra de 142 Ye 121
▲Carrascoy-El Valle, Parque Regional de 142 Ye 121
▲Carraspio, Playa de 11 Xd 88
Carraspite (Mál) 160 Vf 128 ✉29752
☆Carrasquedo, Ermita de 40 Wf 94
Carrasqueiras, As (Pon) 32 Rd 96
Carrasquero (Hues) 44 Ad 95
Carrasquet (Gir) 48 Cb 96
▲Carrasqueta, Port de la 128 Zd 117
Carrasquilla (Mur) 155 Yc 123
Carrasquilla (Mur) 141 Yb 120
Carrasquilla (Jaé) 137 Ve 121
▲Carrasquilla, Collado de la 92 Xd 108
Carrasquilla, Cortijo de (Córd) 137 Vd 121
Carrasquilla, La (Sev) 148 Ua 123
▲Carrasquilla, Sierre de la 155 Yc 124
☆Carrassumada 62 Ad 99
Carratraca (Mál) 159 Vb 127 ✉29551
Carraxo (Our) 34 Sc 96 ✉32622
Carrea (Ast) 6 Tf 90 ✉33111
≈Carregador, Es (Bal) 99 Dc 110
▲Carregador, Platja del 96 Ab 107
Carreira (Cor) 2 Ra 90
Carreiro (Pon) 14 Ra 94
Carrejo (Can) 9 Ve 89 ✉39592
Carreña (Ast) 8 Va 89
Carreño (Ast) 7 Ub 87
Carreño = Candás (Ast) 7 Ub 87
≈Carrera, Arroyo de la 76 Xd 103
Carrera, La (Ávi) 72 Ud 106
Carrera, La (Ávi) 87 Uc 106
Carrera de Otero, La (Leó) 18 Tf 93 ✉24711
Carreras, Las (Viz) 10 Wf 89 ✉48540
Carrer de Baix, el (Bar) 66 Cb 99
Carrer de Cal Rossell, el (Bar) 65 Be 100 ✉08775
Carreros (Sal) 71 Ua 103 ✉37130
Carretera (Lug) 5 Se 87
Carreteras de Abajo (Alb) 111 Xf 114
Carretero (Bad) 133 Tc 119
Carretero, Cortijo (Huel) 133 Sf 121
▲Carretero, Puerto de 152 Wc 123
Carreteros, Cortijo de los (Córd) 137 Vd 119
Carreu (Lle) 46 Ba 95 ✉25651
≈Carreu, Riu de 46 Ba 95
▲Carreu, Serra de 46 Ba 95
Carrias (Bur) 22 We 94 ✉09248
Carriazo (Can) 10 Wb 88
Carriches (Tol) 89 Vd 109 ✉45532
Carrícola (Val) 128 Zd 115 ✉46869
▲Carriedo, Valle de 9 Wa 89
Carril (Pon) 14 Rb 93
Carriles, Los (Ast) 8 Va 88
Carrillas, Cortijo Las (Jaé) 152 Wb 124
Carrillos, Los (Mur) 142 Ye 119 ✉30649
Carrio (Ast) 5 Tb 88
Carrio (Ast) 7 Ub 87
Carrío (Cor) 3 Re 89
☆Carrión, Ermita de 103 Sf 113
≈Carrión, Río 20 Vc 91
Carrión de Calatrava (Ciu) 123 Wb 114
Carrión de los Céspedes (Sev) 148 Te 124
Carrión de los Condes (Pal) 38 Vc 94
Carriones, Los (Gra) 139 Xb 122 ✉18818
Carrión y Dueñas de Medina (Vall) 55 Uf 101
Carris (Pon) 32 Re 95
Carritxo, El (Bal) 99 Db 112
Carrizal (Palm) 174 D 3
Carrizal (Leó) 18 Ua 92
Carrizal (Leó) 20 Va 92
▲Carrizal, El 43 Yd 98
▲Carrizal, Playa del (Ten) 172 B 4
Carrizalejo, El (Alm) 163 Xf 128
▲Carrizo (Palm) 174 B 2
▲Carrizo, El 57 Wa 101
Carrizo de la Ribera (Leó) 18 Ua 93 ✉24270
Carrizosa (Sev) 150 Va 124
Carrizosa (Ciu) 124 Xa 115 ✉13329
≈Carrizosa, Laguna de la 123 Ve 115
▲Carro 110 Xd 114
▲Carroceda, Sierra de 19 Ub 90
Carrocera (Leó) 19 Ub 92 ✉24123
☆Carrodilla, Ermita de la 45 Ab 96
▲Carrodilla, Sierra de 45 Ac 96
Carrona, Caserío La (Bad) 118 Ta 116
Carrona, Cortijo (Các) 105 Tf 111
≈Carros, Laguna de los 109 We 112
☆Carros, Museo de los 109 Wf 114
Carrús (Ali) 128 Zb 119
Cartagena (Mur) 142 Za 123 ✉*30201
Cartago (Vall) 55 Ue 100
Cartajima (Mál) 158 Uf 129 ✉29452
Cartaojal (Mál) 159 Vd 126 ✉29250
Cartea (Huel) 146 Sf 125
Carteire (Lug) 16 Sb 91 ✉27217
Cartella (Gir) 48 Ce 96 ✉17199
Cartelle (Our) 33 Rf 95
Cartelos (Lug) 16 Sa 93 ✉27527
Cartemil (Lug) 4 Sc 89
Cartes (Can) 9 Vf 89 ✉39311
Cartirana (Hues) 26 Zd 93 ✉22612
☆Cartlana, Castell de la 46 Af 97
☆Cartoixa de Portaceli 113 Zd 110
☆Cartoixa d'Escaladei 64 Ae 101
Cartuja, Cortijo de (Sev) 148 Tf 125
☆Cartuja, La (Bal) 98 Cd 110
Cartuja Baja (Zar) 61 Zb 99 ✉50720
Cartuja de Aula Dei (Zar) 43 Zb 98
Cartuja de Monegros (Hues) 44 Ze 98
☆Cartuja de Nuestra Señora de las Fuentes 44 Ze 98
Carucedo (Leó) 17 Tb 94 ✉24442
≈Carucedo, Lago de 17 Tb 94
Carvajal (Mál) 159 Vc 129
Carvajales, Los (Mál) 150 Vb 125
≈Casa, Arroyo de 132 Se 122
Casa Abajo (Mur) 140 Xe 120
Casa Aguaza (Alb) 127 Yd 116
Casa Aguilita (Ciu) 124 Wc 115
Casa Albarizas (Alb) 112 Yd 113
Casa Alberica (Alb) 125 Xc 115
Casa Alcachofeta (Ali) 142 Za 121
Casa Alcalde (Val) 113 Zc 113
Casa Ale (Val) 114 Zd 113
Casa Aliaga (Val) 113 Za 114
Casa Alta (Huel) 148 Td 123
Casa Alta (Mur) 140 Xc 120
Casa Alta (Rio) 41 Xd 94
Casa Alta (Tar) 80 Ac 103
Casa Alta, La (Córd) 135 Ud 119
Casa Antigua (Các) 105 Ua 114
Casa Antonia (Val) 113 Zb 113
Casa Aparicio (Alb) 127 Yd 115
Casa Apolinar (Tol) 108 Ve 111
Casa Asperilla (Tol) 90 Wd 110
Casa Ayala (Palm) 174 D 2
Casa Baja (Gra) 160 Wa 127
Casabajal, Cortijo de (Jaé) 138 Wd 121
Casa Balbino (Ciu) 124 Wf 115
Casa Balde (Ali) 128 Zd 117
Casa Balneario (Mur) 140 Xf 120
Casa Baños Termales (Ciu) 107 Vc 113
Casa Barraqué (Gir) 49 Cf 98
Casa Barreras (Ciu) 124 Wd 115
Casa Barzolema (Zam) 54 Uc 99
Casa Bayona (Vall) 55 Ue 100
Casa Benavente (Các) 85 Tb 109
Casabermeja (Mál) 159 Vd 127 ✉29160
Casa Bermeja (Sev) 149 Uc 126
Casa Bernal (Mur) 127 Ye 118
Casa Berruga (Alb) 110 Xd 114
Casa Blanca (Alm) 162 Xb 128
Casablanca (Cád) 157 Tf 127 ✉11400
Casa Blanca (Jaé) 152 Wb 123
Casa Blanca (Palm) 174 C 2
Casablanca (Sev) 150 Uf 125
Casablanca (Córd) 150 Vb 123
Casa Blanca (Sev) 149 Uc 123
Casa-Blanca (Mur) 142 Za 121
Casa Blanca (Mur) 140 Xf 121
Casa Blanca (Gra) 140 Xd 121
Casablanca (Alm) 140 Xe 122
Casablanca (Alb) 126 Ya 117 ✉02124
Casablanca (Mur) 127 Ye 119
Casa Blanca (Jaé) 125 Xa 118
Casa Blanca (Ciu) 122 Vc 116
Casa Blanca (Alb) 111 Yb 114
Casa Blanca (Cue) 111 Yb 112
Casa Blanca (Tol) 109 Wf 111
Casa Blanca (Các) 104 Tc 113
Casablanca (Lug) 4 Sd 89
Casa Blanca (Ter) 80 Ab 103
Casablanca (Tar) 80 Ad 105
Casablanca (Các) 86 Tf 108
Casablanca (Cas) 95 Ze 110 ✉12591
Casablanca, Cortijo de (Cád) 157 Ua 128
Casablanca, Cortijo de (Sev) 150 Uf 124
Casa Blanca, Cortijo de (Alb) 140 Xe 119
Casablanca, Cortijo de (Jaé) 138 Wd 121
Casablanca, Cortijo de (Bad) 121 Ud 117
Casa Blanca, La (Alm) 154 Xf 124
Casa Blanca, La (Alm) 154 Xe 126
▲Casablanca, Platja de 95 Ze 110
Casa Blanca, Sa (Bal) 98 Ce 111
Casa Blanca de los Rioteros (Alb) 127 Yc 116
Casablanquilla (Mál) 159 Vb 128 ✉29510
Casablanquilla (Sev) 148 Ua 123
Casa Bravera (Các) 104 Ta 111
Casa Buedo (Cue) 111 Xf 113
Casabuena, Cortijo de (Sev) 148 Tf 124
Casa Busianos (Zam) 54 Uc 100
Casa Caballos (Alb) 111 Xf 114
Casa Cacharro (Alb) 125 Xe 115
Casa Cañada de Albatana (Mur) 127 Yd 117
Casa Cañada de la Gorra (Tol) 108 Wc 111
Casa Cañada del Judío (Mur) 127 Yd 118
Casa Cañete (Alb) 126 Xf 116 ✉02127
Casa Canillas (Val) 113 Za 113
Casa Cantarranas (Vall) 55 Va 100
Casa Cantó (Rio) 41 Xf 95
Casa Capellanes (Cas) 80 Ze 105
Casa Capellanía (Ciu) 124 Wd 115
Casa Carambola (Ali) 128 Zb 117
Casa Carbajosa (Vall) 55 Ue 98
Casa Carlos (Val) 94 Zc 110
Casa Carrera (Alb) 112 Ye 113
Casa Carrión (Alb) 110 Xc 113
Casa Carrión (Vall) 55 Uf 100
Casa Castaños (Ciu) 122 Vc 117
Casa Castillejo (Ciu) 124 Wd 115
Casa Castillo y El Vado (Mur) 155 Yb 123
Casa Cazadora (Gua) 75 We 104
Casa Cazales (Bad) 120 Tf 115
Casa Cendreros (Alb) 112 Yd 113
Casa Cerrel (Zam) 36 Uc 98
Casa Chamorro (Các) 105 Tf 113
Casa Charancho (Ciu) 122 Vd 118
Casa Charquer (Ali) 129 Ze 117
Casa Chino (Lle) 64 Ae 100
Casa Claveri (Các) 103 Sf 111
Casa Cobote (Ciu) 123 Wb 116
Casa Collada de Vall d'Ariet (Lle) 46 Af 97
Casa Colmenar (Córd) 136 Uf 121
Casa Colombo (Huel) 146 Se 125
Casa Consistorial (Hues) 44 Ad 95 ✉22583
☆Casa Consistorial 80 Aa 106
Casa Cornava (Nav) 24 Xe 93
Casa Corrochano (Tol) 88 Va 108
Casa Cortes (Ali) 129 Ze 117
Casa Cortijillo (Gra) 153 Xb 123
Casa Cotanilla (Zam) 37 Ud 98
Casa Cuarto (Alb) 111 Xf 114
Casa Cuarto del Medio (Bad) 118 Se 118
Casa Cuarto de Salamanca (Các) 85 Tb 109
Casa Cuchillo (Ciu) 124 Wc 116
Casa Cueva de la Menda (Jaé) 139 Wf 123
Casa Cueva del Cantar (Alm) 140 Xf 121
Casa Cueva del Cerezo (Gra) 153 Xb 123
Casa Cueva del Coto (Gra) 139 Xb 122
Casa Cueva del Tío Tarra (Gra) 153 Xc 123
Casa Cueva Lóbrega (Cue) 92 Ya 107
Casa Cuevas Cañada del Paso (Gra) 139 Xa 123
Casa Cuevas de Campoy (Gra) 139 Xb 122
Casa d'Alberedes (Tar) 80 Ae 103
Casa de Abel (Alb) 125 Xc 115
Casa de Agua Melianes (Palm) 174 B 5
Casa de Aguanel (Tol) 89 Vf 109
Casa de Aguas del Rey (Bad) 120 Ua 116
Casa de Agua Verde (Alb) 127 Za 116
Casa de Aguiluz (Vall) 55 Va 101
Casa de Agustín (Mur) 127 Ye 118
Casa de Alarones (Ciu) 109 Wf 114
Casa de Alcaría (Cád) 165 Ud 131
Casa de Alcondrón (Sor) 59 Xf 102
Casa de Aldea (Ciu) 109 Wd 114
Casa de Aldealama (Sal) 72 Uc 102
Casa de Aldeanueva (Zam) 54 Uc 100
Casa de Alfonso (Alb) 128 Za 115
Casa de Alfonso Cano (Córd) 121 Ue 118
Casa de Algarbejo (Cád) 157 Ub 128
Casa de Alías (Huel) 146 Se 125
Casa de Allozar (Tol) 89 Ve 110
Casa de Almansa (Mur) 127 Ye 116
Casa de Alonso (Mál) 150 Vb 126
Casa de Amante (Mur) 142 Ye 119
Casa de Amor (Zam) 54 Ua 100
Casa de Amorós (Tol) 90 Wf 110
Casa de Andarríos (Tol) 91 Wf 110
Casa de Andrés (Alb) 126 Ya 117
Casa de Angelón (Ciu) 108 Wc 114
Casa de Aniceto (Ciu) 108 Ve 113
Casa de Ánimas (Alb) 111 Xf 114
Casa de Arenal (Cád) 158 Ud 127
Casa de Arenoso (Ciu) 110 Xb 113
Casa de Arévalo (Vall) 55 Va 100
Casa de Argamasilla (Ciu) 124 Wc 116
Casa de Arilla (Tol) 90 We 109
Casa de Ariza (Jaé) 138 Wd 120
Casa de Arnede (Alb) 111 Xe 114
Casa de Arratas (Nav) 24 Ya 93
Casa de Arriba (Gua) 76 Xa 104
Casa de Arrojachicos (Ciu) 109 Wd 112
Casa de Arto (Bur) 22 Wf 93
Casa de Aviño (Hues) 44 Ze 97
Casa de Azañuela (Tol) 89 Vf 109
Casa de Azoberines (Tol) 89 Ve 109
Casa de Baillo (Ciu) 109 Wf 113
Casa de Baldomero (Jaé) 138 Wd 119
Casa de Baldomero (Ciu) 123 Ve 117
Casa de Ballesteros (Tol) 108 Wa 112
Casa de Ballesteros (Các) 103 Se 112
Casa de Balsa Salada (Zar) 62 Zc 99
Casa de Baños (Mál) 159 Va 128
Casa de Baños (Cue) 110 Xb 111
Casa de Baños (Ter) 79 Zd 104
Casa de Bañuelos (Tol) 89 Ve 110
Casa de Barilejo (Tol) 88 Vb 109
Casa de Barquera Baja (Các) 104 Tb 112
Casa de Barraén (Tol) 89 Vd 109
Casa de Barrunta (Ciu) 109 Wd 11
Casa de Bartolo (Bad) 121 Uf 115
Casa de Batalla (Cue) 111 Xf 111
Casa de Bayalada (Vall) 56 Vb 100
Casa de Bayuncal (Tol) 90 We 109
Casa de Belalengua (Huel) 156 Td 127
Casa de Belluga (Mur) 141 Yc 119
Casa de Belorto (Ciu) 108 Wb 113
Casa de Beneito (Cas) 95 Aa 108
Casa de Ber (Cád) 157 Ua 129
Casa de Berdeja (Ciu) 124 Wd 117
Casa de Bermejales (Cád) 157 Ub 128
Casa de Bermejo (Tol) 87 Ud 109
Casa de Bermudillo (Ávi) 73 Vb 10
Casa de Bernardo (Zar) 43 Za 97
Casa de Berruga (Alb) 110 Xb 114
Casa de Bescansa (Hues) 26 Zd 9
Casa de Bocos (Seg) 56 Vc 101
Casa de Bolote (Ciu) 108 Wb 114
Casa de Bonilla (Các) 104 Tc 111
Casa de Boquilla (Ciu) 124 Wd 116
Casa de Borón (Ter) 62 Zb 102
Casa de Borril (Tol) 89 Ve 110
Casa de Bote (Các) 105 Ua 113
Casa de Botón (Alb) 111 Yb 114
Casa de Boyero (Các) 104 Ta 112
Casa de Buda (Tar) 80 Af 104
Casa de Buenavista (Mur) 141 Ya 122
Casa de Buenavista (Bad) 120 Te 116
Casa de Buenavista (Córd) 121 Uf 118
Casa de Buen Retiro (Ciu) 110 Xa 114
Casa de Busne (Các) 105 Ua 113
Casa de Caballero (Ciu) 109 We 114
Casa de Cabañeros (Ciu) 107 Vc 112
Casa de Cabeza Morena (Alb) 125 Xb 115
Casa de Cabeza Redonda (Bad) 120 Ua 115
Casa de Cabezarrasa (Huel) 148 Td 125
Casa de Cabosa (Tar) 80 Ac 104
Casa de Cadete (Alb) 125 Xd 115
Casa de Calaña (Tol) 89 Ve 109
Casa de Calandilla (Córd) 121 Uf 118
Casa de Calderón (Tol) 90 We 110
Casa de Calderonas (Bad) 120 Ua 115
Casa de Calinoria (Mál) 159 Vb 127
Casa de Calonge (Cue) 110 Xa 110
Casa de Calvache (Các) 103 Ta 11
Casa de Calvo (Zar) 43 Za 95
Casa de Camacho (Alb) 110 Xc 113
Casa de Camacho (Ciu) 109 We 114
Casa de Camarilla (Ciu) 124 Xa 116
Casa de Cambrillos (Tol) 89 Ve 109
Casa de Campico (Mur) 141 Ya 122
Casa de Cañada (Ciu) 124 Wf 116
Casa de Cañadaberosa (Mur) 141 Yb 119
Casa de Cañada Mayor (Huel) 148 Td 126
Casa de Cañada Salineras (Gua) 77 Yb 105
Casa de Cañalazarza de Abajo (Bad) 105 Tf 114
Casa de Canaleas (Ciu) 107 Vd 112
Casa de Canals (Các) 104 Tc 111
Casa de Cañas (Ciu) 124 Wf 116
Casa de Cañavellila (Ter) 61 Za 102
Casa de Canchollas (Ciu) 124 Wd 116
Casa de Candal (Mur) 141 Yd 121
Casa de Candelo (Tol) 108 Wc 112
Casa de Candilejo (Ciu) 110 Xa 114
Casa de Canillas (Cád) 157 Ub 128
Casa de Canillas (Sev) 134 Tf 122
Casa de Cañizares (Mur) 127 Yf 117
Casa de Cantalobillo (Córd) 136 Vb 119
Casa de Cantillana la Nueva (Các) 104 Tb 112
Casa de Capizelato (Tol) 89 Vd 108
Casa de Carabineros (Bad) 118 Sf 115
Casa de Carazorra (Tol) 90 Wd 109
Casa de Cardoso (Tol) 87 Ud 109
Casa de Carrascalejo (Các) 105 Tf 112
Casa de Carrasco (Alb) 111 Ya 113
Casa de Carrera (Sev) 148 Tf 125
Casa de Carrillo (Tol) 108 Vf 111
Casa de Carrión (Sev) 150 Uf 125
Casa de Cartagena (Alb) 110 Xc 113
Casa de Carvajal (Jaé) 123 Wb 118
Casa de Casarejos (Córd) 136 Uf 121
Casa de Casares (Zam) 36 Ub 98

asa de Castellanos de la Cañada (Ávi) 72 Ue 105
asa de Castillejo (Ciu) 123 Wb 118
asa de Castrejón (Tol) 89 Vd 110
asa de Castrillo (Zam) 54 Uc 100
asa de Catalina (Bad) 120 Ua 116
asa de Cavero (Zar) 43 Ye 98
asa de Cavirá (Val) 113 Za 114
asa de Cayetano Torres (Córd) 121 Uf 118
asa de Cebrián (Alb) 111 Xf 114
asa de Cecilio (Tol) 90 We 110
asa de Cepeda (Ciu) 109 Wf 113
asa de Cerro Alto (Các) 87 Ub 109
asa de Cerrocolchón (Các) 87 Ub 109
asa de Cerro Gordo (Córd) 136 Vc 119
asa de Cerro Pelao (Bad) 120 Tf 115
asa de Cerros Verdes (Bad) 120 Tf 115
asa de Cerros Verdes (Các) 105 Ub 113
asa de Charco Lobo (Tol) 87 Ue 108
asa de Charet (Ciu) 108 Wb 113
asa de Chaves (Tol) 90 Wb 109
asa de Chirivas (Tol) 89 Vd 110
asa de Chozones (Các) 104 Tb 112
asa de Chupahueses (Ciu) 123 Wb 117
asa de Ciervos (Ávi) 73 Vd 105
asa de Cirajas (Vall) 55 Ue 99
asa de Colchón (Ciu) 124 Wd 114
asa de Colmenar (Bur) 40 We 94
asa de Conal Quemado (Huel) 147 Tc 123
asa de Conejo (Mur) 127 Ye 118
asa de Congosta (Zam) 54 Ub 100
asa de Conrado (Alb) 112 Yd 114
asa de Contosa (Jaé) 138 Wb 118
asa de Corchilo (Sev) 148 Td 123
asa de Cordero (Sev) 135 Uc 122
asa de Cordero (Vall) 37 Va 98
asa de Coria (Sev) 158 Uc 127
asa de Coría, Cortijo de la (Sev) 149 Ub 126
asa de Corona (Tol) 108 Wb 111
asa de Cortés (Nav) 42 Yd 95
asa de Coscojal o Valdepotros (Sev) 134 Tf 123
asa de Cosme (Ciu) 110 Xa 114
asa de Cotillas (Cue) 92 Ya 108
asa de Covacha (Bad) 103 Ta 112
asa de Cristalinas (Jaé) 139 We 119
asa de Cruz Verde (Tol) 89 Ve 108
asa de Cuadrilleros (Các) 86 Tf 108
asa de Cuartas (Tol) 109 Wc 111
asa de Cuéllar (Cád) 157 Tf 129
asa de Cuerno Solano (Rio) 42 Ya 96
asa de Cumbre Hermosa (Gua) 91 Wf 107
Casa de Dámaso (Huel) 147 Sf 125
Casa de Dehesa (Cád) 157 Ua 128
Casa de Delgado (Alb) 127 Ye 115
Casa de Dimas (Các) 106 Uf 112
Casa de Domingo Medén (Huel) 133 Tb 123
Casa de Doña Anita (Alb) 112 Yc 113
Casa de Doña Benita (Cád) 157 Ua 129
Casa de Doña Inés (Ciu) 122 Vc 115
Casa de Don Alipio (Sal) 71 Ua 103
Casa de Doña María (Ciu) 125 Xa 115
Casa de Doña María (Vall) 56 Vc 100
Casa de Donato (Tol) 88 Vc 108
Casa de Don Aurelio (Sev) 134 Tf 121
Casa de Don Bruno (Alb) 112 Ye 115
Casa de Don Demetrio (Tol) 109 We 111
Casa de Don Diego (Ciu) 110 Xa 114
Casa de Don Diego de Haro (Cue) 110 Xc 112
Casa de Don Eusebio (Tol) 88 Vc 108
Casa de Don Felipe (Huel) 146 Se 125
Casa de Don Fernando (Alb) 127 Yd 115
Casa de Don Fernando Luna (Córd) 121 Uf 118
Casa de Don Juan (Ciu) 109 Wd 114
Casa de Don Juan Alonso (Jaé) 138 Wb 120
Casa de Don Juan Roque (Jaé) 138 Wb 120
Casa de Don Julián (Ciu) 124 Wf 115
Casa de Don Luis (Alb) 127 Yc 115
Casa de Don Manuel Aranda (Jaé) 138 Wb 121
Casa de Don Manuel Barona (Sev) 150 Uf 125
Casa de Don Manuel Cepeda (Sev) 150 Uf 125
Casa de Don Miguel (Alb) 110 Xc 113
Casa de Don Pedro (Ciu) 109 We 114
Casa de Don Rafael Abril (Jaé) 138 Wd 119
Casa de Don Rafael Caro (Sev) 135 Ud 121
Casa de Don Ramón (Huel) 146 Se 123
Casa de Don Silverio (Tol) 90 We 109
Casa de Dotemio (Zar) 63 Ab 101
Casa de El Apedreado (Alb) 127 Yc 116
Casa de El Bachiller (Alb) 127 Yd 115
Casa de el Espartalejo (Mál) 159 Vb 128
Casa de Elez (Alb) 125 Xc 115
Casa de El Gamellón (Mur) 127 Yd 117
Casa de El Reventón (Córd) 137 Vc 120
Casa de El Rinconcito (Alb) 126 Ya 117
Casa de El Veto (Ciu) 109 Wd 114
Casa de Emeterio (Ciu) 124 Wd 117
Casa de Encina (Ávi) 73 Vc 104
Casa de Encorrulo (Ciu) 123 Wb 118
Casa de Epifanio (Vall) 56 Ve 98
Casa de Eras (Mur) 140 Xf 119
Casa de Escorial (Ciu) 122 Vd 117
Casa de Espina (Córd) 121 Va 117
Casa de Espinosa (Ciu) 110 Xa 113
Casa de Esquerdo (Mad) 89 Wa 106
Casa de Eufemia (Alb) 110 Xc 114
Casa de Eugenio (Alb) 110 Xb 113
Casa de Eusebio (Zam) 37 Ud 97
Casa de Fanalá (Tar) 64 Ae 103
Casa de Fardela (Cád) 158 Ud 128
Casa de Farreras (Zam) 36 Ub 98
Casa de Florentino (Các) 104 Td 111
Casa de Flores (Mur) 141 Ya 120
Casa de Fogarotedes (Ali) 128 Zc 117
Casa de Font (Pal) 38 Vc 97
Casa de Fortuno (Ciu) 109 Wf 114
Casa de Francisco Palazón (Mur) 127 Ye 118
Casa de Franco (Ciu) 109 Wf 114
Casa de Fresnedas (Ciu) 123 Wc 117
Casa de Fresnedoso (Các) 86 Ua 109
Casa de Fuentearroyo (Mál) 159 Vc 127
Casa de Fuente García (Ter) 93 Yb 107
Casa de Fuentelapio (Tol) 88 Uf 110
Casa de Fuente Lengua (Sev) 135 Ub 122
Casa de Fuentemadero (Các) 104 Tb 111
Casa de Fuente Vieja (Ciu) 124 We 115
Casa de Gabriel (Ciu) 109 Wd 112
Casa de Gachas (Val) 113 Za 114
Casa de Galán (Bad) 118 Sf 117
Casa de Galaperal (Các) 104 Tb 111
Casa de Galera (Ciu) 123 Wb 115
Casa de Galiana (Ciu) 110 Xa 114
Casa de Galo (Tol) 107 Vd 111
Casa de Galochas (Các) 87 Uc 109
Casa de Galván (Zam) 54 Uc 100
Casa de Gálvez (Các) 105 Tf 114
Casa de Gapita (Các) 103 Se 111
Casa de García (Huel) 146 Se 124
Casa de Garijo (Val) 112 Ye 114
Casa de Garrido (Alb) 111 Ya 113
Casa de Gaspar (Vall) 38 Vb 98
Casa de Gavilanes (Bad) 104 Td 114
Casa de Gétor (Ciu) 108 Wb 113
Casa de Gibla (Sev) 135 Ud 121
Casa de Gil Sánchez (Các) 104 Te 111
Casa de Gil Téllez (Các) 104 Te 111
Casa de Golín de la Senda (Tol) 88 Uf 108
Casa de Gómez (Mur) 141 Yc 121
Casa de Gonzalo (Các) 87 Ud 110
Casa de Gracia (Mur) 141 Yd 120
Casa de Granaderos (Cád) 156 Te 127
Casa de Grandó (Tar) 62 Ac 101
Casa de Gregorio (Tol) 88 Vc 108
Casa de Gregorio (Tol) 90 Wd 110
Casa de Guadamilla (Tol) 89 Ve 108
Casa de Guadarjia (Bad) 119 Td 116
Casa de Guaira (Zar) 62 Zb 101
Casa de Gualeda (Val) 113 Zc 113
Casa de Guanilla (Tol) 89 Vd 109
Casa de Guarda (Cue) 92 Xf 107
Casa de Guerechal (Bad) 120 Ua 116
Casa de Guerra (Các) 85 Tc 109
Casa de Guerrero (Ciu) 124 Wf 116
Casa de Guerrita (Ciu) 109 We 114
Casa de Guialguerrero (Zar) 60 Yc 102
Casa de Guillén (Mur) 141 Yc 120
Casa de Guino (Alm) 140 Xe 121
Casa de Guirau (Các) 104 Td 111
Casa de Herendeses (Zam) 54 Ub 99
Casa de Herrera (Alb) 125 Xd 115
Casa de Hervias (Ciu) 110 Xa 114
Casa Dehesa de Quintos (Zam) 36 Ub 97
Casa de Hilario (Tol) 89 Vd 109
Casa de Hita (Ciu) 109 Wf 114
Casa de Hojuelo de Parra (Jaé) 139 Xa 120
Casa de Hontanar-Gordo (Ciu) 123 Vf 118
Casa de Hornillo (Rio) 23 Xb 93
Casa de Hoya Vacas (Alb) 126 Ya 115
Casa de Hueso (Alb) 127 Yd 116
Casa de Hurtado (Ciu) 109 Wd 114
Casa de Idroga (Sev) 135 Uc 122
Casa de Infantes (Tol) 109 Wc 111
Casa de Inocencio Blas (Ter) 93 Yb 106
Casa de Isidora (Tol) 107 Vd 110
Casa de Jaime (Jaé) 138 Wb 120
Casa de Jaraices (Gua) 91 Xa 107
Casa de Jarramilla (Huel) 134 Td 122
Casa de Jiménez (Cue) 110 Xc 112
Casa de Jofré (Mur) 141 Ya 122
Casa de José Cantador (Córd) 136 Va 121
Casa de José Martínez (Sev) 150 Vb 125
Casa de José Sánchez (Mur) 141 Yd 122
Casa de Juan Camacho (Mur) 127 Yf 117
Casa de Juan Francisco (Tol) 109 Wc 112
Casa de Juan José (Alb) 110 Xc 114
Casa de Juan León (Alb) 126 Xe 115
Casa de Juanotón (Alb) 111 Ya 113
Casa de Juan Pardo (Alb) 112 Ye 114
Casa de Juan Romero (Tol) 88 Vc 110
Casa de Jubones (Tol) 108 Wc 112
Casa de la Abogada (Tol) 109 Wf 111
Casa de la Aceituna (Các) 104 Tc 112
Casa de la Aceña (Các) 85 Ta 109
Casa de la Alameda (Ciu) 108 Wa 114
Casa de la Alberguilla (Ciu) 123 Wa 117
Casa de la Alcudilla (Córd) 151 Ve 125
Casa de la Aldea (Pal) 38 Ve 97
Casa de la Aldehuela (Mad) 75 Wc 104
Casa de la Almagra (Alb) 127 Yd 115
Casa de la Angola (Tol) 109 Wc 113
Casa de la Atalaya (Cád) 158 Uc 128
Casa de la Atalaya (Mad) 74 Wb 105
Casa de la Banda (Các) 105 Tf 113
Casa de la Barraca (Cue) 92 Xf 110
Casa de la Bayona (Tol) 89 Vd 109
Casa de la Bedora (Cád) 157 Tf 129
Casa de la Bodeguilla (Mur) 127 Yd 117
Casa del Abogado (Alb) 126 Ya 115
Casa del Abogado (Ciu) 124 Wd 114
Casa de labor de Coto (Cue) 111 Yb 112
Casa de Labor de las Torres (Cád) 165 Ud 130
Casa de la Borreguilla (Ciu) 124 Wf 117
Casa de la Bóveda (Bad) 120 Ua 116
Casa de la Breñilla (Các) 105 Ua 112
Casa del Abuelito (Ciu) 109 Wf 114
Casa de la Burra (Bad) 121 Ud 116
Casa de la Caballería (Các) 105 Ua 113
Casa de la Cabeza (Alb) 140 Xe 119 ✉ 02536
Casa de la Cabra (Córd) 121 Uf 117
Casa de la Cabra (Các) 103 Sd 111
Casa de la Calderera (Ciu) 122 Vb 115
Casa de la Calera (Cád) 157 Tf 129
Casa de la Calera (Sev) 148 Te 123
Casa de la Calera (Các) 104 Tc 111
Casa de la California (Sev) 149 Ud 126
Casa de la Calza (Ciu) 124 Wc 117
Casa de la Campana (Alb) 111 Xe 114
Casa de la Cañada Arada (Alb) 110 Xc 114
Casa de la Cañada de la Pita (Các) 105 Tf 113
Casa de la Cañada del Horno (Ávi) 72 Uf 106
Casa de la Cañada del Sotillo (Huel) 147 Tc 125
Casa de la Canala (Các) 87 Uc 109
Casa de la Canaleja (Gua) 91 Xa 107
Casa de la Cantera (Tol) 108 Ve 111
Casa de la Cantina (Mur) 141 Yc 121
Casa de la Capitana (Cád) 156 Td 128
Casa de la Carbonera (Cue) 91 Xc 110
Casa de la Carboneras (Bad) 119 Td 116
Casa de la Carrasca (Mur) 140 Ya 121
Casa de la Carrasca (Sev) 134 Tf 122
Casa de la Carrascala (Bad) 119 Td 116
Casa de la Castra (Alb) 111 Xf 114
Casa de la Cavina (Mad) 90 Wc 109
Casa del Acebrón (Tol) 109 Wf 112
Casa del Acebuchal (Ciu) 123 Wa 117
Casa del Acebuche (Các) 105 Tf 113
Casa de la Cenida (Các) 104 Tb 111
Casa de la Cervanta (Tol) 109 We 111
Casa de la Cierva (Tol) 88 Uf 109
Casa de la Cigüeña (Huel) 132 Sf 122
Casa de la Citolera (Córd) 135 Ud 120
Casa de la Clavellina (Ciu) 124 Wc 118
Casa de la Coneja (Córd) 121 Uf 117
Casa de la Contienda de Abajo (Vall) 55 Va 98
Casa de la Corraliza (Alb) 112 Yc 114
Casa de la Corruca (Ciu) 123 Wa 115
Casa de la Cova (Tar) 64 Ba 100
Casa de la Cuesta (Ali) 128 Zc 117
Casa de la Cuesta del Gatillo (Jaé) 138 Wb 119
Casa de la Cueva (Alb) 140 Xf 119
Casa de la Cueva de la Loba (Córd) 122 Vc 118
Casa de la Cuquera (Sev) 134 Tf 122
Casa de la Degollada (Palm) 176 B 4
Casa de la Dehesa (Jaé) 138 Wd 121
Casa de la Dehesa (Cue) 111 Xf 111
Casa de la Dehesa (Tol) 108 Ve 111
Casa de la Dehesa (Zam) 36 Ub 97
Casa de la Dehesa (Zam) 36 Ua 98
Casa de la Dehesa (Pal) 38 Vb 95
Casa de la Dehesa (Các) 86 Te 110
Casa de la Dehesa de Atrera (Cád) 158 Uc 128
Casa de la Dehesa de Chaquinote (Zam) 55 Ud 100
Casa de la Dehesa de las Yeguas (Bad) 120 Tf 115
Casa de la Dehesa del Conde (Sev) 135 Uc 122
Casa de la Dehesa de los Frailes (Vall) 56 Vd 99
Casa de la Dehesa de Utrera (Bad) 120 Ua 116
Casa de la Dehesa Vieja (Córd) 136 Vc 120
Casa de la Dehesa Vieja (Tol) 89 Ve 110
Casa de la Dehesilla (Bad) 120 Ub 116
Casa de la Dehesilla (Bad) 118 Sf 118
Casa de la Dehesilla (Cue) 110 Xc 110
Casa de la Dehesilla de Herrera (Cue) 91 Wf 108
Casa de la Dehesita (Zam) 54 Ub 101
Casa de la Desesperada (Alb) 112 Ye 113
Casa de la Disea (Jaé) 137 Vf 119
Casa del Administrador (Alb) 127 Yd 116
Casa de la Duquesa (Ciu) 108 Wc 114
Casa de la Encomendilla (Bad) 120 Tf 116
Casa de la Encomienda (Các) 105 Tf 114
Casa de la Enramada (Ávi) 88 Va 107
Casa de la Estrella (Tol) 108 Vf 111
Casa de la Felipa (Mur) 127 Ye 118
Casa de la Felipa (Tol) 109 Wf 111
Casa de la Fianza (Mur) 127 Yf 116
Casa de la Fiscala (Rio) 41 Xf 95
Casa de la Flor (Ciu) 124 Wc 114
Casa de la Florida (Alb) 127 Yc 117
Casa de la Florida (Alb) 112 Ye 114
Casa de la Fuente (Mur) 142 Yf 120
Casa de la Fuente (Tol) 89 Ve 110
Casa de la Fuente Vieja (Jaé) 138 We 122
Casa de la Galana (Bad) 103 Ta 112
Casa de la Gallega (Tol) 90 Wc 109
Casa de la Gata (Ciu) 125 Xa 114
Casa de la Gloria (Mur) 141 Yb 120
Casa de la Gobernadora (Alb) 112 Ye 114
Casa de la Golondrina (Ciu) 107 Ve 114
Casa de la Graña (Bad) 121 Va 115
Casa de la Granadina (Cád) 157 Tf 129
Casa de la Grande (Các) 86 Te 110
Casa de la Granja (Ciu) 124 We 116
Casa de la Granja (Cue) 110 Xd 112
Casa de la Grulla (Sev) 149 Uc 125
Casa del Aguijón (Các) 105 Te 111
Casa del Águila (Córd) 136 Uf 119
Casa del Águila (Ciu) 123 Vf 117
Casa de Laguna (Sev) 150 Uf 123
Casa del Agunzarejo (Mur) 127 Ye 118
Casa de la Herrada (Alb) 140 Xf 119
Casa de la Herradura (Jaé) 139 Xa 120
Casa de la Higuera (Sev) 149 Ud 123
Casa de la Higuera (Córd) 135 Ue 122
Casa de la Higuera (Các) 104 Tb 111
Casa de la Higuera (Tol) 90 Wb 108
Casa de la Higueruela (Jaé) 138 Wb 121
Casa de la Higueruela (Tol) 88 Va 110
Casa de la Higueruela (Tol) 89 Vf 110
Casa de la Hoja (Các) 104 Tb 111
Casa de la Hontanilla (Tol) 90 Wc 110
Casa de la Hoya (Các) 105 Ub 113
Casa de la Hoya del Conejo (Mur) 141 Yb 121
Casa de la Hoya Gil (Alb) 112 Yc 114
Casa de la Hoz (Cue) 93 Yd 108
Casa de la Huelva del Alcornoque (Sev) 148 Te 123
Casa de la Huerta (Sev) 149 Ud 126
Casa de la Huerta (Tol) 106 Uf 110
Casa de la Huerta (Ciu) 107 Ve 113
Casa de la Huerta de Abajo (Sev) 135 Ud 121
Casa de la Huerta del Capullar (Cád) 165 Uc 131
Casa de la Huerta del Cura (Ciu) 108 Wb 113
Casa de la Huerta del Rosalejo (Ciu) 122 Vb 116
Casa de la India (Bad) 104 Tb 112
Casa de la lona de la Rambla (Ali) 142 Za 119
Casa del Aire (Mur) 140 Ya 121
Casa de la Isla de Remondo (Bad) 120 Ua 115
Casa de la Jara (Alb) 111 Ya 113
Casa de la Jara (Các) 86 Te 110
Casa de la Javiera (Ciu) 122 Ve 117
Casa de la Jirondilla (Các) 105 Tf 113
Casa de la Judia (Các) 104 Ta 111
Casa de la Laguna (Sev) 134 Tf 121
Casa de la Lastra (Ávi) 73 Va 106
Casa del Alcalde (Val) 114 Ze 114
Casa del Alcalde (Val) 112 Yf 113
Casa del Alcaraz (Mur) 141 Ya 122
Casa del Alemán (Tol) 107 Vb 112
Casa de la Lentisosa (Alb) 112 Ye 113
Casa del Alguacil (Córd) 151 Vd 123
Casa del Almendro (Alb) 110 Xc 113
Casa de la Lobata (Các) 104 Tc 111
Casa de la Lobera (Các) 85 Tb 110

Casa de la Lóbrega (Ciu) 125 Xa 116
Casa de la Loma (Jaé) 138 We 121
Casa de la Loma del Callizo (Ter) 62 Zc 101
Casa de la Loma del Vicario (Córd) 137 Ve 120
Casa del Alto (Bur) 39 Wb 95
Casa de la Lucia (Các) 105 Te 111
Casa de la Luz (Alb) 126 Xf 117
Casa de la Magdalena (Các) 87 Ub 108
Casa de la Majadilla (Bad) 135 Ub 119
Casa de la Malpartida (Các) 85 Ta 110
Casa de la María (Val) 112 Ye 113
Casa de la Marsilla (Mur) 141 Yb 121
Casa de la Mata (Huel) 147 Ta 124
Casa de la Mata (Ciu) 124 We 115
Casa de la Mata (Bad) 120 Uc 118
Casa de la Mata (Tol) 108 Wb 111
Casa de la Mata (Cue) 91 Xa 110
Casa de la Matanza (Huel) 148 Td 125
Casa de la Matilla del Royal (Các) 105 Tf 112
Casa de la Matosa (Alb) 111 Yb 113
Casa de la Médica (Ciu) 109 Wc 113
Casa de la Memoria (Gra) 161 Wf 127
Casa de la Mengosa (Các) 105 Tf 112
Casa de la Merced (Các) 85 Tc 110
Casa de la Mesa (Sev) 135 Uc 122
Casa de la Mina (Ciu) 122 Vb 115
Casa de la Mina (Tol) 107 Vd 111
Casa de la Mina de Campos (Sev) 134 Tf 121
Casa de la Mina de San Cayetano (Córd) 137 Vd 119
Casa de la Mogea (Huel) 156 Td 126
Casa de la Montera (Sev) 134 Ua 122
Casa de la Moraleja (Cue) 110 Xb 111
Casa de la Morena (Alb) 126 Yb 115
Casa de la Morena (Ciu) 122 Ve 115
Casa de la Morena (Alb) 112 Yc 114
Casa de la Morilla (Ciu) 107 Vc 111
Casa de la Mota (Bur) 39 Wc 94
Casa de la Muela (Cue) 92 Ya 107
Casa de la Muerte (Alb) 127 Yd 118
Casa de la Mula (Các) 103 Sf 112
Casa de la Naterona (Bad) 104 Ta 114
Casa de la Nava (Ciu) 123 Wa 116
Casa de la Nava (Cue) 110 Xd 111
Casa de la Nava (Tol) 89 Vd 110
Casa de la Naves (Các) 103 Ta 112
Casa de la Noguera, La (Alb) 125 Xd 118
Casa de La Olmedilla (Seg) 73 Vb 102
Casa de la Olmedilla (Mad) 75 Wf 106
Casa de la Oresa (Hues) 45 Aa 97
Casa de la Ortigosa (Alb) 125 Xb 115
Casa de la Ortina (Val) 112 Ye 114
Casa de la Pachona (Bad) 121 Uf 114
Casa de la Pajosa (Bad) 120 Ua 116
Casa de la Paloma (Sev) 135 Ub 122
Casa de la Pangía (Gua) 91 Xa 106
Casa de la Pared (Các) 104 Te 113
Casa de la Pared de la Cumbre (Bad) 133 Sf 119
Casa de La Parra (Cue) 92 Ya 108
Casa de la Parra (Val) 94 Za 110
Casa de la Parrilla (Córd) 137 Vc 120
Casa de la Parrilla (Jaé) 124 We 118
Casa de la Patuda (Ciu) 122 Vd 115
Casa de la Paz (Ciu) 109 We 112
Casa de la Pedrera (Alb) 111 Yc 113
Casa de la Pedriza (Gra) 152 Wc 125
Casa de la Peña (Bad) 121 Ud 116
Casa de la Peña del Lobo (Tol) 108 Ve 111
Casa de la Peñarrubia (Ali) 128 Zb 117
Casa de la Perdiz (Cád) 157 Ub 128
Casa de la Pericona (Huel) 146 Sd 124
Casa de la Pinilla (Gua) 76 Wf 105
Casa de la Pizarra (Các) 105 Tf 112
Casa de la Plata (Córd) 136 Uf 121
Casa de la Pluma (Cue) 110 Xd 112
Casa de la Póbeda (Ciu) 124 Wc 118
Casa de la Pola (Nav) 42 Yd 96
Casa de la Portugalesa (Bad) 121 Uc 115
Casa de la Posadilla (Mur) 141 Yc 121
Casa de la Posadilla (Ciu) 108 Wb 114
Casa de la Poveda (Cue) 110 Xb 111
Casa de la Pradera (Tol) 88 Va 110
Casa de la Puebla (Gua) 91 Xa 107
Casa de la Quebrada (Alb) 126 Xf 117
Casa de la Quejigosa (Alb) 125 Xd 115
Casa de la Quemada (Vall) 56 Vd 99
Casa de la Quinta (Sev) 150 Vb 125
Casa de la Rabosa (Ter) 79 Zb 104
Casa de la Rambla (Alb) 112 Yc 113
Casa de la Rana (Bad) 104 Te 114
Casa del Arenalejo (Các) 85 Tc 110
Casa de la Retuerta (Ter) 78 Yd 103
Casa de la Rinconada (Huel) 133 Tb 123
Casa de la Rodea (Mur) 140 Xf 120
Casa de la Ronguera (Các) 103 Sd 111
Casa de la Ropera (Các) 106 Ud 113
Casa del Arreciado (Tol) 106 Va 112
Casa de la Sabanilla (Các) 85 Tb 109
Casa de la Sabina (Alb) 125 Xc 115
Casa de la Sabina (Cue) 92 Ya 107
Casa de las Abogadas (Vall) 56 Vb 100
Casa de las Aguas (Alb) 125 Xc 115
Casa de la Salada (Zar) 62 Ze 101
Casa de la Salceda (Ciu) 108 Ve 112
Casa de la Salina de Periago (Mur) 140 Ya 121
Casa de las Almenas (Cue) 110 Xe 113
Casa de las Barajonas (Huel) 146 Se 124
Casa de las Cabrerizas (Jaé) 138 Wc 119
Casa de las Calamochas (Các) 105 Ua 113
Casa de las Canteras (Ciu) 123 Wb 115
Casa de las Carboneras (Cue) 92 Xf 107
Casa de las Cauques (Alb) 110 Xc 114
Casa de las Chanas (Zam) 54 Ub 100
Casa de las Chimeneas (Ciu) 124 Wf 114
Casa de las Cinco Algáidas (Huel) 147 Tc 125
Casa del Asco (Córd) 137 Ve 120
Casa de las Cofrades (Gua) 91 Xb 107
Casa de las Corralizas (Các) 86 Ua 110
Casa de las Delicias (Ciu) 109 Xa 113
Casa de las Dos Vigas (Sev) 149 Ud 123
Casa de las Duronas (Ciu) 123 Wb 115
Casa de las Encinas (Các) 104 Td 112
Casa de la Señora (Jaé) 138 Wb 120
Casa de las Envidias (Ciu) 124 Wc 116
Casa de la Senyora Ángela, la (Ali) 128 Zc 117
Casa de la Sepultura (Mál) 159 Va 129
Casa de la Sevillana (Cád) 157 Te 127
Casa de las Fuentes (Ciu) 124 Wd 118
Casa de Las Garbayuelas (Bad) 121 Uf 115
Casa de las Golondrinas (Ter) 94 Zb 107
Casa de las Grangas (Các) 105 Tf 113
Casa de las Grulleras (Bad) 104 Ta 112
Casa de las Higueras (Mad) 89 Ve 107
Casa de las Huesas (Ciu) 123 Wb 117
Casa de las Ideas (Alb) 126 Xf 115
Casa de la Sierra (Jaé) 138 Wd 120
Casa de la Sierra (Cue) 111 Ya 112
Casa de la Sierra (Nav) 42 Ya 94
Casa de la Sierrecilla (Bad) 105 Tf 114
Casa de las Juntas (Jaé) 124 We 118
Casa de las Lastras (Córd) 136 Uf 121
Casa de las Llamas (Mál) 159 Va 126
Casa de las Loberas (Các) 104 Tc 111
Casa de las Lomas (Bad) 120 Ua 116
Casa de las Madres (Alb) 110 Xc 113
Casa de las Mangas (Zam) 36 Ub 97
Casa de las Mayorgas (Ciu) 109 Wd 114
Casa de las Minas (Sev) 135 Ub 121
Casa de las Minas (Mur) 127 Yd 118
Casa de las Minas (Alb) 127 Ye 116
Casa de las Minas (Các) 86 Td 110
Casa de las Monjas (Alb) 111 Xe 113 ✉ 02512
Casa de las Monjas (Rio) 23 Xc 94
Casa de las Monjas de Pozo-Cañada (Alb) 127 Yc 116
Casa de las Morras (Ciu) 123 Ve 117
Casa de las Navas (Ciu) 122 Vc 116
Casa de las Navas (Tol) 108 Vf 112
Casa de la Solana o Moreno (Các) 103 Sd 111
Casa de la Solanilla (Bad) 106 Ue 114
Casa de las Pedrizas (Các) 104 Td 110
Casa de las Peñuelas (Cád) 164 Tf 131
Casa de las Rozas (Vall) 37 Ue 97
Casa de las Salinas (Cád) 156 Td 127
Casa de las Salinas (Zar) 60 Yb 102
Casa de las Santas (Bad) 104 Tb 113
Casa de las Semillas (Sev) 149 Ud 126
Casa de las Señoras (Alb) 111 Ya 113
Casa de las Setecientas (Ciu) 123 Wa 116
Casa de las Tablas (Jaé) 139 Xb 120
Casa de las Tarazonas (Các) 105 Te 113
Casa de las Tejoneras (Ciu) 124 We 117
Casa de las Tenias (Zar) 43 Za 95
Casa de las Tomasas (Vall) 55 Va 98
Casa de las Velas (Ciu) 109 We 113
Casa de las Veredillas (Ciu) 109 We 112
Casa de las Viborillas (Córd) 136 Vb 119
Casa del Ataúd (Cue) 112 Yd 111
Casa de la Tejera (Ter) 79 Zb 103
Casa de la Tejona (Ciu) 107 Vc 112
Casa de la Tinaja (Cád) 157 Tf 129
Casa de la Toba (Alb) 126 Xe 117
Casa de la Tormenta (Mál) 159 Vd 128
Casa de la Torre (Các) 103 Sf 112
Casa de la Trinidad (Ciu) 124 We 117
Casa de la Urraca (Tol) 90 Wc 110
Casa de la Urraquilla Alta (Córd) 136 Vc 120
Casa de la Varela (Cád) 164 Ub 130
Casa de la Vega (Alb) 127 Yd 115
Casa de la Vega (Zar) 60 Ya 100 ✉ 50239
Casa de la Vega (Gua) 91 Xa 107
Casa de la Vega de los Maderos (Bad) 120 Ua 116
Casa de la Veguilla (Bad) 120 Ua 115
Casa de la Veguilla (Zar) 60 Ya 99
Casa de la Venta (Alb) 125 Xc 116
Casa de la Ventilla (Ciu) 109 Wf 114
Casa de la Ventosa (Alb) 111 Yb 114
Casa de la Vera (Bad) 134 Tf 119
Casa de Laverné Alta (Zar) 43 Yf 96
Casa de la Vicuña (Cád) 157 Te 129
Casa de la Vigilia (Các) 104 Tb 111
Casa de la Villalbas (Các) 105 Uc 113
Casa de la Viña (Alb) 110 Xd 113
Casa de la Viña (Nav) 24 Ya 93
Casa de las Viñas (Tol) 87 Ue 108
Casa de la Viñuela (Sev) 135 Uc 121
Casa de la Viñuela (Zam) 54 Ua 100
Casa de la Virgen (Mur) 127 Ye 119
Casa de la Virgen (Cue) 110 Xb 111
Casa de la Viuda (Gra) 153 Xa 124
Casa de la Viuda (Córd) 137 Ve 121
Casa de la Viuda (Ciu) 109 Wd 114
Casa de la Viuda (Tol) 90 We 110
Casa del Avutardo (Các) 104 Td 110
Casa de la Zarzuela (Alb) 126 Yb 117
Casa del Barbol (Mur) 141 Yc 121
Casa del Barón (Cád) 157 Te 128
▲ Casa del Barón, Parque Nacional 14 Rc 94
Casa del Batán (Tol) 90 Wd 110
Casa del Beato (Cád) 157 Tf 129
Casa del Beato (Ciu) 109 Wf 112
Casa del Becerril (Ciu) 124 Wf 116
Casa del Becerro (Các) 104 Td 112
Casa del Belvis (Các) 104 Tb 111
Casa del Bernardillo (Vall) 55 Uf 100
Casa del Bodonal (Bad) 106 Uc 114
Casa del Bolar (Ter) 79 Zb 102
Casa del Boquerón (Mur) 127 Ye 119
Casa del Borril (Các) 105 Tf 112
Casa del Boticario (Vall) 38 Vb 98
Casa del Bracho (Mál) 159 Vc 128
Casa del Cabalgador (Alb) 110 Xb 114
Casa del Cabrito (Bad) 121 Ue 116
Casa del Cahorzo (Tol) 108 Wb 111
Casa del Calerón (Sev) 149 Ud 123
Casa del Campesino (Bur) 57 Wa 99
Casa del Campillo (Các) 106 Ud 112
Casa del Campillo (Zar) 62 Zb 100
Casa del Campo (Val) 112 Yf 114
Casa del Campo (Val) 94 Zc 110
Casa del Canal (Sev) 135 Ue 122
Casa del Canchal Blanquillo (Các) 105 Te 113
Casa del Cancho (Các) 85 Tc 110
Casa del Cañizar (Cue) 93 Yb 109
Casa del Cano (Alb) 140 Xf 119
Casa del Canónigo (Jaé) 138 We 122
Casa del Cantivano (Ciu) 109 Wf 113
Casa del Capador (Mur) 141 Yc 123
Casa del Capellán (Mál) 159 Va 127
Casa del Capitán (Cád) 157 Ub 127
Casa del Capitán (Alb) 111 Xf 114
Casa del Capitán (Alb) 110 Xd 114
Casa del Capitán (Vall) 56 Vb 99
Casa del Cara de Lobo (Mur) 142 Yd 122
Casa del Cardizal (Các) 103 Sf 112
Casa del Carnerito (Các) 104 Ta 111
Casa del Carrascal (Vall) 37 Ue 98
Casa del Carrascal (Các) 85 Ta 110
Casa del Cartón (Ali) 128 Zc 117
Casa del Carvajal (Cád) 157 Tf 129
Casa del Carvajal (Vall) 37 Uf 98
Casa del Casarejo (Ciu) 107 Vd 114
Casa del Casquero (Bad) 120 Ua 115
Casa del Castaño (Cád) 165 Uc 131
Casa del Castejonero (Hues) 44 Zf 98
Casa del Castillejo (Ciu) 107 Vd 113
Casa del Castillejo (Các) 85 Ta 110
Casa del Cebollar de Santa Ana (Huel) 147 Sf 124
Casa del Cerillar (Cád) 158 Ud 127
Casa del Cerillo de la Era (Ciu) 124 Wd 117
Casa del Cero (Córd) 150 Va 123
Casa del Cerro (Alb) 127 Yd 115
Casa del Cerro (Alb) 112 Yd 113
Casa del Cerro (Các) 105 Te 113
Casa del Cerro (Mad) 91 Wf 107
Casa del Cerro de la Collada (Các) 105 Tf 113
Casa del Cerro del Humo (Córd) 150 Vc 123
Casa del Cerro del Inglés (Cád) 157 Tf 129
Casa del Cerro del Trigo (Huel) 156 Td 127
Casa del Cerro Sagrado (Bad) 121 Ud 115
Casa del Chabacano (Córd) 122 Vb 118
Casa del Champiñón (Mad) 89 Wa 107
Casa del Chaparral (Ciu) 123 Ve 115
Casa del Chaparral (Các) 105 Ua 113
Casa del Chaparro (Các) 106 Ue 110
Casa del Chas (Hues) 26 Za 94
Casa del Chico (Mur) 140 Ya 121
Casa del Chiquillo (Cue) 91 Xb 110
Casa del Chivero (Tol) 89 Vf 109
Casa del Chorrito (Tol) 108 Vf 112
Casa del Chortal (Jaé) 124 Wd 118
Casa del Churri (Tol) 109 We 111
Casa del Cirujano (Ciu) 109 Wf 113
Casa del Coll, la (Ali) 129 Ze 117
Casa del Collado de San Juan (Val) 127 Yf 115
Casa del Colmenar (Các) 86 Tf 110
Casa del Colmenar (Tol) 88 Vb 108
Casa del Conde (Alb) 112 Ye 113
Casa del Condesillo (Ciu) 109 We 113
Casa del Conejo (Sev) 148 Tf 126
Casa del Convento (Leó) 18 Ua 93
Casa del Corcho (Các) 103 Ta 112
Casa del Cordobes (Palm) 175 E 2
Casa del Cordobés (Tol) 109 Wd 111
Casa del Corneta (Tol) 90 We 109
☆ Casa del Corregidor, Parador Nacional 157 Ub 128
Casa del Cortijo (Alb) 111 Yc 114
Casa del Coscojar (Zar) 61 Ye 98
Casa del Cosme (Ciu) 110 Xa 113
Casa del Cotarrón (Vall) 56 Vc 100
Casa del Coto (Seg) 74 Vd 103
Casa del Coto Presa (Bad) 104 Td 114
Casa del Cuadrado (Ciu) 109 Xa 114
Casa del Cuartillo (Các) 85 Ta 110
Casa del Cul (Val) 113 Za 113
Casa del Cura (Jaé) 139 Xa 120
Casa del Cura (Alb) 127 Yf 116
Casa del Cura (Alb) 111 Xf 113
Casa del Cura (Cue) 110 Xc 112
Casa del Cura (Các) 104 Tc 110
Casa del Cura (Nav) 42 Ya 96
Casa del Cura (Cue) 93 Yb 107
Casa del Cura y Cañada del Alba (Mur) 155 Yb 123
Casa del Dehesón (Tol) 88 Va 108
Casa del Doctor (Vall) 56 Vc 98
Casa del Dorado (Tol) 90 Wf 109
Casa del Duende (Ciu) 109 We 11
Casa del Duque (Córd) 150 Vc 123
Casa del Duque (Ciu) 109 Wc 113
Casa del Duque (Tol) 90 Wb 110
Casa de Léchina (Alb) 110 Xd 114
Casa de Lema (Alb) 111 Yb 113
Casa del Empalme (Alm) 162 Xa 127
Casa del Empalme (Các) 103 Se 112
Casa del Encinar (Bad) 119 Td 115
Casa del Esparragosillo (Các) 103 Ta 111
Casa del Estanquero (Tol) 108 Wb 111
Casa del Esterquizo (Sev) 134 Tf 121
Casa del Fausto (Tol) 90 Wb 110
Casa del Fontanar (Córd) 122 Vc 118
Casa del Fraile (Mur) 142 Ye 119
Casa del Frailito (Ciu) 109 We 112
Casa del Francés (Vall) 55 Va 98
Casa del Francés (Vall) 55 Va 101
Casa del Francès (Tar) 80 Ad 104
Casa del Fresnedoso (Tol) 88 Vc 108
Casa del Frontón (Palm) 175 E 3
Casa del Gallinero (Các) 105 Tf 11
Casa del Gallo (Alb) 125 Xb 115
Casa del Garbanzuelo (Ciu) 107 Vc 112
Casa del Gato (Huel) 147 Tc 125
Casa del Gimena (Ciu) 124 Wc 117
Casa del Gitano (Cue) 92 Ya 108
Casa del Goro (Ciu) 107 Vd 113
Casa del Governador (Val) 114 Zd 113
Casa del Granizo (Vall) 56 Ve 99
Casa del Guarda (Sev) 148 Te 126
Casa del Guarda (Alb) 126 Ya 116
Casa Del Guarda (Rio) 41 Xc 94
Casa del Guarda (Các) 85 Tc 109
Casa del Guarda (Cue) 92 Xf 109
Casa del Guarda de la Alameda (Jaé) 124 We 118
Casa del Guarda del Monte (Hues) 44 Ze 97
Casa del Guarda de Sierra del Loro (Jaé) 124 We 118
Casa del Guijo (Bad) 120 Tf 115
Casa del Guijuelo (Các) 106 Uc 113
Casa del Herradón (Bad) 121 Uc 115
Casa del Herrador (Ciu) 109 We 113
Casa del Hierro (Ciu) 124 Wc 116
Casa del Hierro (Ciu) 109 Wf 114
Casa del Higueral (Nav) 42 Yd 95
Casa del Hondayo (Zam) 54 Uc 100
Casa del Hontanar (Alb) 112 Yd 114
Casa del Hormigón (Ciu) 123 Wb 116
Casa del Hornillo (Jaé) 124 Wc 118
Casa del Hornillo (Ciu) 122 Ve 117
Casa del Hornillo (Các) 104 Ta 112
Casa del Horquillo (Tol) 87 Uf 109
Casa del Hoyo (Ciu) 123 Vf 116
Casa del Huesco (Vall) 55 Ue 98
Casa del Huevo (Alb) 127 Yd 116
Casa del Indiano (Sev) 134 Tf 121
Casa del Indiano (Tol) 109 Wc 111
Casa del Infante (Sev) 148 Ua 125
Casa del Inglés (Rio) 23 Xb 94
Casa del Intendente (Bad) 120 Ub 115
Casa del Iranzo (Zar) 42 Yd 95
Casa de Lizana (Ciu) 124 Wf 117
Casa del Jabonero (Ciu) 110 Xa 113
Casa del Jaral (Tol) 88 Vb 109

Casa del Jardinillo (Gua) 75 Wd 103
Casa del Judío (Cád) 164 Ua 129
Casa del Juncal (Mad) 88 Vc 107
Casa del Lanchar (Cád) 164 Tf 130
Casa del Lavadero (Các) 106 Uc 113
Casa del Letrado (Ciu) 109 Wf 113
Casa del Linareo (Tol) 106 Va 111
Casa del Llano (Ciu) 124 Xa 115
Casa del Llano (Cue) 111 Xe 111
Casa del Lobato (Các) 86 Te 110
Casa del Lorito (Tol) 109 Wd 112
Casa del Lote (Huel) 133 Ta 121
Casa del Macho (Bad) 103 Ta 112
Casa del Madroño (Các) 85 Tb 110
Casa del Magrero (Ciu) 124 Wc 115
Casa del Majuelo (Sev) 135 Uc 122
Casa del Malagueño (Sev) 150 Vb 125
Casa del Manantial (Bad) 106 Ue 114
Casa del Manchego (Ciu) 123 Wb 117
Casa del Manco (Mur) 142 Ye 121
Casa del Manco (Gua) 76 Xa 106
Casa del Maragato (Zam) 36 Uc 97
Casa del Marañal (Alb) 110 Xb 114
Casa del Marinote (Zar) 61 Ye 98
Casa del Marqués (Cue) 91 Wf 110
Casa del Marqués del Saco (Gua) 91 Xa 106
Casa del Marqués de Remisa (Mad) 91 Wf 108
Casa del Marqués de Santiago (Mál) 158 Ue 129
Casa del Martinazo (Huel) 156 Td 126
Casa del Médico (Alb) 112 Ye 114
Casa del Medio (Val) 112 Yf 114
Casa del Membrillar (Bad) 107 Vb 112
Casa del Mesón del Espejo (Ciu) 109 We 113
Casa del Mesonero (Ciu) 124 We 116
Casa del Millaron (Các) 103 Sf 112
Casa del Minguillo (Ciu) 109 Wf 113
Casa del Miño (Ciu) 109 Wf 114
Casa del Mochuelo (Cas) 96 Ac 107
Casa del Mojón de la Legua (Jaé) 138 Wb 119
Casa del Molino (Palm) 176 C 3 ⊠ 35489
Casa del Molino (Córd) 136 Uf 121
Casa del Montaraz (Cue) 92 Xd 108
Casa del Monte (Jaé) 138 Wb 120
Casa del Monte (Ciu) 124 Wf 117
Casa del Monte (Cue) 110 Xa 112
Casa del Monte (Cue) 111 Xe 111
Casa del Monte (Cue) 110 Xa 111
Casa del Monte (Alb) 111 Yb 114
Casa del Monte (Leó) 19 Ub 93
Casa del Monte (Zam) 36 Ua 97
Casa del Monte (Vall) 37 Uf 97
Casa del Monte (Leó) 37 Ud 95
Casa del Monte (Vall) 38 Vb 98
Casa del Monte (Pal) 38 Ve 97
Casa del Monte (Pal) 38 Ve 96
Casa del Monte (Bur) 39 Wc 95
Casa del Monte (Pal) 38 Vd 96
Casa del Monte (Sal) 55 Ue 102
Casa del Monte (Vall) 56 Vd 99
Casa del Monte (Zar) 60 Yd 99
Casa del Monte (Zar) 60 Yd 102
Casa del Monte (Ávi) 72 Uf 104
Casa del Monte (Gua) 75 We 104
Casa del Monte (Cue) 91 Xa 108
Casa del Monte (Cue) 91 Wf 109
Casa del Monte (Cue) 91 Xc 109
Casa del Monte (Gua) 91 Wf 107
Casa del Monte de las Escaleras (Mad) 75 Wf 106
Casa del Monte de la Villa (Vall) 37 Uf 98
Casa del Monte del Conde (Vall) 55 Ue 98
Casa del Monte de San Miguel (Vall) 55 Uf 98
Casa del Monte de Villalobón (Bur) 57 Wa 98
Casa del Monte Nuevo (Zar) 60 Ya 100
Casa del Monte Reoyo (Zam) 37 Ud 98
Casa del Montico (Zam) 54 Uc 99
Casa del Moral (Ciu) 108 Wc 113
Casa del Muni (Tol) 90 Wd 109
Casa del Muñico (Seg) 73 Vd 103
Casa del Navajo (Ciu) 108 Vf 111
Casa del Nordal (Alb) 126 Yb 116
Casa del Notario (Các) 105 Ua 114
Casa de Lobera (Rio) 42 Ya 95
Casa del Obispo (Alb) 110 Xd 114
Casa del Ochavo (Sev) 135 Uc 121
Casa de Lodares (Cue) 91 Xb 110
Casa del Olmillo (Các) 85 Ta 111
Casa del Olmo (Alb) 111 Ya 114
Casa de López (Mur) 127 Yf 117
Casa del Orillal (Các) 104 Tb 110
Casa de los Acebuchares (Córd) 136 Vc 119
Casa de los Alamos (Các) 85 Tb 110
Casa de los Alcores (Ciu) 124 Wf 117
Casa de los Alcornoques (Các) 105 Tf 113
Casa de los Alejandros (Tol) 109 Wc 112
Casa de los Almendreros (Huel) 146 Se 123
Casa de los Almendros (Alb) 127 Yd 118
Casa de los Almendros (Mur) 127 Yd 117
Casa de los Angostones (Jaé) 139 Xa 120
Casa de los Árboles (Ciu) 109 Xa 113
Casa de los Arcos (Alb) 126 Xf 115
Casa de los Ayeruales (Bad) 106 Va 113
Casa de los Baños de Fuensanta (Mur) 141 Ya 122
Casa de los Barrancos (Ciu) 124 Wd 118
Casa de los Barreros (Các) 103 Se 112
Casa de los Bilbaínos (Zar) 60 Yd 99
Casa de los Blases (Seg) 74 Vd 104
Casa de los Bolos (Alb) 127 Ye 115
Casa de los Cadetes (Rio) 41 Xe 94
Casa de los Caleros (Córd) 137 Ve 120
Casa de los Calvos (Các) 104 Tb 112
Casa de los Camarotes (Alm) 154 Xf 124
Casa de los Cañizos (Alb) 112 Ye 114
Casa de los Cantadales (Zam) 55 Ud 100
Casa de los Capellanes (Val) 112 Yf 113
Casa de los Carabales (Sev) 134 Tf 121
Casa de los Casares (Huel) 132 Sd 122
Casa de los Caserones (Bur) 39 Vf 97
Casa de los Cerrillares (Mur) 127 Ye 117
Casa de los Cerros (Sev) 148 Ua 125
Casa de los Charcones (Jaé) 138 Wc 122
Casa de los Cicateros (Ciu) 109 Xa 113
Casa de los Cipreses (Jaé) 137 Vf 120
Casa de los Collados (Huel) 133 Tb 123
Casa de los Coroneles (Palm) 175 E 2
Casa de los Corteses (Bad) 120 Tf 116
Casa de los Corzos (Cue) 92 Ya 107
Casa de los Cuartos (Các) 86 Te 110
Casa de los Cuquiles (Sev) 134 Tf 121
Casa de los Delgados (Bad) 120 Ua 115
Casa de los Fontes (Ciu) 124 Wd 117
Casa de los Frailes (Córd) 136 Va 122
Casa de Los Garijos (Alb) 112 Yc 114
Casa de los Gatos (Ciu) 109 We 114
Casa de los Grajos (Alb) 126 Yb 118
Casa de los Granadillos (Sev) 148 Ua 123
Casa de los Guardas (Ciu) 108 Wa 114
Casa de los Guardas (Zar) 43 Yf 96
Casa de los Guijos (Ciu) 109 We 114
Casa de los Herrericos (Alb) 110 Xd 113
Casa de los Hoyos de Zanona (Cád) 164 Uc 131
Casa de los Jugos (Ter) 62 Zc 101
Casa de los Lagares (Tol) 107 Vc 111
Casa de los Lanchas (Huel) 146 Sd 124
Casa de los Llanos (Jaé) 138 Wb 121
Casa de los Llanos (Córd) 137 Vc 120
Casa de los Llanos (Bad) 106 Ue 114
Casa de los Llanos (Cue) 91 Xb 110
Casa de los Logios (Sev) 135 Ub 122
Casa de los Machos (Tol) 109 Wc 112
Casa de los Mateos (Alb) 110 Xd 113
Casa de los Medranos (Ciu) 108 Vf 114
Casa de los Mesoneros (Córd) 122 Vc 118
Casa de los Milagros (Pal) 38 Vd 97
Casa de los Mirones (Các) 104 Tb 111
Casa de los Mocosos (Córd) 122 Vb 118
Casa de los Mojones (Palm) 176 B 4
Casa de los Morales (Các) 85 Tb 110
Casa de los Morcos (Ter) 79 Zc 105
Casa de los Morrones (Ciu) 124 We 117
Casa de los Niños (Alb) 126 Yb 118
Casa de los Ontureños (Mur) 127 Yd 117
Casa de los Pajares (Ter) 78 Yd 106
Casa de los Pardales (Alb) 126 Xe 115
Casa de los Pedregak (Các) 104 Tc 110
Casa de los Peras (Hues) 45 Ab 98
Casa de los Peruelos (Alb) 126 Yb 118
Casa de los Petos (Các) 86 Te 110
Casa de los Pilares (Bad) 120 Tf 115
Casa de los Pilones (Ciu) 122 Vc 115
Casa de los Pinos (Alb) 127 Ye 115
Casa de los Pinos (Alb) 111 Xf 113
Casa de los Pis (Tol) 110 Xa 111
Casa de los Pobres (Sev) 148 Te 125
Casa de los Potros (Các) 87 Ud 108
Casa de los Pozos (Mur) 127 Yd 117
Casa de los Quemados (Ciu) 123 Vf 117
Casa de los Rastedales (Córd) 137 Vd 120
Casa de los Reventones (Córd) 122 Vb 118
Casa de los Robledillos (Tol) 108 Wa 112
Casa de los Salinas (Mál) 150 Va 126
Casa de los Santiagos (Ciu) 123 Ve 115
Casa de los Socios (Ciu) 124 We 117
Casa de los Socios (Mad) 90 Wf 106
Casa de los Tarancones (Sev) 150 Vb 125
Casa de los Teatinos (Alb) 125 Xc 116
Casa de los Tetones (Nav) 42 Yc 96
Casa de los Toriles (Ciu) 123 Wa 117
Casa de los Velascos (Gua) 91 Xa 107
Casa de los Vitotos (Zam) 54 Ub 99
Casa de los Viveros (Ciu) 107 Vc 114
Casa del Pajarito (Sev) 148 Ua 126
Casa del Palomar (Ciu) 124 Wf 117
Casa del Páramo (Vall) 55 Ue 98
Casa del Pardillo (Ciu) 124 Wc 115
Casa del Pardillo (Ciu) 123 Wa 115
Casa del Pardillo (Tol) 108 Wb 110
Casa del Parrilla (Bad) 107 Vb 112
Casa del Parrucho (Các) 86 Td 110
Casa del Pastor (Ciu) 122 Vd 117
Casa del Patrón (Ciu) 124 Wd 115
Casa del Peñón (Mur) 141 Ya 122
Casa del Peraleo (Cue) 91 Xb 110
Casa del Peregrín (Val) 128 Za 115
Casa del Pintado (Cue) 93 Yc 110
Casa del Piojo (Huel) 147 Tc 125
Casa del Pizarroso (Các) 86 Td 110
Casa del Platero (Bad) 106 Uf 113
Casa del Polo (Mál) 159 Vb 128
Casa del Polvo (Các) 104 Tb 111
Casa del Porquero (Các) 86 Tf 109
Casa del Porquero (Tol) 88 Vb 109
Casa del Posio (Các) 104 Td 110
Casa del Postuero Cordel (Ávi) 72 Ue 106
Casa del Pote (Gua) 77 Ya 103
Casa del Pozo (Alb) 140 Xd 120
Casa del Pozo (Alb) 111 Yb 114
Casa del Pozo (Cue) 111 Yb 113
Casa del Pozo (Vall) 56 Ve 99
Casa del Pozo de la Higuera (Alb) 112 Yc 114
Casa del Pozo del Villar (Córd) 150 Vb 123
Casa del Pozo Linares (Córd) 122 Vb 118
Casa del Pozuelo (Mál) 158 Uf 129
Casa del Prado (Córd) 136 Va 121
Casa del Prado (Ávi) 74 Ve 105
Casa del Prado de los Carneros (Huel) 132 Se 122
Casa del Prado de los Esquiladores (Cue) 92 Ya 108
Casa del Puerco (Bad) 103 Sf 113
Casa del Puerto (Alb) 126 Yc 116
Casa del Puerto (Mur) 127 Ye 118
Casa del Puerto (Córd) 122 Va 116
Casa del Puntal (Huel) 156 Td 127
Casa del Quintanar (Seg) 74 Vf 102
Casa del Quinto (Tol) 109 We 111 ⊠ 45489
Casa del Quinto (Ciu) 107 Ve 112
Casa del Quinto de Santiago (Ciu) 123 Wb 116
Casa del Ramblazo (Bad) 120 Ua 115
Casa del Raso (Tol) 88 Vd 109
Casa del Raso de la Esalera (Jaé) 139 Xa 120
Casa del Rayado (Ciu) 109 Wc 113
Casa del Rayo (Alm) 154 Ya 123
Casa del Realejo (Bad) 103 Sf 112
Casa del Redondón (Sev) 149 Uc 125
Casa del Regajo (Alb) 127 Yc 116
Casa del Reventón (Vall) 55 Ue 101
Casa del Rincón (Córd) 135 Ue 121
Casa del Rincón (Sev) 134 Tf 121
Casa del Rincón (Tol) 107 Vc 111
Casa del Rincón (Các) 106 Ud 113
Casa del Rincón (Sor) 41 Xb 97
Casa del Rincón (Các) 85 Tb 109
Casa del Rincón (Các) 85 Tc 110
Casa del Rincón (Các) 87 Uc 110
Casa del Rincón, La (Córd) 135 Ud 119
Casa del Rincón de la Higuera (Sev) 134 Ua 121
Casa del Risco (Bad) 134 Td 119
Casa del Rivero (Các) 103 Sd 111
Casa del Roble (Mur) 141 Yb 119
Casa del Roble (Alb) 125 Xe 115
Casa del Roble (Các) 105 Tf 113
Casa del Roblecillo de Arriba (Mur) 140 Xf 120
Casa del Robledo (Ciu) 107 Vc 112
Casa del Rojalero (Alb) 127 Yf 116
Casa del Románico (Zar) 61 Zb 101
Casa del Romeral (Alb) 110 Xe 114
Casa del Roncero (Ciu) 109 Wd 114
Casa del Rostro (Ciu) 107 Vd 113
Casa del Royo (Val) 127 Yf 115
Casa del Rozalejo (Jaé) 137 Vf 119
Casa del Sabinar (Alb) 112 Yc 114
Casa del Saladillo (Sev) 135 Uc 122
Casa del Salado (Alb) 112 Ye 113
Casa del Salarnein (Lle) 46 Af 97
Casa del Salto (Ten) 171 C 2
Casa del Santo (Alb) 125 Xd 117
Casa del Santo (Các) 103 Sd 111
Casa del Sapo (Mad) 74 Vd 105
Casa del Sapo (Tol) 87 Uf 109
Casa del Saxo (Zar) 62 Zc 99
Casa dels Caragols, la (Ali) 128 Zb 117
Casa del Serrano (Ciu) 108 Ve 112
Casa del Sesmo (Bad) 103 Sf 113
Casa del Sesmo de Abajo (Các) 103 Sd 111
Casa del Soldat (Lle) 46 Ae 95
Casa del Sotillo (Bad) 106 Ue 113
Casa del Sotillo Nuevo (Cád) 157 Ua 129
Casa del Soto (Sor) 60 Ya 98
Casa del Soto del Moro (Sev) 150 Va 123
Casa del Tabernero (Sal) 71 Ua 103
Casa del Tarro (Bad) 103 Ta 113
Casa del Tejar (Bad) 120 Tf 115
Casa del Tendero (Bad) 120 Tf 116
Casa del Tendero (Zar) 61 Yf 99
Casa del Tío Alozaina (Cád) 164 Ub 131
Casa del Tío Genaro (Gua) 91 Wf 106
Casa del Tío Mario (Tol) 108 Wa 111
Casa del Tío Miguel (Các) 85 Tc 110
Casa del Tío Pepe (Tol) 109 Wd 112
Casa del Tío Salao (Tol) 109 Wc 111
Casa del Tío Vidal (Ali) 128 Za 117
Casa del Toconal (Bad) 120 Ua 115
Casa del Tonto (Alb) 125 Xc 115
Casa del Tonto (Bad) 120 Uc 115
Casa del Toril (Mál) 159 Vb 129
Casa del Torno (Alb) 127 Ye 115
Casa del Torno (Ávi) 87 Uf 107
Casa del Torrejón (Tol) 88 Vc 109
Casa del Tostado (Alb) 127 Ye 115
Casa del Trabuco (Tol) 107 Vd 110
Casa del Tresmal (Các) 86 Te 110
Casa del Tronadit (Lle) 64 Ae 100
Casa del Tuerto (Pal) 39 Vf 97
Casa de Luciérnaga (Tol) 107 Vc 111
Casa de Ludeña (Tol) 109 We 111
Casa de Luján (Cue) 111 Ya 111
Casa de Luna (Ali) 128 Zc 117
Casa del Vagón (Ciu) 109 Wf 113
Casa del Valle (Cue) 77 Xf 106
Casa del Valmorro (Ciu) 107 Vb 112
Casa del Vaquerín (Các) 105 Uc 113
Casa del Vaquero (Bad) 121 Ue 115
Casa del Ventorro de Sangamello (Các) 86 Tf 108
Casa del Vicario (Các) 104 Td 111
Casa del Viejo (Ciu) 123 Wb 115
Casa del Vinagre (Huel) 147 Tc 123
Casa del Viudo (Ciu) 124 Wf 116
Casa del Vivero (Ciu) 122 Vb 116
Casa del Vivero (Nav) 41 Xf 94
Casa del Yelo (Sor) 60 Ya 100
Casa del Zarzal (Tol) 107 Vd 111
Casa del Zarzoso (Ter) 93 Yd 107
Casa del Zorrero (Val) 113 Zb 114
Casa del Zurdo (Cue) 111 Ya 111
Casa del Zurdo (Ter) 94 Za 108
Casa de Macada (Zam) 54 Ua 101
Casa de Machín (Palm) 175 D 4
Casa de Maeso (Alb) 126 Yb 118
Casa de Magaña (Jaé) 124 Wc 118
Casa de Manita Chica (Huel) 147 Sf 125
Casa de Manorrota (Cue) 110 Xb 111
Casa de Manuel Ruiz (Ciu) 109 Wc 113
Casa de Marchante (Alb) 111 Xe 114
Casa de Marco (Mur) 140 Ya 121
Casa de Marianilla (Pal) 38 Ve 97
Casa de Mariano Peña (Tol) 88 Uf 108
Casa de Maribáñez (Bad) 106 Ud 114
Casa de Maríbela (Các) 105 Ub 113
Casa de Maricana (Alb) 110 Xb 113
Casa de Marín (Tol) 90 Wb 110
Casa de Marina (Tol) 88 Vc 108
Casa de Marta (Ciu) 109 Wf 113
Casa de Martínez (Jaé) 139 Xa 119
Casa de Martos (Các) 85 Tc 110
Casa de Matalascañas (Huel) 156 Tc 127
Casa de Matarromán (Córd) 135 Ud 121
Casa de Mateo Ruiz (Jaé) 138 Wb 120
Casa de Matías (Ciu) 124 Wf 116
Casa de Mazarías (Seg) 74 Ve 103
Casa de Mazariegos (Vall) 56 Ve 99
Casa de Mazarracín (Tol) 89 Wa 109
Casa de Meca (Tol) 89 Wa 110
Casa de Medina (Gra) 153 Xb 124
Casa de Medina (Ciu) 124 We 117
Casa de Medina (Bad) 120 Tf 115
Casa de Medina (Ciu) 110 Xb 113
Casa de Melena (Bad) 118 Ta 118
Casa de Mesas de Bolaños (Cád) 157 Tf 129
Casa de Mieres, Refugio (Ast) 18 Ua 90
Casa de Miería (Ter) 93 Yd 107
Casa de Miguelete (Cue) 111 Ya 113
Casa de Millán (Cád) 158 Ud 129
Casa de Millas (Val) 113 Za 113
Casa de Minaya (Tol) 107 Vd 110
Casa de Mingaobez (Córd) 136 Uf 122
Casa de Mingo Ramos (Jaé) 137 Vf 119
Casa de Mingote (Các) 106 Uc 113
Casa de Mingrano (Mur) 141 Ya 121
Casa de Mirabel (Sev) 135 Uc 122
Casa de Miraflores (Vall) 38 Vb 98
Casa de Miralles (Tar) 80 Ad 105
Casa de Mohares (Tol) 89 Wa 110
Casa de Mojón Blanco (Córd) 136 Uf 121
Casa de Molera (Hues) 44 Zc 96
Casa de Molina (Cue) 91 Xa 110
Casa de Molino (Alb) 111 Ya 114
Casa de Monte (Alb) 111 Xe 114
Casa de Monteagudo (Alb) 110 Xd 114
Casa de Montealegre (Jaé) 137 Vf 119
Casa de Monte Cesma (Cue) 77 Xd 106
Casa de Monteconcejo (Các) 104 Tb 111
Casa de Monte Concejo (Zam) 54 Ub 101
Casa de Monte Concejo (Zam) 54 Ua 99
Casa de Monte Reinosa (Pal) 38 Vd 97
Casa de Montón de Trigo (Sev) 135 Uc 122
Casa de Montoya (Alb) 125 Xe 114
Casa de Mora (Alb) 125 Xc 114
Casa de Mora (Tol) 108 Vf 112
Casa de Moracho (Tol) 87 Ue 108
Casa de Moreno (Ciu) 124 Xa 117
Casa de Moreno (Ciu) 109 We 113

Casa de Moreno (Tol) 109 Wd 112
Casa de Morgado (Các) 104 Tc 110
Casa de Morillos (Bad) 120 Ub 115
Casa de Morla (Cád) 157 Ub 128
Casa de Moruno (Cue) 91 Wf 109
Casa de Moya (Mur) 140 Xf 120
Casa de Moyano (Sev) 150 Va 126
Casa de Mula, La (Alm) 140 Xf 121
Casa de Mullera (Alb) 110 Xb 114
Casa de Muñopepe (Sal) 72 Uc 105
Casa de Nava (Các) 85 Tc 110
Casa de Navahorquín (Sev) 135 Ub 122
Casa de Navahuerta (Mad) 74 Wa 104
Casa de Navajuelos (Córd) 136 Vc 120
Casa de Naval (Zar) 62 Zb 101
Casa de Navalasno (Jaé) 137 Vf 119
Casa de Navalazarza (Córd) 137 Vd 119
Casa de Navalmoro (Ciu) 122 Ve 115
Casa de Navalonguilla (Ciu) 122 Vb 115
Casa de Navalonguilla (Ciu) 123 Wa 116
Casa de Navalrosal (Ciu) 108 Wa 114
Casa de Navalzás (Jaé) 123 Wb 118
Casa de Navamarín (Alb) 125 Xd 115
Casa de Nava Martina (Jaé) 123 Wc 118
Casa de Navamuelas (Córd) 136 Uf 121
Casa de Navamuñoz (Jaé) 137 Vf 118
Casa de Navapedroche (Córd) 137 Vc 120
Casa de Navaperas (Bad) 118 Sf 118
Casa de Navarramiro (Cue) 92 Ya 109
Casa de Navarrete (Rio) 23 Xc 94
Casa de Navarro (Mur) 140 Xf 120
Casa de Navillas (Vall) 37 Va 98
Casa de Nicolás (Ciu) 110 Xb 113
Casa de Nieva (Ciu) 109 Wf 112
Casa de Nogueras (Córd) 151 Vd 123
Casa de Nohalos (Tol) 89 Vd 109
Casa de Olalla (Ávi) 73 Vb 104
Casa de Oliva (Alb) 126 Xf 115
Casa de Oliveta (Nav) 25 Yd 94
Casa de Olivilla (Tol) 109 Wf 111
Casa de Orellana (Córd) 150 Vc 125
Casa de Orgaz (Ciu) 108 Vf 112
Casa de Orihuela (Córd) 121 Ud 118
Casa de Ortega (Alb) 111 Xe 113
Casa de Ortega (Tol) 90 Wb 108
Casa de Ortiz (Alb) 110 Xc 113
Casa de Pabliño (Tol) 109 Wd 112
Casa de Palazuelos (Mur) 155 Yd 123
Casa de Palazuelos (Seg) 74 Ve 103
Casa de Paletos (Các) 104 Te 113
Casa de Palomar (Zam) 55 Ud 100
Casa de Palomarejos (Cue) 91 Xb 107
Casa de Palomares (Zam) 54 Ub 99
Casa de Palomo (Ciu) 109 Wf 112
Casa de Pando (Alb) 111 Ya 114
Casa de Pantoja (Córd) 137 Ve 121
Casa de Párraga (Ciu) 122 Vb 115
Casa de Parrasquetas (Mur) 127 Ye 118
Casa de Pasamontes (Ciu) 123 Vf 116
Casa de Pascualete (Các) 105 Tf 112
Casa de Pasiego (Pal) 38 Ve 96
Casa de Pastores (Bad) 120 Ua 115
Casa de Pata (Cue) 112 Yc 112
Casa de Pataos (Tol) 109 We 110
Casa de Pedrero (Vall) 56 Vb 98
Casa de Pedro (Mad) 91 Wf 108
Casa de Pedro Morillo (Ciu) 122 Vd 117
Casa de Pegueras (Ten) 173 E 5
Casa de Peinado (Ciu) 109 Xa 113
Casa de Pelarda (Ter) 94 Zb 108
Casa de Peloría (Mur) 142 Ye 119
Casa de Peluco (Tol) 107 Vd 111
Casa de Peña Aguilera (Tol) 89 Vd 110
Casa de Peña Berrueco (Ávi) 72 Ue 106
Casa de Penadillo (Zam) 54 Ub 99
Casa de Peñalba (Zam) 54 Uc 100
Casa de Peña Parda (Ciu) 124 Wd 117
Casa de Peñarrubia (Jaé) 123 Wb 118
Casa de Peña Tejada (Vall) 55 Va 101
Casa de Penén (Val) 112 Yf 113
Casa de Peñuelas (Ciu) 123 Wb 115
Casa de Pepa Rosa (Ciu) 124 Wf 115
Casa de Pepín (Val) 112 Ye 114
Casa de Perales (Bad) 120 Uc 115
Casa de Peralta (Cue) 91 Xa 109
Casa de Perchuelo (Ciu) 110 Xa 114
Casa de Perea (Ciu) 109 Wd 113
Casa de Pericaco (Các) 104 Tc 111
Casa de Periquito (Jaé) 138 Wd 119
Casa de Pesqueros (Các) 105 Tf 113
Casa de Piña (Alb) 111 Ya 113
Casa de Pinés (Ciu) 124 Wc 114
Casa de Pinilla (Ciu) 124 Wc 115
Casa de Pinilla (Alb) 111 Ya 114
Casa de Pinos Altos (Alb) 126 Yb 117
Casa de Pinoverde (Alb) 126 Yb 118
Casa de Piqueras (Alb) 110 Xb 113
Casa de Piqueros (Tol) 108 Vf 110
Casa de Pitarque (Ter) 79 Zc 105
Casa de Plantonada (Bad) 120 Ua 115
Casa de Plata (Tol) 109 Wc 112
Casa de Pobres (Tol) 88 Vc 110
Casa de Polo (Tol) 107 Vd 111
Casa de Polonia (Córd) 137 Vd 122
Casa de Polonio (Tol) 108 Ve 111
Casa de Pombo (Vall) 55 Va 100
Casa de Pontezuelas (Alb) 125 Xd 116
Casa de Porquillos (Tol) 88 Vb 109
Casa de Portezuelos (Mál) 159 Vb 127
Casa de Portillo (Zam) 54 Uc 98
Casa de Postas (Cád) 164 Tf 131 ⊠ 11149
Casa de Pozo Coronado (Cue) 92 Ya 108
Casa de Pozo Moro (Alb) 127 Yc 116
Casa de Pradorredondo (Jaé) 139 We 120
Casa de Preciado (Tol) 109 Wf 110
Casa de Prietos (Alb) 111 Xf 113
Casa de Pucherete (Ciu) 124 Wd 116
Casa de Puerta Partida (Ciu) 124 Wf 114
Casa de Puerto Llano (Mál) 159 Vb 129
Casa de Puerto Llano (Alb) 112 Yc 114
Casa de Pulida (Tol) 87 Ue 109
Casa de Purga (Alb) 111 Xe 114
Casa de Quevedo (Alb) 126 Xe 116
Casa de Quinito (Mur) 141 Yc 120
Casa de Quintillos (Tol) 108 Vf 111
Casa de Quiris (Alm) 154 Xe 123
Casa de Quitapesares (Vall) 56 Vb 100
Casa de Quitapesares (Tol) 89 Vf 110
Casa de Raliegos (Ávi) 73 Va 102
Casa de Ramírez (Jaé) 137 Vf 120
Casa de Ramitos (Tol) 90 Wc 109
Casa de Ramos (Các) 104 Td 111
Casa de Ratón (Mur) 141 Yc 119
Casa de Rebeque (Alm) 162 Xa 128
Casa de Retama (Ciu) 122 Vd 114
Casa de Ribarroya (Rio) 42 Ya 95
Casa de Ricardo (Alb) 125 Xc 115
Casa de Riseda (Ciu) 122 Vc 115
Casa de Rivandia (Rio) 42 Xf 95
Casa de Robardillo (Cue) 92 Ya 108
Casa de Robledo (Các) 87 Ub 108
Casa de Rocha (Cue) 92 Xf 108
Casa de Roda (Zar) 61 Yf 99
Casa de Rodé (Vall) 37 Ue 98
Casa de Rodriguillo (Bad) 120 Ua 115
Casa de Rogart (Val) 113 Zb 113
Casa de Rolo (Các) 85 Ta 108
Casa de Ron (Các) 104 Te 111
Casa de Rondín (Ciu) 123 Wa 116
Casa de Ropé (Val) 112 Za 111
Casa de Roque (Sev) 148 Tf 123
Casa de Rosa (Val) 113 Za 114
Casa de Rueda (Córd) 137 Vd 120
Casa de Ruiz Martín (Huel) 146 Sd 124
Casa de Rumualto (Ciu) 123 Wa 118
Casa de Sabadillas (Alb) 125 Xc 115
Casa de Sabas (Alb) 127 Yc 118
Casa de Saceruela (Ciu) 107 Vd 114
Casa de Saetoros (Sal) 71 Td 106
Casa de Sages (Alb) 125 Xb 115
Casa de Sahagún (Tol) 109 Wf 111
Casa de Salabroso (Tol) 88 Uf 109
Casa de Salado (Các) 104 Tc 111
Casa de Salibo (Tol) 108 Wa 111
Casa de Salobral (Cue) 91 Xa 108
Casa de Salterillo (Cue) 110 Xa 111
Casa de Salustiano (Tol) 109 We 111
Casa de San Bernardo (Córd) 135 Ue 121
Casa de San Blas (Tol) 90 Wc 110
Casa de San Cristóbal (Các) 85 Tc 110
Casa de Sandañón (Zar) 60 Yc 101
Casa de San Ginés (Ali) 143 Zb 121
Casa de San Gregorio (Cue) 111 Xe 111
Casa de San Isidro (Alb) 111 Yb 113
Casa de San Juan (Ciu) 122 Vc 117
Casa de San Juan de Dios (Cád) 156 Te 128
Casa de San Lorenzo (Cád) 156 Td 128
Casa de San Luis (Sev) 135 Ue 122
Casa de San Marcos (Ciu) 124 We 114
Casa de San Martin (Các) 85 Ta 110
Casa de San Pablo (Ciu) 109 Wf 113
Casa de San Pedro (Tol) 108 Wa 111
Casa de San Rafael (Córd) 136 Vc 120
Casa de Santa Elena (Cue) 110 Xb 111
Casa de Santa Isabel (Ciu) 124 Wc 115
Casa de Santa Maria (Bad) 104 Ta 113
Casa de Santa María (Cád) 157 Ua 129
Casa de Santa María (Ciu) 124 We 116
Casa de Santa María (Ciu) 108 Vf 114
Casa de Santa María (Ciu) 107 Vd 114
Casa de Santa María (Các) 105 Ua 113
Casa de Santa Olalla (Huel) 156 Td 127
Casa de Santa Rita (Ciu) 109 Xa 114
Casa de Santiaguillo (Tol) 109 We 112
Casa de Sariñana (Zam) 55 Ud 100
Casa de Saturnina (Alm) 140 Xf 122
Casa de Sebastián Cutillas (Mur) 127 Yd 118
Casa de Sedano (Ciu) 108 Vf 114
Casa de Selva (Mur) 127 Yf 117
Casa de Sendallana (Ciu) 125 Xa 117
Casa de Serralla (Sev) 148 Ua 123
Casa de Serranillo (Ciu) 123 Wb 117
Casa de Serrano (Mur) 142 Ye 119
Casa de Serrano (Cue) 91 Xa 110
Casa de Serranos (Vall) 56 Vb 101
Casa des Guarda, Sa (Bal) 98 Ce 112
Casa de Siles (Ciu) 124 Wd 115
Casa de Silverio (Alb) 110 Xd 114
Casa de Silvino (Ciu) 109 Wf 112
Casa de Sima (Mad) 75 Wc 104
Casa de Sirerras (Nav) 24 Ya 94
Casa de Socorro (Zar) 43 Za 96
Casa de Solanillo (Gua) 77 Xe 103
Casa de Sotocochino (Tol) 88 Vb 109
Casa d'es Teix (Bal) 98 Ce 110
Casa de Tablellina (Cád) 157 Ub 128
Casa de Tamarit (Ter) 62 Zc 101
Casa de Tarala (Tol) 90 Wb 109
Casa de Tedón (Alb) 126 Ya 117
Casa de Tejada de Abajo (Các) 85 Tc 109
Casa de Tejadillos (Cue) 77 Ya 106
Casa de Temprano (Các) 85 Tb 109
Casa de Tendero (Alb) 111 Ya 113
Casa de Tercero (Ciu) 124 Xa 114
Casa de Teresa Contreras (Jaé) 138 Wb 122
Casa de Tiemble (Córd) 136 Uf 121
Casa de Tinajones (Sev) 135 Ub 121
Casa de Tobarías (Jaé) 138 Wb 120
Casa de Tomás (Zar) 43 Za 96
Casa de Topete (Các) 104 Tb 111
Casa de Torralba (Córd) 135 Ue 121
Casa de Torrecera (Cád) 157 Ua 129
Casa de Torrecilla (Tol) 89 Vf 110
Casa de Torrejón (Tol) 88 Vc 108
Casa de Torrelampérez (Jaé) 137 Wa 122
Casa de Torremochuelo (Jaé) 138 Wd 120
Casa de Torrequemada (Sev) 148 Te 124
Casa de Torretejeda (Córd) 121 Uf 117
Casa de Toscarés (Ali) 128 Za 117
Casa de Tramotores (Mál) 158 Uf 129
Casa de Traspón (Sev) 135 Uc 122
Casa de Traviesa (Ciu) 124 Wf 115
Casa de Treviño (Ciu) 109 Wf 113
Casa de Trista (Jaé) 138 Wd 122
Casa de Turra (Alb) 125 Xb 116
Casa de Turrax (Rio) 42 Ya 95
Casa de Uceda (Gua) 75 Wd 103 ⊠ 19184
Casa de Ureña (Ciu) 124 Wc 115
Casa de Urreano (Ter) 62 Ze 101
Casa de Usero (Val) 112 Yf 113
Casa de Vadohondillo (Córd) 136 Vc 121
Casa de Vaidemojones (Các) 85 Ta 110
Casa de Valcamín de Abajo (Zam) 54 Ub 100
Casa de Valdecañas (Ciu) 123 Wc 115
Casa de Valdecañas (Các) 86 Te 110
Casa de Valdegama de Arriba (Bad) 120 Ua 116
Casa de Valdeinfierno (Bad) 121 Uc 115
Casa de Valdelobos (Các) 85 Ta 110
Casa de Valdepalacios (Các) 106 Ud 113
Casa de Valdepozas (Cue) 91 Wf 108
Casa de Valdeprado (Bad) 120 Ua 115
Casa de Valderuelo (Ciu) 107 Vd 112
Casa de Valdesauce (Các) 104 Tb 112
Casa de Valdespera (Cád) 164 Uc 131
Casa de Valdeucas (Zar) 61 Zb 100
Casa de Valdongiles (Tol) 89 Vd 109
Casa de Valencia (Các) 104 Tc 110
Casa de Valhondo (Các) 105 Te 112
Casa de Valimón (Vall) 56 Vd 99
Casa de Vallaliebre (Nav) 42 Ya 94
Casa de Vallepuercos (Ciu) 107 Vd 112
Casa de Valmaseda (Ciu) 122 Ve 117
Casa de Valmasedo (Zam) 36 Ub 97
Casa de Valmayor (Bad) 106 Uf 114
Casa de Valmediano (Ter) 93 Yc 107
Casa de Valquemado (Jaé) 137 Ve 119
Casa de Valsalobre (Cue) 91 Xc 108
Casa de Valseco (Ciu) 107 Vb 114
Casa de Valsequillo (Córd) 136 Vc 120
Casa de Valserrada (Ávi) 73 Va 104
Casa de Valtriguera (Zar) 43 Yd 94
≈ Casa de Valverde, Rivera de 147 Tc 123
Casa de Vardales (Zam) 55 Ud 100
Casa de Vargas (Ciu) 109 Wc 114
Casa de Vega Mayor (Vall) 55 Uf 100
Casa de Vela (Alb) 111 Yb 113
Casa de Venianaji (Jaé) 138 Wd 120
Casa de Venta Quesada (Ciu) 109 Wd 114
Casa de Vida (Ciu) 109 Wd 113
Casa de Villacañas (Alb) 127 Yd 116
Casa de Villachica (Zam) 55 Ud 99
Casa de Villagrán (Vall) 56 Vb 101
Casa de Villalobilla (Tol) 109 Wf 110
Casa de Villapando (Cue) 91 Xc 108
Casa de Villarino (Tol) 90 Wd 109
Casa de Villarmiro (Pal) 39 Vf 97
Casa de Villegas (Ciu) 109 Wc 113
Casa de Villegas (Vall) 38 Vb 97
Casa de Viña (Mál) 158 Uf 129
Casa de Viñas (Val) 113 Zb 111
Casa de Vinojales (Các) 85 Tc 110
Casa de Vinya Nou (Lle) 64 Ae 99
Casa de Vizcarra (Hues) 26 Zc 94
Casa de Yonte (Ávi) 73 Vb 104
Casa de Zahera (Vall) 55 Va 101
Casa de Zahora (Ciu) 125 Xa 118
Casa de Zaldívar (Bad) 106 Ud 114
Casa de Zambrana (Mur) 141 Yc 120
Casa de Zapatero (Bad) 120 Ub 115
Casa de Zaragoza (Ter) 93 Yd 106
Casa de Zayas (Tol) 108 Wc 111
Casa de Zorrero (Tol) 90 We 109
Casa de Zurra (Ávi) 73 Vc 104
▲ Casado, Punta del (Ten) 172 B 3
Casa Donoso (Các) 105 Tf 114
Casa El Agrio (Alb) 127 Yd 116
Casa El Burguillo (Ávi) 73 Vc 104
Casa El Campillo (Các) 105 Ua 112
Casa El Cañal (Gua) 75 Wf 104
Casa El Cego (Gua) 77 Yb 105
Casa El Chorrillo (Cue) 76 Xd 105
Casa El Cornejo (Ciu) 109 We 113
Casa El Esparragal (Alm) 155 Ya 125
Casa El Fraile (Bad) 121 Ue 115
Casa el Hinojo (Bad) 134 Tf 120
Casa el Huelva (Bad) 105 Te 114
Casa El Machacón (Gua) 78 Yc 10
Casa El Mentidero (Bad) 105 Te 11
Casa el Palomar (Alb) 125 Xc 117
Casa El Pinar (Seg) 56 Vd 102
Casa El Portillo (Zar) 61 Za 101
Casa El Puerto (Ciu) 123 Wb 117
Casa El Tislar (Val) 113 Zc 113
Casa El Torreón (Ter) 78 Ye 106
Casa El Vedao (Zar) 44 Zc 97
Casa El Verduzal (Alb) 110 Xd 114
Casa El Villar (Huel) 147 Tb 125
Casa Escobar (Mur) 142 Za 121
Casa Escobedo (Tol) 88 Vb 108
Casa Escobero (Các) 105 Te 112
Casa Esteras (Ciu) 122 Vc 115
Casa Eulogio (Mad) 90 Wc 107
Casa Fábrica (Val) 112 Ye 111
Casa Falero (Tol) 110 Xa 111
Casa Fallareta (Val) 113 Zb 112
Casa Folios (Ter) 79 Za 106
Casa Forestal (Ten) 171 C 3
Casa Forestal (Huel) 148 Td 123
Casa Forestal de Cumbre Hermosa (Huel) 148 Td 125
Casa forestal La Lagartija (Seg) 56 Ve 101
Casafort (Tar) 64 Bb 101
Casafranca (Sal) 72 Ub 105 ⊠ 37767
Casa Fuente Albeitar (Tol) 89 Wb 109
Casa Fuente del Judío (Mur) 127 Yd 118
Casa Fuente del Peral (Cue) 77 Xf 106
Casa Fuente del Pozo (Ávi) 88 Vc 107
Casafuerte (Gra) 161 We 128
Casa Galacho (Bad) 118 Se 118
Casa Galeana (Các) 104 Ta 111
Casa Gálvez (Tol) 90 Wb 108
Casa Gamero (Ciu) 108 Vf 111
Casa Gami (Cád) 158 Uc 129
Casa Ganga (Tol) 90 Wc 110
Casa Gavilanes (Bad) 120 Ua 118
Casa Gorgogi (Alb) 125 Xc 117
Casa Goyo (Nav) 25 Ye 93
Casa Grande (Alb) 111 Ya 114
Casa Grande (Ciu) 109 We 114
Casa Grande de Escriche (Ter) 79 Za 106
Casa Granera (Alb) 110 Xd 114
Casa Granja de Blasco Nuño (Sor) 59 Xd 98
Casa Guainet (Ali) 128 Zc 117
Casa Gualda (Alb) 126 Yc 115
Casa Guardiola (Mur) 127 Yf 118
Casa Herrerilla (Bad) 119 Te 115
Casa Herrero (Sev) 135 Uc 122
Casa Herrumbruso (Các) 104 Td 113
Casa Higueras (Tol) 90 We 110
Casa Hornes (Các) 103 Ta 111
Casa Huerta de Cano (Sev) 134 Tf 121
Casa huerta de Gorgojil (Jaé) 137 Wa 120
Casa Huerta de la Mayorazga (Córd) 122 Va 118
Casa Huerta del Botero (Córd) 121 Va 118
Casa Huerta la Racha (Bad) 121 Ue 116
Casa Humosa (Alb) 126 Ya 115
Casaio (Our) 35 Tb 94 ⊠ 32337
≈ Casaio, Encoro de 34 Ta 94
≈ Casaio, Río 35 Ta 94
Casais (Cor) 3 Rc 90
Casa Iserte (Cas) 94 Zc 108
Casa Isidoro (Huel) 132 Sd 123
Casa Jaca (Ciu) 122 Vc 115
Casa Jandilla (Cád) 164 Ua 131
Casa Joay (Gra) 153 Xa 123
Casa Jodar (Alb) 127 Yf 116
Casa Jorrica (Các) 85 Tb 109
Casal (Pon) 14 Rb 93
Casal, El (Hues) 27 Aa 93 ⊠ 22361
Casal, O (Pon) 32 Rc 96
▲ Casal, Praia de 3 Re 87
Casa La Aldea (Zam) 54 Ub 100
Casa la Alquería (Bad) 133 Ta 119
Casa La Argentina (Vall) 55 Ue 101
Casa la Atalaya (Mad) 74 Wb 105
Casa La Blanca (Ciu) 110 Xa 113
Casa la Bóveda (Bad) 120 Ub 118
Casa La Cañadilla (Gua) 77 Xe 105
Casa La Canal (Val) 113 Zb 113
Casa La Caridad (Ciu) 123 Wb 116
Casa La Carolina (Sal) 55 Ue 102
Casa la Colada (Bad) 118 Ta 118
Casa La Colonia (Ciu) 123 Wb 115
Casa La Corte (Huel) 146 Se 123
Casa la Dehesa (Sev) 149 Ud 126
Casa La Dehesa (Rio) 41 Xd 94
Casa Lagé (Hues) 26 Zb 94
Casa la Granja (Córd) 151 Vd 125
Casa la Hoya (Bad) 120 Tf 117

sa La Iruela (Gua) 75 We 102
sa la Lagunilla (Rio) 41 Xf 94
sa La Lobera (Alb) 110 Xe 113
sa La Losa (Alb) 126 Xf 116
sa La Muela (Bad) 121 Ud 116
sa La Naveta (Mur) 142 Ye 121
sa la Paloma (Mál) 160 Ve 127
sa La Paloma (Cád) 157 Ub 129
sa La Parrilla (Cue) 92 Ya 108
sa la Pavena (Cád) 157 Tf 128
sa la Quinta (Ten) 172 C 5
sa La Romana (Ciu) 109 Wf 113
salarreina (Rio) 23 Xa 93
⊠ 26230
sa La Ruiza (Alb) 111 Xe 114
sa La Sabina (Cue) 92 Xe 110
sa las Canteruelas (Cád)
164 Tf 130
sa las Carboneras (Córd)
151 Vd 123
sa Las Corraladas (Các)
85 Tb 109
sa las Cruces (Córd) 135 Ue 122
sa La Serrana (Tol) 108 Wb 113
sa la Serratilla (Cue) 92 Xf 107
sa Las Rozas (Bad) 120 Tf 115
sa Las Terceras (Alb) 110 Xc 113
sa la Tahona (Bad) 120 Tf 118
sa la Tallisca (Bad) 120 Ua 117
sa La Teatina (Tol) 89 Wa 110
sa La Torrecilla (Ciu) 110 Xa 113
sa La Ventosilla (Sal) 72 Ud 102
sa Laviña (Ciu) 124 Wf 116
sa Lazna (Alb) 125 Xd 116
sa le Torre Nova (Cas) 80 Ze 106
salgordo (Tol) 108 Wa 111
⊠ 45109
asa Ligués (Nav) 42 Yb 96
asa Lizana (Hues) 44 Zf 96
asa Llamilas (Zam) 54 Ua 100
asa Llorente (Vall) 37 Ue 95
Casalobos, Sierra de 108 Vf 114
asalonga (Cor) 14 Rc 92
asa Los Arrogatos (Các)
105 Te 112
asa Los Borres (Córd) 136 Va 121
asa Los Calamorros (Huel)
147 Sf 123
asa Los Chozones (Gua)
58 We 102
asa los Cirilos (Zar) 62 Zc 100
asa Los Crisantos (Mur)
142 Yf 122
asa Los Jarales (Bad) 118 Se 118
asa Los Linos (Các) 105 Tf 110
asa Los Menchones (Jaé)
152 Wc 123
asa Los Puercos (Alb) 110 Xc 114
asa Los Rasos (Ciu) 107 Vc 113
asa Los Sotos (Mur) 142 Ye 121
asa los Toriles (Tol) 108 Wc 111
asalot, el (Tar) 64 Af 102
asa Luchena (Córd) 135 Ue 121
asa Madroñal (Ciu) 107 Vd 113
asa Madroñera (Val) 112 Yd 112
asa Malara (Jaé) 138 Wb 121
asa Mallén (Hues) 62 Zf 99
asa Manresa de Corvera (Mur)
142 Yf 122
asa Manteles (Ali) 143 Zb 121
▲ Casamanya, Pics de (AND)
29 Bd 93
asa Maquitón (Huel) 132 Se 122
asa Margoch (Ali) 129 Zf 117
asamaría (Can) 8 Vc 89
asa Marina (Bad) 120 Uc 116
asa Martín (Ciu) 107 Vd 113
asa Martínez (Bad) 118 Sf 117
asa Mata Bestias (Ciu)
123 Wc 115
asa Matilla Vieja (Các) 105 Tf 112
asa Mayorazgo (Mur) 127 Yd 117
asa Mediosquintos (Ciu)
108 Wb 114
asa Mejoras (Alb) 127 Yc 115
asa Mengacha de Abajo (Các)
105 Te 114
asa Mengual (Val) 113 Zb 113
asa Menor de Fita (Zar) 61 Za 99
asa Mesegar (Ávi) 73 Va 105
asa Mesón de Vegarada (Leó)
19 Ud 90
Casa Metalloso (Ciu) 122 Vc 116
Casa Milhombres (Val) 112 Ye 113
Casa Millán (Ter) 79 Zc 105
Casa Mina (Alb) 126 Ya 118
Casa Mingo Lozano (Gua)
75 Wf 106
Casa Mirabel (Các) 86 Te 109
Casa Miranda Alta (Zar) 25 Za 93
Casa Molina (Ter) 78 Yd 106
Casa Molina (Val) 93 Yd 108
Casa Monsute (Tol) 91 Wf 110
Casa Monte Fontanar (Gua)
75 We 104
Casa Monte Rey (Pal) 38 Vd 96
Casa Montes de Orón (Tol)
88 Vc 110
Casa Morisca (Các) 103 Sf 112
Casa Morisco (Các) 86 Ua 110
Casa Muela (Ciu) 124 Wc 116
Casa Mular de Hierro (Các)
104 Tb 112
Casa Muñoz (Pal) 37 Va 96
Casa Navilla (Vall) 56 Vb 101
Casa Negra (Cas) 94 Zd 107
≈ Casaño, Río 8 Va 89
Casa Noblos (Córd) 135 Ue 122
Casa Noguer (Gir) 48 Cc 97
Casa Nolasco (Cue) 111 Yb 111
Casa Nova (Alb) 110 Xd 114
Casanova (Bur) 57 Wd 98 ⊠ 09490
Casa Nova de Valls, la (Lle)
47 Be 96 ⊠ 25285
Casa Nueva (Gra) 152 Wb 125
⊠ 18291
Casa Nueva (Huel) 147 Tc 126
Casa Nueva (Mur) 141 Ya 120
Casa Nueva (Alb) 127 Yf 115
Casa Nueva (Alb) 127 Yc 116
Casa Nueva (Alb) 110 Xb 114
Casa Nueva (Alb) 111 Ya 113
Casa Nueva (Ciu) 109 Wf 113
Casa Nueva (Tol) 108 Ve 111
Casa Nueva (Tol) 109 Wf 110
Casa Nueva (Zar) 62 Zc 98
Casa Nueva (Tol) 89 Ve 109
Casa Nueva, Cortijo de (Alm)
140 Xe 122
Casa Nueva, La (Alb) 126 Yb 115
Casa Nueva, La (Alb) 125 Xe 117
Casa Nueva de la Cepeda (Ávi)
74 Ve 105
Casa Nueva de la Mezquita (Bad)
105 Te 114
Casa Nueva de la Plata (Córd)
136 Ue 121
Casa Nueva de las Mezquitas (Bad)
105 Tf 114
Casa Nueva de la Torrecilla (Jaé)
124 Wf 118
Casa Nueva del Guarda (Jaé)
124 Wf 118
Casa Nueva del Jarón (Ciu)
124 Wf 117
Casa Nueva del Marqués (Tol)
109 We 111
Casa Nueva de Nava Martina (Jaé)
123 Wc 118
Casa Nueva Garnica (Hues)
44 Zf 98
Casa Olivar de Mangula (Córd)
137 Vd 122
Casa Ortiz (Bad) 106 Ue 113
Casa Paco (Tol) 109 Wc 111
Casa Pájaro (Zar) 43 Za 96
Casa Palacio (Mur) 141 Yc 123
Casa Palacio Blanco (Các)
104 Tc 112
Casa Palacio del Sotillo (Tol)
108 Ve 111
Casa Palanquetas (Ali) 129 Ze 117
★ Casa Palma, Ermita de
159 Vb 128
Casa Palmetín (Cád) 157 Ub 129
Casa Palomino (Các) 104 Td 112
Casa Palomitas (Ter) 79 Zd 105
Casa Pangua (Rio) 23 Xb 93
Casa-Pareja (Val) 128 Zc 115
Casa Parreña (Alb) 111 Ya 113
Casa Pedraza (Tol) 108 Wa 111
Casa Pedregosa (Các) 104 Tc 112
Casa Pedriquín (Vall) 37 Ue 97
Casa Pedro Vecino (Các)
104 Ta 111
Casa Pellejero (Zar) 61 Ye 100
Casa Peña de los Catalanes (Ter)
80 Zf 103
Casa Peña María (Val) 112 Yf 113
Casa Pequera (Hues) 26 Za 94
Casa Pereta (Huel) 133 Ta 122
Casa Pernuza (Nav) 24 Ya 93
Casa Perodesma de Arriba (Các)
104 Te 111
Casa Piazarroso (Các) 104 Ta 112
Casa Pié de Sancha (Các)
103 Ta 111
Casa Piejuntas (Các) 103 Sf 111
Casa Pilella (Tar) 62 Ad 101
Casa Pingorote (Tol) 109 Wf 110
Casa Pinilla (Zam) 55 Ud 100
Casa Pinyol (Lle) 64 Ae 100
Casa Piroja (Tol) 88 Vd 109
Casa-Porche (Mur) 141 Yc 121
Casa Porradura (Ciu) 124 Wc 116
Casa Portales (Huel) 147 Tc 125
Casa Potes (Gir) 49 Da 97
Casa Prado Primero (Rio) 41 Xd 94
Casa Prado Tejero (Cue) 77 Xf 106
Casa Preciso (Alm) 154 Xf 123
Casa Puente Torre (Tol) 107 Ve 111
Casa Pujadas (Nav) 23 Xe 94
Casa Quemada (Alb) 110 Xe 113
Casa Quemada (Mad) 74 Wb 106
Casa Quinto del Arenal (Tol)
87 Ue 108
Casar (Can) 9 Ve 88
Casar (Our) 15 Re 94
Casar (Tol) 90 Wc 110
▲ Casar, El 149 Ub 126
Casar, El (Bad) 120 Ua 117
Casa Rabadán (Ciu) 124 Wd 116
Casarabonela (Mál) 159 Va 128
⊠ 29566
Casa Rabosa (Val) 128 Za 115
Casa Rajá (Ciu) 109 Wf 113
Casa Rambla del Campillo (Val)
127 Za 116
Casa Ramírez (Pal) 38 Vc 97
Casa Ramón (Các) 86 Te 110
Casar de Cáceres (Các) 104 Td 111
≈ Casar de Cáceres, Embalse de
104 Td 111
Casar de Escalona, El (Tol)
88 Vc 108 ⊠ 45542
Casar de Miajadas (Các)
105 Ua 114 ⊠ 10109
Casar de Palomero (Các) 86 Te 107
⊠ 10640
Casar de Talamanca, El (Gua)
75 Wd 104
Casar de Talavera, El (Tol)
88 Va 109
Casar do Nabo (Our) 15 Re 94
⊠ 32520
Casa Redondo (Bad) 121 Ue 116
Casa Regueros (Các) 104 Td 113
Casarejo (Jaé) 138 Wc 122
Casarejo, Caserío El (Cád)
157 Te 128
Casarejos (Sor) 40 Wf 98 ⊠ 42148
Casarente (Bad) 119 Tc 115
Casa Rento de la Peraleja (Cue)
93 Yc 107
Casares (Mál) 165 Ue 130 ⊠ 29690
Casares (Ast) 6 Ua 89
Casares (Our) 33 Sa 96
★ Casares, Cueva de los 77 Xe 103
▲ Casares, Los 39 Vf 94
▲ Casares, Los 58 Xb 98
≈ Casares, Río 19 Ub 91
Casares de Arbás (Leó) 19 Ub 91
Casares de las Hurdes (Các)
71 Te 106 ⊠ 10628
Casares de Saliente, Cortijo (Các)
86 Tf 110
Casariche (Sev) 150 Vb 125
⊠ 41580
Casa Río Guadalentín (Gra)
153 Xa 123
Casa Risec (Gir) 49 Cf 98
Casarizas, As (Our) 16 Sb 94
⊠ 32151
Casa Rodillo (Ciu) 109 Wd 113
Casa Roger (Val) 94 Zb 110
Casa Roja (Bad) 119 Tb 117
Casa Romaisa (Tol) 89 Wa 110
Casa Romerosa (Gua) 75 Wf 105
Casa Rosa (Alb) 126 Xe 117
⊠ 02137
Casarrubios del Monte (Tol)
89 Vf 107 ⊠ 45950
Casarrubuelos (Mad) 89 Wa 107
⊠ 28978
Casa Rueda (Gua) 75 Wf 105
≈ Casas, Arroyo de 87 Ub 109
Casas, Las (Palm) 174 C 4
Casas, Las (Ten) 172 B 3
Casas, Las (Ten) 173 C 2
Casas, Las (Alm) 140 Xe 123
⊠ 04829
Casas, Las (Córd) 121 Ud 118
Casas, Las (Val) 112 Ye 111
⊠ 46313
Casas, Las (Ciu) 108 Wa 114
⊠ 13196
Casas, Las (Sor) 41 Xd 98 ⊠ 42190
Casas, Las (Zar) 60 Ya 99
Casas, Los (Ten) 172 B 2
Casas Agalán (Ten) 172 B 2
Casas Aguas de Verano (Các)
105 Tf 112
Casasalbillas, Cortijo de (Sev)
150 Uf 123
Casas Altas (Ciu) 109 Wc 114
Casas Altas (Zar) 43 Za 97
Casas Altas (Val) 93 Ye 108
⊠ 46147
Casas Altas, Las (Seg) 57 Wb 101
Casas Altas de Valdelayegüas
(Các) 105 Te 114
Casasana (Gua) 76 Xc 105
⊠ 19129
Casa San Blas (Alb) 125 Xc 117
Casa San Blas (Bad) 121 Ud 115
Casa Sánchez (Nav) 24 Ya 93
Casa San Pablo (Các) 85 Tb 109
Casa Santa Ana (Sev) 149 Ub 123
Casa Santa Catalina (Các)
104 Tb 112
Casa Santa el Cardo (Các)
104 Ta 111
Casas Bajas (Zar) 43 Za 97
Casas Bajas (Val) 93 Ye 108
⊠ 46146
Casas Bajas, Cortijada (Alm)
154 Xc 124
Casas Bajas de Escuer (Hues)
26 Ze 93
Casas Bajas de Valdelayegüas
(Các) 105 Te 114
Casas Bergés (Hues) 27 Zf 93
Casas Blancas (Ten) 173 G 2
Casas Blancas (Ciu) 124 Xa 115
Casas Blancas (Ciu) 124 We 116
Casas Blancas (Tol) 108 Wb 111
Casas Blancas (Rio) 23 Xa 93
⊠ 26291
Casas Blancas (Ter) 78 Yd 105
Casasbuenas (Tol) 89 Vf 110
⊠ 45124
Casas Caballerías de Rejón (Các)
105 Tf 112
Casas Cabeza Quemada (Gua)
78 Yb 103
Casas Carrasco (Jaé) 139 Xb 120
Casas Carril del Tobosillo (Tol)
109 Wd 111
Casas Castillejo (Ciu) 123 Ve 115
Casas Collado (Val) 113 Zb 113
Casas Cruceta (Alb) 125 Xc 117
Casas Cucharón (Các) 85 Ta 108
Casas Cueva de la Negra (Palm)
174 B 5
Casas Cueva de Valero (Mur)
141 Ya 120
Casas de Abaise (Palm) 175 D 3
Casas de Abajo (Alb) 126 Xf 116
⊠ 02326
Casas de Abajo, Las (Mur)
141 Yd 120
Casas de Abril (Alb) 111 Xe 114
Casas de Afur, Las (Ten) 173 F 2
Casas de Alcadozo (Alb)
126 Ya 117
Casas de Alcance (Val) 112 Yf 113
Casas de Aldealgordo (Ávi)
73 Vc 104
Casas de Algibe (Mur) 142 Yd 122
Casas de Alguezar (Val) 93 Yf 110
Casas de Arevalillo (Ávi) 73 Va 104
Casas de Argamasilla (Jaé)
138 Wb 120
Casas de Arriba (Val) 93 Yf 108
Casas de Arriba, Las (Alb)
126 Yb 116
Casas de Atilano (Các) 85 Tb 108
Casas de Ayagaures Albto (Palm)
174 C 3
Casas de Bartolo (Ciu) 108 Wc 114
Casas de Basta, Las (Val)
112 Yf 113
Casas de Belvís (Các) 87 Uc 110
Casas de Benítez (Cue) 111 Xf 112
Casas de Bolás (Hues) 26 Zd 93
Casas de Borán (Tol) 109 Wd 112
Casas de Bubilla (Gua) 75 Wf 103
Casas de Búcar (Ter) 78 Yb 106
Casas de Buitrago (Mur) 141 Yd 119
Casas de Butihondo (Palm) 174 C 5
Casas de Caballero (Val)
112 Ye 113
Casas de Cabreras (Ávi) 73 Vb 104
Casas de Calvestra (Val) 112 Yf 111
Casas de Camino de los Frailes
(Tol) 109 Wc 111
Casas de Cárcel (Val) 112 Yd 112
Casas de Casimiro Martín (Các)
85 Ta 107
Casas de Castejón (Nav) 42 Yb 96
Casas de Castellar (Alm)
155 Ya 123
Casas de Cavero (Cue) 77 Ya 106
Casas de Cejinas (Zam) 36 Ub 97
Casas de Cerro Hernando (Jaé)
138 We 121
Casas de Cervera (Ciu) 123 Wa 116
Casas de Chamoriscán (Palm)
174 C 3
Casas de Contrera (Ten) 172 B 2
Casas de Corral Rubio (Mur)
141 Yd 122
Casas de Cuadra (Val) 112 Ye 112
Casas de Cuatos Largos (Tol)
108 Wb 111
Casas de Cucharón (Mur)
127 Yd 118
Casas de Cuerva (Alb) 126 Xe 115
Casas de Cuesta Mala (Bad)
121 Ue 115
Casas de Dios Chico (Huel)
132 Se 123
Casas de Don Antonio (Các)
104 Te 113 ⊠ 10162
Casas de Don Diego (Gra)
153 Xa 125
Casas de Don Gabriel (Huel)
133 Tb 122
Casas de Don Gómez (Các)
85 Tc 108
Casas de Don Juan (Gra)
140 Xd 122
Casas de Don Juan (Cue)
110 Xa 111
Casas de Don Pedro (Alb)
112 Yd 114
Casas de Don Pedro (Alb)
111 Xf 113
Casas de Don Pedro (Alb)
111 Yb 114
Casas de Don Pedro (Bad)
106 Ue 114 ⊠ 06770
Casas de Egea (Mur) 142 Ye 122
⊠ 30329
Casas de El Alcor (Bad) 134 Td 120
Casas de El Cortijo (Palm) 175 E 3
Casas de El Golfo (Palm) 176 B 4
Casas de El Tesorico (Alb)
126 Yc 118
Casas de Enmedio (Val) 93 Ye 110
Casas de Escaque (Palm) 175 E 3
Casas de Esper (Zar) 43 Zb 96
Casas de Esquinzo (Palm) 174 C 5
Casas de Estepa (Jaé) 139 Wf 121
Casas de Eufemia (Val) 112 Ye 112
⊠ 46352
Casas de Ezquén (Palm) 175 E 4
Casas de Farrique (Nav) 43 Ye 96
Casas de Felipe (Sal) 85 Tb 107
Casas de Fernando Alonso (Cue)
110 Xe 112 ⊠ 16610
Casas de Fradejos (Zam) 54 Uc 98
Casas de Franca (Nav) 42 Yc 96
Casas de Frías (Ter) 78 Yc 106
Casas de Ganancias (Mál)
159 Vb 126
Casas de Garcimolina (Cue)
93 Yd 109 ⊠ 16338
Casas de Giménez (Val) 112 Ye 112
Casas de Gómez de Arriba (Các)
86 Te 110
Casas de Gran Valle (Palm) 174 B 5
Casas de Guarratino (Zam)
54 Ud 101
Casas de Guerra (Ciu) 109 We 113
Casas de Guijarro (Cue) 111 Xf 112
⊠ 16708
Casas de Guirao (Mur) 142 Yd 122
Casas de Haches, Las (Alb)
126 Xe 117 ⊠ 02139
Casas de Haro (Cue) 111 Xe 113
⊠ 16611
Casas de Hontanillas (Ciu)
107 Vb 113
Casas de Hurtado (Jaé)
138 Wc 120
Casas de Jacomar (Palm) 175 E 4
Casas de Jaime (Alb) 127 Ye 116
Casas de Jorós (Palm) 174 B 5
Casas de Juan de Luque (Mál)
159 Vc 128
Casas de Juan Fernández (Cue)
111 Yb 112
Casas de Juan Gil (Alb) 112 Ye 114
⊠ 02153
Casas de Juan Núñez (Alb)
112 Yc 114
Casas de Juan Quílez (Alb)
126 Xe 118
Casas de la Aldea de las Gaigas
(Sev) 134 Te 122
Casas del Abad (Ávi) 87 Uc 107
⊠ 05693
Casas de la Barquilla (Mur)
127 Yf 118
Casas de la Berzosa (Sal)
85 Tb 106
Casas de la Bombilla (Ten) 171 B 3
Casas de la Campana (Córd)
136 Va 121
Casas de la Cañada de Teguital
(Palm) 175 E 4
Casas de la Canaleja (Ciu)
122 Vd 116
Casas de la Carrasquilla (Alb)
111 Xe 113
Casas de la Cartuja (Sev)
135 Ub 121
Casas del Acebuchar (Ciu)
123 Wb 115
Casas de la Cingla (Mur)
127 Ye 117
Casas de la Cora (Bad) 119 Td 116
Casas de la Cortilla (Các) 86 Tf 110
Casas de la Dehesa (Zam) 36 Tf 97
Casas de la Dehesa Frontal (Các)
87 Uc 110
Casas de la Dehesilla (Gua)
77 Ya 103
Casas de la Florida (Palm) 176 C 3
Casas de la Florida (Palm) 175 D 4
Casas de la Fuente de las Zorras
(Mur) 141 Yc 121
Casas de la Fuente del Pinar (Mur)
127 Yf 116
Casas de la Gorda (Val) 113 Zb 114
Casas de la Granja (Zam)
55 Ud 101
Casas de la Guirra (Palm) 175 E 3
⊠ 35610
Casas de la Higuera (Alb)
126 Ya 117
Casas de la Huerta de
Navalmochuelo (Bad) 107 Va 114
Casas de la Isla (Ávi) 87 Ue 107
Casas de la Lancha (Ávi) 74 Vd 105
Casas de la Loma (Cue) 111 Xe 112

Casas de la Manchega (Val) 112 Yf 112
Casas de la Mata (Ten) 171 B 2
Casas de la Matilla de Los Almendros (Các) 105 Tf 112
Casas de la Molina (Ciu) 122 Vd 117
Casas de la Molinera (Val) 113 Za 114
Casas de la Monja (Ciu) 123 Wb 118
Casas de la Nava (Ciu) 124 We 116
Casas de Lanos Prietos (Palm) 174 D 3
Casas de la Parra (Huel) 146 Sd 124
Casas de la Parra (Ter) 94 Yf 108
Casas de la Patrinita (Huel) 133 Ta 120
Casas de la Pelota (Mur) 141 Yb 119
Casas de la Peña (Alb) 112 Ye 114
Casas de la Peña (Alb) 110 Xd 113
Casas de la Polanca (Cád) 157 Te 128
Casas de la Pollero (Cád) 157 Te 128
Casas de la Presa (Sev) 157 Ub 126
Casas de la Puebla de Mendoza (Gua) 75 We 104
Casas de la Quebrada (Gua) 58 Wf 102
Casas de la Rabadana (Mál) 159 Vb 128
Casas de la Rambla (Alb) 126 Ya 117
Casas de la Retamosa (Ciu) 122 Vd 116
Casas de la Saceda (Gua) 77 Xe 103
Casas de las Aldeas (Các) 85 Tb 110
Casas de las Arenas (Alm) 154 Xd 125
Casas de las Beatas (Alb) 110 Xd 113
Casas de Las Carmonas (Alm) 154 Xd 125
Casas de las Coloradas (Palm) 174 D 2
Casas de las Encinas (Ciu) 108 Wb 114
Casas de las Espiletas (Zar) 62 Ze 101
Casas de las Gargantillas (Các) 106 Ue 112
Casas de las Gordillas (Ávi) 73 Vc 104
Casas de las Higueruela (Các) 105 Uc 113
Casas de Las Hoyas (Alm) 154 Xd 125
Casas de las Huertas (Alb) 111 Yb 113
Casas de las Mesas (Huel) 147 Sf 124
Casas de las Minas (Sev) 135 Ub 121
Casas de las Minas (Lle) 47 Bc 95
Casas de las Monjas (Mur) 143 Za 123
Casas de las Monjas (Cue) 91 Xc 110
Casas de las Navas (Bad) 107 Va 113
Casas de las Navazuelas (Bad) 121 Ud 117
Casas de las Navezuelas (Các) 86 Tf 109
Casas de las Salinas (Palm) 175 E 3
Casas de las Salinas (Cue) 91 Wf 108
Casas de las Trescientas (Vall) 55 Va 100
Casas de la Tercia (Alb) 140 Xd 120
Casas de la Toledana (Ciu) 108 Ve 113
Casas de la Torreta (Ter) 80 Zf 103
Casas de la Vega (Ávi) 87 Uc 106 ✉ 05692
Casas de la Vega de la Torre (Cue) 91 Xb 107
Casas de Laverné Baja (Zar) 43 Yf 96
Casas de la Yedra (Jaé) 124 We 118
Casas de Lázaro (Alb) 126 Xe 116
Casas del Baldío (Các) 104 Tc 111
Casas del Barranco de la Murta (Mur) 142 Ye 121
Casas del Berrueco (Cád) 164 Tf 130
Casas del Calabrial (Alm) 162 Xb 127
Casas del Calar (Mur) 155 Yd 123
Casas del Camino (Palm) 174 B 2 ✉ 35489
Casas del Camino (Ciu) 108 Vf 112
Casas del Campillo (Gua) 77 Xf 104
Casas del Campo de Melchor (Val) 93 Yf 110
Casas del Canal (Zar) 43 Ye 98
Casas del Canchel Blanquillo (Các) 105 Te 113
Casas del Castañar (Các) 86 Ua 108 ✉ 10616
Casas del Castillo (Mur) 127 Yd 118
Casas del Castillo (Ciu) 123 Wb 118
Casas del Cerrojo (Alb) 110 Xb 114
Casas del Chozo Chavo (Ciu) 122 Ve 114
Casas del Cid (Các) 86 Ua 107
Casas del Civil (Mur) 142 Yf 121 ✉ 30590
Casas del Collado (Cue) 77 Xf 106
Casas del Colmenareo (Jaé) 138 We 122
Casas del Conde (Alb) 126 Yb 116
Casas del Conde, La (Sal) 71 Tf 105
Casas del Convento (Zam) 54 Ub 101
Casas del Coto (Huel) 133 Ta 122
Casas del Coto de la Mora (Huel) 133 Tb 122
Casas del Cuartón (Alb) 110 Xb 113
Casas del Cura (Mur) 142 Yf 121 ✉ 30590
Casas del Dornajo (Sor) 58 Wf 99
Casas del Egidillo (Cue) 92 Xe 109
Casas del Embalse (Hues) 44 Zd 95
Casas del Encinar (Ciu) 109 Wd 113
Casas del Enjambradero (Bad) 107 Vb 112
Casas de Lerma (Tol) 108 Wb 112
Casas del Escorial (Córd) 135 Ue 121
Casas del Escribano (Mur) 142 Yd 122
Casas del Fonsillo (Gua) 78 Yb 103
Casas del Frontil (Jaé) 138 Wc 123
Casas del General (Ciu) 123 Ve 117
Casas del Ginete (Alb) 126 Xf 117
Casas del Gordo (Alb) 110 Xc 113
Casas del Guadalperal (Bad) 105 Tf 114
Casas del Guarda (Các) 87 Uc 108
Casas del Guarda del Corchadillo (Mál) 158 Va 129
Casas del Hondo (Mur) 142 Za 122
Casas del Hospinal (Palm) 175 E 3 ✉ 35639
Casas del Hoyo (Mur) 141 Yc 120
Casas de Ligero (Val) 113 Zb 114
Casas del Islote (Palm) 176 B 3
Casas del Jara (Ciu) 123 Vf 114
Casas del Manco (Các) 86 Tf 108
Casas del Médico (Huel) 146 Sd 125
Casas del Miñón (Val) 113 Za 114
Casas del Montaraz (Sal) 70 Tc 106
Casas del Monte (Vall) 56 Ve 99
Casas del Monte (Các) 86 Ua 107 ✉ 10730
Casas del Monte (Tol) 90 Wc 110
Casas del Monte de los Cabezos (Gua) 76 Xc 106
Casas del Moralejo de Arriba (Mur) 140 Xf 121
Casas del Olmo (Cue) 111 Yb 113 ✉ 16238
Casas de Lomas de Gadea (Mur) 140 Xe 121
Casas de los Altos (Alb) 127 Ye 115
Casas de Los Apartaderos (Palm) 175 E 2
Casas de los Ardosos (Jaé) 124 Wd 118
Casas de los Barrios (Zam) 54 Ub 100
Casas de los Bernabeles (Mur) 141 Yc 121
Casas de los Brogelines (Tol) 89 Ve 109
Casas de los Capitos (Mur) 127 Yf 118
Casas de los Carrileros (Alb) 126 Ya 115
Casas de los Cascajos (Zar) 43 Ye 95
Casas de los Castaños (Các) 85 Tb 110
Casas de los Charos (Ciu) 122 Vd 115
Casas de los Frailes (Ciu) 109 Wd 113
Casas de los Franceses (Ciu) 124 Wd 116
Casas de los Gavilanes (Các) 86 Tf 109
Casas de los Hilandeses (Ávi) 88 Uf 107
Casas de los Hitos (Các) 105 Ub 114
Casas de los Llanos (Tol) 89 Vf 109
Casas de los Majadas (Palm) 175 E 2
Casas de los Morales (Ciu) 109 We 114
Casas de los Pachuecas (Alm) 154 Xd 125
Casas de los Pinos (Cue) 110 Xd 112 ✉ 16612
Casas de los Raimundos (Ter) 94 Zc 107
Casas de los Royos de Abajo (Mur) 140 Xf 121
Casas de los Veneros (Ávi) 88 Vb 106
Casas del Palancar (Bad) 106 Ue 113
Casas del Palomar (Córd) 136 Va 121
Casas del Pansero (Mur) 127 Yf 118
Casas del Pantano (Alb) 126 Xe 118
Casas del Pantano (Ter) 79 Zc 103
Casas del Pino (Alb) 140 Xe 118
Casas del Pino (Alb) 110 Xb 113
Casas del Pontón (Bad) 134 Tf 119
Casas del Pozo del Conde (Alb) 125 Xd 115
Casas del Pozuelo (Cue) 91 Xa 109
Casas del Prado (Gua) 78 Yb 103
Casas del Puerto (Alb) 112 Yc 114
Casas del Puerto de Tornavacas (Ávi) 87 Uc 107
Casas del Puerto de Villatoro (Ávi) 72 Ue 105 ✉ 05571
Casas del Puzuelo (Tol) 90 Wb 110
Casas del Raso (Zam) 37 Ud 98
Casas del Remo (Ten) 171 B 3
Casas del Rey (Val) 112 Yd 112 ✉ 46310
Casas del Rey (Pal) 38 Vb 96
Casas del Rincón (Mur) 142 Yd 122
Casas del Rincón (Alb) 110 Xb 114
Casas del Rincón (Ávi) 87 Ue 108
Casas del Río (Alb) 126 Yb 118
Casas del Río (Val) 112 Yf 113
Casas del Río, Las (Ciu) 108 Ve 113
Casas del Rivero (Các) 103 Sf 111
Casas del Robledillo (Córd) 122 Va 117
Casas del Rolloso (Sal) 70 Tb 106
Casas del Romeral (Ciu) 122 Vc 114
Casas del Rostro (Bad) 106 Ud 113
Casas del Sacristán (Huel) 147 Tc 126
Casas del Saladillo (Palm) 175 E 4
Casas del Salero de la Rosa (Mur) 127 Ye 118
Casas del Salinero (Các) 85 Ta 109
Casas del Salugral (Các) 86 Tf 107
Casas del Sindicato Agrícola (Các) 106 Ud 113
Casas del Sisonar (Alb) 110 Xc 114
Casas del Tapuelo (Tol) 89 Vd 109
Casas del Tejarejo (Huel) 133 Tc 123
Casas del Terrón (Huel) 146 Se 125
Casas del Toconal (Huel) 133 Ta 122
Casas del Torcal (Ávi) 73 Vb 104
Casas del Trampal (Các) 104 Te 113
Casas del Transformador (Cue) 111 Xf 111
Casas del Vulgo (Alm) 154 Xd 125
Casas de Madrero (Tol) 106 Va 111
Casas de Madrona (Val) 127 Yf 115 ✉ 46621
Casas de Majada Blanca (Palm) 175 E 3
Casas de Majadavieja (Bad) 107 Va 114
Casas de Majanicho (Palm) 175 E 1
Casas de Majasalegas (Ávi) 73 Vc 106
Casas de Mal Nombre (Palm) 174 C 5
Casas de Marcos (Các) 86 Tf 109
Casas de María (Ciu) 124 We 117
Casas de Marigutiérrez (Alb) 110 Xd 114
Casas de Marrajo (Mur) 141 Ya 121
Casas de Masión (Palm) 176 B 4
Casas de Matas Blancas = Matas Blanca (Palm) 175 C 4
Casas de Matatoros (Cád) 165 Uc 132
Casas de Matías Nieto (Tol) 108 Wa 112
Casas de Matorral (Palm) 174 C 5
Casas de Medién (Val) 112 Za 111
Casas de Medina (Val) 112 Yf 111 ✉ 46312
Casas de Mencaliz (Tol) 108 Wc 111
Casas de Merendaderos (Alb) 110 Xb 113
Casas de Migalbín (Ávi) 72 Ue 104
Casas de Millán (Các) 86 Te 110
Casas de Mingalozano (Các) 105 Ub 112
Casas de Miravete (Các) 87 Ub 110 ✉ 10360
Casas de Mitra (Alb) 125 Xc 115
Casas de Moluengo (Val) 112 Yd 111
Casas de Monleón (Sal) 71 Ub 105
Casas de Montiel (Ter) 78 Yc 104
Casas de Moreto (Alb) 126 Xe 118
Casas de Mozul (Val) 94 Za 110
Casas de Muñochas (Ávi) 73 Va 105
Casas de Navajarra (Ciu) 107 Vd 113
⭑ Casas de Nocedo, Ermita de 19 Ud 91
Casas de Nuevo, Las (Hues) 44 Zc 95 ✉ 22810
Casas de Pajarilla del Berrocal (Ávi) 72 Uf 104
Casas de Pajonales (Bad) 104 Tb 112
Casas de Palacios (Huel) 133 Tb 122
Casas de Palmar (Ten) 172 C 2
Casas de Panes (Mur) 141 Yb 122
Casas de Párraga (Ciu) 109 Wf 113
Casas de Pastrana (Ten) 172 B 2
Casas de Patón (Ciu) 123 Wb 115
Casas de Pecenescal (Palm) 174 C 5
Casas de Peña (Mur) 155 Yd 123
Casas de Peña (Mur) 141 Yc 122
Casas de Peñas Blancas (Mur) 127 Yd 117
Casas de Penén de Albosa (Val) 112 Ye 112
Casas de Peralta (Jaé) 139 Xa 122
Casas de Perico (Hues) 44 Ad 95
Casas de Pila (Bad) 120 Ua 119
Casas de Pino Gordo (Palm) 174 B 3
Casas de Pinos Altos (Ciu) 108 Vf 114
Casas de Pisano (Mur) 127 Yf 118
Casas de Porros (Cád) 164 Ub 132
Casas de Povedas (Ciu) 107 Vd 113
Casas de Pozo Negro = Puerto de Pozo Negro (Palm) 175 E 4
Casas de Pozo Rubio (Alb) 111 Ya 114
Casas de Pradas (Val) 112 Ye 112 ✉ 46310
Casas de Puentecillas (Alb) 126 Xe 116
Casas de Quintanilla (Vall) 56 Ve 98
Casas de Ramos (Zam) 36 Ub 97
Casas de Regaña (Các) 104 Td 113
Casas de Reina o las Casas (Bad) 134 Ua 119
Casas de Requena (Val) 128 Za 115
Casas de Reverte (Mur) 140 Ya 121
Casas de Rivero (Mál) 159 Vb 128
Casas de Roldán (Cue) 110 Xd 113
Casas de Roldán (Cue) 93 Ye 110
Casas de Sa Calobra (Bal) 98 Ce 109
Casas de Salines (Bad) 103 Sf 113
Casas de San Benito (Ciu) 123 Vf 115
Casas de San Galindo (Gua) 76 Xa 103 ✉ 19246
Casas de San Isidro (Gua) 91 Xa 107
Casas de San Juanilla (Bad) 106 Uf 114
Casas de San Llorente (Vall) 55 Va 102
Casas de San Pascual (Zar) 61 Ye 101
Casas de Santa Brigida (Palm) 174 B 3
Casas de Santa Catalina (Ten) 172 B 2
Casas de Santa Cruz (Cue) 111 Ya 112 ✉ 16236
Casas de Santa María (Tol) 87 Uf 108
Casas de Santa Marina (Zam) 54 Ub 101
Casas de Sebastián Pérez (Ávi) 72 Ud 106
Casas de Senador (Các) 105 Tf 114
Casas de Serranos de la Torre (Ávi) 72 Ue 105
Casas de Sesmil (Zam) 54 Ua 101
Casas de Sotos (Val) 112 Yf 113 ✉ 46199
Casas de Taca (Palm) 175 D 2
Casas de Tallante (Mur) 142 Yf 123
Casas de Tamadaba (Palm) 174 B 2
Casas de Tamaretilla (Palm) 175 D 4
Casas de Tirma (Palm) 174 B 2
Casas de Tornajuelo (Mur) 140 Xf 121
Casas de Torrejón (Tol) 88 Uf 109
Casas de Torró (Alb) 112 Ye 115
Casas de Valcamín Alto (Zam) 54 Ub 100
Casas de Valcorchete (Ciu) 108 Ve 114
Casas de Valdarachas (Ciu) 123 Wa 115
Casas de Valdecañas (Pal) 38 Ve 96
Casas de Valdelapeña (Bad) 120 Tf 116
Casas de Valdeolmeña (Gua) 90 Wf 107
Casas de Valiluengo (Gua) 58 Wf 102
Casas de Valtravieso (Tol) 87 Uf 1
Casas de Valverde (Các) 86 Te 10
Casas de Vega-Duero (Vall) 55 Uf 100
Casas de Verlupe (Alb) 126 Yb 11
Casas de Ves (Alb) 112 Ye 113 ✉ 02212
Casas de Veta la Palma (Sev) 148 Te 126
Casas de Vicente (Các) 106 Ud 11
Casas de Vidal (Các) 85 Tb 108
Casas de Villachica (Zam) 54 Ub 101
Casas de Villacomer (Ávi) 73 Uf 10
Casas de Villalobillos (Córd) 136 Va 121
Casas de Villava Perea (Cue) 91 Xb 109
Casas de Villena (Alb) 112 Yd 113
Casas de Villora (Alb) 127 Yc 116
Casas de Viñas (Mál) 160 Wb 128
Casas de Violante (Palm) 175 D 4
Casas de Zaricejo (Ali) 128 Za 117
Casas de Zurraquín (Ávi) 72 Ue 10
Casas Don Vidal de Arriba (Các) 105 Tf 112
Casas dos Montes (Our) 34 Sd 97
Casas du Cuevas Blancas (Ten) 172 C 2
Casaseca de Campeán (Zam) 54 Ub 100
Casaseca de las Chanas (Zam) 54 Ub 100 ✉ 49151
Casas El Almácio (Palm) 175 D 3
Casas El Caballón (Alm) 163 Xf 12
Casas El Caidero (Palm) 174 B 3
Casas El Cid (Ávi) 73 Va 104
Casas El Ciscar (Val) 112 Ye 113
Casas El Gargantón (Ciu) 107 Vd 114
Casas el Guirre (Ten) 173 D 5
Casas El Manantial (Palm) 174 B 3
Casas el Membrillero (Bad) 120 Tf 117
Casas El Mónsul (Alm) 163 Xf 128
Casas El Puertito (Ten) 172 C 5
Casas El Puertito (Palm) 175 F 1
Casas el Río (Tol) 89 Wa 108
Casas El Rochizo (Gua) 77 Yb 104
Casas El Soto (Val) 93 Ye 108
Casas El Tabladillo (Seg) 57 Wb 101
Casa Senuista (Bad) 119 Tb 115
Casa Serrano (Mad) 90 Wb 109
Casas Espartero (Huel) 146 Sd 124
Casa Sevellar (Alb) 112 Ye 113
Casas Francés (Alb) 127 Yc 115
Casas Guzulas (Bad) 134 Tf 119
Casas Hinojosas (Các) 105 Tf 112
Casas Hoya-Nevada (Alb) 126 Xf 118
Casas Hoya Vidales (Ter) 79 Zc 104
Casas Huerta del Ramo (Sev) 157 Ua 127
Casas Huertos de la Fuente (Huel) 146 Se 124
Casas-Ibáñez (Alb) 112 Yd 113
Casa Silverio (Ciu) 125 Xb 116
Casasimarro (Cue) 111 Xf 112 ✉ 16239
Casa Sisentes (Val) 114 Zd 113
Casas la Breña (Palm) 176 D 2
Casas La Cabaña (Vall) 56 Vb 101
Casas La Cantera (Ten) 172 B 2
Casas La Celadilla (Ciu) 123 Wb 115
Casas La Concepción (Ten) 172 C 5
Casas la Encomienda (Bad) 134 Ua 120
Casas La Enjarada (Các) 104 Td 112
Casas La Garganta (Ali) 129 Aa 116
Casas La Peana (Ciu) 124 Wd 115
Casas Las Alcachofas (Ali) 142 Za 121
Casas Las Corinas (Alm) 154 Xd 125
Casas Las Escamas (Palm) 176 D 2
Casas las Hoyas (Palm) 174 B 2
Casas las Huelgas (Bad) 120 Tf 117
Casas Las Toscas (Ten) 173 B 2
Casas las Villas Nuevas (Alb) 126 Xf 114
Casas La Viña (Ten) 171 B 2
Casas Los Callejones (Gua) 78 Yc 103
Casas los Codriales (Bad) 134 Ua 119
Casas Los Martínez (Mur) 142 Za 121
Casas Los Menores (Ten) 172 C 5
Casas Los Mocanes (Ten) 173 C 2
Casas Los Molinos (Palm) 174 D 3
Casas Los Molinos (Palm) 175 D 2
Casas Los Secaderos (Các) 86 Tf 110

asas Luján (Cue) 91 Xb 109
asas Martincaro (Ciu) 122 Va 115
asas Mingajila de Ventosa (Các) 105 Tf 112
asas Montañeta de Tao (Palm) 175 D3
asas Monte Chaparral (Gua) 76 Xa 106
asas Montinche (Các) 86 Tf 108
asas Nuevas (Mur) 142 Yf 122
asas Nuevas (Mur) 141 Yc 121
asas Nuevas (Mur) 141 Yb 121
asas Nuevas (Vall) 55 Uf 102
asas Nuevas (Cue) 93 Yd 108 ⊠ 16318
asasoa (Our) 34 Sd 94
asasola (Alb) 126 Xf 117 ⊠ 02124
asasola (Can) 9 Ve 88
asasola (Vall) 56 Vc 99
asasola (Ávi) 73 Vb 104 ⊠ 05140
Casasola 74 Vd 105
Casasola, Castillo de 90 Wd 108
asasola, Cortijada de (Jaé) 137 Vf 122
Casasola, Embalse de 159 Vd 128
asasola de Arión (Vall) 55 Ue 99
asasola de la Encomienda (Sal) 71 Te 103 ⊠ 37209
asasola del Campo (Sal) 71 Ua 104 ⊠ 37452
asasola de Rueda (Leó) 19 Ue 93 ⊠ 24166
asas Palomar de Casa Vieja (Tol) 109 Wd 112
asas Peraleja (Mur) 142 Za 121
asas Perzosa (Ciu) 124 Wd 115
asas Pozo de las Calcosas (Ten) 173 C1
asas Quemadas (Val) 93 Yd 108
asas Quemadas (Cue) 93 Ye 109
asas Quiros (Bad) 120 Tf 118
Casas Rubias, Sierra de 136 Uf 120
asas Salomóns (Ali) 129 Ze 117
asas San Juan (Ten) 173 E5
asas Santa Rosalía (Huel) 132 Se 122
asas Turquillas (Sev) 150 Uf 124
asasuertes (Leó) 20 Va 90 ⊠ 24917
asas Vedado (Hues) 63 Ab 100
asas Viejas (Alb) 126 Ya 115
asas Viejas (Alb) 127 Ye 115
asas Viejas (Val) 112 Yd 112
▲Casas Viejas 36 Ua 95
▲Casas Viejas 75 Wb 105
▲Casas Viejas, Sierra de 36 Ua 95
asas Villa María (Mur) 142 Yf 121
asas y Tinado (Các) 86 Tf 109
asa Tabladilla (Huel) 148 Td 123
asa Tarquina (Gra) 153 Xc 123
asatejada (Các) 87 Ub 109 ⊠ 10520
asa Tejar (Cue) 91 Xb 109
asa Tinado (Các) 103 Ta 111
asato de Higinio (Alb) 127 Yc 116
asa Tomellosa (Cue) 91 Xb 108
asa Toril (Bad) 121 Ud 115
asa Torneros de la Hoz (Ávi) 73 Uf 104
asa Torraza (Nav) 25 Yd 94
asa Torre de Guallar (Zar) 43 Za 98
asa Torrejón (Sal) 54 Uc 102
asa Torreperales (Sal) 54 Uc 102
asa Tranco del Lobo (Alb) 112 Ye 113
asa Tres Rayas (Huel) 147 Tb 126
asa Trilla (Zar) 63 Ab 100
asa Tristany (Lle) 47 Bd 97
asa Trovico (Các) 105 Ua 112
asa Trujillano (Tol) 88 Uf 108
asa Tuartas (Hues) 27 Zf 94
asau (Lle) 28 Ae 92 ⊠ 25538
asa Valdelagata (Ciu) 108 Vf 112
asa Valdeviñas (Huel) 132 Sd 123
asa Valdezarza (Tol) 107 Vd 110
asa Valle del Rubial (Ciu) 107 Vc 112
asa Vall-llongues (Ali) 128 Zd 117
asa Valverde (Các) 106 Ud 113
asa Vanar (Ali) 128 Zc 117
asa Vaquerizo (Các) 87 Uc 109
asa Vena (Ter) 94 Zb 107
asa Venta (Mur) 127 Ye 117
asa Venta Quemada (Các) 86 Tf 108
asa Ventura (Zar) 43 Za 96
asa Verea (Ali) 143 Zb 121
asa Veret (Lle) 47 Bd 96
asa Vidal (Val) 129 Zf 115
asa Vidal (Tar) 64 Ba 100
▲Casa Vieja 135 Uc 119
asavieja (Can) 10 Wd 89
asavieja (Ávi) 88 Vb 107 ⊠ 05450
asa Vieja (Cue) 92 Ya 107
asa Vieja de Canillos (Zam) 54 Uc 99
Casa Vieja del Coto (Sev) 148 Ua 123
Casa Vieja del Monte (Mad) 89 Wa 107
Casa Villa Luz (Vall) 55 Uf 102
Casa Villares (Tol) 109 Wd 111
Casa Villena (Ciu) 110 Xb 113
Casa Xalamera (Tar) 62 Ac 102
Casaxeto (Our) 16 Sb 94
Casa y Corral del Mariscal (Mur) 141 Yd 121
Casa Yegüeros (Ciu) 124 Wf 116
Casa y Molino de los Lorenzos (Córd) 137 Vd 120
Casa y Salinas de Valdetablado (Ter) 93 Yb 107
Casa Zacarés (Val) 114 Zd 113
Casa Zamarril (Các) 85 Tc 109
Casbas de Huesca (Hues) 44 Zf 96 ⊠ 22142
▲Cascade 60 Yb 101
▲Cascajal, El 93 Yc 110
▲Cascajar, El 77 Yb 105
Cascajares (Seg) 57 Wd 100 ⊠ 40518
Cascajares de Bureba (Bur) 22 We 92 ⊠ 09280
Cascajares de la Sierra (Bur) 40 Wd 96 ⊠ 09640
Cascaje, Caserío de (Pal) 38 Vc 95
Cascajo (Ten) 171 B2
Cascajosa (Sor) 59 Xb 99 ⊠ 42294
Cascajosa, Cortijo de la (Bad) 119 Tb 116
Cascante (Ali) 128 Zb 116
Cascante (Nav) 42 Yb 97 ⊠ 31520
Cascante del Río (Ter) 93 Yf 107
Cascantes (Leó) 19 Uc 92 ⊠ 24630
▲Cascarrera 42 Ya 98
Cascaxide (Pon) 15 Re 92
Casco, El (Ten) 172 C3
Ca's Concos (Bal) 99 Da 112
Cáseda (Nav) 25 Yd 93
Caseiro (Our) 33 Re 95 ⊠ 32520
Caselles, les (Gir) 49 Ce 95 ⊠ 17832
Caseras = Caseres (Tar) 63 Ab 102
Caseres (Tar) 63 Ab 102 ⊠ 43787
Casería, La (Alm) 162 Xa 127
Casería de Amores (Jaé) 138 Wc 120
Casería de Jornía (Sev) 150 Uf 126
Casería de la Corregidora (Jaé) 137 Wa 120
Casería de la Galiana (Córd) 151 Vd 124
Casería de la Marquesita (Córd) 137 Ve 121
Casería de la Salcedilla (Jaé) 137 Wa 120
Casería de la Tierna (Córd) 136 Vb 121
Casería del Carratón (Jaé) 138 Wc 122
Casería de Marcona (Córd) 137 Vd 122
Casería de Mena (Jaé) 137 Ve 121
Casería de Ossío (Cád) 164 Te 130
Casería de Roga (Sev) 150 Va 125
Casería de San José (Córd) 151 Vd 123
Caserías, Las (Jaé) 151 Wa 124
Caserilh (Lle) 28 Ae 92
Caserito (Sal) 71 Tf 105
Caseriu Covetes (Ali) 128 Zd 117
Caseriu del Villar (Cas) 80 Ze 104
Caseriu Figuerets (Ali) 129 Ze 117
Caseriu Morera (Val) 128 Zb 116
Caseriu Surcas (Ali) 129 Zd 117
Caserras del Castillo (Hues) 44 Ad 96 ⊠ 22589
Caseruelas (Ávi) 74 Vd 105
Cases d'Alcanar, les (Tar) 80 Ad 105 ⊠ 43569
Cases d'Alenda, les (Ali) 128 Zb 118
Cases de Barbens, les (Lle) 46 Ba 98 ⊠ 25262
Cases de Cala Murta (Bal) 99 Db 109
Cases de Galiana, les (Ali) 142 Za 119
Cases de Joan Blanco, les (Ali) 128 Za 118
Cases de Jordá, les (Ali) 128 Zb 116
Cases de l'Arc (Ali) 129 Ze 117
Cases del Cap, les (Ali) 143 Zc 119
Cases del Coll, les (Ali) 128 Za 118
Cases del Faldar, les (Ali) 127 Yf 118
Cases del Mestre, les (Ali) 128 Zb 116
Cases del Riu, les (Cas) 80 Ab 105
Cases del Senyor, les (Ali) 128 Za 118
Cases dels Rams, les (Ali) 128 Zd 118
Cases de Menor, les (Ali) 128 Za 116
Cases de Posada, les (Lle) 47 Bd 96 ⊠ 25286
Cases de Sequé, les (Ali) 127 Yf 118
Cases d'Ivanyes, les (Ali) 127 Yf 118
Cases Noves, Ses (Bal) 97 Bb 115
Cases Noves de la Riera, les (Bar) 65 Bd 100
Casesnoves Noia de la Riera, les (Bar) 65 Bd 100
Cases Velles, Ses (Bal) 97 Bc 114
Caseta (Gir) 31 Cf 95
Caseta (Our) 34 Sc 95
▲Caseta, La 37 Vb 96
Caseta Blanca (Bal) 98 Ce 111
Caseta de Bolea (Zar) 44 Zc 97
Caseta de Fuente Vieja (Córd) 136 Uf 121
Caseta de la Flamarenca (Zar) 43 Za 97
Caseta de la Sarda (Hues) 44 Ze 98
Caseta de las Reguerillas (Zar) 61 Ye 100
Caseta del Batanero (Zar) 62 Zd 100
Caseta del Guarda (Hues) 44 Zd 97
Caseta del Hoyo (Ciu) 124 Wd 117
Caseta del Monte (Bur) 40 Wd 94
Caseta del Prado (Ávi) 88 Uf 107
Caseta del Sapo (Ter) 94 Za 107
Caseta del Tío Rabalí (Val) 113 Zc 113
Caseta de Majito (Hues) 44 Zd 98
Caseta de Moya (Zar) 62 Zc 99
Caseta de Rodén (Zar) 62 Zc 100
Caseta de Valsamón (Zar) 61 Yf 101
Caseta El Polvorín (Ciu) 109 Wf 112
Casetas (Zar) 61 Yf 98 ⊠ 50620
Casetas Alberto (Zar) 44 Zc 97
Casetas de Barnueva (Rio) 42 Ya 96
Casetas de Campoliva (Zar) 62 Zc 98
Casetas de Lomas (Hues) 27 Zf 93
Casetas de los Trujos (Zar) 62 Zc 100
Casetas del Pescatero (Ter) 94 Za 108
Casetes, les (Bar) 47 Be 98
Casetes, les (Bar) 65 Bf 100
Casetes, les (Cas) 80 Zf 106
Casetes, Ses (Bal) 97 Bc 114
Casetes de Gil, les (Ali) 128 Zb 117
Casetes d'En Mussons, les (Bar) 65 Bd 99
Casetes de N'Oliveró, les (Bar) 66 Bf 100
Casetes d'En Raspall, les (Bar) 65 Be 100
▲Casetona, La 39 Vf 95
Ca'S'Hostal (Bal) 99 Da 111
Casica, Cortijo de la (Alm) 140 Xe 123
Casica del Madroño (Alb) 126 Xf 116 ⊠ 02327
Casicas (Ali) 143 Zb 120
Casicas, Cortijo de las (Gra) 154 Xc 123
Casicas, Las (Mur) 155 Yb 124
Casicas, Las (Mur) 155 Yc 124
Casicas, Las (Mur) 142 Ye 122
Casicas, Las (Mur) 142 Ye 119
Casicas, Las (Mur) 142 Za 122
Casicas, Las (Mur) 140 Xf 120
Casicas, Las (Alb) 140 Xe 118
Casicas del Río Segura (Jaé) 140 Xc 119
≈Casido, Río de 3 Rd 90
☆Casihurtos, Virgen de 44 Ac 95
Casilla, Cortijo de la (Gra) 153 We 125
Casilla, Cortijo de la (Các) 105 Ub 111
Casilla Blanca (Palm) 175 D4
Casilla de Altamira (Alb) 126 Ya 117
Casilla de Andresón (Alb) 112 Yd 114
Casilla de Antón (Alb) 112 Yd 114
Casilla de Benigno Tomás (Cue) 111 Yb 112
Casilla de Berrilla (Alb) 111 Yb 113
Casilla de Cascajosa (Jaé) 123 Wb 118
Casilla de Ganaderos (Tol) 88 Va 108
Casilla de Gaspar (Alb) 112 Yd 114
Casilla de Ginche (Cue) 110 Xc 111
Casilla de la Cascajosa (Sev) 149 Uc 123
Casilla de la Jarica (Jaé) 138 Wa 122
Casilla de la Moría (Jaé) 151 Wa 124
Casilla de las Navas de Pedro Bagar (Jaé) 138 Wa 119
Casilla de las Peñas (Các) 105 Tf 113
Casilla del Batán (Cue) 111 Xf 112
Casilla del Caldo (Jaé) 124 Wc 118
Casilla del Cocón (Gra) 153 Wf 124
Casilla del Fiscal (Sev) 149 Ub 124
Casilla del Fontanarejo (Jaé) 123 Wa 119
Casilla del Gotril (Tol) 88 Vc 107
Casilla del Mamporro (Alb) 112 Yd 114
Casilla del Ojuelo (Jaé) 137 Vf 119
Casilla de los Montecillos (Sev) 157 Ua 127
Casilla del Portillo (Sev) 149 Uc 125
Casilla del Sacristán (Val) 113 Zb 111
Casilla del Villar (Jaé) 137 Vf 119
Casilla de Martín (Alb) 112 Yd 114
Casilla de Mirabueno (Cue) 91 Xc 110
Casilla de San Antón (Sev) 148 Ua 123
Casilla de Torres, La (Cue) 111 Yb 110
Casilla de Usones (Zar) 61 Yf 99
Casilla-Grande, Cortijo (Các) 105 Te 111
Casilla Los Altos (Cue) 91 Xb 108
Casillas (Bur) 22 Wc 91 ⊠ 09556
Casillas (Gua) 58 Xa 101
Casillas (Ávi) 88 Vc 106 ⊠ 05428
Casillas, Cortijo de (Mál) 159 Va 127
Casillas, Cortijo de las (Jaé) 138 Wa 121
Casillas, Las (Mál) 160 Ve 127
Casillas, Las (Alm) 153 Xc 125
Casillas, Las (Córd) 150 Vb 123
Casillas, Las (Jaé) 151 Wa 123
Casillas, Las (Sal) 72 Uc 106 ⊠ 37749
☆Casillas, Palacio de 105 Ua 111
▲Casillas, Playa de las (Palm) 174 D4
Casilla Sadina (Jaé) 123 Vf 118
Casilla San Germán (Sev) 149 Ub 123
Casillas de Berlanga (Sor) 58 Xb 100 ⊠ 42367
Casillas de Chicapierna (Ávi) 72 Ue 105 ⊠ 05153
Casillas de Coria (Các) 85 Tc 109 ⊠ 10818
Casillas de Flores (Sal) 70 Tb 106 ⊠ 37541
Casillas del Angel (Palm) 175 E3 ⊠ 35611
Casillas del Espaldar (Mad) 75 Wc 103
Casillas del Espinar (Ciu) 107 Vb 114
Casillas de los Álamos (Tol) 88 Vc 107
Casillas del Puerto (Jaé) 137 Wa 119
Casillas de Marín de Abajo (Alb) 127 Ye 115
Casillas de Marín de Arriba (Alb) 127 Ye 115
Casillas de Morales (Palm) 175 D3 ⊠ 35638
Casillas de Ranera (Cue) 93 Ye 110 ⊠ 16321
Casillas de Vacas (Mál) 151 Ve 126
Casillas de Valverde (Jaé) 138 Wc 121
Casillas de Velasco (Córd) 137 Vd 120 ⊠ 14600
Casimiros, Los (Gra) 161 Wf 127
Casiñas, Las (Các) 103 Se 112
Casinos (Val) 94 Zb 110 ⊠ 46171
Casitas, Las (Palm) 175 D4 ⊠ 35570
Casitas de Femés, Las (Palm) 176 B4
Casitas Vilerda y Cinco Oliveras, Las (Mur) 155 Yb 123
Casla (Seg) 57 Wc 101 ⊠ 40590
Ca's Mart (Bal) 97 Bb 114
Casó, el (Lle) 46 Bb 95
Casomera (Ast) 19 Uc 90 ⊠ 33681
▲Casomera, Sierra de 19 Uc 90
Casón, El (Alb) 127 Yc 118
☆Casona, Castillo de la 9 Vd 90
Casós (Lle) 28 Ae 94
Casots, els (Bar) 65 Be 100 ⊠ 08739
Caspe (Zar) 63 Zf 101 ⊠ 50700
≈Caspe, Embalse de 63 Zf 102
▲Caspe, Sierra de 63 Aa 101
Cas Porrerenc (Bal) 99 Da 112
Caspueñas (Gua) 76 Xa 104 ⊠ 19412
Cassà de la Selva (Gir) 49 Cf 97
Casserres (Bar) 47 Bf 96 ⊠ 08693
Cassibròs (Lle) 29 Bb 93
Castala (Alm) 162 Xa 127 ⊠ 04760
Castalla (Ali) 128 Zc 117 ⊠ 03420
☆Castañar, Convento de El 108 Vf 111
Castañar, El (Ciu) 108 Vf 111
☆Castañar, Santuario del 87 Ub 106
▲Castañar, Sierra del 108 Vf 111
Castañar de Ibor (Các) 106 Ud 111 ⊠ 10340
Castañares (Bur) 39 Wc 94 ⊠ 09199
Castañares de las Cuevas (Rio) 41 Xc 95 ⊠ 26121
Castañares de Rioja (Rio) 23 Xa 93 ⊠ 26240
Castañeda (Can) 9 Wa 89 ⊠ 39660
☆Castañeda, Colegiata de 9 Wa 89
Castañeda, Cortijo de (Jaé) 151 Vf 123
Castanedo (Ast) 5 Tb 88 ⊠ 33718
Castanedo (Can) 10 Wb 88 ⊠ 39150
Castañedo (Ast) 6 Tf 88
Castañedo (Ast) 17 Tc 90
Castañedo (Lug) 17 Ta 90 ⊠ 27658
☆Castañedo del Monte 6 Tf 89
Castanesa (Hues) 28 Ad 93 ⊠ 22474
▲Castaño 136 Uf 121
Castaño, El (Huel) 134 Td 120
Castaño, El (Bad) 119 Td 119
▲Castaño, Puerto del 165 Uc 131
▲Castaño, Sierra del 136 Va 119
Castaño del Robledo (Huel) 133 Tb 121 ⊠ 21290
Castaños, Cortijo de (Mál) 158 Ue 128
Castaños, Los (Alm) 154 Xf 126 ⊠ 04278
Castaños y Trasierra (Bad) 120 Tf 117
Castañuelo (Huel) 133 Tc 121 ⊠ 21208
Castanya, la (Bar) 48 Cc 98
☆Castanyedell 48 Cc 97
Castanyera, la (Bar) 48 Cc 98
Castanyet, el (Bar) 47 Bf 96
Castanyet, el (Gir) 48 Cd 97
Cástaras (Gra) 161 We 127
Castarlenas (Hues) 44 Ac 96
Castarnés (Hues) 28 Ae 94
Castejón (Nav) 42 Yb 95
Castejón (Cue) 91 Xc 106
▲Castejón, Montes de 43 Yf 97
▲Castejón, Sierra de 40 Xa 96
Castejón de Alarba (Zar) 60 Yc 101
Castejón de Arbaniés (Hues) 44 Ze 96
Castejón de Henares (Gua) 76 Xb 103
Castejón de las Armas (Zar) 60 Yb 101
Castejón del Campo (Sor) 59 Xf 98 ⊠ 42130
Castejón del Puente (Hues) 45 Aa 97
Castejón de Monegros (Hues) 62 Ze 99
Castejón de Sobrarbe (Hues) 45 Aa 95
Castejón de Sos (Hues) 28 Ac 93
Castejón de Tornos (Ter) 78 Yd 103
Castejón de Valdejasa (Zar) 43 Za 97
Castel de Cabra (Ter) 79 Zb 104 ⊠ 44706
Castelflorite (Hues) 44 Zf 98 ⊠ 22215
Castell, el (Tar) 80 Ac 105 ⊠ 43559
Castell, el (Cas) 95 Ze 107
Castell, Es (Bal) 96 Eb 109
▲Castell, Platja del 129 Aa 116
▲Castell, Platja del 49 Da 97
▲Castell, Punta de 49 Db 96
▲Castellà, el 65 Bd 100
Castelladral (Bar) 47 Be 97 ⊠ 08671
Castellana (Cor) 3 Rf 89
Castellana, Caserío de la (Bad) 118 Sf 115
Castellana, La (Cád) 157 Tf 129
Castellana, la (Gir) 49 Cf 96
▲Castellana, La 78 Ye 105
▲Castellano 94 Za 110
▲Castellanos 125 Xa 117
Castellanos (Alb) 110 Xb 113
Castellanos (Leó) 37 Uf 94 ⊠ 24343
Castellanos de Bureba (Bur) 22 Wd 92 ⊠ 09593
Castellanos de Castro (Bur) 39 Vf 95 ⊠ 09227
Castellanos de Moriscos (Sal) 72 Uc 102 ⊠ 37439
Castellanos de Villiquera (Sal) 72 Ub 102 ⊠ 37797
Castellanos de Zapardiel (Ávi) 73 Va 102 ⊠ 05229
Castellar (Hues) 27 Zf 93
Castellar (Bar) 47 Bd 98 ⊠ 08256
☆Castellar, Castillo de 43 Yf 98
Castellar, Cortijo de (Sev) 149 Ud 125
Castellar, El (Córd) 151 Vf 124 ⊠ 14817
▲Castellar, El 111 Ya 111
▲Castellar, El 43 Za 98
Castellar, El (Ter) 79 Zb 106 ⊠ 44409
▲Castellar, Es (Bal) 97 Bb 114

≈Castellar, Rabla de 124 Wd 117
▲Castellar, Sierra del 119 Tc 118
☆Castellar, Torre de 127 Yc 117
Castellar de la Frontera (Cád) 165 Ud 131 ✉*11349
Castellar de la Mantanya (Gir) 48 Cd 95
Castellar de la Muela (Gua) 77 Yb 104 ✉19328
Castellar de la Ribera (Lle) 47 Bc 96 ✉25289
Castellar de la Selva (Gir) 49 Cf 97 ✉17242
Castellar del Riu (Bar) 47 Be 96 ✉08619
Castellar del Vallès (Bar) 66 Ca 99
Castellar de N'Hug (Bar) 30 Ca 95 ✉08696
Castellar de Santiago (Ciu) 124 We 117 ✉13750
Castellar de Santisteban (Jaé) 139 Wf 119 ✉23260
Castellar de Tost (Lle) 46 Bc 95 ✉25795
☆Castellar vell 66 Ca 99
Castellàs (Lle) 46 Bb 95
Castellaz (Hues) 28 Ac 94
Castellazo (Hues) 45 Aa 94 ✉22149
☆Castellbarri 49 Da 97
Castellbell i el Vilar (Bar) 47 Bf 99 ✉08296
Castellbisbal (Bar) 66 Bf 100 ✉08755
Castellbó (Lle) 29 Bc 94
Castellcir (Bar) 48 Cb 98 ✉08183
☆Castellcir 48 Cb 98
Castellciutat (Lle) 29 Bc 94 ✉25710
Castelldans (Lle) 64 Ae 100 ✉25154
Castell d'Aro (Gir) 49 Da 98
▲Castell de Bac Grillera 31 Ce 94
Castell de Cabres (Cas) 80 Aa 105 ✉12319
Castell de Castells (Ali) 129 Ze 116 ✉03793
Castelldefels (Bar) 65 Bf 101 ✉08860
▲Castelldefels, Platja de 66 Ca 101
Castell de Ferro (Gra) 161 Wd 128 ✉18740
Castell de l'Areny (Bar) 47 Bf 95 ✉08619
Castell de Mianes, el (Tar) 80 Ac 104
Castell d'Empordà (Gir) 49 Da 97
Castell de Mur (Lle) 46 Af 96
Castell de Santa Maria, el (Lle) 47 Bc 98 ✉25271
Castellet (Lle) 46 Af 95
☆Castellet, el 62 Ad 101
Castellet i la Gornal (Bar) 65 Bd 101 ✉08729
Castellfollit de la Roca (Gir) 48 Cd 95 ✉17856
Castellfollit del Boix (Bar) 47 Be 98 ✉08255
Castellfollit de Riubregós (Bar) 47 Bc 98
Castellfort (Cas) 80 Ze 105 ✉12159
Castellgalí (Bar) 47 Bf 98
Castell-llebre (Lle) 46 Bb 96 ✉25790
☆Castell Major 113 Zc 115
Castellmeià (Lle) 46 Bb 98
Castellnou (Lle) 46 Ba 96
Castellnou d'Avellanós (Lle) 28 Af 94
Castellnou de Bages (Bar) 47 Bf 98 ✉08251
Castellnou de Montfalcó (Lle) 46 Ba 98
Castellnou de Montsec (Lle) 46 Ae 96 ✉25632
Castellnou de Seana (Lle) 64 Af 99 ✉25265
Castellnou d'Oluges (Lle) 46 Bb 98 ✉25214
Castellnovo (Cas) 94 Zd 109 ✉12413
Castelló (Tar) 64 Af 102
Castelló de Farfanya (Lle) 46 Ae 98
Castelló d'Empúries (Gir) 49 Da 95
Castelló de Rugat (Val) 128 Zd 115 ✉46841
Castelló de Tor (Lle) 28 Ae 94
Castellolí (Bar) 65 Be 99
Castellón, El (Alm) 154 Xc 125
Castellón de la Plana/Castelló de la Plana (Cas) 95 Zf 109
Castellones (Alm) 154 Xf 126
Castellones, Los (Alm) 154 Xf 123
Castellonet de la Conquesta (Val) 129 Ze 115 ✉46726
Castellote (Gua) 77 Ya 103 ✉19392
Castellote (Ter) 80 Ze 104 ✉44560
Castell-Platja d'Aro (Gir) 49 Da 98 ✉17249
☆Castellruf 66 Cb 99
Castells (Lle) 46 Bb 95
≈Castells, Río 129 Zf 116
Castellserà (Lle) 46 Af 98
☆Castelltallat 47 Bd 98
▲Castelltallat, Serra de 47 Bd 98
Castellterçol (Bar) 48 Ca 98 ✉08183
Castelltort (Lle) 47 Bd 96 ✉25285
☆Castellvell 66 Cc 99
Castellvell = Castellvell del Camp (Tar) 64 Ba 101
Castellvell del Camp (Tar) 64 Ba 101 ✉43392
Castellví de la Marca (Bar) 65 Bd 101
Castellví de Rosanes (Bar) 65 Bf 100
Castelnou (Ter) 62 Zd 101 ✉44592
Castelnou de Carcolze (Lle) 29 Bd 94
Castelo (Cor) 3 Rd 89
Castelo (Cor) 3 Re 90
Castelo (Cor) 15 Rd 90
Castelo (Lug) 16 Sc 91
Castelo (Lug) 16 Sb 92
Castelo, Cortijo (Cád) 157 Te 128
▲Castelo, Monte 32 Rc 95
▲Castelo, Montes do 2 Rb 90
Castelo, O (Pon) 32 Rd 96
Casteloais (Our) 34 Sd 95 ✉32768
Castelserás (Ter) 80 Zf 103
Castelvispal (Ter) 94 Zc 107 ✉44412
Castielfabib (Val) 93 Ye 108 ✉46141
☆Castiello 7 Uc 87
Castiello de Jaca (Hues) 26 Zc 93 ✉22710
Castigaleu (Hues) 44 Ad 95 ✉22587
Castil, Cortijo El (Jaé) 137 Wa 122
≈Castil, Río 22 Wc 93
Castilblanco (Bad) 106 Uf 113 ✉06680
Castilblanco (Ávi) 73 Va 104 ✉05357
Castilblanco, Cortijo de (Các) 106 Uf 112
Castilblanco de Henares (Gua) 76 Xa 103 ✉19246
Castilblanco de los Arroyos (Sev) 134 Ua 122 ✉41230
Castilblanques (Val) 112 Yf 113 ✉46199
Castil Cabra, Caserío de (Ter) 79 Za 106
Castil de Campos (Córd) 151 Vf 124 ✉14815
▲Castildedíez 58 Wd 99
Castil de Lences (Bur) 22 Wc 93 ✉09592
Castildelgado (Bur) 40 Wf 94 ✉09259
Castil de Peones (Bur) 22 Wd 94 ✉09258
Castil de Tierra (Sor) 59 Xe 99 ✉42128
Castil de Vela (Pal) 37 Va 97 ✉34306
Castilfalé (Leó) 37 Ud 95
Castilforte (Gua) 77 Xd 105 ✉19127
Castilfrío de la Sierra (Sor) 41 Xe 97
Castiliscar (Zar) 43 Ye 94 ✉50696
≈Castilla, Canal de 38 Vc 96
▲Castilla, Matoso de 87 Ud 108
▲Castilla, Playa de 147 Tb 126
Castillarejo (Alb) 126 Ya 117
Castillarejo, Cortijo de (Córd) 151 Vf 124
Castillas, Cortijo de los (Córd) 150 Vc 124
▲Castillazo, Sierra del 107 Vb 111
Castillazuelo (Hues) 45 Aa 96 ✉22313
Castilleja, Caserío (Vall) 37 Ue 96
Castilleja de Guzmán (Sev) 148 Tf 124
Castilleja de la Cuesta (Sev) 148 Tf 124 ✉41950
Castilleja del Campo (Sev) 148 Te 124 ✉41810
Castilleja de Talhara (Sev) 148 Te 125
Castilléjar (Gra) 139 Xc 122
▲Castillejo 41 Xc 96
Castillejo (Seg) 57 Wb 102
▲Castillejo 87 Ub 108
Castillejo, Cortijada (Gra) 160 Vf 127
Castillejo, Cortijo (Gra) 152 Wd 125
Castillejo, Cortijo de (Sev) 149 Ue 125
Castillejo, Cortijo del (Các) 105 Tf 114
▲Castillejo, El 135 Ub 120
▲Castillejo, El 93 Yb 109
≈Castillejo, Laguna de 88 Vb 109
Castillejo de Azaba (Sal) 70 Tb 106 ✉37552
Castillejo de Dos Casas (Sal) 70 Tb 104 ✉37488
Castillejo de Evans (Sal) 71 Te 103
Castillejo de Huebra (Sal) 71 Tf 104
Castillejo de Iniesta (Cue) 111 Yb 111 ✉16250
Castillejo del Romeral (Cue) 91 Xd 108 ✉16541
Castillejo de Martín Viejo (Sal) 70 Tc 104
Castillejo de Mesleón (Seg) 57 Wc 101
Castillejo de Robledo (Sor) 57 Wd 99 ✉42328
Castillejo de Salvatierra (Sal) 72 Uc 104 ✉37788
Castillejo de Yeltes (Sal) 71 Te 104 ✉37494
Castillejos (Cád) 158 Uc 128
Castillejos (Ciu) 107 Vc 112
▲Castillejos, Cerro de los 112 Yc 114
Castillejos, Los (Cád) 165 Ud 131
▲Castillejos, Los 40 We 95
Castillejo-Sierra (Cue) 92 Xf 106
≈Castillería, Río 21 Vd 91
▲Castillete 39 Wa 94
Castillicos, Los (Mur) 140 Xe 120
≈Castillo, Arroyo del 38 Vf 97
Castillo, Caserío del (Các) 86 Td 106
▲Castillo, Cerro del 135 Ud 120
Castillo, Cortijo del (Jaé) 152 Wc 123
☆Castillo, Cueva el 9 Wa 89
Castillo, El (Ten) 171 B 2
▲Castillo, El 25 Za 91
▲Castillo, El 71 Ua 104
Castillo, El (Cue) 92 Xe 107
☆Castillo, Ermita del 127 Yf 117
☆Castillo, Ermita del 71 Td 103
▲Castillo, Peña del 77 Xd 104
▲Castillo, Playa de (Palm) 175 D 1
▲Castillo, Sierra del 136 Uf 119
Castillo-Albaráñez (Cue) 92 Xd 107
Castillo Alto de San Juan (Hues) 44 Zd 96
☆Castillo árabe de Cavas 138 Wb 120
Castillo Bajo de San Juan (Hues) 44 Zd 96
Castillo Barués (Zar) 25 Ye 94
Castillo de Alba, El (Zam) 54 Tf 99
Castillo de Baños (Gra) 161 We 128 ✉18750
Castillo de Bayuela (Tol) 88 Vb 108 ✉45641
☆Castillo de Belvis, Ruinas del 104 Tb 111
Castillo de Doña Blanca (Cád) 157 Tf 129
Castillo de Escalona (Tol) 89 Vd 108
Castillo de Garcimuñoz (Cue) 110 Xd 111 ✉16623
Castillo de Guarga (Hues) 44 Ze 94
Castillo de Huarea, El (Gra) 161 Wf 128
▲Castillo de Laguarres, Sierra del 44 Ac 95
Castillo de las Guardas, El (Sev) 134 Te 122 ✉41890
Castillo de Locubín (Jaé) 151 Wa 123
Castillo del Pla (Hues) 44 Ac 96 ✉22589
Castillo de Pompién (Hues) 44 Zd 96
Castillo de Recena (Jaé) 138 Wc 121
☆Castillo de Ricamonte 135 Uc 119
Castillo de Ros (Mur) 142 Za 122
☆Castillo de Sigüenza, Parador Nacional 76 Xc 102
Castillo de Tajo (Mad) 90 We 108
Castillo de Villalpando o Torres Secas (Hues) 44 Zc 96
Castillo de Villamalefa (Cas) 95 Zd 108 ✉12123
Castillo de Villaviciosa, El (Mad) 89 Wa 106
Castillón (Lug) 16 Sc 93
Castillonroy (Hues) 44 Ad 97 ✉22572
Castillo-Nuevo = Castillonuevo (Nav) 25 Yf 92
Castillonuevo = Castillo-Nuevo (Nav) 25 Yf 92 ✉31454
Castillo Pedroso (Can) 9 Wa 89 ✉39699
☆Castillo romano 55 Vb 99
Castillos, Los (Gra) 161 We 128
▲Castillos, Los (Ten) 172 D 4
Castillos, Los (Mur) 142 Za 122 ✉30367
Castillos, Los (Rio) 23 Xa 93
Castillo y Cortijo Casa Colorado (Bad) 119 Ta 116
Castillo y Elejabeitia (Viz) 23 Xb 90
Castilmimbre (Gua) 76 Xb 104 ✉19413
☆Castilnegro 107 Vc 114
☆Castilnovo, Castillo de 57 Wb 101
Castilnuevo (Gua) 77 Ya 104 ✉19391
Castilruiz (Sor) 42 Xf 97 ✉42113
Castilsabás (Hues) 44 Ze 95
Castilseco (Rio) 23 Xa 93 ✉26212
≈Castilseras, Embalse de 122 Vb 116
Castiltierra (Seg) 57 Wc 100 ✉40518
Castiñeiras (Cor) 14 Ra 93 ✉15967
Castiñeiro (Our) 34 Se 94 ✉32779
Castissent (Lle) 46 Ae 96 ✉25635
Castor (Mál) 165 Uf 130
≈Castor, Río del 165 Uf 130
Castralvo (Ter) 94 Yf 107 ✉44192
Castraz (Sal) 71 Te 104 ✉37494
Castrecías (Bur) 21 Ve 92
Castrejón (Vall) 55 Ue 101
Castrejón (Sal) 71 Ua 103
≈Castrejón, Embalse de 89 Ve 109
Castrejón de la Peña (Pal) 20 Vc 92
Castrelo (Cor) 14 Qf 91
≈Castrelo, Embalse de 14 Qf 91
≈Castrelo, Encoro de 33 Rf 95
Castrelo de Abaixo (Our) 34 Se 97 ✉32610
Castrelo de Cima (Our) 34 Se 97 ✉32610
Castrelo do Miño (Our) 33 Rf 95
Castrelo do Val (Our) 34 Sd 97 ✉32625
Castrelos (Zam) 34 Ta 96 ✉49571
Castresana (Bur) 22 We 90 ✉09510
Castril (Gra) 139 Xb 122
≈Castril, Río 139 Xb 121
▲Castril, Sierra de 139 Xb 121
Castrillejo de la Olma (Pal) 38 Vc 95 ✉34131
☆Castrillo, Ermita de 38 Vb 97
≈Castrillo, Laguna de 54 Ud 100
Castrillo de Bezana (Bur) 21 Wb 91 ✉09572
Castrillo de Cabrera (Leó) 35 Tc 94 ✉24742
Castrillo de Cepeda (Leó) 18 Tf 93 ✉24711
Castrillo de Don Juan (Pal) 39 Vf 98 ✉34246
Castrillo de Duero (Vall) 57 Vf 99 ✉47318
Castrillo de Haya (Can) 21 Ve 91
Castrillo de la Guareña (Zam) 55 Ud 101 ✉49419
Castrillo de la Reina (Bur) 40 We 97 ✉09691
Castrillo de la Ribera (Leó) 19 Uc 93 ✉24199
Castrillo de la Valduerna (Leó) 36 Tf 95 ✉24721
Castrillo de la Vega (Bur) 57 Wb 99 ✉09391
Castrillo de los Polvazares (Leó) 18 Tf 94 ✉24718
Castrillo del Val (Bur) 39 Wc 95 ✉09193
Castrillo de Murcia (Bur) 39 Vf 94 ✉09109
Castrillo de Onielo (Pal) 38 Ve 97 ✉34219
Castrillo de Porma (Leó) 19 Ud 93 ✉24163
Castrillo de Riopisuerga (Bur) 21 Ve 93
Castrillo de Rucios (Bur) 21 Wb 93 ✉09141
Castrillo de San Pelayo (Leó) 36 Ua 94 ✉24356
Castrillo de Sepúlveda (Seg) 57 Wb 101
Castrillo de Solarana (Bur) 39 Wb 97 ✉09348
Castrillo de Valdelomar (Can) 21 Vf 92 ✉39419
Castrillo de Valderaduey (Leó) 20 Va 93 ✉24327
Castrillo de Villavega (Pal) 38 Vd 94 ✉34478
Castrillo-Matajudíos (Bur) 38 Ve 95
Castrillón (Ast) 5 Tb 88
Castrillón (Ast) 6 Ua 87
Castrillón = Piedras Blancas (Ast) 6 Ua 87
Castrillo-Tejeriego (Vall) 56 Vd 98
Castriz (Cor) 2 Rb 90 ✉15848
Castro (Cor) 2 Rb 89
Castro (Cor) 3 Sa 89
Castro (Lug) 4 Sb 90
Castro (Lug) 4 Sd 90
Castro (Ast) 6 Te 90
Castro (Can) 8 Vc 89
Castro (Cor) 15 Rd 91
Castro (Lug) 16 Sa 93
Castro (Lug) 16 Sb 93
Castro (Lug) 16 Sc 92
Castro (Our) 16 Sc 94
▲Castro 21 Wa 91
Castro (Sor) 58 Wf 101 ✉42315
☆Castro, Castell de 95 Ze 109
Castro, Cortijo de (Mál) 158 Va 128
Castro, El (Lug) 17 Ta 92
▲Castro, El 35 Td 96
≈Castro, Embalse de 54 Tf 99
≈Castro, Embalse de 90 Wb 110
☆Castro, Ermita de 8 Va 89
☆Castro, Ermita de 45 Ab 96
Castro, O (Pon) 15 Rf 93
Castro, O (Our) 34 Sf 96
▲Castro, Pico 40 Wd 97
▲Castro, Playa de 10 We 88
▲Castro, Praia do 4 Sa 86
▲Castro, Praia do 14 Qf 93
▲Castro, Praia do 14 Qf 92
≈Castro, Río 14 Qe 90
Castro Agudín (Pon) 14 Rb 93
Castroañe (Leó) 20 Uf 93 ✉24344
Castrobarto (Bur) 22 Wd 90 ✉09514
Castrobol (Vall) 37 Ue 96 ✉47689
Castrocalbón (Leó) 36 Ua 95
Castro Caldelas (Our) 34 Sd 94
Castroceniza (Bur) 39 Wc 97 ✉09348
Castrocit (Hues) 28 Ad 94
Castrocontrigo (Leó) 36 Te 95 ✉24735
Castro de Alcañices (Zam) 54 Te 9
Castro de Amacante (Lug) 15 Sa 9
Castro de Cepeda (Leó) 18 Tf 93 ✉24397
Castro de Escuadro (Our) 34 Sc 95 ✉32706
Castro de Ferreira, O (Lug) 16 Sc 93
Castro de Filabres (Alm) 154 Xd 12 ✉04212
Castro de Fuentidueña (Seg) 57 Wa 100 ✉40315
Castro de la Lomba (Leó) 18 Ua 92 ✉24127
Castro del Río (Córd) 137 Vd 122
Castro de Ouro, O (Lug) 4 Sd 87
Castro de Rei (Lug) 4 Sd 89
Castro de Rei (Lug) 16 Sc 92
Castro de Soengas (Lug) 16 Sb 92
Castro de Valdeorras, O (Our) 17 Ta 94
Castrodeza (Vall) 55 Va 99 ✉4719
Castro Enríquez (Sal) 71 Tf 103
Castrofeito (Cor) 15 Rd 91 ✉1582
Castrofuerte (Leó) 36 Uc 95 ✉24222
Castrogonzalo (Zam) 36 Uc 97 ✉49660
Castrojeriz (Bur) 38 Vf 95 ✉09110
Castrojimeno (Seg) 57 Wa 100 ✉40315
Castrol de Cexo (Our) 33 Rf 96
Castromao (Our) 34 Sf 95
Castromembibre (Vall) 55 Ue 99 ✉47882
Castromil (Our) 34 Ta 96 ✉32548
Castromocho (Pal) 38 Vb 96 ✉34305
Castromonte (Vall) 37 Uf 98 ✉47641
Castromorca (Bur) 21 Wa 94 ✉09133
Castromudarra (Leó) 20 Uf 93 ✉24171
≈Castrón, Río 36 Ua 97
Castronuevo (Zam) 54 Uc 98
Castronuevo de Esgueva (Vall) 56 Vc 98 ✉47171
Castronuño (Vall) 55 Ue 100 ✉47520
Castropepe (Zam) 36 Uc 97 ✉49660
Castropetre (Leó) 17 Ta 93 ✉2456
Castropodame (Leó) 18 Td 93 ✉24314
Castropol (Ast) 5 Sf 87 ✉33760
Castroponce (Vall) 37 Ue 96
Castroquilame (Leó) 17 Tb 94 ✉24389
Castros (Cor) 4 Sb 87
Castroserna de Abajo (Seg) 57 Wb 101 ✉40318
Castroserna de Arriba (Seg) 57 Wb 101 ✉40318
Castroserracín (Seg) 57 Wb 100
Castrotierra (Leó) 37 Ue 94
Castrotierra de la Valduerna (Leó) 36 Ua 95 ✉24765
Castrotierra de Valmadrigal (Leó) 37 Ue 94 ✉24323
☆Castrotorafe, Puente de la Estrella 54 Ub 98
Castro-Urdiales (Can) 10 We 88
▲Castrove 14 Rb 94
▲Castrove, Monte de 14 Rb 94
Castrovega del Valmadrigal (Leó) 37 Ue 95
Castroverde (Lug) 16 Se 90
Castroverde (Our) 33 Sb 95 ✉32901
Castroverde (Sal) 71 Ua 104 ✉37452

astroverde de Campos (Zam) 37 Ue 97 ✉ 49110
astroverde de Cerrato (Vall) 56 Ve 98 ✉ 47182
astrovido (Bur) 40 We 96 ✉ 09613
astroviejo (Rio) 41 Xc 95 ✉ 26315
Cástulo, Ruinas romanas 138 Wc 120
astuera (Bad) 121 Uc 116 ✉ 06420
Castuera, Puerto de 121 Uc 117
Castuera, Sierra de 121 Ud 116
asuto de Don Salvador, El (Alb) 127 Yd 115
atadau (Val) 113 Zc 113 ✉ 46196
ataláin (Nav) 25 Yc 93
atalán (Mál) 160 Ve 127
atalana, Cortijo de la (Cád) 158 Ue 127
atalanes, Los (Cas) 94 Zc 108
Catalanes, Playa de los 165 Ue 132
Catalina Cabrera (Palm) 176 C 2
Catalunya, Cap de (Bal) 99 Db 109
atamarruc (Ali) 129 Ze 116
atarroja (Val) 114 Zd 112 ✉ 46470
Catedral 152 Wc 125
Catedral 26 Zc 93
Catedral 54 Ub 100
Catedral 80 Ad 104
Catedral 89 Vf 109
ati = Catí (Cas) 80 Aa 106
atí = Cati (Cas) 80 Aa 106 ✉ 12513
atllar, el (Tar) 65 Bb 101 ✉ 43764
atoira (Pon) 14 Rb 92
Catoute 18 Te 92
atral (Ali) 143 Zb 120 ✉ 03158
≈ Cauche, Arroyo del 159 Vd 127
≈ Caudal, Río 6 Ua 89
audé (Ter) 78 Ye 106
audé (Ter) 79 Zb 105
audete (Alb) 128 Za 116 ✉ 02660
audete de las Fuentes (Val) 112 Ye 111 ✉ 46315
audiel (Cas) 94 Zc 109 ✉ 12440
audilla (Tol) 89 Ve 108
aules de Vidreres (Gir) 49 Cf 98
aunedo (Ast) 18 Te 90
≈ Cautabán, Río 112 Yf 114
autivos, Los (Mur) 141 Yb 122
ava (Lle) 29 Bd 95 ✉ 25722
ava, la (Tar) 80 Ae 104
avada, La (Can) 10 Wb 88 ✉ 39720
avafreda (Ali) 128 Za 118
▲ Cavall, Cap (Bal) 97 Bb 115
avallera (Gir) 48 Cc 95 ✉ 17867
▲ Cavallera, Serra 30 Cb 95
▲ Cavalleria, Cap de (Bal) 96 Ea 108
☆ Cavallers, Claret dels 47 Be 98
▲ Cavalló, Serra del 113 Zb 113
☆ Cavalls de la Valltorta, els 80 Aa 106
avallusa (Ali) 127 Yf 118
▲ Cavernas, Sierra de las 36 Ua 97
aviedes (Can) 9 Ve 88 ✉ 39593
ávilas, Las (Jaé) 138 Wb 122
▲ Caxado 4 Sb 87
ayetana, Cortijos (Gra) 139 Xc 121
▲ Cayo 41 Xe 97
ayuela (Bur) 39 Wb 95 ✉ 09239
ayuelas, Los (Alm) 154 Ya 123
azalegas (Tol) 88 Vb 108 ✉ 45683
≈ Cazalegas, Embalse de 88 Vc 108
azalilla (Jaé) 138 Wa 121 ✉ 23628
azalla de la Sierra (Sev) 135 Ub 121 ✉ 41370
azaminches, Cortijada Los (Alm) 154 Xf 125
azanuecos (Leó) 36 Ub 95 ✉ 24796
▲ Cazarnosa, Sierra 5 Tc 89
azás (Lug) 4 Sb 89
azo (Ast) 7 Ue 89 ✉ 33557
azorla (Mur) 141 Yb 122
azorla (Jaé) 139 Xa 121 ✉ 23470
▲ Cazorla, Segura y Las Villas Parque Nacional de 139 Xb 119
▲ Cazorla, Sierra de 139 Xa 120
azuela, La (Gra) 151 Wa 124
▲ Cazuela, Playa de la (Palm) 175 F 2
ázulas (Gra) 160 Wb 128
azurra (Zam) 54 Ub 100 ✉ 49191
ea (Our) 15 Sa 94 ✉ 32130
ea (Leó) 37 Uf 94 ✉ 24174
≈ Cea, Río 20 Uf 93
≈ Cea, Río 20 Va 91
eadea (Zam) 53 Te 98 ✉ 49512
eal (Jaé) 139 Wf 122
≈ Ceal, Río 139 Xa 122
ebadales (Bad) 118 Sf 119
eballos, Cortijo de (Bad) 119 Tb 116
ebanico (Leó) 20 Uf 92 ✉ 24892
ebas (Gra) 139 Xa 122 ✉ 18816
ebolla (Tol) 88 Vc 109 ✉ 45680
▲ Cebollar 147 Sf 124
▲ Cebolleda, Sierra 20 Va 90
▲ Cebollera 109 Wc 111
▲ Cebollera 41 Xb 97
▲ Cebollera, Sierra 41 Xc 97
Cebolleros (Bur) 22 Wd 91 ✉ 09515
≈ Cebollín, Río 160 Wa 127
Cebrecos (Bur) 39 Wc 97 ✉ 09348
Cebreiro, O (Lug) 17 Sf 92
Cebreros (Ávi) 74 Vd 106 ✉ 05260
▲ Cebrón 134 Ua 123
Cebrones del Río (Leó) 36 Ub 95
▲ Cebuche (Palm) 174 B 3
≈ Cecebre, Encoro de 3 Re 89
Ceceda (Ast) 7 Ud 88 ✉ 33582
Ceceñas (Can) 9 Wb 88 ✉ 39724
Cecilios, Cortijos de Los (Alm) 163 Xd 127
Ceclavín (Các) 85 Tb 110
Cecos (Ast) 17 Ta 90 ✉ 33811
Cedeira (Cor) 3 Rf 87 ✉ 15350
▲ Cedeira, A 3 Rc 89
≈ Cedeira, Ría de 3 Rf 87
≈ Cedena, Río 88 Vc 109
Cedillo (Các) 84 Sd 111 ✉ 10513
Cedillo de la Torre (Seg) 57 Wc 100 ✉ 40550
Cedillo del Condado (Tol) 89 Wa 108 ✉ 45214
Cedramán (Cas) 95 Zd 108
Cedrillas (Ter) 79 Za 106 ✉ 44147
▲ Cedro, Bosque del (Ten) 172 B 2
▲ Cedro, Degollada del (Ten) 172 D 4
Cedro, El (Ten) 172 B 2
▲ Cedro, Pico del (Ten) 171 B 2
≈ Cedrón, Arroyo 90 Wd 110
Cée (Cor) 14 Qe 91
Cefiñas, Las (Huel) 133 Ta 121 ✉ 21239
Cegarras, Los (Mur) 142 Ye 122 ✉ 30329
▲ Cegarrón, Cerro El 127 Ye 116
Cegón (Bad) 133 Tc 120
Cegoñal (Leó) 20 Va 92 ✉ 24889
Ceguilla (Seg) 74 Wb 102 ✉ 40162
Cehegín (Mur) 141 Yb 120
≈ Ceide, Río 18 Ua 92
Ceinos de Campos (Vall) 37 Uf 96
Ceja (Mur) 127 Ye 116
Ceja, La (Cue) 92 Ya 107
▲ Ceja, Sierra La 112 Ye 111
Cejancas (Can) 21 Wa 91 ✉ 39232
Cejo, Cortijo de (Gra) 139 Xb 122
Cela (Alm) 154 Xd 124 ✉ 04887
Cela (Lug) 16 Sd 91
Cela (Lug) 17 Ta 92
Cela (Our) 33 Rf 97
Cela (Pon) 32 Rb 95
Celada (Ast) 7 Ud 88 ✉ 33318
Celada (Leó) 36 Tf 94 ✉ 24395
☆ Celada, Ermita 19 Uc 92
Celada, La (Córd) 151 Ve 125 ✉ 14979
Celada, Las (Bur) 21 Wb 94
Celada de Cea (Leó) 37 Va 94 ✉ 24326
Celada de la Torre (Bur) 39 Wc 94 ✉ 09591
Celada del Camino (Bur) 39 Wa 95 ✉ 09226
Celada de Roblecedo (Pal) 20 Vd 91 ✉ 34846
Celada-Marlantes (Can) 21 Vf 91
▲ Celada o del Gavilán, Sierra de la 107 Vc 113
Celadas (Ter) 78 Yf 106 ✉ 44194
▲ Celadas, Monte de 78 Yf 106
≈ Celadilla, Laguna de la 110 Xb 112
Celadilla del Páramo (Leó) 18 Ub 93
Celadilla del Río (Pal) 20 Vb 93
Celadilla-Sotobrín (Bur) 39 Wb 94
Celanova (Our) 33 Sa 96 ✉ 32800
Celas (Cor) 3 Rd 89
☆ Celas de Peiro, Castelo de 3 Rd 89
Celdranes, Los (Mur) 142 Yf 122
Celeiro (Lug) 4 Sc 86
Celeiros (Our) 34 Sd 94
≈ Celemín, Embalse de 164 Ub 131
Celia, La (Mur) 127 Yd 118
Celigueta (Nav) 25 Yd 92 ✉ 31473
Celín (Alm) 162 Xa 127
Celis (Can) 8 Vd 89 ✉ 39553
Cella (Ter) 78 Ye 106 ✉ 44370
Cella, La (Bal) 99 Cf 109
▲ Cella, Puerto de 78 Ye 106
Cellán de Mosfeiro (Lug) 16 Se 91
Cellera de Ter, la (Gir) 48 Cd 97 ✉ 17165
Cellers (Lle) 46 Af 96
Cellers (Lle) 47 Bc 98
Celles (Ast) 7 Ub 88 ✉ 33519
Cellorigo (Rio) 23 Xa 93 ✉ 26212
Celorio (Ast) 8 Vb 88
▲ Celorio, Playa de 8 Vb 88
Celrà (Gir) 49 Cf 96
Céltigos (Lug) 16 Sd 91
Cemborain (Nav) 25 Yc 92 ✉ 31422
Cembranos (Leó) 19 Uc 94 ✉ 24231
Cembrero (Pal) 20 Vd 93 ✉ 34407
Cementerio (Bad) 119 Tb 117
Cementerio, El (Mur) 141 Yb 123
Cenajo (Alb) 126 Yb 118
≈ Cenajo, Embalse del 126 Ya 118
Ceñal (Ast) 7 Uc 88 ✉ 33519
Cenarbe (Hues) 26 Zc 93
Cenascuras (Gra) 153 Wf 124 ✉ 18870
Cendajas de en Medio (Gua) 76 Xa 103
Cendán (Lug) 4 Sc 88
Cendejas del Padrastro (Gua) 76 Xa 103 ✉ 19245
Cendra, La (Ávi) 88 Vb 106
Cendrosa, la (Lle) 46 Af 98
Cenegro (Sor) 58 Wd 99 ✉ 42342
Cenes de la Vega (Gra) 152 Wc 126 ✉ 18190
Cenia, La (Leó) 19 Ue 93
Cenia, la = Sénia, la (Tar) 80 Ab 105 ✉ 43560
Cenicero (Rio) 23 Xc 94 ✉ 26350
Cenicientos (Mad) 89 Vd 107 ✉ 28650
▲ Cenicientos, Peña de 88 Vd 107
Cenizate (Alb) 111 Yc 113 ✉ 02247
Cenlle (Our) 33 Rf 94
Cenlle (Our) 33 Rf 95
☆ Centcelles 64 Bb 102
☆ Centcelles, Baptisteri de 64 Bb 102
Centeais (Lug) 34 Se 94
Centelles (Bar) 48 Cb 98 ✉ 08540
Centenales (Ast) 17 Tb 90 ✉ 33811
Centenares (Sal) 70 Tc 104
Centenaros, Los (Jaé) 139 Xb 120
Centenera (Hues) 44 Ac 95 ✉ 22437
Centenera (Gua) 76 Wf 105 ✉ 19151
Centenera de Andaluz (Sor) 59 Xb 99 ✉ 42211
Centenera del Campo (Sor) 59 Xc 100 ✉ 42216
Centenil (Huel) 146 Se 125
Centenillo, El (Jaé) 138 Wb 118 ✉ 23214
≈ Centenillo, Embalse de El 123 Wb 118
Centenys (Gir) 49 Ce 96
Centera, Cortijo de la (Gra) 152 We 124
☆ Centinela, Mirador de la (Ten) 172 D 5
▲ Centinela, Sierra del 105 Te 114
Centorrillo, Caserío (Sal) 70 Tc 104
Central, La (Jaé) 124 We 118
Central del Chorro, Caserío de la (Ávi) 87 Uc 107
Centro Agrario, Caserío (Hues) 44 Ac 98
≈ Cenza 34 Se 95
≈ Cenza, Encoro de 34 Se 95
Cepeda (Pon) 32 Rc 95
Cepeda (Sal) 71 Tf 106 ✉ 37656
Cepeda la Mora (Ávi) 73 Uf 106 ✉ 05132
Cepedelo (Our) 34 Sf 96 ✉ 32558
Cepero, El (Alb) 127 Yd 116
Cepero, El (Ciu) 108 Ve 113
▲ Ceperos, Sierra de 141 Yb 121
Cepija (Sev) 157 Ua 127
Cepillo, El (Alb) 125 Xc 116
Cequiril (Pon) 15 Rc 93
Cerado, El (Ten) 172 B 2
Cerámica La Paloma (Tol) 89 Wb 108
Cerámica La Sagra (Tol) 89 Wb 108
▲ Ceras, Playa de las (Ten) 173 E 4
Cerbi (Lle) 28 Ba 93 ✉ 25588
Cerbón (Sor) 41 Xe 97
Cerc (Lle) 29 Bd 94 ✉ 25718
Cerca, La (Bur) 22 Wd 91 ✉ 09514
Cercadillo (Gua) 58 Xb 102 ✉ 19269
☆ Cercado, Ermita del 139 Xa 120
Cercado de Catera (Alb) 126 Ya 117
Cercados, Los (Palm) 174 C 3
Cercados, Los (Bad) 119 Tc 115
Cerceda (Cor) 3 Rd 89
Cerceda (Cor) 15 Re 91
Cerceda (Mad) 74 Wa 104 ✉ *28411
Cercedilla (Mad) 74 Vf 104 ✉ 28470
☆ Cerco, Castillo El 24 Yb 93
≈ Cercos, Arroyo de los 73 Vd 103
Cercs (Bar) 47 Bf 96 ✉ 08698
Cerdanyès, el (Lle) 46 Ba 96
Cerdanyola del Vallès (Bar) 66 Ca 100
Cerdedelo (Our) 34 Sd 96 ✉ 32621
Cerdedo (Pon) 15 Rd 93
Cerdeira (Our) 15 Re 94
Cerdeira (Pon) 32 Rd 96
Cerdeira (Our) 34 Se 94
▲ Cerdeira, Alto de 34 Se 94
Cerdido (Cor) 3 Sa 87 ✉ 15530
Cereceda (Ast) 7 Ue 88
Cereceda (Bur) 22 Wd 92 ✉ 09559
Cereceda (Gua) 76 Xc 105 ✉ 19128
≈ Cereceda, Embalse de 22 Wd 92
≈ Cereceda, Río 123 Ve 118
Cereceda de la Sierra (Sal) 71 Tf 105 ✉ 37621
Cerecedo (Leó) 19 Ue 91
Cerecinos de Campos (Zam) 37 Ud 97 ✉ 49640
Cerecinos del Carrizal (Zam) 54 Uc 98 ✉ 49125
Cereixal, O (Lug) 17 Se 91 ✉ 27695
Cereixido (Lug) 17 Sf 90
☆ Cereixo 2 Qf 90
Cereixo (Lug) 16 Sd 93
▲ Cerengo 34 Se 94
Cereo (Cor) 2 Rb 89
▲ Cerero, Cuerda del 136 Vc 120
☆ Cererols 47 Be 98
Ceresa (Hues) 27 Ab 93 ✉ 22361
Ceresola (Hues) 26 Ze 94 ✉ 22623
Ceresuela (Hues) 27 Aa 93
Cerezal (Các) 71 Te 106 ✉ 10627
Cerezal de Aliste (Zam) 54 Tf 99 ✉ 49164
Cerezal de la Guzpeña (Leó) 20 Uf 92 ✉ 24893
Cerezal de Peñahorcada (Sal) 53 Tc 102 ✉ 37253
Cerezal de Puertas (Sal) 71 Te 102 ✉ 37159
Cerezales del Condado (Leó) 19 Ud 92 ✉ 24150
Cerezo (Các) 86 Te 107 ✉ 10663
Cerezo, El (Jaé) 139 Xc 120 ✉ 23290
Cerezo, El (Sal) 71 Ua 102
Cerezo, El (Ávi) 73 Vc 105
▲ Cerezo, Sierra del 141 Ya 119
Cerezo de Abajo (Seg) 57 Wc 101 ✉ 40591
Cerezo de Arriba (Seg) 57 Wc 101 ✉ 40592
Cerezo de Mohernando (Gua) 75 Wf 103 ✉ 19229
Cerezo de Riotirón (Bur) 22 Wf 93
Cerezos, Los (Ter) 94 Za 108 ✉ 44422
Cerilios, Cortijo de los (Alm) 162 Xb 128
▲ Cerillón 107 Ve 111
Cerio (Ála) 23 Xc 91
Cerler (Hues) 28 Ad 93 ✉ 22449
▲ Cerler, Pico de 28 Ad 93
Cermeño, Cortijo del (Cád) 164 Ub 130
Cermiñuelo, El (Cue) 92 Ya 106
Cermoño (Ast) 6 Te 88 ✉ 33859
Cermuño (Ávi) 73 Vc 105
Cernada (Our) 33 Sb 94
Cernadilla (Zam) 35 Td 96 ✉ 49325
≈ Cernadilla, Embalse de 35 Tc 96
Cernado (Our) 34 Se 95 ✉ 32785
Cernecina (Zam) 54 Ua 100 ✉ 49271
Cernego (Our) 17 Sf 94 ✉ 32348
Cernégula (Bur) 22 Wc 93
Cerollera, La (Ter) 80 Zf 104 ✉ 44651
Cerqueda (Cor) 2 Rb 89
▲ Cerquilla 88 Uf 108
≈ Cerquilla, Arroyo 57 Vf 100
Cerra (Ast) 7 Ud 87
▲ Cerrada, La 77 Xf 102
▲ Cerrada, Pala 34 Ta 96
Cerrade, Cortijo de (Gra) 153 We 125
Cerradela (Our) 33 Sa 96
Cerrado del Pino (Palm) 174 C 3
Cerradura, La (Jaé) 138 Wc 122 ✉ 23190
Cerrajón, El (Jaé) 151 Wa 123
Cerralba (Mál) 159 Vb 128 ✉ 29569
Cerralbo (Sal) 70 Tc 103 ✉ 37291
Cerralbos, Los (Tol) 88 Vc 109 ✉ 45682
▲ Cerrata, Sierra de la 122 Vb 116
≈ Cerrato, Arroyo de 39 Vf 97
▲ Cerrato, Valles de 38 Vd 97
Cerratón de Juarros (Bur) 40 Wd 94
Cerrazo (Can) 9 Vf 88 ✉ 39539
Cerredo (Ast) 18 Td 91
▲ Cerredo, Alto de 17 Sf 90
▲ Cerredo, Puerto 18 Td 91
▲ Cerregüete, El 93 Ye 108
▲ Cerrejuelo 122 Vb 117
Cerricos, Cortijo de los (Alm) 140 Xe 122
Cerricos, Los (Alm) 154 Xe 123 ✉ 04813
Cerrillares, Los (Sev) 135 Ud 122
Cerrillo de San Antón (Ciu) 124 Wf 116
Cerrillos, Cortijada Los (Alm) 163 Ya 127
Cerrillos, Cortijo Los (Alm) 163 Xf 127
▲ Cerrillos, Playa de 162 Xc 128
≈ Cerrillos, Salinas de 162 Xc 128
Cerrillos y Chirlita (Mál) 159 Vb 128 ✉ 29566
Cerrito, El (Val) 112 Yf 111
Cerrito, El (Ter) 94 Za 109
Cerro, El (Mál) 160 Vf 127
☆ Cerro, El 149 Ub 123
Cerro, El (Sal) 86 Ua 107 ✉ 37720
▲ Cerro, El 93 Yd 109
☆ Cerro, Ermita del 164 Te 130
Cerro Alarcón (Mad) 74 Vf 106
Cerroblanco (Alb) 125 Xd 116
▲ Cerro Blanco 121 Va 117
Cerro Blanco, Cortijo (Alm) 163 Xe 127
Cerro de Andévalo, El (Huel) 133 Ta 122
▲ Cerro de la Cruz, Punta 155 Yd 124
Cerro del Hierro, El (Sev) 135 Uc 121
Cerro del Humo (Córd) 150 Vb 124 ✉ 14550
Cerro del Moro (Bad) 119 Te 116
☆ Cerro del Moro, Ermita del 160 Ve 127
Cerro del Muerto, Cortijo (Alm) 140 Xe 122
☆ Cerro de los Murciélagos, Cueva del 151 Ve 123
Cerro Espesillo, Cortijo de (Ciu) 125 Xa 115
Cerro García, Cortijo de (Córd) 122 Vb 118
Cerrogordo, El (Alm) 154 Xe 124 ✉ 04810
▲ Cerro Grande 153 Xa 125
Cerro Grande (Mad) 74 Wa 104
▲ Cerro la Casa, El 93 Yd 109
Cerro Lobo (Alb) 126 Yb 116
≈ Cerro Mesado, Laguna del 109 We 113
Cerro Miguel, Cortijo (Jaé) 139 Wf 122
Cerromoreno, Cortijo de (Córd) 151 Vd 123
▲ Cerro Moro 92 Ya 110
Cerro Muriano (Córd) 136 Vb 120 ✉ 14350
▲ Cerrón 161 Wf 128
▲ Cerrón 140 Xd 121
Cerrón, Caserío del (Mál) 159 Vc 126
Cerrón, El (Gra) 153 Xb 125
Cerro Negro, Cortijo de (Gra) 139 Xc 122
Cerro Pelado (Jaé) 138 Wb 120
Cerro Perea (Córd) 150 Va 123
Cerro Perea (Sev) 150 Va 123 ✉ 41409
▲ Cerros, Los 60 Ya 98
Cerros de Abajo, Cortijo de los (Gra) 140 Xe 121
▲ Cerruco, El 112 Yf 111
≈ Certascan, Estany de 29 Bb 92
▲ Certascan, Pic de 29 Bb 92
Certers (AND) 29 Bd 94
Cerulleda (Leó) 19 Ud 90 ✉ 24844
Cerval, El (Gra) 160 Wb 128
▲ Cervales 106 Ue 111
Cervantes (Lug) 17 Sf 91
Cervatos (Can) 21 Vf 91 ✉ 39213
▲ Cervatos 55 Uf 100
☆ Cervatos, Castillo de 89 Vf 110
☆ Cervatos, Colegiata de 21 Vf 91
Cervatos de la Cueza (Pal) 38 Vb 95 ✉ 34309
Cerveira (Lug) 4 Sa 88
Cervela (Lug) 16 Sd 92
Cervelló (Bar) 65 Bf 100
☆ Cervelló, Castell de 65 Bf 100
Cervera (Lle) 46 Bb 98 ✉ 25200
≈ Cervera, Charca de la 71 Te 105
Cervera, La (Ter) 94 Za 109
≈ Cervera, Laguna de la 71 Td 104
▲ Cervera, Peñas de 39 Wd 97
≈ Cervera, Rambla de 80 Ab 106
Cervera de Buitrago (Mad) 75 Wc 103 ✉ 28193
Cervera de la Cañada (Zar) 60 Yb 100 ✉ 50312
Cervera del Llano (Cue) 92 Xd 110 ✉ 16444
Cervera del Maestre (Cas) 80 Ab 106 ✉ 12578
Cervera de los Montes (Tol) 88 Vb 108 ✉ 45637
Cervera del Rincón (Ter) 79 Za 104
Cervera del Río Alhama (Rio) 42 Ya 96
Cervera de Pisuerga (Pal) 20 Vd 91 ✉ 34840
≈ Cervera-Ruesga, Embalse de 20 Vc 91
▲ Cervero, Pico 71 Ua 105
Cerveruela (Zar) 61 Ye 101 ✉ 50368
Cervià de les Garrigues (Lle) 64 Af 100
Cervià de Ter (Gir) 49 Cf 96
Cervigal, El (Leó) 36 Uc 95

Cervillego de la Cruz (Vall) 55 Va 101 ⊠ 47494
Cervo (Cor) 3 Rf 86
Cervo (Lug) 4 Sd 86 ⊠ 27891
≈ Cérvol, Riu 80 Zf 105
Cérvoles (Lle) 46 Af 95
☆ Cérvoles, Castell de 64 Af 100
☆ Cérvoles, Ermita de 44 Ad 97
Cesantes (Pon) 32 Rc 95
Cesar (Pon) 14 Rc 93
Céspedes (Córd) 135 Ue 122
Céspedes (Bur) 22 Wc 91
Cespedosa (Sal) 72 Uc 105 ⊠ 37750
Cespedosa de Agadones (Sal) 71 Td 106 ⊠ 37510
Cespón (Cor) 14 Ra 92
Cestafe (Ála) 23 Xb 91
Cesuras (Cor) 3 Re 89 ⊠ 15391
Cetina (Zar) 60 Ya 101 ⊠ 50292
Cetrina (Jaé) 138 We 120
Ceuró (Lle) 46 Bc 96
Ceuta (Ceu) 165 Ue 133 ⊠ *51001
Ceutí (Mur) 142 Ye 120
≈ Cevico, Arroyo de 38 Vd 97
Cevico de la Torre (Pal) 38 Vd 97 ⊠ 34218
Cevico Navero (Pal) 38 Ve 97 ⊠ 34247
Cezar (Lug) 4 Sa 89
Cezura (Pal) 21 Ve 92 ⊠ 34813
▲ Chabarcón, El 92 Yb 110
▲ Cha Cabrera, Degollada (Palm) 175 D 4
Chachimanes, Los (Mur) 142 Za 122
Chacin (Cor) 14 Ra 91
Chacón (Córd) 150 Vb 123
Chacón (Mur) 142 Yf 122
Chacón (Zar) 62 Zf 101
Chacón, Cortijo de (Gra) 139 Xc 122
Chacones, Cortijo de los (Mál) 150 Vb 125
Chacones, Los (Alm) 154 Xe 124 ⊠ 04810
▲ Cha de Castro de Rei, Terra 4 Sc 89
Chagarcía Medianero (Sal) 72 Ud 105
Chaguazoso (Our) 34 Se 95
Chaguazoso (Our) 34 Sf 97
Chaherrero (Ávi) 73 Va 103
Chaián (Cor) 15 Rc 91
≈ Chain 14 Rc 93
Chalamera (Hues) 63 Aa 99 ⊠ 22233
Chalet de Íñigo (Rio) 41 Xd 94
Chalet de Peñalara (Mad) 74 Vf 104
Chamartín (Ávi) 73 Va 104
Chambado, Cortijo de (Mál) 160 Ve 127
Chamizas, Las (Các) 106 Uc 113
Chamorro, Cortijo del (Sev) 148 Tf 124
Chamoso (Lug) 16 Sd 91
Chan, A (Pon) 15 Rd 94 ⊠ 36430
Chana de Somoza (Leó) 35 Te 94 ⊠ 24723
▲ Chana Rasa 18 Ua 93
▲ Chanas, Las 35 Td 95
Chanata, Cortijo de la (Alm) 162 Xb 127
≈ Chanca, Río 2 Rb 89
Chanco, El (Alm) 154 Xd 125
Chandebrito (Pon) 32 Rb 96 ⊠ 36360
Chan de Cena (Lug) 17 Sf 93
Chandoiro (Our) 34 Sf 95 ⊠ 32372
Chandrexa (Our) 34 Sd 95
Chandrexa de Queixa (Our) 34 Sd 95
Chandrexa de Queixa (Our) 34 Sd 95
≈ Chandrexa de Queixa, Encoro de 34 Sd 95
Chañe (Seg) 56 Vd 100 ⊠ 40216
Chanos (Zam) 34 Ta 96 ⊠ 49573
Chantada (Lug) 16 Sb 93
Chantre, El (Jaé) 139 We 122
Chao (Lug) 4 Sb 88
Chao de Pousadoiro, O (Lug) 5 Se 89 ⊠ 27242
▲ Chao Grande 5 Se 88
Chaorna (Sor) 59 Xe 102 ⊠ 42259
Chaparral (Mur) 141 Yb 120 ⊠ 30189
Chaparral (Jaé) 138 We 119
Chaparral (Jaé) 139 Xa 122
Chaparral (Bad) 119 Tb 116
≈ Chaparral, Arroyo del 120 Tf 115
Chaparral, Cortijada del (Alm) 154 Xc 124
Chaparral, Cortijo del (Córd) 151 Vd 123
Chaparral, Cortijo del (Bad) 120 Tf 116
Chaparral, El (Cád) 164 Ub 132 ⊠ 11391
Chaparral, El (Mál) 159 Vc 129
Chaparral, El (Mál) 159 Vc 127
Chaparral, El (Gra) 152 Wc 125
Chaparral, El (Gra) 151 Wa 125
Chaparral, El (Mad) 75 Wc 104 ⊠ 28260
▲ Chaparral, Meseta del 77 Xd 104
▲ Chaparral, Sierra del 161 Wb 127
Chaparral Alto, El (Alm) 154 Xd 124
Chaparral Bajo, El (Alm) 154 Xd 124
Chaparral de Cartuja (Gra) 152 Wb 125
Chaparrales, Los (Bad) 104 Te 114
Chaparral y Chapaya (Bad) 120 Tf 117
Chaparrera, La (Córd) 137 Vd 120
Chaparrete, Cortijo de (Sev) 149 Ue 126
Chaparrita, Cortijo (Huel) 133 Ta 120
Chaparros (Alb) 125 Xd 117
≈ Chapatal, Marisma del 156 Te 127
Chapatales, Los (Sev) 148 Ua 126 ⊠ 41728
Chapela (Pon) 32 Rb 95
Chapí, Cortijada de (Alm) 155 Ya 125
Chapina, Cortijo de (Alm) 162 Xa 127
Chapinería (Mad) 89 Ve 106
Charán (Mur) 140 Xf 119
Charca, La (Mur) 141 Yc 122 ⊠ 30859
▲ Charca, La 135 Uc 119
≈ Charca del Lugar, Embalse de la 104 Td 112
≈ Charca Grande 120 Te 115
▲ Charcapiedra, Loma 160 Wb 126
Charche Alto, El (Alm) 154 Xf 123
Charche Bajo, El (Alm) 154 Xf 123
Charches (Gra) 153 Xa 125 ⊠ 18511
Charco, Cortijo del (Sev) 149 Ue 125
Charco, El (Palm) 175 D 4
Charco, El (Ten) 171 B 3 ⊠ 38749
▲ Charco, El 92 Xd 107
☆ Charco de Agua Amarga, Cueva del 80 Zf 103
Charco del Lobo, Cortijada El (Alm) 163 Xf 127
Charco de los Hurones (Cád) 158 Uc 129 ⊠ 11400
Charco del Pino (Ten) 172 D 5 ⊠ 38595
Charco del Tamujo (Ciu) 108 Wa 113 ⊠ 13428
Charco Dulce (Cád) 164 Ua 130 ⊠ 11170
Charcofrío (Sev) 148 Td 123
Charco Frío, Cortijo de (Bad) 104 Tb 114
Charco Lucero, Cortijo de (Mál) 158 Ue 128
Charcón, Cortijo del (Córd) 151 Vd 123
Charcón, El (Gra) 152 Wd 126
Charcón Alto (Gra) 154 Xc 123
Charcones, Cortijo de los (Cád) 164 Ub 131
Charcones, Los (Gra) 153 Xa 124 ⊠ 18890
Charcones de Abajo, Cortijo de (Gra) 152 We 123
Charcones de Arriba, Cortijo de (Gra) 152 We 123
≈ Charco Redondo, Embalse de 165 Uc 131
≈ Charcos, Embalse de los 126 Yb 117
Charcos, Los (Mur) 141 Yb 119
Charcos, Los (Mur) 141 Yd 119
Charcos, Los (Alb) 126 Yb 117
Charilla (Jaé) 151 Wa 123 ⊠ 23687
Charo (Hues) 27 Ab 94 ⊠ 22336
Charquillos, Caserío de los (Mur) 127 Ye 117
▲ Charquito, Playa del (Palm) 175 F 2
Charrín (Jaé) 153 Wf 123
Chato, Cortijo del (Gra) 160 Ve 126
Chato, Cortijo del (Gra) 152 Wd 125
Chatún (Seg) 56 Vd 101
Chauchina (Gra) 152 Wb 125 ⊠ 18330
Chaulines, Los (Gra) 161 We 128
Chaus (Our) 33 Rf 97
Chavaler (Sor) 41 Xd 97 ⊠ 42153
Chavarri (Viz) 10 Wf 89
Chave (Cor) 14 Ra 92 ⊠ 15214
Chaves, Cortijo de (Bad) 119 Td 116
Chaveses, Cortijo de los (Alm) 154 Xe 123
Chavida (Seg) 57 Wa 102 ⊠ 40171
Chavín (Lug) 4 Sc 87
Chavo, Cortijo del (Alm) 155 Ya 125
▲ Chavola, Puerto de la 60 Yc 99
Checa (Gua) 77 Yb 105 ⊠ 19310
Checas (Alm) 153 Xc 125
Chejelipes (Ten) 172 C 2
Cheles (Bad) 118 Se 117 ⊠ 06105
Chella (Val) 113 Zc 114 ⊠ 46821
Chelo (Lug) 16 Se 92
Chelva (Val) 94 Za 110 ⊠ 46176
Chequilla (Gua) 77 Yb 105 ⊠ 19310
Chera (Val) 112 Za 111 ⊠ 46350
Chera (Gua) 77 Yb 104 ⊠ 19353
Chércoles (Sor) 59 Xe 100
Chercos (Alm) 154 Xe 125 ⊠ 04859
Chercos Nuevo (Alm) 154 Xe 125
Cherín (Gra) 162 Wf 127
≈ Cherito, Ibón de la 26 Zb 91
Chert/Xert (Cas) 80 Aa 105
Cheste (Val) 113 Zb 111 ⊠ 46380
Chía (Hues) 28 Ac 93
▲ Chia, Puerto de 72 Uf 106
▲ Chía, Sierra de 26 Ac 93
Chibluco (Hues) 44 Zd 95 ⊠ 22192
≈ Chica, Laguna 124 Wc 116
≈ Chica, Laguna 109 We 112
≈ Chica, Laguna 75 We 103
Chica Carlota, La (Córd) 136 Va 122
Chicamo, El (Mur) 142 Za 119
≈ Chicamo, Río 142 Yf 119
Chichina, Cortijo de (Huel) 148 Te 124
▲ Chiclana, Muela de 139 Wf 119
Chiclana de la Frontera (Cád) 164 Tf 130 ⊠ 11130
≈ Chico, Río 162 Xa 127
≈ Chico, Río 58 Wf 98
Chico de Capela, Cortijo (Bad) 119 Ta 116
Chicoteros, Los (Cue) 93 Yd 110
Chiguergue (Ten) 172 C 4 ⊠ 38688
Chilches (Mál) 160 Ve 128 ⊠ 29790
Chilches (Cas) 95 Ze 110 ⊠ 12592
▲ Chilches, Platja de 95 Zf 110
▲ Chilegua, Barranco de (Palm) 175 C 4
▲ Chilizarrias 40 Xa 95
Chilla (Sev) 148 Te 125
Chillar, Cortijo de (Jaé) 139 Wf 122
Chillarón de Cuenca (Cue) 92 Xe 108
Chillarón del Rey (Gua) 76 Xb 105
Chillón (Ciu) 122 Va 116
Chillón, Cortijo (Jaé) 139 We 122
Chilluévar (Jaé) 139 Wf 120
Chiloeches (Gua) 75 Wf 105 ⊠ 19160
▲ Chimenea, Sierra de 159 Vc 127
▲ Chimenea, Sierra de la 106 Ue 114
Chimeneas (Gra) 152 Wb 126 ⊠ 18329
☆ Chimeneas, Las 9 Wa 89
Chimiche (Ten) 172 D 5 ⊠ 38594
Chimillas (Hues) 44 Zd 95 ⊠ 22194
▲ Chimorra 136 Va 119
Chimparra (Cor) 3 Rf 86 ⊠ 15357
China, Cortijo de (Cád) 164 Ub 131
China, La (Bad) 120 Tf 115
Chinas, Las (Huel) 133 Tb 121 ⊠ 21291
Chinas Blancas (Bad) 120 Tf 115
Chinchetru (Ála) 23 Xd 92
▲ Chinchilla, Altos de 127 Yc 115
Chinchilla de Monte-Aragón (Alb) 126 Yb 115
▲ Chinchín 120 Ua 118
Chincho, Caserío del (Các) 87 Uc 108
Chinchón (Mad) 90 Wd 108
▲ Chinchorro, Playa del (Palm) 175 F 2
Chincolla (Jaé) 139 Xa 119
Chindarga, Cortijo de (Alb) 125 Xc 116
▲ Chinico, Barranco (Ten) 173 E 4
▲ Chinobre (Ten) 173 F 2
Chío (Ten) 172 C 4
☆ Chio, Castell de 114 Zd 115
Chipiona (Cád) 156 Td 128 ⊠ 11550
Chiprana (Zar) 62 Zf 101 ⊠ 50792
Chiquero, El (Ciu) 122 Vd 114
▲ Chiqueros (Ten) 172 D 4
Chiquierdi (Gui) 12 Xf 89
≈ Chira, Embalse de (Palm) 174 C 3
Chirán (Alm) 162 Xa 127
Chircales (Jaé) 152 Wa 123 ⊠ 23159
Chirche (Ten) 172 C 4 ⊠ 38688
☆ Chiret, Castillo de 112 Za 113
Chirigota, Cortijo de la (Cád) 157 Ub 127
Chirivel (Alm) 154 Xe 123 ⊠ 04825
≈ Chirivel, Rambla 154 Xe 123
Chirivella = Xirivella (Val) 114 Zd 112
Chiriveta (Hues) 44 Ae 96 ⊠ 22584
☆ Chiriveta, Castello de 44 Ae 96
Chirivi (Ciu) 124 We 117
Chiriví, Cortijo de (Ciu) 124 We 117
Chirlatas, Cortijo de las (Gra) 153 Xa 124
Chiró (Hues) 44 Ad 95
Chisagües (Hues) 27 Ab 93
Chiscar, Cortijo de (Gra) 140 Xd 123
Chiste, Cortijo del (Sev) 149 Uc 124
Chite (Gra) 161 Wc 127 ⊠ 18656
Chiva (Val) 113 Zb 112 ⊠ 46370
Chive, El (Alm) 154 Xf 125 ⊠ 04271
Choca, Cortijo de (Mál) 159 Vb 127
Chodes (Zar) 60 Yd 100 ⊠ 50269
▲ Chó Gregorio, Playa de (Palm) 176 B 3
▲ Choias, Loma de la (Ten) 171 B 2
≈ Chonia 15 Rc 91
Chopillo, El (Mur) 141 Yb 119
Chopo, Caserío El (Ter) 94 Zb 108
Chopo, Cortijo del (Mál) 159 Vb 127
Chopo, Cortijo del (Gra) 152 Wd 124
Chopo, El (Val) 94 Za 109 ⊠ 46178
Chopos, Los (Jaé) 151 Wa 123
▲ Chopos, Playa de los (Palm) 175 E 4
Chorchas, Cortijo de (Córd) 137 Vd 121
▲ Chorito, Sierra del 107 Vd 112
Chorrera, Cortijo de la (Mál) 151 Vd 125
Chorretas, Las (Cue) 77 Ya 106
Chorretites de Abajo, Los (Alb) 140 Xd 119
▲ Chorrillo 123 Wa 118
▲ Chorrillo, Alto del 94 Yf 108
Chorrillo, El (Alm) 163 Xd 127
Chorrillo, El (Palm) 174 C 3
Chorro, El (Mál) 159 Vb 127 ⊠ *29552
Chorro, El (Jaé) 139 Wf 121
≈ Chorro, Embalse del 159 Va 127
☆ Chorro, Garganta del 159 Vb 127
≈ Chorro, Río del 96 Aa 107
▲ Chorros, Castellón de los 137 Vd 119
☆ Chorros, Cueva de los 125 Xd 118
Chortales, Los (Alb) 127 Yd 116
Chospes, Los (Alb) 125 Xd 116
Chospes, Los (Alb) 110 Xd 114
Chotos, Los (Mad) 75 Wc 105
Chouzán (Lug) 16 Sb 93
Chóvar (Cas) 95 Ze 109 ⊠ 12499
☆ Cho Zacarias, Casa (Palm) 174 C 2
Choza del Alamillo (Huel) 147 Tc 126
Choza de las Nuevas (Sev) 156 Te 127
Choza del Guarda (Alm) 162 Xa 127
☆ Choza Fumia, Refugio 26 Zb 92
Chozas (Jaé) 139 Xa 119
▲ Chozas 87 Ue 110
Chozas, Las (Gra) 154 Xc 124
Chozas, Las (Gra) 151 Wa 126
Chozas de Abajo (Leó) 19 Ub 93 ⊠ 24392
Chozas de Arriba (Leó) 19 Ub 93 ⊠ 24392
Chozas de Canales (Tol) 89 Vf 108 ⊠ 45960
Chozas de Redondo, Cortijada Las (Alm) 162 Xb 128
Chozones, Los (Các) 86 Td 108
Chozos de la Bardera (Ávi) 72 Uf 105
▲ Chuar, Peña 6 Td 87
Chucena (Huel) 148 Td 124 ⊠ 21891
Chuche, El (Alm) 162 Xd 127 ⊠ 04410
▲ Chuchillos (Palm) 175 E 2
Chucho, El (Vall) 55 Va 101
Chuchurumbache (Ten) 172 D 5 ⊠ 38617
Chueca (Tol) 89 Wa 110 ⊠ 45113
Chulilla (Val) 94 Za 111 ⊠ 46167
▲ Chullo 153 Xa 126
▲ Chumilla, Llano de 112 Yc 113
▲ Chumilla, Llano de la 62 Zd 102
Chumillas (Cue) 92 Xf 110 ⊠ 16216
Chunchillos (Zar) 42 Yb 97
Churchis, Cortijo de (Ciu) 123 Wb 117
Churío (Cor) 3 Rf 89
Churra (Mur) 142 Yf 120
▲ Churra, Pico de la 22 Wb 90
Churriana (Mál) 159 Vc 129 ⊠ 29140
Churriana de la Vega (Gra) 152 Wc 126 ⊠ 18194
Churrón, Cortijo (Gra) 153 Xb 124
▲ Chuso 62 Zb 102
Cía (Nav) 24 Yb 91
Ciadoncha (Bur) 39 Wa 96 ⊠ 09228
Ciadueña (Sor) 59 Xc 100 ⊠ 42210
Ciaño (Ast) 7 Ub 89 ⊠ 33900
Ciáurriz (Nav) 24 Yc 91
Cibanal (Sal) 53 Te 101
Cibea (Ast) 18 Td 90 ⊠ 33817
Cicera (Can) 8 Vc 89 ⊠ 39580
Cicere (Cor) 2 Ra 90 ⊠ 15845
Cicero (Can) 10 Wd 88 ⊠ 39790
Cicujano (Ála) 23 Xd 92 ⊠ 01129
▲ Cid 73 Va 105
☆ Cid, Castillo del 76 Xa 103
☆ Cid, Castillo del 79 Zc 105
Cid, El (Alm) 162 Xa 127 ⊠ 04760
Cid, el (Ali) 128 Zb 118 ⊠ 03610
≈ Cidacos, Río 41 Xf 95
Cidad de Valdeporres (Bur) 21 Wb 90 ⊠ 09574
☆ Cidade 33 Rf 94
Cidadela (Cor) 3 Rf 90
Cidamón (Rio) 23 Xa 94
Cidones (Sor) 41 Xc 98 ⊠ 42145
Cid-Toledo (Córd) 150 Vc 124
▲ Cielma 21 Wb 91
Ciempozuelos (Mad) 90 Wc 107 ⊠ 28350
Cien (Ast) 8 Uf 89 ⊠ 33558
Cienfuegos (Ast) 6 Ua 90 ⊠ 33116
≈ Cierva, Embalse de La 141 Yc 120
Cierva, La (Cád) 157 Ub 127 ⊠ 11650
Cierva, La (Sev) 149 Ub 124
Cierva, La (Cue) 92 Ya 108 ⊠ 16340
▲ Ciervo, Isla del 143 Zb 123
Ciervos, Cortijo de los (Jaé) 152 Wc 123
Cierzos, Cortijo Los (Gra) 152 Wa 124
Cíes (Pon) 32 Ra 95
▲ Cíes, Illas 32 Ra 95
Cieza (Mur) 141 Yd 119 ⊠ 30530
Cieza (Can) 9 Vf 89
≈ Cieza, Río 9 Vf 89
Cifuentes (Gua) 76 Xc 104 ⊠ 1942
≈ Cifuentes, Laguna 37 Ud 95
Cifuentes de Rueda (Leó) 19 Ue 93 ⊠ 24166
Cigales (Vall) 56 Vb 98 ⊠ 47270
Cigudosa (Sor) 41 Xf 97 ⊠ 42113
Cigüenza (Bur) 22 Wc 91
Ciguera (Leó) 19 Uf 91 ⊠ 24991
Ciguñuela (Vall) 55 Va 99 ⊠ 47191
Cihuela (Sor) 60 Ya 100 ⊠ 42126
Cihuri (Rio) 23 Xa 93 ⊠ 26210
≈ Cíjara, Embalse de 107 Vb 113
☆ Cíjara, Palacio-Castillo de 106 Uf 113
Cijuela (Gra) 152 Wb 125 ⊠ 18339
Cilanco (Alb) 112 Ye 112 ⊠ 02215
Cildoz (Nav) 24 Yb 91 ⊠ 31194
Cillamayor (Pal) 21 Ve 91 ⊠ 34829
Cillán (Ávi) 73 Va 104
Cillanueva (Leó) 19 Uc 94 ⊠ 24251
≈ Cillaperlata, Embalse de 22 Wd 92
Cillarena (Rio) 40 Xa 95
Cillas (Gua) 77 Ya 103 ⊠ 19339
Cilleros (Các) 85 Tb 108 ⊠ 10895
Cilleros de la Bastida (Sal) 71 Tf 105 ⊠ 37621
Cilleros el Hondo (Sal) 72 Ub 103 ⊠ 37183
Cilleruela (Alb) 125 Xd 116
Cilleruelo de Abajo (Bur) 39 Wb 97 ⊠ 09349
Cilleruelo de Arriba (Bur) 39 Wc 97 ⊠ 09349
Cilleruelo de Bezana (Bur) 21 Wa 91 ⊠ 09572
Cilleruelo de Bricia (Bur) 21 Wa 91 ⊠ 09572
Cilleruelo de San Mamés (Seg) 57 Wc 100
Cillórigo de Liébana (Can) 8 Vc 89
Cilloruelo (Sal) 72 Ud 103 ⊠ 37874
▲ Cima 7 Uc 88
▲ Cimadal, el 46 Ba 96
Cima de Vila, A (Lug) 16 Sb 90
Cimadevilla (Ast) 5 Ta 88
Cimadevilla (Ast) 7 Uc 87
Cimanes de la Vega (Leó) 36 Uc 96 ⊠ 24239
Cimanes del Tejar (Leó) 19 Ub 93 ⊠ 24272
Cimballa (Zar) 60 Yb 102 ⊠ 50213
≈ Cinca, Canal del 45 Aa 96
≈ Cinca, Río 45 Ab 96
☆ Cincho, Castillo del 149 Uc 125
Cinclaus (Gir) 49 Da 96 ⊠ 17130
Cinco Casas (Ciu) 109 We 114 ⊠ *13720
☆ Cinco Esquinas, Castillo 139 Wf 121
≈ Cinco Lagunas, Las 87 Ue 107
Cinco Olivas (Zar) 62 Zd 100 ⊠ 50782
Cincovillas (Seg) 57 Wd 101 ⊠ 40518
Cincovillas (Gua) 58 Xb 101 ⊠ 19277
Cinco Villas (Mad) 75 Wc 103 ⊠ 28754
Cinctorres (Cas) 80 Ze 105 ⊠ 12318
Ciñera (Leó) 19 Uc 91 ⊠ 24660
Cines (Cor) 3 Re 89
≈ Cinqueta, Río 27 Ac 93
≈ Cinsa 16 Sc 93
Cint, el (Bar) 47 Be 96
Cinta, La (Alm) 154 Xf 124 ⊠ 0466[illegible]

nta Blanca (Alm) 154 Xf126
⊠04270
ntas, Cortijo de (Alm) 162 Wf127
ntruénigo (Nav) 42 Yb96
Ciobre, Torres de 3 Rc89
onal (Zam) 35 Te97 ⊠49563
orraga = Ciorraga (Ála) 23 Xa90
orroga = Ciorraga (Ála) 23 Xa90
pérez (Sal) 71 Te103
prés, Cortijo del (Alm) 163 Xe126
preses, Los (Gra) 161 We127
ra (Pon) 15 Rd92
rat (Cas) 94 Zd108 ⊠12231
rauqui (Nav) 24 Ya92 ⊠31131
Circuito de la Com. Valenciana
113 Zc112
rera, la (Tar) 64 Bb99 ⊠43427
res (Can) 8 Vd89 ⊠39550
rés (Hues) 28 Ae94
ria (Sor) 60 Ya99 ⊠42138
riego (Ast) 7 Uc89 ⊠33946
riñuela (Rio) 40 Xa94 ⊠26258
rio (Lug) 4 Sd90 ⊠27273
riza (Nav) 24 Yb92 ⊠31174
rueches (Gua) 59 Xb102
⊠19266
ruela (Sor) 58 Xb100 ⊠42367
Ciruela, Casas de 123 Wa115
ruelas (Gua) 76 Wf104 ⊠19197
ruelos (Seg) 57 Wb100
iruelos (Tol) 90 Wc109 ⊠45314
iruelos de Cervera (Bur) 39 Wc97
⊠09610
iruelos de Coca (Seg) 56 Vc101
⊠40496
iruelos del Pinar (Gua) 77 Xe102
⊠19281
irueña (Rio) 40 Xa94 ⊠26258
irueña, Cortijo de (Jaé)
138 Wc121
irugeda (Ter) 79 Zb104 ⊠44158
irujales del Río (Sor) 41 Xe97
iscar (Hues) 44 Ad96 ⊠22589
isla (Ávi) 73 Uf103 ⊠05211
isneros (Pal) 37 Va95 ⊠34320
istella (Gir) 31 Cf95 ⊠17741
istérniga (Vall) 56 Vb99
istierna (Leó) 19 Uf92 ⊠24800
itolero, El (Ciu) 108 Vf113
itores del Páramo (Bur) 39 Wa94
iudad del Aire (Mur) 143 Zb122
iudad de San Ramón (Mad)
89 Vd106
iudad Ducal (Ávi) 74 Vd105
⊠05239
≈Ciudad Ducal, Embalse 74 Vd105
≈Ciudadeja, Arroyo 135 Ud121
☆Ciudad Encantada 92 Xf107
iudad Granada (Alm) 154 Xe123
iudad Real (Ciu) 123 Wa115
⊠*13001
iudad-Rodrigo (Sal) 70 Td105
☆Ciudad romana 62 Zd100
iudad Sindical (Mál) 159 Vb130
☆Ciudad Vieja 27 Aa94
iudalcampo (Mad) 75 Wc105
⊠28707
iurana = Siurana d'Empordà (Gir)
49 Cf95
iurana = Siurana de Prades (Tar)
64 Af101
iutadella de Menorca (Bal)
96 Df109 ⊠07760
iutadilla (Lle) 64 Ba99 ⊠25341
☆Ciutadilla, Castell de 46 Bb98
☆Ciutat històrica 95 Ze111
☆Ciutat ibèrica d'Ullastret 49 Da96
☆Ciutat ibèrica d'Ullastret
60 Yc100
iutat Jardí (Ali) 128 Zc118
iutat Vella, la (Bar) 66 Cb100
☆civdad romana 40 Wd98
ívica (Gua) 76 Xb104
ividáns (Pon) 32 Ra97
☆Civiles, Los = Civils, els 80 Aa106
☆Civils, els = Civiles, Los 80 Aa106
ivís (Lle) 29 Bc94
ivit (Lle) 65 Bc99 ⊠25213
izur Mayor (Nav) 24 Yb92
izur Menor (Nav) 24 Yb92
⊠31190
lamosa (Hues) 45 Ab95 ⊠22438
☆Clara 47 Bc96
larà (Lle) 47 Bc97
☆Clarà 47 Be96
larà (Tar) 65 Bc102
☆Clarà, Castell de 48 Ca98
▲Clarà, Coll de 47 Bc96
▲Clara, Fluenta 22 Wf93
▲Clara, Serra de 48 Cd97
laramunt (Lle) 46 Ae95 ⊠25634
☆Claramunt, Castell de 65 Be99
laras (Alb) 140 Xe119
laravalls (Hues) 44 Ae95
laravalls (Lle) 46 Ba98 ⊠25353
lares (Gua) 77 Xf102 ⊠19281
larés de Ribota (Zar) 60 Ya99
laret (Lle) 46 Af96
laret (Lle) 46 Ba97
▲Claret, Coll de (Bal) 98 Cd110

Claret de Figuerola (Lle) 47 Bc98
Clariana (Bar) 65 Bd99
Clariana = Clariana de Cardener
(Lle) 47 Bd97
≈Clariana, Riera de 65 Bc99
≈Claro, Río 140 Xf122
☆Clascar, el 48 Cb98
Claveles, Los (Sev) 149 Ub124
Claverol (Lle) 46 Af95 ⊠25517
Clavijo (Rio) 41 Xd94 ⊠26130
Clavijo, Cortijo (Alm) 140 Xf121
▲Clavín, Puerto del 104 Tc113
Clavinque (Sev) 149 Ub124
⊠41510
Cleda, Sa (Bal) 99 Da110
Clementes, Los (Alm) 161 Wf128
Clementes, Los (Bad) 119 Tb118
☆Clerina, Castillo de 43 Ye95
Clocalou (Gir) 48 Cc95
Clochas, Las (Ter) 94 Zc108
Clot d'Almedrà (Bal) 98 Ce110
Clot del Moro, el (Bar) 47 Bf95
▲Cloterons 47 Bd95
☆Clotilde, Cueva de la 9 Vf88
▲Clots, els 80 Aa105
Clua, la (Lle) 46 Ae96
Clua, la (Lle) 46 Bb97
Clua de Meià, la (Lle) 46 Ba97
☆Club Alpino, Refugio del
87 Ue107
Club Cala Llenya (Bal) 97 Bd114
☆Clunia Sulpicia 40 Wd98
Coalla (Ast) 6 Tf88 ⊠33829
Coaña (Ast) 5 Tb87 ⊠33795
☆Coaner 47 Be97
Coaxe (Pon) 14 Rb92
▲Cobacha, Puerto de la 104 Tc113
▲Coba da Serpe, Serra da 4 Sa90
Coballes (Ast) 7 Ud89 ⊠33995
▲Cobas, Praia de 3 Re87
Cobaticas (Mur) 143 Zb123
⊠30385
Cobatillas (Córd) 136 Uf121
Cobatillas (Córd) 137 Vd122
Cobatillas (Alb) 126 Ya118
Cobatillas (Ter) 79 Zb104 ⊠44157
Cobatillas, Cortijo de (Jaé)
138 We121
Cobatillas, Las (Cád) 164 Ub130
Cobatillas, Las (Alm) 140 Xe121
⊠04839
Cobayas (Ast) 7 Ud89 ⊠33538
Cóbdar (Alm) 154 Xe125
Cobeja (Tol) 89 Wa108 ⊠45291
Cobejo (Can) 21 Vf90 ⊠39420
Cobeña (Mad) 75 Wd105 ⊠28863
Cobertelada (Sor) 59 Xc100
⊠42212
Cobertoria, La (Ast) 7 Ub90
Cobeta (Gua) 77 Xf103 ⊠19443
≈Cobica, Rivera 132 Se123
Cobisa (Tol) 89 Vf110 ⊠45111
Cobo, El (Mur) 141 Yb119
≈Cobo, Río 4 Sd87
≈Cobón, Ensenada del (Ten)
173 E5
Coborriu de Bellver (Lle) 29 Be94
⊠25721
☆Cobos, Ermita de 39 Wc97
Cobos de Cerrato (Pal) 39 Vf96
⊠34248
Cobos de Fuentidueña (Seg)
57 Wa100 ⊠40332
Cobos de Segovia (Seg) 74 Vd103
⊠40144
Cobos Junto a la Molina (Bur)
22 Wc93
≈Cobre, Embalse del 133 Tc122
Cóbreces (Can) 9 Ve88
Cobreros (Zam) 35 Tb96 ⊠49396
Cobres (Pon) 32 Rc95
▲Coc, Serra del 80 Ab103
Coca (Lug) 17 Ta90
Coca (Seg) 56 Vc101 ⊠40480
Coca de Alba (Sal) 72 Ud103
⊠37830
Coca de Huebra (Sal) 71 Ua104
⊠37609
Cocentaina (Ali) 128 Zd116
⊠03820
▲Cócera, Hoya de 93 Yb109
Cocón, El (Mur) 155 Yc124
Cocón del Peral (Alm) 154 Xe126
Cocón y Los Clementes, El (Mur)
141 Yb123
Coculina (Bur) 21 Wa93 ⊠09129
Codera Baja (Zar) 43 Ye96
Codes (Gua) 77 Xf102 ⊠19281
Codesal (Zam) 35 Td97 ⊠49594
Codines, les (Lle) 64 Ba99
Codo (Zar) 62 Zb101 ⊠50132
≈Codolar, Cola (Bal) 98 Cf109
Codolar, Es (Bal) 97 Bc115
▲Codolar, Platja des (Bal)
97 Bc115
▲Codolar, Punta (Bal) 96 Eb108
☆Còdol-rodon 47 Bd96
Codoñera, La (Ter) 80 Zf103
⊠44640
Codornillos (Leó) 37 Uf94 ⊠24342

Codorniz (Seg) 73 Vc102 ⊠40463
Codos (Zar) 61 Yd101 ⊠50326
▲Codos, Puerto de 61 Yd101
Codosera, La (Bad) 103 Se113
⊠06518
Codrios, Cortijo de los (Bad)
120 Tf116
▲Coelleira, Illa 4 Sc86
Coence (Lug) 16 Sa91
Coens (Cor) 2 Ra89 ⊠15118
Coeo (Lug) 16 Sd91
Coeses (Lug) 16 Sc91 ⊠27181
Cofete (Palm) 174 B5
▲Cofete, Playa de (Palm) 174 B5
Cofiñal (Leó) 19 Ue90 ⊠24857
Cofiño (Ast) 7 Ue88 ⊠33548
≈Cofío, Río 74 Ve105
Cofita (Hues) 45 Ab97 ⊠22417
☆Coforb 47 Be96
Cofrentes (Val) 112 Yf113 ⊠46625
Cogeces de Íscar (Vall) 56 Vc100
Cogeces del Monte (Vall) 56 Ve99
⊠47313
Cogollor (Gua) 76 Xb103 ⊠19490
Cogollos (Bur) 39 Wb95 ⊠09320
≈Cogollos, Río 39 Wa95
▲Cogollos, Sierra de 152 Wc125
Cogollos de Guadix (Gra)
153 We125 ⊠18518
Cogollos Vega (Gra) 152 Wc125
⊠18211
Cogolls (Gir) 48 Cd96 ⊠17173
Cogolludo (Gua) 76 Wf103
⊠19230
Cogorderos (Leó) 18 Tf93 ⊠24712
Coguilla de Huebra (Sal) 71 Tf104
Cogul, el (Lle) 64 Ae100 ⊠25152
Cogull = Cogul, el (Lle) 64 Ae100
Cogullada, la (Val) 114 Zd114
▲Cogulló, el 46 Bb95
▲Cogulló, el 64 Bb100
▲Cohete, Cerro 121 Ue118
≈Cohilla, Embalse de la 21 Vd90
Coín (Mál) 159 Vb129
Coira (Our) 33 Sb95
Coirás (Our) 15 Sa93
Coiro (Cor) 14 Ra91
Coirós (Cor) 3 Rf89
Coirós de Arriba (Cor) 3 Rf89
▲Coitelada, Punta 3 Re88
Cojáyar (Gra) 161 Wf127
☆Cojo, Venta del 126 Yb115
Cojóbar (Bur) 39 Wc95
Cojos, Los (Val) 112 Ye112
⊠46354
Cojos de Rollán (Sal) 71 Ua103
Cojo Serrano, Cortijo del (Córd)
151 Ve124
Colachoa (Hues) 44 Ad95
▲Colada, La 17 Ta93
Colana, Cortijo de (Cád)
164 Ua130
▲Colativí 163 Xe126
▲Colchanes, Loma de los 94 Yf108
▲Col d'Ibardin 12 Yb89
Coldobrero (Ast) 5 Tc88
☆Colegiata 45 Aa95
Colegiata, Cortijo de la (Bad)
119 Tc116
Colera (Gir) 31 Da94 ⊠17496
Coles (Our) 16 Sa94
≈Colgada, Laguna de la
125 Xa115
▲Colgadizos 57 Wc102
Coliches, Los (Gra) 161 Wf128
Colilla, La (Ávi) 73 Vb105 ⊠05192
Colina (Bur) 22 Wd90
Colina (Seg) 74 Ve103 ⊠40153
Colina, La (Mál) 159 Vc129
▲Colina, La 10 Wd88
Colinas del Campo de Martín Moro
(Leó) 18 Te92
Colinas de Trasmonte (Zam)
36 Ub96
Colindres (Can) 10 Wd88 ⊠39750
Coll (Lle) 28 Ae94 ⊠25526
Collada (Ast) 5 Tc88
☆Collada 7 Uc88
Collada, La (Hues) 44 Ac95
⊠22481
Colladas (Ast) 7 Uc88
▲Colladas, Cerro de las 26 Za93
Colladico, El (Ter) 61 Yf102
Colladillas, Cortijo de las (Ciu)
122 Ve118
Colladillo (Seg) 57 Wb102 ⊠40164
Colladillo (Val) 93 Ye108
Colladillo, El (Cas) 95 Zd108
Collado (Can) 9 Vf89
Collado (Ávi) 72 Ud106
Collado (Các) 87 Ub108 ⊠10414
Collado, Cortijo del (Alb)
140 Xd119
Collado, Cortijo del (Mur)
126 Yb118
Collado, El (Gra) 161 Wf128
▲Collado, El 113 Zb111
Collado, El (Sor) 41 Xe97 ⊠42172
Collado, El (Rio) 41 Xd95 ⊠26132
Collado, El (Cas) 94 Zc108

Collado, El (Val) 94 Yf109
▲Collado, Loma del 75 Wd102
▲Collado, Puerto El 40 Wf96
Collado Alto, Cortijo del (Alb)
126 Ya118
▲Collado Bajo 93 Yb107
Collado de Carrasco, Cortijo del
(Alb) 125 Xd118
Collado de Contreras (Ávi)
73 Va103 ⊠05309
Collado de Gil (Mur) 141 Yd119
Collado de la Grulla (Ter) 93 Yc107
⊠44123
▲Collado de las Monjas, Alto del
93 Yd108
Collado de Lirón (Mur) 155 Yb124
Collado del Lobo (Jaé) 138 Wc119
Collado del Mirón (Ávi) 72 Ud105
Collado del Rayo, Cortijo del (Alb)
126 Ya117
Collado de Malvarín (Sal) 70 Tc106
Collado de Sigüenza (Gua)
78 Yc104
Collado Hermosa (Seg) 74 Wa102
☆Collado Jermoso, Refugio de
8 Va89
Collado-Mediano (Mad) 74 Vf104
▲Colladona, La 7 Uc89
Collado Royo y Poviles (Ter)
94 Zb108
Collados (Ter) 78 Yf103 ⊠44211
Collados (Cue) 92 Xe107 ⊠16143
Collados, Cortijo de los (Jaé)
138 We122
Collado Serrano, Cortijo del (Gra)
140 Xd120
Collado Tornero, Cortijo de (Alb)
125 Xd118
Collado-Villalba (Mad) 74 Wa105
▲Collaín, Sierra 20 Vb90
▲Collarada 26 Zd92
Coll-Arbós, el (Bar) 47 Be98
Collazos de Boedo (Pal) 20 Vd93
⊠34407
Collbató (Bar) 65 Bf99
Colldarnat (Lle) 47 Bc95 ⊠25717
Colldejou (Tar) 64 Af102 ⊠43310
Coll de la Abena, Caserío El (Bar)
47 Be95
Colldelrat (Lle) 46 Ba97 ⊠25739
Coll de Nargó (Lle) 46 Bb95
Coll de N'Orri, el (Gir) 48 Cd98
Coll d'En Rabassa, Es (Bal)
98 Ce111
Coll de Sant Joan (Bal) 99 Dc110
Coll de Vinganya, el (Lle) 62 Ad99
Colle (Leó) 19 Ue91 ⊠24858
☆Collegats, Congost de 46 Ba95
Collejares (Jaé) 139 Wf122
☆Collet, el 49 Da97
▲Collformic 48 Cc98
Collfred (Lle) 46 Ba97 ⊠25739
Collfred (Gir) 48 Cc96
Collía (Ast) 7 Ue88
Cólliga (Cue) 92 Xe108
Colliguilla (Cue) 92 Xe108 ⊠16194
Coll i Moll (Cas) 80 Zf105
Collmorter (Lle) 46 Af96 ⊠25632
Colls (Hues) 44 Ae95
▲Collsacreu 66 Cd99
Collsuspina (Bar) 48 Cb98 ⊠08178
Colmenar (Mál) 160 Ve127
⊠29170
Colmenar, El (Mál) 158 Ud129
Colmenar, El (Gra) 152 Wc125
Colmenar, El (Alb) 126 Xf116
▲Colmenar, El 93 Yd109
▲Colmenar, El 94 Zb108
Colmenar de Chacaló (Ciu)
123 Vf117
Colmenar de Corral Nuevo (Jaé)
138 Wd119
Colmenar de Don Reyes Frías (Ciu)
124 Wf118
Colmenar de la Parilla (Ciu)
123 Wc118
Colmenar del Arroyo (Mad)
74 Ve106 ⊠28213
Colmenar de la Sierra (Gua)
75 Wd102 ⊠28190
Colmenar de Montemayor (Sal)
71 Ua106 ⊠37711
Colmenar de Oreja (Mad)
90 Wd108 ⊠28380
Colmenar de Troyano (Ciu)
124 We118
Colmenarejo (Mad) 74 Vf105
⊠28270
Colmenarejo, Caserío (Mál)
160 Wb128
Colmenares (Pal) 20 Vc92
Colmenares, Cortijo de (Jaé)
138 Wb122
▲Colmenares, Los 35 Te95
Colmenar Viejo (Mad) 75 Wb104
⊠28770
▲Colmenilla, Morro de la
107 Vb114
Colmenillas, Las (Các) 106 Ud111
Colmenitas, Las (Bad) 119 Tc117

▲Colodro 137 Vf120
▲Colom, Illa d'En (Bal) 96 Eb109
Colombres (Ast) 8 Vc88 ⊠33590
Colomera (Gra) 152 Wb124
⊠18564
≈Colomera, Río de 152 Wb124
Colomers (Gir) 49 Cf96 ⊠17144
☆Colón, Casa de (Palm) 174 D2
☆Colón, Monumento a 147 Ta125
Colonia (Jaé) 138 Wb121
Colonia (Gua) 76 Xa104
Colonia, La (Gra) 153 Xb123
Colonia, La (Bad) 119 Tc115
Colonia Agrícola de los Blancares
(Mál) 150 Vb126
Colonia agrícola de Santa Gertrudis
(Rio) 23 Xa94
Colonia de Alfonso XIII (Sev)
148 Tf126
Colonia de Ballestero (Mál)
159 Vb126
Colonia de Caprera (Ciu)
109 We112
Colonia de la Compañía Ibérica
(Hues) 27 Ab93
Colonia de la Estación (Sal)
70 Tb105
Colonia de la Moraleja (Tol)
107 Vc110
Colonia de la Sierra de Salinas (Ali)
128 Yf117
Colonia de la Verdad (Mál)
159 Vc129
Colonia del Embalse (Jaé)
138 Wb120
Colonia de Mataespesa (Mad)
74 Vf104
Colonia de Rabalcuzar (Bad)
133 Tb119
Colonia de Santa Inés (Mál)
159 Vd128
☆Colonia de Santa Teresa, Ermita
141 Ya121
Colònia de Sant Jordi (Bal)
99 Cf113
Colònia de Sant Pere (Bal)
99 Db110
Colonia de Selladores (Jaé)
123 Wb118
Colonia de Tejada (Huel)
146 Sd123
Colonia de Tormos (Hues) 44 Zc96
Colonia Ducal (Val) 114 Zf114
Colonia Europa (Cas) 80 Ac106
Colonia García Escámez (Palm)
175 D2
Colonia Hispania (Tol) 90 Wb108
Colonia Iberia (Tol) 90 Wb109
Colonia Iturraldi (Gra) 153 Xa123
Colònia Jordana (Gir) 48 Cb95
Colonia la Enhebrada (Bur)
57 Wc99
Colònia M. de D. del Carme (Bal)
99 Db110
Colonia Militar Infantil General
Varela (Pal) 38 Ve96
Colonia Queipo de Llano (Sev)
148 Tf126
Colonia Riera (Bar) 47 Bf97
Colònia Rosal (Bar) 47 Bf96
Colònia Valls (Bar) 47 Be97
≈Color, Río 7 Ue89
☆Colorada, Cueva (Ten) 172 C2
▲Colorada, Montaña (Palm)
175 E1
▲Colorada, Montaña (Ten) 173 B2
☆Coloradas, Las (Palm) 176 B4
⊠35009
▲Coloradas, Playa de las (Ten)
173 B2
▲Colorado 155 Yb124
▲Colorado 136 Vc119
▲Colorado, Balsa 111 Yb111
Colorado, Cortijo del (Cád)
164 Ua130
▲Colorado, Sierra del 103 Sf112
Colsa (Can) 9 Ve90
▲Columbares 142 Yf121
Columbiello (Ast) 7 Ub90 ⊠33637
Columbrianos (Leó) 17 Tc93
⊠24490
▲Columenares, Playa (Ten) 172 D5
Colunga (Ast) 7 Ue88 ⊠33320
Colungo (Hues) 45 Aa95 ⊠22148
Coma, la (Lle) 47 Bd95 ⊠25284
▲Coma, Platja de sa (Bal)
99 Dc111
Comabella (Lle) 46 Bc98 ⊠25211
▲Comabona, Pic de 47 Be95
Coma de Nabiners, la (Lle) 29 Bc95
⊠25713
Coma de Vaca (Gir) 30 Cb94
Coma i la Pedra, la (Lle) 47 Bd95
Comala (Mur) 142 Ye120 ⊠30627
Coma Major (Bal) 98 Cc111
Comares (Mál) 160 Ve127 ⊠29195
Comarruga = Coma-ruga (Tar)
65 Bd101
Coma-ruga (Tar) 65 Bd101
⊠43880

Comas, las (Tar) 64 Ae 102
Comasema (Bal) 98 Ce 110
Combarros (Leó) 18 Tf 93 ⊠ 24715
▲ Combrillo, Rosa de (Palm) 175 E 1
Comdals, els (Bar) 47 Bf 98
Comendador (Mál) 159 Vc 128 ⊠ 29570
Comendador (Jaé) 137 Ve 121
▲ Comendador, Puerto del 108 Wa 112
Comercio, El (Zar) 43 Zb 98
▲ Comes, Serra de les 80 Ae 103
Cometa, la (Ali) 129 Aa 117
▲ Cometa, Tuc de la 28 Ba 94
Comillas (Can) 9 Ve 88 ⊠ 39520
Comino, El (Mur) 141 Yc 122
▲ Comiols, Coll de 46 Ba 96
☆ Comiols, Ermita de 46 Ba 96
Comoncillo (Pal) 20 Vb 92
Compañía, Cortijo La (Cád) 157 Tf 128
Compañía, La (Sev) 148 Tf 125
☆ Compasco, Ermita de 56 Vc 99
Cómpeta (Mál) 160 Wa 127
☆ Complexo Dunar de Corrubedo e Lagoas de Carregal e Vixán, Parque Nat. 14 Qf 93
Compludo (Leó) 18 Td 94 ⊠ 24414
Compoallá, Cortijo de (Sev) 135 Ub 121
Componaraya (Leó) 17 Tc 93
≈ Compuerto, Embalse de 20 Vb 91
Comte, el (Lle) 46 Ba 94 ⊠ 25591
Comunion (Ála) 23 Xa 92 ⊠ 01213
☆ Con 8 Uf 88
▲ Conca, Pic de la 28 Ba 92
Concabella (Lle) 46 Bb 98 ⊠ 25211
Conca de Dalt (Lle) 46 Af 95
▲ Concejera 39 Vf 96
☆ Concejo, Central Eléctrica 111 Xf 112
Concejo, Cortijos El (Alm) 162 Xd 127
Concejo, El (Cád) 157 Ub 128 ⊠ 11630
≈ Concejo, Laguna 125 Xb 115
Concepción (Huel) 133 Tb 122
Concepción (Sor) 59 Xc 99
☆ Concepción, Castillo de la 142 Za 123
Concepción, Cortijo de la (Huel) 133 Sf 122
≈ Concepción, Embalse de la 159 Va 129
☆ Concepción, Ermita de la 137 Wa 120
☆ Concepción, Ermita de la 22 Wf 90
☆ Concepción, Ermita de la 23 Xb 93
☆ Concepción, Ermita de la 24 Xf 91
☆ Concepción, Ermita de la 77 Ya 103
☆ Concepción, Ermita de la 89 Wa 109
Concepción, La (Mál) 159 Va 129
Concepción, La (Córd) 151 Vf 124
☆ Concepción, La (Ten) 173 D 3
☆ Concepción, La 106 Ue 112
▲ Concepenido = Penido, Couce do 4 Sa 86
Concha (Gua) 77 Ya 102 ⊠ 19287
≈ Concha, Cala 155 Yb 125
Concha, La (Can) 9 Wa 88 ⊠ 39728
Concha, La (Viz) 10 Wd 89
Concha, La (Sal) 70 Tb 105
▲ Concha, Playa de la 12 Xf 89
▲ Concha, Praia de 14 Rb 93
▲ Concha de Artedo, Playa de 6 Te 87
Cónchar (Gra) 161 Wc 127
≈ Conchas, Encoro das 33 Rf 97
Conchas, Las (Ast) 8 Vc 88
▲ Conchas, Playa de las (Palm) 176 C 2
▲ Concheira, Praia de 32 Ra 96
Conchel (Hues) 45 Aa 97 ⊠ 22414
Concho, Cortijo El (Huel) 134 Te 121
▲ Conchuela 109 Wc 110
Concilio (Zar) 43 Zb 95
▲ Concilla, Cueto de la 21 Vd 90
Concordia (Val) 94 Zb 110
Concud (Ter) 78 Yf 106 ⊠ 44397
Condado (Ast) 7 Ud 89
Condado (Bur) 22 Wc 92
Condado, Cortijo del (Gra) 140 Xd 121
Condado, El (Zar) 62 Zc 99
Condado de Castilnovo (Seg) 57 Wb 101 ⊠ 40318
Condado de Jaruco (Gir) 49 Ce 98
Condado de Treviño (Bur) 23 Xb 92
Conde, El (Jaé) 139 Xa 119
≈ Conde, Laguna del 151 Ve 123
▲ Conde, Sierra del 120 Ub 117
☆ Conde, Torre del (Ten) 172 C 2
☆ Conde de Alba y Aliste, Parador Nacional 54 Ub 100
☆ Conde de Barbate, Ermita del 147 Ta 124
Conde de Gracia Real, Cortijo de (Jaé) 137 Vf 121
Conde de Hornachuelos, Caserío del (Jaé) 137 Ve 121
☆ Conde de Orgaz, Parador Nacional 89 Vf 109
Condemios de Abajo (Gua) 58 Wf 101 ⊠ 19275
Condemios de Arriba (Gua) 58 Wf 101 ⊠ 19275
☆ Condes de Altamira, Palacio de los 59 Xc 100
☆ Condes de Cardona, Parador Nacional 47 Be 97
☆ Condes de Finat, Palacio de los 108 Vf 111
☆ Condestable Dávalos, Parador 138 Wd 120
Condomina, La (Mur) 141 Yc 123 ⊠ 30566
Condomina, la (Ali) 128 Zd 118
▲ Condreu, Coll de 48 Cd 96
Condueño (Ast) 7 Uc 89 ⊠ 33979
Conejares (Sor) 42 Xf 97
Conejera (Sal) 70 Tc 105 ⊠ 37594
▲ Conejera, Isla = Illa Conillera (Bal) 98 Cf 113
▲ Conejera, Isla de 9 Vf 88
▲ Conejeras 121 Ue 117
Conejeros (Tol) 89 Vd 108
▲ Conejeros, Puerto de los 103 Ta 114
≈ Conejo, Arroyo 120 Ua 118
Conejo, Cortijo del (Gra) 153 We 124
Conejo, Cortijo del (Gra) 153 Wf 124
Conesa (Tar) 64 Bb 99 ⊠ 43427
≈ Confital, Bahía del (Palm) 174 D 2
Conforcos (Ast) 19 Uc 90
Conforcos (Leó) 36 Uc 95 ⊠ 24234
▲ Conforcos, Sierra de 19 Uc 90
Conforto (Lug) 5 Sf 88 ⊠ 27728
≈ Confrentes, Río 118 Ta 118
Confrides (Ali) 129 Ze 116 ⊠ 03517
Confurco (Pon) 32 Rc 95
≈ Congost, el 66 Cb 99
Congosta (Zam) 36 Tf 96
Congostinas (Ast) 19 Ub 90 ⊠ 33694
Congosto (Bur) 21 Vf 93 ⊠ 09124
☆ Congosto, Boca del 108 Wa 112
Congosto, El (Cue) 91 Xc 109 ⊠ 16771
Congosto de Valdavia (Pal) 20 Vc 92 ⊠ 34470
▲ Congostos, Loma de los 60 Yb 99
Congostrina (Gua) 76 Xa 102 ⊠ 19243
≈ Congrio, Caleta del (Palm) 176 B 4
Conil (Palm) 176 B 4 ⊠ 35572
Conil de la Frontera (Cád) 164 Tf 131 ⊠ 11140
Conill (Bar) 47 Bc 98
Conill (Lle) 46 Ba 98 ⊠ 25355
▲ Conillera, Illa (Bal) 98 Cf 113
▲ Conillera, Sa (Bal) 97 Bb 115
Conilleres, les (Bar) 65 Bd 100 ⊠ 08732
▲ Conjuros 161 Wd 128
▲ Connio, Puerto de 17 Tb 90
Conques (Lle) 46 Ba 96 ⊠ 25656
▲ Conques, Ras de 29 Bc 94
Conquezuela (Sor) 59 Xc 101 ⊠ 42230
≈ Conquezuela, Laguna de 59 Xc 101
Conquista (Córd) 122 Vd 118 ⊠ 14448
Conquista de la Sierra (Các) 105 Ub 112 ⊠ 10240
Conquista del Guadiana (Các) 105 Tf 114
▲ Consejera, La 56 Ve 101
Consell (Bal) 98 Ce 110 ⊠ 07330
Consistorio (Cor) 3 Rf 89 ⊠ 15314
Consistorio (Pon) 32 Re 96
≈ Conso, Río 34 Sf 96
Consolación (Bad) 133 Tb 120
Consolación (Ciu) 124 Wd 115
Consolación (Cue) 112 Yc 112
☆ Consolación, Ermita de la 124 Wd 115
☆ Consolación, La 137 Wa 122
☆ Consolación, Santuarí de la (Bal) 99 Da 111
☆ Consolación, Virgen de la 106 Uf 114
Constantí (Tar) 64 Bb 102
Constantina (Sev) 135 Uc 121 ⊠ 41450
Constantins (Gir) 48 Ce 97
Constanzana (Ávi) 73 Va 103 ⊠ 05217
Consuegra (Tol) 109 Wc 112 ⊠ 45700
Consuegra de Murera (Seg) 57 Wb 101 ⊠ 40389
Contador, El (Alm) 154 Xd 123 ⊠ 04825
▲ Contador, Puerto de El 154 Xd 123
Contamina (Zar) 60 Ya 101 ⊠ 50239
▲ Contés 8 Vb 89
Contienda, La (Huel) 133 Ta 120
Contienda, La (Val) 112 Za 112
▲ Contiendas, Sierra de las 133 Ta 120
Contrasta (Ála) 24 Xe 92
▲ Contraviesa, Sierra de la 161 We 127
Contraviesas, Cortijo Las (Alm) 163 Xf 127
Contreras (Cue) 112 Yc 111
Contreras (Bur) 40 Wd 96 ⊠ 09613
Contreras, Cortijada de (Jaé) 137 Wa 122
Contreras, Cortijada Los (Alm) 163 Xf 126
Contreras, Cortijo (Các) 105 Ua 112
Contreras, Cortijo de (Gra) 153 Wf 125
≈ Contreras, Embalse de 112 Yc 111
Conturiz (Lug) 16 Sc 91
☆ Convent de Benifassà 80 Ab 104
☆ Conventín, El 7 Uc 88
Convento (Bad) 133 Tc 120
Convento, O (Pon) 14 Rb 94
☆ Convento, Ruinas de (Palm) 175 D 3
Convento de Duruelo, El (Ávi) 73 Uf 104 ⊠ 05380
Convento de Malillo (Các) 106 Uc 113
Conventos, Los (Mur) 155 Yb 123
Convoy, El (Alm) 155 Yb 124 ⊠ 04647
Cóo (Can) 9 Vf 89
Coomonte (Zam) 36 Ub 96 ⊠ 49783
▲ Copa 106 Ud 113
Copa, La (Mur) 141 Yc 120 ⊠ 30189
Cope (Mur) 155 Yd 124 ⊠ 30889
▲ Cope, Cabo 155 Yc 124
Copernal (Gua) 76 Wf 103 ⊠ 19292
Copero, Cortijo El (Sev) 148 Tf 125
Copons (Bar) 65 Bd 99 ⊠ 08281
▲ Corada, Peña 20 Uf 92
Coralles, Caserío de los (Các) 85 Tc 109
Corao (Ast) 8 Uf 88 ⊠ 33556
Coratxar (Cas) 80 Aa 104
☆ Corazón de Jesús (Ten) 172 C 2
☆ Corazón de Jesús, Ermita de (Ten) 171 B 3
▲ Corb, Cap (Bal) 98 Cf 112
≈ Corb, Riu 64 Bb 99
▲ Corb, Serra del 48 Cc 96
Corbacera (Sal) 71 Ua 104 ⊠ 37450
Corbado, Cortijo de (Jaé) 138 Wb 121
Corbalán (Ter) 79 Za 106
Corbatón (Ter) 78 Yf 104
▲ Corbeira, Punta 3 Rf 87
Corbelle (Cor) 4 Sb 87
Corbera (Val) 114 Zd 114 ⊠ 46612
Corbera de Alcira = Corbera (Val) 114 Zd 114
Corbera de Baix (Bar) 65 Bf 100 ⊠ 08757
Corbera d'Ebre (Tar) 62 Ac 102 ⊠ 43784
Corbera de Dalt (Bar) 65 Bf 100
Corbillos de los Oteros (Leó) 37 Ud 94 ⊠ 24225
Corbins (Lle) 46 Ae 98 ⊠ 25137
Corbo, Caserío del (Nav) 24 Ya 94
≈ Corbones, Río 149 Ue 125
☆ Corbons, Castell de 80 Ze 106
Corbunillo (Jaé) 137 Wa 121
Corçà (Lle) 44 Ae 96
Corçà (Gir) 49 Da 97
Corcáns (Pon) 32 Rd 96
≈ Corcha, Caleta (Palm) 175 E 3
Corchado, Cortijo del (Córd) 151 Vd 125
▲ Corchas, Llano de las 120 Ub 117
☆ Corcho, Cuevas (Palm) 174 C 2
Corcho, El (Bad) 118 Se 117
▲ Corcho, Punta del (Ten) 171 C 1
▲ Corchuela 86 Ua 110
Corchuela (Tol) 87 Ue 109 ⊠ 45569
Corchuela, La (Bad) 118 Sf 116
▲ Corchuelas, Sierra de las 86 Ua 110
Corchuelas de Arriba, Caserío Las (Các) 86 Ua 110
Corchuelas del Saliente, Cortijo Las (Các) 86 Ua 110
Corchuelo, El (Huel) 147 Tb 125
Corchuelos, Cortijo de (Sev) 149 Ue 125
Corcoesto (Cor) 2 Ra 89
Córcoles (Cue) 76 Xc 106
≈ Córcoles, Río 110 Xc 114
Corcolilla (Val) 94 Yf 109 ⊠ 46178
≈ Corcomé, Arroyo 137 Ve 120
Corconte (Can) 21 Wa 90 ⊠ 39294
Corcos (Leó) 20 Uf 92 ⊠ 24170
Corcos (Vall) 38 Vb 98
≈ Corcos, Río 19 Ue 93
▲ Corcovado 136 Vb 120
Corcovado, Cortijo del (Sev) 149 Ub 126
Corcoya (Sev) 150 Vb 125 ⊠ 41599
Corcubión (Cor) 14 Qe 91
≈ Corcubión, Ría de 14 Qe 91
▲ Corda, Morro de sa (Bal) 98 Ce 109
Cordal (Lug) 4 Sd 88
▲ Cordel, Sierra del 21 Ve 90
▲ Cordillera, Loma de la 158 Ue 127
▲ Cordillera Cantábrica 18 Tf 90
Cordiñanes de Valdeón (Leó) 8 Va 90
Córdoba (Córd) 136 Vb 121
▲ Córdoba, Cerros de 126 Yb 116
Cordobilla (Córd) 150 Vb 124
Cordobilla (Córd) 136 Vc 122
≈ Cordobilla, Embalse de 150 Vb 124
Cordobilla de Lácara (Bad) 104 Td 114
Cordovilla (Alb) 127 Yc 117 ⊠ 02513
Cordovilla (Nav) 24 Yc 92 ⊠ 31191
Cordovilla (Sal) 72 Ud 103 ⊠ 37337
Cordovilla de Aguilar (Pal) 21 Ve 91 ⊠ 34810
Cordovilla la Real (Pal) 38 Ve 96 ⊠ 34259
Cordovín (Rio) 40 Xb 94
≈ Cordovín, Río 40 Xb 94
Corduente (Gua) 77 Ya 103 ⊠ 19341
Corella (Nav) 42 Yb 96 ⊠ 31591
Corera (Rio) 41 Xe 94 ⊠ 26144
Cores (Cor) 2 Ra 89
Coreses (Zam) 54 Uc 99 ⊠ 49530
Corgo, O (Lug) 16 Sd 91
Córgomo (Our) 17 Sf 94
Coria (Các) 85 Tc 109 ⊠ 10800
▲ Coria, Sierra de 85 Tc 108
Coria del Río (Sev) 148 Tf 125
Corias (Ast) 6 Tf 88
Corigos (Ast) 7 Ub 89
▲ Corija, Sierra 59 Xf 99
▲ Corindón, El 113 Zb 111
Coripe (Sev) 158 Ud 127 ⊠ 41780
▲ Coriscao 20 Vb 90
Coristanco (Cor) 2 Rb 89 ⊠ 15147
Cormana, la (Cas) 95 Ze 107
≈ Corme e Laxe, Ría de 2 Ra 89
Corme-Porto (Cor) 2 Ra 89
▲ Cornadelo, Pico de 28 Ae 93
Cornago (Rio) 41 Xf 96 ⊠ 26526
≈ Cornalvo, Embalse de 120 Te 115
Cornanda (Cor) 14 Rb 91 ⊠ 15281
☆ Cornatel, Castillo de 17 Tb 94
Córneas (Lug) 17 Sf 91
Corneda (Cor) 15 Rf 91 ⊠ 15807
▲ Corneira 4 Se 87
Corneira (Cor) 14 Rb 91 ⊠ 15837
☆ Corneja, La 75 Wc 104
≈ Corneja, Río 72 Ud 106
Cornejo (Bur) 22 Wc 90
Cornellà de Llobregat (Bar) 66 Ca 100
Cornellà del Terri (Gir) 49 Ce 96
Cornellana (Ast) 6 Tf 88 ⊠ 33850
Cornellana (Ast) 19 Ub 90
Cornellana (Lle) 47 Bd 95 ⊠ 25717
▲ Cornero 77 Xf 104
☆ Cornet, Església 47 Bf 97
Cornetales, Cortijo de los (Jaé) 138 Wd 122
▲ Cornialto 42 Yd 95
Cornicabra (Bad) 120 Ua 118
Cornide de Abaixo (Lug) 4 Sd 90
Corniero (Leó) 19 Ue 91 ⊠ 24980
▲ Cornión, Picos de 8 Va 89
Cornisa (Palm) 174 B 4
▲ Corno do Boi, Montes 15 Sa 90
Cornollo (Ast) 5 Tb 89 ⊠ 33887
▲ Cornón 21 Vd 90
Cornón de la Peña (Pal) 20 Vb 92
Cornudella de Montsant (Tar) 64 Af 101 ⊠ 43360
Cornudilla (Bur) 22 Wd 92 ⊠ 09246
Cornudilla, La (Val) 112 Ye 112 ⊠ 46352
Coro (Ast) 7 Ud 88 ⊠ 33310
Coromina, la (Bar) 47 Be 97 ⊠ 08261
Coromines (Bar) 47 Bf 97
Coromines, les (Bar) 47 Bd 98
Corón (Pon) 14 Rb 93
▲ Corona (Palm) 176 D 3
Corona (Leó) 8 Va 89
▲ Corona 25 Ye 91
Corona, Algaida y Gata (Córd) 151 Vd 125
Corona, La (Mur) 142 Yf 123 ⊠ 30396
Corona, La (Hues) 44 Ac 95
Corona, La (Hues) 45 Ab 94
▲ Corona, Sierra de la 27 Zf 93
Coronada, La (Córd) 135 Ud 119 ⊠ 14298
Coronada, La (Bad) 120 Uc 115 ⊠ 06469
▲ Coronadas, Lomas 122 Vb 117
▲ Coronas, Las 44 Zf 96
▲ Coronas, Las 79 Za 103
▲ Coronas, Puerto de las 25 Yf 92
Corondeño (Ast) 5 Tb 89 ⊠ 33887
Coronel, Cortijo del (Jaé) 138 We 121
Coronela, Cortijo de la (Sev) 149 Ue 125
Coronil, El (Sev) 149 Uc 126 ⊠ 41760
▲ Coronillas 94 Yf 107
≈ Coroño 14 Ra 93
Corpa (Mad) 75 We 106 ⊠ 28811
Corporales (Leó) 35 Td 95 ⊠ 2474
Corporales (Rio) 40 Xa 94 ⊠ 2625
Corporario (Sal) 53 Tc 101 ⊠ 3725
Corrada, La (Ast) 6 Tf 87
▲ Corral 112 Yf 112
▲ Corral 72 Uc 104
Corral, Cortijo El (Alm) 163 Xe 127
▲ Corral Alto 111 Yb 110
Corral Caruana (Val) 113 Zd 111
▲ Corral Confite 112 Yc 112
Corral de Almaguer (Tol) 90 Wf 11 ⊠ 45880
Corral de Ayllón (Seg) 57 Wd 100
Corral de Bru (Val) 113 Zb 114
Corral de Calatrava (Ciu) 123 Vf 11 ⊠ 13190
Corral de Cazallo (Zar) 43 Yf 98
Corral de Cervantón (Zar) 43 Yf 95
Corral de Charles (Zar) 43 Za 95
☆ Corral de Comedias 123 Wb 115
Corral de Curro (Nav) 42 Yd 95
Corral de Duratón (Seg) 57 Wb 10
▲ Corral de Espino, Playa (Palm) 174 D 4
Corral de Garciñigo (Sal) 71 Ua 10 ⊠ 37607
▲ Corral de Garra 77 Xe 104
Corral de Gova (Zar) 43 Yd 96
Corral de la Bárbara (Nav) 42 Yd 9
Corral de la Cañada (Rio) 42 Ya 95
Corral de la Domi (Zar) 61 Zb 100
Corral de la Fraila (Zar) 43 Yf 94
Corral de las Romerales (Rio) 42 Xf 96
Corral de la Virgen (Zar) 60 Yc 99
Corral del Calamaquero (Zar) 62 Zc 100
Corral del Cura (Nav) 42 Yc 95
Corral de Linte (Nav) 24 Yb 93
Corral del Judío (Zar) 43 Za 94
Corral de los Vedaos (Zar) 60 Yc 9
Corral del Pachín (Nav) 42 Yd 96
Corral de Meleras (Zar) 43 Yf 95
Corral de Minganares (Zar) 60 Yc 98
Corralejo (Palm) 175 E 1 ⊠ 35660
Corralejo (Bur) 21 Vf 92 ⊠ 09127
Corralejo (Seg) 57 Wc 101 ⊠ 4053
Corralejo (Gua) 75 Wd 102 ⊠ 2819
▲ Corralejo, El 59 Xe 101
▲ Corralejo, Playas de (Palm) 175 F 1
Corrales (Huel) 147 Ta 125 ⊠ 21120
Corrales (Leó) 17 Ta 93
Corrales (Zam) 54 Ub 100
Corrales, Cortijo Los (Sev) 149 Uc 124
Corrales, Los (Gra) 160 Wb 127
Corrales, Los (Sev) 150 Va 126 ⊠ 41657
Corrales, Los (Val) 112 Ye 111 ⊠ 46313
Corrales, Los (Can) 9 Vf 89
Corrales de Blay, Caserío (Val) 128 Za 115
☆ Corrales de Concejo 109 Wf 111
Corrales de Duero (Vall) 57 Vf 98 ⊠ 47317
Corrales de la Torre, Los (Palm) 175 E 3
Corralet, el (Zar) 63 Aa 101
Corralico de Baerta (Zar) 61 Zb 99
▲ Corraliza, Alto da 34 Ta 95
▲ Corraliza, La 154 Xd 125
Corralles de Buelna, Los (Can) 9 Vf 89
Corralón, Cortijo del (Gra) 139 Xb 121
Corral Petenero (Zar) 61 Zb 100
Corral Rubio (Jaé) 138 Wc 120
Corral-Rubio (Alb) 127 Yd 116
Corrals, els (Val) 114 Zd 114
Corrals, els (Cas) 95 Zf 108
Corral Serra (Bal) 99 Da 110
Corral Tejero (Zar) 61 Zb 100
▲ Corral Vell 80 Ab 105
☆ Correà 47 Be 96
▲ Correa, Peña 18 Tf 91
Correchouso (Our) 34 Sd 96 ⊠ 32620
Correcillas (Leó) 19 Ud 91 ⊠ 2484

orredera, La 79 Za 105
orrederas, Las (Jaé) 124 Wc 118
orredoira (Pon) 15 Rd 94
orredoiras, As (Cor) 15 Rf 90
orredor, el 66 Cc 99
orredoria, La (Ast) 7 Ub 88
orregó (Lle) 44 Ad 98
orrentilla, la (Cas) 95 Zf 108
orrepoco (Can) 9 Ve 89 ⊠ 39518
orres (Ála) 23 Xd 92
orrexais (Our) 34 Sf 94
orriu, la (Lle) 47 Bd 96 ⊠ 25285
orro (Ála) 22 We 91 ⊠ 01427
orrochana (Tol) 88 Uf 109
orró d'Amunt (Bar) 66 Cc 98
orró d'Avall (Bar) 66 Cb 99
Corrolla, Peña 20 Va 90
orroncui (Lle) 28 Af 94 ⊠ 25556
Corrubedo, Cabo 14 Qf 93
orsavell (Gir) 31 Ce 95
Cortabacoy 24 Xf 93
ortado, Caserío lo (Mur) 142 Ye 120
Cortado, El 59 Xf 99
ortados, Los (Mur) 142 Za 122
Cortadura, Playa de 156 Te 130
Cortadura, Torre de la 164 Te 130
ortalaviña (Hues) 27 Ab 93 ⊠ 22364
ortals, els (Gir) 47 Ca 95
ortals, els (AND) 29 Bd 93
ortapezas (Lug) 16 Sc 92 ⊠ 27188
ortàs (Lle) 29 Be 94
ortas de Blas (Vall) 37 Va 98
Corte, Cañada de la 132 Se 122
orte, La (Huel) 133 Tb 121
orte, La (Huel) 133 Tb 121
ortecampo (Nav) 24 Xe 93
ortecillas, Las (Sev) 134 Td 122
orteconcepción (Huel) 133 Tc 121
orte de Peleas (Bad) 119 Tc 116 ⊠ 06196
ortegada (Our) 33 Rf 95
ortegada (Our) 33 Sc 96
Cortegada, Illa 14 Rb 93
ortegana (Huel) 133 Tb 121 ⊠ 21230
ortegana (Bad) 119 Tc 116
ortegana (Bad) 119 Te 115
ortegazas (Our) 33 Re 95 ⊠ 32520
Corteguero, Sierra de 19 Ud 90
ortelazor (Huel) 133 Tc 121 ⊠ 21208
ortella (Our) 33 Re 95
ortellas, As (Pon) 32 Rc 95
orterrangel (Huel) 133 Tc 121 ⊠ 21208
ortes (Mál) 165 Uf 130
ortes (Ast) 18 Ua 90
ortes (Bur) 39 Wb 95 ⊠ 09193
ortes (Nav) 42 Yd 97 ⊠ 31530
ortés (Val) 112 Yf 110
Cortes, Santuario de 125 Xd 116
ortes de Aragón (Ter) 79 Za 103
ortes de Arenoso (Cas) 94 Zc 107 ⊠ 12127
ortes de Baza (Gra) 139 Xb 123 ⊠ 18814
ortes de la Frontera (Mál) 158 Ud 129 ⊠ *29380
ortes de Pallás (Val) 113 Za 113 ⊠ 46199
Cortes de Pallás, La Muela de 113 Za 113
ortes de Tajuña (Gua) 76 Xd 103 ⊠ 19261
ortesín- La Hedionda (Mál) 165 Ue 130
ortes y Graena (Gra) 153 We 125 ⊠ 18517
ortichuela, La (Gra) 152 Wd 126
ortiguera (Bur) 21 Wb 92
ortijada las Jaulas (Alm) 155 Yb 125
ortijillos (Jaé) 139 Wf 122
ortijillos, Los (Mál) 160 Vf 127
ortijillos, Los (Sev) 150 Vb 125
ortijo, El (Rio) 23 Xc 94
ortijo, El (Mad) 74 Wa 106
ortijo de Bernardo (Bad) 104 Ta 114
ortijo Nuevo, Caserío (Gra) 152 Wb 125
ortijos, Los (Gra) 139 Xb 122
ortijos, Los (Ciu) 108 Vf 113
ortijos, Los (Mad) 89 Vf 106
ortijos, Los (Cue) 93 Yd 108
ortijuelo, El (Alm) 154 Xd 125
ortijuelo, El (Jaé) 139 Wf 122
ortijuelos, Los (Mál) 160 Vf 127
ortillas (Hues) 27 Ze 93
ortina (Ast) 6 Td 87 ⊠ 33783
ortina, La (Ast) 18 Ub 90
ortinada, La (AND) 29 Bd 93
ortiñán (Cor) 3 Re 89
ortiuda (Lle) 46 Bb 96 ⊠ 25790
ortos (Sor) 41 Xe 98 ⊠ 42180
ortos (Ávi) 73 Vc 104 ⊠ 05289
Cortos, Los (Seg) 57 Wc 101 ⊠ 40312
Cortos de la Sierra (Sal) 71 Ua 104 ⊠ 37452
Corts (Gir) 49 Ce 96 ⊠ 17844
Corts, les (Gir) 49 Da 96
Cortscastell (Lle) 46 Ba 95 ⊠ 25591
Corujera, La (Ten) 173 E 3 ⊠ 38399
Corullón (Leó) 17 Tb 93
≈ Corumbel, Río 147 Tc 124
Corumbela (Mál) 160 Vf 128 ⊠ 29753
≈ Corumbel Bajo, Embalse de 147 Tc 124
Coruña (Palm) 174 C 2 ⊠ 35350
Coruña, A (Cor) 3 Rd 88 ⊠ *15001
Coruña del Conde (Bur) 58 Wd 98 ⊠ 09410
Coruñeses (Vall) 37 Va 98
Coruño (Ast) 6 Ub 88 ⊠ 33428
Coruto (Pon) 14 Rc 93
Coruxo (Pon) 32 Rb 95 ⊠ 36331
▲ Corva, Peña 22 Wc 91
Corvella (Lug) 4 Sd 89
Corvelle (Lug) 4 Sc 88
Corvelle (Lug) 16 Sd 92
Corvelle (Our) 33 Rf 96
Corvera (Mur) 142 Yf 122 ⊠ 30153
Corvera (Can) 9 Wa 89
Corvera de Asturias (Ast) 6 Ua 87
Corvera de Toranzo (Can) 9 Wa 89
Corverica (Mur) 142 Ye 122
Corvesún (Sor) 59 Xd 101
▲ Corvilla 22 We 93
Corvillón (Our) 33 Sa 95
Corvillones (Mur) 141 Yd 123
Corvillos de la Sobarriba (Leó) 19 Uc 93
▲ Corvina, Punta de la (Ten) 171 B 2
☆ Corvino, Castillo 44 Zd 96
Corvio (Pal) 21 Ve 92 ⊠ 34810
≈ Corzan 14 Rb 91
Corzáns (Cor) 32 Rd 96
Corzos (Our) 34 Sf 95
▲ Corzos, Cerro de los 154 Xe 124
Cos (Cor) 3 Re 89 ⊠ 15594
Cos (Can) 9 Ve 89 ⊠ 39592
Cos, Los (Can) 20 Vc 90 ⊠ 39573
Cosa (Ter) 78 Yf 104 ⊠ 44358
Coscó (Lle) 46 Bb 98
Coscojar (Zar) 78 Yc 103
▲ Coscojo, Sierra del 121 Ud 118
Coscojuela de Fantova (Hues) 45 Ab 96 ⊠ 22312
Coscojuela de Sobrarbe (Hues) 45 Aa 94 ⊠ 22395
▲ Coscoll 63 Aa 101
Coscollar, El (Hues) 45 Aa 95 ⊠ 22149
▲ Coscollet, el 46 Bb 96
Coscollosa-Zafra (Cas) 95 Zf 108
Coscullano (Hues) 44 Ze 95 ⊠ 22141
Coscurita (Sor) 59 Xd 100 ⊠ 42216
Cosgaya (Can) 20 Vb 90 ⊠ 39582
Cosilla del Romero (Sev) 135 Uc 121
Cosio (Can) 9 Vd 89 ⊠ 39559
Coslada (Mad) 75 Wc 106 ⊠ 28820
Cosoja, Cortijo de la (Ciu) 123 Wb 117
Cosolla, Caserío (Hues) 44 Ad 95
Cospedal (Leó) 18 Tf 91 ⊠ 24143
Cospeito (Lug) 4 Sc 89
Cospindo (Cor) 2 Ra 89
Costa (Our) 15 Re 94
Costa (Lug) 16 Sb 90
Costa, A (Lug) 4 Sc 88
Costa, La (Cád) 165 Uc 132 ⊠ 11380
Costa, La (Palm) 176 C 3
Costa, La (Ten) 171 B 3
Costa, La (Palm) 174 D 2
▲ Costa Blanca 129 Ze 119
☆ Costa Blanca, Parador Nacional 128 Ab 116
▲ Costa Brava 49 Da 98
Costacabana (Alm) 163 Xd 127 ⊠ 04120
Costa de Canyamel (Bal) 99 Dc 111
▲ Costa de la Luz, Parque Nacional 146 Sd 125
Costa de la Talaia (Bal) 98 Ce 110
▲ Costa del Silencio (Ten) 172 C 6
Costa del Silencio (Ten) 172 D 5
▲ Costa del Sol 165 Ue 131
Costa de Madrid (Mad) 74 Vd 106
Costa d'en Blanes (Bal) 98 Cd 111 ⊠ 07181
Costa de Rota, Caserío (Cád) 156 Td 128
Costa de Sa Calma (Bal) 98 Cc 111
Costa de Sanlúcar (Cád) 156 Td 128
Costa des Pins (Bal) 99 Dc 111
▲ Costado, Sierra del 41 Xe 98
▲ Costalinero 134 Tf 122
Costana, La (Can) 21 Vf 90 ⊠ 39292
Costa Nova (Ali) 128 Ab 116 ⊠ 03738
▲ Costa Pubilla 47 Ca 95
▲ Costarjàs, Tuc de 28 Af 92
Costa Teguise (Palm) 176 D 4 ⊠ 35508
▲ Costa Vasca 11 Xc 88
▲ Costa Verde 6 Tf 87
Costeán (Hues) 45 Ab 96
Costes, les (Gir) 31 Da 94
Costilla, Cortijo de la (Palm) 175 E 1
Costitx (Bal) 99 Cf 111 ⊠ 07144
▲ Costuix, Serra de 29 Bb 93
Costunà (Tar) 80 Ad 103
Costur (Cas) 95 Zf 108 ⊠ 12119
Cosuenda (Zar) 61 Ye 100 ⊠ 50409
Cotaina des Pou (Bal) 96 Eb 109
▲ Cotalvio 9 Ve 88
Cotanes (Zam) 37 Ue 98
Cotar (Bur) 39 Wc 94 ⊠ 09192
▲ Cotatuero, Circo de 27 Zf 93
☆ Cote, Castillo de 158 Ud 127
▲ Cotefablo, Puerto de 27 Ze 93
Cotelas (Our) 15 Sa 94 ⊠ 32136
Coterillo (Can) 9 Wb 89
▲ Cotero, Alto 21 Wb 90
▲ Cotiella 27 Ab 93
Cotilfar Alta, Cortijo de (Gra) 152 Wd 123
Cotillas (Córd) 151 Ve 123
Cotillas (Alb) 125 Xd 118 ⊠ 02461
Cotillo (Can) 9 Vf 89
▲ Cotillo, Punta = Cachorros, Punta de (Palm) 174 A 5
▲ Cotmaniños 21 Vd 90
Coto (Ciu) 123 Vf 115
Coto, Caserío (Các) 105 Ub 110
Coto, Cortijo del (Jaé) 137 Wa 122
Coto, Cortijo El (Córd) 122 Vb 118
Coto, El (Bad) 135 Uc 118
▲ Coto, El 55 Ue 101
Coto, O (Pon) 32 Rc 95
▲ Coto, Sierra del 18 Td 91
Cotobade (Pon) 15 Rd 94
Coto Capitán (Bad) 104 Te 114
Coto de Bornos (Cád) 157 Ub 127 ⊠ 11649
Coto de Buenamadre (Ast) 18 Te 90
Coto de la Milagrosa (Alb) 112 Yd 114
Coto de Pinilla (Bur) 39 Wb 97
Coto Murillo (Bad) 119 Te 118
Coto Navacebrera (Các) 86 Tf 108
Cotorraso (Ast) 7 Ub 89
Cotorredondo (Mad) 89 Wa 107
Cotorrillo (Sal) 55 Ue 102
Coto San Isidro (Seg) 74 Vd 104
Cotos de Monterrey (Mad) 75 Wc 104 ⊠ 28729
Coto Valverde (Bur) 58 Wd 98
Cotrufe (Jaé) 137 Vf 121
Couceiros, Os (Cor) 3 Rf 90
Coucieiro (Cor) 2 Qf 90
Coucieiro (Our) 15 Rf 94
▲ Courel, Serra do 17 Se 93
▲ Courio, Sierra del 6 Te 89
Couso (Cor) 2 Rb 90
Couso (Our) 15 Re 94
Couso (Pon) 15 Rc 92
Couso (Pon) 15 Sa 93
≈ Couso 15 Re 94
Couso (Pon) 32 Rc 96
Couso, O (Pon) 15 Rc 93
▲ Couso, Praia do 14 Qf 93
▲ Couso, Punta 32 Ra 95
Couso de Salas (Our) 33 Sa 97 ⊠ 32880
▲ Couteiro, Monte 4 Sc 87
Couto (Pon) 15 Rc 94
Couto (Pon) 33 Re 95
Couto, O (Cor) 14 Rb 90
Couto de Abaixo (Pon) 14 Rb 94
Couzadoiro (Cor) 4 Sb 87
Cova (Lug) 16 Sb 94 ⊠ 27532
▲ Cova 16 Sa 90
Cova (Our) 34 Se 95 ⊠ 32786
Cova, Sa (Bal) 99 Dc 110
☆ Cova Bonica 80 Ac 105
Covacha, Cortijo La (Các) 105 Ua 111
≈ Covachas, Embalse de 86 Te 110
Covachuelas (Seg) 57 Wb 101
☆ Cova de la Arana 113 Zb 114
☆ Cova de la Sordo 113 Za 114
Covadonga (Ast) 8 Uf 89
▲ Covadonga, Sierra de 8 Uf 89
≈ Covafumada, Platja de la 65 Bf 101
☆ Covalanas, Cueva de 10 Wd 89
Covaleda (Sor) 40 Xa 97 ⊠ 42157
☆ Cova Negra 114 Zd 115
Covanera (Bur) 21 Wb 92 ⊠ 09143
Covarrubias (Bur) 39 Wc 96 ⊠ 09346
Covarrubias (Sor) 59 Xc 100 ⊠ 42212
Covas (Lug) 4 Sc 86
Covas (Our) 15 Sa 94
Covas (Lug) 16 Se 91
Covas (Our) 17 Tb 94
Covas (Our) 33 Sb 97
▲ Covaticas, Playa de las 155 Yd 123
☆ Covatilla, la 95 Ze 109
Covatillas, Las (Mur) 126 Ya 119
Covelas (Lug) 5 Sf 87
Covelas (Our) 34 Se 97
Covelo (Our) 33 Re 95
▲ Covelo, Alto do 34 Sf 95
☆ Covent d'Orito 128 Zb 118
Coves, les (Ali) 128 Za 118
≈ Coves, Riu de les 96 Ab 107
Coves de Vinromà, Les = Cuevas de Vinromá (Cas) 96 Aa 107 ⊠ 12185
Covet (Lle) 46 Ba 96 ⊠ 25653
Coveta Fumada, la (Ali) 128 Zd 118
Covetes, Ses (Bal) 99 Cf 112
Covíbar (Mad) 90 Wc 106
≈ Covo 16 Se 91
Cox (Ali) 142 Za 120 ⊠ 03350
Coy (Mur) 141 Yb 121 ⊠ 30812
Coya (Ast) 7 Ud 88 ⊠ 33535
Coyanzo (Ast) 19 Uc 90
Cózar (Ciu) 124 Wf 117
Cózares, Los (Gra) 161 We 127
Cozcojar (Gra) 152 Wb 125
Cozcurrita (Zam) 53 Te 100 ⊠ 49214
Cozuelo (Các) 86 Td 109
Cozuelos de Fuentidueña (Seg) 57 Vf 100 ⊠ 40354
Cozuelos de Ojeda (Pal) 21 Vd 92 ⊠ 34486
Cozvíjar (Gra) 161 Wc 127
▲ Creba, Illa da 14 Ra 92
Crecente (Pon) 33 Re 96
Cred Vermella (Bal) 98 Ce 111
Cregenzán (Hues) 45 Aa 96
≈ Cregüeña, Lago 28 Ad 93
Creixell (Gir) 49 Cf 95
Creixell (Tar) 65 Bc 102 ⊠ 43839
Cremadas, Caserío Las (Hues) 45 Ab 96
Crémenes (Leó) 19 Uf 91
Cresente (Lug) 4 Se 89
Crespià (Gir) 49 Ce 95
Crespo (Bur) 21 Wb 91
Crespo, Cortijo de (Ciu) 123 Wb 117
Crespol (Ter) 80 Zd 104
▲ Crespón, Sierra del 7 Uc 90
Crespos (Ávi) 73 Va 103 ⊠ 05300
Crestaix (Bal) 99 Da 110
▲ Crestellina, Sierra 165 Ue 130
Cretas (Ter) 80 Ab 103 ⊠ 44623
▲ Creu, Punta de Sa (Bal) 97 Bc 114
▲ Creu, Serra de la 114 Zd 115
▲ Creu, Serra de la 64 Ae 102
▲ Creu, Serra de la 95 Ze 108
Creu de Lloret, la (Gir) 49 Ce 98
▲ Creu d'Ordal, Coll de la 65 Bf 100
▲ Creueta, Coll de la 64 Ae 101
Creunegra, la (Val) 114 Zd 113
Crevadas, les (Cas) 95 Zf 107
Crevillent (Ali) 143 Zb 119 ⊠ 03330
▲ Crevillent 128 Za 119
Criales (Bur) 22 Wd 91
▲ Crimienda, Peña 8 Vb 89
Cripan (Ála) 23 Xc 93 ⊠ 01308
Crispijana (Ála) 23 Xb 91 ⊠ 01195
≈ Crispinejo, Río 148 Te 123
☆ Crist dels Socors, Ermita del 128 Zd 116
Cristelos (Pon) 32 Rb 96
Cristianos, Los (Ten) 172 C 5
Cristimil (Pon) 15 Re 92 ⊠ 36519
Cristina (Bad) 120 Tf 115 ⊠ 06479
Cristiñade (Pon) 32 Rc 96
☆ Cristinos, Cueva de los 24 Xe 92
☆ Cristo, El 20 Va 90
☆ Cristo, Ermita de El 38 Vc 96
☆ Cristo, Ermita de El 72 Ue 104
☆ Cristo, Ermita del 159 Vb 127
☆ Cristo, Ermita del 19 Ue 91
☆ Cristo, Ermita del 18 Ua 92
☆ Cristo, Ermita del 23 Xb 93
☆ Cristo, Ermita del 37 Va 96
☆ Cristo, Ermita del 55 Ud 99
☆ Cristo, Ermita del 78 Yb 102
☆ Cristo, Ermita del 85 Tc 109
☆ Cristo, Ermita del 91 Wf 106
▲ Cristo, Monte del 73 Vc 103
▲ Cristo, Sierra del 142 Za 120
▲ Cristo, Sierra del 124 We 116
Cristóbal (Sal) 71 Ua 106
☆ Cristo de la Cinta, Ermita del 20 Va 92
☆ Cristo de la Encarnación, Ermita del 74 Vf 106
Cristo de la Laguna (Sal) 71 Te 104
☆ Cristo de la Laguna, Ermita del 71 Te 104
☆ Cristo de la Salud, Ermita del 37 Va 96
☆ Cristo de la Sierra, Ermita del 20 Vb 91
☆ Cristo de las Injurias, Ermita del 121 Uf 117
☆ Cristo del Caloco, Ermita del 74 Ve 104
Cristo del Espíritu Santo (Ciu) 108 Vf 113
☆ Cristo del Valle, Ermita del 108 Wc 111
☆ Cristo de Villajos, Ermita del 109 Wf 112
Cristosende (Our) 34 Sd 94 ⊠ 32765
Crivillén (Ter) 79 Zc 103
Cros (Gir) 30 Cb 95
Crota (Gir) 49 Da 98
Cruce, El (Palm) 6 D 3
Cruce de Arinaga (Palm) 174 D 3 ⊠ 35118
Cruce de Sardina (Palm) 174 D 3
☆ Cruceiro 14 Ra 92
Cruceras, Las (Ávi) 73 Vc 106 ⊠ 05278
▲ Crucero, Teso del 36 Uc 98
▲ Cruces 136 Va 120
▲ Cruces 126 Ya 117
Cruces (Bad) 120 Ua 115
▲ Cruces 94 Zc 107
Cruces, As (Cor) 15 Rf 90 ⊠ 15816
Cruces, Cortijo de las (Mál) 158 Uf 127
Cruces, Las (Ast) 7 Ub 89 ⊠ 33785
▲ Cruces, Playa de las (Palm) 174 D 3
Crucetas (Jaé) 125 Xb 118
Cruceticas, Las (Mur) 155 Yb 124
▲ Crucetillas, Puerto de las 125 Xd 117
☆ Crucifici, el 64 Af 100
Cruïlles (Gir) 49 Da 97
☆ Cruïlles, Castell de 48 Cb 98
Cruïlles, Monells i Sant Sadurní de l'Heura (Gir) 49 Cf 97
▲ Cruz 159 Vd 127
▲ Cruz 91 Xa 110
▲ Cruz, Alto 60 Xf 99
☆ Cruz, Ermita de la 36 Uc 96
Cruz, La (Jaé) 138 Wc 120
Cruz, La (Córd) 137 Vd 121 ⊠ 14650
Cruz, La (Ast) 7 Uc 89
Cruz, La (Viz) 11 Xa 89
▲ Cruz, La 20 Va 91
▲ Cruz, La 59 Xe 99
▲ Cruz, Pico de la (Ten) 171 B 2
▲ Cruz, Punta de la (Ten) 173 E 4
▲ Cruz, Sierra de la 138 Wd 122
Cruzadas, Cortijo de las (Bad) 120 Ub 118
▲ Cruz de Cofrentes, Collado de 112 Yf 112
Cruz de Gracia (Val) 114 Zd 111
▲ Cruz de Hierro, Puerto de la 74 Vd 104
Cruz de Incio (Lug) 16 Sd 93
▲ Cruz del Cerro, Loma de la 94 Yf 108
Cruz del Puerto, Cortijo de la (Mur) 140 Xf 120
Cruz del Rayo (Sal) 85 Tb 107
Cruz de Piedra (Ciu) 108 Wa 113
Cruz de Pineda (Palm) 174 C 2 ⊠ 35413
▲ Cruz de Unzano, Puerto 10 Wc 89
☆ Cruzes, Cueva de las (Palm) 174 B 2
≈ Cruzetas, Arroyo de Las 125 Xc 117
Cruz Grande (Ten) 172 C 3
Cruz Santa (Ten) 172 D 3 ⊠ 38413
▲ Cruz Verde 89 Ve 108
≈ Cúa, Río 17 Tb 93
Cuacos de Yuste (Các) 87 Ub 108 ⊠ 10430
Cuadra d'Agulladets, la (Bar) 65 Bd 100
Cuadradillo (Córd) 137 Vd 122
Cuadras, Las (Mur) 155 Yd 123
Cuadrilleros (Sal) 54 Ua 102 ⊠ 37149
Cuadrilleros de Gusanos (Sal) 54 Tf 102
Cuadro, El (Ast) 6 Ua 87 ⊠ 33456
Cuadrón, El (Mad) 75 Wc 103
Cuadros (Leó) 19 Uc 92 ⊠ 24620
Cuadroveña (Ast) 7 Ue 88 ⊠ 33548
Cualedro (Our) 33 Sc 97 ⊠ 32689
▲ Cuaña, Loma de 19 Uc 90
Cuartanero, Cortijo del (Córd) 121 Uf 118
Cuart de Poblet = Quart de Poblet (Val) 114 Zd 112
Cuarte (Hues) 44 Zd 96 ⊠ 22197
Cuarte de Huerva (Zar) 61 Za 99 ⊠ 50410
Cuarteles de la Osa y las Navas (Bad) 120 Ua 117
Cuartell = Quartell (Val) 95 Ze 110
Cuarterón de Chiste, Cortijo de (Các) 86 Te 110
Cuarteros, Los (Alb) 126 Xe 115
Cuartico, El (Alb) 126 Xf 115 ⊠ 02162

Cuartillo, Caserío (Các) 86 Ua 110
Cuarto, El (Các) 85 Ta 108
Cuarto Alto, El (Ciu) 109 We 114
Cuarto de Doña María Luisa (Sal) 71 Te 104
Cuarto de Enmedio (Bad) 118 Ta 117
Cuarto de la Casa, Cortijo del (Sev) 149 Ue 123
Cuarto del Bolo (Alb) 111 Xf 114
Cuarto del Moral (Alb) 111 Xf 114
Cuarto de Maribáñez (Alb) 110 Xd 114
Cuartón, El (Cád) 165 Uc 132
Cuarto Nuevo, Cortijo de (Córd) 136 Vb 122
▲ Cuarto Pelado, Puerto de 79 Zd 105
≈ Cuartos, Garganta de 87 Uc 107
Cuartos, Los (Ávi) 87 Ud 106 ✉ 05580
Cuartos Nuevos de Abajo (Gra) 140 Xe 121
Cuaternos, Caserío (Các) 87 Uc 108
Cuatretonda = Quatretonda (Val) 128 Zd 115
Cuatro Calzadas, Caserío (Sal) 72 Uc 104
▲ Cuatro Caminos 57 Vf 102
▲ Cuatro Caminos, Puerto de 25 Yf 93
Cuatro Casas, Cortijo de (Sev) 149 Uc 125
▲ Cuatro Claros 57 Vf 101
Cuatrocorz (Hues) 44 Ac 97 ✉ 22569
▲ Cuatro Esquinas 78 Yc 105
▲ Cuatro Mojones 60 Ya 101
Cuatro Vientos (Mad) 89 Wb 106
▲ Cuatro Villas, Alto 77 Xd 105
≈ Cuba 80 Ze 105
Cuba, La (Zar) 61 Zb 101
Cuba, La (Ter) 80 Ze 105 ✉ 44141
Cubaba (Ten) 172 B 1
Cubas (Córd) 137 Vc 122
Cubas (Alb) 112 Yc 114
Cubas (Can) 10 Wb 88 ✉ 39793
≈ Cubas, Ría de 9 Wb 88
▲ Cubas, Sierra de 108 Vf 113
Cubas de la Sagra (Mad) 89 Wb 107 ✉ 28978
Cubel (Zar) 60 Yc 102 ✉ 50376
Cubelles (Bar) 65 Be 101 ✉ 08880
Cubells (Lle) 46 Af 97 ✉ 25737
Cubells, Es (Bal) 97 Bb 115
▲ Cubells, Es (Bal) 99 Dc 111
≈ Cúber, Pantà de (Bal) 98 Ce 110
≈ Cubeso, Estany 28 Af 93
Cubeta, Caserío La (Ciu) 110 Xa 112
≈ Cubilar, Río 106 Ud 113
Cubilla (Bur) 22 We 92
Cubilla (Sor) 58 Xa 98 ✉ 42148
▲ Cubilla, Puerto de la 18 Ua 91
Cubillana (Bad) 119 Td 115
Cubillas (Vall) 55 Ue 100
Cubillas (Sor) 58 Xa 98
▲ Cubillas, Dehesa de 55 Ue 100
≈ Cubillas, Embalse del 152 Wc 125
≈ Cubillas, Laguna de 35 Tb 95
☆ Cubillas, Palacio de 55 Ue 100
≈ Cubillas, Río 152 Wd 124
Cubillas de Arbás (Leó) 19 Ub 91
Cubillas de Cerrato (Pal) 38 Vd 98 ✉ 34219
Cubillas de los Oteros (Leó) 37 Uc 94 ✉ 24224
Cubillas del Pinar (Gua) 59 Xc 102 ✉ 19263
Cubillas de Rueda (Leó) 19 Ue 93 ✉ 24940
Cubillas de Santa Marta (Vall) 38 Vc 97
Cubilledo (Lug) 17 Se 90 ✉ 27278
Cubillejo (Bur) 39 Wc 96
Cubillejo de la Sierra (Gua) 77 Yb 103 ✉ 19362
Cubillejo del Sitio (Gua) 77 Yb 103 ✉ 19363
Cubillo (Seg) 57 Wa 102 ✉ 40185
Cubillo, Cortijo (Bad) 104 Tb 114
Cubillo, El (Alb) 125 Xd 116
▲ Cubillo, El 93 Yb 110
Cubillo, El (Cue) 93 Yd 108 ✉ 16315
≈ Cubillo, Río 39 Wa 96
Cubillo de Castrejón (Pal) 20 Vc 92
Cubillo del Butrón (Bur) 22 Wb 92
Cubillo del Campo (Bur) 39 Wc 96 ✉ 09620
Cubillo del César (Bur) 39 Wc 96
Cubillo de Ojeda (Pal) 20 Vd 92 ✉ 34486
Cubillo de Uceda, El (Gua) 75 Wd 104 ✉ 19186
Cubillos (Zam) 54 Ub 99 ✉ 49730
Cubillos de Losa (Bur) 22 Wd 90
Cubillos del Rojo (Bur) 21 Wb 91 ✉ 09572
Cubillos de Sil (Leó) 17 Tc 93
Cubla (Ter) 94 Yf 107 ✉ 44191
▲ Cubo 139 Xb 122
Cubo de Benavente (Zam) 36 Tf 96 ✉ 49327
Cubo de Bureba (Bur) 22 We 93 ✉ 09280
Cubo de Don Sancho, El (Sal) 71 Te 103 ✉ 37281
Cubo de Hogueras (Sor) 59 Xd 98 ✉ 42134
Cubo de la Canal (Bad) 119 Tc 117
Cubo de la Sierra (Sor) 41 Xd 97 ✉ 42167
Cubo de la Solana (Sor) 59 Xd 99 ✉ 42191
Cubo de Tierra del Vino, El (Zam) 54 Ub 101
Cucador, El (Alm) 154 Xf 124 ✉ 04661
Cucalón (Ter) 61 Ye 102
▲ Cucalón, Sierra de 78 Yf 103
Cucarón, Cortijo del (Sev) 150 Uf 123
Cucarrete (Cád) 164 Ua 131 ✉ 11179
Cucayo (Can) 20 Vc 90 ✉ 39575
Cucharal (Alb) 126 Xe 116 ✉ 02329
≈ Cucharas, Laguna de 123 Vf 116
Cuchia (Can) 9 Vf 88 ✉ 39318
▲ Cuchillejo 57 Wa 99
Cuchillo, El (Palm) 176 C 3 ✉ 35560
▲ Cuchillo, Loma del 162 Xa 127
▲ Cuchillo, Sierra del 127 Yf 116
▲ Cuchillón 21 Vd 90
Cucho (Bur) 23 Xb 92 ✉ 09215
▲ Cuco 29 Bb 93
Cuco, Cortijo del (Alm) 163 Xd 127
Cuco, Cortijo del (Huel) 146 Se 124
▲ Cucons, Coll d'es (Bal) 98 Cd 111
▲ Cucutas 61 Zb 102
Cudia Vella, Sa (Bal) 96 Eb 109
Cudillero (Ast) 6 Tf 87 ✉ 33150
Cudón (Can) 9 Vf 88
Cué (Ast) 8 Vb 88
Cuelgamures (Zam) 54 Uc 101 ✉ 49717
Cuéllar (Seg) 56 Ve 100
Cuéllar (Sal) 70 Tc 105
▲ Cuéllar, Llano de 75 We 103
Cuéllar de la Sierra (Sor) 41 Xd 97
Cuello Arenas (Hues) 27 Aa 93
Cuellos, Los (Córd) 138 Wb 119
Cuena (Can) 21 Ve 91 ✉ 39418
Cuénabres (Leó) 20 Va 90
Cuenca (Jaé) 139 Xa 122
Cuenca (Córd) 135 Uc 119
Cuenca (Cue) 92 Xf 108 ✉ * 16001
Cuenca, La (Sor) 59 Xb 98 ✉ 42192
▲ Cuenca, Serranía de 92 Xf 106
▲ Cuenca Alta del Manzanares, Parque Regional de la 74 Wa 105
Cuencabuena (Ter) 78 Ye 102 ✉ 44495
Cuenca de Campos (Vall) 37 Uf 96 ✉ 47650
Cuenya (Ast) 7 Ud 88
≈ Cuera, Cala de la 155 Yb 125
▲ Cuera, Sierra de 8 Vb 88
▲ Cuerda 93 Yc 109
≈ Cuerda del Pozo, Embalse de la 41 Xb 97
▲ Cuerda Larga, Sierra de la 74 Wa 104
▲ Cuerdas, Sierra de las 93 Yb 109
☆ Cuérigo 19 Uc 90
Cuerlas, Las (Zar) 78 Yc 103 ✉ 50373
≈ Cuerno, Arroyo del 149 Uc 126
▲ Cuerno, El 157 Ub 127
Cuero (Ast) 6 Tf 88 ✉ 33829
≈ Cuerpo de Hombre, Río 86 Ua 106
▲ Cuerres, Sierra de las 8 Vc 89
Cuerva (Tol) 108 Ve 111 ✉ 45126
Cuerva, Caserío de la (Sev) 149 Ud 126
☆ Cuerva, Castillo de 108 Ve 110
▲ Cuervito, Playa del (Ten) 173 B 2
Cuervo, Cortijo del (Sev) 135 Ud 122
Cuervo, El (Sev) 157 Tf 127 ✉ 41749
Cuervo, El (Ter) 93 Ye 108 ✉ 44134
▲ Cuervo, Montaña del (Palm) 175 E 1
▲ Cuervo, Peña del 40 We 95
Cuesta, Cortijo de la (Mál) 150 Va 126
Cuesta, Cortijo de la (Mur) 140 Ya 122
Cuesta, La (Ten) 173 C 2
Cuesta, La (Ten) 173 F 3
Cuesta, La (Ten) 171 C 2
Cuesta, La (Viz) 10 Wf 88
Cuesta, La (Sor) 41 Xe 96
▲ Cuesta, La 56 Vc 101
Cuesta, La (Seg) 74 Wa 102 ✉ 40181
▲ Cuesta, Prado de 55 Ud 100
Cuesta Alta (Mur) 141 Yd 119
Cuesta Blanca (Córd) 151 Vf 124 ✉ 14812
Cuesta Blanca (Mur) 142 Yf 123 ✉ 30396
☆ Cuesta Castillo, Ermita de 21 Wb 93
Cuesta de la Pinilla (Mur) 142 Ye 122
Cuesta de las Piedras, Cortijo de la (Gra) 153 Xa 123
Cuesta del Gato, La (Alm) 162 Xd 127
Cuesta del Largo (Gra) 161 We 127
Cuesta del Mellado (Mur) 155 Yb 123
Cuesta del Rato (Val) 93 Ye 108 ✉ 46141
Cuestaedo (Bur) 22 Wc 90
Cuestas, Cortijo de las (Mur) 155 Ya 123
▲ Cuestas de Esteras, Puerto de 59 Xd 102
▲ Cuesta Terrazo 21 Vd 94
Cuesta Vieja (Gra) 161 Wf 128
Cueta, La (Leó) 18 Te 90 ✉ 24141
▲ Cueta Alta 17 Tc 92
Cueto (Can) 9 Wb 88
▲ Cueto 54 Ub 100
☆ Cueto, Santuario el 71 Ua 104
Cueva (Bur) 22 Wb 90
Cueva (Cue) 77 Ya 106
☆ Cueva 79 Zb 102
Cueva, Cortijo de la (Alm) 154 Xe 123
Cueva, Cortijo de la (Alb) 125 Xd 116
Cueva, La (Alb) 126 Yb 116
Cueva, La (Alb) 127 Ye 116
▲ Cueva, Punta de la (Palm) 174 D 3
≈ Cueva, Río 39 Wc 95
≈ Cueva, Río de la 160 Ve 127
▲ Cueva, Sierra de la 108 Wb 113
☆ Cueva Alta, Cruz de la 112 Ye 113
Cueva Bermeja (Ten) 173 F 2 ✉ 38180
Cueva Blanca, La (Alm) 162 Xb 128
Cueva-Cardiel (Bur) 22 Wd 94
Cuevacruz Alta (Val) 94 Za 109
Cueva Cuarta (Jaé) 139 Wf 122
Cueva de Ágreda (Sor) 42 Ya 98
Cueva de Ambrosio, La (Alm) 140 Xf 122
Cueva de Chalá (Gra) 140 Xd 122
Cueva de Juarros (Bur) 39 Wc 95 ✉ 09198
Cueva de la Cadena, Cortijo de la (Gra) 140 Xc 121
Cueva de la Juana, La (Alm) 161 Wf 128
Cueva de la Mora (Huel) 133 Tb 122 ✉ 21330
≈ Cueva de la Mora, Embalse de 133 Ta 122
≈ Cueva de la Niñas, Embalse de (Palm) 174 B 3
Cueva del Hierro (Cue) 77 Xf 105 ✉ 16879
Cueva de los Atochares (Gra) 140 Xd 122
Cueva de los Granadinos (Gra) 139 Xb 122
Cueva de los Ruices, Cortijo de la (Gra) 139 Xc 122
Cueva del Pájaro, La (Alm) 163 Ya 126
Cueva del Pepín (Gra) 153 Wf 124
Cueva de Pagán (Mur) 142 Ye 122
Cueva de Plaza (Cue) 91 Wf 109
Cueva de Roa, La (Bur) 57 Wa 99 ✉ 09315
Cueva de Rompelaire (Tol) 91 Wf 109
≈ Cueva Foradada, Embalse de 79 Zb 103
☆ Cueva Grande (Palm) 174 C 3 ✉ 35329
Cueva Gurillos, Cortijo (Alm) 140 Xf 121
▲ Cuevas 138 Wb 121
☆ Cuevas 23 Xd 94
≈ Cuevas, Arroyo de las 89 Vd 110
Cuevas, Cortijo de las (Alm) 140 Xf 122
Cuevas, Las (Cád) 157 Tf 129
Cuevas, Las (Gra) 153 Xa 125
Cuevas, Las (Mur) 142 Yf 120
Cuevas, Las (Val) 112 Ye 111
☆ Cueva Santa 8 Uf 89
Cueva Santa, La (Cas) 94 Zc 109 ✉ 12410
Cuevas Bajas (Mál) 151 Vd 125 ✉ 29220
Cuevas Bajas (Córd) 136 Va 121
Cuevas Barranco de Las Yeseras (Gra) 153 Xb 123
Cuevas de Almería (Gra) 153 Xa 124
Cuevas de Almudén (Ter) 79 Zb 104
Cuevas de Amaya (Bur) 21 Ve 93 ✉ 09136
Cuevas de Ambrosio (Jaé) 139 Xb 119 ✉ 23289
Cuevas de Ayllón (Sor) 58 We 100
Cuevas de Cañart (Ter) 79 Zd 104 ✉ 44562
Cuevas del Algibe (Gra) 153 Wf 124
Cuevas del Almanzora (Alm) 155 Ya 125 ✉ 04610
≈ Cuevas del Almanzora, Embalse de 155 Ya 124
Cuevas de las Cucharetas (Gra) 153 Xb 123
≈ Cuevas de las Niñas, Canal (Palm) 174 B 3
Cuevas de las Ricas (Ten) 173 E 4
Cuevas de Lavaderas (Gra) 153 Xb 123
Cuevas del Becerro (Mál) 158 Uf 127 ✉ 29470
Cuevas del Campo (Gra) 153 Xa 123 ✉ 18813
Cuevas del Canal (Gra) 139 Xc 121
Cuevas del Canillo (Gra) 153 Wf 124
▲ Cuevas del Mar, Playa de 8 Va 88
Cuevas del Norte (Mur) 142 Ye 121 ✉ 30834
Cuevas de los Juanotros (Alm) 163 Xe 127
Cuevas de los Medinas, Las (Alm) 163 Xe 127
Cuevas de los Úbedas, Las (Alm) 163 Xe 127
Cuevas del Portalrubio (Ter) 79 Za 104
Cuevas del Reyllo (Mur) 142 Ye 122
Cuevas del Sil (Leó) 18 Td 91 ✉ 24496
Cuevas del Soriano (Gra) 154 Xc 123
Cuevas de Luna (Gra) 153 Xb 123
Cuevas del Valle (Ávi) 88 Uf 107 ✉ 05414
Cuevas de Moreno, Las (Alm) 140 Xf 122
Cuevas de Mures (Gra) 154 Xc 123
Cuevas de Provanco (Seg) 57 Wa 99 ✉ 40239
Cuevas de Puente Abajo (Gra) 153 Xb 123
Cuevas de San Clemente (Bur) 39 Wc 96 ✉ 09346
Cuevas de San Marcos (Mál) 151 Vd 125 ✉ 29210
Cuevas de Santiago (Cue) 91 Xb 107
Cuevas de Soria, Las (Sor) 59 Xc 98 ✉ 42291
Cuevas de Velosco (Cue) 92 Xd 108
Cuevas de Vinromá = Coves de Vinromà, Les (Cas) 96 Aa 107
Cuevas Labradas (Gua) 77 Xf 104 ✉ 19392
Cuevas Labradas (Ter) 79 Yf 106 ✉ 44162
Cuevas Minadas (Gua) 77 Xf 104 ✉ 19392
☆ Cuevas Negras (Ten) 172 C 4
Cuevas-Romo, Las (Mál) 160 Ve 127
Cuevecillas (Jaé) 139 Xa 123
Cuevecitas, Las (Ten) 173 E 3 ✉ 38540
▲ Cuevo, Miño 35 Te 97
▲ Cueza 37 Va 94
≈ Cueza, Río 38 Vb 95
☆ Cuilleram, Cova d'es (Bal) 97 Bd 114
Cuiña (Cor) 4 Sb 87
Cuiña (Cor) 14 Ra 91
Cuitelo (Our) 16 Sb 94
Culata, La (Palm) 174 C 3
Culebra, Cortijo (Gra) 153 We 124
☆ Culebra, La 119 Te 116
▲ Culebra, Sierra de la 35 Tc 97
Culebras (Cue) 92 Xd 107 ✉ 16843
Culebrilla, Cortijo de (Córd) 150 Va 123
▲ Culebrillas 41 Xf 96
≈ Culebrín, Arroyo 134 Te 120
Culebró, el (Ali) 128 Za 118
Culebrón, Cortijo del (Jaé) 138 We 119
Culebros (Leó) 18 Tf 93 ✉ 24368
Culla (Cas) 95 Zf 106 ✉ 12163
☆ Cullalvera 10 Wd 89
≈ Cúllar, Río de 153 Xb 123
Cúllar-Baza (Gra) 154 Xc 123
Cúllar-Vega (Gra) 152 Wb 126
Cullera (Val) 114 Ze 114 ✉ 46400
Culleredo (Cor) 3 Rd 89
Culote, Cortijo de (Jaé) 124 Wf 118
Cumbraos (Cor) 3 Re 90
Cumbraos (Cor) 15 Rf 90
Cumbraos (Lug) 16 Sb 92
≈ Cumbre, Embalse de La 105 Ua 112
Cumbre, La (Huel) 147 Tb 124
Cumbre, La (Các) 105 Ua 112 ✉ 10270
▲ Cumbre, La 94 Zb 107
▲ Cumbre, Loma de la 87 Uc 107
▲ Cumbre Alta 106 Va 111
☆ Cumbrecita, Panorama La (Ten) 171 B 2
▲ Cumbre Nueva (Ten) 171 C 3
Cumbreras, Las (Vall) 37 Ud 95
Cumbrero, El (Alm) 163 Ya 126 ✉ 04149
Cumbres (Bad) 119 Tc 118
▲ Cumbres, Cerro de las 136 Vc 119
▲ Cumbres, Cerro las 54 Uc 101
Cumbres, Cortijada de Las (Cád) 164 Ub 132
Cumbres, Las (Alm) 154 Xf 123 ✉ 04230
▲ Cumbres, Las 78 Yc 105
Cumbres de en Medio (Huel) 133 Tb 120
Cumbres de San Bartolomé (Huel) 133 Tb 120
Cumbres Mayores (Huel) 133 Tc 120 ✉ 21380
▲ Cumbre Vieja (Ten) 171 B 3
Cumbrilla, La (Ten) 173 F 2
▲ Cumplida, Punta (Ten) 171 C 1
Cuñaba (Ast) 8 Vc 89 ✉ 33579
Cunas (Leó) 35 Td 95 ✉ 24738
Cuñas (Our) 33 Rf 94 ✉ 32454
Cunas, Las (Alm) 155 Ya 125 ✉ 04618
≈ Cuncos, Arroyo de 118 Se 118
Cundíns (Cor) 2 Ra 89
≈ Cundíns, Río 2 Ra 90
Cunit (Tar) 65 Bd 101 ✉ 43881
≈ Cuño, Ensenada do, Ensenada do Cuño 2 Qe 90
Cunquilla de Vidriales (Zam) 36 Ua 96 ✉ 49622
Cuntis (Pon) 15 Rc 93 ✉ 36670
Cupillas, Las (Alm) 155 Ya 125 ✉ 04619
▲ Cuquillo, Sierra del 125 Xc 118
Cura, Cortijada del (Alm) 154 Xf 12…
Cura, Cortijo del (Bad) 119 Tc 116
Cura, Cortijos del (Alb) 125 Xd 118
Cura, El (Gra) 139 Xc 122
☆ Cura, Santuari de (Bal) 99 Cf 11…
▲ Cura, Sierra del 142 Yd 121
Cura Lechero, Cortijo del (Bad) 118 Sf 118
Cura Morales, Cortijo del (Alm) 153 Xc 125
≈ Curantes, Río de 15 Rd 92
Curas, Los (Mur) 155 Yd 123 ✉ 30876
Curbe (Hues) 44 Ze 97 ✉ 22269
Curbeiras (Cor) 3 Rf 88 ✉ 15617
Curcar (Gra) 153 Xb 124
Cures (Cor) 14 Ra 92
Curibaila, La (Alm) 162 Wf 128
Curica, Cortijo del (Gra) 140 Xd 12…
Curiel, Cortijo de (Mál) 159 Vd 126
Curiel de Duero (Vall) 57 Vf 99 ✉ 47316
Curilla, Cortijo del (Ciu) 125 Xb 11…
Curillas (Leó) 36 Tf 94 ✉ 24732
Curniola (Bal) 96 Df 108
Curra (Our) 34 Ta 95 ✉ 32366
Currada (Lug) 5 Sf 88
Currás (Pon) 14 Rc 93 ✉ 36791
Currelos (Lug) 16 Sc 92
Curriple, Caserío de (Ciu) 124 Wc 118
Curro (Pon) 14 Rb 93
Curros (Lug) 4 Se 88
Curros, Los (Alm) 162 Wf 128
▲ Curso Medio del río Guadarrama y su entorno, Parque Regional de 89 Wa 106
Curtis (Cor) 3 Rf 90 ✉ * 15310
Curtis-Estación (Cor) 3 Rf 90
Curueña (Leó) 18 Ua 91 ✉ 24127
≈ Curueño, Río 19 Ud 91
▲ Curueño, Valle de 19 Ud 92
Curullada, la (Lle) 46 Bb 98 ✉ 25218
▲ Cuta, La 26 Zb 92
Cutanda (Ter) 78 Ye 103 ✉ 44210
Cútar (Mál) 160 Ve 128
▲ Cutas, Sierra de las 27 Zf 93
Cutián (Lug) 15 Sa 92
≈ Cutillas, Rambla de 128 Za 119
Cuzcurrita de Aranda (Bur) 58 Wd 98 ✉ 09490
Cuzcurrita de Juarros (Bur) 39 Wc 95 ✉ 09198
Cuzcurrita-Río Tirón (Rio) 23 Xa 93
Cuzcurritilla (Rio) 23 Xa 93 ✉ 2621…
≈ Cuzna, Río 136 Va 119

D

☆ D. Miguèl de Unamuno, Monumento a (Palm) 175 E 2
D. Ubeda, Refugi (Bar) 47 Be 95

Dacón (Our) 15 Rf 94
Daganzo de Arriba (Mad) 75 Wd 105 ⊠ 28814
Daimalos (Mál) 160 Vf 128
Daimés (Ali) 143 Zb 119
Daimiel (Ciu) 109 Wc 114 ⊠ 13250
Daimús (Val) 114 Zf 115 ⊠ 46710
Daimuz = Daimús (Val) 114 Zf 115
☆ Daina, Cova d'en 49 Cf 97
Daire, Cortijo del (Mál) 160 Wa 127
≈ d'Alcoi o Serpis, Riu 129 Ze 115
☆ Dalí, Museu 31 Cf 95
Dalías (Alm) 162 Xa 128
▲ Dalías, Campo de 162 Xb 128
Dallo (Ála) 23 Xd 91 ⊠ 01206
☆ Dalt, Talatí de (Bal) 96 Eb 109
Dama, La (Ten) 172 B 2 ⊠ 38869
Damas, Las (Ávi) 74 Ve 105
≈ Dañador, Embalse del 124 Wf 118
≈ Dañador, Río 124 We 118
Dancharinea = Dantxarinea (Nav) 13 Yc 89
Dantxarinea = Dancharinea (Nav) 13 Yc 89 ⊠ 31712
Darmós (Tar) 64 Ae 102
Darnius (Gir) 31 Ce 94 ⊠ 17722
≈ Daró, el 49 Cf 97
≈ Daró, el 49 Db 96
Daroca (Zar) 60 Yd 102 ⊠ 50360
Daroca de Rioja (Rio) 41 Xc 94 ⊠ 26373
Darrícal (Alm) 162 Wf 127
Darro (Gra) 152 We 124 ⊠ 18181
▲ Darubio, Montañeta de (Palm) 175 D 2
Das (Gir) 30 Bf 94 ⊠ 17538
☆ Dassau 47 Ca 97
Daya Nueva (Ali) 143 Zb 120 ⊠ 03159
Daya Vieja (Ali) 143 Zb 120 ⊠ 03177
Deba (Gui) 11 Xd 89 ⊠ 20820
▲ Deba, Playa de 11 Xd 89
≈ Deba, Río 23 Xd 90
Débanos (Sor) 42 Ya 97
Décima 2a, Cortijo (Sev) 134 Tf 122
Degaña (Ast) 17 Tc 91 ⊠ 33812
Degolada (Lug) 17 Sf 90
▲ Dehasas, Sierra de las 79 Zd 106
Dehesa (Gra) 151 Wa 126
▲ Dehesa 135 Ub 120
Dehesa (Huel) 133 Tb 122
Dehesa (Seg) 56 Ve 100
Dehesa, Caserío de la (Pal) 38 Vd 96
Dehesa, Caserío La (Rio) 41 Xe 94
Dehesa, Cortijo de la (Mur) 141 Yb 119
Dehesa, Cortijo de la (Jaé) 138 Wd 121
▲ Dehesa, La (Ten) 173 B 2 ⊠ 38869
Dehesa, La (Huel) 133 Tc 122
Dehesa, La (Alb) 126 Xe 118
Dehesa, La (Alb) 126 Xf 117
Dehesa, La (Jaé) 125 Xb 118
▲ Dehesa, La 57 Wa 101
▲ Dehesa, La 62 Zd 101
≈ Dehesa, Laguna de la 72 Ub 106
▲ Dehesa, Sierra de la 108 Wb 112
Dehesa Alta, Caserío (Jaé) 139 Xa 121
Dehesa Alta, Cortijo de la (Córd) 137 Ve 123
Dehesa Armesnal (Zam) 54 Ua 101
Dehesa de Abajo (Huel) 147 Tb 124
Dehesa de Abajo (Seg) 57 Wd 101
Dehesa de Campoamor (Ali) 143 Zb 121 ⊠ 03189
Dehesa de Carrasco, La (Tol) 89 Vf 109
Dehesa de Caulor (Zar) 61 Ye 98
Dehesa de Chaparral (Cád) 164 Tf 130
Dehesa de Cuadrados (Sal) 71 Td 105
Dehesa de la Aldea de Santiago (Vall) 37 Ue 95
Dehesa de la Higuera, Cortijo La (Bad) 133 Tc 120
≈ Dehesa de La Nava, Embalse 121 Va 115
Dehesa del Campo (Bad) 134 Te 119
Dehesa de los Millares, Cortijo (Huel) 146 Sd 124
Dehesa de los Montes (Gra) 151 Ve 125
Dehesa de Macintos (Pal) 38 Vc 95 ⊠ 34131
Dehesa de Montejo (Pal) 20 Vc 92 ⊠ 34844
Dehesa de Navaestilera (Ávi) 73 Vb 105
Dehesa de Perosín (Sal) 85 Tb 107
Dehesa de Pero Vázquez (Tol) 89 Vd 109
Dehesa de Potros (Córd) 137 Vd 121 ⊠ 14650
Dehesa de Puercas (Zam) 54 Ua 100
Dehesa de Ramabujas Altas (Tol) 89 Wa 109
Dehesa de Rebollar, Caserío (Pal) 38 Vd 97
Dehesa de Romanos (Pal) 20 Vd 93 ⊠ 34406
Dehesa de San Juan (Nav) 42 Yb 95
Dehesa de Santa María (Córd) 135 Ue 121
Dehesa de Tablares (Pal) 20 Vc 92 ⊠ 34470
Dehesa de Valdecaba Vieja (Tol) 89 Wa 109
Dehesa de Valverde, Caserío de la (Pal) 38 Vf 97
Dehesa de Villandrando (Pal) 38 Ve 96 ⊠ 34259
Dehesa Mayor (Seg) 56 Ve 100 ⊠ 40230
Dehesa Nueva (Bad) 134 Te 119
Dehesa Nueva (Bad) 120 Ua 117
Dehesa Nueva, Cortijo de la (Sev) 149 Ue 123
Dehesas (Leó) 17 Tb 93 ⊠ 24390
Dehesas de Cantarranas y Tovilla (Vall) 56 Vc 99
Dehesas de Guadix (Gra) 153 Wf 123 ⊠ 18538
Dehesas Viejas (Gra) 152 Wc 124 ⊠ 18567
Dehesa Virginia (Alb) 112 Ye 114
Dehesilla (Bad) 134 Tf 119
Dehesilla (Bur) 40 Wf 97
Dehesilla (Các) 85 Tc 109
▲ Dehesilla 91 Xc 106
Dehesilla, Cortijo (Córd) 136 Vc 122
Dehesilla, Cortijo de la (Cád) 164 Ub 131
Dehesilla, Cortijo de la (Sev) 148 Te 124
Dehesilla, Cortijo de la (Alb) 125 Xc 117
Dehesilla, La (Bad) 104 Ta 114
Dehesilla, La (Vall) 56 Vb 98
▲ Dehesilla, Sierra de la 107 Vb 113
Dehesilla del Conde, Caserío (Cue) 91 Wf 109
Dehesilla Guzmán (Bad) 134 Tf 120
Dehesillas (Ciu) 125 Xa 117
Dehesillas, Cortijo de las (Huel) 134 Te 122
▲ Dehesillas, Las 59 Xd 100
Deià (Bal) 98 Cd 110 ⊠ 07179
▲ Deià, Punta de (Bal) 98 Cd 110
Deifontes (Gra) 152 Wc 125 ⊠ 18570
Deiro (Pon) 14 Rb 93
≈ Dele, Río 6 Tf 88
Deleitosa (Các) 105 Uc 111 ⊠ 10370
Delfià (Gir) 31 Da 94
Delfins, Es (Bal) 96 De 108
▲ Delgada, Punta (Palm) 176 D 1
Delgadas, Las (Huel) 133 Tc 123 ⊠ 21668
Delgadillo (Gra) 152 We 124 ⊠ 18540
Délica (Ála) 23 Xa 91
▲ Delta de l'Ebre, Parc Natural del 80 Af 104
Deltebre la Cava (Tar) 80 Ae 104
▲ Demanda, Puerto de la 40 Wf 95
▲ Demanda, Sierra de la 40 We 95
Demetrios, Los (Cue) 77 Ya 106
Demués (Ast) 8 Va 89
Dénia (Ali) 129 Aa 115 ⊠ 03700
Denle (Cor) 14 Qe 91 ⊠ 15154
☆ Dentellada, la 65 Bf 100
Denune (Lug) 4 Sc 89
Denúy (Hues) 28 Ad 93
≈ Deo 3 Rf 90
Depósito de aguas de Malas Noches (Cád) 164 Tf 130
Derde (Alm) 140 Xf 122 ⊠ 04830
Derio (Viz) 11 Xa 89 ⊠ 48160
Derramadero (Alb) 126 Xf 118
Derramador, el (Ali) 143 Zb 119
Derramador, el (Ali) 128 Za 118
Derramador, El (Val) 112 Yf 112
Derramadores, Cortijo de (Mur) 140 Xf 120
Derrasa, A (Our) 33 Sb 95 ⊠ 32792
Derrengada-Valhondo (Sal) 72 Uc 104
Derroñadas (Sor) 41 Xc 97 ⊠ 42153
☆ Desamparados, Ermita de los 139 Wf 121
Desamparados, Los (Ali) 142 Za 120 ⊠ 03312
Descansadero, El (Các) 105 Ub 111
▲ Descargador, Playa del 155 Yb 126
▲ Descargador, Playa del 143 Zb 123
Descargamaría (Các) 86 Td 107
▲ Descobridor, Illa del 128 Ab 116
≈ Descuernacabras, Garganta de 87 Uc 110
▲ Deseada o Nambroque (Ten) 171 B 3
Desert de les Palmes (Cas) 95 Aa 108
☆ Desfiladeiro 17 Ta 94
Desgracias, Cortijo de las (Bad) 120 Ub 118
Desierto, El (Ten) 172 D 5 ⊠ 38616
Desillo, Cortijo del (Jaé) 139 We 121
▲ Deskarga, Puerto de 23 Xd 90
Desojo (Nav) 24 Xe 93 ⊠ 31229
☆ Despeñaperros, Desfiladero de 124 Wd 118
▲ Despeñaperros, Parque Natural de 124 Wc 118
☆ Despeñaperros, Túnel de 124 Wc 118
Desterro, O (Our) 15 Rf 93
Destriana (Leó) 36 Tf 95 ⊠ 24730
☆ Déu d'Abellera, Mare de 64 Ba 101
☆ Déu del Cós, la Mare de 48 Cd 95
☆ Déu del Mont, la Mare 31 Ce 95
☆ Dèu del Remei, Mare de 62 Ad 101
☆ Déu dels Àngels, Mare de 80 Ad 104
☆ Deus, Coves de les 65 Bd 100
Deva (Ast) 7 Uc 88 ⊠ 33394
▲ Deva, Isla La 6 Tf 87
≈ Deva, Río 32 Re 95
Devesa (Lug) 16 Sb 90
Devesa, A (Lug) 5 Sf 87
Devesa, A (Our) 34 Sd 97
▲ Devesa, Platja de la 114 Ze 112
Devesa, Sa (Bal) 99 Db 110
Devesa de Arriba (Pon) 15 Re 94
Devesa de Curueño (Leó) 19 Ud 92 ⊠ 24150
Deveses, les (Cas) 95 Aa 107
Deveso (Cor) 4 Sa 87
Devesos (Cor) 4 Sb 87
▲ Devotas, Desfiladero de las 27 Ab 93
Dexo (Cor) 3 Re 88
Deza (Sor) 60 Xf 100 ⊠ 42126
≈ Deza, Río 15 Re 92
≈ Deza, Río 15 Re 93
☆ Diablillo, El (Ten) 173 E 3
▲ Diablillo, Playa del (Palm) 174 B 4
Diablos, Cortijo de los (Gra) 152 Wc 124
Díaz, Los (Gra) 161 We 128
Díaz, Los (Mur) 142 Ye 122
Díaz, Los (Mur) 142 Yf 123
Dicastillo (Nav) 24 Xf 93 ⊠ 31263
Dices, Os (Cor) 14 Rb 92 ⊠ 15911
Diechar (Gra) 152 Wd 126
Diego Alonso, Cortijo de (Palm) 175 D 4
Diego Álvaro (Ávi) 72 Ue 104
Diego del Carpio (Ávi) 72 Ue 104 ⊠ 05151
Diego López, Cortijo de (Córd) 122 Vc 118
Diezma (Gra) 152 We 125 ⊠ 18180
▲ Diezmo, Peña del 74 Wa 104
Dílar (Gra) 152 Wc 126
≈ Dílar, Río 152 Wc 126
Dima (Viz) 23 Xb 90 ⊠ 48141
☆ Diós, Dedo de (Palm) 174 B 2
▲ Dios, Peñas de 94 Za 110
Dioses, Los (Alm) 154 Xf 125 ⊠ 04271
Dios le Guarde (Sal) 71 Te 105
Dirá, El (Alm) 154 Xf 124
Distriz (Lug) 4 Sb 89
Diustes (Sor) 41 Xd 96 ⊠ 42172
Divina Pastora (Ciu) 122 Vd 117
≈ Doade 15 Re 94
Doade (Pon) 15 Rf 93
Doade (Lug) 16 Sd 94 ⊠ 27424
▲ Doblona, Cuerda de la 112 Yd 114
Dobres (Can) 20 Vc 90 ⊠ 39575
Dobro (Bur) 22 Wc 92 ⊠ 09551
Docabo (Pon) 15 Rd 93
Doctor, El (Alm) 153 Xa 126
Doctoral, El (Palm) 174 D 4
Dodro (Cor) 14 Rb 92
Dodro (Cor) 15 Re 91
☆ Doinbate, Dolmen 2 Ra 89
Doiras (Ast) 5 Tb 88 ⊠ 33731
☆ Doiras, Castelo de 17 Ta 92
≈ Doiras, Embalse de 5 Tb 88
Dólar (Gra) 153 Xa 125
Dolores (Mur) 142 Za 122
Dolores (Ali) 143 Zb 120 ⊠ 03150
☆ Dolores, Ermita de los 161 Wf 127
☆ Dolores, Ermita de los (Palm) 176 B 3
Dolores, Los (Mur) 142 Za 123
Dolores de Catral, Los (Ali) 143 Za 120
☆ Dolores de Nuestra Seõra (Bal) 99 Db 111
Domaikia = Domaiquia (Ála) 23 Xb 91 ⊠ 01139
Domaio (Pon) 32 Rb 95
Domaiquia (Ála) 23 Xb 91
Dombellas (Sor) 41 Xc 97 ⊠ 42153
Domenes (Alm) 153 Xc 125 ⊠ 04897
Domeño (Nav) 25 Ye 92 ⊠ 31454
Domeño (Val) 94 Za 110
Dómez (Zam) 54 Tf 98
☆ Dómine, Cueva de 90 Wd 110
Domingo García (Seg) 56 Vd 102
Domingo Pérez (Gra) 152 Wc 124
Domingo Pérez (Tol) 88 Vd 109
☆ Domingo Ramos, Corral de 92 Xe 107
Domingo Señor (Sal) 71 Ua 104 ⊠ 37609
Domiz (Our) 34 Ta 94
≈ Doña Aldonza, Embalse de 138 Wd 121
Doña Ana (Mál) 159 Vc 128 ⊠ 29194
Doña Ana (Gra) 139 Xc 121
≈ Doña Ana, Embalse de 141 Yc 121
☆ Doña Blanca de Navarra 42 Yc 95
☆ Doña Catalina, Palacio de 105 Ua 111
Donadillo (Zam) 35 Te 96 ⊠ 49319
Donadío (Jaé) 138 Wd 121
Donadío de las Ventas (Córd) 137 Ve 122
Donado (Zam) 35 Td 96 ⊠ 49344
Doña Dolores Serrano, Cortijo de (Jaé) 137 Wa 121
Doña Elvira (Bad) 119 Td 119
Doña Inés (Mur) 141 Yb 121
Doña Juana, Cortijo de (Huel) 133 Tb 122
Doñajuandi (Ast) 6 Ua 89 ⊠ 33160
Donalbaí (Lug) 4 Sb 90
▲ Doña Loba, Cerro de 136 Uf 119
Don Álvaro (Bad) 119 Te 115
Donamaria (Nav) 24 Yb 90 ⊠ 31750
Doña María (Alm) 153 Xb 126
≈ Doña María Cristina, Canal de 111 Yb 114
Doña Marina, Cortijada (Gra) 152 We 123
Doña Mencía (Córd) 151 Vd 123
▲ Doñana, Coto de 156 Td 126
≈ Doñana, Marisma de 156 Td 126
▲ Doñana, Parque Nacional de 156 Td 126
☆ Don Antonio Martín, Ermita de 140 Xe 118
Doña Rama (Córd) 135 Ue 119 ⊠ 14248
Doñaros, Los (Córd) 135 Ud 119
▲ Donarque, Puerto de 93 Yd 107
≈ Donas, Río 14 Ra 91
Doña Santos (Bur) 40 Wd 97 ⊠ 09451
Doña Sol, Cortijo de (Córd) 136 Vb 121
Doña Teresa, Cortijo de (Bad) 119 Tc 116
Don Benito (Bad) 120 Ua 115 ⊠ 06400
Don Benito (Cue) 92 Xe 110
Don Blasco (Bad) 119 Tc 118
Don Bruno, Cortijo de (Alm) 154 Xe 123
Don Calixto, Cortijo de (Sev) 150 Vb 124
▲ Donceles, Sierra de los 126 Yb 118
Doncellar, Cortijo de (Córd) 151 Ve 123
Doncos (Lug) 17 Sf 92 ⊠ 27676
Dondo, El (Alm) 155 Ya 126
Don Domingo, Caserío (Jaé) 139 Xc 120
Dondoncilla (Jaé) 139 Wf 122
Done Bikendi Harana = San Vicente de Arana (Ála) 23 Xd 92 ⊠ 01117
Doney de la Requejada (Zam) 35 Tc 96 ⊠ 49323
Don Faustino, Cortijo de (Gra) 140 Xc 122
▲ Don Felipe, Cerro de 135 Ue 120
Don Gil, Caserío (Các) 86 Ua 110
Don Gil, Cortijo de (Jaé) 138 Wd 121
Don Gonzalo (Mur) 141 Ya 121 ⊠ 30812
Donhierro (Seg) 56 Vb 102 ⊠ 40469
Don Ignacio, Cortijo de (Jaé) 125 Xb 118
Doniños (Cor) 3 Re 88 ⊠ 15593
▲ Doniños, Praia de 3 Re 88
Doñinos de Ledesma (Sal) 71 Tf 102 ⊠ 37130
Doñinos de Salamanca (Sal) 72 Ub 103 ⊠ 37120
Donis (Lug) 17 Ta 91
☆ Don Jaume, Ermita de 128 Zc 118
Donjimeno (Ávi) 73 Va 103 ⊠ 05217
Don Juan (Jaé) 138 Wa 122
Don Juan (Alb) 110 Xd 114
Don Juan Feo, Cortijo de (Palm) 176 C 3
☆ Don Juan Manuel, Castillo de 76 Xc 104
Don Llorente (Bad) 120 Ua 115
☆ Don Luis, Palacio de 76 Xa 104
Don Manuel Bedoya, Cortijo de (Jaé) 139 Wf 121
Don Martín, Cortijo de (Alb) 140 Xe 119
☆ Don Martín, Mirador de (Ten) 173 E 4
Donón (Pon) 32 Ra 95
Donosa, Cortijo de la (Bad) 120 Tf 117
Donostia-San Sebastian (Gui) 12 Ya 89
▲ Don Pancho (Ten) 171 B 2
Don Pedro (Ten) 171 B 1
Don Pedro, Cortijo de (Alb) 126 Xf 118
Don Pedro Quesada, Cortijo de (Jaé) 152 Wa 123
Don Pepe, Cortijo (Alm) 154 Xe 126
☆ Don Pompeyo, Mirador de (Ten) 172 B 3
☆ Don Quijote, Venta de 109 Xa 111
≈ Donsal, Río de 17 Sf 91
Don Segundo, Cortijo de (Gra) 140 Xc 122
Don Tello (Bad) 119 Te 115
Don Tristán, Cortijo de (Jaé) 139 Xa 119
Donvidas (Ávi) 73 Vb 102 ⊠ 05215
Donzell, la (Lle) 46 Ba 97
Dorado de Arriba, Cortijo del (Mur) 141 Yb 122
▲ Dorado Platja, el 64 Ba 102
☆ Doramas, Parque (Palm) 174 D 2
▲ Doramas, Parque Rural de (Palm) 174 B 3
Dorapila, Cortijo del (Cád) 164 Ua 130
Dordóniz (Bur) 23 Xb 92
▲ Doria, Praia de 6 Te 87
Dormeá (Cor) 15 Rf 91
Dornelas (Pon) 15 Rd 92
Dornillas (Zam) 35 Td 96 ⊠ 49319
Doroño (Bur) 23 Xb 92 ⊠ 09215
Dòrria (Gir) 30 Ca 94
▲ Dòrria, Pic de 30 Ca 94
Dorve (Lle) 29 Ba 93 ⊠ 25597
Dos (Hues) 28 Ad 94 ⊠ 22470
Dos Aguas (Val) 113 Zb 113 ⊠ 46198
▲ Dosaigües, Serra de 113 Zb 113
Dosbarrios (Tol) 90 Wd 109
Dos Hermanas (Sev) 148 Ua 125 ⊠ 41700
Dos Hermanas (Córd) 136 Uf 119
≈ Dos Hermanas, Arroyo 121 Ue 115
☆ Dos Hermanas, Castillo 107 Vd 111
☆ Doshermanas, Castillo de 136 Vc 123
Dos Hermanas, Cortijo de (Sev) 135 Ub 120
☆ Doshermanas, Ermita de 136 Vc 123
Dos Mares (Ali) 143 Zc 120
▲ Dos Picos 153 Xb 125
Dosquers (Gir) 48 Ce 95 ⊠ 17851
▲ Dos Ríos, Sierra de los 26 Zb 92
Dosrius (Bar) 66 Cc 99 ⊠ 08319
Dos-Torres (Córd) 122 Va 118
Dos Torres de Mercader (Ter) 80 Zd 104 ⊠ 44562
Dou (Ast) 17 Ta 90 ⊠ 33810
Dozón (Pon) 15 Rf 93 ⊠ 36518
☆ Drac, Coves del (Bal) 99 Dc 111
Dradelo (Our) 34 Sf 96 ⊠ 32558
Drago, El (Cád) 157 Ub 128 ⊠ 11620
☆ Drago, El (Ten) 173 F 3
☆ Drago Milenario (Ten) 172 C 3
▲ Dragonera, Illa Sa (Bal) 98 Cb 111
Dragonte (Leó) 17 Ta 93 ⊠ 24517
☆ Dragos (Ten) 171 B 2
▲ Draguillo, Playa de El (Ten) 173 F 2
Driebes (Gua) 91 Wf 107 ⊠ 19116
Drova, la (Val) 114 Ze 115 ⊠ 46758
Duana, la (Ali) 128 Ab 116
Duáñez (Sor) 59 Xe 98
Dúas Igrexas (Pon) 15 Re 93
≈ Dubra, Río 14 Rc 91
▲ Dubra, Val do 14 Rc 90
▲ Ducado, Sierra del 121 Uc 118
☆ Duc de Medinaceli, Castell del 64 Af 99
☆ Duc de Medinacelli, Palau del 64 Af 103
☆ Duc d'Híjar, Castell 95 Ze 108
Ducha (Cád) 157 Tf 128
☆ Ducs d'Altamira, Palau dels 143 Zb 119
☆ Ducs de Gandía, Castell de 129 Zf 115
▲ Duda, Sierra de 139 Xb 121
Dúdar (Gra) 152 Wd 125

Dueña Alta, Cortijo de la (Sev) 149 Ue 125
Dueña de Abajo (Sal) 70 Tc 105
Dueñas (Pal) 38 Vc 97 ✉34210
≈Dueñas, Arroyo de las 75 We 104
Dueñas, Las (Sev) 149 Uc 124
Dueñas, Las (Ter) 94 Yf 108
Duende, Cortijo del (Córd) 151 Vd 123
≈Duerna, Río 36 Tf 95
☆Duero, Ex Priorate de 56 Vc 99
☆Duero, Fuentes del 40 Xa 96
≈Duero, Río 40 Xa 97
≈Duero, Río 54 Ua 100
Duesaigües (Tar) 64 Af 102
Dueso (Can) 10 Wd 88 ✉39749
☆Dues Viles, Convent de les 48 Ce 99
≈Duje, Río 8 Vb 89
Dulantzi = Alegría-Dulantzi (Ála) 23 Xc 91 ✉01240
≈Dulce, Laguna 159 Vb 126
≈Dulce, Río 76 Xb 103
☆Dulcinea, Casa de 109 Xa 111
Dumbría (Cor) 14 Qf 90
Duña (Can) 9 Ve 88 ✉39507
Dunas de Guardamar (Ali) 143 Zc 120
Duque, Cortijo del (Córd) 150 Vc 124
≈Duque, Laguna del 87 Ub 107
Duques, Los (Val) 112 Ye 112 ✉46352
☆Duques de Frías, Castillo de los 90 Wb 107
≈Duran, Riu 29 Be 94
Durana (Ála) 23 Xc 91 ✉01520
▲Duranés 122 Vc 115
Durango (Viz) 11 Xc 90 ✉48200
Duratón (Seg) 57 Wb 101
≈Duratón, Río 57 Wa 100
Durban (Bar) 47 Bc 98
Dúrcal (Gra) 161 Wc 127
≈Dúrcal, Río 161 Wc 126
Duro, Cortijo del (Gra) 160 Wb 127
Durón (Gua) 76 Xb 105
Durro (Lle) 28 Ae 93 ✉25527
Durruma Kanpezu = San Román de Campezo (Ála) 23 Xd 92 ✉01128
Duruelo (Seg) 57 Wc 101
Duruelo (Ávi) 73 Vb 105 ✉*05140
▲Duruelo, Sierra de 40 Xa 97
Duruelo de la Sierra (Sor) 40 Xa 97 ✉42158
Duxame (Pon) 15 Re 91 ✉36599

E

E. N. Calvo Sotelo (Ciu) 123 Vf 116
Ea (Viz) 11 Xc 88 ✉48287
▲Ea, Playa de 11 Xc 88
≈Ea, Río 23 Xa 93
≈Ebre, Delta de l' 80 Ae 104
☆Ebre, Far de l' 80 Af 104
≈Ebre, l' 80 Ad 103
≈Ebre, l' 80 Ae 104
≈Ebrillos, Río 40 Xa 97
≈Ebro, Embalse del 21 Wa 90
≈Ebro, Río 23 Xb 93
≈Ebro, Río 43 Yf 98
≈Ebro, Río 62 Zc 100
≈Ebro, Río 63 Aa 100
≈Ebrón, Río 93 Yd 107
Ecala (Nav) 24 Xe 92 ✉31272
Ecay (Nav) 25 Yd 92
☆Ecce Homo 95 Zf 109
☆Ecce Homo, Ermita de 55 Va 100
Echagüe (Nav) 25 Yc 93
Echagüen (Ála) 23 Xc 90
Echagüen (Ála) 23 Xb 91
Echalaz (Nav) 25 Yc 91 ✉31486
Echarren (Nav) 24 Ya 91
Echarren de Guirguillano (Nav) 24 Ya 92
Echarri (Nav) 24 Yb 92
Echarri-Aranaz (Nav) 24 Xf 91
Echavacoiz (Nav) 24 Yb 92
Echavarri (Nav) 24 Xf 92
Echávarri (Nav) 24 Xf 93
Echavarri-Urtupiña (Ála) 23 Xd 91
Echedo (Ten) 173 C 2
Echeverri (Nav) 24 Ya 91
▲Echo, Valle de 26 Zb 92
Écija (Sev) 150 Uf 123
≈Edrada, Embalse de 34 Sc 94
Edreira (Our) 15 Re 94
Edreira (Our) 34 Sd 95
≈Ega, Río 23 Xc 93
▲Egea 128 Zc 115
Egea (Hues) 28 Ac 94 ✉22451
Egido Grande (Các) 87 Ud 109
Egilehor = Eguileor (Ála) 23 Xd 92
Egino = Eguino (Ála) 24 Xe 91 ✉01260
Egiraz = Eguilaz (Ála) 23 Xd 91
☆Egit-ania 85 Sf 109
≈Egos, Cala d' (Bal) 98 Cc 111
Egozkue (Nav) 25 Yc 91 ✉31798
Eguaras (Nav) 24 Yb 91 ✉31193
Egüés (Nav) 25 Yc 92
Eguen (Viz) 11 Xc 89 ✉48289
Eguilaz (Ála) 23 Xd 91 ✉01207
Eguileor (Ála) 23 Xd 92
Eguileta (Ála) 23 Xc 92 ✉01193
Eguillor (Nav) 24 Yb 91
Eguino (Ála) 24 Xe 91
▲Eguinza 9 Wb 89
Egusquiza (Viz) 11 Xa 88
Ehari = Ali (Ála) 23 Xb 91 ✉01010
Eibar (Gui) 11 Xd 89 ✉20600
▲Eira, Coto 32 Rd 95
Eiras, As (Our) 33 Rf 94
Eiras, As (Pon) 32 Rb 97
≈Eiras, Encoro de 32 Rd 94
Eirón (Cor) 14 Ra 91
Eivissa (Bal) 97 Bc 115
▲Eivissa (Bal) 97 Bb 114
Eixaders, els (Lle) 64 Af 99
▲Eixe, Serra do 34 Ta 94
Eixo (Lug) 4 Sd 87
Ejea de los Caballeros (Zar) 43 Yf 96 ✉50600
Ejeme (Sal) 72 Uc 104 ✉37891
Ejep (Hues) 45 Ab 95 ✉22438
Ejido, El (Alm) 162 Xb 128 ✉04700
Ejulve (Ter) 79 Zc 104 ✉44559
☆Ekain 12 Xe 89
▲Ekaitza 12 Yb 90
☆Ekisoain, Torre de 25 Yc 92
El Almendro, Cortijo de (Jaé) 151 Vf 123
Elantxobe (Viz) 11 Xc 88 ✉48310
☆Elatzeta, Castillo 12 Yb 89
Elbete (Nav) 13 Yc 90 ✉31700
Elburgo/Burgelu (Ála) 23 Xc 91
Elca (Val) 129 Zf 115
Elcano (Gui) 12 Xe 89
Elcano (Nav) 25 Yc 91 ✉31486
Elche/Elx (Ali) 143 Zb 119
Elche de la Sierra (Alb) 126 Xf 118 ✉02430
Elciego (Ála) 23 Xc 93 ✉01340
Elcóaz (Nav) 25 Ye 91
Elda (Ali) 128 Zb 118 ✉03600
≈Elda, Pantà d' 128 Zb 117
Eldua (Gui) 12 Xf 90 ✉20493
Elduain (Gui) 12 Xf 90 ✉20493
Elduayen = Elduain (Gui) 12 Xf 90
Eleizalde (Viz) 11 Xc 89
Elejade (Viz) 11 Xa 88
Elejalde (Viz) 11 Xc 89
Elejalde Forua (Viz) 11 Xb 88
Elementos, Cortijo de los (Jaé) 139 We 120
Eleuterio, Cortijo de (Ciu) 125 Xb 116
Elexalde (Viz) 11 Xa 89
Elexalde (Viz) 11 Xb 89
Elexalde (Viz) 11 Xb 90
Elexalde Auzoa (Viz) 11 Xa 88
Elexalde-Zeeta (Viz) 11 Xc 88
Elexalde-Zeeta (Viz) 11 Xb 89
Elgea = Elguea (Ála) 23 Xc 91 ✉01206
▲Elgea, Sierra de 23 Xd 91
Elgeta (Gui) 23 Xd 90 ✉20690
Elgoibar (Gui) 11 Xd 89 ✉20870
Elgorriaga (Nav) 12 Yb 90 ✉31744
Elguea (Ála) 23 Xc 91
Elía (Nav) 25 Yc 91
Eliana, l' (Val) 113 Zc 111 ✉46183
▲Elice, Puerto 104 Tb 112
Elizalde (Viz) 11 Xa 88
Elizalde (Gui) 12 Ya 89 ✉20180
Elizondo (Nav) 13 Yc 90 ✉31700
Eljas (Các) 85 Ta 107 ✉10891
≈Eljas, Río 85 Ta 108
Elkano = Elcano (Gui) 12 Xe 89
Éller (Lle) 29 Be 94
El Mimbrero, Caserío de (Bad) 119 Ta 116
Elorriaga (Viz) 11 Xb 89
Elorrieta, Albergue de (Gra) 161 Wd 126
Elorrio (Viz) 23 Xc 90 ✉48230
Elorz (Nav) 25 Yc 92 ✉31470
Elorza (Viz) 11 Xa 88
Elosu (Ála) 23 Xb 91 ✉01170
Elosua (Gui) 23 Xd 90 ✉20570
Elotxelerri (Viz) 11 Xa 89 ✉48180
≈El Sancho, Embalse de 147 Sf 124
☆Elsedo, Castillo de 9 Wb 88
Eltso (Gui) 24 Yc 91
▲El Turbón 28 Ac 94
Eltziego = Elciego (Ála) 23 Xc 93
Elvillar/Bilar (Ála) 23 Xc 93
Elvira, Cortijo (Gra) 152 Wb 124
Elviria (Mál) 159 Vb 129 ✉29600
☆Elx, Palmeral d' 128 Zb 119
≈Elx, Pantà de 128 Zb 119
Elzaburu (Nav) 24 Yb 90
≈Emb. de Madariaga 25 Yc 93
≈Emb. de Moros 63 Aa 101
≈Emb. de Urdalur 24 Xe 91
≈Embalse Casas de Hitos 106 Uc 114
Embalse de Barasona, Caserío del (Hues) 45 Ab 96
≈Embalse Grande 133 Sf 123
Embarcadero de Punta Grande (Ten) 173 C 2
≈Embarcaderos, Embalse de 112 Yf 113
Embid (Gua) 78 Yb 103 ✉19339
Embid, Caserío (Cue) 92 Xf 108
Embid de Ariza (Zar) 60 Ya 100 ✉50239
Embid de la Ribera (Zar) 60 Yc 100 ✉50299
Embún (Hues) 26 Zb 93
Emerando (Viz) 11 Xb 88
▲Empalizada, Montaña La (Ten) 173 B 2
Empalme, Cortijo del (Jaé) 137 Vf 121
Empalme, El (Huel) 146 Se 125
Emparedada (Córd) 136 Uf 122
☆Emparedado, Ermita del 37 Va 95
▲Empedrado 88 Va 108
▲Empedragar, El 56 Vc 100
Emperador (Val) 114 Zd 111 ✉46135
Emperador, El (Tol) 108 Wa 113
▲Empordà 49 Cf 95
Empuriabrava (Gir) 49 Da 95 ✉17487
Empúries (Gir) 49 Da 96
☆Empúries, Ruïnes d' 49 Da 96
Ena (Hues) 26 Zb 94 ✉22830
▲Enamorados, Peña de los 159 Vd 126
Enate (Hues) 45 Ab 96 ✉22312
Encalmados, Los (Alm) 163 Xe 126 ✉04211
Encamp (AND) 29 Bd 93
▲Encanadé 80 Aa 104
▲Encanés 80 Ab 106
▲Encañizada 143 Zb 122
≈Encantada, Embalse de 136 Va 121
☆Encantats, Torre dels 66 Cb 99
☆Encantats, Torre dels 66 Cd 99
≈Encanyissada, l' 80 Ad 105
☆Encarnación, Ermita de la 158 Ue 126
☆Encarnación, Ermita de la 148 Tf 123
☆Encarnación, Ermita de la 141 Ya 120
☆Encarnación, Ermita de la 112 Ye 113
☆Encarnación, Ermita de la 108 Wb 114
☆Encarnación, Ermita de la 54 Tf 99
☆Encarnación, La 19 Ue 91
Encarnaciones, Las (Sev) 158 Ue 126
Encarnada, La (Ast) 7 Uc 89 ✉33946
Encebras, Cortijada (Gra) 152 Wd 124
Encebras, Cortijo de las (Gra) 152 Wb 124
Encebras, Las (Mur) 127 Ye 118 ✉30529
Encebres, les (Ali) 128 Za 118
Encebrico, El (Alb) 125 Xd 117
Enchousas, As (Cor) 4 Sa 87
Encies (Lle) 47 Bd 96
Encies, les (Gir) 48 Cd 96 ✉17172
Encima Angulo (Bur) 22 We 90
Encín, El (Mad) 75 We 105
Encina, Cortijo de la (Jaé) 138 Wb 122
Encina, l' (Ali) 128 Za 116
Encina, La (Sal) 70 Tc 106 ✉37515
≈Encina, Lago de la 8 Va 89
Encinacaída (Ciu) 107 Vb 112
Encina Colorado, Cortijo (Bad) 134 Td 120
Encinacorba (Zar) 61 Ye 101 ✉50470
▲Encinalejo, El 120 Uc 117
Encinar (Bad) 134 Tf 120
▲Encinar, Alto de 58 Wf 100
Encinar, Caserío El (Huel) 134 Td 121
Encinar, El (Sev) 135 Uc 120
☆Encinar, Ermita del 85 Tb 109
▲Encinar, Lomas de 135 Ub 120
Encinar de Alberche (Mad) 89 Vd 107
Encinar de los Reyes, El (Mad) 74 Vf 105
Encinarejo, El (Jaé) 137 Wa 120
Encinares (Bad) 120 Tf 118
Encinares (Ávi) 72 Ud 106 ✉05696
Encinares, Los (Jaé) 137 Wa 123
Encinar y San Alberto, El (Mad) 74 Vf 105
Encinas (Seg) 57 Wb 100 ✉40531
Encinas, Cortijo de (Jaé) 137 Vf 121
≈Encinas, Embalse 39 Vf 98
Encinas, Las (Sev) 149 Ub 124
Encina San Silvestre (Sal) 71 Tf 102
Encinas de Abajo (Sal) 72 Ud 103 ✉37893
Encinas de Arriba (Sal) 72 Uc 104 ✉37892
Encinas de Esgueva (Vall) 57 Vf 98 ✉47186
Encinasola (Huel) 133 Ta 120 ✉21390
Encinasola de los Comendadores (Sal) 70 Tc 102 ✉37256
Encinas Reales (Córd) 151 Vd 125 ✉14913
Encinedo (Leó) 35 Tc 95 ✉24745
Encineño, Cortijo del (Córd) 136 Vc 122
Encinilla (Bur) 39 Wb 96 ✉09330
Encinilla, La (Sev) 157 Ub 127
Encinillas (Seg) 74 Vf 102 ✉40391
Encinillas, Cortijo de las (Gra) 152 Wc 124
Enciso (Rio) 41 Xe 96 ✉26586
▲Enclusa, Puig de (Bal) 96 Ea 108
Encomienda, Caserío de la (Bad) 118 Sf 116
☆Encomienda, Castillo de la 105 Ub 114
Encomienda-Corral Rubio, Caserío (Ciu) 124 Wd 116
Encomienda de Mudela (Ciu) 124 Wc 117
Encrobas, As (Cor) 3 Rd 89
Endarlatsa (Nav) 12 Yb 89 ✉31789
Endériz (Nav) 25 Yc 91
▲Enderrocat, Cap (Bal) 98 Ce 112
Endoia (Gui) 12 Xe 89 ✉20740
Endrinal (Sal) 72 Ub 105
▲Endrinal, El 39 Vf 97
▲Endrinal, Sierra del 158 Ud 128
Endrinales, Los (Mad) 75 Wb 104 ✉28793
▲Enebrada, La 75 We 103
Enebral, El (Sor) 58 Wf 99 ✉42313
☆Enebrales, Ermita de los 75 We 102
Enebro, Cortijo (Mál) 159 Vd 127
Enériz (Nav) 24 Yb 92
Enfesta (Lle) 47 Bc 98 ✉08281
Enfistiella (Ast) 7 Ub 90 ✉33677
≈Engaña, Río 21 Wb 90
▲Engarcerán, Sierra 95 Zf 107
Enguera (Val) 128 Zc 115 ✉46810
▲Enguera, Sierra de 128 Za 115
Enguídanos (Cue) 112 Yc 111
Enillas, Las (Zam) 54 Ua 100 ✉49172
Enix (Alm) 162 Xc 127 ✉04729
Enmedio (Can) 21 Vf 91
▲Enmedio, Loma de 137 Ve 119
▲Enmedio, Muela de 91 Xb 106
▲Enmedio, Sierra de 155 Yb 124
▲Enmedio, Sierra de 126 Yb 116
▲Enmedio, Sierra de 127 Yc 118
▲Enmedio, Sierra de 113 Za 111
▲Enmedio, Sierra de 107 Vc 114
≈Enol, Lago 8 Va 89
Énova, l' (Val) 114 Zd 114
▲Enramada, Playa de la (Ten) 172 C 5
▲Enrique, Montaña de (Ten) 171 B 3
☆Enríquez, Palacio de los 153 Xb 124
▲Ensellé, Serra d' 80 Zf 106
≈Ensenada, Caleta de la (Palm) 176 B 3
Enseu (Lle) 46 Ba 95 ✉25592
▲Ensiola, Punta d' (Bal) 98 Cf 114
▲Entallada, La (Palm) 175 E 4 ✉35629
▲Entallada, Punta de la (Palm) 175 E 4
Entenza (Pon) 32 Rc 96
Enterría (Can) 20 Vb 90
Enterrías (Can) 20 Vb 90
Entinas, Las (Alm) 162 Xb 128
▲Entinas, Punta 162 Xb 128
Entíns (Cor) 14 Ra 91
Éntoma (Our) 17 Ta 94
▲Entrada, Playa de la (Ten) 173 E 4
Entrago (Ast) 6 Tf 89
Entrala (Zam) 54 Ub 100 ✉49721
Entrambasaguas (Can) 10 Wb 88 ✉39715
Entrambasaguas (Bur) 22 We 90 ✉09585
Entrambasaugas (Lug) 16 Sb 91
Entrambasmestas (Can) 9 Wa 89 ✉39682
Entrambosríos (Bur) 22 Wb 90
Entrearroyos (Sev) 149 Ub 124
Entrecinsa (Our) 34 Se 96 ✉32552
Entrecruces (Cor) 2 Rb 90
Entredicho, El (Mur) 140 Xe 121
Entredicho, El (Córd) 135 Ue 119 ✉14249
Entredicho, El (Alb) 126 Xf 118
≈Entredicho, Embalse del 122 Vc 116
Entrego, El (Ast) 7 Uc 89 ✉33940
☆Entremón, Desfiladero del 45 Ab 95
▲Entre Montañas, Degollada (Palm) 175 C 5
Entrena (Rio) 41 Xc 94 ✉26375
Entrepeñas (Ast) 7 Uc 90
Entrepeñas (Zam) 35 Td 96 ✉49325
≈Entrepeñas, Embalse de 76 Xb 105
Entrerríos (Bad) 120 Ub 115
Entreviñas (Ast) 6 Ua 87
Entrimo (Our) 33 Rf 97 ✉32860
Entrín Alto (Bad) 119 Tb 116
Entrín Bajo (Bad) 119 Tb 116
≈Entrín Verde, Arroyo del 119 Tb 116
▲Envalira, Port d' (AND) 29 Be 93
Envall (Lle) 46 Af 94 ✉25513
Envernalles (Lug) 17 Ta 91
☆Envía, Ermita de la 76 Xd 106
Envía, La (Cue) 76 Xc 106
Enviny (Lle) 28 Ba 94 ✉25568
≈Eo, Río 16 Se 90
Epároz (Nav) 25 Ye 92
Epele (Gui) 12 Ya 89
Épila (Zar) 61 Ye 99
Epina (Ten) 172 B 1 ✉38852
Epiñaredo (Cor) 4 Sa 88
▲Equilán, Teso del 36 Uc 98
Era Alta (Mur) 142 Ye 121 ✉30168
▲Eracurri, Monte 24 Ya 90
Era de la Viña (Cád) 158 Ud 127 ✉11687
▲Era Grande, Loma de la 136 Va 119
☆Eramprunyà, Castell d' 65 Bf 101
Erandio (Viz) 11 Xa 89 ✉48950
Eransus (Nav) 25 Yc 92 ✉31486
Era Peira Roja (Lle) 28 Af 92
Eras, Cortijo de las (Alm) 162 Xa 127
Eras, Las (Alb) 112 Yd 113 ✉0221
Eras, Las (Val) 94 Yf 109
Eraso (Nav) 24 Yb 91 ✉31869
▲Erata 27 Ze 93
Eratsun (Nav) 24 Yb 90 ✉31748
Eraul (Nav) 24 Xf 92 ✉31290
Erbecedo (Cor) 2 Rb 90 ✉15147
Erbedeiro (Lug) 16 Sb 93
Erbera o San Andres (Viz) 11 Xa 89
Erbera o San Andres (Viz) 11 Xd 89
Erbille (Pon) 32 Rb 96
Erbiti (Nav) 24 Yb 91
Ercina, La (Leó) 19 Ue 92 ✉24870
≈Ercina, Lago de la 8 Va 89
Erdao (Hues) 44 Ac 95
☆Erdo 28 Af 94
Erdo (Lle) 28 Af 94 ✉25555
Erdoizta (Gui) 12 Xe 89 ✉20737
Erdozáin (Nav) 25 Yd 92
≈Erecia, Río 9 Wa 90
Erenchun (Ála) 23 Xc 92 ✉01193
☆Erendatzu, Convento de 24 Xf 92
Ereño (Viz) 11 Xc 88
Ereño (Viz) 11 Xb 89
Ereñozu (Gui) 12 Ya 89
Erentxun = Erenchun (Ála) 23 Xc 92 ✉01193
Erés (Hues) 43 Zb 95
Eres, les (Lle) 46 Af 95 ✉25712
Erese (Ten) 173 C 2 ✉38916
Eresué (Hues) 28 Ac 93
Eretes, Ses (Bal) 99 Db 110
Ergoien (Viz) 11 Xa 88
Ergoien (Viz) 11 Xb 89
Ergoien (Gui) 12 Ya 89 ✉20180
Ergoiena (Nav) 24 Xf 91 ✉31829
Ergoiena (Gui) 24 Xe 91 ✉20268
Ergoyen = Ergoien (Gui) 12 Ya 89
Ería, La (Ast) 6 Ua 87
≈Ería, Río 36 Tf 95
Erías (Các) 86 Td 106
Erice (Nav) 24 Yb 91
Eriete (Nav) 24 Yb 92 ✉31174
Erijuelas, Caserío de las (Seg) 74 Vd 104
Erillas (Córd) 151 Vd 124
▲Erillas 135 Ue 120
Erinyà (Lle) 46 Af 95
Eripol (Hues) 45 Aa 95 ✉22148
▲Eripol, Puerto de 45 Aa 95
Eristáin (Nav) 25 Yc 93
Eriste (Hues) 28 Ac 93 ✉22469
Erize (Nav) 24 Yb 91
≈Erjas, Río 85 Ta 108
Erjos (Ten) 172 C 4 ✉38435
Erla (Zar) 43 Za 96 ✉50611
Ermedàs (Gir) 49 Cf 95
Ermedàs (Gir) 49 Db 97
Ermedelo (Cor) 14 Rb 92
Ermida (Lug) 4 Se 89
≈Ermita, Emblase de la 76 Xc 104
Ermita, l' (Ali) 129 Ze 117
Ermita, La (Alm) 154 Xd 124
Ermita, La (Alm) 154 Xe 124
Ermita, La (Gra) 152 Wd 125
Ermita, La (Huel) 146 Sd 125
Ermita, La (Gra) 139 Xa 122
Ermita Belén (Bad) 119 Td 118
Ermita de Bótoa y Colonia Escolar (Bad) 104 Ta 115

Ermita de la Concepcion 22 Wf90
mita del Ramonete (Mur)
155 Yd 123
mita de Sanz (Ali) 129 Zf 117
✉03500
mita Nueva (Jaé) 152 Wa 124
mitas, As (Our) 34 Sf95
Ermitas, Santuario La 136 Vb 121
mita Virgen de la Sierra (Córd)
151 Vd 124 ✉14940
mita y Torreón de Cuadros (Jaé)
138 Wd 122
miticas, Las (Córd) 137 Vd 122
mo (Cor) 4 Sa 87
mua (Viz) 11 Xd 89 ✉48260
nes (Lug) 5 Ta 89 ✉27113
Erola, l' 48 Cd 98
oles (Lle) 46 Ae 95 ✉25635
osa (Our) 34 Se 96
oso = Eroso-Ugarte (Viz)
11 Xb 89
oso-Ugarte = Eroso (Viz)
11 Xb 89 ✉48390
que (Ten) 172 B 2 ✉38869
Errado, Puerto 141 Yc 119
ratzu (Nav) 13 Yd 89 ✉31714
razkin (Nav) 24 Ya 90 ✉31891
rea (Nav) 25 Yd 91 ✉31698
Erreka, Cueva de 11 Xd 89
remendia (Nav) 25 Ye 91
renteria (Gui) 12 Ya 89 ✉20100
reta-Lantenu = Retes de Llanteno
(Ála) 22 Wf 90
rezil (Gui) 12 Xe 90 ✉20737
Errezil, Río 12 Xe 89
ribera = Ribera (Ála) 22 We 91
rigoiti = Rigoitia (Viz) 11 Xb 89
✉48309
ril-la-vall (Lle) 28 Ae 93
ro (Nav) 25 Yd 91 ✉31697
Erro, Puerto de 25 Yd 91
Erro, Río 25 Yd 92
roeta = Onraita (Ála) 23 Xd 92
✉01129
rrotz (Nav) 24 Yb 91 ✉31868
rta (Lle) 28 Af 94 ✉25555
rts (AND) 29 Bd 93
Ertzilla, Torre de 11 Xb 88
rustes (Tol) 88 Vd 109 ✉45540
sanos (Can) 8 Vc 89 ✉39584
sblada (Tar) 65 Bc 100 ✉43816
Escabas, Río 77 Xf 106
Escabezado, Sierra del
127 Yd 117
scacena del Campo (Huel)
148 Td 124 ✉21870
scairón (Lug) 16 Sc 93
scala, l' (Gir) 49 Da 96 ✉17130
scalada (Huel) 133 Tb 121
scalada (Bur) 21 Wb 92 ✉09145
scalante (Can) 10 Wc 88 ✉39795
Escalar, Garganta del 26 Ze 92
scalarre (Lle) 28 Ba 93 ✉25588
scaldes-Engordany, les (AND)
29 Bd 93
scalera (Gua) 77 Xf 104 ✉19390
scalereta, Cortijo de la (Mál)
158 Uf 127
scaleruela, La (Ter) 94 Zb 108
✉44424
▲Escaleruelas, Lomas de las
87 Ud 107
▲Escaleta, Punta de l' 129 Zf 117
scaló (Lle) 29 Ba 93
scalona (Ten) 172 D 5
scalona (Hues) 27 Aa 94 ✉22363
scalona (Tol) 89 Vd 108 ✉45910
scalona, Cortijo de (Gra)
151 Vf 125
≈Escalona, Embalse de 113 Zb 114
▲Escalona, Sierra de 142 Za 121
scalona del Prado (Seg) 57 Vf 102
✉40350
scalonias, Las (Córd) 135 Ue 122
scalonilla (Ávi) 73 Vb 105
scalonilla (Tol) 89 Vd 109 ✉45517
≈Escalote, Río 58 Xb 100
▲Escamas, Punta (Palm) 176 D 3
scamilla (Gua) 76 Xc 105 ✉19127
scamplero (Ast) 6 Ua 88
▲Escandón, Puerto de 94 Za 107
scanelía (Ali) 128 Zc 118
▲Escanfraga, Montaña de (Palm)
175 E 2
scanilla (Hues) 45 Ab 95 ✉22393
scaño (Bur) 22 Wb 91 ✉09557
▲Escaño 22 Wc 91
scañuela (Jaé) 137 Vf 121
✉23657
Escanzana (Ála) 23 Xa 92 ✉01211
Escapa, La (Hues) 45 Aa 95
Escarabajosa de Cabezas (Seg)
74 Ve 102 ✉40291
Escarabajosa de Cuéllar (Seg)
56 Ve 100
Escarabote (Cor) 14 Ra 93 ✉15992
▲Escarbadero 77 Xd 104
Escargamaría (Vall) 55 Uf 102
Escariche (Gua) 76 Wf 106
✉19119
Escarihuela, La (Mur) 155 Yb 124
Escarlà (Lle) 46 Ae 95
Escároz/Eskaroze (Nav) 25 Yf 91
☆Escarp, Convent d' 62 Ac 100
≈Escarra, Embalse de 26 Zd 92
▲Escarra, Pico de 26 Zd 92
Escarrilla (Hues) 26 Ze 92 ✉22660
Escart (Lle) 28 Ba 93 ✉25596
Escartín (Hues) 27 Ze 93
Escàs (Lle) 28 Ba 94
Escatrón (Zar) 62 Ze 101
Escaules, les (Gir) 31 Cf 95
✉17723
☆Escipions, Torre dels 64 Bb 102
Esclanyà (Gir) 49 Db 97
Esclet (Gir) 49 Cf 97
▲Esclop (Bal) 98 Cc 111
Escó (Zar) 25 Yf 93
Escóbados de Abajo (Bur) 22 Wc 92
Escóbados de Arriba (Bur)
22 Wc 92
Escobal (Ast) 8 Va 88 ✉33310
Escobar (Mur) 142 Ye 122
Escobar (Mur) 141 Yb 120
Escobar (Jaé) 137 Wa 120
Escobar (Seg) 74 Ve 103
Escobar, Caserío de (Nav) 24 Yb 93
▲Escobar, El 37 Ue 98
Escobar de Campos (Leó) 37 Va 95
✉24341
Escobar de Polendos (Seg)
74 Vf 102 ✉40393
Escobedo (Can) 9 Wa 88
Escober (Zam) 36 Ua 98 ✉49540
≈Escobonal, Fondeadero del (Ten)
173 E 4
Escobosa de Almazán (Sor)
59 Xd 100
Escobosa de Calatañazor (Sor)
58 Xa 99
☆Escoda, Coves de l' 64 Ae 102
☆Escodinas, Castillo de 63 Aa 102
≈Escodosa, Río 58 Xa 99
Escola (Lug) 4 Sb 87
Escombreras (Mur) 142 Za 123
▲Escombreras, Isla de 142 Za 123
Escondite (Alb) 125 Xd 117
Escopete (Gua) 76 Wf 106 ✉19119
≈Escoplillo, Laguna del 108 Wc 114
Escorca (Bal) 98 Cf 109 ✉07315
Escorial (Alb) 125 Xd 117
Escorial, El (Mad) 74 Vf 105
✉28280
☆Escorial, Monasterio de El
74 Vf 105
☆Escorial de la Mancha, El
91 Xa 109
Escoriales, Los (Jaé) 137 Wa 119
Escorihuela (Ter) 79 Za 105
✉44161
Escornabois (Our) 33 Sc 96
✉32696
▲Escornadero, Sierra del 93 Yc 108
☆Escornalbou, Castell d' 64 Af 102
☆Escornalbou, Monestir d'
64 Af 102
Escota (Ála) 23 Xa 91 ✉01428
Escóznar (Gra) 152 Wa 125
Escravitude, A (Cor) 14 Rc 92
Escribana, Cortijo La (Gra)
152 Wb 126
Escribano, Cortijo de (Gra)
139 Xb 122
Escribano, Cortijo del (Jaé)
138 We 120
Escribano, Cortijo del (Gra)
139 Xc 121
Escribanos, Cortijos de Los (Mur)
141 Ya 122
Escuadro (Pon) 15 Re 92 ✉36547
Escuadro (Zam) 54 Ua 101
✉49177
Escuaín (Hues) 27 Aa 93
☆Escuain, Gargantas de 27 Aa 93
Escucha (Ter) 79 Zb 104 ✉44770
Escudero (Val) 128 Za 115
Escuderos (Bur) 21 Vf 92
Escuderos (Bur) 39 Wa 96
▲Escudo, Puerto del 21 Wa 90
▲Escudo, Sierra de 21 Wa 90
▲Escudo de Cabuérniga, Sierra del
9 Vd 89
Escuelas, Las (Jaé) 138 Wc 121
✉23539
Escuer (Hues) 26 Zd 93 ✉22636
Escuernavacas (Sal) 71 Td 103
✉37216
Escúllar (Alm) 153 Xb 125
▲Escullet, S' (Bal) 97 Bd 114
▲Escull Grande del Estacio
143 Zb 122
Escullos, Los (Alm) 163 Xf 128
✉04118
Esculqueira (Our) 34 Sf 97
☆Escultura, Museo Nacional de
56 Vb 99
Escunhau (Lle) 28 Ae 92 ✉25539
Escuredo (Leó) 18 Ua 92 ✉24397
Escuredo (Zam) 35 Tc 95 ✉49323
Escurial (Các) 105 Ua 114 ✉10133
Escurial de la Sierra (Sal)
71 Ua 105 ✉37762
≈Escuriza, Embalse de 79 Zc 103
≈Escuriza, Río 79 Zc 103
Escurquilla, Las (Rio) 41 Xe 96
Escusa (Pon) 14 Rb 94
▲Escusa 88 Vc 106
Escusa, A (Pon) 14 Rb 93
Escúzar (Gra) 152 Wb 126
Escúzar, Cortijo de (Gra)
152 Wb 124
Esdolomada (Hues) 44 Ac 95
✉22482
≈Ésera, Río 28 Ad 93
Esfarrapada (Pon) 32 Rc 96
Esfiliana (Gra) 153 Wf 125 ✉18511
Esgleieta, S' (Bal) 98 Cd 111
Esglésies, les (Lle) 28 Af 94
Esgos (Our) 33 Sb 95 ✉32720
≈Esgueva, Río 39 Wc 97
Esguevillas de Esgueva (Vall)
56 Vd 98 ✉47176
≈Eska, Río 25 Za 92
Eskoriatza (Gui) 23 Xc 90 ✉20540
≈Esla, Río 19 Uf 90
≈Esla, Río 36 Uc 97
Eslava (Nav) 25 Yd 93 ✉31494
Esles (Can) 9 Wb 89 ✉39694
Eslida (Cas) 95 Ze 109 ✉12528
▲Eslopar, Loma del 60 Xf 101
Esmelle (Cor) 3 Re 87 ✉15594
Esmeralda Jandía (Palm) 175 C 5
Esmorode (Cor) 14 Ra 90 ✉15846
Esnotz (Nav) 25 Yd 91 ✉31697
▲Esoba, Puente 40 Xa 96
Espà, l' (Bar) 47 Be 95
Espada (Mur) 142 Ye 120
▲Espadà, Pic d 95 Zd 109
▲Espada, Punta 143 Zb 123
▲Espadá, Serra de l' 95 Zd 109
Espadaña (Sal) 71 Te 102 ✉37148
Espadañal (Các) 87 Uc 109
Espadañal, Cortijo El (Cád)
165 Ud 131
Espadañedo (Zam) 35 Td 96
✉49342
Espadilla (Cas) 95 Zd 108 ✉12230
Espaén (Lle) 46 Bb 95
▲Espalmador, Illa S' (Bal)
97 Bc 116
≈España, Ensenada de 7 Uc 87
Españares (Córd) 137 Ve 119
▲Espaneguera, Serra d' 95 Zf 107
Espanta Palomas, Cortijo de (Jaé)
137 Vf 122
▲Espardell, S' (Bal) 97 Bc 116
Esparra, l' (Gir) 48 Cd 98 ✉17421
Esparragal (Mur) 155 Yb 123
Esparragal (Mur) 142 Yf 120
▲Esparragal 123 Wa 117
Esparragal, Cortijo del (Sev)
135 Ud 122
Esparragal, El (Cád) 157 Ub 129
Esparragal, El (Sev) 148 Tf 123
▲Esparragal, El 120 Ub 117
≈Esparragal, Embalse El
148 Tf 123
▲Esparragal, Sierra del 136 Uf 120
Esparragalejo (Bad) 119 Td 115
✉06860
Esparragalico (Mur) 155 Yb 123
✉30891
Esparragosa de Lares (Bad)
121 Ue 115 ✉06620
Esparragosa de la Serena (Bad)
120 Uc 117 ✉06439
Esparragosilla (Mur) 155 Yb 123
Esparreguera (Bar) 65 Bf 99
✉08292
☆Esparreguera, Castell d' 48 Cb 98
☆Esparreguera, Palau-castell d'
48 Cb 98
Espartal (Ali) 128 Zd 117
▲Espartal, El 60 Xf 98
Espartal, El (Mad) 75 Wc 104
✉28722
Espartales (Bad) 119 Tb 117
Espartal y Mirones (Mur)
155 Yb 123
▲Espartar, S' (Bal) 97 Bb 115
▲Esparteros 149 Ud 126
Espartinas (Sev) 148 Tf 124
✉41807
Esparza (Nav) 24 Yb 92
Esparza (Nav) 25 Yf 91
Espasante (Cor) 4 Sb 86
Espayos (Sal) 54 Tf 102 ✉37114
Espeja (Sal) 70 Tb 105 ✉37497
≈Espeja, Río 40 We 98
Espeja de San Marcelino (Sor)
40 We 98 ✉42142
☆Espejel, Castillo de 105 Ua 111
Espejeras (Ali) 128 Zc 118 ✉03679
Espejo (Córd) 136 Vc 122 ✉14830
Espejo (Ála) 22 Wf 92 ✉01423
Espejo, El (Tol) 89 Vd 108
Espejo de Tera (Sor) 41 Xd 97
✉42164
Espejón (Sor) 40 We 97
Espejos de la Reina, Los (Leó)
20 Va 91
Espeliz (Alm) 154 Xd 126 ✉04200
Espelt, l' (Bar) 65 Bd 99 ✉08711
Espelúy (Jaé) 138 Wa 120
Espera (Cád) 157 Ub 127 ✉11648
☆Esperança, l' 80 Aa 106
Esperante (Lug) 16 Sb 92
▲Esperanza, Bosque de la (Ten)
173 E 3
☆Esperanza, Ermita de la
151 Vc 123
☆Esperanza, Ermita de la
123 Vf 116
☆Esperanza, Ermita de la
109 We 111
☆Esperanza, Ermita de la
71 Ua 104
☆Esperanza, Ermita de la
76 Xb 105
Esperanza, La (Gra) 151 Vf 125
✉18300
Esperanza, La (Ten) 173 E 3
✉38290
Esperanza, La (Vall) 37 Va 97
Esperanza, La (Các) 86 Td 110
▲Esperanza, Monte de la (Ten)
173 E 3
☆Esperit Sant 28 Af 93
Espés (Hues) 28 Ad 94
Espés Alto (Hues) 28 Ad 94
Espeso, Caserío del (Jaé)
138 Wb 122
Espiel (Córd) 136 Uf 119 ✉14220
▲Espiel, Puerto de 136 Uf 119
Espiells (Bar) 65 Be 100 ✉08770
Espierba (Hues) 27 Aa 93 ✉22351
Espierlo (Hues) 27 Aa 94
Espierre (Hues) 26 Ze 93 ✉22637
▲Espigar, Sierra del 60 Yd 101
▲Espiguete 20 Vb 91
Espills (Lle) 46 Ae 95 ✉22584
Espín (Hues) 27 Ze 94
Espina (Ast) 5 Sf 88
▲Espina, Coll de l' 28 Ad 94
▲Espina, l' 80 Ac 103
Espina, La (Ast) 6 Te 88
Espina, La (Leó) 20 Va 92 ✉24889
▲Espina, Serra de l' 80 Ac 103
Espinabet (Bar) 47 Be 96
Espina de Tremor (Leó) 18 Tf 92
✉24376
Espinama (Can) 20 Vb 90 ✉39588
Espinar (Mur) 127 Yf 117
Espinar (Gua) 75 We 102
Espinar, El (Mur) 142 Yf 122
Espinar, El (Seg) 74 Ve 104
Espinar, El (Tol) 89 Wa 109
≈Espinar, Embalse de El 74 Vf 104
Espinar Alto (Gra) 161 Wd 128
Espinardo (Mur) 142 Yf 120
✉30100
☆Espinareda, Castillo La
139 Xb 119
Espinaredo de Ancares (Leó)
17 Tb 92
Espinares, Cortijo de los (Gra)
152 Wc 124
Espinauga (Gir) 30 Cc 95
Espinavell (Gir) 30 Cc 94 ✉17868
Espinavessa (Gir) 49 Cf 95 ✉17747
Espinedo (Ast) 18 Ua 90
Espinegar Vell, S' (Bal) 99 Db 112
Espiñeira (Lug) 4 Se 87
Espiñeira (Our) 15 Re 93 ✉32539
Espiñeiros (Our) 15 Re 94 ✉32520
Espinelves (Gir) 48 Cc 97 ✉17405
Espineras del León, Las (Alb)
125 Xd 117
Espinilla (Can) 21 Ve 90 ✉39210
Espinillo, El (Palm) 174 C 3
✉35368
Espinillo, El (Alb) 125 Xb 115
Espinillos (Mad) 75 Wd 106
Espino (Mál) 160 Vf 127 ✉29711
▲Espino 136 Vb 122
Espiño (Our) 34 Ta 95
≈Espino, Calelilla del (Palm)
175 E 3
☆Espino, Convento del 22 Wf 92
Espino, El (Alb) 127 Yf 115
Espino, El (Sor) 41 Xe 97 ✉42189
Espino-Arcillo (Sal) 54 Uc 102
Espino de la Orbada (Sal)
55 Ud 102 ✉37419
Espino de los Doctores (Sal)
71 Ua 102 ✉37170
Espinosa de Almanza (Leó)
20 Uf 92 ✉24888
Espinosa de Bricia (Can) 21 Wa 91
✉39232
Espinosa de Cerrato (Pal) 39 Wa 97
✉34248
Espinosa de Cervera (Bur)
39 Wd 97 ✉09610
Espinosa de Henares (Gua)
76 Wf 103 ✉19292
Espinosa de Juarros (Bur) 39 Wc 95
✉09198
Espinosa de la Ribera (Leó)
18 Ub 92 ✉24274
Espinosa del Camino (Bur)
40 We 94 ✉09258
Espinosa del Monte (Bur) 40 Wf 94
✉09268
Espinosa de los Caballeros (Ávi)
73 Vc 102 ✉05296
Espinosa de los Monteros (Bur)
22 Wc 90 ✉09560
Espinosa de Villagonzalo (Pal)
21 Vd 94 ✉34491
Espinosilla de San Bartolomé (Bur)
21 Wa 93
Espiñoso (Our) 33 Sa 95 ✉32826
Espinoso de Compludo (Leó)
17 Td 94
Espinoso del Rey (Tol) 107 Vb 111
✉45650
Espinzella (Gir) 48 Cc 97
Espioja (Sal) 54 Tf 102
Espirdo (Seg) 74 Vf 103 ✉40191
☆Espíritu Santo, Castillo del
156 Td 128
☆Espíritu Santo, Ermita del
23 Xd 93
☆Esplà 46 Ba 95
Esplegares (Gua) 77 Xd 103
✉19445
Espluga (Hues) 28 Ac 94 ✉22451
Espluga Calba, L' (Lle) 64 Ba 100
✉25410
Espluga de Francolí, l' (Tar)
64 Ba 100
Espluga de Serra (Lle) 46 Af 95
✉22583
Esplugafreda (Lle) 46 Ae 95
☆Esplugues, Ermita de les
46 Ba 96
Esplugues de Llobregat (Bar)
66 Ca 100 ✉08950
Esplús (Hues) 45 Ab 98
Espolla (Gir) 31 Da 94 ✉17753
Espolón, Caserío del (Gra)
161 We 127
Espona, l' (Lle) 46 Bc 98
Esponellà (Gir) 49 Ce 95
Esporles (Bal) 98 Cd 110 ✉07190
Esposa (Hues) 26 Zc 93 ✉22860
Espot (Lle) 28 Ba 93 ✉25597
Espot Esquí (Lle) 28 Ba 93
Espoz (Nav) 25 Yd 91 ✉31438
Espronceda (Nav) 24 Xe 93
✉31228
Espuéndolas (Hues) 26 Zd 93
Espui (Lle) 28 Af 94 ✉25515
Espumaderas, Las (Jaé) 139 Xb 120
▲Espuña 141 Yc 121
▲Espuña, Sierra de 141 Yc 121
Espunyola, l' (Bar) 47 Be 96
✉08614
Esquedas (Hues) 44 Zc 95 ✉22810
☆Esquerda, Castell de 48 Cb 97
≈Esquerra, Canal de 80 Ad 103
Esquiladero, Cortijo (Gra)
152 Wb 124
Esquileo de Abajo (Pal) 37 Vb 97
✉34160
Esquileo de Arriba (Pal) 38 Vb 97
✉34160
Esquinal (Ali) 128 Zb 117
▲Esquinazo, Puerto del 79 Za 104
▲Esquinza, Monte 24 Ya 93
≈Esquinzo, Barranco de (Palm)
175 D 2
▲Esquinzo, Playa de (Palm)
175 D 2
Esquíroz (Nav) 24 Yc 92
Esquivel (Sev) 148 Ua 123 ✉41209
Esquivias (Tol) 90 Wb 108 ✉45221
Establés (Gua) 77 Xf 102
Establiments (Bal) 98 Cd 111
Estac (Lle) 28 Ba 94 ✉25593
▲Estaca, Praia de la 6 Td 87
Estacada, Cortijo de la (Bad)
118 Se 117
Estacada, La (Cue) 91 Xa 108
▲Estaca de Bares, Punta de la
4 Sb 86
Estacar, S' (Bal) 99 Cf 111
Estacas, As (Pon) 32 Rd 94
✉36851
▲Estacas de Trueba, Puerto de las
22 Wb 90
☆Estacio, Faro del 143 Zb 122
Estació, l' (Ali) 128 Zb 118
▲Estacio, Playa del 143 Zb 122
Estació d'Agre (Ali) 128 Zc 116
Estació de Cabanes, l' (Cas)
96 Ab 108
Estació del Pla (Val) 113 Zc 112
Estación, A (Lug) 16 Sd 93
Estación, La (Alm) 154 Xc 126
Estación, La (Sev) 149 Ub 123
Estación, La (Mur) 142 Ye 119
Estación, La (Córd) 137 Vd 121
Estación, La (Bad) 134 Te 119
Estación, La (Huel) 133 Tc 120
Estación, La (Bad) 119 Td 118
Estación, La (Rio) 23 Xc 94

Estación, La (Zar) 60 Yc 100
Estación, La (Zar) 61 Za 100
Estación, La (Các) 86 Td 110
Estación, La (Tol) 89 Wa 109
Estación, La (Cas) 94 Zb 109
Estación Arroya-Malpartida (Các) 104 Tc 112
Estación de Ablates, La (Tol) 89 Wa 110
Estación de Aldea del Cano (Các) 104 Td 113
Estación de Aljucén (Bad) 119 Td 115
Estación de Almonacid, La (Tol) 89 Wb 110
Estación de Archidona (Mál) 151 Vd 126
Estación de Beas (Huel) 147 Tb 124
Estación de Begíjar (Jaé) 138 Wc 121
Estación de Cabra (Jaé) 138 We 123
Estación de Cártama (Mál) 159 Vc 128
Estación de Casar de Cáceres (Các) 104 Td 111
Estación de Caudete (Alb) 128 Za 116
Estación de Chinchilla (Alb) 126 Yb 115
Estación de Chiprana (Zar) 62 Zf 101
Estación de Cortes de la Frontera (Mál) 158 Ue 129
Estación de Crevillente, La (Ali) 143 Zb 119
Estación de El Espinar (Seg) 74 Ve 104
Estación de Escatrón (Ter) 62 Ze 101
Estación de Espelúy (Jaé) 138 Wa 120
Estación de Fernán-Núñez (Córd) 136 Vc 122
Estación de Fuente Santa (Alm) 162 Xc 126
Estación de Gor (Gra) 153 Wf 124
Estación de Guadix (Gra) 153 Wf 125
Estación de Herreruela (Các) 104 Ta 112
Estación de Huélago-Darro y Diezma (Gra) 153 We 124
Estación de Huelma (Jaé) 152 We 123
Estación de Huesa (Jaé) 139 We 122
Estación de Lacalahorra (Gra) 153 Wf 125
Estación de la Sionlla (Cor) 15 Rd 91
Estación del Carrascalejo (Bad) 104 Td 114
Estación de Linares-Baeza (Jaé) 138 Wc 120
Estación de Moreda (Gra) 152 We 124
Estación de Oroso-Villacid (Cor) 15 Rd 91
Estación de Pedro-Martínez (Gra) 152 We 123
Estación de Rubielos de Mora (Ter) 94 Zb 108
Estación de Salinas (Mál) 151 Ve 126
Estación de San Roque (Cád) 165 Ud 131
Estación de Santas Martas (Leó) 19 Ud 94
Estación de Silleda (Pon) 15 Re 92
Estación de Talavera (Bad) 119 Tb 115
Estación de Valduernas (Các) 104 Td 112
Estación de Venta de Cárdenas (Ciu) 124 Wd 118
Estación Férrea (Cád) 165 Ud 131
Estación Férrea, La (Zar) 61 Ye 98
Estación invernal Alto de Campoo (Can) 21 Vd 90
Estación Lalín (Our) 15 Rf 93
Estación Maçanet-Massanes (Gir) 48 Ce 98
Estación Rojales-Benijófar (Ali) 143 Zb 120
Estación y Pajares, La (Mad) 74 Vf 105
Estada (Hues) 45 Ab 96 ✉ 22424
Estadilla (Hues) 45 Ab 96 ✉ 22423
Estado de Mora (Nav) 42 Yd 97
Estalaya (Pal) 20 Vd 91 ✉ 34846
Estall (Hues) 44 Ad 96
Estallo (Hues) 44 Zd 94 ✉ 22625
Estamaríu (Lle) 29 Bd 94
Estana (Lle) 47 Bd 95 ✉ 25725
Estaña (Hues) 44 Ad 96 ✉ 22589
≈ Estanca, La 62 Ze 102
≈ Estanca de Canales 43 Ye 96
▲ Estancias, Sierra de las 154 Xd 123
Estanco, El (Palm) 174 D 3
≈ Estanés, Ibón de 26 Zc 92
Estanquera, Cortijo de la (Bad) 120 Ua 117
Estanquero, Cortijo del (Sev) 149 Ub 125
Estany, l' (Bar) 48 Ca 97 ✉ 08148
Estanyet (Gir) 49 Cf 95
Estanyet Llavaneres (Bar) 66 Cd 99
▲ Estanyó, Pic de l' (AND) 29 Bd 93
Estanyol (Gir) 48 Ce 97 ✉ 17182
Estanyol de Migjorn, S' (Bal) 99 Cf 112
Estaon (Lle) 29 Bb 93 ✉ 25572
Estaràs (Lle) 47 Bc 98
Estaronillo (Hues) 27 Aa 93
≈ Estarrún, Río 26 Zc 92
Estartit, l' (Gir) 49 Db 96 ✉ 17258
Estás (Pon) 32 Rb 97 ✉ 36730
Estasen, Refugi d' (Bar) 47 Be 95
▲ Estats, Pica d' 29 Bc 92
Estavill (Lle) 28 Af 94 ✉ 25513
▲ Esteban 43 Za 97
Esteban, Cortijo de (Huel) 132 Se 121
Estébanez de la Calzada (Leó) 36 Ua 94
Esteban Isidro (Sal) 72 Ub 104 ✉ 37609
Estebanvela (Seg) 58 Wd 100 ✉ 40514
▲ Estecillo, Cerro del 87 Uc 107
Esteiro (Cor) 3 Rf 87 ✉ 15240
≈ Esteiro 4 Sb 86
Estela, l' (Gir) 31 Ce 95 ✉ 17745
▲ Estelas, Illas 32 Ra 96
≈ Estella, Bassa de l' 80 Ae 104
Estella/Lizarra (Nav) 24 Xf 92
Estella del Marqués (Cád) 157 Tf 128
Estellencs (Bal) 98 Cc 111 ✉ 07192
Estelo (Lug) 4 Sd 88
▲ Estena 104 Td 113
≈ Estena, Río 107 Vc 112
▲ Estenaga, Monte 12 Xf 89
Estenas (Val) 112 Yf 111
≈ Estenilla, Río 107 Vb 112
Esténoz (Nav) 24 Ya 92
Estepa (Sev) 150 Va 125 ✉ 41560
Estepa de San Juan (Sor) 41 Xd 97 ✉ 42180
Estepa de Tera (Sor) 41 Xd 97 ✉ 42164
▲ Estepar 74 Wa 105
Estépar (Bur) 39 Wa 95
▲ Estepar, Cañada del 56 Ve 100
▲ Estepares, Loma de los 77 Xe 104
▲ Estepares, Sierra de los 140 Xe 119
▲ Esteparón 39 Wb 97
Estepas, Los (Córd) 136 Va 122
Estepona (Mál) 165 Uf 130 ✉ 29680
▲ Estepona, Playa de 165 Uf 130
≈ Esteras, Río 122 Va 115
Esteras de Lubia (Sor) 59 Xe 98 ✉ 42130
Esteras de Medina (Sor) 59 Xd 102
Estercuel (Ter) 79 Zc 103 ✉ 44558
Esternande (Cor) 2 Rb 90 ✉ 15848
Esterri d'Àneu (Lle) 28 Ba 93
Esterri de Cardós (Lle) 29 Bb 93
Estesos, Los (Cue) 110 Xd 113 ✉ 16612
Estet (Hues) 28 Ae 93 ✉ 22487
▲ Esteve, Serra de 64 Ae 103
Estevesiños (Our) 34 Sd 97 ✉ 32624
▲ Estiba, Sierra de la 26 Zc 92
Estiche de Cinca (Hues) 45 Aa 98 ✉ 22412
Estimariu = Estamaríu (Lle) 29 Bd 94
Estiula (Gir) 48 Ca 95
▲ Estiva, La 27 Aa 93
Estivadas (Our) 34 Sc 96
▲ Estivadas, Porto de 34 Sc 96
Estivella (Val) 95 Zd 110 ✉ 46590
Estiviel (Tol) 89 Vf 109
Estollo (Rio) 40 Xa 94 ✉ 26328
≈ Estomiza, Río 107 Vb 112
▲ Estopar, El 41 Xb 98
Estopiñán (Hues) 44 Ad 97
Estopiñán del Castillo (Hues) 44 Ad 97
Estorn (Lle) 46 Af 96
Estorninos (Các) 85 Ta 110 ✉ 10990
≈ Estós, Embalse de 28 Ad 93
Estrada (Can) 8 Vd 88
Estrada (Can) 10 Wc 88
Estrada, A (Pon) 15 Rd 92 ✉ 36680
Estrada, l' (Gir) 31 Cf 94 ✉ 17707
▲ Estrecho, Cañada del 91 Xc 109
Estrecho, El (Mur) 142 Yf 122
▲ Estrecho, Montaña del (Ten) 172 C 4
Estrechos, Los (Mur) 155 Yc 124
Estrela, A (Cor) 3 Rc 89
Estrella (Jaé) 139 Xa 121
▲ Estrella 124 Wc 118
☆ Estrella, Castillo de la 159 Va 127
☆ Estrella, Castillo La 125 Xa 116
Estrella, Cortijo de la (Sev) 150 Uf 123
☆ Estrella, Ermita de la 138 We 120
☆ Estrella, Ermita de la 111 Xf 110
Estrella, La (Palm) 174 D 2 ✉ 35212
Estrella, La (Tol) 106 Uf 110 ✉ 45574
Estrella, La (Ter) 80 Ze 106
Estrella, La (Cue) 92 Xf 108
☆ Estrella, Monasterio de la 23 Xb 93
☆ Estrella, Puenta de la 54 Ub 98
▲ Estrella, Sima de la 77 Xf 105
☆ Estrella de Campos, Convento de La 38 Vb 97
Estremera (Mad) 91 Wf 107 ✉ 28595
≈ Estremera, Embalse de 91 Wf 107
Estriégana (Gua) 59 Xc 102
▲ Estrozadero, El 87 Ud 107
Estubeny (Val) 113 Zc 114 ✉ 46817
▲ Estufador, S' (Bal) 97 Bd 117
≈ Esva, Río 6 Td 88
Etayo (Nav) 24 Xf 93 ✉ 31281
Eterna (Bur) 40 Wf 94 ✉ 09267
Etreros (Seg) 74 Vd 103 ✉ 40134
Etsain (Nav) 25 Yc 91 ✉ 31798
Etuláin (Nav) 25 Yc 91
Etura (Ála) 23 Xd 91 ✉ 01206
Etxabarri-Koartango = Echávarri-Cuartango (Ála) 23 Xa 91
Etxaguen = Echagüen (Ála) 23 Xc 90
Etxalar (Nav) 12 Yc 89 ✉ 31760
Etxaleku (Nav) 24 Yb 91 ✉ 31869
Etxarri (Nav) 24 Ya 90 ✉ 31878
Etxatxegi (Viz) 11 Xc 88
Etxauri (Nav) 24 Yb 92 ✉ 31174
Etxebarri (Viz) 11 Xa 89 ✉ 48450
Etxebarria (Viz) 11 Xd 89 ✉ 48277
Etxebarri-Urtupiana = Echevarri-Urtupiña (Ála) 23 Xd 91
▲ Etxegarate, Puerto de 24 Xe 91
Euba (Viz) 11 Xb 89 ✉ 48290
▲ Eucaliptus, la Platja dels 80 Ae 105
Eugi (Nav) 25 Yc 91 ✉ 31638
≈ Eugui, Embalse de 25 Yc 91
Eulate (Nav) 24 Xe 92 ✉ 31271
Eulz (Nav) 24 Xf 92 ✉ 31290
Eume (Cor) 3 Sa 88 ✉ 15610
☆ Eume, Central do 3 Rf 88
≈ Eume, Encoro do 3 Sa 88
≈ Eume, Río de 3 Rf 88
Euromanga (Mur) 143 Zb 122
▲ Europa, Balcon de 160 Wa 128
▲ Europa, Picos de 8 Va 89
▲ Europa, Punta de (GBZ) 165 Ud 132
Eurovillas (Mad) 90 We 106 ✉ 28514
Eustaquios, Los (Cue) 77 Ya 106
Eván de Arriba (Vall) 55 Ue 100
Evanes, Los (Vall) 55 Ue 100
Ézaro (Cor) 14 Qf 91
▲ Ézaro, Praia de 14 Qf 91
Ezcabarte (Nav) 25 Yc 91 ✉ 31194
Ezcaray (Rio) 40 Wf 95 ✉ 26280
≈ Ezcurra, Río 24 Yb 90
▲ Ezkaurre, Peña 26 Za 91
Ezkerekotxa = Ezquerecocha (Ála) 23 Xd 91 ✉ 01206
Ezkio (Gui) 24 Xe 90 ✉ 20709
Ezkio-Itsaso (Gui) 23 Xe 90 ✉ 20709
Ezkurra (Nav) 24 Yb 90 ✉ 31749
Ezperun (Nav) 25 Yc 92 ✉ 31470
Ezprogui (Nav) 25 Yd 93 ✉ 31491
Ezquerecocha (Ála) 23 Xd 91
Ezquerra (Bur) 40 We 94 ✉ 09268

F

Fabal (Lug) 17 Sf 92
Fabara (Zar) 63 Ab 101 ✉ 50793
Fabero (Leó) 17 Tc 92 ✉ 24420
Fablo (Hues) 27 Ze 94
Fábrica = Arija (Bur) 21 Wa 91
Fábrica, Caserío de la (Gra) 161 Wd 127
Fábrica Azucarera (Zar) 61 Ye 99
Fábrica de Azufre (Mur) 141 Yb 122
Fábrica de Cerámica (Mur) 141 Yd 122
Fábrica de El Pedroso (Sev) 135 Ub 121
Fábrica de Harinas de San Fernando (Gra) 140 Xc 121
Fábrica del Salto (Zar) 43 Zb 97
Fábrica de Orbaitzeta (Nav) 25 Ye 90
Fábricas, Las (Ter) 79 Zc 104
Fábricas de San Juan de Alcaraz (Alb) 125 Xd 118
Facha (Lug) 15 Sa 92 ✉ 27577
Facheca (Ali) 129 Ze 116 ✉ 03813
Facinas (Cád) 164 Ub 132 ✉ 11391
▲ Fadas, Coll de 28 Ad 94
Fado (Tol) 89 Vf 107
Fadón (Zam) 54 Tf 100
Faedal (Ast) 6 Te 88
Faedo (Ast) 6 Te 87
Faedol (Ast) 6 Td 88
Faeira (Cor) 4 Sa 88 ✉ 15325
Fáfilas (Leó) 37 Ud 95
Fago (Hues) 26 Za 92 ✉ 22729
▲ Faidella, Cóllado de 46 Ba 96
Faido (Bur) 23 Xc 92
Faidu = Faido (Bur) 23 Xc 92
Faisca (Cor) 3 Re 87
Faitús (Gir) 30 Cc 94
▲ Faja (Palm) 176 D 3
▲ Fajana, Punta (Ten) 173 F 2
Fajera, La (Ast) 5 Tc 88
▲ Faladoira, Serra da 4 Sb 87
Falces (Nav) 42 Yb 94 ✉ 31370
▲ Falcó, Cap (Bal) 98 Cf 114
▲ Falcoeiro, Punta 14 Qf 93
▲ Falconera (Bal) 96 Df 108
▲ Falconera, Punta 49 Db 95
▲ Falconeres, Serra de les 80 Ab 104
▲ Falcones, Punta (Ten) 172 B 2
Falcons, els (Lle) 46 Af 98
☆ Falgars, Santuari del 47 Bf 95
Falgons (Gir) 48 Cd 96 ✉ 17831
▲ Fallanquinos, Cerro 35 Tc 95
Falset (Tar) 64 Ae 102 ✉ 43730
▲ Famara, Play de (Palm) 176 C 3
Famorca (Ali) 129 Ze 116 ✉ 03813
Fanabé (Ten) 172 C 5
Fañanás (Hues) 44 Ze 96
▲ Fandeguero 62 Zb 101
Fangar (Bal) 99 Cf 110
☆ Fangar, Far del 80 Ae 104
≈ Fangar, Port de 80 Ae 104
Fanlillo (Hues) 27 Ze 94 ✉ 22611
Fanlo (Hues) 27 Aa 93
Fanlo (Hues) 27 Zf 93
Fano (Ast) 7 Ue 88
Fano (Ast) 7 Uc 88
Fanoi (Lug) 4 Sd 88
Fantova (Hues) 44 Ac 95
☆ Fantova, Castillo de 44 Ac 95
Fanzara (Cas) 95 Ze 108 ✉ 12230
Fao (Cor) 15 Re 91
Far, el (Lle) 46 Bb 98
☆ Far, el 48 Cd 96
Faraján (Mál) 158 Ue 129
▲ Farallóns, Os 4 Sd 86
Faramontanos de Tábara (Zam) 36 Ua 97
Faramontaos (Our) 33 Sa 95
Farasdués (Zar) 43 Yf 95
≈ Farasdués, Río 43 Yf 95
▲ Far de Cullera 114 Ze 113
Far d'Empordà, el (Gir) 49 Da 95
≈ Fardes, Río 153 Wf 123
≈ Fardes, Río 153 Wf 124
▲ Fardetes 55 Ud 98
▲ Farelo 15 Sa 92
▲ Farelo, Serra do 15 Sa 92
Farena (Tar) 64 Ba 101 ✉ 43459
Fares (Gir) 48 Ce 95 ✉ 17850
≈ Farfanya, Riu de 46 Ae 97
Farga, la (Lle) 28 Af 93
Farga, la (Gir) 30 Cb 94
Farga de Moles, la (Lle) 29 Bc 94 ✉ 25799
Fargalí Alto (Alm) 154 Xc 125
Fargalí Bajo (Alm) 154 Xc 125
Fargue (Gra) 152 Wc 125
▲ Fariones, Punta (Palm) 176 D 2
Fariza (Zam) 53 Te 100 ✉ 49213
Farlete (Zar) 62 Zd 98 ✉ 50163
Farnadeiros (Lug) 16 Sc 91
Farnadeiros (Our) 33 Sa 97 ✉ 32899
☆ Farners, Castell de 48 Cd 97
Faro (Lug) 4 Sc 86
☆ Faro, Ermita del 142 Yf 120
▲ Faro, Porto do 16 Sa 93
▲ Faro, Serra do 16 Sa 93
Faro de Arriba (Ast) 7 Ub 88 ✉ 33199
▲ Faro de Avión, Serra do 33 Re 95
Faro El Picacho de la Barra (Huel) 147 Ta 126
▲ Farraldos, Collado de los 107 Vd 114
Farrera (Lle) 29 Bb 93 ✉ 25595
Farrés, la (Gir) 48 Ce 96
Fasgar (Leó) 18 Te 92 ✉ 24133
Fasnia (Ten) 173 E 4 ✉ 38570
▲ Fasnia, Volcán de (Ten) 173 E 4
Fastias (Ast) 6 Td 88 ✉ 33879
Fataga (Palm) 174 C 3 ✉ 35108
≈ Fataga, Barranco de (Palm) 174 C 4
Fatarella, la (Tar) 62 Ac 102 ✉ 43781
▲ Fatarella, Serra de 62 Ac 102
▲ Fatares, Playa de 142 Yf 123
Fatás, Caserío (Hues) 26 Zc 94
Fatela, La (Các) 85 Tc 107
▲ Fates, Sierra de 164 Ub 132
Fátima (Gra) 139 Xb 122
☆ Fátima, Castillo de 158 Ud 128
Fátima-Juncal (Cád) 158 Uc 128
Fatxes (Tar) 64 Ae 102
▲ Fatxes, Coll de 64 Ae 102
Faucena (Gra) 152 Wd 124
Faura (Val) 95 Ze 110 ✉ 46512
Faura, Cortijo de (Alm) 140 Xf 122
Favanella (Ali) 128 Zc 117
Favara (Val) 114 Ze 114 ✉ 46614
Favareta = Favara (Val) 114 Ze 114
▲ Favàritx, Cap de (Bal) 96 Eb 109
▲ Faxilda, Punta 14 Ra 94
Fayón (Zar) 62 Ac 101
Fayos, Los (Zar) 42 Yb 97 ✉ 5051
Fayos Bajos, Caserío Los (Ter) 62 Zd 102
Fazouro (Lug) 4 Se 87
Feás (Cor) 3 Rf 89
Feás (Cor) 4 Sa 86
Feás (Our) 15 Re 94
Feás (Our) 33 Sb 97
Febeire, Cortijada de (Alm) 154 Xd 125
Febró, la (Tar) 64 Ba 101
Feces de Abaixo (Our) 34 Sd 98 ✉ 32699
Feces de Cima (Our) 34 Sd 97 ✉ 32698
▲ Fedorento, Praia 32 Ra 97
Feira do Monte (Lug) 4 Sc 89
Feira Nova (Cor) 2 Rb 89
Feira Nova, A (Our) 33 Sa 96
Felanitx (Bal) 99 Da 112 ✉ 07200
Felechares de la Valdería (Leó) 36 Tf 95
Felechas (Leó) 19 Ue 91 ✉ 24858
Felechosa (Ast) 19 Uc 90 ✉ 33688
Felgosas (Cor) 4 Sa 87
Felguera (Ast) 6 Ua 89
Felguera, La (Ast) 7 Ub 88
Felgueras (Ast) 19 Ub 90
Felguerina, La (Ast) 7 Ud 90
Feli (Mur) 155 Yc 123
Felipa, La (Alb) 111 Yb 114 ✉ 02156
Felipe, Cortijo de (Alb) 110 Xc 114
Felipes, Los (Val) 93 Yf 110
Felix (Alm) 162 Xc 127 ✉ *04728
☆ Félix Méndez, Refugio de 161 Wd 126
Felmín (Leó) 19 Uc 91
Femés (Palm) 176 B 4
▲ Femés, Atalaya de (Palm) 176 B 4
Fenals (Gir) 49 Ce 98
▲ Fenals, Platja de 49 Cf 98
Fenazar (Mur) 142 Ye 120 ✉ 30627
▲ Fenduca (Palm) 175 D 3
Fene (Cor) 3 Rf 88 ✉ 15500
Fenillosa (Hues) 27 Ze 94
Fenteira (Pon) 32 Rc 96
Fentosa (Pon) 15 Rd 94
Ferberza (Our) 34 Sf 94
Férez (Alb) 126 Ya 118
Feria (Bad) 119 Tc 117 ✉ 06390
≈ Ferial, Embalse de El 42 Yc 95
Fermoselle (Zam) 53 Td 101 ✉ 49220
Fernancaballero (Ciu) 108 Wa 114
Fernández, Los (Alm) 154 Xf 123
Fernandina (Jaé) 138 Wc 119
☆ Fernando de Aragón, Parador Nacional 25 Ye 93
Fernán-Núñez (Córd) 136 Vb 122
Fernán Pérez (Alm) 163 Xf 127
Ferradillo (Leó) 17 Tc 94 ✉ 24415
▲ Ferradura 96 Aa 108
Ferral del Bernesga (Leó) 19 Uc 93 ✉ 24010
Ferramubín (Lug) 17 Sf 93
Ferran (Lle) 47 Bc 98 ✉ 25216
☆ Férran, Castell 65 Bb 102
Ferreira (Gra) 153 Wf 125 ✉ 18513
Ferreira (Cor) 3 Rf 87
Ferreira (Lug) 4 Sb 88
Ferreira (Lug) 4 Sd 87
Ferreira (Lug) 16 Sb 91
≈ Ferreira, Río 16 Sc 91
Ferreiras (Lug) 17 Sf 92
Ferreiravella (Lug) 4 Se 89 ✉ 27744
≈ Ferreiriño, Río 16 Se 93
Ferreirola (Gra) 161 We 127 ✉ 18414
Ferreiros (Lug) 4 Sb 89
Ferreiros (Cor) 15 Re 91
Ferreiros (Lug) 16 Se 91
Ferreiros (Lug) 16 Sd 92
Ferreirós (Pon) 15 Re 92 ✉ 36599
Ferreiros de Arriba (Lug) 17 Sf 93 ✉ 27325
Ferreirúa (Our) 16 Sb 94
Ferrer, Cortijo (Gra) 139 Xc 122
▲ Ferrer, Serra del 129 Zf 116
Ferrera (Ast) 7 Uc 89
▲ Ferrera, Sierra 27 Ab 94
Ferreras (Leó) 18 Ua 93
▲ Ferreras, Pico de 27 Ze 92
Ferreras de Abajo (Zam) 36 Tf 97 ✉ 49335
Ferreras de Arriba (Zam) 35 Te 97 ✉ 49335

erreras del Puerto (Leó) 20 Uf91 ✉24886
erreres (Gir) 49 Cf96
erreres, les (Bar) 47 Bf96
errería (Lug) 16 Se93
erreries (Bal) 96 Ea109 ✉07750
erreros (Zam) 35 Tc96 ✉49321
erreruela (Zam) 36 Tf98 ✉49550
erreruela de Huerva (Ter) 61 Ye102 ✉44490
erreruela de Távara (Zam) 36 Tf98
errete (Mál) 165 Ue130
erro, Lo (Mur) 142 Za122 ✉30709
erroi (Lug) 16 Sc91
errol (Cor) 3 Re88
Ferrol, Ría de 3 Re88
Ferrutx, Es Cap de (Bal) 99 Dc110
Fervedoira 16 Sc90
Fervenza, Encoro da 14 Qf91
ervenzas (Cor) 3 Rf89 ✉15145
esnedo (Ast) 7 Ud88
esnedo (Ast) 18 Tf90
estín (Pon) 32 Rd95
et (Hues) 44 Ad96
iais (Lug) 17 Sf94
▲ Fial das Corzas, Serra do 34 Sd96
ierrales, Cortijo de los (Jaé) 138 We122
igal, La (Ast) 6 Tc87
igaredo (Ast) 7 Ub89 ✉33683
igares (Ast) 6 Te88
igaró (Bar) 48 Cb98
igarol (Nav) 42 Yd94 ✉31311
igarol, Caserío (Nav) 43 Yd94
igaró-Montmany (Bar) 48 Cb98
igols (Lle) 46 Bc95
ígols = Fígols de les Mines (Bar) 47 Be97
ígols de la Conca (Lle) 46 Ae96
ígols de les Mines = Fígols (Bar) 47 Be97
ígols de Tremp = Fígols de la Conca (Lle) 46 Ae96
ígols i Alinyà (Lle) 46 Bc95
igueiras (Lug) 4 Sd88
igueiras (Cor) 15 Rc91
igueiras (Cor) 15 Rf91
igueiró (Pon) 32 Rb97 ✉36792
igueiroa (Cor) 15 Rf91
≈ Figuera, Cala 64 Af102
Figuera, la (Lle) 44 Ad97 ✉25130
☆ Figuera, la 47 Be98
Figuera, la (Tar) 64 Ae101 ✉43736
Figueral (Ali) 128 Zb117
Figueral, Es (Bal) 97 Bd114
▲ Figueral, Platja (Bal) 97 Bd114
Figueras (Ast) 5 Sf87
Figueredo, Cortijo de (Bad) 118 Sf119
Figueres (Gir) 31 Cf95 ✉17600
Figuerina, La (Ast) 5 Tb89 ✉33887
Figueroa (Cor) 4 Sa86
Figuerola del Camp (Tar) 64 Bb100 ✉43811
Figuerola de Meià (Lle) 46 Af97
Figuerola d'Orcau (Lle) 46 Af96 ✉25655
Figueroles (Cas) 95 Ze108 ✉12122
Figuerosa, la (Lle) 46 Bb98 ✉25351
Figueruela de Abajo (Zam) 35 Td97 ✉49520
Figueruela de Arriba (Zam) 35 Td97 ✉49520
Figueruela de Sayago (Zam) 54 Ua101 ✉49177
Figueruelas (Zar) 43 Ye98 ✉50639
☆ Figueruelas, Castillo de 44 Zc96
Fika (Viz) 11 Xb89
▲ Filabres, Sierra de los 154 Xd125
▲ Filera, Sierra de la 18 Ua91
Filgueira (Cor) 2 Rb89 ✉15325
Filgueira (Lug) 16 Sa91 ✉27205
Filgueira (Pon) 33 Re95
Filgueira de Barranca (Cor) 3 Rf90
Filgueira de Traba (Cor) 3 Re90
Filgueiras (Cor) 3 Rf88 ✉15144
☆ Filgueiras 3 Rf88
Filgueirua (Lug) 5 Sf88
▲ Filià, Pic de 28 Af94
Filiel (Leó) 35 Td94 ✉24723
Fillol (Bar) 65 Bc99
Fimapaire, Cortijo de (Palm) 175 E2
Fimía, Cortijos de (Córd) 137 Ve119
Fiñana (Alm) 153 Xb125 ✉04500
≈ Fiñana, Río de 153 Xa126
Finca de Belvalle (Cue) 77 Ya105
Finca del Moro (Cas) 80 Ac106
Finca del Vicario (Palm) 175 E3
Fines (Alm) 154 Xe124 ✉04869
Finestras (Hues) 44 Ad96
Finestrat (Ali) 129 Ze117 ✉03509
≈ Finisterre, Embalse de 108 Wc111
Finolledo (Leó) 17 Tc93 ✉24459
Fiolleda (Lug) 16 Sc93
Fiolledo (Pon) 32 Rd96 ✉36457
Fión (Lug) 16 Sc93
Fiopáns (Cor) 14 Rb91
Fiós (Our) 34 Sc94
☆ Fíos 7 Ue88
Fique (Jaé) 139 Wf122
Firgas (Palm) 174 C2
Fiscal (Hues) 27 Zf94 ✉22373
Fiscal, Cortijo del (Córd) 137 Ve121
Fistel, Cortijo del (Gra) 152 Wd124
Fisterra (Cor) 14 Qe91
▲ Fisterra, Cabo 14 Qe91
Fisteus (Cor) 3 Rf90
Fitero (Nav) 42 Ya96 ✉31593
☆ Fito, Mirador del 7 Ue88
Fitoiro (Our) 34 Sd95 ✉32767
Fitor (Gir) 49 Da97
Fixón (Pon) 32 Rb94
Flaçà (Gir) 49 Cf96
▲ Flamenca, Playa 143 Zb121
≈ Flamicell, el 28 Af94
≈ Flamiuell, el 46 Af95
Flariz (Our) 34 Sc97 ✉32618
Flecha, La (Vall) 56 Vb99 ✉47195
Fleix (Ali) 129 Zf116 ✉03791
Flix (Lle) 46 Af98
Flix (Tar) 62 Ad101 ✉43750
Flix (Bar) 65 Bd99
≈ Flix, Pantà de 62 Ac101
Flor de Acebos (Ast) 19 Ub90 ✉33693
☆ Florderrei, Ermida de 34 Se97
Florejacs (Lle) 46 Bb98 ✉25211
Flores (Huel) 133 Ta120
Flores (Viz) 11 Xb89
Flores (Zam) 53 Te98 ✉49559
▲ Flores 73 Uf103
Flores, Cortijo de (Ciu) 125 Xb116
Flores de Ávila (Ávi) 73 Uf103
Floresta, la (Lle) 64 Af99 ✉25413
Floresta, la (Bar) 66 Ca100
Florida (Sev) 135 Ua120
≈ Florida, Embalse de la 6 Td89
Florida, La (Cád) 164 Tf131
Florida, La (Ali) 143 Zb120
Florida, La (Palm) 174 D4
Florida, La (Ten) 173 E3 ✉*38311
Florida, La (Alb) 126 Ya115
Florida, La (Ast) 6 Td89
Florida, La (Can) 9 Vd89
Florida, La (Mad) 74 Wb106
Florida de Liébana (Sal) 72 Ub102
Flotas de Butrón, Las (Mur) 141 Yd122
≈ Flumen, Canal de 44 Zd96
≈ Flumen, Río 44 Zd95
☆ Fluvià, Castell de 48 Cc98
≈ Fluvià, el 48 Cd95
≈ Fluvià, el 49 Da96
Focella (Ast) 18 Tf90 ✉33111
Fofe (Pon) 32 Rd95
Fogars de la Selva (Bar) 48 Ce98 ✉08495
Fogars de Montclús (Bar) 48 Cc98
Fogonella (Gir) 48 Cb95
Fogueres del Pla (Gir) 48 Cd98
Foia, la (Ali) 143 Zb119 ✉03839
☆ Foia, la 64 Ae101
Foiamanera, la (Ali) 129 Zf117
Foies, les (Cas) 80 Zf106
Foilebar (Lug) 16 Sc92
Foilebar (Lug) 16 Se92
Foios (Val) 114 Zd111 ✉46134
☆ Foios 95 Ze108
☆ Foix, Castell de 65 Bd100
≈ Foix, Pantà de 65 Bd101
≈ Foix, Riu de 65 Bd100
Foixà (Gir) 49 Da96
Fojedo (Leó) 19 Ub93 ✉24392
Folch (Gir) 29 Be94
Foldada (Pal) 21 Vd92 ✉34810
Folgosa (Lug) 16 Se91
Folgoso (Pon) 15 Rd93 ✉36558
Folgoso (Ast) 17 Ta90 ✉33810
Folgoso (Lug) 17 Se93 ✉27325
Folgoso de la Carballeda (Zam) 35 Td97 ✉49594
Folgoso de la Ribera (Leó) 18 Te93 ✉24311
Folgoso del Monte (Leó) 18 Td93 ✉24413
Folgoso do Courel (Lug) 17 Se93
Folgueiras (Ast) 5 Sf88
Folgueiras (Lug) 4 Sc88
Folgueiras (Lug) 17 Ta91
Folgueiro (Lug) 4 Sc86
Folguer (Lle) 46 Ba96
Folgueras (Ast) 6 Ua88
Folgueroles (Bar) 48 Cb97 ✉08519
Folledo (Leó) 19 Ub91 ✉24608
☆ Fombasalla, Ermita de 17 Tb92
Fombellida (Can) 21 Vf91 ✉39213
Fombellida (Vall) 38 Ve98 ✉47184
Fombuena (Zar) 61 Ye102 ✉50491
Fompedraza (Vall) 56 Vf99 ✉47311
Foncastín (Vall) 55 Uf100
Foncea (Rio) 22 Wf93 ✉26211
▲ Foncea 22 Wf93
Foncebadón (Leó) 18 Te94
Fonchanina (Hues) 28 Ad93 ✉22474
Foncubierta, Cortijo de la (Córd) 150 Vb123
Fonda de Santa Teresa (Ávi) 73 Uf106
Fondarella (Lle) 64 Af99 ✉25244
Fondeadero de Fasnia (Ten) 173 E4
Fondó de Monòver, el (Ali) 128 Za118
Fondón (Alm) 162 Xa127
Fondos de Vegas (Ast) 17 Tc91
Fonelas (Gra) 153 We124 ✉18515
Fonfria (Lug) 17 Sf92
Fonfría (Ast) 7 Uc88
Fonfría (Leó) 18 Te93
Fonfría (Zam) 54 Tf99
Fonfría (Ter) 78 Yf103
▲ Fonfría, Puerto de 78 Yf103
Fonoll (Tar) 64 Bb99
Fonolleres (Lle) 46 Bb99 ✉25218
☆ Fonollet 47 Bf97
Fonollosa (Bar) 47 Be98 ✉08259
≈ Fons, Estany 29 Bc93
Fonsagrada, A (Lug) 5 Sf90
Fonseca (Sal) 70 Tc105
☆ Fonseca, Castillo de 54 Ub102
☆ Fonseca, Castillo de 56 Vc101
Fontaíña (Cor) 3 Rd89 ✉15592
Fontalba, Cortijo de (Ciu) 123 Wa117
Fontalbas, Cortijo Los (Córd) 136 Vc122
Fontanals de Cerdanya (Gir) 30 Bf94 ✉17538
Fontanar (Jaé) 139 Xa122 ✉23486
Fontanar (Ali) 128 Zb117
Fontanar (Gua) 75 We104 ✉19290
Fontanar, El (Córd) 150 Vb123 ✉14547
Fontanar de Alarcón, El (Alb) 126 Xf116
Fontanar de las Viñas (Alb) 126 Xf116 ✉02129
Fontanarejo (Ciu) 107 Vc113 ✉13193
Fontanares (Mur) 140 Ya122 ✉30811
Fontanares, Caserío de los (Jaé) 138 Wb122
Fontanars dels Alforins (Val) 128 Zb116 ✉46635
Fontaneda (AND) 29 Bc94
Fontaneira, A (Lug) 17 Se90
▲ Fontaneira, Alto da 17 Se90
☆ Fontanelles, Cova de les (Bal) 97 Bb114
Fontanelles, Les (Ali) 128 Zb117
Fontanil de los Oteros (Leó) 37 Ud94 ✉24291
▲ Fontanilla, Playa de 164 Tf131
Fontanillas de Castro (Zam) 54 Ub98 ✉49743
Fontanilles (Gir) 49 Da96 ✉17257
Fontanosas (Ciu) 122 Vc116 ✉13473
Fontanos de Torío (Leó) 19 Uc92
Fontao (Pon) 15 Re92
Fontao (Lug) 16 Sc91
Fontao (Lug) 16 Sd92
▲ Fontardión 3 Sa88
☆ Fontcalda, la 80 Ac103
Font Calent (Ali) 128 Zc118
Fontclara (Gir) 49 Da97 ✉17256
Fontcoberta (Gir) 49 Ce96 ✉17833
Font de Còdol, le (Bar) 65 Be99
Font de la Cala, Sa (Bal) 99 Dc110
Font de la Figuera (Ali) 128 Zd117
Font de la Figuera, la (Val) 128 Za116 ✉46630
Font d'En Carròs, la (Val) 129 Ze115 ✉46717
Font d'En Segures, la (Cas) 80 Zf106
Fontdepou (Lle) 46 Ae97 ✉25611
Font de Quinto, la (Tar) 80 Ad104 ✉43897
Fonte, El (Alm) 154 Xf126 ✉04271
Fontebona (Ast) 6 Tf88 ✉33127
Fontecada (Cor) 14 Ra91 ✉15837
Fontecha (Pal) 20 Vb92
Fontecha (Ála) 23 Wf92 ✉01423
Fontecha (Leó) 36 Ub94 ✉24250
Fontedoso (Our) 34 Sc95 ✉32750
Fontellas (Nav) 42 Yc96 ✉31512
Fontellas (Hues) 43 Zb95 ✉22809
Fontenebro (Mad) 74 Wa105
Fonteñera, La (Các) 103 Se112
Fonteo (Lug) 16 Se90 ✉27278
Fonterova (Lug) 4 Sc87
Fontescaldes = Fontscaldes (Tar) 64 Bb101
Fonteta (Gir) 49 Da97 ✉17110
Fontibre (Can) 21 Ve90 ✉39212
Fontihoyuelo (Vall) 37 Uf96 ✉47609
Fontilles (Ali) 129 Zf116 ✉03791
Fontioso (Bur) 39 Wb97 ✉09349
Fontiveros (Ávi) 73 Va103 ✉05310
Fontllonga (Lle) 46 Af97 ✉25615
Font Nova (Tar) 80 Ac103
Fontoria (Leó) 17 Tc92 ✉24434
Fontoria de Cepeda (Leó) 18 Tf93 ✉24711
Font Picant, la (Gir) 48 Cd96
Font Roja, Santuari de la (Ali) 128 Zc117
Font-rubí (Bar) 65 Bd100
Fonts, les (Cas) 96 Ab107
Fonts, les (Bar) 66 Ca99
▲ Fonts, Platja de les 96 Ab107
Fontsagrada (Lle) 46 Af96 ✉25639
Fontsanta, La (Gir) 48 Cb96
Font Santa, Sa (Bal) 96 Df108
Fontscaldes = Fontescaldes (Tar) 64 Bb101 ✉43813
Fontscaldetes (Tar) 64 Bb100
▲ Fonts Redones, Se (Bal) 96 Ea109
Fonz (Hues) 45 Ab96 ✉22422
Fonzaleche (Rio) 23 Wf93 ✉26211
≈ Fora, Costa de 80 Ad105
Foradada (Lle) 46 Ba97 ✉25737
☆ Foradada, la 48 Cc98
▲ Foradada, Puerto de 27 Ab94
▲ Foradada, Punta de sa (Bal) 98 Cd110
Foradada del Toscar (Hues) 27 Ac94 ✉22452
▲ Foradat, S'Illot (Bal) 98 Cf113
Forallac (Gir) 49 Da97 ✉17111
≈ Forata, Embalse de 113 Za112
▲ Forca 26 Zb92
Forcadas (Our) 34 Sd95
≈ Forcadas, Encoro das 3 Rf87
Forcadela (Pon) 32 Rb97
Força d'Estany, la (Lle) 46 Ba97
▲ Forcados, Os 14 Ra93
▲ Forcala, Loma de 26 Zb92
Forcall (Cas) 80 Ze105 ✉12310
▲ Forcallo, El 44 Ze96
Forcarei (Pon) 15 Rd93
Forcas (Our) 34 Sc94 ✉32748
Forcat (Hues) 28 Ae93 ✉22487
Forès (Tar) 64 Bb100
Forfoleda (Sal) 54 Ub102 ✉37799
Forja (Our) 33 Sa96
Formaris (Cor) 15 Rd91
Formariz (Zam) 53 Te100 ✉49230
≈ Formas, Bahía de (Palm) 174 D3
▲ Formentera (Bal) 97 Bb114
▲ Formentera, Illa de (Bal) 97 Bc116
Formentera del Segura (Ali) 143 Zb120 ✉03179
Formentor (Bal) 99 Da109 ✉07470
▲ Formentor, Cap de (Bal) 99 Db109
Formet (Bal) 96 Eb109
Formiche Alto (Ter) 94 Za107 ✉44440
Formiche Bajo (Ter) 94 Za107 ✉44441
Formiga, Can (Gir) 48 Cd97
≈ Formiga, Río 44 Ze95
Formigal, El (Hues) 26 Zd92
Formigales (Hues) 45 Ab95 ✉22336
Formigones (Leó) 18 Ua92 ✉24124
Forn (Lle) 47 Bc95
Forna (Ali) 129 Zf115 ✉03786
Forna (Leó) 35 Tc95 ✉24746
▲ Forna, Peña de 35 Tc95
Fornalutx (Bal) 98 Ce110 ✉07109
Fornas de Torrelo (Bal) 96 Eb109
Forn de Carrascosa, el (Val) 114 Zd113
Fórnea, A (Lug) 5 Se88
Fornelas (Lug) 16 Sd93 ✉27334
Fornells (Bal) 96 Ea108
Fornells (Bal) 98 Cc111
Fornells (Gir) 49 Db97
▲ Fornells, Cap de (Bal) 96 Ea108
Fornells de la Muntanya (Gir) 30 Ca95 ✉17536
Fornells de la Selva (Gir) 49 Ce97 ✉17458
Fornelos (Cor) 2 Ra90
Fornelos (Pon) 32 Rd96
Fornelos (Pon) 32 Rb97
Fornelos (Our) 34 Sf95
Fornelos de Filloas (Our) 34 Se96 ✉32562
Fornelos de Montes (Pon) 32 Rd95
Fornes (Gra) 160 Wa127 ✉18127
≈ Fornes, Riu 48 Cb96
▲ Forneu (Bal) 97 Bc114
Fornillos (Hues) 45 Aa97
Fornillos de Aliste (Zam) 53 Te99 ✉49513
Fornillos de Apiés (Hues) 44 Zd95
Fornillos de Fermoselle (Zam) 53 Td100 ✉49232
Fórnoles (Ter) 80 Aa103
Fòrnols (Lle) 47 Bd95
Fornos (Ast) 7 Uc89
Foro (Cor) 15 Rf90
Foronda (Ála) 23 Xb91 ✉01196
▲ Forradada de Torre Nova, Punta (Bal) 98 Cc111
▲ Forriolo, Alto do 33 Sa96
Fortaleny (Val) 114 Ze113 ✉46418
☆ Fortalesa 80 Zf105
▲ Fortaleza (Ten) 172 B2
☆ Fortaleza Col de Ladrones 26 Zc92
☆ Fortaleza Grande (Palm) 174 C3
Fortanete (Ter) 79 Zc105 ✉44143
Forte (Cor) 15 Rd91
Fortesa, la (Bar) 47 Bd98
Fortesa, la (Bar) 65 Be100
Fortià (Gir) 49 Da95
Fortuna (Mur) 142 Yf119 ✉30620
Fortuna, La (Mad) 90 Wb106 ✉28917
Forua (Viz) 11 Xb88 ✉48393
Forxa, A (Our) 33 Rf94 ✉32456
Forzáns (Pon) 32 Rd94 ✉36853
Fosado (Hues) 27 Ab94 ✉22452
Fosca, la (Gir) 49 Da97 ✉17230
▲ Foseta 18 Ua93
▲ Fossa, Platja la 49 Da97
Fotuya (Mur) 140 Xf119
Foxados (Cor) 3 Rf90
Foxo (Cor) 3 Rc89
Foxo (Pon) 15 Rd92
Foyedo (Ast) 5 Tc88
Foyedo (Ast) 6 Te87
Foyos = Foios (Val) 114 Zd111
Foz (Lug) 4 Se87
Foz, La (Ast) 6 Ua89
Foz, La (Ast) 7 Ue90
≈ Foz, Ría de 4 Se87
Fozara (Pon) 32 Rc95
Foz-Calanda (Ter) 80 Ze103
Fradellos (Zam) 35 Te98 ✉49519
Fradelo (Our) 34 Sf96 ✉32557
Frades (Cor) 15 Re90 ✉15686
▲ Frades, Sierra de 72 Ub104
Frades de la Sierra (Sal) 72 Ub105 ✉37766
Frades Viejo (Sal) 54 Ua102 ✉37115
Fraella (Hues) 44 Ze97 ✉22268
Fraga (Pon) 32 Rb95
Fraga (Hues) 62 Ac99 ✉22520
Fraga, A (Our) 33 Rf96 ✉32516
▲ Fragal 43 Za95
Fragén (Hues) 27 Zf93
▲ Fragina, Sierra de 41 Xb96
Fraginal (Hues) 26 Zc93
Frago, El (Zar) 43 Za95 ✉50610
Fragosa (Các) 71 Te106 ✉10627
Fragoselo (Pon) 32 Rb95
▲ Fragoselo, Serra de 3 Rf88
Fraguas (Pon) 15 Rd94
Fraguas (Sal) 72 Ub103
Fraguas (Gua) 75 Wf102
Fraguas, Caserío (Alb) 112 Yd114
Fraguas, Las (Can) 9 Vf89 ✉39450
Fraguas, Las (Sor) 59 Xb98 ✉42192
Frague, El (Gra) 152 Wc124
▲ Fraile (Palm) 174 B5
Fraile, Cortijo del (Mál) 151 Vd125
▲ Fraile, Isla del 155 Yc124
▲ Fraile, Peña del 20 Vb91
▲ Fraile, Peña del 92 Yb106
▲ Fraile, Playa de (Ten) 173 C2
▲ Fraile, Punta del 165 Ud132
▲ Fraile, Punta del (Ten) 173 E2
▲ Fraile Alto 42 Yd96
Frailes (Jaé) 152 Wa124 ✉23690
Frailes, Cortijo de los (Jaé) 138 We122
Frailes, Cortijo de los (Córd) 136 Vc119
▲ Frailes, Dehesa de los 104 Td113
≈ Frailes, Río 152 Wb124
Frailes de Arriba, Caserío de los (Bad) 118 Sf116
Frairia, A (Lug) 16 Se90 ✉27124
Fraja (Cád) 164 Ub129
≈ Fraja, Río de 164 Ub129
Frama (Can) 8 Vc90 ✉39574
Frameán (Lug) 16 Sb92
Franca, La (Ast) 8 Vc88 ✉33590
▲ Franca, Play de la 8 Vc88
Francàs, el (Tar) 65 Bc101
Francés, El (Gra) 153 Xb124
▲ Francesa, Playa (Palm) 176 C2
Franceses (Ten) 171 B2
▲ Francia, Peña de 15 Sa93
Franciac (Gir) 49 Ce97
≈ Francisco Abellán, Embalse de 152 We125
Franco (Bur) 23 Xb92 ✉09215
Franco, El (Ast) 5 Tb87
Franco, El (Ast) 5 Ta87
≈ Franco, Río 39 Wa96
≈ Francolí, Riu 64 Bb101
Francos (Seg) 58 Wd100 ✉40514
Francos (Sal) 72 Ud103
Frandovínez (Bur) 39 Wa95
Franqueira, A (Pon) 32 Rd95 ✉36889
Franquesa, Sa (Bal) 99 Da111

☆Franqueses, Monestir les 46 Ae 98
Franqueses del Vallès, les (Bar) 66 Cb 99
Frasno, El (Zar) 60 Yd 100 ✉50320
▲Frasno, Puerto de El 60 Yc 100
Frauca (Hues) 26 Zd 93
▲Fray Manuel, Valle 39 Wa 97
Freán (Lug) 16 Sb 93
Freande (Our) 34 Sc 96 ✉32631
Freás (Our) 15 Sa 94
Freás (Our) 33 Rf 96
Frechilla (Pal) 37 Va 96 ✉34306
Frechilla de Almazán (Sor) 59 Xc 100
Fredes (Cas) 80 Ab 104 ✉12599
Fregenal de la Sierra (Bad) 133 Tc 120 ✉06340
Fregeneda (Sal) 70 Ta 103 ✉37220
Fregenite (Gra) 161 Wd 128 ✉18710
Freginals (Tar) 80 Ad 104 ✉43558
Freije (Ast) 5 Sf 88 ✉33775
Freila (Gra) 153 Xa 123 ✉18812
Freires (Cor) 4 Sb 87
Freita, la (Lle) 47 Bc 95 ✉25713
▲Freito, Monte 14 Rb 92
Freixe (Lle) 46 Bb 94 ✉25566
Freixeiro (Cor) 14 Rb 90
Freixeiro (Pon) 15 Re 93
Freixenet (Gir) 30 Cc 94
Freixenet (Lle) 47 Bd 97
Freixenet de Segarra (Lle) 47 Bc 99
Freixido (Our) 34 Sf 94
Freixo (Cor) 4 Sb 87
Freixo (Lug) 16 Se 92 ✉*27134
Freixo (Our) 33 Sa 95
Frenil, Cortijo del (Córd) 136 Vb 122
Fréscano (Zar) 42 Yd 97
☆Fresdelval, Exconvento de 39 Wb 94
≈Freser, el 30 Cb 94
Fresnadilla, La (Jaé) 125 Xc 118
Fresnadillo (Zam) 54 Tf 100 ✉49255
▲Fresnal, El 112 Za 112
Fresneda (Can) 9 Ve 89 ✉39518
Fresneda (Ávi) 73 Vb 105
▲Fresneda 73 Vb 105
Fresneda, Cortijo (Gra) 152 Wd 123
≈Fresneda, Embalse de la 123 Wb 117
Fresneda, La (Ast) 7 Ub 88
Fresneda, La (Ter) 80 Aa 103 ✉44596
Fresneda, La (Tol) 88 Va 110 ✉45651
≈Fresneda, Río 123 Wb 117
Fresneda de Altarejos (Cue) 92 Xe 109 ✉16781
Fresneda de Cuéllar (Seg) 56 Vd 101
Fresneda de la Sierra (Cue) 77 Xf 106 ✉16141
Fresneda de la Sierra Tirón (Bur) 40 Wf 95
Fresneda de Sepúlveda (Seg) 57 Wb 101
Fresnedilla (Ávi) 88 Vc 107 ✉05427
Fresnedilla, Cortijada de La (Jaé) 152 Wb 123
Fresnedilla, La (Jaé) 139 Xa 120
Fresnedillas (Mad) 74 Vf 106
Fresnedo (Can) 10 Wc 88
Fresnedo (Leó) 17 Tc 92
Fresnedo (Ast) 18 Ua 90
Fresnedo (Bur) 22 Wc 91 ✉09553
Fresnedo de Valdellorma (Leó) 19 Ue 92 ✉24878
Fresnedoso (Sal) 72 Ub 106 ✉37775
≈Fresnedoso, Arroyo 107 Vb 110
≈Fresnedoso, Arroyo de 87 Ud 109
☆Fresnedoso, Palacio Nuevo de 86 Ua 109
≈Fresnedoso, Río 106 Va 112
Fresnedoso de Ibor (Các) 106 Uc 110 ✉10328
Fresnellino del Monte (Leó) 19 Uc 94 ✉24232
Fresneña (Bur) 40 Wf 94 ✉09259
Fresnidiello (Ast) 7 Ue 89 ✉33585
Fresnillo de las Dueñas (Bur) 57 Wc 99 ✉09491
☆Fresno, Capilla del 6 Ua 88
☆Fresno, Cueva El 8 Va 88
▲Fresno, El 113 Za 113
Fresno, El (Ávi) 73 Vb 105 ✉05197
Fresno, El (Gua) 75 We 104
Fresno, El (Các) 85 Tc 108
Fresno-Alhándiga (Sal) 72 Uc 104
Fresno de Cantespino (Seg) 57 Wd 100 ✉40516
Fresno de Caracena (Sor) 58 Wf 100 ✉42311
Fresno de la Carballeda (Zam) 35 Td 96 ✉49318
Fresno de la Fuente (Seg) 57 Wc 100 ✉40540
Fresno de la Polvorosa (Zam) 36 Ub 96 ✉49693
Fresno de la Ribera (Zam) 54 Uc 99
Fresno de la Vega (Leó) 36 Uc 94 ✉24223
Fresno del Camino (Leó) 19 Uc 93 ✉24391
Fresno de Losa (Bur) 22 Wf 91 ✉09511
Fresno del Río (Can) 21 Vf 90
Fresno del Río (Pal) 20 Vb 92
Fresno de Riotirón (Bur) 22 We 94
Fresno de Rodilla (Bur) 39 Wd 94 ✉09290
Fresno de Sayago (Zam) 54 Ua 101 ✉49216
Fresno de Torote (Mad) 75 Wd 105 ✉28815
Fresno de Valduerna (Leó) 36 Tf 95
Fresno el Viejo (Vall) 55 Uf 101 ✉47480
Fresnos, Los (Bad) 119 Tb 115
Fresnos, Los (Bad) 118 Ta 117
Fresnosa, La (Ast) 7 Ub 89
▲Fresquera, Vall de 79 Zd 103
▲Fret Puig 48 Cb 98
▲Freu, Cap del (Bal) 99 Dc 110
Frexulfe (Lug) 4 Sd 87
Friamonde (Lug) 16 Sb 92
Frías (Bur) 22 We 92
Frías de Albarracín (Ter) 93 Yc 106
≈Friegamuñoz, Arroyo 118 Se 118
Frieira (Pon) 33 Re 96
≈Frieira, Encoro de 33 Rf 95
Friela (Leó) 17 Tb 93
Friera de Valverde (Zam) 36 Ua 97 ✉49698
Frieres (Ast) 7 Ub 89 ✉33929
Frigiliana (Mál) 160 Wa 128 ✉29788
≈Frío, Río 107 Vd 114
≈Frío, Río 20 Vc 90
Friol (Lug) 16 Sb 90
Frixe (Cor) 14 Qe 90
Froián (Lug) 16 Sd 92
Frollais (Lug) 16 Sd 92 ✉27638
Frómista (Pal) 38 Vd 95
Frontal (Lug) 5 Ta 89
Frontera (Ten) 173 C 2 ✉38911
Frontera, La (Cue) 77 Xe 106 ✉16144
▲Frontera, Parque Rural de (Ten) 173 B 2
Frontiñán (Hues) 45 Aa 95
Frontón (Palm) 174 C 2
Frontón (Lug) 16 Sc 94
▲Frontón, El 92 Ya 109
Froseira (Ast) 5 Ta 88 ✉33731
Froufe (Our) 15 Re 93
≈Frouxeira, Lagoa da 3 Rf 87
▲Frouxeria, Punta 3 Re 87
▲Frouxeria, Praia de 3 Rf 87
Froxán (Lug) 16 Se 93
Fruíme (Cor) 14 Rb 92
Fruiz (Viz) 11 Xb 89 ✉48116
Frula (Hues) 44 Zd 97 ✉22269
Frumales (Seg) 56 Ve 100 ✉40298
☆Fucimanya 47 Bf 98
☆Fuego (Palm) 176 C 4
▲Fuego (Ten) 171 B 3
▲Fuego, Mojón de (Palm) 174 C 4
▲Fuego, Montañas del (Palm) 176 B 4
Fuembellida (Gua) 77 Ya 104 ✉19390
☆Fuempudia, Ermita de la 43 Yd 98
Fuencalderas (Zar) 43 Za 94 ✉50619
Fuencaliente (Ciu) 122 Ve 118
Fuencaliente (Ciu) 108 Vf 113
☆Fuencaliente, Faro de (Ten) 171 B 4
▲Fuencaliente, Punta de (Ten) 171 B 4
Fuencaliente de la Palma (Ten) 171 B 4
Fuencaliente del Burgo (Sor) 58 We 98 ✉42141
Fuencaliente de Lucio (Bur) 21 Vf 92 ✉09127
Fuencaliente de Medina (Sor) 59 Xd 102
Fuencaliente de Puerta o Fuencalenteja (Bur) 21 Vf 93
Fuencaliente y Calera (Alm) 154 Xc 124 ✉04897
Fuencarral (Mad) 75 Wb 106
Fuencemillán (Gua) 76 Wf 103
Fuencivil (Bur) 21 Wa 93 ✉09129
Fuencubierta, La (Córd) 136 Va 122
Fuendecampo (Hues) 27 Ab 94 ✉22452
Fuendejalón (Zar) 42 Yd 98
Fuen del Cepo (Ter) 94 Zb 108
Fuendetodos (Zar) 61 Za 100 ✉50142
Fuenferrada (Ter) 79 Yf 103 ✉44741
Fuenfría (Jaé) 125 Xb 118
▲Fuenfría, Puerto de 74 Vf 104
Fuengirola (Mál) 159 Vc 129 ✉29640
☆Fuengirola, Castillo de 159 Vc 129
▲Fuengirola, Playas de 159 Vc 129
Fuenlabrada (Alb) 126 Xe 117
Fuenlabrada (Mad) 90 Wb 107 ✉*28941
Fuenlabrada, Cortijo de la (Ciu) 125 Xa 116
Fuenlabrada de los Montes (Bad) 107 Va 114 ✉06660
▲Fuenlengua, Sierra de la 108 Vf 113
Fuenllana (Ciu) 125 Xa 116 ✉13333
☆Fuen-María, Ermita de la 93 Yd 109
Fuenmayor (Rio) 23 Xc 94 ✉26360
☆Fuenmayor, Central Eléctrica de 138 Wc 122
Fuenreal (Córd) 136 Va 122
Fuensaldaña (Vall) 56 Vb 98 ✉47194
Fuensalida (Tol) 89 Ve 108 ✉45510
Fuensanta (Gra) 151 Wa 125 ✉18328
Fuensanta (Mur) 141 Ya 122
Fuensanta (Alb) 111 Xf 113 ✉02637
Fuensanta, Cortijo de la (Cád) 157 Uc 128
≈Fuensanta, Embalse de la 126 Xe 118
☆Fuensanta, Ermita de la 157 Ub 128
☆Fuensanta, Ermita de la 151 Vf 123
☆Fuensanta, Ermita de la 138 Wd 122
☆Fuensanta, Ermita de la 137 Ve 120
Fuensanta, La (Alm) 154 Ya 123
Fuensanta, La (Mur) 140 Xf 119
Fuensanta, La (Alb) 126 Xf 116 ✉02129
Fuensanta, La (Ter) 93 Ye 107
☆Fuensanta, Santuario de la 142 Yf 121
Fuensanta de Martos (Jaé) 151 Wa 123 ✉23610
Fuensaúco (Sor) 41 Xd 98
Fuensaviñán, La (Gua) 76 Xc 103
Fuenseca, Caserío El (Ter) 94 Zb 108
Fuenseca, Cortijo de la (Mur) 140 Xf 120
Fuente, La (Alm) 155 Yb 124 ✉04647
☆Fuente, Mirador de la 21 Vd 90
▲Fuente, Montaña de la (Palm) 174 B 4
Fuente Álamo (Gra) 153 Wf 124
Fuente Álamo (Córd) 150 Vb 124
Fuente Álamo (Jaé) 151 Vf 124
Fuente-Álamo (Mur) 142 Ye 122
Fuente-Álamo (Alb) 127 Yd 116
Fuente Álamo, Caserío (Mur) 140 Ya 120
Fuentealbilla (Alb) 112 Yc 113 ✉02260
☆Fuentealbilla, Cueva 112 Yc 113
Fuente Alegre, Cortijo de (Alm) 140 Xf 123
Fuente Amores, Cortijo de (Jaé) 139 We 122
Fuente-Andrino (Pal) 38 Vd 94
Fuentearmegil (Sor) 58 We 98 ✉42141
Fuentebella (Sor) 41 Xf 96
Fuente-Blanca (Mur) 142 Ye 119
Fuente Blanca (Bad) 133 Tc 119
Fuentebureba (Bur) 22 We 93 ✉09244
Fuente Caldera (Gra) 153 We 123
Fuente Calixto (Tol) 90 Wb 110
Fuentecambrón (Sor) 58 We 99
Fuentecantales (Sor) 58 Xa 98 ✉42317
Fuentecantos (Sor) 41 Xd 97 ✉42162
Fuente-Carrasca (Alb) 126 Xe 118
Fuente Carrasca (Jaé) 125 Xc 118
Fuente Carretero, Aldea de (Sev) 136 Uf 122
Fuentecén (Bur) 57 Wa 99
Fuente Dé (Can) 20 Vb 90
☆Fuente Dé, Parador Nacional de 20 Vb 90
Fuente de Bartolo (Palm) 175 D 4
Fuente de Cantos (Bad) 134 Te 119 ✉06240
Fuente de la Corcha (Huel) 147 Ta 124 ✉21609
Fuente de la Higuera (Mál) 158 Ue 128
Fuente de la Higuera, La (Alm) 154 Xe 126 ✉04276
Fuente del Ahijado, La (Alm) 162 Wf 128 ✉04778
Fuente de la Miel-Cantarranas (Vall) 55 Va 100
Fuente de la Mujer, Cortijo de la (Sev) 135 Ud 122
Fuente del Arco (Bad) 134 Ua 120 ✉06980
Fuente del Arenal, La (Alb) 126 Xe 117
Fuente de la Salud (Mál) 159 Vc 129
Fuente de la Torre (Jaé) 139 Wf 119
▲Fuente de la Varas, Puerto 10 Wc 88
Fuente del Berro, Caserío de la (Ter) 79 Za 106
≈Fuente del Berro, Río de la 93 Yc 106
Fuente del Campo, Cortijo de la (Ciu) 124 Wd 117
Fuente del Espino, Cortijo de la (Alm) 153 Xb 126
Fuente del Espino, Cortijo de la (Jaé) 151 Vf 123
Fuente del Fresno (Mál) 151 Vd 126 ✉29315
Fuente del Fresno (Mad) 75 Wc 105 ✉28708
Fuente del Gallo (Cád) 164 Tf 131 ✉11149
Fuente del Gato (Alm) 154 Xf 123
Fuente del Jarro (Val) 114 Zd 111
Fuente del Maestre (Bad) 119 Td 117 ✉06360
Fuente del Negro, La (Alm) 154 Xd 124 ✉04810
Fuente del Oro (Huel) 133 Tb 121 ✉21359
Fuente de los Morales, La (Alm) 162 Xb 127
Fuente de los Potros, Cortijo de la (Gra) 152 Wd 123
Fuente de los Santos (Córd) 150 Va 124
Fuente de Louteiro (Ast) 5 Sf 88
Fuente del Pino (Mur) 127 Ye 117 ✉30528
Fuente del Rey (Cád) 157 Ua 129 ✉11400
Fuente del Rey (Sev) 148 Ua 125 ✉41700
Fuente del Royo, La (Alm) 163 Ya 126 ✉04639
Fuente del Sapo (Các) 86 Te 109
Fuente del Taif (Alb) 126 Xf 118
Fuente del Turco (Jaé) 138 We 119
Fuente de Madrid, Cortijo (Gra) 152 Wa 125
Fuente de Meca (Mur) 155 Yd 123
Fuente de Pedro Naharro (Cue) 91 Wf 109 ✉16411
Fuente de Piedra (Mál) 150 Vb 126
≈Fuente de Piedra, Laguna de 150 Vb 126
Fuente de San Esteban, La (Sal) 71 Te 104 ✉37200
Fuente de Santa Cruz (Seg) 56 Vc 101
Fuente de Villar (Cue) 92 Yb 109
Fuente-Dueñas, Caserío (Các) 86 Tf 109
Fuente el Carnero (Zam) 54 Ub 101 ✉49706
Fuente el Cerro (Ciu) 108 Wb 113
Fuente el Fresno (Ciu) 108 Wb 113 ✉13680
Fuente el Negro (Sev) 135 Uc 121 ✉41450
Fuente el Olmo de Fuentidueña (Seg) 57 Vf 100 ✉40359
Fuente el Olmo de Íscar (Seg) 56 Vd 101
Fuente el Saúz (Ávi) 73 Va 103
Fuente el Saz de Jarama (Mad) 75 Wc 105 ✉28140
Fuente el Sol (Vall) 55 Va 101
Fuente el Sol (Vall) 56 Vb 98
Fuente Encalada (Zam) 36 Ua 96 ✉49618
Fuente-Encarroz = Font d'En Carròs, La (Val) 129 Ze 115
Fuentegelmes (Sor) 59 Xc 100 ✉42214
Fuenteguinaldo (Sal) 70 Tc 106 ✉37540
Fuenteheridos (Huel) 133 Tc 121 ✉21292
Fuente-Higuera (Alb) 126 Xe 118
Fuentelahiguera de Albatages (Gua) 75 We 104 ✉19182
Fuente la Lancha (Córd) 121 Uf 118 ✉14260
Fuentelaldea (Sor) 59 Xb 99 ✉42291
Fuentelapeña (Zam) 55 Ud 101 ✉49410
Fuente la Piedra, Caserío (Vall) 55 Va 101
Fuentelárbol (Sor) 58 Xb 99
Fuente la Reina (Ali) 128 Zb 118 ✉03660
Fuente la Reina (Cas) 94 Zc 108 ✉12428
Fuentelcarro (Sor) 59 Xc 99 ✉42211
Fuentelcésped (Bur) 57 Wc 99
Fuentelencina (Gua) 76 Xa 105 ✉19144
Fuentelespino de Haro (Cue) 110 Xc 110 ✉16647
Fuentelespino de Moya (Cue) 93 Yd 109 ✉16311
Fuenteleta, Cortijada (Jaé) 138 Wb 121
Fuentelfresno (Sor) 41 Xd 97 ✉42172
Fuenteliante (Sal) 70 Tc 103 ✉37291
Fuente-Librilla (Mur) 141 Yd 121
Fuentelisendo (Bur) 57 Wa 99 ✉09318
Fuentelmonge (Sor) 59 Xe 100 ✉42220
Fuente Lozana, Cortijo de (Sev) 157 Ua 126
Fuentelsaz (Gua) 60 Yb 102
Fuentelsaz de Soria (Sor) 41 Xd 97 ✉42162
▲Fuentelsoto 39 Wd 96
Fuente Luz (Sev) 149 Ub 124
Fuentelviejo (Gua) 76 Xa 105 ✉19144
Fuente Márquez (Alm) 154 Xf 124
Fuente Mendoza, La (Alm) 153 Xb 125
Fuentemilanos (Seg) 74 Ve 103 ✉40153
Fuentemizarra (Seg) 57 Wc 100 ✉40552
Fuentemolinos (Bur) 57 Wa 99 ✉09315
Fuente Mujer (Jaé) 125 Xb 118
Fuentenava de Jábaga (Cue) 92 Xe 108
Fuentenebro (Bur) 57 Wb 99 ✉09461
Fuentenovilla (Gua) 91 Wf 106 ✉19113
Fuente Nueva (Gra) 140 Xd 122 ✉18858
Fuente Obejuna (Córd) 135 Ud 119 ✉14290
Fuenteodra (Bur) 21 Vf 92 ✉09124
Fuente-Olmedo (Vall) 56 Vc 101
Fuente Palacios, Cortijo (Jaé) 137 Vf 122
Fuente Palmera (Córd) 136 Uf 122 ✉14120
Fuentepelayo (Seg) 56 Ve 101 ✉40260
Fuente Piedra, Cortijo de (Gra) 160 Wb 127
Fuentepiñel (Seg) 57 Vf 100 ✉40358
Fuente Pinilla (Jaé) 139 Xb 119
Fuentepinilla (Sor) 58 Xb 99 ✉42294
≈Fuentepinilla, Río 58 Xb 99
Fuente Reina (Sev) 135 Uc 121
Fuenterrabía (Cád) 156 Te 129
Fuenterrabía = Hondarribia (Gui) 12 Yb 88
▲Fuenterrabía, Playa de 156 Te 129
Fuenterrebollo (Seg) 57 Wa 101 ✉40330
Fuenterroble de Abajo (Sal) 71 Td 104
Fuenterroble de Arriba (Sal) 71 Td 104
Fuenterroble de Salvatierra (Sal) 72 Ub 105 ✉37768
Fuenterrobles (Val) 112 Yd 111 ✉46314
Fuenterruz, Caserío (Cue) 92 Xe 108
Fuentes (Mál) 159 Vc 128
Fuentes (Alb) 125 Xd 118
Fuentes (Tol) 106 Uf 110
☆Fuentes 7 Ud 88
Fuentes (Seg) 56 Ve 102
Fuentes (Cue) 92 Xf 109 ✉16193
≈Fuentes, Arroyo de las 89 Ve 110
☆Fuentes, Castillo de 91 Xc 110
Fuentes, Cortijo de (Sev) 149 Uc 126
Fuentes, Cortijo de las (Jaé) 138 Wc 122
☆Fuentes, Ermita de 37 Uf 96
Fuentes, Las (Jaé) 125 Xb 118
Fuentes, Las (Alb) 112 Ye 114
▲Fuentes, Puerto de las 73 Uf 105
Fuente Santa (Alm) 162 Xc 126 ✉04550
Fuentesanta (Ast) 7 Ud 88 ✉33581
☆Fuente Santa, Ermita de 88 Vb 107
☆Fuente Santa, Ermita de la 72 Uc 106
Fuentesaúco (Zam) 54 Ud 101

entesauco de Fuentidueña (Seg)
57 Vf100 ⊠40355
ıentesbuenas (Cue) 92 Xd107
⊠16843
entes Calientes (Ter) 79 Za104
⊠44711
Fuentes Carrionas, Laguna de
20 Vb90
entes Claras (Ter) 78 Ye103
⊠44340
ıentesclaras del Chillarón (Cue)
92 Xe108
ıentes de Ágreda (Sor) 42 Ya98
ıentes de Andalucía (Sev)
149 Ud124
ıentes de Año (Ávi) 73 Va102
⊠05212
ıentes de Ayódar (Cas) 95 Zd108
ıentes de Béjar (Sal) 72 Ub105
ıentes de Carbajal (Leó) 37 Ud95
⊠24206
ıentes de Cesna (Gra) 151 Ve125
ıentes de Cuéllar (Seg) 56 Ve100
ıentes de Duero (Vall) 56 Vc99
⊠47320
ıentes de Ebro (Zar) 62 Zc99
⊠50740
Fuentes de Invierno, Serranía de
las 19 Uc90
uentes de Jiloca (Zar) 60 Yc101
⊠50390
uentes de la Alcarria (Gua)
76 Xa104 ⊠19412
uentes de León (Bad) 133 Tc120
uentes de los Oteros (Leó)
37 Ud94 ⊠24209
uentes de Magaña (Sor) 41 Xe97
⊠42181
uentes de Nava (Pal) 38 Vb96
⊠34337
uentes de Oñoro (Sal) 70 Tb105
⊠∗37480
uentes de Peñacorada (Leó)
20 Uf92 ⊠24813
uentes de Piedralá (Ciu)
108 Ve113
uentes de Ropel (Zam) 36 Uc96
⊠49670
uentes de Rubielos (Ter) 94 Zc107
⊠44415
uentes de San Pedro, Las (Sor)
41 Xe96 ⊠42174
uentes de Valdepero (Pal)
38 Vc96 ⊠34419
uentesecas (Zam) 55 Ud99
⊠49833
uente Segura (Jaé) 139 Xb120
uentesnuevas, Cortijos de (Gra)
139 Xa122
uentesoto (Seg) 57 Wa100
⊠40314
uentespalda (Ter) 80 Aa104
⊠44587
uentespina (Bur) 57 Wb99
⊠09471
uentespreadas (Zam) 54 Uc101
⊠49714
uentestrún (Sor) 41 Xf97
uentetecha (Sor) 59 Xe98
⊠42134
uentetoba (Sor) 41 Xc98 ⊠42190
uente-Tójar (Córd) 151 Vf123
uente-Tovar (Sor) 58 Xb100
uente-Urbel (Bur) 21 Wa93
uente Vaqueros (Gra) 152 Wb125
⊠18340
uente Vera, Caserío (Gra)
139 Xb122
uente Victoria (Alm) 162 Xa127
⊠04479
Fuente Vieja (Mur) 142 Yf123
Fuentezaoz (Các) 86 Ub107
Fuentezuelas (Gra) 161 We127
Fuentidueña (Córd) 137 Ve122
⊠14859
Fuentidueña (Seg) 57 Wa100
⊠40357
Fuentidueña de Tajo (Mad)
90 Wf108 ⊠28597
≈Fuentillejo, Laguna de 123 Vf115
▲Fuera, Roque de (Ten) 173 G2
Fuerte, El (Ten) 171 C3 ⊠38712
Fuerte del Rey (Jaé) 138 Wa121
⊠23180
Fuertescusa (Cue) 77 Xe106
⊠16890
▲Fuerteventura (Palm) 175 C1
Fuesas, Las (Sor) 41 Xe97
⊠42175
▲Fuesas, Las 43 Yf97
Fueva, La (Hues) 45 Ab94 ⊠22336
Fuiroso (Bar) 48 Cd98
Fuliola, la (Lle) 46 Ba98 ⊠25332
Fulleda (Lle) 64 Ba100 ⊠25411
Fumaces (Our) 34 Sd97 ⊠32611
Fumaior (Lug) 17 Sf90
Fumanal (Hues) 45 Ab94
Fumanya (Bar) 47 Be95
✫Fumanya 47 Be95
▲Fumat (Bal) 99 Db109
Funes (Nav) 42 Yb95 ⊠31360
Furcados (Lug) 16 Sc92
Furco (Lug) 15 Sa93
≈Furelos 15 Rf91
Furís (Lug) 16 Se91
Fustáns (Our) 33 Rf95
Fustanya el Serrat (Gir) 30 Cb94
✫Fustes, Castillo de (Palm) 175 E3
Fustiñana (Nav) 42 Yd96 ⊠31510

G

Gabaldón (Cue) 111 Ya111
▲Gabar 140 Xf122
Gabarderal (Nav) 25 Ye93 ⊠31409
▲Gabardiella, Sierra de la 44 Ze95
Gabardilla (Hues) 27 Aa94
Gabardito (Hues) 26 Zb92
Gabardosa, La (Zar) 61 Yf100
Gabarra = Gavarra (Lle) 46 Bb96
Gabás (Hues) 28 Ac94
Gabasa (Hues) 44 Ac96 ⊠22514
▲Gabeiras, Illas 3 Rd87
Gabia Grande (Gra) 152 Wb126
Gabia la Chica (Gra) 152 Wc126
⊠18110
Gabián (Pon) 14 Rc94
Gabias, Las (Gra) 152 Wb126
⊠18110
▲Gabias, Las 40 Xa96
Gabika (Viz) 11 Xc89 ⊠48313
Gabiria (Gui) 24 Xe90 ⊠20217
≈Gabriel y Galán, Embalse de
86 Tf107
Gaceo (Ála) 23 Xd91
Gacia Alto de Sorbas (Alm)
163 Ya126
Gacia Bajo de Sorbas (Alm)
163 Xf126
Gádor (Alm) 162 Xd127
▲Gádor, Sierra de 162 Xb127
Gaena-Casas Gallegas (Córd)
151 Vd124 ⊠14811
Gaén Grande, Cortijo (Mál)
150 Vc125
Gafarillos (Alm) 163 Xf126 ⊠04277
Gafoi (Cor) 15 Re90
Gaià (Bar) 47 Bf97
Gaià (Gir) 49 Cf97
≈Gaià, el 65 Bc100
≈Gaià, Pantà de 65 Bc101
Gaianes (Ali) 128 Zd116 ⊠03840
Gaibiel (Cas) 94 Zd109 ⊠12415
Gaibor (Lug) 4 Sc89
Gaidovar (Cád) 158 Ud128
⊠11610
Gainekoleta (Nav) 25 Ye90
⊠31669
Gaintza (Gui) 24 Xf90 ⊠20248
Gajanejos (Gua) 76 Xa103
⊠19192
Gajano (Can) 9 Wb88 ⊠39792
Gajates (Sal) 72 Ud104 ⊠37874
Galáchar (Alm) 162 Xc127
Galapagar (Jaé) 138 Wb121
Galapagar (Mad) 74 Vf105
⊠28260
≈Galapagar, Arroyo de 135 Ub122
Galapagares (Sor) 58 Xa100
⊠42315
Galápagos (Gua) 75 Wd104
Galapar, Cortijo de (Córd)
136 Vc121
Galar (Nav) 24 Yb92
Galar (Nav) 24 Yb92
Galarde (Bur) 40 Wd95 ⊠09199
▲Galardón, Sierra del 27 Zf94
Galaroza (Huel) 133 Tb121
⊠21291
Galarreta (Ála) 23 Xd91 ⊠01208
Galatzó (Bal) 98 Cc111
Galbarra (Nav) 24 Xe92 ⊠31283
Galbarros (Bur) 22 Wd93 ⊠09247
Galbárruli (Rio) 23 Xa93
Galdakao (Viz) 11 Xa89 ⊠48960
Galdames (Viz) 10 Wf89 ⊠48191
Gáldar (Palm) 174 C2
▲Gáldar, Punta de (Palm) 174 B1
Galdeano (Nav) 24 Xf92 ⊠31290
Galdent (Bal) 99 Cf111
Galdones, Cortijo de los (Jaé)
140 Xc119
Galegos (Lug) 5 Se89
Galegos (Cor) 15 Re90 ⊠15880
Galegos (Lug) 16 Sb93
Galende (Zam) 35 Tc96 ⊠49360
Galeno (Ali) 128 Za117
Galera (Gra) 140 Xc122 ⊠18840
▲Galera, Islote de 143 Zb122
Galera, la (Tar) 80 Ac104 ⊠43515
▲Galera, Punta (Bal) 99 Da109
≈Galera, Río 140 Xc122
Galera Nova, Sa (Bal) 99 Da112
Galeras (Alm) 154 Xf124
✫Galeras, Castillo de las
142 Za123
Galera y Los Jopos, La (Mur)
155 Yb123
≈Galga, Arroyo de 75 Wd104
✫Galga, Cubo de la (Ten) 171 C2
Galga, La (Ten) 171 C2
✫Galgao 4 Sd88
▲Galiago 41 Xf96
Galiana (Alm) 162 Xb128
▲Galiana 72 Ue106
Galiana, La (Mad) 75 Wd105
Galifa (Mur) 142 Yf123 ⊠30393
Galilea (Bal) 98 Cd111 ⊠07195
Galilea (Rio) 41 Xe94 ⊠26144
▲Galinda, Punta (Bal) 98 Cc111
Galíndez (Seg) 57 Wb102
Galindo (Sev) 149 Uc126
≈Galindo, Río 10 Wf89
Galindo Béjar (Sal) 72 Uc104
Galindos, Los (Cue) 110 Xd112
Galindos Nuevos (Mur) 142 Za122
⊠30708
Galindos Viejos (Mur) 142 Za122
⊠30708
Galindo y Perahuy (Sal) 71 Ua103
⊠37449
Galinduste (Sal) 72 Uc105 ⊠37785
▲Galiñeiro 32 Rb96
Galisancho (Sal) 72 Uc104
⊠37891
Galisteo (Các) 86 Te109 ⊠10691
▲Galiz, Puerto de 158 Uc129
Galizano (Can) 10 Wb88 ⊠39160
▲Galizano, Playa de 10 Wb88
Galizuela (Bad) 121 Ue115
Gallagos de Argañán (Sal)
70 Tb105
Gallardo, Cortijo de (Cád)
157 Tf129
▲Gallardos, Cuesta Los
152 Wd123
Gallardos, Los (Alm) 155 Ya126
⊠04280
Gallardos, Los (Gra) 153 Xb124
Gallarta (Viz) 10 Wf89 ⊠48500
Gallartu (Viz) 23 Xb90 ⊠48419
✫Gallecs 66 Cb99
Gallega, La (Bur) 40 We97
⊠09612
Gallego (Alb) 126 Xf118 ⊠02439
≈Gallego, Río 153 Xb124
≈Gállego, Río 26 Zd92
▲Gallego, Sierra del 108 Ve113
Gallegos (Ten) 171 B2 ⊠38727
Gallegos (Ast) 7 Ub89
Gallegos (Seg) 57 Wb102 ⊠40162
Gallegos, Caserío (Seg) 56 Vd101
Gallegos de Altamiros (Ávi)
73 Va104 ⊠05141
Gallegos de Curueño (Leó)
19 Ud92 ⊠24151
Gallegos de Hornija (Vall) 55 Uf99
⊠47134
Gallegos del Campo (Zam) 35 Td98
⊠49521
Gallegos del Pan (Zam) 54 Uc99
⊠49539
Gallegos de Río (Zam) 54 Tf98
Gallegos de San Vicente (Ávi)
73 Vc104 ⊠05289
Gallegos de Sobrinos (Ávi)
73 Uf104 ⊠05147
Gallegos de Solmirón (Sal)
72 Ud105
Gallegos y Herreras (Bad)
120 Ua117
Galleguillos (Sal) 71 Ua104
Galleguillos (Sal) 72 Ud104
Galleguillos de Campos (Leó)
37 Uf95 ⊠24329
Gallejones (Bur) 21 Wb91
✫Galleta, Ermita de 38 Vc98
Galletas, Las (Ten) 172 D5
⊠38631
Gallicanta (Bad) 134 Tf119
Gallifa (Bar) 48 Cb96
Gallifa (Bar) 66 Ca98
Gallina, La (Bad) 103 Ta114
✫Galliner 46 Af95
✫Gallinera, Castell de 129 Ze115
Gallinero (Ast) 6 Te88
▲Gallinero 28 Ad93
Gallinero (Sor) 41 Xd97 ⊠42161
Gallinero, Cortijo del (Gra)
154 Xd123
▲Gallinero, Loma de 134 Ua121
Gallinero de Cameros (Rio)
41 Xc95 ⊠26122
Gallinero de Rioja (Rio) 40 Xa94
⊠26258
Galliners (Gir) 49 Cf96 ⊠17468
Gallipienzo (Nav) 25 Yd93 ⊠31493
Gallipienzo Nuevo (Nav) 25 Yd93
⊠31493
≈Gallipuén, Embalse de 79 Zd103
▲Gallo 58 We100
Gallo, El (Sev) 150 Va124 ⊠41560
≈Gallo, Laguna del 157 Te128
≈Gallo, Río 78 Yb104
Gallocanta (Zar) 78 Yc102 ⊠50373
≈Gallocanta, Laguna de 78 Yc103
Gallopar (Zar) 42 Yb97
Gallos, Cortijo de los (Sev)
149 Uc123
Gallos, Los (Cád) 164 Tf130
Gallués/Galoce (Nav) 25 Yf92
Gallur (Zar) 43 Ye97 ⊠50650
Galocha, Cortijo (Các) 105 Tf111
Galtero, el (Val) 128 Zc115
Galve (Ter) 79 Za105 ⊠44168
✫Galve, Castillo de 58 We101
Galve de Sorbe (Gua) 58 We101
⊠19275
Gálvez (Tol) 89 Ve110
Gálvez, Cortijo de (Mál) 159 Va128
Gálvez, Los (Gra) 161 Wd128
Gálvez, Los (Gra) 161 We128
Gama (Can) 10 Wc88 ⊠39790
Gama, Cortijo de la (Huel)
132 Se121
Gamarra Mayor (Ála) 23 Xb91
⊠01013
Gamarra Nagusia = Gamarra Mayor
(Ála) 23 Xb91 ⊠01013
Gamaseta, la (Val) 114 Zd113
≈Gambuesa, Embalse de (Palm)
174 C3
Gamecho (Viz) 11 Xb88
Gameles, Es (Bal) 99 Cf112
Gamellejas (Mur) 127 Yf117
Gamitas, Las (Bad) 120 Tf115
Gamiz-Fika (Viz) 11 Xb89 ⊠48113
≈Gamo, Río 72 Ud103
▲Gamonal 6 Ua89
▲Gamonal 8 Vc89
Gamonal (Tol) 88 Va109 ⊠45613
Gamonal, El (Bad) 118 Ta117
Gamonal de la Sierra (Ávi)
73 Uf104 ⊠05147
Gamonar, Cortijo de (Alm)
140 Xe121
▲Gamoneda, Sierra de la 35 Ta97
Gamones (Zam) 53 Te100 ⊠49251
Gamones (Seg) 74 Vf103
▲Gamoniteiro 6 Ua89
Gamonosa (Córd) 137 Vd122
Gamonoso (Ciu) 107 Va112
⊠13117
Ganade (Our) 33 Sb96
≈Ganado, Baya del La (Palm)
176 C2
Gáname (Zam) 54 Tf100
Gañarul (Zar) 42 Yd97
Ganchosa, La (Sev) 134 Ua121
⊠41370
Gándara (Cor) 3 Rf87
▲Gándara 9 Vd89
Gándara (Cor) 14 Ra93
✫Gándara, Nacimiento del
10 Wc89
≈Gándara, Río 10 Wd89
Gandarela (Pon) 32 Re95
Gandarilla (Can) 8 Vd88 ⊠39549
Gandesa (Tar) 62 Ac102 ⊠43780
Gandia (Val) 129 Zf115 ⊠∗46700
▲Gandía, Serra de 114 Ze115
Gandías, Los (Alm) 140 Xf123
≈Gando, Bahía de (Palm) 174 D3
▲Gando, Punta de (Palm) 174 D3
Gandul (Sev) 149 Ub124
Gandullas (Mad) 75 Wc102
⊠28737
▲Gandurf, Cala (Bal) 98 Cf114
Ganeja (Mur) 140 Ya120
▲Ganekogorta 11 Xa89
▲Ganga, Coll de la 49 Da97
▲Gañidoira, Porto da 4 Sc87
Gañinas de la Vega (Pal) 20 Vb94
⊠34116
Ganso, El (Leó) 18 Te94 ⊠24718
Gantzaga = Ganzaga (Ála) 23 Xc90
⊠01169
Ganuza (Nav) 24 Xf92 ⊠31241
Ganzaga (Ála) 23 Xc90
Garaballa (Cue) 93 Yd110 ⊠16312
Garaballes (Leó) 36 Ua94
Garabanxa (Cor) 15 Re90
Garabato (Ten) 172 B2
Garabato, El (Córd) 136 Va122
⊠14100
Garachico (Ten) 172 C3 ⊠38450
Garafía (Ten) 171 B2
Garagaltza = Garagalza (Gui)
23 Xd90 ⊠20569
Garagalza (Gui) 23 Xd90
Garagartza (Gui) 23 Xc90
Garai (Viz) 11 Xc89
Garai (Viz) 11 Xa88
Garaioa (Nav) 25 Ye91 ⊠31692
Garaiolza (Viz) 11 Xb89
▲Garajonay (Ten) 172 B2
▲Garajonay, Parque Nacional de
(Ten) 172 B2
Garaña (Ast) 8 Va88
Garandinos, Cortijo de los (Gra)
139 Xb122
Garaño (Leó) 19 Ub92 ⊠24120
▲Garañon, Lomo (Palm) 174 B4
≈Garañona, Bahía de la (Ten)
173 E2
Garapacha, La (Mur) 142 Ye119
⊠30629
Garapiño, Cortijo de (Mál)
158 Ue128
Garavide (Lug) 4 Sc86
Garay (Viz) 11 Xb89 ⊠48200
Garbajosa (Sor) 76 Xd102
≈Garbanzal, Hoya del 92 Ya108
✫Garbanzal, Santuario de 36 Tf97
≈Garbanzos, Laguna de los
123 Ve115
≈Garbanzuelo, Arroyo del 39 Vf95
Garbayuela (Bad) 106 Va114
⊠06690
Garbet (Gir) 31 Da94 ⊠17490
▲Garbet, Platja de 31 Db94
▲Garbosa, Sarrat d'era 28 Ae93
▲Garcey, Playa de (Palm) 175 C3
Garcia (Tar) 64 Ad102 ⊠43749
García (Alm) 155 Ya124
▲García, Collado 154 Xe125
García, La (Ter) 94 Zc108
≈García de Sola, Embalse de
106 Uf113
Garcías, Los (Mur) 142 Ye121
Garcías, Los (Mur) 142 Za121
Garcías, Los (Mur) 142 Yf122
Garciaz (Các) 105 Uc112 ⊠10250
≈Garcíaz, Río 105 Uc112
Garcibuey (Sal) 71 Ua105 ⊠37658
Garcíez (Jaé) 138 Wd121
Garcíez (Jaé) 138 Wa121
Garcíez-Jimena (Jaé) 138 Wd121
Garcigalindo (Sal) 71 Ua104
⊠37452
Garci-Gómez, Cortijo de (Córd)
137 Vd119
Garcigrande (Sal) 71 Ua103
Garcigrande (Sal) 72 Ud104
Garcihernández (Sal) 72 Ud103
Garcillán (Seg) 74 Ve103
Garcinarro (Cue) 91 Xb107
⊠16510
Garciñigo (Sal) 71 Ua105 ⊠37607
Garciotún (Tol) 88 Vc108
Garciriáin (Nav) 24 Yb91
Garcirrey (Sal) 71 Tf103 ⊠37460
Garcisobaco (Cád) 157 Uc129
Gardaláin (Nav) 25 Yd93
Garde (Nav) 26 Za92 ⊠31414
Gardea (Ála) 23 Xa90
Gardelegi = Gardelegui (Ála)
23 Xb92 ⊠01194
Gardelegui (Ála) 23 Xb92
✫Gardeny, Castell de 62 Ad99
Garfín (Leó) 19 Ue92
Gargáligas (Bad) 105 Uc114
≈Gargáligas, Río 105 Ub114
Gargallà (Bar) 47 Be97
Gargallo (Ter) 79 Zc103 ⊠44558
Gargallón (Bad) 133 Tb120
Gargallóns (Pon) 15 Rc94
Garganchón (Bur) 40 We95
Garganta, La (Jaé) 139 Xc119
Garganta, La (Ciu) 122 Vd118
⊠14449
Garganta, La (Ast) 5 Sf88 ⊠33776
Garganta, La (Các) 86 Ub107
⊠10759
▲Garganta, Pico de la 26 Zc92
▲Garganta, Puerto 5 Sf88
▲Garganta, Sierra de la 122 Vd118
Gargantada (Ast) 7 Uc89 ⊠33939
Garganta de los Hornos (Ávi)
72 Uf106 ⊠05571
Garganta de los Montes (Mad)
75 Wb103 ⊠28743
Garganta del Villar (Ávi) 73 Uf106
⊠05134
≈Gargantafría, Arroyo de
134 Ua122
Garganta la Olla (Các) 87 Ub108
⊠10412
Gargantiel (Ciu) 122 Vb116
⊠13414
Gargantilla (Tol) 106 Va111
⊠45671
Gargantilla (Các) 86 Ua107
⊠10749
Gargantilla del Lozoya (Mad)
75 Wb103
Gargantilla del Lozoya y Pinilla del
Buitrago (Mad) 75 Wb103
Gargantón, El (Ciu) 107 Ve114
Gárgoles de Abajo (Gua) 76 Xc104
Gárgoles de Arriba (Gua) 76 Xc104
Gargüera (Các) 86 Ua108
≈Gargüera, Embalse de 86 Ua109
Gariattaqui, Caserío (Gra)
152 Wc125
Garibai (Gui) 23 Xd90 ⊠20569
Garibay = Garibai (Gui) 23 Xd90
▲Garidells 80 Ad103
Garidells, la (Tar) 64 Bb101
Garin (Gui) 24 Xe90 ⊠20218
Garínoain (Nav) 24 Yc93
Garísoain (Nav) 24 Ya92
▲Garita (Palm) 174 C3
Garita, La (Palm) 174 D2 ⊠35212
▲Garita, Playa de (Palm) 176 D3
▲Garita, Playa de la (Palm) 174 D2
Garlitos (Bad) 121 Uf115 ⊠06656
Garnatilla, La (Gra) 161 Wd128
⊠18614

Garoces, Caserío (Tol) 108 Wb 111
▲ Garona, Barranco de la 27 Ab 94
≈ Garona, eth 28 Ae 92
≈ Garona, Río 44 Zc 94
Garòs (Lle) 28 Af 92
Garraf (Bar) 65 Bf 101 ⊠ 08871
▲ Garraf, Massís de 65 Be 101
Garrafe de Torío (Leó) 19 Uc 92
Garralda (Nav) 25 Ye 91 ⊠ 31693
Garranxa, la (Tar) 64 Af 101
Garranzo (Rio) 41 Xe 96
▲ Garrapata, Sierra de la 85 Tb 109
Garrapinillos (Zar) 61 Yf 98 ⊠ 50190
Garrapito (Bad) 134 Te 120
☆ Garrastatxu, Ermita de 23 Xa 90
Garray (Sor) 41 Xd 98 ⊠ 42162
Garres, Los (Mur) 142 Yf 121 ⊠ 30158
Garrida (Pon) 32 Rb 96
Garriga, la (Bar) 47 Bf 96
Garriga, la (Bar) 48 Cb 98
Garriga, Sa (Bal) 98 Cd 111
Garrigàs (Gir) 49 Cf 95
Garrigoles (Gir) 49 Da 96 ⊠ 17466
Garriguella (Gir) 31 Da 94 ⊠ 17780
▲ Garrigues, Serra de les 47 Bd 97
Garrobillo (Mur) 155 Yd 124
Garrobo, El (Sev) 148 Te 123 ⊠ 41888
Garrofa, La (Alm) 162 Xc 128
▲ Garrofa, Playa de La 162 Xc 128
▲ Garrotxa, Parc Natural de la 48 Cd 95
Garrovilla, La (Bad) 119 Td 115 ⊠ 06870
Garrovillas (Các) 85 Tc 110
Garrucha (Alm) 155 Yb 125 ⊠ 04630
Garruchena (Huel) 148 Td 124
Gartzaron (Nav) 24 Yb 91 ⊠ 31866
Garueña (Leó) 18 Tf 92 ⊠ 24132
Garvín (Các) 87 Ud 110
Garza, La (Bad) 120 Tf 116
▲ Garza, Sierra de la 120 Tf 116
▲ Garzas, Vall de las 63 Aa 102
Gàrzola (Lle) 46 Ba 97
Garzón (Sev) 150 Uf 126
Garzón, Caserío (Can) 10 Wc 88
Gascar (Mál) 159 Vc 128
Gasco, El (Các) 71 Te 106 ⊠ 10627
Gascones (Mad) 75 Wc 102 ⊠ 28737
☆ Gascóns, Abric dels 80 Ab 103
Gascue (Nav) 24 Yb 91 ⊠ 31867
Gascueña (Cue) 91 Xc 107 ⊠ 16532
Gascueña de Bornova (Gua) 58 Wf 102 ⊠ 19243
☆ Gaserans 48 Cd 98
Gasma, Caserío (Cád) 164 Ua 132
Gaspares (Alb) 126 Ya 118
≈ Gasset, Embalse de 108 Wa 114
▲ Gastaroz 12 Yb 89
Gastiáin (Nav) 24 Xe 92
Gastor, El (Cád) 158 Ue 127 ⊠ 11687
☆ Gasulla, Barranc d'En 80 Zf 106
Gata (Các) 85 Tc 107 ⊠ 10860
▲ Gata, Cabo de 163 Xe 128
≈ Gata, Rivera de 85 Tc 108
▲ Gata, Sierra de 135 Ue 119
▲ Gata, Sierra de 85 Tc 107
Gata de Gorgos (Ali) 129 Aa 116 ⊠ 03740
Gatal, Cortijo del (Gra) 154 Xc 123
Gateira (Pon) 15 Rd 94
Gateras, Cortijo de las (Cád) 158 Uc 127
▲ Gateras, Loma de las 134 Ua 121
Gatika (Viz) 11 Xa 88 ⊠ 48110
☆ Gato, Cueva del 158 Ue 128
☆ Gato, Cueva del 128 Za 115
≈ Gato, Río 136 Vb 119
▲ Gato, Sierra del 19 Uc 91
Gatón de Campos (Vall) 37 Va 96
Gatos, Los (Alm) 140 Xf 123 ⊠ 04826
Gátova (Cas) 94 Zc 110
Gatuna, Cortijo (Alm) 162 Xc 127
Gaucín (Mál) 165 Ue 129
Gaüses (Gir) 49 Cf 96 ⊠ 17466
Gauna (Ála) 23 Xd 92 ⊠ 01193
Gausac (Lle) 28 Ae 92 ⊠ 25538
Gautegiz Arteaga (Viz) 11 Xc 88 ⊠ 48314
Gavà (Bar) 65 Bf 101
Gavadà (Tar) 64 Ae 102
Gavamar (Bar) 65 Ca 101
Gavarda (Val) 113 Zc 114 ⊠ 46267
Gavarra (Lle) 46 Bb 96 ⊠ 25793
▲ Gavarres, les 49 Cf 97
Gavarrós (Bar) 47 Bf 95
Gavàs (Lle) 29 Bb 93
Gàver (Lle) 47 Bc 98
≈ Gavet, Riu de 46 Af 96
Gavet de la Conca (Lle) 46 Af 96 ⊠ 25639
Gavilán (Sal) 71 Td 105
≈ Gavilán, Arroyo del 149 Uc 125
Gavilana, Cortijo La (Bad) 120 Ua 118
Gavilanes (Leó) 18 Ua 93 ⊠ 24285
Gavilanes (Ávi) 88 Va 107 ⊠ 05460
Gavín (Hues) 26 Ze 93
▲ Gavina, Punta (Bal) 97 Bc 116
▲ Gaviota, Punta (Ten) 171 C 1
▲ Gaviota, Punta (Ten) 172 C 2
▲ Gaviota, Punta (Palm) 176 B 3
≈ Gaviotas, Bahía de las (Palm) 175 D 2
Gaviotas, Las (Bal) 99 Da 110 ⊠ 07458
Gaviotas, Las (Gua) 76 Xb 106
▲ Gaviotas, Playa de las (Ten) 173 F 2
▲ Gaviotas, Punta de las (Ten) 172 C 5
▲ Gavioto, Punta del (Palm) 175 E 2
Gayangos (Bur) 22 Wc 90 ⊠ 09569
≈ Gaznata, Río 73 Vc 105
Gazólaz (Nav) 24 Yb 92
Gázquez, Los (Alm) 154 Ya 123
Gázquez, Los (Alm) 140 Xf 122
Gázquez de Arriba, Los (Alm) 154 Ya 123
Gaztelu (Gui) 24 Xf 90 ⊠ 20491
Gaztelu = Castillo (Ála) 23 Xb 92 ⊠ 01194
▲ Gazuma, Monte 12 Xf 90
Gea, Lo (Mur) 142 Yf 121 ⊠ 30590
Gea de Albarracín (Ter) 78 Yd 106
Gebara = Guevara (Ála) 23 Xc 91
Gebas (Mur) 141 Yd 121 ⊠ 30848
Gebera (Alm) 162 Xc 126
Gedrez (Ast) 17 Tc 90 ⊠ 33811
Gejo de Diego Gómez (Sal) 71 Tf 103
Gejo de los Reyes (Sal) 53 Te 102 ⊠ 37150
Gejuelito del Monte (Sal) 53 Te 102
Gejuelo del Barro (Sal) 71 Tf 102 ⊠ 37114
▲ Gelada, Pic de la 28 Ae 93
Geldo (Cas) 94 Zd 109 ⊠ 12412
Gelibra, La (Gra) 161 Wb 128
Gelida (Bar) 65 Bf 100 ⊠ 08790
Gelo (Sev) 148 Te 125
Gelsa (Zar) 62 Zd 100 ⊠ 50786
Gelves (Sev) 148 Tf 124 ⊠ 41120
Gema (Zam) 54 Uc 100 ⊠ 49151
Gema (Sal) 70 Tc 103 ⊠ 37219
Gemuño (Ávi) 73 Vb 105 ⊠ 05197
≈ Genal, Río 165 Ue 130
Genalguacil (Mál) 158 Ue 129 ⊠ 29492
Genaro, Casas y Corrales de (Val) 94 Yf 110
Génave (Jaé) 125 Xb 118
☆ General Serrador, Monumento al (Ten) 173 B 2
Genestacio de la Vega (Leó) 36 Ua 95
Genestaza (Ast) 6 Td 89 ⊠ 33876
Genestosa (Leó) 18 Tf 90 ⊠ 24144
Genevilla (Nav) 23 Xd 93 ⊠ 31227
Genicera (Leó) 19 Ud 91 ⊠ 24837
≈ Genil, Canal de 135 Ue 122
≈ Genil, Río 152 Wd 126
≈ Genil Izquierda, Canal de 135 Ue 122
Genilla (Córd) 151 Ve 124 ⊠ 14816
Génova (Bal) 98 Cd 111
Genovés (Val) 114 Zd 115
Genovés, Cortijo de (Gra) 139 Xc 122
▲ Genoveses, Playa de Los 163 Xf 128
Genstoso (Ast) 18 Td 90
≈ Gento, Estany 28 Ba 93
Ger (Gir) 30 Bf 94 ⊠ 17539
Gera (Ast) 6 Td 89 ⊠ 33875
Geras (Leó) 19 Ub 91
Gerb (Lle) 46 Ae 98 ⊠ 25614
Gerbe (Hues) 27 Ab 94 ⊠ 22339
Geré (Hues) 27 Zf 93
Gerena (Sev) 148 Tf 123 ⊠ 41860
Gerena (Viz) 11 Xc 89
Gerenica, La (Ter) 78 Yc 104
Gereñu (Ála) 23 Xd 92 ⊠ 01207
Gérgal (Alm) 154 Xc 126
Gergal, Cortijo El (Sev) 148 Tf 123
≈ Gergal, Embalse de 148 Tf 123
Geria (Vall) 55 Va 99 ⊠ 47131
▲ Geria, La (Palm) 176 B 4 ⊠ 35570
Gerián (Ten) 172 B 2
Gerindote (Tol) 89 Ve 109 ⊠ 45518
Germán (Alm) 154 Xf 124
Germán, Cortijo de (Gra) 153 Wf 124
Gernica y Luno = Gernika-Lumo (Viz) 11 Xb 89
Gernika-Lumo = Gernica y Luno (Viz) 11 Xb 89 ⊠ 48300
Gerona = Girona (Gir) 49 Cf 97
Gerri de la Sal (Lle) 46 Ba 95 ⊠ 25590
Ges, el (Lle) 29 Bd 95 ⊠ 25717
Gesalibar Santa Águeda (Gui) 23 Xc 90
Gésera (Hues) 44 Ze 94
▲ Gespera, la 47 Bd 95
Gessa (Lle) 28 Af 92 ⊠ 25598
Gesta (Pon) 15 Rf 93
Gestalgar (Val) 113 Zb 111 ⊠ 46166
Gesto (Lug) 4 Sd 89
Gestoso (Pon) 15 Re 92
Gestoso (Leó) 17 Sf 93 ⊠ 24568
Gestoso (Lug) 16 Se 93
Getafe (Mad) 90 Wb 107 ⊠ *28901
Getares (Cád) 165 Ud 132
≈ Getares, Ensenada de 165 Ud 132
Getaria (Gui) 12 Xe 89 ⊠ 20808
Gete (Leó) 19 Uc 91 ⊠ 24837
Gete (Bur) 40 We 97 ⊠ 09612
Getino (Leó) 19 Uc 91 ⊠ 24837
☆ Gétor, Castillo de 108 Wb 113
Getxo (Viz) 11 Xa 88 ⊠ *48930
≈ Gévalo, Río 88 Va 110
≈ Gévora, Río 118 Ta 115
Gévora del Caudillo (Bad) 118 Ta 115
Gezala (Viz) 23 Xa 90 ⊠ 48499
Giantes, Los (Ten) 172 C 4
Gibalbín (Cád) 157 Ua 128
▲ Gibalbín 157 Ua 127
▲ Gibalbín, Sierra de 157 Ua 127
▲ Gibalto, Sierra de 151 Ve 126
▲ Giblaniella, Sierra de 7 Ue 89
Gibraleón (Huel) 147 Ta 124
☆ Gibralfaro 159 Vd 128
Gibralgalia (Mál) 159 Vb 128 ⊠ 29569
▲ Gibraltar 132 Sd 122
Gibraltar (GBZ) 165 Ue 132
≈ Gibraltar, Estrecho de 164 Uc 133
▲ Giestoso 33 Rf 96
▲ Gigante 140 Ya 122
Gigante, El (Mur) 140 Ya 122
▲ Gigante, Sierra del 140 Xf 122
☆ Gigantes, Acantilado de los (Ten) 172 B 4
Gigantes, Los (Ten) 172 B 4
Gigosos de los Oteros (Leó) 36 Uc 94 ⊠ 24224
≈ Gigüela, Río 109 We 111
≈ Gigüela, Río 91 Xc 109
Gijano (Bur) 10 We 89 ⊠ 09585
Gijón = Xixón (Ast) 7 Uc 87 ⊠ *33027
Gijún (Ast) 7 Ub 88
Gila, La (Alb) 112 Yd 113 ⊠ 02211
Gil Alonso, Caserío (Jaé) 137 Wa 122
Gilbuena (Ávi) 72 Uc 106 ⊠ 05619
Gil de Olio, Cortijada de (Jaé) 138 Wc 121
Gilena (Sev) 150 Va 125 ⊠ 41565
Gilenilla (Sev) 150 Uf 125
Giles, Los (Alm) 154 Xf 126 ⊠ 04289
Giles, Los (Ter) 94 Zc 108
Gilet (Val) 95 Ze 110 ⊠ 46149
Gil García (Ávi) 87 Uc 107
Gilico (Mur) 141 Yc 120
Gillué (Hues) 27 Ze 94
Gilma (Alm) 153 Xb 125 ⊠ 04549
Gil Márquez (Huel) 133 Ta 121
Giloca, Cortijo de (Alm) 154 Ya 124
Gimenells (Lle) 62 Ac 99 ⊠ 25112
☆ Gimenells, Castell de 62 Ac 98
Gimenells i el Pla de la Font (Lle) 62 Ac 99
Giménez, Cortijada Los (Alm) 163 Xf 127
Giménez, Cortijo de (Gra) 139 Xb 122
Gimeno (Alb) 110 Xc 114
Gimialcón (Ávi) 73 Uf 103
Gimileo (Rio) 23 Xb 93 ⊠ 26221
Gindalba, Cortijo de (Alm) 163 Xd 127
Ginebrosa, La (Ter) 80 Zf 103 ⊠ 44643
≈ Ginel, Río 62 Zb 100
Gines (Sev) 148 Tf 124 ⊠ 41960
▲ Ginés, Punta (Palm) 176 A 4
Ginestar (Gir) 48 Ce 96 ⊠ 17151
Ginestar (Tar) 64 Ad 102 ⊠ 43748
Ginestar, El (Nav) 42 Yd 97
Ginestarre (Lle) 29 Bb 93 ⊠ 25571
Gineta, La (Alb) 111 Ya 114 ⊠ 02110
Ginete (Mur) 141 Yd 119
Ginete, El (Alb) 126 Ya 117
Giniginamar (Palm) 175 D 4
▲ Giniginamar, Playa de (Palm) 175 D 4
Ginuábel (Hues) 27 Zf 94
Gío (Ast) 5 Ta 88
Giraba de Abajo (Cas) 95 Zd 108 ⊠ 12123
Giraba de Arriba (Cas) 95 Zd 108 ⊠ 12123
Giral (Hues) 27 Zf 93
Girana, Cortijo de la (Gra) 153 Wf 124
☆ Giribaile, Castillo de 138 Wd 120
≈ Giribaile, Embalse de 138 Wd 120
Girón, Cortijo del (Gra) 140 Xc 121
Girona = Gerona (Gir) 49 Cf 97 ⊠ *17001
Gironas de Lisbona, Cortijada Los (Alm) 154 Xf 125
Gironda, Cortijo de la (Các) 105 Ub 111
Gironda, La (Sev) 149 Uc 126 ⊠ 41600
Gironella (Bar) 47 Bf 96 ⊠ 08680
▲ Gisbert, Serra 31 Da 94
Gisclareni (Bar) 47 Be 95
Gistaín = Xistau (Hues) 27 Ab 93
▲ Gistaín, Valle de = Xistau, Valle de 27 Ab 93
▲ Gistreo, Sierra de 18 Td 92
Gita, Cortijo de la (Sev) 149 Ue 126
▲ Gitana, Collado de la 152 Wd 125
▲ Gitano, Collado del 40 Xa 95
Gitanos, Cortijo de los (Gra) 151 Wa 124
Giverola (Gir) 49 Cf 98
Gizaburuaga (Viz) 11 Xc 89 ⊠ 48289
Gleva, La (Bar) 48 Cb 96 ⊠ 08508
Gloria, Cortijo de la (Ciu) 125 Xb 115
☆ Gloria, Ermita de la 158 Ud 127
Gloria, la (Ali) 128 Za 116
Gloria, La (Sal) 87 Ub 106
Glorieta (Tar) 64 Bb 99
☆ Goba Aundi 22 Wf 91
Gobantes (Mál) 159 Vb 127 ⊠ 29553
Gobeo (Ála) 23 Xb 91 ⊠ 01191
Gobernador (Gra) 152 We 124 ⊠ 18563
Goberno (Lug) 4 Sd 89 ⊠ 27259
Gobiendes (Ast) 7 Ue 88 ⊠ 33342
Gochar (Alm) 154 Xf 126 ⊠ 04279
Godall (Tar) 80 Ac 105 ⊠ 43516
Godán (Ast) 6 Te 88
Godella (Val) 114 Zd 111 ⊠ 46110
Godella (Ast) 5 Tb 87 ⊠ 33758
Godelleta (Val) 113 Zb 112 ⊠ 46388
Godojos (Zar) 60 Ya 101 ⊠ 50238
≈ Godolid, Río 118 Sf 119
Godons (Pon) 32 Re 95
Godos (Ter) 78 Yf 103 ⊠ 44221
Goente (Cor) 3 Sa 88 ⊠ 15325
Goi (Lug) 16 Sd 91 ⊠ 27125
Goiain (Ála) 23 Xc 91 ⊠ 01170
Goialdea (Gui) 24 Xe 91 ⊠ 20215
Goián (Lug) 16 Sd 92
Goián (Pon) 32 Rb 97 ⊠ 36750
Goiáns (Cor) 14 Ra 92
Goiás (Pon) 15 Rf 92 ⊠ 36510
Goierri (Viz) 11 Xa 88
Goiriz (Lug) 4 Sc 89 ⊠ 27840
Goitaa = Goitana (Viz) 11 Xc 89
Goitana (Viz) 11 Xc 89
▲ Goitean 25 Yc 91
Goitiolza (Viz) 11 Xb 89
Goizueta (Nav) 12 Ya 89 ⊠ 31754
Gójar (Gra) 152 Wc 126
Gola, La (Bal) 99 Da 109
▲ Gola, Platja de la 80 Ae 104
≈ Golako, Río de 11 Xc 89
Golán (Cor) 15 Rf 91
Golco (Gra) 161 Wf 127 ⊠ 18450
Goldáraz (Nav) 24 Yb 91
☆ Golden Farm (Bal) 96 Eb 109
Goldines, Los (Jaé) 139 Xb 120
Golernio (Bur) 23 Xb 92 ⊠ 09215
Goleta, Cortijo La (Gra) 152 Wd 124
Goleta, la (Val) 114 Ze 114
≈ Golf, El (Palm) 176 B 4
Golfo, El (Ten) 173 C 2
≈ Golfo, El (Ten) 173 B 2
Gollano (Nav) 24 Xf 92 ⊠ 31272
Gollena, Caserío de (Nav) 42 Yb 94
▲ Gollino 90 We 110
Gollizo, El (Alb) 125 Xd 117 ⊠ 02459
Golmar (Cor) 3 Rf 86
Golmar (Cor) 3 Rc 89
Golmayo (Sor) 41 Xc 98 ⊠ 42190
Golmés (Lle) 64 Af 99
≈ Golondrina, Rivera de la 146 Sd 124
Golondrinas, Las (Các) 105 Tf 112
≈ Golopón, Río 153 Xb 125
Golosalvo (Alb) 111 Yc 113 ⊠ 02253
Golosillo, Cortija de (Jaé) 137 Wa 121
Goloso, El (Mad) 75 Wb 105
Golpejar de la Tercia (Leó) 19 Uc 91 ⊠ 24689
Golpejas (Sal) 71 Ua 103 ⊠ 37170
Golpejera, Caserío (Sal) 72 Ub 103
Golpilleiras (Lug) 4 Sd 90
Gómara (Pon) 14 Rb 93
Gómara (Sor) 59 Xe 99
▲ Gómara, Campo de 59 Xe 99
Gomariz (Our) 15 Rf 94
Gomarro, Cortijo de (Córd) 122 Vd 118
Gombrèn (Gir) 47 Ca 95
Gomeán (Lug) 16 Sd 91
Gomecello (Sal) 72 Uc 102 ⊠ 374
Gomecha (Ála) 23 Xb 92
Gomeciego (Sal) 71 Te 102 ⊠ 37216
▲ Gomera, La (Ten) 172 A 1
▲ Gomero (Ten) 172 B 1
Gomesende (Our) 33 Rf 96
Gomesende (Our) 33 Rf 95
Gometxa = Gomecha (Ála) 23 Xb ⊠ 01195
Gómez, Cortijo de (Mur) 141 Ya 12
Gomeznarro (Vall) 55 Va 101 ⊠ 47493
Gomeznarro (Seg) 57 Wd 101 ⊠ 40518
Gomezserracín (Seg) 56 Ve 101
Gómez Velasco (Sal) 72 Ud 104
Gomiel, Cortijo de (Gra) 152 Wb 124
Gónar (Alm) 155 Ya 124
Gondar (Lug) 16 Sd 90 ⊠ 27293
Gondomar (Pon) 32 Rb 96 ⊠ 3638
Gondrame (Lug) 16 Sc 92
Gondulfes (Our) 34 Sd 97 ⊠ 3262
Góngora (Nav) 25 Yc 92
▲ Góngora, Punta de (Palm) 174 B 2
Góngoras, Los (Alm) 163 Xd 127
Goñi (Nav) 24 Ya 91 ⊠ 31172
Gontán (Our) 33 Sa 96
Gontar (Alb) 140 Xd 119 ⊠ 02489
Gonte (Cor) 14 Rb 91 ⊠ 15839
▲ Gonzalo, Punta (Palm) 175 E 3
Gonzar (Cor) 15 Re 91 ⊠ 15887
Gonzar (Lug) 16 Sb 92 ⊠ 27188
Gopegui (Ála) 23 Xb 91
Gor (Gra) 153 Xa 124 ⊠ 18870
≈ Gor, Río 153 Wf 124
Gorafe (Gra) 153 Wf 124 ⊠ 18890
▲ Gora makil 13 Yd 89
≈ Gorbea, Embalse de 23 Xb 90
Gorch, Es (Bal) 97 Bd 114
▲ Gorda, Cruz 80 Zf 104
▲ Gorda, Loma 93 Ye 107
▲ Gorda, Punta (Palm) 175 E 4
▲ Gorda, Punta (Palm) 176 B 4
▲ Gorda, Punta (Ten) 172 C 2
▲ Gorda, Punta (Ten) 172 B 3
▲ Gorda, Punta (Ten) 171 A 2
▲ Gorda, Punta (Palm) 176 C 2
▲ Gorda, Sierra 151 Ve 126
▲ Gorda, Sierra 75 Wf 102
Gordaliza de la Loma (Vall) 37 Uf 9 ⊠ 47608
Gordaliza del Pino (Leó) 37 Uf 94 ⊠ 24325
Gordexola (Viz) 10 Wf 89 ⊠ 48192
▲ Gordo 136 Vb 119
▲ Gordo 86 Tf 108
▲ Gordo, Cerro 122 Vc 117
▲ Gordo, Cerro 111 Yb 111
▲ Gordo, Cerro 78 Yf 106
Gordo, El (Các) 87 Ud 109 ⊠ 1039
▲ Gordo, Monte 146 Sd 125
▲ Gordo, Penedo 4 Sc 87
Gordoa (Ála) 23 Xd 91 ⊠ 01208
Gordón, El (Sal) 70 Tb 104
Gordoncillo (Leó) 37 Ud 96 ⊠ 2429
Gordues (Zar) 25 Ye 93 ⊠ 50685
Gordún (Zar) 25 Yf 94
Gorga (Ali) 128 Zd 116 ⊠ 03811
☆ Gorga 46 Ba 98
Gorgal (Cor) 14 Ra 91 ⊠ 15838
▲ Gorg Blau (Bal) 98 Ce 110
☆ Gorg Negre 48 Cd 98
☆ Gorg Negre 48 Ca 96
▲ Gorgo Estalluns, Punta 14 Qf 93
Gorgollitas, Las (Jaé) 140 Xc 119
Gorgoracha, La (Gra) 161 Wc 128
Gorgoreiro (Pon) 32 Rd 95
▲ Gorguel, Playa del 143 Za 123
Gorgullos (Cor) 3 Rd 90
Goriz (Hues) 27 Aa 93
☆ Gorja, La 129 Aa 116
Gorliz (Viz) 11 Xa 88 ⊠ 48630
Gormaz (Sor) 58 Wf 100 ⊠ 42313
Gornal, la (Bar) 65 Bd 101
☆ Goro, Cuevas El 23 Xb 91
Goro, El (Palm) 174 D 3 ⊠ 35215
Gorocica Elixaldea (Viz) 11 Xb 89
Goroeta (Gui) 23 Xd 90 ⊠ 20550
Gorostapolo de Errazu (Nav) 13 Yd 89
Gorostiaga = Acebedo (Ála) 22 Wf 91
Gorraiz (Nav) 25 Yd 91 ⊠ 31620
▲ Gorramendi 13 Yd 89
▲ Gorraptes, Serra de les 64 Ad 101
Gorrebusto (Ála) 23 Xd 93
≈ Gorrina, Ensenada de la (Palm) 176 D 3
Gorriti (Nav) 24 Ya 90 ⊠ 31877
Gorriz (Nav) 25 Yd 92
Gorronz-Olano (Nav) 24 Yb 91
Gos, el (Lle) 46 Ba 97 ⊠ 25749
Gosende (Cor) 15 Rf 90
Gósol (Lle) 47 Bd 95
Gospeito (Lug) 4 Sc 89
Gospí (Lle) 46 Bc 98
≈ Gosque, Laguna del 150 Va 126

Gossan, Embalse de 133 Tc 122
otarrendura (Ávi) 73 Vb 104
⊠05163
otarta (Lle) 28 Ae 94 ⊠25529
otor (Zar) 60 Yc 99 ⊠50257
Govia 3 Re 89
oyaldea = Goialdea (Gui) 24 Xe 91
Goyuyo, Playa (Ten) 173 D 3
ozón de Ucieza (Pal) 38 Vc 94
ózquez de Abajo (Mad) 90 Wc 107
ózquez de Arriba (Mad)
90 Wc 107
ra (Lle) 46 Bb 98 ⊠25211
aba (Pon) 15 Re 92 ⊠36548
Gracia 14 Ra 90
Gràcia 48 Ce 99
àcia (Cas) 95 Zf 109
Gracia, Ermita de 55 Ue 99
Gracia, Ermita de 88 Va 109
Gràcia, la 64 Ba 101
racionépel (Hues) 26 Zd 93
Graciosa (Palm) 176 C 2
radefes (Leó) 19 Ue 93 ⊠24160
rado (Ast) 6 Tf 88 ⊠33820
rado, El (Hues) 27 Aa 94 ⊠22349
rado, El (Hues) 45 Ab 96 ⊠22390
Grado, Embalse de El 45 Ab 95
rado del Pico (Seg) 58 We 101
⊠40512
raena (Gra) 153 We 125
raess (Ast) 7 Ud 88
raíces (Our) 16 Sb 94
Graja, Cueva de la 138 Wd 121
raja, La (Córd) 135 Ue 122
⊠14730
raja de Campalbo (Cue) 93 Ye 109
⊠16339
raja de Iniesta (Cue) 111 Yb 111
⊠16251
rajal de Campos (Leó) 37 Uf 95
⊠24340
rajal de Ribera (Leó) 36 Uc 95
rajalejo de las Matas (Leó)
37 Ud 94 ⊠24339
rajera (Seg) 57 Wc 100 ⊠40569
Grajera, Cerro de la 136 Uf 120
≈Grajera, Embalse de la 41 Xd 94
▲Grajos, Sierra de los 18 Ua 91
rajuela, La (Alb) 111 Ya 114
⊠02110
Gramadales, Los (Sev) 158 Ue 126
Gramedo (Ast) 7 Ud 88
Gramedo (Pal) 20 Vd 91 ⊠34846
▲Gramenales, Los 62 Zc 99
Gramenet (Lle) 28 Af 94
Gramós (Lle) 29 Bc 95
Gramuntell (Lle) 64 Bb 99 ⊠25217
Graña (Cor) 3 Rf 89
Graña, A (Cor) 3 Re 88
Graña, A (Our) 33 Sb 96
Graña, A (Pon) 32 Re 95
▲Grana, Serra de la 128 Zd 117
▲Grana, Sierra de la 135 Ud 119
▲Grana, Sierra de la 134 Ua 121
Granada (Gra) 152 Wc 125
⊠*18001
Granada, la (Bar) 65 Be 100
⊠08792
≈Granada, Río 160 Wb 127
Granada de Riotinto, La (Huel)
133 Td 122
Granadella, la (Ali) 128 Ab 116
⊠03738
Granadella, la (Lle) 64 Ae 100
⊠25177
▲Granadella, Platja de 128 Ab 116
Granadicos, Los (Mur) 141 Ya 119
Granadilla (Córd) 151 Vd 124
⊠14950
Granadilla, Cortijo de (Jaé)
124 We 118
Granadilla de Abona (Ten) 172 D 5
Granadinos, Cortijo de los (Bad)
119 Tc 116
▲Granado 146 Sd 123
Granado, El (Huel) 146 Sd 123
⊠21594
▲Granado, Sierra del 146 Sd 123
Grañanas, Cortijo de las (Gra)
151 Vf 124
Grañas (Cor) 4 Sb 87 ⊠15815
Granátula de Calatrava (Ciu)
123 Wb 116
▲Gran Canaria (Palm) 174 B 1
Granda (Ast) 6 Ua 87
Granda (Ast) 7 Ub 88
≈Granda, Embalse de la 6 Ua 87
▲Granda, Monte la 18 Tf 92
Granda de Arriba (Ast) 7 Uc 87
Grandal (Cor) 3 Rf 88 ⊠15616
Grandas (Ast) 5 Ta 89
Grandas de Salime (Ast) 5 Ta 89
⊠33730
▲Grandasllanas, Sierra 7 Ud 89
▲Grand d'Addaia, S'Illa (Bal)
96 Eb 108
≈Grande 5 Sf 88
Grande, Cortijo (Mál) 160 Ve 127
Grande, Cortijo (Jaé) 151 Wa 123
Grande, El, Cortijo (Alm) 155 Ya 126
≈Grande, Laguna 37 Ue 95
≈Grande, Laguna 71 Te 104
▲Grande, Puerto 122 Vb 116
≈Grande, Río 152 Wa 123
≈Grande de Gredos, Laguna
87 Ue 107
Grandes (Sal) 71 Te 103
Grandes (Ávi) 73 Va 104 ⊠05357
Grandes y San Martín (Ávi)
73 Va 104
≈Grande Xubia 3 Rf 87
☆Grandi, Grau de la 46 Bb 96
Grandiella (Ast) 6 Ua 89
Grandón (Lug) 16 Se 90
Grandoso (Leó) 19 Ue 91 ⊠24858
Granel, El (Ten) 171 C 2 ⊠38714
Grañén (Hues) 44 Zd 97
Grañena (Jaé) 138 Wb 121
Granera (Bar) 48 Ca 98 ⊠08183
☆Granera, Castell de 48 Ca 98
Grañeras (Leó) 37 Ue 94 ⊠24343
Granero, Cortijo de (Alm)
154 Xf 123
Graneros de Abajo, Los (Alm)
154 Xf 124
▲Granillo (Palm) 175 C 4
▲Granja 87 Uc 108
Granja, La (Mur) 141 Yb 119
▲Granja, La 22 We 94
Granja, La (Nav) 25 Ye 93
Granja, La (Vall) 55 Uf 98
☆Granja, la 64 Bb 101
Granja, La (Sal) 72 Ud 103
Granja, La (Ter) 79 Zc 105
Granja, La (Các) 86 Ua 107
⊠10711
Granja, La o San Ildefonso (Seg)
74 Vf 103
▲Granja, Puerto de la 133 Tc 119
▲Granja, Puerto de la 10 We 88
Granja de Borregas (Tol)
109 Wd 111
Granja de la Cogalla (Bur) 39 Wb 95
Granja de la Costera, la (Val)
113 Zc 115 ⊠46814
Granja de la Encomienda (Pal)
38 Vd 97
Granja del Campazo (Các)
105 Ua 111
Granja del Carrascal (Bur) 57 Wb 98
Granja del Hojalatero (Bur)
22 We 93
Granja de Llunes (Zar) 60 Yb 102
Granja del Moscadero (Bur)
22 Wd 93
Granja de los Juaneses (Ter)
79 Zb 102
☆Granja de Mirabel, Castillo
106 Ud 112
Granja de Moreruela (Zam)
36 Ub 98 ⊠49740
Granja de Olmos de Cerrato (Pal)
39 Vf 96
Granja de Pompajuela (Tol)
88 Va 109
Granja de Rocamora (Ali)
142 Za 120 ⊠03348
Granja de San Antolín (Leó)
36 Uc 94
Granja de San Esteban (Leó)
37 Uf 94
Granja de San José (Hues)
44 Ac 98
Granja de San Juan (Seg)
57 Wa 100
Granja de San Mamés (Vall)
56 Ve 99
Granja de San Pedro (Sor)
59 Xf 101
Granja de Santa Inés (Zar) 43 Yf 98
Granja de Santibáñez (Bur) 21 Vf 94
Granja de San Vicente, La (Leó)
18 Te 93 ⊠24378
Granja d'Escarp, la (Lle) 62 Ac 100
⊠25185
Granja de Torrehermosa (Bad)
135 Uc 119 ⊠06910
☆Granja de Valdefuentes, Castillo
106 Ue 112
Granja de Valdelaencina (Bur)
22 We 93
Granja de Valdevín (Bur) 22 We 93
Granja de Zaragocilla (Zar)
60 Yb 101
Granjafrío (Nav) 42 Yb 95
Granja la Salma (Sor) 59 Xd 98
Granja Las Mijarades (Bur)
39 Wc 94
Granja Muedra (Vall) 38 Vc 98
Granjas, Las (Ter) 78 Ye 105
Granja Venta de Sant Joan (Tar)
63 Ab 102
Granjuela, La (Córd) 121 Ud 118
⊠14207
▲Gran Mola, Coll de Sa (Bal)
98 Cc 111
▲Gran Montaña (Palm) 175 D 3
Granollers (Bar) 66 Cb 99 ⊠*08400
Granollers de Segarra (Lle)
46 Bb 97
Granolles de Rocacorba (Gir)
48 Cd 96
Grañón (Rio) 40 Wf 94
Gran Tarajal (Palm) 175 D 4
⊠35620
Granucillo (Zam) 36 Ua 96 ⊠49621
≈Gran Valle, Barranco de (Palm)
175 E 4
≈Gran Valle, Ensenada de (Palm)
175 E 4
Granxa (Pon) 32 Rb 96
Granyadella (Lle) 46 Bb 99
☆Granyana 62 Ad 99
Granyanella (Lle) 64 Bb 99 ⊠25218
Granyena de les Garrigues (Lle)
62 Ad 100 ⊠25160
Granyena de Segarra (Lle) 64 Bb 99
⊠25217
≈Grao, Cala (Bal) 96 Eb 109
Grao, El (Alb) 126 Yb 118
Grasa (Hues) 44 Ze 94 ⊠22622
▲Gratal, Sierra de 44 Zd 95
Gratallops (Tar) 64 Ae 101 ⊠43737
Grau, Es (Bal) 96 Eb 109
▲Grau, Platja Es (Bal) 96 Eb 109
Grau de Borriana, el (Cas)
95 Zf 109
Grau de Castelló, el (Cas)
95 Aa 109
Grau de Gandía, el (Val) 114 Zf 115
▲Grau de Gandía, Platja de el
114 Zf 114
Grau de Moncófa, el (Cas)
95 Zf 110
☆Grauderroble, Ermita de 7 Uc 87
Grau de València (Val) 114 Ze 112
Graugés (Bar) 47 Bf 96
Grau Roig (AND) 29 Be 93
Graus (Hues) 45 Ab 95 ⊠22430
Graya (Alb) 140 Xd 119
Grazalema (Cád) 158 Ud 128
⊠11610
☆Grazanes 8 Uf 88
▲Greda 39 Vf 97
Gredilla de Sedano (Bur) 21 Wb 92
⊠09142
Gredilla la Polera (Bur) 22 Wb 93
⊠09141
▲Gredos. Picos de 87 Ud 107
▲Gredos, Circo de 87 Ue 107
Gredos, Navarredonda de (Ávi)
88 Uf 106
☆Gredos, Parador Nacional de
88 Uf 106
▲Gredos, Sierra de 87 Ue 107
Gregorio, Caserío de (Nav)
24 Yb 94
☆Gregorio Prieto, Museo
124 Wd 116
Gréixer (Bar) 47 Bf 95
Grelas (Cor) 2 Ra 89 ⊠15116
Gres (Pon) 15 Rd 92 ⊠36587
Gresande (Pon) 15 Re 93 ⊠36519
☆Gresolet, Santuari 47 Be 95
Grevalosa (Bar) 47 Bd 98
Grez (Nav) 25 Yd 92 ⊠31480
Griebal (Hues) 27 Ab 94 ⊠22339
▲Griega, Playa de la 7 Ue 87
Griego, El (Alb) 126 Xf 117 ⊠02139
Griegos (Ter) 78 Yb 106 ⊠44114
Griells, les (Gir) 49 Db 96
▲Grieta, Punta (Palm) 176 C 1
Grifeu (Gir) 31 Da 94 ⊠17490
▲Grifeu, Platja de 31 Db 94
Grijalba (Bur) 39 Vf 94 ⊠09128
Grijalba de Vidriales (Zam) 36 Ua 96
⊠49621
Grijera (Pal) 21 Ve 92
▲Grijona, Sierra 147 Ta 123
Grijota (Pal) 38 Vc 96 ⊠34192
Grillas, Las (Mur) 142 Yf 123
Grillera, La (Cue) 92 Xf 108
▲Grillo, El (Ten) 172 C 5
Grima (Alm) 155 Yb 125 ⊠04619
Grimaldo (Các) 86 Td 109 ⊠10829
Griñón (Mad) 89 Wa 107
≈Grío, Río 60 Yd 100
Grisaleña (Bur) 22 We 93 ⊠09245
Grisel (Zar) 42 Yb 97 ⊠50513
Grisén (Zar) 43 Yf 98
Grisuela (Zam) 35 Te 98 ⊠49519
Grisuela del Páramo (Leó) 36 Ub 94
≈Gritos, Río 92 Xe 110
Grixoa (Cor) 14 Ra 90 ⊠15128
Grixoa (Our) 34 Sf 95
Grocin (Nav) 24 Xf 92 ⊠31292
Grolos (Lug) 16 Sc 91 ⊠27183
≈Gromejón, Río 57 Wb 98
Groo, El (Sal) 53 Te 102 ⊠37159
▲Gros, Cap (Bal) 98 Ce 110
▲Gros, Cap (Bal) 96 Df 108
▲Grosa, Isla 143 Zb 122
▲Grossa, Illa (Bal) 97 Bc 115
Grossa, la (Bar) 47 Ca 98
▲Grossa, Serra 128 Zb 115
Grove, O (Pon) 14 Ra 94 ⊠36980
Grulleros (Leó) 19 Uc 93 ⊠24346
Grullo, Cortijo del (Cád) 164 Ua 130
Grullo, Cortijo del (Sev) 149 Ud 124
Grullos (Ast) 6 Tf 88 ⊠33829
Grustán (Hues) 45 Ab 95
☆Gruta 27 Zf 93
Gruta, Sa (Bal) 99 Dc 111
Guadabraz (Jaé) 139 Xb 119
Guadacorte (Cád) 165 Ud 131
⊠11379
Guadahornillos (Jaé) 139 Xa 119
Guadahortuna (Gra) 152 Wd 123
⊠18560
≈Guadahortuna, Río 152 Wd 123
≈Guadaira, Río 149 Ub 125
≈Guadairilla, Arroyo de 148 Ub 125
≈Guadaiza, Río 158 Uf 129
Guadajira (Bad) 119 Tb 115
⊠06187
≈Guadajira, Embalse de 119 Tc 118
≈Guadajira, Río 119 Tc 116
Guadajoz (Sev) 149 Uc 123
⊠41339
≈Guadajoz, Río 137 Ve 122
Guadalajara (Gua) 75 Wf 105
⊠*19001
Guadalaviar (Ter) 78 Yb 106
⊠44115
≈Guadalaviar, Río 78 Yc 106
≈Guadalbarbo, Río 136 Va 119
≈Guadalbullón, Río 138 Wb 121
≈Guadalcacín, Embalse de
157 Ub 128
Guadalcanal (Sev) 135 Ub 120
⊠41390
▲Guadalcanal, Sierra de
134 Ua 120
Guadalcázar (Córd) 136 Va 122
≈Guadalefra, Arroyo de 121 Uc 116
Guadalema de los Quinteros (Sev)
157 Ua 126
≈Guadalemar, Río 106 Uf 114
Guadalén (Jaé) 138 Wc 120
≈Guadalén, Embalse del
138 Wd 119
≈Guadalén, Río 124 We 118
≈Guadalentín, Río 139 Xa 123
☆Guadalerzas, Catillo de
108 Wb 112
Guadalest (Ali) 129 Ze 116 ⊠03517
☆Guadalest, Castell de 129 Ze 116
≈Guadalest, Pantà de 129 Ze 116
≈Guadalete, Río 158 Ud 127
≈Guadalete, Río 158 Uc 127
≈Guadalfeo, Río 161 Wc 128
≈Guadalhorce, Embalse de
159 Vb 126
≈Guadalhorce, Río 159 Vd 126
≈Guadalimar, Río 125 Xb 118
Guadalix de la Sierra (Mad)
75 Wb 104 ⊠28794
Guadalmansa (Mál) 165 Uf 130
⊠29689
≈Guadalmansa, Río 165 Uf 129
≈Guadalmazán, Arroyo de
136 Uf 122
Guadalmedina (Mál) 159 Vd 128
≈Guadalmedina, Río 159 Vd 127
≈Guadalmellato, Embalse de
136 Vb 120
≈Guadalmellato, Río 136 Vb 120
≈Guadalmena, Embalse del
125 Xa 118
≈Guadalmena, Río 125 Xa 118
≈Guadálmez, Río 122 Vd 118
Guadalmina (Mál) 165 Va 130
⊠29678
≈Guadalmina, Río 158 Uf 129
Guadalobón (Mál) 165 Ue 130
≈Guadalope, Río 63 Aa 102
≈Guadalope, Río 79 Zc 104
≈Guadalopillo, Río 80 Zd 103
Guadalperal (Các) 87 Ud 109
Guadalperales, Los (Bad)
105 Uc 114 ⊠06713
Guadalperalón, Cortijo de (Các)
105 Tf 111
≈Guadalporcín, Río 158 Uf 128
≈Guadalquivir, Río 157 Te 127
≈Guadalteba, Río 159 Va 127
Guadalupe (Mur) 142 Ye 120
⊠30107
Guadalupe (Các) 106 Ue 112
⊠10140
☆Guadalupe 8 Vc 89
Guadalupe, Cortijada de (Jaé)
138 Wd 120
Guadalupe, Cortijo de (Alm)
140 Xf 122
☆Guadalupe, Monasterio de
106 Ud 112
▲Guadalupe, Sierra de 106 Uc 112
≈Guadalupejo, Río 106 Ue 112
≈Guadalvacarejo, Río 136 Uf 121
≈Guadamajud, Río 91 Xc 107
Guadamanil (Cád) 158 Ue 127
≈Guadamanil, Río 158 Ue 127
≈Guadamatilla, Río 121 Uf 117
≈Guadamejuz, Río 92 Xd 107
≈Guadámez, Río 120 Ua 115
▲Guadámez, Sierra de 120 Ub 117
Guadamonte (Mad) 74 Wa 106
⊠28690
Guadamur (Tol) 89 Vf 110 ⊠45160
Guadapero (Sal) 71 Td 105
⊠37590
≈Guadarilla, Río 149 Uc 126
Guadarrama (Mad) 74 Vf 104
⊠28440
▲Guadarrama, Puerto de 74 Vf 104
≈Guadarrama, Río 74 Wa 106
▲Guadarrama, Sierra de 74 Vf 104
≈Guadarramilla, Río 122 Va 118
Guadarranque (Cád) 165 Ud 131
⊠11369
≈Guadarranque, Embalse de
165 Ud 131
≈Guadarranque, Río 165 Uc 130
≈Guadarranque, Río 106 Uf 112
≈Guadarranquejo, Arroyo
106 Ue 111
≈Guadarroyo, Río 93 Yb 108
Guadasequies (Val) 128 Zd 115
⊠46839
Guadassuar (Val) 114 Zd 113
⊠46610
≈Guadatín, Arroyo de 137 Vd 121
≈Guadazaón, Río 92 Ya 109
≈Guadazaón, Río 92 Yb 108
≈Guadiamar, Caño de 148 Td 126
Guadiamar, Cortijo de (Sev)
148 Te 124
Guadiana (Cád) 165 Ud 130
≈Guadiana, Canal del 109 Wf 113
Guadiana, Cortijada de (Jaé)
139 We 121
≈Guadiana, Ojos del 109 Wc 114
≈Guadiana, Río 120 Uc 114
≈Guadiana, Río 108 Wb 114
Guadiana del Caudillo (Bad)
119 Tb 115 ⊠06186
≈Guadiana Menor, Río 139 Wf 122
Guadiaro (Cád) 165 Ue 131
⊠11311
≈Guadiaro, Río 158 Ud 129
≈Guadiaro, Río 158 Ue 129
☆Guadiaro, Sotogrande del
165 Ue 131
≈Guadiatillo, Río 136 Uf 121
≈Guadiato, Río 136 Va 121
≈Guadiel, Río 138 Wb 120
≈Guadiela, Río 77 Xd 106
Guadilla de Villamar (Bur) 21 Ve 93
⊠09135
≈Guadiloca, Arroyo 135 Ub 120
Guadiloca, Cortijo de (Sev)
135 Ub 120
Guadineja, Cortijo de la (Ciu)
124 Wf 117
Guadisa (Tol) 106 Uf 112
Guadix (Gra) 153 Wf 125 ⊠18500
Guainos Altos (Alm) 161 Wf 128
⊠04778
Guainos Bajos (Alm) 161 Wf 128
⊠04778
Guájar Alto (Gra) 161 Wc 127
▲Guájaras, Sierra de las
161 Wc 127
≈Guajaraz, Arroyo de 89 Vf 109
≈Guajaraz, Embalse de 89 Vf 110
Guajardo y Malhincada (Các)
85 Tc 108
Guájares, Los (Gra) 161 Wc 127
Guajar-Faragüit (Gra) 161 Wc 127
Guájar-Fondón (Gra) 161 Wc 127
▲Guajedra, Playa de (Palm)
174 B 2
Guajonje (Ten) 173 E 3
Gualba de Dalt (Bar) 48 Cd 98
Gualchos (Gra) 161 Wd 128
⊠18614
Gualda (Gir) 49 Da 96
Gualda (Gua) 76 Xb 104 ⊠19459
Gualdálmez (Ciu) 121 Va 116
≈Gualemar, Río 106 Uf 114
≈Gualija, Río 106 Ud 110
≈Guallar, Laguna de 62 Ze 100
Gualter (Lle) 46 Bb 97 ⊠25747
Guamasa (Ten) 173 E 2 ⊠38330
☆Guanapay, Castillo de (Palm)
176 C 3
▲Guanarteme, Punta de (Palm)
174 C 1
▲Guancha, Barranco de la (Ten)
172 B 2
☆Guancha, La (Palm) 174 C 2
Guancha, La (Ten) 172 D 3
⊠38440
▲Guancha, Playa de la (Ten)
172 C 2
☆Guanches, Ruinas (Palm) 175 E 3
☆Guanches, Ruinas (Palm) 175 C 4
☆Guanta, Castell de 66 Ca 99
▲Guara 44 Ze 95
≈Guara, Embalse de 44 Ze 95
▲Guara, Sierra de 44 Ze 95
Guarazoca (Ten) 173 C 2 ⊠38916
▲Guarbes, Serra de 28 Ae 92
Guarda, A (Pon) 32 Ra 97 ⊠36780
Guarda, Cortijo del (Cád)
164 Ua 131
Guarda, Cortijo del (Bad)
119 Tc 118

Guarda, La (Bad) 120 Ub116 ✉06459
▲Guarda, Praia da 32 Ra97
≈Guardal, Río 139 Xb122
▲Guardamar, Platja de 143 Zc120
Guardamar del Segura (Ali) 143 Zc120 ✉03140
Guardia (Hues) 45 Aa96 ✉22312
☆Guàrdia, Castell de la 46 Af96
Guardia, La (Tol) 90 Wd110 ✉45760
Guardia, La = Guarda, A (Pon) 32 Ra97
▲Guàrdia, Roc de la 29 Bc94
Guàrdia d'Ares, la (Lle) 46 Bb95
Guardia de Jaén, La (Jaé) 138 Wb122
Guàrdia de la Muga, la (Gir) 31 Cf95
Guàrdia dels Prats, la (Tar) 64 Bb100
Guàrdia de Noguera = Guàrdia de Tremp (Lle) 46 Af96
Guàrdia de Sagàs, la (Bar) 47 Bf96
Guàrdia de Tremp (Lle) 46 Af96
Guàrdia d'Urgell, la (Lle) 46 Ba98
Guardia Lada, la (Lle) 64 Bb99 ✉25217
Guàrdia Pilosa, la (Bar) 47 Bc98
▲Guardias 79 Zb103
Guardias Viejas (Alm) 162 Xa128
Guardines, Los (Alm) 163 Xf126
Guardiola (Lle) 46 Bb98
▲Guardiola 47 Bd96
Guardiola de Berga = Guardiola de Berguedà (Bar) 47 Bf95
Guardiola de Berguedà (Bar) 47 Bf95
Guardiola de Font-rubí (Bar) 65 Bd100
Guardiola de Segre (Lle) 46 Bb97
Guardo (Pal) 20 Va92 ✉34880
Guareña (Bad) 120 Tf115 ✉06470
Guareña (Ávi) 73 Va105 ✉05540
Guareña, La (Vall) 55 Ue101
≈Guareña, Río 55 Ud101
≈Guarga, Río 44 Zd94
Guarida (Bad) 119 Te117
▲Guarinén, Playa de (Ten) 172 A2
Guaro (Mál) 159 Vb129
≈Guaro, Río 160 Ve127
Guarrate (Zam) 55 Ud101 ✉49156
≈Guarrizas, Río 124 Wd118
Guarromán (Jaé) 138 Wb119
Guarros (Alm) 162 Xa126 ✉04479
≈Guart, Río 44 Ad96
Guasa (Hues) 26 Zc93 ✉22714
Guasillo (Hues) 26 Zc93 ✉22713
Guaso (Hues) 27 Aa94 ✉22349
≈Guatén, Arroyo de 89 Wb108
Guatiza (Palm) 176 D3 ✉35544
≈Guatizalema, Río 44 Ze95
☆Guayente, Santuario de 28 Ac93
Guaza (Ten) 172 C5 ✉38627
Guaza de Campos (Pal) 37 Va96 ✉34306
Gúdar (Ter) 79 Zb106
▲Gúdar, Puerto de 79 Zb106
▲Gúdar, Sierra de 79 Zb106
≈Gudiamar, Río 148 Te124
Gudiña, A (Our) 34 Sf96 ✉32540
Gudramiro (Sal) 71 Td102
Gudugarreta (Gui) 24 Xe90 ✉20218
Guea, La (Ter) 93 Yf106
Guede (Our) 33 Sb95
▲Güe 26 Zd93
Güéjar-Sierra (Gra) 152 Wd126
Güel (Hues) 44 Ac95
Güemes (Can) 10 Wc88
Güeñes (Viz) 10 Wf89 ✉48840
Güesa/Gorza (Nav) 25 Yf92
Güevéjar (Gra) 152 Wc125
▲Güigüí, Playa de (Palm) 174 B3
Güímar (Ten) 173 E4
▲Güímar, Valle de (Ten) 173 E4
Güime (Palm) 176 C4
Güitamarín (Alm) 153 Xb125
Guelbenzu (Nav) 24 Yc91 ✉31867
Guembe (Nav) 24 Ya92 ✉31176
Guenduláin (Nav) 24 Yc91
Guenduláin (Nav) 24 Yb92
Guenes = Güeñes (Viz) 10 Wf89
Gueral (Our) 16 Sb94
Guerendiáin (Nav) 25 Yc92
Guergitiáin (Nav) 25 Yd92
▲Guerinda, Cerro de 25 Yc93
☆Guerra, Cova d'en 46 Ba96
▲Guerra, Punta (Palm) 176 C3
≈Guerrero, Río 104 Tb115
Guerreros, Los (Mur) 142 Ye122
Guésalez (Nav) 24 Ya92
Guetádar (Nav) 25 Yd93
Guevara (Ála) 23 Xc91 ✉01206
Guía = Santa María de Guía de Gran Canaria (Palm) 174 C2
▲Guia, Barranco de (Ten) 172 C4
Guía, La (Mur) 142 Yf123
Guía de Isora (Ten) 172 C4
≈Guialguerrero, Laguna 60 Yc102
Guialmons (Tar) 65 Bc99 ✉43429
Guiamets, els (Tar) 64 Ae102 ✉43777
Guiar (Ast) 5 Sf88 ✉33779
Guijar, El (Seg) 57 Wa102
Guijarra, Caserío de (Bad) 118 Ta116
▲Guijarro, Collado del 105 Ub112
▲Guijarro, El 105 Te113
Guijarrosa, La (Córd) 150 Va123 ✉14547
Guijasalbas (Seg) 74 Ve104 ✉40423
Guijillo, El (Huel) 147 Tb124
≈Guijo, Arroyo 107 Vd110
≈Guijo, Arroyo del 107 Vd113
Guijo, El (Cád) 157 Ua128
Guijo, El (Huel) 147 Tc124
Guijo, El (Córd) 122 Vb117 ✉14413
Guijo de Ávila (Sal) 72 Uc105
Guijo de Coria (Các) 86 Td108 ✉10815
Guijo de Galisteo (Các) 86 Td108 ✉10816
Guijo de Granadilla (Các) 86 Tf107 ✉10665
Guijo de los Frailes, Cortijo (Các) 86 Ua109
Guijo de Santa Bárbara (Các) 87 Uc108
▲Guijos, Cerro los 72 Ue105
Guijosa (Gua) 59 Xc102 ✉19263
Guijosa (Sor) 58 We98 ✉42141
Guijoso, El (Alb) 125 Xb115
Guijuelo (Sal) 72 Ub105 ✉37770
Guijuelos, Los (Ávi) 87 Ud107 ✉05690
Guilar, el (Gir) 48 Cd95 ✉17853
Guillar (Pon) 15 Sa92 ✉36538
Guillarei (Pon) 32 Rc96
Guillena (Sev) 148 Tf123 ✉41210
▲Guillermos, Collado Los 142 Yd121
▲Guillimona, Sierra de 140 Xc120
Guils = Guils del Contó (Lle) 29 Bb94
Guils de Cerdanya (Gir) 30 Bf94 ✉17528
Guils del Contó (Lle) 29 Bb94
Guils i Fontanera (Gir) 30 Bf94
Guimara (Leó) 17 Tb91 ✉24429
Guímara (Bur) 39 Wb97
Guimarás (Our) 15 Rf94
Guimaré (Zam) 54 Ub99
Guimarei (Pon) 15 Rd92 ✉36681
Guimarei (Lug) 16 Se91
Guimerà (Lle) 64 Bb99
Guimorcondo (Ávi) 73 Vc105
▲Guinaldo 70 Tc106
Guinate (Palm) 176 D2 ✉35541
≈Guincho, Caleta del (Palm) 176 D2
Guincho, El (Ten) 172 D5
▲Guincho, Playa del (Palm) 175 E4
▲Guincho, Punta El (Ten) 171 C2
▲Guindalera 161 Wc128
Guindaleras, Las (Vall) 56 Vb99
Guíndano (Nav) 25 Ye92
▲Guindos, Sierra de los 107 Vd114
Guinea (Ála) 23 Wf91 ✉01428
Guingueta d'Aneu, la (Lle) 28 Ba93 ✉25597
Guinicio (Ála) 22 Wf92
Guiraos, Los (Alm) 154 Xf123
Guiraos, Los (Alm) 155 Yb124
Guirguillano (Nav) 24 Ya92 ✉31291
Guiró (Lle) 28 Af94
Guísamo (Cor) 3 Re89
Guisando (Ávi) 87 Uf107 ✉05417
▲Guisando 89 Vd106
☆Guisando, Toros de 89 Vd106
Guisatecha (Leó) 18 Tf92 ✉24131
Guisema, Caserío de (Gua) 77 Yb102
Guisgey (Palm) 175 E2
Guissona (Lle) 46 Bb98 ✉25210
≈Guistolas, Encoro de 34 Se94
≈Guiterons, Casacada de 48 Cb96
Guitiriz (Lug) 4 Sa89
▲Guitses 47 Bd95
Guix, el (Bar) 47 Bf98
Guixers (Lle) 47 Bd96 ✉25285
Gujuli (Ála) 23 Xa91
Gula, Cortijo de (Córd) 150 Vc123
Gulina (Nav) 24 Yb91 ✉31867
Gumá (Bur) 57 Wc99
Gumiel de Hizán (Bur) 39 Wb98
Gumiel de Mercado (Bur) 57 Wb98
Gundivós (Lug) 16 Sc94
Guntimil (Our) 33 Sb96
Guntín (Lug) 16 Sc94
Guntín (Lug) 16 Sb91
Gunyoles, les (Bar) 65 Be100 ✉08793
Gunyoles, les (Tar) 64 Bb101 ✉43154
Gurb (Bar) 48 Cb97 ✉08503
Guriezo (Can) 10 We88
▲Guriscado, Monte 4 Sc88
Guro, El (Ten) 172 B2 ✉38879
Gurp = Gurp de la Conca (Lle) 46 Af95 ✉25636
Gurp de la Conca (Lle) 46 Af95
Gurpegui (Nav) 25 Yd91
Gurrea de Gállego (Hues) 43 Zb96
Gurueba, La (Can) 9 Wa89 ✉39686
Gurullés (Ast) 6 Tf88
☆Guscons, Abric dels 80 Ab103
Gusendos de los Oteros (Leó) 37 Ud94
▲Gustaverde 113 Za111
Gustei (Our) 33 Sa94 ✉32100
Gutar (Jaé) 139 Xa119 ✉23339
Guterreño (Ávi) 73 Vb105
Gutierre-Muñoz (Ávi) 73 Vc103 ✉05296
Gutiolo (Viz) 11 Xa89 ✉48480
Gutur (Rio) 42 Ya97
Guxinde (Our) 33 Rf97
Guzmán (Bur) 57 Wa98
≈Guzmán, Caleta de (Palm) 176 C2
▲Guzmán, Loma de 138 We119
☆Guzmán el Bueno, Castillo de 165 Uc132

H

Haba, La (Bad) 120 Ub115 ✉06714
Habana, La (Ciu) 109 Wf113
Habares y de Silvestre, Cortijo de los (Alb) 140 Xd119
Habas, Cortijo de las (Cád) 164 Ub131
Habichuela, Cortijo de la (Sev) 150 Va125
▲Hacha Grande (Palm) 176 B4
▲Hacho 151 Vf125
Hacho, El (Gra) 152 We123
▲Hacho, Monte 165 Ue133
Hacienda, La Perdida (Ten) 173 D3
Hacienda Alabarra (Sev) 148 Ua123
Hacienda de Bujalmoro (Sev) 148 Ua125
Hacienda de Don Juan (Gra) 160 Wa126
Hacienda de Genís (Huel) 148 Td124
Hacienda de la Alcoba (Sev) 149 Ud126
Hacienda de la Capitana (Sev) 148 Ua125
Hacienda de la Florida (Sev) 149 Ub124
Hacienda de la Luz (Huel) 147 Tb125
Hacienda de la Mata (Sev) 149 Uc125
Hacienda del Ángel (Sev) 149 Ub126
Hacienda de las Andradas (Sev) 148 Ua125
Hacienda de las Cañas (Sev) 149 Uc126
Hacienda de la Sillera (Sev) 149 Ub124
Hacienda de la Soledad (Sev) 148 Ua124
Hacienda del Bodegón de las Cañas (Sev) 148 Ua123
Hacienda del Córdoba (Sev) 149 Ub124
Hacienda del Corzo (Sev) 149 Ub124
Hacienda del Mosquito (Sev) 157 Ua127
Hacienda de los Locos (Sev) 149 Ud125
Hacienda de los López (Córd) 151 Ve125
Hacienda de los Melonares (Sev) 134 Ua122
Hacienda del Pino (Mur) 143 Za122
Hacienda del Rosal (Sev) 149 Ub123
Hacienda de Maestre (Sev) 148 Ua125
Hacienda de Morejón (Sev) 158 Uc127
Hacienda de Orán (Sev) 148 Ua125
Hacienda de Pajarero (Sev) 149 Ub125
Hacienda de Zafra (Sev) 148 Ua125
Hacienda Dos Mares (Mur) 143 Zb122
Hacienda El Oidor (Sev) 149 Ub123
Hacienda El Pino (Sev) 149 Ub123
Hacienda y Cortijo de la Lapa (Sev) 148 Tf123
Hacinas (Bur) 40 We97 ✉09611
Haedillo (Bur) 40 We94 ✉09268
Haedo (Bur) 40 Wd96 ✉09613
Haedo de las Pueblas (Bur) 21 Wb90 ✉09573
Haedo de Linares (Bur) 22 Wc90 ✉09557
☆Hams, Coves dels (Bal) 99 Db111
Harana/Valle de Arana (Ála) 23 Xe92
Haría (Palm) 176 D3
☆Haría, Mirador de (Palm) 176 C3
▲Harinas, Sierra de las 158 Ue127
Harinera, Cortijo (Sev) 149 Uc123
Harinosa, La (Sev) 157 Ua127
Haro (Rio) 23 Xb93 ✉26200
▲Haro, Sierra de 110 Xc110
▲Hatoqueo 104 Tc112
▲Hatos Altos, Punta de los 148 Tf126
≈Havaras, Arroyo de las 149 Ud124
Haya, El (Can) 21 Vf91
Hayas, Las (Ten) 172 B2 ✉38869
Haza (Bur) 57 Wb99 ✉09316
☆Haza, La 10 Wd89
Haza Alta (Jaé) 139 Xa118
Haza de la Caridad, Cortijo de la (Córd) 136 Vb122
Haza de la Concepción (Các) 86 Ua109
Haza del Conejo, Cortijo de (Alm) 153 Wf126
Haza del Lino (Gra) 161 We128
Haza del Riego, El (Alm) 153 Xb125 ✉04532
Hazadillas, Cortijo de las (Gra) 139 Xb121
Haza Mora (Jaé) 151 Wa123
Haza Mora, La (Gra) 161 We128
Haza Nueva, Caserío (Bur) 57 Wb99
Hazas (Can) 10 Wd88
Hazas (Can) 10 Wc89
Hazas de Cesto (Can) 10 Wc88 ✉39738
Hecho (Hues) 26 Zb92 ✉22720
≈Hedrada, Encoro de 34 Sc94
Hedradas, Las (Zam) 34 Ta96 ✉49573
Hedreira (Our) 34 Ta95 ✉32366
≈Helado, Lago 27 Aa92
Helechal (Bad) 121 Ud116 ✉06613
Helechosa de los Montes (Bad) 107 Va113 ✉06692
Helechoso, Cortijo El (Huel) 133 Tb121
Helguera (Can) 10 Wd89
Helgueras (Can) 8 Vc88 ✉39569
Helguero (Can) 10 Wd89 ✉39809
Hellín (Alb) 126 Yb117
≈Henar, Arroyo del 56 Vd100
Henar, El (Seg) 56 Vd100 ✉40299
≈Henar, Río 39 Wb97
≈Henar, Río 59 Xf99
Henarejos (Cue) 93 Yd109 ✉16312
Henares (Mur) 155 Ya123 ✉30890
≈Henares, Canal del 75 We105
≈Henares, Río 75 Wd106
≈Henares, Río 93 Yd110
Henche (Gua) 76 Xb104 ✉19491
Henear, Caserío (Jaé) 138 Wd121
Herada (Can) 10 Wd89
Heras (Can) 9 Wb88 ✉39792
Heras (Gua) 76 Wf104
☆Heras, Palacio de 76 Wf104
Heras de la Peña, Las (Pal) 20 Vb92 ✉34879
Herba-savina (Lle) 46 Ba95 ✉25518
Herbers (Cas) 80 Zf104
Herbes (Cor) 3 Rd89
Herbeset (Cas) 80 Zf105 ✉12319
Herbosa (Viz) 10 We89
Herbosa (Bur) 21 Wa91 ✉09571
▲Herbosa,Illa 3 Re87
Herce (Rio) 41 Xe95 ✉26584
☆Hércules, Torre de 3 Rd88
Heredad, La (Alm) 153 Xa126 ✉04500
Heredad de Bardaji (Cue) 91 Xc108
Heredamiento (Jaé) 139 Wf121
Heredia (Ála) 23 Xd91 ✉01206
▲Heredia, Playa de (Ten) 172 A2
Hereña (Ála) 23 Xa92 ✉01420
Herencia (Ciu) 109 Wd112 ✉13640
Herencias, Las (Tol) 88 Va109 ✉45664
Heres (Ast) 7 Ub87 ✉33448
▲Heres, Coll d' 66 Ca99
▲Hergues, Barranco de (Ten) 173 E4
Herguijuela (Các) 105 Ub112 ✉10230
Herguijuela, La (Ávi) 72 Ue106 ✉05631
Herguijuela, La (Các) 86 Ua109 ✉10591
Herguijuela de la Sierra (Sal) 71 Tf106 ✉37619
Herguijuela del Campo (Sal) 71 Ua105 ✉37762
Herguijuelas de Abajo (Các) 104 Te112
Herguijuelo de Ciudad-Rodrigo (Sa 70 Tc106
Herías (Ast) 5 Tc88
☆Hermanas, Cueva de Las 90 We109
Hermanas, Las (Alb) 126 Xe118
Hermandad de Campoo de Suso (Can) 21 Ve90
Hérmedes de Cerrato (Pal) 38 Ve9
☆Hermida, Desfiladero de La 8 Vc89
Hermida, La (Can) 8 Vc89 ✉3958
Hermigua (Ten) 172 B2 ✉38820
▲Herminia, Punta 3 Rd88
Hermisende (Zam) 34 Ta97 ✉49572
Hermosa (Can) 9 Wb88 ✉39724
Hermosilla (Bur) 22 Wd93 ✉0924
Hermosilla, Cortijo de (Jaé) 138 Wc122
Hermosillo (Ávi) 87 Ud106 ✉0569
Hermosura (Ciu) 109 We114
Hermua (Ála) 23 Xd91 ✉01208
Hernán Cabrera (Bad) 121 Ud115
Hernán Cortés (Bad) 105 Ua114
▲Hernán Cortes, Parque Nacional 119 Td118
Hernández, Los (Alm) 154 Xc124
▲Hernando, Barranco 93 Yb108
Hernani (Gui) 12 Ya89 ✉20120
Hernán-Pérez (Các) 86 Td107
Hernansancho (Ávi) 73 Vb103 ✉05164
Hernán Valle (Gra) 153 Wf124
Hernialde (Gui) 12 Xf90 ✉20494
Herrada del Manco (Mur) 127 Yf117
Herradas (Val) 93 Ye110
Herradas, Cortijada Los (Alm) 163 Xf127
Herradilla, La (Alb) 112 Yd114
Herradón, El (Ávi) 73 Vc105
Herradón de Pinares (Ávi) 73 Vc105
Herradura (Alm) 163 Ya126 ✉04277
Herradura, Cortijo de la (Sev) 149 Ud124
Herradura, Cortijo de la (Jaé) 137 Ve118
Herradura, La (Gra) 160 Wb128 ✉18697
▲Herradura, La 113 Zb114
Herradura, la (Zar) 63 Aa101
▲Herradura, Playa de la (Ten) 173 C3
Herramélluri (Rio) 23 Wf93
Herreña (Mur) 141 Yc121
Herrera (Sev) 150 Va124 ✉41567
Herrera (Can) 9 Wa88
☆Herrera, Castillo de 123 Vf115
☆Herrera, Castillo de 106 Uf114
Herrera, Cortijo de (Mál) 159 Vc12
Herrera, Cortijo de (Córd) 150 Vc125
Herrera, Cortijo de (Jaé) 138 Wc119
Herrera, La (Alb) 126 Xf115 ✉02162
Herrera, La (Viz) 10 We89 ✉4886
☆Herrera, Monasterio de 23 Xa93
▲Herrera, Puerto de 23 Xb93
≈Herrera, Río 61 Yf101
▲Herrera, Sierra de 61 Yf101
▲Herrera, Sierra de la 135 Ud118
Herrera de Alcántara (Các) 103 Sd111
Herrera de Duero (Vall) 56 Vc99 ✉47161
Herrera de Ibio (Can) 9 Ve89 ✉39509
Herrera del Duque (Bad) 106 Uf114 ✉06670
Herrera de los Navarros (Zar) 61 Yf101 ✉50150
Herrera de Pisuerga (Pal) 21 Vd93 ✉34400
Herrera de Soria (Sor) 58 Wf98 ✉42148
Herrera de Valdecañas (Pal) 38 Ve96 ✉34259
Herrera de Valdivielso (Bur) 22 Wd92
Herrera-Puente del Condado (Jaé) 139 We120
Herreras, Las (Mad) 74 Ve105 ✉28296
Herrería (Gua) 77 Ya103
Herrería, La (Alm) 154 Xf126
Herrería, La (Sev) 148 Te124
Herrería, La (Córd) 136 Uf122
Herrería, La (Alb) 126 Xf117
Herrería, La (Bad) 119 Tb117
Herrería de los Chorros (Cue) 92 Yb107

Herrería de Santa Cristina (Cue) 77 Xe 105
Herrerías (Can) 8 Vd 89
Herrerías, Las (Alm) 155 Yb 125
Herrerías, Las (Huel) 132 Se 123
≈ Herrerías, Río de las 153 Xc 125
Herrería Vieja (Gua) 77 Xf 104
Herrería y Central Eléctrica (Cue) 93 Yb 108
▲ Herrero 161 Wb 127
Herreros (Sor) 41 Xb 98 ✉ 42145
Herreros (Vall) 55 Uf 100
Herreros (Sal) 71 Ua 104
Herreros, Los (Alm) 161 Wf 128
Herreros, Los (Val) 112 Za 113
Herreros de Jamuz (Leó) 36 Ua 95 ✉ 24767
Herreros de Rueda (Leó) 19 Ue 93 ✉ 24161
Herreros de Suso (Ávi) 73 Uf 104 ✉ 05146
Herreruela (Các) 104 Ta 112 ✉ 10560
Herreruela de Castillería (Pal) 21 Vd 91
Herreruela de Oropesa (Tol) 87 Ue 109 ✉ 45588
Herrezuelo (Sal) 72 Ud 104 ✉ 37864
Herrín de Campos (Vall) 37 Va 96
Herriza, Cortijo de la (Mál) 150 Vb 126
Herrumblar, El (Cue) 112 Yc 112
▲ Herruza, Sierra del 123 Wa 118
Heruela (Alb) 126 Ya 117
Hervás (Các) 86 Ua 107
Hervededo (Leó) 17 Tc 93 ✉ 24410
Hervías (Rio) 23 Xa 94
☆ Hervideros, Los (Palm) 176 B 4
Hervideros, Los (Val) 112 Yf 113
Hervideros del Emperador (Ciu) 108 Wa 114
Heures, les (Bar) 47 Ca 96
Hevia (Ast) 7 Ub 88 ✉ 33187
▲ Hibeo 8 Va 88
▲ Hidalgo, Punta del (Ten) 173 F 2
Hidalogo, Caserío (Cád) 156 Td 128
▲ Hiedras, Las (Ten) 172 C 4
☆ Hielo, Cueva del (Ten) 172 C 4
Hiendelaencina (Gua) 58 Wf 102 ✉ 19242
▲ Hierro (Ten) 173 B 1
Hierro (Bur) 22 Wd 91 ✉ 09549
▲ Hierro 74 Wa 104
▲ Hierro, Cruz de 73 Vd 104
☆ Hierro, Prador Nacional del (Ten) 173 C 2
☆ Hievo, Cueva del (Ten) 172 D 4
▲ Higa de Monreal 25 Yc 92
Higares (Tol) 89 Wa 109
▲ Higer, Cabo 12 Yb 88
Higón (Bur) 21 Wa 91
Higuera (Các) 87 Uc 110 ✉ 10359
▲ Higuera, Barranco de la (Palm) 176 B 4
Higuera, Cortijo de la (Mál) 150 Va 126
Higuera, La (Mál) 151 Vd 126
Higuera, La (Alb) 127 Yd 116 ✉ 02693
Higuera, La (Seg) 74 Vf 102 ✉ 40191
Higuera, La (Ávi) 88 Va 107 ✉ 05491
Higuera, La (Ter) 94 Yf 108
▲ Higuera, Sierra de la 108 Ve 112
▲ Higuera, Sierra de la 88 Vc 107
▲ Higueracha 94 Zb 108
Higuera de Arjona (Jaé) 137 Wa 121
Higuera de Calatrava (Jaé) 137 Ve 122 ✉ 23611
Higuera de las Dueñas (Ávi) 88 Vc 107 ✉ 05427
Higuera de la Serena (Bad) 120 Ub 117 ✉ 06441
Higuera de la Sierra (Huel) 134 Td 121 ✉ 21220
Higuera de Llerena (Bad) 120 Ua 118 ✉ 06445
Higuera de Vargas (Bad) 118 Ta 118 ✉ 06132
Higueral (Alm) 154 Xd 124 ✉ 04887
Higueral (Jaé) 139 Wf 122 ✉ 23488
Higueral, El (Córd) 151 Ve 125 ✉ 14979
Higueral, El (Ter) 79 Zd 104
Higuera la Real (Bad) 133 Tb 120 ✉ 06350
Higueralejo, Cortijo (Sev) 157 Ub 127
Higuerales, Los (Alm) 154 Xf 124
Higueras (Cas) 94 Zc 109 ✉ 12449
Higueras, Las (Córd) 151 Vf 124 ✉ 14816
Higueras, Las (Jaé) 138 Wa 122
Higuerilla, La (Palm) 174 C 3
☆ Higuerilla, Puente de la 91 Xb 107
Higuerita, La, La (Ten) 173 F 3
≈ Higuerón, Arroyo del 157 Ua 127
☆ Higuerón, Cueva del 160 Ve 128
Higuerón, El (Córd) 136 Va 121
▲ Higuerón, Puerto del 165 Ud 131
Higueruela (Alb) 127 Yd 115 ✉ 02694
Higueruela (Cue) 93 Ye 109
Higueruela, Cortijo de la (Ciu) 124 Wf 118
▲ Higueruela, Sierra de 127 Yc 115
Higueruelas (Val) 94 Za 110 ✉ 46170
Higueruelas, Caserío Las (Córd) 136 Vb 122
Hija de Dios, La (Ávi) 73 Va 105 ✉ 05131
Híjar (Alb) 126 Xf 117
Híjar (Ter) 62 Zd 102
Híjar, Cortijo de (Alb) 126 Ya 118
Hijas (Can) 9 Wa 89 ✉ 39670
Hijate, El (Alm) 154 Xc 124 ✉ 04898
Hijes (Gua) 58 Wf 101
Hijona (Ála) 23 Xc 92 ✉ 01193
Hijosa de Boedo (Pal) 21 Ve 93 ✉ 34405
☆ Hilario, Islote de (Palm) 176 B 3
Hincapié (Sal) 70 Tc 105
Hincosa, Cortijo de la (Jaé) 137 Wa 121
Hinestrosa (Bur) 38 Vf 95 ✉ 09119
Hiniesta, La (Zam) 54 Ub 99 ✉ 49192
Hiniestra (Bur) 39 Wd 94 ✉ 09199
▲ Hinodejo 59 Xb 98
☆ Hinodejo, Ermita de 59 Xb 98
Hinojal (Các) 86 Td 110 ✉ 10192
Hinojal de Riopisuerga (Bur) 21 Ve 93
Hinojales (Huel) 133 Tc 120 ✉ 21388
▲ Hinojales, Sierra 133 Tc 121
Hinojar (Mur) 141 Yc 122 ✉ 30816
▲ Hinojar, Cerro del 159 Va 129
Hinojar de Cervera (Bur) 39 Wd 97 ✉ 09610
Hinojar del Rey (Bur) 40 We 98 ✉ 09454
Hinojares (Jaé) 139 Wf 122 ✉ 23486
Hinojedo (Can) 9 Vf 88 ✉ 39350
Hinojos (Huel) 148 Td 125 ✉ 21740
≈ Hinojos, Marisma de 156 Td 126
Hinojosa (Gua) 77 Ya 102 ✉ 19334
Hinojosa, La (Sor) 40 We 98 ✉ 42142
Hinojosa, La (Cue) 92 Xd 110 ✉ 16435
≈ Hinojosa, Laguna de la 110 Xa 113
Hinojosa de Jarque (Ter) 79 Zb 104 ✉ 44157
Hinojosa de la Sierra (Sor) 41 Xc 97 ✉ 42153
Hinojosa del Campo (Sor) 59 Xf 98 ✉ 42112
Hinojosa del Duero (Sal) 70 Tb 103
Hinojosa del Duque (Córd) 121 Uf 118 ✉ 14270
Hinojosa del Valle (Bad) 120 Te 118 ✉ 06226
Hinojosa de San Vicente (Tol) 88 Vb 108 ✉ 45645
Hinojosas de Calatrava (Ciu) 123 Vf 117 ✉ 13590
Hinojosas del Cerro (Seg) 57 Wa 100 ✉ 40317
Hinojosos, Los (Cue) 110 Xb 111 ✉ 16417
Hío (Pon) 32 Rb 95
Hiriberri/Villanueva de Aezkoa (Nav) 25 Ye 91 ✉ 31671
▲ Hiricado, Puerto 40 Xb 95
Hirmes (Alm) 162 Xa 127 ✉ 04769
Hiruela, La (Mad) 75 Wd 102 ✉ 28191
▲ Hiruela, Sierra de la 107 Vb 111
Hita (Gua) 76 Wf 104 ✉ 19248
Hita, Caserío La (Jaé) 138 Wa 121
Hito, El (Cue) 91 Xb 109 ✉ 16441
☆ Hito, Ermita del 104 Tb 112
≈ Hito, Laguna de El 91 Xb 109
☆ Hoces, Estrecho de las 107 Vc 114
☆ Hoces de Bárcena, Garganta de 21 Vf 90
▲ Hoces del Río Duratón, Parque Natural de las 57 Wa 101
▲ Hoces del Río Riaza, Parque Natural de las 138 Wc 121
Hocina (Bur) 22 Wc 91 ✉ 09558
☆ Hojalora, Castillo de 122 Vd 115
Hojilla, La (Alm) 154 Xe 124 ✉ 04850
Holgado, Cortijo (Mál) 159 Va 129
Holguera (Các) 86 Td 109 ✉ 10829
▲ Hollera, Playa de la (Palm) 174 D 3
Hombrados (Gua) 78 Yb 104 ✉ 19328
▲ Hombre, Punta del (Ten) 171 B 3
▲ Home, Cabo 32 Ra 95
▲ Home, Turó de l' 48 Cc 98
≈ Homino, Río 22 Wc 93
Honcalada (Vall) 55 Va 102 ✉ 47219
▲ Honda Luján, Cañada 121 Ud 117
Hondarribia (Gui) 12 Yb 88 ✉ 20280
≈ Hondo, Barranco (Palm) 174 C 4
▲ Hondo, Barranco 93 Yc 109
▲ Hondo, Barranco 94 Zb 110
▲ Hondo, Parque Natural del 143 Zb 119
≈ Hondo Ambroz, Laguna del 143 Zb 120
Hondo de Carboneras, El (Ali) 128 Za 117
Hondo de la Vega, Cortijo de (Gra) 153 Wf 124
Hondo del Cura, Cortijo (Các) 86 Tf 110
Hondón (Cád) 158 Ud 128
Hondón, El (Mur) 142 Za 123
Hondonada, La (Cue) 93 Yc 107
Hondonadas, Las (Cue) 93 Yd 108
Hondón de las Nieves (Ali) 128 Za 119
Hondón de los Frailes (Ali) 142 Za 119
Hondura (Sal) 71 Ua 105 ✉ 37607
▲ Honduras, Punta de (Ten) 173 E 4
Honquilana (Vall) 55 Vb 102 ✉ 47219
Honrada, La (Bad) 119 Tc 116
Honrubia (Cue) 111 Xe 111 ✉ 16730
Honrubia de la Cuesta (Seg) 57 Wb 99 ✉ 40541
Hontalbilla (Seg) 57 Vf 100 ✉ 40353
▲ Hontalbilla 59 Xc 100
Hontanar (Tol) 107 Vd 111 ✉ 45159
Hontanar (Val) 93 Yd 108
Hontanar, El (Val) 94 Yf 109 ✉ 46178
Hontanar de Flores (Jaé) 123 Vf 118
Hontanares (Gua) 76 Xb 103 ✉ 19413
Hontanares (Ávi) 88 Va 108 ✉ 05418
Hontanares de Eresma (Seg) 74 Ve 103 ✉ 40490
Hontanas (Bur) 39 Vf 95 ✉ 09227
Hontanaya (Cue) 91 Xb 110 ✉ 16421
Hontangas (Bur) 57 Wb 99 ✉ 09462
Hontanillas (Gua) 76 Xc 105
Hontecillas (Cue) 92 Xe 110 ✉ 16118
Hontoba (Gua) 76 Wf 106 ✉ 19119
Hontomín (Bur) 22 Wc 93
Hontoria (Ast) 8 Va 88 ✉ 33593
Hontoria (Seg) 74 Vf 103 ✉ 40195
Hontoria de Cerrato (Pal) 38 Vd 97 ✉ 34209
Hontoria de la Cantera (Bur) 39 Wc 95 ✉ 09620
Hontoria del Pinar (Bur) 40 Wf 97 ✉ 09660
Hontoria de Ríofranco (Bur) 39 Vf 96
Hontoria de Valdearados (Bur) 57 Wc 98 ✉ 09450
▲ Horadada, Playa de la 143 Zb 121
Horca, La (Alb) 127 Yc 118 ✉ 02499
▲ Horcada, Cueto de la 21 Ve 90
Horcadas (Leó) 20 Uf 91 ✉ 24918
▲ Horcadura del Canto 8 Vb 89
Horcajada, La (Ávi) 72 Ud 106 ✉ 05695
Horcajada de la Torre (Cue) 91 Xc 108 ✉ 16162
Horcajo (Các) 86 Td 106 ✉ 10638
▲ Horcajo, Cabeza del 87 Ud 107
Horcajo, El (Sev) 157 Tf 127
Horcajo, El (Alb) 125 Xd 116 ✉ 02314
Horcajo, El (Rio) 41 Xc 96 ✉ 26126
Horcajo de la Ribera (Ávi) 87 Ud 106 ✉ 05630
Horcajo de la Sierra (Mad) 75 Wc 102 ✉ 28755
Horcajo de las Torres (Ávi) 55 Uf 102 ✉ 05210
Horcajo de los Montes (Ciu) 107 Vc 113 ✉ 13110
Horcajo de Montemayor (Sal) 71 Ua 106 ✉ 37712
Horcajo de Santiago (Cue) 91 Wf 110 ✉ 16410
Horcajo Medianero (Sal) 72 Ud 105 ✉ 37860
Horcajuelo (Ávi) 73 Va 104 ✉ 05357
Horcajuelo de la Sierra (Mad) 75 Wc 102 ✉ 28191
Horche (Gua) 76 Wf 105 ✉ 19140
▲ Horcón 122 Va 117
▲ Horconera, Sierra de la 151 Ve 124
☆ Hores, Torre de les 49 Da 97
Hormaza (Bur) 39 Wa 95 ✉ 09230
Hormazas, Las (Bur) 21 Wa 93 ✉ 09133
▲ Hormazas, Sierra de las 40 Xb 96
Hormazuela (Bur) 21 Wa 93 ✉ 09129
≈ Hormazuelas, Río 21 Wa 93
Hormicedo (Bur) 21 Wa 93
▲ Hormigas, Islas 143 Zc 123
Hormigo (Sev) 150 Va 125
Hormigos (Tol) 89 Vd 108 ✉ 45919
Hormiguera (Can) 21 Vf 91 ✉ 39419
Hormilla (Rio) 23 Xb 94 ✉ 26323
Hormilleja (Rio) 23 Xb 94 ✉ 26223
Horna (Alb) 127 Yc 115 ✉ 02529
Horna (Gua) 59 Xc 102 ✉ 19264
Horna Alta (Ali) 128 Zb 118 ✉ 03660
Horna Baja (Ali) 128 Zb 118 ✉ 03660
Hornachos (Bad) 120 Tf 117 ✉ 06228
▲ Hornachos 120 Tf 117
Hornachuelos (Córd) 135 Ue 122 ✉ 14740
Horna de Ebro (Can) 21 Vf 91 ✉ 39213
Hornedillo (Can) 9 Wb 90 ✉ 39686
Hornedo (Can) 10 Wc 88 ✉ 39716
Hornera (Mur) 142 Ye 120
☆ Hornera, Ermita de la 142 Ye 120
Hornerico (Córd) 137 Vd 123
Hornes (Bur) 22 We 90 ✉ 09587
≈ Hornía, Río 106 Uc 112
Hornias Bajas (Ciu) 108 Ve 114
Hornico (Mur) 140 Xe 120
▲ Hornico, El 141 Yd 122
≈ Hornija, Río 55 Ue 100
▲ Hornijo, Sierra del 10 Wc 89
Hornillalastra (Bur) 22 Wc 90 ✉ 09568
Hornillayuso (Bur) 22 Wc 90 ✉ 09568
Hornillejos de Cotes (Vall) 56 Vb 101
Hornillo (Alm) 163 Xf 127
Hornillo (Ten) 172 B 2
▲ Hornillo 23 Xd 92
Hornillo, Caserío del (Ciu) 107 Vb 113
☆ Hornillo, Castillo del 150 Vb 123
Hornillo, Cortijo de (Mál) 158 Uf 128
Hornillo, Cortijo de (Sev) 148 Ua 125
Hornillo, Cortijo El (Alm) 163 Xf 127
Hornillo, El (Palm) 174 C 2
▲ Hornillo, El 127 Yd 118
Hornillo, El (Ávi) 88 Uf 107 ✉ 05415
Hornillos (Vall) 56 Vb 100
Hornillos de Cameros (Rio) 41 Xd 95 ✉ 26133
Hornillos de Cerrato (Pal) 38 Ve 97 ✉ 34249
Hornillos del Camino (Bur) 39 Wa 94 ✉ 09230
Hornillo Viejo, Cortijo de (Sev) 135 Ub 120
Hornito, Cortijo del (Huel) 133 Ta 120
Horno (Mur) 141 Yc 119
Horno (Các) 105 Uc 114
Horno, Cortijo del (Gra) 139 Xb 122
▲ Horno, Sierra del 107 Vb 111
▲ Horno, Sierra del 86 Te 106
Horno-Ciego (Alb) 126 Xe 118
Horno de Alcedo Castellar (Val) 114 Zd 112
Horno de Cal (Val) 94 Yf 110
☆ Horno de la Peña 9 Vf 89
Horno del Vidrio (Jaé) 138 Wd 122
Horno Robledo (Ávi) 88 Vb 106
Hornos (Jaé) 139 Xb 119
Hornos (Córd) 139 We 121
Hornos, Los (Bad) 119 Tc 115
Hornos de Moncalvillo (Rio) 41 Xc 94 ✉ 26372
Hornos el Viejo (Jaé) 139 Xb 119
Horquera, La (Sal) 71 Td 106
Horra, La (Bur) 57 Wa 98 ✉ 09311
Horta, S' (Bal) 99 Da 109
Horta d'Avinyó (Bar) 47 Bf 98
Horta de Sant Joan (Tar) 80 Ab 103 ✉ 43596
Hortales (Cád) 158 Uc 128
Hortaleza (Mad) 75 Wc 106
Horta Nova, S' (Bal) 99 Db 112
Hortas (Cor) 15 Re 91 ✉ 15819
Hortás (Lug) 16 Sc 94
Hort de Alcaidus (Bal) 96 Ea 109
Hort de Biniatro (Bal) 99 Cf 110
Hort d'En Mosson (Bal) 99 Da 111
Hort d'en Oleza, S' (Bal) 99 Db 111
Hort de Sant Diego, S' (Bal) 96 Ea 108
▲ Hortes, Cap de les 128 Zd 118
Hortezuela (Sor) 58 Xa 100 ✉ 42366
Hortezuela de Océn, La (Gua) 77 Xd 103
Hortezuelos (Bur) 39 Wd 97 ✉ 09610
Hortichuela (Jaé) 151 Wa 124 ✉ 23689
▲ Hortichuela 151 Wa 124
Hortichuela, La (Mur) 142 Ye 119 ✉ 30708
Hortichuelas (Alm) 163 Xf 127 ✉ 04116
Hortichuelas, Las (Alm) 162 Xc 128
Hortigal (Can) 8 Vd 88 ✉ 39549
Hortigüela (Bur) 40 Wd 96
Hortizuela (Cue) 77 Xf 106
Hortizuela (Cue) 92 Xe 108
Hortizuela, Cortijo de la (Jaé) 139 Xa 120
☆ Hortoneda 47 Bd 97
Hortoneda de la Conca (Lle) 46 Ba 95 ✉ 25517
Hortsavinyà (Bar) 48 Cd 99
Hortunas de Abajo (Val) 112 Yf 112 ✉ 46357
Hortunas de Arriba (Val) 112 Yf 112 ✉ 46357
Hospital (Lug) 17 Sf 92
Hospital (Lug) 16 Se 93
Hospital (Hues) 27 Aa 93
▲ Hospital, Collado del 106 Ud 111
Hospital de Cervelló (Bar) 65 Bf 100
Hospital de Gistaín (Hues) 27 Ac 93
Hospital del Duque (Rio) 40 Xa 95
Hospital de Órbigo (Leó) 18 Ua 94
Hospital de Parzán (Hues) 27 Ab 92
Hospitaled (Hues) 45 Aa 95
Hospitalet de l'Infant, l' (Tar) 64 Af 103 ✉ 43890
Hospitalet de Llobregat, l' (Bar) 66 Ca 100
Hosquillo, Caserío El (Cue) 92 Ya 106
Hostafrancs (Lle) 46 Bb 98 ✉ 25211
Hostal de Ipiés (Hues) 26 Zd 94
Hostal dels Alls, l' (Tar) 80 Ad 104 ✉ 43896
Hostal de Urbasa (Nav) 24 Xf 92
Hostal de Villar de Canes, l' (Cas) 80 Zf 106
Hostalejo, El (Cas) 94 Zc 109
Hostal El Ciervo (Zar) 62 Ze 100 ✉ 50176
Hostalets de Balenyà, els (Bar) 48 Cb 98
Hostalets de Cervera, els (Lle) 64 Bc 99 ✉ 25213
Hostalets d'en Bas, els (Gir) 48 Cc 96 ✉ 17177
Hostalets de Pierola, els (Bar) 65 Be 99 ✉ 08781
Hostalets de Tost, els (Lle) 46 Bc 95 ✉ 25795
Hostal Nou, l' (Lle) 47 Bc 97 ✉ 25281
Hostalnou de Bianya, l' (Gir) 48 Cc 95
Hostalric (Gir) 48 Cd 98 ✉ 17450
☆ Hostoles, Castell d' 48 Cd 96
Hotel de Torrelaguna (Mad) 74 Wa 104
Hova Marta, Cortijada de (Gra) 161 Wf 126
Hoya (Jaé) 139 We 119
≈ Hoya, Bahía de la (Ten) 173 B 2
≈ Hoya, Balsa La 61 Yd 99
Hoya, Cortijo de la (Mur) 141 Yb 120
Hoya, Cortijo de la (Alb) 125 Xc 116
Hoya, La (Alm) 154 Xe 124
Hoya, La (Alm) 154 Xf 124
Hoya, La (Mur) 141 Yc 122
Hoya, La (Jaé) 125 Xb 118
Hoya, La (Sal) 72 Ub 106 ✉ 37716
Hoya, La (Mad) 74 Ve 105
▲ Hoya, Puerto La 72 Ub 106
Hoya Alazor (Mur) 140 Xe 120
Hoya Alta, Cortijo de la (Gra) 139 Xb 121
Hoya de Antaño (Val) 94 Za 110
Hoya de la Carrasca (Ter) 93 Yf 108
Hoya de la Mora, Albergue de la (Gra) 161 Wd 126
Hoya de la Parrilla (Alb) 125 Xd 118
Hoya del Cambrón, La (Jaé) 139 Xb 119
Hoya del Campo (Mur) 142 Yd 119 ✉ 30559
Hoya del Conejo, La (Alb) 125 Xc 116
Hoya del Espino, La (Gra) 140 Xc 120
▲ Hoya del Espino, Sierra de la 140 Xd 120
Hoya del Espino de Arriba, Cortijo de la (Alb) 140 Xd 120
Hoya del Mollidar (Mur) 127 Yf 118
Hoya del Peral (Cue) 93 Yd 108 ✉ 16318
Hoya del Pozo (Mur) 127 Yf 117
▲ Hoya del Pozo, La 74 Vd 103
Hoya del Salobral (Jaé) 152 Wb 124
Hoya de Redonda (Ten) 172 C 3
Hoya de San Roque (Mur) 142 Ye 119

Hoya de Santa Ana (Alb) 127 Yc 116
Hoya Fria (Ten) 173 F3 ✉ 38110
Hoya-Gonzalo (Alb) 127 Yc 115
Hoya Grande (Ten) 171 B2
▲ Hoya Grande 56 Ve 101
Hoyahermosa (Mur) 142 Yf 119
Hoya Hermosa, La (Ali) 128 Za 117
▲ Hoya Honda (Ten) 173 D4
▲ Hoya Honda 63 Ab 101
Hoyales, Caserío de (Pal) 39 Vf 97
Hoyales de Roa (Bur) 57 Wa 99 ✉ 09316
▲ Hoyalta 79 Za 105
Hoya Muñoz, Caserío (Mur) 127 Ye 116
▲ Hoya Rasa 41 Xf 96
Hoya Redonda (Val) 128 Za 115
Hoyas, Cortijo de (Tol) 108 Wb 113
Hoyas, Cortijo de las (Jaé) 140 Xd 119
Hoyas, Cortijo de las (Jaé) 139 Xa 122
▲ Hoyas, Filete de las 151 Ve 126
Hoyas, Las (Jaé) 152 Wa 123
Hoyas, Las (Alb) 126 Xe 118 ✉ 02449
▲ Hoyas, Los (Ten) 172 C4
☆ Hoyas, Palacio de las 89 Ve 106
Hoyas del Pino, Las (Alb) 125 Xd 117
Hoyas de San Gregorio (Palm) 174 D3
≈ Hoyas Hondas (Palm) 176 C4
▲ Hoyetes, Los (Palm) 174 B2
Hoyo (Mur) 127 Yf 117
Hoyo, El (Córd) 151 Ve 124
Hoyo, El (Córd) 135 Ue 119
Hoyo, El (Ciu) 123 Wa 118 ✉ 13594
Hoyo, El (Ávi) 72 Ud 106 ✉ 05696
▲ Hoyo, El 74 Wa 102
≈ Hoyo, Laguna del 73 Vb 103
Hoyocasero (Ávi) 73 Va 106 ✉ 05123
Hoyo del Barrio (Ten) 173 C2
Hoyo de Manzanares (Mad) 74 Wa 105 ✉ 28240
Hoyo de Pinares, El (Ávi) 74 Vd 106 ✉ 05250
≈ Hoyo de Pinares-Bereas, Embalse de 74 Vd 105
▲ Hoyomenor, Puerto 10 Wd 89
Hoyorredondo (Ávi) 72 Ud 106 ✉ 05516
Hoyos (Các) 85 Tb 107 ✉ 10850
▲ Hoyos, Los 41 Xb 95
Hoyos de Guadarranque o Buenas Noches (Cád) 165 Uc 130
Hoyos del Collado (Ávi) 87 Ue 106 ✉ 05634
Hoyos del Espino (Ávi) 87 Uf 106 ✉ 05634
Hoyos del Tozo (Bur) 21 Wa 92 ✉ 09126
Hoyos de Miguel Muñoz (Ávi) 88 Uf 106 ✉ 05132
Hoyos de Plaza, Cortijo de los (Jaé) 139 Xa 120
☆ Hoyos Quemados, Ermita de 93 Yc 107
Hoyuelo, El (Sev) 134 Te 122 ✉ 41880
Hoyuelos (Seg) 73 Vd 102 ✉ 40136
Hoyuelos, Cortijo de los (Ciu) 125 Xb 116
Hoyuelos de la Sierra (Bur) 40 We 96 ✉ 09615
≈ Hoz 77 Yb 105
≈ Hoz, Arroyo de la 58 Xa 98
≈ Hoz, Barranco de la 77 Xd 104
☆ Hoz, Convento de la 57 Wa 101
☆ Hoz, Cueva de la 77 Xe 103
≈ Hoz, Embalse de la 60 Yb 100
Hoz, La (Córd) 151 Vd 125
Hoz, La (Alb) 125 Xd 116 ✉ 02314
Hoz, La (Val) 112 Yf 114
▲ Hoz, La 93 Ye 107
▲ Hoz, Loma de la 87 Ud 107
≈ Hoz, Río de la 76 Xb 102
Hozabejas (Bur) 22 Wc 92 ✉ 09593
Hozalla (Bur) 22 Wf 91 ✉ 09511
Hoz de Abajo (Sor) 58 Wf 100 ✉ 42311
☆ Hoz de Abiada, Refugio de la 21 Ve 90
Hoz de Anero (Can) 10 Wc 88 ✉ 39794
Hoz de Arreba (Bur) 21 Wb 91 ✉ 09572
Hoz de Arriba (Sor) 58 Wf 100 ✉ 42311
Hoz de Barbastro (Hues) 45 Aa 96 ✉ 22312
☆ Hoz de Beteta, La 77 Xf 105
Hoz de Jaca (Hues) 26 Ze 92 ✉ 22662
Hoz de la Vieja, La (Ter) 79 Za 103 ✉ 44791
≈ Hoz de los Pozuelos, Rambla de la 78 Yc 103
Hoz de Valdivielso (Bur) 22 Wd 92 ✉ 09559
≈ Hozgarganta, Río 165 Ud 130
Hoznayo (Can) 10 Wb 88 ✉ 39716
Hoz y Costeán (Hues) 45 Aa 96
Hualí Nuevo, Cortijo del (Alm) 163 Xe 127
Huarte (Nav) 13 Yc 90
Huarte (Nav) 25 Yc 91
≈ Huebra, Río 70 Tb 102
Huebras, Cortijo de las (Ciu) 125 Xb 117
▲ Huebras, Sierra de 140 Xd 120
Huebro (Alm) 163 Xe 127 ✉ 04119
Huecas (Tol) 89 Ve 108 ✉ 45511
≈ Huecha, Río 42 Yb 98
Huechaseca (Zar) 42 Yc 98
Huécija (Alm) 162 Xc 127
Hueco del Pico (Jaé) 139 We 120
Huélaga (Các) 85 Tc 108
Huélago (Gra) 152 We 124
≈ Huélago, Arroyo de 153 We 124
Huélamo (Cue) 92 Yb 107
Huelde (Leó) 20 Uf 91
Huelga, La (Alm) 154 Xf 126 ✉ 04289
Huelga, La (Córd) 137 Vd 121 ✉ 14620
☆ Huelgas, Castillo de las 138 Wb 120
▲ Huelgas, Las 37 Ud 96
☆ Huelgas, Real Monasterio de las 39 Wb 94
Huelma (Jaé) 138 Wd 123 ✉ 23560
Huelmo (Sal) 71 Te 103
Huelmos de Cañedo (Sal) 54 Ub 102
Huelmos de San Joaquín (Sal) 54 Ub 102
Huelmos y Casasolilla (Sal) 71 Ua 104 ✉ 37451
Huelva (Huel) 147 Ta 125 ✉ *21001
≈ Huelva, Rivera de 133 Tc 121
Huelvacar (Cád) 164 Ua 129 ✉ 11170
Huelvas, Las (Huel) 133 Tc 121
Huelves (Cue) 91 Xa 108 ✉ 16465
Huéneja (Gra) 153 Xa 125
Huenes, Caserío (Gra) 152 Wc 126
Huércal de Almería (Alm) 162 Xd 127
Huércal-Overa (Alm) 155 Ya 124
Huércanos (Rio) 23 Xb 94
Huerce, La (Gua) 58 We 102 ✉ 19238
Huércemes (Cue) 93 Yb 110
Huérfana, La (Sal) 71 Tf 102
Huerga de Frailes (Leó) 36 Ua 94 ✉ 24356
Huergas de Gordón (Leó) 19 Uc 91
Huérguina (Cue) 93 Yc 108
Huérmeces (Bur) 21 Wb 93
Huérmeces del Cerro (Gua) 76 Xb 102
Huérmeda (Zar) 60 Yc 100
≈ Huerna, Río 18 Ub 90
Hueros, Los (Mad) 75 Wd 106 ✉ 28810
Huerrios (Hues) 44 Zd 96 ✉ 22194
Huerta (Seg) 57 Wb 102 ✉ 40164
Huerta (Sal) 72 Ud 103 ✉ 37338
Huerta (Các) 86 Te 106 ✉ 10629
Huerta, La (Alm) 155 Ya 125
Huerta, La (Alm) 154 Xe 123
Huerta, La (Mur) 142 Yf 119
Huerta Alta (Zar) 43 Ye 97
Huerta Cruz (Bad) 119 Td 117
Huerta de Abajo (Bur) 40 Wf 96 ✉ 09614
Huerta de Arriba (Bur) 40 Wf 96 ✉ 09614
Huerta de Gorronoso (Các) 86 Te 108
Huerta de Granda (Bad) 120 Ua 115
Huerta de Hoyas, Cortijo de la (Gra) 160 Vf 127
Huerta del Abad (Mur) 155 Yc 124
Huerta de la Manga (Sev) 150 Vb 125
Huerta del Americano (Mál) 158 Ue 129
Huerta de la Obispalía (Cue) 91 Xd 109
Huerta de la Pila (Huel) 133 Sf 122
huerta de las Viñas, Caserío de la (Sev) 135 Ub 122
Huerta del Colegio (Sev) 150 Va 125 ✉ 41550
Huerta del Coto (Bad) 134 Tf 120
Huerta del Manco (Jaé) 140 Xc 120
Huerta del Marquesado (Cue) 93 Yb 108 ✉ 16316
Huerta del Palmar (Palm) 174 C2
Huerta del Rey (Bur) 40 Wd 97
Huerta del Zauzar, Cortijo de la (Các) 104 Td 113
Huerta de Peñalva (Ciu) 109 Wf 113
Huerta de San Benito (Bad) 133 Tb 119
Huerta de San Rafael, Caserío (Jaé) 138 Wc 122
Huerta de Tohús (Ávi) 73 Vb 105
Huerta de Valdecarábanos (Tol) 90 Wc 109
Huerta de Vero (Hues) 44 Aa 96 ✉ 22313
Huerta Grande (Huel) 146 Sf 123
Huertahernando (Gua) 77 Xe 104 ✉ 19441
Huerta Julián (Bad) 119 Td 117
Huértalo (Hues) 26 Za 93
Huertalpelayo (Gua) 77 Xe 104
Huerta Medialegua (Sev) 134 Te 122
Huerta Nueva, La (Palm) 174 B3
Huerta Nueva-Sancho Jaén (Mál) 158 Ue 128
≈ Huertas, Caletón de las (Palm) 176 C2
☆ Huertas, Ermita de las 141 Yc 122
Huertas, Las (Gra) 151 Vf 126
Huertas, Las (Córd) 136 Vb 123
Huertas Concejo (Bad) 119 Td 118
Huertas de la Magdalena (Các) 105 Ua 112 ✉ 10291
Huertas del Ingeniero (Córd) 150 Va 124 ✉ 14549
Huertas del Río (Mál) 151 Vd 126
Huertas del Sauceral, Las (Ciu) 107 Vb 112 ✉ 13118
Huertas de Mateo (Cue) 112 Yc 112
Huerta Sevilla (Bad) 134 Td 119
Huertas Nuevas (Córd) 150 Vb 124
Huertas y Lomas (Mál) 159 Vb 128 ✉ 29566
Huertas y Montes (Mál) 159 Va 127 ✉ 29327
Huerta Vicho (Ten) 173 E3
Huertecica, Cortijo de (Mur) 141 Yc 119
Huertecicas Altas, Las (Alm) 154 Xe 125
Huérteles (Sor) 41 Xe 96
Huertezuela, Cortijo de la (Mál) 150 Vc 125
Huertezuelas (Ciu) 123 Wb 117 ✉ 13779
Huerto (Hues) 44 Zf 97 ✉ 22210
≈ Huerto de los Monjes, Embalse del 107 Vd 112
Huerto del Rincón (Alb) 111 Yb 114
Huerto de Pedrotello (Sal) 70 Tc 105
Huerto Isaura (Val) 114 Zd 113
Huerto Perdido, Cortijo de (Jaé) 125 Xb 118
Huertos, Cortijo de los (Mál) 150 Vc 126
Huertos, Los (Seg) 74 Ve 102 ✉ 40490
≈ Huerva, Río 61 Yf 99
Huesa (Jaé) 139 Wf 122 ✉ 23487
Huesa del Común (Ter) 79 Za 102
Huesca (Hues) 44 Zd 96 ✉ *22001
▲ Huesca, Hoya de 44 Zd 95
Huéscar (Gra) 140 Xc 122
≈ Huéscar, Río 140 Xc 122
Huéspeda (Bur) 22 Wc 92
Hueta, La (Jaé) 125 Xc 118
Huete (Cue) 91 Xb 108 ✉ 16500
Hueto Abajo (Ála) 23 Xb 91 ✉ 01191
Hueto Arriba (Ála) 23 Xb 91 ✉ 01191
Huétor-Santillán (Gra) 152 Wc 125
Huétor-Tájar (Gra) 151 Vf 125
Huétor-Vega (Gra) 152 Wc 126
Huetos (Gua) 76 Xc 104 ✉ 19429
Huetre (Các) 71 Te 106 ✉ 10628
Huevа (Gua) 76 Xa 106 ✉ 19119
Huévar del Aljarafe (Sev) 148 Te 124
≈ Huevero, Laguna del 110 Xb 112
▲ Huevo, Pico 19 Ud 90
≈ Huéznar, Embalse de 135 Ub 122
≈ Huéznar, Rivera de 135 Ub 122
Huidobro (Bur) 22 Wb 92 ✉ 09559
Huimayor (Alm) 154 Xe 124 ✉ 04860
Huit (Mál) 160 Wa 128 ✉ 29793
Humada (Bur) 21 Vf 92 ✉ 09124
Humaina, Caserío (Mál) 159 Vd 128
Humanes (Gua) 75 Wf 104
Humanes de Madrid (Mad) 89 Wb 107 ✉ 28970
▲ Humapega 135 Ub 120
Humarán (Viz) 10 Wf 89
☆ Humboldt, Mirador (Ten) 173 E3
Humbrías (Mur) 155 Yd 123
Humera (Mad) 75 Wb 106
Humienta (Bur) 39 Wb 95 ✉ 09620
Humilladero (Mál) 150 Vb 126 ✉ 29531
Humilladero (Ciu) 108 Wa 113
☆ Humilladero, Ermita de 54 Tf 101
☆ Humilladero, Ermita del 56 Vb 99
☆ Humilladero, Ermita del 70 Tc 103
Humo, Cortijo del (Alm) 163 Xf 127
Humo, El (Hues) 45 Ab 94
▲ Humorada, Loma de 135 Ub 120
☆ Hundidero, Cueva del 158 Ue 128
Hunfrías, Las (Tol) 107 Va 111
Hurchillo (Ali) 142 Za 120 ✉ 03313
▲ Hurdes, Las 71 Te 106
Hurón, El (Huel) 133 Ta 121
Hurona, La (Mur) 142 Ye 119
Hurones (Bur) 39 Wc 94 ✉ 09191
≈ Hurones, Embalse de los 158 Uc 128
Hurtado (Mur) 142 Ye 120 ✉ 30600
Hurtumpascual (Ávi) 73 Uf 104 ✉ 05147
▲ Húsar, El 61 Yf 101
Husillos (Pal) 38 Vc 96 ✉ 34419
≈ Huso, Río 88 Uf 110
Hútar (Jaé) 138 Wd 122
☆ Hypostylos (Bal) 96 Ea 109

I

Ibahernando (Các) 105 Ua 113 ✉ 10280
≈ Ibaizabal, Río 11 Xb 89
▲ Ibañeta, Puerto de 25 Yd 90
Ibargoiti (Nav) 25 Yd 92
Ibarguren (Ála) 24 Xe 91 ✉ 01260
Ibarra (Viz) 10 Wf 89
Ibarra (Ála) 23 Xc 90 ✉ 01160
Ibarra (Gui) 24 Xf 90 ✉ 20400
☆ Ibarra, Palacio de 76 Xa 104
Ibarrangelu (Viz) 11 Xc 88 ✉ 48311
Ibarrangelu Elejalde (Viz) 11 Xc 88
Ibars de Noguera = Ivars de Noguera (Lle) 44 Ad 97
Ibdes (Zar) 60 Ya 101 ✉ 50236
Ibeas de Juarros (Bur) 39 Wc 95 ✉ 09198
Iberia (Tol) 90 Wb 109
Ibi (Ali) 128 Zc 117 ✉ 03440
Ibias (Ast) 17 Ta 90
≈ Ibias, Río 17 Tb 91
Ibieca (Hues) 44 Ze 96 ✉ 22122
Ibilcieta (Nav) 25 Yf 91 ✉ 31451
▲ Ibio 9 Vf 89
Ibiricu (Nav) 24 Xf 92
Ibiricu (Nav) 25 Yc 92
Ibirque (Hues) 44 Ze 94
Ibisate (Ála) 23 Xd 92 ✉ 01129
Ibiza = Eivissa (Bal) 97 Bc 115
≈ Ibor, Río 87 Uc 110
Iborra = Ivorra (Lle) 47 Bc 98
Ibort (Hues) 26 Zd 94 ✉ 22620
Ibrillos (Bur) 40 Wf 94 ✉ 09259
☆ Ibros 153 Xb 123
Ibros (Jaé) 138 Wd 120 ✉ 23450
Icaztegieta (Gui) 24 Xf 90
Icedo (Bur) 21 Wa 93
Ichaso (Nav) 24 Yb 91
Iciar = Itziar (Gui) 11 Xd 89
Iciz (Nav) 25 Yf 92 ✉ 31451
Icod de los Vinos (Ten) 172 C3
Icod el Alto (Ten) 172 D3 ✉ 38414
▲ Icor, Barranco de (Ten) 173 D4
☆ Idafe, Roque (Ten) 171 B2
Idarga (Ast) 6 Te 88 ✉ 33891
Idiazabal (Gui) 24 Xe 90 ✉ 20213
Idoate (Nav) 25 Yd 92
Idocin (Nav) 25 Yd 92 ✉ 31473
▲ Idocorry, Sierra de 25 Ye 92
Idokiliz (Viz) 11 Xc 89
▲ Idubaltza 22 Wf 90
Ifac (Ali) 129 Aa 117
▲ Ifac, Penyal d' 129 Aa 117
Igal (Nav) 25 Yf 92 ✉ 31452
Igea (Rio) 42 Xf 96 ✉ 26525
Igeldo = Igueldo (Gui) 12 Xf 89 ✉ 20008
Igeleta = Eguileta (Ála) 23 Xc 92
Igena (Ast) 8 Uf 88 ✉ 33556
Iglesia, La (Jaé) 138 Wa 122
Iglesia, La (Can) 9 Vf 88
Iglesia, La (Can) 9 Ve 88
Iglesia, La (Viz) 11 Xb 88
Iglesia, La (Viz) 10 We 89
Iglesia, La (Can) 10 Wc 89
Iglesiapinta (Bur) 40 We 96 ✉ 09640
Iglesiarrubia (Bur) 39 Wa 97 ✉ 09345
Iglesias (Bur) 39 Wa 95 ✉ 09227
Iglesuela, La (Tol) 88 Vb 107 ✉ 45633
Iglesuela del Cid, La (Ter) 80 Ze 106 ✉ 44142
Igoa (Nav) 24 Yb 90 ✉ 31866
Igollo (Can) 9 Wa 88
Igorre (Viz) 11 Xb 90 ✉ 48140
Igrexa (Lug) 4 Sc 87
Igrexa (Pon) 32 Rd 94
Igrexa, A (Cor) 4 Sa 87
Igrexa, A (Cor) 15 Re 90
Igrexafeita (Cor) 3 Rf 88
Igriés (Hues) 44 Zd 95
≈ Iguala, Barranco de (Ten) 172 B2
▲ Iguala, Playa de (Ten) 172 B2
Igualada (Bar) 65 Bd 99 ✉ 08700
Igualeja (Mál) 158 Uf 129 ✉ 29440
Igualero (Ten) 172 B2 ✉ 38869
Igüeña (Leó) 18 Te 92
Igueldo (Gui) 12 Xf 89
Iguria (Viz) 23 Xc 90 ✉ 48230
Igúzquiza (Nav) 24 Xf 93
Ihabar (Nav) 24 Ya 91 ✉ 31850
Ihaben (Nav) 24 Yb 91 ✉ 31869
▲ Iján 21 Ve 90
▲ Ijuana, Playa de (Ten) 173 G2
Ilarduia = Ilarduya (Ála) 24 Xe 91 ✉ 01260
Ilarduya (Ála) 24 Xe 91
Ilarratza = Ilarraza (Ála) 23 Xc 91 ✉ 01192
Ilárraz (Nav) 25 Yc 91
Ilarraza (Ála) 23 Xc 91
Ilces, Las (Can) 20 Vb 90 ✉ 39588
Ilche (Hues) 45 Aa 97 ✉ 22415
Illa, A (Our) 33 Rf 97 ✉ 32869
Illa de Arousa (Cor) 14 Ra 93
Illana (Gua) 91 Xa 107 ✉ 19119
Illán de Vacas (Tol) 88 Vc 109
Illano (Ast) 5 Ta 89 ✉ 33734
Illar (Alm) 162 Xc 127 ✉ 04431
Illa Ravena (Bal) 99 Db 110
Illas (Ast) 6 Ua 88
Illaso (Ast) 5 Tb 88 ✉ 33718
Illescas (Tol) 89 Wa 108 ✉ 45200
▲ Illeta, S' (Bal) 98 Ce 110
▲ Illón, Sierra de 25 Yf 92
Íllora (Gra) 151 Wa 125
Illot, S' (Bal) 99 Dc 111
Illueca (Zar) 60 Yc 99 ✉ 50250
▲ Illuntzar 11 Xc 89
Ilundáin (Nav) 25 Yc 92
Ilúrdoz (Nav) 25 Yc 91
Ilzarbe (Nav) 24 Ya 91 ✉ 31172
Imada (Ten) 172 B2
Imagen, Cortijo de la (Jaé) 138 We 120
Imárkoain (Nav) 25 Yc 92
Imas (Nav) 41 Xe 94
Imende (Cor) 2 Rc 89 ✉ 15105
Imirizaldu (Nav) 25 Ye 92 ✉ 31448
Imiruri (Bur) 23 Xb 92 ✉ 09217
Imízcotz (Nav) 25 Yd 91
Imón (Gua) 59 Xb 102
Imora, La (Jaé) 138 Wb 122
Imotz (Nav) 24 Yb 91
▲ Imperio, Cerro del 78 Yd 105
Improviso, Cortijo del (Córd) 150 Vb 123
☆ Ina, Ermita de la 157 Tf 129
Ina, La (Cád) 157 Tf 129 ✉ 11595
▲ Inagua (Palm) 174 B3
Iñas (Cor) 3 Re 89
Inazares (Mur) 140 Xe 120 ✉ 30413
Inbuluzketa (Nav) 25 Yc 91 ✉ 31698
Inca (Bal) 99 Cf 110 ✉ 07300
Incedo (Can) 10 Wd 89
▲ Inchereda (Ten) 172 B2
▲ Inciensos, Puntas de los (Palm) 174 B4
Incinillas (Bur) 22 Wc 91 ✉ 09558
Incio (Lug) 16 Se 93
Incio, O (Lug) 16 Sd 93
▲ Indiano, Cerro del 135 Ue 120
Indias, Las (Ten) 171 B3 ✉ 38749
▲ Indio, Sa Roca des (Bal) 96 Ea 109
Indioteria, S' (Bal) 98 Ce 111
Induráin (Nav) 25 Yd 92
Indusi (Viz) 23 Xb 90 ✉ 48141
≈ Indusi, Río 23 Xb 90
≈ Indusi, Río 25 Yd 93
Inés (Sor) 58 Wf 100
≈ Inesperada, Laguna de la 123 Wb 115
Inestrillas (Rio) 42 Ya 97 ✉ 26531
☆ Infantado, Castillo de 36 Ub 96
☆ Infantado, Torre del 8 Vc 90
Infantas, Las (Jaé) 138 Wb 121 ✉ 23639
▲ Infantes, Páramo de los 38 Vd 97
▲ Infern, Pas de l' 129 Ze 115
Infesta (Pon) 14 Rc 92 ✉ 36649
Infesta (Our) 34 Sc 97
☆ Infiernillo, Central Eléctrica del 77 Xe 105
▲ Infierno (Ten) 172 B1
▲ Infierno 26 Ze 92
▲ Infierno, Barranco del (Ten) 172 C5
Infierno, Cortijo de (Alb) 125 Xc 115
☆ Infierno, Puente del 6 Tc 89
☆ Infierno, Puerta del 77 Xe 106
≈ Infierno, Río del 7 Ue 89
☆ Infiernos, Los 151 Vf 125
Infiernos, Los (Mur) 142 Za 122 ✉ 30592
Infiesto (Ast) 7 Ud 88 ✉ 33530
Ingenio (Palm) 174 D3
≈ Inglés, Bahía del (Palm) 174 C4
☆ Inglés, Castillo del 12 Yb 89
Inglés, Cortijo del (Sev) 150 Uf 125
▲ Inglés, Playa del (Ten) 172 A2
Inguenzo (Ast) 8 Va 89
Inicio (Leó) 18 Ua 92 ✉ 24127
Iniesta (Cue) 111 Yb 112 ✉ 16235
Iniestas, Las (Alb) 111 Ya 114
Iniéstola (Gua) 77 Xd 103
Íñigo (Sal) 71 Ua 104

go Blasco (Sal) 72 Ud 105
ogés (Zar) 60 Yd 100
oso (Ála) 23 Xa 90 ⊠ 01450
stinción (Alm) 162 Xc 127
stituto Leprológico (Gua)
76 Xc 104
stitut Pere Mata (Tar) 64 Ba 101
sua (Cor) 4 Sa 87
sua (Pon) 32 Rc 94
súa (Lug) 5 Se 87
nsua, Punta da 14 Qf 92
xetru = Chinchetru (Ála) 23 Xd 91
za (Nav) 24 Ya 90 ⊠ 31891
Invernadeiro, Montes do 34 Se 95
vernales de Cabao (Ast) 8 Vb 89
viernas, Las (Gua) 76 Xb 103
⊠ 19491
p, Ibón de 26 Zd 92
ás (Hues) 26 Zc 93
és (Hues) 26 Zd 94
ñaburu (Viz) 23 Xb 90 ⊠ 48144
ora, Cortijo de (Sev) 150 Va 125
rabia, Embalse de 25 Yf 91
acheta (Nav) 25 Yc 93 ⊠ 31395
aeta (Gui) 12 Xe 89 ⊠ 20749
agi (Nav) 25 Yc 91 ⊠ 31639
an (Lle) 28 Ae 94 ⊠ 25529
añeta (Nav) 24 Ya 91 ⊠ 31849
Irantzu, Monasterio de = Iranzu,
Monasterio de 24 Xf 92
Iranzu, Monasterio de = Irantzu,
Monasterio de 24 Xf 92
ati (Nav) 25 Yf 91
Irati, Bosque del 25 Ye 91
Irati, Río 25 Ye 91
Irati, Valle del 25 Ye 91
oerri (Nav) 25 Yc 93
cio (Bur) 23 Xa 93 ⊠ 09219
ede de Luna (Leó) 18 Ua 91
⊠ 24148
Iregua, Río 41 Xd 94
go (Lle) 28 Ae 94 ⊠ 25529
bas (Nav) 24 Ya 91 ⊠ 31879
epel (Gua) 75 Wf 105
juelas, Cortijo de las (Jaé)
139 Wf 120
mo (Gui) 23 Xd 90
Irimo, Monte 23 Xd 90
s (Cor) 3 Rf 88
sarri (Nav) 12 Yb 89 ⊠ 31790
Irixe, Río de 16 Sb 91
ixo, O (Pon) 15 Rf 93
ixoa (Cor) 3 Rf 89
xoa (Lug) 4 Sb 88 ⊠ 27837
as, las = Irles, las (Tar) 64 Af 101
les, les (Tar) 64 Af 101 ⊠ 43390
Irta, Serra d' 96 Ab 107
uecha (Sor) 59 Xf 102 ⊠ 42269
uela (Leó) 35 Td 95 ⊠ 24741
uela, La (Jaé) 139 Wf 121
⊠ 23476
uelas, Caserío (Cád) 164 Ub 132
uelos (Sal) 53 Te 102
Irués, Río 27 Ab 93
ueste (Gua) 76 Xa 105 ⊠ 19143
ujo (Nav) 24 Ya 92 ⊠ 31176
un (Gui) 12 Yb 88 ⊠ * 20301
Iruña 23 Xb 91
uña Oka/Iruña de Oka (Ála)
23 Xb 92
uñela (Nav) 24 Xf 92 ⊠ 31177
ura (Gui) 12 Xf 90 ⊠ 20271
uraitz-Gauna (Ála) 23 Xd 92
urita (Nav) 13 Yc 90 ⊠ 31730
urre (Nav) 24 Ya 92 ⊠ 31291
urtzun (Nav) 24 Yb 91 ⊠ 31860
uruzki (Nav) 25 Ye 92
ús (Bur) 22 Wd 90
uz (Can) 9 Wa 89 ⊠ 39691
saac, Cortijo de (Ciu) 123 Wb 117
saba (Nav) 26 Za 91 ⊠ 31417
sabel, La (Huel) 146 Sd 123
sabela, La (Jaé) 138 Wc 119
⊠ 23214
Isabel II, Canal de 75 Wc 105
Isabel II, Fortaleza de (Bal)
96 Eb 109
sábena (Hues) 44 Ad 95
Isábena, Río 28 Ad 94
Isábena, Río 44 Ad 95
Isanta 47 Bd 96
sar (Bur) 39 Wa 94 ⊠ 09130
Isarria, Punta 12 Xe 89
sasa, Caserío de (Córd)
137 Vd 120
Isaspi, Monte 24 Xe 90
savarre (Lle) 28 Ba 93 ⊠ 25586
Isbert, Pantà d' 129 Zf 116
scar (Vall) 56 Vc 100
sclés (Hues) 44 Ad 95
sequilla (Can) 10 Wd 88 ⊠ 39776
sidros, Los (Val) 112 Ye 112
⊠ 46354
sil (Lle) 28 Ba 92 ⊠ 25586
sín (Hues) 26 Zd 93
sla (Can) 10 Wc 88 ⊠ 39195
sla, La (Ast) 7 Ue 88 ⊠ 33341
▲ Isla, Playa de la 7 Ue 88
sla Canela (Huel) 146 Sd 125
▲ Isla Canela, Playa de 146 Sd 126
Isla Cristina (Huel) 146 Se 125
⊠ 21410
▲ Isla Cristina, Playa de 146 Se 125
Isla del Moral (Huel) 146 Sd 125
Isla de Pedrosa (Can) 9 Wb 88
Islallana (Rio) 41 Xc 95 ⊠ 26121
☆ Isla Mágica 148 Ua 124
▲ Isla Mayor 157 Te 127
Isla Mayor (Sev) 148 Te 126
⊠ 41140
Isla Menor (Sev) 148 Tf 125
Isla Mínima (Sev) 148 Tf 126
Isla Plana (Mur) 142 Ye 123
⊠ 30868
Isla Redonda (Sev) 150 Va 124
⊠ 41567
Islas, Las (Ciu) 107 Ve 113 ⊠ 13114
Isla y Sotico (Leó) 36 Uc 95
Isleta, La (Alm) 163 Xf 128 ⊠ 04118
Isleta, La (Palm) 174 D 2
▲ Isleta, La (Palm) 174 D 1
▲ Isleta, La (Palm) 176 C 3
Isletes, Cortijo de los (Cád)
157 Ua 129
Islica, La (Alm) 163 Ya 126 ⊠ 04149
▲ Islote, El (Palm) 174 B 5 ⊠ 35559
Isoba (Leó) 19 Ue 90 ⊠ 24855
≈ Isoba, Lago de 19 Ue 90
Ison (Lle) 29 Bb 92
Isona (Lle) 46 Ba 96 ⊠ 25650
Isona i Conca Dellà (Lle) 46 Ba 96
Isora (Ten) 173 C 2 ⊠ 38915
Isòvol (Gir) 29 Be 94
Ispaster (Viz) 11 Xc 88 ⊠ 48288
Ispaster-Elejalde (Viz) 11 Xc 88
⊠ 48288
Isso (Alb) 126 Yb 118 ⊠ 02420
Istán (Mál) 159 Va 129
≈ Isuela, Río 60 Yc 99
Isuerre (Zar) 25 Yf 94 ⊠ 50687
Isún de Basa (Hues) 26 Ze 93
☆ Itálica 148 Tf 124
Itera del Castillo (Bur) 38 Ve 95
Itero de la Vega (Pal) 38 Ve 95
⊠ 34468
Itero Seco (Pal) 20 Vc 94 ⊠ 34477
≈ Itoiz, Embalse de 25 Yd 92
Ítrabo (Gra) 161 Wc 128
Itsaso (Gui) 24 Xe 90 ⊠ 20709
Itsaso-Alegia (Gui) 24 Xe 90
⊠ 20709
Itsasondo (Gui) 24 Xe 90 ⊠ 20249
Itsasperri (Nav) 24 Ya 91 ⊠ 31849
Ituero (Alb) 126 Xe 116 ⊠ 02314
Ituero (Sor) 59 Xd 99 ⊠ 42191
Ituero de Azaba (Sal) 70 Tb 106
⊠ 37551
Ituero y Lama (Seg) 74 Vd 104
⊠ 40151
Ituren (Nav) 24 Yb 90 ⊠ 31745
Iturgoyen (Nav) 24 Ya 92 ⊠ 31176
Iturmendi (Nav) 24 Xf 91 ⊠ 31810
Iturreta (Viz) 11 Xd 89
Iturrieta (Ála) 23 Xd 92
▲ Iturrieta, Montes de 23 Xc 92
Itzanotz = Izanoz (Nav) 25 Yd 92
Itziar (Gui) 11 Xd 89 ⊠ 20829
Ivanrey (Sal) 70 Tc 105 ⊠ 37500
Ivars de Noguera (Lle) 44 Ad 97
⊠ 25122
Ivars d'Urgell (Lle) 46 Af 98
⊠ 25260
Ivarsos, els (Cas) 95 Zf 107
Ivorra (Lle) 47 Bc 98 ⊠ 25216
▲ Ixeia 28 Ad 93
Ixona = Hijona (Ála) 23 Xc 92
⊠ 01193
Iza (Nav) 24 Yb 91 ⊠ 31170
▲ Izaga, Peña de 25 Yd 92
Izagandoa (Nav) 25 Yd 92
Izagre (Leó) 37 Ue 95 ⊠ 24293
Izal (Nav) 25 Yf 92 ⊠ 31451
≈ Izalde, Río 22 Wf 90
Izalzu/Itzaltzu (Nav) 25 Yf 91
Izana (Sor) 59 Xc 98 ⊠ 42291
☆ Izaña, Observatorio
Meteorológico de (Ten) 173 E 4
▲ Izaña, Puerto de (Ten) 173 E 4
≈ Izana, Río 59 Xc 99
Izánoz (Nav) 25 Yd 92
Izara (Can) 21 Ve 91 ⊠ 39418
≈ Izarilla, Río 21 Ve 91
▲ Izaro, Isla de 11 Xb 88
Izarra (Ála) 23 Xa 91 ⊠ 01440
▲ Izarraitz, Monte 12 Xe 89
Izartza = Izarza (Ála) 23 Xc 92
⊠ 01194
Izarza (Ála) 23 Xc 92
Ízbor (Gra) 161 Wc 127
Izcala (Sal) 54 Ub 101 ⊠ 37799
≈ Izcala, Arroyo de 54 Ub 101
Izcalina, La (Sal) 54 Ub 101
Izcar (Córd) 137 Vd 122
Izco (Nav) 25 Yd 93 ⊠ 31473
▲ Izco, Sierra de 25 Yc 93
Izcue (Nav) 24 Yb 92 ⊠ 31173
▲ Izique (Ten) 173 C 2
≈ Izkiz, Río 23 Xd 92
Iznájar (Córd) 151 Ve 125
≈ Iznájar, Embalse de 151 Vd 125
Iznalloz (Gra) 152 Wc 124 ⊠ 18550
Iznate (Mál) 160 Ve 128 ⊠ 29792
≈ Iznate, Río de 160 Ve 128
Iznatoraf (Jaé) 139 Wf 120 ⊠ 23338
Izoria (Ála) 22 Wf 90 ⊠ 01479
≈ Izoría, Río 22 Wf 90
▲ Izpegi, Puerto de 13 Yd 89
Izurdiaga (Nav) 24 Ya 91 ⊠ 31868
Izurtza (Viz) 11 Xc 90 ⊠ 48213
Izurtza = Izurza (Viz) 11 Xc 90
⊠ 48213
Izurzu (Nav) 24 Ya 92 ⊠ 31175

J

J. Ventosa Calvell (Lle) 28 Af 93
Jábaga (Cue) 92 Xe 108
Jabalcón (Gra) 153 Xb 123
▲ Jabalcón 153 Xb 123
Jabalcuz (Jaé) 138 Wa 122
⊠ 23194
Jabalera (Cue) 91 Xb 107 ⊠ 16512
▲ Jabalón 93 Yd 107
≈ Jabalón, Río 124 Wf 116
▲ Jabalón, Sierra de 93 Yd 107
Jabaloyas (Ter) 93 Yd 107 ⊠ 44122
Jabalquinto (Jaé) 138 Wb 120
⊠ 23712
☆ Jabalquinto, Palacio de
138 Wd 121
Jabares de los Oteros (Leó)
37 Uc 94 ⊠ 24224
Jabarillo (Hues) 44 Zc 95
Jabarrella (Hues) 26 Zd 94 ⊠ 22621
≈ Jabarrella, Embalse de 26 Zd 94
▲ Jabata 134 Td 121
▲ Jabato, Cerro del 158 Uc 129
▲ Jable, El (Palm) 175 C 5
▲ Jable, El (Palm) 176 C 3
▲ Jablito, El (Palm) 175 E 1
Jaboneros (Mál) 159 Vd 128
Jaboneros, Los (Mur) 141 Yc 122
Jabugo (Huel) 133 Tb 121 ⊠ 21290
Jabuguillo (Huel) 133 Tc 121
⊠ 21209
Jaca (Hues) 26 Zc 93 ⊠ 22700
Jaca, Cortijo de (Mál) 150 Va 126
▲ Jaca, Playa de la (Ten) 173 E 5
Jacarilla (Ali) 142 Za 120 ⊠ 03310
▲ Jacintos 119 Tc 119
Jadraque (Gua) 76 Xa 103
⊠ * 19240
Jadú (Cád) 165 Ud 133
Jaén (Jaé) 138 Wb 122
Jafre (Gir) 49 Da 96 ⊠ 17143
Jaganta (Ter) 80 Ze 104 ⊠ 44566
Jaime Pérez, Cortijo de (Sev)
157 Ub 126
▲ Jaizkibel 12 Ya 88
Jalance (Val) 112 Yf 113 ⊠ 46624
▲ Jalance, Muela de 112 Yf 113
Jaldarín, Caserío (Mál) 160 Vd 127
≈ Jalón, Río 61 Ye 99
Jalón/Xaló (Ali) 129 Zf 116
Jalón de Cameros (Rio) 41 Xd 95
Jambrina (Zam) 54 Uc 100 ⊠ 49191
≈ Jambrina, Arroyo de 54 Uc 100
☆ Jameos del Agua (Palm) 176 D 3
▲ James, Playa de los (Palm)
175 E 4
Jamilena (Jaé) 137 Wa 122
⊠ 23658
Jámula, La (Gra) 154 Xc 124
≈ Jamuz, Río 36 Te 95
Jana, la (Cas) 80 Ab 105 ⊠ 12340
▲ Janana, Morro (Palm) 175 D 3
Janáriz (Nav) 25 Yd 92
▲ Janda, Laguna de la 164 Ub 131
▲ Jandía (Palm) 174 B 5
▲ Jandía, Península de (Palm)
174 B 5
▲ Jandía, Punta de (Palm) 174 A 5
Jandía Playa (Palm) 174 B 5
Jandiola (Ála) 10 Wf 90 ⊠ 01409
≈ Jándula, Embalse del 137 Wa 119
≈ Jándula, Río 123 Wa 118
≈ Jandulilla, Río 138 We 121
☆ Janet, Cova de 64 Af 102
▲ Jañona 85 Tc 107
Jánovas (Hues) 27 Zf 94
≈ Janubio, Laguna de (Palm)
176 B 4
▲ Janubio, Playa del (Palm) 176 B 4
Jaque, El (Sal) 85 Tc 107
▲ Jaque, Hoya del 94 Za 109
▲ Jara, Cabezo 155 Ya 123
Jara, Caserío La (Alb) 126 Xf 117
Jara, Caserío La (Ter) 78 Yc 105
Jara, Cortijo de la (Alm) 155 Ya 125
Jara, Cortijo de la (Ciu) 125 Xb 117
Jara, La (Cád) 156 Td 128
Jara, La (Cád) 157 Ua 128
Jara, La (Córd) 122 Vb 118
⊠ 14700
▲ Jara, La 106 Va 111
Jaraba (Zar) 60 Ya 101 ⊠ 50237
Jaraco = Xaraco (Val) 114 Ze 114
Jarafe (Jaé) 138 Wc 121
Jarafuel (Val) 112 Yf 114 ⊠ 46623
Jaraguas (Val) 112 Yd 111 ⊠ 46311
Jaraicejo (Các) 105 Ub 111
⊠ 10380
Jaraíces (Ávi) 73 Va 103
Jaraíz de la Vera (Các) 87 Ub 108
Jaral, Cortijo del (Jaé) 138 We 122
Jaral, El (Cád) 158 Ud 127 ⊠ 11687
Jaral, El (Alm) 154 Xe 124
Jaral, El (Ten) 172 C 4 ⊠ 38688
Jarales (Ten) 173 C 2
Jarales, Cortijo de los (Alm)
154 Xc 125
Jarales, Los (Alm) 154 Xf 125
⊠ 04271
▲ Jarales, Los 121 Ue 118
☆ Jarama, Circuito del 75 Wc 105
≈ Jarama, Río 75 We 103
≈ Jarama, Río 90 Wc 107
Jaramediana (Các) 104 Tc 113
≈ Jaramiel, Arroyo de 56 Vd 98
Jaramieles, Los (Vall) 56 Ve 98
≈ Jaramilla, Río 58 Wd 102
Jaramillo de la Fuente (Bur)
40 We 96 ⊠ 09640
Jaramillo-Quemado (Bur) 40 Wd 96
Jarana (Cád) 164 Tf 129
≈ Jaranda, Garganta de 87 Ub 108
Jarandilla de la Vera (Các)
87 Uc 108
Jaras, Las (Córd) 136 Va 121
⊠ 14029
Jarata (Córd) 150 Vb 123 ⊠ 14550
Jaray (Sor) 59 Xf 98 ⊠ 42132
Jaraz de Meredo (Ast) 5 Ta 88
Jarazmín (Mál) 160 Ve 128
Jarceley (Ast) 6 Td 89 ⊠ 33816
Jarda, La (Cád) 158 Uc 129
⊠ 11400
Jardín, El (Alb) 125 Xe 116 ⊠ 02340
≈ Jardín, Río del 126 Xe 115
Jardón, El (Córd) 136 Vc 122
Jarero (Bad) 120 Ub 119
Jaretas, Cortijo de las (Sev)
158 Uc 127
Jarias (Ast) 5 Ta 87 ⊠ 33747
≈ Jarigüela, Arroyo 106 Ue 112
Jarilla (Các) 86 Tf 108 ⊠ 10728
≈ Jarilla, Arroyo de la 121 Ue 117
Jarilla, La (Sev) 148 Ua 124
⊠ 41309
▲ Jarilla, La 121 Ue 117
Jarillas, Las (Sev) 134 Ua 122
⊠ 41360
Jarillas, Las (Mad) 75 Wb 105
Jarillo, Cortijo del (Córd) 137 Vc 121
Jarlata (Hues) 26 Zd 93 ⊠ 22714
Jarosa, Cortijo de la (Sev)
135 Ub 122
≈ Jarosa, Embalse de la 74 Vf 105
Jarosas, Las (Jaé) 138 We 122
Jaroso (Huel) 133 Ta 122
Jarque (Zar) 60 Yb 99
Jarque de la Val (Ter) 79 Zb 104
⊠ 44169
▲ Jarra, La 94 Zc 109
Jarrín Grande, Cortijo (Các)
105 Ua 111
Jarrio (Ast) 5 Tb 87 ⊠ 33719
≈ Jartin 85 Ta 110
Jartos (Alb) 126 Xe 118
▲ Jarubio, Playa del (Palm) 175 D 2
Jasa (Hues) 26 Zc 92 ⊠ 22731
Jasses, Els (Bal) 99 Da 109
Játar (Gra) 160 Wa 127
Játar (Gra) 140 Xd 122
Jatiel (Ter) 62 Zd 101 ⊠ 44592
Jatilla (Ávi) 88 Va 106
Játiva = Xàtiva (Val) 113 Zc 114
Jau, El (Gra) 152 Wb 125 ⊠ 18329
Jauca, La (Gra) 153 Xc 124
Jauca Alta (Alm) 154 Xc 124
⊠ 04899
Jaud, la (Ali) 128 Zb 118
Jauja (Córd) 150 Vc 125 ⊠ 14911
Jaula (Córd) 151 Ve 124 ⊠ 14800
Jaulas, Cortijada Las (Alm)
155 Yb 125
Jaulín (Zar) 61 Za 100
Jaunsarats (Nav) 24 Yb 90
Jauro (Alm) 154 Xf 125 ⊠ 04271
Jauro, Cortijada del (Alm)
154 Ya 125
≈ Jauro, Río 154 Xf 125
Jaurrieta (Nav) 25 Yf 91 ⊠ 31691
Jautor (Cád) 164 Uc 130
☆ Jautor, Palacio de 164 Uc 130
▲ Javalambre, Sierra de 94 Za 108
Javalí Nuevo (Mur) 142 Ye 121
▲ Javana, Punta 163 Ya 127
Jávea = Xàbia (Ali) 129 Aa 116
Jávea/Xàbia (Ali) 129 Aa 116
Javerri (Nav) 25 Ye 92 ⊠ 31481
Javier (Nav) 25 Ye 93 ⊠ 31411
Javierre (Hues) 27 Zf 94
Javierre (Hues) 27 Ab 93
Javierre (Hues) 45 Aa 95
▲ Javierre, Sierra de 44 Zd 94
Javierre del Obispo (Hues) 26 Ze 93
⊠ 22613
Javierregay (Hues) 26 Zb 93
⊠ 22750
Javierrelatre (Hues) 26 Zc 94
⊠ 22624
≈ Javierrelatre, Embalse de
44 Zd 94
Jayena (Gra) 160 Wb 127 ⊠ 18127
Jayona, La (Bad) 134 Ua 120
Jedey (Ten) 171 B 3
Jédula (Cád) 157 Ua 128
≈ Jelí, Laguna de 164 Tf 130
Jemenuño (Seg) 73 Vd 103
⊠ 40135
▲ Jemenuño 73 Vc 103
Jemingómez (Sal) 72 Ud 103
Jerdune (Ten) 172 B 2
≈ Jerea, Río 22 Wd 91
Jeresa = Xeresa (Val) 114 Ze 114
☆ Jerez, Circuito de 157 Tf 128
Jerez de la Frontera (Cád)
157 Tf 128 ⊠ * 11401
Jerez del Marquesado (Gra)
153 Wf 125 ⊠ 18518
Jerez de los Caballeros (Bad)
133 Tb 119 ⊠ 06380
≈ Jerga, Río 18 Te 94
Jérica (Cas) 94 Zc 109
Jerónimos, Los (Mur) 142 Za 121
Jerquera, Cortijo de (Gra)
140 Xd 121
▲ Jerra, Playa de la 9 Ve 88
Jerte (Các) 87 Ub 107 ⊠ 10612
≈ Jerte, Río 86 Ua 108
☆ Jerusalem, Monestir de 44 Ad 98
Jesús (Bal) 97 Bc 115
Jesús, El (Ten) 171 B 2
☆ Jesús, Ermita de 60 Ya 102
Jesús del Valle (Gra) 152 Wc 125
Jesús i Maria (Tar) 80 Ae 104
☆ Jesús Nazareno, Castillo
155 Yb 125
Jesús Pobre (Ali) 129 Aa 116
Jete (Gra) 161 Wc 128 ⊠ 18699
Jijona/Xixona (Ali) 128 Zd 117
≈ Jiloca, Río 60 Yc 101
≈ Jiloca, Río 78 Ye 106
Jimena (Jaé) 138 Wd 121 ⊠ 23530
Jimena de la Frontera (Cád)
165 Ud 130 ⊠ * 11330
Jimenado (Mur) 142 Yf 122
Jiménez, Cortijo de los (Alm)
140 Xf 122
Jiménez de Jamuz (Leó) 36 Ua 95
Jimera de Líbar (Mál) 158 Ue 129
Jimonete (Huel) 132 Se 121
Jinetes, Los (Sev) 149 Ub 123
Jiniebro (Các) 103 Se 113
Jirueque (Gua) 76 Xa 103 ⊠ 19245
Joanet (Gir) 48 Cd 97 ⊠ 17402
Joanetes (Gir) 48 Cc 96 ⊠ 17176
Joara (Leó) 37 Va 94 ⊠ 24326
Joarilla de las Matas (Leó) 37 Ue 95
⊠ 24324
Jócar (Gua) 75 Wf 103
≈ Jocica, Embalse de 8 Uf 89
Jódar (Jaé) 138 Wd 121
Jodra de Cardos (Sor) 59 Xc 101
⊠ 42216
Jodra del Pinar (Gua) 76 Xc 102
⊠ 19262
Jola (Các) 103 Se 113 ⊠ 10515
Jolúcar (Gra) 161 Wd 128
Joluque (Alm) 154 Xd 126 ⊠ 04200
Joncadella (Bar) 47 Be 98
≈ Jóncols, Cala 49 Db 95
Jonquera, La (Gir) 31 Cf 94
⊠ 17700
Jorairátar (Gra) 161 Wf 127
Jorba (Bar) 65 Bd 99 ⊠ 08719
Jorcas (Ter) 79 Zb 105 ⊠ 44156
Jordana (Alm) 155 Ya 125 ⊠ 04619
Jordana (Mur) 143 Zb 123
Jordana, Sa (Bal) 99 Dc 110
Jordanes, Cortijo de los (Mur)
155 Ya 123
Jordi (Bal) 97 Bd 114
Jorge, Lo (Mur) 142 Ye 122
≈ Jorge, Río 123 Wc 117
Jorosa, La (Mur) 141 Yb 123
Jorquera (Alb) 112 Yc 113 ⊠ 02248
Jórvila (Alm) 154 Xd 125
Josa (Ter) 79 Zb 103 ⊠ 44792
≈ Josa, Riu de 47 Bd 95
Josa de Cadí (Lle) 47 Bd 95
Josa del Cadí = Josa de Cadí (Lle)
47 Bd 95
Josa i Tuixén (Lle) 47 Bd 95
José Antonio (Cád) 157 Ua 128
José Lucio, Cortijo de (Jaé)
139 Xa 121
≈ José Torán, Embalse de
135 Ud 122
☆ Jotrón, Ermita de 159 Vd 127
Jou (Lle) 28 Ba 93 ⊠ 25597
▲ Jou, Coll de 47 Bd 96
Joval (Lle) 47 Bd 97
Jove (Ast) 7 Ub 87 ⊠ 33299
Joya, Cortijo de la (Cád) 165 Uc 132
≈ Joya, Embalse de 133 Sf 122
Joya, La (Mál) 159 Vc 127

Joya, La (Huel) 133 Sf122
Joya, La (Bal) 97 Bd114
Joyosa, La (Zar) 43 Yf98 ✉50692
≈Jualón, Río 91 Xc109
▲Juan Adalid, Punta de (Ten) 171 B1
Juan Antón (Sev) 134 Td123
☆Juanar, Refugio del 159 Va129
▲Juan Cabello, Loma de 134 Ua121
▲Juan Centelles, Punta de (Ten) 172 C3
Juan Collado, Caserío de (Các) 105 Ub111
▲Juanes, Alto 24 Xf94
Juanetes, Los (Mur) 141 Yb122
Juan Gallego (Sev) 134 Td122 ✉41898
≈Juan Gastón, Barranco de 43 Ye98
Juan Gómez (Sev) 148 Ua126
▲Juan Gomez, Playa de (Palm) 174 B5
Juan Grande (Palm) 174 D4 ✉35107
▲Juan Grande, Llanos de (Palm) 174 D4
☆Juan II, Palacio de 55 Uf102
Juan Isidoro (Córd) 151 Vd123
▲Juanita, La (Palm) 175 E2
▲Juan López, Playa de (Ten) 172 B4
▲Juan Navarro, Sierra de 112 Yf111
Juan Pérez (Sev) 150 Va125
Juarros (Sal) 72 Ud104 ✉37861
Juarros de Riomoros (Seg) 74 Ve103 ✉40130
Juarros de Voltoya (Seg) 73 Vc102 ✉40445
Jubalcoi (Ali) 128 Zc119
Júbar (Gra) 162 Wf126
Jubera (Jaé) 138 Wa121
Jubera (Rio) 41 Xe95 ✉26131
Jubera (Sor) 59 Xd101 ✉42257
≈Jubera, Río 41 Xe94
Jubero, Cortijo del (Gra) 151 Vf124
▲Jubiley, Puerto 161 Wd127
Jubrique (Mál) 158 Ue129 ✉29492
≈Júcar, Río 112 Yd113
≈Júcar, Río 111 Xf113
≈Júcar, Río 92 Yb107
≈Júcar-Turia, Canal 113 Zc112
Judarra (Alb) 126 Yb116
Judas, Cortijo de (Jaé) 139 Wf121
Judes (Sor) 59 Xe102 ✉42259
≈Judes, Laguna de 59 Xe102
▲Judío 122 Vc117
Judío, Cortijo del (Sev) 148 Ua124
Judío, El (Huel) 147 Ta124
≈Judío, Embalse del 141 Yd119
≈Judío, Rambla del 127 Yd118
Judío Nuevo, Cortijada del (Córd) 136 Vb122
☆Jueria, la 48 Ce97
▲Juey 112 Yf113
Jugo (Ála) 23 Xb91 ✉01139
Juià (Gir) 49 Cf96
Juïnyà (Gir) 48 Ce95
▲Julán, El (Ten) 173 B2
☆Julia Contrasta 103 Se112
☆Julia Lépida 62 Zd100
Juliana, Cortijo de la (Alb) 126 Xe118
Juliana, La (Huel) 133 Tb122
Julio (Nav) 25 Yd93
☆Juliobriga 21 Vf91
Jumilla (Mur) 127 Yd118 ✉30520
▲Jumilla, Puerto de 127 Ye117
Jun (Gra) 152 Wc125 ✉18213
Juncal, Cortijo del (Jaé) 138 We120
Juncal, El (Sev) 150 Va125
Juncal, El (Palm) 174 C3 ✉35368
≈Juncal, Embalse de 10 We89
Juncales (Cád) 158 Ud127 ✉11680
Juncar, La (Ast) 6 Ua89 ✉33160
Juncarejo, Cortijo del (Sev) 150 Va125
Junciana (Ávi) 72 Uc106 ✉05694
Junco (Ast) 8 Uf88 ✉33569
Juncosa (Lle) 64 Ae100 ✉25165
Juncosa, Cortijo de la (Mur) 141 Yb122
Juncosa de Montmell, la (Tar) 65 Bc101
Juneda (Lle) 64 Af99 ✉25430
Junéz (Zar) 43 Za95
Jungitu = Junguitu (Ála) 23 Xc91 ✉01192
Junguitu (Ála) 23 Xc91
Junquera, La (Mur) 140 Xf121 ✉30412
Junquera de Tera (Zam) 36 Tf97 ✉49330
Junquilla, Cortijo de la (Sev) 135 Ud122
▲Junquillo, Playa del (Ten) 173 G2
▲Junquillo, Punta del (Palm) 175 D3
▲Junquillos 88 Vb107
Junta de Villaba de Losa (Bur) 22 Wf91
≈Juntas 152 Wb124
☆Juntas, Casa de 10 We89
Juntas, Las (Alm) 153 Xb126
Juntas, Las (Gra) 153 Xa124
Juntas, Las (Alm) 140 Xf122
Juntas, Las (Mad) 74 Ve105
Junyent (Lle) 46 Bb94 ✉25795
≈Junyet, el 48 Cd95
Junzano (Hues) 44 Zf96 ✉22142
Jurada, Cortijo de la (Córd) 136 Vb122
▲Jurado, Playa de (Ten) 171 B2
▲Jurado, Punta del (Palm) 176 B4
Jurados, Los (Alm) 155 Yb124
▲Jurena, Sierra 140 Xd121
Jurisdicción de Lara (Bur) 39 Wd96
Jurisdicción de San Zadornil (Bur) 22 Wf91
Júrtiga (Gra) 160 Vf127
Juseu (Hues) 44 Ac96 ✉22588
Juslapeña (Nav) 24 Yb91
Juslibol (Zar) 61 Za98
Justel (Zam) 35 Te96 ✉49340
Juverri (AND) 29 Bd94
Juviles (Gra) 161 We127 ✉18452
Juzbado (Sal) 54 Ua102 ✉37115
Júzcar (Mál) 158 Uf129

K

≈Kadagua, Río 10 Wf89
≈Kadagua, Río 11 Xa89
▲Kanpazar, Puerto de 23 Xd90
≈Kantauri Itasoa 10 Wd88
▲Kapildui 23 Xc92
Karanka = Caranca (Ála) 22 Wf91
Kaule (Nav) 12 Yb89 ✉31789
Kenita (Viz) 11 Xc90
Komentuondo (Viz) 11 Xc89
Kontrasta = Contrasta (Ála) 24 Xe92 ✉01117
Korres = Corres (Ála) 23 Xd92 ✉01129
Krispiñana = Crispijana (Ála) 23 Xb91
Kuartango (Ála) 23 Xa91 ✉01430
Kukuerri (Gui) 12 Xe90

L

Labacolla (Cor) 15 Rd91
Labajos (Seg) 73 Vc103 ✉40146
Labarces (Can) 9 Vd89 ✉39595
Labastida (Ála) 23 Xb93 ✉01330
Labata (Hues) 44 Ze95 ✉22142
Labeaga (Nav) 24 Xf93 ✉31241
▲Labia, Sierra de 25 Yd91
Labiano (Nav) 25 Yc92 ✉31192
Labiarón (Ast) 5 Ta89
Labio (Lug) 16 Sd90 ✉27293
Laborcillas (Gra) 152 We124 ✉18540
▲Laboreiro, Serra de 33 Rf96
Labores, Las (Ciu) 109 Wc113 ✉13660
Labra (Ast) 8 Uf88 ✉33556
Labrada (Lug) 4 Sa89
Labrada (Lug) 16 Sd92
≈Labrada, Río 4 Sb89
Labradillo y Pradillo (Các) 105 Ub111
Labrador, Cortijo del (Sev) 157 Tf127
▲Labrador, La Pradera del las 57 Wc101
Labradorcico, El (Mur) 155 Yc124
Labrados, Los (Sev) 148 Te125
Labranza de Ciruelos (Tol) 88 Vc108
Labraza (Ála) 23 Xd93 ✉01322
Labros (Gua) 77 Ya102 ✉19333
Labuerda (Hues) 27 Aa94 ✉22360
Lácar (Nav) 24 Ya92
Lácara (Bad) 119 Tc115
Lacasta (Zar) 43 Za95
▲Lácera, Sierra de la 127 Yf117
Lacervilla (Ála) 23 Xa92 ✉01220
Láchar (Gra) 152 Wb125
Lacort (Hues) 27 Ab94
Lacort (Hues) 27 Zf94
Lacorvilla (Zar) 43 Za95 ✉50615
Lacuadrada (Hues) 44 Zf97 ✉22132
Lacunza (Nav) 24 Xf91
Lada (Ast) 7 Ub89 ✉33934
▲Ladeira, Praia 14 Qf93
▲Ladera, La (Ten) 173 E4
≈Laderas, Arroyo de las 108 Wb114
Laderas, Cortijo de las (Jaé) 139 Wf121
Laderas, Las (Palm) 176 C3
Ladines (Ast) 6 Ua88
Ladines (Ast) 7 Ud89
≈Lador, Río 21 Ve90
≈Ladoso 16 Sb91
≈Ladra, Río 4 Sb89
Ladrido (Cor) 4 Sb86
Ladrillar (Các) 71 Te106 ✉10625
≈Ladrillar, Río 71 Te106
▲Ladrones, Puerto de los 158 Uf128
Ladruñán (Ter) 80 Zd104
Lafortunada (Hues) 27 Ab93 ✉22364
Lafuente (Can) 8 Vc89
▲Laga, Playa de 11 Xc88
Lagar, Cortijo del (Jaé) 139 Wf121
Lagar Alto (Córd) 136 Uf121
Lagar del Puerto (Sev) 135 Ua121
Lagar del Santísimo (Sev) 135 Ub121
Lagar de Muniz (Vall) 56 Vc98
Lagar de San Antonio (Córd) 150 Vb124
Lagarejos de la Carballeda (Zam) 35 Td96 ✉49325
Lagares (Cor) 3 Rf87 ✉15686
Lagares, Los (Mál) 159 Vc128
Lagar Gallego (Córd) 135 Ue122
Lagar Grande (Sev) 135 Ud121
Lagar Los Hermanos (Córd) 136 Uf121
▲Lagarta, Punta de la (Palm) 176 C4
Lagartera (Tol) 87 Ue109 ✉45567
Lagartos (Pal) 37 Va94 ✉34347
Lagata (Zar) 61 Zb101 ✉50134
Lago (Ast) 5 Tb89
Lago (Ast) 7 Ue89
Lago (Leó) 18 Ua92
▲Lago, Praia de 4 Sd86
Lagoa (Cor) 3 Rc89
▲Lagoa 3 Re87
Lagoa, A (Pon) 15 Rc93
▲Lagoa, Praia da 14 Qf93
Lago de Babia (Leó) 18 Te91 ✉24142
Lago de Carucedo (Leó) 17 Tb94 ✉24440
Lagos (Gra) 161 Wd128 ✉18616
Lagos (Mál) 160 Vf128 ✉29760
▲Lagos, Sierra de 140 Xe119
▲Lagos, Sierra de Los 5 Tb89
Lagran (Ála) 23 Xc93 ✉01118
Lagrozana = Lacorzana (Ála) 23 Xa92
Lagúa (Lug) 17 Se91
Laguardia (Ála) 23 Xc93 ✉01300
Laguarres (Hues) 44 Ac95 ✉22587
Laguarta (Hues) 27 Zf94 ✉22623
Lagueruela (Ter) 61 Ye102 ✉44492
Laguna, Caserío La (Gua) 77 Ya105
Laguna, Cortijo de la (Cád) 157 Ub127
Laguna, Cortijo de la (Jaé) 151 Wa123
Laguna, Cortijos de La (Gra) 140 Xc121
▲Laguna, Cumbres de la 132 Se123
☆Laguna, Ermita de la 58 We99
Laguna, La (Jaé) 138 Wc121
Laguna, La (Alb) 127 Ye115
Laguna, La (Ten) 173 F2
≈Laguna, La 109 Wf111
Laguna, La (Sor) 41 Xd96 ✉42173
≈Laguna, La 78 Yc104
≈Laguna, La 78 Yc105
Laguna, La (Cue) 91 Xc109
Laguna, La (Cas) 94 Zc107
≈Laguna Blanca 125 Xb115
Laguna Dalga (Leó) 36 Ub95 ✉24248
Laguna de Cameros (Rio) 41 Xc95 ✉26135
Laguna de Contreras (Seg) 57 Vf100 ✉40236
Laguna de Duero (Vall) 56 Vb99 ✉47140
Laguna del Marquesado (Cue) 93 Yc107 ✉16316
Laguna del Portil, La (Huel) 147 Sf125
≈Laguna del Salobral 126 Ya115
Laguna de Negrillos (Leó) 36 Uc95 ✉24234
Laguna de Zóñar (Córd) 150 Vb124
≈Laguna Grande 157 Tf128
≈Laguna Grande 138 Wc121
≈Laguna Grande 119 Tb116
≈Laguna Grande 110 Xb112
≈Laguna Grande 109 Wd112
≈Laguna Grande 107 Vd113
≈Laguna Grande 75 We103
≈Laguna Grande 77 Xf105
▲Laguna Grande, La (Ten) 172 B2
≈Laguna Grande del Pueblo 104 Tc111
Laguna Rodrigo (Seg) 74 Vd103 ✉40136
Lagunarrota (Hues) 44 Zf97 ✉22131
▲Lagunas, Alto de las 122 Vb117
▲Lagunas, Las 141 Yc121
Lagunas, Las (Palm) 174 C3 ✉35280
≈Laguna Salina Grande 36 Uc98
▲Lagunas de La Mata y Torrevieja, Parque Natural de las 143 Zb120
▲Lagunas de Ruidera 125 Xa115
▲Lagunas de Ruidera, Parque Natural de las 125 Xa115
Lagunas de Somoza (Leó) 36 Te94 ✉24717
Lagunaseca (Cue) 77 Xf105 ✉16878
Lagunas Rubias (Sal) 54 Uc101
≈Lagunazo, El 43 Ye95
≈Lagunazo, Embalse de 132 Sf123
▲Lagune, La 36 Tf95
Lagunetas, Las (Palm) 174 C2 ✉35328
≈Lagunica, La 78 Yd103
Lagunilla (Sal) 86 Ua107 ✉37724
Lagunilla de la Vega (Pal) 20 Vb94 ✉34116
Lagunilla del Jubera (Rio) 41 Xe95
Lagunillas (Ciu) 107 Vd114
Lagunillas, Las (Córd) 151 Ve124 ✉14817
▲Lagunillas, Las 20 Vc91
Lahoz (Ála) 22 We91 ✉01427
▲Laida, Playa de 11 Xb88
Lairón, Cortijo de (Mur) 140 Xf120
≈Laja, Charca de la (Palm) 176 D2
Laja, La (Ten) 172 B2 ✉38891
▲Laja, Playa de la (Palm) 174 D2
≈Laja Blanca (Palm) 175 C4
▲Laja del Corral, Playa (Palm) 175 D4
Lajares (Palm) 175 E1
▲Lajas, La (Ten) 172 C4
▲Lajas, Playa de (Palm) 175 F2
Lajita, La (Palm) 175 D4 ✉35627
▲Lakarri 25 Yc91
Lalín (Pon) 15 Rf93
Laluenga (Hues) 44 Zf96 ✉22125
Lalueza (Hues) 44 Ze97 ✉22214
Lama (Our) 34 Sc94
Lama, A (Pon) 15 Rd94 ✉36830
Lamacide (Lug) 4 Se89
Lamas (Cor) 2 Ra90
Lamas (Cor) 15 Rd91
Lamas (Lug) 16 Sc92
Lamas (Our) 33 Sb96
Lamas (Our) 34 Sc97
≈Lamas, Río de 17 Sf90
Lamasdeite (Our) 34 Se97 ✉32617
Lamas de Moreira (Lug) 17 Sf90 ✉27117
Lamasón (Can) 8 Vd89
≈Lamasón, Río 8 Vd89
Lamata (Hues) 45 Ab95 ✉22393
▲Lambra, Playa (Palm) 176 D2
≈Lambre 3 Rf89
Lamedo (Can) 20 Vd90 ✉39573
Lamiana (Hues) 27 Ab93 ✉22364
Laminador, El (Alb) 125 Xd118 ✉02459
Lamosa, A (Pon) 32 Rd95
Lampai (Cor) 14 Rc92
▲Lamparilla 162 Wf127
Lampaza (Our) 33 Sa96
Lamuño (Ast) 7 Uc88
Lana (Nav) 24 Xe92
Lanaja (Hues) 44 Ze98 ✉22250
Lañas (Cor) 3 Rc89
Lañas (Cor) 14 Rb91
Lanave (Hues) 44 Zd94 ✉22621
Lancara (Lug) 16 Sd91
Lance de la Virgen, El (Alm) 162 Wf128
Lancha, La (Jaé) 137 Wa119
Lancha, La (Huel) 133 Tb120
▲Lancha, Puerto de la 74 Vd105
Lanchares (Can) 21 Wa90 ✉39294
Lanciego (Ála) 23 Xc93 ✉01308
Lanciego/Lantziego (Ála) 23 Xc93
☆Landarbaso, Cuevas de 12 Ya89
Landeiras (Cor) 14 Rb92
Landeral (Can) 10 Wd89 ✉39788
Landete (Cue) 93 Yd109 ✉16330
Landoi (Cor) 4 Sa86 ✉15366
Lándraves (Bur) 21 Wb91
≈Landro, Río 4 Sc87
Lanestosa (Viz) 10 Wd89 ✉48895
Langa (Ávi) 73 Va103 ✉05213
Langa, La (Cue) 91 Xc108 ✉16550
Langa de Duero (Sor) 58 Wd99 ✉42320
Langa del Castillo (Zar) 60 Yd101 ✉50367
Langara-Ganboa = Nanclares de Gamboa (Ála) 23 Xc91 ✉01520
Langarica (Ála) 23 Xd91
Langarika = Langarica (Ála) 23 Xd91 ✉01206
Langayo (Vall) 56 Ve99 ✉47314
▲Langosta 138 Wc120
▲Langosteira, Praia de 14 Qe91
Langosto (Sor) 41 Xc97 ✉42159
Langre (Leó) 17 Tc92 ✉24438
Langreo (Ast) 7 Uc89
Langreo = Sama (Ast) 7 Ub89
Langueirón (Cor) 2 Rb89
Languilla (Seg) 58 Wd100 ✉4055
Languna del Rincón (Córd) 150 Vc124
Lanjarón (Gra) 161 Wd127
☆Lanjarón, Refugio de 161 Wd12
≈Lanjarón, Río de 161 Wd127
Laño (Bur) 23 Xc93 ✉09216
Lanseros (Zam) 35 Td96 ✉49317
Lantadilla (Pal) 38 Ve94 ✉34468
Lantarón (Ála) 23 Xa92
Lantarou (Cor) 14 Ra91 ✉15238
Lanteira (Gra) 153 Wf126 ✉1851
Lantejuela, La (Sev) 149 Ue124 ✉41630
Lantemil (Our) 33 Rf97 ✉32869
Lanteno = Llanteno (Ála) 22 Wf90
Lantero (Ast) 5 Tb88
Lantueno (Can) 21 Vf90 ✉39490
Lantz (Nav) 25 Yc91 ✉31798
Lanzá (Cor) 15 Re90
▲Lanzada, Areal da 14 Ra94
Lanzahíta (Ávi) 88 Va107
≈Lanzahíta, Garganta de 88 Va10
Lanzarote (Palm) 174 C2
▲Lanzarote (Palm) 176 A1
Lanzas Agudas (Viz) 10 Wd89 ✉48891
▲Lanzas Agudas, Puerto de 42 Yb97
Lanzuela (Ter) 61 Ye102 ✉44491
Lapa, Casas y Minas de La (Bad) 134 Ua119
Lapa, Cortijada de La (Cád) 164 Ub132
Lapa, Cortijo de la (Mál) 158 Va12
Lapa, La (Bad) 120 Ua116
Lapa, La (Bad) 119 Tc118
▲Lapa, Loma de la 165 Ud129
▲Lapa, Sierra de la 120 Ua116
☆Lapamán, Praia de 32 Rb94
Lapas, Cortijo de las (Bad) 118 Se118
Lapas, Cortijo de las (Các) 105 Tf110
Lapas, Las (Bad) 134 Td120
Lapenilla (Hues) 45 Ab95 ✉22337
Laperdiguera (Hues) 44 Zf97 ✉22126
▲Lapillas, Las (Ten) 173 B3
Lapoblación (Nav) 23 Xd93
Lapuebla de Labarca (Ála) 23 Xc9
Laquidáin (Nav) 25 Yc92
≈Lara, Río 39 Wc95
Laracha (Cor) 3 Rc89
☆Laracho, Castillo de 142 Yf120
Lara de los Infantes (Bur) 39 Wd96 ✉09651
La Rampla de Martin (Ter) 79 Za104
Larán, El (Cue) 92 Xf106
Laranueva (Gua) 76 Xc103 ✉19268
Laraxe (Cor) 3 Rf88 ✉15622
Lardeira (Our) 35 Tb94 ✉32337
Lardeiros (Cor) 15 Re90
Lardero (Rio) 41 Xd94 ✉26140
Lardiés (Hues) 27 Zf93
Lardines, Los (Mur) 142 Yd123
Laredo (Can) 10 Wd88 ✉39770
▲Laredo, Playa de 10 Wd88
Larén (Lle) 28 Af94
Larequi (Nav) 25 Ye92
≈Larga, Laguna 109 We111
≈Larga, Laguna 40 Xa96
≈Larga, Laguna 40 Wf96
▲Larga, Playa 143 Zb123
▲Larga, Sierra 127 Yd118
▲Larga, Sierra 107 Vd114
Largo, El (Alm) 155 Yb124 ✉04619
Lariño (Cor) 14 Qf92 ✉15292
▲Lariño, Praia de 14 Qf92
Lario (Leó) 20 Uf90 ✉24995
Laroá (Our) 33 Sb96
Laroles (Gra) 162 Wf126 ✉18494
Larón (Ast) 17 Tc91
Larouco (Our) 34 Sf94 ✉32358
Laroya (Alm) 154 Xe125 ✉04868
≈Laroya, Arroyo 154 Xe125
Larrabasterra (Viz) 11 Wf88 ✉48600
Larra-Belagua (Nav) 26 Za91
Larraga (Nav) 24 Ya93 ✉31251
Larragueta (Nav) 24 Yb91 ✉3119
Larraintzar (Nav) 24 Yb91 ✉31797
☆Larraitz, Ermita de 24 Xf90
Larrángoz (Nav) 25 Yd92
Larraona (Nav) 24 Xe92 ✉31270
Larrasoaña (Nav) 25 Yc91 ✉3169
Larraul (Gui) 12 Xf89 ✉20159
Larraún (Nav) 24 Ya91
Larraya (Nav) 24 Yb92 ✉31174
Larráyoz (Nav) 24 Yb91

·rea (Ála) 23 Xd 91 ✉ 01208
·rede (Hues) 26 Ze 93
·rés (Hues) 26 Zd 93
·riba (Rio) 41 Xd 95 ✉ 26586
·rión (Nav) 24 Xf 92
·rodrigo (Sal) 72 Ud 104 ✉ 37865
.arrodrigo, Arroyo de 72 Ud 104
.arrondo 26 Za 91
·rosa (Hues) 26 Zd 93
·ruskain (Viz) 11 Xd 89
·ués (Hues) 26 Za 93
·rumbe (Nav) 24 Yb 91 ✉ 31892
·rva (Jaé) 139 We 122 ✉ 23591
·rxentes (Lug) 17 Ta 91
·saosa (Hues) 44 Ze 94
·sarte (Gui) 12 Xf 89 ✉ 20160
.asarte, Hipódromo de 12 Xf 89
·sarte-Oria (Gui) 12 Xf 89
✉ 20160
·scambras (Hues) 27 Ab 94
✉ 22339
·scellas (Hues) 44 Zf 96 ✉ 22124
·scellas-Ponzano (Hues) 44 Zf 96
·scorz (Hues) 27 Ab 94 ✉ 22337
·scuarre (Hues) 44 Ad 95
✉ 22586
·serna (Ála) 23 Xc 94 ✉ 01321
·sieso (Hues) 26 Zd 94 ✉ 22621
·spaúles (Hues) 28 Ad 94
·spra (Ast) 6 Ua 87
·spuña (Hues) 27 Aa 93 ✉ 22361
·stanosa (Hues) 44 Zf 97 ✉ 22215
·stiesas Bajas (Hues) 26 Zb 93
✉ 22713
·stra, A (Lug) 17 Se 90
·stra, La (Can) 9 Vd 90
·stra, La (Pal) 20 Vc 91 ✉ 34844
·stra, La (Ávi) 72 Ud 106 ✉ 05592
.astra, La 93 Ye 107
.astra, Sierra de la 79 Zc 105
·stra Alta, Cortijo de la (Jaé)
152 Wa 123
·stra del Cano, La (Ávi) 87 Ud 106
✉ 05630
.astra-Nansa, Embalse de la
21 Vd 90
·stras de Cuéllar (Seg) 57 Vf 101
·stras de Lama (Seg) 74 Vd 104
·stras de las Eras (Bur) 22 Wd 90
·stras del Pozo (Seg) 74 Vd 103
✉ 40142
·stras de Teza (Bur) 22 We 91
✉ 09511
·stres (Ast) 7 Ue 87 ✉ 33330
.astres, Cabo 7 Ue 87
.astres, Playa de 7 Ue 87
·strilla (Pal) 21 Vf 92
·strilla, La (Seg) 74 Vf 103
✉ 40196
·stur = San Nicolás de Lastur
(Gui) 11 Xd 89 ✉ 20829
·tas (Hues) 26 Zd 93 ✉ 22613
·tasa (Nav) 24 Yb 91
·tedo (Zam) 53 Tc 98 ✉ 49516
·tenar, El (Ter) 79 Zd 104
·tores (Ast) 6 Ua 88 ✉ 33193
·torre (Hues) 45 Ab 94
.atorre, Laguna 20 Vc 92
·torrecilla (Hues) 27 Aa 94
✉ 22349
·tras (Hues) 26 Zd 94 ✉ 22620
·tre (Hues) 26 Zd 94 ✉ 22624
.atsa, Río = Arrata, Río 12 Yb 89
·udio = Llodio (Ála) 11 Xa 90
·ujar de Andarax (Alm) 162 Xa 126
✉ 04470
·ukiz (Viz) 11 Xa 88 ✉ 48111
·urgain (Gui) 12 Xf 89 ✉ 20809
·uro (Viz) 11 Xa 89
·uztierreka (Gui) 24 Xe 91
.ava, Gruta de (Ten) 173 B 2
·vadero de los Frailes (Jaé)
137 Vf 120
·vaderos (Ter) 79 Za 104
·vadores (Mur) 141 Ya 120
·vadores (Pon) 32 Rb 95
.avajares, Laguna de los
73 Uf 102
.avajo de la Losa 93 Yb 110
.avajo Salado 73 Uf 102
·vandeira (Cor) 3 Rf 88
·vandeira (Our) 33 Sb 96
·vandera (Ast) 7 Uc 88
·vandera (Leó) 19 Uc 91 ✉ 24837
·vares (Ast) 6 Ua 89
·vares (Ast) 7 Ud 88
.avasar 27 Ab 93
·velilla (Hues) 27 Zf 94
·vern (Bar) 65 Be 100 ✉ 08739
.avia, Sierra de 141 Yb 121
·viana (Ast) 6 Ua 87
·vid de Ojeda (Pal) 21 Vd 93
·villa (Hues) 45 Ac 94
·vio (Ast) 6 Te 88 ✉ 33891
·vit (Bar) 65 Be 100 ✉ 08775
·xe (Cor) 2 Qf 89 ✉ 15562
·xe (Lug) 16 Sa 93
·xe, A (Pon) 32 Rd 94 ✉ 36668
.axe, Praia de 2 Ra 89
·xes (Lug) 16 Sd 91 ✉ 27686

Layana (Zar) 43 Ye 95 ✉ 50679
Layés (Hues) 44 Zd 94
Layna (Sor) 59 Xe 102 ✉ 42240
Layos (Tol) 89 Vf 110 ✉ 45123
▲ Layos 89 Vf 110
Laza (Our) 34 Sd 96
Lazagurría (Nav) 24 Xe 94
▲ Lazar, Portillo de 25 Za 91
Lazareto de Gando (Palm) 174 D 3
Lázaros, Cortijo de los (Córd)
137 Vd 119
Lázaros, Los (Alm) 153 Xb 126
Lazkao (Gui) 24 Xe 90 ✉ 20210
Lea (Lug) 4 Sd 90
≈ Lea, Río 11 Xc 89
Leaburu (Gui) 24 Xf 90 ✉ 20491
Leache (Nav) 25 Yd 93 ✉ 31460
▲ Leandro, Morro de (Palm) 175 E 3
▲ Leandro, Playa de (Palm) 175 E 4
Learza (Nav) 24 Xe 93 ✉ 31281
Lebanza (Pal) 20 Vc 91 ✉ 34847
☆ Lebanza, Abadía de 20 Vc 91
Lebeña (Can) 8 Vc 89 ✉ 39583
Leboreiro (Cor) 15 Sa 91
≈ Leboreiro, Encoro de 34 Sc 94
Lebozán (Our) 15 Re 94
Lebozán (Pon) 15 Rf 93 ✉ 36519
Lebrancón (Gua) 77 Xf 104
Lebredo (Ast) 5 Tb 88
▲ Lebrera, La 93 Ye 107
Lebrija (Sev) 157 Tf 127 ✉ 41740
≈ Lebrón 16 Se 93
Lebrona, La (Sev) 150 Uf 126
Lecáun (Nav) 25 Yd 92
☆ Lece, La 24 Xe 91
Lécera (Zar) 62 Zb 101
Leces (Ast) 8 Uf 88 ✉ 33347
≈ Lechada, Río de 20 Vb 90
Lechago (Ter) 78 Ye 103 ✉ 44495
Lechón (Zar) 61 Ye 102
▲ Lechugales, Tabla de 8 Vb 89
Lechuza, La (Palm) 174 C 2
✉ 35329
Lecina (Hues) 45 Aa 95 ✉ 22148
Lecina, La (Hues) 45 Ab 94
Leciñana de la Oca (Ála) 23 Xa 92
✉ 01220
Leciñana de Mena (Bur) 22 Wd 90
Leciñena (Zar) 44 Zc 98 ✉ 50160
Lecrín (Gra) 161 Wc 127
Ledaña (Cue) 111 Yb 112 ✉ 16237
Ledanca (Gua) 76 Xa 103 ✉ 19196
Ledantes (Can) 20 Vb 90 ✉ 39577
Ledesma (Sal) 54 Ua 102 ✉ 37100
Ledesma de la Cogolla (Rio)
41 Xb 95 ✉ 26321
Ledesma de Soria (Sor) 59 Xe 99
✉ 42127
Ledigos (Pal) 37 Va 94 ✉ 34347
Ledoira (Cor) 15 Re 90
Ledoño (Cor) 3 Rd 89 ✉ 15199
Ledrada (Sal) 72 Ub 106 ✉ 37730
Ledrado (Sor) 41 Xd 96 ✉ 42173
Legaces, Lo (Mur) 142 Ye 122
Legaces, Lo (Mur) 142 Ye 123
Leganés (Mad) 90 Wb 107
Leganiel (Cue) 91 Xa 108 ✉ 16461
Legarda (Nav) 24 Yb 92
Legarda (Nav) 41 Xe 94
Legaria (Nav) 24 Xe 93 ✉ 31281
▲ Legate 13 Yc 89
Legazpi (Gui) 23 Xd 90 ✉ 20230
Legorreta (Gui) 24 Xf 90 ✉ 20250
≈ Leguaseca, Encoro de 5 Sf 90
Legutiano (Ála) 23 Xc 91 ✉ 01170
Legutio = Legutiano (Ála) 23 Xc 91
Leintz Gatzaga (Gui) 23 Xc 91
Leioa (Viz) 11 Xa 89 ✉ 48940
Leira (Cor) 3 Rd 90
≈ Leira 17 Sf 94
Leirado (Our) 33 Rf 96
▲ Leire, Sierra de 25 Yf 93
Leirio (Ast) 5 Ta 88 ✉ 33778
Leiro (Cor) 3 Re 88 ✉ 15686
Leiro (Our) 33 Rf 94 ✉ 32420
Leis (Cor) 2 Qf 90
▲ Leitariegos, Puerto de 18 Td 91
Leitza (Nav) 24 Ya 90 ✉ 31880
Leitzalarrea (Nav) 24 Ya 90
≈ Leitzaran, Río 12 Xf 89
Leiva (Mur) 142 Yd 123 ✉ 30878
Leiva (Rio) 22 Wf 93 ✉ 26213
Lekaroz (Nav) 13 Yc 90 ✉ 31795
Lekeitio (Viz) 11 Xc 88 ✉ 48280
Lekunberri (Nav) 24 Ya 90 ✉ 31870
Lel (Ali) 127 Yf 118 ✉ 03658
Lema (Cor) 2 Rb 89
Lemoiz (Viz) 11 Xa 88 ✉ 48620
☆ Lemos, Castelo de 16 Sd 93
▲ Lemos, Val de 16 Sc 94
Lena = Pola de Lena (Ast) 6 Ub 90
Lences de Bureba (Bur) 22 Wd 93
Lendínez (Jaé) 137 Vf 122
Lendo (Cor) 3 Rc 89
Lendoño de Abajo (Viz) 22 Wf 90
✉ 48460
Lendórrio (Lug) 16 Sb 92
▲ Lengua, Montaña La (Palm)
175 E 1
▲ Lenguar, Dehesa del 54 Uc 99

≈ Lengüelles, Río 15 Rd 90
Lens (Cor) 14 Rb 91
▲ Lens, Punta de 14 Qf 92
Lentegí (Gra) 161 Wb 127
Lentellais (Our) 34 Sf 95 ✉ 32372
Lentiscal, El (Cád) 164 Ub 132
✉ 11391
Lentiscar (Mur) 127 Yf 117
Lentiscosas, Las (Mur) 142 Ye 121
Leobalde (Cor) 15 Rd 90
León (Tol) 108 Wb 112
León (Leó) 19 Uc 93
León, Cortijo de (Ciu) 123 Wc 117
León, Cortijo de (Bad) 104 Tb 114
León, Lo (Mur) 142 Ye 122
▲ León, Puerto del 159 Vd 127
Leonés, Cortijo del (Mur)
141 Yb 119
Leones, Cortijo de los (Sev)
148 Tf 126
Leones, Los (Córd) 137 Ve 121
✉ 14650
≈ Leonis, Arroyo de 136 Vc 121
Leopoldo, Cortijo de (Jaé)
124 Wf 118
Leoz (Nav) 25 Yc 93 ✉ 31395
Lepe (Huel) 146 Se 125 ✉ 21440
Lepuzain (Nav) 25 Yc 93
Leranotz (Nav) 25 Yc 91 ✉ 31639
Lerate (Nav) 24 Ya 92 ✉ 31291
Lerena (Sev) 148 Te 124
☆ Lerés, Castillo de 26 Zd 94
☆ Lérez 14 Rc 94
≈ Lérez, Río 15 Rc 93
Lerga (Nav) 25 Yc 93 ✉ 31494
▲ Lerga, Alto de 25 Yc 93
Leria (Sor) 41 Xe 96
☆ Lería, Ermita de 140 Xf 121
Lérida = Lleida (Lle) 62 Ad 99
Lerín (Nav) 24 Ya 94
Lerma (Bur) 39 Wb 96 ✉ 09340
Lermilla (Bur) 22 Wc 93 ✉ 09141
Lero, Cortijo de (Jaé) 139 We 119
Lerones (Can) 20 Vc 90 ✉ 39574
Lérruz (Nav) 25 Yd 92
Les (Lle) 28 Ae 92 ✉ 25540
Lesaka (Nav) 12 Yb 89 ✉ 31770
Lesta (Cor) 3 Rd 90
Letona (Ála) 23 Xb 91 ✉ 01138
Letosa (Hues) 44 Zf 94
☆ Letreros, Cueva de los 140 Xf 122
▲ Letreros, Lomo de Los (Palm)
174 D 3
☆ Letreros, Los (Ten) 173 B 2
Letrillas (Zam) 35 Td 96 ✉ 49346
Letur (Alb) 126 Xf 118 ✉ 02434
Letux (Zar) 61 Zb 101 ✉ 50136
≈ Leurtza, Embalses de 24 Yb 90
Leva (Bur) 22 Wb 91 ✉ 09557
▲ Levante, Peñas de 86 Td 107
▲ Levante, Playa de 157 Te 129
Levinco (Ast) 7 Uc 90 ✉ 33686
☆ Leyre, Monasterio de 25 Ye 93
Leza (Ála) 23 Xc 93 ✉ 01309
≈ Leza, Río 41 Xd 94
Leza de Río Leza (Rio) 41 Xd 95
Lezaeta (Nav) 24 Ya 90 ✉ 31891
Lezama (Viz) 11 Xb 89 ✉ 48196
Lezama (Ála) 23 Xa 90 ✉ 01450
Lezáun (Nav) 24 Ya 92
Lezuza (Alb) 125 Xd 115 ✉ 02160
≈ Lezuza, Río 126 Xe 115
Liandres (Can) 9 Ve 88 ✉ 39527
Líbano (Viz) 11 Xb 88
▲ Líbar, Sierra de 158 Ud 129
Libardón (Ast) 7 Ue 88
Liber (Lug) 17 Sf 91
Librán (Leó) 18 Td 92
Libreros (Cád) 164 Ua 131
Librilla (Mur) 142 Yd 121 ✉ 30892
Libros (Ter) 93 Ye 107 ✉ 44132
Liceras (Sor) 58 We 100 ✉ 42341
Licona (Viz) 11 Xd 88
Lidón (Ter) 78 Yf 104
▲ Lidón, Sierra de 78 Ye 104
Liédena (Nav) 25 Ye 93
Liedó (Ter) 80 Ab 103
Liegos (Leó) 20 Uf 90 ✉ 24994
Lieiro (Lug) 4 Sd 86 ✉ 27888
Lienas (Hues) 44 Zd 95
Liencres (Can) 9 Wa 88 ✉ 39120
Liendo (Can) 10 Wd 88 ✉ 39776
≈ Liendre, Río 92 Xe 107
Lieres (Ast) 7 Uc 88 ✉ 33580
Liérganes (Can) 9 Wb 88
Liérganes = Mercadillo, El (Can)
9 Wb 88
Liermo (Can) 10 Wc 88 ✉ 39793
Lierta (Hues) 44 Zd 95 ✉ 22161
Liesa (Hues) 44 Ze 96 ✉ 22122
Liétor (Alb) 126 Ya 117
Lifa (Mál) 158 Uf 128 ✉ 29400
Ligonde (Lug) 16 Sb 91 ✉ 27568
Ligos (Sor) 58 We 100 ✉ 42342
Ligros (Ter) 93 Yd 107
Ligüeria (Ast) 7 Ud 89
Ligüerre de Ara (Hues) 27 Zf 94
Ligüérzana (Pal) 20 Vd 91
▲ Líjar 158 Ud 127
Líjar (Alm) 154 Xe 125

▲ Lijar, Sierra de 158 Ud 127
Likoa = Licona (Viz) 11 Xd 88
Lilla (Tar) 64 Bb 100 ✉ 43414
▲ Lilla, Coll de 64 Bb 100
≈ Lillas, Río 58 We 101
☆ Lillet, Castell de 47 Ca 95
Lillo (Tol) 109 We 110 ✉ 45870
≈ Lillo, Laguna de 109 We 110
Lillo del Bierzo (Leó) 17 Tc 92
✉ 24428
▲ Lima, Playa de (Ten) 173 E 3
Limanes (Ast) 7 Ub 88 ✉ 33199
▲ Limaria, Cerro 154 Xf 124
▲ Limens, Playa 32 Ra 95
Limerica, Cortijo (Alm) 155 Ya 126
Limés (Ast) 5 Tc 90
▲ Limes, Sierra 26 Zd 93
≈ Limia, Río 33 Sc 96
Limiñón (Cor) 3 Re 89
Limiñón (Lug) 16 Sa 93
Límits, els (Gir) 31 Cf 94
▲ Limo 4 Sa 86
▲ Limo, Punta do 4 Sa 86
Limonar, El (Mur) 142 Ye 123
✉ 30868
▲ Limonera, Loma de la 104 Tc 114
Limones (Gra) 152 Wb 124
✉ 18249
▲ Limones, Punta (Palm) 176 A 4
▲ Limones, Sierra de los 133 Ta 119
≈ Limonetes, Rivera de los
119 Tb 116
Limpias (Can) 10 Wd 88 ✉ 39820
Linaio (Cor) 14 Rb 91
Liñarán (Lug) 16 Sd 94
Linarejos (Mál) 159 Vb 129
Linarejos (Jaé) 125 Xc 119
Linarejos (Zam) 35 Td 97 ✉ 49593
Linares (Jaé) 138 Wc 120 ✉ 23700
Linares (Ast) 6 Tf 89
☆ Linares 7 Uf 88
Linares (Ast) 6 Te 88
Linares (Can) 8 Vc 89 ✉ 39580
Liñares (Pon) 32 Rd 96
Liñares (Our) 15 Re 94
Liñares (Lug) 17 Sf 90 ✉ 27413
Liñares (Our) 33 Sa 94
▲ Linares, Puerto de 94 Zd 107
≈ Linares, Río 41 Xf 96
≈ Linares, Río 94 Zc 107
▲ Liñares, Serra de 5 Ta 90
Linares del Acebo (Ast) 6 Td 90
≈ Linares del Arroyo, Embalse de
57 Wc 99
Linares de la Sierra (Huel)
133 Tc 121 ✉ 21207
Linares de Mora (Ter) 94 Zc 107
✉ 44412
Linares de Riofrío (Sal) 71 Ua 105
Linás de Broto (Hues) 27 Ze 93
Linás de Marcuello (Hues) 43 Zb 95
☆ Lindes 18 Ua 90
Lindín (Lug) 4 Sd 88
≈ Lindoso, Encoro de 33 Rf 97
Línea de la Concepción, La (Cád)
165 Ue 131
Linejo (Sal) 71 Ua 104
▲ Linés, Playa de (Ten) 173 B 2
▲ Lino 8 Vb 88
≈ Lino, Charco del (Ten) 172 C 5
≈ Linsoles, Embalse de 28 Ac 93
Linto (Can) 10 Wb 89 ✉ 39728
☆ Linya 47 Bd 97
Linyola (Lle) 46 Af 98 ✉ 25240
Linza (Hues) 26 Zb 91
▲ Linza Maz 26 Zb 91
Linzoain (Nav) 25 Yd 91
Lira (Cor) 14 Qf 92 ✉ 15292
Lira (Pon) 32 Rd 96 ✉ 36862
Lires (Cor) 14 Qe 91
≈ Lires, Ría de 14 Qe 91
Liri (Hues) 28 Ad 93 ✉ 22466
Liria = Llíria (Val) 113 Zc 111
Liripio (Pon) 15 Rd 93
☆ Liso, Castillo de 44 Zc 95
Listanco (Our) 33 Rf 94 ✉ 32574
Litago (Zar) 42 Yb 98 ✉ 50582
Litera (Hues) 44 Ad 96 ✉ 22585
▲ Litera, La 45 Ab 97
Litos (Zam) 36 Tf 97 ✉ 49334
Lituénigo (Zar) 42 Yb 98
Lituero (Tol) 108 Wa 111
Lituero, El (Alb) 125 Xd 115
Liviana, Cortijo de (Bad) 118 Ta 115
Lizara (Hues) 26 Zc 92
Lizarraga (Nav) 25 Yd 92
Lizarraga (Nav) 24 Xf 91
Lizarragabengoa (Nav) 24 Xf 91
▲ Lizarraga o Usaide, Puerto de
24 Xf 91
▲ Lizarrete, Puerto de 12 Yc 89
▲ Lizarrusti, Alto de 24 Xf 91
Lizartza (Gui) 24 Xf 90 ✉ 20490
Lizaso (Nav) 24 Yb 91 ✉ 31799
Lizasoáin (Nav) 24 Yb 91
Lizeriuri = Lacervilla (Ála) 23 Xa 92
Lizoáin (Nav) 25 Yd 92
▲ Lizuniaga, Collado 12 Yc 89
Llaberia (Tar) 64 Af 102 ✉ 43320
▲ Llaberia, Mola de 64 Af 102

Llabià (Gir) 49 Da 96
Llacova, La (Cas) 80 Zf 106
Llacuna, la (Bar) 65 Bd 100
✉ 08779
Llacunes (Ali) 128 Zc 116
Llacunes, les (Lle) 29 Bb 94
Lladó (Gir) 31 Ce 95
Lladorre (Lle) 29 Bb 93 ✉ 25576
Lladrós (Lle) 29 Bb 93
Lladurs (Lle) 47 Bd 96 ✉ 25283
☆ Llaés, Castell de 48 Cb 95
Llafranc (Gir) 49 Db 97 ✉ 17211
Llagosta, la (Bar) 66 Cb 99 ✉ 08120
Llagostera (Gir) 49 Cf 97 ✉ 17240
Llaguno (Ála) 10 We 89
Llama de la Guzpeña (Leó) 20 Uf 92
✉ 24893
Llamas (Ast) 19 Uc 90
Llamas, Cortijo de (Sev) 149 Ub 125
Llamas de Cabrera (Leó) 35 Tc 94
✉ 24388
Llamas de la Ribera (Leó) 18 Ub 93
✉ 24271
Llamas del Mouro (Ast) 6 Td 89
Llamas de Rueda (Leó) 19 Uf 93
✉ 24161
Llamazares (Leó) 19 Ud 91
✉ 24843
Llambilles (Gir) 49 Cf 97 ✉ 17243
▲ Llambrión 8 Va 89
Llamera (Leó) 19 Ud 91 ✉ 24869
Llamera, La (Ast) 6 Tf 87
Llamero (Ast) 6 Tf 88 ✉ 33829
Llames (Ast) 8 Va 88
Llamoso (Ast) 6 Te 89 ✉ 33839
Llamosos, Los (Sor) 59 Xc 99
✉ 42291
▲ Llamp, Cap des (Bal) 98 Cc 111
Llamp, Es (Bal) 98 Cc 111
Llampaies (Gir) 49 Cf 96 ✉ 17465
▲ Llana, Punta (Ten) 172 C 2
▲ Llana, Sierra 159 Vc 129
▲ Llana, Sierra 41 Xc 98
▲ Llana, Sierra de la 22 Wd 92
▲ Llanada, La 57 Wc 101
Llananzanes (Ast) 19 Uc 90
Llanars (Gir) 30 Cc 95 ✉ 17869
Llanas, Las (Ast) 18 Ua 90
Llánaves de la Reina (Leó) 20 Vb 90
Llançà (Gir) 31 Da 94
≈ Llanda, Cala de la 80 Ae 105
Llaneces de la Barca (Ast) 6 Td 89
✉ 33879
Llanera (Ast) 6 Ua 88
≈ Llanera, Riu 47 Bc 97
Llanera de Solsonès (Lle) 47 Bc 97
Llanes (Ast) 8 Vb 88 ✉ 33500
▲ Llanes, Playas de 8 Vb 88
Llanetes, Los (Alm) 162 Xc 127
Llanillo (Bur) 21 Vf 92
Llanillos, Cortijo Los (Ciu)
110 Xa 114
Llanillos, Los (Ten) 173 B 2
Llanito, El (Ten) 171 C 3
Llano (Can) 21 Wa 91
Llano, Cortijo de (Ter) 78 Ye 103
Llano, Cortijo del (Alm) 140 Ya 121
Llano, Cortijo del (Mur) 141 Ya 122
▲ Llano, Cuesta del 127 Yd 117
Llano, El (Ast) 5 Sf 88
Llano, El (Ast) 8 Uf 88
☆ Llano, El 45 Aa 96
▲ Llano, El 78 Yd 105
≈ Llano, Laguna del 121 Uc 118
▲ Llano, Puerto 120 Uc 118
▲ Llano, Puerto 106 Ue 112
Llano Blanco (Palm) 174 C 2
✉ 35412
Llano de Beal (Mur) 143 Zb 123
Llano de Brujas (Mur) 142 Yf 120
✉ 30161
Llano de Bureba (Bur) 22 Wd 93
✉ 09246
Llano de Campos (Ten) 172 B 1
Llano de Con (Ast) 8 Uf 89 ✉ 33556
Llano de Don Antonio, El (Alm)
163 Ya 127 ✉ 04149
Llano del Abad (Gra) 154 Xc 123
☆ Llano de la Consolación,
Necrópolis del 127 Yd 116
Llano de la Mata (Jaé) 139 Wf 119
Llano de la Torre (Alb) 126 Xe 118
▲ Llano del Blanco (Ten) 171 B 3
Llano del Castillo (Ali) 129 Zf 117
Llano del Espino (Alm) 154 Xe 124
Llano de los Olleres (Alm)
154 Xe 124
Llano de Olmedo (Vall) 56 Vc 101
✉ 47418
Llano Negro (Ten) 171 B 2 ✉ 38788
▲ Llano Negro (Palm) 175 E 3
Llanos (Ast) 6 Ua 87
Llanos (Can) 9 Wb 89
Llanos (Ast) 19 Uc 90
Llanos, Caserío Los (Huel)
147 Tb 125
Llanos, Cortijo de los (Gra)
160 Wa 126
Llanos, Cortijo de los (Cád)
157 Ub 127

Llanos, Cortijo de los (Córd) 151 Vd 123
Llanos, Cortijo de los (Gra) 140 Xc 122
Llanos, Cortijo de los (Córd) 122 Va 118
Llanos, Cortijo Los (Bad) 120 Ua 117
≈Llanos, Laguna 54 Ub 101
Llanos, Los (Gra) 161 We 127
Llanos, Los (Mál) 159 Vb 128
Llanos, Los (Alm) 154 Xf 124
Llanos, Los (Gra) 151 Vf 126
Llanos, Los (Val) 129 Zf 115
Llanos, Los (Alb) 126 Ya 115
Llanos, Los (Bad) 120 Ua 117
Llanos, Los (Bad) 119 Tc 117
Llanos, Los (Palm) 174 B 2 ✉35339
Llanos, Los (Ten) 173 C 2
▲Llanos, Los 93 Yc 109
Llanos de Alba (Leó) 19 Uc 92 ✉24649
Llanos de Antequera, Los (Mál) 159 Vc 126 ✉29250
Llanos de Aridane, Los (Ten) 171 B 3
Llanos de Arriba (Jaé) 125 Xb 118
Llanos de Buenavista (Gra) 151 Wa 126
Llanos de Don Juan (Córd) 151 Vd 124 ✉14950
Llanos de la Concepción (Palm) 175 D 3
Llanos del Ángel (Jaé) 152 Wb 123
Llanos de la Peña, Los (Vall) 55 Va 100
Llanos del Caudillo (Ciu) 109 Wd 114 ✉13220
Llanos del Hospital (Hues) 28 Ad 92
Llanos del Mayor, Los (Alm) 155 Ya 125 ✉04628
Llanos de Lucas, Cortijo Los (Alm) 154 Xd 126
Llanos de Somerón (Ast) 19 Ub 90
Llanos de Tormes, Los (Ávi) 87 Ud 107 ✉05690
Llanses, les (Gir) 48 Cb 96
Llanteno (Ála) 22 Wf 90 ✉01478
≈Llanteno, Río 22 We 90
Llanuces (Ast) 6 Ua 90 ✉33117
Llardecans (Lle) 62 Ad 100 ✉25186
Llares (Ast) 7 Ud 88 ✉33534
Llares, Los (Can) 9 Vf 89 ✉39450
▲Llarg 28 Af 94
▲Llarga, Platja 66 Ca 101
Llarvén (Lle) 28 Ba 94
Llastarri (Lle) 46 Ae 95
Llaurí (Val) 114 Ze 114
≈Llauset, Embalse de 28 Ae 93
≈Llauset, Pantà de 28 Ae 93
Llavanera (Gir) 49 Ce 95
Llavanera (Gir) 49 Cf 95
≈Llavanera, Torrent (Bal) 97 Bc 115
Llave, Cortijo de la (Bad) 104 Td 114
Llave, Cortijo de la (Bad) 104 Tb 114
Llavinera, la (Bar) 47 Bd 98
Llavorsí (Lle) 29 Bb 94
Llazos, Los (Pal) 20 Vd 90 ✉34849
▲Llebeig, Cap de (Bal) 98 Cf 114
▲Llebetx, Cap d'es (Bal) 98 Cb 111
≈Llebreta, Estany de la 28 Af 93
Llebro (Gir) 30 Cb 94 ✉17869
☆Lledías, Cueva de 8 Va 88
Lleida (Lle) 62 Ad 99 ✉*25001
≈Llémena, Riera de 48 Cd 96
Llen (Sal) 71 Ua 104 ✉37450
Llena, la (Lle) 47 Bc 96 ✉25288
▲Llena, Serra la 64 Af 100
Llenín (Ast) 8 Uf 88
▲Llentrica, Cap (Bal) 97 Bb 115
≈Llenya, Cala (Bal) 97 Bd 114
Llera (Bad) 120 Tf 118 ✉06227
Llerana (Can) 9 Wb 89 ✉39639
Llerandi (Ast) 7 Ue 89
Llerena (Bad) 134 Tf 119 ✉06900
Llerices (Ast) 8 Uf 89 ✉33589
Llerona (Bar) 66 Cb 99 ✉08520
Llers (Gir) 31 Cf 95 ✉17730
Llert (Hues) 28 Ac 94 ✉22451
☆Llesba, Mirador de 20 Vb 90
Lles de Cerdanya (Lle) 29 Be 94
Llesp (Lle) 28 Ae 94 ✉25526
Llessui (Lle) 28 Ba 94 ✉25567
Llesuy = Llessui (Lle) 28 Ba 94
Lletó (Lle) 29 Bd 95
▲Llevant, Montnegre de 48 Cd 99
▲Llevant, Platja de 129 Aa 117
▲Llevant, Platja de 129 Zf 117
≈Llevant, Salines de (Bal) 99 Da 112
▲Llevant, Serra de (Bal) 99 Da 112
Llíber (Ali) 129 Aa 116
Lliçà d'Amunt = Lliçà de Munt (Bar) 66 Cb 99
Lliçà de Munt = Lliçà d'Amunt (Bar) 66 Cb 99
Lliçà de Vall (Bar) 66 Cb 99
≈Llierca, el 48 Cd 95
Lligallo del Gàguil, el (Tar) 80 Ad 104
Llimiana (Lle) 46 Af 96 ✉25639
Llinars (Bar) 47 Be 96
Llinars (Lle) 46 Bc 96
Llinars del Vallès (Bar) 66 Cc 99
Llinigol, Es (Bal) 97 Bc 115
Llíria (Val) 113 Zc 111 ✉46160
Llívia (Gir) 30 Bf 94
Llívia (Lle) 62 Ad 99
Llivis, els (Cas) 80 Zf 105
Lloar, el (Tar) 64 Ae 101 ✉43737
Llobera (Lle) 47 Bc 97 ✉25281
Llobera les Sorts (Lle) 47 Bc 95
Lloberola (Lle) 46 Bc 97 ✉25753
Llobets, Es (Bal) 99 Cf 112
Llobregales (Ali) 143 Zb 120 ✉03159
≈Llobregat, el 47 Bf 95
≈Llobregat, el 47 Bf 97
≈Llobregós, Riu 46 Bb 97
Llocnou de la Corona (Val) 114 Zd 112
Lloc Nou de Mestres (Bal) 96 Ea 109
Llocnou d'En Fenollet (Val) 114 Zd 114
Llocnou de Sant Jeroni (Val) 129 Ze 115 ✉46726
Llodio = Laudio (Ála) 11 Xa 90 ✉01400
Llofriu (Gir) 49 Da 97 ✉17124
▲Lloma del Junc, Serra de la 80 Ad 103
Llomaina, la (Val) 113 Zc 111
Llombai (Val) 113 Zc 113 ✉46195
Llombardes, les (Bar) 65 Bd 100
Llombards, Es (Bal) 99 Da 112
Llombera (Leó) 19 Uc 91 ✉24609
≈Llong, Estany 28 Af 93
Llonín (Ast) 8 Vc 88
Llor, el (Lle) 46 Bb 98 ✉25211
Llorà (Gir) 48 Ce 96
Llorac (Tar) 64 Bb 99 ✉43427
Llordà (Lle) 46 Ba 96
Lloreda (Ast) 6 Ua 87
Lloreda (Can) 9 Wb 89 ✉39694
Llorenç del Penedès (Tar) 65 Bd 101
Llorenç de Montgai (Lle) 46 Af 97
≈Llorenç de Montgai, Pantà de 46 Af 97
Llorenç de Vallbona (Lle) 64 Ba 99
Llorengoz (Bur) 22 Wf 91 ✉09511
☆Lloret, el 65 Bc 101
Lloret Blau (Gir) 49 Ce 98
Lloret de Mar (Gir) 49 Cf 98 ✉17310
Lloret de Vistalegre (Bal) 99 Cf 111 ✉07518
☆Llorito, el 64 Bb 101
☆Llorito, el 64 Bb 102
Llorona (Gir) 31 Ce 95 ✉17734
Llorts (AND) 29 Bd 93
Llosa, la (Cas) 95 Ze 110 ✉12591
Llosa de Camatxo, la (Ali) 129 Aa 116
≈Llosa del Covall, Pantà de la 47 Bd 96
Llosa de Ranes (Val) 113 Zc 114
Llosar, el (Cas) 80 Ze 106
Lloseta (Bal) 98 Cf 110 ✉07360
Llosoiro (Ast) 5 Tb 88 ✉33795
Llosses, les (Gir) 48 Ca 96 ✉17515
Llovera = Llobera de Solsonès (Lle) 47 Bc 97
Llovio (Ast) 8 Uf 88 ✉33569
Llubí (Bal) 99 Da 110 ✉07430
☆Lluc, Monastir de (Bal) 98 Cf 110
Lluçà (Lle) 46 Af 95
Lluçà (Bar) 47 Ca 96
Lluçà (Bar) 47 Ca 96
≈Llucalari, Cala (Bal) 96 Ea 109
Lluçars (Lle) 46 Ba 97 ✉25736
Llucasaldent (Bal) 96 Ea 109
≈Llucena, Riu de 95 Ze 107
Llucmaçanes (Bal) 96 Eb 109 ✉07712
Llucmajor (Bal) 98 Cf 112 ✉07620
Llueva, Caserío (Can) 10 Wc 89
Llug Alcari (Bal) 98 Cd 110
Lluides (Lle) 64 Bb 99
Llumena Nou (Bal) 96 Ea 109
Llunes (Zar) 60 Yb 102
Lluriach Nou (Bal) 96 Ea 108
Llutxent (Val) 128 Zd 115 ✉46838
Loarre (Hues) 44 Zc 95 ✉22809
☆Loarre, Castillo de 44 Zc 95
▲Loarre, Sierra de 44 Zc 95
▲Loba, Barranco da 3 Sa 89
Loba, La (Ast) 6 Tf 87
▲Loba, Puerto de la 134 Td 119
▲Loba, Serra da 4 Sa 89
Lobado (Can) 9 Vf 89 ✉39400
≈Lobagueira 15 Re 93
Lobás (Our) 15 Rf 94
▲Lobatejo 151 Ve 123
Lobeira (Our) 33 Rf 97 ✉32850
☆Lobeira, Mirador de 14 Rb 93
▲Lobeira Chica, Illa 14 Qe 91
▲Lobeira Grande, Illa 14 Qe 91
Lobeiras (Lug) 4 Sc 87
Lober (Zam) 53 Te 98 ✉49512
Lobera, Cortijo de la (Alb) 126 Ya 118
Lobera, La (Sev) 148 Ua 123
Lobera, La (Ávi) 88 Vc 106
▲Lobera, Sierra de la 107 Vb 113
Lobera de la Vega (Pal) 20 Vb 94 ✉34116
Lobera de Onsella (Zar) 25 Yf 94 ✉50687
Loberas, Cortijo de las (Ciu) 125 Xa 117
Loberos, Los (Alm) 163 Ya 126 ✉04277
Loberos, Los (Mur) 155 Yd 123
Loberuela, La (Val) 112 Yd 110 ✉46339
Lobeznos (Zam) 35 Tc 96 ✉49392
Lobillo, El (Ciu) 124 Wf 115
Lobios (Our) 33 Rf 97 ✉32643
▲Lobo 61 Zb 101
▲Lobo, Collado del 153 Wf 126
Lobo, Cortijo del (Cád) 164 Ua 130
Lobo, Cortijo del (Gra) 160 Wa 126
Lobón (Bad) 119 Tc 115
Lobones (Seg) 74 Ve 103
▲Lobos 140 Xd 121
▲Lobos (Palm) 175 F 1
▲Lobos, Corzo de los 165 Uc 130
☆Lobos, Cueva de (Palm) 175 C 4
▲Lobos, Islote de (Palm) 175 F 1
Lobos, Los (Alm) 155 Yb 125 ✉04619
≈Lobos, Río 40 We 97
Lobosillo (Mur) 142 Yf 122 ✉30331
▲Lobosillo, Sierra del 75 Wd 102
Lobras (Gra) 161 We 127 ✉18449
Lóbrega (Gra) 140 Xd 121
▲Lóbrega, Sierra 124 We 117
Lobres (Gra) 161 Wc 128 ✉18610
Locaiba (Alm) 154 Xf 124 ✉04814
Lodares (Sor) 59 Xd 101
Lodares del Monte (Sor) 59 Xc 100 ✉42212
Lodares de Osma (Sor) 58 Wf 99 ✉42313
Lodeña (Ast) 7 Ud 88 ✉33535
Lodero (Ten) 171 C 3 ✉38739
Lodosa (Nav) 24 Xf 94 ✉31580
Lodoselo (Our) 33 Sc 96 ✉32696
Lodoso (Bur) 39 Wb 94 ✉09131
Loeches (Mad) 90 Wd 106 ✉28890
Loentia (Lug) 4 Sd 90 ✉27266
Logares (Lug) 5 Sf 89 ✉27112
☆Logrezana 7 Ub 87
Logroño (Rio) 23 Xd 94 ✉*26001
Logrosán (Các) 106 Ud 112
Loiba (Cor) 4 Sb 86 ✉15339
Loiola (Viz) 11 Xc 89
Loiola (Gui) 12 Xe 89 ✉20730
☆Loiola, Santuario de 12 Xe 90
Lois (Cor) 14 Ra 91
Loira (Pon) 32 Rb 94
▲Loira, Praia de 32 Rb 94
Loiro (Our) 33 Sa 95 ✉32890
Lois (Pon) 14 Rb 93
Lois (Leó) 19 Uf 91 ✉24991
▲Loiti, Puerto de 25 Yd 93
Loiu (Viz) 11 Xa 89 ✉48180
Loizu (Nav) 25 Yd 91 ✉31697
Loja (Gra) 151 Vf 126 ✉18300
☆Loja, La 8 Vc 89
▲Loja, Sierra de 151 Vf 126
Lojilla (Gra) 151 Vf 124 ✉18270
☆Lollano, Ermita 41 Xb 96
Loma (Bur) 22 Wb 92
Loma, Cortijo de la (Mur) 140 Xf 119
Loma, Cortijo de la (Jaé) 140 Xd 119
Loma, Cortijo de la (Alb) 126 Ya 118
Loma, La (Gua) 77 Xe 103 ✉19441
Loma Alta, La (Alm) 154 Xc 125
Loma Colorada, La (Alm) 161 Wf 128
Lomada Grande (Ten) 171 B 2
Loma de Castrejón (Pal) 20 Vc 92
Loma de la Mesa (Jaé) 139 Xa 122
▲Loma del Castillo 158 Ud 129
▲Loma del Cornejo 78 Ye 103
Loma del Saliente (Các) 87 Uc 108
Loma del Viento, La (Alm) 162 Xb 128
Loma de Montija (Bur) 22 Wc 90 ✉09569
Loma de Tabora (Gra) 151 Wa 125
Loma de Ucieza (Pal) 38 Vc 94
▲Loma Larga 111 Xe 111
Loma Longa (Our) 34 Ta 95
Lomana (Bur) 22 We 92 ✉09213
Lomana, Cortijo de (Jaé) 152 Wd 123
▲Loma Parreta 113 Za 112
Lomas (Pal) 38 Vc 95
Lomas, Cortijo de las (Mál) 159 Vd 126
Lomas, Cortijo de las (Alm) 155 Ya 124
Lomas, Las (Cád) 164 Ua 131
Lomas, Las (Cád) 158 Uc 128
Lomas, Las (Mál) 159 Va 129
Lomas, Las (Mur) 142 Yf 122
Lomas, Las (Gra) 140 Xd 122
▲Lomas, Las 62 Ze 101
Lomas, Las (Mad) 74 Wa 106
▲Lomas, Las 78 Yd 105
▲Lomas, Las 79 Zb 105
Lomas de Arriba, Cortijo de las (Gra) 140 Xe 121
Lomas de Lastón, Las (Mur) 141 Yb 121
Lomas del Gállego, Las (Zar) 43 Zb 98
Lomas del Mar (Ali) 143 Zc 120 ✉03188
Lomas del Medio (Các) 87 Uc 108
Lomas del Poniente (Các) 87 Uc 108
Lomas de Marcos (Gra) 151 Vf 124
Loma Somera (Can) 21 Vf 91 ✉39419
Lomba (Leó) 35 Tb 94 ✉24388
Lomba, La (Can) 21 Ve 90 ✉39210
▲Lombarín 42 Xf 95
▲Lombo, El 72 Ub 105
Lombraña (Can) 21 Vd 90 ✉39557
Lomeda (Sor) 59 Xd 102
Lomeña-Baseda (Can) 20 Vc 90
Lomera (Huel) 133 Ta 122
Lomilla (Pal) 21 Ve 92 ✉34815
≈Lomillos, Laguna de Los 123 Wa 116
▲Lomillos, Los (Palm) 176 C 2 ✉35432
Lominchar (Tol) 89 Wa 108 ✉45212
Lomitos, Los (Palm) 174 C 2
▲Lomo, Cerro del 88 Uf 110
Lomo Bermejo (Ten) 173 G 2
Lomo de Arico (Ten) 173 E 5
Lomo de la Palma (Palm) 174 C 3 ✉35299
Lomo de las Bodegas (Ten) 173 G 2 ✉38129
Lomo del Balo (Ten) 172 B 2
Lomo de Liebre (Bad) 105 Ua 114
Lomo de los Gomeros (Ten) 171 C 2 ✉38715
Lomo de Mena (Ten) 173 E 4 ✉38590
▲Lomo Largo (Ten) 172 D 4
Lomo Magullo, El (Palm) 174 D 3
Lomo Oliva (Ten) 173 E 4
Lomopardo (Cád) 157 Tf 128
Lomo Román (Ten) 173 E 3
Lomoviejo (Vall) 55 Va 102 ✉47494
Longares (Zar) 61 Yf 100 ✉50460
Longás (Zar) 26 Za 94
Lóngida/Longida (Nav) 25 Yd 92
▲Longuera, La 61 Za 102
Loño (Pon) 15 Rf 91
Lope Amargo (Córd) 136 Vc 122
Lopera (Gra) 153 We 125 ✉18517
Lopera (Jaé) 137 Ve 121 ✉23780
López, Los (Alm) 161 Wf 128
López, Los (Mur) 142 Yd 122
López, Los (Mur) 143 Za 122
▲Lopo, El 94 Za 110
Loporzano (Hues) 44 Ze 96 ✉22192
▲Lóquiz, Sierre de 24 Xe 92
≈Lor, Laguna de 42 Yc 97
≈Lor, Río 16 Se 93
Lora (Cád) 158 Uf 127
▲Lora, Páramos de la 21 Vf 92
Lora de Estepa (Sev) 150 Vb 125 ✉41564
Lora del Río (Sev) 135 Uc 123
Loranca (Mad) 89 Wb 107
Loranca del Campo (Cue) 91 Xb 108 ✉16550
Loranca de Tajuña (Gua) 76 Wf 106 ✉19141
Loranquillo (Bur) 22 We 94 ✉09272
Lorbé (Cor) 3 Re 88
Lorbés (Zar) 26 Za 92
Lorca (Mur) 141 Yb 122 ✉30800
Lorca (Nav) 24 Ya 92 ✉31292
Lorcas, Los (Mur) 143 Zb 122
Lorcha/l'Orxa (Ali) 129 Ze 115
☆Lord, Santuari de 47 Bd 96
Lordelo (Our) 33 Re 96 ✉32236
Lordemanos (Leó) 36 Uc 96 ✉24239
Loredo (Can) 10 Wb 88 ✉39160
Lorente, Cortijo de (Jaé) 124 Wf 118
Lorentes, Los (Mur) 142 Ye 123 ✉30868
Lorenzana (Leó) 19 Uc 93 ✉24122
▲Lorenzo, Cerro 87 Ub 107
Lores (Pal) 20 Vc 90 ✉34848
▲Lores, Horca de 20 Vc 91
Loreto (Gra) 151 Wa 125 ✉18370
☆Loreto 44 Zd 96
☆Loreto, el 80 Ac 105
Loriana (Ast) 6 Ua 88 ✉33191
≈Lorianilla, Arroyo 104 Tb 114
Lorigas (Mur) 140 Xf 119
Loriguilla (Val) 113 Zc 112
Loriguilla (Val) 94 Za 110
≈Loriguilla, Embalse de 94 Za 11
Lorilla (Bur) 21 Wa 92 ✉09144
☆Lorio 7 Uc 89
☆Lorita 66 Cc 99
Lorite (Gra) 151 Ve 125
▲Lorito, Sierra del 135 Ud 121
☆Loro, Torre del 147 Tb 126
Loroño (Cor) 2 Ra 90
☆Loro Parque (Ten) 172 D 3
Loros, Los (Ten) 172 B 2 ✉38849
Lorquí (Mur) 142 Ye 120
▲Losa 126 Yb 117
Losa, Caserío La (Alm) 154 Ya 12
Losa, Cortijo de la (Gra) 139 Xc 1
Losa, La (Cue) 111 Xf 112 ✉1670
Losa, La (Seg) 74 Vf 103 ✉4042
Losacino (Zam) 54 Tf 98 ✉49541
Losacio (Zam) 54 Tf 98 ✉49540
Losada (Leó) 18 Td 92 ✉24318
Losa del Obispo (Val) 94 Za 110 ✉46168
Losadilla (Leó) 35 Tc 95 ✉24746
Losana (Sor) 58 Wf 101 ✉42315
Losana de Pirón (Seg) 74 Vf 102
Losanglis (Hues) 43 Zb 95 ✉2280
Losar, El (Ávi) 72 Uc 106 ✉05692
Losar de la Vera (Các) 87 Uc 108 ✉10460
Losar del Campo, El (Ávi) 72 Uc 1
▲Losares 92 Xe 107
Loscertales (Hues) 44 Ze 95 ✉22141
Loscorrales, Los (Hues) 44 Zc 95
Loscos (Ter) 61 Yf 102 ✉44493
▲Losetares 140 Xe 122
Losilla (Zam) 54 Ua 98 ✉49161
Losilla (Val) 94 Yf 109
≈Losilla, Cañada de la 125 Xc 11
Losilla, La (Alb) 126 Yb 115
Losilla, La (Sor) 41 Xe 97 ✉4218
Losilla y San Adrián, La (Leó) 19 Ue 91
Los Orives (Alm) 155 Ya 124
▲Lote de la Sierra 162 Xb 127
▲Loteta, La 43 Ye 98
Lougares (Pon) 32 Rd 95
☆Lourdes, Ermita de 65 Bd 101
Loureda (Cor) 15 Rd 91
Louredo (Pon) 32 Rc 95
Loureiro (Lug) 4 Sc 87
Loureiro (Pon) 15 Rd 94
Loureiros (Our) 16 Sc 94
Lourenzá (Lug) 4 Se 88
▲Lourenzá, Val de 4 Se 88
Lourido (Pon) 32 Rd 96 ✉36455
Lourizán (Pon) 14 Rc 94
Louro (Cor) 14 Qf 92 ✉15291
▲Louro, Praia de 14 Qf 92
≈Louro, Río 32 Rc 95
Lousa (Cor) 3 Sa 89
Lousada (Lug) 4 Sb 88
Lousada (Lug) 16 Se 92
▲Lousado 32 Rb 96
Lousame (Cor) 14 Ra 92 ✉15214
Louseira (Lug) 5 Se 89
▲Lóuzara, Montes de 16 Se 93
▲Lóuzara, Val de 16 Se 92
Louzarela (Lug) 17 Sf 92 ✉27672
Lovingos (Seg) 56 Ve 100 ✉4023
Loxo (Cor) 15 Re 91
Loya (Nav) 25 Yd 93
Loyola (Gui) 12 Ya 89
Loyola = Loiola (Gui) 12 Xe 89
Loza (Ast) 5 Tb 87 ✉33719
Loza (Ála) 23 Xb 93 ✉01212
Loza (Nav) 24 Yb 91 ✉31195
Lozana (Ast) 7 Ud 89 ✉33537
Lozanos, Los (Alm) 154 Xf 124
≈Lózara, Río 16 Se 93
Lozoya (Mad) 74 Wb 103
≈Lozoya, Canal Nuevo del 75 Wb 104
≈Lozoya, Río 75 Wb 103
▲Lozoya o de Navafría, Puerto de 74 Wb 103
Lozoyela (Mad) 75 Wc 103
Lozoyela-Navas-Sieteiglesias (Mad 75 Wc 103
Lúa (Lug) 4 Se 90
Luaces (Lug) 4 Sd 90 ✉27270
Luanco = Lluanco (Ast) 7 Ub 87 ✉33440
Luarca (Ast) 5 Tc 87 ✉33700
▲Lubia, Altos de 59 Xc 99
Lubián (Zam) 34 Ta 96
Lubiano (Ála) 23 Xc 91 ✉01192
Lubrín (Alm) 154 Xf 125
Lucainena (Alm) 162 Wf 127
Lucainena de las Torres (Alm) 163 Xe 126 ✉04210
Lúcar (Alm) 154 Xd 124
▲Lúcar 154 Xd 124
Lucas, Cortijo de (Jaé) 139 Wf 119
Lucas Murano, Cortijo de (Córd) 137 Vd 119
Lucena (Córd) 151 Vd 124 ✉1490
≈Lucena, Río de 150 Vc 124
▲Lucena, Sierra de 152 Wc 123
Lucena de Jalón (Zar) 61 Ye 99

ucena del Cid (Cas) 95 Ze 108 ✉ 12120
ucena del Puerto (Huel) 147 Tb 125 ✉ 21820
uceni (Zar) 43 Ye 98 ✉ 50640
Lucentum, Ruïnes de 128 Zd 118
ucenza (Our) 33 Sc 97 ✉ 32688
uces (Ast) 7 Ue 87 ✉ 33328
uchena (Mur) 141 Ya 122
Luchena, Río 141 Ya 122
uchente = Llutxent (Val) 128 Zd 115
ucía (Huel) 133 Tb 121
ucía, Cortijo de (Mál) 159 Va 127
uciana (Ciu) 122 Ve 115 ✉ 13108
ucillo (Leó) 35 Te 94 ✉ 24723
ucillo de Somoza (Leó) 35 Te 94
ucillos (Tol) 88 Vc 109 ✉ 45684
Lucio Real 157 Te 127
uco (Ála) 23 Xc 91
uco de Bordón (Ter) 80 Ze 104
uco de Jiloca (Ter) 78 Ye 103 ✉ 44391
Ludey, Río 113 Za 114
udiente (Cas) 95 Zd 108 ✉ 12123
ue (Ast) 7 Ue 88 ✉ 33340
uelmo (Zam) 54 Tf 100 ✉ 49215
uena (Can) 21 Wa 90
uengos (Leó) 19 Ud 94 ✉ 24339
uerces (Ast) 6 Tf 88 ✉ 33129
uesia (Zar) 43 Yf 94 ✉ 50619
Luesia, Sierra de 26 Zc 92
Luesia, Sierra de 43 Za 94
uesma (Zar) 61 Yf 102 ✉ 50151
ueza, La (Hues) 27 Ab 94
uezas (Rio) 41 Xd 95 ✉ 26132
ugán (Leó) 19 Ue 92
ugarico Cerdán (Zar) 61 Zb 99
ugar Nuevo (Sev) 148 Ua 125
ugar Nuevo (Zar) 60 Yb 101 ✉ 50213
ugar Nuevo, El (Jaé) 137 Vf 120
ugar Nuevo, El (Alb) 125 Xd 118 ✉ 02459
ugar Nuevo de San Jerónimo = Llocnou de Sant Jeroni (Val) 129 Ze 115
ugás (Ast) 7 Ud 88
ugo (Lug) 16 Sc 90 ✉ *27001
ugo de Llanera (Ast) 7 Ub 88 ✉ 33690
ugones (Ast) 7 Ub 88 ✉ 33420
ugros (Gra) 153 We 125 ✉ 18516
ugueros (Leó) 19 Ud 91 ✉ 24843
uintra (Our) 16 Sb 94 ✉ 32160
uis Díaz, Cortijo de (Córd) 136 Vc 121
uises, Los (Cue) 110 Xd 113
uis Espinar, Cortijo (Alm) 154 Xd 126
uisiana, La (Sev) 149 Ue 123 ✉ 41430
uisos, Cortijo de los (Alb) 126 Xf 117
uizalde/Valcarlos (Nav) 25 Ye 90
uján (Hues) 45 Ab 94
újar (Gra) 161 Wd 128
▲ Lújar, Sierra de 161 Wd 128
ukiano = Luquiano (Ála) 23 Xa 91 ✉ 01139
uku = Luco (Ála) 23 Xc 91
umajo (Leó) 18 Te 91 ✉ 24140
umbier (Nav) 25 Ye 93 ✉ 31440
umbrales (Sal) 70 Tb 103 ✉ 37240
umbreras (Rio) 41 Xc 96 ✉ 26126
≈ Lumbreras, Río 41 Xc 96
☆ Lumentxa, Cueva de 11 Xc 88
umeras (Leó) 17 Tb 92 ✉ 24433
umías (Sor) 58 Xa 100 ✉ 42368
umpiaque (Zar) 61 Ye 99 ✉ 50295
▲ Luna 165 Uc 132
una (Alb) 110 Xe 114
una (Ála) 23 Xa 91 ✉ 01439
una (Zar) 43 Za 95 ✉ 50610
☆ Luna, Castillo árabe de 164 Ub 130
☆ Luna, Castillo de 156 Td 129
≈ Luna, Río 18 Tf 91
▲ Luna, Sierra de 43 Za 95
▲ Lunada, Portillo de 10 Wc 89
Luneda (Pon) 32 Re 96 ✉ 36887
Luou (Cor) 15 Rc 92 ✉ 15883
Lupiana (Gua) 76 Wf 105 ✉ 19142
Lupiñén (Hues) 44 Zc 95
Lupiñén-Ortilla (Hues) 44 Zc 96
Lupión (Jaé) 138 Wc 121
Luque (Córd) 151 Ve 123 ✉ 14880
Luquiano (Ála) 23 Xa 91
Luquín (Nav) 24 Xf 93
Lurda, La (Sal) 72 Ud 103 ✉ 37810
Lúsera (Hues) 44 Ze 95
Lusio (Leó) 17 Ta 93 ✉ 24568
Lusitania (Sev) 150 Va 125
Luso, El (Alb) 125 Xc 117
Luxaondo = Luyando (Ála) 23 Wf 90
Luyando = Luxaondo (Ála) 23 Wf 90
Luyego (Leó) 35 Te 94 ✉ 24717
Luyego de Somoza (Leó) 35 Te 94
☆ Luz, Castillo de la 142 Yf 121
☆ Luz, Castillo de la (Palm) 174 D 2
Luz, La (Vall) 56 Vb 101
Luzaga (Gua) 76 Xd 103 ✉ 19261
Luzás (Hues) 44 Ad 96
Luzmela-Mazcuerras (Can) 9 Ve 89 ✉ 39509
Luzón (Gua) 77 Xe 102
Luzuriaga (Ála) 23 Xd 91 ✉ 01208

M

Mabegondo (Cor) 3 Re 89
Macael (Alm) 154 Xe 125 ✉ 04867
Macalones, Cortijo de (Alb) 126 Xf 118
Maçana, la (Lle) 46 Af 97 ✉ 25615
Macaneo (Mur) 141 Yc 119
Maçaners (Bar) 47 Be 95
Maçanes = Massanes (Gir) 48 Cd 98
Maçanet de Cabrenys (Gir) 31 Ce 94 ✉ 17720
Maçanet de la Selva (Gir) 48 Ce 98 ✉ 17412
Macarella (Bal) 96 Df 109
Macarra (Các) 86 Ua 109
Macastre (Val) 113 Zb 112 ✉ 46368
▲ Macatero, El 62 Ze 101
Macayo (Ten) 172 B 1 ✉ 38849
Maceda (Our) 33 Sc 95 ✉ 32700
Maceira (Pon) 32 Rd 95
Maceiras (Pon) 15 Rf 93
☆ Macenas, Castillo 155 Ya 126
Macenda (Cor) 14 Ra 92 ✉ 15318
▲ Machacao 19 Uc 91
Machacón (Sal) 72 Uc 103
Machal, El (Bad) 104 Tc 114
▲ Machal, Sierra del 104 Tc 114
Macharaviaya (Mál) 160 Ve 128 ✉ 29791
Macharnudo Alto (Cád) 157 Te 128
Mácher (Palm) 176 B 4
▲ Machero 107 Vd 112
Machorras, Las (Bur) 22 Wc 90 ✉ 09566
Machorro (Cue) 77 Xd 105
≈ Machos, Embalse de los 146 Se 125
≈ Machucas, Embalse de 87 Ub 108
≈ Maciñeira 3 Sa 88
Maciñeira, A (Lug) 4 Sb 87
Macisvenda (Mur) 142 Yf 119 ✉ 30648
▲ Macizo de Andara u Oriental 8 Vb 89
▲ Macizo de Bulnes o Central 8 Va 89
Macote, Cortijo de (Cád) 164 Ub 130
Macotera (Sal) 72 Ue 104 ✉ 37310
Madalena, A (Our) 33 Sc 97 ✉ 32152
☆ Madalena, Ermida da 14 Ra 92
☆ Madalena, Ermida da 15 Re 90
Madalena, La (Sal) 72 Uc 106
▲ Madalena, Monte 15 Rf 94
Madara (Ali) 128 Za 118 ✉ 03649
Madarcos (Mad) 75 Wc 102 ✉ 28755
Madariaga (Gui) 11 Xd 89
≈ Madarquillas o de La Puebla, Río 75 Wc 102
Madelos (Lug) 16 Sb 90 ✉ 27229
▲ Madera, Alto de la 7 Uc 88
≈ Madera, Caleta de la (Palm) 174 B 5
▲ Madera, Playa de (Palm) 176 B 3
≈ Madera, Río 125 Xe 117
Maderal, El (Zam) 54 Uc 101 ✉ 49719
≈ Maderano, Arroyo del 38 Ve 97
▲ Madero, Puerto del 41 Xf 98
▲ Madero, Sierra del 41 Xf 98
Maderuelo (Seg) 57 Wc 100 ✉ 40554
Madotz (Nav) 24 Ya 91 ✉ 31879
≈ Madrazos, Arroyo de los 38 Vd 98
≈ Madre, Arroyo 21 Ve 93
≈ Madre, Arroyo de la 90 Wc 109
≈ Madre, Río 112 Yd 111
≈ Madre de Fuentes, Arroyo 149 Ue 123
☆ Madre del Agua (Ten) 173 E 3
Madrelagua (Palm) 174 C 2 ✉ 35340
Madremanya (Gir) 49 Cf 97 ✉ 17462
≈ Madres, Lagunas de las 90 Wc 107
Madrid (Mad) 75 Wc 106 ✉ *28001
▲ Madrid, Peña 27 Ac 94
Madridanos (Zam) 54 Uc 100 ✉ 49157
Madrid de las Caderechas (Bur) 22 Wc 92
Madridejos (Tol) 109 Wc 112 ✉ 45710
Madrigal (Gua) 58 Xb 101 ✉ 19277
Madrigal de las Altas Torres (Ávi) 55 Uf 102 ✉ 05220
Madrigal de la Vera (Các) 87 Ud 108 ✉ 10480
Madrigal del Monte (Bur) 39 Wb 96 ✉ 09320
Madrigalejo (Các) 105 Uc 114 ✉ 10110
Madrigalejo del Monte (Bur) 39 Wb 96 ✉ 09390
Madriguera (Seg) 58 We 101 ✉ 40510
▲ Madriguera, La 62 Zc 101
Madrigueras (Alb) 111 Yb 113 ✉ 02230
Madriles, Los (Mur) 142 Yf 122
Madriles, Los (Mur) 142 Ye 123
Madrona (Lle) 46 Bc 97 ✉ 25286
Madrona (Seg) 74 Ve 103 ✉ 40154
Madrona, La (Bad) 134 Td 119
≈ Madrona, Riera de 46 Bb 97
▲ Madrona, Sierra 123 Ve 118
Madroñal (Sal) 71 Tf 106
▲ Madroñal 74 Wa 105
Madroñal, Cortijo del (Gra) 154 Xd 123
Madroñal, EL (Mál) 158 Uf 129 ✉ 29678
Madroñal, El (Sev) 149 Ue 126
Madroñera (Các) 105 Ub 112 ✉ 10210
Madroñera, Cortijo de la (Alm) 154 Xf 125
▲ Madroñera, Sierra 146 Se 123
▲ Madroñerales, Los 93 Ye 110
≈ Madroñeras, Embalse de 105 Ub 112
Madroñeras y El Llano (Mur) 155 Yd 123
Madroñeros, Los (Huel) 133 Tc 121
▲ Madroño 127 Yc 117
Madroño, Cortijo de (Bad) 119 Tb 115
Madroño, El (Jaé) 137 Vf 122
▲ Madroño, El 135 Ud 120
Madroño, El (Sev) 133 Tc 123 ✉ 41897
Madroño, El (Alb) 126 Xf 116
Madroño, El (Mur) 127 Ye 117
Madroño, El (Bad) 120 Tf 117
Madroño, El (Bad) 120 Uc 118
▲ Madroño, Sierra del 141 Yb 121
Madroñuelo (Huel) 148 Td 123
Madroñuelos, Cortija de Los (Huel) 133 Sf 122
Madruédano (Sor) 58 Wf 100
▲ Maeda, Punta 4 Sb 86
Maella (Zar) 63 Aa 102 ✉ 50710
Maello (Ávi) 73 Vc 104 ✉ 05291
Maestranza, Cortijo La (Cád) 164 Ub 130
▲ Maestre 149 Ue 125
Maestro, Cortijo de (Córd) 136 Va 119
Mafet (Lle) 46 Ba 98 ✉ 25317
Mafraque (Mur) 142 Yf 119
Magacela (Bad) 120 Ub 115 ✉ 06468
Magallón (Zar) 42 Yd 97
Magaluf (Bal) 98 Cd 111
Magán (Tol) 89 Wa 109
Magaña (Sor) 41 Xf 97 ✉ 42181
≈ Magaña, Río 124 Wc 118
Magariños (Pon) 14 Rc 92
≈ Magasca, Río 105 Ua 112
☆ Magasquilla, Palacio de 105 Ua 112
≈ Magasquilla, Río 105 Ua 112
Magaz de Abajo (Leó) 17 Tb 93 ✉ 24410
Magaz de Arriba (Leó) 17 Tb 93 ✉ 24410
Magaz de Pisuerga (Pal) 38 Vd 97 ✉ 34220
Magazos (Ávi) 73 Vb 102 ✉ 05216
Magdalena (Córd) 137 Ve 121
Magdalena (Bad) 120 Te 118
Magdalena, Caserío La (Tol) 108 Wc 112
Magdalena, Cortijo de la (Córd) 137 Vd 122
☆ Magdalena, Ermita de la 18 Te 91
☆ Magdalena, Ermita de la 21 Vf 93
☆ Magdalena, Ermita de la 40 Xb 95
☆ Magdalena, Ermita de la 58 Wf 102
☆ Magdalena, Ermita de la 58 Wf 99
☆ Magdalena, Ermita de la 61 Zb 100
☆ Magdalena, Ermita de la 80 Ze 104
Magdalena, La (Mur) 142 Yf 123 ✉ 30397
Magdalena, La (Ciu) 125 Xa 115
Magdalena, La (Ast) 7 Ud 88
Magdalena, La (Leó) 19 Ub 92 ✉ 24120
☆ Magdalena, Palacio de la 9 Wb 88
▲ Magdalena, Puerto de la 18 Te 91
▲ Magdalena, Puerto de la 21 Wa 90
▲ Mágina 138 Wd 122
▲ Mágina, Sierra 138 Wd 122
≈ Magraner, Cala (Bal) 99 Db 112
≈ Magre, Riu 113 Zb 112
≈ Magro, Río 112 Za 112
Máguez (Palm) 176 D 3
Maguilla (Bad) 120 Ub 118 ✉ 06939
Maguma-Mauma = Magunas (Viz) 11 Xc 89
Magunas (Viz) 11 Xc 89
Mahallos (Bur) 21 Vf 94 ✉ 09128
Mahamud (Bur) 39 Wa 96 ✉ 09228
Mahave (Rio) 40 Xb 94 ✉ 26311
Mahide (Zam) 35 Td 97 ✉ 49522
Mahón = Maó (Bal) 96 Eb 109
Mahora (Alb) 111 Yb 113 ✉ 02240
Mahudes, Caserío (Leó) 37 Uf 94
Maià de Montcal (Gir) 48 Ce 95
Maials (Lle) 62 Ac 100 ✉ 25179
Maianca (Cor) 3 Re 88
Maians (Bar) 47 Be 99 ✉ 08255
☆ Maians Vell, Castell de 65 Be 99
Maicas (Ter) 79 Za 103 ✉ 44791
≈ Maidevera, Embalse de 60 Yb 99
Maigmó (Ali) 128 Zc 117
▲ Maigmó 128 Zc 117
▲ Maigmó, Serra de 128 Zb 117
Maillo, El (Sal) 71 Te 105 ✉ 37621
▲ Maín, Peña de 8 Vb 89
Mainar (Zar) 61 Ye 101 ✉ 50368
▲ Mainera, Pic de 28 Ba 93
Mainetes, Los (Alb) 127 Yd 116
Maior (Lug) 4 Se 88
Maire de Castroponce (Zam) 36 Ub 96 ✉ 49783
Mairena (Gra) 162 Wf 126 ✉ 18494
Mairena del Alcor (Sev) 149 Ub 124 ✉ 41510
Mairena del Aljarafe (Sev) 148 Tf 124 ✉ 41927
▲ Mairos 34 Se 97
☆ Mairuelegorreta, Cuevas de 23 Xb 90
Maitena (Gra) 152 Wd 126
Maitino (Ali) 143 Zc 119
▲ Maito, Sierra de 26 Zb 92
Maitoso, El (Cue) 77 Ya 105
Majada, La (Mur) 142 Yd 123 ✉ 30878
Majada, La (Huel) 133 Tc 122
▲ Majada, Raso de la 107 Va 114
Majada Carrascas (Alb) 125 Xd 118
▲ Majada del Lobo 165 Ud 130
Majada del Moro (Mur) 155 Yc 124 ✉ 30889
Majada del Moro, Caserío (Mál) 160 Ve 127
Majada del Sol (Jaé) 138 Wa 123
Majada de Masegosa (Gra) 154 Xc 123
Majada de Matute (Sev) 134 Tf 122
Majadahonda (Sev) 158 Uf 126
Majadahonda (Mad) 74 Wa 106 ✉ 28220
Majadal, Cortijo del (Huel) 133 Ta 121
Majada la Higuera, La (Mál) 165 Ue 129
Majadales (Sev) 135 Uc 123
Majadales, Caserío (Cád) 156 Td 128
Majada Madrid (Mál) 165 Ue 130
Majadas (Các) 87 Ub 109 ✉ 10529
Majadas, Las (Ter) 79 Zb 106
Majadas, Las (Cue) 92 Xf 107 ✉ 16142
▲ Majadas, Sierra de las 123 Ve 115
Majadas de la Cuesta (Sor) 59 Xb 98
Majadavieja (Sev) 157 Tf 127
Majada Vieja, Cortijo de la (Mál) 158 Uf 128
Majadilla, La (Palm) 174 D 2 ✉ 35218
Majadillas (Gra) 160 Wb 128
Majadillas, Las (Ávi) 88 Va 107
Majaelrayo (Gua) 58 We 102 ✉ 19223
Majal, El (Jaé) 139 Xb 119
Majalejos, Cortijo de los (Huel) 133 Tc 122
▲ Majales, Puerto de los 108 Vf 114
▲ Majalinos, Puerto de 79 Zc 104
Majalobas (Sev) 148 Ua 124
Majalquivir, Cortijo de (Sev) 149 Ub 126
Maján (Sor) 59 Xe 100
▲ Majana, Sierra de la 107 Vc 111
Majaneque (Córd) 136 Va 121 ✉ 14710
Majanos, Cortijada Los (Alm) 163 Xf 127
≈ Majapalomas, Baya de las (Palm) 176 D 2
Majaraba, La (Alm) 162 Wf 128
≈ Majaraceite, Río 158 Uc 129
≈ Majeco, Río 41 Xf 95
▲ Majona, Playa (Ten) 172 C 2
▲ Majona, Punta (Ten) 172 C 2
Majones (Hues) 26 Za 93 ✉ 22771
≈ Major, Estany 29 Bb 92
≈ Major, Riera 48 Cc 97
≈ Major, Riu 46 Ba 95
Majúa, La (Leó) 18 Tf 91
☆ Majuela, Castillo 139 Wf 121
Majuelos, Los (Tol) 108 Wb 111
Majuges (Sal) 53 Td 102 ✉ 37250
Mala (Palm) 176 D 3 ✉ 35543
▲ Mala, Punta 165 Ue 131
Malabrigo, Cortijo de (Córd) 136 Vb 122
Malacara (Lle) 47 Bc 98 ✉ 25215
▲ Malacara, Sierra de 113 Za 112
▲ Mala Costa, Serra de la (Bal) 97 Bd 114
Malacuera (Gua) 76 Xb 104 ✉ 19413
▲ Maladeta, Macizo de la 28 Ad 92
▲ Maladeta, Pico de la 28 Ad 93
Maladua, Cortijo (Huel) 133 Ta 121
Málaga (Mál) 159 Vd 128
▲ Málaga, Hoya de 159 Vb 128
▲ Málaga, Montes de 159 Vd 128
Málaga del Fresno (Gua) 75 We 104
☆ Malagastre, Castell de 46 Ba 97
Malagón (Córd) 137 Vc 122
Malagón (Ciu) 108 Wa 114
≈ Malagón, Arroyo de 121 Ue 117
Malagón, Cortijo de (Gra) 154 Xd 123
Malagón, Cortijo de (Gra) 153 Xb 123
≈ Malagón, Rivera de 132 Se 122
▲ Malagón, Sierra de 108 Wa 113
▲ Malagón, Sierra de 74 Vd 105
☆ Malagón Viejo, Castello de 108 Wa 113
Malaguilla (Gua) 75 We 104 ✉ 19219
Malahá, La (Gra) 152 Wb 126 ✉ 18130
Malajara, Cortijada (Gra) 152 We 125
Malajuncia (Bad) 120 Ua 119
Malajuncia, Cortijo de (Sev) 149 Uc 125
☆ Malandar, Faro de 156 Td 128
Malaño, Cortijo de (Gra) 140 Xd 121
Malanquilla (Zar) 60 Ya 99 ✉ 50315
▲ Malante, Illa 2 Rb 88
Malanyeu (Bar) 47 Bf 95
Malataja (Can) 21 Vf 91 ✉ 39213
▲ Malatana, Torre 20 Va 91
Malax (Viz) 11 Xc 89
Malcocinado (Cád) 164 Ua 130 ✉ 11179
Malcocinado (Bad) 135 Ub 120 ✉ 06928
Maldà (Lle) 64 Ba 99
Maldonado (Alb) 112 Yc 113 ✉ 02249
Maldonados, Los (Mur) 142 Ye 122 ✉ 30333
Maleján (Zar) 42 Yc 98
☆ Maleses, les 46 Ba 95
▲ Malfraile 79 Yf 103
Malgosa, la (Lle) 46 Bc 97
Malgrat de Mar (Bar) 49 Ce 99 ✉ 08380
Malgrat de Noves (Lle) 46 Bb 95 ✉ 25795
Maliaño (Can) 9 Wa 88 ✉ 39600
Malillos (Leó) 19 Ud 94 ✉ 24339
Malillos (Zam) 54 Ua 100 ✉ 49272
Malla (Bar) 48 Cb 97 ✉ 08519
Malla, la (Val) 114 Zd 111 ✉ 46592
Malladas (Các) 85 Tb 108
Malladás, els (Cas) 95 Zf 107
Mallas, Las (Huel) 147 Tb 124
Mallén (Zar) 42 Yd 97
Malleza (Ast) 6 Te 88 ✉ 33866
Mallo de Luna (Leó) 18 Ua 91 ✉ 24148
Mallol, el (Gir) 48 Cc 96
Mallolís (Lle) 29 Bb 94
Mallón (Cor) 14 Rb 92
Mallón (Pon) 32 Rc 96
Mallona, La (Sor) 59 Xb 98 ✉ 42192
▲ Mallorca (Bal) 98 Cb 109
☆ Mallorca, Foro de (Bal) 99 Cf 110
▲ Mallorca, Platjas de (Bal) 98 Ce 111
Mallorquines, les (Gir) 48 Ce 98 ✉ 17410
☆ Mallos, Los 43 Zb 94
Mallou (Cor) 14 Qf 92
Mallumembre, Caserío (Sor) 41 Xc 98
▲ Mal Nombre, Boca de (Palm) 175 C 5
Malón (Zar) 42 Yc 97
☆ Malos, Cueva de Los 90 We 109
Malpais (Ten) 173 E 3
▲ Malpais Chio (Palm) 175 E 3
Malpaíses (Ten) 171 C 3
▲ Malpaís Grande (Palm) 175 E 4
Malpartida (Sal) 72 Ue 104
Malpartida (Các) 85 Ta 108
Malpartida de Cáceres (Các) 104 Td 112

Malpartida de Corneja (Ávi) 72 Ud 105 ✉05153
Malpartida de la Serena (Bad) 120 Uc 116 ✉06440
Malpartida de Plasencia (Các) 86 Tf 109 ✉10680
Malpartit (Lle) 44 Ad 98 ✉25110
Malpàs (Lle) 28 Ae 94
▲Malpàs, la Faiada de 28 Ae 94
≈Malpasillo, Embalse de 150 Vc 125
▲Malpaso (Ten) 173 B 2
Malpaso (Palm) 174 D 2
▲Malpaso, Playa de (Palm) 174 D 2
Malpelo, El (Alb) 111 Yb 114
Malpesa (Cue) 92 Xd 109
Malpica (Cor) 2 Rb 89
Malpica de Arba (Zar) 43 Yf 95 ✉50695
Malpica de Bergantiños (Cor) 2 Rb 89 ✉15113
Malpica de Tajo (Tol) 88 Vc 109 ✉45692
Maltés, Cortijos del (Alm) 163 Xe 127
Maltzaga = Malzaga (Gui) 11 Xd 89 ✉20600
≈Malucas, Río 56 Vd 101
Maluenda (Zar) 60 Yc 101 ✉50340
Maluenga, La (Leó) 18 Te 93 ✉24722
Maluque (Seg) 57 Wc 99 ✉40554
Malva (Zam) 55 Ud 99 ✉49832
▲Malvana, Sierra de la 85 Ta 107
Malvariche (Mur) 141 Yc 121
▲Malvarrosa, Platja de la 114 Ze 111
Malvas (Pon) 32 Rb 96
Malverde y Las Carrascas de Soto (Mur) 141 Yb 123
Malzaga (Gui) 11 Xd 89
Mamblas (Ávi) 73 Uf 102 ✉05298
▲Mamblas, Sierra de las 39 Wc 96
Mambliga (Bur) 22 Wf 91
Mambrilla de Castrejón (Bur) 57 Wa 99
Mambrillas de Lara (Bur) 39 Wd 96 ✉09640
Mamé, Cortijo de (Sev) 149 Ud 123
Mamede (Lug) 16 Sa 91
▲Mamellar, El 94 Zb 109
Mamí, El (Alm) 163 Xd 127
Mamillas (Zar) 25 Ye 94 ✉50596
Mamola, La (Gra) 161 We 128 ✉18750
Mamola, La (Huel) 133 Ta 122
Mamolar (Bur) 40 Wd 97 ✉09612
Mámoles (Zam) 53 Te 100
Mamparilla, Cortijo (Các) 105 Tf 111
▲Mampodre 19 Ue 90
▲Mampodre, Picos de 19 Ue 90
Manacor (Bal) 99 Db 111 ✉07500
▲Manadella, Sierra 80 Ze 104
Managarai (Ála) 22 Wf 90
Manán (Lug) 16 Sd 91
Mananella (Bal) 98 Cf 110
Manantial (Bad) 119 Te 117
Manantial, Cortijo del (Gra) 152 Wd 125
Manantial, El (Cád) 156 Te 129
☆Manantiales 164 Tf 131
Manantiales, Los (Ten) 172 B 2
▲Manar, Sierra del 152 Wc 126
Mañaria (Viz) 23 Xc 90 ✉48212
Manca, Cortijo de la (Các) 104 Td 113
Mancebos, Los (Gra) 153 Xb 124
Mancera de Abajo (Sal) 72 Ue 103 ✉37315
Mancera de Arriba (Ávi) 72 Uf 104 ✉05146
Manceras (Sal) 53 Te 102 ✉37159
▲Mancha, La 110 Xd 114
▲Mancha, La 109 Wc 114
▲Mancha, La 39 Wa 96
▲Mancha, Montaña de la (Palm) 175 E 1
Mancha Blanca (Palm) 176 B 3 ✉35560
Mancha Llana Alta, Cortijo (Sev) 134 Te 121
Mancha Real (Jaé) 138 Wc 122 ✉23100
Manchas, Las (Ten) 171 B 3
Manchas, Las (Ten) 172 C 4
Manchego, Cortijo del (Jaé) 137 Wa 122
Mancheño (Alm) 140 Xf 121 ✉04839
Manchica, La (Mur) 142 Yf 122 ✉30398
Manchita (Bad) 120 Tf 116 ✉06478
Manchones (Zar) 60 Yd 102 ✉50366
▲Manchoya 27 Zf 93
Manciles (Bur) 21 Wa 94 ✉09133
Mancilleros (Leó) 19 Ud 93 ✉24226
▲Mancodiu, Picos de 8 Vb 89
Mancor de la Val (Bal) 98 Cf 110
Mandaio (Cor) 3 Re 89
Mandaita = Montevite (Ála) 23 Xa 92 ✉01428
Mandarnás (Our) 15 Rf 94
Mandayona (Gua) 76 Xb 103 ✉19294
≈Mandeo, Río 3 Rf 89
Mandín (Our) 34 Sd 97
▲Mandoegi, Monte 12 Ya 90
Mandoiana = Mandojana (Ála) 23 Xb 91
Mandojana (Ála) 23 Xb 91 ✉01196
Mañente (Lug) 16 Sc 93 ✉27419
Mañeru (Nav) 24 Ya 93 ✉31130
Manes, Cortijo El (Gra) 153 Xa 124
▲Manesa, La 60 Yc 99
Maneta (Mur) 127 Yf 117
≈Manga, Arroyo de la 127 Yc 117
▲Manga, La 37 Uf 98
Mangada Poniente, Cortijo de la (Các) 105 Ua 111
Manga del Mar Menor, La (Mur) 143 Zb 123 ✉30380
Manganeses de la Lampreana (Zam) 36 Ub 98 ✉49130
Manganeses de la Polvorosa (Zam) 36 Ub 96 ✉49694
▲Mangayo, Sierra de 19 Ue 90
▲Manglana, La 93 Yc 110
Mangraner (Cas) 80 Ab 104
Mangraners (Lle) 62 Ae 99
▲Mangurriano 121 Uc 117
Manicomio de Miraflores (Sev) 148 Ua 124
▲Màniga, Serra de 29 Bc 93
Maniles, Los (Zam) 54 Ua 100
Manilla (Seg) 74 We 103
▲Manilla, La 141 Yc 122
Manilva (Mál) 165 Ue 130 ✉29691
≈Manilva, Río de 165 Ue 130
Manín (Our) 33 Rf 97
Manises (Val) 114 Zd 111 ✉46940
Manjabálago (Ávi) 73 Uf 105
Manjarín (Leó) 18 Td 94
Manjarrés (Rio) 41 Xb 94
Manjirón (Mad) 75 Wc 103
Manlleu (Bar) 48 Cb 97 ✉08560
≈Manol, el 31 Cf 95
Manolones, Los (Alm) 154 Xd 124 ✉04887
Mañón (Cor) 4 Sb 87
Maños, Los (Alm) 154 Xf 126
Mano Soberbia, Cortijo de (Córd) 121 Uf 117
☆Manqueospese, Castillo de 73 Vb 105
▲Manquillo, Puerto de El 40 We 95
Manquillos (Pal) 38 Vc 95 ✉34429
Manresa (Bal) 99 Da 109
Manresa (Bar) 47 Bf 98 ✉*08241
Manresana dels Prats, la (Bar) 47 Bd 98
Mansilla (Seg) 57 Wc 101 ✉40591
≈Mansilla, Embalse de 40 Xa 96
Mansilla de Burgos (Bur) 39 Wb 94
Mansilla de la Sierra (Rio) 40 Xa 96
Mansilla de las Mulas (Leó) 19 Ud 94 ✉24210
Mansilla del Páramo (Leó) 36 Ub 94
Mansilla Mayor (Leó) 19 Ud 93 ✉24217
☆Mansolí 48 Cc 97
▲Manteca, Sierra de la 6 Te 89
☆Mantible 23 Xd 93
Mantiel (Gua) 76 Xc 105 ✉19128
Mantinos (Pal) 20 Vb 92 ✉34889
Manto, Cortijo del (Jaé) 138 Wb 119
Mantuja, Cortijo de la (Ciu) 123 Vf 118
≈Manubles, Río 60 Ya 99
≈Manubles, Río 60 Yb 100
Manuel (Val) 113 Zd 114 ✉46660
Manuelas (Córd) 137 Vd 119
☆Manuel Mondéjar, Corral de 90 Wf 107
Manueras de Arriba (Mur) 140 Ya 121
Manurga (Ála) 23 Xb 91 ✉01138
Manut (Bal) 99 Cf 109
▲Manvirgo 57 Wa 98
Manxòns, els (Bar) 47 Be 98
Manyanet (Lle) 28 Af 94 ✉25555
Manyor, el (Ali) 128 Za 118
☆Manzaire, Castillo 122 Vb 116
Manzalvos (Our) 34 Sf 97 ✉32548
▲Manzanal, Puerto del 18 Te 93
Manzanal de Abajo (Zam) 35 Te 97 ✉49564
Manzanal de Arriba (Zam) 35 Td 97 ✉49594
Manzanal del Barco (Zam) 54 Ua 99 ✉49163
Manzanal de los Infantes (Zam) 35 Td 96 ✉49317
Manzanares (Ciu) 124 Wd 115 ✉13200
Manzanares (Sor) 58 Wf 101
≈Manzanares, Canal del 90 Wc 107
☆Manzanares, Castillo de 74 Wa 104
Manzanares, Cortijo del (Jaé) 152 Wd 123
☆Manzanares, Pedriza de 74 Wa 104
≈Manzanares, Río 41 Xd 96
≈Manzanares, Río 74 Wa 104
≈Manzanares, Río 75 Wb 106
Manzanares de Rioja (Rio) 40 Xa 94 ✉26258
Manzanares el Real (Mad) 74 Wa 104 ✉28410
Manzaneda (Ast) 6 Ua 87
Manzaneda (Ast) 6 Ub 89
Manzaneda (Leó) 35 Te 95
Manzaneda (Our) 34 Se 95 ✉32781
▲Manzaneda, Cabazea de 34 Se 95
Manzaneda de Torío (Leó) 19 Ud 92
Manzanedillo (Bur) 22 Wb 91 ✉09558
Manzanedo (Bur) 22 Wb 91 ✉09558
☆Manzanedo, Palacio de 73 Vb 104
Manzaneque (Tol) 108 Wb 111 ✉45460
Manzanera (Ter) 94 Zb 108 ✉44420
Manzaneruela (Cue) 93 Ye 109 ✉16339
Manzanete (Cád) 164 Ua 131 ✉11150
Manzanilla (Huel) 148 Td 124 ✉21890
Manzanillo (Gra) 152 Wc 123
Manzanillo (Vall) 56 Ve 99 ✉47314
Manzanillo (Sal) 70 Tc 105
Manzanillo, El (Gra) 161 We 127
Manzano (Mál) 160 Wa 128 ✉29793
▲Manzano, Alto del 76 Xb 103
Manzano, El (Sal) 53 Te 101
Manzano, El (Sal) 70 Tc 105
▲Manzano, Puerto del 122 Vc 115
≈Manzano, Río 135 Ue 120
≈Manzano, Río 42 Ya 97
Manzanos, Los (Gra) 153 Xc 124
Mao (Lug) 16 Se 92
≈Mao 16 Sd 93
Maó (Bal) 96 Eb 109
≈Mao, Río 34 Sd 95
Maoño (Can) 9 Wa 88 ✉39108
Maqueda (Tol) 89 Vd 108 ✉45515
Maquirriain (Nav) 24 Yc 91
Maquirriain (Nav) 25 Yc 93
Mar (Ast) 7 Ud 87 ✉33457
≈Mar, Calaix de la 80 Af 104
≈Mar, Lac de 28 Ae 93
Mara (Zar) 60 Yc 101 ✉50331
▲Marabón, Sierra del 34 Ta 97
Maracena (Gra) 152 Wc 125 ✉18200
▲Maragatería, La 18 Te 94
Maraña (Leó) 19 Ue 90 ✉24996
Maranchón (Gua) 77 Xe 102
▲Maranchón, Puerto de 77 Xf 102
Marañón (Ciu) 109 We 113
Marañón (Nav) 23 Xd 93
Marañosa, La (Jaé) 125 Xb 118
Marañosa, La (Mad) 90 Wc 107
Maranyà (Gir) 49 Da 96
Marau (Val) 128 Zc 115
Marauri (Bur) 23 Xc 92 ✉09216
☆Maravillas, Gruta de las 133 Tc 121
Marazoleja (Seg) 74 Vd 103 ✉40130
Marazovel (Sor) 59 Xb 101 ✉42213
Marazuela (Seg) 74 Vd 103 ✉40133
Marbella (Mál) 159 Va 130 ✉29600
Marbella (Córd) 151 Ve 123 ✉14880
▲Marbella, Playas de 159 Va 130
▲Marboré 27 Aa 92
☆Marçà 47 Bc 98
Marçà (Tar) 64 Ae 102
☆Marca, Castellví de la 65 Bd 100
Marcaláin (Nav) 24 Yb 91
☆Marçanyac 47 Bd 96
Marce (Lug) 16 Sb 93
Marcegoso, Cortijo de (Cád) 157 Uc 127
Marcelinos, Los (Alm) 154 Xf 124
Marcelle (Cor) 14 Rb 91
Marcén (Hues) 44 Ze 97
Marcenado (Ast) 7 Uc 88 ✉33519
Marchagaz (Các) 86 Te 107 ✉10662
Marchal (Gra) 153 We 125
Marchal, El (Gra) 162 Wf 127
Marchal, El (Alm) 154 Xf 125
Marchal de Antón López, El (Alm) 162 Xc 127
Marchal de Fuentes, Cortijos del (Alm) 163 Xd 127
Marchal del Abogado (Alm) 154 Xc 125 ✉04890
Marchalejo (Gra) 152 We 125
Marchales, Cortijo de (Gra) 153 Xa 124
Marchamalo (Gua) 75 We 105 ✉19180
▲Marchamalo, Playa del 143 Zb 123
Marchamona (Mál) 160 Ve 127 ✉29710
Marchamorón, Cortijo de (Sev) 149 Ub 125
Marchanas, Las (Các) 105 Uc 111
Marchante (Alm) 154 Xd 126
Marchena (Sev) 149 Ud 125 ✉41620
Marchenilla (Cád) 165 Ud 130 ✉11339
Marchenilla (Sev) 149 Ub 125
Marchenilla, Cortijo de (Cád) 165 Ud 132
Marcians (Gir) 47 Ca 96
Marciegas, Las (Palm) 174 B 3 ✉35479
Marcilla (Nav) 42 Yb 95 ✉31340
Marcilla de Campos (Pal) 38 Vd 95 ✉34469
Marco (Lug) 4 Se 89
▲Marco de Alvare, Porto de 4 Se 89
Marcos, Los (Val) 112 Ye 112 ✉46310
Marcos de Alcolea, Los (Huel) 147 Ta 124
Marcovau (Lle) 46 Ba 97 ✉25737
▲Marcuera, Alto de 43 Yf 95
Mardea de Arráyoz (Nav) 13 Yc 90
Mar de Cristal (Mur) 143 Zb 123 ✉30384
▲Mar de Fóra, Praia de 14 Qe 91
Mardos, Los (Alb) 127 Yc 117 ✉02512
▲Maré, Puig de 64 Bb 101
Marea, La (Ast) 7 Ud 89 ✉33536
≈Marea, Río de La 7 Ud 89
☆Mare de Déu, Ermita de la 80 Ze 106
☆Mare de Déu d'Agres 128 Zc 116
☆Mare de Déu de Bastanist, Santuari de la 47 Be 95
☆Mare de Déu de Bell-lloc 65 Bc 99
☆Mare de Déu de Far, la 28 Af 94
☆Mare de Déu de Gracia, Ermita de la 112 Yf 114
☆Mare de Déu de Gràcia, Ermita de la 80 Ze 105
☆Mare de Déu de la Bovera, la 64 Ba 99
☆Mare de Déu de la Cinta 80 Ae 104
☆Mare de Déu de la Mira 46 Ae 95
☆Mare de Déu de la Posa, la 46 Ba 96
☆Mare de Déu de la Serra, La 48 Cd 98
☆Mare de Déu del Carme 80 Ac 104
☆Mare de Déu de les Ares, la 28 Ba 93
☆Mare de Déu de l'Horta, la 46 Af 98
☆Mare de Déu del Llosar 80 Ze 106
☆Mare de Déu del Mont, la 31 Ce 95
☆Mare de Déu del Pilar 80 Zf 106
☆Mare de Déu del Pilar, Ermita de la 128 Za 116
☆Mare de Déu del Pla, la 46 Bc 98
☆Mare de Déu del Remei, Santuari de la 80 Ac 105
☆Mare de Déu del Salgar, la 46 Ba 97
☆Mare de Déu dels Àngels 80 Ab 106
☆Mare de Déu dels Socors 80 Ac 106
☆Mare de Déu dels Socors, la 46 Ba 98
☆Mare de Déu de Queralt, la 47 Be 96
☆Mare de Déu de Sagàs, la 47 Bc 95
Marei (Lug) 16 Sd 91 ✉27164
Marentes (Ast) 17 Ta 90 ✉33811
▲Mareny, Platja del 114 Ze 113
Mareny Blau, el (Val) 114 Ze 113
Mareny de les Barraquetes, el (Val) 114 Ze 113
Mareny de Sant Llorenç, el (Val) 114 Ze 113
Mareny de Vilxes, el (Val) 114 Ze 113
Mareo de Arriba (Ast) 7 Ub 88 ✉33390
▲Mares, Punta (Bal) 97 Bd 114
▲Mareta, Punta de la (Palm) 176 C 1
☆Marfà 48 Ca 98
Marfagones (Mur) 142 Yf 123
Margajón, El (Mur) 142 Ye 123
Margalef (Lle) 64 Ae 99
Margalef (Tar) 64 Ae 101 ✉43371
▲Margallera, Playa de la (Ten) 173 E 4
≈Margañán, Río 72 Ud 103
Marganell (Bar) 47 Be 99 ✉08298
Margarida (Ali) 129 Ze 116 ✉0382
Margazuela, Cortijo de la (Sev) 148 Tf 126
▲Margazuela, Punta de la 148 Tf 126
Margen, El (Alm) 154 Xe 123 ✉04811
Margen de Arriba (Gra) 140 Xc 12
≈Margen Derecha, Canal 141 Yc 122
≈Margen Izquierda, Canal 142 Yf 120
Margolles (Ast) 7 Uf 88 ✉33547
Margudgued (Hues) 27 Aa 94 ✉22349
María (Alm) 140 Xe 122
▲María 140 Xe 122
▲María, Puerto de 140 Xf 122
▲María, Sierra de 140 Xe 123
▲Maria Andrés, Sierra de 119 Tb 117
María Aparicio (Córd) 137 Vd 121
≈Maria Cristina, Pantà de 95 Ze 108
María de Huerva (Zar) 61 Yf 99
Maria de la Salut (Bal) 99 Da 110 ✉07519
▲Maria Diaz, Coto de (Palm) 175 E 1
Marialba (Sal) 70 Tc 105
Marialba de la Ribera (Leó) 19 Uc 93 ✉24199
Maria Loera (Val) 114 Zd 113
Mariana (Cue) 92 Xf 108 ✉16143
≈Mariana, Río 92 Xf 107
Mariandana (Mál) 151 Ve 126 ✉29315
Marianes, Cortijo de (Bad) 119 Tb 118
Marianes, Cortijo de los (Alm) 154 Xf 124
▲Marianta, Sierra de la 135 Ue 12
Marías, Las (Mad) 74 Wa 105
María Sala, Cortijo (Sev) 149 Ud 125
Maribáñez (Sev) 148 Ua 126
Maridos, Los (Jaé) 125 Xc 118
Marieta (Ála) 23 Xc 91
Marifernández, Cortijo de (Sev) 149 Ue 123
Marifranca (Các) 86 Td 108
Marigenta (Huel) 133 Tc 123 ✉21647
Mariland (Bal) 97 Bd 116
≈Mari López, Lucio de 148 Td 126
Marimingo, Cortijo de (Jaé) 138 Wd 121
Marimínguez (Alb) 112 Yd 113
Marimón (Lle) 62 Ad 99
☆Mari Murta, Jardí Botanic 49 Ce 98
Marín (Pon) 14 Rb 94 ✉36900
Marín, Cortijos de (Alm) 162 Xc 12
Marina (Bal) 98 Cf 111
Marina (Bal) 99 Cf 112
☆Marina, Catedral de la 129 Aa 11
☆Marina, Ermita de la 20 Uf 91
Marina, la (Ali) 143 Zc 120 ✉*03170
Marina, la (Val) 114 Ze 114
▲Marina, Platja de la 143 Zc 120
Marina Dávila (Huel) 147 Tb 125
Marina de Cala d'Or (Bal) 99 Db 11
Marina de Cudeyo (Can) 9 Wb 88
Marinaleda (Sev) 150 Va 124 ✉41569
☆Mariñán, Pazo de 3 Re 89
≈Marinán, Río 17 Sf 94
Marinas (Ast) 6 Ua 88
Marinas, Las (Alm) 162 Xc 128 ✉04621
▲Mariñas, Las 3 Rf 89
Marinda (Ála) 23 Xa 91 ✉01439
☆Marineland 49 Ce 99
Marines (Val) 94 Zc 110 ✉46163
Marines, les (Ali) 129 Aa 115
Marines, Los (Mál) 160 Ve 127
Marines, Los (Mur) 141 Yb 119
Marines, Los (Huel) 133 Tc 121 ✉21208
Marines Nuevo (Val) 113 Zc 110
Mariñosa, La (Hues) 44 Ac 95
Marino Vega, Cortijo de (Gra) 152 Wc 124
Mariola (Ali) 128 Zd 116
≈Mari-Pascuala, Laguna de 89 Wb 107
Maripérez (Alb) 110 Xe 114
Marisán (Val) 113 Zc 112
Marisánchez, Cortijo de (Gra) 152 Wc 123
Marisancho, Cortijo de (Các) 105 Uc 111
Marisma, Cortijo de la (Cád) 164 Ua 131

arisma del Guadalquivir, Cortijo
(Cád) 157 Te 127
Marismas, Las 147 Tb 126
Marismas, Puerto de las
134 Te 120
arismilla, Caserío La (Huel)
156 Td 127
Maristella, Ermita de (Bal)
98 Cd 111
arivella (Zar) 60 Yc 100
ariz (Lug) 4 Sa 90
Mariz, Río 4 Sa 90
Marjal de Pego-Oliva, Parc
Natural de la 129 Zf 115
arjaliza (Tol) 108 Wa 111 ⊠ 45479
arjal Nova (Bal) 96 Df 109
Marjana 113 Za 111
arkina-Xemein (Viz) 11 Xd 89
⊠ 48270
arkina-Xemein (Ála) 23 Xb 91
arkiz = Marquínez (Ála) 23 Xc 92
larlagarriga (Lle) 47 Be 97
larlín (Ávi) 73 Vb 104
arlofa (Zar) 43 Yf 98 ⊠ 50692
ármel, Cortijo del (Gra)
152 Wd 123
larmellar (Tar) 65 Bd 100
Marmellar, Castell de 65 Bd 100
armellar de Arriba (Bur) 39 Wb 94
⊠ 09131
Mar Menor 143 Zb 122
Mar Menor, La Manga del
143 Zb 122
ármiz (Viz) 11 Xc 89
lármol, El (Cád) 157 Uc 127
lármol, El (Jaé) 138 Wd 120
Marmolance, Sierra de
139 Xc 121
larmolejo (Jaé) 137 Vf 120
⊠ 23770
larmolejo, Cortijo de (Jaé)
137 Vf 121
larmolejo, Cortijo de la (Sev)
148 Te 125
Marmolejo, Embalse de
137 Ve 120
Marmols, Cala (Bal) 99 Da 113
larne (Leó) 19 Ud 93 ⊠ 24226
larnes (Ali) 129 Zf 116
laro (Mál) 160 Wa 128 ⊠ 29787
Maroñas 14 Ra 91
laroñas, As (Cor) 14 Ra 91
laroño (Ála) 22 Wf 90 ⊠ 01479
Maroño, Embalse de 22 Wf 90
Marota, Arroyo de la 136 Va 122
laroteras (Jaé) 137 Vf 120
laroxo (Cor) 15 Rf 91
larqués, Cortijo del (Sev)
150 Va 125
larqués, Cortijo El (Cád)
165 Ud 130
▲ Marqués, Sierra 27 Ab 93
larquesa, Caserío de la (Jaé)
137 Ve 120
▲ Marquesado de Berlanga
58 Xa 100
larqués de la Merced, Cortijo del
(Jaé) 137 Vf 120
larqués de Verdejo, Cortijo del
(Jaé) 138 Wb 122
☆ Marqués de Villena, Parador
111 Xf 111
larquesito, El (Alb) 140 Xd 120
larquet, el (Bar) 47 Be 99
lárquez, Cortijo de (Bad)
119 Td 115
larquínez (Ála) 23 Xc 92
larquinilla (Các) 105 Tf 111
larquinos, Caserío de los (Bad)
118 Se 116
larquiz de Alba (Zam) 54 Ua 98
⊠ 49147
larraclán, Cortijo de (Gra)
153 Xa 125
larracos (Zar) 43 Zb 96 ⊠ 50616
≈ Marrandiel, Arroyo de 37 Ue 98
larraque (Alm) 162 Xd 127
⊠ 04260
larratxí (Bal) 98 Ce 111
≈ Marrón, Río del 94 Zc 107
▲ Marrones, Sierra 108 Wb 113
Marroquín-Encina Hermosa (Jaé)
151 Wa 123
▲ Marroquí o de Tarifa, Punta
164 Uc 133
Marrubio (Our) 34 Sd 95
Marrupe (Tol) 88 Vb 108 ⊠ 45636
Martajal, Cortijo El (Huel)
134 Te 121
▲ Martés 113 Za 113
Martés (Hues) 26 Za 93
▲ Martés, Sierra de 112 Yf 112
Martiago (Sal) 71 Td 106 ⊠ 37510
Martialay (Sor) 59 Xd 98 ⊠ 42134
≈ Martianez, Lago (Ten) 172 D 3
Martihernando (Sal) 70 Tc 105
Martiherrero (Ávi) 73 Vb 104
⊠ 05140
▲ Martillac, Serra de 28 Af 93
Martillán (Sal) 70 Tb 104
Martillán (Sal) 72 Uc 104
Martillué (Hues) 26 Zd 93
Martímporra (Ast) 7 Uc 88
Martín (Lug) 16 Sc 93
▲ Martín, Playa (Ten) 171 C 3
≈ Martín, Río 79 Zc 102
Martinamor (Sal) 72 Uc 104
⊠ 37891
Martiñán (Lug) 4 Sc 89
▲ Martinaza, Cuerda de 136 Va 119
Martinazo, Cortijo de (Sev)
149 Uc 125
Martincano (Seg) 57 Wb 102
⊠ 40162
Martín de la Jara (Sev) 150 Va 126
Martín del Río (Ter) 79 Za 103
Martín de Yeltes (Sal) 71 Te 104
▲ Martinejos, Sierra de 87 Uc 108
Martinet (Lle) 29 Be 94 ⊠ 25724
☆ Martinete, Central Eléctrica de El
123 Vf 115
Martinete, El (Gra) 152 Wb 125
Martinete, El (Córd) 151 Vd 124
⊠ 14940
Martínez (Ávi) 72 Ud 105
Martínez, Los (Mur) 142 Yf 122
≈ Martín Gonzalo, Arroyo de
137 Vd 120
≈ Martín Gonzalo, Embalse de
137 Ve 120
Martín Malo (Jaé) 138 Wc 119
Martín Miguel (Seg) 74 Ve 103
≈ Martín Muñoz, Arroyo de
108 Vf 111
Martín Muñoz de Ayllón (Seg)
58 Wd 101
Martín Muñoz de la Dehesa (Seg)
73 Vb 102
Martín Muñoz de las Posadas (Seg)
73 Vc 103
▲ Martiño, Punta (Palm) 175 F 1
Martín Vicente (Sal) 72 Uc 104
Martioda (Ála) 23 Xb 91 ⊠ 01191
☆ Mártires, Capilla de los 7 Ud 88
☆ Mártires, Ermita de los
120 Ub 115
☆ Mártires, Ermita de los 7 Uc 88
☆ Mártires, Ermita de los 23 Xb 93
☆ Mártires, Ermita de los 44 Ad 97
☆ Mártires, Ermita de los 90 We 107
▲ Mártires, Los 135 Ud 120
Mártires, Los (Gui) 11 Xd 90
Martís (Gir) 49 Ce 95
Martorell (Bar) 65 Bf 100 ⊠ 08760
☆ Martorell de la Selva 48 Ce 98
Martorelles de Baix (Bar) 66 Cb 99
Martorelles del Mig = Santa Maria
de Martorelles (Bar) 66 Cb 99
Martos (Jaé) 137 Wa 122 ⊠ 23600
Martosa (Gir) 49 Cf 98
Maruanas (Córd) 137 Vd 121
⊠ 14620
Marugán (Seg) 74 Vd 103
Maruri-Jatabe (Viz) 11 Xa 88
⊠ 48112
≈ Marxal, Riu 128 Zc 116
Marxuquera, la (Val) 114 Ze 115
Marzà (Gir) 31 Da 95
Marzagán (Palm) 174 D 2
Marzales (Vall) 55 Uf 99 ⊠ 47133
Marzoa (Cor) 15 Rd 90
▲ Mas, El 78 Ye 104
≈ Mas, S' Estany d'En (Bal)
99 Db 111
Masa (Bur) 22 Wb 93 ⊠ 09142
≈ Masacán, Arroyo de 135 Ud 121
▲ Masaciega (Palm) 174 D 3
Masada, Caserío La (Cas)
94 Zd 107
Masada de Anduch (Ter) 80 Ze 103
Masada de Azcón (Ter) 79 Zc 104
Masada de Bascones (Ter)
62 Ze 102
Masada de la Lomoza (Zar)
62 Zc 98
Masada de la Monja (Ter) 79 Zc 104
Masada de la Solana (Ter)
79 Zc 104
Masada del Cerro (Ter) 79 Zc 104
Masada del Marqués (Ter) 62 Zf 102
Masada del Pozo (Hues) 44 Zd 98
Masada del Sordo (Cas) 94 Zc 109
⊠ 12469
Masada del Valle (Ter) 79 Yf 106
Masada de Torre Caro (Ter)
79 Zb 104
Masada de Valredonda (Ter)
79 Zc 104
Masada Nueva (Ter) 62 Zb 102
Masadera, La (Hues) 44 Zf 97
Masalavés (Val) 113 Zc 114
Masalcoreig = Massalcoreig (Lle)
62 Ac 100
Mas Alta (Zar) 61 Zb 101
Masamagrell = Massamagrell (Val)
114 Ze 111
Masanasa = Massanassa (Val)
114 Zd 112
Masarac (Gir) 31 Cf 94 ⊠ 17763
Masarbonès (Tar) 65 Bc 101
≈ Masas, Río 41 Xd 96
Mas Bages (Tar) 80 Ad 104
Mas Blanc, el (Cas) 95 Zf 108
Mas Blanco (Ter) 62 Zc 101
Mas Bonito (Tar) 64 Ae 101
Masboquera (Tar) 64 Af 102
⊠ 43891
Mas Borbó (Zar) 62 Ab 101
Masca (Ten) 172 B 4 ⊠ 38489
▲ Máscara 38 Ve 94
Mascaraque (Tol) 108 Wb 110
⊠ 45430
Mascarat (Ali) 129 Zf 117
Mascarell (Cas) 95 Zf 109 ⊠ 12529
Mascariello (Hues) 44 Zc 96
Mas Cascajares (Ter) 80 Ze 103
Mas Corbera (Gir) 31 Da 94
Mascote (Huel) 147 Tc 123
≈ Mascún, Barranco de 44 Zf 95
Masdache (Palm) 176 C 4 ⊠ 35572
Mas d'Agustí, el (Val) 94 Zb 110
Mas d'Albagié (Lle) 64 Ae 100
Mas d'Alentao (Cas) 95 Zf 107
Mas d'Andreu (Tar) 64 Ae 102
Mas d'Andréu (Ter) 80 Zf 104
Mas d'Avall, el (Cas) 95 Zf 108
Mas de Aceite (Cas) 94 Zc 108
Mas de Aliaga (Ter) 94 Zb 107
Mas de Aliaga (Val) 94 Za 110
Mas de Ambrós (Zar) 62 Zf 101
Mas de Angosta (Ter) 63 Aa 102
Mas de Antillón (Hues) 62 Ze 99
Mas de Aranda (Ter) 78 Ye 103
Mas de Arquelilla (Val) 94 Yf 110
Mas de Barberans (Tar) 80 Ac 104
⊠ 43514
Mas de Bartomeu (Tar) 65 Bc 101
Mas de Beppo (Hues) 63 Ab 100
Mas de Bernal (Ter) 80 Ab 104
Mas de Bernari (Lle) 62 Ad 100
Mas de Blanco (Ter) 79 Zd 105
Mas de Bolincha (Ter) 80 Aa 104
Mas de Bonastre (Lle) 62 Ad 100
Mas de Bondia, el (Lle) 64 Bb 99
⊠ 25340
Mas de Boras (Ter) 79 Zc 106
Mas de Brunel (Zar) 63 Aa 101
Mas de Caballero (Val) 112 Yf 111
Mas de Cabás (Tar) 62 Ac 101
Mas de Calaf (Cas) 96 Aa 107
Mas de Calderer (Tar) 62 Ad 102
Mas de Campos (Cas) 95 Zf 107
Mas de Cantaritas (Ter) 62 Zf 102
Mas de Cebrián (Zar) 62 Zf 101
Mas de Chartos (Hues) 63 Ab 100
Mas de Chias (Hues) 44 Ac 96
Mas de Cholla (Val) 112 Yf 111
⊠ 46351
Mas de Comas (Zar) 63 Ab 101
Mas de Corbatón (Zar) 62 Ze 101
Mas de Cribas (Tar) 64 Ae 103
Mas de Dilla (Ter) 80 Aa 104
Mas de Domenedi (Ter) 94 Zd 107
Mas de Ensavi (Cas) 95 Zf 107
Mas de Ezque (Zar) 62 Ac 101
Mas de Falcó (Cas) 80 Ze 105
Mas de Fandos (Tar) 80 Ac 103
Mas de Favaró (Tar) 80 Ac 105
Mas de Feltre (Tar) 62 Ad 102
Mas de Femella (Tar) 62 Ad 101
Mas de Ferrer (Ter) 79 Zd 104
Mas de Flors, el (Cas) 95 Zf 108
Mas de Fousa (Ter) 80 Aa 104
Mas de Franxo (Lle) 62 Ac 101
Mas de Gabito (Ter) 94 Za 107
Mas de Gabriel (Ter) 80 Aa 103
Mas de Gil i Vídua (Cas) 95 Ze 108
Mas de Gorreta (Tar) 80 Ad 103
Mas de Guallár (Zar) 63 Aa 101
Mas de Guimerans (Cas) 80 Zf 105
Mas de Ibarís (Hues) 62 Ab 99
Mas de Ignacio (Hues) 63 Ab 100
Mas de Jacinto (Val) 93 Ye 108
⊠ 46144
Mas de Jacinto (Ter) 93 Yf 107
Mas de Jaén (Ter) 80 Aa 102
Mas de Jaime (Tar) 64 Ae 101
Mas de Labrador (Hues) 62 Zf 100
Mas de la Cerroch (Ter) 80 Zf 104
Mas de la Cervera (Ter) 94 Zc 107
Mas de la Chita (Ter) 79 Zb 104
Mas de la Clota (Ter) 80 Zf 104
Mas de la Creu (Ter) 80 Aa 103
Mas de la Creu (Ter) 80 Ab 103
Mas de la Cruz (Zar) 63 Aa 102
Mas de la Cruz (Ter) 80 Ab 103
Mas de la Curta (Ter) 62 Ze 102
Mas de la Era Empedrado (Ter)
63 Zf 102
Mas de la Gaeta (Tar) 62 Ac 102
Mas de la Guardia (Cas) 80 Aa 104
Mas de la Lloma (Cas) 95 Ze 107
Mas de l'Alzinet (Tar) 65 Bc 101
Mas de la Mina (Cas) 95 Ze 108
Mas de la Moleta (Ter) 80 Zf 104
Mas de la Muda (Hues) 62 Zf 99
Mas de la Noguera (Tar) 64 Af 101
Mas de la Parra (Ter) 94 Za 107
Mas de la Pineda (Bar) 65 Bd 100
Mas de la Polla Rosa (Cas)
95 Ze 107
Mas de la Reina (Ter) 62 Ze 101
Mas de la Roqueta (Cas) 80 Zf 104
Mas de las Barracas (Ter) 94 Zc 107
Mas de las Matas (Ter) 80 Ze 104
⊠ 44564
Mas de las Monges (Cas) 80 Ze 105
Mas de las Monjas (Zar) 63 Aa 102
Mas de la Teulera (Cas) 80 Aa 106
Mas de la Torre (Tar) 64 Ba 100
Mas de la Vall (Lle) 62 Ad 100
Mas de la Viuda (Lle) 62 Ad 100
Mas del Blanquet (Lle) 64 Ae 100
Mas del Cap del Barranc (Cas)
80 Zf 104
Mas del Cerrito (Ter) 94 Zc 107
Mas del Chel de Medeo (Hues)
62 Zf 99
Mas del Chorizo (Lle) 62 Ac 101
Mas del Comte (Tar) 64 Ad 103
Mas del Cot (Lle) 62 Ad 100
Mas de León (Ter) 62 Ze 102
Mas de Lerín (Hues) 44 Ze 98
Mas del Escolano (Zar) 62 Ze 101
Mas de les Palmes, el (Val)
113 Zc 112
Mas de les Pubilles (Ter) 80 Aa 104
Mas de les Torres (Tar) 63 Ab 102
Mas de l'Estudiant (Tar) 80 Ac 103
Mas del Francés (Tar) 64 Ae 101
Mas del Ganxo (Tar) 80 Ad 103
Mas del Guapeto (Lle) 62 Ac 100
Mas del Hungari (Hues) 63 Aa 100
Mas del Joaquinet (Ter) 80 Zf 104
Mas del Juncal (Ter) 79 Zd 104
Mas del Jutge, el (Val) 113 Zc 112
Mas del Lleó (Lle) 44 Ac 98
Mas del Magi (Hues) 62 Zf 100
Mas del Manescal (Tar) 62 Ac 102
Mas del Manzano (Ter) 94 Za 107
Mas del Mingo (Lle) 44 Ac 98
Mas del Molinete (Ter) 94 Zb 107
Mas del Moro (Tar) 63 Ab 102
Mas del Nen (Tar) 80 Ab 102
Mas del Niño (Zar) 62 Zf 100
Mas del Nogueret (Lle) 64 Ae 100
Mas del Olmo (Val) 93 Ye 108
⊠ 46140
Mas de los Miguelitos (Zar)
62 Ze 101
Mas del Padre Santo (Ter)
62 Ze 101
Mas del Pedró (Lle) 64 Ae 100
Mas del Pellejo (Ter) 63 Ab 103
Mas del Perdó (Lle) 64 Ae 100
Mas del Perinet (Tar) 64 Af 101
Mas del Pito (Ter) 80 Aa 104
Mas del Pobre (Hues) 63 Aa 99
Mas del Pollo (Tar) 80 Ac 102
Mas del Polo (Ter) 62 Zc 101
Mas del Pont (Ter) 80 Aa 104
Mas del Puente (Ter) 62 Zf 102
Mas del Rajo (Ter) 79 Zc 104
Mas del Raye (Tar) 62 Ac 102
Mas del Rei (Tar) 80 Ad 103
Mas del Río (Ter) 94 Yf 108
Mas del Roc (Zar) 63 Ab 101
Mas del Roig (Ter) 80 Ab 103
Mas del Rubio (Ter) 79 Zb 103
Mas del Sant (Tar) 63 Ab 102
Mas del Santos (Zar) 63 Ab 102
Mas dels Chulos (Cas) 95 Zf 107
Mas del Senyor (Lle) 62 Ad 101
Mas dels Oms (Cas) 80 Ze 106
Mas del Tejedor (Ter) 80 Aa 102
Mas del Torero (Zar) 62 Zf 101
Mas del Turso (Zar) 62 Zb 101
Mas del Turulet (Ter) 80 Ze 103
Mas del Valrrey (Lle) 62 Ad 100
Mas de Madronyetes (Tar)
62 Ad 102
Mas de Malo (Zar) 63 Aa 101
Mas de Mandanya (Lle) 64 Ae 99
Mas de Mantilla (Ter) 62 Zf 102
Mas de Maranya (Tar) 80 Ac 102
Mas de Marian (Lle) 64 Ae 101
Mas de Mariano (Hues) 62 Ze 98
Mas de Matalobos (Ter) 80 Ab 103
Mas de Mateu (Lle) 62 Ad 101
Mas de Mateu (Hues) 63 Aa 100
Mas de Matutano (Ter) 80 Ze 103
Mas de Matxerri (Lle) 64 Ae 99
Mas de Mele (Ter) 79 Zd 104
Mas de Melons (Lle) 64 Ae 100
Mas de Menut (Tar) 62 Ac 101
Mas de Merades (Tar) 80 Ac 105
Mas de Miquel (Lle) 44 Ad 97
Mas de Miralles (Tar) 80 Ab 103
Mas de Mois (Ter) 63 Aa 102
Mas de Monsiacre (Cas) 80 Zf 105
Mas de Montardi (Lle) 46 Ae 97
Mas de Morén (Ter) 80 Aa 104
Mas de Mossèn Pere (Tar)
62 Ac 102
Mas de Moyóns (Ter) 80 Aa 104
Mas de Mustiu (Tar) 62 Ac 102
Mas de Navarrete (Ter) 94 Yf 107
Mas d'En Bosc (Tar) 65 Bc 101
Mas d'En Bosc, el (Tar) 64 Ba 102
Mas d'En Ferrans (Tar) 64 Ae 101
☆ Masdenforn 46 Bc 97
Mas d'En Gil (Tar) 64 Af 101
Mas de Noguers (Lle) 62 Ad 101
Mas de Nonaspe (Zar) 63 Ab 101
Mas d'Enqueixa (Cas) 96 Aa 107
Masdenverge (Tar) 80 Ad 104
⊠ 43878
Mas d'En Xup (Tar) 64 Ba 100
Mas de Oliver (Cas) 95 Zf 108
Mas de Orleans (Zar) 63 Ab 101
Mas de Palomar (Ter) 62 Zf 102
Mas de Panaré (Tar) 80 Ae 103
Mas de Parrot (Tar) 62 Ad 102
Mas de Peñarroya (Ter) 94 Za 108
Mas de Perle (Ter) 80 Zd 103
Mas de Petot (Ter) 63 Aa 102
Mas de Planero (Tar) 64 Ad 103
Mas de Poldo (Tar) 64 Ae 102
Mas de Pontons, el (Bar) 65 Bd 100
Mas de Pubilla (Tar) 62 Ac 101
Mas de Pujantell (Lle) 47 Bc 97
Mas de Pulido (Zar) 62 Zf 101
Mas de Rabé (Lle) 62 Ad 100
Mas de Rabel (Zar) 62 Zf 101
Mas de Rafalet (Hues) 45 Aa 98
Mas de Ratat (Lle) 62 Ad 100
Mas de Ratat (Tar) 80 Ac 102
Mas de Renegac (Tar) 80 Ae 103
Mas de Ricarda (Ter) 79 Zd 104
Mas de Robres (Ter) 62 Ze 102
Mas de Roc (Cas) 80 Ab 105
Mas de Romanos (Ter) 79 Za 102
Mas de Rosell (Lle) 62 Ad 100
Mas de Rosildos (Cas) 95 Zf 107
Mas de Roures (Cas) 95 Zf 107
Mas de Sabaté (Cas) 80 Zf 105
Mas de Santella (Ter) 79 Zc 105
Mas de Santiago (Zar) 62 Ac 101
Mas de Segara (Tar) 80 Ad 102
Mas de Siló (Tar) 62 Ad 101
Mas de Simonet (Tar) 62 Ac 101
Mas de Solduga (Lle) 46 Af 96
⊠ 25639
Mas de Sorribes (Ter) 80 Ab 103
Mas d'Estadella, el (Lle) 64 Ba 99
Mas d'Estanqué (Tar) 80 Ae 103
Mas de Táteiras (Ter) 79 Zb 104
Mas de Tío Manguer (Zar)
62 Ze 101
Mas de Torre Colás (Ter) 79 Zc 106
Mas de Torres (Hues) 62 Ze 98
Mas de Trilles (Cas) 95 Aa 107
Mas de Valentí (Cas) 80 Zf 106
Mas de Val Primera (Ter) 62 Zd 102
Mas de Val Traversa (Zar) 62 Zd 99
Mas de Vaquer (Zar) 62 Zf 101
Mas de Vegue (Cas) 80 Ab 106
Mas de Vergés (Val) 113 Zc 112
Mas de Vicenta (Cas) 95 Zd 108
Mas de Villacampa (Zar) 63 Aa 101
☆ Mas de Villaviciosa, Refugio
8 Va 89
Mas de Vinyals (Tar) 80 Ab 103
Masegar (Ciu) 107 Ve 112
Masegar, El (Cue) 93 Yc 107
Masegosa (Cue) 77 Xf 105 ⊠ 16878
Masegosa, Cortijo de (Gra)
140 Xc 121
▲ Masegosillo 93 Yc 109
Masegoso (Alb) 125 Xe 116
⊠ 02314
Masegoso (Sor) 41 Xf 98
Masegoso (Ter) 93 Yc 107
Masegoso de Tajuña (Gua)
76 Xb 104 ⊠ 19490
Masella, la (Gir) 30 Bf 94
☆ Masena, Cueva de 90 We 109
Mas Enrei (Tar) 64 Af 101
Mases, Los (Ter) 62 Zc 102
Mases, Los (Ter) 94 Zb 108
Mases de Almochuel (Zar)
62 Zc 101
Mases de Crivillén (Ter) 79 Zc 103
Mases de la Balsa (Zar) 62 Ze 100
Mases de la Cantera (Ter)
62 Zb 102
Mases de la Paridera (Ter)
79 Zd 103
Mases del Collado (Ter) 80 Zd 103
Mases del Morellano (Ter) 63 Zf 102
Mases del Pez (Zar) 62 Ze 100
Mases del Radiguero (Ter)
62 Zc 102
Mases del Santo (Ter) 62 Zd 102
Mases de Marcias (Lle) 62 Ac 100
Mases de Pantoja (Zar) 62 Zf 101
Mases de Piqueros (Zar) 62 Ze 100
Mases de Sasillo (Ter) 62 Zc 102
Mases de Trenques (Hues) 62 Zf 99
Mases y Tamboril (Ter) 94 Zb 108
Maset de Rocher (Ter) 80 Aa 104
Masets (Ali) 128 Zd 117
Masets, els (Tar) 80 Ad 104
Mas Gallicant (Tar) 64 Af 101
Masía Aldamar (Val) 113 Zc 112
Masía Alta (Ter) 78 Yd 106
Masia Arnal (Val) 114 Zd 111
Masia Bachero d'Araia (Cas)
95 Ze 108

Masia Benafechines (Cas) 80 Aa 106
Masia Cal Solvet (Bar) 65 Bc 99
Masia Can Bosc (Cas) 96 Ab 107
Masía Cardencla (Ter) 78 Ye 106
Masia Costereta (Cas) 80 Aa 106
Masia d'Agustina (Cas) 95 Zd 107
Masía de Abanillas (Cas) 94 Zc 110
Masía de Abeja (Ter) 79 Za 105
Masía de Agua Blanca (Ter) 79 Zb 106
Masía de Asensio (Ter) 80 Zd 104
Masía de Atalaya (Ter) 79 Za 106
Masía de Bernat (Ter) 79 Zb 105
Masía de Bruno (Ter) 93 Yc 107
Masia de Brusca, la (Cas) 80 Aa 106
Masía de Buscavidas (Cas) 94 Zc 109
Masía de Cabezo Pardo (Ter) 78 Ye 104
Masía de Cañadas (Ter) 79 Zb 105
Masía de Cañalafuente (Ter) 78 Yd 104
Masía de Cañizarejo (Ter) 79 Zb 105
Masía de Capote (Cas) 95 Ze 106
Masía de Caramba (Lle) 62 Ac 99
Masía de Cardo (Ter) 78 Yf 105
Masía de Carrero (Cas) 96 Ab 107
Masía de Conejera (Ter) 93 Yd 106
Masía de Cucalón (Cas) 94 Zc 110
Masía de Fabra Lloma (Cas) 95 Ze 108
Masía de Fuentes (Cas) 94 Zd 108
Masía de Gargán (Cas) 95 Ze 107
Masía de Guadamar de Dalt (Cas) 95 Ze 108
Masía de Igual (Ter) 94 Zc 107
Masía de J. Antonio (Hues) 63 Ab 100
Masía de Jaime Vicente (Cas) 80 Zf 106
Masía de la Almarja (Cas) 94 Zb 109
Masía de la Balsa (Ter) 94 Za 107
Masía de la Cañada (Ter) 78 Yf 104
Masía de la Carrasca (Cas) 95 Ze 107
Masía de la Casa Baja (Ter) 79 Za 106
Masia de la Creu (Cas) 80 Aa 105
Masía de la Ermita (Ter) 78 Yf 105
Masía de la Hita (Ter) 94 Za 106
Masía de la Lagosa (Ter) 78 Yd 106
Masía del Alfambra (Ter) 79 Za 105
Masía de la Lloma (Cas) 95 Ze 107
Masía del Altico (Ter) 79 Zb 106
Masía de la Olmedilla (Ter) 94 Zb 107
Masía de la Rambla (Ter) 94 Za 107
Masía de la Rana (Ter) 79 Yf 105
Masía de la Rinconada (Ter) 94 Zb 107
Masía de la Sardera (Hues) 63 Aa 99
Masía de las Cuestas (Ter) 94 Za 108
Masía de la Serna (Ter) 79 Zb 105
Masia de la Serra (Tar) 62 Ac 102
Masía de las Incosas (Ter) 94 Zb 107
Masía de la Solana (Ter) 79 Zb 105
Masía de la Sonana (Ter) 79 Zb 106
Masía de las Pupilas (Ter) 79 Zb 105
Masia de la Torreta (Cas) 80 Aa 106
Masía de la Toyuela (Ter) 78 Yd 106
Masía del Bolado (Cas) 94 Zb 108
Masía del Borrocal (Ter) 78 Yc 106
Masía del Campo (Hues) 63 Aa 99
Masía del Campo (Ter) 94 Za 107
Masía del Capella (Val) 113 Zc 110
Masía del Carbonero (Ter) 79 Za 106
Masía del Carrascalejo (Ter) 94 Zb 106
Masía del Cebrero (Ter) 78 Yd 106
Masía del Ceperuelo (Ter) 62 Zd 102
Masía del Collado (Ter) 79 Za 105
Masía del Collado (Cas) 94 Zb 109
Masía del Colorado (Ter) 78 Yd 104
Masía del Esparavé (Cas) 80 Aa 105
Masia de les Pomeres (Cas) 95 Ze 107
Masia de les Pruneres (Cas) 80 Aa 105
Masía del Gatellá (Cas) 80 Aa 106
Masía del Hocico (Ter) 94 Zb 107
Masía del Hoyo (Ter) 78 Yf 105
Masía del Juez (Val) 94 Zb 110
Masía del Mas (Ter) 78 Yd 103
Masía del Oficial (Ali) 129 Ze 117
Masia de l'Om (Cas) 80 Aa 105
Masía de los Gatos (Ter) 78 Yd 106
Masía de los Pérez (Cas) 94 Zb 109
Masía del Padre Santo (Ter) 79 Zc 105
Masía del Palomo (Ter) 78 Yd 106
Masía del Portero (Ter) 79 Zb 106
Masía del Pozuelo (Ter) 79 Za 105
Masía del Prado (Ter) 79 Zb 106
Masía del Rebollo (Cas) 94 Zd 108
Masía del Recuenco (Ter) 78 Yf 104
Masía del Río (Ter) 94 Za 107
Masia del Rull (Cas) 94 Zd 108
Masia del Senyor (Cas) 80 Zf 106
Masía del Villarejo (Ter) 93 Yf 108
Masia de Manzanares (Cas) 95 Ze 107
Masía de Marta (Ter) 79 Zc 106
Masía de Millán (Ter) 79 Zb 105
Masía de Monteagudo (Ter) 78 Yd 106
Masía de Morata (Ter) 78 Yd 104
Masía de Ontejas Altas (Ter) 94 Zb 106
Masía de Portachuelo (Ter) 79 Za 106
Masía de Ricoll (Ter) 80 Ze 104
Masía de Rivas (Cas) 94 Zc 109
Masía de Roclos (Ter) 93 Yd 106
Masia de Romeo (Cas) 80 Zf 106
Masía de Ruecas (Ter) 78 Ye 104
Masía de Saletas (Ter) 78 Yd 104
Masia de Salvador (Cas) 95 Ze 107
Masía de San Juan (Cas) 94 Zd 110
Masía de San Pedro (Ter) 93 Yc 107
Masía de Santa Ana (Ter) 79 Zb 105
Masía de Satué (Zar) 63 Ab 101
Masia de Segarra de Arriba (Cas) 80 Zf 106
Masia de Segures (Ter) 80 Aa 104
Masía de Senier (Tar) 64 Ad 102
Masia d'Estrada (Tar) 62 Ac 101
Masia de Toni (Cas) 95 Ze 107
Masia de Torre Miró (Cas) 80 Zf 104
Masía de Uñoz (Cas) 94 Zc 110
Masía de Val (Ter) 78 Yd 104
Masía de Valdecascallo (Ter) 79 Zd 104
Masía de Valdomingo (Ter) 79 Yf 106
Masía de Villarrubio (Ter) 78 Yd 104
Masia de Vinaixarop (Tar) 80 Ad 104
Masía de Zoticos (Ter) 79 Zc 106
Masía el Camino (Cas) 94 Zc 108
Masía El Cañamillo (Ter) 79 Zc 105
Masia Enramon (Cas) 80 Aa 106
Masía Espinar (Val) 94 Zc 110
Masia Font Nova (Cas) 80 Aa 105
Masía La Cañada (Ter) 94 Za 106
Masía la Vaqueria (Lle) 62 Ac 99
Masia Nova (Ter) 80 Aa 104
Masía Nueva del Cerrito (Ter) 93 Yf 107
Masia Oriol (Tar) 62 Ad 101
Masia Pallaresa (Cas) 80 Ab 106
Masía Paredes (Cas) 94 Zc 109
Masia Pati (Cas) 95 Zf 107
Masia Piedra Seca (Cas) 80 Ab 106
Masia Quitorras (Val) 113 Zc 114
Masia Rubi (Bar) 47 Ca 98
Masías Blancas (Cas) 94 Zc 109
Masías del Cristo (Cas) 94 Zc 109
Masías de los Albadales (Ter) 62 Zd 102
Masías del Río (Cas) 94 Zc 109
Masías de Parrela (Cas) 94 Zc 109
Masías El Bao (Ter) 78 Ye 105
Masia Traguanta (Cas) 95 Ze 108
Masía Valdesánchez (Cas) 94 Zc 108
Masico de Albardero (Ter) 80 Zd 106
Masico de Bertoldo (Ter) 79 Zc 106
Masico de Jujarra (Ter) 79 Zd 106
Masico de la Bireta (Ter) 79 Zc 106
Maside (Our) 15 Rf 94 ⊠ 32570
Maside (Lug) 16 Sd 92 ⊠ 27619
≈ Maside, Embalse de la 86 Ua 107
Masies, les (Tar) 64 Ba 100
Masies de Nargó, les (Lle) 46 Bb 96
Masies de Roda, les (Bar) 48 Cb 97 ⊠ 08510
Masies de Voltregà, les (Bar) 48 Cb 96
Masío de los Enebrales (Ter) 94 Za 107
Mas la Caseta (Gir) 49 Da 97
Masllorenç (Tar) 65 Bc 101 ⊠ 43718
≈ Masma, Golfo da 5 Se 87
Masmolets (Tar) 64 Bb 101 ⊠ 43813
Mas Nicolau (Gir) 49 Cf 96 ⊠ 17464
Mas Nou (Gir) 49 Da 97
Masnou, el (Tar) 63 Ab 102
Masnou, el (Bar) 66 Cb 100 ⊠ 08320
Masó, la (Tar) 64 Bb 101
Masos de Pals, els (Gir) 49 Db 97 ⊠ 17256
Masos de Sant Marti (Lle) 46 Ba 96
Masos de Sant Romà, els (Lle) 44 Ae 97
Masos de Tamúrcia, els (Lle) 46 Ae 95
Masos de Vespella, els (Tar) 65 Bc 101 ⊠ 43763
Maspalomas (Palm) 174 C 4 ⊠ 35100
▲ Maspalomas, Dunas de (Palm) 174 C 4
▲ Maspalomas, Playa de (Palm) 174 C 4
▲ Maspalomas, Punta de (Palm) 174 C 4
Mas Pin (Tar) 80 Ad 104
Mas Pinell (Gir) 49 Db 96
Mas Pinyol (Tar) 80 Ac 104
Maspujols (Tar) 64 Ba 101 ⊠ 43382
Masquefa (Bar) 65 Be 100 ⊠ 08783
Mas Quemado (Cas) 95 Zd 107
Mas Quintana (Lle) 62 Ad 100
Masriudoms (Tar) 64 Af 102 ⊠ 43891
Masroig, el (Tar) 64 Ae 102 ⊠ 43736
Massalcoreig (Lle) 62 Ac 100
Massalfassar (Val) 114 Ze 111 ⊠ 46560
Massamagrell (Val) 114 Ze 111 ⊠ 46130
Massana, La (AND) 29 Bd 93
Massanassa (Val) 114 Zd 112 ⊠ 46470
Massanes (Gir) 48 Cd 98 ⊠ 17452
Massanet de Cabrenys = Maçanet de Cabrenys (Gir) 31 Ce 94
Massanet de la Selva = Maçanet de la Selva (Gir) 48 Ce 98
Massarrottjos (Val) 114 Zd 111
Massivert (Lle) 28 Ae 94
Massoteres (Lle) 46 Bb 98 ⊠ 25211
Masueco (Sal) 53 Tc 101 ⊠ 37251
Masuques, les (Bar) 65 Bd 101 ⊠ 08729
Mas Valenciano (Ter) 79 Zc 105
Mas Vidal (Gir) 48 Cc 97
▲ Mata 123 Ve 117
Mata (Can) 9 Vf 89 ⊠ 39409
Mata (Bur) 22 Wb 93 ⊠ 09141
Mata (Gir) 49 Ce 96 ⊠ 17846
Mata, Cortijo de (Ciu) 123 Wa 117
Mata, La (Cád) 156 Te 129
Mata, La (Ali) 143 Zc 119
Mata, la (Ali) 128 Zb 117
Mata, La (Ast) 6 Tf 88
Mata, la (Gir) 49 Cf 96
Mata, La (Seg) 57 Wa 102
Mata, la (Bar) 66 Bf 99
Mata, La (Các) 85 Tb 108
Mata, La (Tol) 89 Vd 109 ⊠ 45534
▲ Mata, Punta de la 157 Tf 126
≈ Mata, Salinas de la 143 Zb 120
☆ Mata, Santuari de la 47 Be 96
▲ Mata, Sierra de la 59 Xd 101
▲ Mata, Sierra La 41 Xc 97
Mata Alegre (Seg) 73 Vc 102
Mata Bejid (Jaé) 138 Wc 122
▲ Mataborrachas 121 Ud 117
Matabuena (Seg) 57 Wb 102 ⊠ 40163
☆ Matacán, Aeródromo de 72 Uc 103
Matacas (Jaé) 138 Wb 121
Matacebada, Cortijo (Bad) 118 Ta 117
≈ Matachel, Río 120 Tf 118
Mata de Alcántara (Các) 85 Tb 110
Mata de Armuña, La (Sal) 72 Uc 102
Mata de Arriba (Sal) 71 Ua 105
Mata de Bolaimí, La (Alm) 154 Xf 123
Mata de Cuéllar (Seg) 56 Vd 100
Mata de Curueño, La (Leó) 19 Ud 92 ⊠ 24848
Mata de Hoz (Can) 21 Ve 91 ⊠ 39418
Mata de la Riba, La (Leó) 19 Ud 91
Mata de Ledesma, La (Sal) 71 Ua 103
Mata del Páramo, La (Leó) 36 Ub 94
Mata de Monteagudo, La (Leó) 20 Uf 91 ⊠ 24887
Mata de Morella, la (Cas) 80 Ze 105 ⊠ 12312
Matadeón de los Oteros (Leó) 37 Ud 94
Matadepera (Bar) 66 Ca 99 ⊠ 08230
Mata de Pinyana, la (Lle) 44 Ad 98 ⊠ 25125
Mata de Quintanar (Seg) 74 Vf 102 ⊠ 40392
Matadero Provincial (Bad) 119 Td 115
Mata de Rosueros (Seg) 57 Wa 102
Mataelpino (Mad) 74 Wa 104
▲ Matagalls 48 Cc 98
Matagorda (Alm) 162 Xa 128 ⊠ 04715
Matagorda (Cád) 157 Te 129
▲ Matagrande 39 Wc 94
Matalascañas (Huel) 156 Tc 127 ⊠ 21760
▲ Matalascañas, Playa de 156 Td 127
Matalasilla (Sor) 60 Xf 98
≈ Matalavilla, Embalse de 18 Td 91
Matalbaniega (Pal) 21 Ve 91 ⊠ 34810
Matalebreras (Sor) 42 Xf 97 ⊠ 42113
Matalentisco (Mur) 155 Yc 124
▲ Mataliebres, Puerto de 159 Vc 126
Matalindo (Bur) 40 Wd 95
Mata Llana (Cue) 111 Yb 111
Matallana (Gua) 75 Wd 102
☆ Matallana, Cortijo de 37 Va 97
Matallana, Cortijo de (Sev) 149 Ub 125
≈ Matallana, Embalse de 75 Wd 102
☆ Matallana, Ex Convento de 37 Va 98
Matallana de Torío (Leó) 19 Uc 91
Matallana de Valmadrigal (Leó) 37 Ud 94 ⊠ 24290
Matalobos (Pon) 15 Rc 92 ⊠ 36160
Matalobos del Páramo (Leó) 36 Ub 94
Matamá (Pon) 32 Rb 95
Matamala (Seg) 57 Wb 102 ⊠ 40163
Matamala (Sal) 72 Uc 104
Matamala de Almazán (Sor) 59 Xc 99
Matamanzano (Seg) 74 Ve 103 ⊠ 40153
Matamargó (Lle) 47 Bd 97
▲ Mata Medina 124 Wd 115
Mata Moral, Caserío de la (Leó) 19 Ue 93
Matamorisca (Pal) 21 Ve 91 ⊠ 34810
▲ Matamoros 135 Uc 120
Matamorosa (Can) 21 Vf 91 ⊠ 39200
Matamozos (Vall) 56 Vb 101
Matandrino (Seg) 57 Wb 102
Matanegra (Bad) 119 Te 118
Matanza (Leó) 36 Tf 94
Matanza (Leó) 37 Ud 95
Matanza, La (Ali) 142 Yf 120 ⊠ 03316
Matanza, La (Alb) 126 Ya 118
☆ Matanza, La (Palm) 175 C 4
Matanza, La (Palm) 174 D 2
Matanza, La (Can) 10 We 89
Matanza de Acentejo, La (Ten) 173 E 3 ⊠ 38370
Matanza de los Oteros (Leó) 37 Ud 95 ⊠ 24207
Matanza de Soria (Sor) 58 We 99 ⊠ 42351
Matanzas, Las (Alm) 163 Xe 127
Mataosos (Córd) 151 Vd 124
☆ Mataplana 47 Ca 95
Mataporquera (Can) 21 Ve 91 ⊠ 39410
Matapozuelos (Vall) 56 Vb 100 ⊠ 47230
≈ Matapuerca, Río 136 Vc 119
Mata-redona (Tar) 80 Ad 105
Mataró (Bar) 66 Cc 99
Mata-rodona (Bar) 47 Bf 99
≈ Matarraña, Río 63 Aa 102
≈ Matarraña, Río 80 Ab 104
Matarratas, Cortijo (Bad) 104 Td 114
Matarredonda (Sev) 150 Va 124 ⊠ 41569
Matarrepudio (Can) 21 Vf 91 ⊠ 39418
▲ Matarrosa 92 Yb 110
Matarrubia (Gua) 75 We 103 ⊠ 19227
Matas (Gua) 59 Xb 102
▲ Matas, Cerro de las 87 Ud 108
Matas, Las (Sev) 149 Ud 125
Matas, Las (Bad) 120 Uc 116
Matas, Las (Mad) 74 Wa 105 ⊠ 28290
Matasejún (Sor) 41 Xe 97
Mata-solana (Lle) 46 Af 96 ⊠ 25638
Matauco = Matauko (Ála) 23 Xc 91 ⊠ 01192
Matauku (Ála) 23 Xc 91
Matavenero y Poibueno (Leó) 18 Td 93
≈ Mataviejas, Río 39 Wc 96
Mata-xica (Bar) 66 Ca 99
Matea, La (Jaé) 140 Xc 120 ⊠ 23290
▲ Matella, Pic de 46 Ba 95
Matellanes (Zam) 53 Te 98 ⊠ 49519
Mateos, Los (Ali) 142 Za 120
Matet (Cas) 94 Zd 109 ⊠ 12415
Matián (Gra) 154 Xd 123
Matías, Cortijada Los (Alm) 163 Xf 128
Matidero (Hues) 27 Zf 94
Matienzo (Can) 10 Wc 89 ⊠ 39812
Matilla (Bad) 119 Td 117
☆ Matilla, Cueva de 90 Wd 110
▲ Matilla, Dehesa de la 77 Ya 103
Matilla, La (Huel) 147 Tb 125
Matilla, La (Palm) 175 E 2 ⊠ 3561[illegible]
Matilla, La (Seg) 57 Wb 101 ⊠ 40175
Matilla de Arzón (Zam) 36 Uc 96
Matilla de la Vega (Leó) 36 Ua 94 ⊠ 24359
Matilla de los Caños (Vall) 55 Va 9[illegible] ⊠ 47114
Matilla de los Caños del Río (Sal) 71 Ua 104
Matilla la Seca (Zam) 54 Ud 99 ⊠ 49590
Matillas, Cortijo (Cád) 165 Ud 130
Matiloso, Cortijo del (Huel) 147 Sf 124
Mato (Lug) 4 Sc 89
Mato (Lug) 16 Sd 92
Mato (Lug) 16 Sa 92
Matola (Ali) 143 Zb 119
Matón, Cortijo El (Các) 105 Tf 110
▲ Matorral, El 111 Yb 113
▲ Matorral, El 78 Ye 104
▲ Matorral, Playa del (Palm) 174 C[illegible]
▲ Matorral, Punta del (Palm) 174 C 5
Matorrales (Bad) 120 Tf 118
▲ Matos (Ten) 171 B 2
Matreros, Los (Alm) 154 Ya 125 ⊠ 04271
Matueca de Torío (Leó) 19 Ud 92
Matura = Maturana (Ála) 23 Xc 91
Maturana (Ála) 23 Xc 91 ⊠ 01206
Matutano, El (Val) 112 Za 112 ⊠ 46391
Matute (Rio) 40 Xb 95 ⊠ 26321
▲ Matute 41 Xe 98
Matute de Almazán (Sor) 59 Xc 10[illegible]
Matute de la Sierra (Sor) 41 Xd 97 ⊠ 42167
Matxinbenta (Gui) 24 Xe 90
▲ Matxitxako, Cabo 11 Xb 88
Mauleón, Caserío de (Nav) 24 Xf 9[illegible]
Maulique (Các) 86 Ua 109
Maurel, El (Gra) 161 We 128
Maurga = Manurga (Ála) 23 Xb 91
Maurolas (Viz) 11 Xa 89 ⊠ 48100
Maus, As (Our) 33 Sc 95
Maus de Salas (Our) 33 Sa 97
☆ Mausoleo romano 63 Ab 101
Mave (Pal) 21 Ve 92 ⊠ 34492
Maya, La (Sal) 72 Uc 104 ⊠ 37780
▲ Mayabona, Sierra 80 Zd 106
Mayalde (Zam) 54 Ub 101 ⊠ 49718
≈ Mayes, Embalse de 141 Yd 120
☆ Mayo, Cruz de 108 Vf 114
▲ Mayor, Cabo 9 Wb 88
▲ Mayor, Isla 143 Zb 122
≈ Mayor, Río 24 Xe 94
≈ Mayor, Río 41 Xe 97
≈ Mayor, Río 91 Xb 107
Mayorazgo (Ali) 128 Zb 119
☆ Mayorazgo de Ascoy, Castillo del 127 Yd 119
Mayorazogo (Ali) 128 Zb 119
≈ Mayor del Molinillo, Río 93 Yc 10[illegible]
Mayordomo, El (Alm) 154 Xf 126 ⊠ 04279
Mayordomos, Los (Mur) 142 Yf 122
Mayorga (Vall) 37 Ue 96 ⊠ 47680
Mayorga, Casas y Ermita de (Bad) 103 Sf 113
☆ Mayorga, Castillo de 103 Sf 113
Maza de Alba, La (Sal) 72 Uc 103
Maza de San Pedro (Sal) 71 Tf 104
Mazagatos (Seg) 58 Wd 100 ⊠ 40556
Mazagón (Huel) 147 Tb 126
▲ Mazagón, Playa de 147 Ta 126
Mazaleón (Ter) 63 Aa 102
Mazalinos (Ávi) 87 Uc 106 ⊠ 05691
Mazalvete (Sor) 59 Xe 98 ⊠ 42130
Mazán (Sal) 54 Tf 102
Mazana, La (Hues) 44 Ad 95 ⊠ 22481
Mazanal del Puerto (Leó) 18 Te 93
Mazandrero (Can) 21 Ve 90 ⊠ 39210
Mazarabeas Altas (Tol) 89 Vf 109
Mazarabeas Bajas (Tol) 89 Vf 109
Mazarambroz (Tol) 108 Vf 110 ⊠ 45114
Mazarete (Gua) 77 Xe 102 ⊠ 19286
Mazaricos (Cor) 14 Ra 91 ⊠ 15256
Mazariegos (Bur) 39 Wc 96
Mazariegos (Pal) 38 Vb 96 ⊠ 34170
Mazarra, Cortijo de (Gra) 153 Xc 123
Mazarrón (Mur) 142 Ye 123
Mazarulleque (Alm) 163 Xe 128
Mazarulleque (Cue) 91 Xb 107 ⊠ 16510
Mazas, Cortijo de (Bad) 119 Tc 116
Mazaterón (Sor) 59 Xf 99
Mazcuerras (Can) 9 Ve 89 ⊠ 39509
Mazo (Ten) 171 C 3 ⊠ 38730
Mazo (Lug) 17 Ta 91
Mazo (Lug) 17 Sf 92
Mazo, Cortijo El (Bad) 119 Td 116
Mazo, El (Tol) 107 Vb 111
Mazo, El (Ast) 8 Vc 89

Mazo, Río 59 Xc98
Mazo, Río del 5 Ta88
azo de Doiras (Lug) 17 Ta92
Mazores, Río 72 Ue102
azores Nuevo (Sal) 55 Ue102
azores Viejo (Sal) 55 Ue102
Mazorra, Puerto La 22 Wc92
azuco, El (Ast) 8 Va88 ✉33507
azueco (Sev) 135 Ud122
azueco (Bur) 39 Wd95
azuecos (Gua) 91 Wf107 ✉19114
azuecos de Valdeginate (Pal) 37 Va95 ✉34306
azuela (Bur) 39 Wa95 ✉09228
azuelas (Pal) 20 Vc93
azuelo de Muñó (Bur) 39 Wa95
azuza (Mur) 140 Xf119 ✉30442
Mea, Peña 7 Uc89
eacaur (Viz) 11 Xb89
eaka (Viz) 11 Xb89 ✉48115
eanes (Cas) 95 Zf107 ✉12133
eano (Nav) 23 Xd93 ✉31227
eáns (Cor) 2 Ra90
eatzerreka Beneras (Gui) 23 Xd90
eaus (Our) 33 Sb97
eavía (Pon) 15 Rd93
Meca, Castillo de 127 Yf115
ecadillo (Sal) 71 Te104
ecerreyes (Bur) 39 Wc96 ✉09346
ecina, Cortijo de (Gra) 153 We124
ecina Alfahar (Gra) 162 Wf127 ✉18470
ecina Bombarrón (Gra) 161 Wf127
ecina Fondales (Gra) 161 We127 ✉18414
ecina-Tedel (Gra) 161 Wf127
eco (Mad) 75 We105 ✉28880
eda (Lug) 16 Sd90
Meda 33 Sc94
eda (Our) 34 Ta95 ✉32368
▲Meda, Pico de 2 Ra90
édano, El (Ten) 172 D5
Médano, Playa del (Ten) 172 D5
▲Médano, Playa del (Palm) 175 E1
edeiros (Our) 34 Sc97 ✉32618
edellín (Bad) 120 Ua115
▲Medes, les Illes 49 Db96
ediadoro (Can) 21 Vf91 ✉39213
≈Mediajo, Embalse de 21 Vf90
edia Luna, La (Ciu) 109 We114
ediana, Cortijo de la (Cád) 164 Ub131
▲Mediana, Sierra 20 Vb90
ediana de Aragón (Zar) 62 Zb100
ediana de Voltoya (Ávi) 73 Vc104 ✉05194
▲Media Naranja, Punta de la 163 Ya127
≈Mediano, Embalse de 45 Ab95
ediases (Ali) 129 Ze117 ✉03570
edia Torre, Cortijo de (Bad) 133 Ta119
ediavilla (Ast) 8 Va88
édico, Cortijo del (Cád) 164 Ua129
edida, La (Ten) 173 E4 ✉38560
edín (Cor) 15 Re91
≈Medina, Laguna de 157 Tf129
▲Medina, Llanos de 134 Tf123
▲Medina, Sierra 103 Sf112
✩Medina Azahara 136 Va121
Medinaceli (Sor) 59 Xd101 ✉42240
✩Medinaceli, Castillo de 151 Ve124
✩Medinaceli, Palacio de 76 Wf103
Medina de las Torres (Bad) 119 Td118 ✉06320
Medina del Campo (Vall) 55 Va101 ✉47400
Medina de Pomar (Bur) 22 Wd91 ✉09500
Medina de Ríoseco (Vall) 37 Uf97
Medinas, Los (Alm) 154 Xe125
Medina-Sidonia (Cád) 164 Ua130
Medinilla (Ávi) 72 Uc106 ✉05619
Medinilla de la Dehesa (Bur) 39 Wa95 ✉09230
Medinyà (Gir) 49 Cf96
≈Medio, Cañada del 108 Wb111
▲Medio, El 77 Ya102
▲Medio, Loma El 78 Yc106
▲Medio, Playa del (Ten) 173 E5
Medio Cuyedo (Can) 9 Wb88
Mediodía (Cád) 158 Ud128
Mediona (Bar) 65 Bd100 ✉08773
✩Mèdol, el 65 Bb102
Medos (Our) 34 Se94 ✉32779
Medranda (Gua) 76 Xa103 ✉19246
Medrano (Rio) 41 Xc94 ✉26374
▲Medro 155 Yb124
▲Medrosas, Cuestas 54 Ud100
Medulas, Las (Leó) 17 Tb94 ✉24442
▲Médulas, Las 17 Tb94
Megeces (Vall) 56 Vc100
Megina (Gua) 77 Ya105 ✉19315
▲Megorrón, Sierra de 76 Xc104
Megrillán, Caserío (Sal) 72 Ub103
✩Meia, Ermita de 46 Ba96
Meilán (Lug) 16 Sc90
Meira (Lug) 4 Se89
Meirama (Cor) 3 Rd89
Meiraos (Lug) 17 Se93 ✉27324
Meirás (Cor) 3 Re88
Meire, O (Cor) 15 Sa91
Meirol (Pon) 32 Rd95
Meis (Pon) 14 Rb93
Meixaboi (Lug) 16 Sb91
Meixide (Our) 34 Ta95 ✉32366
Meixonfrío (Cor) 2 Rc90
Meixonfrío (Lug) 16 Sb92
Méizara (Leó) 36 Ub94
Mejía, Cortijo de (Sev) 149 Uc123
Mejorada (Tol) 88 Va108
Mejorada (Tol) 89 Vf109
≈Mejorada, Arroyo 121 Ud116
✩Mejorada, Convento de la 56 Vb101
Mejorada del Campo (Mad) 75 Wd106 ✉28840
Mejorito, El (Sal) 71 Td105 ✉37478
Mekoleta (Viz) 23 Xb90 ✉48210
Mela, La (Alm) 154 Xf126 ✉04271
Melegís (Gra) 161 Wc127
Melegriz (Alb) 126 Ya115
Melenara (Palm) 174 D3 ✉35214
Melenas, Cortijo de (Córd) 137 Vd122
Melenchones, Los (Mur) 155 Yc124
Melendo, Cortijo de (Sev) 157 Tf127
Melendrera (Ast) 7 Ub87
Melendreras (Ast) 7 Ud89
Melendreros (Ast) 7 Uc89 ✉33528
Melera, Cortijo de la (Gra) 152 Wd124
Melerillas, Caserío Los (Gra) 152 Wb124
Melerillas, Cortijo de (Gra) 153 Wf123
Melezna y Mazos (Leó) 17 Ta93
≈Melgar, Arroyo de 90 Wb109
✩Melgara, Cueva de 90 We110
Melgar de Abajo (Vall) 37 Uf95 ✉47687
Melgar de Arriba (Vall) 37 Uf95 ✉47686
Melgar de Fernamental (Bur) 38 Ve94 ✉09100
Melgar de Tera (Zam) 36 Tf97 ✉49626
Melgar de Yuso (Pal) 38 Ve95 ✉34259
≈Melgarego, Laguna de 110 Xb112
✩Melgarejo, Castillo de 157 Tf128
Melgarejo, Cortijo de (Ciu) 124 Wf116
Melgosa (Bur) 22 Wc93
Melgosa, La (Cue) 92 Xf108 ✉16193
Melgosa de Villadiego (Bur) 21 Wa93 ✉09129
Meliana (Val) 114 Zd111 ✉46133
Melias (Our) 33 Sb94
Melicena (Gra) 161 We128 ✉18713
Mélida (Nav) 42 Yc94
Mélida (Vall) 57 Vf99
Melide (Cor) 15 Rf91
Melilla (Mel) 165 Uf133
Melimbrazos (Sal) 70 Tc105
Melinchón, El (Các) 86 Ua108
▲Mellado, Lomas del 127 Yf115
Mellanes (Zam) 53 Te98 ✉49512
Mellanzos (Leó) 19 Ue93 ✉24165
Mellizas, Las (Mál) 159 Vb127 ✉29593
Mellizos, Cortijo Los (Gra) 153 Xb125
Melón (Our) 33 Re95
▲Meloneras, Playa de las (Palm) 174 C4
Melque (Seg) 73 Vd102
Melque (Tol) 89 Vd110
Melusa, La (Hues) 44 Ac98 ✉22549
Membibre de la Hoz (Seg) 57 Vf100 ✉40234
Membibre de la Sierra (Sal) 72 Ub104
Membrilla (Ciu) 124 We115 ✉13230
Membrillar (Pal) 20 Vb93 ✉34115
Membrillera (Gua) 76 Xa103 ✉19247
≈Membrillo, Arroyo 122 Vc118
Membrillo, El (Tol) 88 Vb109 ✉45663
Membrillo Alto (Huel) 133 Tc123 ✉21647
Membrillo Bajo (Huel) 133 Tc123
Membrío (Các) 103 Sf111
Memoria, Cortijo de la (Gra) 139 Xc121
▲Mena, Piedra (Ten) 172 C6
Meñaka (Viz) 11 Xb88 ✉48120
Menamayor (Bur) 22 We90 ✉09585
Menàrguens (Lle) 46 Ae98
Menas, Las (Alm) 154 Xc125
Menas, Los (Alm) 154 Ya124
Menasalbas (Tol) 107 Ve111 ✉45128
Menaza (Pal) 21 Ve91 ✉34810
▲Mencal 153 We124
≈Mencal, Río 126 Xe117
▲Menchiluera, Praia de 14 Ra94
Menchón, Cortijo del (Gra) 152 Wa124
Menchores, Los (Alm) 154 Xf124
▲Mencia 38 Vd97
▲Mencilla 40 We95
▲Mencilla, Sierra de 40 We95
Mencui (Lle) 28 Ba94 ✉25593
Mendaia (Viz) 11 Xc89
Mendarozqueta (Ála) 23 Xb91
≈Mendaur, Embalse de 12 Yb90
Mendavia (Nav) 24 Xe94 ✉31587
Mendaza (Nav) 24 Xe93 ✉31282
Mendeica (Viz) 22 Wf90
Mendexa (Viz) 11 Xd88 ✉48289
Méndez (Alb) 126 Yb118
Mendibil = Mendívil (Ála) 23 Xc91 ✉01520
Mendieta (Viz) 11 Xc89
Mendigo, Lo (Mur) 142 Yf121
Mendigorría (Nav) 24 Yb93
≈Mendigos, Arroyo de los 72 Ub104
Mendiguren (Ála) 23 Xb91 ✉01196
Mendijur (Ála) 23 Xc91 ✉01206
▲Mendilaz 25 Ye90
Mendilibarri (Nav) 24 Xe93 ✉31280
Mendiola (Gui) 23 Xd90 ✉20550
Mendiola (Viz) 23 Xc90 ✉48220
Mendiola (Ála) 23 Xc92 ✉01194
Mendióroz (Nav) 25 Yd92
Mendívil (Ála) 23 Xc91
Mendixur = Mendijur (Ála) 23 Xc91
▲Mendizorrotz, Monte 12 Xf89
Mendo, Cortijo de (Jaé) 138 Wb122
≈Mendo, Río 3 Re89
Mendoza (Ála) 23 Xb91 ✉01191
≈Mendoza, Laguna del 149 Ue123
Mendraka (Viz) 11 Xc90 ✉48230
Menduiña (Pon) 32 Rb95
▲Menera, Sierra de 78 Yc104
▲Meneses 111 Xe112
▲Meneses, Loma de 154 Xd125
Meneses de Campos (Pal) 37 Va97 ✉34305
✩Menga, Cueva de 159 Vc126
▲Menga, Puerto de 73 Uf106
Mengabril (Bad) 120 Ua115 ✉06413
Mengamuñoz (Ávi) 73 Va106 ✉05131
Mengemor (Córd) 137 Vd121
Mengíbar (Jaé) 138 Wb121
Menjillán, Cortijo de (Sev) 149 Uc125
▲Menorca (Bal) 96 Dc108
▲Menorca, Cap de (Bal) 99 Db109
▲Menorca o Bajolí, Cap de (Bal) 96 De108
Menoyo (Ála) 22 Wf90
Mens (Cor) 2 Ra89 ✉15113
✩Mens, As Torres de 2 Ra89
Mental, Caserío (Leó) 20 Uf91
Mentera-Barruelo (Can) 10 Wd89
Méntrida (Tol) 89 Ve107
Mentui (Lle) 46 Af95 ✉25513
Menudero (Ast) 5 Tc87 ✉33707
Menuza (Zar) 62 Zd101
Menuza, Caserío de (Zar) 62 Zd101
Mequinenza (Zar) 63 Ab100 ✉50170
≈Mequinenza, Embalse de 63 Aa100
▲Mequinenza, Sierra de 63 Ab101
Mera (Cor) 4 Sa87
≈Mera, Río 4 Sa87
≈Mera, Río 15 Re91
Meranges (Gir) 29 Be94 ✉17539
Merás (Ast) 6 Td88
Meravella (Lle) 46 Bb97
Merca, A (Our) 33 Sa95 ✉32830
Mercadal (Can) 9 Vf89 ✉39311
Mercadal, Es (Bal) 96 Ea109 ✉07740
Mercadeña, Cortijo de la (Sev) 157 Ub126
▲Mercader, Loma del 136 Vc119
Mercadera, La (Sor) 58 Xa99
Mercades de Baix (Cas) 95 Zf107
Mercadillo (Viz) 10 Wf89 ✉48190
Mercadillo (Ávi) 72 Ud105 ✉05154
Mercadillo, El (Can) 9 Wb88
Mercadillos (Alb) 126 Yb116
Mercamadrid (Mad) 90 Wc106
Merced, Cortijo de la (Alm) 154 Xe125
Merced, La (Mur) 140 Ya122
✩Mercedes (Palm) 175 E2
Mercedes (Pal) 21 Ve91
Mercedes (Our) 34 Sc96
✩Mercedes 78 Yc103
Mercedes, Cortijo de las (Gra) 152 Wc124
✩Mercedes, Ermita Las 21 Wb93
Mercedes, Las (Mad) 89 Ve107
Merchana, Cortijo La (Bad) 120 Ub118
≈Mercunín, Río de 3 Rd90
≈Merdàs, Riu 47 Ca95
≈Merdero, Río 73 Va103
Meré (Ast) 8 Va88
Merea (Lle) 46 Ba96
Mereludi (Viz) 11 Xd89 ✉48710
Meréns (Our) 33 Rf95
Merexo (Cor) 2 Qe90
Mérida (Bad) 119 Te115
Merilla (Can) 9 Wb89
Merille (Lug) 4 Sc87
Merillés (Ast) 6 Td89
Merindad de Cuesta-Urria (Bur) 22 Wd91
Merindad de Montija (Bur) 22 Wc90
Merindad de Río Ubierna (Bur) 39 Wb94
Merindad de Sotoscueva (Bur) 22 Wc90
Merindad de Valdeporres (Bur) 21 Wb90
Merindad de Valdivieso (Bur) 22 Wc91
Merino, El (Ávi) 73 Vb105
▲Merinos, Sierra de los 158 Uf128
✩Meritxell, Santuari de (AND) 29 Bd93
✩Merlès, Castell de 47 Bf97
≈Merlès, Riera de 47 Ca96
Merli (Hues) 44 Ac94 ✉22482
Merlina, Cortijo (Sev) 157 Tf127
▲Mermeja, Sierra 7 Ud90
≈Mero, Río 3 Re89
Merodio (Ast) 8 Vc89 ✉33579
▲Merolla, Coll de 47 Ca95
▲Merón, Playa de 7 Uc87
▲Merón, Playa de 9 Vd88
Meroñes, Los (Mur) 142 Za122
Meruelo (Can) 10 Wc88
≈Meruelo, Río 18 Td93
Merza (Pon) 15 Re92 ✉36580
Mesa, Caserío (Các) 86 Tf110
Mesa, Cortijo de la (Cád) 164 Tf130
Mesa, La (Cád) 165 Ud130
Mesa, La (Jaé) 138 Wc119
▲Mesa, La 41 Xc96
Mesa, La (Tol) 90 Wc110
▲Mesa, Puerto de la 18 Tf90
≈Mesa, Río 60 Ya102
Mesa del Mar (Ten) 173 E2 ✉38358
Mesanza (Bur) 23 Xc92 ✉09216
Mesa Roldán, La (Alm) 163 Ya127
Mesas, Cortijo de las (Các) 106 Uc111
Mesas, Cortijo de las (Các) 86 Tf110
Mesas, Las (Cue) 110 Xb112 ✉16650
▲Mesas, Las 87 Ub108
Mesas, Los (Gra) 153 Xb124
Mesas Altas (Córd) 136 Uf121
▲Mesas Altas 87 Uc107
Mesas de Asta (Cád) 157 Te128 ✉11590
Mesas de en Medio (Huel) 147 Ta124
Mesas de Guadalora (Córd) 135 Ue122 ✉14709
Mesas de Ibor (Các) 87 Uc110 ✉10329
Mesas del Carril, Caserío de las (Sev) 135 Uc122
Mesas de Santiago (Cád) 157 Ua128 ✉11592
Mesegal (Các) 86 Te107 ✉10638
▲Mesegara, Sierra de la 121 Ud118
Mesegar de Corneja (Ávi) 72 Ue105 ✉05514
Mesegar de Tajo (Tol) 88 Vd109
Mesego (Our) 15 Rf94 ✉32516
▲Meseta, Chao de la 35 Tc95
✩Meseta, Cueva de la 153 Wf123
▲Meseta, La 36 Ua94
Mesía (Cor) 3 Re90
Mesías, Cortijos (Gra) 140 Xd121
▲Mesilla, La 135 Ub119
Mesillo (Mur) 155 Yc123
Mesón de las Palomas (Zam) 36 Uc97
Mesón de Valdecabras (Zam) 36 Uc97
Mesón do Vento (Cor) 3 Rd90
Mesones (Alb) 125 Xd118 ✉02449
Mesones (Gua) 75 Wd104
Mesones de Isuela (Zar) 60 Yc99 ✉50267
▲Mesón Sancho 165 Uc132
≈Mesquida, Cala (Bal) 96 Eb109
Mesquida, Sa (Bal) 99 Dc110
Mesta, La (Alb) 125 Xd117
Mestanza (Ciu) 123 Vf117 ✉13592
▲Mestanza, Puerto de 123 Vf117
Mestas (Ast) 8 Va88
Mestas, Las (Các) 71 Tf106 ✉10624
≈Mestas, Río das 3 Sa87
Mestas de Con (Ast) 8 Uf88 ✉33556
Mesterika (Viz) 11 Xb88 ✉48120
Mestre (Bal) 97 Bc116
Metauten (Nav) 24 Xf92 ✉31241
Metxika (Viz) 11 Xb88 ✉48309
Meüll, el (Lle) 46 Ae96
Mezalocha (Zar) 61 Yf100 ✉50152
≈Mezalocha, Embalse de 61 Yf100
▲Mezas 85 Ta107
Mezkia = Mezquia (Ála) 23 Xd91 ✉01207
Mezkiritz (Nav) 25 Yd91 ✉31695
Mezonzo (Cor) 15 Rf90 ✉15807
✩Mezonzo 15 Rf90
Mezquetillas (Sor) 59 Xc101 ✉42213
Mézquez (Palm) 175 D3
▲Mézquez (Palm) 175 D3
Mezquia (Ála) 23 Xd91
≈Mezquin, Río 80 Zf103
Mezquita, A (Our) 34 Sf96 ✉32549
✩Mezquita, Castillo de la 44 Zc95
Mezquita, Cortijo de la (Mál) 150 Vb126
▲Mezquita, La 150 Vb126
Mezquita, La (Ter) 79 Zb104
✩Mezquita Catedral 136 Vb121
Mezquita de Jarque (Ter) 79 Za104 ✉44169
Mezquita de Loscos (Ter) 61 Yf102 ✉44493
Mezquitilla, La (Sev) 158 Uf126 ✉41659
Miajadas (Các) 105 Ua114 ✉10100
Miamán (Our) 33 Sc95
✩Mián 8 Uf89
Miana, la (Gir) 48 Cd95 ✉17850
Mianos (Zar) 25 Za93 ✉50683
≈Micena, Río 128 Zd115
Micereces de Tera (Zam) 36 Ua97 ✉49624
≈Michos, Laguna de 122 Vd115
Micieces de Ojeda (Pal) 20 Vd92 ✉34485
Micones, Cortijo de (Sev) 157 Tf127
Miedes de Aragón (Zar) 60 Yd101
Miedes de Atienza (Gua) 58 Xa101 ✉19276
Mieldes (Ast) 6 Td89 ✉33816
Miengo (Can) 9 Wa88 ✉39310
✩Mier 8 Vc89
✩Mier, Palacio de 9 Vd89
Miera (Can) 9 Wb89
≈Miera, Río 10 Wb89
≈Mierdanchel, Arroyo de 91 Xd106
Mieres (Ast) 7 Ub89 ✉33600
Mieres (Gir) 48 Cd96 ✉17830
Mierla, La (Gua) 75 We103 ✉19225
Mieses (Can) 20 Vc90 ✉39586
Mieza (Sal) 53 Tb102 ✉37254
▲Migas Malas, Frontón de 87 Ue108
Migaznares (Mur) 142 Za122
Migjorn Gran San Cristóbal, Es (Bal) 96 Ea109
▲Miguel, Playa de (Ten) 173 C2
▲Miguel, Punta de (Ten) 173 C2
Migueláñez (Seg) 56 Vd102
Miguel Esteban (Tol) 109 Wf111 ✉45830
Miguel-Ibáñez (Seg) 56 Vd102
Miguel Muñoz (Sal) 72 Ub104
Miguelturra (Ciu) 123 Wa115 ✉13170
Mijala (Bur) 22 Wf91 ✉09511
Mijancas (Ála) 23 Xb92 ✉01211
Mijangos (Bur) 22 Wd91 ✉09515
Mijaraluenga (Bur) 22 We92
Mijares (Val) 113 Za112 ✉46360
Mijares (Ávi) 88 Va107 ✉05461
Mijares (Cue) 93 Yd109
▲Mijares, Puerto de 88 Vb106
≈Mijares, Río 112 Za112
≈Mijares, Río 94 Za107
≈Mijares, Río 95 Zd108
Mijas (Mál) 159 Vc129 ✉29650
▲Mijas 159 Vc129
▲Mijas, Sierra de 159 Vc129
Mijas Costa (Mál) 159 Vb129 ✉29649
Milà, el (Tar) 64 Bb101
✩Milagres do Medo, Santuario Os 33 Sc95
Milagro (Nav) 42 Yb95 ✉31320

☆Milagro, Castillo El 108 Ve 112
≈Milagro, Embalse de El 73 Uf 104
▲Milagro, Puerto del 108 Ve 111
≈Milagro, Río 108 Ve 112
Milagros (Bur) 57 Wb 99 ✉09460
Milagros, Caserío Los (Vall) 56 Vc 98
☆Milagros, Ermida dos 33 Sa 97
Milana, La (Sor) 59 Xd 100 ✉42218
▲Milaneras 134 Ua 122
≈Milanillos, Río 74 Ve 103
▲Milano 125 Xc 116
Milano (Sal) 53 Tc 102
▲Milano, Loma del 80 Zd 106
Milanos (Gra) 160 Ve 126
Milanos (Gra) 151 Vf 125
≈Milanos, Arroyo de 151 Vf 125
Milanos, Los (Mur) 142 Ye 122 ✉30333
≈Milans, Riu de 64 Ba 100
Milany (Gir) 48 Cb 96
Miliana, la (Tar) 80 Ac 105 ✉43559
Milicianos, Los (Mur) 141 Yb 119
▲Milisal, Peña 24 Xf 93
Milla (Lle) 46 Ae 97 ✉25692
▲Millà 80 Ze 104
Milla del Páramo, La (Leó) 19 Ub 94
Milla del Río, La (Leó) 18 Ua 93
Milla de Tera (Zam) 36 Te 96 ✉49330
Millana (Gua) 76 Xc 106 ✉19127
Millanas, Las (Mál) 159 Va 128 ✉29109
Millanes (Các) 87 Uc 109 ✉10394
Millares (Val) 113 Zb 113 ✉46198
≈Millares, Embalse de 113 Za 113
Millares, Los (Các) 87 Ud 109
Millaróncillo, Cortijo (Các) 105 Tf 111
Millarouso (Our) 17 Ta 94 ✉32314
Millars (Gir) 49 Cf 97 ✉17462
≈Millars, Riu 95 Ze 109
Milleirós (Lug) 4 Se 90
Millena (Ali) 128 Zd 116 ✉03812
Miller (Jaé) 140 Xd 119 ✉23296
Milles de la Polvorosa (Zam) 36 Ub 97 ✉49699
Milludi = Mereludi (Viz) 11 Xd 89
Milmanda (Our) 33 Rf 96
Milmarcos (Gua) 60 Ya 102 ✉19287
▲Milreo 118 Se 117
Mimbral, El (Cád) 157 Ub 129
Mimbre, La (Sal) 70 Tb 105
Mimbrera (Các) 105 Ua 113
▲Mimbrera, Sierra de la 106 Uf 112
Mimetiz (Viz) 10 Wf 89 ✉48860
Mimosa, Cortijo de la (Bad) 119 Td 117
Mina (Huel) 133 Tc 122
▲Mina, Cerro de la 136 Va 119
▲Mina, Cerro de la 78 Yf 105
Mina, La (Córd) 150 Vb 124 ✉14512
Mina, La (Hues) 26 Zb 91
▲Mina, Serra da 35 Tb 95
Mina Antonia (Ter) 79 Zc 106
Mina Caridad (Sev) 148 Te 123
Mina de Cala (Huel) 134 Td 121
Mina de Cinco Amigos (Córd) 136 Uf 121
Mina de Diógenes (Ciu) 123 Vf 117
Mina de Guadiana (Huel) 133 Tb 123
Mina del Campillo (Ter) 79 Zc 103
Mina de Óxido de cobre (Córd) 137 Ve 120
Mina de Santa Catalina (Huel) 146 Sd 123
Mina de Santa Justa (Bad) 119 Tb 119
Mina Federico (Viz) 10 We 89
Miñagón (Ast) 5 Tb 88
Mina La Económica, Caserío (Tol) 89 Vf 110
Mina La Positiva (Mur) 155 Yc 123
Miñambres (Leó) 36 Ua 95
Miñán (Pon) 32 Rb 94
Miñana (Sor) 59 Xf 99 ✉42126
▲Miñana, Sierra de 60 Xf 99
Miñanes (Pal) 38 Vc 94 ✉34127
▲Miñano 141 Yb 120
Miñano Mayor (Ála) 23 Xc 91 ✉01510
Miñano Menor (Ála) 23 Xb 91 ✉01510
Miñao Barren = Miñano Menor (Ála) 23 Xb 91
Miñao Goien = Miñano Mayor (Ála) 23 Xc 91
Mina Porvenir (Ter) 94 Zc 106
Minas, Cortijo de las (Gra) 161 We 126
Minas, Las (Alm) 162 Xc 127 ✉04560
Minas, Las (Alb) 141 Yb 119 ✉02499
Minas, Las (Zar) 60 Yc 99
Minas, Las (Cue) 93 Yd 110
Minas de Buenaplata (Jaé) 138 Wb 120
Minas de Henarejos, Las (Cue) 93 Yd 110
Minas de Horcajo (Ciu) 122 Vd 117 ✉14449
Minas del Castillo de las Guardas (Sev) 134 Td 122
Minas del Marquesado (Gra) 153 Wf 125
Minas de los Engarbos o del Roblear (Jaé) 125 Xa 118
Minas de Nazarena (Ciu) 124 Wd 118
Minas de Riotinto (Huel) 133 Tc 122 ✉21660
Minas de San Fix (Cor) 14 Rb 92
Minas de Santa Constanza (Gra) 153 We 125
Minas de Santa Quiteria (Tol) 106 Va 112
Minas Dificultades, Caserío (Córd) 121 Va 117
Mina Sinapismo (Jaé) 138 Wc 119
Minateda (Alb) 127 Yc 118 ✉02499
☆Minateda, Cuevas de 127 Yc 118
Mina Victoria (Ciu) 122 Vd 116
Minaya (Alb) 110 Xe 113 ✉02620
☆Minchate, Foz de 25 Za 91
≈Minchones, Embalse de 87 Ud 108
Miner (Bal) 99 Cf 111
Mineta, Cortijo de la (Bad) 120 Tf 117
▲Mingarnao 140 Xe 120
Mingarrón, Cortijo del (Córd) 151 Vd 124
Minglanilla (Cue) 112 Yc 111 ✉16260
Minglanillo, Caserío del (Mur) 141 Yd 121
Mingogil (Alb) 126 Yb 118 ✉02409
Mingorría (Ávi) 73 Vb 104
▲Mingota, La 43 Yf 95
Mingote, El (Alb) 125 Xd 115
Mingoyustre, Cortijos de (Jaé) 137 Vf 122
Mingrano, El (Mur) 142 Ye 123 ✉30335
▲Mínguez, Puerto 79 Yf 104
Minguillana (Các) 85 Ta 108
≈Minilla, Embalse de la 134 Te 122
Minillas (Jaé) 139 Wf 119
≈Minine, Arroyo 72 Uf 102
Ministerio (Hues) 45 Ab 94
▲Ministra, Sierre 59 Xd 102
Miño (Cor) 3 Re 88
Miño (Cor) 3 Re 88
≈Miño, Río 16 Sb 94
Miño de Medinaceli (Sor) 59 Xc 101 ✉42230
Miño de San Esteban (Sor) 58 Wd 99 ✉42328
Miñón (Bur) 22 Wc 91
Miñón (Bur) 39 Wb 94
Miñortos (Cor) 14 Ra 92
Miñosa, La (Gua) 58 Xa 101 ✉19278
Miñosa, La (Sor) 59 Xc 100 ✉42216
≈Miñotelo 4 Se 89
Miñotos (Lug) 4 Sc 87 ✉27865
Mioma (Ála) 22 Wf 91 ✉01427
Mioño (Can) 10 We 88 ✉39709
Mipanas (Hues) 45 Ab 95 ✉22393
Miporqué, Caserío de (Hues) 44 Ac 98
≈Mira 2 Ra 90
Mira (Zar) 43 Ye 97
Mira (Cue) 93 Yd 110 ✉16393
▲Mira, La 87 Ue 107
▲Mira, Peña 35 Td 97
≈Mira, Río 2 Rb 90
▲Mira, Sierra de 93 Yd 110
Mirabel (Các) 86 Te 109 ✉10540
☆Mirabel, Castillo de 75 Wc 103
☆Mirabel, Castillo Granja de 106 Ud 112
Mirabetes, Cortijo de los (Gra) 140 Xc 121
Mirabueno (Gua) 76 Xb 103 ✉19268
Mirabuenos, Cortijo de (Córd) 137 Ve 122
Miracle, el (Lle) 47 Bd 97 ✉25287
Mirador, El (Mur) 143 Za 121 ✉30739
▲Mirador, Serra do 16 Se 90
▲Mirador Alto 153 We 126
Mirador del Romero (Mad) 74 Vf 106 ✉28210
Miraelrío (Jaé) 138 Wc 120
Miraflores (Cád) 156 Td 128 ✉11369
☆Miraflores, Cartuja de 39 Wc 94
☆Miraflores, Castillo de 108 Ve 114
Miraflores de la Sierra (Mad) 75 Wb 104 ✉28792
Mirafuentes (Nav) 24 Xe 93 ✉31219
Miralcamp (Lle) 64 Af 99 ✉25242
Miralcampo (Alb) 111 Yb 114
▲Miralcampo, Loma de 128 Za 115
☆Miralles 65 Bf 100
Miralrío (Gua) 76 Xa 103
Miralrío (Mad) 90 We 108
Miralsot de Abajo (Hues) 63 Ab 99
Miralsot de Arriba (Hues) 63 Ab 99
Miramar (Val) 129 Zf 115 ✉46711
Miramar (Tar) 64 Bb 100 ✉43813
Mirambel (Ter) 80 Zd 105 ✉44141
Mirambell (Lle) 46 Bb 97 ✉25792
Miramont (Zar) 25 Za 93
▲Miramundo 146 Se 124
Miranda (Mur) 142 Yf 122 ✉30319
Miranda (Ten) 171 C 2
Miranda (Ast) 6 Ua 87
Miranda (Lug) 16 Se 91 ✉27144
☆Miranda, Cueva 90 Wb 109
Miranda de Arga (Nav) 24 Ya 94 ✉31253
Miranda de Azán (Sal) 72 Ub 103
Miranda de Duero (Sor) 59 Xd 99 ✉42191
Miranda de Ebro (Bur) 23 Xa 92 ✉09200
Miranda del Castañar (Sal) 71 Ua 106 ✉37660
Miranda del Rey (Jaé) 124 Wc 118 ✉23213
Miranda de Pericalvo (Sal) 71 Ua 103 ✉37449
Mirandilla (Bad) 104 Te 114 ✉06891
Mirantes de Luna (Leó) 18 Ua 91 ✉24147
Mirasierra (Mad) 75 Wb 106
Mirasivienes (Córd) 136 Va 122
▲Miravalencia 113 Zb 112
Miravall (Lle) 46 Bb 95
Miravall (Lle) 64 Ae 99
▲Miravalles 17 Tb 91
Miravalles, Cortijo de (Córd) 149 Ud 123
Miravé (Lle) 47 Bc 97
Miraveche (Bur) 22 We 92 ✉09280
Miravet (Tar) 62 Ad 102 ✉43747
☆Miravet, Castell de 96 Aa 108
☆Miravet, Castell de 62 Ad 102
▲Miravete, Puerto de 87 Ub 110
▲Miravete, Sierra de 105 Ub 110
Miravete de la Sierra (Ter) 79 Zb 105 ✉44159
Miraz (Lug) 4 Sb 90
≈Mirela 15 Sa 93
▲Mirlo, Alto del 88 Vc 106
Mirón, El (Ávi) 72 Ud 105
Mironcillo (Ávi) 73 Vb 105 ✉05191
Mirones, Los (Ciu) 123 Wb 117 ✉13739
Mirueña de los Infanzones (Ávi) 73 Uf 104 ✉05146
☆Misericordia, Palacio de 159 Vd 128
☆Misericòrdia, Santuario de la 64 Ba 102
Mislata (Val) 114 Zd 112 ✉46920
Mitagalán (Gra) 152 Wc 124
☆Mitan Camí 80 Ad 104
☆Mitja Costa 65 Bc 100
▲Mitjana, Illa 129 Zf 117
▲Mitjana, Serra 128 Zc 118
Mitras, Caserío de las (Alb) 126 Xe 116
Mixancas = Mijancas (Ála) 23 Xb 92
Miyares (Ast) 7 Ue 88
Miz (Hues) 44 Zf 94
Mizala (Alm) 163 Xf 126 ✉04277
Mizquitillas (Alb) 126 Yc 116
Moaña (Pon) 32 Rb 95
Moar (Cor) 15 Re 90
Moarves de Ojeda (Pal) 20 Vd 92 ✉34486
Mocanal (Ten) 173 C 2 ✉38916
Mocarrá-Bobalar (Val) 114 Zd 113
Mocejón (Tol) 89 Wa 109
Mochalejo, Cortijo del (Sev) 150 Ue 123
Mochales (Gua) 60 Xf 102 ✉19332
Mochales, Cortijo de (Sev) 149 Uc 123
Mochos, Los (Córd) 136 Va 122 ✉14729
☆Mochuelo, Castillo de 122 Vc 117
Mochuelo, Cortijo del (Bad) 119 Te 116
▲Mochuelo, Puerto del 122 Vc 117
▲Mochuelo, Sierra de 122 Vc 117
Mochuelos, Los (Jaé) 139 Wf 118 ✉23268
Mociños (Our) 33 Rf 96 ✉32813
Moclín (Gra) 152 Wb 124
Moclinejo (Mál) 160 Ve 128 ✉29738
Modamio (Sor) 58 Xa 100 ✉42315
Modino (Leó) 19 Uf 92 ✉24815
▲Modorra, Cerro de la 77 Yb 105
▲Modorra, Sierra 61 Yd 101
Modúbar de la Cuesta (Bur) 39 Wc 95
Modúbar de la Emparedada (Bur) 39 Wc 95
Modúbar de San Cibrián (Bur) 39 Wc 95
Moeche (Cor) 3 Sa 87
Moeche = Pereiro (Cor) 3 Sa 87
▲Mofrecho 8 Uf 88
▲Mofrontín 86 Tf 107
▲Mogabar 122 Vc 118
Mogán (Palm) 174 B 3
▲Mogán, Barranco de (Palm) 174 B 3
▲Mogarenes (Palm) 174 B 3
Mogarraz (Sal) 71 Tf 106
Mogátar (Zam) 54 Ua 100
Mogino (Jaé) 139 Wf 119
Mogón (Jaé) 139 Wf 120
▲Mogorrita 92 Yb 108
Mogovio (Ast) 7 Ud 88
Mogro (Can) 9 Wa 88 ✉39310
▲Mogró, Playa de 9 Wa 88
☆Mogrony, Santuari de 47 Ca 95
▲Mogrony, Serra de 30 Ca 95
Moguer (Huel) 147 Tb 125 ✉21800
Moharque (Mur) 126 Yb 118
Moharras (Alb) 110 Xd 113
Moheda (Mál) 159 Vd 127
Moheda, Caserío (Các) 105 Ua 110
Moheda, Cortijo de (Các) 104 Td 113
Moheda, La (Các) 85 Tc 108
≈Moheda Alta, Embalse de 106 Ud 114
Mohedana, Cortijo de la (Córd) 150 Va 123
Mohedas, Cortijo (Các) 105 Tf 111
Mohedas, Las (Alb) 126 Xe 117 ✉02139
Mohedas de Granadilla (Các) 86 Te 107 ✉10664
Mohedas de la Jara (Tol) 106 Uf 111 ✉45576
Mohernando (Gua) 75 We 104 ✉19226
Mohorte (Cue) 92 Xf 108 ✉16193
Moia (Lug) 17 Ta 91 ✉27655
Moià (Bar) 48 Ca 98
≈Moia, Río de 17 Ta 91
Moialde (Our) 34 Se 97 ✉32617
Moimenta (Cor) 14 Ra 92 ✉15937
Moja (Bar) 65 Be 101 ✉08734
Mojácar (Alm) 155 Ya 126
Mojácar Playa (Alm) 155 Yb 126
Mojados (Vall) 56 Vc 100 ✉47250
Mojaiva, Caserío La (Gra) 152 Wc 125
▲Mojantes, Sierra de 140 Xf 120
Mojares (Gua) 59 Xc 102 ✉19264
▲Mojina 123 Wa 117
Mojón, El (Ali) 143 Zb 121
Mojón, El (Mur) 142 Za 120
Mojón, El (Palm) 176 C 3
▲Mojón, Racó del 80 Zf 105
▲Mojón Alto 110 Xd 110
▲Mojón Alto 41 Xb 96
Mojonar, El (Alm) 140 Xe 123 ✉04825
▲Mojón Blanco 111 Yb 112
▲Mojón Blanco 77 Xd 106
≈Mojón Blanco, Caleta del (Palm) 176 D 2
Mojonera (Alm) 154 Xe 126
Mojonera, La (Alm) 162 Xb 128
Mojonera, La (Alm) 154 Xd 125
▲Mojón Pardo, Puerto 40 Xa 98
Mola (Ali) 128 Zb 118
Molá = Molar, el (Tar) 64 Ae 102
☆Mola, Castell de la 128 Zb 118
Mola, Cortijo de (Mál) 151 Vd 126
▲Mola, Es Cap de Sa (Bal) 98 Cc 111
Mola, La (Bal) 99 Da 112
▲Mola, la 65 Bc 101
Mola, Sa (Bal) 97 Bd 117
Molacillos (Zam) 54 Uc 99 ✉49120
☆Mola Murada 80 Aa 105
≈Molano, Embalse de 104 Tc 111
Molar, El (Jaé) 139 Wf 121 ✉23469
Molar, el (Tar) 64 Ae 101 ✉43736
Molar, El (Mad) 75 Wc 104 ✉28710
▲Molar, Sierra del 127 Yd 118
Molar de Arriba (Alb) 112 Yc 113
Molares (Huel) 133 Tb 121
≈Molares, Arroyo de los 149 Ub 126
Molares, Los (Sev) 149 Ub 126 ✉41750
Molares, Los (Mur) 142 Ye 123
Molarico, El (Cas) 94 Zc 108
Molata, La (Mur) 142 Yd 122
Molata, La (Alb) 126 Xf 116 ✉02129
▲Molatón 127 Yd 115
Moldes (Cor) 15 Rf 91 ✉15281
Moldes (Leó) 17 Ta 93 ✉24521
☆Moldes, Capela de 14 Ra 93
Moldones (Zam) 35 Td 97 ✉49521
▲Moledo, Praia de 5 Sf 87
Moleiras (Lug) 5 Se 90
Molers (Bar) 47 Be 95
▲Moleta de la Coscollosa 80 Ac 103
Moletons, els (Bar) 65 Bd 99
Molezuelas de la Carballeda (Zam) 36 Te 96 ✉49327
Molgado, Cortijo de (Sev) 135 Uc 122
≈Molí, Rec del 49 Da 95
Molí Azor (Cas) 95 Zd 107
Molí d'Amat (Bar) 66 Ca 99
Moli de Dalt, Es (Bal) 96 Df 109
Molí d'Espígol (Lle) 46 Ba 98
Molí Galobardas (Bar) 47 Ca 97
Molina, Cortijo (Alm) 155 Ya 124
Molina, Cortijo (Gra) 140 Xc 121
Molina, La (Ast) 8 Va 89
Molina, la (Gir) 30 Bf 94 ✉17537
Molina, la (Bar) 47 Bf 97
≈Molina, Río 41 Xe 95
≈Molina, Río de la 22 Wc 93
▲Molina, Sierra de 77 Ya 106
Molina de Aragón (Gua) 77 Ya 104
Molina de Aragón (Gua) 77 Ya 104
Molina del Portillo de Busto, La (Bur) 22 We 92
Molina de Segura (Mur) 142 Ye 120 ✉30500
Molina de Ubierna, La (Bur) 22 Wc 93
Molinaferrera (Leó) 35 Td 94 ✉24724
Molinar (Viz) 10 Wd 89 ✉48890
Molinar, El (Alb) 126 Xf 116 ✉02129
Molinar, El (Bal) 98 Ce 111
Molinar, El (Cas) 94 Zb 109
≈Molinar, Embalse de 112 Ye 113
Molinares, Caserío Los (Ter) 93 Yc 107
Molinàs (Gir) 31 Da 94
Molinaseca (Leó) 17 Tc 93 ✉24413
Molinell (Ali) 129 Zf 115 ✉03779
Molinera, Cortijo de la (Gra) 153 Xa 124
Molineras, Las (Gra) 153 Xb 124
≈Molinero, Barranco del 43 Yf 95
▲Molinero, Cerro del 162 Xa 127
Molinicos (Alb) 126 Xe 118 ✉0244
Molinillo (Sal) 71 Ua 106 ✉37683
Molinillo, El (Gra) 152 Wd 125 ✉18183
Molinillo, El (Ciu) 108 Ve 112 ✉13194
Molinillos, Cortijo de los (Gra) 139 Xb 122
☆Molinillos, Palacio de los 89 Vf 106
▲Molinillos, Punta de los (Palm) 175 C 5
Molinito, El (Ten) 172 C 2
▲Molino 141 Yc 119
Molino, Caserío (Ter) 79 Za 104
Molino, El (Alm) 155 Yb 124
Molino, EL (Cue) 77 Ya 106
Molino, El (Cue) 92 Ya 110
▲Molino, Hoya del 93 Yc 109
▲Molino, Playa (Ten) 172 C 2
Molino aceitero de Guerra (Cád) 164 Tf 129
Molino Alto (Zar) 61 Zb 100
Molino Bajo, Cortijada (Córd) 135 Ue 122
Molino Berral (Seg) 56 Vd 102
Molino Cega (Seg) 57 Vf 101
Molino de Abajo (Alb) 125 Xb 117
Molino de Abajo (Tol) 109 We 111
Molino de Abajo (Gua) 77 Xe 103
Molino de Abajo (Cue) 93 Yc 109
Molino de Alarcos (Ciu) 123 Vf 115
Molino de Almaza (Cád) 164 Te 130
Molino de Aramundo (Jaé) 137 Wa 122
Molino de Arjona (Sev) 158 Uf 126
Molino de Arriba (Gua) 58 We 101
Molino de Arriba, Cortijo El (Alm) 163 Ya 127
Molino de Bartolo (Ciu) 124 Wc 117
Molino de Blas (Mál) 160 Wa 128
Molino de Cabrillas (Gua) 77 Ya 104
Molino de Carbajal (Cád) 157 Uc 129
≈Molino de Chincha, Embalse del 77 Xe 105
Molino de Delio (Ciu) 123 Wa 117
Molino de Doña Sol (Tol) 109 Wf 111
Molino de Don Benito (Alb) 112 Yd 113
Molino de Enmedio (Mál) 158 Ue 129
Molino de Enmedio (Các) 103 Ta 112
Molino de En Medio (Gua) 77 Xe 103
Molino de Gabriel (Các) 104 Td 111
Molino de Javana (Mur) 140 Xe 120
Molino de la Alquería (Gra) 140 Xc 122
Molino de la Cañada (Córd) 150 Vb 123

olino de la Ciudad, El (Ali) 142 Za 120
Molino de la Hoz, Embalse 74 Wa 105
olino de la Mina de Lápiz (Can) 21 Ve 90
olino de Lanas (Gra) 153 Xb 123
olino de las Ánimas (Mur) 142 Za 122
olino de las Ánimas (Mur) 141 Ya 119
olino de la Sargenta (Sev) 149 Ue 123
olino de las Bojas (Alb) 140 Xd 119
olino de la Sierna (Zam) 54 Uc 100
olino de las Monjas (Bad) 120 Tf 118
olino de la Torre (Cue) 92 Xf 108
olino del Barado (Seg) 56 Vd 101
olino del Blanco (Cue) 110 Xc 111
olino del Blanquillo (Ciu) 124 We 115
olino del Comendador (Ciu) 124 We 115
olino del Cordobés (Sev) 136 Uf 123
olino del Corregidor (Sev) 136 Uf 123
olino del Despeñadero (Jaé) 151 Vf 123
olino de Lemos (Jaé) 138 Wa 120
olino del Francés (Alb) 111 Xf 113
olino del Francés (Cue) 111 Ya 112
olino del Monte (Sev) 135 Ub 121
olino del Moro (Cád) 164 Ub 132
olino del Notario (Sev) 136 Uf 122
olino de los Agustinos (Sev) 135 Ub 121
olino de los Álamos (Ciu) 124 We 115
olino de los Frailes (Sev) 149 Ud 123
olino de los Frailes (Ciu) 123 Wa 117
olino de los Moros (Ciu) 124 We 115
olino de los Muertos (Các) 103 Sd 111
olino de los Piernos (Bad) 103 Se 113
olino del Prado de la Porca (Jaé) 139 Xc 119
olino del Puente (Sev) 149 Uc 124
olino del Salado (Sev) 157 Ua 127
olino del Tinte (Alb) 110 Xc 113
olino de Macayo (Ciu) 125 Xb 118
olino de Manuel García (Sev) 135 Ud 121
olino de María (Ciu) 124 Wd 115
olino de Marmota (Alb) 111 Ya 113
olino de Mastral (Cád) 164 Uc 132
olino de Medrana (Bad) 118 Sf 118
Molino de Mochinga (Gua) 58 Wf 101
Molino de Morro (Bad) 103 Sf 113
Molino de Osorio (Sev) 150 Va 125
Molino de Panzacola (Jaé) 138 Wc 119
Molino de Pareja (Sev) 136 Uf 122
Molino de Pavía (Sev) 149 Ue 124
Molino de Pepe (Gra) 161 Wc 128
Molino de Piña (Ciu) 124 Wd 115
Molino de Rajamantas (Ciu) 125 Xb 117
Molino de Recacha (Sev) 149 Ue 124
Molino de Saladavieja (Cád) 164 Uc 132
Molino de Serracín (Cád) 158 Uc 127
Molino de Solera (Jaé) 138 Wd 122
Molino de Temeroso (Seg) 56 Ve 101
Molino de Valdecañas (Sev) 149 Ue 123
Molino de Valderrama (Córd) 150 Va 123
Molino dos Vigas (Córd) 150 Va 123
Molino el Batanejo (Cue) 111 Xf 112
Molino El Paredón (Seg) 56 Ve 102
Molino La Calcetera (Mur) 143 Zb 122
Molino Las Vallicas (Gra) 153 We 125
Molino la Zalía (Bad) 120 Tf 117
Molino los Tejos (Tol) 107 Vd 111
Molino Maluca (Seg) 56 Vd 101
Molino Rasma (Gra) 153 Xa 123
Molino Raya (Sev) 158 Ue 126
Molinos (Cád) 165 Uc 132
Molinos (Gra) 151 Wa 125
Molinos (Lle) 28 Af 94 ✉ 25512
Molinos (Ter) 79 Zd 104 ✉ 44556
Molinos (Cas) 95 Zf 110
≈ Molinos, Arroyo de los 108 Wa 112
≈ Molinos, Arroyo de los 55 Uf 99
Molinos, Los (Alm) 163 Xf 126
Molinos, Los (Alm) 154 Xf 125
Molinos, Los (Bad) 134 Tf 119
Molinos, Los (Palm) 176 D 2
Molinos, Los (Palm) 174 B 3
Molinos, Los (Hues) 27 Ab 94
Molinos, Los (Ávi) 72 Ud 106 ✉ 05593
Molinos, Los (Mad) 74 Vf 104 ✉ 28460
Molinos, Los (Ter) 93 Ye 106
Molinos de Algarbe, Caserío (Ter) 93 Yc 107
Molinos de Duero (Sor) 40 Xb 97 ✉ 42156
Molinos de la Torrecilla (Gra) 152 Wc 126
Molinos del Papel (Cue) 92 Xf 108 ✉ 16192
≈ Molinos de Matachel, Embalse de los 120 Tf 117
Molinos de Ocón, Los (Rio) 41 Xe 95
Molinos de Razón (Sor) 41 Xc 97
Molino Sobrao (Sal) 70 Tc 106
Molinos-Sijuela, Los (Mál) 158 Ue 128
Molinos y Sierra (Gra) 153 Xa 125
Molino Tallista (Mál) 159 Vc 127
Molins (Ali) 142 Za 120 ✉ 03310
Molins, els (Ali) 128 Za 118
▲ Molins, Punta dels 129 Aa 115
Molins de Rei (Bar) 66 Ca 100 ✉ 08750
▲ Mollas, Las 59 Xe 100
Molledo (Ast) 7 Ub 88 ✉ 33937
Molledo (Can) 9 Vf 90 ✉ 39430
Molledo, El (Ten) 172 C 4
Mollerusa = Mollerussa (Lle) 64 Af 99
Mollerussa (Lle) 64 Af 99 ✉ 25230
Mollet = Mollet de Vallès (Bar) 66 Cb 99
☆ Mollet, Torre de 80 Ac 103
Mollet del Vallès (Bar) 66 Cb 99
Mollet d'Empordà = Mollet de Peralada (Gir) 31 Da 94
Mollet de Peralada (Gir) 31 Da 94 ✉ 17752
Mollet de Peralada = Mollet d'Empordà (Gir) 31 Da 94 ✉ 17752
▲ Mollina 150 Vc 125
Mollina (Mál) 150 Vc 126 ✉ 29532
Molló (Gir) 30 Cc 94
Molpeceres (Vall) 56 Vf 99 ✉ 47313
Molsosa, la (Lle) 47 Bd 98 ✉ 08281
▲ Moluenga 112 Yd 112
Molvízar (Gra) 161 Wc 128
Mombeltrán (Ávi) 88 Uf 107
Momblona (Sor) 59 Xd 100 ✉ 42225
Mombuey (Zam) 35 Te 96 ✉ 49310
≈ Mome, Arroyo del 58 We 100
Mon, El (Hues) 45 Ac 95
▲ Mona, Punta de la 160 Wb 128
Monachil (Gra) 152 Wc 126 ✉ 18193
≈ Monachil, Río 152 Wc 126
☆ Monars 31 Cd 95
Monars (Tar) 64 Bb 102
Monasterio (Gua) 76 Wf 103 ✉ 19239
≈ Monasterio, Río 19 Ue 90
☆ Monasterio de Bonaval 75 We 103
Monasterio de Hermo (Ast) 17 Tc 91 ✉ 33811
Monasterio de la Sierra (Bur) 40 We 96 ✉ 09613
Monasterio del Coto (Ast) 17 Tb 90 ✉ 33814
Monasterio de Rodilla (Bur) 22 Wd 94 ✉ 09292
Monasterio de Vega (Vall) 37 Ue 95 ✉ 47688
Monasterioguren (Ála) 23 Xc 92 ✉ 01194
Monasterios, Los (Val) 114 Zd 111
Moncada (Val) 114 Zd 111 ✉ 46113
Moncalián (Can) 10 Wc 88
Moncalvillo (Bur) 40 We 97 ✉ 09691
Moncalvillo del Huete (Cue) 91 Xb 107
▲ Moncalvo 35 Tb 95
☆ Moncalvo 62 Ze 98
☆ Moncalvo 70 Tb 102
Moncar (Bad) 118 Sf 118
▲ Moncati 113 Zc 111
Moncayo (Gra) 139 Xc 121
▲ Moncayo 42 Ya 98
Moncayo, El (Ali) 143 Zb 120
▲ Moncayo, Sierra de 140 Xc 121
▲ Moncayo, Sierra del 60 Yb 98
▲ Moncayuelo 24 Yb 94
▲ Monchén, Muela 79 Zd 105
▲ Monciro, Serra de 16 Sd 90
Monclava, La (Sev) 149 Ue 123
Moncó (Ast) 17 Tc 90
Moncofa (Cas) 95 Zf 110 ✉ 12593
▲ Moncófa, Platja de 95 Zf 110
Monda (Mál) 159 Vb 129 ✉ 29110
Mondariz (Pon) 32 Rd 95 ✉ 36870
Mondariz-Balneario (Pon) 32 Rd 95
Mondéjar (Gua) 91 Wf 107
▲ Mondiciero 27 Zf 93
▲ Mondigo 5 Sf 87
Mondoñedo (Lug) 4 Sd 88
Mondot (Hues) 45 Aa 95 ✉ 22394
≈ Mondragó, Cala (Bal) 99 Db 112
▲ Mondragó, Parc Natural de (Bal) 99 Db 112
Mondreganes (Leó) 20 Uf 92 ✉ 24892
Mondriz (Lug) 4 Sd 90 ✉ 27271
Mondrón (Mál) 160 Ve 127
▲ Mondúber 114 Ze 114
Mondújar (Gra) 161 Wc 127
Moñeca (Ast) 7 Ub 88 ✉ 33937
▲ Moneda, Alto da 34 Ta 94
☆ Monedas, Las 9 Wa 89
Monegrillo (Zar) 62 Zd 99 ✉ 50164
≈ Monegrillo, Río 60 Ya 100
Monegro (Can) 21 Vf 90 ✉ 39292
▲ Monegro 42 Ya 97
≈ Monegros, Canal de 44 Zc 96
▲ Monegros, Los 62 Zd 99
Monells (Gir) 49 Da 97 ✉ 17121
Moneo (Bur) 22 Wd 91 ✉ 09515
Mones (Ast) 6 Td 87
Mones (Ast) 7 Ue 88
Mones (Our) 34 Sf 94 ✉ 32357
Monesma (Hues) 45 Aa 97
Monesma (Hues) 44 Ad 95
☆ Monesma, Castillo de 44 Ad 95
Monesma y Cajigar (Hues) 44 Ad 95
Monesterio (Bad) 134 Te 120 ✉ 06260
☆ Monestir de Xerònims 114 Zd 114
Moneva (Zar) 61 Zb 102 ✉ 50144
≈ Moneva, Embalse de 61 Zb 101
Monfalcó (Hues) 44 Ad 96
Monfarracinos (Zam) 54 Ub 99 ✉ 49121
Monfero (Cor) 3 Rf 89 ✉ 15619
☆ Monfero 3 Rf 89
Monflorido (Sal) 71 Tf 105 ✉ 37607
Monflorite (Hues) 44 Zd 96 ✉ 22111
Monflorite-Lascasas (Hues) 44 Zd 96
Monforte de la Sierra (Sal) 71 Tf 106 ✉ 37618
Monforte del Cid (Ali) 128 Zb 118 ✉ 03670
Monforte de Lemos (Lug) 16 Sc 93
Monforte de Moyuela (Ter) 61 Yf 102 ✉ 44493
☆ Monfragüe, Castillo de 86 Tf 110
▲ Monfragüe, Parque Natural de 86 Tf 109
Mongay (Hues) 44 Ad 96
Monge, Cortijo de (Sev) 148 Ua 123
▲ Mongorrón, Altos del 76 Xc 105
Moñibas (Seg) 73 Vc 103
Monie, Cortijo del (Mur) 140 Ya 122
Moniello (Ast) 7 Ub 87 ✉ 33449
Monistrol = Monistrol de Montserrat (Bar) 65 Bf 99
Monistrol d'Anoia (Bar) 65 Be 100 ✉ 08770
Monistrol de Calders (Bar) 47 Ca 98 ✉ 08275
Monistrol de Montserrat (Bar) 65 Bf 99 ✉ 08691
Monja, La (Alb) 125 Xd 116
Monja de Abajo, Cortijo (Mur) 141 Ya 122
Monjas (Ciu) 109 Wd 113
▲ Monjas 91 Xd 108
Monjas, Cortijo de las (Mál) 159 Vb 126
Monjas, Cortijo de las (Gra) 154 Xd 124
Monjas, Cortijo de las (Bad) 119 Tb 115
Monjas, Cortijo Las (Bad) 118 Ta 118
Monjas, Las (Sev) 158 Uf 126
Monjas, Las (Sev) 149 Uc 125
Monjas, Las (Val) 112 Ye 112 ✉ 46310
Monjas, Las (Vall) 55 Va 100
▲ Monje, Sierra del 92 Xf 110
Monjía, La (Rio) 41 Xd 95
Monjos, els (Bar) 65 Be 101
Monjos, Los (Alm) 153 Xb 126 ✉ 04533
Monleón (Sal) 71 Ua 105
Monleras (Sal) 53 Te 101 ✉ 37171
Monllat (Cas) 95 Zf 107 ✉ 12163
Monnaber (Bal) 98 Ce 110
▲ Monogrillo 111 Yb 112
Monovar/Monòver (Ali) 128 Za 118
Monòver = Monóvar (Ali) 128 Za 118
Monreal (Bad) 121 Ud 115
Monreal (Nav) 25 Yc 92 ✉ 31471
Monreal, Caserío de (Hues) 62 Ac 99
☆ Monreal, Castillo 90 Wc 110
☆ Monreal, Castillo de 25 Yd 92
≈ Monreal, Río 110 Xb 111
☆ Monreal, Torre de 42 Yc 96
Monreal de Ariza (Zar) 59 Xf 101 ✉ 50291
Monreal del Campo (Ter) 78 Yd 104 ✉ 44300
Monreal del Llano (Cue) 110 Xb 111 ✉ 16649
▲ Monrepós, Puerto de 44 Zd 94
Monroy (Các) 105 Te 111 ✉ 10194
☆ Monroy, Castillo 87 Uc 110
☆ Monroy, Ermita de 90 We 110
Monroyo (Ter) 80 Zf 104 ✉ 44652
▲ Monsaete, Puerto de 77 Xe 106
Monsagreño (Sal) 70 Tc 104
Monsagro (Sal) 71 Te 105 ✉ 37532
Monsalbe (Bad) 133 Tc 120
Monsalupe (Ávi) 73 Vb 104 ✉ 05163
Monsálvez, Cortijo de (Jaé) 139 Wf 119
▲ Monseiván, Pico de 4 Sc 88
☆ Monserbos, Capilla de 46 Ae 96
Monserrat (Val) 113 Zc 112 ✉ 46192
▲ Mónsul, Playa de 163 Xe 128
Montabliz (Can) 21 Vf 90 ✉ 39420
Montagut (Ali) 128 Zb 118
Montagut (Gir) 48 Cd 95 ✉ 17855
Montagut (Lle) 62 Ad 99
☆ Montagut 65 Bc 100
☆ Montagut, Castell de 49 Ce 96
☆ Montalbà 64 Ba 99
Montalbán (Ter) 79 Zb 103
Montalbán, Caserío de (Các) 106 Ue 112
Montalbán de Córdoba (Córd) 150 Vb 123
Montalbanejo (Cue) 91 Xd 110 ✉ 16434
Montalbanes (Gra) 152 Wc 124
Montalbo (Cue) 91 Xc 109 ✉ 16440
Montalbo en Cameros (Rio) 41 Xd 95
▲ Montalbos 79 Zd 103
Montalé (Lle) 46 Ba 98
Montalegre (Tar) 65 Bc 100 ✉ 43421
☆ Montalegre 66 Cb 100
▲ Montalt, Serra de 64 Ae 102
Montalviche (Alm) 140 Xf 122 ✉ 04830
Montalvo (Jaé) 139 Xb 120
▲ Montalvo 62 Ac 102
Montalvo, Cortijo de (Jaé) 153 Wf 123
▲ Montalvo, Praia de 14 Ra 94
Montalvos (Alb) 111 Xf 113 ✉ 02638
Montamarta (Zam) 54 Ub 99 ✉ 49149
Montán (Cas) 94 Zc 108
Montaña, La (Ast) 5 Tc 88 ✉ 33734
Montaña, La (Can) 9 Vf 89 ✉ 39300
≈ Montaña, Río da 33 Rf 97
☆ Montaña, Virgen de la 104 Td 112
▲ Montaña Alta (Palm) 175 E 2
▲ Montana Bermeja, Playa de (Palm) 176 B 4
Montaña Blanca (Palm) 174 C 4
Montaña Blanca (Palm) 176 C 4
▲ Montaña Blanca (Ten) 172 D 4
▲ Montaña Blanca (Palm) 175 D 2
▲ Montaña Blanca de Abajo (Palm) 175 E 3
▲ Montaña Clara (Palm) 176 C 2
Montaña Hendida (Palm) 175 D 4
Montaña La Data (Palm) 174 C 4 ✉ 35109
Montañana (Hues) 44 Ae 95 ✉ 22584
Montañana (Zar) 61 Zb 98
▲ Montaña Negra (Palm) 174 C 3
▲ Montaña Negra (Palm) 175 E 2
▲ Montaña Negra (Palm) 176 B 4
▲ Montanar, Puerto del 93 Yd 108
☆ Montañas, Ermita de las 158 Uc 128
Montañas, Las (Cád) 158 Uc 128
Montánchez (Các) 105 Tf 113
Montan de Tost (Lle) 46 Bc 95 ✉ 25795
Montan de Tost = Montau (Lle) 46 Bc 95 ✉ 25795
Montanejos (Cas) 94 Zc 108 ✉ 12448
Montañés, El (Alb) 126 Xe 118
Montañeta, La (Ten) 172 C 3 ✉ 38419
Montañetas, Las (Ten) 173 C 2 ✉ 38916
Montáñez (Alb) 140 Xd 120
Montanisell = Montanissell (Lle) 46 Bb 95
Montanissell (Lle) 46 Bb 95 ✉ 25794
Montanuy (Hues) 28 Ae 94 ✉ 22487
Montanya (Bal) 99 Cf 109
Montaos (Cor) 15 Rd 90
Montardit (Lle) 28 Ba 94
▲ Montardo 28 Af 93
▲ Montarenyo 29 Bb 93
Montargull (Lle) 46 Ba 97 ✉ 25738
Montargull (Tar) 65 Bc 99 ✉ 43427
Montarrón (Gua) 75 Wf 103
Montaruedo (Hues) 45 Ab 95
▲ Montau 65 Bf 100
Montaud (Ali) 129 Zf 117 ✉ 03699
Montaverner (Val) 128 Zd 115 ✉ 46892
Montaves (Sor) 41 Xe 97 ✉ 42174
≈ Montbane, Torrent de (Bal) 99 Da 111
▲ Montbarbat 49 Ce 98
Montbenidorm (Ali) 129 Ze 117
Montblanc (Tar) 64 Bb 100 ✉ 43400
Montblanch (Bal) 99 Da 110
Montblanquet (Lle) 64 Ba 100 ✉ 25268
Montbò (Gir) 48 Ce 96
Montbrió de la Marca (Tar) 64 Bb 100
Montbrió del Camp (Tar) 64 Af 102
Montbrió de Tarragona = Montbrió del Camp (Tar) 64 Af 102
Montcada i Reixax (Bar) 66 Cb 99
Montcalb (Lle) 47 Be 96
▲ Montcau, el 66 Ca 98
▲ Montcaubo 29 Bb 93
Montclar (Bar) 47 Be 96 ✉ 08614
▲ Montclar, Tossa de 65 Bc 100
Montclar d'Orgell (Lle) 46 Ba 97
☆ Montclús, Castell de 48 Cc 98
☆ Montcorb, Castell de 48 Ce 98
Montcorbau (Lle) 28 Ae 92 ✉ 25537
Montcortès (Lle) 46 Af 94
Mont de Roda (Hues) 44 Ad 95
☆ Montdois 48 Cc 97
Monte (Ast) 7 Ud 88 ✉ 33350
☆ Monte 6 Tf 87
Monte (Can) 10 Wc 89
Monte (Cor) 14 Rb 91
Monte (Lug) 16 Sa 93
Monte (Lug) 16 Sd 94
Monte (Lug) 16 Sd 90
Monte (Pon) 32 Rb 96
Monte, Caserío del (Nav) 24 Yb 93
Monte, Caserío El (Gua) 78 Yc 105
Monte, El (Vall) 55 Uf 102
▲ Monte, El 58 Xa 98
▲ Monte, El 59 Xe 100
☆ Monte, Ermita del 135 Ub 121
☆ Monte, Ermita del 20 Vc 93
☆ Monte, Ermita del 21 Vf 92
☆ Monte, Ermita del 91 Xc 107
Monte, O (Lug) 4 Sd 87
▲ Monte, Puy 43 Za 94
Monte Abajo (Sal) 72 Ub 104
Monte Acebedo (Mad) 90 We 106
▲ Monteagudo 154 Xe 125
Monteagudo (Mur) 142 Yf 120 ✉ 30160
Monteagudo (Nav) 42 Yb 97 ✉ 31522
☆ Monteagudo, Castillo 142 Yf 120
≈ Monteagudo, Embalse de 59 Xe 100
Monteagudo de las Salinas (Cue) 92 Ya 110 ✉ 16360
Monteagudo de las Vicarías (Sor) 59 Xe 100
Monteagudo del Castillo (Ter) 79 Zb 106 ✉ 44146
▲ Monteagudo ou do Norte, Illa de 32 Ra 95
Monte Alcedo (Val) 113 Zc 111
Montealegre (Cád) 157 Tf 128 ✉ 11400
Montealegre de Campos (Vall) 37 Va 97 ✉ 47816
Montealegre del Castillo (Alb) 127 Ye 116 ✉ 02650
▲ Monte Alto 142 Za 119
Monte Alto (Córd) 136 Va 122
Monte Alto (Córd) 136 Va 123
Montealto (Córd) 135 Ue 122
Monte Alto (Vall) 56 Ve 98
Monteana (Ast) 7 Ub 87 ✉ 33691
Montearagón (Tol) 88 Vc 109
☆ Montearagón, Castillo de 44 Zd 96
▲ Monte Aragón, Sierra de 126 Yc 115
≈ Monte Arenas, Embalse de 17 Tc 93
Montecal (Gir) 48 Ce 96
Monte Calderón (Gua) 75 Wd 104 ✉ 19170
Monte Castilla, Caserío (Huel) 133 Tc 122
Montecelo (Lug) 4 Sd 89
Montecelo (Lug) 16 Sb 91
Montecillo (Can) 21 Wa 92 ✉ 39250
Montecillo, Cortijo del (Sev) 150 Va 123
▲ Montecillos, Los 22 Wc 94
Montecitos, Cortijo de los (Córd) 136 Vc 121
Monte Claro (Mad) 74 Wa 106

▲Montecoche, Sierra de 165 Uc131
Monte Coello (Palm) 174 D2
Montecorto (Mál) 158 Ue128 ✉29430
Montecote (Cád) 164 Tf131 ✉11159
Montecubeiro (Lug) 16 Se90
Monte de Breña (Ten) 171 C3
Monte de las Encinas (Mad) 74 Wa106
Monte de La Torre (Pal) 38 Vb97
Monte del Soto, Caserío (Các) 86 Tf107
Monte de Luna (Ten) 171 C3 ✉38738
Monte de Mata (Vall) 37 Ue98
Monte de Matallana (Vall) 37 Va97
Monte de Meda (Lug) 16 Sc91
Monte de Orusco, El (Mad) 90 We107
Monte de Peñaflor (Vall) 55 Va98
Montederramo (Our) 34 Sd95 ✉32750
Monte de San Lorenzo (Vall) 55 Uf98
Montefaro (Cor) 3 Re87
▲Monteferro, O 32 Ra96
Montefrío (Gra) 151 Wa125
Montefrío Alto, Cortijo de (Córd) 136 Vc122
Montefurado (Lug) 34 Se94 ✉27390
≈Montefurado, Encoro de 34 Se94
Montegil (Sev) 149 Uc126
▲Montegordo 80 Aa106
Monte Grande (Leó) 37 Ud95
Monte Grande y San Martín (Vall) 37 Ud95
☆Monte Hano, Convento de 10 Wd88
Montehermoso (Các) 86 Td108 ✉10810
≈Montehermoso, Embalse de 86 Td108
▲Monteixo 29 Bc93
▲Monteixo, Serra de 29 Bc93
Montejaque (Mál) 158 Ue128 ✉29360
Montejícar (Gra) 152 Wc123
Montejo (Sal) 72 Uc105
Montejo de Arévalo (Seg) 56 Vc102
Montejo de Bricia (Bur) 21 Wa91 ✉09571
Montejo de Cebas (Bur) 22 We92 ✉09211
Montejo de la Sierra (Mad) 75 Wc102 ✉28190
Montejo de la Vega de la Serrezuela (Seg) 57 Wc99
Montejo de Tiermes (Sor) 58 We100 ✉42341
Montejos del Camino (Leó) 19 Ub93 ✉24282
Monte la Reina (Zam) 54 Uc99 ✉49881
Montellá = Montellà de Cadí (Lle) 29 Be94
Montellà de Cadí (Lle) 29 Be94
Montellà i Martinet (Lle) 29 Be94
Montellano (Sev) 158 Uc127 ✉41770
≈Montellano, Lagunas de 164 Tf130
Montelongo (Bad) 118 Sf117
Montelongo (Cor) 3 Rf88
Monte Lope-Álvarez (Jaé) 137 Vf122
Montemaior (Cor) 3 Rc89
▲Montemaior, Serra de 3 Rc89
Montemar (Mál) 159 Vc129
☆Montemar, Castillo de 143 Zb120
Montemayor (Córd) 136 Vb123 ✉14530
Montemayor (Alb) 126 Xe116
▲Montemayor 112 Yf114
Montemayor (Vall) 56 Vd100
Montemayor del Río (Sal) 86 Ua106
Montemayor de Pililla (Vall) 56 Vd100 ✉47320
≈Montemayor o de Quéjola, Río 126 Xe116
Montemolín (Sev) 149 Ud125
Montemolín (Bad) 134 Te120
Montenartró (Lle) 29 Bb94
Montenegral Alto (Cád) 165 Ud131 ✉11349
▲Montenegro 162 Xb126
▲Montenegro (Bal) 96 Ea108
Montenegro, Cortijo de (Sev) 149 Uc124
Montenegro de Ágreda (Sor) 41 Xf97
Montenegro de Cameros (Rio) 40 Xb96
Monte Nuevo, Caserío del (Gua) 91 Wf106
Monte Orenes (Cue) 110 Xd113
Monte Orquera, Urbanización (Val) 113 Zc111
Monte Pequeño (Leó) 37 Ud95
Monte Picayo (Val) 114 Ze111
Monte Príncipe (Mad) 74 Wa106
Montera, Cortijo de (Sev) 157 Ua126
Montera, Cortijo de la (Sev) 149 Uc125
Monterde (Zar) 60 Yb101 ✉50213
Monterde de Albarracín (Ter) 78 Yd106
Monte Redondo (Our) 33 Rf96 ✉32228
Monte Redondo, Caserío (Gua) 76 Xb104
▲Monterías, Cerro de las 122 Va117
▲Monterilla, Sierra de la 112 Ye112
☆Monterò, Castell de 46 Af97
Montero, Cortijo de (Sev) 150 Uf124
▲Montero, Pico del 165 Uc130
Monte Robledal (Mad) 90 Wf107
Monteros, Los (Mál) 159 Vb129 ✉*29790
☆Monterreal, Castelo de 32 Ra96
Monterrei (Our) 34 Sd97
☆Monterrei, Parador de 34 Sd97
▲Monterria 25 Yf91
Monterroja, Cortijo de (Sev) 157 Ua127
Monterroso (Bad) 118 Ta117
Monterroso (Lug) 16 Sa92
Monterrubio (Zam) 35 Td96 ✉49324
Monterrubio (Seg) 74 Vd103 ✉40142
Monterrubio de Armuña (Sal) 72 Uc102 ✉37798
Monterrubio de Demanda (Bur) 40 Wf96
Monterrubio de la Serena (Bad) 121 Ud117 ✉06427
Monterrubio de la Sierra (Sal) 72 Ub104 ✉37788
Montes (Bad) 119 Tc118
Montes (Our) 34 Sc97
Montes, Los (Bad) 120 Ua118
▲Montes, Los 87 Uc108
Montesa (Val) 128 Zc115 ✉46692
☆Montesa, Castell de 80 Ab106
Monte Salgueiro (Cor) 3 Rf89
Monte San Miguel (Huel) 133 Tc121
☆Monte Santo, Ermita de 151 Vf125
Montesclado (Lle) 29 Bb93 ✉25595
Montes-Claros (Córd) 151 Vd125
Montes-Claros (Can) 21 Vf91
Montesclaros (Tol) 88 Va108 ✉45620
▲Montes Claros, Sierra de 41 Xd97
▲Montes de Mora 108 Vf112
Montes de Quijada (Vall) 55 Uf98
Montes de San Benito (Huel) 133 Sf122 ✉21580
☆Montes de Sebares 7 Ue89
Montes de Valdueza (Leó) 17 Tc94 ✉24415
Monteseiro (Lug) 5 Ta90 ✉27113
Montesinos (Ali) 143 Zb120
▲Montesinos, Alto de 74 Ve104
☆Montesinos, Cueva de 125 Xb115
☆Monte Sión, Ermita de 139 Wf121
Monte So, Caserío (Ali) 128 Zc116
Montesodeto (Hues) 44 Ze97
Monte Sorromero (Huel) 133 Tc122
Montesquiu (Lle) 46 Af95
Montesquiu (Bar) 48 Cb96 ✉08585
Montesquiu (Lle) 64 Ba99
☆Montesquiu, Castell de 48 Cb96
Montesusín (Hues) 44 Zd97
Monte Torozos (Vall) 55 Va98
Monte Vedat (Val) 113 Zd112
Monteveloso (Our) 34 Sd96 ✉32611
Monte Viejo, Caserío (Cue) 111 Xe113
▲Monte Viejo, Puerto de 20 Va91
Montevite (Ála) 23 Xa92 ✉01428
▲Montevives 152 Wb126
Montfalcó d'Agramunt (Lle) 46 Ba98
Montfalcó el Gros (Bar) 47 Bc99
Montfalcó Murallat (Lle) 46 Bc98
Montfar (Lle) 65 Bc99 ✉25213
Montferrer (Lle) 29 Bc94 ✉25711
Montferrer i Castellbò (Lle) 29 Bc94
Montferri (Tar) 65 Bc101 ✉43812
Montgai (Lle) 46 Af98 ✉25616
Montgarri (Lle) 28 Af92 ✉25598
Montgat (Bar) 66 Cb100 ✉08390
Montgó (Gir) 49 Db96
≈Montgo, Cala 49 Db96
▲Montgó, Parc Natural del 128 Ab116
▲Montgri 49 Da96
☆Montgrí, Castell de 49 Da96
Montiano (Bur) 22 We90 ✉09588
Montichelvo (Val) 128 Zd115 ✉46842
Montico, El (Ast) 7 Ub87
Montiel (Ciu) 125 Xa116 ✉13326
Montiela, La (Córd) 150 Va123 ✉14549
Montijo (Bad) 119 Tc115 ✉06480
≈Montijo, Canal Río de 119 Tb115
≈Montijo, Embalse de 119 Td115
Montilla (Córd) 150 Vc123 ✉14550
▲Montilla, Sierra de 140 Xc121
Montillana (Gra) 152 Wb124 ✉18569
Montillas, Caserío (Sev) 149 Uc124
Montillón de Arriba (Pon) 15 Rd93
Montiró (Gir) 49 Da96
☆Montissión, Santuarí de (Bal) 99 Da112
Montizón (Jaé) 124 Wf118
☆Montizón, Castillo de 124 Wf117
≈Montizón, Río 139 We119
Montjoi (Gir) 49 Db95 ✉17480
☆Montjuïc, Castell de 49 Cf97
☆Montjuïc, Castell de 66 Ca100
Montllats, els (Cas) 80 Ze106
Montlleó (Lle) 46 Bc99
☆Montlleó 46 Ae97
≈Montlleó, Río 80 Ze106
▲Montlude 28 Ae92
▲Montlude, Serra deth 28 Ae92
Montmagastre (Lle) 46 Ba97 ✉25738
Montmajor (Bar) 47 Be96 ✉08612
Montmaneu (Bar) 65 Bc99 ✉08717
Montmany (Bar) 48 Cb98
☆Montmany, Castell de 48 Cb98
Montmell, el (Tar) 65 Bc101 ✉43718
Montmeló (Bar) 66 Cb99
▲Montmeneu 62 Ac100
Montmesa (Hues) 44 Zc96 ✉22811
Montnegre (Ali) 128 Zd118
Montnegre (Gir) 49 Cf97 ✉17242
Montnegre (Bar) 48 Cd98
▲Montnegre 63 Ab100
≈Montnegre, Río 128 Zc118
▲Montnegre, Serra de 48 Cd99
Montnegre de Dalt (Ali) 128 Zc118
▲Montolar 61 Ye99
Montoliu de Lérida = Montoliu de Lleida (Lle) 62 Ad99
Montoliu de Lleida (Lle) 62 Ad99 ✉25172
Montoliu de Segarra (Lle) 64 Bb99 ✉25217
Montón (Zar) 60 Yc101
Montonto (Cor) 3 Re89
☆Montora, Convento de 43 Za96
▲Montordi, Serra de 95 Ze107
Montoria (Ála) 23 Xb93 ✉01212
Montornés = Montornés de Segarra (Lle) 64 Bb99
☆Montornés, Castell de 95 Aa108
Montornés del Vallès (Bar) 66 Cb99
Montornés de Segarra (Lle) 64 Bb99
Montoro (Córd) 137 Vd120 ✉14600
≈Montoro, Embalse de 123 Vf117
≈Montoro, Río 123 Ve118
Montoro de Mezquita (Ter) 79 Zc104 ✉44559
Montoros, Cortijo de los (Jaé) 138 Wc121
Montoros, Los (Gra) 162 Wf127 ✉18495
Montortal (Val) 113 Zc113 ✉46250
Montoto (Bur) 21 Wb93 ✉09572
Montoto de Ojeda (Pal) 20 Vd92 ✉34486
Montouto (Lug) 4 Sc88 ✉27737
▲Montouto 17 Sf93
▲Montouto, Cordal de 3 Sa89
▲Montouto, Monte de 32 Re95
Montoxo (Cor) 3 Sa87 ✉15359
≈Montoya, Arroyo 54 Uc100
Montoyas, Los (Alb) 110 Xd113
▲Montoyo, Cruz de 93 Yd106
Montpalau (Lle) 47 Bc99 ✉25271
☆Montpalau, Castell de 48 Ce99
☆Montpalau, Castell de 48 Cd95
Montperler (Lle) 64 Ba99
▲Montpius, Pic de 28 Ae92
Montpolt (Lle) 47 Bc96 ✉25288
☆Mont-ral 48 Cb97
Mont-ral (Tar) 64 Ba101 ✉43364
Mont-ras (Gir) 49 Da97 ✉17253
Montreal = Mont-ral (Tar) 64 Ba101
Mont Reals (Bal) 98 Ce110
☆Mont-rodon 48 Cb97
Montroi (Val) 113 Zc112
Montroig = Mont-roig del Camp (Tar) 64 Af102 ✉43892
☆Mont-roig, Castell de 31 Cf94
Mont-roig del Camp (Tar) 64 Af102 ✉43300
Mont-ros (Lle) 28 Af94 ✉25512
☆Mont-ros, Castell de 48 Cd95
▲Montruequillo 89 Ve107
≈Montsant, Riu de 64 Ae101
▲Montsant, Serra de 64 Ae101
▲Montsec, Serra de 46 Ae96
▲Montsen 28 Ba94
Montseny (Bar) 48 Cc98 ✉08460
Montseny 48 Cc98
▲Montseny, Parc Natural del 48 Cb98
☆Montserbos, Capella de 46 Ae96
Montserrat (Bar) 65 Bf99
☆Montserrat, Monestir de = Monserrat, Monasterio de 65 Be99
▲Montsià 80 Ad105
▲Montsià, Serra de 80 Ad105
☆Montsianell 80 Ad104
Montsonís (Lle) 46 Ba97
Montsor (Lle) 46 Af95 ✉25513
☆Montsoriu, Castell de 48 Cd98
Montuenga (Bur) 39 Wb96 ✉09390
Montuenga (Seg) 73 Vc102 ✉40464
Montuenga de Soria (Sor) 59 Xe101 ✉42259
Montuerto (Leó) 19 Ud91 ✉24846
Montuïri (Bal) 99 Cf111
Monturque (Córd) 150 Vc124 ✉14930
▲Monturull, Pic de 29 Bd94
▲Monturull, Pic de (AND) 29 Bd94
Monumenta (Zam) 54 Tf100 ✉49215
Moñux (Sor) 59 Xd99 ✉42218
▲Monyido, Pic 28 Ae93
Monzalbarba (Zar) 61 Za98 ✉50120
Monzo (Cor) 15 Rc90
Monzón (Hues) 45 Ab97
☆Monzón, Ermita de 39 Wb98
Monzón de Campos (Pal) 38 Vd96
Mopagán, El (Mál) 159 Vb128
Mora (Tol) 108 Wb110 ✉45400
Móra (Bar) 48 Cb98
Mora, Caserío de la (Bad) 118 Ta116
☆Mora, Castillo de 108 Wb110
☆Mora, Castillo de La 44 Ac97
Mora, La (Hues) 44 Ac97
Mora, La (Hues) 44 Ad95
Móra, la (Gir) 49 Cf96
Móra, la (Lle) 64 Bb99
▲Mora, Puerto de la 152 Wd125
≈Mora, Río de 94 Zb107
☆Mora, Torre de la 46 Ba97
Mora Baja, La (Zar) 25 Ye94
Morabios, Los (Alb) 112 Yd114
Móra Comdal, la (Lle) 46 Bc96
Morade (Lug) 16 Sd94
Móra d'Ebre (Tar) 62 Ad102
Mora de Luna (Leó) 18 Ua92 ✉24149
Mora de Montañana, La (Hues) 44 Ad95
Mora de Rubielos (Ter) 94 Zb107 ✉*44400
Mora de Santa Quiteria (Alb) 127 Yc117 ✉02513
≈Moradillo, Río 22 Wb92
Moradillo del Castillo (Bur) 21 Wa92 ✉09143
Moradillo de Roa (Bur) 57 Wb99 ✉09462
Moradillo de Sedano (Bur) 22 Wb92 ✉09142
▲Moraime 2 Qe90
Moraime (Cor) 2 Qe90
Moraina (Mur) 141 Yd121
Moraira (Ali) 129 Aa116 ✉03724
▲Moraira, Punta de 128 Aa116
Moral, El (Mur) 140 Xe121 ✉30413
Moral, El (Bad) 119 Te118
☆Moral, Ermita del 9 Ve89
Morala, La (Bad) 120 Ub117
Móra la Nova (Tar) 64 Ad102
Moral de Calatrava (Ciu) 124 Wc116 ✉13350
Moral de Castro (Sal) 71 Tf103
Moral de Hornúez (Seg) 57 Wc100
Moral de la Reina (Vall) 37 Uf97 ✉47691
Moral del Condado (Leó) 19 Ud93 ✉24155
Moral de Órbigo (Leó) 18 Ua94
Moral de Sayago (Zam) 54 Tf100 ✉49254
Moraleda de Zafayona (Gra) 151 Wa126 ✉18370
Moraleja (Các) 85 Tc108 ✉10840
Moraleja, La (Mad) 75 Wc105
Moraleja, La (Cue) 92 Xf107
≈Moraleja, Rivera de 54 Ua101
▲Moraleja, Sierra de la 121 Uf116
Moraleja de Coca (Seg) 56 Vc102 ✉40461
Moraleja de Cuéllar (Seg) 56 Ve100
Moraleja de Enmedio (Mad) 89 Wa107 ✉28950
Moraleja de Huebra (Sal) 71 Ua104 ✉37607
Moraleja de las Panaderas (Vall) 55 Vb101
Moraleja del Vino (Zam) 54 Uc100 ✉49150
Moraleja de Matacabras (Ávi) 55 Va102 ✉05299
Moraleja de Sayago (Zam) 54 Tf101 ✉49177
Moralejo (Mur) 140 Xf121 ✉30412
▲Moralejo 140 Xd121
Moralejo, El (Gra) 152 Wd124
Moralejo, El (Cue) 91 Xb107
≈Moralejos, Río 21 Vf93
Morales (Rio) 40 Wf94 ✉26259
Morales (Sor) 58 Xa100 ✉42366
▲Morales, Alto de los 75 Wb105
Morales, Cortijada Los (Alm) 163 Xe126
Morales, Cortijo de los (Mur) 141 Ya123
Morales, Cortijo de los (Bad) 120 Te116
≈Morales, Embalse de los 88 Vc107
Morales, Los (Gra) 160 Wa127
Morales, Los (Gra) 161 Wd128
Morales, Los (Alb) 126 Xf114
Morales de Arcediano (Leó) 18 Tf94
Morales de Arriba, Caserío Los (Ter) 94 Za108
Morales de Campos (Vall) 37 Ue97 ✉47811
Morales de las Cuevas, Caserío (Zam) 36 Uc96
Morales del Vino (Zam) 54 Ub100 ✉49190
Morales de Rey (Zam) 36 Ub96
Morales de Toro (Zam) 55 Ue99 ✉49810
Morales de Valverde (Zam) 36 Ua97 ✉49697
Morales-Santa María (Mál) 158 Uf128
Morales-Santa María, Los (Mál) 158 Ue128
Moralet (Ali) 128 Zc118 ✉03699
Moralico, El (Jaé) 125 Xb118
Moralina (Zam) 54 Tf100 ✉49253
Moralita, La (Sal) 71 Te103 ✉37216
Moralzarzal (Mad) 74 Wa104 ✉28411
Morán (Zar) 43 Zb95
Moraña (Pon) 15 Rc93
Morana, la (Lle) 46 Bb98 ✉25211
Morancelle (Cor) 14 Qe91 ✉15138
Moranchel (Gua) 76 Xc104 ✉19491
☆Moraniña, Convento de 147 Tc125
Morante (Bad) 104 Tc114
Morañuela (Ávi) 73 Va104 ✉05350
Moras (Alm) 154 Xf126 ✉04279
Morás (Lug) 4 Sd86
Morasverdes (Sal) 71 Te105 ✉37590
Morata de Jalón (Zar) 60 Yd100
Morata de Jiloca (Zar) 60 Yc101 ✉50344
Morata de Tajuña (Mad) 90 Wd107 ✉28530
Moratalaz (Mad) 75 Wc106
☆Moratalaz, Castillo de 124 Wd114
Moratalla (Mur) 141 Ya119 ✉30440
Moratalla (Córd) 135 Ue122 ✉14749
▲Moratalla, Muela de 140 Ya119
▲Moratilla 58 We100
▲Moratilla, La 94 Zd110
Moratilla de Henares (Gua) 76 Xb102 ✉19267
Moratilla de los Meleros (Gua) 76 Xa106 ✉19144
Moratinos (Pal) 37 Va94 ✉34349
▲Moratón, El 92 Yb107
Moratones (Zam) 36 Ua96
Moraxel (Ali) 128 Zb118
Moraza (Bur) 23 Xb92 ✉01211
Morcat (Hues) 27 Aa94
Morche (Mál) 160 Wa128
Morcilla, Cortijo La (Alm) 155 Yb125
Morcillar, El (Alb) 126 Xe118
Morcillo (Các) 86 Td108 ✉10811
Morcillo, Cortijo (Sev) 149 Ud126
☆Morcillo, Hoya del (Ten) 173 C2
Morcillos, Los (Alb) 110 Xd114
Morcín = Santa Eulalia (Ast) 6 Ua89
Morconcillo, El (Córd) 121 Ue118
Morcuera (Sor) 58 We100 ✉42340
▲Morcuera, Puerto de la 74 Wa104
▲Morcuera, Sierra de la 74 Wb103
Moreaga (Viz) 11 Xa88 ✉48600
Moreda (Gra) 152 We124 ✉18540
Moreda (Ast) 7 Ub89
Moreda (Lug) 17 Sf93
Moreda (Leó) 17 Tb92 ✉24436

Moreda, Río de 16 Sb 92
reda de Álava (Ála) 23 Xd 93
redo (Lug) 16 Sa 91 ⊠ 27205
loredo, Pic de 28 Ba 92
reira (Pon) 15 Rd 92
reira (Lug) 16 Sa 91 ⊠ 27142
reiras (Our) 33 Sa 95
relábor (Gra) 152 We 124
rell, el (Tar) 64 Bb 101 ⊠ 43760
rella (Cas) 80 Zf 105 ⊠ 12300
Morella, la 65 Bf 101
rellana (Córd) 151 Ve 123
⊠ 14880
rella Vell (Bal) 96 Eb 109
Morena 134 Te 120
rena, Caserío de la (Sev)
158 Ue 126
renilla (Gua) 78 Yb 104 ⊠ 19328
reno, Cortijo (Gra) 160 Vf 126
reno, Cortijo del (Gra)
139 Xa 122
Moreno, Puig 62 Ze 102
renos, Cortijo de los (Gra)
140 Xd 121
renos, Los (Mur) 142 Ye 122
⊠ 30333
renos, Los (Alb) 140 Xd 119
Morenos, Los 140 Xd 121
renos, Los (Córd) 135 Ud 120
⊠ 14299
reños de Camachos, Los (Mur)
142 Za 122
réns (Hues) 28 Ad 94
rente (Córd) 137 Vd 121
⊠ 14659
rentin (Nav) 24 Xf 93 ⊠ 31264
rera, La (Bad) 119 Tc 117
⊠ 06176
rera de Montsant, la (Tar)
64 Af 101 ⊠ 43361
reras (Sal) 54 Ua 102
reras (Các) 85 Ta 109
reras, Las (Ali) 143 Zb 120
reras, Las (Mur) 142 Ye 123
⊠ 30877
Moreras, Sierra de las 155 Yd 123
Moreres, les 64 Af 101
reria, La (Bal) 98 Ce 112
reruela de los Infanzones (Zam)
54 Ub 99 ⊠ 49731
reruela de Tábara (Zam)
36 Ua 98
rés (Zar) 60 Yc 100
Morés 60 Yc 100
reta, la (Gir) 47 Ca 96
Moretas, Las (Palm) 175 D 4
rga (Viz) 11 Xb 89 ⊠ 48115
rgade (Lug) 16 Sc 93
rgade (Our) 33 Sb 96
Morgaz, Cabeza 89 Vf 108
rgovejo (Leó) 20 Va 91 ⊠ 24884
oriana (Bur) 22 Wf 92 ⊠ 09219
oriles (Córd) 150 Vc 124 ⊠ 14510
orilla (Hues) 45 Aa 97 ⊠ 22415
rilla de los Oteros (Leó) 37 Ud 94
⊠ 24223
orillas (Pon) 15 Rd 93
orillas (Ála) 23 Xa 92 ⊠ 01428
Morillas, Risco de las 88 Uf 107
orillas de Albánchez, Los (Alm)
154 Xc 125
orille (Sal) 72 Ub 104 ⊠ 37183
orillejo (Gua) 76 Xd 104 ⊠ 19492
orillo de Liena (Hues) 44 Ac 94
⊠ 22462
orillo de Monclús (Hues) 45 Ab 94
orillo de San Pietro (Hues)
27 Aa 94 ⊠ 22347
orillo de Tou (Hues) 27 Aa 94
⊠ 22395
oriñigo (Sal) 72 Ud 103 ⊠ 37337
oriones (Nav) 25 Yd 93 ⊠ 31491
oripol (Lle) 47 Be 95
morisco, Castillo de 56 Vc 101
orisco, Cortijo del (Sev)
149 Ud 125
oriscos (Mál) 159 Vd 127
Moriscos (Palm) 174 C 2 ⊠ 35280
oriscos (Sal) 72 Uc 102 ⊠ 37430
oriscote (Alb) 126 Ya 117 ⊠ 02139
orla de la Valdería (Leó) 35 Te 95
Morlanda, Cala (Bal) 99 Dc 111
ormontelos (Our) 34 Se 95
Moro 138 Wb 119
Moro 139 Xb 121
Moro, Cap dés (Bal) 99 Db 112
Moro, Cerro del 151 Ve 125
Moro, Coll del 62 Ac 102
loro, Cortijo del (Mál) 158 Ue 129
loro, Cortijo del (Gra) 139 Xb 121
≈ Moro, Embalse del 141 Yd 119
≈ Moro, Laguna del 120 Ub 118
Moro, Platja del 96 Ab 107
Moro, Playa del (Palm) 175 F 1
Moro, Punta del (Ten) 171 B 2
≈ Moro, Rambla del 127 Ye 119
≈ Moro, Río 19 Ud 93
≈ Morollón, Río 152 We 125
lorón de Almazán (Sor) 59 Xd 100
Morón de la Frontera (Sev)
149 Ud 126
Morones, Los (Gra) 161 We 127
Moronta (Sal) 71 Td 103 ⊠ 37258
Moropeche (Alb) 125 Xd 118
Moror (Lle) 46 Af 96 ⊠ 25632
▲ Moros 10 Wc 88
Moros (Zar) 60 Yb 100 ⊠ 50215
≈ Moros, Arroyo de 153 Xb 125
≈ Moros, Arroyo de los 90 We 109
☆ Moros, Castell dels 129 Zf 116
☆ Moros, Cova dels 64 Ae 100
≈ Moros, Ríos 74 Ve 103
☆ Moros, Roca dels 80 Ab 103
▲ Moros, Sierra de los 79 Zb 103
Morpeguite (Cor) 2 Qe 90 ⊠ 15125
Morquera (Sal) 55 Ue 102
Morqui (Val) 129 Ze 115
▲ Morra 122 Vc 117
▲ Morral del Buitre 80 Aa 106
Morrano (Hues) 44 Zf 95 ⊠ 22141
Morredero (Leó) 35 Td 94
Morriondo (Leó) 18 Ua 93 ⊠ 24397
▲ Morro, El 135 Uc 119
▲ Morro, El 58 We 101
Morro, El (Mad) 89 Ve 106 ⊠ 28695
▲ Morro Alto (Palm) 175 D 3
≈ Morro Alto, Caleta de (Palm)
176 D 1
▲ Morro de la Vieja, Punta (Palm)
174 D 1
▲ Morro del Cocón 140 Ya 122
▲ Morro Jable = Matorral, Punta del
(Palm) 174 C 5 ⊠ 35625
▲ Morrón 141 Yc 121
☆ Morrón 91 Wf 109
Morrón, Cortijo del (Córd)
137 Ve 121
▲ Morro Negro (Palm) 175 D 3
▲ Morro Negro (Palm) 175 D 4
▲ Morronegro 18 Tf 90
▲ Morrones 127 Ye 117
▲ Morros, Los (Palm) 175 E 2
☆ Mortara, Castillo de 108 Ve 114
Mortera (Can) 9 Wa 88 ⊠ 39120
Mortera, La (Ast) 5 Tc 89 ⊠ 33785
Mortereta, Cortijo de (Mur)
142 Ye 120
Morteruelo, El (Alb) 127 Ye 116
Mortesante (Can) 10 Wb 89
⊠ 39723
▲ Mortillano 10 Wc 89
Morvedre Nou (Bal) 96 Df 109
Mos (Lug) 4 Sc 90 ⊠ 27268
Mos (Pon) 32 Rc 95
Mosarejos (Sor) 58 Wf 100 ⊠ 42315
Moscardón (Ter) 93 Yc 106
Moscari (Bal) 99 Cf 110 ⊠ 07314
≈ Moscas, Río 92 Xf 109
Moscas del Páramo (Leó) 36 Ub 95
Moscolux (Alm) 162 Xd 127
⊠ 04560
Moscosa y Gusende (Sal) 54 Tf 102
▲ Mosegos, Punta (Palm) 176 C 1
Mosende (Lug) 4 Sc 86
Mosexos (Our) 34 Sf 96 ⊠ 32554
Moslares de la Vega (Pal) 20 Vb 94
⊠ 34126
Mosquera, Cortijo (Córd)
135 Ud 121
Mosqueres, les (Cas) 95 Zf 107
Mosqueroles (Bar) 48 Cc 98
⊠ 08470
Mosqueruela (Ter) 79 Zd 106
⊠ 44410
▲ Mosqueruela, Puerto de
80 Zd 106
Mosquete (Cor) 14 Ra 92 ⊠ 15992
≈ Mosquil, Embalse de el
120 Tf 118
▲ Mosquitos, Punta de los (Palm)
176 D 1
☆ Mosquits, Cova dels 46 Ba 96
Mossén Joan (Ali) 128 Zb 117
▲ Mossons, Cap des (Bal)
97 Bc 114
Mosteiro (Lug) 4 Sd 90
Mosteiro (Lug) 4 Se 90
Mosteiro (Pon) 14 Rb 93
Mosteiro (Lug) 17 Ta 90
Mosteiro (Lug) 16 Sc 90
☆ Mosteiro 16 Se 92
Mosteiro (Our) 33 Rf 96
Mosteiro (Pon) 32 Rc 95
☆ Mosteiro 32 Rd 95
Mosteirón (Our) 15 Sa 93
Mosteiros (Leó) 17 Ta 93 ⊠ 24521
Móstoles (Mad) 89 Wa 107
☆ Mota, Castillo árabe de la
151 Wa 124
☆ Mota, Castillo de la 55 Va 101
Mota, la (Gir) 49 Ce 96 ⊠ 17843
Mota de Altarejos (Cue) 92 Xe 109
⊠ 16780
Mota del Cuervo (Cue) 110 Xa 112
⊠ 16630
Mota del Marqués (Vall) 55 Ue 99
Motel del Cisne (Zar) 61 Yf 99
▲ Motilla 121 Uf 115
Motilla del Palancar (Cue)
111 Ya 111 ⊠ 16200
Motilleja (Alb) 111 Yb 113 ⊠ 02220
Motos (Gua) 78 Yc 105 ⊠ 19320
Motril (Gra) 161 Wc 128 ⊠ 18600
▲ Motril, Playa de 161 Wc 128
Moucho (Cor) 2 Rc 89
Moucide (Lug) 4 Sd 87
Mougán (Lug) 16 Sc 91
Mougás (Pon) 32 Ra 96 ⊠ 36309
Mourazos (Our) 34 Sd 97 ⊠ 32697
Mourelle (Cor) 14 Rb 90 ⊠ 15847
Mourelos (Pon) 14 Ra 94
Mourelos (Lug) 16 Sb 93 ⊠ 27548
Mourentán (Pon) 32 Re 96 ⊠ 36437
Mourigade (Pon) 32 Rd 95
Mourisca (Our) 34 Sf 95
Mouriscados (Pon) 32 Rd 95
Mouromorto (Lug) 16 Sb 91
Moveros (Zam) 53 Te 99
Movilla (Bur) 22 Wd 93 ⊠ 09246
Moya (Palm) 174 C 2 ⊠ 35420
Moya (Cue) 93 Yd 109
Moyaga, La (Huel) 147 Sf 125
Moyana, Cortijo de la (Córd)
137 Vd 122
Moyuela (Zar) 61 Za 102 ⊠ 50143
≈ Moyuela, Río 61 Za 102
Mozaga (Palm) 176 C 3 ⊠ 35561
▲ Mozagro, Pico de 9 Vf 89
Mozaira, La (Val) 94 Yf 110
Mozar (Zam) 36 Ub 97
Mozárbez (Sal) 72 Uc 103
Mozares (Bur) 22 Wc 91 ⊠ 09555
▲ Mozarra, La 36 Uc 97
Mozas, Cortijo de las (Sev)
150 Uf 125
Mozodiel (Sal) 54 Tf 102
Mozodiel del Camino (Sal)
72 Uc 102 ⊠ 37798
Mozodiel de Sachíñigo (Sal)
72 Ub 102
Mozoncillo (Seg) 56 Ve 102
⊠ 40250
Mozoncillo de Juarros (Bur)
39 Wc 95 ⊠ 09198
Mozoncillo de Oca (Bur) 40 Wd 94
⊠ 09258
Mozóndiga (Leó) 19 Ub 94
▲ Mozorrita 93 Yb 110
▲ Mozos, Playa de los (Ten) 173 B 2
Mozos de Cea (Leó) 20 Uf 93
⊠ 24172
Mozota (Zar) 61 Yf 100 ⊠ 50440
Mozuelos (Bur) 21 Wb 92 ⊠ 09142
Muchachos (Sal) 71 Ua 102
▲ Muchachos, Roque de los (Ten)
171 B 2
Mucientes (Vall) 56 Vb 98 ⊠ 47194
▲ Muda (Palm) 175 E 2
Mudapelos (Sev) 148 Ua 123
Mudapelos, Cortijo de (Jaé)
137 Vf 121
▲ Mudarra, Cerros de la 91 Xb 107
Mudarra, La (Vall) 37 Va 98
⊠ 47630
☆ Mudela, Castillo de 124 Wc 117
Mudos, Los (Val) 93 Ye 108
Mudrián (Seg) 56 Vd 101
Muduex (Gua) 76 Xa 104 ⊠ 19196
▲ Muedo, Sierra del 59 Xd 101
Muel (Zar) 61 Yf 100 ⊠ 50450
▲ Muela 23 Xd 93
▲ Muela 39 Wc 96
▲ Muela 58 Wd 99
▲ Muela 60 Ya 101
▲ Muela 79 Zb 105
Muela (Các) 86 Te 107 ⊠ 10638
▲ Muela 94 Yf 109
Muela, Caserío La (Pal) 38 Vb 97
☆ Muela, Castell la 95 Zd 108
☆ Muela, Castillo de la 42 Ya 97
▲ Muela, El Llano de la 59 Xe 100
≈ Muela, Embalse, La 113 Za 113
Muela, La (Cád) 164 Ua 131
Muela, La (Cád) 158 Ud 127
Muela, La (Jaé) 140 Xd 119
⊠ 23296
Muela, La (Val) 113 Za 114
▲ Muela, La 111 Yb 112
Muela, La (Sor) 58 Xb 99 ⊠ 42294
▲ Muela, La 58 We 100
Muela, La (Zar) 61 Yf 99 ⊠ 50196
▲ Muela, La 93 Yc 108
▲ Muela, La 94 Zc 109
▲ Muela, Llano de la 77 Xe 104
▲ Muela, Sierra de la 142 Yf 123
▲ Muela, Sierra de la 141 Yd 120
▲ Muela, Sierra de la 61 Yf 99
▲ Muela, Sierra de la 76 Xb 102
▲ Muela Alta, La 79 Yf 105
▲ Muelas, Sierra de las 140 Xf 120
Muelas de los Caballeros (Zam)
35 Te 96 ⊠ 49341
Muelas del Pan (Zam) 54 Ua 99
⊠ 49167
Muergas (Bur) 23 Xb 92 ⊠ 09215
▲ Muerto, Cerro 40 We 96
▲ Muerto, Playa del (Ten) 173 F 3
▲ Muertos, Playa de los (Palm)
175 D 3
▲ Muertos, Punta de los 163 Ya 127
Mués (Nav) 24 Xe 93
Muez (Nav) 24 Ya 92 ⊠ 31176
▲ Muga, Alto de la 42 Yb 97
≈ Muga, el 31 Ce 95
≈ Muga, la 49 Da 95
Muga de Alba (Zam) 54 Tf 98
⊠ 49543
Muga de Sayago (Zam) 53 Te 100
⊠ 49212
Mugardos (Cor) 3 Re 88 ⊠ 15620
Mugares (Our) 33 Sa 95 ⊠ 32930
Mugiro (Nav) 24 Ya 91
▲ Mugrón, Sierra del 127 Ye 115
Mugueimes (Our) 33 Sa 97
⊠ 32880
Mugueta (Nav) 25 Ye 92 ⊠ 31481
≈ Mugueta, la 31 Da 95
Muguetajarra (Nav) 25 Yd 92
Muimenta (Lug) 4 Sd 89 ⊠ 27377
Muimenta (Pon) 15 Rf 92
Muimenta (Pon) 15 Rc 93
Muimenta (Our) 34 Sd 97
Muiña (Lug) 4 Se 90
▲ Muiño, Praia do 32 Ra 97
Muiños (Cor) 2 Qe 90
Muíños (Our) 33 Sa 97
▲ Muiños, Praia dos 32 Rb 95
▲ Muíños, Praia dos 6 Td 87
Mujal, el (Bar) 47 Bf 97
▲ Mujer, Canto de la 73 Vc 106
Mujer, La (Alm) 162 Xb 128
▲ Mujer, Playa de la (Palm) 175 D 2
▲ Mujeres, Playa (Palm) 176 B 4
▲ Mujer Muerta 36 Ua 97
Mula (Mur) 141 Yd 120 ⊠ 30170
≈ Mula, Río 142 Yd 120
▲ Mula, Val de la 35 Te 95
Mula Hermosa (Gua) 75 Wf 105
▲ Mulato, Playas del (Ten) 173 B 2
☆ Mulba, Castillo de la 135 Ub 122
Mulera Bujeos (Cád) 158 Ud 129
Muleras, Las (Córd) 136 Vb 119
Mulería, La (Alm) 155 Yb 125
≈ Muleteros, Pantano de los
110 Xb 112
▲ Mulhacén 161 We 126
≈ Mulhacén, Río 161 Wd 127
Muller (Lle) 46 Af 98
Muller (Lle) 46 Bb 98
Mullidar (Alb) 126 Ya 117 ⊠ 02142
Muña, La (Jaé) 137 Wa 122
Munaín (Ála) 23 Xd 91
Munain = Munaín (Ála) 23 Xd 91
⊠ 01207
Muñana (Ávi) 73 Uf 105 ⊠ 05540
Munárriz (Nav) 24 Ya 92
Muñás (Ast) 6 Td 88
Muncó (Ast) 7 Uc 88
Mundaka (Viz) 11 Xb 88 ⊠ 48360
Mundilla (Bur) 21 Vf 92 ⊠ 09127
Mundín (Our) 15 Rf 94
▲ Mundo, Calar del 125 Xd 118
≈ Mundo, Río 126 Xf 117
Mundos, Los (Alm) 154 Xf 124
Mundóval (Bur) 22 Wb 91
Munébrega (Zar) 60 Yb 101
Muñeca (Pal) 20 Vb 92
Muñecas (Sor) 40 We 98 ⊠ 42142
Muñecas, Las (Leó) 20 Uf 91
⊠ 24886
▲ Muñecas, Puerto de Las 10 Wf 89
☆ Muñecos, Cueva de los
124 Wd 118
Munera (Alb) 110 Xd 114
Munera (Alb) 110 Xc 114
Muñera (Ast) 7 Uc 89 ⊠ 33991
Muneta (Nav) 24 Xf 92 ⊠ 31290
Múñez (Ávi) 73 Va 105
Mungía (Viz) 11 Xa 88
▲ Munhoa 13 Ye 90
Múnia, la (Bar) 65 Bd 101
Muniáin (Nav) 24 Ya 92
Muniain de la Solana (Nav) 24 Xf 93
⊠ 31264
Muniasoro (Gui) 12 Xe 89
Munibáñez (Alb) 126 Yc 115
Munición, Cortijo de (Cád)
158 Uf 127
Muñico (Ávi) 73 Uf 104 ⊠ 05145
Muniesa (Ter) 79 Zb 102 ⊠ 44780
Muniferral (Cor) 3 Rf 89
Munilla (Bur) 21 Wb 91
Munilla (Rio) 41 Xe 95 ⊠ 26586
≈ Munilla, Pantona 41 Xe 95
Muñique (Palm) 176 C 3 ⊠ 35558
Muñís (Lug) 17 Ta 91 ⊠ 27652
Munitibar (Viz) 11 Xc 89 ⊠ 48381
Munitibar-Arbatzegi Gerrikaitz (Viz)
11 Xc 89 ⊠ 48381
Muñó (Ast) 7 Uc 88
Muñoces, Los (Mur) 142 Ye 122
Muñochas (Ávi) 73 Va 105 ⊠ 05520
Muñogalindo (Ávi) 73 Va 105
⊠ 05530
Muñogrande (Ávi) 73 Va 104
⊠ 05309
Muñomer del Peco (Ávi) 73 Va 103
⊠ 05358
Muñón Cimero (Ast) 6 Ua 89
Muñopedro (Seg) 73 Vd 103
⊠ 40145
Muñopepe (Ávi) 73 Vb 105 ⊠ 05192
Muñorrodero (Can) 8 Vd 88
⊠ 39594
Muñosancho (Ávi) 73 Uf 103
⊠ 05380
Muñotello (Ávi) 73 Uf 105 ⊠ 05560
Muñoveros (Seg) 57 Wa 101
⊠ 40183
Muñoyerro (Ávi) 73 Va 104 ⊠ 05357
Muñoz (Sal) 71 Te 104 ⊠ 37493
Muñoz, Cortijo de (Ciu) 124 Wd 118
Muñozas, Cortijo de las (Ciu)
124 We 117
Muntanyeta, la (Val) 113 Zc 114
Muntanyeta dels Sants (Val)
114 Ze 113
Muntanyola (Bar) 48 Cb 97 ⊠ 08505
Muntells, els (Tar) 80 Ae 104
⊠ 43879
Múnter (Bar) 48 Cb 97
▲ Munts, els 48 Ca 96
Mura (Bar) 47 Bf 98 ⊠ 08278
Murada, La (Ali) 142 Za 119
⊠ 03315
☆ Muralla 105 Ua 112
Muralla, Cortijo de la (Gra)
152 Wd 124
▲ Murallón de Amuesa, El 8 Va 89
Muras (Lug) 4 Sb 88
Murás (Pon) 15 Re 93
Murchante (Nav) 42 Yc 96 ⊠ 31521
Murchas (Gra) 161 Wc 127
⊠ 18656
Murcia (Mur) 142 Yf 121 ⊠ *30001
▲ Murcia, Pico 20 Vb 91
Murero (Zar) 60 Yd 102 ⊠ 50366
Mures (Jaé) 152 Wb 124 ⊠ 23686
≈ Mures, Río 152 Wb 124
Murga (Ála) 22 Wf 90 ⊠ 01479
Murguia (Ála) 23 Xb 91 ⊠ 01130
Muria, La (Hues) 28 Ad 94 ⊠ 22470
Murias (Ast) 6 Tf 88
Murias (Ast) 6 Ua 90
Murias (Lug) 17 Ta 91
Murias (Ast) 19 Uc 90
Murias (Zam) 35 Tc 96 ⊠ 49359
Murias, Las (Ast) 6 Tf 89 ⊠ 33785
▲ Murias, Sierra de 19 Uf 91
Murias de Paredes (Leó) 18 Te 91
⊠ 24130
Murias de Pedredo (Leó) 18 Te 94
⊠ 24720
▲ Murias y Santibáñez, Cordal de
19 Uc 90
Muriedas (Can) 9 Wa 88 ⊠ 39600
Muriel (Gua) 75 We 103 ⊠ 19225
Muriel, Caserío (Mál) 151 Vd 126
Muriel de la Fuente (Sor) 58 Xa 98
⊠ 42193
Muriel de Zapardiel (Vall) 55 Va 102
⊠ 47219
Muriellos (Ast) 6 Ua 89
▲ Muriellos, Sierra de 5 Tb 89
Muriel Viejo (Sor) 40 Xa 98 ⊠ 42148
≈ Muriel Viejo, Río 58 Xa 98
Murieta (Nav) 24 Xf 93 ⊠ 31280
Murillo (Nav) 24 Ya 92
Murillo, Cortijo de (Sev) 149 Ub 123
☆ Murillo, Ermita de 165 Ud 132
Murillo-Berroya (Nav) 25 Ye 92
Murillo de Calahorra (Rio) 42 Ya 94
⊠ 26500
Murillo de Gállego (Zar) 43 Zb 94
Murillo de las Limas (Nav) 42 Yc 96
Murillo de Lónguida (Nav) 25 Yd 92
Murillo de Río Leza (Rio) 41 Xe 94
Murillo El Cuende (Nav) 42 Yc 94
⊠ 31391
Murillo el Fruto (Nav) 42 Yd 94
⊠ 31313
Murillos, Cortijo Los (Alm)
153 Xa 126
Murla (Ali) 129 Zf 116 ⊠ 03792
Muro (Bal) 99 Da 110 ⊠ 07440
Muro (Hues) 27 Zf 94
Muro (Hues) 27 Aa 94
≈ Muro, Laguna de 14 Qf 93
Muro de Ágreda (Sor) 42 Ya 98
Muro de Aguas (Rio) 41 Xf 96
⊠ 26587
Muro del Acoy = Muro del Comtat
(Ali) 128 Zd 116
Muro del Comtat (Ali) 128 Zd 116
Muro de Roda (Hues) 45 Ab 94
Muro en Cameros (Rio) 41 Xc 95
Muros (Ast) 6 Tf 87
Muros (Cor) 14 Qf 92 ⊠ 15250
Muros, Cortijo de (Gra) 153 Wf 124
Muros de Nalón (Ast) 6 Tf 87
Muros de Nalón = Muros (Ast)
6 Tf 87
≈ Muros e Noia, Ría de 14 Qf 92
☆ Murta 114 Zd 114
≈ Murta, Cala (Bal) 96 Eb 109

Murta, La (Mur) 142 Ye 122 ⊠30153
▲Murta, Serra de la 114 Ze 114
▲Murta, Serra de sa (Bal) 97 Bc 115
Murtales, Los (Huel) 134 Td 120
Murtas (Gra) 161 Wf 127 ⊠18490
Murtas, Las (Mur) 141 Ya 119 ⊠30420
Murtera, Es (Bal) 99 Da 110
≈Murtigão, Barragem de 133 Sf 120
≈Murtigas, Río 133 Ta 120
▲Muru 25 Ye 92
Murúa (Ála) 23 Xb 91
Muruarte de Reta (Nav) 24 Yc 93 ⊠31398
Muru-Astráin (Nav) 24 Yb 92
Murueta (Viz) 11 Xb 88 ⊠48394
Murugarren (Nav) 24 Xf 92 ⊠31292
Muruzábal (Nav) 24 Yb 92
Muruzábal de Andión (Nav) 24 Ya 93
Musara, la = Mussara, la (Tar) 64 Ba 101
Musel-Arnao (Ast) 7 Uc 87
☆Museo arquelógico (Palm) 175 D 3
▲Musera, Peña 25 Yf 93
Museros (Val) 114 Zd 111 ⊠46136
Mushara (Ali) 129 Zf 117
Música, Cortijo de la (Jaé) 138 Wc 122
Musitu (Ála) 23 Xd 92 ⊠01129
Muskiz (Viz) 10 Wf 89 ⊠48550
▲Mussara 64 Ba 101
Mussara, la (Tar) 64 Ba 101
▲Mussara, Serra de la 64 Ba 101
Musser (Lle) 29 Bd 94 ⊠25726
▲Mustalla, Serra de 129 Zf 115
Mustio, El (Huel) 133 Sf 121
Mutil Baja/Mutiloabeiti (Nav) 25 Yc 92
Mutiloa (Gui) 24 Xe 90 ⊠20214
Mutriku (Gui) 11 Xd 89 ⊠20830
Mutxamel (Ali) 128 Zd 118 ⊠03110
▲Mutxavista, Platja 128 Zd 118
Muxía (Cor) 2 Qe 90
Muxika (Viz) 11 Xb 89 ⊠48392
Muyo, El (Seg) 58 We 101 ⊠40510
Muzqui (Nav) 24 Ya 92 ⊠31291
Muzqui-Iriberri (Nav) 25 Yc 93

N

Nabarniz (Viz) 11 Xc 89 ⊠48312
Nabarte (Nav) 13 Yc 90
Nabiners (Lle) 29 Bc 95 ⊠25713
≈Nabón, Río 22 We 91
Nachá (Hues) 44 Ac 97
Nacimiento (Alm) 162 Xc 126 ⊠04540
Nacimiento, Cortijo del (Gra) 139 Xb 121
Nacimiento, El (Córd) 151 Vd 124 ⊠14950
≈Nacimiento, Río 143 Za 121
☆Nacimiento del Río Cuervo 77 Ya 106
Nacimientos, Los (Jaé) 138 Wd 123
Nadela (Lug) 16 Sd 91 ⊠27160
Naela, Cortijo de (Mál) 159 Vb 129
Naens (Lle) 46 Af 95 ⊠25514
Nafarrate (Ála) 23 Xb 91
☆Nafonso, Ponte 14 Ra 92
▲Nafría, Sierra de 58 Wf 98
Nafría de Ucero (Sor) 58 Wf 98
Nafría la Llana (Sor) 58 Xb 99
≈Nágima, Río 59 Xf 100
Nagol (AND) 29 Bd 94
Nagore (Nav) 25 Yd 91 ⊠31438
▲Na Guillemass (Bal) 96 Ea 108
Naharros (Gua) 58 Xa 102 ⊠19278
Naharros (Cue) 91 Xc 108 ⊠16162
Naharros de Valdunciel (Sal) 54 Uc 102 ⊠37798
▲Najajunde 121 Uc 117
Najara (Cád) 164 Ua 131
Nájera (Rio) 40 Xb 94
☆Nájera, Palacio 159 Vc 126
≈Najerilla, Río 40 Xa 95
Najurieta (Nav) 25 Yd 92 ⊠31422
Nalda (Rio) 41 Xd 95 ⊠26190
Nalec (Lle) 64 Ba 99 ⊠25341
≈Nalón, Río 7 Ud 89
Na Macare (Bal) 96 Eb 108
Nambroca (Tol) 89 Wa 110 ⊠45190
▲Nambroca, Sierra de 89 Wa 110
☆N'Amer, Castell de (Bal) 99 Dc 111
Nanclares de Gamboa (Ála) 23 Xc 91
Nanclares de la Oca (Ála) 23 Xb 92 ⊠01230
Nande (Cor) 2 Qf 90
Nande (Pon) 32 Rb 96
▲Nando 138 We 121
≈Nansa, Río 9 Vd 89
▲Nao, Punta de la (Bal) 99 Da 109
▲Naos, Pico (Palm) 176 B 4
▲Naos, Roque des (Ten) 173 B 3
Napal (Nav) 25 Ye 92 ⊠31454
Naquer (Jaé) 138 Wc 120
Náquera (Val) 114 Zd 111
☆Naraio, Castelo de 3 Rf 88
Naranco (Ast) 6 Ua 88
▲Naranco, Sierra del 6 Ua 88
▲Naranjal, Sierra del 103 Se 113
≈Naranjero, Embalse de 113 Za 113
☆Naranjo, Cueva 90 Wb 109
▲Naranjo de Bulnes 8 Vb 89
Naranjos, Cortijo de los (Jaé) 138 Wb 122
▲Naranjos, Los 58 Xb 100
Naraval (Ast) 5 Tc 88 ⊠33874
Narbaxa = Narvaja (Ála) 23 Xd 91 ⊠01208
Narboneta (Cue) 93 Yd 110 ⊠16371
≈Narcea, Río 6 Tf 88
Narcué (Nav) 24 Xe 92
Nardués (Nav) 25 Yd 93
Nardues-Andurra (Nav) 25 Ye 92
Naredo de Fenar (Leó) 19 Uc 92 ⊠24839
Narejos, Los (Mur) 143 Za 122 ⊠30710
Narganes (Ast) 8 Vc 88 ⊠33579
▲Nariga, Punta 2 Ra 89
Narila (Gra) 161 We 127 ⊠18448
▲Nariz, Punta de la (Ten) 172 B 2
Narla (Lug) 16 Sb 90 ⊠27226
≈Narla, Río 16 Sb 90
Narón (Cor) 3 Rf 87
Narón (Lug) 16 Sb 92
Narón (Lug) 17 Se 92
Narra, La (Sal) 54 Ua 102 ⊠37170
Narrillos (Sal) 72 Uc 104
Narrillos del Álamo (Ávi) 72 Ud 105
Narrillos del Rebollar (Ávi) 73 Va 105 ⊠05141
Narrillos de San Leonardo (Ávi) 73 Vb 104 ⊠05160
Narros (Sor) 41 Xe 97 ⊠42189
Narros, Los (Ávi) 87 Uc 107 ⊠05621
Narros de Cuéllar (Seg) 56 Vd 101
Narros del Castillo (Ávi) 73 Uf 103 ⊠05370
Narros del Puerto (Ávi) 73 Va 105 ⊠05131
Narros de Matalayegua (Sal) 71 Ua 104 ⊠37609
Narros de Saldueña (Ávi) 73 Va 103 ⊠05358
Narváez, Cortijo de (Jaé) 139 Wf 120
Narvaja (Ála) 23 Xd 91
Nasarre, Caserío (Hues) 44 Zf 95
Nates, Caserío (Can) 10 Wd 88
▲Nati, Punta (Bal) 96 De 108
☆Nativitat, la 28 Ae 93
Natxitua (Viz) 11 Xc 88 ⊠48311
▲Natzaret, Platja de 114 Ze 112
≈Nau, Calla sa (Bal) 99 Db 112
▲Nau, Cap de la 128 Ab 116
Naut Aran (Lle) 28 Af 92
Nava (Córd) 137 Ve 120 ⊠14880
Nava (Ciu) 109 We 113
Nava (Ast) 7 Uc 88 ⊠33520
≈Nava, Arroyo de la 57 Wc 99
Nava, Caserío La (Các) 106 Ud 112
Nava, Cortijo de la (Sev) 150 Va 124
Nava, Cortijo de la (Ciu) 123 Ve 118
Nava, Cortijo La (Sev) 149 Ub 123
Nava, Cortijo La (Bad) 134 Ua 120
Nava, Cortijos La (Sev) 149 Ub 124
≈Nava, Emblase de la 44 Zc 95
Nava, La (Córd) 151 Vd 124
Nava, La (Jaé) 137 Vf 122
Nava, La (Huel) 133 Tb 121 ⊠21291
Nava, La (Bad) 121 Ud 116
▲Nava, La 41 Xc 95
▲Nava, La 42 Yc 98
≈Nava, La 55 Va 98
≈Nava, Laguna de la 109 Xa 112
≈Nava, Laguna de la 108 Wb 114
≈Nava, Laguna La 41 Xc 96
≈Nava, Lavajo de la 55 Uf 101
▲Nava, Puerto de la 121 Ue 116
▲Nava, Sierra de la 158 Uc 127
▲Nava Alta, Sierra 60 Yc 99
Nava Balbono (Huel) 133 Tc 121
Navabellida (Sor) 41 Xe 97 ⊠42172
Navablanca (Alb) 111 Ya 114
Navabuena (Vall) 37 Va 98
Navacarros (Sal) 72 Ub 106 ⊠37716
▲Navacedón 57 Vf 101
Navacepeda de Tormes (Ávi) 87 Ue 106 ⊠05633
Navacepedilla de Corneja (Ávi) 72 Ue 106 ⊠05571
Navacerrada (Ciu) 122 Vd 116 ⊠13189
Navacerrada (Mad) 74 Vf 104 ⊠28491
Navacerrada, Cortijo de (Sev) 150 Va 126
≈Navacerrada, Embalse de 74 Vf 104
▲Navacerrada, Puerto de 74 Wa 104
≈Navacha, Laguna 54 Ub 101
▲Navachica 160 Wb 127
Navaconcejo (Các) 86 Ub 107 ⊠10613
≈Nava Conchel 125 Xd 115
Nava de Abajo (Alb) 126 Ya 117 ⊠02142
Nava de Andújar, Caserío de la (Jaé) 138 Wa 119
Nava de Arévalo (Ávi) 73 Vb 103
Nava de Arriba (Alb) 126 Ya 116 ⊠02142
Nava de Béjar (Sal) 72 Ub 106
Nava de Campana (Alb) 127 Yc 118
Nava de Francia (Sal) 71 Tf 105 ⊠37659
Nava de Jadraque, La (Gua) 58 Wf 102 ⊠19238
Nava de la Asunción (Seg) 56 Vd 102
▲Nava de la Torre 59 Xb 100
Nava del Barco (Ávi) 87 Uc 107
Nava de los Caballeros (Leó) 19 Ue 93 ⊠24160
Nava de los Corchos (Córd) 135 Ue 121 ⊠14749
Nava de los Oteros (Leó) 37 Ud 94 ⊠24225
Nava del Rey (Vall) 55 Uf 101 ⊠47500
Nava de Pablo (Jaé) 139 Xb 121
Nava de Ricomalillo, La (Tol) 106 Va 111 ⊠45670
Nava de Roa (Bur) 57 Wa 99 ⊠09318
Nava de San Pedro (Jaé) 139 Xa 121
Nava de Santiago, La (Bad) 104 Td 114 ⊠06486
Nava de Sotrobal (Sal) 72 Ue 103 ⊠37850
Nava de Torrijas, La (Ter) 94 Za 109
Navadijos (Ávi) 73 Uf 106 ⊠05134
▲Navaelcuerro, Alto de 73 Uf 105
Navaescurial (Ávi) 72 Ue 106 ⊠05514
Navaestilera (Ávi) 73 Vb 105
▲Nava Fría 135 Ub 119
Navafría (Leó) 19 Ud 93
Navafría (Seg) 74 Wa 102
Navagallega (Sal) 72 Ub 104 ⊠37766
Nava Grande, Cortijo de (Sev) 149 Uc 126
≈Nava Grande, Laguna de 108 Wa 113
Navahermosa (Mál) 150 Vb 126 ⊠29329
Navahermosa (Huel) 147 Tb 124
Navahermosa (Huel) 133 Tc 121
Navahermosa (Tol) 107 Vd 111 ⊠45150
Navahombela (Sal) 72 Ud 105 ⊠37753
Navahonda (Sev) 135 Ub 121 ⊠41360
☆Navahonda 74 Ve 106
≈Navahonda, Laguna de 91 Xc 108
Navahondilla (Tol) 88 Vd 107
≈Navahornos, Laguna de 57 Vf 101
Navajas (Cas) 94 Zc 109 ⊠12470
Navajeda (Can) 10 Wb 88 ⊠39715
▲Navajo 109 Wd 113
▲Navajo, El 94 Za 108
▲Navajos 37 Uf 96
≈Navajos o Valdeduey, Río 37 Ue 96
▲Navajuelo 60 Yd 101
▲Navajuelos, Sierra de los 126 Yb 117
Navajún (Rio) 41 Xf 97
Navajuncosa, Cortijo de (Córd) 136 Vc 120
Naval (Hues) 45 Aa 95 ⊠22320
Navalacruz (Ávi) 73 Va 106 ⊠05134
≈Navalacruz, Arroyo de, Arroyo de 73 Va 106
Navalaencina, Cortijo de (Ciu) 123 Wb 117
Navalafuente (Mad) 75 Wb 104 ⊠28729
Navalagamella (Mad) 74 Vf 106 ⊠28212
≈Navalagamella, Embalse 89 Vf 106
Navalcaballo (Sor) 59 Xc 98 ⊠42290
Navalcán (Jaé) 152 Wb 123
Navalcán (Tol) 88 Uf 108
≈Navalcán, Embalse de 88 Uf 108
Navalcarnero (Mad) 89 Vf 107 ⊠28600
≈Navalcudia, Laguna de 125 Xd 115
Navalcuervo (Córd) 135 Ue 119 ⊠14249
Navalengua (Alb) 126 Xe 116 ⊠02329
Navaleno (Sor) 40 Xa 97 ⊠42149
≈Navaleno, Río 40 Wf 98
Navales (Sal) 72 Ud 104
Navalespino (Mad) 74 Ve 105 ⊠28296
Navalgrande o Canto del Pico (Ávi) 73 Vc 105
Navalguijo (Ávi) 87 Uc 107 ⊠05697
Navalhorno, Pradera de (Seg) 74 Vf 103
Navalices, Caserío (Ciu) 108 Ve 112
Navaliego (Ast) 7 Uc 89
▲Navaliego, Sierra de 7 Uc 89
Navalilla (Seg) 57 Wa 100 ⊠40331
Navallera (Mad) 74 Wa 105
≈Navallera, Embalse de 74 Wa 105
Navallo (Our) 34 Se 97
▲Navalloso 88 Va 108
Navalmanzano (Seg) 56 Ve 101 ⊠40280
≈Navalmedio, Embalse de 74 Vf 104
Navalmedio de Morales (Ciu) 122 Vc 115
Navalmoral (Ávi) 73 Vb 106
▲Navalmoral, Puerto de 73 Vb 105
Navalmoral de Béjar (Sal) 72 Ub 106
Navalmoral de la Mata (Các) 87 Uc 109 ⊠10300
Navalmoralejo (Tol) 87 Uf 110 ⊠45573
Navalmorales, Los (Tol) 107 Vc 110 ⊠45140
≈Navalmorillo, Arroyo 108 Ve 111
Navalón (Cue) 92 Xe 108
Navalón de Abajo (Val) 128 Za 115
Navalón de Arriba (Val) 128 Za 115
▲Navalonguilla 73 Vb 106
Navalonguilla (Ávi) 87 Ud 107 ⊠05697
▲Navalonguilla, Loma de 137 Vf 119
Navalonguillo de Arriba, Caserío (Các) 86 Tf 108
Navalosa (Ávi) 73 Va 106 ⊠05123
Navaloscuentos (Ciu) 109 We 114
Navalperal (Seg) 73 Vc 102
Navalperal de Pinares (Ávi) 74 Vd 105 ⊠05240
Navalperal de Tormes (Ávi) 87 Ue 106 ⊠05631
Navalpino (Ciu) 107 Vc 113 ⊠13193
Navalpotro (Gua) 76 Xc 103 ⊠19268
Navalquejigo (Mad) 74 Vf 105 ⊠28292
Navalrincón (Ciu) 107 Vd 113
Navalsauz (Ávi) 73 Uf 106
Navalsauz (Ávi) 73 Vb 106
Navalsaz (Rio) 41 Xe 96 ⊠26586
▲Navalsol 74 Wb 105
Navaltoril (Tol) 107 Vb 111 ⊠45677
Navalucillos, Los (Tol) 107 Vc 110 ⊠45130
Navaluenga (Ávi) 73 Vb 106 ⊠05100
≈Navaluenga, Laguna de 110 Xb 112
Navalvillar de Ibor (Các) 106 Ud 111 ⊠10341
Navalvillar de Pela (Bad) 106 Ud 114 ⊠06760
Navamediana (Ávi) 87 Ud 107 ⊠05630
Navamojada (Ávi) 87 Ud 107 ⊠05690
Navamojas (Các) 86 Tf 108
Navamorales (Sal) 72 Ud 106 ⊠37749
Navamorcuende (Tol) 88 Vb 108 ⊠45630
Navamorisca (Ávi) 87 Uc 106 ⊠05692
Navamuel (Can) 21 Vf 91 ⊠39419
Navamuñana (Ávi) 72 Ud 106 ⊠05592
Navamures (Ávi) 87 Ud 107 ⊠05697
Navandrinal (Ávi) 73 Va 106 ⊠05120
Navapalos (Sor) 58 Wf 100 ⊠42311
Navaquesera (Ávi) 73 Va 106 ⊠05122
Navarcles (Bar) 47 Bf 98 ⊠08270
Navardún (Zar) 25 Yf 93
Navares (Mur) 141 Ya 120 ⊠30410
≈Navares, Arroyo de los 57 Wb 100
Navares de Ayuso (Seg) 57 Wb 100 ⊠40531
Navares de Enmedio (Seg) 57 Wb 100 ⊠40532
Navares de las Cuevas (Seg) 57 Wb 100 ⊠40532
Navares y Tejares (Mál) 158 Uf 12 ⊠29400
Navaridas (Ála) 23 Xc 93 ⊠0130
≈Navarra, Acequia de 42 Yc 95
Navarra, Cortijo La (Sev) 149 Uc 123
▲Navarra, La 121 Uc 118
Navarredonda (Sev) 150 Uf 126 ⊠41659
Navarredonda (Mad) 75 Wb 103
Navarredonda, Cortijo de (Huel) 134 Te 121
≈Navarredonda, Embalse de 105 Tf 113
≈Navarredonda, Laguna de 109 We 111
≈Navarredonda, Laguna de 73 Vb 103
Navarredonda de Gredos (Ávi) 88 Uf 106 ⊠05635
Navarredonda de la Rinconada (Sal) 71 Tf 105 ⊠37607
Navarredonda de Salvatierra (Sal) 72 Ub 105 ⊠37766
Navarredonda y San Mamés (Mad) 75 Wb 103
Navarredondilla (Ávi) 73 Vb 106 ⊠05120
Navarregadilla (Ávi) 72 Ud 106 ⊠05580
Navarrés (Val) 113 Zb 114
Navarrete (Rio) 41 Xc 94 ⊠26370
Navarrete del Río (Ter) 78 Ye 103
Navarrevisca (Ávi) 88 Va 106 ⊠05115
Navarri (Hues) 44 Ac 94 ⊠22452
Navarro, Cortijo de (Mál) 158 Uf 12
Navarro, Cortijo de (Alb) 140 Xe 1
Navarro, Lo (Mur) 142 Yf 122
Navarromera (Ávi) 73 Vc 105
Navarros, Cortijos de Los (Alm) 154 Xe 124
Navarros, Los (Alm) 162 Xc 126 ⊠04549
Navarros, Los (Mur) 142 Yf 122
Navarros, Los (Palm) 174 B 3 ⊠35140
Navars = Navàs (Bar) 47 Bf 97
Navas (Ciu) 122 Va 116
Navas (Các) 85 Tb 108
Navàs = Navars (Bar) 47 Bf 97
Navas, Caserío (Các) 86 Ua 108
Navas, Cortijo de las (Gra) 151 Wa 124
Navas, Las (Sev) 157 Ua 127
Navas, Las (Córd) 151 Vf 124 ⊠14800
≈Navas, Río de las 108 Ve 112
Navasa (Hues) 26 Zd 93 ⊠22714
▲Navas Cimeras, Las 87 Ue 106
Navascués (Nav) 25 Yf 92
☆Navascués, Castillo de 44 Zc 95
Navas de Buitrago, Las (Mad) 75 Wc 103
Navas de Estena (Ciu) 107 Vc 112 ⊠13194
Navas de Jadraque (Gua) 58 Wf 102 ⊠19244
Navas de Jorquera (Alb) 111 Yb 11 ⊠02246
Navas de la Concepción, Las (Sev) 135 Ud 121
Navas del Madroño (Các) 104 Tc 111 ⊠10930
Navas del Marqués, Las (Ávi) 74 Ve 105
Navas del Pinar (Bur) 40 We 97
Navas del Rey (Mad) 89 Ve 106 ⊠28695
Navas de Oro (Seg) 56 Vd 101 ⊠40470
Navas de Quejigal (Sal) 71 Ua 103 ⊠37491
Navas de Riofrío (Seg) 74 Vf 103
Navas de San Antonio (Seg) 74 Ve 104 ⊠40408
Navas de San Juan (Jaé) 138 We 119 ⊠23240
Navas de Selpillar (Córd) 150 Vc 124
Navas de Tolosa (Jaé) 138 Wc 119 ⊠23212
≈Navaseca, Laguna de 108 Wc 11
Navasequilla (Córd) 151 Ve 124 ⊠14800
Navasequilla (Ávi) 87 Ud 106 ⊠05630
Navasequilla, Cortijo de (Jaé) 152 Wb 124
Navasfrías (Sal) 85 Tb 107
Navasilla (Hues) 26 Zd 93 ⊠22714
Navata (Gir) 49 Cf 95 ⊠17744
Navata, La (Mad) 74 Wa 105 ⊠28420
Navatalgordo (Ávi) 73 Va 106 ⊠05122

Navatejares (Ávi) 87 Uc 106 ✉ 05697
Navatejera (Leó) 19 Uc 93 ✉ 24008
Navaterrines (Sev) 150 Uf 126
Navatrasierra (Các) 106 Ue 111 ✉ 10331
Nava y Lapa, La (Cád) 158 Ud 127 ✉ 11680
Navayuncosa (Mad) 89 Ve 107
Navaz (Nav) 24 Yb 91 ✉ 31193
≈ Navazamplón, Río 72 Ue 104
▲ Navazas 78 Yf 103
▲ Navazo 59 Xe 99
Navazo, Cortijo de (Mál) 158 Uf 128
Navazo, Cortijo del (Mál) 150 Vb 126
☆ Navazo, Cueva 78 Yd 106
Navazo, El (Córd) 151 Ve 124
≈ Navazo de la Negra 107 Vd 110
Navazos, Caserío Los (Ciu) 124 Xa 115
Navazos, Cortijo de los (Mál) 159 Vc 127
Navazos, Los (Cue) 112 Yc 112
Navazuela, La (Alb) 126 Xf 117 ✉ 02124
≈ Navazuela, Laguna de la 110 Xb 112
Navazuelo (Córd) 151 Vd 124
▲ Nave, Cabo da 14 Qe 91
Naveaus (Our) 34 Sc 96 ✉ 32622
Naveda (Can) 21 Ve 90 ✉ 39210
Navedo (Ast) 5 Tb 89 ✉ 33693
≈ Navegació, Canal de 80 Ad 104
Navelgas (Ast) 5 Tc 88 ✉ 33873
≈ Navelgas, Río 5 Tc 88
Naveros, Los (Cád) 164 Ua 130 ✉ 11158
Naveros de Pisuerga (Pal) 21 Ve 94 ✉ 34405
Naves (Ast) 8 Va 88
Navès (Lle) 47 Bd 97
▲ Naves, Las 39 Wa 94
Naveta de Baños y Mendigo (Mur) 142 Yf 121
Navezuelas (Các) 106 Ud 111 ✉ 10374
Navia (Ast) 5 Tb 87 ✉ 33710
Navia (Pon) 32 Rb 95
≈ Navia, Río 5 Tb 88
Navia de Suarna (Lug) 17 Sf 91
Navianos de Alba (Zam) 54 Ua 98 ✉ 49146
Navianos de la Vega (Leó) 36 Ub 95 ✉ 24792
Navianos de Valverde (Zam) 36 Ub 97 ✉ 49697
Naviego (Ast) 17 Tc 90 ✉ 33818
≈ Naviego, Río 17 Tc 90
▲ Navilla 40 Xa 96
Navillas, Las (Tol) 107 Vd 111 ✉ 45121
Navita (Sal) 71 Te 105
Naya, La (Huel) 133 Tc 122
≈ Naya, Laguna 37 Ud 95
☆ Nayago, Ermita de 40 Wf 94
▲ N'Aymerich, Puig de (Bal) 98 Ce 110
Nazar (Nav) 24 Xe 93 ✉ 31282
☆ Nazarena, Ermita de la 121 Uf 115
Nazaret (Mur) 142 Ye 122 ✉ 30329
Nazaret (Palm) 176 C 3 ✉ 35539
▲ Nea, Playa de la (Ten) 173 F 3
Nebra (Cor) 14 Ra 92 ✉ 15978
Nebral, Cortijo del (Alm) 154 Xe 123
Nebreda (Bur) 39 Wc 97 ✉ 09348
Neca (Alm) 162 Xa 128
Nechite (Gra) 161 Wf 126 ✉ 18470
☆ Necropolis 23 Xc 90
Neda (Cor) 3 Rf 87 ✉ 15510
▲ Neda, Cordal de 4 Sd 88
Negales (Ast) 7 Uc 88 ✉ 33519
≈ Negra, Caleta de la (Ten) 173 E 3
▲ Negra, Cap (Bal) 96 Eb 109
≈ Negra, Laguna 40 Xa 97
▲ Negra, Loma 43 Yd 96
▲ Negra, Plana de la 42 Yd 96
▲ Negra, Playa de la (Ten) 172 B 2
▲ Negra, Punta 163 Xf 128
▲ Negra, Punta 143 Za 123
▲ Negra, Punta (Ten) 172 B 3
Negradas (Lug) 4 Sa 90
Negradas (Lug) 4 Sb 86
☆ Negralejo, Palacio de El 75 Wc 106
Negrales, Los (Mad) 74 Vf 105 ✉ 28409
Negras, Las (Alm) 163 Xf 127 ✉ 04116
▲ Negras, Playa de Las 163 Ya 127
▲ Negras, Playas (Palm) 175 C 4
Negratín, Cortijo del (Gra) 153 Xa 123
≈ Negratín, Embalse de 153 Xa 123
▲ Negre, Cap (Bal) 96 De 109
≈ Negre, Estany 28 Ba 93
▲ Negre, Pic 29 Bd 94
▲ Negre, Pic (AND) 29 Bd 94
Negredo (Gua) 76 Xa 102 ✉ 19245
Negredo, Caserío de (Pal) 38 Ve 96
Negredo, El (Seg) 58 We 101 ✉ 40512
Negreira (Cor) 14 Rb 91 ✉ 15830
▲ Negrell, el 80 Ab 104
Negrelos (Pon) 15 Sa 93
▲ Negret, Cap (Bal) 97 Bb 115
▲ Negrete, Cabo 143 Zb 123
▲ Negrete, Playa de 143 Zb 123
▲ Negrete, Sierra 112 Yf 111
Negrilla de Palencia (Sal) 72 Uc 102 ✉ 37799
Negrillos (Sal) 71 Ua 104
▲ Negrin, Playa de (Ten) 172 B 1
▲ Negro, Baja del (Ten) 173 C 1
≈ Negro, Cañada de 140 Xd 122
▲ Negro, Playa del 165 Ue 130
≈ Negro, Río 5 Tc 88
≈ Negro, Río 19 Ub 90
≈ Negro, Río 35 Td 96
Negrón (Val) 93 Yd 108
▲ Negrones 19 Ub 92
Negros (Pon) 32 Rc 95
Negueira (Lug) 5 Ta 90
Negueira de Muñiz (Lug) 5 Ta 90 ✉ 27113
Negueruela (Rio) 23 Xa 94
Neguillas (Sor) 59 Xd 100 ✉ 42223
Neila (Bur) 40 Xa 96 ✉ 09679
≈ Neila, Río 40 Xa 96
▲ Neila, Sierra de 40 Wf 96
Neila de San Miguel (Ávi) 72 Uc 106 ✉ 05619
Neira (Lug) 16 Sd 91
≈ Neira, Río 16 Sd 91
Neira de Rei (Lug) 17 Se 91
Neiras (Lug) 16 Sc 94 ✉ 27468
≈ Nela, Río 22 Wd 91
☆ Nembra 7 Ub 90
Nembro (Ast) 7 Ub 87 ✉ 33449
Nemeño (Cor) 2 Ra 89
▲ Nemiña, Praia de 14 Qe 90
☆ Neno Xesús, Ermida do 33 Sa 97
Nepas (Sor) 59 Xd 99 ✉ 42218
Nera (Ast) 5 Tc 88 ✉ 33708
≈ Nerbioi, Río 23 Xa 90
Nerga (Pon) 32 Rb 95 ✉ 36948
Neril (Hues) 28 Ad 94 ✉ 22473
Nerín (Hues) 27 Aa 93
Nerja (Mál) 160 Wa 128 ✉ 29780
☆ Nerja, Cuevas de 160 Wa 128
Nerpio (Alb) 140 Xe 120 ✉ 02530
☆ Nerpio, Cuevas de 140 Xe 120
Nerva (Huel) 133 Tc 122 ✉ 21670
≈ Nerva, Embalse de 134 Td 122
Nespereira (Lug) 16 Sb 91
▲ Nespereira, Alto de 15 Rf 93
Nestar (Pal) 21 Ve 91
Nestares (Can) 21 Vf 90 ✉ 39212
Nestares (Rio) 41 Xc 95 ✉ 26110
Nevà (Gir) 30 Ca 95
Neva, La (Ciu) 123 Wa 118
Nevada (Gra) 162 Wf 127
▲ Nevada, Cabeza 87 Ue 107
☆ Névalo, Castillo de 136 Uf 120
≈ Névalo, Río 136 Uf 120
Nevazo, Cortijada El (Gra) 151 Wa 125
Nevazuela, Cortijo de la (Jaé) 152 Wd 123
▲ Nevera, La 74 Wa 103
▲ Neveras, Alto de las 78 Yb 105
Neves, As (Cor) 3 Rf 88
Neves, As (Cor) 4 Sa 87
Neves, As (Pon) 32 Rd 96 ✉ 36440
☆ Neves, Ermida das 15 Rd 94
☆ Nico, Ermita de 138 We 122
Nicolases, Los (Mur) 142 Yf 122 ✉ 30390
Nidáguila (Bur) 21 Wb 93
≈ Nido, El (Palm) 174 D 1
Niebla (Huel) 147 Tb 124 ✉ 21840
Nieda (Ast) 8 Uf 88 ✉ 33559
▲ Niefla, Puerto de 122 Vd 117
Nieles (Gra) 161 We 127 ✉ 18439
Niembro (Ast) 8 Va 88 ✉ 33595
Nieto, Caserío de (Pal) 39 Vf 97
Nietos, Los (Alm) 163 Xe 127 ✉ 04117
Nietos, Los (Mur) 143 Zb 123
▲ Nietos, Playa de los 143 Zb 122
Nieva (Seg) 56 Vd 102 ✉ 40447
Nieva de Calderuela (Sor) 41 Xe 98 ✉ 42112
Nieva de Cameros (Rio) 41 Xc 95 ✉ 26124
Nieves (Ast) 7 Ue 89 ✉ 33990
▲ Nieves 10 Wd 89
☆ Nieves, Capilla de las 19 Ub 90
☆ Nieves, Eritma de las 22 Wd 92
☆ Nieves, Ermita de las 152 Wc 126
☆ Nieves, Ermita de las 92 Xe 110
☆ Nieves, Ermita de las 93 Yc 108
Nieves, Las (Bad) 133 Tb 120
Nieves, Las (Ten) 171 C 2
Nieves, Las (Tol) 89 Wa 109 ✉ 45191
▲ Nieves, Pico de las (Ten) 171 C 2
▲ Nieves, Pico de las (Palm) 174 C 3
▲ Nieves, Sierra de las 158 Uf 128
Nigoi (Pon) 15 Rd 93 ✉ 36684
Nigrán (Pon) 32 Rb 96 ✉ 36350
Nigüelas (Jaé) 161 Wc 127
Nigüella (Zar) 60 Yc 99
Nigueiroá (Our) 33 Sa 96
Nigueiroá (Our) 33 Sa 97
Niharra (Ávi) 73 Vb 105 ✉ 05191
Níjar (Alm) 163 Xe 127
Níjar (Alm) 153 Xc 125
☆ Nimbra 6 Ua 90
▲ Niño, Corral del (Ten) 172 D 4
Niño, El (Mur) 141 Yc 120
☆ Niño, Ermita del 155 Yb 123
▲ Niño, Sierra del 164 Uc 131
Niñodaguia (Our) 33 Sb 97
☆ Nisano, Castillo de 44 Zd 95
Nistal (Leó) 36 Tf 94 ✉ 24395
▲ Nitos, Los (Ten) 173 E 4
Nívar (Gra) 152 Wc 125
Niveiro (Cor) 14 Rc 90
Noáin (Nav) 24 Yc 92
Noal (Cor) 14 Ra 92
Noalejo (Jaé) 152 Wc 123 ✉ 23140
Noales (Hues) 28 Ad 94 ✉ 22474
Noalla (Pon) 14 Ra 94
Noarre (Lle) 29 Bb 92
Nobeleta (Nav) 24 Xf 93
▲ Nobla, Sierra de 25 Za 93
Noblejas (Tol) 90 Wd 109 ✉ 45350
Nobles, Cortijo de (Cád) 164 Uc 129
Noceco (Bur) 22 Wd 90 ✉ 09569
Noceda (Lug) 5 Sf 87
Noceda (Lug) 17 Sf 92
Noceda (Lug) 17 Ta 92
Noceda (Leó) 18 Td 92 ✉ 24319
≈ Nocedal, Embalse de 11 Xa 89
Nocedo (Bur) 21 Wb 92 ✉ 09142
Nocedo (Our) 33 Sb 97
Nocedo de Curueño (Leó) 19 Ud 91 ✉ 24846
Nocedo de Gordón (Leó) 19 Uc 91
Nocedo do Val (Our) 34 Sd 96 ✉ 32624
Nocellas (Hues) 44 Ac 94
Nocelo da Pena (Our) 34 Sc 96 ✉ 32696
Noche (Lug) 4 Sb 89 ✉ 27812
Nocina (Can) 10 We 88 ✉ 39780
Nocito (Hues) 44 Ze 95 ✉ 22622
Nódalo (Sor) 58 Xb 98
Nodar (Lug) 16 Sa 90 ✉ 27229
Noez (Tol) 89 Ve 110 ✉ 45162
▲ Noez, Pico de 89 Ve 110
▲ Nofre, Peña 34 Sd 96
Nofuentes (Bur) 22 Wd 91 ✉ 09515
Nogais, As (Lug) 17 Sf 92
Nogal de las Huertas (Pal) 38 Vc 94
▲ Nogaleda 9 Ve 89
Nogales (Mál) 159 Vc 127
Nogales (Bad) 119 Tb 117 ✉ 06173
Nogales (Các) 104 Te 113
▲ Nogales 19 Ud 90
Nogales, Cortijo Los (Mál) 159 Vc 127
▲ Nogales, Playa de (Ten) 171 C 2
Nogales de Pisuerga (Pal) 21 Ve 92 ✉ 34492
Nogalillos, Cortijo de los (Sev) 135 Ud 121
≈ Nogalte, Rambla de 154 Ya 123
Nogar (Leó) 35 Tc 95 ✉ 24744
Nogarejas (Leó) 36 Tf 95 ✉ 24734
Nograles (Sor) 58 Xa 100 ✉ 42315
Nogueira (Cor) 15 Rf 90
Nogueira de Miño (Lug) 16 Sb 93
Nogueira de Ramuín (Our) 16 Sb 94
≈ Nogueirido 16 Sd 92
Nogueiroa (Our) 15 Rf 94
Noguera (Ter) 78 Yc 106
Noguera, La (Alb) 126 Xf 117 ✉ 02124
▲ Noguera, Puerto de 78 Yc 106
≈ Noguera, Río 44 Ae 95
Noguera de Albarracín (Ter) 78 Yc 106
≈ Noguera de Tor, la 28 Ae 94
≈ Noguera Pallaresa, la 28 Ba 92
≈ Noguera Pallaresa, Riu 46 Ba 94
≈ Noguera Ribagorçana, la 28 Ae 93
≈ Noguera Ribagorçana, la 44 Ad 98
Nogueras (Ter) 61 Yf 102 ✉ 44493
Nogueras, Caserío de las (Mur) 140 Xf 119
Nogueras, Cortijo de las (Gra) 152 Wb 124
Nogueras, Cortijo de las (Ciu) 125 Xa 115
Nogueras, Las (Jaé) 140 Xc 120
Nogueras, Las (Val) 112 Yf 111 ✉ 46351
≈ Nogueras, Río 93 Yc 110
Noguero (Hues) 44 Ad 95
Noguerón, El (Alb) 125 Xd 117
Noguerones, Los (Jaé) 151 Vf 123
☆ Noguers, Torre de 46 Ae 98
Nogueruela, Caserío La (Alb) 126 Ya 118
Nogueruela, Cortijo de la (Gra) 153 Wf 125
Nogueruela, La (Cue) 93 Yc 107
Nogueruelas (Jaé) 152 Wa 124
Nogueruelas (Ter) 94 Zc 107 ✉ 44414
▲ Nogueruelas, Sierra de 94 Zc 107
Nohales (Cue) 92 Xe 108 ✉ 16191
Noharre (Ávi) 73 Vb 102 ✉ 05216
Noheda (Cue) 92 Xe 107 ✉ 16191
Noia (Cor) 14 Ra 92 ✉ 15200
Noicela (Cor) 2 Rc 89
Noja (Can) 10 Wc 88 ✉ 39180
▲ Nojo, Playa del (Ten) 171 C 3
Nolay (Sor) 59 Xd 99 ✉ 42223
Nombela (Tol) 88 Vd 108 ✉ 45917
Nombrevilla (Zar) 61 Yd 102 ✉ 50369
Nomparedes (Sor) 59 Xe 99 ✉ 42128
Nonaspe (Zar) 63 Ab 101 ✉ 50794
Nonihay (Mur) 141 Yc 122 ✉ 30859
Noniles, Cortijo de (Gra) 152 Wb 126
Nora (Ast) 6 Ua 88
≈ Nora, Río 7 Uc 88
Nora del Cojo, Cortijo de (Córd) 137 Vd 121
Nora del Río, La (Leó) 36 Ub 96
Noreña (Ast) 7 Ub 88 ✉ 33180
▲ Norfeu, Cap de 49 Db 95
Noria (Alm) 154 Xe 126
Noria, La (Gra) 161 Wf 127
▲ Noria, La 112 Yd 111
▲ Noria, Sierra 121 Ue 118
Norias, Las (Alm) 162 Xb 128
Norias, Las (Alm) 154 Xf 124
Norias, Las (Alm) 155 Ya 124
Norias, Las (Ciu) 124 Wc 117
Norias, Las (Zar) 43 Yd 97
Noriega (Ast) 8 Vc 88 ✉ 33590
Norieta, La (Cád) 157 Tf 128
Norilas, Las (Bad) 119 Td 118
Norís (Lle) 29 Bc 93
▲ Norte, punta (Ten) 173 C 1
☆ Nosa Señora da Barca,Ermida de = Nuestra Seõra da Barca 2 Qe 90
☆ Nosa Señora da O 2 Qf 90
☆ Nosa Señora das Neves 14 Qf 91
☆ Nosa Señora das Neves, Ermida de 16 Se 94
☆ Nossa Señora de Xurés, Ermida de 33 Rf 97
Nostián (Cor) 3 Rd 88
Notáez (Gra) 161 We 127
☆ Nou, Lurda de la 47 Bf 96
Nou de Berguedà, la (Bar) 47 Bf 95
Nou de Gaià, la (Tar) 65 Bc 101
Noudelo (Lug) 17 Ta 91
Novales (Can) 9 Ve 88 ✉ 39526
Novales (Hues) 44 Ze 96 ✉ 22113
Novaliches (Cas) 94 Zc 109 ✉ 12450
Novalla (Hues) 44 Zc 95
Novallas (Zar) 42 Yb 97 ✉ 50510
Novás (Our) 33 Sc 97
Nova Valldemossa (Bal) 98 Cd 110
Novelda (Ali) 128 Zb 118 ✉ 03660
Novelda del Guadiana (Bad) 119 Tb 115 ✉ 06183
Novelé/Novetlè (Val) 128 Zc 115
Novella (Gua) 77 Ya 103
Novellaco (Zar) 25 Ye 94 ✉ 50596
Novellana (Ast) 6 Te 87 ✉ 33157
Novés (Hues) 26 Zc 93
Novés (Tol) 89 Ve 108
Noves de Segre (Lle) 46 Bc 95 ✉ 25795
≈ Novia, Embalse de la 140 Xd 119
Noviales (Sor) 58 We 100 ✉ 42341
Noviercas (Sor) 60 Xf 98 ✉ 42132
Novillas (Zar) 42 Yd 97 ✉ 50530
Novillero, Cortijo del (Cád) 158 Uc 127
Novillos, Cortijo de los (Bad) 120 Te 116
Nóvoa (Our) 33 Re 95
Nuarbe (Gui) 12 Xe 90 ✉ 20738
Nubledo (Ast) 6 Ua 87 ✉ 33416
▲ Nublo, Parque Rural de (Palm) 174 C 2
Nucia, la (Ali) 129 Zf 117 ✉ 03530
Nueno (Hues) 44 Zd 95 ✉ 22193
Nueros (Ter) 78 Yf 103 ✉ 44220
☆ Nuestra Señora da Lanzada 14 Ra 94
☆ Nuestra Señora de Acebo, Santuario de 6 Td 90
☆ Nuestra Señora de África, Santuario de 165 Ud 133
☆ Nuestra Señora de Aguas Santas, Ermita de 111 Ya 110
☆ Nuestra Señora de Alconada, Monasterio de 38 Vb 97
☆ Nuestra Señora de Altagracia 121 Uf 115
☆ Nuestra Señora de Andión 24 Ya 93
☆ Nuestra Señora de Araceli 151 Vd 124
☆ Nuestra Señora de Atocha 122 Vb 117
☆ Nuestra Señora de Ayala 23 Xc 91
☆ Nuestra Señora de Barria, Monasterio de 23 Xd 91
☆ Nuestra Señora de Begona (Ten) 173 F 2
☆ Nuestra Señora de Brezales, Ermita de 40 We 97
☆ Nuestra Señora de Chilla, Santuario de 87 Ue 107
☆ Nuestra Señora de Codes, Santuario de 23 Xe 93
☆ Nuestra Señora de Escardiel, Ermita de 134 Tf 122
☆ Nuestra Señora de Estíbalitz, Santuario de 23 Xc 91
☆ Nuestra Señora de Fuensanta 159 Vb 129
☆ Nuestra Señora de Garón, Ermita de 39 Vf 97
☆ Nuestra Señora de Gracia, Ermita 128 Za 116
☆ Nuestra Señora de Gracia, Ermita de 54 Tf 101
☆ Nuestra Señora de Gracia, Santuarí (Bal) 99 Cf 111
☆ Nuestra Señora de Guadalupe, Ermita de 38 Vb 97
☆ Nuestra Señora de Guadalupe, Fuerte de 12 Yb 88
☆ Nuestra Señora de Hontanares, Monasterio de 57 Wd 101
☆ Nuestra Señora de Hornúez 57 Wc 100
☆ Nuestra Señora de la Antigua 24 Xe 90
☆ Nuestra Señora de la Antigua, Ermita de 124 Wf 116
☆ Nuestra Señora de la Antigua, Ermita de 120 Ub 115
☆ Nuestra Señora de la Antigua, Ermita de 108 Wb 110
☆ Nuestra Señora de la Bienvenida, Ermita de 77 Xd 105
☆ Nuestra Señora de la Cabeza 125 Xb 118
☆ Nuestra Señora de la Cabeza, Ermita de 159 Va 127
☆ Nuestra Señora de la Cabeza, Santuario de 153 Xb 123
☆ Nuestra Señora de la Carrasca 78 Yd 104
☆ Nuestra Señora de la Carrasca, Ermita de 125 Xa 115
☆ Nuestra Señora de la Casita 55 Ue 101
☆ Nuestra Señora de la Cerrada 25 Yf 94
☆ Nuestra Señora de la Concepción (Ten) 173 F 3
☆ Nuestra Señora de la Concepción, Ermita de 88 Vc 108
☆ Nuestra Señora de la Consolación 121 Ue 117
☆ Nuestra Señora de la Consolación (Bal) 99 Da 111
☆ Nuestra Señora de la Consolación, Ermita de 139 Wf 119
☆ Nuestra Señora de la Cruz 89 Wb 107
☆ Nuestra Señora de la Encina 22 Wf 90
☆ Nuestra Señora de la Esperanza 141 Yb 119
Nuestra Señora de la Estrella (Bad) 119 Td 118
☆ Nuestra Señora de la Fuensanta, Ermita de 76 Xc 105
☆ Nuestra Señora del Águila, Ermita 108 Ve 111
☆ Nuestra Señora de la Luz, Ermita 104 Tc 111
☆ Nuestra Señora de la Luz, Santuario de 164 Uc 132
☆ Nuestra Señora de la Misericordia, Ermita de 91 Xa 110
☆ Nuestra Señora de la Paz, Ermita de 90 We 109
☆ Nuestra Señora de la Peña, Ermita de (Palm) 175 D 3
☆ Nuestra Señora de la Peña, Santuario 45 Ab 95
☆ Nuestra Señora de la Regla, Monasterio de 156 Td 128
☆ Nuestra Señora de la Salud 78 Yd 103
☆ Nuestra Señora de las Fuentes, Ermita de 73 Uf 105
☆ Nuestra Señora de la Silla 78 Yf 102
☆ Nuestra Señora de las Mercedes 42 Yb 97
☆ Nuestra Señora de la Soledad 89 Vd 109

☆Nuestra Señora de las Vegas 57 Wb 102
☆Nuestra Señora de las Ventosas, Ermita de 44 Ac 96
☆Nuestra Señora de las Viñas 39 Wd 96
Nuestra Señora de las Virtudes (Ciu) 124 Wd 117
☆Nuestra Señora de la Torre 59 Xe 100
☆Nuestra Señora de la Vega, Ermita de 40 Wf 96
☆Nuestra Señora del Buen Acuerdo 78 Yc 103
☆Nuestra Señora del Buen Socorro, Ermita de 62 Zd 100
☆Nuestra Señora del Camino, Ermita de 25 Za 92
☆Nuestra Señora del Carmen, Ermita de 54 Ua 99
☆Nuestra Señora del Castellar 43 Yf 98
☆Nuestra Señora del Castellar 90 Wd 108
☆Nuestra Señora del Castillo, Santuario de 24 Yb 94
☆Nuestra Señora del Cueto, Ermita de 71 Ua 103
☆Nuestra Señora de Linares, Ermita de 59 Xb 100
☆Nuestra Señora de Linares, Santuario de 136 Vb 121
☆Nuestra Señora del Lirio, Ermita de 57 Wb 100
☆Nuestra Señora del Monte, Ermita de 124 Wc 115
☆Nuestra Señora de los Desamparados, Ermita de 87 Ue 110
☆Nuestra Señora de los Desamparados, Ermita de 91 Xb 106
☆Nuestra Señora de los Dolores 61 Zb 101
☆Nuestra Señora de los Mártires 60 Yc 102
☆Nuestra Señora de los Remedios 77 Yb 103
☆Nuestra Señora de los Remedios, Ermita de 107 Vb 111
☆Nuestra Señora de los Remedios, Ermita de 60 Ya 98
☆Nuestra Señora de los Remedios de Luena 21 Wa 90
☆Nuestra Señora de los Reyes, Santuario de (Ten) 173 B 2
☆Nuestra Señora de los Santos, Ermita de 118 Sf 117
☆Nuestra Señora de Lourdes 19 Ue 91
☆Nuestra Señora de Lourdes, Ermita (Ten) 172 B 2
☆Nuestra Señora del Pilar 136 Va 121
☆Nuestra Señora del Pilar 24 Yb 91
☆Nuestra Señora del Pilar 43 Ye 98
☆Nuestra Señora del Pilar 62 Zd 101
☆Nuestra Señora del Pilar 91 Xc 108
☆Nuestra Señora del Pilar, Ermita de 152 Wd 125
☆Nuestra Señora del Pilar de Atarejo, Ermita de 93 Yc 108
☆Nuestra Señora del Pino (Palm) 174 C 2
☆Nuestra Señora del Poyo 24 Xe 93
☆Nuestra Señora del Prado 88 Vd 109
☆Nuestra Señora del Puente 58 Xa 101
☆Nuestra Señora del Puerto, Ermita de 86 Tf 108
☆Nuestra Señora del Pueyo, Santuario de 61 Zb 101
☆Nuestra Señora del Puig, Ermita (Bal) 99 Da 109
☆Nuestra Señora del Remedio, Ermita de 112 Yf 111
☆Nuestra Señora del Rocío 147 Td 126
☆Nuestra Señora del Romeral 45 Ab 97
Nuestra Señora del Rosario (Gui) 24 Xf 90
☆Nuestra Señora del Rosario 61 Za 100
☆Nuestra Señora del Saliente 154 Xf 123
☆Nuestra Señora del Socorro 123 Vf 116
Nuestra Señora del Socorro, Cortijo de (Sev) 149 Ub 124
☆Nuestra Señora del Socorro, Ermita de 71 Td 103
☆Nuestra Señora del Tovar, Ermita de 55 Ud 99
Nuestra Señora del Valle (Bad) 134 Td 119
☆Nuestra Señora del Valle 19 Ub 91
☆Nuestra Señora del Viso 72 Uc 102
☆Nuestra Señora del Yugo, Ermita de 42 Yc 95
☆Nuestra Señora de Matamalo, Ermita de 62 Zd 100
☆Nuestra Señora de Moncayo 42 Yb 98
☆Nuestra Señora de Monlora, Santuario de 43 Za 96
☆Nuestra Señora de Muskilda, Santuario de 25 Yf 91
☆Nuestra Señora de Ocón 23 Xc 93
☆Nuestra Señora de Ordás 44 Zd 95
☆Nuestra Señora de Pinarejos, Ermita de 56 Vc 102
☆Nuestra Señora de Ronda 89 Vd 109
☆Nuestra Señora de Sancho Abarca, Ermita de 43 Ye 96
☆Nuestra Señora de Semón 60 Yc 101
☆Nuestra Señora de Setefilla, Ermita de 135 Ud 122
☆Nuestra Señora de Sociruelos 22 We 91
☆Nuestra Señora de Tejeda, Monasterio de 93 Yd 110
☆Nuestra Señora de Tiedra, Ermita de 55 Ue 99
☆Nuestra Señora de Tironcillo 23 Xa 93
☆Nuestra Señora de Tomalos, Ermita de 41 Xc 95
☆Nuestra Señora de Valdelagua, Ermita de 75 We 104
☆Nuestra Señora de Valsordo 74 Vd 106
☆Nuestra Señora de Zaragoza la Vieja 61 Zb 99
☆Nuestra Señora de Zuqueca, Ermita de 123 Wb 116
☆Nuestra Señora El Toro, Santuarí (Bal) 96 Ea 109
☆Nuestra Seõra de la Barca,Ermita de = Nosa Señora da Barca 2 Qe 90
Nueva (Ast) 8 Va 88
≈Nueva, Balsa 44 Zd 98
Nueva, La (Ast) 7 Ub 89
Nueva Andalucía (Mál) 165 Va 129
Nueva Berria (Can) 10 Wd 88
▲Nueva Berria, Playa de 10 Wd 88
Nueva Carteya (Córd) 151 Vd 123 ✉14857
Nueva Jarilla (Cád) 157 Tf 128 ✉11592
Nuévalos (Zar) 60 Yb 101
▲Nueva Playa 143 Zc 120
Nueva Sierra de Madrid (Gua) 91 Xb 107
Nueva Umbría (Huel) 146 Se 125
▲Nueva Umbría, Playa de 146 Sf 125
Nueva Villa de las Torres (Vall) 55 Uf 101 ✉47464
Nuevo, Cortijo (Mál) 165 Ue 130
Nuevo, Cortijo (Mál) 159 Vc 126
Nuevo, Cortijo (Gra) 152 Wd 123
Nuevo, Cortijo (Jaé) 153 Wf 123
Nuevo, Cortijo (Gra) 153 Wf 123
Nuevo, Cortijo (Gra) 153 Xc 123
Nuevo, Cortijo (Gra) 153 Xb 124
Nuevo, Cortijo (Sev) 148 Ua 126
Nuevo, Cortijo (Sev) 149 Ud 123
Nuevo, Cortijo (Sev) 149 Ue 125
Nuevo, Cortijo (Jaé) 139 Wf 120
Nuevo, Cortijo (Ciu) 125 Xb 117
Nuevo, Cortijo (Ciu) 125 Xb 116
Nuevo, Cortijo (Alb) 125 Xc 117
Nuevo, Cortijo (Bad) 104 Tc 114
Nuevo Amatos (Sal) 72 Ud 103 ✉37181
Nuevo Baztán (Mad) 90 We 106
Nuevo Chinchón (Mad) 90 Wd 108
Nuevo de Hierracaballos, Cortijo (Jaé) 139 Wf 119
Nuevo Guadiaro (Cád) 165 Ue 131
Nuevo Riaño (Leó) 20 Va 91
Nuevo Rocío (Sev) 157 Tf 126
Nuevos, Cortijo (Jaé) 125 Xb 118
Nuevos, Cortijos (Jaé) 139 Xb 119
Nuevos de la Sierra, Cortijos (Gra) 140 Xe 121
Nuevos de la Sierra, Cortijos (Gra) 140 Xc 121
Nuevos del Campo, Cortijos (Gra) 140 Xd 121
Nuevos Naharros (Sal) 72 Uc 103 ✉37181
Nuez (Zam) 35 Tc 98
Nuez de Abajo, La (Bur) 39 Wb 94 ✉09159
Nuez de Arriba, La (Bur) 21 Wb 93 ✉09125
Nuez de Ebro (Zar) 62 Zb 99 ✉50173
Nuin (Nav) 24 Yb 91 ✉31193
Nules (Cas) 95 Zf 109 ✉12520
Nullán (Lug) 17 Sf 92
Nulles (Tar) 64 Bb 101 ✉43887
☆Numancia 41 Xd 98
Numancia de la Sagra (Tol) 89 Wa 108 ✉45230
▲Números, Los (Ten) 173 B 2
Nuncarga (Lle) 46 Bb 96 ✉25790
▲Nuno, Cap (Bal) 97 Bb 114
Nuño Gómez (Tol) 88 Vc 108
Nuñomoral (Các) 71 Te 106 ✉10626
☆Núria, Santuari de 30 Cb 94

Ñ

Ñora, Cortijo La (Gra) 152 Wd 124
Ñora, La (Mur) 142 Ye 121 ✉30830
☆Ñora, La 142 Ye 121
▲Ñora, Playa de la 7 Uc 87
Ñorica, La (Mur) 141 Yd 122 ✉30850

O

Oasis, El (Jaé) 138 Wc 122
Oasis de Maspalomas (Palm) 174 C 4
Oba (Viz) 11 Xb 90 ✉48141
Obac, l' (Bar) 47 Bf 99
Obacs de Llimiana, els (Lle) 46 Af 96 ✉25638
Obagues, les (Bar) 65 Bd 100
Obando (Bad) 119 Te 116
Obando (Bad) 106 Ud 114
☆Obano, Castillo de 43 Za 95
Obanos (Nav) 24 Yb 92 ✉31151
Obarra (Hues) 28 Ad 94 ✉22485
☆Obarra, Monasterio de 28 Ad 94
Obatón (Córd) 135 Ud 119
Obécuri (Bur) 23 Xc 93
Obejo (Córd) 136 Vb 120 ✉14310
Obeso (Can) 8 Vd 89 ✉39554
Obiols (Bar) 47 Bf 96 ✉08610
▲Obios 21 Vf 90
▲Obispados 36 Uc 98
Oblanca (Leó) 18 Ua 91
≈Oblea, Río 71 Te 103
Obón (Ter) 79 Zb 103
Obona (Ast) 6 Td 88 ✉33874
☆Obona, Monasterio de 6 Td 88
O Bosco (Cor) 2 Ra 89
Obra (Cor) 15 Re 91
Obra Pía, Cortijo de (Sev) 149 Ue 125
Obregón (Can) 9 Wa 88
☆Observatorio Astrofísico (Ten) 171 B 2
Observatorio Geofísico (Tol) 107 Vd 111
▲Oca, Montes de 39 Wd 94
☆Oca, Pazo de 15 Rd 92
≈Oca, Río 22 We 93
O Campo (Lug) 34 Se 94
Ocaña (Alm) 153 Xb 126 ✉04530
Ocaña (Tol) 90 Wd 109 ✉45300
▲Ocaña, Mesa de 90 Wd 109
Ocáriz (Ála) 23 Xd 91
Ocejo de la Peña (Leó) 20 Uf 91 ✉24813
▲Ocejón 58 We 102
Ocenilla (Sor) 41 Xc 98 ✉42145
Oceño (Ast) 8 Vb 89 ✉33554
Ocentejo (Gua) 77 Xd 104 ✉19432
Ochagavía (Nav) 25 Yf 91
Ochando (Seg) 74 Vd 102 ✉40136
Ochánduri (Rio) 23 Wf 93
Ochate (Bur) 23 Xc 92
▲Ochavillo, Cerro del 122 Vb 117
Ochavillo del Río (Córd) 136 Uf 122
Ochíchar (Gra) 160 Wa 126
Ocho Casas (Jaé) 138 Wc 119
Ochotorena, Cortijo de (Alm) 162 Xc 127
Ocio (Ála) 23 Xb 93 ✉01212
Oco (Nav) 24 Xe 93 ✉31281
Oco (Ávi) 73 Va 105 ✉05520
Ocón (Rio) 41 Xe 95
Ocón de Villafranca (Bur) 40 We 94
O Covelo (Pon) 32 Rd 95
Odèn (Lle) 47 Bc 96
Odèn (Lle) 46 Bc 96
▲Odèn, Serra d' 47 Bc 96
Òdena (Bar) 65 Bd 99
Oderitz (Nav) 24 Ya 91 ✉31879
≈Odiel, Río 147 Ta 124
≈Odiel, Río 133 Tb 122
≈Odiel-Perejil, Embalse de 133 Tc 122
Odieta (Nav) 24 Yc 91
Odina (Hues) 45 Aa 97 ✉22415
Odollo (Leó) 35 Tc 94 ✉24742
Odón (Ter) 78 Yc 103
≈Odra, Río 21 Vf 93
Odres, Los (Mur) 140 Xe 120 ✉30414
≈Odrilla, Río 38 Ve 95
≈Odrón, Río 24 Xe 93
Oencia (Leó) 17 Ta 93 ✉24566
▲Oeste, Roque del (Palm) 176 C 2
Ofra (Ali) 128 Zb 119
Ogarrio (Can) 10 Wc 89 ✉39812
Ogas (Cor) 2 Qf 90
Ogassa (Gir) 48 Cb 95 ✉17861
▲Ogella, Playa de 11 Xc 88
Ogern (Lle) 46 Bc 96 ✉25289
Ogíjares (Gra) 152 Wc 126
▲Ogoño, Cabo 11 Xc 88
Ogueta (Bur) 23 Xc 92 ✉09216
Ohanes (Alm) 162 Xb 126 ✉04459
Oia (Pon) 32 Ra 97
Oia (Pon) 32 Rb 95
Oiartzun (Gui) 12 Ya 89 ✉20180
Oímbra (Our) 34 Sd 97
Oins (Our) 33 Re 95
Oíns (Cor) 15 Re 91
Oirán (Lug) 4 Se 87
Oirás, As (Lug) 4 Sd 88
≈Oitavén, Río 32 Rc 94
Oitura (Zar) 61 Ye 98 ✉50297
Oix (Gir) 48 Cd 95 ✉17856
▲Oiz 11 Xc 89
Oiz (Nav) 24 Yb 90
Ojacastro (Rio) 40 Wf 94 ✉26270
≈Ojailén, Río 123 Wa 117
≈Oja o Glera, Río 40 Wf 95
Ojeda (Bur) 22 Wc 92
Ojedar (Can) 10 Wd 89
Ojén (Cád) 165 Uc 132
Ojén (Mál) 159 Va 129
▲Ojén, Puerto de 165 Uc 132
≈Ojén, Río de 159 Vb 129
▲Ojén, Sierra de 164 Uc 132
▲Ojila, Roque de (Ten) 172 B 2
≈Ojo, Laguna del 59 Xc 101
▲Ojo de Garza, Playa (Palm) 174 D 3
☆Ojo Guareña, Cueva de 22 Wc 90
Ojós (Mur) 142 Yd 120
Ojos, Caserío Los (Mur) 141 Yd 121
≈Ojós, Embalse de 142 Yd 120
▲Ojos, Playa de (Palm) 174 B 5
Ojos Albos (Ávi) 73 Vc 104 ✉05193
Ojos de Garza (Palm) 174 D 3 ✉35219
≈Ojos de Moya 93 Yd 110
≈Ojos de Villaverde, Laguna 125 Xd 116
Ojos Negros (Ter) 78 Yd 104 ✉44313
Ojuel (Sor) 59 Xe 98 ✉42130
Ojuelo, Cortijo de (Sev) 149 Ud 125
Ojuelo, El (Jaé) 139 Xb 119 ✉23293
Ojuelo, El (Alb) 127 Yc 115
Ojuelo, El (Alb) 125 Xc 117
≈Ojuelos, Laguna de los 149 Ue 125
Ojuelos, Los (Sev) 149 Ue 125
Ojuelos Altos (Córd) 135 Ud 119 ✉14299
Ojuelos Bajos (Córd) 135 Ud 119 ✉14299
≈Oka, Río 11 Xb 89
Okariz = Ocáriz (Ála) 23 Xd 91 ✉01207
▲Oketa 23 Xb 90
Okia = Oquina (Ála) 23 Xc 92
Okondo (Ála) 10 Wf 90 ✉01409
Ola (Hues) 44 Ze 96 ✉22135
Olabarri = Ollavarre (Ála) 23 Xa 92 ✉01428
Olabarrieta (Gui) 23 Xd 90
Olabe (Viz) 11 Xc 89 ✉48382
Olaberria (Gui) 12 Yb 89 ✉20212
Olaberría (Gui) 24 Xe 90
Olaberria = Olaberría (Gui) 24 Xe 90 ✉20212
Olaeta (Ála) 23 Xc 90 ✉01165
▲Olagato 25 Yf 92
Olagüe (Nav) 25 Yc 91
Oláibar (Nav) 25 Yc 91
Olaiz (Nav) 25 Yc 91 ✉31799
Olaldea, La (Nav) 25 Ye 91
Olalla (Ter) 78 Yf 103 ✉44211
Olallo, Cortijo del (Alm) 154 Xf 125
Olapra (Alm) 154 Xc 125
Olaran (Gui) 24 Xe 91 ✉20215
▲Olas, Punta das 3 Rc 89
Olave (Nav) 25 Yc 91 ✉31799
Olaverri (Nav) 25 Yd 92
Olaz Subiza (Nav) 24 Yc 92 ✉31191
Olazti/Olazagutía (Nav) 24 Xe 91
Olba (Ter) 94 Zc 108 ✉44479
Olcoz (Nav) 24 Yb 93 ✉31398
Olea (Can) 21 Ve 91 ✉39418
Olea de Boedo (Pal) 20 Vd 93 ✉34407
Oleiros (Cor) 3 Re 89
Oleiros (Cor) 14 Qf 93
Oleiros (Cor) 15 Sa 91
Oleiros (Lug) 16 Sd 91
Oleiros (Lug) 16 Sb 94
Olejua (Nav) 24 Xf 93 ✉31281
Olelas (Our) 33 Re 97 ✉32869
Olèrdola (Bar) 65 Be 101
▲Olerón, Montes de 14 Rb 92
Oles (Ast) 7 Ud 87 ✉33315
Olesa de Bonesvalls (Bar) 65 Bf 1[illegible] ✉08795
Olesa de Montserrat (Bar) 65 Bf 9[illegible] ✉08640
Oleta (Viz) 11 Xc 89
Oleta = Olaeta (Ála) 23 Xc 90
Oliana (Lle) 46 Bb 96 ✉25790
≈Oliana, Pantà d' 46 Bb 96
▲Oliana, Serra d' 46 Bc 96
Olías (Mál) 160 Ve 128
Olías (Gra) 161 Wd 128
Olías del Rey (Tol) 89 Wa 109
Oliete (Ter) 79 Zb 103 ✉44548
Oliola (Lle) 46 Bb 97 ✉25749
Olite (Nav) 24 Yc 94 ✉31390
Olius (Lle) 47 Bd 96 ✉25286
Oliva (Val) 129 Zf 115 ✉46780
▲Oliva 120 Tf 116
☆Oliva, Ermita de la 164 Ua 131
▲Oliva, La 127 Yf 116
Oliva, La (Palm) 175 E 2 ✉35640
☆Oliva, Monasterio de la 42 Yd 94
▲Oliva, Platja d' 129 Zf 115
▲Oliva, Sierra de 127 Yf 116
Oliva de la Frontera (Bad) 133 Ta 119 ✉06120
Oliva de Mérida (Bad) 120 Tf 116
Oliva de Plasencia (Các) 86 Tf 108 ✉10667
Oliván (Hues) 26 Ze 93
Oliván (Rio) 41 Xe 95
Olivanco, Cortijo del (Jaé) 140 Xd 119
Olivar (Gra) 139 Xc 122
Olivar (Các) 105 Ua 113
☆Olivar, Convento del 79 Zc 103
Olivar, Cortijo del (Bad) 119 Tb 116
Olivar, El (Ast) 7 Ud 87 ✉33316
Olivar, El (Gua) 76 Xb 105 ✉1913[illegible]
Olivar de Miraval (Mad) 74 Wa 106
Olivarejo (Mur) 141 Yb 119
Olivares (Sev) 148 Tf 124 ✉4180[illegible]
Olivares, Cortijo de los (Gra) 153 We 123
Olivares, Los (Gra) 152 Wb 125
Olivares de Duero (Vall) 56 Vd 99 ✉47359
Olivares de Júcar (Cue) 92 Xd 110
≈Olivargas, Embalse de 133 Tb 122
Olivarillo, Cortijo El (Gra) 153 Xb 123
Olivars (Gir) 49 Cf 96
Oliveira (Cor) 15 Rc 92
Olivella (Bar) 65 Be 101 ✉08818
Olivenza (Bad) 118 Sf 116 ✉0610[illegible]
≈Olivera, Embalse de la 138 We 120
Olivera, S' (Bal) 97 Bc 115
Oliveral, l' (Val) 114 Zd 112
▲Olivereta 43 Za 97
Olivérica, La (Alm) 154 Xf 123
Olives (Pon) 15 Rd 92 ✉36686
Olives, les (Gir) 49 Da 96
Olives, les (Gir) 49 Cf 96
▲Olivete, Monte 42 Yd 96
Olivia, l' (Tar) 64 Bb 102
▲Olivilla, La 124 We 115
Olivilla Alta, Cortijo de la (Jaé) 139 We 120
Olivillas, Las (Alm) 153 Xb 125
Olivillas, Las (Jaé) 138 Wc 121
Olivillos, Cortijo de los (Sev) 148 Tf 125
Olivos, Cortijo de los (Cád) 157 Ua 127
Olivos, Los (Sev) 149 Ud 124
Olivos, los (Cas) 80 Ad 106
▲Olla, Illetes de l' 129 Zf 117
Olla, l' (Ali) 129 Zf 117 ✉03590
Ollacarizqueta (Nav) 24 Yb 91 ✉31193
Ollares (Pon) 15 Re 92 ✉36586
Ollas (Jaé) 137 Ve 121
Ollauri (Rio) 23 Xb 93 ✉26220
Ollavarre (Bur) 23 Xa 92
≈Ollegoso, Río 88 Uf 110
Oller, l' (Bar) 47 Be 98
Olleria, l' (Val) 128 Zc 115 ✉46850
Ollerías (Ála) 23 Xb 91
Olleries, Ses (Bal) 98 Cf 111
Olleros de Alba (Leó) 19 Ub 92 ✉24649
Olleros de Paredes Rubias (Pal) 21 Vf 92
Olleros de Pisuerga (Pal) 21 Ve 92 ✉34815
Olleros de Sabero (Leó) 19 Ue 92 ✉24811
Olleros de Tera (Zam) 36 Tf 97 ✉49331
Ollers (Gir) 49 Cf 96 ✉17833
Ollers (Tar) 64 Bb 100
≈Olles, Bassa de les 80 Ae 104
Olleta (Nav) 25 Yc 93
Ollo (Nav) 24 Ya 91 ✉31172
Ollobarren (Nav) 24 Xf 92 ✉31241

ogoyen (Nav) 24 Xf92 ⊠31241
oniego (Ast) 7 Ub89 ⊠33660
ora (Rio) 40 Xa95
Olmar, Ermita de 57 Vf99
Olmeda, Arroyo de la 76 Xb104
neda, La (Sor) 58 Wf99 ⊠42313
neda, La (Cue) 93 Ye109 ⊠16336
neda de Cobeta (Gua) 77 Xe103 ⊠19444
neda de Jadraque, La (Gua) 59 Xb102
neda de la Cuesta (Cue) 91 Xd107 ⊠16852
neda de las Fuentes (Mad) 90 We106 ⊠28515
neda del Extremo (Gua) 76 Xb104 ⊠19413
neda del Rey (Cue) 92 Xf110 ⊠16216
medilla (Sal) 71 Ua104 ⊠37450
medilla (Val) 93 Yf110
medilla de Alarcón (Cue) 111 Xf111
medilla de Arcas (Cue) 92 Xf109
medilla de Éliz (Cue) 92 Xd107
medilla del Campo (Cue) 91 Xb108 ⊠16550
medillas (Gua) 59 Xc101 ⊠19264
medillas, Las (Cue) 93 Yd109
medillo de Roa (Bur) 39 Wa98 ⊠09311
medo (Vall) 56 Vb101 ⊠47410
medo de Camaces (Sal) 70 Tc103 ⊠37292
millo, El (Seg) 57 Wb101 ⊠40530
millos (Sal) 54 Ua102
millos (Sor) 58 Wf99 ⊠42345
millos de Castro (Zam) 54 Ua98 ⊠49147
millos de Muñó (Bur) 39 Wa95
millos de Sasamón (Bur) 39 Vf94
millos de Valverde (Zam) 36 Ub97 ⊠49698
mo, Cortijo del (Ciu) 124 Wf115
mo, El (Seg) 57 Wc101 ⊠40530
mo de la Guareña (Zam) 55 Ue102
mos, Los (Gra) 153 Xb124
mos, Los (Alb) 126 Ya119 ⊠02437
mos, Los (Ter) 79 Zd103
mos, Los (Ter) 94 Za108
mosalbos (Bur) 39 Wb95
mos de Atapuerca (Bur) 39 Wc94 ⊠09199
mos de Campana, Los (Mur) 142 Za122
mos de Esgueva (Vall) 56 Vc98 ⊠47173
mos de la Picaza (Bur) 21 Wa94 ⊠09133
mos de Ojeda (Pal) 20 Vd92 ⊠34486
mos de Peñafiel (Vall) 57 Vf99 ⊠47318
mos de Pisuerga (Pal) 21 Ve94 ⊠34405
locau (Val) 94 Zc110 ⊠46169
locau del Rey (Cas) 80 Zd105 ⊠12312
lombrada (Seg) 56 Vf100 ⊠40220
lóndriz (Nav) 25 Yd91
lopte (Gir) 29 Be94 ⊠17539
lóriz (Nav) 25 Yc93
lost (Bar) 48 Ca97 ⊠08516
Olost, Castell d' 48 Ca97
lot (Gir) 48 Cc95 ⊠17800
lp (Lle) 28 Ba94 ⊠25568
lsón (Hues) 45 Aa95
Olsón, Sierra de 45 Aa95
Oltrera, Cap d' 49 Db96
luges, les (Lle) 46 Bb98 ⊠25214
luja = Oluges, les (Lle) 46 Bb98
lula de Castro (Alm) 154 Xd125 ⊠04212
lula del Río (Alm) 154 Xe124
lvan (Bar) 47 Bf96 ⊠08611
lveda (Lug) 16 Sa92 ⊠27579
lvega (Sor) 42 Ya98
lveira (Cor) 14 Qf91
lveiroa (Cor) 14 Qf91
lvena (Hues) 45 Ab96 ⊠22439
lvera (Cád) 158 Ue127 ⊠11690
lvés (Zar) 60 Yc101
lza (Nav) 24 Yb92
lza (Nav) 24 Yb91
lzinelles (Bar) 48 Cd99 ⊠08470
mañas, Las (Leó) 18 Ua92 ⊠24273
Omañas, Las 18 Ua92
Omañas, Río 18 Ua92
Omaño, Río 18 Tf92
mbreiro (Lug) 16 Sc90 ⊠27299
mbria, l' (Val) 128 Zc115
mbria Alta, l' (Ali) 128 Za118
mbria Baixa, l' (Ali) 128 Za118
Omellons, els (Lle) 64 Af100 ⊠25412
Omells de Na Gaia, els (Lle) 64 Ba99 ⊠25268
Omeñaca (Sor) 41 Xe98 ⊠42112
Omet (Val) 114 Zd112
Omoño (Can) 10 Wc88 ⊠39793
≈ Ompólveda, Río 76 Xc105
Oña (Bur) 22 Wd92 ⊠09530
▲ Oña, Sierra de 22 Wd92
Oñati (Gui) 23 Xd90 ⊠20560
≈ Oñati, Río 23 Xd90
Oñatz = Onaz (Gui) 12 Xe90
Onayar (Alm) 162 Xa128
Onaz = Oñatz (Gui) 12 Xe90
Oncala (Sor) 41 Xe97 ⊠42172
▲ Oncala, Puerto de 41 Xd97
Oncebreros (Alb) 127 Yd115
Oncina de Valdoncina (Leó) 19 Uc93
Oncíns (Hues) 27 Ab94
Onda (Cas) 95 Ze109 ⊠12200
Ondara (Ali) 129 Aa116 ⊠03760
☆ Ondarra, Fundación 24 Yb92
Ondarroa (Viz) 11 Xd89 ⊠48700
Ondes (Ast) 6 Te89 ⊠33839
Ongoz (Nav) 25 Ye92 ⊠31448
Onil (Ali) 128 Zb117 ⊠03430
Onís (Ast) 8 Va88
Onítar (Gra) 152 Wc124
▲ Onítar, Puerto 152 Wc124
Onofre, Cortijo de (Gra) 139 Xb123
Onón (Ast) 6 Td89
Onón (Ast) 7 Ud88
Onraita (Ála) 23 Xd92 ⊠01129
Onrubia, Cortijo de (Gra) 153 We124
Ons (Cor) 14 Rb91 ⊠15839
▲ Ons, Illa de 14 Ra94
Onsares (Jaé) 125 Xc118 ⊠23393
≈ Onsella, Río 25 Yf94
▲ Onsella, Valle de 25 Yf94
Ontalafia (Alb) 126 Yb116
≈ Ontalafia, Laguna de 126 Yb116
▲ Ontalafia, Sierra de 126 Yb116
Ontalbilla de Almazán (Sor) 59 Xc100
Ontalvilla de Valcorba (Sor) 41 Xd98 ⊠42134
Ontaneda (Can) 9 Wa89 ⊠39680
Onteniente = Ontinyent (Val) 128 Zc116
Ontígola (Tol) 90 Wc108
Ontinar del Salz (Zar) 43 Zb97
Ontiñena (Hues) 63 Aa98 ⊠22232
Ontinyent (Val) 128 Zc116 ⊠46870
Ontón (Can) 10 We88
Ontoria (Can) 9 Ve89 ⊠39500
Ontur (Alb) 127 Yc117 ⊠02652
≈ Onyar, Riu 49 Ce97
▲ Onza, Illa de 14 Ra94
≈ Onza, Río 135 Uc120
Onzonilla (Leó) 19 Uc93 ⊠24231
Opakua (Ála) 23 Xd92 ⊠01207
▲ Opakua, Puerto de 23 Xe92
O Páramo (Lug) 16 Sc92
Opayar (Mál) 158 Ue129 ⊠29491
O Pino (Cor) 15 Rd91
Oqueales, Los (Gra) 152 We123
Oquendo = Okondo (Ála) 10 Wf90
Oquendos, Los (Alm) 140 Xf123 ⊠04826
Oquillas (Bur) 39 Wb97 ⊠09350
Oquina (Ála) 23 Xc92
≈ Ora, Aigua d' 47 Bd96
▲ Oracada, Peña 20 Vc91
▲ Oración, Canto de la 73 Uf106
Oralla (Leó) 18 Td91
Orán (Alb) 126 Ya116
Orante (Hues) 26 Zd93 ⊠22714
≈ Oraque, Río 147 Ta123
Orba (Ali) 129 Zf116
☆ Orba, Castell d' 129 Zf116
▲ Orba, Sierra de 25 Za93
Orbada, La (Sal) 54 Ud102 ⊠37428
Orbadilla, La (Sal) 72 Ud102 ⊠37428
Orbaitzeta (Nav) 25 Ye91 ⊠31670
Orbañanos (Bur) 22 We92 ⊠09212
Orbaneja del Castillo (Bur) 21 Wb91 ⊠09145
Orbaneja-Ríopico (Bur) 39 Wc94
Orbara (Nav) 25 Ye91 ⊠31671
≈ Órbigo, Río 36 Ub97
≈ Órbigo, Río 36 Ub96
Orbiso (Ála) 23 Xd92 ⊠01117
Orbita (Ávi) 73 Vc103 ⊠05296
Orcajo (Zar) 60 Yd102 ⊠50366
Orcau (Lle) 46 Af96 ⊠25655
Orce (Gra) 140 Xd122 ⊠18858
≈ Orce, Río 140 Xd122
▲ Orce, Sierra de 140 Xd123
Orcera (Jaé) 125 Xc119 ⊠23370
Orchi, Caserío de (Zar) 60 Yd99
☆ Orchilla, Faro de (Ten) 173 B2
Orchova, La (Cue) 93 Ye109
Ordal (Bar) 65 Bf100 ⊠08739
Ordaliego (Ast) 7 Uc89
Ordejón de Abajo o Santa María (Bur) 21 Vf93
Ordejón de Arriba o San Juan (Bur) 21 Vf93
Ordejón de Ordunte (Bur) 22 We90
Ordèn (Lle) 29 Be94
Órdenes = Ordes (Cor) 3 Rd90
Ordes (Cor) 3 Rd90
Ordes (Cor) 15 Sa91
☆ Ordesa, Refugio Nacional de 27 Zf93
▲ Ordesa y Monte Perdido, Parque Nacional de 27 Aa93
Ordial, El (Gua) 58 Wf102 ⊠19244
Ordino (AND) 29 Bd93
Ordis (Gir) 49 Cf95 ⊠17772
Ordizia (Gui) 24 Xe90 ⊠20240
Ordobaga (Ast) 5 Tc88
Ordoeste (Cor) 14 Rb91 ⊠15837
Ordoñana (Ála) 23 Xd91 ⊠01208
Ordoño, Caserío (Vall) 56 Vc101
Ordovés (Hues) 44 Zd94
Ordres, les (Tar) 65 Bc100
▲ Orduña 152 Wc125
Orduña (Viz) 22 Wf91 ⊠48460
▲ Orduña, Puerto de 22 Wf91
≈ Ordunte, Embalse de 10 We90
≈ Ordunte, Río 22 Wd90
Orea (Gua) 78 Yb105 ⊠19311
Oreganal, Caserío (Các) 86 Tf110
Oreganal, Cortijo del (Córd) 137 Ve118
▲ Oreganal, Sierra del 158 Uf128
Oreja (Tol) 90 Wd108
Oreja = Orexa (Gui) 24 Xf90
☆ Oreja, Convento de 56 Ve99
Orejana (Seg) 57 Wb102 ⊠40176
Orejanilla (Seg) 57 Wb102 ⊠40176
Orejo (Can) 9 Wb88 ⊠39719
≈ Orellana, Embalse de 121 Ud115
Orellana de la Sierra u Orellanita (Bad) 106 Ud114
Orellana la Vieja (Bad) 121 Uc114 ⊠06740
Orendain (Gui) 24 Xf90 ⊠20269
☆ Orenga, Castell d' 46 Af96
Orense (Our) 33 Sa94
Orense = Ourense (Our) 33 Sa95
Orera (Zar) 60 Yd101 ⊠50331
Orés (Zar) 43 Yf95
≈ Orés, Barranco de 43 Yf95
Orexa (Gui) 24 Xf90 ⊠20490
☆ Orfanat, Torre 66 Cd99
Orfes (Gir) 49 Cf95 ⊠17468
Orgalla, Cortijo de (Gra) 154 Xd123
▲ Órganos, Los (Ten) 173 E3
☆ Órganos, Los (Ten) 172 B1
▲ Órganos, Punta de los (Ten) 172 B1
Organyà (Lle) 46 Bb95
≈ Organyà, Gorja d' 46 Bc95
Orgaz (Tol) 108 Wa111 ⊠45450
≈ Orgaz, Arroyo de 108 Wa111
Órgiva (Gra) 161 Wd127
☆ Orguens, Cova dels 128 Ab116
Oria (Alm) 154 Xe124 ⊠04810
Oria (Gui) 12 Xf89 ⊠20160
≈ Oria, Río 12 Xf89
▲ Oribio 16 Se92
▲ Oribio, Serra do 16 Se92
Oricáin (Nav) 25 Yc91
▲ Oriche, Sierra de 61 Yf102
Oricin (Nav) 25 Yc93 ⊠31396
Orient (Bal) 98 Ce110 ⊠07349
Orihuela (Ali) 142 Za120 ⊠03300
▲ Orihuela, Playas de 143 Zb121
Orihuela del Tremedal (Ter) 78 Yc105 ⊠44366
Orillares (Sor) 40 We98 ⊠42142
Orilla y Piñero (Mur) 155 Yc123
Orillena (Hues) 44 Ze98 ⊠22213
▲ Oriñón, Playa de 10 We88
Orio (Gui) 12 Xf89 ⊠20810
Oriola, l (Tar) 80 Ad104
Orís (Bar) 48 Cb96
Orísoain (Nav) 25 Yc93
Oristà (Bar) 48 Ca97
Orito (Ali) 128 Zb118 ⊠03679
Orives, Cortijo de los (Alm) 155 Ya124
Orlé (Ast) 7 Ue89
≈ Orlé, Río 7 Ue89
Ormaiztegi (Gui) 24 Xe90 ⊠20216
Orna de Gállego (Hues) 26 Zd94
Oro, El (Val) 113 Za113 ⊠46199
☆ Oro, Ermita de 23 Xb91
▲ Oro, Peñas de 40 Xa95
☆ Oro, Santuario de 23 Xb91
▲ Oro, Sierra del 141 Yd119
▲ Oro, Sierra del 121 Uc117
▲ Oroel 26 Zc93
▲ Oroel, Peña 26 Zc93
▲ Oroel, Puerto de 26 Zc93
Orokieta Illarregi (Nav) 24 Yb90
Orones (Leó) 19 Ue91 ⊠24857
Oronoz (Nav) 13 Yc90 ⊠31720
Oronz (Nav) 25 Yf91 ⊠31451
Oropesa (Tol) 87 Uf109 ⊠45560
Oropesa de Mar/Orpesa (Cas) 96 Aa108
Ororbia (Nav) 24 Yb92 ⊠31171
Orosa (Lug) 15 Sa91 ⊠27204
Orós Alto (Hues) 26 Ze93
Orós Bajo (Hues) 26 Ze93
Oroso (Cor) 15 Rd91 ⊠15888
Orotava, La (Ten) 173 D3 ⊠38300
▲ Orotava, Valle de (Ten) 172 D3
Oroz-Betelu (Nav) 25 Ye91 ⊠31439
Orozca, Cortijo de la (Gra) 151 Vf124
Orozco = Zubiaur (Viz) 23 Xa90
Orozko = Zubiaur (Viz) 23 Xa90 ⊠48410
Orozqueta (Viz) 11 Xb90
▲ Orpesa, Platja d' 96 Aa108
▲ Orpesa, Serra d' 96 Aa108
Orpí (Bar) 65 Bd99
▲ Orpiñas, Sierra de 20 Vb90
Orradre (Nav) 25 Ye92
Orrantia (Bur) 10 We90 ⊠09585
▲ Orrea, Serra de 15 Rf92
Orreaga/Roncesvalles (Nav) 25 Ye90 ⊠31650
Orrio (Nav) 24 Yc91 ⊠31194
Orriols (Gir) 49 Cf96 ⊠17468
Orrios (Ter) 79 Za105 ⊠44161
Orrit (Lle) 46 Ae95
Òrrius (Bar) 66 Cc99
▲ Orrua 5 Tb89
▲ Ortegal, Cabo 4 Sa86
Ortegas, Cortijo Los (Alm) 155 Ya124
Ortegas, Los (Córd) 136 Uf121
Ortegícar (Mál) 159 Va127
Ortells (Cas) 80 Zf104 ⊠12311
▲ Ortiga, Pico da 34 Se96
≈ Ortiga, Río 120 Ua115
▲ Ortiga, Sierra de la 120 Ua115
Ortigal, El (Ten) 173 E3
Ortigós (Tar) 65 Bd101
Ortigosa, La (Huel) 133 Tb120
Ortigosa de Cameros (Rio) 41 Xb95 ⊠26124
Ortigosa del Monte (Seg) 74 Ve103 ⊠40421
Ortigosa de Pestaño (Seg) 56 Vd102
Ortigosa de Rioalmar (Ávi) 73 Uf104
Ortigosa de Tormes (Ávi) 87 Ue106 ⊠05631
Ortigueira (Cor) 4 Sb86 ⊠15330
Ortiguera (Ast) 5 Tb87
▲ Ortiguera, Playa de 5 Tb87
▲ Ortijuela, Sierra de 106 Ud111
Ortilla (Hues) 44 Zc96 ⊠22811
Orto (Cor) 3 Re89
Ortuella (Viz) 10 Wf89 ⊠48530
☆ Ortuño, Mirador (Ten) 173 E3
▲ Ortzanzurieta 25 Ye90
Oruén (Hues) 26 Zc94
Orús (Hues) 27 Ze94
Orusco (Mad) 90 We107 ⊠28570
Orxa, l' = Lorcha (Ali) 129 Ze115
Orxal (Cor) 15 Re91
Orxeta (Ali) 129 Ze117 ⊠03579
▲ Orxeta, Serra de 129 Ze117
Orzales (Can) 21 Vf90 ⊠39292
≈ Orzán, Enseada do 3 Rd88
Orzola (Palm) 176 D2 ⊠35541
Orzónaga (Leó) 19 Uc91
▲ Osa, Peña de la 136 Uf119
▲ Osa, Sierra de la 122 Vb115
Osacáin (Nav) 25 Yc91
Osácar (Nav) 24 Yb91
Osa de la Vega (Cue) 110 Xb110 ⊠16423
Osán (Hues) 26 Ze94
O Saviñao (Lug) 16 Sc93
Oscáriz (Nav) 25 Yd92
▲ Oscuro, Monte 44 Zc98
Os de Balaguer (Lle) 46 Ae97 ⊠25610
Oseira (Our) 15 Sa93 ⊠32136
Oseiro (Cor) 3 Rd89
Oseja (Zar) 60 Yb99 ⊠50258
Oseja de Sajambre (Leó) 20 Uf90 ⊠24916
Osera de Ebro (Zar) 62 Zc99
Oset (Val) 94 Zb110
Osia (Hues) 26 Zc94 ⊠22830
≈ Osia, Río 26 Zc92
Osinaga (Gui) 12 Ya89 ⊠20120
Osintxu = Mártires, Los (Gui) 11 Xd90 ⊠20580
Oskotz (Nav) 24 Yb91 ⊠31869
Osma (Viz) 11 Xc89 ⊠48269
Osma (Ála) 22 Wf91 ⊠01426
Osma (Sor) 58 Wf99 ⊠42318
Oso, El (Ávi) 73 Vb103 ⊠05164
Osona (Sor) 59 Xb99 ⊠42294
Osonilla (Sor) 59 Xb99 ⊠42291
Osor (Gir) 48 Cd97 ⊠17161
≈ Osor, Riera d' 48 Cd97
▲ Osorio (Palm) 174 C2
Osornillo (Pal) 38 Ve94 ⊠34468
Osorno (Pal) 38 Vd94 ⊠34460
Osorno la Mayor (Pal) 38 Vd94
Ossa de Montiel (Alb) 125 Xb115 ⊠02611
Ossera (Lle) 47 Bc95 ⊠25717
Ossero, El (Alb) 125 Xb115
Osso de Cinca (Hues) 63 Ab98 ⊠22532
Ossó de Sió (Lle) 46 Bb98
≈ Ostaza, Río 41 Xd96
Ostiz (Nav) 25 Yc91 ⊠31799
Osuna (Sev) 150 Uf125 ⊠41640
Otal (Hues) 27 Ze93
Otañes (Ála) 10 We89
Otano (Nav) 25 Yc92 ⊠31470
Otazu (Ála) 23 Xc92 ⊠01194
Oteiro-Cruz (Our) 33 Rf95
Oteitza (Nav) 12 Yc90
Oteiza (Nav) 24 Yb91
Oteiza (Nav) 24 Ya93
Oteo (Bur) 22 We91
Oteo (Ála) 23 Xd92 ⊠01117
Oter (Gua) 76 Xd104 ⊠19431
Oterico (Leó) 18 Ua92 ⊠24126
Otero (Ast) 7 Ud89 ⊠33791
▲ Otero 39 Wb96
▲ Otero 58 Wd100
Otero (Sal) 71 Ua104
Otero (Tol) 88 Vc108 ⊠45543
▲ Otero, Peña 22 Wb92
Otero de Bodas (Zam) 36 Tf97 ⊠49336
Otero de Guardo (Pal) 20 Vb91 ⊠34888
Otero de Herreros (Seg) 74 Ve104 ⊠40422
Otero de las Dueñas (Leó) 19 Ub92 ⊠24123
Otero de los Centenos (Zam) 35 Te96
Otero de María Asensio (Sal) 72 Uc103
Otero de Sanabria (Zam) 35 Tc96 ⊠49320
Otero de Sariegos (Zam) 36 Uc98 ⊠49137
Otero de Valdetuéjar, El (Leó) 20 Uf92
Oteros, Los (Cue) 92 Ya109
Oteros de Boedo (Pal) 20 Vd93 ⊠34406
Otero Vaciadores (Sal) 72 Ub103
Oteruelo (Rio) 41 Xe95 ⊠26145
Oteruelo de la Valdoncina (Leó) 19 Uc93 ⊠24009
Oteruelo del Valle (Mad) 74 Wa103 ⊠28749
Oteruelos (Sor) 41 Xc97 ⊠42190
Otilla (Gua) 77 Yb104 ⊠19356
Otín (Hues) 44 Zf95
Otiñano (Nav) 24 Xe93 ⊠31219
Otiñar o Santa Cristina (Jaé) 138 Wb122
Otita Leitzaran (Gui) 12 Xf89
Otívar (Gra) 161 Wb128
Oto (Hues) 27 Zf93 ⊠22370
Oto Barren = Hueto Abajo (Ála) 23 Xb91 ⊠01191
Oto Goien = Hueto Arriba (Ála) 23 Xb91 ⊠01191
Otonel (Val) 113 Za113 ⊠46199
Otones de Benjumea (Seg) 57 Vf102 ⊠40394
Otos (Mur) 140 Xf119 ⊠30442
Otos (Val) 128 Zd115 ⊠46844
Otsaurte (Gui) 24 Xe91
Otsiñaga (Gui) 12 Ya89
▲ Otsondo, Puerto de 13 Yc89
Otur (Ast) 5 Tc87 ⊠33792
Otura (Gra) 152 Wc126 ⊠18630
☆ Otura, Castillo de 44 Zc95
▲ Oturia 26 Ze93
Otxandio (Viz) 23 Xc90 ⊠48210
▲ Ou, Puig 48 Cc95
Ouces (Cor) 3 Re88
Oulego (Our) 17 Ta93 ⊠32312
▲ Oural 16 Sd93
Oural (Lug) 16 Sd92
Ourense (Our) 33 Sa95 ⊠ *32001
Ouría (Ast) 5 Sf88
Ourille (Cor) 14 Rb92
Ourille (Our) 33 Sa96
≈ Ouro, Río 4 Sd87
Ourol (Lug) 4 Sc87
Ousá (Lug) 16 Sb90
▲ Ousá, Cordal de 4 Sb90
Ousende (Lug) 16 Sc93 ⊠27546
Ousón (Lug) 17 Sf91
Outariz (Lug) 5 Se90
Outeiro (Lug) 4 Sd89
Outeiro (Lug) 17 Sf93
Outeiro, O (Lug) 16 Sb93
≈ Outeiro, Río de 16 Sd91
▲ Outeiro das Augas, Porto de 33 Rf96
Outeiro de Rei (Lug) 4 Sc90
▲ Outeiro Maior, Serra de 16 Sd90
Outes (Cor) 14 Ra91 ⊠15230
Outomuro (Our) 33 Sa95 ⊠32824
Ouviaño (Lug) 17 Ta90 ⊠27113
Ouzande (Pon) 15 Rd92 ⊠36681

O Valadouro (Lug) 4 Sd 87
Ovana (Ast) 7 Ud 89
Oveix (Lle) 28 Af 94 ✉ 25511
Ovejero, Cortijo (Córd) 151 Vd 123
Ovejuela (Các) 86 Td 107 ✉ 10639
≈ Ovel, Rambla del 153 Wf 124
Overuela, La (Vall) 56 Vb 98
Oviedo = Uviéu (Ast) 6 Ua 88 ✉ *33001
Oville (Leó) 19 Ud 91 ✉ 24853
Oviñana (Ast) 6 Te 88
▲ Oyambre, Cabo de 9 Vd 88
Oyardo (Ála) 23 Xa 91
Oyón-Oion (Ála) 23 Xd 93
Oza (Cor) 2 Rb 89
Oza (Cor) 3 Re 89
▲ Oza, Selva de 26 Zb 92
Oza dos Ríos (Cor) 3 Re 89
Ozaeta = Ozeta (Ála) 23 Xd 91 ✉ 01206
Ozana (Bur) 23 Xb 92 ✉ 09217
Ozcoidi (Nav) 25 Ye 92 ✉ 31448
Ozeca (Ála) 22 Wf 90
Ozeta = Ozaeta (Ála) 23 Xd 91

P

Pablo, Cortijo de (Jaé) 138 We 122
Pablo Iglesias (Mad) 90 Wc 106
Paca, La (Mur) 141 Ya 121 ✉ 30812
▲ Pacheca, La 94 Yf 109
Pachecas, Las (Ciu) 109 Wf 114
Pacheco, Cortijo (Mál) 159 Vc 127
Pachecos, Los (Ciu) 109 Wf 114
Pacio (Our) 34 Se 95
Pacios (Lug) 4 Sb 89
Pacios (Lug) 4 Sd 89
Pacios (Lug) 5 Sf 90
Pacios (Lug) 16 Sd 92
Pacios de Arriba (Lug) 4 Sd 88
Paciros da Serra (Lug) 17 Sf 93
Paco El Perito, Cortijo de (Ciu) 122 Vd 118
Pacos, Cortijo de (Gra) 139 Xb 122
Pacs del Penedès (Bar) 65 Be 100
Padarníu (Hues) 28 Ac 94
Paderne (Cor) 3 Re 89
Paderne de Allariz (Our) 33 Sb 95 ✉ 32112
Padiernos (Ávi) 73 Va 105 ✉ 05520
▲ Padilla 153 Xb 125
≈ Padilla, Arroyo de 38 Ve 94
Padilla, Caserío de (Pal) 38 Vb 96
Padilla de Abajo (Bur) 38 Ve 94 ✉ 09109
Padilla de Arriba (Bur) 21 Ve 94 ✉ 09108
Padilla de Duero (Vall) 56 Ve 99 ✉ 47314
Padilla de Hita (Gua) 76 Xa 103 ✉ 19246
Padilla del Ducado (Gua) 77 Xd 103 ✉ 19445
Padin (Pon) 15 Rc 93
Padornelo (Zam) 35 Ta 96 ✉ 49574
▲ Padornelo, Portillo del 35 Tb 96
Padraira (Ast) 5 Ta 89 ✉ 33737
▲ Padrasto 126 Xe 117
▲ Padre Caro 133 Tc 122
Padrenda (Pon) 14 Rb 94
Padrenda (Our) 33 Rf 96
Padrinàs (Lle) 47 Bd 95
Padrón (Mál) 165 Uf 130
Padrón (Cor) 14 Rc 92
▲ Padrón, Lomas del 165 Uc 130
Padrón, O (Lug) 5 Sf 90
▲ Padrona 134 Tf 121
Padrones de Bureba (Bur) 22 Wc 92 ✉ 09593
Padróns (Pon) 32 Rc 95 ✉ 36866
Padroso (Our) 33 Sc 96
Padrosos = Padrosos, Os (Pon) 33 Re 95
Padrosos, Os = Padrosos (Pon) 33 Re 95
▲ Padrún, Alto de el 7 Ub 89
Padul (Gra) 161 Wc 126 ✉ 18640
Padul = Paúl (Ála) 23 Xa 92
Padules (Alm) 162 Xb 127 ✉ 04458
Padules, Cortijada (Gra) 152 Wd 125
Pagador, El (Palm) 174 C 2
Paganes, Los (Mur) 142 Ye 122
Pago Aguilar Bajo (Alm) 154 Xd 126 ✉ 04212
Pago de Escuchagranos (Alm) 153 Xb 126
Pago Dulce (Sev) 157 Tf 127
▲ Pagoeta, Monte 12 Xe 89
☆ Pagogaña, Fuerte de 12 Yb 89
▲ Pagolarra 23 Wf 90
Pagos, Es (Bal) 99 Da 111
▲ Pagos de Sierra, Los 132 Sd 122
Pago y Benisalte (Gra) 161 Wd 127
Pahisa d'en Font (Bal) 97 Bb 115
Pa i Capellades (Val) 113 Zc 112
Paiosaco (Cor) 3 Rc 89
Paiporta (Val) 114 Zd 112 ✉ 46200
≈ Paja, Laguna de la 164 Tf 130
Pajanosas, Las (Sev) 148 Tf 123 ✉ 41219
▲ Pajar, Loma del 92 Yb 109
Pájara (Palm) 175 D 3
Pájara (Ten) 173 E 4
▲ Pájaras, Las 55 Vb 100
Pajar de Celedonio Morales (Tol) 88 Vc 108
Pajarejo de Abajo, Caserío de (Mur) 140 Ya 120
Pajarejos (Seg) 57 Wc 100 ✉ 40567
Pajarejos (Ávi) 72 Ue 105 ✉ 05571
▲ Pajarero, El 93 Ye 109
Pajareros, Caserío de (Pal) 39 Vf 97
Pajares (Ast) 19 Ub 90 ✉ 33693
Pajares (Vall) 37 Ue 96
Pajares (Rio) 41 Xc 96
Pajares (Gua) 76 Xb 104 ✉ 19413
Pajares (Cue) 92 Xe 107 ✉ 16145
Pajares, Cortijo de (Mál) 159 Vb 128
Pajares, Cortijo de (Jaé) 138 We 123
≈ Pajares, Laguna de 109 We 112
Pajares, Los (Sal) 71 Ua 105
Pajares, Los (Val) 93 Ye 108
≈ Pajares, Pantano 41 Xc 96
▲ Pajares, Puerto de 19 Ub 91
≈ Pajares, Río 19 Ub 90
Pajares de Adaja (Ávi) 73 Vc 103 ✉ 05292
Pajares de Calmarza (Zar) 60 Ya 101
Pajares de Fresno (Seg) 57 Wd 100 ✉ 40518
Pajares de la Laguna (Sal) 72 Uc 102 ✉ 37428
Pajares de la Lampreana (Zam) 54 Ub 98 ✉ 49142
Pajares de la Rivera (Các) 86 Td 109 ✉ 10829
Pajares de los Marañones (Ávi) 88 Vb 107
Pajares de los Oteros (Leó) 37 Ud 95 ✉ 24209
Pajares de Pedraza (Seg) 57 Wa 102 ✉ 40184
Pajares de San Pedrillo el Raso, Los (Các) 86 Te 108
Pajarito (Córd) 150 Vb 124
▲ Pajarito, Playa del (Palm) 175 E 4
▲ Pajaritos, Lomo de los (Palm) 174 C 4
▲ Pajaritos, Risco de 87 Ud 107
Pajarón (Cue) 92 Yb 109
Pajarón, Caserío del (Córd) 136 Ue 121
☆ Pajarón, Castell de 124 Wc 118
Pajaroncillo (Cue) 93 Yb 109 ✉ 16390
▲ Pájaros 122 Vc 117
Pajarraco, Cortijada del (Gra) 162 Xa 127
Pajarrete, Cortijo de (Cád) 157 Ub 129
Pajazo, El (Ter) 79 Za 104
Pajeros, Los (Huel) 133 Sf 122
▲ Pajilejo, Cerro del 136 Va 119
Pajonal Abajo (Bad) 104 Td 114
Pajonales, Casa Forestal de (Palm) 174 C 3
☆ Pajonales, Cuevas de (Palm) 174 B 3
▲ Pajonales, Sierra de 104 Ta 112
Pajoso, Caserío Los (Huel) 146 Se 124
Pajuelas (Sal) 71 Ua 104
Pal (AND) 29 Bc 93
Palacés, El (Alm) 154 Xf 124
Palacinos (Sal) 54 Ua 102
Palacio (Can) 10 We 89
Palacio (Ávi) 73 Va 105 ✉ 05198
Palacio Barriga, Caserío de (Các) 105 Tf 112
Palacio de Castronuevo (Ávi) 73 Uf 103
Palacio de Doñana (Huel) 156 Td 127
Palacio de La Bobadilla (Tol) 87 Ue 108
Palacio de la Ribera (Ciu) 122 Vb 115
Palacio del Rey (Huel) 148 Td 126
Palacio de Milla (Mad) 89 Vf 106
Palacio de Revilla (Ávi) 72 Uf 105
Palacio de San Pedro (Sor) 41 Xe 96
Palacio de Torío (Leó) 19 Uc 92
Palacio de Valdellorma (Leó) 19 Ue 92 ✉ 24878
☆ Palacio Ducal 87 Ub 106
Palacio Quemado (Bad) 119 Te 116
☆ Palacio Real 75 Wb 106
Palacios (Sal) 70 Tc 105
Palacios, Caserío de los (Tol) 108 Wa 110
Palacios, Cortijo de los (Ciu) 124 Wf 116
Palacios, Los (Mur) 142 Ye 121 ✉ 30879
Palacios de Becedas (Ávi) 72 Uc 106 ✉ 05694
Palacios de Benaver (Bur) 39 Wa 94 ✉ 09130
Palacios de Campos (Vall) 37 Va 97 ✉ 47816
Palacios de Compludo (Leó) 18 Td 94 ✉ 24414
Palacios de Corneja (Ávi) 72 Ud 106 ✉ 05516
Palacios de Fontecha (Leó) 36 Uc 94 ✉ 24250
Palacios de Goda (Ávi) 56 Vb 102 ✉ 05215
Palacios de Jamuz (Leó) 36 Tf 95 ✉ 24767
Palacios del Alcor (Pal) 38 Vd 95 ✉ 34490
Palacios del Arzobispo (Sal) 54 Ua 101 ✉ 37111
Palacios de la Sierra (Bur) 40 Wf 97 ✉ 09680
Palacios de la Valduerna (Leó) 36 Ua 95 ✉ 24764
Palacios del Pan (Zam) 54 Ua 99 ✉ 49162
Palacios del Sil (Leó) 18 Td 91 ✉ 24495
Palacios de Riopisuerga (Bur) 38 Ve 94 ✉ 09107
Palacios de Rueda (Leó) 19 Uf 92 ✉ 24940
Palacios de Salvatierra (Sal) 72 Ub 105 ✉ 37795
Palacios de Sanabria (Zam) 35 Tc 96 ✉ 49322
Palaciosmil (Leó) 18 Tf 92 ✉ 24397
Palaciosrubios (Sal) 72 Ue 102
Palacios Rubios (Ávi) 73 Vb 102 ✉ 05216
Palacios y Villafranca, Los (Sev) 148 Ua 126 ✉ 41720
Palà de Torroella, el (Bar) 47 Be 97
Paladín (Leó) 18 Ua 92
Palafolls (Bar) 49 Ce 98 ✉ 08389
Palafrugell (Gir) 49 Da 97 ✉ 17200
Palagret (Gir) 49 Cf 96 ✉ 17460
Palamós (Gir) 49 Da 97
▲ Palanca, Cuerda de la 136 Vc 120
Palancar (Sev) 158 Uc 127
Palancar (Gra) 151 Ve 125
Palancar, Cortijo El (Bad) 134 Tf 120
▲ Palancar, El 87 Ud 107
☆ Palancar, Monasterio del 86 Td 110
Palancares (Gua) 58 We 102 ✉ 19225
≈ Palancares, Arroyo de 151 Wa 124
≈ Palancia, Río 95 Ze 110
≈ Palància, Riu 94 Zb 109
Palanco (Huel) 133 Tc 123
Palanco, Cortijo (Các) 105 Ua 111
Palanques (Cas) 80 Ze 104 ✉ 12311
Palanquinos (Leó) 19 Uc 94 ✉ 24225
Palas (Mur) 142 Ye 123
Palas de Rei (Lug) 16 Sa 91
Palauborrell (Gir) 49 Da 96
☆ Palau d'Alcoleja 129 Zd 116
Palau d'Anglesola, el (Lle) 64 Af 99 ✉ 25243
Palaudàries (Bar) 66 Cb 99
Palau de Noguera (Lle) 46 Af 96 ✉ 25633
Palau de Plegamans (Bar) 66 Cb 99
Palau de Rialb (Lle) 46 Bb 96 ✉ 25747
Palau de Santa Eulàlia (Gir) 49 Cf 95
Palau-sacosta (Gir) 49 Ce 97
☆ Palau-sacosta 49 Ce 97
Palau-sator (Gir) 49 Da 97 ✉ 17256
Palau-saverdera (Gir) 31 Da 95 ✉ 17495
Palau-surroca (Gir) 31 Cf 95
Palazuelo (Bad) 105 Ub 114 ✉ 06717
Palazuelo (Leó) 19 Ud 91
≈ Palazuelo, Arroyo del 40 Wf 96
Palazuelo de Boñar (Leó) 19 Ue 91 ✉ 24869
Palazuelo de Eslonza (Leó) 19 Ud 93 ✉ 24163
Palazuelo de las Cuevas (Zam) 35 Te 98 ✉ 49592
Palazuelo de Marqués, Cortijo (Các) 105 Ua 112
Palazuelo de Sayago (Zam) 53 Te 100 ✉ 49213
Palazuelo de Torío (Leó) 19 Uc 92
Palazuelo de Vedija (Vall) 37 Uf 97 ✉ 47812
Palazuelo-Empalme (Các) 86 Tf 109
Palazuelos (Gua) 76 Xb 102 ✉ 19266
Palazuelos de Cuesta Urria (Bur) 22 Wd 92
Palazuelos de Eresma (Seg) 74 Vf 103 ✉ 40194
Palazuelos de la Sierra (Bur) 39 Wd 95 ✉ 09198
Palazuelos de Muñó (Bur) 39 Wa 95
Palazuelos de Villadiego (Bur) 21 Vf 93 ✉ 09124
Paleira (Lug) 4 Sb 88
Palencia (Pal) 38 Vc 96 ✉ *34001
Palencia de Negrilla (Sal) 54 Uc 102 ✉ 37799
Palenciana (Córd) 150 Vc 125 ✉ 14914
Palenciana (Ávi) 73 Vc 105
Palenzuela (Pal) 39 Vf 96 ✉ 34257
Paleo (Cor) 3 Rd 89
☆ Paleocristiana, Basilica (Bal) 96 Ea 109
Palera (Gir) 48 Ce 95 ✉ 17850
☆ Palermo 62 Zf 101
Paletón, Cortijo del (Mur) 140 Xf 120
▲ Paletón, Punta del (Palm) 176 B 3
Palio (Pon) 15 Rf 92
Pallares (Lug) 16 Sc 93
Pallarés (Bad) 134 Tf 120
≈ Pallaresa 29 Bb 93
Pallareses, Los (Mur) 155 Yb 123
Pallaresos, els (Tar) 64 Bb 101 ✉ 43151
Pallargues, les (Lle) 46 Bb 98 ✉ 25212
☆ Pallars, Castell de 29 Ba 94
Pallaruelo de Monegros (Hues) 62 Ze 98 ✉ 22221
Palleirós (Our) 34 Se 95
Pallejà (Bar) 66 Bf 100
Pallerols (Lle) 46 Bb 96
Pallerols = Pallerols del Cantó (Lle) 29 Bb 94
Pallerols del Cantó (Lle) 29 Bb 94
Pallide (Leó) 19 Ue 91 ✉ 24856
≈ Palma, Badia de (Bal) 98 Cd 111
☆ Palma, Castelo da 3 Re 88
Palma, Cortijo de la (Alm) 154 Xe 124
Palma, La (Mur) 142 Za 122 ✉ 30593
▲ Palma, La (Ten) 171 A 1
≈ Pálmaces, Embalse de 76 Xa 102
Pálmaces de Jadraque (Gua) 76 Xa 102
Palma d'Ebre, la (Tar) 64 Ae 101 ✉ 43370
Palma de Cervelló, la (Bar) 66 Bf 100
Palma de Gandía (Val) 129 Ze 115
Palma del Condado, La (Huel) 147 Tc 124 ✉ 21700
Palma del Río (Córd) 135 Ue 122
Palma de Mallorca (Bal) 98 Cd 111 ✉ *07001
Palma Nova (Bal) 98 Cd 111
Palmanyola (Bal) 98 Ce 110 ✉ 07193
Palmar, El (Cád) 164 Tf 131 ✉ 11159
Palmar, El (Mur) 142 Yf 121
Palmar, el (Ali) 129 Aa 115 ✉ 03700
Palmar, el (Val) 114 Ze 113
Palmar, El (Ten) 171 B 1
Palmar, El (Ten) 172 B 3
Palmar, El = Cuevas del Palmar (Ten) 171 B 1 ✉ 38489
Palmar de Troya, El (Sev) 157 Ub 126 ✉ 41719
Palmares, Los (Sev) 149 Ue 124
▲ Palmas, El (Ten) 172 B 3
Palmas, Las (Ten) 173 G 2
Palmas de Gran Canaria, Las (Palm) 174 D 2
Palmeira (Cor) 14 Ra 93 ✉ 15950
▲ Palmer, Playa del 162 Xc 128
Palmera, La (Alm) 154 Xe 125 ✉ 04858
▲ Palmera, Playa de la 7 Ub 87
▲ Palmera, Punta de sa (Bal) 97 Bd 116
▲ Palmeral 113 Zc 114
☆ Palmeral (Palm) 175 D 4
Palmeral, El (Mur) 142 Ye 121 ✉ 30334
Palmeral, el (Ali) 128 Zd 118 ✉ 03360
Palmeres, les (Val) 114 Ze 113
▲ Palmeres, Platja de les 114 Ze 113
Palmeres, Ses (Bal) 98 Ce 112
Palmerola (Gir) 47 Ca 96 ✉ 17514
Palmerosa, Cortijada La (Alm) 163 Ya 127
Palmés (Our) 33 Sa 94
Palmita, La (Ten) 172 B 1
Palmital, El (Palm) 174 C 2 ✉ 35458
▲ Palmitera, Sierra 158 Uf 129
Palmitoso, Cortijo de (Cád) 164 Ub 129
Palm-Mar, El (Ten) 172 C 5
Palmones (Cád) 165 Ud 131 ✉ 11379
Palmosa, Cortijo de la (Cád) 164 Ub 130
Palmosa, Cortijo de la (Cád) 164 Ua 130
Palmosa, Cortijo de la (Córd) 135 Ue 123
Palmosa, La, Cortijo de la (Sev) 150 Uf 123
▲ Palo (Palm) 176 D 3
Palo (Hues) 45 Ab 95 ✉ 22337
Palo, El (Mál) 159 Vd 128
▲ Palo, Playa de 143 Zb 122
▲ Palo, Puerto del 5 Tb 89
▲ Palo, Punta del (Palm) 174 D 2
Palol de Rebardit = Palol de Revardit (Gir) 49 Ce 96
Palol de Revardit (Gir) 49 Ce 96 ✉ 17843
Paloma, La (Mur) 142 Ye 121
▲ Paloma, La 59 Xc 99
≈ Paloma, Laguna de 109 We 111
▲ Paloma, Praia de la 5 Ta 87
▲ Paloma, Punta (Palm) 175 D 4
Palomar (Cád) 157 Te 129
Palomar (Córd) 137 Ve 122 ✉ 14512
Palomar (Ast) 6 Ua 89
Palomar, Cortijo del (Mál) 150 Vc 126
Palomar, El (Sev) 149 Uc 124
Palomar, El (Sev) 149 Uc 124
Palomar, El (Jaé) 139 Xa 121 ✉ 23479
Palomar, El (Val) 128 Zd 115 ✉ 46891
Palomar, El (Ten) 173 F 2
▲ Palomar, Llano del 59 Xe 102
Palomar de Arroyos (Ter) 79 Zb 10… ✉ 44708
▲ Palomarejo 150 Uf 124
Palomarejo, Cortijo de (Bad) 119 Tb 116
Palomares (Alm) 155 Yb 125 ✉ 04618
Palomares (Jaé) 138 Wb 123
Palomares (Sal) 87 Ub 106
Palomares de Alba (Sal) 72 Uc 10… ✉ 37893
Palomares del Campo (Cue) 91 Xc 109 ✉ 16160
Palomares del Río (Sev) 148 Tf 12…
Palomaret (Ali) 128 Zb 118 ✉ 036…
Palomar Navas (Bad) 119 Td 118
Palomas (Bad) 120 Tf 116 ✉ 0647…
Palomas, Caserío de las (Cád) 164 Ub 132
Palomas, Las (Ten) 172 D 5 ✉ 38617
▲ Palomas, Puerto de las 158 Ud 128
▲ Palomas, Puerto de las 139 Xa 121
▲ Palomas, Punta 164 Ub 132
≈ Palombera, Embalse de 8 Vd 89
▲ Palombera, Puerto de 21 Ve 90
Palomeque (Tol) 89 Wa 108 ✉ 45213
Palomeques (Córd) 151 Ve 124
▲ Palomera 56 Ve 100
▲ Palomera 78 Ye 105
Palomera (Cue) 92 Xf 108 ✉ 1619…
Palomera, La (Can) 8 Vd 89
▲ Palomera, Sierra 112 Ye 114
▲ Palomera, Sierra 78 Ye 105
▲ Palomera, Sierra de la 106 Ue 111
▲ Palomeras 108 Wa 112
Palomero (Các) 86 Te 107 ✉ 1066…
▲ Palomero, Dehesa de 120 Ub 11…
≈ Palomillas, Arroyo 120 Tf 116
Palominos, Cortijo de los (Cád) 164 Tf 131
Palominos, Cortijo de los (Gra) 151 Wa 124
▲ Palomita, Sierra 79 Zd 105
Palomo, Cortijo del (Jaé) 125 Xa 118
▲ Palos, Cabo de 143 Zb 123
▲ Palos Blancos, Los (Ten) 173 B 2
Palos de la Frontera (Huel) 147 Ta 125 ✉ 21810
Palou (Bar) 66 Cb 99
Palou de Sanaüja (Lle) 46 Bb 98
Palou de Torà (Lle) 46 Bc 98
Pals (Gir) 49 Da 97 ✉ 17256
▲ Pals, Platja de 49 Db 96
Pámanes (Can) 9 Wb 88
≈ Pambre 15 Sa 91
Pampaneira (Gra) 161 Wd 127 ✉ 18411
Pampanico (Alm) 162 Xb 128 ✉ 04715
Pampe (Lle) 46 Bc 96 ✉ 25289
Pampliega (Bur) 39 Wa 95 ✉ 0922…
Pamplona/Iruña (Nav) 25 Yc 92
Pamporciello, El (Hues) 45 Ab 94
▲ Pan, Tierra del 36 Tf 96
▲ Panadella, Coll de la 65 Bc 99
Panadella, la (Bar) 65 Bc 99 ✉ 08717

naverde (Our) 34 Sc96
ncar (Ast) 8 Vb88 ✉33509
ncenteo (Pon) 32 Ra97 ✉36778
nches (Cor) 14 Qf91 ✉15295
nchez, Los (Córd) 135 Ue119
ncorbo (Bur) 22 Wf93 ✉09280
Pancrudo, Embalse de 78 Ye103
Pancrudo del Collado, Río
78 Ye103
ndenes (Ast) 7 Ud88 ✉33529
Pandera, Sierra de la 152 Wb123
Panderruedas, Puerto de
20 Va90
Pandetrave, Puerto de 20 Va90
ndiellos (Ast) 6 Tf88
andillo (Bur) 9 Wb90
ando (Ast) 7 Ub89
ando (Can) 9 Wa89
ando (Viz) 10 We89
Pandols, Serra de 62 Ac102
andos, Los (Can) 21 Wa90
✉39687
anduro, Cortijo de (Jaé)
137 Vf122
añeda Nueva (Ast) 7 Ub88
✉33189
Panera 87 Ub107
anes (Ast) 8 Vc89 ✉33570
anes, Cortijo de los (Mur)
141 Yc120
angua (Bur) 23 Xb92 ✉09294
anillo (Hues) 45 Ab95 ✉22438
aniza (Zar) 61 Ye101 ✉50480
Paniza, Puerto de 61 Ye101
anizal (Ast) 6 Tf88 ✉33829
anizares (Bur) 22 Wd92 ✉09559
ano (Hues) 45 Ab95 ✉22438
anorama (Ali) 129 Zf117
Pantà de Boadella 31 Ce94
anta de Canelles (Lle) 44 Ad97
antaleón (Mur) 142 Ye122
antanar (Huel) 147 Tc125
antano de Cíjara (Các) 106 Uf112
antano de El Vado (Gua)
75 We102
antano de Gabriel y Galán (Các)
86 Tf107
antano de Irabia (Nav) 25 Ye91
antano de la Torre del Águila (Sev)
157 Ub126
antano del Chorro (Mál)
159 Vb127
antano del Generalísimo (Val)
94 Yf110
antano del Guadalén (Jaé)
138 Wd120
antano de los Bermejales (Gra)
160 Wa126
antano de Moneva (Zar) 61 Za101
antano de Navabuena (Các)
86 Ua109
antano de Puentes (Mur)
141 Yb122
antano de Santa Teresa (Sal)
72 Uc104
antano de Zújar (Bad) 121 Ud115
anticosa (Hues) 26 Ze92
✉*22650
antín (Cor) 3 Rf87
antiñobre (Cor) 15 Re91 ✉15819
antoja (Tol) 89 Wa108 ✉45290
antoja, Cortijo (Mál) 151 Vd125
antojo, El (Ali) 128 Za117
antón (Lug) 16 Sc93
▲Pantorrillas 63 Aa102
anxón (Pon) 32 Rb96 ✉36340
≈Panzacole, Embalse de
138 Wc119
anzano (Hues) 44 Zf95 ✉22141
anzares (Rio) 41 Xc95 ✉26121
Paoaga (Gui) 12 Ya89
Paones (Sor) 58 Xa100 ✉42368
▲Papagayo, Punta del (Palm)
176 B4
☆Papa Luna, Castell del 80 Ac106
Papatrigo (Ávi) 73 Vb103 ✉05358
☆Papel 80 Ac103
Papel, El (Jaé) 152 Wa123
Papiol, el (Bar) 66 Ca100 ✉08754
Papiolet, el (Tar) 65 Bd101
✉43713
Papudo-Acebuchal-Soto Colorado
(Mál) 165 Ue130
Paquines, Las (Ciu) 109 We113
Para (Ast) 8 Vc89 ✉33579
Paracuelles (Can) 21 Ve90
✉39212
Paracuellos (Cue) 93 Yb110
Paracuellos de Jarama (Mad)
75 Wc106 ✉28860
Paracuellos de Jiloca (Zar)
60 Yc101 ✉50342
Paracuellos de la Ribera (Zar)
60 Yc100 ✉50299
Parada (Cor) 3 Rf89
Parada (Cor) 3 Rd90
Parada (Pon) 15 Rd93
Parada (Lug) 16 Se93
Parada (Lug) 17 Sf93
Parada (Our) 16 Sc94
Parada (Lug) 16 Sc90
Parada, A (Our) 33 Sa95
Parada, Caserío La (Tol) 87 Ue108
≈Parada, Río 32 Rd94
Parada da Serra (Our) 34 Se96
✉32546
Parada de Arriba (Sal) 72 Ub103
✉37129
Parada de Ribeira (Our) 33 Sb96
✉32635
Parada de Rubiales (Sal) 55 Ud102
✉37419
Parada de Ventosa (Our) 33 Rf97
✉32896
Parada dos Montes (Lug) 16 Se93
✉27339
Paradapiñol (Lug) 17 Sf94
Paradas (Sev) 149 Ud125 ✉41610
Parada Seca (Our) 34 Sd95
Paradasolana (Leó) 18 Td93
✉24398
Paradavella (Lug) 17 Sf90 ✉27135
Paradela (Cor) 3 Sa90
Paradela (Cor) 3 Rd89
Paradela (Pon) 15 Rd92
Paradela (Cor) 15 Sa91
Paradela (Lug) 16 Sd92
Paradela (Lug) 16 Sc92
Paradela (Lug) 17 Sf91
Paradela (Our) 16 Sd94
Paradela (Our) 33 Sa94
Paradela (Our) 33 Sa97
Paradela (Our) 34 Se95
Paradellas (Our) 34 Sc94
Paradeseca (Leó) 17 Tb92
Paradilla, La (Mad) 74 Ve105
Paradilla de Gordón (Leó) 19 Ub91
Paradilla del Alcor, Caserío de (Pal)
38 Vc97
Paradilla de la Sobarriba (Leó)
19 Ud93 ✉24228
Paradinas (Sal) 70 Tc104
Paradinas (Seg) 74 Vd102
✉40123
Paradinas de San Juan (Sal)
72 Uf103 ✉37318
▲Paradís, Platja del 129 Ze118
☆Parador 155 Yb124
☆Parador, Cortijo del 153 Wf123
☆Parador, El 146 Sd123
☆Parador de las Hortichuelas, El
162 Xc128
☆Parador del Vildeo 36 Ua97
Paraes (Ast) 7 Ud88 ✉33529
Paraisás (Our) 34 Se94
Paraíso, El (Mad) 74 Vf105
▲Paraiso, Playa (Ten) 172 C5
Paraíso Alto (Ter) 94 Za108
Paraíso Bajo (Ter) 94 Za108
Paraja (Ast) 5 Tc89
Parajis (Leó) 17 Ta92 ✉24525
Paralacuesta (Bur) 22 Wd91
✉09515
Paralis las Juntas (Alb) 140 Xd119
▲Paramera, Sierra de la 73 Va106
▲Parameras de Ávila 73 Vb105
Páramo (Ast) 18 Tf90
≈Paramo, Canal del 18 Ub93
▲Páramo, El 38 Ve95
▲Páramo, El 38 Vc97
▲Páramo, El 56 Vc98
Páramo de Boedo (Pal) 21 Vd93
Páramo del Arroyo (Bur) 39 Wb94
Páramo del Sil (Leó) 18 Td92
▲Páramo de Masa, Puerto de
21 Wb93
▲Páramo Leonés, El 36 Ub95
Páramos (Cor) 14 Rb91
Páramos (Pon) 32 Rc96
Parana (Ast) 19 Ub90 ✉33694
▲Paraño, Alto de 15 Re94
Paraños (Pon) 32 Rd95
▲Parapanda 151 Wa125
Parapuños, Cortijo de (Các)
105 Tf111
Parata, La (Alm) 154 Ya124
Paratella (Ali) 129 Aa116 ✉03720
Parauta (Mál) 158 Uf129 ✉29451
▲Paravientos 93 Yc109
Paraya, La (Ast) 19 Uc90 ✉33681
Parbayón (Can) 9 Wa88
▲Parc de Collserola 66 Ca100
▲Parc del Garraf 65 Bf101
▲Parc de Montnegre-Corredor
48 Cd98
Parcelas de Porsiver (Sev)
148 Tf124
Parcent (Ali) 129 Zf116 ✉03792
▲Parchel, Punta del (Palm) 174 B4
Parchite (Mál) 158 Uf128 ✉29394
▲Parc Nacional d'Aigüestortes i
Estany de Sant Maurici 28 Af93
▲Parc Natural de Cadí-Moixeró
47 Be95
▲Parc Natural de la Serra Gelada i
el seu entorn litoral 129 Aa117
▲Parc Natural de la Zona Volcànica
de la Garrotxa 48 Cd96
▲Parc Natural dels Aiguamolls de
l'Empordà 49 Da95
≈Parc Natural dels Ports 80 Ab104
▲Parda, Sierra 127 Yd117
Pardal, El (Alb) 126 Xe118
✉02449
Pardales, Cortijo (Sev) 149 Ub126
Pardanchinos (Val) 94 Zb110
▲Pardas, Punta das 14 Qe91
Pardavé (Leó) 19 Ud92
Pardeconde (Our) 33 Sc94
Pardellas, As (Lug) 16 Sb90
Pardemarín (Pon) 15 Rd92
✉36686
Parderrubias (Our) 33 Sa95
✉32830
Pardesivil (Leó) 19 Ud92 ✉24848
Pardilla (Bur) 57 Wb99 ✉09462
Pardilla, La (Palm) 174 D2 ✉35213
Pardilla de Hoz de Arreba (Bur)
21 Wb91
Pardina, La (Hues) 27 Ab94
Pardina, La (Hues) 45 Aa95
Pardina de Lardiés (Hues) 26 Zb93
Pardina de Orlato (Hues) 44 Ze95
Pardina de Ubieto (Hues) 44 Ze95
Pardina Pueyo (Hues) 26 Zb93
Pardiñas (Cor) 2 Qf90
Pardinella (Hues) 28 Ad94 ✉22484
Pardines (Gir) 30 Cb95 ✉17534
Pardo, El (Alm) 162 Xa128
Pardo, El (Mur) 141 Yb121
Pardo, El (Mad) 75 Wb105
✉28048
≈Pardo, Embalse de El 75 Wb105
▲Pardo, Monte de El 74 Wb105
▲Pardominos, Montes 19 Ue91
Pardos (Zar) 60 Yc102
Pardos (Gua) 77 Ya103 ✉19336
Pardos, Los (Alm) 154 Xf123
▲Pardos, Sierra de 60 Yb102
Pared, La (Alb) 112 Ye113 ✉02213
Pared, La (Palm) 175 C4 ✉35627
Pared, La (Can) 10 Wd89 ✉39805
▲Pared, Punta de la (Palm) 176 D3
▲Paredazo, Alto del 76 Xd103
Paredazos, Los (Alb) 111 Xe114
Paredes (Ast) 6 Td88 ✉33785
Paredes (Our) 34 Sd95
Paredes (Cue) 91 Xa108 ✉16465
Paredes de Buitrago (Mad)
75 Wc102 ✉28196
Paredes de Escalona (Tol)
89 Vd107 ✉45908
Paredes de Monte (Pal) 38 Vc97
Paredes de Nava (Pal) 38 Vb96
✉34300
Paredes de Sigüenza (Gua)
59 Xb101
Paredesroyas (Sor) 59 Xe99
✉42132
Paredó, el (Ali) 127 Yf118
≈Paredón, Embalse del 120 Uc115
☆Pareis, Torrent de (Bal) 98 Ce109
Pareja (Gua) 76 Xc105 ✉19129
Parejas, Cortijo de los (Alm)
154 Xf123
Parella Nou (Bal) 96 Df109
Paresotas (Bur) 22 We91 ✉09512
☆Paretdelgada 64 Bb101
Paretón, El (Mur) 142 Yd122
Parets = Parets del Vallès (Bar)
66 Cb99
Parets del Vallès (Bar) 66 Cb99
Parets d'Empordà (Gir) 49 Cf96
Parga (Lug) 4 Sb89
≈Parga, Río 4 Sb89
Paricia, Cortijo de (Bad) 118 Sf119
Paridera, Cortijo de la (Gra)
153 We125
Paridera Abejar Alto (Zar) 62 Zc100
Paridera Amplanes (Zar) 61 Ye100
Paridera Carraquilla (Zar) 61 Ye100
Paridera Corral de la Blanca (Zar)
43 Zb98
Paridera de Cabezones (Zar)
62 Zc98
Paridera de Carlos (Hues) 44 Zf97
Paridera de Escartín (Zar) 44 Zc97
Paridera de Estrén (Zar) 61 Za99
Paridera de la Rabosa (Zar)
62 Zd99
Paridera de la Rioja (Zar) 61 Ye99
Paridera del Castillo (Zar) 43 Yf96
Paridera del Hondo (Val) 114 Zd113
Paridera del Médico (Hues)
44 Ze97
Paridera de los Caños (Zar)
62 Zc99
Paridera de los Quemados (Zar)
44 Zc98
Paridera del Pastejón (Zar)
62 Zc100
Paridera del Rojo (Zar) 62 Zc100
Paridera del Santísimo (Zar)
43 Za98
Paridera de Rivas (Hues) 43 Zb96
Paridera de Santa Engracia (Zar)
61 Zb99
Paridera de Sopapos (Zar)
62 Zc100
Paridera Huerta del Sastre (Zar)
60 Yc98
Paridera La Viuda (Zar) 61 Zb100
Paridera Lomeros (Zar) 61 Ye100
Paridera Los Cuervos (Zar)
62 Zc100
Paridera Roya, Caserío (Val)
113 Zb113
Parideras, Las (Alb) 125 Xc117
Parideras Cerro Pellar (Zar)
60 Yc98
Paridera Tía Dionisia (Zar)
61 Yf100
Paridero Lamarca (Zar) 61 Zb100
Paridero Tío Paco (Zar) 61 Zb100
Parilla, Cortijo de la (Jaé)
139 Wf119
Parilla, Cortijo de la (Córd)
136 Uf122
Parilla, La (Huel) 133 Tb121
Páriza (Bur) 23 Xc92
Parla (Mad) 90 Wb107 ✉28980
☆Parladé, Palacio de 134 Tf122
Parlavà (Gir) 49 Da96
Parlero (Ast) 5 Tc88 ✉33717
☆Parpalló, Cova del 114 Ze115
Parque Alcosa (Sev) 148 Ua124
▲Parque Coimbra 89 Wa107
Parque de Las Castillas (Gua)
75 Wd104 ✉19170
▲Parque de Peña Cabarga 9 Wb88
▲Parque Natural Aiako Harria
12 Ya89
▲Parque Natural da Baixa Limia-
Sera do Xurés 33 Rf97
▲Parque Natural das Illas Cíes
32 Ra95
▲Parque Natural de Aralar 24 Xf91
▲Parque Natural de Izki 23 Xd92
▲Parque Natural de las Bárdenas
Reales 42 Yd95
▲Parque Natural de las Hoces del
Cabriel 112 Ye112
▲Parque Natural de las Sierras de
Aralar y Urbasa 24 Xf91
▲Parque Natural de las Sierras de
Cardeña y Montoro 137 Ve119
▲Parque Natural del Cañón del Río
Lobos 40 Wf98
▲Parque Natural del Carrascal de
la Font Roja 128 Zc117
▲Parque Natural del Moncayo
60 Yb98
▲Parque Natural del Señoría de
Bertiz 13 Yc89
▲Parque Natural de Pagoeta
12 Xe89
▲Parque Natural de Sierra
Cebollera 41 Xc96
▲Parque Natural de Urkiola
23 Xb90
▲Parque Natural de Valderejo
22 We91
▲Parque Natural do Invernadeiro
34 Sd96
▲Parque Posets-Maladeta 26 Ac93
▲Parque Regional de Gredos
87 Ue107
▲Parra, Cabeza de la 88 Vc106
Parra, La (Alm) 162 Wf128
Parra, La (Cád) 157 Tf128
Parra, La (Alm) 154 Xf123
Parra, La (Bad) 119 Tc117 ✉06176
▲Parra, La 113 Zc113
▲Parra, La 108 Vf112
Parra, La (Ávi) 88 Uf107 ✉05400
Párraces, Caserío de (Seg)
74 Vd103
Parra de las Vegas, La (Cue)
92 Xe109
Párraga (Ciu) 109 Wf113
Parra Grande (Các) 85 Tc108
Parral, El (Ávi) 73 Va104 ✉05146
Parral, el (Cas) 95 Zf107
Parral de Villovela (Seg) 74 Vf102
Parralejo, Cortijo de (Jaé)
140 Xc119
Parralejo, El (Cád) 164 Ua131
✉11150
Parralejo, El (Jaé) 125 Xa118
▲Parrales, Los 87 Ub108
Parral Grande (Palm) 174 C3
✉35280
≈Parralillo, Embalse de El (Palm)
174 B3
Parras de Castellote, Las (Ter)
80 Ze104 ✉44566
Parras de Martín, Las (Ter)
79 Za104
▲Parredellades, les 80 Ac104
▲Parreño, Playa 143 Zb123
☆Parres 7 Ue88
Parres (Ast) 8 Vb88
Parreta Grande, La (Cas) 94 Zd108
Parriel, Cortijo de (Mur) 140 Xf120
Parrilla, Cortijo de la (Sev)
134 Ua122
Parrilla, La (Cád) 157 Ub129
Parrilla, La (Córd) 151 Vd125
Parrilla, La (Córd) 135 Ue119
Parrilla, La (Jaé) 125 Xb118
Parrilla, La (Vall) 56 Vc99 ✉47328
Parrillas (Tol) 88 Uf108 ✉45611
Parrita, Cortijo La (Huel) 133 Sf121
Parrizón (Alb) 125 Xc118
Parrizoso, El (Jaé) 152 Wb123
Parroquia de Ortó = Parròquia
d'Hortó, la (Lle) 29 Bc95
Parròquia d'Hortó, la (Lle) 29 Bc95
≈Parroso, Arroyo de 135 Ub122
Partacua, La (Hues) 26 Ze92
Partaloa (Alm) 154 Xe124 ✉04810
▲Partaloa 154 Xe124
Parte, La (Bur) 21 Wa93 ✉09133
Parte de Bureba, La (Bur) 22 Wd92
✉09249
Parteme (Lug) 16 Se94
▲Particiones, Sierra de las
107 Vc111
Partida Bayo, Caserío (Zar)
43 Ye96
Partida Casilla (Zar) 43 Ye95
▲Partido, Pico (Palm) 176 B4
Partido de la Sierra en Tobalina
(Bur) 22 We92
Partido de Resina (Sev) 148 Te125
Partidor, El (Mur) 142 Yf119
✉30648
Partidores, Los (Alb) 126 Xf115
Partija, La (Mad) 90 Wc106
Partovia (Our) 15 Rf94 ✉32515
Parzán (Hues) 27 Ab93
Pas, El (Hues) 45 Ab98
Pas, el (Tar) 80 Ac105
≈Pas, Embalse del 45 Ab98
≈Pas, Río 9 Wa88
≈Pasada Blanca, Arroyo de
165 Uc130
Pasada de los Bayos (Huel)
146 Sf125
Pasada del Palo (Huel) 146 Sf124
▲Pasaderas 122 Vc117
▲Pasaderas, Las 60 Ya100
Pasadilla (Palm) 174 D3
Pasaia (Gui) 12 Ya89 ✉20110
Pasai Donibane (Gui) 12 Ya89
✉20110
Pasai San Pedro (Gui) 12 Ya89
✉20110
Pasanant = Passanant (Tar)
64 Bb99
Pasarela (Cor) 2 Qf90 ✉15129
Pasariegos (Zam) 54 Tf100
✉49240
Pasarilla del Rebollar (Ávi)
73 Uf104 ✉05143
Pasarón, Cortijo de (Bad)
105 Uc114
Pasarón de la Vera (Các) 86 Ub108
Pasaxe, O (Pon) 32 Ra97
Pascualarina (Sal) 70 Tc105
Pascualcobo (Ávi) 72 Ue105
Pascualcobo (Ávi) 73 Vb103
Pascuales (Seg) 74 Vd102
✉40122
Pascuales, Los (Jaé) 125 Xb118
✉23369
Pascual García, Casas y Chalet de
(Mur) 127 Yf117
Pascualgrande (Ávi) 73 Va103
✉05309
Pascual Muñoz (Ávi) 73 Uf105
Pas de la Casa (AND) 29 Be93
Pasico (Mur) 141 Yb123
☆Pasiego 9 Wa89
Pasiego, Caserío del (Zar) 43 Yf96
Pasito Blanco (Palm) 174 C4
✉35106
Paso, El (Ten) 171 B3 ✉38750
▲Paso, Playa del (Palm) 176 B4
▲Paso Chico, Punta de (Palm)
175 D2
≈Paso de la Muela, Laguna del
110 Xb112
≈Paso de la Soga, Caleta (Ten)
171 B2
≈Paso Nuevo, Embalse de
28 Ad93
▲Paso Viejo (Palm) 175 D2
Passanant (Tar) 64 Bb99 ✉43425
Passessio des Cap Blanc (Bal)
98 Ce112
Pastelero, Cortijo (Gra) 152 We123
≈Pasteral, Pantà del 48 Cd97
Pasteras, Sas (Bal) 99 Db109
▲Pastillos, Sierra de los 106 Ue113
Pastor (Cor) 15 Re90
Pastores (Sal) 70 Tc105 ✉37510
☆Pastores, Ermita de los
90 Wc109
Pastores, Los (Cád) 165 Ud132
Pastores, Los (Ter) 94 Zc108
Pastores, Sa (Bal) 99 Db110
Pastoriza (Cor) 3 Rd88
Pastoriza, A (Lug) 4 Sd89
Pastrana (Cád) 156 Te128
Pastrana (Mur) 155 Yd123 ✉30876
Pastrana (Gua) 76 Xa106 ✉19100
≈Pastrana, Rambla de 155 Yd123
Pastriz (Zar) 61 Zb99 ✉50195

▲Pastuira, Puig de 30 Cb 94
Pata Caballo, Cortijo de (Bad) 134 Ua 119
Pata de Mulo (Córd) 150 Vb 124
Patalvaca (Palm) 174 B 4
Patas, Cortijo de (Alb) 112 Yd 113
▲Patas, Las 36 Ua 97
Pataura, Cortijada (Gra) 161 Wc 128
Paterna (Córd) 136 Ue 122
Paterna (Val) 114 Zd 111 ✉46980
Paterna del Campo (Huel) 148 Td 124 ✉21880
Paterna del Madera (Alb) 125 Xd 117
Paterna del Río (Alm) 162 Xa 126
Paterna de Rivera (Cád) 164 Ua 129 ✉11178
Paternáin (Nav) 24 Yb 92
Paternoy (Hues) 26 Zb 94
Patones (Mad) 75 Wd 103 ✉28189
Patones de Abajo (Mad) 75 Wd 103
☆Patracó, Cova de 65 Bf 99
Patrás (Huel) 133 Tb 122
Patria (Cád) 164 Tf 131
Patricia, Cortijo de la (Córd) 122 Vd 118
Patrite (Cád) 164 Uc 130
Patronato, Cortijo del (Sev) 135 Ub 121
Patronato, El (Sev) 150 Vb 125
Patronato, El (Jaé) 139 Xc 120 ✉23290
Patruena (Mur) 141 Yd 120
≈Patuda, Arroyo de la 121 Ue 118
▲Patuda, Sierra de la 135 Ud 120
Pau (Gir) 31 Da 95 ✉17494
Paüls = Paüls dels Ports (Tar) 80 Ac 103
▲Paüls, Serra de 80 Ac 103
Paüls dels Ports = Paüls (Tar) 80 Ac 103
Paúl (Ála) 23 Xa 92
Paúl (Hues) 45 Ab 95
Paúl, El (Ter) 94 Zb 108
Paúl, La (Hues) 43 Zb 97
▲Paúl, Valle de la 22 Wf 93
☆Paular, Monasterio de El 74 Wa 103
▲Paular o de los Cotos, Puerto del 74 Wa 104
Paulejo, Cortijo del (Gra) 152 Wd 123
Paulenca (Gra) 153 We 125 ✉18519
Paules (Viz) 10 We 89 ✉48890
Paúles (Alb) 140 Xd 119
Paúles (Zar) 43 Za 96
Paúles del Agua (Bur) 39 Wa 96
Paúles de Lara (Bur) 39 Wd 96
Paúles de Vero (Hues) 45 Aa 95
Paulinas, Cortijo Las (Alm) 163 Xf 127
Pauls (Lle) 28 Af 94
Pava, La (Mur) 140 Ya 119
Pavia (Lle) 64 Bc 99 ✉25213
Pavía (Seg) 57 Wa 102
Pavías (Cas) 94 Zd 109
Pavòn (Ten) 172 B 2
Pavos, Los (Mur) 141 Yd 121
☆Payás, Cruz de 94 Zc 109
Payer (Jaé) 139 Xb 119
Paymogo (Huel) 132 Sd 122 ✉21560
≈Paymogo, Embalse de 132 Se 122
Payo, El (Sal) 85 Tb 107 ✉37524
≈Payo, Río de 20 Vd 92
Payo de Ojeda (Pal) 20 Vd 92 ✉34485
Payueta (Ála) 23 Xb 93 ✉01211
Paz, La (Córd) 136 Va 123 ✉14100
▲Paz, Mojón de la 39 Wa 97
Pazo (Lug) 4 Sd 87
Pazo (Lug) 4 Sb 88
Pazo (Cor) 14 Rb 92
Pazo (Cor) 14 Rb 93
Pazo (Cor) 15 Re 90
Pazos (Cor) 2 Rb 89
Pazos (Cor) 15 Rd 92
Pazos (Our) 33 Sb 95
Pazos (Our) 33 Sc 96
Pazos de Borbén (Pon) 32 Rc 95 ✉36841
Pazos de Irixoa (Cor) 3 Rf 89
Pazos de Reis (Pon) 32 Rc 96
Pazuengos (Rio) 40 Xa 95 ✉26261
Peà (Lle) 47 Bd 96
Pea, La (Val) 113 Zc 111
Peal de Becerro (Jaé) 139 Wf 121 ✉23460
≈Peares, Encoro dos 16 Sb 93
Pebrades, les (Val) 128 Za 116
≈Peces, Embalse de 74 Vf 103
≈Peces, Río de los 36 Tf 94
Pecharromán (Seg) 57 Wa 100
▲Pechiguera, Punta (Palm) 176 A 4
Pechina (Alm) 162 Xd 127
Pechina (Alm) 154 Xc 124
Pecho, El (Alm) 153 Xa 126
Pecho de la Mata, Cortijo del (Gra) 151 Ve 126
Pechón (Can) 8 Vd 88
Peciña (Rio) 23 Xb 93 ✉26339
Pedernal (Sal) 71 Te 102 ✉37148
Pedernoso, El (Cue) 110 Xb 112 ✉16638
Pedra (Cor) 4 Sa 86
☆Pedra, Ermita de 46 Ae 96
Pedra, la (Lle) 47 Bd 96 ✉25284
☆Pedra dos Cadris, A 2 Qe 90
Pedrafigueira (Cor) 14 Qf 91 ✉15293
Pedrafita (Lug) 4 Sb 90
Pedrafita (Lug) 16 Se 92
Pedrafita (Lug) 16 Sb 93
▲Pedrafita, Porto de 17 Sf 92
Pedrafita de Camporredondo (Lug) 17 Se 91
Pedrafita do Cebreiro (Lug) 17 Sf 92 ✉27670
☆Pedra Gentil, Dolmen de 66 Cd 99
▲Pedraja, Puerto de la 40 Wd 94
Pedraja de Portillo, La (Vall) 56 Vc 100 ✉47196
Pedraja de San Esteban (Sor) 58 Wf 99 ✉42391
Pedrajas (Sor) 41 Xc 98 ✉42190
Pedrajas de San Esteban (Vall) 56 Vc 101 ✉47430
Pedralba (Val) 113 Zb 111 ✉46164
Pedralba de la Pradería (Zam) 35 Tb 96
▲Pedralva, Collado de 27 Ze 94
Pedramala (Ali) 129 Aa 116 ✉03720
Pedrarías (Gra) 140 Xe 121
Pedrarías (Các) 86 Tf 107
Pedraza (Lug) 16 Sa 92
Pedraza (Sor) 41 Xd 97 ✉42162
Pedraza (Seg) 57 Wb 102 ✉40172
Pedraza de Alba (Sal) 72 Ud 104 ✉37882
Pedraza de Campos (Pal) 38 Vb 97 ✉34170
Pedraza del Agua, Caserío (Các) 105 Tf 112
Pedraza de Yeltes (Sal) 71 Te 104 ✉37494
Pedreda (Our) 33 Sc 95
Pedredo (Can) 9 Vf 89 ✉39450
Pedregal (Leó) 18 Ua 92 ✉24273
Pedregal (Tol) 89 Vf 108
Pedregal, El (Ast) 6 Td 88
Pedregal, El (Gua) 78 Yc 104 ✉19327
Pedregosilla, Cortijo de (Cád) 164 Ub 130
Pedreguer (Ali) 129 Aa 116 ✉03750
Pedreira, A (Cor) 3 Re 87
Pedreña (Can) 9 Wb 88 ✉39130
Pedrera (Sev) 150 Va 125 ✉41566
≈Pedrera, Embalse de La 143 Za 120
Pedrera, La (Mur) 142 Yf 122
Pedrera, La (Ast) 6 Ua 88
Pedrera, La (Ast) 7 Ub 88
▲Pedrera, Punta de sa (Bal) 97 Bc 116
▲Pedrera, Serra de la 64 Af 102
Pedreras, Las (Mur) 142 Yd 123
Pedreres (Ali) 128 Zb 117
Pedret (Gir) 31 Da 95
Pedret i Marzà (Gir) 31 Da 95
Pedrezuela (Mad) 75 Wc 104 ✉28723
Pedriches (Val) 112 Ye 111
≈Pedrido, Río 4 Sd 88
≈Pedriña 15 Rf 94
Pedrinyà (Gir) 49 Cf 96
Pedrís (Lle) 46 Af 98
Pedriza, La (Jaé) 151 Wa 124 ✉23688
▲Pedriza, Loma de la 93 Ye 109
▲Pedriza de Manzanares, La 74 Wa 104
▲Pedrizas 160 Wa 126
▲Pedrizas 72 Ub 105
▲Pedrizas 78 Yf 105
Pedrizas (Các) 85 Tb 108
Pedrizas, Caserío Las (Mur) 140 Xe 120
▲Pedrizas, Las 112 Za 114
▲Pedrizas, Puerto de las 159 Vd 127
▲Pedrizas, Serra de las 128 Za 118
Pedro (Sor) 58 We 101 ✉42344
☆Pedró, el 48 Cd 97
Pedro Abad (Córd) 137 Vd 121 ✉14630
Pedro Abad, Cortijo de (Córd) 137 Vc 119
Pedro Álvarez (Ten) 173 F 2
Pedro Álvaro (Sal) 71 Td 103
Pedro Andrés, Cortijo (Alb) 140 Xd 120
Pedro Baeza, Cortijo de (Córd) 151 Ve 123
Pedro Barba (Palm) 176 D 2
≈Pedro Barba, Caleta de (Palm) 176 D 2
▲Pedro Barba, Punta de = Sonda, Punta de la (Palm) 176 D 2
Pedro Bernardo (Ávi) 88 Va 107 ✉05470
Pedro Bueno, Cortijo de (Mál) 158 Uf 127
Pedroche (Córd) 122 Vb 118 ✉14412
▲Pedroche 121 Uf 117
Pedroches (Córd) 136 Vb 121
▲Pedró de Tubau, el 47 Ca 95
Pedro Díaz (Córd) 135 Ue 122
Pedro Fuertes (Sal) 72 Ud 105
≈Pedro Gil, Arroyo de 137 Vd 120
▲Pedro Gómez, Sierra de 105 Ub 112
Pedro Izquierdo (Cue) 93 Yd 109 ✉16337
Pedrola (Zar) 43 Ye 98 ✉50690
Pedro Llen (Sal) 72 Ub 104 ✉37609
Pedro Manjón, Cortijo de (Jaé) 139 We 119
≈Pedro Marín, Embalse de 138 Wd 121
Pedro Martín (Bad) 118 Sf 118
Pedro Martín (Sal) 71 Ua 104
Pedro Martín (Sal) 72 Uc 104
Pedro Martínez (Gra) 153 We 123
Pedro Moreno (Bad) 134 Td 119
Pedro Muñoz (Ciu) 110 Xa 112 ✉13620
Pedro Muñoz (Các) 86 Te 107 ✉10630
▲Pedrón, El 36 Ub 98
Pedroñeras, Las (Cue) 110 Xc 112 ✉16660
Pedrones de Abajo (Val) 112 Yf 112
▲Pedro Pardo 79 Yf 105
Pedro Rodríguez (Ávi) 73 Vb 103
Pedrosa (Bur) 21 Wb 90
Pedrosa (Our) 33 Sc 97
Pedrosa (Our) 34 Se 96
≈Pedrosa, Cala 49 Db 97
Pedrosa, Cortijo de (Gra) 154 Xc 123
Pedrosa, Cortijo de (Alb) 126 Xe 117
☆Pedrosa, Ermita de 37 Uf 97
Pedrosa, La (Can) 10 Wb 89 ✉39728
▲Pedrosa, La 94 Zb 110
≈Pedrosa, Río 40 Wf 95
Pedrosa de Duero (Bur) 57 Wa 98 ✉09314
Pedrosa de la Vega (Pal) 20 Vb 94 ✉34116
Pedrosa del Páramo (Bur) 39 Wa 94
Pedrosa del Príncipe (Bur) 38 Ve 95
Pedrosa del Rey (Leó) 20 Va 91
Pedrosa del Rey (Vall) 55 Ue 99 ✉47112
Pedrosa de Muñó (Bur) 39 Wb 95
Pedrosa de Río-Urbel (Bur) 39 Wb 94
Pedrosa de Tobalina (Bur) 22 Wd 91 ✉09549
Pedrosa de Valdelucio (Bur) 21 Vf 92
Pedrosas, Las (Zar) 43 Za 96 ✉50612
Pedrosillo, El (Sev) 134 Td 122
Pedrosillo, El (Bad) 134 Ua 119
Pedrosillo de Alba (Sal) 72 Ud 104 ✉37871
Pedrosillo de los Aires (Sal) 72 Ub 104 ✉37788
Pedrosillo el Ralo (Sal) 72 Uc 102 ✉37427
Pedroso (Ast) 8 Va 88
Pedroso (Can) 9 Wa 89
Pedroso (Can) 10 Wc 88
Pedroso (Rio) 41 Xb 95 ✉26321
≈Pedroso, Arroyo del 87 Ue 110
Pedroso, Cortijo El (Cád) 164 Ua 129
☆Pedroso, Desfiladero de 40 We 96
Pedroso, El (Sev) 135 Ub 121 ✉41360
▲Pedroso, Monte 33 Re 95
≈Pedroso, Río 40 We 96
▲Pedroso, Sierra de El 135 Ub 121
▲Pedroso, Sierra del 151 Vd 126
▲Pedroso, Sierra del 6 Tf 88
Pedroso de Acim (Các) 86 Td 110 ✉10829
Pedroso de la Abadesa (Vall) 55 Va 99 ✉47132
Pedroso de la Armuña, El (Sal) 72 Ud 102
Pedroso de la Carballeda (Zam) 35 Td 97 ✉49594
Pedrotoro (Sal) 71 Td 105 ✉37590
Pedrouzo (Cor) 15 Rd 91
≈Pedrouzo, Río 3 Rc 90
Pedrouzos (Cor) 14 Rb 91
Pedro Valiente (Cád) 164 Uc 132 ✉11380
Pedroveya (Ast) 6 Ua 89 ✉33115
Pedrucho, El (Mur) 143 Zb 122
▲Pedrucho, Playa del 143 Zb 122
Pedruel (Hues) 44 Zf 95
Pedrún de Torío (Leó) 19 Ud 92
Pedruscosas, Cortijo de las (Jaé) 137 Wa 122
Pedruzo (Bur) 23 Xb 92 ✉09217
▲Pégado 42 Xf 97
▲Pégado, Sierra de 42 Xf 97
Pegalajar (Jaé) 138 Wc 122 ✉23110
Pego (Ali) 129 Zf 115 ✉03780
Pego, El (Zam) 55 Ud 101 ✉49154
Peguera (Bal) 98 Cc 111 ✉07160
Peguera (Bar) 47 Be 96
▲Peguera 47 Be 96
▲Peguera, Rasos de 47 Be 96
Peguera del Madroño (Jaé) 140 Xd 119 ✉23298
Peguerillas (Huel) 147 Ta 124
Peguerinos (Ávi) 74 Ve 105 ✉05239
Pegueroles (Lle) 47 Be 97 ✉25286
Peibás (Lug) 16 Sa 92
▲Peina, La 93 Yd 110
☆Peiró, el 64 Af 102
▲Peirón, El 78 Yf 106
Peirós, Los (Ter) 94 Zc 108
Peisses, Ses (Bal) 97 Bb 115
Peites (Lug) 34 Se 94 ✉27318
Peixeri (Bal) 99 Cf 111
≈Peizal 15 Sa 92
Pekotxeta (Nav) 25 Ye 90 ✉31669
Pela, Caserío de (Tol) 87 Ue 109
▲Pela, Sierra de 106 Uc 114
▲Pela, Sierra de 58 Wf 101
Pelabravo (Sal) 72 Uc 103 ✉37181
▲Pelada 133 Ta 121
▲Pelada, Cabeza 87 Ud 107
≈Pelada, Rivera 133 Ta 122
▲Pelada, Sierra 133 Ta 121
Peladera, La (Seg) 74 Vf 103
▲Pelado 93 Yd 110
▲Pelado, Cerro 161 We 126
▲Pelado, Meseta del 140 Xd 122
▲Pelados, Los 60 Ya 102
Peláez, Los (Mál) 159 Vd 126
Pelagalls (Lle) 46 Bb 98
Pelagarcía (Sal) 72 Uc 103
Pelahustán (Tol) 88 Vc 107
Pelarrodríguez (Sal) 71 Te 103
Pelayo, El (Cád) 165 Uc 132 ✉11390
Pelayos (Sal) 72 Uc 105 ✉37787
Pelayos de la Presa (Mad) 89 Vd 106 ✉28696
Pelayos del Arroyo (Seg) 74 Wa 102 ✉40170
Peleagonzalo (Zam) 55 Ud 100 ✉49880
Peleas de Abajo (Zam) 54 Ub 100 ✉49191
Peleas de Arriba (Zam) 54 Ub 101 ✉49706
Pelegrina (Gua) 76 Xc 102 ✉19268
Pelegrinas (Gra) 161 Wf 127
Pelejaneta (Cas) 95 Zf 107
≈Pelgo, Embalse de EL 17 Tb 93
Peliceira (Lug) 17 Tb 91
≈Peliceira, Río de 17 Tb 91
☆Peliciego, Cueva de 127 Ye 117
▲Peligro, Punta del (Ten) 172 B 1
Peligros (Gra) 152 Wc 125 ✉18210
Pelile y El Jurado (Mur) 155 Yb 123
Pelilla (Sal) 54 Tf 101 ✉37116
≈Pellejero, Arroyo 108 Wb 114
▲Pellejero, Barranco del 60 Xf 101
Peloche (Bad) 106 Uf 113 ✉06679
▲Peloño, Monte de 19 Uf 90
Pelorde (Ast) 5 Ta 89 ✉33735
Pelotoso, Cortijo de (Jaé) 138 Wc 121
Pelúgano (Ast) 7 Uc 90
Pelusa, La (Mál) 159 Vb 126
Pembes (Can) 20 Vb 90 ✉39582
Pen (Ast) 7 Uf 89 ✉33557
Pena (Cor) 3 Rf 87 ✉15626
Pena (Ast) 6 Td 88
▲Pena 17 Se 91
Pena (Lug) 16 Sc 93
Pena (Lug) 16 Se 90
Peña (Nav) 25 Ye 94 ✉31409
Pena, A (Cor) 14 Rb 91 ✉15838
Pena, A (Our) 33 Sc 96
≈Peña, Barranco de la (Palm) 175 D 3
☆Peña, Castillo de la 76 Xa 104
Peña, Cortijo de (Sev) 150 Vb 125
☆Peña, Cueva de la 8 Uf 89
☆Peña, Cuevas de la (Palm) 175 D 3
≈Peña, Embalse de 80 Aa 104
≈Peña, Embalse de la 43 Zb 94
☆Peña, Ermita de la 79 Zc 105
Peña, La (Cád) 164 Ub 132 ✉11380
Peña, La (Mur) 142 Za 122
Peña, La (Ast) 6 Te 88
Peña, La (Sal) 53 Tc 101 ✉37214
▲Peña, Mirador de la (Ten) 173 C
Pena, Na (Bal) 96 Ea 109
≈Pena, Río de la 149 Ud 126
▲Pena, Serra de 33 Sa 97
☆Peña, Virgen de la 146 Se 123
Penabad (Lug) 4 Sc 87
▲Peña Blanca 8 Va 88
▲Peñablanca, Cerro de 78 Yc 106
Peñacaballera (Sal) 86 Ua 106 ✉37727
▲Peñacabra 74 Wa 103
Peña-Castillo (Can) 9 Wa 88
Peñacerrada = Urizaharra (Ála) 23 Xb 93
Peñacoba (Bur) 40 Wd 97 ✉0961
Peña de Cabra (Sal) 71 Ua 104 ✉37609
Pena de Cabras (Lug) 5 Se 89
Peña de Francia (Sal) 71 Tf 105
☆Peña de Francia, Monasterio de la 71 Tf 105
Penadeiriz (Cor) 3 Sa 88
Peña del Águila (Cád) 156 Td 128
▲Peña del Águila, Calar de la 140 Xf 119
≈Peña del Aguilla, Embalse de 104 Ta 113
Peña de la Zafra (Mur) 127 Yf 119
▲Pena dos Ladros, Monte 4 Sa 88
Peñaferruz (Ast) 7 Ub 88 ✉33192
☆Peñafiel 85 Ta 109
▲Peñafiel 108 Ve 111
Peñafiel (Vall) 57 Vf 99 ✉47300
Peñaflor (Sev) 135 Ud 122 ✉4147
Peñaflor (Ast) 6 Tf 88 ✉33829
Peñaflor (Zar) 43 Zb 98
≈Peñaflor, Arroyo de 55 Va 98
☆Peñaflor, Castillo 124 Xa 116
Peñaflor de Hornija (Vall) 55 Va 98 ✉47640
Pena Folenche (Our) 34 Se 94 ✉32788
▲Pena Forcada, Serra de 2 Qf 90
Penafuente (Ast) 5 Ta 89
▲Peña Gorbea, Sierra de 23 Xb 9
Penagos (Can) 9 Wb 88 ✉39627
Penàguila (Ali) 128 Zd 116 ✉0381
≈Peñahora, Río 91 Xc 107
Peñahorada (Bur) 22 Wc 94 ✉09591
▲Peñahorcada 53 Tb 102
≈Peña Huesca, Laguna de la 109 We 111
▲Peña Labra, Sierra de 21 Vd 90
Peñaladrones (Córd) 136 Uf 119
Peñalagos (Gua) 76 Xb 105 ✉19128
Peñalajo (Ciu) 124 Wd 117 ✉1373
≈Peñalara, Laguna de 74 Wa 103
▲Peñalara, Pico de 74 Wa 103
▲Peñalba 22 We 90
Peñalba (Hues) 62 Zf 100 ✉22592
Peñalba (Cas) 94 Zd 109 ✉12414
Peñalba de Ávila (Ávi) 73 Vb 104
Peñalba de Castro (Bur) 40 Wd 98 ✉09454
Peñalba de Cilleros (Leó) 18 Tf 91 ✉24142
Peñalba de Duero (Vall) 56 Vd 99
Peñalba de la Sierra (Gua) 58 Wd 102 ✉28190
Peñalba de Manzanedo (Bur) 22 Wb 91 ✉09558
Peñalba de San Esteban (Sor) 58 We 99 ✉42345
Peñalba de Santiago (Leó) 35 Tc 94 ✉24415
Peñalbo (Sal) 54 Tf 102
Peñalcázar (Sor) 60 Xf 99
Peñalén (Gua) 77 Xf 105
Penalonga (Our) 33 Sb 97 ✉32634
Peñalosa (Huel) 148 Td 124
Peñalosa (Córd) 136 Uf 122 ✉14129
Peñaloscintos (Rio) 41 Xb 95 ✉26124
Peñalsordo (Bad) 121 Uf 116 ✉06610
Peñalver (Gua) 76 Xa 105 ✉19134
Peñalver, Cortijo de (Gra) 152 Wb 124
Peñalveta (Hues) 44 Zd 98
Peña María y Fuente Atocha (Mur) 141 Ya 121
Penamazada (Lug) 4 Se 89
Peñamecer (Sal) 54 Ua 102
Peñamelera Baja (Ast) 8 Vc 89
Peñamellera Alta (Ast) 8 Vb 88
Penamil (Lug) 17 Sf 91 ✉27659
Penamoura (Cor) 4 Sb 87
▲Peña Negra 87 Ub 106
▲Peñanegra, Cerro 87 Ub 107
▲Peña Negra, Puerto de la 72 Ue 106
Peñaparda (Sal) 85 Tc 107 ✉37523
Pena Petade (Our) 34 Se 95
▲Peña Prieta 20 Vb 90
Peñaranda de Bracamonte (Sal) 72 Ue 103 ✉37300

ñaranda de Duero (Bur) 57 Wd 98 ✉ 09410
ñarandilla (Sal) 72 Ud 103 ✉ 37820
ña-Roa (Hues) 45 Ab 98
ñarrodada, La (Alm) 162 Xa 127 ✉ 04769
Peñarrodrigo 122 Vd 118
Peñarronda, Playa de 5 Sf 87
Peñarroya 79 Zc 106
Peñarroya, Castillo de 109 Xa 114
Peñarroya, Embalse de 109 Xa 114
ñarroya de Tastavíns (Ter) 80 Aa 104
ñarroya-Pueblonueva (Córd) 121 Ue 119
ñarroyas (Ter) 79 Zb 103 ✉ 44709
Peñarrubia 141 Yc 121
ñarrubia (Alb) 126 Xe 116
ñarrubia (Alb) 126 Xe 118
ñarrubia (Can) 8 Vc 89
Peñarrubia 17 Ta 92
ñarrubia, Caserío (Cue) 93 Yc 108
Penarrubia, Embalse de 17 Tb 94
ña-Rubia (Mur) 141 Ya 120
ña Rubia (Jaé) 139 Xc 119
ña Rubia, Caserío (Alb) 112 Yd 114
ña Rubia, La (Ali) 128 Zb 117
Peñaruelo 19 Ue 91
nas (Lug) 16 Sb 92 ✉ 27568
Peñas, Cabo 6 Ua 87
Peñas, Caña las 42 Yd 98
ñas, Cortijo de las (Cád) 157 Ub 127
ñas, Las (Mur) 142 Yf 119 ✉ 30629
Peñas, Las 57 Wa 102
Peña Sagra, Sierra de 8 Vd 90
ñas Blancas (Córd) 136 Va 120
Peñas Blancas, Puerto de 165 Ue 129
ñascales, Los (Mad) 74 Wa 105
ñascosa (Alb) 125 Xd 116 ✉ 02313
eñas de Riglos, Las (Hues) 43 Zb 94 ✉ 22808
eñas de San Pedro (Alb) 126 Ya 116 ✉ 02120
eña Sierpes, Cortijo (Huel) 133 Sf 121
Peñas Juntas, Desfiladero de 6 Tf 89
Penas Mortes, Ses (Bal) 99 Db 112
eñas Negras (Alm) 163 Xf 126 ✉ 04277
eñas Negras, Cortijo de (Alm) 162 Xb 128
enasrubias (Lug) 17 Se 93
▲ Peñas Rubias, Puerto de 136 Uf 120
eñasrubias de Pirón (Seg) 74 Vf 102
enate, Cortijo de (Gra) 152 Wd 124
eña Traviesa, Cortijo (Bad) 120 Tf 118
☆ Peña Tú, Menhir 8 Vb 88
eñausende (Zam) 54 Ua 101 ✉ 49178
▲ Peña Ventana o de Bergueda, Sierra de 17 Tc 90
Penavidreia (Cor) 3 Rf 87
≈ Peña Vieja, Caleta de la (Palm) 175 D 3
eñazcurna (Sor) 41 Xe 96
enches (Bur) 22 Wd 92 ✉ 09593
endilla de Arbás (Leó) 19 Ub 90
☆ Pendo, Cueva El 9 Wa 88
▲ Pendón, El 74 Ve 102
▲ Pendón, Sierra del 118 Sf 118
Pendones (Ast) 7 Ue 90 ✉ 33997
Pendueles (Ast) 8 Vc 88 ✉ 33598
▲ Pendueles, Playa de 8 Vc 88
☆ Peneda, Ermida 32 Rc 95
Penedès (Gir) 49 Cf 97
≈ Penedo, La Bahía de (Palm) 176 C 2
Penela (Cor) 3 Rc 90
Penela (Lug) 16 Sd 94
Penelas (Our) 33 Sa 96
Penella (Ali) 128 Zd 116 ✉ 03870
Penelles (Lle) 46 Af 98 ✉ 25335
☆ Peñerudes 6 Ua 89
▲ Peñezuela, Barranco de la 42 Yc 98
☆ Peñicas, Ermita de las 140 Xf 121
≈ Penide 5 Sf 89
▲ Penido, Couce do = Concepenido 4 Sa 86
Penilla, La (Can) 9 Wa 89
Peñillas (Córd) 151 Ve 123 ✉ 14880
Peñíscola (Cas) 80 Ac 106
▲ Peñíscola, Platja de 80 Ac 106
▲ Penjat 62 Ad 100
▲ Penjats, Illa de (Bal) 97 Bc 116
Peñolite (Jaé) 139 Xb 119 ✉ 23359
▲ Peñón, Alto del 35 Tc 95
Peñón, Cortijada del (Jaé) 137 Wa 121
Peñón, Cortijo del (Mur) 140 Ya 121
Peñón, El (Gra) 153 We 123
Peñón, El (Alb) 140 Xe 119
Peñón Alto, El (Alm) 154 Xe 124
Peñón Bajo, El (Alm) 154 Xe 124
▲ Peñon Blanco, Punta del (Palm) 175 C 4
Peñoncillos, Cortijo de los (Ciu) 122 Vb 115
☆ Peñón Colorado, Refugio de 161 Wd 126
Peñón de la Batata, Cortijo (Sev) 149 Ue 124
▲ Peñón del Moro, Rincón del 112 Yf 114
▲ Peñon del Puerto 153 Wf 126
Peñones, Los (Palm) 174 C 3
Penoselo (Leó) 17 Tb 92 ✉ 24437
Penouta (Our) 34 Sf 95
☆ Penouta-Aballón 5 Tb 88
Pentes (Our) 34 Sf 96
Peñueco (Viz) 10 We 89 ✉ 48800
Peñuela, Cortijo de (Mál) 150 Vb 126
Peñuela, La (Huel) 147 Tb 124
Peñuela, La (Ciu) 109 Wd 113
Peñuelas (Gra) 152 Wa 125 ✉ 18328
Peñuelas, Cortijo de (Jaé) 139 Xa 121
Peñuelas, Cortijo de las (Sev) 157 Ub 126
Peñuelas, Cortijo de las (Gra) 139 Xa 122
Penya, la (Gir) 31 Ce 95
Penya de las Àguiles, la (Ali) 143 Zb 119
▲ Penyagolosa 95 Zd 107
▲ Penyal d'Ifac, Parc Natural del 129 Aa 117
▲ Penyals, Platja dels 64 Af 102
▲ Penya Roja, Serra de la 128 Zc 117
Penzol (Ast) 5 Ta 88 ✉ 33778
Peón (Ast) 7 Uc 88
Peones (Bur) 21 Vf 93
Pepín (Cor) 3 Rd 90
Pepino (Tol) 88 Vb 108 ✉ 45638
Peque (Zam) 35 Te 96 ✉ 49318
≈ Pequeno 15 Sa 92
≈ Pequeno, Río 16 Sd 92
≈ Pequeño, Río 20 Vb 92
☆ Pera, Castell de 66 Ca 98
Pera, La (Gra) 160 Wb 126
Pera, la (Gir) 49 Cf 96 ✉ 17120
Peracalç (Lle) 46 Ba 95 ✉ 25513
Peracense (Ter) 78 Yd 105 ✉ 44369
Perafita (Bar) 48 Ca 96 ✉ 08589
Perafort (Tar) 64 Bb 101 ✉ 43152
Perafrán, Cortijo de (Sev) 149 Uc 125
Peral (Mál) 159 Vc 128 ✉ 29570
Peral, Cortijo del (Alm) 140 Xf 122
Peral, Cortijo El (Gra) 140 Xd 121
Peral, El (Ciu) 124 Wd 116
Peral, El (Cue) 111 Ya 111 ✉ 16240
Peral, La (Ast) 6 Ua 88
▲ Peral, Sierra del 124 We 116
Peralada (Gir) 31 Da 95 ✉ 17491
Peralba (Lle) 46 Af 97
Peral de Arlanza (Bur) 39 Vf 96 ✉ 09342
Peraleda de la Mata (Các) 87 Ud 109 ✉ 10335
Peraleda de San Román (Các) 87 Ud 110
Peraleda de Zaucejo (Bad) 121 Uc 118
Peraleja, La (Cue) 111 Yb 111
Peraleja, La (Cue) 91 Xc 107
▲ Peralejas, Las 138 Wd 119
Peralejo (Mad) 74 Vf 105 ✉ 28211
Peralejo, El (Sev) 134 Td 122 ✉ 41898
Peralejo, El (Alb) 125 Xd 117
▲ Peralejo, Puerto de 126 Xe 118
Peralejo de los Escuderos (Sor) 58 Wf 101 ✉ 42315
Peralejos (Ter) 79 Yf 106
Peralejos, Los (Jaé) 139 Wf 121
Peralejos de Abajo (Sal) 71 Td 103 ✉ 37216
Peralejos de Arriba (Sal) 71 Te 103 ✉ 37216
Peralejos de las Truchas (Gua) 77 Ya 105 ✉ 19313
Peralejos de Solís (Sal) 71 Ua 104
Perales (Pal) 38 Vc 95
☆ Perales, Ermita de 92 Xd 107
▲ Perales, Los 104 Ta 111
Perales, Los (Sal) 72 Uc 103
Perales, Los (Cue) 77 Ya 106
▲ Perales, Puerto de 85 Tb 107
≈ Perales, Río 58 Wd 98
Perales del Alfambra (Ter) 79 Yf 105
Perales del Puerto (Các) 85 Tb 108 ✉ 10896
Perales del Río (Mad) 90 Wc 107
Perales de Milla (Mad) 74 Vf 106
Perales de Tajuña (Mad) 90 Wd 107 ✉ 28540
≈ Peralosa, Rambla de la 124 We 117
Peralosas, Las (Ciu) 108 Vf 114 ✉ 13429
▲ Peralosilla 108 Vf 114
Peralta (Alb) 126 Xe 118
Peralta (Nav) 42 Yb 94 ✉ 31350
Peralta, Cortijo de la (Bad) 104 Tb 114
▲ Peralta, Sierra de 42 Ya 94
Peralta de Alcofea (Hues) 44 Zf 97 ✉ 22210
Peralta de Calasanz (Hues) 44 Ac 97 ✉ 22513
Peralta de la Sal (Hues) 44 Ac 97 ✉ 22513
Peraltilla (Hues) 44 Zf 96 ✉ 22311
Peralveche (Gua) 76 Xd 105 ✉ 19493
Peralvillo Alto (Ciu) 108 Wa 114
Peralvillo Bajo (Ciu) 108 Wa 114
Peramán (Zar) 61 Yf 98
Peramato (Sal) 71 Te 103 ✉ 37493
Peramea (Lle) 46 Ba 94 ✉ 25591
Peramola (Lle) 46 Bb 96 ✉ 25790
Perandones (Leó) 17 Tb 93
Peranera (Lle) 28 Ae 94 ✉ 25529
≈ Peranera, Barranc de 28 Ae 94
▲ Peranera, Serra de 28 Ae 94
▲ Perantón 124 Wc 117
Peranzanes (Leó) 17 Tc 91 ✉ 24429
Perapertú (Pal) 21 Vd 91
Perarnau (Gir) 48 Cb 95
Perarrúa (Hues) 45 Ac 95
Peratallada (Gir) 49 Da 97 ✉ 17113
▲ Peraza, Degollada de (Ten) 172 B 2
Perazancas (Pal) 20 Vd 92 ✉ 34486
Perbes (Cor) 3 Re 88
Perchas, Las (Sal) 70 Tb 106
Perchel, El (Cue) 77 Ya 106
▲ Perchel, Playa del (Palm) 175 F 2
▲ Perches, Playa de 155 Yd 123
Perchet (Cas) 95 Zf 108
Percuñar (Zar) 63 Aa 101 ✉ 50709
Perdices (Sor) 59 Xd 100 ✉ 42218
Perdices, Cortijo de las (Mál) 159 Vc 126
▲ Perdices, Sierra de las 104 Tb 113
▲ Perdido, Monte 27 Aa 92
Perdigón, El (Zam) 54 Ub 100
Perdiguera (Zar) 44 Zc 98 ✉ 50161
▲ Perdiguera, Isla de 143 Zb 122
≈ Perdiguera, Laguna de la 123 Ve 115
Perdigueras, Las (Ciu) 109 We 113
Perdiguerilla, Cortijo (Các) 86 Te 109
Perdiz (Mur) 155 Yb 123
Perdoma, La (Ten) 172 D 3 ✉ 38315
▲ Perdón 24 Yb 92
▲ Perdón, Puerto del 24 Yb 92
▲ Perea 140 Xd 123
Perea (Jaé) 139 Wf 121
Perea, Cortijo de (Mur) 141 Yd 120
Perecamps (Lle) 47 Bc 97
Pereda (Ast) 6 Tf 88 ✉ 33782
☆ Pereda 6 Ua 89
Pereda (Bur) 22 Wc 90 ✉ 09568
Pereda, La (Ast) 8 Vb 88
Pereda de Ancares (Leó) 17 Tb 92 ✉ 24433
Peredilla (Leó) 19 Uc 92 ✉ 24609
☆ Peregrina, La 37 Uf 94
Peregrina y Bodegas (Bad) 119 Td 117
Pereira (Pon) 15 Re 93 ✉ 36557
Pereira (Lug) 16 Sb 93
Pereira (Lug) 16 Sd 94
Pereira (Our) 33 Rf 97
Pereira, A (Cor) 14 Ra 91
Pereira de Montes (Our) 33 Sa 95 ✉ 32830
Pereiro (Cor) 3 Sa 87
Pereiro (Our) 34 Sf 96
Pereiro de Aguiar (Our) 33 Sb 94
Pereje (Leó) 17 Ta 93 ✉ 24522
≈ Perejiles, Río 60 Yc 100
Perelló, el (Val) 114 Ze 113
Perelló, el (Tar) 80 Ae 103
Pereña (Sal) 53 Tc 101
Perenos, Los (Sev) 150 Vb 125 ✉ 41599
Perera, La (Sor) 58 Wf 100 ✉ 42315
Pereruela (Zam) 54 Ua 100 ✉ 49280
Peret (Lle) 47 Bc 97
Pérex (Bur) 22 We 91
Pérez, Los (Alm) 161 Wf 128
Pérez, Los (Alm) 154 Xc 124
Pérez, Los (Sev) 150 Vb 125
Pérez, Los (Ali) 143 Zb 120
Pérez, Los (Mur) 142 Yf 123
Periana (Mál) 160 Ve 127 ✉ 29710
Pericalvo (Sal) 71 Ub 103 ✉ 37449
▲ Pericay, Sierra 141 Ya 122
Perilla de Castro (Zam) 54 Ua 98 ✉ 49145
Perillas, Las (Các) 105 Tf 111
Perillo (Cor) 3 Rd 88
Perín (Mur) 142 Yf 123
Perla, La (Seg) 56 Ve 100
Perla Sofía (Vall) 37 Uf 97
Perles (Lle) 46 Bc 95 ✉ 25794
≈ Perles, Riu de 46 Bc 95
Perleta (Ali) 143 Zc 119
Perlora (Ast) 7 Ub 87 ✉ 33491
▲ Perlunes, Sierra de 18 Te 90
Permalona, La (Sal) 71 Td 103
Permisán (Hues) 45 Aa 97
Pernea (Córd) 151 Ve 123
Pernía (Sev) 150 Va 123
Pernia, La (Pal) 20 Vc 91
Pernús (Ast) 7 Ue 88
Peroamigo (Sev) 134 Td 122 ✉ 41890
Peroblasco (Rio) 41 Xe 95 ✉ 26586
Perocojo (Seg) 74 Ve 103
Perogordo (Seg) 74 Vf 103 ✉ 40154
Perolet (Lle) 46 Ba 96 ✉ 25638
Peromingo (Sal) 72 Ub 106 ✉ 37791
Peromingo (Seg) 73 Vc 103
Perona (Cue) 110 Xd 112
Peroniel del Campo (Sor) 59 Xe 98 ✉ 42130
Perorrubio (Seg) 57 Wb 101 ✉ 40310
Perosillo (Seg) 56 Vf 100 ✉ 40354
Peroxa, A (Our) 16 Sb 94
≈ Perrero, Arroyo del 134 Ua 122
Perro, Cortijo del (Gra) 153 Wf 125
Perrona, Cortijo de la (Huel) 133 Ta 122
Perrozo (Can) 20 Vc 90 ✉ 39571
▲ Perrullazo, Monte del 40 We 95
Perrunal, El (Huel) 133 Ta 122
Pertiguero, Cortijada El (Gra) 154 Xc 124
Pertusa (Hues) 44 Zf 96 ✉ 22132
☆ Pertusa 44 Ae 96
Peru, El (Gra) 153 Xa 124
▲ Perú, Sierra el 121 Ue 118
▲ Perul, El 21 Wa 93
Perulera, Cortijo de (Jaé) 138 Wb 122
Perulera, La (Alm) 154 Xf 124 ✉ 04692
Perulero, Cortijo del (Sev) 150 Va 124
Peruyes (Ast) 8 Uf 88
▲ Perves, Alt de 28 Af 94
Pervis (Ast) 7 Uf 89 ✉ 33557
Pesadas de Burgos (Bur) 22 Wc 92
Pesadoira (Cor) 14 Ra 91 ✉ 15838
Pesaguero-Laparte (Can) 20 Vc 90
▲ Pescador 38 Vb 96
☆ Pescador, Faro del 10 Wd 88
Pescadores, Cortijo de los (Alm) 163 Xe 127
▲ Pescadores, Puerto de los 159 Vb 129
Pescoso (Pon) 15 Sa 92
Pescueza (Các) 85 Tc 109 ✉ 10882
Pesebre (Alb) 125 Xd 116 ✉ 02314
▲ Pesebre, Punta (Palm) 174 B 5
Pesebres, Cortijo de los (Jaé) 125 Xa 118
Pesga, La (Các) 86 Te 107 ✉ 10649
Pesoz (Ast) 5 Ta 89 ✉ 33735
Pesqueira (Cor) 14 Ra 93
Pesqueiras (Pon) 32 Rd 96
Pesquera (Leó) 19 Uf 92 ✉ 24815
Pesquera (Can) 21 Vf 90 ✉ 39491
Pesquera, La (Cue) 112 Yc 111 ✉ 16269
≈ Pesquera, Río 151 Ve 125
Pesquera de Duero (Vall) 56 Vf 99 ✉ 47315
Pesquera de Ebro (Bur) 21 Wb 92 ✉ 09146
Pesquerín (Ast) 7 Ue 89
Pesqueruela (Vall) 55 Va 99
▲ Pessó, Pic del 28 Af 93
Pessonada (Lle) 46 Ba 95 ✉ 25518
▲ Pessons, Pic dels (AND) 29 Bd 93
Pesues (Can) 8 Vd 88 ✉ 39548
Petelos (Pon) 32 Rc 95
Petilla de Aragón (Nav) 25 Yf 94
Petín (Our) 34 Sf 94
▲ Petita d'Addaia, S'Illa (Bal) 96 Eb 108
≈ Petit I, Embalse de 104 Tc 111
≈ Petit II, Embalse de 104 Tc 111
Petra (Bal) 99 Da 111 ✉ 07520
Petra, Ponte da 4 Sa 88
Petrel = Petrer (Ali) 128 Zb 118
Petrer (Ali) 128 Zb 118 ✉ 03610
Petrés (Val) 95 Ze 110
Pétrola (Alb) 127 Yc 116
≈ Pétrola, Laguna Salada de 127 Yc 115
Peza, La (Gra) 152 We 125 ✉ 18517
Pezobres (Cor) 15 Rf 91
Pezuela de las Torres (Mad) 75 We 106 ✉ 28812
Pi (Lle) 29 Be 94 ✉ 25721
▲ Pi, Cingle des (Bal) 98 Cf 109
▲ Pia, Tossal de la 47 Bf 95
Piantón (Ast) 5 Sf 88
▲ Piapáxaro 17 Sf 93
☆ Piar, Ermita del 140 Xf 123
Piar de Abajo, El (Alm) 140 Xf 122 ✉ 04829
Pías (Pon) 32 Rb 97
Pías (Zam) 34 Ta 96
▲ Pias, Cima de 16 Se 93
≈ Pías, Embalse de 34 Ta 96
Piasca (Can) 20 Vc 90 ✉ 39573
▲ Picacho, Baja del (Ten) 172 B 1
▲ Picacho, Sierra del 127 Yd 118
≈ Picachos, Arroyo de los 136 Uf 122
▲ Picachos, Bajo de los (Palm) 175 E 1
Picachos, Los = Punta de Mujeres (Palm) 176 D 3 ✉ 35468
Picadas, Las (Mad) 89 Ve 107
Picadilla, Cortijo de la (Sev) 149 Ue 123
Picamoixons (Tar) 64 Bb 101 ✉ 43491
▲ Picamosques, Punta de (Bal) 98 Cf 114
Picaña = Picanya (Val) 114 Zd 112
Picanya (Val) 114 Zd 112 ✉ 46210
▲ Pica Palomera, Serra de 28 Af 92
▲ Picaracho 93 Ye 109
Picaraña de Arriba (Cor) 14 Rc 92
▲ Picardiello, Sierra de 27 Ze 94
Picarzos (Alb) 126 Xf 118
▲ Picarzos, Cerro de 126 Xe 118
Picasent = Picassent (Val) 114 Zd 112
Picassent (Val) 114 Zd 112 ✉ 46220
▲ Picato, El 16 Sc 91
▲ Picato, O 16 Sc 91
Picaza, Caserío (Gua) 77 Ya 104
▲ Picaza, Montes de 77 Ya 104
Picazo (Gua) 76 Xb 104 ✉ 19459
Picazo, Caserío El (Cue) 91 Xc 109
☆ Picazo, Central Eléctrica El 111 Xf 112
Picazo, El (Cue) 111 Xf 112 ✉ 16211
Picena (Gra) 162 Xa 126 ✉ 18494
Pichiriches, Los (Alm) 154 Xe 126 ✉ 04211
Pichón, Cortijo de (Palm) 174 D 3
Pico, El (Ast) 7 Ue 89
▲ Pico, Monte do 16 Se 93
▲ Pico, Puerto del 88 Uf 107
☆ Pico de la Flores, Mirador (Ten) 173 E 3
Pico del Viento (Palm) 174 C 2
Picón (Ciu) 108 Vf 114
Picón (Cor) 4 Sb 86
☆ Picoña 32 Rc 96
Piconcillo (Córd) 135 Ud 119 ✉ 14298
▲ Picón de Gor 153 Xa 124
Picones (Sal) 70 Tc 103 ✉ 37256
≈ Picones, Arroyo de los 108 Wb 113
☆ Picón Viejo, Castillo de 108 Vf 114
Picos del Guadiana (Jaé) 139 Wf 122
Picota, A (Cor) 14 Ra 91
Picouto, O (Our) 33 Rf 95
▲ Pico Viejo (Ten) 172 D 4
▲ Picozo, Cuerda del 87 Uc 107
Pidal (Mur) 141 Yb 120
Pi de Sant Just, el (Lle) 47 Bd 97 ✉ 25280
Pido (Can) 20 Vb 90 ✉ 39588
Pidre (Lug) 15 Sa 91 ✉ 27207
☆ Piedad, Ermita de la 109 Wf 111
☆ Piedad, Ermita de la 26 Ac 94
Piedeloro (Ast) 7 Ub 87 ✉ 33439
Piedra (Mad) 90 Wd 107
Piedra, La (Bur) 21 Wa 93 ✉ 09125
☆ Piedra, Monasterio de 60 Yb 101
≈ Piedra, Río 60 Yb 102
≈ Piedra Alta, Caleta (Palm) 176 A 4
Piedrabuena (Ciu) 108 Vf 114 ✉ 13100
☆ Piedrabuena, Castillo de 103 Ta 113
Piedraceda (Ast) 6 Ua 90 ✉ 33638
Piedra de la Sal (Sev) 135 Uc 123
▲ Piedra de las Viejas, Puntilla (Ten) 172 B 4
▲ Piedra del Berrueco, La 87 Ue 107
Piedra Empinada, Cortijo de (Córd) 137 Ve 119
Piedraescrita (Bad) 121 Uc 115
Piedraescrita (Tol) 107 Vb 111 ✉ 45678
☆ Piedraescrita, Ermita de 121 Uc 115
▲ Piedrafiesta, Alto de la 9 Ve 89
Piedrafita (Leó) 19 Uc 90

▲Piedrafita, Puerto de 19 Uc 90
Piedrafita de Babia (Leó) 18 Te 91 ✉24141
Piedrafita de Jaca (Hues) 26 Zd 92 ✉22665
☆Piedrafitas, Mirador de 20 Va 90
Piedrahíta (Ter) 61 Yf 102
Piedrahíta (Ávi) 72 Ue 106
Piedrahita de Castro (Zam) 54 Ub 98 ✉49143
Piedrahita de Juarros (Bur) 39 Wd 94 ✉09292
Piedrahita de Muñó (Bur) 40 We 96
Piedralá (Ciu) 108 Vf 113
≈Piedralá, Arroyo de 108 Ve 113
Piedralaves (Ávi) 88 Vb 107 ✉05440
▲Piedra Mansa (Palm) 176 B 3
Piedramillera (Nav) 24 Xe 93 ✉31219
Piedramorrera (Hues) 43 Zb 95 ✉22807
Piedramuelle (Ast) 6 Ua 88
≈Piedras, Embalse de 146 Se 124
Piedras, Las (Córd) 151 Ve 124 ✉14950
≈Piedras, Río 146 Se 124
Piedras Albas (Các) 85 Ta 110 ✉10991
Piedras Bermejas, Cortijos de Las (Alm) 140 Xf 122
Piedras Blancas (Ast) 6 Ua 87 ✉33450
▲Piedras Blancas, Sierra de 108 Wa 113
Piedrasecha (Leó) 19 Ub 92 ✉24123
Piedras Gordas, Cortijo (Bad) 134 Ua 119
Piedrasluengas (Pal) 20 Vd 90 ✉34849
▲Piedrasluengas, Puerto de 20 Vd 90
Piedras Menaras, Caserío de (Gua) 75 We 105
Piedras Rodadas, Cortijo de (Gra) 153 Xa 124
Piedratajada (Zar) 43 Zb 96 ✉50616
☆Piédrola, Castillo de 109 We 112
Piedrola-Acebrón (Tol) 108 Wc 112
Piedros, Los (Córd) 150 Vc 124 ✉14511
Pieiro (Cor) 3 Re 88 ✉15593
Pielas (Our) 15 Sa 93
Pie Moro, Cortijo (Các) 105 Tf 111
Piera (Bar) 65 Be 99 ✉08784
Piérnigas (Bur) 22 Wd 93
Pierola (Bar) 65 Be 99 ✉08781
☆Piérora, Convento de 23 Xd 92
Pieros (Leó) 17 Tb 93 ✉24547
Pierre, Cortijo (Gra) 153 We 123
Pietas (Zar) 60 Yd 100
☆Pietat, Ermita de la 45 Ab 97
☆Pietat, Ermita de la 46 Af 95
☆Pietat, la 80 Ac 105
Piezas, Las (Ast) 7 Uc 89
≈Piezga, Río 74 Vd 104
Pigarzos (Pon) 15 Rd 94
Pigüeña (Ast) 6 Te 90
≈Pigüena, Canal Río 6 Te 89
Pijotilla, Cortijos de La (Bad) 119 Tc 116
▲Pila 142 Ye 119
Pila, Cortijo de la (Bad) 133 Ta 119
Pila, Cortijo de las (Các) 105 Ua 111
▲Pila, Sierra de la 142 Ye 119
▲Pilar 15 Rf 91
≈Pilar, Cala del (Bal) 96 Df 108
Pilar, Cortijada El (Alm) 154 Xf 125
☆Pilar, Cueva del 127 Yf 115
Pilar, El (Mál) 151 Vd 125
☆Pilar, El (Palm) 174 C 2
☆Pilar, El 61 Za 99
☆Pilar, Ermita de 6 Te 87
☆Pilar, Ermita del 79 Za 103
☆Pilar, Ermita del 79 Zd 104
☆Pilar, Ermita del 94 Za 106
Pilara, Cortijos de La (Mur) 141 Yb 120
Pilar de Jaravia (Alm) 155 Yb 124 ✉04648
Pilar de la Horadada (Ali) 143 Zb 121 ✉03190
Pilar de La Mola, El (Bal) 97 Bd 116
Pilares (Sev) 149 Uc 126
Pilar y Fuensanta, La (Vall) 56 Vf 99
Pilas (Sev) 148 Te 125 ✉41840
Pilas (Can) 10 Wd 89 ✉39806
Pilas, Cortijo de las (Mál) 158 Uf 128
Pilas, Las (Can) 10 Wc 88 ✉39793
Pilas, las = Piles, les (Tar) 65 Bc 99
▲Pilas, Playa de las (Palm) 174 B 5
▲Pilàs, Serra de 28 Ba 92
Pilas Dedil (Gra) 160 Vf 126
▲Pilas Verdes 125 Xb 117
☆Pilatos, Balcón de 8 Vc 89
≈Pilde, Río 58 We 98
Piles (Val) 129 Zf 115 ✉46712
Piles, les (Tar) 65 Bc 99 ✉43428
☆Pileta, Cueva de la 158 Ue 128
Piletas, Cortijo de los (Cád) 157 Ua 129
Piletas, Las (Gra) 153 Xa 125
Piletas, Los (Alm) 153 Xb 126
Pililla, Cortijos de La (Gra) 154 Xd 123
Pililla, La (Córd) 151 Vd 124
Pilillas, Cortijo Las (Mál) 159 Vb 127
▲Pilillas, Las 91 Xb 106
Pilitas, Las (Huel) 146 Sf 124
☆Pillarno 6 Ua 87
Pilón, Cortijo del (Jaé) 139 Wf 122
Piloña = Infiesto (Ast) 7 Ud 88
≈Piloña, Río 7 Ue 88
Pils, El (Gir) 31 Da 94
Pilzán (Hues) 44 Ac 96
☆Pimentel, Castillo de los 36 Ub 97
Pimiango (Ast) 8 Vc 88 ✉33590
Pimpollar, El (Mad) 74 Ve 105
Pina (Bal) 99 Cf 111 ✉07220
▲Pina 94 Zc 108
▲Piña 56 Vd 98
Piña, A (Cor) 3 Rc 89
▲Pina, Hoya de 94 Zb 109
▲Pina, La 112 Yc 112
▲Pinada, Playa de la 143 Zc 120
Piña de Campos (Pal) 38 Vd 95 ✉34430
Pina de Ebro (Zar) 62 Zc 100 ✉50750
Piña de Esgueva (Vall) 56 Vd 98 ✉47175
Pina de Montalgrao (Cas) 94 Zc 108 ✉12429
▲Pinadillo 43 Yf 97
▲Pinajeros, Los 93 Yf 107
▲Pinar 91 Xa 108
Piñar (Gra) 152 Wd 124
▲Pinar, Alto del 95 Zd 109
▲Pinar, Cap des (Bal) 99 Db 109
▲Pinar, Cap d'es (Bal) 99 Dc 111
Pinar, Cortijo del (Alm) 154 Xe 123
▲Pinar, Cuerda del 87 Ue 107
Pinar, El (Gra) 161 Wc 127
Pinar, El (Mál) 159 Vc 129
Pinar, El (Ten) 171 C 2
Pinar, El (Ten) 171 B 2
☆Pinar, El (Ten) 173 C 2
Pinar, El (Vall) 56 Vb 99
▲Pinar, El 58 We 101
▲Pinar, Platja del 95 Aa 108
≈Pinar, Rambla del 78 Yf 103
≈Piñar, Río 152 Wd 124
Pinar de Almorox, El (Tol) 89 Vd 107
Pinar de Campoverde, El (Ali) 143 Zb 121
Pinar del Conde, Caserío del (Seg) 56 Vd 101
Pinar del Esparragal (Vall) 55 Va 99
Pinar de los Franceses (Cád) 164 Tf 130 ✉11138
Pinar de los Llanos, Caserío (Cue) 92 Xe 108
Pinar de Puenteviejo (Ávi) 73 Vc 103
Pinar de Simancas (Vall) 55 Vb 99
Pinarejo (Cue) 110 Xd 111 ✉16622
Pinarejos (Seg) 56 Ve 101 ✉40296
▲Pinares 147 Sf 125
Pinares, Los (Alm) 155 Yb 124 ✉04647
Pinares, los (Gir) 49 Cf 98
▲Pinares, Los 94 Za 110
Pinares Llanos (Mad) 89 Wa 106
▲Pinar Grande 40 Xb 97
Pinar Hermoso (Mur) 141 Yc 121
Pinar la Vidriera, Cortijo de (Gra) 140 Xc 120
Pinarnegrillo (Seg) 56 Ve 101 ✉40294
▲Pinar Negro 140 Ya 120
▲Pinarona, La 112 Yd 111
▲Pinar Viejo, El 56 Vd 101
Piñas, Las (Cád) 164 Ub 132 ✉11391
Pinchino, Cortijo de (Ciu) 123 Wa 118
Pincho, Cortijo de (Gra) 160 Wb 127
☆Pindal, Cueva del 8 Vc 88
▲Pindo, Monte do 14 Qf 91
Pindo, O (Cor) 14 Qf 91 ✉15296
Pineda = Pineda de Mar (Bar) 48 Ce 99
Pineda, la (Tar) 64 Bb 102 ✉43481
☆Pineda, la 64 Bb 102
▲Pineda, Platja de la 64 Bb 102
Pineda de Gigüela (Cue) 91 Xc 108
Pineda de la Sierra (Bur) 40 We 95 ✉09199
Pineda de Mar (Bar) 48 Ce 99 ✉08397
Pinedas (Sal) 71 Ua 106 ✉37712
Pinedas, Las (Córd) 136 Va 122 ✉14111
Pineda-Trasmonte (Bur) 39 Wb 97
Pinedillo (Bur) 39 Wa 96 ✉09345
Pinedo (Val) 114 Ze 112
▲Pinedo, Platja de 114 Ze 112
Piñeira (Lug) 5 Sf 87
Piñeira (Lug) 5 Se 90
Piñeira (Lug) 16 Se 91
Piñeira (Lug) 16 Sb 92
Piñeira (Lug) 34 Se 94
Piñeira de Arcos (Our) 33 Sb 96 ✉32693
Piñeiro (Lug) 4 Sa 88
Piñeiro (Pon) 15 Rc 93
Piñeiro (Lug) 16 Sc 93
Piñeiro (Pon) 32 Rb 96
Piñeiro (Our) 33 Rf 94
Piñeiros (Cor) 2 Qf 90
Piñeiros (Cor) 15 Rf 91
Piñel de Abajo (Vall) 56 Vf 98 ✉47316
Piñel de Arriba (Vall) 56 Vf 98 ✉47316
Pinell de Brai, el (Tar) 80 Ad 102 ✉43594
Pinell de Solsonès (Lle) 47 Bc 97
Pinelo (Gra) 140 Xe 122
Pinera (Ast) 7 Ub 88
Piñera (Ast) 5 Tb 87
Piñera (Ast) 7 Uc 89
Piñera, La (Ast) 6 Ua 89
Piñera de Abajo (Ast) 18 Ub 90
Piñeres (Ast) 7 Ub 89
Piñeres (Can) 8 Vc 89 ✉39580
Piñero, El (Zam) 54 Uc 100 ✉49715
Pinet (Val) 114 Ze 115 ✉46838
Pinet, el (Ali) 143 Zc 120 ✉03194
▲Pinet, Platja del 143 Zc 120
≈Pinet, Salines del 128 Zc 119
▲Pineta, Valle de 27 Aa 93
Pinetell, el (Tar) 64 Ba 101 ✉43459
▲Pingano, Loma de 135 Uc 120
Pinilla (Mur) 141 Ya 120 ✉30410
Pinilla (Alb) 126 Xe 118
Pinilla (Alb) 127 Yc 116
Pinilla (Alb) 125 Xc 116
Pinilla, Cortijo de (Sev) 157 Ua 126
≈Pinilla, Embalse de 74 Wb 103
☆Pinilla, Ermita de 109 Xa 113
Pinilla, La (Mur) 142 Ye 122 ✉30335
Pinilla, La (Seg) 57 Wd 101
≈Pinilla, Río 125 Xb 115
Pinilla Ambroz (Seg) 74 Vd 102 ✉40122
Pinilla de Arlanza (Bur) 39 Vf 96 ✉09342
Pinilla de Buitrago (Mad) 75 Wb 103 ✉28739
Pinilla de Caradueña (Sor) 41 Xd 97 ✉42162
Pinilla de Fermoselle (Zam) 53 Td 100 ✉49231
Pinilla de Jadraque (Gua) 76 Xa 102 ✉19246
Pinilla de la Valdería (Leó) 36 Tf 95
Pinilla del Campo (Sor) 59 Xf 98 ✉42112
Pinilla del Olmo (Sor) 59 Xc 101 ✉42214
Pinilla de los Barruecos (Bur) 40 We 97 ✉09612
Pinilla de los Moros (Bur) 40 We 96 ✉09613
Pinilla del Valle (Mad) 74 Wb 103 ✉28749
Pinilla de Molina (Gua) 77 Ya 104 ✉19312
Pinilla de Toro (Zam) 55 Ud 99 ✉49850
Pinilla-Trasmonte (Bur) 39 Wc 97
▲Pinillo, Collado del 87 Ue 107
Pinillos (Mur) 127 Yf 117
Pinillos (Rio) 41 Xc 95 ✉26111
Pinillos de Esgueva (Bur) 39 Wb 98 ✉09350
Pinillos de Polendos (Seg) 74 Vf 102 ✉40392
Pino (Bad) 120 Tf 117
Pino (Lug) 4 Sc 89
Pino (Zam) 54 Tf 99
Pino, Cortijo del (Cád) 165 Ud 131
Pino, El (Các) 103 Se 112 ✉10514
Pino, El (Ast) 19 Uc 90
≈Pino, Embalse del 147 Sf 123
Pino, O (Cor) 15 Re 91 ✉15821
▲Pino, Puerto del 45 Ab 95
▲Pino, Sierra del 126 Yb 117
Pino Alto (Mad) 74 Vf 105 ✉28210
Pino de Bureba (Bur) 22 Wd 92 ✉09246
Pino del Río (Pal) 20 Vb 93
Pino de Tormes, El (Sal) 72 Ub 102 ✉37170
Pino de Val (Cor) 14 Ra 91
Pino de Viduerna (Pal) 20 Vb 92 ✉34879
Pinofranqueado (Các) 86 Te 107 ✉10630
Piñonero, Cortijo (Gra) 160 Wa 126
Piñor (Our) 15 Rf 93
Pinos (Ali) 129 Aa 116 ✉03720
Pinos (Leó) 18 Ua 91 ✉24144
Pinós (Lle) 47 Bd 98
▲Pinós 47 Bd 97
▲Pinos, Cerrillo de los 92 Ya 109
Pinos, Los (Alm) 154 Xf 125
Pinos, Los (Gra) 153 Xb 124
Pinos, Los (Huel) 147 Tb 123
Pinos, Los (Mur) 143 Za 121
Pinos, Los (Các) 87 Ub 107
▲Pinos, Sierra de los 155 Yb 124
▲Pinosa, La 61 Ye 100
▲Pinosa, Montes de la 140 Xf 121
▲Pinosa, Sierra 76 Xd 104
▲Pinos Altos, Los (Ten) 172 C 4
Pino Santo (Palm) 174 C 2
▲Pinos de Galdar, Caldera (Palm) 174 C 2
Pinos del Valle (Gra) 161 Wc 127 ✉18658
Pinos-Genil (Gra) 152 Wd 125
Pinoso (Ali) 127 Yf 118 ✉03650
▲Pinoso 76 Xc 104
Pinosol (Mad) 74 Vf 105 ✉28212
Pinos-Puente (Gra) 152 Wb 125
Pins (Gir) 49 Cf 96 ✉17466
Pins de Miramar, el (Tar) 64 Af 102
Pinseque (Zar) 43 Yf 98 ✉50298
Pinsoro (Nav) 43 Yd 95
▲Pintacanales, Sierra de 19 Ue 90
☆Pintada, Cueva (Palm) 174 C 2
≈Pintado, Contraembalse de 134 Ua 121
Pintado, El (Sev) 134 Ua 121 ✉41370
≈Pintado, Embalse de El 134 Ua 122
≈Pintado, Embalse de El 134 Ua 120
▲Pintado, Sierra del 110 Xc 110
Pintano (Zar) 25 Yf 93 ✉50685
Pintanos, Los (Zar) 25 Yf 93
Pintarrafes (Val) 113 Zc 113
Pintás (Our) 33 Sa 97
Pintín (Lug) 16 Se 92
Pinto (Mad) 90 Wb 107 ✉28320
☆Pinto, Castillo de el 80 Aa 102
Pinto, O (Our) 33 Sb 95
≈Pinto, Río 138 Wb 119
☆Pintoria 6 Ua 88
☆Pinturas rupestres 79 Zb 102
☆Piñuco, Ermita de 7 Ub 88
Piñuécar (Mad) 75 Wc 102
Piñuécar-Gandullas (Mad) 75 Wc 102
Pinya, la (Gir) 48 Cc 95 ✉17179
Pinyana (Lle) 46 Af 95 ✉25514
☆Pinyana, Castell de 65 Bc 100
Pinyeres (Tar) 63 Ab 102
Pinza (Our) 34 Sf 96 ✉32554
Pinzales (Ast) 7 Ub 88 ✉33392
≈Pinzales, Río 7 Ub 88
Pinzás (Pon) 32 Rb 96 ✉36749
Pinzón (Sev) 148 Tf 126
Pío de Sajambre (Leó) 20 Uf 90
Piornal (Các) 86 Ua 108 ✉10615
≈Piornal, Embalse de El 86 Ua 108
▲Piornal, O 17 Ta 94
▲Piornal, Puerto del 86 Ub 108
Piornedo (Leó) 19 Uc 90 ✉24838
Pioz (Gua) 75 We 106 ✉19162
Pipa, Cortijo de la (Bad) 135 Ub 119
Pipaón (Ála) 23 Xc 93
Pipaona (Rio) 41 Xe 95 ✉26147
Pipe, El (Jaé) 139 Xa 118
Piquera de San Esteban (Sor) 58 We 99 ✉42342
Piqueras (Gua) 78 Yb 105 ✉19325
☆Piqueras, Ermita de 41 Xc 96
▲Piqueras, Puerto de 41 Xc 96
≈Piqueras, Río 92 Xf 110
Piqueras del Castillo (Cue) 92 Xf 110 ✉16118
▲Piquete, El 61 Zb 102
Piquín (Lug) 5 Se 89
Pira (Tar) 64 Bb 100 ✉43423
Piracés (Hues) 44 Ze 96
▲Pirineos Occidental 25 Yc 90
≈Pirón, Río 56 Vd 101
▲Pisco, Serra de 33 Sa 97
Pisón de Castrejón (Pal) 20 Vc 92
Pisón de Ojeda (Pal) 20 Vd 92
Pisueña (Can) 9 Wb 89 ✉39696
≈Pisueña, Río 9 Wb 89
≈Pisuerga, Canal del 38 Vd 95
≈Pisuerga, Río 21 Vd 91
Pitarque (Ter) 79 Zc 105 ✉44559
Pitiegua (Sal) 72 Ud 102 ✉37490
Pitillas (Nav) 42 Yc 94 ✉31392
≈Pitillas, Laguna de 42 Yc 94
☆Pito, Laguna de 62 Zf 100
▲Pitolero 86 Ua 108
Pitres (Gra) 161 We 127 ✉18414
Piuca (Lug) 16 Sb 94
Piúca ou Araúxo (Our) 33 Sb 95
Piul, El (Mad) 90 Wd 106 ✉28529
Pivierda (Ast) 7 Ue 88 ✉33326
Pizarra (Mál) 159 Vb 128 ✉*29560
▲Pizarra, La 73 Vc 106
Pizarral (Bad) 134 Te 119
Pizarral (Sal) 72 Uc 105
Pizarrera, La (Mad) 74 Vf 105 ✉28210
Pizarro (Các) 105 Ub 114 ✉1013
Pizarro, Cortijo de (Gra) 154 Xd 1
≈Pizarroso, Arroyo 105 Uc 113
≈Pizarroso, Embalse del 106 Ue 110
Pizorro del Cañete (Ciu) 124 Wf 1
☆Pla 46 Bb 97
☆Pla, el 46 Ba 97
Pla, el (Gir) 49 Da 97
☆Pla, el 66 Cc 99
▲Pla, Es (Bal) 99 Cf 111
Plácidos, Los (Mál) 151 Ve 126
Placín (Our) 34 Se 95
Pla de Cabra = Pla de Santa Mar, el (Tar) 64 Bb 100
Pla de la Font, el (Lle) 62 Ac 98 ✉25114
Pla de l'Olivera Alta (Ali) 128 Zc 1
Pla del Penedès, el (Bar) 65 Be 1
Pla del Remei, el (Bar) 48 Cc 98
Pla dels Hospitalets (Gir) 30 Cb 9
Pla de Manelleu, el (Tar) 65 Bd 10
Pla de Na Tosa (Bal) 98 Ce 111
Pla de Negua (Lle) 29 Bb 93
Plá de Rubió, el (Bar) 65 Bd 99
Pla de Sabater (Cas) 95 Zf 107
Pla de Santa Maria, el (Tar) 64 Bb 100 ✉43810
Pla de Sant Tirs, el (Lle) 46 Bc 95 ✉25796
Plà d'es Caló, Es (Bal) 99 Dc 110
▲Pla de Torre, Platja del 95 Aa 10
Plágaro (Bur) 22 We 92
Plan (Hues) 27 Ac 93 ✉22367
▲Plan, Monte de 27 Ac 93
☆Plana, Castellnou de la 48 Ca 9
▲Plana, Isla 142 Ye 123
☆Plana, la 28 Af 94
Plana, la (Bar) 47 Bf 96
Plana, la (Gir) 48 Cc 95
≈Plana, Llacuna de la 114 Ze 113
▲Plana, Llanos de la 61 Za 100
▲Plana, Punta (Bal) 99 Cf 112
Plana, Sa (Bal) 98 Cf 109
▲Plana de l'Aire, la 28 Ba 93
Plana de Mont-ros, la (Lle) 28 Af 9 ✉25510
▲Plana o de Nova Tabarca, Illa 143 Zd 120
▲Planas, Las 62 Ze 100
Planas, Las (Ter) 80 Ze 104
▲Planas Altas 42 Ya 95
Plana Vella, Sa (Bal) 99 Db 112
≈Plan de Escún, Embalse de 27 Ab 93
Plandogau (Lle) 46 Bb 97 ✉25748
≈Planerón, Balsa del 62 Zc 100
Planes (Ali) 128 Zd 116 ✉03828
Planes, les (Tar) 64 Af 101
Planes, les (Bar) 66 Ca 100
▲Planes, les 80 Ad 103
Planes d'Hostoles, les (Gir) 48 Cd 96 ✉17172
Planico, El (Zar) 62 Zd 100
Planillo (Hues) 27 Zf 94 ✉22371
Plano, El (Hues) 27 Ab 94 ✉22338
▲Plano, El 78 Ye 105
Plano de Arriba, El (Cas) 94 Zd 108
Plano de Herrera, El (Cas) 94 Zd 108
Planoles (Gir) 30 Ca 95 ✉17535
▲Planos, Los 78 Ye 106
Plans, Els (AND) 29 Bd 94
Plans de Sió, els (Lle) 46 Bb 98
Planta, La (Vall) 56 Vd 99
Planta Siderúrgica (Val) 114 Ze 111
Plantío, El (Mad) 74 Wa 106
Plantonada, La (Gra) 161 We 127
Plasencia (Các) 86 Tf 108 ✉10600
≈Plasencia, Embalse de 86 Ua 108
▲Plasencia, Llano de 42 Yc 98
▲Plasencia, Valle de 86 Tf 108
Plasencia de Jalón (Zar) 61 Ye 98
Plasencia del Monte (Hues) 44 Zc 95 ✉22810
Plasenzuela (Các) 105 Tf 112 ✉10271
Plata, Cortijo de la (Cád) 157 Ua 128
Plata, La (Palm) 174 C 3 ✉35299
▲Plata, Sierra de la 164 Ub 132
Plata y Los Palanquines (Mur) 155 Yb 123
Platera, La (Jaé) 139 Xb 119
Platja d'Aro (Gir) 49 Da 98 ✉17250
Platja de Calafell, la (Tar) 65 Bd 101
Platja de la Pobla de Farnals (Val) 114 Ze 111
Platja de la Torre de Piles, la (Val) 129 Zf 115
Platja del Recatí (Val) 114 Ze 113
Platja de Miami, la (Tar) 64 Af 102
Platja de Nules (Cas) 95 Zf 110
Platja de Nules (Cas) 95 Zf 110
Platja de Puçol, la (Val) 114 Ze 111
Platja de Sant Joan, la (Ali) 128 Zd 118
Platja de Tavernes (Val) 114 Ze 114

atja de Xeraco (Val) 114 Ze 114
atja d'Oliva (Val) 129 Zf 115
atja Talamanca (Bal) 97 Bc 115
atjes de Mallorca (Bal) 99 Da 110
atosa (Sev) 150 Uf 123
atosa, La (Sev) 149 Ue 124
Platosa, La 149 Ue 124
atzaola (Gui) 24 Ya 90
Playa, Laguna de la 62 Ze 100
aya Bella (Mál) 165 Uf 130
Playa Blanca (Palm) 175 E 3
aya Blanca (Palm) 176 B 4
Playa Brava (Ten) 173 C 2
aya de Alojera, Caserío (Ten) 172 B 1
aya de Alojera, Caserío (Ten) 172 B 2
aya de Arguineguín, la (Palm) 174 B 4
aya de Escalona (Tol) 89 Vd 108
aya de la Salineta (Palm) 174 D 3
aya de las Américas (Ten) 172 C 5
aya del Hombre (Palm) 174 D 3
aya del Hoyo (Huel) 146 Se 125
aya del Inglés (Palm) 174 C 4
aya de Melenara (Palm) 174 D 3
aya de Mogán, La (Palm) 174 B 4
aya de Santiago (Ten) 172 B 2
aya de Tauro, La (Palm) 174 B 4
aya de Vallehermoso (Ten) 172 B 1
aya de Vallehermoso, Caserío (Ten) 172 B 1
aya de Veneguera, La (Palm) 174 B 3
aya Granada (Gra) 161 Wc 128
Playa Grande (Ten) 173 E 5
aya Honda (Mur) 143 Zb 123 ⊠ 30385
aya Nueva (Ten) 171 B 3
aya Quemada (Palm) 176 B 4
ayas, Las (Palm) 175 E 4
Playas, Mirador de las (Ten) 173 C 2
aya Serena (Alm) 162 Xc 128
Playas Largas (Ten) 173 C 2
Playazo, El 163 Ya 127
Playazo, El 160 Wa 128
Playecitas, Las (Ten) 173 C 2
laza, La (Viz) 23 Xb 90
laza, La = Teverga (Ast) 6 Tf 90
laza de Castillo y Elejabieta = Zeanuri (Viz) 23 Xb 90
lazakola (Viz) 11 Xd 89
☆ Plegamans, Castell de 66 Cb 99
leitas (Zar) 61 Ye 98 ⊠ 50297
leito, Cortijo del (Córd) 151 Vd 125
lenas (Zar) 61 Za 102 ⊠ 50143
lentzia (Viz) 11 Xa 88 ⊠ 48620
Plentzia, Playa de 11 Xa 88
Pleta Roja, la 30 Ca 95
liego (Mur) 141 Yd 121 ⊠ 30176
≈ Pliego, Embalse de 141 Yc 121
≈ Pliego, Río 141 Yc 121
lomeros (Jaé) 138 Wa 120
lomo, Cortijo El (Alm) 163 Ya 127
lou (Ter) 79 Za 103 ⊠ 44213
luma, Caserío de la (Bad) 118 Ta 116
lumarejos (Bur) 40 Wd 97 ⊠ 09452
oago (Ast) 7 Ub 87
oal, el (Bar) 47 Be 98
oal, el (Lle) 46 Af 98 ⊠ 25143
obadura (Pon) 15 Sa 93
obar (Sor) 41 Xe 97 ⊠ 42181
obella (Lle) 28 Af 94 ⊠ 25512
obes (Ála) 23 Xa 92 ⊠ 01420
obla, la (Lle) 64 Ae 100
obla, Sa (Bal) 99 Da 110
oblachuela, La (Ciu) 123 Wa 115
oblación, La (Can) 21 Wa 90
oblación de Abajo (Can) 21 Wa 91
oblación de Arriba (Can) 21 Wa 91
oblación de Arroyo (Pal) 37 Va 94
oblación de Campos (Pal) 38 Vd 95
oblación de Cerrato (Pal) 38 Vd 98
oblación de Soto (Pal) 38 Vc 94
oblación de Suso (Can) 21 Ve 91
obla de Benifassà, la (Cas) 80 Aa 105
obla de Carivenys, la (Tar) 65 Bc 99 ⊠ 43429
Pobla de Cérvoles, la (Lle) 64 Af 100
Pobla de Claramunt, la (Bar) 65 Be 99 ⊠ 08787
Pobla de Ferran, la (Tar) 64 Bb 99
Pobla del Bellestar, la (Cas) 80 Ze 106
Pobla del Duc, la (Val) 128 Zd 115 ⊠ 46840
Pobla de Lillet, la (Bar) 47 Bf 95 ⊠ 08696
Pobla de Mafumet, la (Tar) 64 Bb 101 ⊠ 43140
Pobla de Masaluca = Pobla de Massaluca, la (Tar) 62 Ac 101
Pobla de Massaluca, la (Tar) 62 Ac 101 ⊠ 43783
Pobla de Montornès, la (Tar) 65 Bc 101
Pobla de San Xulián (Lug) 16 Sd 91
Pobla de Segur, la (Lle) 46 Af 95 ⊠ 25500
Pobla de Vallbona, la (Val) 113 Zc 111 ⊠ 46185
Poblado de Embalse (Các) 86 Ua 109
Poblado del Embalse (Val) 112 Yd 111
Pobladura de Aliste (Zam) 35 Td 97 ⊠ 49522
Pobladura de Bernesga (Leó) 19 Uc 93 ⊠ 24121
Pobladura de Fontecha (Leó) 36 Ub 94 ⊠ 24250
Pobladura de la Reguera (Leó) 18 Te 92
Pobladura de la Sierra (Leó) 35 Td 94 ⊠ 24724
Pobladura de los Oteros (Leó) 37 Ud 94 ⊠ 24223
Pobladura del Valle (Zam) 36 Ub 96 ⊠ 49780
Pobladura de Pelayo García (Leó) 36 Ub 95
Pobladura de Somoza (Leó) 17 Tb 93 ⊠ 24512
Pobladura de Sotiedra (Vall) 55 Ue 99 ⊠ 47881
Pobladura de Valderaduey (Zam) 54 Uc 98 ⊠ 49127
Pobla Llarga, la (Val) 114 Zd 114 ⊠ 46670
☆ Poblat ibèric 128 Zb 116
Pobla Tornesa, la (Cas) 95 Aa 108 ⊠ 12191
Poblenou del Delta, El (Tar) 80 Ae 105
Poble Nou de Sant Rafael, el (Ali) 128 Zd 116
Pobles, les (Tar) 65 Bc 100 ⊠ 43815
☆ Poblet, Reial Monestir de 64 Ba 100
Pobleta d'Alcolea (Cas) 80 Zf 104
Pobleta de Andilla, La (Val) 94 Zb 109
Pobleta de Bellvehí = Pobleta de Bellveí, la (Lle) 46 Af 94
Pobleta de Bellveí, La (Lle) 46 Af 94
Poblete (Ciu) 123 Wa 115 ⊠ 13195
Poblets, els (Ali) 129 Aa 115 ⊠ 03779
Poblets dels Ferrers, els (Val) 128 Zc 116
☆ Pobo, Castillo 94 Yf 109
Pobo, El (Ter) 79 Za 105 ⊠ 44155
▲ Pobo, Sierra de El 79 Za 105
Pobo de Dueñas, El (Gua) 78 Yc 104 ⊠ 19326
Poboleda (Tar) 64 Af 101 ⊠ 43376
Pobra de Trives, A (Our) 34 Se 94 ⊠ 32780
Pobra do Brollón = Puebla de Brollón (Lug) 16 Sd 93
Pobra do Caramiñal, A (Cor) 14 Ra 93 ⊠ 15940
Pocacivera (Bad) 118 Sf 116
Pocafarina (Gir) 48 Cc 96 ⊠ 17178
Pocafarina (Bar) 48 Cd 99
Pocasangre, Cortijo de (Cád) 164 Ua 130
▲ Pocias 38 Vf 96
Pocicas, Las (Alm) 154 Xf 124 ⊠ 04813
Pocicas, Las (Mur) 155 Yb 123
Pocico, Cortijo del (Alm) 162 Xd 127
Pocico, Cortijo El (Alb) 140 Xe 120
▲ Pocico, Cuerda del 153 Wf 123
Pocico, El (Alm) 154 Xf 125
Pocico, El (Alm) 154 Xe 126
Pocico, El (Gra) 153 Xa 125
▲ Pocicos, Los 127 Yf 116
Pocicos, Los (Alb) 126 Ya 116 ⊠ 02129
▲ Pocicos, Puerto de los 125 Xd 116
▲ Pociñas, Praia de 14 Ra 94
Pocino, Cortijo del (Jaé) 125 Xd 118
Pocino, El (Hues) 27 Ab 94 ⊠ 22337
≈ Pocito, Arroyo del 107 Ve 113
▲ Pocito, Sierra del 108 Vf 112
Pocitos, Los (Huel) 146 Sf 124
▲ Poco Pan 111 Yb 112
Pocopán, Cortijada (Gra) 153 Xb 124
Pocopán, Cortijo de (Jaé) 152 Wb 123
Poderosa, La (Huel) 133 Tc 122
Poio (Pon) 14 Rb 94
▲ Poio, Alto do 17 Sf 92
Pojos (Ast) 5 Tb 88 ⊠ 33718
Pol (Lug) 4 Se 90
Pol (Lug) 16 Se 91
Pola (Our) 34 Sd 94
Pola, La (Ast) 7 Ud 89
Polaciones (Can) 21 Vd 90
▲ Polacra, Punta de la 163 Ya 127
Pola de Allande (Ast) 5 Tc 89 ⊠ 33880
Pola de Gordón, La (Leó) 19 Uc 91
Pola de Laviana (Ast) 7 Uc 89 ⊠ 33980
Pola de Lena (Ast) 6 Ua 90 ⊠ 33630
Pola de Siero (Ast) 7 Uc 88 ⊠ 33510
Pola de Somiedo (Ast) 18 Te 90 ⊠ 33840
☆ Polaina, Cueva de 90 We 109
Polán (Tol) 89 Vf 110
≈ Polendos, Arroyo de 74 Vf 102
Poleñino (Hues) 44 Ze 97 ⊠ 22216
Polentinos (Pal) 20 Vc 91 ⊠ 34846
Policar (Gra) 153 We 125 ⊠ 18516
☆ Polida, Cova (Bal) 96 Ea 108
Polide (Ast) 6 Tf 87
Polientes (Can) 21 Wa 92 ⊠ 39220
Polig (Lle) 46 Bb 97 ⊠ 25747
Poliñá de Júcar = Polinyà de Xúquer (Val) 114 Zd 113
Polinyà (Bar) 66 Ca 99
Polinyà de Xúquer (Val) 114 Zd 113 ⊠ 46688
Polituara (Hues) 26 Zd 92
Pollença (Bal) 99 Da 109 ⊠ 07460
≈ Pollença, Badia de (Bal) 99 Da 109
Pollos (Vall) 55 Uf 100 ⊠ 47116
▲ Pollos, Los 120 Ub 117
Polo (Bal) 99 Cf 111
Polop (Ali) 129 Zf 117 ⊠ 03520
☆ Polop, Ermita de 128 Zc 116
Polope (Alb) 126 Yb 117
Polopos (Alm) 163 Xf 126 ⊠ 04114
Polopos (Gra) 161 We 128 ⊠ 18710
≈ Polopos, Rambla de 163 Xf 126
Polvareda, Cortijo de la (Alm) 154 Xc 124
☆ Polvera, Cueva de la (Ten) 173 C 2
Polvillar (Jaé) 139 Xb 119
▲ Polvisos, Cuerda de los 73 Vc 105
▲ Polvo, Collado del 22 Wc 90
Polvoredo (Leó) 20 Uf 90 ⊠ 24995
Polvorilla, La (Cád) 165 Uc 131
Polvorín, El (Cád) 165 Ud 130
Polvorista, Cortijo del (Gra) 152 Wd 125
Polvorosa de Valdavia (Pal) 20 Vc 93 ⊠ 34473
Pomaluengo (Can) 9 Wa 89 ⊠ 39660
Pomar (Bur) 22 Wd 91 ⊠ 09513
Pomar de Cinca (Hues) 45 Aa 97 ⊠ 22413
Pomar de Valdivia (Pal) 21 Vf 92 ⊠ 34813
Pomares (Ali) 128 Za 118
Pombeiro (Lug) 16 Sb 94 ⊠ 27470
Pombo, Caserío (Pal) 38 Vb 97
Pombriego (Leó) 17 Tb 94 ⊠ 24389
Pomer (Zar) 60 Ya 99 ⊠ 50259
Pompenillo (Hues) 44 Zd 96 ⊠ 22196
Pompià (Gir) 49 Ce 95
Pómpolos, Los (Gra) 161 Wf 128
Ponç (Tar) 80 Ae 103
▲ Ponce o Cambrón, Sierra de 141 Yb 121
Ponderosa, La (Mad) 74 Wa 104 ⊠ 28260
▲ Ponent, Platja de 129 Zf 117
Ponferrada (Leó) 17 Tc 93 ⊠ 24400
Ponga (Ast) 7 Uf 89
▲ Ponga, Cordal de 7 Ue 89
≈ Ponga, Río 7 Ue 89
Ponjos (Leó) 18 Tf 92 ⊠ 24127
Pon Nou des Frares (Bal) 99 Da 112
Pons = Ponts (Lle) 46 Bb 97
☆ Pont (AND) 29 Bc 94
Pont D'Alentorn, el (Lle) 46 Ba 97 ⊠ 25739
Pont d'Armentera, el (Tar) 65 Bc 100 ⊠ 43817
Pont de Bar, el (Lle) 29 Bd 94 ⊠ 25723
Pont de Claverol, el (Lle) 46 Af 95 ⊠ 25517
☆ Pont del Llierca 48 Cd 95
Pont de Molins (Gir) 31 Cf 95 ⊠ 17706
Pont de Suert, el (Lle) 28 Ae 94 ⊠ 25520
Pont de Vilomara, el (Bar) 47 Bf 98
Pont de Vilomara i Rocafort, el (Bar) 47 Bf 98 ⊠ 08254
Ponte (Pon) 15 Rd 94
Ponte, A (Our) 35 Ta 95
Ponte Aranga (Cor) 3 Rf 89 ⊠ 15317
Ponteareas (Pon) 32 Rd 95
Ponte Barxas (Our) 33 Re 96
Pontecaldelas (Pon) 32 Rd 94
Ponte Carreira (Cor) 15 Rd 90
Ponte Castrelo (Our) 33 Rf 95
Pontecescures = Enfesta (Nav) 14 Rc 92
Ponteceso (Cor) 2 Ra 89 ⊠ 15110
Pontecesures (Pon) 14 Rc 92
≈ Ponte de Enviande, Río da 16 Sa 92
Pontedeume (Cor) 3 Rf 88 ⊠ 15600
Pontedeva (Our) 33 Rf 96 ⊠ 32235
Ponte de Xubia (Cor) 3 Rf 87
Pontedo (Leó) 19 Uc 91 ⊠ 24838
Ponte do Porto (Cor) 2 Qf 90 ⊠ 15121
☆ Pontedos, Los 19 Uc 91
Pontejos (Zam) 54 Ub 100 ⊠ 49191
Pontellas (Pon) 32 Rc 96
Ponte Maceira (Cor) 14 Rb 91
Ponte Mera (Cor) 4 Sa 86
Ponte Nafonso (Cor) 14 Ra 91
Pontenova, A (Lug) 5 Se 88
≈ Ponte Olveira, Encoro das 14 Qf 91
Pontepedra (Cor) 3 Rc 90 ⊠ 15683
≈ Pontepedra, Río 3 Rc 90
Ponte Sampaio (Pon) 32 Rc 94 ⊠ 36690
Pontes de García Rodríguez, As (Cor) 4 Sa 88
Ponte-Ulla (Cor) 15 Rd 92
Pontevedra (Pon) 14 Rc 94 ⊠ *36001
≈ Pontevedra, Ría de 14 Rb 94
Pontezuelas, Las (Tol) 89 Vf 109
Pontils (Tar) 65 Bc 100 ⊠ 43421
☆ Pont Nou = Puente Nuevo 80 Ac 105
Pontón, Caserío del (Leó) 20 Uf 90
Ponton, El (Viz) 10 Wf 89
Pontón, El (Val) 112 Yf 112
▲ Pontón, El 56 Vc 100
▲ Pontón, Puerto del 20 Uf 90
Pontón Alto (Jaé) 139 Xb 120
≈ Pontón de la Oliva, Embalse del 75 Wd 103
Pontones (Jaé) 139 Xc 120 ⊠ 23291
Pontones (Can) 10 Wb 88 ⊠ 39793
Pontons (Bar) 65 Bd 100 ⊠ 08738
Pontós (Gir) 49 Cf 95
☆ Pontós, Castell de 49 Cf 95
☆ Pont romànic 48 Cb 95
Ponts (Lle) 46 Bb 97 ⊠ 25740
▲ Ponxo, Praia de = Ponzo, Praia de 3 Re 87
Ponzano (Hues) 44 Zf 96 ⊠ 22124
▲ Ponzo, Praia de = Ponxo, Praia de 3 Re 87
Póo (Ast) 8 Vb 88
Porcel, Cortijo de (Jaé) 139 Wf 121
Porceyo (Ast) 7 Ub 87 ⊠ 33392
≈ Porcia, Río 5 Ta 88
Porciles (Ast) 5 Tc 89
≈ Porcos, Río 18 Te 93
▲ Porcs, I. Des (Bal) 97 Bc 116
Porcuna (Gra) 140 Xd 121
Porcuna (Jaé) 137 Vf 121 ⊠ 23790
▲ Poris, Playita del (Palm) 175 F 1
▲ Poris, Punta del (Ten) 171 C 3
Porís de Abona (Ten) 173 E 5
Porley (Ast) 6 Td 89 ⊠ 33819
≈ Porma, Embalse del 19 Ue 91
≈ Porma, Río 19 Ud 93
Porqueira (Our) 33 Sa 96
Porqueiros, Caserío (Sal) 72 Ub 103
☆ Porquera, Ermita de 164 Ua 131
Porquera, La (Sal) 71 Te 103
Porquera del Butrón (Bur) 22 Wb 92
Porquera de los Infantes (Pal) 21 Ve 92 ⊠ 34813
Porqueres (Gir) 48 Ce 96 ⊠ 17834
Porqueriza (Sal) 71 Ua 103 ⊠ 37130
Porquerizas (Cád) 164 Ub 130
Porquerizas, Las (Can) 9 Wb 89 ⊠ 39727
≈ Porquerizos, Arroyo 86 Ua 109
Porqueros (Leó) 18 Tf 93 ⊠ 24397
Porrera (Tar) 64 Af 101 ⊠ 43739
Porreres (Bal) 99 Da 111 ⊠ 07260
Porretal, El (Córd) 150 Va 123
Porriño, O (Pon) 32 Rc 96 ⊠ 36400
Porroig (Bal) 97 Bb 115
▲ Porroig, Punta de (Bal) 97 Bb 115
▲ Porrón 126 Ya 118
▲ Porrones, Sierra de los 74 Wa 104
▲ Porros, Illa des (Bal) 96 Ea 108
▲ Porros, Illas des, = Sanitja, Illa de (Bal) 96 Ea 108
Porrosillo (Jaé) 138 Wd 119
Porrúa (Ast) 8 Vb 88
Port, Es (Bal) 97 Bc 114
Port, Es (Bal) 97 Bd 114
Port, Es (Bal) 98 Cf 114
▲ Port, Pic du (AND) 29 Bd 93
▲ Port, Platja del 129 Aa 117
▲ Portacho, El 73 Uf 105
▲ Portachuelo, El 74 Vf 104
☆ Porta-Coeli, Cartoixa de 94 Zd 110
Porta del Sol (Val) 114 Ze 113
Portaje (Các) 85 Tc 109 ⊠ 10883
≈ Portaje, Embalse de 85 Tc 109
Portal, El (Cád) 157 Tf 129 ⊠ 11596
▲ Port Alegre, Platja de 65 Bf 101
Portales (Mál) 159 Vd 127 ⊠ 29160
▲ Portalet, El 26 Zd 92
Portalrubio (Ter) 79 Yf 104 ⊠ 44730
Portalrubio de Guadamajud (Cue) 91 Xc 107
Portals Nous (Bal) 98 Cd 111 ⊠ 07181
Portals Vells (Bal) 98 Cd 112 ⊠ 07181
Portamieiro (Our) 15 Sa 94
▲ Portanchito 104 Td 112
☆ Portaran, Castell de 28 Ba 93
Portas (Pon) 14 Rc 93 ⊠ 36658
≈ Portas, Embalse das 34 Se 96
≈ Portas, Encoro das 34 Se 96
Portazgo (Zar) 43 Zb 97
Portazgo, El (Zam) 36 Uc 97
Portazgo o San Antonio (Bad) 119 Td 118
Port Blau, el (Cas) 80 Ac 106
Portbou (Gir) 31 Da 94 ⊠ 17497
Port-Bou = Portbou (Gir) 31 Da 94
Port d'Addaia (Bal) 96 Eb 108
Port d'Alcúdia (Bal) 99 Da 109
Port d'Andratx (Bal) 98 Cc 111 ⊠ 07157
▲ Port de Biar 128 Zb 117
Port de Borriana, el (Cas) 95 Zf 109
Port de Canonge (Bal) 98 Cd 110
Port del Balís, el (Bar) 66 Cd 99
Port del Comte (Lle) 47 Bd 96
▲ Port del Comte, Serra del 47 Bc 96
Port de Llançà, el (Gir) 31 Db 94
Port de Pollença (Bal) 99 Da 109 ⊠ 07470
Port de Sagunt, el (Val) 95 Ze 111
Port de sa Savina (Bal) 97 Bc 116
Port de Sóller (Bal) 98 Ce 110
Port d'es Torrent (Bal) 97 Bb 115
Port de Valldemossa (Bal) 98 Cd 110
Portela (Pon) 15 Rc 92
▲ Portela 17 Sf 94
Portela, A (Cor) 15 Rf 91
Portela, A (Pon) 32 Rb 95 ⊠ 36556
Portela de Aguiar (Leó) 17 Ta 93 ⊠ 24569
Portela de Home (Our) 33 Rf 98
Portela de Lamas (Pon) 15 Re 93
Portela do Trigal (Leó) 35 Ta 94
Portelano, Cortijo (Alb) 125 Xd 117
Portelárbol (Sor) 41 Xd 97
Portelas, Las (Ten) 172 B 4 ⊠ 38489
Portell (Lle) 47 Bc 98 ⊠ 25216
Portella, la (Lle) 44 Ad 98 ⊠ 25134
Portella, la (Bar) 47 Bf 96
Portellada, La (Ter) 80 Aa 103 ⊠ 44589
Portell de Morella (Cas) 80 Ze 105 ⊠ 12318
Portelo, El (Leó) 17 Ta 92
Portelrubio (Sor) 41 Xd 97 ⊠ 42162
Portera, La (Val) 112 Yf 112 ⊠ 46357
Portero, Cortijo del (Gra) 153 Wf 125
Portero, El (Bad) 119 Tc 118
Porteros (Sal) 71 Ua 103
Porteros (Sal) 71 Td 106
Porteros, Los (Alm) 154 Xd 124
▲ Portes, Punta de ses (Bal) 97 Bc 116
▲ Portet, Platja de 128 Ab 116
▲ Portevello, Porto 3 Sa 89
Portezuelo (Các) 85 Td 110 ⊠ 10828
Portichuelo (Mur) 127 Yf 117
Portichuelos, Cortijo de los (Cád) 164 Ua 130
▲ Portiello, Sierra de 26 Ze 94
Portilla (Ála) 23 Xa 92 ⊠ 01212
Portilla (Cue) 92 Xf 107 ⊠ 16141
≈ Portilla, Arroyo de la 92 Xf 107
Portilla, La (Alm) 155 Ya 125 ⊠ 04619
▲ Portilla, La 36 Ua 95
▲ Portilla, La 55 Ud 101
Portilla de la Reina (Leó) 20 Va 90 ⊠ 24913
Portilla de Luna (Leó) 18 Ub 91 ⊠ 24149
▲ Portillas, Alto de las 20 Va 91
Portillejo (Pal) 20 Vc 94 ⊠ 34114
Portilles, Cortijo de (Jaé) 125 Xb 118
Portillo (Vall) 56 Vc 100 ⊠ 47160
Portillo (Sal) 72 Uc 104
Portillo, Caserío El (Can) 10 Wc 88
▲ Portillo, El 38 Ve 98
▲ Portillo de Pinochos, Sierra del 41 Xb 97
▲ Portillo de Santa Margarita, El 42 Yd 96
Portillo de Soria (Sor) 59 Xf 99 ⊠ 42138
Portillo de Toledo (Tol) 89 Ve 108

▲Portillos, Collado de los 75 Wd 103
≈Portiña, Embalse de la 88 Va 108
▲Portiñas, Praia 14 Qf 93
Portinatx (Bal) 97 Bd 114
▲Portixol, Illa del 128 Ab 116
Portman (Mur) 143 Za 123 ⊠30364
Porto (Pon) 15 Rd 92
Porto (Pon) 32 Rc 96
Porto (Our) 34 Ta 95
Porto, O (Our) 17 Ta 94 ⊠32357
≈Porto, Río do 14 Rc 90
Portobravo (Cor) 14 Ra 92 ⊠15214
Porto-Camba = Portocamba (Our) 34 Sd 96
Portocamba = Porto-Camba (Our) 34 Sd 96 ⊠32626
Portocarrero (Alm) 154 Xc 125 ⊠04550
Portociños (Cor) 3 Rc 90 ⊠15684
Portocolom (Bal) 99 Db 112 ⊠07670
Porto-Corrubedo (Cor) 14 Qf 93
Portocristo (Bal) 99 Dc 111
Portocristo Novo (Bal) 99 Dc 111
Porto de Abaixo (Lug) 5 Sf 88
Porto de Bares (Cor) 4 Sb 86
Porto de Espasante (Cor) 4 Sb 86 ⊠15339
Portodemouros (Pon) 15 Re 91
≈Portodemouros, Encoro de 15 Rf 91
Porto do Barqueiro (Cor) 4 Sb 86
Porto do Son (Cor) 14 Qf 92 ⊠15970
Portol (Bal) 98 Ce 111
Portomarín (Lug) 16 Sc 92
Portomeiro (Cor) 14 Rc 91 ⊠15871
Portomourisco (Our) 34 Sf 94 ⊠32371
Portomouro (Cor) 14 Rc 91 ⊠15871
Portopetro (Bal) 99 Db 112 ⊠07691
Portosín (Cor) 14 Ra 92
Portugalejo (Mál) 160 Vf 127 ⊠29712
Portugalete (Viz) 10 Wf 89 ⊠48920
Pórtugos (Gra) 161 We 127
Portugués, Cortijo del (Bad) 119 Tb 116
Portús (Mur) 142 Yf 123
Portusa (Tol) 89 Ve 109
Porvenir de la Industria (Córd) 121 Ud 119 ⊠14209
Porzún (Ast) 5 Sf 88
Porzuna (Ciu) 108 Vf 114 ⊠13120
Posada (Ast) 6 Ua 88
Posada (Ast) 8 Va 88
Posada de Colmenas (Ciu) 122 Va 115
Posada de Flores (Córd) 151 Vd 124
Posada de Sant Jaume, la (Val) 129 Zf 115
Posada de Valdeón (Leó) 8 Va 90
Posadas (Córd) 136 Uf 122 ⊠14730
Posadas (Rio) 40 Wf 95 ⊠26289
Posadas Ricas (Jaé) 138 Wc 121
Posada y Torre (Leó) 36 Tf 95 ⊠24766
Posadilla (Córd) 135 Ue 119 ⊠14248
Posadilla de la Vega (Leó) 36 Ua 94 ⊠24795
Poserna, Caserío de (Pal) 38 Vb 96
▲Posets 26 Ac 92
Posito, Cortijo del (Jaé) 139 We 121
▲Poste 77 Xe 106
Postero (Sev) 158 Uf 126
▲Postiguet, Platja del 128 Zd 118
Postreragua de Veneguera, La (Palm) 174 B 3
Postuero, Cortijo del (Bad) 121 Ud 117
Potes (Can) 8 Vc 90 ⊠39570
Potiche (Alb) 126 Xe 117 ⊠02139
Potosí, Cortijo de (Bad) 119 Tc 116
▲Potranca, Alto de la (Palm) 175 D 3
Potrica, Cortijo de la (Cád) 165 Ud 130
Potrico, Cortijo (Bad) 120 Ua 118
Potríes (Val) 129 Ze 115
☆Pou, Far d'en (Bal) 97 Bc 116
Poublanc (Ali) 128 Zb 118
☆Pou Clar 128 Zc 116
Pou Colomer Vell (Bal) 99 Db 110
Pou d'En Calbo, el (Cas) 95 Zf 108
Poulo (Our) 33 Rf 95
Pou Nou, Es (Bal) 99 Db 111
Pousa (Lug) 16 Sd 93
Pousada (Lug) 4 Sd 89
Pousada (Lug) 16 Se 91
Pousada (Our) 34 Se 97
Pouscarro (Cor) 14 Ra 92
Poutomillos (Lug) 16 Sc 91 ⊠27233
Poveda (Ávi) 73 Uf 105 ⊠05560
Poveda, La (Mad) 89 Ve 107
Poveda, La (Mad) 90 Wd 107
≈Poveda, Río 72 Ue 102
Poveda de la Obispalía (Cue) 92 Xd 109
Poveda de las Cintas (Sal) 72 Ue 102 ⊠37406
Poveda de la Sierra (Gua) 77 Xf 105 ⊠19463
Póveda de Soria, La (Sor) 41 Xc 96
Povedilla (Alb) 125 Xc 116 ⊠02311
Povedillas, Las (Ciu) 108 Vf 113 ⊠13428
Povoanza (Our) 33 Sa 94
Poyal, El (Ávi) 72 Ud 106
Poyales (Rio) 41 Xe 96 ⊠26586
Poyales, Cortijo de los (Cád) 164 Ub 130
Poyales del Hoyo (Ávi) 87 Uf 108 ⊠05492
Poyata, La (Córd) 151 Ve 124 ⊠14817
Poyatas, Las (Bad) 120 Te 116
Poyatas, Las (Ten) 172 B 2 ⊠38829
Poyato (Jaé) 138 We 119
Poyatos (Cue) 77 Xf 106 ⊠16878
Poyo, Cortijo del (Jaé) 139 Xa 121
Poyo, El (Zam) 35 Td 98 ⊠49524
Poyo del Cid, El (Ter) 78 Yd 103
Poyos, Los (Alb) 140 Xd 120
Poyos, Los (Jaé) 138 Wa 122
Poyotello (Jaé) 139 Xc 120
Poza de la Sal (Bur) 22 Wc 92 ⊠09246
Poza de la Vega (Pal) 20 Vb 93 ⊠34111
Pozal de Gallinas (Vall) 55 Va 101 ⊠47450
Pozaldez (Vall) 55 Va 100 ⊠47220
Pozalmuro (Sor) 41 Xf 98 ⊠42112
Pozanco (Ávi) 73 Vb 104 ⊠05292
Pozancos (Pal) 21 Ve 92 ⊠34492
Pozancos (Gua) 59 Xc 102 ⊠19265
Pozán de Vero (Hues) 45 Aa 96
≈Pozas, Río de las 74 Wb 102
▲Pozazal, Puerto de 21 Vf 91
▲Pozerón, El 36 Ub 98
Pozetas, Las (Palm) 175 D 3
▲Pozo, Barranco del (Palm) 175 D 4
Pozo, Cortijo del (Gra) 140 Xc 122
▲Pozo, Playa del (Ten) 171 B 3
▲Pozo, Playa del (Ten) 173 C 2
▲Pozo, Sierra del 139 Xa 121
Pozo Alcón (Jaé) 139 Xa 122
Pozo Aledo (Mur) 143 Za 122 ⊠30739
Pozo Alto, Cortijo de (Gra) 152 Wd 124
Pozoamargo (Cue) 111 Xe 112
Pozoantiguo (Zam) 55 Ud 99 ⊠49835
Pozoblanco (Córd) 122 Vb 118 ⊠14400
Pozo Blanco, Caserío de (Jaé) 138 Wc 122
Pozo Bueno (Alb) 126 Yb 116 ⊠02510
Pozo Campo (Bad) 133 Sf 119
Pozo-Cañada (Alb) 126 Yb 116
Pozo Cortijo (Bad) 104 Tb 114
Pozo de Abajo (Alb) 125 Xc 118
Pozo de Almoguera (Gua) 91 Wf 106 ⊠19112
Pozo de Gálvez, Cortijo del (Alm) 163 Xe 128
Pozo de Guadalajara (Gua) 75 We 106 ⊠19161
Pozo de la Higuera (Alm) 155 Yb 124 ⊠04647
Pozo de la Higuera (Alb) 127 Ye 116
Pozo de la Orden, Cortijo del (Jaé) 137 Vf 122
Pozo de la Peña (Alb) 126 Yb 115
Pozo de la Rueda (Gra) 140 Xe 122
Pozo de la Salud (Ten) 173 B 2
Pozo de la Serna (Ciu) 124 We 116 ⊠13390
Pozo del Camino (Huel) 146 Se 125 ⊠21420
Pozo del Captián, El (Alm) 163 Xf 127
Pozo del Esparto (Alm) 155 Yb 124 ⊠04648
Pozo del Lobo (Alm) 154 Xc 124 ⊠04887
Pozo de los Frailes, El (Alm) 163 Xf 128
Pozo de los Palos (Mur) 142 Yf 123 ⊠30391
≈Pozo de Los Ramos, Embalse de 75 We 102
Pozo del Rosal, Cortijo de (Sev) 149 Ud 126
▲Pozo de Osuna, Loma del 150 Uf 124
≈Pozo de Pablico, Laguna del 110 Xc 112
Pozo de Urama (Pal) 37 Va 95 ⊠34347
Pozodulce, Cortijo de (Córd) 137 Vd 122
Pozo Estrecho (Mur) 142 Za 122 ⊠30594
Pozo Gallardo, Cortijo (Alm) 140 Xe 122
Pozo Herrera, Cortijo de (Bad) 134 Tf 119
Pozohondo (Alb) 126 Ya 116 ⊠02141
Pozo Iglesias (Gra) 154 Xc 124
≈Pozo Izquierdo, Bahía de (Palm) 174 D 4
Pozo-Lorente (Alb) 112 Yc 114
Pozo Muela y Puntalico (Ter) 94 Zb 108
Pozón (Ast) 6 Td 89
Pozondón (Ter) 78 Yd 105
▲Pozondón, Puerto 78 Yc 105
Pozo Pedro (Vall) 37 Uf 97
▲Pozo Porquero 121 Uc 117
Pozorrubielos de la Mancha (Cue) 111 Xf 112
Pozorrubio de Santiago (Cue) 91 Xa 110
Pozos (Leó) 35 Te 95 ⊠24738
≈Pozos, Bahía de los (Ten) 173 B 2
Pozos, Los (Jaé) 139 We 122
Pozos de Hinojo (Sal) 71 Td 103 ⊠37216
Pozos de la Fuente Santa (Bad) 120 Ua 117
Pozos de Mondar (Sal) 71 Ua 103 ⊠37170
Pozoseco (Cue) 111 Ya 112 ⊠16212
Pozotechado, Cortijo de (Córd) 150 Vc 123
Pozo Usero, El (Alm) 163 Xf 127
Pozuel de Ariza (Sor) 59 Xf 100
Pozuel del Campo (Ter) 78 Yc 104 ⊠44315
▲Pozuelo 152 Wb 124
Pozuelo (Mur) 127 Ye 117
Pozuelo (Alb) 126 Xf 117
Pozuelo (Alb) 126 Xf 116
Pozuelo (Nav) 25 Yc 93
Pozuelo (Sor) 58 Wf 100
Pozuelo, Cortijo (Gra) 152 Wd 125
Pozuelo, El (Gra) 161 Wf 128 ⊠*18690
Pozuelo, El (Huel) 147 Tb 123
Pozuelo, El (Cue) 77 Xe 105
▲Pozuelo, El 92 Xd 106
▲Pozuelo, Sierra de 152 Wc 124
Pozuelo de Alarcón (Mad) 74 Wb 106
Pozuelo de Aragón (Zar) 42 Yd 98
Pozuelo de Calatrava (Ciu) 123 Wb 115 ⊠13179
Pozuelo de la Orden (Vall) 37 Ue 98 ⊠47831
Pozuelo del Páramo (Leó) 36 Ub 95
Pozuelo del Rey (Mad) 90 We 106 ⊠28813
Pozuelo de Tábara (Zam) 36 Ua 98
Pozuelo de Vidriales (Zam) 36 Ua 96 ⊠49621
Pozuelo de Zarzón (Các) 86 Td 108
Pozuelos, Los (Alb) 127 Ye 116
Pozuelos de Calatrava, Los (Ciu) 123 Ve 115 ⊠13191
Pozuelos del Rey (Pal) 37 Va 95 ⊠34349
Prada (Ast) 5 Tc 89
Prada (Our) 34 Se 95
Prada (Our) 34 Sf 95
≈Prada, Encoro de 34 Sf 95
▲Prada, Serra de 46 Bb 95
Prada de la Sierra (Leó) 18 Td 94 ⊠24722
Prada de Valdeón (Leó) 8 Va 90
▲Pradairo 16 Se 90
≈Pradal, Río 21 Wa 93
Pradales (Seg) 57 Wb 100 ⊠40540
▲Pradales, Sierra 57 Wb 100
Prádanos de Bureba (Bur) 22 Wd 94
Prádanos del Tozo (Bur) 21 Wa 92
Prádanos de Ojeda (Pal) 21 Vd 92 ⊠34486
Pradeda (Lug) 16 Sc 91
Pradejón (Rio) 41 Xf 95
▲Pradejones, Los 88 Uf 106
Pradela (Leó) 17 Ta 92 ⊠24523
Pradell de la Teixeta (Tar) 64 Af 102
Pradell de Sió (Lle) 46 Ba 98
Prádena (Seg) 57 Wb 102
Prádena de Atienza (Gua) 58 Wf 101
Prádena del Rincón (Mad) 75 Wc 102
Pradenilla (Seg) 57 Wb 102 ⊠40165
▲Praderas, Las 56 Ve 101
Prades (Tar) 64 Af 101 ⊠43364
Prades, Cortijo de los (Alm) 154 Xd 123
▲Prades, Muntanyes de 64 Ba 100
Prades de la Molosa (Lle) 47 Bd 98
Prades del Terri (Gir) 49 Cf 96
Pradilla (Gua) 77 Yb 104 ⊠19391
▲Pradilla, Plana de 43 Yf 97
Pradilla de Belorado (Bur) 40 Wf 95
Pradilla de Ebro (Zar) 43 Ye 97 ⊠50668
Pradillo (Rio) 41 Xc 95 ⊠26122
▲Pradillo, El 56 Ve 102
≈Pradillo, Río 122 Ve 118
Pradillo Alto, Cortijo de (Cád) 164 Ub 130
Pradillos, Los (Cue) 77 Ya 105
Prado (Ast) 7 Ue 88 ⊠33344
Prado (Pon) 15 Re 92
Prado (Lug) 16 Sb 90
Prado (Pon) 32 Re 95
Prado (Pon) 32 Rd 95
Prado (Our) 33 Sa 97
Prado (Our) 33 Sa 95
Prado (Our) 34 Sc 96
Prado (Zam) 37 Ud 97
≈Prado, Arroyo del 38 Ve 97
Prado, Cortijo del (Sev) 150 Va 123
Prado, El (Alm) 154 Xe 124
Prado, El (Alm) 153 Xb 125
Prado, El (Mur) 141 Yc 120 ⊠30649
☆Prado, Ermita del 134 Td 122
▲Prado, Peñas del 19 Ub 91
Pradoalvar (Our) 34 Se 95
Pradocabalos (Our) 34 Sf 96 ⊠32560
▲Prado Campo, Cuerda del 87 Uc 107
Pradochano (Các) 86 Te 108 ⊠10671
Pradochano, Cortijo (Các) 86 Te 109
Prado de la Guzpeña (Leó) 20 Uf 92 ⊠24893
Prado de las Yeguas (Alb) 140 Xd 120
Prado del Caño, El (Alb) 126 Xe 117
Prado del Rey (Cád) 158 Uc 128 ⊠11660
Prado del Rey, Cortijo (Bad) 119 Ta 118
Prado de Paradiña (Leó) 17 Tb 92 ⊠24512
Prado de Somosaguas (Mad) 74 Wb 106
Prado Espinosilla, Cortijos del (Jaé) 140 Xc 119
Pradogallo, Cortijo de (Alb) 125 Xc 117
Prado Gil (Bad) 134 Ua 120
Prado Hondo, Cortijo (Gra) 161 Wd 126
Prado Jérez, Cortijo de (Mur) 141 Ya 121
Pradolamata (Bur) 22 Wd 91 ⊠09515
Prado Largo (Mad) 74 Wa 106
Pradolongo (Our) 34 Sf 95 ⊠32368
Pradoluengo (Bur) 40 We 95 ⊠09260
Prado Negro (Gra) 152 Wd 125
Prado Puerco, Cortijo de (Gra) 140 Xc 120
Prado Redondo (Alb) 140 Xe 119
▲Prado Romero 39 Wa 96
Pradorramisquedo (Our) 34 Ta 96
Pradorredondo (Alb) 126 Xe 115
Pradorrey (Leó) 18 Tf 94 ⊠24714
Prados (Seg) 74 Ve 104
Prados, Cortijo de los (Jaé) 138 Wc 122
Prados, Cortijo de los (Córd) 137 Vd 121
Prados, Cortijo Los (Cád) 157 Tf 127
Prados, Los (Córd) 151 Ve 124 ⊠14800
Prados, Los (Mur) 141 Ya 120
Prados, Los (Mur) 140 Xe 120
Prados, Los (Jaé) 125 Xb 118
Prados Altos, Cortijo de los (Alb) 125 Xd 118
Prados de Armijo (Jaé) 139 Xa 119 ⊠23289
Prados de Arriba, Los (Alb) 140 Xd 120
Prados de Lopera, Cortijo (Gra) 160 Wb 127
Pradosegar (Ávi) 73 Uf 105 ⊠05560
▲Prados Llanos 77 Yb 105
Prados Redondos (Gua) 77 Yb 104 ⊠19352
Prágdena (Córd) 137 Vd 122
Prases (Can) 9 Wa 89 ⊠39697
▲Prat de Cabanes-Torreblanca, Parc Natural del 96 Ab 107
Prat de Comte (Tar) 80 Ac 103 ⊠43595
Prat de Dalt, el (Bar) 66 Ca 99
Prat de Llobregat, el (Bar) 66 Ca 101 ⊠08820
Pratdip (Tar) 64 Af 102 ⊠43320
Prato, Cortijo del (Sev) 149 Ud 123
Prats (Lle) 30 Bf 94
Prats (Lle) 46 Bb 95
☆Prats, Lurda de 47 Ca 96
Prats de Lluçanès (Bar) 47 Ca 96
Prats de Rei, els (Bar) 47 Bd 98 ⊠08281
Prats i Sansor (Lle) 29 Be 94
Praves (Can) 10 Wc 88 ⊠39730
Pravia (Ast) 6 Tf 88 ⊠33120
≈Pregonda, Cala (Bal) 96 Ea 10
Preixana (Lle) 64 Ba 99 ⊠25263
Preixens (Lle) 46 Ba 98 ⊠25316
Préjano (Rio) 41 Xe 95
▲Préjano, Sierra de 41 Xe 96
Prelo (Ast) 5 Tb 88 ⊠33728
Premià de Dalt (Bar) 66 Cc 99
Premià de Mar (Bar) 66 Cc 100
Premoño (Ast) 6 Ua 88 ⊠33190
Prenafeta (Tar) 64 Bb 100
Prensa Vega, Cortijo (Sev) 150 Uf 123
Prenyanosa, la (Lle) 46 Bb 98 ⊠25214
Presa (Viz) 10 Wd 89 ⊠48891
≈Presa, Arroyo de la 20 Va 93
Presa, Cortijo de la (Córd) 151 Ve 124
Presa, Cortijo de la (Gra) 140 Xd 120
Presa, La (Huel) 133 Tb 121
Presa de Almendra (Sal) 53 Te 10
Presa del Gállego, Caserío (Hues 43 Zb 95
Presa del Villar (Mad) 75 Wc 103 ⊠28754
Presa de Puentes Viejas (Mad) 75 Wc 103 ⊠28754
Présaras (Cor) 15 Rf 90
Prescribanillos (Các) 104 Td 111
Presedo (Cor) 3 Re 89
Presencio (Bur) 39 Wa 95 ⊠0922
Preses, les (Gir) 48 Cc 96 ⊠1717
Presilla, La (Bur) 22 We 90 ⊠095
Presillas (Bur) 21 Wa 91 ⊠09233
Presillas, Las (Can) 9 Wa 89 ⊠39679
Presillas Bajas, Las (Alm) 163 Xf 128
Prexigueiro (Our) 33 Re 95
Prexiguieros (Our) 33 Sb 94
≈Priañes, Embalse de 6 Ua 88
Priaranza de la Valduerna (Leó) 35 Te 94 ⊠24721
Priaranza del Bierzo (Leó) 17 Tb 9 ⊠24448
Priede (Ast) 7 Ue 88 ⊠33584
Priego (Cue) 77 Xe 106 ⊠16800
Priego de Córdoba (Córd) 151 Ve 124
Priegue (Pon) 32 Rb 96
Priero (Ast) 6 Te 88 ⊠33867
Priesca (Ast) 7 Ud 88
Priesca (Ast) 7 Ue 89
▲Prieta, Punta (Palm) 176 D 2
▲Prieta, Punta (Palm) 176 C 3
▲Prieta, Sierra 159 Va 128
▲Prieto 124 Wc 116
▲Prieto, Alto 20 Vb 91
▲Prieto, Cerro 158 Ud 128
Prietos, Los (Ast) 6 Ua 88 ⊠33196
☆Prim, Castillo de 107 Ve 112
▲Prima, Punta 143 Zb 121
▲Prima, Punta (Bal) 97 Bc 116
Primajas (Leó) 19 Ue 91 ⊠24856
Prime (Tol) 89 Vd 108
Primout (Leó) 18 Td 92 ⊠24479
Prín, Cortijo de (Bad) 120 Ua 117
≈Principal, Arroyo 39 Vf 95
Príncipe Alfonso (Cád) 165 Ud 133
☆Príncipe de Viana, Parador Nacional 24 Yc 94
Prinque, Cortijo (Gra) 152 Wd 124
Prior (Bad) 133 Tc 120
▲Prior, Cabo 3 Re 87
▲Prior, Sierra del 122 Vb 115
Priorato, El (Sev) 135 Ud 122 ⊠41440
▲Prioriño Chico, Cabo 3 Rd 88
☆Priorio 6 Ua 88
Prioro (Leó) 20 Va 91 ⊠24885
Privilegio, El (Córd) 150 Vb 123
Proame (Cor) 2 Rc 89 ⊠15146
Proaño (Can) 21 Ve 90 ⊠39210
Proaza (Ast) 6 Tf 89 ⊠33114
Proba de Burón, A (Lug) 5 Sf 90
Proendos (Lug) 16 Sc 94 ⊠27460
Progo (Our) 34 Se 97 ⊠32611
Propios, Cortijo de los (Jaé) 139 We 121
≈Proserpina, Embalse de 119 Td 115
Proveedoras, Cortijo de las (Mál) 159 Vc 128
Provencio, El (Cue) 110 Xc 112 ⊠16670
Providència, la (Val) 114 Zd 111
☆Providència, la 80 Ad 103
Provincial, Cortijos La (Gra) 152 Wb 124
Provincias, Cortijo de las (Bad) 120 Ub 118
Provincias y La Jarosa, Las (Mur) 155 Yb 123
Pruit (Bar) 48 Cc 96 ⊠08569

Prullans (Lle) 29 Be 94 ✉ 25727
Pruna (Sev) 158 Ue 127 ✉ 41670
Pruvia (Ast) 7 Ub 88
▲ Pubill, Serra del 46 Bb 97
Púbol (Gir) 49 Cf 96
☆ Puch, Ermita del 78 Ye 105
▲ Puchotecogañe 24 Yb 90
Puçol (Val) 114 Ze 111 ✉ 46530
Puda de Montserrat, la (Bar) 65 Bf 99
≈ Pudent, Cala (Bal) 96 Eb 108
≈ Pudent, Estany (Bal) 97 Bc 116
▲ Pudrider, Playa del 143 Zb 122
▲ Pudrider, Punta del 143 Zb 122
Puebla (Ciu) 123 Wa 115
Puebla (Lug) 17 Sf 91
Puebla, La (Mur) 142 Za 122 ✉ 30395
≈ Puebla, La 94 Za 107
Puebla de Albortón (Zar) 61 Za 100
Puebla de Alcocer (Bad) 121 Ue 115 ✉ 06630
Puebla de Alcollarín (Bad) 105 Ub 114
Puebla de Alfindén (Zar) 61 Zb 99
Puebla de Almenara (Cue) 91 Xb 110 ✉ 16421
Puebla de Almoradiel, La (Tol) 109 Wf 111 ✉ 45840
Puebla de Arenoso (Cas) 94 Zc 108 ✉ 12428
Puebla de Arganzón, La (Bur) 23 Xa 92
Puebla de Argeme (Các) 86 Td 109 ✉ 10811
Puebla de Azaba (Sal) 70 Tb 106 ✉ 37553
Puebla de Beleña (Gua) 75 We 103 ✉ 19229
Puebla de Brollón = Pobra do Brollón (Lug) 16 Sd 93
Puebla de Castro, La (Hues) 45 Ab 96 ✉ 22435
Puebla de Cazalla, La (Sev) 149 Ue 125 ✉ 41540
Puebla de Don Francisco (Cue) 91 Xb 107
Puebla de Don Rodrigo (Ciu) 107 Vc 114 ✉ 13109
Puebla de Eca (Sor) 59 Xd 100 ✉ 42222
Puebla de Fantova, La (Hues) 44 Ac 95 ✉ 22437
Puebla de Guzmán (Huel) 132 Se 123
Puebla de Híjar, La (Ter) 62 Zd 101
Puebla de la Calzada (Bad) 119 Tc 115 ✉ 06490
Puebla de la Reina (Bad) 120 Tf 117 ✉ 06477
Puebla de la Sierra (Mad) 75 Wd 102 ✉ 28190
Puebla del Duc = Pobla del Duc, La (Val) 128 Zd 115
Puebla de Lillo (Leó) 19 Ue 90 ✉ 24855
Puebla del Maestre (Bad) 134 Tf 120 ✉ 06906
Puebla del Mon, La (Hues) 44 Ac 96
Puebla de los Infantes, La (Sev) 135 Ud 122 ✉ 41479
Puebla del Príncipe (Ciu) 125 Xa 117
Puebla del Prior (Bad) 120 Te 117 ✉ 06229
Puebla del Río, La (Sev) 148 Tf 125
Puebla del Salvador (Cue) 111 Yb 111 ✉ 16269
Puebla de Montalbán, La (Tol) 89 Vd 109
Puebla de Mula, La (Mur) 141 Yd 120
Puebla de Naciados (Các) 87 Ue 109
Puebla de Obando (Bad) 104 Tc 113 ✉ 06191
Puebla de Parga (Lug) 4 Sb 90
Puebla de Pedraza (Seg) 57 Wa 101 ✉ 40184
Puebla de Rocamora (Ali) 143 Zb 120 ✉ 03159
Puebla de Roda, La (Hues) 44 Ad 95 ✉ 22482
Puebla de Sanabria (Zam) 35 Tc 96 ✉ 49300
Puebla de Sancho Pérez (Bad) 119 Td 118
Puebla de San Medel (Sal) 72 Ub 105 ✉ 37791
Puebla de San Miguel (Val) 93 Yf 108 ✉ 46140
Puebla de San Vicente (Pal) 21 Ve 92
Puebla de Soto (Mur) 142 Ye 121 ✉ 30836
Puebla de Valdavia, La (Pal) 20 Vc 92 ✉ 34470
Puebla de Vallbona = Pobla de Vallbona, La (Val) 113 Zc 111
Puebla de Vallés (Gua) 75 We 103
Puebla de Valverde, La (Ter) 94 Za 107 ✉ 44450
Puebla de Vícar (Alm) 162 Xc 128
Puebla de Yeltes (Sal) 71 Te 105 ✉ 37606
Puebla Larga, La = Pobla Llarga, La (Val) 114 Zd 114
Pueblanueva, La (Tol) 88 Vb 109 ✉ 45690
Pueblas, Las (Hues) 45 Ab 98
Pueblica de Campeán (Zam) 54 Ua 100
Pueblica de Valverde (Zam) 36 Ua 97 ✉ 49697
Pueblo, El (Ten) 171 C 3
≈ Pueblo, Laguna del 110 Xa 112
Pueblo Andaluz (Huel) 156 Tc 127
Puebloblanco (Alm) 163 Xf 127
Pueblo Nuevo (Cád) 165 Ud 131
Pueblo Nuevo (Huel) 146 Sf 123
Pueblonuevo del Bullaque (Ciu) 108 Ve 113
Pueblonuevo del Guadiana (Bad) 119 Tb 115 ✉ 06184
Pueblonuevo de Miramontes (Các) 87 Ud 108 ✉ 10318
Pueblo Nuevo de Salinas (Hues) 26 Zb 94
Puelles (Ast) 7 Uc 88 ✉ 33312
Puelles, les (Lle) 46 Ba 98 ✉ 25318
Puendeluna (Zar) 43 Zb 96 ✉ 50614
Puente, Cortijo del (Gra) 153 Xb 124
Puente, El (Huel) 147 Ta 124
Puente, El (Can) 10 We 88
Puente, El (Zam) 35 Tc 96
Puente, La (Can) 21 Wa 90
Puente-Agüero (Can) 10 Wb 88
Puente Almuhey (Leó) 20 Va 92 ✉ 24880
Puente Arce = Arce (Can) 9 Wa 88 ✉ 39478
Puente-Arenas (Bur) 22 Wc 91
Puente-Avios (Can) 9 Vf 88
▲ Puente Blanca 56 Vc 100
Puente de Alba (Leó) 19 Uc 92 ✉ 24649
Puente de Domingo Flórez (Leó) 17 Tb 94
Puente de Génave (Jaé) 125 Xb 118
≈ Puente de la Cerrada, Embalse de 139 We 121
Puente de la Merced (Các) 85 Tb 108
Puente del Arzobispo, El (Tol) 87 Ue 110 ✉ 45570
Puente de las Herrerías (Jaé) 139 Xa 121
Puente de la Sierra (Jaé) 138 Wb 122 ✉ 23196
Puente del Castro (Leó) 19 Uc 93
Puente del Congosto (Sal) 72 Uc 106 ✉ 37748
☆ Puente del Estrecho 77 Xe 106
Puente del Granadero (Sal) 85 Tc 106
Puente del Moriaco (Ávi) 73 Vb 106
Puente del Obispo (Jaé) 138 Wc 121 ✉ 23529
Puente de los Fierros (Ast) 19 Ub 90 ✉ 33693
Puente del Río, El (Alm) 162 Xa 128
Puente del Villar (Jaé) 137 Wa 122
Puente de Montañana (Hues) 44 Ae 96 ✉ 22584
Puente de Rey (Leó) 17 Tb 93 ✉ 24513
Puente de Sabiñánigo (Hues) 26 Zd 94
Puente de Salia (Mál) 160 Vf 127
Puente de Torres (Alb) 111 Yc 114
Puente de Vadillos (Cue) 77 Xf 105 ✉ 16892
Puente de Valle (Can) 21 Wa 92
Puente de Vallecas (Mad) 90 Wc 106
Puentedey (Bur) 22 Wb 91 ✉ 09557
Puente Duda (Gra) 139 Xc 121
Puente Duero-Esparragal (Vall) 56 Vb 99
Puentedura (Bur) 39 Wc 96 ✉ 09347
Puente Fonseca (Ter) 79 Zd 104
Puente-Genil (Córd) 150 Vb 124
Puente Grande (Córd) 151 Vf 124
Puente Hojedo (Can) 8 Vc 90
Puente Honda (Jaé) 125 Xc 118
Puente La Reina (Nav) 24 Yb 93 ✉ 31100
Puente la Reina de Jaca (Hues) 26 Zb 93
Puente la Sierra (Mad) 74 Vf 106
Puente Mayorga (Cád) 165 Ud 131 ✉ 11313
Puentenansa (Can) 9 Vd 89 ✉ 39554
≈ Puente Navarro, Embalse de 108 Wb 114
Puente Nuevo (Jaé) 138 Wb 122 ✉ 23170
☆ Puente Nuevo = Pont Nou 80 Ac 105
☆ Puente Nuevo, Central Térmica de 136 Va 120
≈ Puente Nuevo, Embalse de 136 Va 120
≈ Puente Porto, Embalse de 35 Tb 96
Puente-Pumar (Can) 21 Vd 90
☆ Puente Romano (Bal) 96 Df 109
☆ Puente Romano 23 Xd 93
☆ Puente Romano 85 Ta 110
≈ Puentes, Embalse de 141 Ya 122
Puentes, Las (Ast) 19 Ub 90 ✉ 33692
Puentes de Amaya (Bur) 21 Ve 93 ✉ 09136
Puentes Viejas (Mad) 75 Wc 103
≈ Puentes Viejas, Embalse de 75 Wc 102
Puentetoma (Pal) 21 Ve 92 ✉ 34813
Puenteviejo (Ávi) 73 Vc 103
Puente-Viesgo (Can) 9 Wa 89
Puenticilla (Sal) 70 Tc 105
Puercas (Zam) 36 Tf 98 ✉ 49559
▲ Puercas, Sierra de las 118 Sf 117
▲ Puerco, Playa del 164 Te 130
▲ Puercos (Palm) 174 C 3
Puerta, Cortijo de la (Jaé) 140 Xc 119
Puerta, La (Gua) 76 Xc 105 ✉ 19492
▲ Puerta, Sierra de la 141 Yb 119
Puerta de Segura, La (Jaé) 125 Xb 118 ✉ 23360
Puertas (Ast) 8 Vb 88
Puertas (Ast) 8 Va 88
Puertas (Sal) 53 Te 102 ✉ 37159
Puertas, Cortijo de las (Các) 105 Ua 111
Puertas, Las (Córd) 137 Ve 122
Puertecico, El (Alm) 154 Ya 123 ✉ 04693
▲ Puertito, Playa del (Ten) 172 C 3
▲ Puertito, Punta del (Ten) 173 E 3
▲ Puertito, Roques de (Palm) 175 F 1
Puerto (Ast) 6 Ua 89
Puerto (Ten) 171 B 3
Puerto, Caserío del (Mur) 140 Xf 120
Puerto, Caserío El (Córd) 136 Va 121
Puerto, Cortijo del (Alb) 125 Xd 118
Puerto, El (Alm) 162 Xc 128
Puerto, El (Huel) 133 Ta 121
Puerto, El (Alb) 126 Xf 116
Puerto, El (Alb) 125 Xd 117
Puerto, El (Ast) 6 Ua 87 ✉ 33457
Puerto, El (Zam) 54 Ub 99
▲ Puerto, Loma del 58 Wd 101
▲ Puerto, Sierra del 141 Yc 119
Puerto Alegre (Córd) 150 Vb 124 ✉ 14512
Puerto Alto (Jaé) 138 Wb 122
Puerto Banús (Mál) 159 Va 130
Puerto Blanco (Gra) 152 Wb 124
Puerto Carbón (Huel) 146 Sd 124
Puerto Castilla (Ávi) 87 Uc 107 ✉ 05621
Puerto de Arinaga (Palm) 174 D 3
▲ Puerto de Belate 25 Yc 90
Puerto de Güímar (Ten) 173 E 4
Puerto de la Aldea (Palm) 174 B 2
Puerto de la Anunciación (Sal) 72 Ub 102
Puerto de la Cruz (Ten) 172 D 3 ✉ 38400
Puerto de la Encina (Sev) 149 Ue 126 ✉ 41640
Puerto de la Estaca (Ten) 173 C 2 ✉ 38910
Puerto de la Harina, El (Ali) 128 Za 117
Puerto de la Laja (Huel) 146 Sd 123 ✉ 21594
Puerto de la Luz (Palm) 174 D 2
Puerto de la Luz, Caserío (Palm) 174 B 5
Puerto de la Madera (Ten) 173 E 2
Puerto de la Peña (Palm) 175 D 3
Puerto de las Eras (Mál) 158 Ue 129
Puerto de las Nieves (Palm) 174 B 2 ✉ 35489
≈ Puerto de las Tinajas, Arroyo del 107 Ve 114
Puerto de la Torre (Mál) 159 Vd 128 ✉ 29190
Puerto del Carmen (Palm) 176 C 4 ✉ 35510
▲ Puerto del Centinel, Sierra del 103 Ta 113
Puerto de los Mozos (Ten) 172 C 5
Puerto del Pino (Alb) 126 Xe 118 ✉ 02449
Puerto del Rey (Alm) 155 Yb 125
Puerto del Rosario (Palm) 175 E 3
Puerto de Mazarrón (Mur) 142 Ye 123
☆ Puerto de Monsaete 77 Xe 106
Puerto de Ojén (Mál) 159 Va 129
☆ Puerto de Pajares, Parador Nacional 19 Ub 91
Puerto de Santa Cruz (Các) 105 Ua 113 ✉ 10261
Puerto de Santa María, El (Cád) 157 Te 129
Puerto de Santiago (Ten) 172 B 4 ✉ 38683
Puerto de San Vicente (Tol) 106 Uf 111 ✉ 45577
▲ Puerto de San Vicente 106 Uf 111
≈ Puerto de Vallehermoso, Embalse de 124 Wf 115
Puerto de Vega (Ast) 5 Tc 87 ✉ 33790
Puerto Duquesa (Mál) 165 Ue 130
Puerto Gil (Huel) 134 Td 121 ✉ 21209
Puerto Hondo (Mur) 140 Xe 120
Puerto Hurraco (Bad) 121 Uc 117 ✉ 06428
Puerto Lajas (Palm) 175 E 2 ✉ 35612
Puerto Lápice (Ciu) 109 Wd 113
Puértolas (Hues) 27 Aa 93
≈ Puerto León, Embalse de 133 Ta 122
Puertollano (Ciu) 123 Vf 116 ✉ 13500
Puertollano, Cortijo de (Cád) 157 Ub 127
▲ Puertollano, Sierra de 123 Vf 117
Puerto Lobo y Endrinales (Huel) 134 Te 121
Puerto-López (Gra) 152 Wb 124
Puerto Lumbreras (Mur) 155 Yb 123 ✉ 30890
Puertomingalvo (Ter) 94 Zd 107 ✉ 44411
Puerto Mojante, Caserío del (Mur) 140 Xf 120
Puerto-Moral (Huel) 134 Td 121
Puerto Naos (Ten) 171 B 3
Puerto Nuevo (Palm) 175 C 4
▲ Puerto Nuevo 85 Tc 106
Puerto Real (Cád) 157 Te 129 ✉ 11510
Puerto Rey (Tol) 106 Uf 112 ✉ 45672
▲ Puerto Rey, Playa de 155 Yb 125
Puerto Rico (Palm) 174 B 4 ✉ *35130
≈ Puerto Rico, Ensenada de (Palm) 175 E 4
▲ Puerto Rico, Playa (Palm) 175 C 4
Puertos, Cortijo de los (Bad) 120 Ua 117
Puertos, Los (Alb) 127 Yc 117
▲ Puerto Salcedillo, Puerto 79 Yf 103
Puerto Seguro (Sal) 70 Tb 104 ✉ 37488
Puerto Serrano (Cád) 158 Uc 127 ✉ 11659
Puesto de la Muela, Cortijo (Alm) 162 Xb 128
Puesto de los Pérez, Cortijo (Alm) 162 Xb 128
▲ Puestos, Los 140 Xc 120
Pueyo (Nav) 24 Yc 93 ✉ 31394
▲ Pueyo 27 Zf 93
Pueyo (Hues) 28 Ac 94
Pueyo, El (Hues) 27 Aa 94
Pueyo, El (Hues) 44 Ad 95
☆ Pueyo, Monasterio de el 45 Aa 96
Pueyo de Araguás, El (Hues) 27 Aa 94
Pueyo de Fañanás (Hues) 44 Ze 96
Pueyo de Jaca, El (Hues) 26 Ze 92 ✉ 22662
Pueyo de Marguillén (Hues) 45 Ac 96
Pueyo de Santa Cruz (Hues) 45 Ab 97 ✉ 22416
Puibolea (Hues) 44 Zc 95 ✉ 22161
Puig (Val) 114 Ze 111
Puig, el (Gir) 31 Da 95
Puig, Es (Bal) 97 Bc 115
▲ Puig, Platja de 114 Ze 111
☆ Puig-agut 48 Cb 96
☆ Puigbò 47 Ca 95
Puigcalent (Gir) 49 Db 97
☆ Puig Castellar 66 Cb 100
Puigcercós (Lle) 46 Af 96
Puigcerdà (Gir) 30 Bf 94
Puigcerver (Lle) 46 Af 95 ✉ 25514
☆ Puigcerver, Ermita de 64 Af 101
▲ Puigcerver, Serra de 64 Af 101
Puigdàlber (Bar) 65 Be 100
Puig de Can Damia (Bal) 97 Bc 115
☆ Puig de la Costa, Volcà 48 Cd 96
▲ Puig del Moro, Serra del 48 Cd 96
Puig d'en Valls (Bal) 97 Bc 115
Puig de Rialb, el (Lle) 46 Bb 96 ✉ 25747
Puig de Ros de Dalt (Bal) 98 Ce 112
Puig d'es Furnat (Bal) 97 Bc 115
☆ Puig d'Esparreguera, el 65 Bf 99
Puigemma (Gir) 49 Ce 96
▲ Puig Estela, Serra de 48 Cb 95
Puigfell (Hues) 44 Ae 95
☆ Puiggraciós 48 Cb 98
Puiggròs (Lle) 64 Af 99
Puig-Gros = Puiggròs (Lle) 64 Af 99
☆ Puíg-l'agulla 48 Cb 97
▲ Puigllançada 47 Bf 95
▲ Puig Major (Bal) 98 Ce 110
▲ Puigmal 30 Ca 94
▲ Puig Marí 64 Af 102
Puigmola, la (Val) 114 Ze 114 ✉ 46758
Puig Moreno (Ter) 62 Ze 102
Puigpardines (Gir) 48 Cc 96 ✉ 17178
Puigpelat (Tar) 64 Bb 101 ✉ 43812
Puigpunyent (Bal) 98 Cd 111 ✉ 07194
Puig-redon (Lle) 47 Bc 97
Puig-Reig (Bar) 47 Bf 97 ✉ 08692
Puigreig = Puig-Reig (Bar) 47 Bf 97
▲ Puigsabina 44 Zd 98
▲ Puigsacalm 48 Cc 96
Puigventós (Bar) 47 Be 97
Puigverd d'Agramunt (Lle) 46 Ba 98 ✉ 25318
Puigverd de Lleida (Lle) 64 Ae 99 ✉ 25153
Puigvert de Agramunt = Puigverd d'Agramunt (Lle) 46 Ba 98
Puigvert de Lérida = Puigverd de Lleida (Lle) 64 Ae 99
Puilatos (Zar) 43 Zb 97
☆ Puimelero 44 Zf 97
Puimolar (Hues) 44 Ad 95 ✉ 22583
Puipullín (Hues) 43 Zb 96
▲ Puisón 43 Yf 95
☆ Pujades, Castell de les 65 Bd 101
Pujal, el (Lle) 46 Bb 95
Pujals dels Cavallers (Gir) 49 Ce 96 ✉ 17844
Pujals dels Pagesos (Gir) 49 Ce 96 ✉ 17844
Pujalt (Bar) 47 Bc 98 ✉ 08282
Pujarnol (Gir) 48 Ce 96 ✉ 17834
Pujayo (Can) 21 Vf 90 ✉ 39420
Pujerra (Mál) 158 Uf 129 ✉ 29450
Pujol (Gir) 31 Ce 95
Pujol (Lle) 46 Ba 95
Pujol (Lle) 46 Ba 96
Pujol, el (Gir) 48 Cb 96
Pujolà (Gir) 31 Da 95
Pujol de la Muntanya (Gir) 48 Cc 98
Pujol de Planès, el (Bar) 47 Be 97
Pujols, Es (Bal) 97 Bc 116
▲ Pujols, Platja des (Bal) 97 Bc 116
Pulgar (Tol) 89 Vf 110 ✉ 45125
Pulgosa, La (Alb) 126 Ya 115
≈ Pulgueira, Río 4 Sa 87
Pulianas (Gra) 152 Wc 125 ✉ 18197
Pulianillas (Gra) 152 Wc 125 ✉ 18197
Pullas, Las (Mur) 142 Ye 120 ✉ 30561
Pulpí (Alm) 155 Yb 124
Pulpillo, El (Mur) 127 Ye 116
☆ Pulpis, Castell de 80 Ab 106
Pulpite (Gra) 154 Xc 123 ✉ 18859
Pulpite, Cortijo de (Mur) 140 Xe 121
Pumalverde (Can) 9 Ve 88
Pumarabule (Ast) 7 Uc 88 ✉ 33936
Pumarega, A (Lug) 16 Se 91 ✉ 27143
Pumarejo de Tera (Zam) 36 Tf 97 ✉ 49626
Pumareña (Can) 8 Vc 89 ✉ 39583
Pumares (Our) 17 Ta 94
≈ Pumares, Encoro de 35 Ta 94
Pumarín (Ast) 7 Ub 88
▲ Puñago, Serra de 16 Se 91
▲ Punçó, Puig 29 Bd 94
☆ Puñonrostro, Castillo de 90 Wb 108
Punta, la (Val) 114 Zd 112
Punta, La (Ten) 171 B 2
▲ Punta, La (Palm) 174 C 3
▲ Punta, La (Palm) 176 D 2
Punta, Sa (Bal) 99 Dc 111
Punta, Sa (Bal) 99 Db 112
▲ Punta Blanca 165 Ud 133
Punta Brava (Mur) 143 Za 122
Punta Brava (Ten) 172 D 3
Punta de Cala Mosques (Tar) 80 Af 103
▲ Punta de la Banya, Reserva de Fauna de la 80 Ad 105
Punta del Caimán (Huel) 146 Se 125
Punta del Hidalgo (Ten) 173 F 2 ✉ 38240
▲ Punta del Sol (Ten) 173 E 3
Punta de Mujeres = Picachos, Los (Palm) 176 D 3
Punta Europa (Mál) 165 Ue 131
Punta Galera (Bal) 97 Bb 114
▲ Punta Gaviota (Palm) 176 B 3
Puntagorda (Ten) 171 B 2 ✉ 38789
▲ Puntaire, el 64 Af 103

▲Puntal 150 Vc 126
Puntal, Caserío (Gra) 161 Wd 127
▲Puntal, Cerro del 92 Ya 110
Puntal, El (Alm) 154 Xd 124
Puntal, El (Alm) 154 Xf 125
Puntal, El (Mur) 142 Yf 120
Puntal, El (Val) 128 Za 115
Puntal, el (Ali) 128 Zb 117
Puntal, El (Alb) 125 Xc 117
Puntal, El (Ast) 7 Ud 87
▲Punta Larga (Ten) 171 B 4
▲Puntal de Bogarre 152 Wd 124
▲Puntal del Carnero 93 Yc 109
Puntales, Cortijo de los (Gra) 153 Xa 124
Puntallana (Ten) 171 C 2 ✉38715
Puntalón (Gra) 161 Wd 128
▲Puntals (Bal) 98 Cd 111
▲Punta Negra 161 We 128
Punta Prima (Bal) 96 Eb 110 ✉*07713
Puntarró, Es (Bal) 96 Eb 109
Puntarrón (Mur) 141 Yd 123
Puntas, Las (Ten) 173 C 2
Puntas de Calnegre (Mur) 155 Yd 123 ✉30876
Punta Umbría (Huel) 147 Ta 125
▲Punta Umbría, Playa de 147 Ta 125
≈Puntelarrá, Embalse de 22 Wf 92
Puntes, Ses (Bal) 99 Da 112
▲Puntilla, La (Palm) 176 B 4
Puntiro (Bal) 98 Ce 111
Punxín (Our) 33 Rf 94
Puol (Ali) 143 Zb 119
Puras (Vall) 56 Vc 101 ✉47419
Puras de Villafranca (Bur) 40 We 94 ✉09258
▲Purburell 62 Ze 100
Purchena (Alm) 154 Xd 124 ✉04870
Purchil (Gra) 152 Wc 125 ✉18102
Purgatorio, El (Mur) 141 Yc 121
Purias (Mur) 155 Yc 123 ✉30813
☆Purísima, Ermita de la 38 Vb 95
☆Purísima, Ermita de la 79 Za 103
☆Purísima Concepción, Ermita de la 91 Xa 108
Purón (Ast) 8 Vb 88
Purroy (Zar) 60 Yc 100
Purroy de la Solana (Hues) 44 Ac 96 ✉22589
Purujosa (Zar) 60 Yb 98 ✉50268
Purullena (Gra) 153 We 125 ✉18519
Pusa (Ali) 128 Zb 118 ✉03610
≈Pusa, Río 88 Vc 109
▲Pusilibro 44 Zc 94
Pusmazán (Our) 35 Ta 94
Putxet d'En Puig (Bal) 97 Bc 115
Puxeda (Lug) 16 Sb 91 ✉27206
Puxedo (Our) 33 Rf 97
Puyarruego (Hues) 27 Aa 93 ✉22363
Puy de Cinca (Hues) 45 Ab 95
Puyuelo (Hues) 27 Zf 94
Puzol = Puçol (Val) 114 Ze 111

Q

☆Quadres 30 Bf 94
Quar, la (Bar) 47 Bf 96 ✉08619
Quart (Gir) 49 Cf 97 ✉17242
Quart, La = Quar, la (Bar) 47 Bf 96
Quart de les Valls (Val) 95 Ze 110 ✉46510
Quart de Poblet (Val) 114 Zd 112 ✉46930
Quartell (Val) 95 Ze 110 ✉46510
Quartico, el (Cas) 96 Aa 107
Quatretonda (Val) 128 Zd 115 ✉46837
Quatretondeta (Ali) 129 Ze 116 ✉03811
▲Quatro Manos, Llano de 88 Vc 106
▲Quebrada, La 59 Xc 99
≈Quebrada de Tiendas, Embalse de 87 Ud 108
Quebradas (Alb) 125 Xd 118
≈Quebradas, Arroyo de las 106 Ue 113
Quebradas, Las (Alb) 140 Xe 119
▲Quebradas, Sierra de las 126 Ya 117
Quecedo (Bur) 22 Wc 91
Queguas (Our) 33 Rf 97 ✉32868
≈Queiles, Río 42 Yb 97
Queimada, A (Cor) 3 Rf 89
▲Queiruga, Praia de 14 Qf 92
Queixa (Our) 34 Sd 95 ✉32768
≈Queixa, Río 34 Sd 95
▲Queixa, Serra de 34 Se 95
▲Queixal, Punta 14 Qf 92
Queixans (Gir) 30 Bf 94 ✉17538
Queixas (Cor) 3 Rd 90
Queixas (Gir) 49 Ce 95 ✉17746
▲Queixeiro, Serra de 3 Rf 88
Queizán (Lug) 16 Sd 91
Queizán (Lug) 17 Sf 91
≈Queizán, Río 17 Sf 91
Quejigal (Alb) 126 Xe 118 ✉02448
Quejigal (Sal) 71 Ua 103 ✉37130
Quejigal, El (Mál) 158 Ue 128
Quejigar, Cortijo El (Jaé) 152 Wa 124
Quejigo, El (Huel) 133 Tb 121
≈Quejigo Gordo, Embalse de 122 Vc 115
Quejo (Can) 10 Wc 88
Quel (Rio) 42 Xf 95 ✉26570
Quema, Cortijo de (Sev) 148 Te 125
▲Quemada (Ten) 173 B 2 ✉38626
Quemada (Bur) 57 Wc 98 ✉09454
▲Quemadas, Cerro de los 110 Xc 112
Quemadas, Las (Córd) 136 Vb 121
▲Quemado, Cerro (Ten) 172 B 2
Quemados, Los (Ten) 171 B 4
▲Quemados, Los 44 Zc 97
Quembre (Cor) 3 Rd 89 ✉15183
Quenlle (Our) 33 Sa 95 ✉32940
Quéntar (Gra) 152 Wd 125
≈Quéntar, Embalse de 152 Wd 125
Quer (Gua) 75 We 105 ✉19209
☆Quer, el 47 Ca 97
Queralbs (Gir) 30 Ca 94 ✉17534
☆Queralt, Castell de 29 Bd 94
☆Queralt, Castell de 65 Bc 99
▲Queralt, Serra de 65 Bd 99
Querencia (Gua) 59 Xb 101
Quereño (Our) 17 Ta 94 ✉32320
Querforadat, el (Lle) 47 Bd 95 ✉25723
☆Quermançó, Castell de 31 Da 95
Quero (Tol) 109 We 111 ✉45790
Querol (Tar) 65 Bc 100 ✉43816
▲Querol, Port de 80 Zf 105
▲Ques, Sierra de 7 Ud 88
Quesa (Val) 113 Zb 114 ✉46824
Quesada (Jaé) 139 Wf 121 ✉23480
☆Quexigal, El 74 Vd 106
▲Quibas, Sierra de 127 Yf 119
Quicena (Hues) 44 Zd 96 ✉22191
≈Quiebrajano, Embalse de 152 Wb 123
≈Quiebrajano, Río 138 Wb 122
Quijada, Cortijo de (Gra) 151 Vf 126
Quijano (Can) 9 Wa 88
Quijas (Can) 9 Vf 88 ✉39590
Quijorna (Mad) 74 Vf 106 ✉28693
Quiles, Caserío Los (Ciu) 108 Wa 113
Quilmas (Cor) 14 Qf 91 ✉15295
Quilós (Leó) 17 Tb 93
Quincoces de Yuso (Bur) 22 We 91 ✉09510
Quindóus (Lug) 17 Ta 91
≈Quindóus, Río de 17 Sf 91
Quinete (Val) 113 Za 112
Quinientas, Las (Cád) 157 Tf 129
Quiñonería, La (Sor) 60 Xf 99
Quiñones (Vall) 38 Vc 98
Quiñones, Los (Mur) 127 Yf 117
Quinta, A (Lug) 16 Se 91
Quinta, La (Mad) 75 Wb 105
Quinta de Lora (Tol) 108 Wb 112
Quinta de Nuestra Señora de las Mercedes (Sev) 150 Uf 123
Quinta de Vista Hermosa (Sev) 150 Uf 124
▲Quintana 153 Xa 124
Quintana (Ast) 6 Te 89
Quintana (Ast) 7 Uc 88
Quintana (Can) 10 Wc 89
Quintana (Ála) 23 Xd 93
Quintana (Rio) 40 Wf 94 ✉26259
Quintana, Cortijo (Bad) 119 Tb 115
Quintana, Cortijo de la (Bad) 118 Sf 119
Quintana, La (Can) 21 Ve 91
▲Quintana, Sierra 123 Ve 118
▲Quintana, Sierra 9 Vf 89
Quintanabaldo (Bur) 21 Wb 91 ✉09574
Quintanabureba (Bur) 22 Wd 93 ✉09246
Quintana de Fon (Leó) 18 Tf 93 ✉24712
Quintana de Fuseros (Leó) 18 Te 92 ✉24319
Quintana de la Serena (Bad) 120 Uc 116 ✉06450
Quintana del Castillo (Leó) 18 Tf 93 ✉24397
Quintana del Marco (Leó) 36 Ua 95 ✉24762
Quintana del Monte (Leó) 19 Uf 93 ✉24930
Quintana de los Prados (Bur) 22 Wc 90 ✉09569
Quintana del Pidio (Bur) 57 Wb 98 ✉09370
Quintana del Pino (Bur) 21 Wb 93 ✉09125
Quintana del Puente (Pal) 38 Ve 96 ✉34250
Quintana de Raneros (Leó) 19 Uc 93 ✉24391
Quintana de Rueda (Leó) 19 Ue 93 ✉24930
Quintana de Rueda, La (Bur) 22 Wc 91 ✉09555
Quintana de Toranzo (Can) 9 Wa 89
Quintanadiez de la Vega (Pal) 20 Vb 94 ✉34113
Quintanadueñas (Bur) 39 Wb 94 ✉09197
Quintanaélez (Bur) 22 We 92
Quintanaentello (Bur) 21 Wb 91
Quintana-Entrepeñas (Bur) 22 We 91
Quintanajuar (Bur) 22 Wc 93 ✉09142
Quintanalacuesta (Bur) 22 Wd 91 ✉09515
Quintanalara (Bur) 39 Wc 95 ✉09194
Quintanaloma (Bur) 22 Wc 92 ✉09142
Quintanaloranco (Bur) 22 We 94 ✉09248
Quintanaluengos (Pal) 20 Vd 91 ✉34839
Quintanamanvirgo (Bur) 57 Wa 98 ✉09314
Quintana-María (Bur) 22 We 92
Quintana Martín Galíndez (Bur) 22 We 92
Quintanaopio (Bur) 22 Wd 92 ✉09593
Quintanaortuño (Bur) 39 Wb 94 ✉09140
Quintanapalla (Bur) 39 Wc 94 ✉09290
Quintanar, El (Jaé) 139 Wf 120
▲Quintanar, El 74 Vd 105
▲Quintanar, Sierra del 74 Vf 104
Quintanar de la Orden (Tol) 109 Wf 111 ✉45800
Quintanar de la Sierra (Bur) 40 Wf 97 ✉09670
Quintanar del Rey (Cue) 111 Ya 112 ✉16220
Quintanar de Rioja (Rio) 40 Wf 94 ✉26259
Quintana Redonda (Sor) 59 Xc 99 ✉42291
Quintanar o El Quintanarejo (Sor) 40 Xb 97
Quintanarraya (Bur) 40 Wd 98 ✉09454
Quintanarruz (Bur) 22 Wc 93
Quintanarruz (Bur) 22 Wb 93
Quintanas de Gormaz (Sor) 58 Xa 99 ✉42313
Quintanas de Hormiguera (Pal) 21 Vf 91 ✉34811
Quintanas de Valdelucio (Bur) 21 Vf 92 ✉09127
Quintanas-Olmo (Can) 21 Wa 91
Quintanas Rubias de Abajo (Sor) 58 Wf 100 ✉42345
Quintanas Rubias de Arriba (Sor) 58 Wf 100 ✉42345
Quintanatello de Ojeda (Pal) 20 Vd 92 ✉34485
Quintana-Urría (Bur) 22 Wd 93
Quintanavides (Bur) 22 Wd 94 ✉09292
Quintana y Congosto (Leó) 36 Tf 95 ✉24767
Quintanilla (Can) 8 Vd 89
Quintanilla (Leó) 18 Ua 92
Quintanilla (Zam) 35 Te 96
▲Quintanilla 39 Wa 95
▲Quintanilla 88 Vd 110
Quintanilla, Caserío (Vall) 38 Vb 97
☆Quintanilla, Ermita de 37 Va 97
Quintanilla, La (Alb) 111 Xf 114
▲Quintanilla, La 39 Wa 97
Quintanillabón (Bur) 22 We 93
Quintanilla Cabe Rojas (Bur) 22 Wd 93 ✉09246
Quintanilla-Cabrera (Bur) 40 Wd 95
Quintanilla-Colina (Bur) 21 Wb 91
Quintanilla da Losada (Leó) 35 Tc 95
Quintanilla de Arriba (Vall) 56 Ve 99 ✉47360
Quintanilla de Babia (Leó) 18 Te 91 ✉24141
Quintanilla de Combarros (Leó) 18 Tf 93 ✉24715
Quintanilla de Flórez (Leó) 36 Tf 95
Quintanilla de la Cueza (Pal) 38 Vb 95 ✉34309
Quintanilla del Agua (Bur) 39 Wc 96
Quintanilla de la Mata (Bur) 39 Wb 97 ✉09349
Quintanilla de la Presa (Bur) 21 Wa 93 ✉09129
Quintanilla de la Ribera (Ála) 23 Xa 92 ✉01213
Quintanilla de las Carretas (Bur) 39 Wb 95 ✉09230
Quintanilla de las Dueñas (Bur) 22 Wf 94
Quintanilla de las Torres (Pal) 21 Ve 92 ✉34811
Quintanilla de las Viñas (Bur) 39 Wd 96 ✉09620
Quintanilla del Coco (Bur) 39 Wc 97 ✉09348
Quintanilla del Molar (Vall) 37 Ud 97 ✉47673
Quintanilla del Monte (Leó) 18 Ua 93 ✉24285
Quintanilla del Monte (Zam) 37 Ud 97 ✉49639
Quintanilla del Monte (Bur) 40 Wf 94
Quintanilla del Monte en Juarros (Bur) 40 Wd 94
Quintanilla del Olmo (Zam) 37 Ud 97 ✉49638
Quintanilla de los Adrianos (Bur) 22 Wc 91 ✉09513
Quintanilla de los Oteros (Leó) 37 Ud 95
Quintanilla del Rebollar (Bur) 22 Wc 90 ✉09568
Quintanilla del Valle (Leó) 18 Ua 93 ✉24281
Quintanilla de Nuño Pedro (Sor) 58 We 98 ✉42141
Quintanilla de Ojada (Bur) 22 We 91
Quintanilla de Onésimo (Vall) 56 Vd 99
Quintanilla de Onsoña (Pal) 20 Vc 94 ✉34114
Quintanilla de Ricuerda (Bur) 57 Wc 98 ✉09492
Quintanilla de Ríofresno (Bur) 21 Ve 93
Quintanilla de Rueda (Leó) 19 Uf 92 ✉24940
Quintanilla de San Román (Bur) 21 Wa 91
Quintanilla de Sollamas (Leó) 18 Ub 93 ✉24271
Quintanilla de Somoza (Leó) 35 Te 94 ✉24717
Quintanilla de Tres Barrios (Sor) 58 Wf 99 ✉42351
Quintanilla de Trigueros (Vall) 38 Vb 97 ✉47283
Quintanilla de Urrilla (Bur) 40 We 96
Quintanilla de Urz (Zam) 36 Ua 96 ✉49622
Quintanilla de Yuso (Leó) 35 Td 95 ✉24738
Quintanilla-Montecabezas (Bur) 22 We 91
Quintanilla-Pedro Abarca (Bur) 21 Wb 93
Quintanillas, Las (Bur) 39 Wa 94 ✉09515
Quintanilla San-García (Bur) 22 We 93
Quintanilla-Sobresierra (Bur) 22 Wb 93
Quintanilla-Somuñó (Bur) 39 Wa 95
Quintanilla-Tordueles (Bur) 39 Wc 96
Quintanilla-Valdebodres (Bur) 22 Wb 91
Quintanilla-Vivar o Quintanilla Morocisla (Bur) 39 Wb 94
Quintanilleja (Bur) 39 Wb 95 ✉09196
Quintáns (Cor) 2 Qf 90
Quintáns (Pon) 32 Rd 95
▲Quintáns, Val de 14 Rb 92
Quintás (Cor) 15 Rd 91
Quintela (Lug) 4 Sd 89 ✉27258
Quintela (Leó) 17 Ta 92
Quintela (Pon) 33 Re 96
Quintela de Humoso (Our) 34 Sf 96
Quintela do Leirado (Our) 33 Rf 96
Quintela Hedroso (Our) 34 Sf 95
Quintería, La (Jaé) 137 Wa 120
Quintería, La (Ciu) 123 Wb 116
Quintería de Mateo (Ciu) 109 Wd 114
▲Quintillo, El 121 Ue 117
Quinto (Sev) 148 Ua 125
Quinto (Zar) 62 Zc 100 ✉50770
Quinto Las Yuntas (Ciu) 121 Va 116
Quintos de San Pedro, Cortijo de los (Các) 105 Ua 112
▲Quinxo 33 Re 97
Quinzanas (Ast) 7 Uc 89 ✉33129
Quinzano (Hues) 44 Zc 95 ✉22810
Quión (Cor) 15 Re 91
≈Quipar, Embalse de 141 Yc 119
≈Quipar, Río 141 Yb 120
▲Quípar, Sierra de 141 Yb 120
Quireza (Pon) 15 Rd 93
≈Quireza, Río de 15 Rd 93
Quiroga (Lug) 16 Se 94
≈Quiroga, Río 16 Se 94
▲Quiroga, Val de 16 Se 94
▲Quiruela, Loma de la 135 Uc 120
Quiruelas de Vidriales (Zam) 36 Ub 96 ✉49622
Quirze, Cortijo de (Córd) 150 Vc 125
Quise (Ten) 172 B 2
Quisicedo (Bur) 22 Wc 90
Quismondo (Tol) 89 Ve 108 ✉45514
▲Quitama, Sierra de 71 Ua 105
Quitapellejos (Mur) 127 Yf 118
Quitapesares (Seg) 74 Vf 103 ✉40194
≈Quiviesa, Río 20 Vb 90

R

R. A. D., La (Sal) 72 Ub 103
Rábade (Lug) 4 Sc 90
Rabal (Our) 33 Sc 96
Rabal (Our) 34 Sd 97
Rabales, Los (Mur) 142 Yf 122
Rabanal, El (Córd) 150 Vb 124 ✉14500
Rabanal de Fenar (Leó) 19 Uc 92 ✉24648
Rabanal del Camino (Leó) 18 Te 94 ✉24722
Rabanal de los Caballeros (Pal) 20 Vd 91 ✉34846
Rabanales (Zam) 53 Te 98 ✉49519
Rabanera (Rio) 41 Xd 95 ✉26133
Rabanera del Campo (Sor) 59 Xd 99 ✉42191
Rabanera del Pinar (Bur) 40 We 97 ✉09660
≈Rabanillo, Arroyo de 38 Vd 97
Rábano (Vall) 57 Vf 99
Rábano de Aliste (Zam) 53 Td 98
Rábano de Sanabria (Zam) 35 Tc 96
Rábanos (Bur) 40 We 95
≈Rábanos, Embalse de los 59 Xd 98
Rábanos, Los (Sor) 59 Xd 98
Rabassa, la (Lle) 65 Bc 99 ✉25271
☆Rabassa, la (AND) 29 Bd 94
Rabé de las Calzadas (Bur) 39 Wa 94
Rabé de los Escuderos (Bur) 39 Wb 97
Rabeia, la (Bar) 47 Bf 97
Rabiche, Cortijo de (Huel) 132 Sf 121
Rábida, La (Huel) 147 Ta 125
☆Rábida, Monasterio de la 147 Ta 125
Rabilero, El (Bad) 119 Td 119
Rabinadas, Las (Ciu) 108 Vf 113 ✉13129
▲Rabiosa, Punta (Bal) 96 Ea 109
▲Rabisca, Punta de (Ten) 171 B 1
Rábita, Cortijo de (Mál) 150 Vb 126
Rábita, La (Gra) 161 We 128
Rábita, La (Jaé) 151 Vf 123
Raboconejo (Huel) 147 Tb 124
Rábos (Gir) 31 Da 94
Rabosera (Mur) 127 Yf 117
Rabosero, El (Ter) 79 Zb 106
▲Racó, Platja del 64 Bb 102
Racó de l'Oix, el (Ali) 129 Zf 117
Racó dels Cirers, el (Val) 128 Zc 116
≈Racó de Patorra, Río 80 Aa 104
Rad, La (Bur) 21 Wa 92
Rada (Can) 10 Wd 88 ✉39764
Rada (Nav) 42 Yc 95 ✉31383
Rada, La (Alb) 126 Ya 118
Rada de Haro (Cue) 110 Xc 111 ✉16649
Rades, La (Seg) 57 Wc 101 ✉40590
Rades de Abajo (Seg) 57 Wb 102 ✉40172
Rades de Arriba (Seg) 57 Wb 102 ✉40172
Radiquero (Hues) 44 Zf 95 ✉22145
≈Radón, Río 79 Zb 103
Radona (Sor) 59 Xd 101 ✉42213
▲Radona, Puerto de 59 Xd 101
Rafael Chacón, Cortijo de (Sev) 149 Ub 125
Rafaeles, Los (Mur) 142 Yf 119
Rafael Pudent, Es (Bal) 99 Db 111
Rafal (Ali) 143 Za 120 ✉03369
Rafal, El (Bal) 99 Da 109
Rafal d'Ariant (Bal) 99 Cf 109
Rafal de Casellas (Bal) 99 Da 110
Rafal des Porcs, Es (Bal) 99 Da 113
Ráfales (Hues) 45 Ab 98
Ráfales (Ter) 80 Aa 104
≈Rafalet, Cala (Bal) 96 Eb 109
Rafalet, El (Bal) 99 Cf 109
Rafalet, Es (Bal) 99 Dc 111
Rafalet Drac, Es (Bal) 99 Db 111
Rafal Fort (Bal) 96 Ea 109
Rafal Rubi (Bal) 96 Eb 109
Rafal Vell (Bal) 96 Eb 109
Rafelbuñol/Rafelbunyol (Val) 114 Ze 111
Rafelcofer (Val) 129 Zf 115 ✉46716
Rafelguaraf (Val) 114 Zd 114 ✉46666
Rafel Roig (Bal) 99 Db 111
Ráfol de Almunia (Ali) 129 Zf 116
Ráfol de Salem (Val) 128 Zd 115
▲Ràfols 64 Ba 100

agama (Sal) 73 Uf 103
gol (Alm) 162 Xb 127
Ragua, Puerto de la 153 Wf 126
Ragudo, Cuestas de 94 Zc 109
aidón, Caserío (Val) 113 Za 111
aigada (Our) 34 Se 95
Raigadas, Río 139 Xc 121
aiguero (Mur) 141 Yd 122
aiguero Bajo (Mur) 141 Yd 122
aimat (Lle) 62 Ac 98
airiz de Veiga (Our) 33 Sa 96
✉ 32652
airo (Our) 33 Sa 95
aixa (Bal) 98 Ce 110
aja, La (Mur) 127 Ye 118
aja, La (Mur) 127 Yf 118
Raja, Punta de la 143 Zb 123
Raja, Rambla de la 127 Ye 119
ajadell (Bar) 47 Be 98 ✉ 08256
Rajadell, Riera de 47 Be 98
ajita, La (Ten) 172 B 2 ✉ 38860
al, la (Gir) 48 Cc 95 ✉ 17865
ala (Alb) 126 Xe 118 ✉ 02486
al de Abajo (Val) 112 Za 113
ales (Ast) 8 Va 88
aluy (Hues) 28 Ad 94
ama (Gir) 48 Cb 95 ✉ 17500
Rama, Punta de sa (Bal)
97 Bc 116
amacastañas (Ávi) 88 Uf 107
✉ 05418
Ramacastañas, Río de 88 Uf 107
amales de la Victoria (Can)
10 Wd 89 ✉ 39800
Ramalleira, Montes de 4 Sb 89
amallosa, A (Cor) 15 Rc 92
✉ 15883
amallosa, A (Pon) 32 Rb 96
amastué (Hues) 28 Ad 93
ambla (Hues) 44 Ze 97
Rambla, Arroyo de la 124 Wc 117
ambla, La (Córd) 150 Vb 123
✉ 14540
ambla, La (Mur) 142 Yf 122
ambla, La (Sev) 135 Ud 123
✉ 41440
ambla, La (Alb) 126 Xf 116
ambla, La (Ten) 172 D 3
Rambla, Playa de la 162 Xa 128
Rambla Carlonca (Gra) 161 Wf 127
Rambla de Balata (Gra) 153 Xa 124
Rambla de Cauzón (Gra)
153 We 125
Rambla de David (Cas) 95 Zd 108
Rambla de Gérgal (Alm) 162 Xc 126
Rambla de Juan Manchego (Jaé)
139 We 123
Rambla del Agua (Gra) 161 We 128
Rambla del Agua (Gra) 153 Xa 125
Rambla de la Matanza (Gra)
153 Wf 123
Rambla de la Teja (Jaé) 139 Wf 122
Rambla del Banco, La (Gra)
161 We 127
Rambla del Marqués (Alm)
154 Xe 125
Rambla de los Lobos (Gra)
153 We 123
Rambla Encira, La (Alm) 153 Xc 126
Rambla Grande, La (Alm)
155 Ya 124
Rambla Honda, La (Alm)
163 Xe 126
Ramblas, Cortijo de las (Gra)
140 Xd 120
Ramblas, Cortijo de las (Alb)
126 Ya 118
Ramblas, Cortijo de las (Alb)
126 Xf 118
Ramblas, Las (Alm) 162 Xb 126
Rambla Salada (Mur) 142 Yf 120
Rambla Seca (Val) 113 Za 113
✉ 46360
Rambla y Condesa, La (Val)
113 Za 112
Ramblelles, les (Cas) 95 Zf 107
▲ Ramblillas, Las 94 Za 109
Ramil (Pon) 15 Sa 91
Ramil (Lug) 16 Sb 92
Ramilo (Our) 34 Ta 95 ✉ 32558
Ramió (Bar) 48 Cd 98
Ramirás (Our) 33 Sa 95
Ramiro (Vall) 56 Vb 101 ✉ 47453
Ramón (Tol) 108 Wb 111
Ramona, La (Jaé) 138 Wc 123
✩ Ramon Llull, Mirador de (Bal)
98 Cd 110
Ramos, Cortijo de (Gra) 153 Wf 125
Ramos, Los (Mur) 142 Yf 121
✉ 30589
Rana, Cortijo de la (Sev)
149 Ud 125
▲ Rañadoiro, Puerto del 17 Tc 91
▲ Rañadoiro, Sierra de 5 Tb 89
Rancajales, Los (Mad) 75 Wb 104
Rancho Cazolita (Sev) 149 Ud 125
Rancho de Aparicio (Sev)
150 Uf 125
Rancho de Carbones (Cád)
164 Uc 131
Rancho de Coto Ruiz (Sev)
149 Ud 126
Rancho de Don Manuel Romero
(Sev) 150 Uf 125
Rancho de Frontán (Cád)
157 Ua 129
Rancho de Gamarra (Sev)
150 Ue 125
Rancho de Ibáñez (Cád)
157 Ub 127
Rancho de la Asomadilla (Sev)
148 Ua 125
Rancho de la Atalaya (Cád)
164 Ua 130
Rancho de la Ballestera (Sev)
149 Uc 126
Rancho de la Casilla (Mál)
158 Ud 129
Rancho de la Reina (Sev)
149 Ud 126
Rancho de la Romana (Sev)
148 Ua 126
Rancho de las Mulas (Sev)
149 Uc 126
Rancho de las Salinas (Sev)
158 Ue 126
Rancho de la Teja (Cád) 157 Uc 129
Rancho de Lila (Sev) 157 Tf 126
Rancho del Navazo (Sev)
158 Ue 127
Rancho de los Rasillos (Sev)
157 Tf 127
Rancho del Pino (Cád) 164 Ua 129
Rancho del Puerto de Picao (Cád)
157 Ub 129
Rancho de Malagón (Sev)
149 Ud 126
Rancho de Manuel Girardo (Sev)
149 Ub 125
Rancho de Montaño (Cád)
165 Uc 130
Rancho de Pozo Santo (Sev)
150 Uf 126
Rancho de Roceros (Sev)
158 Ud 126
Rancho de San Antonio (Sev)
150 Ue 125
Rancho de Sarría (Sev) 150 Uf 125
Rancho de Sol (Sev) 150 Uf 126
Rancho de Tenorio (Cád)
158 Uf 127
Rancho de Terrones (Sev)
158 Ue 126
Rancho de Vargas (Sev)
149 Ud 125
Rancho la Rosa Alta (Sev)
158 Ue 126
Ranchos, Los (Mad) 74 Wa 105
Ranchos del Romeral (Huel)
132 Se 121
Ranchuelo, Cortijo del (Gra)
151 Vf 126
Randa (Bal) 99 Cf 111 ✉ 07629
Rande (Pon) 32 Rc 95 ✉ 36812
Randín (Our) 33 Sa 97
Randufe (Pon) 32 Rc 96 ✉ 36713
Ranedo (Bur) 22 We 92 ✉ 09212
Ranera, Cortijo (Jaé) 152 Wb 123
Ranero (Viz) 10 Wd 89 ✉ 48890
Raneros (Leó) 19 Uc 93
Rañín (Hues) 45 Ab 94
Raño (Cor) 14 Rb 93 ✉ 15928
Ransol (AND) 29 Bd 93
Rante (Our) 33 Sa 95 ✉ 32910
Rao (Lug) 17 Ta 91 ✉ 27652
≈ Rao, Río de 16 Sb 92
Rapariegos (Seg) 56 Vc 102
✉ 40466
▲ Rápita 95 Zd 109
Ràpita, la (Lle) 46 Af 98
Ràpita, la (Bar) 65 Bd 101
Ràpita, Sa (Bal) 99 Cf 112
≈ Ràpita, Salines de la 80 Ae 105
▲ Raplana, Pla de 128 Zb 116
▲ Raposeras 54 Ub 99
▲ Raposeras, Las 37 Ud 98
Raposeros de Arriba, Cortijo de
(Bad) 105 Te 114
Raposo, El (Gra) 153 Xa 125
Raposo, El (Bad) 119 Te 118
✉ 06392
▲ Rapso, El 120 Ub 118
Rapún (Hues) 26 Zd 94 ✉ 22621
▲ Ras, Cap 31 Db 94
▲ Rasa, La 20 Va 91
Rasa, La (Sor) 58 Wf 99 ✉ 42310
Rasal (Hues) 44 Zc 94 ✉ 22821
▲ Rasca, Punta de la (Ten) 172 C 5
Rascafría (Mad) 74 Wa 103
Rascón, El (Bad) 119 Tc 117
Raset (Gir) 49 Cf 96 ✉ 17464
Rasgada (Can) 21 Vf 91 ✉ 39419
Rasillo (Mur) 127 Yf 117
Rasillo (Can) 9 Wa 89
Rasillo de Cameros, El (Rio)
41 Xb 95
Rasino, Cortijo del (Ciu) 123 Vf 117
Raso (Alb) 126 Yb 117
Raso, Cortijo del (Các) 105 Tf 111
▲ Raso, El 36 Ua 96
▲ Raso, El 78 Yc 103
Raso, El (Ávi) 87 Ud 107 ✉ 05489
▲ Raso, El 87 Ud 108
▲ Raso, Praia de 3 Re 88
Raso Jaurrieta (Nav) 42 Yb 94
Rasos (Córd) 137 Ve 120
≈ Raspa, Arroyo 149 Ud 124
Raspajos, Los (Mur) 141 Yb 122
Raspay (Mur) 127 Yf 118 ✉ 03657
Raspilla (Alb) 125 Xd 118
Rasquera (Tar) 80 Ad 102 ✉ 43513
▲ Rastells, Serra de 80 Ac 104
Rasueros (Ávi) 73 Uf 102 ✉ 05298
Rata, Caserío La (Gra) 152 Wb 125
Ratera (Lle) 46 Bb 98 ✉ 25211
Ratera Nueva (Sev) 150 Uf 126
Ratera Vieja (Sev) 158 Uf 126
Ratero, Cortijo del (Mál) 150 Va 126
▲ Rates, Coll de 129 Zf 116
▲ Ratjada, Morro (Bal) 98 Cc 111
▲ Ratonas, Las 54 Uc 99
Ratones, Cortijo de los (Gra)
140 Xd 121
Ratosa, Cortijo de la (Córd)
136 Vc 122
≈ Ratosa, Laguna de la 150 Vb 125
Rauric (Tar) 65 Bc 99 ✉ 43427
Raval de Crist, el (Tar) 80 Ac 104
Raval de Jesús, el (Tar) 80 Ad 104
Raval de l'Aguilera, el (Bar)
65 Bd 99
▲ Ravell, Coll de 48 Cc 97
Raxoi (Pon) 14 Rc 92
Raxón (Cor) 3 Re 87
Rayaces (Pal) 38 Vb 97 ✉ 34159
▲ Rayo, Pico del 60 Yd 100
▲ Rayo, Puerto del 122 Vb 115
▲ Rayo, Sierra del 79 Zd 106
Rayo del Serval (Gra) 153 Xa 124
Rayones, Cortijo de los (Gra)
139 Xc 121
Razbona (Gua) 75 We 103 ✉ 19229
Razo da Costa (Cor) 2 Rb 89
✉ 15107
≈ Razón, Río de 41 Xb 97
≈ Razoncillo, Río 41 Xc 97
≈ Real, Caño 156 Te 126
Real, El (Alm) 155 Ya 125 ✉ 04628
Real, El (Mur) 142 Yf 120
Real, O (Lug) 4 Se 90
▲ Real, Sierra 158 Va 129
Real Cortijo de San Isidro (Mad)
90 Wc 108
Real de la Jara, El (Sev) 134 Tf 121
✉ 41250
Real de Montroi (Val) 113 Zc 112
✉ 46194
Real de San Vicente, El (Tol)
88 Vb 108
▲ Realejo, Collado del 153 Wf 126
Realejo Alto (Ten) 172 D 3 ✉ 38410
Realejos, Los (Ten) 172 D 3
✉ 38410
Realenc, el (Val) 114 Zd 114
Realenco, El (Mur) 142 Yf 122
Realeng, Es (Bal) 99 Db 112
Realenga, La (Mál) 150 Vb 126
✉ 29531
Realengo, Cortijo del (Mál)
150 Vc 125
Realengo, el (Ali) 143 Zb 119
✉ 03339
▲ Reales 165 Ue 130
Real Sanatorio de Guadarrama
(Mad) 74 Vf 104
Reascos (Lug) 16 Sc 91 ✉ 27362
Reatillo, El (Val) 112 Za 111
▲ Rebalsadors 95 Zd 110
Rebalse, el (Ali) 128 Za 119
Rebanal de las Llantas (Pal)
20 Vc 91
Rebate (Ali) 142 Za 121 ✉ 03313
Rebato, el (Bar) 65 Bf 99
Reboira (Lug) 4 Sa 89
Reboiro (Lug) 16 Sd 92 ✉ 27346
Rebollada (Ast) 7 Ub 87
Rebollada (Ast) 7 Uc 89
Rebollada, La (Ast) 6 Td 90
Rebollada, La (Ast) 7 Ub 89
Rebollar (Sor) 41 Xc 97 ✉ 42165
Rebollar (Seg) 57 Wa 101 ✉ 40389
Rebollar (Các) 86 Ua 108 ✉ 10617
Rebollar, El (Val) 112 Yf 112
✉ 46391
▲ Rebollar, El 60 Xf 99
▲ Rebollar, El 72 Ue 105
Rebollar, El (Mad) 75 Wb 104
▲ Rebollar, El 78 Yd 103
✩ Rebollar, Ermita del 20 Vd 92
Rebollar de los Oteros (Leó)
37 Ud 94 ✉ 24225
▲ Rebollarejo, Sierra del
108 Wa 112
Rebollares, Caserío Los (Ciu)
108 Wa 113
Rebolleda, La (Bur) 21 Ve 92
✉ 34492
Rebolledas, Las (Bur) 39 Wb 94
✉ 09150
Rebolledillo de la Orden (Bur)
21 Ve 92
Rebolledo (Ali) 128 Zc 118 ✉ 03113
Rebolledo de la Inera (Pal) 21 Ve 92
✉ 34813
Rebolledo de la Torre (Bur) 21 Ve 92
✉ 34492
Rebolledo de Traspeña (Bur)
21 Vf 92 ✉ 09124
✩ Reboller, Castell del 129 Zf 115
▲ Rebollera 123 Vf 118
Rebollo (Seg) 57 Wa 101 ✉ 40184
▲ Rebollo 91 Xc 109
Rebollo, El (Ast) 5 Tb 89
Rebollo de Duero (Sor) 59 Xb 100
✉ 42210
≈ Rebollón, Salina del 62 Ze 100
Rebollosa (Sal) 71 Tf 106 ✉ 37617
Rebollosa de Hita (Gua) 76 Wf 104
✉ 19197
Rebollosa de Jadraque (Gua)
76 Xa 102 ✉ 19245
Rebollosa de los Escuderos (Sor)
58 Wf 101
Rebollosa de Pedro (Sor)
58 We 101 ✉ 42344
▲ Rebolloso 78 Ye 105
Rebón (Pon) 14 Rc 93 ✉ 36669
Rebordaos (Lug) 4 Sb 89
Rebordechán (Pon) 32 Re 95
✉ 36491
Rebordechao (Our) 34 Sd 95
✉ 32702
Rebordelo (Cor) 3 Rf 89
Rebordelo (Cor) 14 Ra 93
Rebordelo (Pon) 32 Rd 94
✩ Rebordiño, Faro de 14 Qf 92
Reboredo (Lug) 4 Sc 89
Reboredo (Cor) 15 Rd 91
Reboredo (Lug) 15 Sa 92
Reborido (Cor) 14 Rc 91
Recado, Cortijo del (Jaé)
139 Xb 120
Recajo (Rio) 41 Xe 94 ✉ 26160
Recalde, Cortijo de (Gra)
160 Wb 127
Recas (Tol) 89 Wa 108 ✉ 45211
Rececende (Lug) 5 Se 88
Recemel (Cor) 4 Sa 88 ✉ 15565
✩ Recena, Castillo de 138 Wc 121
✩ Recinto Ferial 75 Wc 106
Recios, Los (Sal) 72 Ub 105
▲ Reclisa, Altos de la 61 Ye 98
≈ Recodel Alga (Bal) 97 Bc 117
≈ Reconque, Río 112 Yf 114
Recorvo, Cortijo El (Bad) 120 Tf 118
▲ Recostino 18 Ua 93
Recueja, La (Alb) 112 Yd 113
✉ 02249
▲ Recuenco, Cerro del 57 Wc 102
≈ Recuenco, Charca de 77 Xe 106
Recuenco, El (Gua) 77 Xd 105
✉ 19492
Recuerda (Sor) 58 Xa 100 ✉ 42313
▲ Recuero, Sierra del 135 Uc 119
Recueva de la Peña (Pal) 20 Vc 92
✉ 34858
Redal, El (Rio) 41 Xe 95 ✉ 26146
Redecilla del Camino (Bur) 40 Wf 94
✉ 09259
Redemuíños (Our) 33 Rf 96
▲ Redero, El 92 Xe 107
Redes (Cor) 3 Re 88 ✉ 15623
Redicilla del Campo (Bur) 40 Wf 94
Redilluera (Leó) 19 Ud 91 ✉ 24843
Redipollos (Leó) 19 Ue 90 ✉ 24855
Redipuertas (Leó) 19 Ud 90
✉ 24844
Redoba, La (Cue) 93 Yc 107
▲ Redoble, Cap des (Bal) 96 Eb 108
≈ Redon, Lac 28 Ae 93
Redona, Cortijo de la (Córd)
137 Vd 121
▲ Redonda, La 60 Yd 100
Redonda, La (Sal) 70 Tb 103
✉ 37247
≈ Redonda, Laguna 73 Va 104
Redonda el Nuevo (Seg) 74 Vd 103
✉ 40132
▲ Redondal 18 Td 93
Redondela, La (Huel) 146 Se 125
✉ 21430
Redondela, La (Pon) 32 Rc 95
▲ Redondillo 57 Wa 99
≈ Redondo, Laguna 106 Ue 114
▲ Redondo, Risco 87 Ue 107
Redondo Bajo (Córd) 136 Va 122
Redonella, la (Gir) 30 Cb 94
Redón y Venta de Ceferino (Mur)
155 Yb 123
Redován (Ali) 142 Za 120
Redueña (Mad) 75 Wc 104 ✉ 28721
✩ Refet 46 Ba 97
Refoxos (Pon) 15 Re 93
Refoxos (Pon) 32 Rb 97
▲ Refriega, Puerto de la 158 Uf 129
Regadiu, el (Ali) 128 Zd 117
≈ Regajal, Laguna del 73 Va 103
Regajo, El (Alb) 127 Yf 116
≈ Regajo, Embalse de 94 Zc 109
Regal (Val) 114 Zd 113
▲ Regallo, El 80 Ze 102
≈ Regallo, Río 62 Ze 101
≈ Regamón, Río 73 Uf 103
▲ Regana, Cap de (Bal) 98 Ce 112
Regañada, La (Sal) 72 Ub 104
≈ Regate, Arroyo del 36 Te 96
Regates (Tol) 108 Wb 111
Regato, El (Viz) 11 Wf 89
Regencós (Gir) 49 Db 97
Regil = Erezil (Gui) 12 Xe 89
▲ Regla, Playa de la 156 Td 128
Regla de Perandones, La (Ast)
5 Tc 90
Regoelle (Cor) 14 Qf 90 ✉ 15127
Règola, la (Lle) 46 Ae 97
Rego Pequeno (Lug) 4 Sb 89
Reguard (Lle) 46 Af 95 ✉ 25514
Regüelo (Jaé) 151 Wa 123
Reguengo (Pon) 32 Rc 95
Regueras, Las (Ast) 6 Ua 88
Regueras de Arriba (Leó) 36 Ua 95
✉ 24763
✩ Reguerillo, Cueva del 75 Wd 103
Reguers, els (Tar) 80 Ac 103
✉ 43527
Regumiel de la Sierra (Bur)
40 Xa 97 ✉ 09693
Reguntille (Lug) 4 Sd 89
Rehoya (Huel) 147 Tc 124
Rehoyos (Can) 10 Wd 89 ✉ 39808
▲ Rehoyos, Puerto de los
123 Vf 118
Rehuelga, Cortijo de (Cád)
164 Ub 131
≈ Rehuelga, Laguna de 164 Ub 131
Rehuerta, La (Ter) 80 Zf 102
Rei (Lug) 16 Sd 93
Reig (Val) 114 Zd 113
Reigada, La (Ast) 5 Tc 89
Reigosa (Lug) 4 Sd 89
Reigosa, A (Pon) 15 Rc 94
Reíllo (Cue) 92 Ya 109
Reina (Bad) 134 Ua 119 ✉ 06970
▲ Reina, Corona de la 44 Zc 97
Reina, Cortijo de (Sev) 150 Uf 123
Reina, Cortijo de la (Córd)
150 Vc 125
Reina, Cortijo de la (Córd)
136 Va 122
✩ Reina, Mirador de la 8 Uf 89
▲ Reinas, Dehesa Las 105 Ua 114
Reina Victoria (Sev) 148 Tf 126
Reiner (Val) 128 Zc 116
Reineta, La (Viz) 10 Wf 89 ✉ 48520
Reinilla y Ladrillos (Córd)
136 Uf 122
Reinosa (Can) 21 Vf 91 ✉ 39200
Reinosilla (Can) 21 Ve 91 ✉ 39418
Reinoso (Bur) 22 Wd 93 ✉ 09248
Reinoso de Cerrato (Pal) 38 Vd 97
✉ 34208
Reiris (Pon) 14 Rc 94
✩ Rei Santo, Casetes del (Bal)
98 Cd 110
✩ Reis d'Aragó, Palau dels 65 Be 99
Rejanada, Cortijo de la (Mál)
159 Vb 127
Rejano (Gra) 153 Xb 124
Rejano (Sev) 150 Va 126 ✉ 41658
Rejas de San Esteban (Sor)
58 We 99 ✉ 42320
Rejas de Ucero (Sor) 58 Wf 98
✉ 42141
Rekalde (Gui) 12 Xf 89
Relea (Pal) 20 Vb 93
Reliegos (Leó) 19 Ud 94 ✉ 24339
▲ Rellana 163 Xf 127
Rellanos (Ast) 5 Tc 88 ✉ 33873
Rellas (Pon) 15 Re 92 ✉ 36547
Relleno (Alm) 153 Xa 126
Relleu (Ali) 129 Ze 117 ✉ 03578
≈ Relleu, Pantà de 129 Ze 117
Rellinars (Bar) 47 Bf 99 ✉ 08299
Rello (Sor) 59 Xb 101 ✉ 42368
▲ Relumbrar, Sierra del 125 Xb 117
Remedio, El (Cor) 4 Sb 88
✩ Remedios, Ermita de los
120 Ub 115
✩ Remedios, Ermita de los
75 Wb 104
✩ Remedios, Los 136 Vc 121
Remedios, Los (Bad) 133 Tc 119
▲ Remedios, Punta dos 14 Qf 92
✩ Remei, el 47 Be 97
✩ Remei, el 65 Bd 101
✩ Remei, el 66 Ca 99
✩ Remei, el Castell del 46 Af 98
Remei d'Alcover, el (Tar) 64 Ba 101
✩ Remei de Creixenturri, el
48 Cc 95
✩ Remei de Dalt, el 48 Cb 95
▲ Remendia, Monte 25 Ye 91
Remesal (Zam) 35 Tc 96
≈ Remolar, Estany del 66 Ca 101
▲ Remolcador, Port del 95 Ze 108
Remolina (Leó) 20 Uf 91 ✉ 24990
Remolino, Cortijuelo del (Córd)
135 Ue 122
Remolino, El (Córd) 150 Vb 124

Remolinos (Zar) 43 Ye 97 ✉ 50637
Remondo (Seg) 56 Vd 100 ✉ 40216
Remonta, Cortijos de La (Gra) 152 We 125
Remullà (Tar) 64 Ae 102
Ren, La (Ast) 7 Ub 87 ✉ 33449
▲ Ren, Vall de 62 Zd 101
Rena (Bad) 105 Ub 114 ✉ 06715
Renales (Gua) 76 Xc 103 ✉ 19432
≈ Renales, Arroyo de 89 Vf 108
Renanué (Hues) 28 Ad 94
Renau (Tar) 64 Bb 101 ✉ 43886
Renche (Lug) 16 Se 92 ✉ 27627
Renclusa, La (Hues) 28 Ad 92
Rendar (Lug) 16 Sd 92 ✉ 27346
Renedo (Can) 9 Ve 89
Renedo (Can) 21 Wa 91
Renedo (Vall) 56 Vc 99
Renedo (Piélagos) (Can) 9 Wa 88
Renedo de Curueño (Leó) 19 Ud 91
Renedo de la Escalera (Bur) 21 Vf 92 ✉ 09127
Renedo de la Vega (Pal) 20 Vb 94 ✉ 34126
Renedo del Monte (Pal) 20 Vb 93 ✉ 34115
Renedo de Valdavia (Pal) 20 Vc 93 ✉ 34473
Renedo de Valderaduey (Leó) 20 Va 93 ✉ 24327
Renedo de Valdetuéjar (Leó) 20 Va 92
Renedo de Zalima (Pal) 21 Vd 91 ✉ 34830
Renera (Gua) 76 Wf 106 ✉ 19145
Renieblas (Sor) 41 Xd 98 ✉ 42189
Rentería (Viz) 11 Xd 89
Rento Artigas (Cue) 93 Yc 108
Rento Callejones (Cue) 93 Yd 108
Rento de Fuente de la Sierra (Cue) 93 Yb 108
▲ Rento del Buitre 93 Yc 110
▲ Rentonar, Port del 128 Zd 117
Renuncio (Bur) 39 Wb 95 ✉ 09195
Renúñez Grande (Ciu) 124 Wf 115
Reocín (Can) 9 Vf 88
Reocín de los Molinos (Can) 21 Vf 91
Reolid (Alb) 125 Xc 117 ✉ 02316
Reolid, Cortijo de (Alb) 126 Xf 119
Reperós (Hues) 28 Ad 94
▲ Repica 106 Ud 114
▲ Repico 22 Wf 91
Repilado, El (Huel) 133 Tb 121 ✉ 21360
Reposaderas, Las (Mur) 141 Yb 119
Represa (Các) 86 Te 108
Represa del Condado (Leó) 19 Ud 93 ✉ 24155
Requeixo (Lug) 4 Sa 89
Requeixo (Lug) 16 Sa 93
Requeixo (Our) 33 Sb 94
Requeixo (Our) 34 Sd 95
Requeixo (Our) 34 Se 95
Requeixo (Our) 34 Ta 95
≈ Requeixo, Río 4 Sb 89
Requejada (Can) 9 Vf 88 ✉ 39312
≈ Requejada, Embalse de 20 Vc 91
Requejo (Leó) 17 Tb 93
Requejo (Zam) 35 Tb 96 ✉ 49394
Requena (Val) 112 Yf 112 ✉ 46340
Requena de Campos (Pal) 38 Vd 95 ✉ 34469
☆ Requesens, Castell de 31 Cf 94
Requiás (Our) 33 Sa 97
Requijada (Seg) 57 Wa 102 ✉ 40173
Requijada (Sor) 59 Xc 99
Rescate, El (Gra) 160 Wb 128
Resconorio (Can) 21 Wa 90 ✉ 39681
▲ Reserva Nacional de Cíjara 107 Vb 112
Resinera (Cue) 93 Yd 110
Resinera, La (Gra) 160 Wa 127
Resoba (Pal) 20 Vc 91 ✉ 34844
▲ Resomo, Sierra de 40 Xa 97
Respaldiza (Ála) 22 Wf 90 ✉ 01476
Respenda de Aguilar (Pal) 21 Vf 92 ✉ 34813
Respenda de la Peña (Pal) 20 Vb 92 ✉ 34870
≈ Respumoso, Embalse de 26 Ze 92
Restábal (Gra) 161 Wc 127
Restanca, Era (Lle) 28 Af 93
Restande (Cor) 15 Rc 90
▲ Restelo 17 Sf 91
☆ Restes ibèrics 95 Ze 109
Restillo (Ast) 6 Te 89
Restinga, La (Ten) 173 C 3 ✉ 38915
▲ Restinga, Punta de la (Ten) 173 C 3
Reta (Nav) 25 Yd 92 ✉ 31421
Retacos, Los (Alm) 154 Xe 126 ✉ 04211
☆ Retama, Garganta de 107 Vc 114
Retamal (Bad) 119 Tc 116
Retamal de Llerena (Bad) 120 Ub 117 ✉ 06442
Retamalejo (Mur) 140 Xf 120
▲ Retamalejo 136 Vc 120
Retamales, Cortijada Los (Gra) 153 Wf 126
Retamales o La Colonia (Gra) 160 Wa 127
Retamar (Alm) 163 Xe 128 ✉ 04131
Retamar (Ciu) 123 Ve 116 ✉ 13598
Retamar (Mad) 75 Wc 105
Retamar, El (Ten) 172 C 4
≈ Retamar, Laguna de 123 Ve 117
≈ Retamar, Laguna del 109 Xa 112
Retamillas, Caserío (Jaé) 137 Vf 121
Retamosa (Các) 106 Uc 111 ✉ 10372
Retamoso (Tol) 88 Vb 110 ✉ 45652
Retascón (Zar) 61 Yd 102
Retes de Llanteno (Ála) 22 Wf 90 ✉ 01477
Retiendas (Gua) 75 We 103 ✉ 19225
≈ Retín, Río 120 Tf 118
▲ Retín, Sierra de 164 Ua 131
☆ Retiro, El 75 Wb 106
Retorno (Cor) 4 Sa 87
Retorno, El (Val) 112 Yd 112 ✉ 46310
Retorta (Our) 34 Sd 96
Retorta, A (Lug) 16 Sb 91
Retortillo (Can) 21 Vf 91 ✉ 39213
Retortillo (Bur) 39 Vf 96
Retortillo (Sal) 71 Td 104 ✉ 37495
≈ Retortillo, Embalse del 135 Ud 121
≈ Retortillo, Río 135 Ud 121
Retortillo de Soria (Sor) 58 Xa 101 ✉ 42315
Retuerta (Bur) 39 Wc 96 ✉ 09347
Retuerta (Vall) 56 Vd 99
▲ Retuerta 78 Yf 103
Retuerta (Ávi) 87 Uc 107 ✉ 05693
≈ Retuerta, Embalse de 39 Wc 96
Retuerta del Bullaque (Ciu) 107 Vd 112
▲ Retuerta de Pina, Montes de la 62 Zd 100
Retuerto (Leó) 20 Uf 90 ✉ 24917
Reul Alto, El (Alm) 154 Xd 125 ✉ 04867
Reul Bajo y Marchalico, El (Alm) 154 Xd 125
Reus (Tar) 64 Ba 102 ✉ •43201
Revallos (Sor) 57 Xd 105
▲ Revancha 163 Xf 128
≈ Revardit, el 48 Ce 96
Revellinos (Zam) 36 Uc 97 ✉ 49135
Revenga (Bur) 39 Wa 96 ✉ 09228
Revenga (Seg) 74 Vf 103 ✉ 40195
☆ Revenga, Ermita de 40 Wf 97
Revenga de Campos (Pal) 38 Vd 95 ✉ 34447
≈ Revenga-Riofrío, Embalse de 74 Vf 103
Reventón (Bad) 120 Tf 118
▲ Reventón, Sierra del 108 Wb 112
Reverte de Arriba, Cortijo de (Mur) 140 Ya 121
Revilla (Hues) 27 Aa 93 ✉ 22364
Revilla (Seg) 57 Wb 102
Revilla (Sal) 72 Uc 104
Revilla, La (Can) 9 Vd 88
Revilla, La (Can) 10 Wd 89
Revilla, La (Bur) 40 Wd 96
≈ Revilla, Río 72 Ue 105
Revilla-Cabriada (Bur) 39 Wb 96
Revilla de Calatañazor, La (Sor) 59 Xb 99
Revilla de Campos (Pal) 38 Vb 96 ✉ 34170
Revilla de Collazos (Pal) 20 Vc 93 ✉ 34407
Revilla de Gumiel, Caserío de (Bur) 57 Wb 98
Revilla del Campo (Bur) 39 Wc 95 ✉ 09194
Revilla de Pienza (Bur) 22 Wd 90 ✉ 09514
Revilla de Santullán (Pal) 21 Ve 91
Revillagodos (Bur) 22 Wd 94 ✉ 09292
Revillalcón (Bur) 22 Wd 93
Revillarruz (Bur) 39 Wc 95 ✉ 09620
Revilla-Vallejera (Bur) 38 Vf 96
Revilla y Ahedo, La (Bur) 38 Vf 96 ✉ 09613
Revilleja (Sal) 72 Ud 104
Revillo (Can) 9 Wa 88
▲ Revolcadores 140 Xe 120
☆ Revull, Pas d'en (Bal) 96 Df 109
▲ Rey, Barranco del (Ten) 172 C 5
▲ Rey, Cerro del 92 Ya 110
Rey, Cortijo del (Gra) 153 Wf 125
Rey, Cortijo del (Mur) 140 Xf 120
Rey, Cortijo del (Gra) 139 Xb 122
≈ Rey, Embalse del 90 Wc 107
☆ Rey, Puente del 144 Ve 118
☆ Rey, Refugio del 87 Ue 107
▲ Rey, Sierra del 122 Ve 117
▲ Rey, Teso del 54 Ub 98
▲ Rey, Vega del 88 Vc 107
Reyero (Leó) 19 Ue 91 ✉ 24856
Reyertas, Cortijo de las (Sev) 158 Uc 127
≈ Reyes, Bahía de los (Ten) 173 B 2
Reyes, Cortijo de (Mál) 159 Vc 127
☆ Reyes Católicos, Parador Nacional de los 155 Yb 126
☆ Rey Moro, Cueva del 127 Yf 115
Reza (Our) 33 Sa 94
Reza, A (Our) 33 Rf 95 ✉ 32417
Rezmondo (Bur) 21 Ve 93 ✉ 09108
Reznos (Sor) 60 Xf 99 ✉ 42126
☆ Rhins, Casas de 28 Ad 94
Ria, A (Our) 15 Sa 94
Riaguas de San Bartolomé (Seg) 57 Wd 100
Riahuelas (Seg) 57 Wc 100 ✉ 40518
Rial (Cor) 14 Rb 90 ✉ 15874
Rial (Lug) 16 Sb 92
Rial, O (Pon) 32 Rc 94
Rialb (Gir) 30 Cb 95 ✉ 17534
≈ Rialb, el 46 Bb 96
≈ Rialb, Pantà de 46 Bb 97
Rialb de Noguera = Rialp (Lle) 29 Ba 94
Rialp = Rialb de Noguera (Lle) 29 Ba 94 ✉ 25594
Riana, La (Hues) 27 Ab 94
Riaño (Ast) 7 Ub 89
Riaño (Can) 10 Wc 88
Riaño (Bur) 21 Wb 91 ✉ 09572
≈ Riaño, Embalse de 20 Va 91
▲ Riaño, Sierra de 20 Va 90
≈ Riánsares, Río 91 Xa 109
☆ Riánsares, Santuario de 91 Xa 108
Rianxo (Cor) 14 Rb 93 ✉ 15920
▲ Riás, Praia dos 2 Rb 89
▲ Riasón, Praia de 14 Rb 93
Riatas (Ávi) 73 Va 105 ✉ 05198
≈ Riatillo, Río 58 Wf 102
Riaza (Seg) 57 Wd 101 ✉ 40500
≈ Riaza, Río 57 Wa 99
Riba (Lug) 16 Sb 93
Riba, A (Cor) 14 Rb 91 ✉ 15819
Riba, La (Leó) 20 Uf 92 ✉ 24892
Riba, La (Bur) 22 Wd 91 ✉ 09514
Riba, la (Bar) 48 Cc 97
Riba, la (Tar) 64 Bb 101 ✉ 43450
Ribabellosa (Ála) 23 Xa 92
Ribabellosa (Rio) 41 Xc 95 ✉ 26100
Ribadavia (Our) 33 Rf 95 ✉ 32400
Ribadedeba (Ast) 8 Vc 88
Riba de Escalote, La (Sor) 58 Xb 100
Ribadelago de Franco (Zam) 35 Tb 96 ✉ 49362
Riba de Neira (Lug) 16 Se 91
Ribadeo (Lug) 5 Sf 87
≈ Ribadeo, Ría de 5 Sf 87
Riba de Saelices (Gua) 77 Xe 103 ✉ 19441
Riba de Santiuste (Gua) 59 Xb 101 ✉ 19269
Ribadesella (Ast) 8 Uf 88 ✉ 33560
▲ Ribadesella, Playa de 8 Uf 88
Ribadetea (Pon) 32 Rc 95
Ribadeume (Cor) 4 Sa 88
Ribadulla (Cor) 15 Rd 92 ✉ 15809
Ribadumia (Pon) 14 Rb 93
Ribaforada (Nav) 42 Yc 97 ✉ 31550
Ribafrecha (Rio) 41 Xd 94 ✉ 26130
Ribagorda (Cue) 92 Xe 107 ✉ 16144
☆ Ribagorda, Ermita de 77 Ya 105
☆ Ribagorza, Palacio de 28 Ad 93
Ribalmaguillo (Rio) 41 Xd 95
Ribamontán al Monte (Can) 10 Wc 88
≈ Riba-roja, Pantà 62 Ac 101
Riba-roja d'Ebre (Tar) 62 Ac 101 ✉ 43790
Riba-roja de Túria (Val) 113 Zc 111 ✉ 46190
Ribarredonda (Gua) 77 Xe 103 ✉ 19441
Ribarroja de Ebro = Riba-roja d'Ebre (Tar) 62 Ac 101
Ribarroja del Turia = Riba-roja de Túria (Val) 113 Zc 111
Ribarroya (Sor) 59 Xd 99 ✉ 42134
Ribas (Zam) 35 Td 98
Ribas, As (Our) 33 Sa 96
Ribasaltas (Lug) 16 Sd 93
Ribas de Campos (Pal) 38 Vc 96 ✉ 34429
Ribas de Miño (Lug) 16 Sb 93
Ribas de Sil (Lug) 16 Se 94
Ribas de Tereso (Rio) 23 Xb 93 ✉ 26339
≈ Ribas Servoi 34 Sd 96
Ribatajada (Cue) 92 Xe 106 ✉ 16145
Ribatajadilla (Cue) 92 Xf 107 ✉ 16145
Ribatejada (Mad) 75 Wd 105 ✉ 28815
Ribazo (Mur) 141 Yb 120
Ribeira (Cor) 14 Ra 93
Ribeira (Lug) 17 Ta 90
Ribeira, A (Lug) 17 Sf 91
≈ Ribeira, Encoro da 4 Sb 88
Ribeira de Piquín (Lug) 5 Se 89
Ribeira de Piquín (Lug) 5 Se 89
Ribeirás de Lea (Lug) 4 Sc 90
Ribeiras do Sor (Cor) 4 Sb 86
Ribela (Pon) 15 Rd 93
Ribela (Our) 33 Sb 94
▲ Ribell, Playa d'es (Bal) 99 Dc 111
Ribelles (Lle) 46 Bb 97 ✉ 25748
☆ Ribelles, Castell de 46 Bb 97
Riber (Lle) 46 Bb 98 ✉ 25211
Ribera (Viz) 11 Xd 89 ✉ 48710
Ribera (Ála) 22 We 91 ✉ 01427
Ribera (Hues) 28 Ad 93
Ribera, La (Leó) 18 Td 93
Ribera, La (Hues) 44 Ac 95
▲ Ribera, Platja de la 65 Be 101
Ribera Alta (Jaé) 152 Wb 124 ✉ 23691
Ribera Alta (Ála) 23 Xa 92 ✉ 01420
Ribera Baja (Jaé) 152 Wa 124 ✉ 23691
Ribera Baja (Córd) 150 Vb 124 ✉ 14512
Ribera Baja/Erribeira Beitia (Ála) 23 Xa 92
Ribera de Cabanes, la (Cas) 96 Aa 108 ✉ 12595
Ribera de Cardós (Lle) 29 Bb 93
Ribera de Grajal o de la Polvorosa (Leó) 36 Uc 95
Ribera de la Algaida, La (Alm) 162 Xc 128
Ribera de la Oliva, La (Cád) 164 Ua 131
Ribera del Fresno (Bad) 120 Te 117 ✉ 06225
Ribera de San Benito (Cue) 111 Xf 112
Ribera de Vall (Hues) 44 Ae 95
Ribera d'Ondara (Lle) 64 Bc 99
Ribera d'Urgellet (Lle) 46 Bc 95
Riberas (Ast) 6 Tf 87
Ribero, El (Bur) 22 Wd 90 ✉ 09514
Riberos de la Cueza (Pal) 38 Vb 95 ✉ 34309
Ribesalbes (Cas) 95 Ze 108 ✉ 12210
≈ Ribesalbes, Embalse de 94 Zd 108
Ribes de Freser (Gir) 30 Cb 95 ✉ 17534
Ribota (Seg) 58 Wd 100 ✉ 40513
Ribota (Zar) 60 Yc 100
Ribota de Sajambre (Leó) 20 Uf 90 ✉ 24916
▲ Ric, Puig d'En (Bal) 98 Cc 111
Ricabo (Ast) 18 Ua 90
☆ Ricardo Roca, Mirador de (Bal) 98 Cc 111
Ricla (Zar) 60 Yd 99 ✉ 50270
▲ Rico, Puerto 40 Wf 96
Ricobayo (Zam) 54 Ua 99 ✉ 49165
≈ Ricobayo, Embalse de 54 Ua 98
☆ Ricosende, Ermida de 35 Ta 95
Ricote (Mur) 141 Yd 120 ✉ 30610
▲ Ricote, Sierra de 141 Yd 120
≈ Ridaura, el 49 Cf 98
Riegoabajo (Ast) 6 Te 87
Riego de Ambrós (Leó) 18 Td 93
Riego de la Vega (Leó) 36 Ua 94 ✉ 24794
Riego del Camino (Zam) 36 Ub 98 ✉ 49742
Riego del Monte (Leó) 19 Ud 94 ✉ 24225
≈ Riel, Río 44 Zc 95
Riello (Leó) 18 Ua 92 ✉ 24127
Riells de Dalt (Gir) 49 Da 96
Riells del Fai (Bar) 48 Cb 98 ✉ 08416
Riells de Montseny (Gir) 48 Cd 98
Riells i Viabrea (Bar) 48 Cd 98
Rielves (Tol) 89 Ve 109 ✉ 45524
Rienda (Gua) 59 Xb 101 ✉ 19269
Riensena (Ast) 8 Uf 88 ✉ 33592
Riera, La (Ast) 6 Te 90
Riera, La (Ast) 7 Ue 88
Riera, la = Riera de Gaià, la (Tar) 65 Bc 102
Riera, sa (Gir) 49 Db 97
Riera de Gaià, la (Tar) 65 Bc 102
Ríez (Jaé) 138 Wc 121
Riezu (Nav) 24 Ya 92 ✉ 31176
▲ Rifà, Platja de 64 Af 102
Riglos (Hues) 43 Zb 94 ✉ 22808
Rigoitia = Errigoiti (Viz) 11 Xb 89 ✉ 48309
Riguala (Hues) 44 Ad 95
Rigüelo (Sev) 150 Vb 125
Rigueira, A (Lug) 4 Sd 87
≈ Riguel, Río 43 Ye 95
≈ Rigüelo, Río 123 Wa 118
Riguelos, Cortijos de (Jaé) 152 Wb 123
Rihonor de Castilla (Zam) 35 Tc 97 ✉ 49391
Rillo (Ter) 79 Za 104 ✉ 44710
Rillo de Gallo (Gua) 77 Ya 103 ✉ 19340
Rimada, La (Ast) 7 Uc 88
Rimor (Leó) 17 Tc 93 ✉ 24448
Rincón (Jaé) 139 Xa 120
Rincón (Bad) 134 Td 120
Rincón, Caserío del (Mur) 141 Ya 120
Rincón, Cortijo (Gra) 160 Vf 126
Rincón, Cortijo del (Bad) 118 Sf 1…
Rincón, Cortijo del (Bad) 118 Se 117
Rincón, Cortijos del (Gra) 140 Xc 121
Rincón, El (Alm) 155 Yb 124
Rincón, El (Mur) 155 Yb 124
Rincón, El (Mur) 141 Ya 121
▲ Rincón, El 132 Sd 123
Rincón, El (Ali) 129 Aa 115
Rincón, El (Alb) 126 Yc 115
Rincón, El (Hues) 44 Ac 95
Rincón, El (Mad) 89 Ve 107
☆ Rincón, Mirador de El (Ten) 173 B 2
☆ Rincón, Palacio del 89 Ve 107
Rinconada (Vall) 55 Ue 100
Rinconada (Ávi) 73 Uf 104
Rinconada, La (Sev) 148 Ua 124 ✉ 41309
▲ Rinconada, La 111 Yb 113
Rinconada, La (Ávi) 73 Vc 106
▲ Rinconada, La 78 Ye 104
Rinconada, La (Tol) 89 Vd 109 ✉ 45516
▲ Rinconada, Sierra de la 107 Va 113
Rinconada de la Sierra, La (Sal) 71 Tf 105
▲ Rinconadillas, Las 93 Yc 110
Rincón Blanco, Cortijo de (Jaé) 138 We 122
Rinconcillo, El (Cád) 165 Ud 131
Rinconcillo, El (Córd) 136 Va 122 ✉ 14100
☆ Rincón-Coto, El 89 Ve 107
▲ Rincón de Ademuz, El 93 Ye 108
≈ Rincón de Ballesteros, Embalse de 104 Td 113
Rincón de Gila, Cortijo del (Bad) 103 Ta 114
Rincón de la Casa Grande (Mur) 155 Yc 124
Rincón de la Victoria (Mál) 160 Ve 128
Rincón del Moro (Alb) 126 Yb 117
Rincón del Moro, El (Ali) 128 Za 11…
Rincón del Obispo (Các) 85 Td 109
Rincón de los Olmos (Cue) 92 Xf 106
Rincón del Prado (Sev) 148 Tf 126
▲ Rincón del Toro 112 Yd 112
Rincón de Martos, El (Alm) 163 Xe 128
Rincón de Olivedo o Las Casas (Rio) 42 Ya 96
Rincón de Soto (Rio) 42 Ya 95
Rincón de Tallante (Mur) 142 Yf 12…
Rincón de Turca (Gra) 151 Vf 124
Rincones (Jaé) 139 Wf 122
Rincones, Los (Mur) 142 Ye 123
▲ Rincones, Los 40 Xb 97
▲ Rincones, Morro de los (Palm) 175 E 2
Rincón y Las Ramblicas (Mur) 155 Yb 124
Riner (Lle) 47 Bd 97 ✉ 25290
Rinlo (Lug) 5 Sf 87 ✉ 27715
Rio (Lug) 17 Sf 90
Río (Mál) 160 Ve 127
Río (Lug) 16 Se 92
▲ Río, Barranco del (Ten) 172 D 4
≈ Río, Caletón del (Palm) 176 A 4
Río, Cortijos del (Gra) 139 Xb 122
Río, El (Ciu) 108 Ve 114
Río, El (Ten) 173 D 5
▲ Río, El (Ten) 173 B 2
≈ Río, El (Palm) 175 E 1
≈ Río, El (Palm) 176 C 2
Río, El (Rio) 40 Xa 95
☆ Río, Mirador del (Palm) 176 D 2
Río, O (Our) 15 Sa 94
▲ Río, Playa del (Ten) 171 C 3
▲ Río, Playa del (Ten) 173 E 5
▲ Río, Punta del 162 Xd 128
Río-Aller (Ast) 19 Uc 90
Rioaveso (Lug) 4 Sc 89
Río Barba (Lug) 4 Sc 86
Río Bermuza (Mál) 160 Vf 127
Riobó (Cor) 2 Ra 89
Riobó (Pon) 15 Rd 92
Riobó (Our) 34 Sc 96
Riocabado (Ávi) 73 Vb 104 ✉ 05164
≈ Río Cabras, Embalse del (Palm) 175 E 3
Ríocavado de la Sierra (Bur) 40 We 96
Ríocerezo (Bur) 39 Wc 94
Río Chico, El (Alm) 162 Xa 128
Río Cofio (Mad) 74 Ve 105
Riocorvo (Can) 9 Vf 89 ✉ 39460

Río Covo, Encoro de 4 Sd 86
o de Aguas, El (Alm) 154 Ya 126
o de Casa, Cortijos del (Alb) 125 Xc 117
o de la Sía (Bur) 22 Wc 90
o de Lunada (Bur) 10 Wc 90
o de Mula, El (Alm) 154 Xf 123
o de Rioseco (Bur) 22 Wc 90
o de Trueba (Bur) 22 Wc 90
odeva (Ter) 93 Yf 108 ✉ 44133
odolas (Our) 35 Ta 94 ✉ 32336
ofabar (Ast) 7 Ud 89 ✉ 33537
ofortes (Ávi) 73 Vb 105
ofraguas (Ávi) 72 Ud 106 ✉ 05696
Riofresno, Arroyo de 21 Ve 93
ofrío (Córd) 150 Vc 123
ofrío (Gra) 151 Ve 126
ofrío (Leó) 18 Ua 93
ofrío (Ávi) 73 Vb 105
o Frío (Ciu) 107 Vc 114
ofrío, Cortijada (Huel) 133 Tb 120
Riofrío, Palacio Real de 74 Vf 103
Río Frío, Sierra de 107 Vd 114
ofrío de Aliste (Zam) 36 Te 98
ofrío del Llano (Gua) 58 Xb 102
ofrío de Riaza (Seg) 57 Wd 101
iogordo (Mál) 160 Ve 127 ✉ 29180
Río Grande 162 Wf 127
Río Grande 160 Wb 127
Río Grande 159 Vb 128
Río Grande 138 Wb 119
Río Grande 113 Zb 114
Río Grande 2 Qf 90
Río Grande 20 Va 91
ío Grande, El (Alm) 162 Wf 128
Río II, Embalse 120 Uc 118
ioja (Alm) 162 Xd 127 ✉ 04260
Rioja Alta 40 Wf 94
iola (Val) 114 Zd 113 ✉ 46417
Riolí, Rambla de 140 Xd 121
iolobos (Các) 86 Te 109 ✉ 10693
ío Madera (Jaé) 139 Xc 119
ío Madera (Alb) 126 Xe 117
iomalo de Abajo (Các) 71 Tf 106 ✉ 10624
iomalo de Arriba (Các) 71 Te 106 ✉ 10625
ío-Mañón (Ast) 19 Uc 90
iomao (Our) 34 Sf 94 ✉ 32368
ío Mencal (Alb) 126 Xe 117
iomol (Lug) 16 Se 91
iomonzanas (Zam) 35 Tc 97
ionansa (Can) 9 Vd 89
ionegro del Puente (Zam) 35 Te 96 ✉ 49326
Río Oria = Asteasu, Río 12 Xf 89
iopanero (Can) 21 Wa 91 ✉ 39232
iópar (Alb) 125 Xd 117
ioparaíso (Bur) 21 Vf 93
Río Pusa, Embalse de 107 Vb 110
iorastras (Can) 10 Wc 88
ío Real (Mál) 159 Va 129
Río Rosende 2 Rb 89
iós (Our) 34 Se 97
íos (Bad) 133 Tc 120
íos, Cortijo de (Jaé) 139 Wf 122
íos, Los (Jaé) 138 Wb 119
iosa = La Vega (Ast) 6 Ua 89
iosapero (Can) 9 Wa 88 ✉ 39612
ioscuro (Leó) 18 Te 91 ✉ 24139
íos de Abajo, Los (Cas) 94 Zb 109
íos de Arriba, Los (Cas) 94 Zb 109
ioseco (Lug) 4 Sb 88
ioseco (Ast) 7 Ud 89
ioseco (Ast) 8 Va 88
ioseco (Can) 10 We 88
ioseco (Viz) 10 Wd 89 ✉ 48890
ioseco (Can) 21 Vf 90
ioseco (Sor) 58 Xa 99
ioseco (Ast) 6 Ua 89
ioseco (Bur) 22 Wc 91
ioseco Alto, Caserío (Gra) 160 Wb 128
ioseco de Tapia (Leó) 19 Ub 92
iosequillo (Leó) 37 Va 94
≈ Riosequillo, Embalse de 75 Wb 103
≈ Riosequín, Arroyo de 19 Ub 92
≈ Riosequino, Río 19 Uc 92
Riosequino de Torío (Leó) 19 Uc 92
Rioseras (Bur) 39 Wc 94 ✉ 09591
≈ Ríoseras, Río 39 Wc 94
Riotorto (Lug) 4 Se 88
Riotoví del Valle (Gua) 59 Xb 102
Riotuerto (Can) 10 Wb 88
Ríotuerto (Sor) 59 Xd 99
Rioturbio (Can) 9 Ve 88 ✉ 39528
Ríoturbio (Ast) 7 Ub 89
Ripa (Nav) 24 Yc 91 ✉ 31799
Rípodas (Nav) 25 Ye 92
Ripoll (Gir) 48 Cb 95 ✉ 17500
Ripollet (Bar) 66 Ca 99 ✉ 08291
Riquer Alt (Ali) 128 Zd 116
▲ Ris, Playa de 10 Wc 88
Risca, La (Mur) 140 Xf 119
Risca, La (Bad) 119 Tb 116
Risco (Bad) 121 Uf 115 ✉ 06657
☆ Risco (Ten) 171 C 2
Risco, El (Palm) 174 B 2
Risco, El (Sal) 70 Tb 106
≈ Risco, Embalse del El 146 Se 123
▲ Risco, Laja del La (Palm) 174 B 2
▲ Risco, Playa del (Palm) 174 B 2
▲ Risco del Águila, Cuerda de 87 Uc 107
▲ Risco Gordo 106 Ud 112
Riscos, Cortijo Los (Bad) 120 Tf 118
▲ Riscos, Los 158 Ue 128
▲ Riscos Altos, Cuerda de 87 Uc 107
▲ Riscos del Amor 108 Vf 111
Risquillo, Cortijo del (Sev) 158 Ud 126
Rissec (Gir) 49 Cf 96
≈ Rituerto, Río 59 Xf 98
Riu (Gir) 31 Cd 95
▲ Riu, Platja del 80 Ac 106
Riudabella (Tar) 64 Ba 100
Riudarenes (Gir) 48 Ce 98 ✉ 17421
Riudaura (Gir) 48 Cc 95 ✉ 17179
Riudecanyes (Tar) 64 Af 102 ✉ 43771
≈ Riudecanyes, Pantà de 64 Af 102
Riu de Cerdanya (Lle) 30 Be 94 ✉ 25721
Riudecols (Tar) 64 Af 101
Riudellots de la Selva (Gir) 49 Ce 97 ✉ 17457
Riu de Santa Maria (Lle) 29 Be 94 ✉ 25721
Riudoms (Tar) 64 Ba 102 ✉ 43330
Riudovelles (Lle) 46 Bb 98 ✉ 25352
Riumar (Tar) 80 Ae 104
Riumors (Gir) 49 Da 95 ✉ 17469
Riu-rau (Val) 114 Zd 114
Riva (Can) 10 Wc 89
Riva, La (Can) 21 Wa 90
Rivas (Zar) 43 Yf 96 ✉ 50619
≈ Rivas, Arroyo de 89 Vd 110
Rivas, Los (Gra) 161 We 128
Rivas de Jarama (Mad) 90 Wc 106 ✉ 28529
Rivas-Vaciamadrid (Mad) 90 Wc 106 ✉ 28529
☆ Rivera-Bernad, Central Eléctrica de 62 Zc 102
Rivera de Los Molinos (Seg) 74 Ve 104
≈ Rivera de Mula, Embalse de 103 Ta 112
Rivera-Oveja (Các) 86 Te 107
Rivero (Can) 9 Vf 89
Rivero de Posadas (Córd) 136 Uf 122 ✉ 14739
Rivert (Lle) 46 Af 95 ✉ 25693
Riviera del Sol (Mál) 159 Vb 130 ✉ 29649
Rivilla de Barajas (Ávi) 73 Va 103 ✉ 05309
≈ Rivillas, Arroyo de 118 Ta 116
Rixoán (Lug) 4 Se 90
Rizos, Los (Mur) 142 Za 123 ✉ 30367
Roa (Bur) 57 Wa 98 ✉ 09300
▲ Roa, Monte 112 Yc 113
Roade (Cor) 15 Sa 90
Roa La Bota, Cortijo de (Các) 157 Tf 129
Roales (Zam) 54 Ub 99 ✉ 49192
Roales de Campos (Vall) 37 Ud 96 ✉ 47673
Robellada (Ast) 8 Va 88
Robla, La (Leó) 19 Uc 92 ✉ 24640
Robladillo (Vall) 55 Va 99 ✉ 47131
Robladillo de Ucieza (Pal) 38 Vc 94 ✉ 34127
Roblado, Cortijo de (Jaé) 139 Xa 120
Roble, El (Alb) 126 Xf 116
▲ Roble, Fuente del 87 Ue 107
Robleda (Zam) 35 Tc 96 ✉ 49321
Robleda (Sal) 70 Tc 106 ✉ 37521
Robleda-Cervantes (Zam) 35 Tc 96
▲ Robledal, Sierra del 58 We 102
Robledillo (Tol) 107 Vb 111
Robledillo (Tol) 107 Vc 110
Robledillo (Ávi) 73 Va 105 ✉ 05130
Robledillo, Cortijo de (Các) 157 Uc 128
☆ Robledillo, Ermita del 110 Xc 112
≈ Robledillo, Río 123 Vf 118
Robledillo de Gata (Các) 86 Td 107 ✉ 10867
Robledillo de la Jara (Mad) 75 Wc 103 ✉ 28194
Robledillo de la Vera (Các) 87 Uc 108 ✉ 10493
Robledillo de Mohernando (Gua) 75 We 103 ✉ 19227
Robledillo de Trujillo (Các) 105 Ua 113 ✉ 10269
Robledino (Leó) 36 Tf 95
Robledo (Alb) 125 Xd 116 ✉ 02340
Robledo (Ast) 7 Ue 88
Robledo (Ast) 7 Ub 88
Robledo (Zam) 35 Tc 96
▲ Robledo 56 Ve 101
Robledo (Các) 86 Te 107
≈ Robledo, Arroyo de 90 We 109
Robledo, El (Ciu) 107 Ve 113 ✉ 13114
Robledo, El (Các) 87 Uc 108
Robledo de Caldas (Leó) 18 Ua 91 ✉ 24146
Robledo de Chavela (Mad) 74 Ve 106 ✉ 28294
≈ Robledo de Chavela, Embalse de 74 Ve 105
Robledo de Corpes (Gua) 58 Xa 102 ✉ 19243
Robledo de Fenar (Leó) 19 Uc 91 ✉ 24648
Robledo de Lastra, O (Our) 17 Ta 94
Robledo de la Valdoncina (Leó) 19 Ub 93 ✉ 24391
Robledo de la Valduerna (Leó) 36 Tf 95 ✉ 24730
Robledo del Buey (Tol) 107 Vb 111 ✉ 45138
Robledo del Mazo (Tol) 107 Va 111 ✉ 45674
Robledo Hermoso (Sal) 53 Td 102 ✉ 37217
Robledollano (Các) 106 Uc 111 ✉ 10371
Robledondo (Mad) 74 Ve 105 ✉ 28297
Roblelacasa (Gua) 75 We 102 ✉ 19223
Robleluengo (Gua) 58 We 102 ✉ 19223
Robles de la Valcueva (Leó) 19 Ud 91 ✉ 24839
▲ Roble Seco 87 Ud 108
Roblido (Our) 34 Sf 94
Robliza (Sal) 70 Tc 105
Robliza de Cojos (Sal) 71 Ua 103 ✉ 37130
≈ Robo, Río 24 Yb 92
Robra (Lug) 16 Sc 90
Robredarcas (Gua) 76 Wf 102
Robredo de Losa (Bur) 22 We 91 ✉ 09512
Robredo-Sobresierra (Bur) 22 Wb 93
Robredo-Temiño (Bur) 22 Wc 94
Robregordo (Mad) 57 Wc 102 ✉ 28755
Robres (Hues) 44 Zd 97 ✉ 22252
Robres del Castillo (Rio) 41 Xe 95 ✉ 26131
Roca, La (Gir) 30 Cb 95
Roca, la (Bar) 48 Cb 97
Roca, la (Bar) 65 Bd 100
☆ Roca, la 64 Af 102
Roca, la (Cas) 95 Zf 107
Roca, La = Roca del Vallès, la (Bar) 66 Cc 99
☆ Rocabertí, Castell de 31 Cf 94
☆ Rocabertí, Castell de 31 Da 95
Rocabruna (Gir) 30 Cc 94 ✉ 17867
☆ Rocabruna, Castell de 30 Cc 95
▲ Rocacastaño, Sierra de 105 Ub 110
▲ Rocacorba 48 Ce 96
Rocacrespa (Bar) 65 Bd 101
Roca de la Sierra, La (Bad) 104 Tb 114 ✉ 06190
Roca del Vallès, la (Bar) 66 Cc 99
☆ Rocafalla 62 Ze 101
Rocafort (Val) 114 Zd 111 ✉ 46111
Rocafort (Hues) 47 Ac 97
Rocafort (Bar) 47 Bf 98
☆ Rocafort, Castell de 65 Bf 100
Rocafort de Queralt (Tar) 64 Bb 100 ✉ 43426
Rocafort de Vallbona (Lle) 64 Ba 99 ✉ 25344
Rocaforte (Nav) 25 Ye 93 ✉ 31409
Roca Grossa (Gir) 49 Cf 98
Rocallaura (Lle) 64 Ba 99 ✉ 25269
Roca Llisa, Sa (Bal) 97 Bd 115
Rocamador (Huel) 133 Ta 120
☆ Rocamaura, Castell de 49 Db 96
☆ Rocameder, Convento de 119 Ta 117
≈ Rocamonde, Rego de 4 Sc 88
Rocamora (Bar) 65 Bc 99
Rocamoras de Matanza, Los (Ali) 142 Yf 120
Rocamundo (Can) 21 Wa 92 ✉ 39250
☆ Roca-rossa 48 Cd 98
☆ Rocas 159 Vc 127
Rocas (Bal) 97 Bd 114
Rocas, Los (Mur) 142 Yf 122
Rocas, Los (Mur) 143 Za 121
☆ Roca-salva, Castell 48 Cd 96
Rocas Viejos, Los (Mur) 142 Yf 122
Roces (Ast) 7 Ub 87
☆ Roces, Palacio de 7 Ub 88
Rocha, A (Pon) 32 Rc 96
☆ Rochafrida, Castillo de 125 Xb 115
Roche (Các) 164 Tf 131
≈ Roche, Río 164 Tf 130
Roche Bajo (Mur) 142 Za 123 ✉ 30369
▲ Rocho, Puerto de 92 Ya 109
Rociana del Condado (Huel) 147 Tc 125 ✉ 21720
Rocillo (Can) 10 Wd 89
Rocío, El (Huel) 147 Td 126
≈ Rocío o Madre, Marisma del 156 Td 126
Roda (Mur) 143 Za 122 ✉ 30739
Roda, La (Alb) 111 Xf 113 ✉ 02630
Roda, La (Ast) 5 Ta 87
Roda de Andalucía, La (Sev) 150 Vb 125
Roda de Bará = Roda de Berà (Tar) 65 Bc 101
Roda de Berà (Tar) 65 Bc 101
Roda de Eresma (Seg) 74 Ve 102 ✉ 40290
Roda de Isábena (Hues) 44 Ad 95
▲ Rodadero, Sierra de El 41 Xe 97
Roda de Ter (Bar) 48 Cb 97 ✉ 08510
Rodahuevos, Cortijo de (Mál) 159 Vb 127
Rodalquilar (Alm) 163 Xf 127 ✉ 04115
▲ Rodana 113 Zc 111
Rodanas (Zar) 60 Yd 99
▲ Rodanas, Lado de 61 Yd 99
Rodanillo (Leó) 18 Td 93 ✉ 24318
Rodasviejas (Sal) 71 Tf 103 ✉ 37460
Rodeiro (Cor) 3 Rf 89
Rodeiro (Pon) 15 Sa 93 ✉ 36530
≈ Rodeiro 15 Sa 93
Rodeiro (Our) 33 Rf 96 ✉ 32520
Rodeiros (Cor) 15 Rf 90
Rodellar (Hues) 44 Zf 95 ✉ 22144
Rodén (Zar) 62 Zc 100
Ródenas (Ter) 78 Yc 105
Rodeo, El (Các) 165 Ud 132
Rodeo, El (Mál) 159 Va 130 ✉ 29100
▲ Rodeo, El 87 Ue 108
Rodeo de Enmedio (Mur) 142 Ye 120 ✉ 30192
Rodeo de los Tenderos (Mur) 142 Ye 120 ✉ 30192
≈ Rodeos, Embalse de los 142 Ye 120
Roderos (Leó) 19 Ud 94 ✉ 24226
Rodés (Lle) 29 Ba 94
Rodesnera del Poniente, Cortijo (Các) 86 Tf 110
Rodezno (Rio) 23 Xa 93 ✉ 26222
Rodical (Ast) 6 Td 89
▲ Rodicio, Alto do 34 Sc 95
Rodicol (Leó) 18 Tf 91 ✉ 24134
≈ Rodiezmo, Río 19 Ub 91
Rodiezmo de la Tercia (Leó) 19 Ub 91
≈ Rodil, Río 5 Sf 89
Rodilana (Vall) 55 Va 100 ✉ 47492
Rodillazo (Leó) 19 Ud 91 ✉ 24837
Rodillo (Sal) 72 Ub 103 ✉ 37449
Rodis (Cor) 3 Rc 90
Rodis (Pon) 15 Rf 92
Rodís (Lug) 17 Se 92
▲ Rodó, Puig 48 Ca 97
▲ Rodón 19 Ud 91
Rodonyà (Tar) 65 Bc 101
Rodrigás, As (Lug) 4 Se 88
Rodrigatos de la Obispalía (Leó) 18 Te 93
▲ Rodrigo, Loma 93 Ye 107
Rodriguero (Ast) 8 Vc 89
Rodríguez, Cortijo (Alm) 163 Xe 127
Rodríguez, Cortijo de (Alb) 126 Xf 117
Rodríguez, Los (Alm) 154 Xf 124
Rodriguillo, el (Ali) 127 Yf 118
Roelos (Zam) 54 Tf 101
Rofes (Bar) 65 Bd 100
☆ Rogativa, Ermita de la 140 Xe 120
Roget (Ali) 128 Zc 118
▲ Roig, Cabo 143 Zb 121
▲ Roig, Cabo (Bal) 97 Bd 114
▲ Roig, Cap 49 Db 97
▲ Roig, Cap 80 Ae 104
▲ Roig, Puig (Bal) 98 Cf 109
Roimil (Lug) 16 Sb 90 ✉ 27229
Rois (Cor) 14 Rb 92 ✉ 15911
≈ Rois, Río 14 Rb 92
☆ Roita, Castillo de 25 Yf 94
Roitegui (Ála) 23 Xd 92 ✉ 01129
Roiz (Can) 9 Vd 88 ✉ 39593
▲ Roja (Palm) 175 E 2
▲ Roja, Playa de la (Ten) 172 C 2
▲ Roja, Punta (Ten) 172 D 5
Rojales (Ali) 143 Zb 120 ✉ 03170
Rojalons (Tar) 64 Ba 100
Rojals (Tar) 64 Ba 100 ✉ 43415
Rojas (Bur) 22 Wd 93 ✉ 09246
▲ Rojas, Loma de 159 Vc 127
Rojas, Los (Alm) 153 Xb 125 ✉ 04549
▲ Rolando, Brecha de 27 Zf 92
Roldán (Mur) 142 Yf 122
≈ Roldán, Salto del 44 Zd 95
▲ Roldana, Sierra 54 Ua 98
Rollamienta (Sor) 41 Xc 97 ✉ 42165
Rollán (Sal) 71 Ua 103
≈ Rollo, Arroyo del 125 Xe 116
≈ Rollo del Salado, Arroyo del 138 We 122
☆ rom. 85 Sf 109
Roma (Val) 112 Yf 111 ✉ 46390
Romadriu, el (Lle) 29 Bb 94
≈ Romaguera, Cala (Bal) 99 Db 112
☆ Romaguilardos, Ermita de 55 Uf 101
Romalique, Cortijo de (Gra) 152 We 124
Román (Lug) 4 Sc 89
Romaña (Viz) 10 We 89
Romana, Caserío de (Ter) 62 Zd 101
Romana, La (Ali) 128 Za 118 ✉ 03669
Romana, La (Córd) 122 Vb 118
▲ Romana, Platja de la 96 Ab 107
Romana Alta, la (Ála) 128 Za 118
Romancos (Gua) 76 Xa 104 ✉ 19411
Romanes, Los (Mál) 160 Ve 127 ✉ 29713
Romaneta, Caserío (Ter) 62 Zd 101
Romangordo (Các) 87 Ub 110 ✉ 10359
Romaní (Bar) 65 Bd 100
▲ Romaní, Hoya 94 Zb 109
Romanillos de Atienza (Gua) 58 Xa 101 ✉ 19276
Romanillos de Medinaceli (Sor) 59 Xc 101 ✉ 42213
Romanina Alta (Các) 157 Tf 128
Romanito, Cortijo de (Các) 157 Tf 128
☆ Romano, Puente 27 Aa 94
Romanones (Gua) 76 Xa 105 ✉ 19143
Romanos (Zar) 61 Ye 102 ✉ 50491
Romántica, La (Ten) 172 D 3
Romanyà (Gir) 49 Cf 95
Romanyà de la Selva (Gir) 49 Cf 97
Romanzado (Nav) 25 Ye 92
≈ Romanzal, Arroyo de 120 Ua 118
Romariz (Lug) 4 Sd 88 ✉ 27737
Romas, Las (Các) 104 Td 113
≈ Romeán 16 Sd 91
Romeán (Lug) 16 Sd 90
≈ Romedo, Estany 29 Bc 92
Romeor (Lug) 17 Sf 93
Romera (Mál) 165 Uf 129
Romera (Alm) 153 Xb 126
▲ Romera, Cerro de la 136 Uf 119
Romera, Cortijo de la (Sev) 149 Ue 125
Romera, La (Sev) 158 Ue 126
Romera, La (Sev) 158 Ud 127
Romeral (Mál) 159 Vc 128
▲ Romeral 109 Wd 110
Romeral, Cortijo del (Các) 158 Uf 127
Romeral, Cortijo El (Gra) 160 Wa 126
Romeral, Cortijo El (Mál) 159 Vc 126
☆ Romeral, Cueva del 159 Vc 126
Romeral, El (Alm) 163 Xf 128
Romeral, El (Tol) 90 Wd 110 ✉ 45770
≈ Romeral, Embalse del 142 Ye 121
Romeralejo, El (Mur) 140 Xe 120
Romerales, Los (Các) 157 Ub 129 ✉ 11400
Romerano, El (Huel) 146 Sd 124
Romerico, Cortijo de (Córd) 151 Vd 124
Romero, El (Các) 157 Ub 129 ✉ 11400
Romero, El (Mur) 142 Yd 122
Romeros, Los (Ali) 143 Za 121
Romeros, Los (Huel) 133 Tb 121 ✉ 21290
Romica (Alb) 111 Yb 114
Romilla (Gra) 152 Wb 125 ✉ 18339
Romo, Cortijo del (Gra) 140 Xc 122
Rompedizo, Cortijo del (Jaé) 138 Wc 122
Rompido, El (Huel) 146 Sf 125 ✉ 21459
▲ Roncadoira, Punta 4 Sc 86
Roncal (Nav) 25 Za 92 ✉ 31415
▲ Roncal, Valle de 25 Za 92
▲ Roncudo, Punta 2 Ra 89
Ronda (Mál) 158 Uf 128 ✉ 29400
▲ Ronda, Serranía de 158 Uf 128
Rondana, La (Mál) 165 Ue 130
☆ Rondiella 6 Ua 88
Roní (Lle) 29 Bb 94
Ronjilón, Cortijo (Các) 105 Ua 111
Ronquillo, Caserío del (Bad) 119 Ta 116
Ronquillo, El (Sev) 134 Te 122 ✉ 41880
▲ Ronquillo Alto 136 Vb 120
≈ Rons, Río de 14 Rc 94
Roo (Cor) 14 Ra 92
Ropera, La (Jaé) 137 Vf 120 ✉ 23747

▲Ropero 21 Vf90
Roperuelos del Páramo (Leó) 36 Ub95
Roque (Palm) 175 E1
Roque, El (Ten) 172 D5 ✉38629
▲Roque, El (Palm) 176 B3
▲Roque, Puerto 103 Se112
▲Roque Bermejo (Ten) 173 G2 ✉38129
Roque del Faro (Ten) 171 B2
Roque Negro (Ten) 173 F2 ✉38139
▲Roque Negro (Palm) 174 D2
Roquer (Tar) 80 Ae103
☆Roques 114 Zd114
≈Roques, Bahía de los (Ten) 171 C3
▲Roques, Baja de los (Ten) 172 B1
☆Roques, Los (Ten) 172 D4
Roques d'Aguiló, les (Tar) 65 Bc99
Roques Daurades, les (Tar) 80 Ae103
Roques de Lleó, les (Cas) 95 Ze107
☆Roqueta de Fiol, la 65 Bc99
▲Roquetas, Playa de 162 Xc128
Roquetas de Mar (Alm) 162 Xc128 ✉*04740
▲Roquete, El (Ten) 173 G2
Roquetes (Tar) 80 Ac104 ✉43520
▲Roquetes, Platja de ses (Bal) 99 Da113
▲Roquetes, Punta de los (Ten) 173 F2
Róquez (Alm) 154 Xe123
▲Roquillo, El (Ten) 172 B1
▲Roquitas, Playa de los (Ten) 171 C3
Ros (Bur) 21 Wb94 ✉09150
▲Rosa 72 Ue102
≈Rosa, Arroyo de la 89 Vf110
Rosa, Caserío La (Gra) 152 Wa125
Rosa, La (Ten) 171 C3
▲Rosa, La 36 Uc97
▲Rosa, Punta (Bal) 97 Bc116
Rosa de Catalina García (Palm) 175 D4
Rosa de los James (Palm) 175 D4
▲Rosa del Taro (Palm) 175 E3 ✉35639
Rosal, Caserío El (Bad) 134 Ua119
☆Rosal, Convento de El 77 Xe106
Rosal, El (Alm) 153 Xa126
Rosal, El (Córd) 136 Vb121
Rosal, O (Pon) 32 Rb97
Rosal, O (Pon) 32 Rb97
Rosal, O (Our) 34 Sd97 ✉32613
Rosal de la Frontera (Huel) 132 Se121 ✉21250
Rosalejo (Mál) 158 Uf128 ✉29400
Rosalejo (Ciu) 107 Va112
Rosalejo (Các) 87 Ud109 ✉10391
Rosalejo, El (Córd) 135 Ue119
Rosales (Leó) 18 Tf92 ✉24127
Rosales (Bur) 22 Wd91 ✉09514
Rosales, Los (Jaé) 152 Wb123
Rosales, Los (Sev) 148 Tf124
Rosales, Los (Sev) 149 Ub123
Rosales, Los (Jaé) 139 Wf122
Rosales, Los (Mad) 74 Wa106
▲Rosalia, Playa (Ten) 172 C4
Rosamar (Gir) 49 Cf98
Rosario, El = La Esperanza (Ten) 173 E3
☆Rosario, Ermita del 165 Ue130
☆Rosario, Ermita del 6 Td88
☆Rosario, Ermita del 10 Wd89
☆Rosario, Ermita del 90 Wd109
☆Rosario, Iglesia del 112 Yf114
≈Rosarito, Embalse de 87 Ue108
☆Rosarito, Palacio de 87 Ue108
Rosas, La (Ten) 173 E3
Rosas, Las (Sev) 158 Ue126
Rosas, Las (Ten) 171 B3
Rosas, Las (Ten) 172 B1
Rosas, Las (Ten) 173 C2
Rosas, Los (Palm) 174 D3
Rosca, Cortijo (Gra) 153 We126
Roscales de la Peña (Pal) 20 Vc92 ✉34858
Rosell = Rossell (Cas) 80 Ab105
Roselló = Rosselló (Lle) 44 Ad98
Rosells, Es (Bal) 99 Da112
Rosende (Lug) 4 Sb90
☆Roser, Verge del 64 Bb101
Roses (Gir) 49 Db95 ✉17480
≈Roses, Golf de 49 Db95
Roses, Los (Mur) 142 Yf123
Rosico (Hues) 45 Ab95
Rosinos de la Requejada (Zam) 35 Tc96 ✉49322
Rosinos de Vidriales (Zam) 36 Ua96 ✉49618
Rosío (Bur) 22 Wd91
Rosita, Cortijo de (Bad) 119 Te117
☆Rossegadors, Cova dels 80 Ab104
Rossell = Rosell (Cas) 80 Ab105 ✉12511
Rosselló (Lle) 44 Ad98
▲Rostro, Praia do 14 Qe91
▲Rostros, Los (Palm) 176 B4
Rosuero (Seg) 57 Wc101 ✉40590
Rota (Cád) 156 Td129 ✉11520
☆Rota, Castillo de la 61 Ye99
Rotes, les (Ali) 128 Aa116
Rotgetes de Canet, Ses (Bal) 98 Cd111
Rotglá y Corberá (Val) 113 Zc114
Rotijón, Cortijo de (Cád) 158 Uc128
Rótova (Val) 129 Ze115
Roturas (Các) 106 Ud111 ✉10373
Roturas (Vall) 57 Vf99 ✉47316
Roupar (Lug) 4 Sb88
Rourell, el (Tar) 64 Bb101 ✉43142
Rovellats (Bar) 65 Bd100
▲Rovira 48 Cb98
Rovira Roja, la (Bar) 65 Bd100
Rovirola, la (Bar) 47 Ca97
Roxos (Cor) 14 Rc91 ✉15896
▲Roya, Playa de la 155 Yd123
Royo, El (Alb) 127 Yd115
Royo, El (Alb) 126 Xf116
Royo, El (Sor) 41 Xc97 ✉42153
Royo-Odrea (Alb) 126 Xf117
Royos (Mur) 140 Xf121
Royuela (Ter) 93 Yc106 ✉44125
Royuela de Río-Franco (Bur) 39 Wa97
Roza, La (Ast) 7 Uc88
Roza, La (Can) 10 Wc89
Rozacorderos (Các) 85 Tb108
Rozadas (Ast) 5 Ta88
Rozadas (Ast) 7 Uc88
Rozadío (Can) 9 Vd89
☆Rozagás 8 Vb89
Rozalén del Monte (Cue) 91 Xb109
Rozapanera (Ast) 7 Ue89 ✉33537
Rozas (Can) 10 Wd89
Rozas (Bur) 21 Wb90
Rozas (Zam) 35 Tc96 ✉49357
▲Rozas 39 Wc96
≈Rozas, Embalse de Las 18 Td91
▲Rozas, Las 56 Ve102
Rozas de Madrid, Las (Mad) 74 Wa106 ✉28230
Rozas de Puerto Real (Mad) 88 Vd107 ✉28649
Rozas de Valdearroyo, Las (Can) 21 Vf91 ✉39213
▲Rozo, Sierra del 19 Ub91
▲Rozuela 122 Vb118
Rozuela, Cortijo (Gra) 160 Vf126
Rozuelas, Las (Mad) 74 Wa105
Rúa (Lug) 4 Sd87
Rúa (Pon) 32 Rd95
Rúa, A (Cor) 15 Rd91
Rúa, A (Our) 34 Sf94
Rua, la (Lle) 46 Ba96 ✉25651
Rúa de Valdeorras, A (Our) 34 Sf94
Ruanales (Can) 21 Wa91 ✉39232
Ruanes (Các) 105 Tf113 ✉10189
Ruatraviesa (Cor) 15 Rd91
≈Rubagón, Río 21 Vd91
Rubalcaba (Can) 9 Wb89 ✉39727
Rubayo (Can) 9 Wb88 ✉39719
Rubena (Bur) 39 Wc94 ✉09199
Ruberts (Bal) 99 Cf111 ✉07220
Rubí (Bar) 66 Ca99
☆Rubí, Castell de 66 Ca100
Rubiá (Our) 17 Ta94
Rubia, La (Gra) 161 We128
Rubia, La (Sor) 41 Xd97 ✉42162
▲Rubia, La Peña 94 Zc110
▲Rubia, Peña 141 Yb123
Rubiaco (Các) 71 Te106 ✉10629
Rubiacós (Our) 16 Sb94
Rubiais (Our) 34 Sf96 ✉32558
Rubial (Pon) 32 Rd96
▲Rubial, Sierra de 112 Yd112
Rubiales (Bad) 120 Ua118
Rubiales (Ter) 93 Ye107 ✉44121
Rubiales, Cortijo (Sev) 148 Tf125
Rubiás (Lug) 16 Sc90
Rubiás (Our) 33 Sa96
Rubias, Las (Ast) 6 Td88 ✉33891
Rubiás dos Mistos (Our) 33 Sb97
Rubí de Bracamonte (Vall) 55 Va101
Rubiel, Cortijo del (Jaé) 139 Xa122
Rubielos (Ter) 78 Yd105
Rubielos Altos (Cue) 111 Xf112 ✉16212
Rubielos Bajos (Cue) 111 Xf112 ✉16212
Rubielos de la Cérida (Ter) 78 Ye104
Rubielos de Mora (Ter) 94 Zc107 ✉*44415
Rúbies (Lle) 46 Af96
Rubillón (Our) 15 Re94 ✉32520
Rubín (Pon) 15 Rd92 ✉36686
≈Rubín 16 Sd93
Rubinat (Lle) 64 Bb99 ✉25213
Rubiño (Các) 85 Td108
▲Rubio 57 Wb100
Rubió (Lle) 29 Bb94
Rubió (Bar) 47 Bd99
Rubio, El (Sev) 157 Ub127
Rubio, El (Sev) 150 Va124
Rubió d'Agramunt (Lle) 46 Af97
Rubiós (Pon) 32 Rd96 ✉36449
Rubios, Cortijo de los (Córd) 137 Ve122
Rubios, Los (Bad) 135 Uc119
Rubiru (Lle) 29 Bc93
Rubite (Mál) 160 Vf127 ✉29719
Rubite (Gra) 161 Wd128 ✉18711
≈Rubite, Río 160 Vf127
Rublacedo de Abajo (Bur) 22 Wc93 ✉09592
Rublacedo de Arriba (Bur) 22 Wc93 ✉09592
Rucandio (Bur) 22 Wc92 ✉09593
Rucayo (Leó) 19 Ue91 ✉24854
Ruchena, Cortijo de (Sev) 157 Ub127
▲Ruda, Punta de sa (Bal) 97 Bd117
Rudaguera (Can) 9 Vf88 ✉39539
Rudilla (Ter) 79 Yf102 ✉44212
▲Rudilla, Puerto de 79 Za102
≈Rudrón, Río 21 Wb92
Ruecas (Alm) 163 Xe128
Ruecas (Bad) 105 Ua114 ✉06412
≈Ruecas, Río 106 Ud113
Rueda (Vall) 55 Va100 ✉47490
☆Rueda, Abadía de 22 Wc91
☆Rueda, Monasterio de 62 Ze101
▲Rueda, Peña 18 Ua90
Rueda de Jalón (Zar) 61 Ye99
Rueda de la Sierra (Gua) 77 Ya103 ✉19339
Rueda de Pisuerga (Pal) 20 Vd91 ✉34839
Ruedas de Enciso, Las (Rio) 41 Xe96 ✉26586
Ruedas de Ocón, Las (Rio) 41 Xe95
Ruedo Alto, Cortijada (Jaé) 151 Vf123
Ruenes (Ast) 8 Vb88 ✉33576
Ruente (Can) 9 Ve89 ✉39513
Ruerrero (Can) 21 Wa91 ✉39232
Ruesca (Zar) 60 Yd101 ✉50331
Ruesga (Can) 10 Wc89
Ruesga (Pal) 20 Vc91 ✉34844
Ruesta (Zar) 25 Yf93
Rufino Liebre, Cortijo (Các) 104 Tb113
Rugat (Val) 128 Zd115 ✉46842
Ruguilla (Gua) 76 Xc104 ✉19429
Ruices, Cortijo de los (Alb) 127 Yc116
Ruices, Los (Mur) 142 Ye123
Ruices, Los (Val) 112 Ye112 ✉46353
Ruíces, Los (Mur) 142 Yf122
Ruíces, Los (Mur) 142 Yd122
Ruidera (Ciu) 125 Xa115 ✉13249
≈Ruidera, Embalse de la 77 Xd106
≈Ruidera, Lagunas de 125 Xa115
Ruiforco de Torío (Leó) 19 Uc92
Ruigómez (Ten) 172 C3
Ruijas (Can) 21 Wa92 ✉39230
Ruiloba (Can) 9 Ve88 ✉39527
☆ruinas romanas 21 Vf91
☆Ruinas romanas 70 Tb102
☆Ruínas Romanas 119 Tc117
☆Ruïnes d'Ilici 143 Zb119
Ruiní, El (Alm) 162 Xd127
Ruiseñada (Can) 9 Ve88 ✉39528
Ruitelán (Leó) 17 Ta92
Ruiza, La (Alb) 126 Yb115
Ruiz Cerezo (Jaé) 152 Wd123
Ruizgarcía (Ciu) 109 We113
≈Ruiz Sánchez, Laguna de 150 Uf124
Rulí, Cortijada El (Mur) 141 Yc120
☆Rull, Cova del 129 Zf116
≈Rumblar, Embalse del 138 Wb119
≈Rumblar, Río 138 Wa120
▲Rumiada, Peña 38 Ve95
Rumoroso (Can) 9 Wa88 ✉39312
Run, El (Hues) 28 Ac93 ✉22465
▲Ruña, Montes da 14 Qf91
Rupelo (Bur) 40 Wd96 ✉09640
Rupià (Gir) 49 Da96
Rupit (Bar) 48 Cc96 ✉08569
Rupit i Pruit (Bar) 48 Cc96
Rus (Jaé) 138 Wd120 ✉23430
Rus (Cue) 110 Xd112
Rus (Cor) 2 Rc90
Rus (Bar) 47 Bf95
≈Rus, Río 110 Xe111
≈Rus, Río 110 Xd112
Rute (Córd) 151 Vd125 ✉14960
▲Rute, Sierra de 151 Ve124
≈Ruyales, Río 39 Wa94
Ruyales del Agua (Bur) 39 Wb96 ✉09341
Ruyales del Páramo (Bur) 21 Wb93

S

Sá (Pon) 32 Rb95
Saa (Lug) 16 Sc91
Saá (Lug) 16 Se92
≈Saá, Río 16 Sd93
Sabadell (Bar) 66 Ca99 ✉*08201
Sabadella (Lug) 16 Sb93
Sabadelle (Lug) 16 Sc92
Sabadelle (Our) 33 Sb94 ✉32711
Sabaiza (Nav) 25 Yd93
Sabando (Ála) 23 Xd92 ✉01129
≈Sabando, Río 23 Xd92
▲Sabanell, Platja de 49 Ce99
Sabariego (Jaé) 151 Vf123
Sabarigo (Pon) 32 Rb94
Sabayés (Hues) 44 Zd95
Sabero (Leó) 19 Uf91 ✉24810
Sabina, La (Ten) 171 C3
Sabinal (Mál) 159 Vb127 ✉29500
Sabiñán (Zar) 60 Yc100
Sabiñánigo (Hues) 26 Zd93
Sabinar, El (Alb) 140 Xd120
Sabinar, El (Mur) 140 Xf119 ✉30441
Sabinar, el (Ali) 128 Zc118
Sabinar, El (Zar) 43 Ye96 ✉50617
▲Sabinar, Punta del 162 Xb128
Sabinares (Alb) 125 Xb115
☆Sabinillas, Castillo de 165 Ue130
Sabinita (Ten) 172 C5
Sabinita, La (Ten) 173 E4 ✉38589
Sabinosa (Ten) 173 B2 ✉38912
Sabiote (Jaé) 138 We120 ✉23410
▲Sable 63 Aa100
Saborida (Pon) 15 Re93
Sabrexo (Pon) 15 Re92 ✉36581
☆Sabriles, Viaducto de 54 Ua99
Sabucedo (Pon) 15 Rd93
Sabucedo (Our) 33 Sb96
Sabucedo de Montes (Our) 33 Sa95 ✉32821
Sabugueira (Cor) 3 Sa90
☆Saburella, Castell de 65 Bc100
≈Saburo, Estany de 28 Af93
Sacañet (Cas) 94 Zb109 ✉12469
Sacecorbo (Gua) 77 Xd104 ✉19432
Saceda (Leó) 35 Tc95
Saceda del Río (Cue) 91 Xc107
Saceda-Trasierra (Cue) 91 Xa108
Sacedillas, Las (Jaé) 124 We118
Sacedón (Gua) 76 Xb106
Sacedoncillo (Gua) 75 We103
Sacedoncillo (Cue) 92 Xe107
Saceruela (Ciu) 122 Vc115 ✉13414
▲Saceruela, Sierra de 107 Vc114
Sacos (Pon) 15 Rd93
Sacramenia (Seg) 57 Wa100 ✉40237
Sacramento (Sev) 157 Ua126 ✉41729
▲Sacratif, Cabo 161 Wd128
Sacristía, La (Gra) 139 Xc122
Sada (Cor) 3 Re88 ✉15160
Sada (Nav) 25 Yd93 ✉31491
☆Sada, Palacio de 25 Ye94
Sádaba (Zar) 43 Ye95
Sadernes (Gir) 48 Cd95 ✉17855
Saderra (Bar) 48 Cb96 ✉08573
Sadurnín (Our) 33 Rf95
Saelices (Cue) 91 Xb109 ✉16430
Saelices de la Sal (Gua) 77 Xe103 ✉19443
Saelices del Payuelo (Leó) 19 Ue93
Saelices del Río (Leó) 20 Uf94
Saelices de Mayorga (Vall) 37 Ue95 ✉47689
Saelices el Chico (Sal) 70 Tc104 ✉37592
▲Safor, Serra de la 129 Ze115
Saga, La (Nav) 42 Yd94
Sagallos (Zam) 35 Td97 ✉49594
Saganta (Hues) 44 Ad97 ✉22572
☆Sagardillo, Castillo de 44 Zc95
Sagarillo (Hues) 44 Zd95
S'Agaró (Gir) 49 Da98
▲S'Agaró, Platja de 49 Da98
Sagarras Altas (Hues) 44 Ad96 ✉22585
Sagarras Bajas (Hues) 44 Ad96 ✉22585
Sagàs (Bar) 47 Bf96
Sagaseta (Nav) 25 Yc91 ✉31486
Sagastieta = Manzanos (Ála) 23 Xa92
Sagides (Sor) 59 Xe102 ✉42259
Sagos (Sal) 71 Ua103 ✉37448
▲Sagra 140 Xc121
Sagra (Ali) 129 Zf116 ✉03795
▲Sagra, Peña 8 Vd90
▲Sagra, Sierra de la 140 Xc121
Sagrada, A (Pon) 15 Rd93
Sagrada, La (Sal) 54 Ua102
Sagrada, La (Sal) 71 Tf104
☆Sagrado, Monumento al (Ten) 172 C2
☆Sagrado Corazón, Ermita de 23 Xd90
Sagrajas (Bad) 119 Ta115 ✉06181
Sagrera, la (Bar) 66 Cb99 ✉08187
▲Sagres, Illas 14 Qf93
Sagunto/Sagunt (Val) 95 Ze110
Sahagún (Leó) 37 Uf94
Sahechores de Rueda (Leó) 19 Ue93
Sahelicejos (Sal) 71 Te102
Sahuco, El (Alb) 126 Xf116 ✉02127
▲Sahuco, Sierra del 126 Xf116
Sahugo, El (Sal) 70 Tc106 ✉3751
Sahún (Hues) 28 Ac93
▲Sahún, Collado de 26 Ac93
Saigots (Nav) 25 Yc91 ✉31639
Saja (Can) 9 Ve90 ✉39517
≈Saja, Río 9 Ve89
Sajazarra (Rio) 23 Xa93 ✉26212
Sal (Zar) 43 Ye97
≈Sal, Laguna de 150 Ue124
≈Sal, Laguna de la 109 We112
▲Sal, Puerto de la 134 Ua121
▲Sal, Punta de la (Ten) 173 B2
▲Sal, Punta de la (Palm) 174 D3
▲Sal, Sierra de la 157 Ub129
☆Sal, Torre del 137 Vd122
Sala (Hues) 28 Ac94 ✉22451
Sala, la (Gir) 49 Da96 ✉17133
☆Sala, la 65 Bd99
▲Salada 94 Zb109
≈Salada, Cala (Bal) 97 Bb114
Salada, La (Sev) 150 Vb125 ✉41560
≈Salada, La 61 Zb99
▲Salada, La 94 Yf110
≈Salada, Laguna 157 Te129
≈Salada, Riera 47 Bc96
≈Salada Grande, Laguna 62 Ze102
≈Saladar, Laguna del 127 Yd116
Saladar de López, El (Ali) 143 Zb120
Saladar y Leche (Alm) 163 Xf127 ✉04114
Saladavieja (Mál) 165 Ue130 ✉29693
Salades, les (Ali) 128 Zc119
▲Salades, Les Fonts (Bal) 99 Da109
☆Sala-d'heures 48 Cb97
Saladilla, Cortijo de la (Córd) 150 Va123
Saladilla, Cortijo de la (Sev) 149 Ue125
≈Saladillo, Arroyo 150 Uf124
Saladillo, Cortijo del (Gra) 152 Wb124
Saladillo, Cortijo del (Gra) 140 Xd121
Saladillo, El (Mál) 165 Uf130 ✉29688
≈Saladillo, Ensenada del 165 Ud132
▲Saladillo, Plano del 62 Zf101
Salado (Mur) 142 Yf119 ✉30648
≈Salado, Arroyo 157 Ua127
≈Salado, Arroyo 149 Uc126
≈Salado, Arroyo 137 Ve121
≈Salado, Arroyo 54 Uc99
≈Salado, Arroyo del 137 Vf122
Salado, El (Córd) 151 Ve124 ✉14800
▲Salado, El 80 Ze103
≈Salado, Río 164 Tf130
≈Salado, Río 164 Tf131
≈Salado, Río 77 Xe103
≈Salado de Arjona, Río 137 Vf121
≈Salado de Gilena, Arroyo 150 Uf124
≈Salado de Jarda, Arroyo 149 Ue124
≈Salado de Paterna, Arroyo 157 Ua129
Salamanca (Sal) 72 Uc103 ✉*37001
Salamedia (Zam) 54 Ub99
Salamir (Ast) 6 Te87 ✉33155
Salamón (Leó) 19 Uf91
Salar (Gra) 151 Vf126 ✉18310
≈Salar, Arroyo de 151 Vf126
Salardú (Lle) 28 Af92
Salares (Mál) 160 Vf127 ✉29714
Salares, Caserío de los (Pal) 39 Vf97
▲Salares, Los 142 Yd122
Salarsa (Gir) 30 Cc95 ✉17867
Salas (Ast) 6 Te88 ✉33860
≈Salas, Encoro de 33 Sa97
Salas, Las (Leó) 20 Uf91 ✉24990
≈Salas, Río 33 Sb97
Salas Altas (Hues) 45 Aa96 ✉22314
Salas Bajas (Hues) 45 Aa96 ✉22314
Salas de Bureba (Bur) 22 Wd92 ✉09593
Salas de la Ribera (Leó) 17 Tb94 ✉24384
Salas de los Infantes (Bur) 40 We96 ✉09600
Salàs de Pallars (Lle) 46 Af95
Salazar (Bur) 22 Wc91 ✉09556
≈Salazar, Río 25 Yf92
▲Salazar, Valle de 25 Yf92

Salazar de Amaya (Bur) 21 Ve93
⊠09136
Salbantone = Salmantón (Ála)
22 Wf90
Salce (Ast) 8 Va88 ⊠33555
Salce (Leó) 18 Tf91 ⊠24132
Salcé (Sal) 53 Te101
Salceda (Can) 20 Vd90 ⊠39557
Salceda, Convento de la
76 Xa105
Salceda, La (Seg) 74 Wa102
⊠40171
Salceda de Caselas (Pon) 32 Rc96
⊠36473
Salcedillo (Pal) 21 Ve91 ⊠34829
Salcedillo (Ter) 79 Yf103 ⊠44793
Salcedo (Ast) 7 Ub88
Salcedo 6 Ua89
Salcedo (Lug) 16 Sd93 ⊠27338
Salcedo (Can) 21 Wa91
Salcedo, Cortijo de (Jaé)
138 Wb119
Salcidos (Pon) 32 Ra97 ⊠36789
Saldaña (Pal) 20 Vb93 ⊠34100
Saldaña de Ayllón (Seg) 58 Wd100
Saldaña de Burgos (Bur) 39 Wb95
⊠09620
Saldeana (Sal) 70 Tc102 ⊠37259
Saldes (Bar) 47 Be95 ⊠08697
☆Saldes, Castell de 47 Be95
≈Saldes, Riu de 47 Be95
Saldet (Gir) 49 Da96 ⊠17473
Saldias (Nav) 24 Yb90 ⊠31747
Saldise (Nav) 24 Yb91 ⊠31172
Saldoira (Lug) 5 Se88
Saldón (Ter) 93 Yd107
Salduero (Sor) 40 Xb97 ⊠42156
Salelles (Bar) 47 Be98
Salem (Val) 128 Zd115 ⊠46843
▲Salema, Punta (Ten) 172 C6
Salentinos (Leó) 18 Td92 ⊠24479
Saler, el (Val) 114 Ze112
▲Saler, Platja del 114 Ze112
Saleres (Gra) 161 Wc127 ⊠18658
Sales (Ast) 7 Ue88 ⊠33327
Sales (Cor) 15 Rc92 ⊠15885
☆Sales, Castell de 48 Cd95
Sales de Llierca (Gir) 48 Cd95
⊠17853
▲Salfaraf 125 Xb118
Salgar, Cortijo de (Sev) 148 Tf125
Salgüero de Juarros (Bur) 39 Wd95
Salgüero del Sauce (Bur) 39 Wc95
≈Salgueira, Río 15 Sa91
Salgueiral (Pon) 15 Rc94
Salgueiras (Cor) 2 Rb90
Salgueiro (Our) 33 Sa97
▲Salgueirón, Pico 32 Rc95
Salgueiros (Pon) 15 Re92
Salgueiros (Lug) 16 Sb92 ⊠27568
≈Salicor, Laguna de 109 Wf112
Salido Bajo (Jaé) 138 Wd119
Saliencia (Leó) 18 Tf90
≈Saliencia, Embalse de 18 Te90
▲Saliente, Sierra del 154 Xf123
Saliente Alto (Alm) 154 Xf123
⊠04813
Salientes (Leó) 18 Te91 ⊠24495
Salillas (Hues) 44 Ze97 ⊠22110
Salillas de Jalón (Zar) 61 Ye99
≈Salime, Encoro de 5 Ta90
Salina de Cuesta Paloma (Córd)
137 Vd122
Salinas (Ali) 128 Za117 ⊠03638
Salinas (Ast) 6 Ua87 ⊠33400
▲Salinas (Palm) 175 D2
Salinas (Hues) 27 Ab93
Salinas (Cue) 92 Ya106
Salinas, Cortijo de (Mur) 141 Ya121
≈Salinas, Laguna de 128 Za117
≈Salinas, Laguna de las 36 Uc98
Salinas, Las (Alm) 162 Xc128
Salinas, Las (Mur) 142 Ye121
Salinas, Las (Ali) 128 Za117
Salinas, Las (Palm) 176 D3
⊠35259
Salinas, Las (Vall) 55 Va101
Salinas, Las (Cue) 92 Ya110
▲Salinas, Playa de 6 Ua87
▲Salinas, Punta (Ten) 171 C2
▲Salinas, Sierra de 127 Yf118
▲Salinas, Sierra de 43 Zb94
▲Salinas, Sierra de 45 Aa96
▲Salinas, Sierra de las 158 Uf128
Salinas de Añana (Ála) 23 Wf92
⊠01426
Salinas de Bacuta (Huel)
147 Ta125
Salinas de Don Marcos, Cortijo
(Jaé) 153 Xa123
Salinas de Hoz (Hues) 45 Aa96
⊠22312
Salinas de Ibargoiti (Nav) 25 Yd92
⊠31472
Salinas de Jaca (Hues) 43 Zb94
⊠22822
Salinas del Manzano (Cue)
93 Yc108 ⊠16317
Salinas de Medinaceli (Sor)
59 Xd102 ⊠42240
Salinas de Oro (Nav) 24 Ya92
⊠31175
Salinas de Pamplona (Nav)
24 Yb92 ⊠31191
Salinas de Pinilla (Alb) 125 Xc115
Salinas de Pisuerga (Pal) 21 Vd91
⊠34830
Salinas de Rosío (Bur) 22 Wd91
Salinas de Trillo (Hues) 45 Ab95
⊠22438
▲Salinas y Arenales de San Pedro,
Parque Regional de las
143 Zb122
Salinera, Cortijo (Sev) 149 Uc123
▲Salines, Cap de ses (Bal)
99 Da113
☆Salines, Ermita de les 31 Ce94
Salines, Ses (Bal) 96 Ea108
Salines, Ses (Bal) 99 Da112
▲Salines de Santa Pola, Parque
Natural de les 143 Zb119
≈Salineta, Laguna de la 62 Zf100
Salinetes (Ali) 128 Zb118
Salinillas (Cád) 157 Ub129
Salinillas de Buradón (Ála) 23 Xb93
Salinillas de Bureba (Bur) 22 Wd93
⊠09247
Salionç (Gir) 49 Cf98 ⊠17320
☆Salitre, Cueva del 9 Wb89
Sallabente (Gui) 11 Xd89
Sallent (Lle) 46 Bb95
Sallent (Bar) 47 Bf98 ⊠08650
Sallent, el (Gir) 48 Cd96 ⊠17811
Sallent de Gállego (Hues) 26 Ze92
Sallent de Solsonès (Lle) 46 Bc97
Salmantón = Salbantone (Ála)
22 Wf90
Salmella (Tar) 64 Bc100
Salmerón (Mur) 141 Yb119
Salmerón (Gua) 76 Xc105
Salmerón, Cortijo de (Jaé)
138 Wd121
Salmeroncillos (Cue) 76 Xc106
Salmeroncillos de Abajo (Cue)
76 Xc105 ⊠16813
Salmeroncillos de Arriba (Cue)
76 Xc105 ⊠16813
▲Salmor, Roque (Ten) 173 C2
Salmoral (Sal) 72 Ue104 ⊠37314
☆Salnitre, Cova del 65 Bf99
Salo (Bar) 47 Bd97 ⊠08269
Salobral (Ávi) 73 Vb105 ⊠05520
Salobral, El (Córd) 151 Ve123
Salobral, El (Alb) 126 Ya115
⊠02140
≈Salobral, Laguna del 109 We111
▲Salobral, Lomas de 126 Ya116
Salobralejo (Ávi) 73 Va105
⊠05530
Salobralejo, El (Alb) 127 Yd115
Salobral-Gascones (Ter) 78 Ye103
Salobrares, Los (Mur) 155 Yb123
Salobre (Alb) 125 Xc117 ⊠02316
≈Salobre, Embalse de 23 Xd94
≈Salobre, Río 125 Xc117
Salobreja, Cortijo de la (Jaé)
139 Wf121
Salobreja, La (Jaé) 138 Wc120
≈Salobrejo, Laguna del 127 Yd115
Salobreña (Gra) 161 Wc128
⊠18680
Salomó (Tar) 65 Bc101
▲Salomón, Altos de 128 Za115
Salón, Cortijo (Jaé) 139 Wf122
≈Salor, Embalse del 104 Te112
☆Salor, Ermita del 105 Te112
≈Salor, Río 105 Tf113
▲Salòria, Pic de 29 Bc93
Salorino (Các) 103 Sf112 ⊠10570
≈Salorino, Embalse de 103 Sf112
Salou (Tar) 64 Ba102 ⊠43840
▲Salou, Cap de 64 Ba102
Salselles (Bar) 47 Ca96
Salt (Gir) 49 Ce97 ⊠17190
Salt, el (Ali) 128 Zc116 ⊠03818
Saltadero, El (Gra) 161 We128
Saltadero Bajo, Cortijos (Jaé)
152 Wb123
Saltador, El (Alm) 155 Ya124
☆Saltadora de la Valltorta, la
80 Aa106
Saltador Bajo, El (Alm) 163 Ya126
⊠04149
Salteras (Sev) 148 Tf124 ⊠41909
▲Saltes, Isla del 147 Ta125
▲Saltillo, Sierra del 105 Te114
Salto (Cor) 3 Re89
Salto, El (Ten) 172 D5 ⊠38617
▲Salto, Playa del (Ten) 173 C2
Salto de Aldeadávila (Sal)
53 Tb101
Salto de Castro (Zam) 54 Tf99
⊠49511
Salto del Esla (Zam) 54 Ua99
Salto del Lobo (Zar) 43 Zb96
Salto del Negro (Mál) 160 Ve127
⊠29718
Salto del Oso (Can) 10 Wd89
⊠39800
Salto de Millares (Val) 113 Zb113
⊠46198
Salto de Saucelle (Sal) 70 Tb102
⊠37257
Salto de Villalba (Cue) 92 Xf107
Salto de Villalcampo (Zam)
54 Tf100 ⊠49166
☆Saltor 48 Cb95
☆Salud, Ermita de la 89 Vd106
Saludada, Cortijo de la (Gra)
139 Xb121
Saludes de Castroponce (Leó)
36 Ub96 ⊠24796
☆Salut, la 31 Cf95
☆Salut, la 48 Cd96
Salut, la (Bar) 66 Ca99
Salvacañete (Cue) 93 Yd108
⊠16318
▲Salvada, Sierra 22 Wf90
Salvadiós (Ávi) 73 Uf103
☆Salvador, Ermita de El 95 Ze109
☆Salvador, Torre del 93 Yf106
Salvador de Zapardiel (Vall)
55 Va102 ⊠47219
Salvadoríquez (Sal) 72 Ub103
▲Salvaje, Punta del (Palm) 175 D2
▲Salvajita, Playa de (Ten) 172 B2
Salvarejo y Reverte (Mur)
141 Ya123
Salvaterra do Miño (Pon) 32 Rd96
☆Salvatierra, Castillo de
123 Wb116
▲Salvatierra, Sierra de 119 Tb118
Salvatierra de Escá (Zar) 25 Yf92
Salvatierra de los Barros (Bad)
119 Tb118 ⊠06175
Salvatierra de Santiago (Các)
105 Tf113 ⊠10189
Salvatierra de Tormes (Sal)
72 Uc105 ⊠37779
Salvatierra o Agurain (Ála) 23 Xd91
▲Sálvora, Illa de 14 Qf94
Salzadella, la (Cas) 80 Ab106
⊠12186
Salze, el (Ali) 128 Zb116
Sama (Ast) 6 Tf89
Sama (Ast) 7 Ub89
Samagán (Ast) 5 Ta88
≈Samai, Río de 16 Sb91
≈Samán, Ibón de 26 Zd92
Samaniego (Ála) 23 Xb93 ⊠01307
Samasa, La (Sal) 54 Ua102
⊠37116
Samasita, La (Sal) 54 Tf102
⊠37116
Sambana, Cortijo (Cád) 165 Ud130
Sambellín (Sal) 72 Ud104
Samboal (Seg) 56 Vd101 ⊠40442
Sambreixo (Lug) 15 Sa91
Sambudio, El (Córd) 151 Ve123
Sames (Ast) 7 Uf89 ⊠33558
Samiano (Bur) 23 Xb92 ⊠09216
▲Samil, Praia de 32 Rb95
▲Samión, Altos de 34 Sd95
Samir de los Caños (Zam) 54 Tf98
⊠49513
Samitier (Hues) 45 Ab95 ⊠22394
≈Samo, Río 15 Rd90
▲Samont, Tuc de 28 Af92
Samos (Lug) 16 Se92
Samper (Hues) 27 Ab94 ⊠22452
Samper de Calanda (Ter) 62 Zd101
⊠44520
Samper del Salz (Zar) 61 Za101
Samprizón (Our) 15 Rf93
Sanabria, Cortijo de (Sev)
149 Ub125
≈Sanabria, Lago de 35 Tb96
San Adrián (Nav) 42 Ya94
☆San Adrián, Ermida de 2 Ra88
☆San Adrián, Ermita de 24 Ya92
☆San Adrián, Ermita de 24 Xf91
☆San Adrián, Ermita de 26 Zc92
San Adrián de Juarros (Bur)
39 Wd95
San Adrián del Valle (Leó) 36 Ub96
☆San Adriano, Ermida de 4 Sc88
☆San Agustí 47 Bd98
San Agustín (Alm) 162 Xb128
☆San Agustín 23 Xc90
San Agustín (Palm) 174 C4
San Agustín (Cas) 94 Zb108
☆San Agustín, Convento de
149 Ud125
☆San Agustín, Convento de
111 Yb111
☆San Agustín, Ermita de (Palm)
175 E2
☆San Agustín, Ermita de 8 Va88
☆San Agustín, Ermita de 76 Xa105
▲San Agustín, Playa de (Palm)
174 C4
San Agustín de Guadalix (Mad)
75 Wc104
San Agustín del Pozo (Zam)
36 Uc97
Sanahuja = Sanaüja (Lle) 46 Bb97
☆San Alberto, Ermida de 14 Ra93
San Amador (Bad) 118 Se118
☆San Amancio 78 Yb103
San Amaro (Cor) 15 Re90
San Amaro (Our) 33 Rf94
☆San Amaro, Ermida de 34 Se97
San Ambrosio (Cád) 164 Tf131
⊠11150
San Andrés (Córd) 136 Vc120
San Andrés (Lug) 16 Sd90
San Andrés (Can) 20 Vc90
San Andrés (Can) 21 Vf91
San Andrés (Ten) 173 C2
San Andrés (Palm) 174 C2
San Andrés (Ten) 171 C2
San Andrés (Ten) 173 F2
San Andrés (Rio) 41 Xc96
San Andrés (Vall) 56 Vc98
≈San Andrés, Ensenada de 3 Rf86
☆San Andrés, Ermita de
123 Wb118
≈San Andrés, Río 76 Xa105
▲San Andrés, Sierra de
123 Wb118
☆San Andres Apóstol (Bal)
99 Da112
San Andrés da Ribeira (Lug)
16 Sc91
San Andrés de Arroyo (Pal)
21 Vd92
San Andrés de la Regla (Pal)
20 Va93
San Andrés del Congosto (Gua)
76 Wf103
San Andrés del Rabanedo (Leó)
19 Uc93 ⊠24010
San Andrés del Rey (Gua)
76 Xb105
San Andrés de Montearados (Bur)
21 Wa92
San Andrés de Montejos (Leó)
17 Tc93
San Andrés de San Pedro (Sor)
41 Xe97
San Andrés de Soria (Sor) 41 Xd97
San Andrés de Teixido (Cor)
3 Sa86
San Andrés y Sauces (Ten) 171 C2
San Antolín (Ast) 17 Ta90
☆San Antolín, Ermita de 11 Xb89
☆San Antolín de Bedón 8 Va88
San Antón (Sev) 150 Uf123
☆San Antón 121 Uf115
San Antón (Alb) 112 Yc112
San Antón (Bur) 39 Vf95
San Antón (Rio) 40 Wf95
☆San Antón 58 We101
☆San Antón 60 Yb102
☆San Antón, Castelo de 3 Rd88
☆San Antón, Ermita de 153 Xa126
☆San Antón, Ermita de 124 We115
☆San Antón, Ermita de 124 Wf116
☆San Antón, Ermita de 123 Ve114
☆San Antón, Ermita de 103 Sf112
☆San Antón, Ermita de 77 Ya105
☆San Antón, Ermita de 91 Xa106
☆San Antón, Ermita de 90 We110
☆San Antón, Ermita de 91 Xa110
▲San Antón, Puerto de 24 Ya90
≈San Antón, Río 21 Wb93
☆San Antonín, Ermita de
151 Vf123
San Antonino (Ast) 6 Tf88
San Antoniño (Pon) 14 Rc93
⊠36194
☆San Antonio 165 Ue133
San Antonio (Gra) 153 Wf125
San Antonio (Sev) 148 Te124
San Antonio (Bad) 134 Td120
San Antonio (Ali) 129 Aa116
⊠03590
San Antonio (Val) 112 Yf111
San Antonio (Alb) 110 Xd114
☆San Antonio 8 Vd89
☆San Antonio 8 Va88
San Antonio (Viz) 11 Xb89
San Antonio (Ten) 171 C3
San Antonio (Ten) 172 D3
San Antonio (Our) 33 Sb97
San Antonio (Tol) 88 Vb109
San Antonio (Tol) 89 Vf110
☆San Antonio 91 Wf107
☆San Antonio 95 Zd107
San Antonio, Cortijo de (Jaé)
138 Wb122
San Antonio, Cortijo de (Bad)
120 Tf117
☆San Antonio, Ermida de 14 Rc90
☆San Antonio, Ermita de
152 Wb124
☆San Antonio, Ermita de
142 Yd122
☆San Antonio, Ermita de 7 Ue89
☆San Antonio, Ermita de 23 Xa91
☆San Antonio, Ermita de 36 Uc95
☆San Antonio, Ermita de 39 Wc98
☆San Antonio, Ermita de 44 Ad96
☆San Antonio, Ermita de 79 Zd106
☆San Antonio, Ermita de 93 Ye110
☆San Antonio, Ermita de 95 Zd109
☆San Antonio, Poblado ibérico
63 Ab102
☆San Antonio, Santuario de
23 Xc90
▲San Antonio, Sierra de 40 We95
San Antonio Abad (Mur) 142 Yf123
San Antonio de Benagéber (Val)
113 Zd111 ⊠46184
☆San Antonio del Cerro, Ermita de
74 Ve104
San Antonio del Fontanar (Sev)
149 Ue126
San Asenjo (Sor) 40 We98
San Asensio (Rio) 23 Xb94
⊠26340
San Asensio los Cantos (Rio)
40 Xa94
Sanatorio (Bar) 66 Ca99
Sanatorio de Agramonte (Zar)
42 Yb98
Sanatorio de San Juan de Dios
(Pal) 38 Vc97
Sanatorio de Santa Teresa (Ávi)
73 Vb105
Sanatorio Martínez Anido (Sal)
72 Ub103
Sanaüja (Lle) 46 Bb97
▲San Bartolo 18 Tf93
San Bartolomé (Ali) 142 Za120
San Bartolomé (Jaé) 138 We120
San Bartolomé (Jaé) 137 Ve122
San Bartolomé (Córd) 121 Uf118
▲San Bartolomé 24 Ya93
☆San Bartolomé 26 Zc94
San Bartolomé (Palm) 174 C2
☆San Bartolomé 44 Ac98
☆San Bartolomé 61 Ye102
▲San Bartolomé 61 Ye101
☆San Bartolomé 78 Ye103
San Bartolomé, Caserío (Cas)
94 Zd107
☆San Bartolomé, Ermida de
2 Ra90
☆San Bartolomé, Ermita de
121 Uf118
☆San Bartolomé, Ermita de
106 Ue114
☆San Bartolomé, Ermita de
105 Tf114
☆San Bartolomé, Ermita de
23 Xc93
☆San Bartolomé, Ermita de
24 Xf93
☆San Bartolomé, Ermita de
24 Ya91
☆San Bartolomé, Ermita de
25 Ye93
☆San Bartolomé, Ermita de
26 Ze93
☆San Bartolomé, Ermita de
41 Xc95
☆San Bartolomé, Ermita de
42 Ya98
☆San Bartolomé, Ermita de
44 Ad95
☆San Bartolomé, Ermita de
58 Wf98
☆San Bartolomé, Ermita de
79 Zc106
☆San Bartolomé, Ermita de
91 Xb107
☆San Bartolomé, Ermita de
92 Xe108
☆San Bartolomé, Ermita de
92 Xe109
☆San Bartolomé, Monasterio de
76 Wf105
San Bartolomé de Béjar (Ávi)
72 Uc106
San Bartolomé de Corneja (Ávi)
72 Ud106
≈San Bartolomé de Ejea, Embalse
de 43 Yf95
San Bartolomé de Geneto (Ten)
173 F3
San Bartolomé de las Abiertas (Tol)
88 Vb110
San Bartolomé de la Torre (Huel)
147 Sf124
☆San Bartolomé del Monte, Ermita
de 148 Ua124
San Bartolomé de los Montes (Can)
10 Wd89
San Bartolomé de Meruelo (Can)
10 Wc88
San Bartolomé de Pinares (Ávi)
73 Vc105
San Bartolomé de Rueda (Leó)
19 Ue92
San Bartolomé de Tirajana (Palm)
174 C3
San Bartolomé de Tirajanal (Palm)
174 C3
San Bartolomé de Tormes (Ávi)
87 Ue106
☆San Bascués, Ermita de 44 Zf96
☆San Baudilio, Ermita de 58 Xb100
San Benito (Val) 127 Yf115
⊠46621
San Benito (Ciu) 122 Vb117
⊠13415
▲San Benito 15 Re93

☆San Benito, Ermita de 134 Ua 122
☆San Benito, Ermita de 110 Xb 111
☆San Benito, Ermita de 57 Wd 101
☆San Benito, Ermita de 79 Zb 106
≈San Benito, Laguna de 127 Yf 115
▲San Benito, Monte 134 Td 121
☆San Benito, Santuario de 133 Sf 123
▲San Benito, Sierra de 57 Wd 102
San Benito de la Contienda (Bad) 118 Sf 117 ⊠06106
San Benito de la Valmuza, Caserío (Sal) 72 Ub 103
San Bernabé (Cád) 165 Ud 132
☆San Bernabé, Cueva de 22 Wc 90
☆San Bernabé, Ermida de 17 Ta 92
☆San Bernabe, Ermita de (Ten) 172 C3
☆San Bernabé, Ermita de 23 Xc 91
☆San Bernabé, Ermita de 94 Zd 107
☆San Bernabé, Santuario de 10 Wd 89
▲San Bernabé, Sierra de 86 Ua 108
San Bernardino (Cád) 157 Ub 127
☆San Bernardino 61 Ye 101
☆San Bernardino, Ermita de 37 Uf 96
San Bernardo (Vall) 56 Ve 99 ⊠47359
San Bernardo (Các) 86 Te 108
San Bernardo (Tol) 89 Vf 109
☆San Bernardo, Convento de 57 Wa 99
☆San Bernardo, Convento de 73 Vb 103
☆San Bernardo, Ermita de 77 Xf 103
▲San Bernardo, Sierra de 134 Tf 119
San Blas (Mur) 143 Zb 122 ⊠30720
San Blas (Ciu) 122 Vd 117
☆San Blas 121 Ue 116
☆San Blas (Ten) 171 C3
San Blas (Zam) 35 Td 98 ⊠49524
▲San Blas 42 Ya 97
San Blas (Ter) 93 Ye 106 ⊠44195
San Blas, Cortijo de (Jaé) 125 Xc 118
☆San Blas, Ermita 108 Wa 111
☆San Blas, Ermita de 122 Va 115
☆San Blas, Ermita de 26 Ze 93
☆San Blas, Ermita de 37 Uf 98
☆San Blas, Ermita de 71 Te 103
☆San Blas, Ermita de 93 Ye 106
San Blas de Arriba, Caserío (Các) 105 Ua 110
☆San Braulio, Ermita de 62 Zc 101
☆San Buenaventura, Ermita de 24 Xf 91
San Calixto (Córd) 135 Ue 121 ⊠14749
▲San Caprasio 44 Zd 98
▲San Caprasio, Puerto de 45 Aa 95
≈San Carlos, Salinas de 157 Te 129
San Carlos del Valle (Ciu) 124 We 115 ⊠13247
San Cayetano (Sev) 149 Ub 123
San Cayetano (Mur) 142 Za 122
San Cebrián de Buena Madre (Pal) 38 Ve 96 ⊠34259
San Cebrián de Campos (Pal) 38 Vc 95
San Cebrián de Castro (Zam) 54 Ub 98
San Cebrián de Mazote (Vall) 55 Uf 98
San Cebrián de Mudá (Pal) 21 Vd 91
Sancedo (Leó) 17 Tc 92 ⊠24439
Sánchez, Cortijo de (Alm) 154 Ya 124
Sanchicorto (Ávi) 73 Va 105 ⊠05520
Sanchidrián (Ávi) 73 Vc 103
Sanchiricones (Sal) 71 Ua 104 ⊠37453
Sancho, Cortijo de (Jaé) 138 Wb 120
Sancho, Cortijo El (Cád) 165 Ud 130
Sancho Abarca (Zar) 43 Ye 97 ⊠50669
Sanchofruela (Seg) 57 Wc 101 ⊠40312
Sancho Gómez (Jaé) 139 Xa 122
Sanchogómez (Sal) 71 Ua 104
≈Sancho Gómez, Laguna de 110 Xa 112
▲Sancho Leza, Collado de 41 Xc 96
Sanchón de la Ribera (Sal) 53 Td 102
Sanchón de la Sagrada (Sal) 71 Tf 104
Sanchonuño (Seg) 56 Ve 101 ⊠40297
Sanchopedro (Seg) 57 Wb 102 ⊠40176
Sanchopedro de Abajo (Sal) 72 Ud 105
Sanchopedro de Arriba (Sal) 72 Ud 105
Sancho Rey, Caserío de (Ciu) 123 Wa 114
Sanchorreja (Ávi) 73 Va 105 ⊠05141
Sanchos, Los (Alm) 153 Xc 125 ⊠04540
Sanchotello (Sal) 72 Ub 106 ⊠37794
San Cibrán (Pon) 32 Rb 96
San Cibrao (Lug) 4 Sd 86
San Cibrao (Our) 34 Sf 95
San Cibrao = San Cibrau (Our) 34 Sd 97
San Cibrao das Viñas (Our) 33 Sa 95
San Cibrau = San Cibrao (Our) 34 Sd 97
San Cibrián (Leó) 19 Ue 91
San Cibrián de Ardón (Leó) 19 Uc 94
San Ciprián (Hues) 27 Ab 94
San Ciprián (Pon) 32 Rc 96
San Ciprián (Zam) 34 Ta 97
San Ciprián (Zam) 35 Tc 95
San Cipriano (Viz) 10 Wd 89 ⊠48891
San Cipriano del Condado (Leó) 19 Ud 93 ⊠24154
San Cipriano de Rueda (Leó) 19 Ue 93 ⊠24940
San Claudio (Ast) 6 Ua 88 ⊠33191
San Clemente (Cue) 110 Xd 112 ⊠16600
San Clemente (Ast) 7 Uc 87
☆San Clemente 61 Yf 101
≈San Clemente, Embalse de 139 Xc 121
San Clemente del Valle (Bur) 40 We 94 ⊠09268
San Clemente de Valdueza (Leó) 17 Tc 94
San Cosme (Lug) 5 Se 87
San Cosme, Santuario de (Hues) 44 Ze 95
San Cosme de Cusanca (Our) 15 Rf 93
▲San Cristóbal 124 Xa 117
▲San Cristóbal 23 Xd 92
☆San Cristóbal 24 Ya 92
San Cristóbal (Ten) 173 F2
San Cristóbal (Vall) 38 Vd 98
▲San Cristóbal 41 Xb 95
☆San Cristóbal 43 Zb 98
San Cristóbal (Vall) 56 Vb 99
▲San Cristóbal 58 Wf 100
▲San Cristóbal 59 Xd 99
☆San Cristóbal 60 Yb 101
☆San Cristóbal 61 Yf 102
☆San Cristóbal 77 Ya 104
▲San Cristóbal 78 Ye 104
☆San Cristóbal 78 Ye 102
☆San Cristóbal 78 Yd 105
☆San Cristóbal 78 Yf 103
▲San Cristóbal, Alto de 22 Wc 91
≈San Cristóbal, Arroyo de 54 Ub 101
San Cristóbal, Caserío (Ter) 94 Zb 108
☆San Cristóbal, Castillo de (Palm) 174 D2
☆San Cristóbal, Castillo de 63 Aa 102
☆San Cristóbal, Cruz de 91 Xb 109
☆San Cristóbal, Ermita 109 We 112
☆San Cristóbal, Ermita de 135 Ud 122
☆San Cristóbal, Ermita de 125 Xc 117
☆San Cristóbal, Ermita de 11 Xc 89
☆San Cristóbal, Ermita de 11 Xb 90
☆San Cristóbal, Ermita de 23 Xd 92
☆San Cristóbal, Ermita de 24 Xf 92
☆San Cristóbal, Ermita de 24 Xe 92
☆San Cristóbal, Ermita de 44 Ac 96
☆San Cristóbal, Ermita de 55 Va 100
☆San Cristóbal, Ermita de 60 Yb 99
☆San Cristóbal, Ermita de 78 Yc 105
☆San Cristóbal, Ermita de 79 Zc 105
☆San Cristóbal, Ermita de 78 Yd 103
☆San Cristóbal, Ermita de 78 Yb 105
☆San Cristóbal, Ermita de 79 Yf 106
☆San Cristóbal, Ermita de 93 Yc 107
☆San Cristóbal, Ermita de 93 Yd 109
☆San Cristóbal, Ermita de 94 Zd 109
☆San Cristóbal, Ermita de 94 Za 107
☆San Cristóbal, Ermita de 94 Zb 107
☆San Cristóbal, Fuerte de 24 Yc 91
▲San Cristóbal, Sierra de 106 Uc 113
▲San Cristóbal, Sierra de 76 Xb 106
San Cristóbal de Aliste (Zam) 35 Td 98
San Cristóbal de Almendrales (Bur) 22 Wd 91
San Cristóbal de Boedo (Pal) 21 Vd 93
San Cristóbal de Cuéllar (Seg) 56 Vd 100
San Cristóbal de Entreviñas (Zam) 36 Uc 96
San Cristóbal de la Cuesta (Sal) 72 Uc 102
San Cristóbal de la Laguna (Ten) 173 F2
San Cristóbal de la Polantera (Leó) 36 Ua 94
San Cristóbal de la Vega (Seg) 56 Vc 102
San Cristóbal del Monte (Can) 21 Vf 91
San Cristóbal del Monte (Bur) 40 Wf 94
San Cristóbal del Monte (Sal) 54 Uc 101
San Cristóbal de los Mochuelos (Sal) 71 Te 103
San Cristóbal de Segovia (Seg) 74 Vf 103
San Cristóbal de Trabancos (Ávi) 73 Uf 103
San Cristóbal de Valdueza (Leó) 17 Tc 94
San Cristobalejo (Sal) 71 Te 103
San Cristobo = San Cristovo (Our) 34 Se 97
San Cristovo (Lug) 4 Sc 86
San Cristovo = San Cristobo (Our) 34 Se 97 ⊠32551
San Cristovo de Cea (Our) 15 Sa 94
☆Sancti Espíritu, Ermita de 24 Xe 91
▲Sancti Petri 164 Te 130
Sancti Petri (Cád) 164 Te 130
≈Sancti Petri, Caño de 164 Te 130
☆Sancti Petri, Castillo de 164 Te 130
☆Sancti-Spiritu, Monestir de 114 Zd 110
Sancti-Spíritus (Bad) 121 Uf 115
Sancti-Spíritus (Sal) 71 Td 104
Sancti-Spíritus de Abajo (Các) 86 Tf 109
San Cucufate = Llanera (Ast) 6 Ua 88
Sandamendi (Viz) 10 Wf 89 ⊠48192
Sandamias (Ast) 6 Te 88 ⊠33129
☆San Daniel 60 Yb 101
▲Sándara, Montaña de (Palm) 174 B3
Sande (Our) 33 Rf 95
Sandias (Hues) 26 Ze 94
Sandiás (Our) 33 Sb 96
San Diego (Cád) 165 Ue 131
Sandín (Lug) 17 Sf 93
Sandín (Zam) 35 Td 96
Sando (Sal) 71 Tf 103
Sandoval de la Reina (Bur) 21 Vf 93 ⊠09124
☆San Emeterio 8 Vc 88
San Emiliano (Leó) 18 Ua 91 ⊠24144
San Enrique (Cád) 165 Ue 131
San Esteban (Ast) 5 Ta 89
San Esteban (Ast) 6 Te 89
San Esteban (Can) 9 Vf 88
San Esteban (Ast) 8 Vc 89
San Esteban (Bur) 39 Vf 95
San Esteban, Caserío (Các) 86 Tf 109
☆San Esteban, Ermita de 24 Yb 93
☆San Esteban, Ermita de 27 Ab 94
☆San Esteban, Ermita de 42 Ya 95
☆San Esteban, Ermita de 54 Ua 99
☆San Esteban, Ermita de 60 Yb 102
San Esteban de Gormaz (Sor) 58 We 99 ⊠42330
San Esteban de la Sierra (Sal) 71 Ua 105 ⊠37671
San Esteban de Litera (Hues) 45 Ab 97 ⊠22512
San Esteban del Mall (Hues) 44 Ad 95 ⊠22482
San Esteban del Molar (Zam) 36 Uc 97 ⊠49650
San Esteban de los Patos (Ávi) 73 Vc 104 ⊠05289
San Esteban del Valle (Ávi) 88 Va 107 ⊠05412
San Esteban de Nogales (Leó) 36 Ua 96 ⊠24760
San Esteban de Pravia (Ast) 6 Tf 87 ⊠33130
San Esteban de Valdueza (Leó) 17 Tc 93 ⊠24415
San Esteban de Villacalbiel (Leó) 36 Uc 94 ⊠24234
San Esteban de Zapardiel (Ávi) 73 Va 102 ⊠05229
Sanet y Negrals (Ali) 129 Zf 116 ⊠03769
☆San Fabián 60 Yc 101
San Facundo (Leó) 18 Td 93 ⊠24378
☆San Facundo y San Primitivo 37 Va 95
San Fagundo (Our) 15 Rf 94
San Felices (Rio) 23 Xa 93 ⊠26292
San Felices (Hues) 43 Zb 94
San Felices (Sor) 42 Xf 97 ⊠42113
San Felices de Castillería (Pal) 20 Vd 91
San Felices de los Gallegos (Sal) 70 Tb 103 ⊠37270
Sanfelices de Solana (Hues) 27 Zf 93
San Felipe (Palm) 174 C2 ⊠35413
☆San Felipe, Castelo de 3 Re 88
☆San Felipe, Castillo 163 Xf 128
▲San Felipe, Cerro de 77 Ya 106
☆San Felipe, Ermita de 126 Ya 119
▲San Felipe, Playa de (Palm) 174 C2
Sanfelismo (Leó) 19 Ud 93
☆San Feliu 48 Cc 97
San Feliú de Veri (Hues) 28 Ad 94
San Félix de la Valdería (Leó) 36 Tf 95
San Feliz (Ast) 6 Td 88
San Feliz (Ast) 7 Ud 88
San Feliz de las Lavanderas (Leó) 18 Ua 92 ⊠24397
San Feliz de Órbigo (Leó) 18 Ua 94
San Feliz de Torío (Leó) 19 Uc 92
San Fernando (Cád) 164 Te 130 ⊠11100
San Fernando (Palm) 174 C2
San Fernando (Sal) 71 Ua 103 ⊠37492
☆San Fernando, Castillo de 123 Wb 115
☆San Fernando, Ermida de 5 Sf 88
≈San Fernando, Laguna de 120 Ub 118
San Fernando de Henares (Mad) 75 Wc 106 ⊠28830
San Fiz (Cor) 4 Sb 86 ⊠15319
San Fiz (Our) 34 Sf 94
San Fiz de Asma (Lug) 16 Sb 93
San Francisco (Alm) 155 Ya 124 ⊠04600
San Francisco (Ast) 7 Ub 89 ⊠33610
☆San Francisco 8 Vc 89
☆San Francisco 14 Rb 94
☆San Francisco, Convento de 37 Ue 97
☆San Francisco, Ermita de 22 Wc 92
☆San Francisco, Ermita de (Palm) 175 E3
☆San Francisco, Monasterio de 127 Ye 118
▲San Francisco, Praia de 14 Qf 92
San Francisco de Olivenza (Bad) 118 Sf 116 ⊠06109
☆San Fructuoso 9 Ve 89
☆San Frutos 57 Wa 100
☆San Frutos, Ermita de 57 Wa 101
San Fulgencio (Ali) 143 Zb 120 ⊠03177
☆San Gabriel, Castillo de (Palm) 176 C4
☆San Galindo 90 Wd 107
Sangarcía (Seg) 74 Vd 103
San García de Ingelmos (Ávi) 73 Uf 104
Sangarrén (Hues) 44 Zd 96
☆San Gerudioso 42 Yb 98
☆San Gervasio, Ermita de 17 Tc 90
San Gil (Các) 86 Te 109 ⊠10690
San Ginés (Jaé) 137 Vf 120
▲San Ginés 122 Vb 117
☆San Ginés (Palm) 176 C4
☆San Ginés, Ermita de 118 Sf 118
☆San Ginés, Ermita de 23 Xb 93
▲San Ginés, Playa de 142 Ye 123
≈San Ginés, Río 23 Xc 93
San Ginés de la Jara (Mur) 143 Zb 123
▲San Glorio, Puerto de 20 Vb 90
≈Sangonera, Río 142 Ye 121
Sangonera La Verde (Mur) 142 Ye 121 ⊠30833
San Gonzalo (Ten) 173 E2
☆San Gonzalo, Ermida de 4 Se 87
Sangre, Cortijo La (Cád) 165 Ud 130
☆Sangre, La 89 Vd 106
▲San Gregorio 105 Ua 113
San Gregorio (Gui) 24 Xe 91 ⊠20211
☆San Gregorio 24 Ya 92
☆San Gregorio 43 Za 98
☆San Gregorio 44 Zd 97
☆San Gregorio 44 Zd 98
☆San Gregorio, Baños de 104 Tb 111
☆San Gregorio, Ermita de 153 Wf 125
☆San Gregorio, Ermita de 24 Yc 9
☆San Gregorio, Ermita de 38 Vc 9
☆San Gregorio, Ermita de 41 Xe 9
☆San Gregorio, Ermita de 44 Ac 9
☆San Gregorio, Ermita de 44 Ac 9
☆San Gregorio, Ermita de 60 Ya 101
☆San Gregorio, Ermita de 62 Zd 100
☆San Gregorio, Ermita de 63 Aa 9
☆San Gregorio, Ermita de 77 Yb 103
☆San Gregorio, Ermita de 78 Yd 104
≈Sangrera, Río 88 Vb 109
Sangüesa/Zangoza (Nav) 25 Ye 93
Sanguijuela (Mál) 158 Ue 128 ⊠29400
Sanguiñedo (Pon) 15 Rf 93 ⊠36518
Sanguñedo (Our) 34 Se 96
≈Sangusín, Río 71 Ua 106
☆San Hipólito, Ermita de 80 Ab 10
San Ignacio (Cád) 157 Te 129 ⊠11500
☆San Ignacio 8 Uf 89
San Ignacio (Mad) 74 Vf 105
San Ignacio del Viar (Sev) 148 Ua 123 ⊠41209
▲San Ildefonso, Cerro de 135 Uc 119
☆San Ildefonso, Ermita 90 Wd 110
San Ildefonso o La Granja (Seg) 74 Vf 103 ⊠40100
Sanín (Our) 33 Rf 95
☆San Isidre 95 Zf 109
San Isidro (Mur) 142 Yf 123 ⊠30397
☆San Isidro 121 Uc 116
San Isidro (Bad) 119 Td 117
San Isidro (Ten) 172 D5 ⊠38190
San Isidro, Cortijo de (Bad) 106 Uc 114
☆San Isidro, Ermita de 151 Vd 126
☆San Isidro, Ermita de 134 Td 119
☆San Isidro, Ermita de 123 Wa 115
☆San Isidro, Ermita de 123 Wc 115
☆San Isidro, Ermita de 122 Va 115
☆San Isidro, Ermita de 122 Ve 118
☆San Isidro, Ermita de 119 Td 117
☆San Isidro, Ermita de 109 Wf 111
☆San Isidro, Ermita de 105 Tf 114
☆San Isidro, Ermita de 25 Yd 94
☆San Isidro, Ermita de 58 Wd 99
☆San Isidro, Ermita de 90 Wd 107
☆San Isidro, Ermita de 91 Wf 107
☆San Isidro, Ermita de 92 Xe 107
☆San Isidro, Ermita de 92 Xf 109
☆San Isidro, Ermita de 94 Yf 110
▲San Isidro, Playas de 148 Te 126
▲San Isidro, Puerto de 19 Ud 90
≈San Isidro, Río de 19 Ud 90
San Isidro de Albatera (Ali) 143 Za 119 ⊠03349
San Isidro de Dueñas (Pal) 38 Vc 9 ⊠34208
San Isidro de Guadalete (Cád) 157 Ua 129 ⊠11594
San Isidro del Pinar (Nav) 25 Yd 94 ⊠31312
San Isidro de Níjar (Alm) 163 Xe 127
☆San Jacinto, Torre de 156 Td 128
San Janvier (Mur) 143 Za 122
San Jerónimo (Sev) 148 Ua 124
☆San Jerónimo 142 Yf 121
San Jerónimo (Huel) 133 Tc 121
☆San Jerónimo, Convento 40 We 98
☆San Jerónimo, Convento de 152 Wd 126
☆San Jerónimo, Monasterio de 136 Vb 122
☆San Jerónimo, Real Monasterio de 136 Va 121
San Joaquín (Cád) 164 Tf 130
San Jorde (Pal) 21 Vd 93
☆San Jorge 43 Yf 95
☆San Jorge 43 Za 95
☆San Jorge 44 Zd 96
San Jorge (Hues) 44 Zc 97 ⊠22283
☆San Jorge 61 Ye 102
San Jorge (Cas) 80 Ab 105 ⊠12320
☆San Jorge, Ermita de 24 Xf 93
☆San Jorge, Ermita de 61 Zb 101
☆San Jorge, Ermita de 62 Ze 100
☆San Jorge, Ermita de 63 Ab 101
☆San Jorge, Ermita de 79 Za 103

n Jorge de Alor (Bad) 118 Sf117 ✉06108
n José (Alm) 163 Xf128
n José (Palm) 174 D2
n José (Ten) 171 C3
San José 44 Zc98
San José 44 Ad95
San José 89 Vd109
n José = Breña Baja (Ten) 171 C3
San José, Castillo de (Palm) 176 C4
n José, Cortijo de (Gra) 60 Wb127
n José, Cortijo de (Bad) 120 Ua119
San José, Embalse de 55 Ue100
San José, Ermita 141 Yb119
San José, Ermita de 137 Vf120
San José, Ermita de 120 Ub116
San José, Ermita de 121 Uc116
San José, Ermita de 24 Yc93
San José, Ermita de (Ten) 172 C4
San José, Ermita de (Palm) 174 D3
San José, Ermita de 55 Va100
San José, Ermita de 79 Zd106
San José, Gruta de 95 Ze110
San José, Iglesia de (Ten) 172 D3
n José de la Rábita (Jaé) 151 Vf124
n José de la Rinconada (Sev) 148 Ua124
n José del Valle (Cád) 157 Ub129
San Josep 95 Zf109
San Josep, Cova de = San José, Gruta de 95 Ze110
n Joy (Mur) 142 Ye119
n Juan (Ali) 128 Za117 ✉03790
n Juan (Bad) 119 Tc117
n Juan (Val) 112 Ye111
n Juan (Can) 10 Wd89
n Juan (Viz) 23 Xb90
n Juan (Hues) 27 Ab94
n Juan (Ten) 171 C2
n Juan (Ten) 172 C4
n Juan (Bur) 39 Wc95
San Juan 44 Zf96
San Juan 79 Za104
n Juan (Các) 85 Tc107
n Juan (Mad) 89 Ve106
San Juan 90 Wd106
San Juan, Arroyo de 120 Tf116
San Juan, Castillo de 155 Yc124
n Juan, Cortijo (Mál) 150 Vc126
San Juan, Cuevas de 12 Yb89
San Juan, Embalse de 89 Ve106
San Juan, Ermida 16 Sc92
San Juan, Ermida de 33 Sa95
San Juan, Ermita de 158 Ud126
San Juan, Ermita de 122 Vc117
San Juan, Ermita de 5 Tb88
San Juan, Ermita de 6 Ua87
San Juan, Ermita de 12 Xf89
San Juan, Ermita de 23 Xc92
San Juan, Ermita de 23 Xb93
San Juan, Ermita de 23 Xb91
San Juan, Ermita de 24 Yb94
San Juan, Ermita de 24 Xe93
San Juan, Ermita de 24 Yb93
San Juan, Ermita de (Ten) 172 C1
San Juan, Ermita de 40 Wf96
San Juan, Ermita de 41 Xf95
San Juan, Ermita de 60 Ya99
San Juan, Ermita de 60 Yb101
San Juan, Ermita de 74 Vf105
San Juan, Ermita de 77 Xf103
San Juan, Ermita de 79 Zc104
San Juan, Ermita de 79 Zc105
San Juan, Ermita de 79 Yf105
San Juan, Ermita de 85 Tb110
San Juan, Muela de 78 Yb106
San Juan, Puerto de 122 Vc117
San Juan, Río de 120 Tf116
San Juan, Sierra de 158 Ue126
San Juan Bantista (Palm) 174 D2
San Juan Bautista, Basílica de 38 Vd97
San Juan de Amandi 7 Ud88
an Juan de Aznalfarache (Sev) 148 Tf124 ✉41920
San Juan de Cañicera, Ermita de 58 We98
an Juan de Castellanos, Caserío de (Pal) 39 Vf96
San Juan de Corias, Monasterio de 5 Tc89
an Juan de Énova (Val) 114 Zd114
San Juan de Gaztelugatxe, Ermita de 11 Xb88
an Juan de Gredos (Ávi) 87 Ue106 ✉05633
San Juan de la Cruz, Convento de 74 Vf103
San Juan de la Cuesta (Zam) 35 Tc96 ✉49321
San Juan de la Encinilla (Ávi) 73 Va104 ✉05358
San Juan de la Guarda (Vall) 55 Uf100
San Juan de la Mata (Leó) 17 Tc93 ✉24545
San Juan de la Nava (Ávi) 73 Vb106 ✉05111
☆San Juan de la Peña, Monasterio de 26 Zb93
▲San Juan de la Peña, Sierra de 26 Zb93
San Juan de la Rambla (Ten) 172 D3 ✉38420
San Juan del Flumen (Hues) 44 Ze98 ✉22213
San Juan del Molinillo (Ávi) 73 Vb106 ✉05120
San Juan del Monte (Bur) 57 Wc98 ✉09490
San Juan del Olmo (Ávi) 73 Uf105 ✉05145
San Juan de los Terreros (Alm) 155 Yc124 ✉04648
San Juan del Puerto (Huel) 147 Ta125 ✉21610
San Juan del Rebollar (Zam) 35 Td98 ✉49525
San Juan del Reparo (Ten) 172 C3 ✉38459
San Juan de Mozarrifar (Zar) 61 Zb98
San Juan de Muskiz (Viz) 10 Wf89
San Juan de Nieva (Ast) 6 Ua87 ✉33417
San Juan de Ortega (Bur) 39 Wd94 ✉09199
San Juan de Peñagolosa = Sant Joan de Penyagolosa (Cas) 95 Zd107
San Juan de Plan (Hues) 27 Ac93 ✉22367
☆San Juan de Priorio, Castillo de 6 Ua89
San Juan de Puntallana = Puntallana (Ten) 171 C2
San Juan de Raicedo (Can) 9 Vf89 ✉39451
San Juan de Torres (Leó) 36 Ua95 ✉24769
☆San Juan de Vilarello, Ermita de 17 Tb94
Sanjuanejo (Sal) 71 Td105
San Juanico el Nuevo (Zam) 36 Tf96 ✉49627
☆San Juanito, Mirador (Ten) 171 C2
San Juan Los Perales (Ten) 173 E2
San Julián (Mál) 159 Vd129
San Julián (Mur) 141 Yc122
San Julián (Jaé) 137 Ve120
☆San Julián, Capilla de 7 Uc90
☆San Julián, Ermita de 23 Xd91
☆San Julián, Ermita de 41 Xc95
☆San Julián, Ermita de 44 Zd95
☆San Julián, Ermita de 58 Wf99
▲San Julián, Playa de 10 Wd88
≈San Julián, Río 40 Wf94
San Julián de Banzo (Hues) 44 Zd95
San Julián de Basa (Hues) 26 Ze94
☆San Julián de los Prados 7 Ub88
☆San Just 79 Zb104
▲San Just, Puerto de 79 Za104
▲San Just, Sierra de 79 Zb104
San Juste (Hues) 27 Zf94 ✉22373
San Justo (Zam) 35 Tc96
☆San Justo, Capilla de 6 Ua88
San Justo de las Regueras (Leó) 19 Ud93 ✉24226
San Justo de la Vega (Leó) 18 Tf94 ✉24710
San Justo de los Oteros (Leó) 37 Ud94 ✉24225
☆San Lamberto 60 Yc102
☆San Lamberto, Ermita de 79 Zd106
San Lázaro, Cortijo de (Cád) 157 Ub127
☆San Lázaro, Ermita 153 Wf125
San Leandro (Sev) 157 Ua126
☆San Leonardo, Monasterio 72 Uc104
San Leonardo de Yagüe (Sor) 40 Wf98
☆San Lino 27 Aa94
San Llorente (Vall) 57 Vf98
San Llorente de la Vega (Pal) 38 Ve94 ✉34405
San Llorente del Páramo (Pal) 38 Vb94
≈San Lorenç, Bassa de 114 Ze113
San Lorenzo (Ast) 7 Uc87
San Lorenzo (Leó) 17 Tc93 ✉24415
San Lorenzo (Palm) 174 D2 ✉35018
San Lorenzo (Zam) 36 Ua98
▲San Lorenzo 39 Wb98
San Lorenzo (Hues) 44 Ad95
☆San Lorenzo 61 Ye102
San Lorenzo (Mad) 74 Vf105
San Lorenzo = San Lourenzo (Our) 34 Ta95
San Lorenzo, Caserío (Nav) 25 Yc93
☆San Lorenzo, Cuevas de 23 Xb90
☆San Lorenzo, Ermita de 112 Yd113
☆San Lorenzo, Ermita de 24 Xe92
☆San Lorenzo, Ermita de 24 Xe93
☆San Lorenzo, Ermita de 58 Xb98
☆San Lorenzo, Ermita de 77 Yb106
☆San Lorenzo, Ermita de 78 Ye104
☆San Lorenzo, Monasteiro = San Lourenzo, Mosteiro de 15 Re92
▲San Lorenzo, Playa de 7 Uc87
▲San Lorenzo, Sierra de 40 Xa95
San Lorenzo de Calatrava (Ciu) 123 Wb118 ✉13779
San Lorenzo de El Escorial (Mad) 74 Vf105 ✉28200
☆San Lorenzo de El Escorial, Monasterio de 74 Vf105
San Lorenzo de la Parrilla (Cue) 92 Xd109 ✉16770
San Lorenzo del Flumen (Hues) 44 Ze97 ✉22212
San Lorenzo de Mesterica (Viz) 11 Xb88
San Lorenzo de Pentes (Our) 34 Se97
San Lorenzo de Tormes (Ávi) 87 Ud106 ✉05696
San Lorién (Hues) 27 Ab94
San Lourenzo = San Lorenzo (Our) 34 Ta95
☆San Lourenzo, Mosteiro de = San Lorenzo, Monasteiro 15 Re92
Sanlúcar de Barrameda (Cád) 156 Td128
Sanlúcar de Guadiana (Huel) 146 Sd124
Sanlúcar la Mayor (Sev) 148 Te124
San Lucas, Cortijo de (Sev) 150 Uf125
☆San Luis, Castillo de 164 Te129
☆San Luis Bajo 44 Zd96
San Luis de Sabinillas (Mál) 165 Ue130 ✉29692
San Mamede (Cor) 15 Rd92
San Mamede (Lug) 16 Sb93
≈San Mamede, Río de 16 Sb93
▲San Mamede, Serra de 34 Sd95
San Mamede de Edrada (Our) 34 Se96
San Mamede de Ferreiros (Cor) 15 Re91
San Mames (Viz) 11 Xa89
San Mamés (Can) 20 Vd90
San Mamés (Hues) 27 Ac93
San Mamés (Leó) 36 Ua95
▲San Mamés 39 Vf96
San Mamés (Mad) 75 Wb103
☆San Mamés, Ermita de 7 Ud88
☆San Mamés, Ermita de 19 Uc91
☆San Mamés, Ermita de 27 Zf93
☆San Mamés, Ermita de 91 Xd106
☆San Mamés, Santuario de 36 Tf98
San Mames das Pontes de García Rodríguez (Cor) 4 Sb88
San Mamés de Abar (Bur) 21 Vf92
San Mamés de Burgos (Bur) 39 Wb95
San Mamés de Campos (Pal) 38 Vc94
San Mamés de Meruelo (Can) 10 Wc88
☆San Manuel, Ermita de 36 Tf96
☆San Marcial 12 Yb89
San Marcial (Zam) 54 Ub100 ✉49722
San Marcos (Cor) 3 Rf88
San Marcos (Viz) 11 Xc89
San Marcos (Cor) 15 Rd91
San Marcos (Ten) 172 C3 ✉38280
San Marcos (Hues) 45 Aa96
San Marcos (Các) 87 Ud109
▲San Marcos, Altos de 24 Ya93
☆San Marcos, Castillo de 157 Te129
☆San Marcos, Ermita de 110 Xb111
☆San Marcos, Ermita de 104 Td111
☆San Marcos, Ermita de (Ten) 172 B1
☆San Marcos, Ermita de 41 Xc95
☆San Marcos, Ermita de 41 Xf95
☆San Marcos, Ermita de 42 Xf98
☆San Marcos, Ermita de 71 Ua105
≈San Marcos, Río de 107 Vc113
▲San Marcos, Sierra de 59 Xc98
San Martin (Gui) 24 Xe90 ✉20211
San Martín (Jaé) 139 Xa121
San Martín (Ast) 6 Tf90
San Martín (Can) 9 Wa89
San Martín (Can) 10 Wc89
☆San Martín 11 Xa89
San Martín (Lug) 16 Sb92
San Martín (Viz) 23 Xa90
San Martín (Nav) 24 Xe92
San Martín (Hues) 28 Ad94
San Martín (Rio) 41 Xe95
▲San Martín 55 Va100
San Martín (Seg) 56 Ve101
☆San Martín 61 Ye102
San Martín (Sal) 70 Ta102
☆San Martín, Ermita de 11 Xb88
☆San Martín, Ermita de 11 Xb89
☆San Martín, Ermita de 23 Xb90
☆San Martín, Ermita de 23 Xb93
☆San Martín, Ermita de 24 Xf91
☆San Martín, Ermita de 44 Ze95
☆San Martín, Ermita de 62 Zc99
▲San Martín, La Cruz de 55 Uf100
☆San Martín, Monasterio de 38 Vd95
≈San Martín, Río 93 Yc110
≈San Martín, Río de 5 Ta89
≈San Martín, Río de 40 Wd96
☆San Martín, Torre de 93 Yf106
San Martín de Albaredos (Lug) 34 Se94
San Martín de Boniches (Cue) 93 Yc109
San Martín de Carral (Viz) 10 Wf89
San Martín de Castañeda (Zam) 35 Tb96
San Martín de Don (Bur) 22 We92
San Martín de Elines (Can) 21 Wa92
San Martín de Galvarín (Bur) 23 Xb92
San Martín de Hoyos (Can) 21 Vf91
San Martín de Humada (Bur) 21 Vf93
San Martín de la Cueza (Leó) 37 Va94
San Martín de la Falamosa (Leó) 18 Ua92
San Martín de la Fuente (Pal) 37 Va94
San Martín del Agostedo (Leó) 18 Tf94
San Martín de las Cabezas (Ávi) 73 Va104
San Martín de las Ollas (Bur) 21 Wb91
San Martín de la Tercia (Leó) 19 Ub91
☆San Martín de la Val de Onsera 44 Ze95
San Martín de la Vega (Mad) 90 Wc107
San Martín de la Vega del Alberche (Ávi) 72 Uf106
San Martín de la Virgen de Moncayo (Zar) 42 Yb97
San Martín del Camino (Leó) 18 Ub94
San Martín del Castañar (Sal) 71 Tf105
San Martín del Monte (Pal) 20 Vd93
San Martín del Obispo (Pal) 20 Vb93
San Martín de Losa (Bur) 22 We91
San Martín de los Herreros (Pal) 20 Vc91
San Martín del Pedroso (Zam) 53 Tc98
San Martín del Pimpollar (Ávi) 88 Uf106
San Martin del Rey Aurelio = Sotrondio (Ast) 7 Uc89
San Martín del Río (Ter) 78 Yd102
San Martín del Rojo (Bur) 22 Wc91
San Martín del Valle (Pal) 20 Vb94 ✉34116
San Martín de Mancobo (Bur) 22 Wd91
☆San Martín de Mondoñedo 4 Se87
San Martín de Montalbán (Tol) 107 Vd110
San Martín de Moreda (Leó) 17 Tb92
San Martín de Oscos (Ast) 5 Ta89
San Martín de Pusa (Tol) 88 Vc110
San Martín de Rubiales (Bur) 57 Wa99
San Martín de Tábara (Zam) 36 Tf98
San Martín de Torres (Leó) 36 Ua95
San Martín de Trevejo (Các) 85 Tb107
San Martín de Ubierna (Bur) 22 Wb93
San Martín de Unx (Nav) 25 Yc93
San Martín de Valdeiglesias (Mad) 89 Vd106
San Martín de Valdelomar (Can) 21 Vf92
San Martín de Valderaduey (Zam) 37 Ud98
San Martín de Valvení (Vall) 56 Vc98
San Martín de Zar (Bur) 23 Xb92
San Martiño (Our) 34 Sd94
San Martiño (Our) 34 Sf95
San Martiño (Our) 34 Sc97
≈San Martiño, Encoro de 34 Sf94
San Martino de Campre (Cor) 2 Rb89
San Martiño de Lanzós (Lug) 4 Sc88
San Martiño de Meis (Pon) 14 Rb94 ✉36637
San Martiño dos Condes (Lug) 16 Sb91
San Martín o el Tesorillo (Cád) 165 Ue130
▲San Martiño ou do Sur, Illa do 32 Ra95
San Mateo (Can) 9 Vf89 ✉39400
☆San Mateo 61 Zb102
San Mateo de Gállego (Zar) 43 Zb97
San Mateu = Sant Mateu (Cas) 80 Ab106
San Medel (Bur) 39 Wc95 ✉09199
San Medel (Sal) 72 Ub106 ✉37791
▲San Miguel 141 Yb119
San Miguel (Jaé) 139 We121 ✉23469
San Miguel (Huel) 133 Tb122
☆San Miguel 110 Xa112
San Miguel (Ast) 7 Ub90
San Miguel (Can) 9 Vf88
San Miguel (Can) 9 Vf89
☆San Miguel 8 Vc89
San Miguel (Viz) 11 Xb89
San Miguel (Viz) 11 Xb88
San Miguel (Lug) 16 Sc92
San Miguel (Pal) 21 Vd91
San Miguel (Ten) 172 D5
San Miguel (Our) 34 Se95
▲San Miguel 39 Vf95
☆San Miguel 61 Yf101
☆San Miguel 60 Yc101
San Miguel (Hues) 63 Ab98 ✉22549
☆San Miguel 78 Yb103
San Miguel (Mad) 90 Wc108
≈San Miguel, Arroyo 40 We97
≈San Miguel, Embalse de 133 Tb122
☆San Miguel, Ermita 62 Zf99
☆San Miguel, Ermita de 154 Ya124
☆San Miguel, Ermita de 150 Vc125
☆San Miguel, Ermita de 124 Wf116
☆San Miguel, Ermita de 111 Xf112
☆San Miguel, Ermita de 11 Xa89
☆San Miguel, Ermita de 24 Xf91
☆San Miguel, Ermita de 25 Yd94
☆San Miguel, Ermita de 27 Zf93
☆San Miguel, Ermita de 27 Aa93
☆San Miguel, Ermita de 37 Va96
☆San Miguel, Ermita de 38 Vb96
☆San Miguel, Ermita de 40 We97
☆San Miguel, Ermita de 43 Za94
☆San Miguel, Ermita de 58 Xb98
☆San Miguel, Ermita de 62 Zf98
☆San Miguel, Ermita de 62 Ze102
☆San Miguel, Ermita de 76 Xb103
☆San Miguel, Ermita de 79 Za105
☆San Miguel, Ermita de 92 Xf108
▲San Miguel, Sierra de 134 Ua120
▲San Miguel, Sierra de 24 Ya91
▲San Miguel, Sierra de 26 Za92
San Miguel de Aguayo (Can) 21 Vf90 ✉39491
San Miguel de Aras (Can) 10 Wc89 ✉39766
San Miguel de Asperones (Sal) 71 Tf105 ✉37607
San Miguel de Bernúy (Seg) 57 Wa100
San Miguel de Cinca (Hues) 45 Aa97 ✉22413
San Miguel de Corneja (Ávi) 72 Ue106 ✉05514
San Miguel de Cornezuelo (Bur) 21 Wb91 ✉09572
☆San Miguel de Escalada, Monasterio de 19 Ue93
☆San Miguel de Foces 44 Ze96
San Miguel de la Ribera (Zam) 54 Uc101 ✉49717
San Miguel del Arroyo (Vall) 56 Vd100 ✉47164
San Miguel de las Dueñas (Leó) 17 Tc93 ✉24398
☆San Miguel de las Victorias, Convento de 77 Xe106
San Miguel del Camino (Leó) 19 Ub93 ✉24391
San Miguel del Esla (Zam) 36 Uc96 ✉49691
San Miguel de Linares (Viz) 10 We89 ✉48879

San Miguel de Lomba (Zam) 35 Tb 96 ✉ 49396
San Miguel del Pino (Vall) 55 Va 99 ✉ 47132
San Miguel de Luena (Can) 21 Wa 90 ✉ 39687
San Miguel del Valle (Zam) 37 Ud 96 ✉ 49680
San Miguel de Meruelo (Can) 10 Wc 88 ✉ 39192
San Miguel de Montañán (Leó) 37 Ue 95
San Miguel de Neguera (Seg) 57 Wa 101 ✉ 40380
San Miguel de Pedroso (Bur) 40 We 94 ✉ 09258
San Miguel de Reinante (Lug) 5 Se 87
San Miguel de Salinas (Ali) 143 Zb 121 ✉ 03193
San Miguel de Serrezuela (Ávi) 72 Ue 104 ✉ 05150
San Miguel de Tajao (Ten) 173 E 5 ✉ 38588
San Miguel de Valero (Sal) 71 Ua 105 ✉ 37763
☆ San Miguel in Excelsis de Aralar, Santuario de 24 Ya 91
Sanmil (Our) 16 Sc 94
▲ San Millán 40 We 95
San Millán/Donemiliaga (Ála) 23 Xd 91
☆ San Millán, Ermita de 21 Vf 93
☆ San Millán, Ermita de 40 Xa 95
☆ San Millán, Ermita de 40 Xa 96
San Millán de Juarros (Bur) 39 Wc 95
San Millán de la Cogolla (Rio) 40 Xa 95
San Millán de Lara (Bur) 40 Wd 96
San Millán de los Caballeros (Leó) 36 Uc 95
San Millán de Yécora (Rio) 22 Wf 93
San Millao (Our) 33 Sc 97 ✉ 32688
☆ San Miquel 46 Af 95
☆ San Miquel, Ermita de 80 Aa 104
San Morales (Sal) 72 Ud 103 ✉ 37340
San Muñoz (Sal) 71 Tf 104 ✉ 37208
San Nicasio, Cortijo de (Tol) 109 Wd 112
San Nicolás, Cortijo de (Gra) 161 Wc 127
≈ San Nicolas, Embalse de (Palm) 174 B 3
San Nicolás del Moro (Gra) 153 Xb 125
San Nicolás del Puerto (Sev) 135 Uc 120
San Nicolás del Real Camino (Pal) 37 Va 94
San Nicolás de Tolentino (Palm) 174 B 3
▲ San Nomedio 32 Rd 96
San Pablo (Sev) 148 Ua 124
San Pablo (Cas) 80 Aa 106
San Pablo, Cortijo de (Sev) 149 Uc 125
☆ San Pablo, Ermida de 34 Se 95
☆ San Pablo, Ermita de 11 Xc 89
☆ San Pablo, Ermita de 59 Xe 99
☆ San Pablo, Ermita de 91 Xb 110
▲ San Pablo, Loma de 94 Yf 108
San Pablo de la Moraleja (Vall) 56 Vb 102 ✉ 47219
San Pablo de los Montes (Tol) 107 Ve 111 ✉ 45120
San Pablo o Buceite (Cád) 165 Ud 130
San Paio (Our) 33 Sb 97 ✉ 32816
San Paio (Pon) 32 Rc 95
San Pantaleón (Jaé) 137 Ve 121
☆ San Pantaleón, Convento de 92 Xf 107
San Pantaleón de Aras (Can) 10 Wd 88
San Pantaleón de Losa (Bur) 22 We 91
San Pantaleón del Páramo (Bur) 21 Wb 93
San Pascual (Ávi) 73 Vb 103 ✉ 05164
San Patricio (Bal) 97 Bb 114
San Payo (Cor) 3 Rc 89
San Pedrillo de Abajo (Các) 86 Te 108
San Pedro (Alm) 153 Xb 125
San Pedro (Jaé) 139 We 122
San Pedro (Jaé) 137 Ve 122
▲ San Pedro 135 Uc 120
San Pedro (Alb) 126 Xe 116 ✉ 02326
San Pedro (Bad) 119 Tc 117
San Pedro (Các) 103 Se 112
San Pedro (Cor) 2 Ra 89
San Pedro (Lug) 5 Sf 90
San Pedro (Ast) 8 Uf 88
San Pedro (Can) 10 Wc 89
San Pedro (Viz) 10 Wf 89
San Pedro (Leó) 18 Te 90
San Pedro (Palm) 174 B 2 ✉ 35489
San Pedro (Pon) 32 Rd 96
☆ San Pedro 38 Vd 95
☆ San Pedro 44 Zd 96
☆ San Pedro 62 Ac 99
San Pedro (Seg) 74 Ve 102
▲ San Pedro 75 Wb 104
San Pedro = Sant Pere (Cas) 80 Aa 106
≈ San Pedro, Arroyo de 135 Ub 121
San Pedro, Caserío (Alm) 163 Ya 127
☆ San Pedro, Castillo de 43 Zb 96
▲ San Pedro, Cerro de 75 Wb 104
☆ San Pedro, Colegiata de 6 Tf 90
▲ San Pedro, Collado de 58 Wd 101
San Pedro, Cortijo de (Bad) 134 Ua 119
≈ San Pedro, Embalse de 135 Ud 119
▲ San Pedro, Ensenada de 6 Te 87
☆ San Pedro, Ermida de 33 Rf 97
☆ San Pedro, Ermida de 33 Sb 96
☆ San Pedro, Ermita (Ten) 173 C 2
☆ San Pedro, Ermita de 104 Tc 114
☆ San Pedro, Ermita de 7 Ub 87
☆ San Pedro, Ermita de 8 Uf 90
☆ San Pedro, Ermita de 11 Xb 88
☆ San Pedro, Ermita de 12 Xf 89
☆ San Pedro, Ermita de 19 Ue 92
☆ San Pedro, Ermita de 20 Vb 91
☆ San Pedro, Ermita de 22 We 92
☆ San Pedro, Ermita de 23 Xc 92
☆ San Pedro, Ermita de 24 Yb 93
☆ San Pedro, Ermita de 24 Xf 91
☆ San Pedro, Ermita de 28 Ac 93
☆ San Pedro, Ermita de 35 Tb 96
☆ San Pedro, Ermita de 36 Uc 94
☆ San Pedro, Ermita de 39 Wb 95
☆ San Pedro, Ermita de 40 Xb 97
☆ San Pedro, Ermita de 44 Ad 95
☆ San Pedro, Ermita de 78 Ye 106
☆ San Pedro, Ermita de 88 Va 106
≈ San Pedro, Laguna de 125 Xa 115
≈ San Pedro, Río de 157 Te 129
▲ San Pedro, Sierra de 151 Wa 123
▲ San Pedro, Sierra de 104 Tc 112
▲ San Pedro, Torrico de 103 Sf 112
San Pedro Alcántara (Mál) 165 Va 130
☆ San Pedro Alcántara (Palm) 175 E 3
San Pedro Bercianos (Leó) 36 Ub 94 ✉ 24252
San Pedro Cansoles (Pal) 20 Va 92
San Pedro Castañero (Leó) 18 Td 93 ✉ 24316
☆ San Pedro de Alcántara, Monasterio de 88 Uf 107
☆ San Pedro de Allo 2 Ra 90
San Pedro de Arlanza (Bur) 39 Wd 96 ✉ 09640
San Pedro de Breña Alta (Ten) 171 C 3
☆ San Pedro de Cardeña, Monasterio de 39 Wc 95
San Pedro de Ceque (Zam) 36 Tf 96 ✉ 49628
San Pedro de Foncollada (Leó) 19 Ue 92
☆ San Pedro de la Bova, Ermita de 45 Aa 98
San Pedro de la Hoz (Bur) 22 Wd 93 ✉ 09247
☆ San Pedro de la Nave-Almendra 54 Ua 99
San Pedro de la Nave-Almendra (Zam) 54 Ua 99
San Pedro del Arroyo (Ávi) 73 Va 104 ✉ 05350
San Pedro de las Cuevas (Zam) 54 Ua 98 ✉ 49145
☆ San Pedro de las Dueñas 37 Uf 95
San Pedro de las Dueñas (Leó) 36 Ub 95
San Pedro de las Dueñas (Leó) 37 Uf 95
San Pedro de las Dueñas (Seg) 74 Ve 103
San Pedro de las Herrerías (Zam) 35 Td 97
San Pedro de las Montañas (Ast) 5 Tc 90
San Pedro de Latarce (Vall) 55 Ue 98 ✉ 47851
San Pedro de la Viña (Zam) 36 Tf 96 ✉ 49619
San Pedro del Monte (Bur) 40 Wf 94 ✉ 09259
San Pedro de los Oteros (Leó) 37 Ud 94 ✉ 24291
San Pedro del Pinatar (Mur) 143 Zb 121 ✉ 30740
San Pedro del Romeral (Can) 21 Wb 90 ✉ 39686
San Pedro del Valle (Sal) 71 Ua 102 ✉ 37170
San Pedro de Mera (Lug) 16 Sb 91
San Pedro de Mérida (Bad) 120 Te 115
San Pedro de Nos (Cor) 3 Re 89 ✉ 15176
San Pedro de Ojeda (Pal) 21 Vd 92
San Pedro de Paradela (Leó) 17 Tc 92 ✉ 24429
☆ San Pedro de Rocas, Mosterio 33 Sb 94
San Pedro de Rozados (Sal) 72 Ub 104 ✉ 37183
☆ San Pedro de Siresa 26 Zb 92
☆ San Pedro de Tabernas 26 Ac 93
San Pedro de Trones (Leó) 35 Tb 94 ✉ 24385
San Pedro de Valderaduey (Leó) 20 Va 94 ✉ 24328
San Pedro de Zamúdia (Zam) 36 Ua 97
San Pedro Gaíllos (Seg) 57 Wb 101
San Pedro Herrera (Gui) 12 Ya 89
San Pedro Manrique (Sor) 41 Xe 96 ✉ 42174
☆ San Pedro Mártir, Ermida de 14 Qf 91
☆ San Pedro Mártir, Ermita de 25 Yd 92
☆ San Pedro Mártir, Ermita de 41 Xf 95
San Pedro Palmiches (Cue) 77 Xd 106 ✉ 16813
San Pedro Samuel (Bur) 39 Wa 94 ✉ 09131
☆ San Peláez, Ermita de 26 Za 93
San Pelaio = San Pelayo (Viz) 11 Xb 88 ✉ 48130
San Pelayo (Ast) 5 Ta 89
San Pelayo (Ast) 7 Uc 88
San Pelayo (Can) 8 Vb 90
☆ San Pelayo 19 Ue 92
☆ San Pelayo 20 Vd 92
San Pelayo (Ála) 23 Xa 92
San Pelayo (Bur) 22 Wd 90
▲ San Pelayo 25 Yc 93
San Pelayo (Leó) 36 Ua 94
San Pelayo (Vall) 55 Uf 98
San Pelayo (Zam) 54 Uc 99
San Pelayo = San Pelaio (Viz) 11 Xb 88
☆ San Pelayo, Convento de 38 Vf 97
☆ San Pelayo, Ermita de 6 Tf 88
☆ San Pelayo, Ermita de 11 Xb 88
☆ San Pelayo, Ermita de 39 Wc 97
☆ San Pelayo, Ermita de 54 Ua 100
San Pelayo de Guareña (Sal) 54 Ua 102
San Pelegrín (Hues) 44 Aa 95
☆ San Petro Martín, Capilla de 80 Aa 103
San Platón (Huel) 133 Tb 122
☆ San Polo, Castillo 125 Xa 116
San Prudencio Eitzaga (Gui) 12 Xe 89
San Prudentzio (Gui) 23 Xd 90 ✉ 20808
San Quice del Río Pisuerga (Bur) 21 Ve 93
☆ San Quilez 27 Aa 94
San Quintín (Ciu) 122 Ve 116
San Quirce (Bur) 39 Wc 95
☆ San Quirico, Ermita de 40 Xb 95
☆ San Quirico, Torre 76 Xd 105
San Rafael (Cád) 157 Ua 128
San Rafael (Sev) 157 Ua 127 ✉ 41510
San Rafael (Alb) 127 Ye 115
San Rafael (Seg) 74 Ve 104 ✉ 40410
☆ San Rafael, Ermita de (Palm) 176 C 3
▲ San Rafael, Puerto de 94 Zb 106
San Rafael del Río (Cas) 80 Ac 105
San Rafael de Olivenza (Bad) 118 Sf 116 ✉ 06109
≈ San Rafael Navallana, Embalse de 136 Vc 120
San Ramon (Val) 114 Zd 112
San Ramón (Cor) 3 Rf 87
☆ San Ramón, Castillo 163 Ya 127
San Román (Lug) 4 Sc 86
San Román (Ast) 6 Tf 88
San Román (Can) 9 Wb 88
San Román (Can) 9 Wa 89
☆ San Román 8 Uf 89
San Román (Cor) 14 Rb 91
San Román (Lug) 16 Sc 91
San Román (Lug) 17 Sf 91
☆ San Román 21 Wb 92
San Román (Hues) 44 Zf 95
San Román (Sal) 71 Tf 103
San Román = Sariego (Ast) 7 Uc 88
San Román, Cortijo de (Bad) 119 Tb 116
≈ San Román, Embalse de 54 Ua 100
☆ San Román, Ermida de 5 Sf 88
☆ San Román, Ermita de 23 Xd 92
☆ San Román, Ermita de 41 Xe 98
San Román de Basa (Hues) 26 Ze 93
San Román de Cameros (Rio) 41 Xd 95
San Román de Campezo (Ála) 23 Xd 92
San Román de Hornija (Vall) 55 Ue 100
San Román de la Cuba (Pal) 37 Va 95
San Román de la Vega (Leó) 18 Tf 94
San Román de los Caballeros (Leó) 18 Ua 93
San Román de los Infantes (Zam) 54 Ua 100
San Román de los Montes (Tol) 88 Vb 108
San Román de los Oteros (Leó) 37 Ud 94
San Román del Valle (Zam) 36 Ub 96
San Román de San Millán (Ála) 24 Xe 91
San Román de Valle (Lug) 4 Sc 86
San Román el Antiguo (Leó) 36 Ua 94
San Roque (Cád) 165 Ud 131 ✉ 11360
San Roque (Alm) 162 Xa 127
San Roque (Cor) 2 Rb 89
☆ San Roque 8 Uf 89
☆ San Roque 8 Vc 89
☆ San Roque 9 Vf 88
San Roque (Can) 10 Wd 88
☆ San Roque 19 Ue 92
☆ San Roque 60 Yb 101
☆ San Roque 61 Ye 102
☆ San Roque 60 Yb 102
☆ San Roque 60 Yc 100
☆ San Roque 60 Yc 101
☆ San Roque 60 Yc 100
☆ San Roque 60 Yb 99
☆ San Roque 89 Ve 107
☆ San Roque, Ermida de 34 Se 97
☆ San Roque, Ermita de 137 Vd 120
☆ San Roque, Ermita de 112 Yf 114
☆ San Roque, Ermita de 7 Ue 87
☆ San Roque, Ermita de 20 Vc 90
☆ San Roque, Ermita de 20 Va 93
☆ San Roque, Ermita de 23 Xa 90
☆ San Roque, Ermita de 27 Ac 94
☆ San Roque, Ermita de (Ten) 172 D 5
☆ San Roque, Ermita de (Palm) 175 D 3
☆ San Roque, Ermita de 37 Uf 94
☆ San Roque, Ermita de 41 Xf 98
☆ San Roque, Ermita de 44 Ac 97
☆ San Roque, Ermita de 58 Xa 99
☆ San Roque, Ermita de 60 Ya 102
☆ San Roque, Ermita de 60 Xf 100
☆ San Roque, Ermita de 63 Aa 99
☆ San Roque, Ermita de 78 Yc 105
☆ San Roque, Ermita de 78 Yb 103
☆ San Roque, Ermita de 94 Yf 108
▲ San Roque, Playa del (Ten) 173 F 2
San Roque de Crespos (Our) 33 Rf 96 ✉ 32226
San Roque de Riomera (Can) 10 Wb 89
San Sadurniño (Cor) 3 Rf 87
☆ San Sadurniño, Torre 14 Rb 93
San Salvador (Cor) 4 Sb 86
☆ San Salvador 4 Se 88
San Salvador (Can) 9 Wb 88
☆ San Salvador 16 Sb 93
☆ San Salvador 26 Zc 93
☆ San Salvador 33 Sa 96
▲ San Salvador 44 Ad 97
☆ San Salvador 44 Zd 97
San Salvador (Vall) 55 Uf 99
San Salvador (Các) 87 Ub 107
☆ San Salvador, Castillo de 156 Te 128
☆ San Salvador, Cueva de 18 Tf 90
☆ San Salvador, Ermita de 27 Ab 94
☆ San Salvador, Ermita de 44 Ae 95
☆ San Salvador, Ermita de 44 Ac 96
☆ San Salvador, Ermita de 44 Ae 95
☆ San Salvador, Monasterio de 8 Vb 88
☆ San Salvador, Monasterio de 38 Vc 94
☆ San Salvador, Mosteiro de 16 Sb 91
▲ San Salvador, Sierra de 133 Tb 119
San Salvador de Bastavales (Cor) 14 Rc 91
San Salvador de Camba (Pon) 15 Sa 92 ✉ 36539
San Salvador de la Cantamuda (Pal) 20 Vd 91
San Salvador del Moral (Pal) 38 Ve 96 ✉ 34259
San Salvador de Meis (Pon) 14 Rb 94
San Salvador de Negrillos (Leó) 36 Uc 95
☆ San Salvador de Priesca 7 Ud 88
San Salvator (Ast) 5 Tb 90
☆ San Santurio, Ermita de 59 Xd 9
☆ San Saturnino 24 Yb 93
San Saturnino (Hues) 44 Zf 95 ✉ 22144
☆ San Sebastian 25 Yf 92
☆ San Sebastián 135 Uc 119
☆ San Sebastián 6 Ua 89
☆ San Sebastián 10 Wc 89
☆ San Sebastián 42 Yb 98
San Sebastián (Zar) 61 Yd 100
☆ San Sebastián 60 Yb 99
☆ San Sebastián 89 Vd 109
▲ San Sebastián, Alto de 77 Xe 10
☆ San Sebastián, Castillo 161 Wd 127
☆ San Sebastián, Castillo de 156 Te 129
≈ San Sebastián, Embalse de 34 Ta 96
☆ San Sebastián, Ermida de 34 Sc 97
☆ San Sebastián, Ermita 88 Vc 10
☆ San Sebastian, Ermita de (Palm) 176 C 3
☆ San Sebastián, Ermita de 161 Wf 127
☆ San Sebastián, Ermita de 121 Uf 116
☆ San Sebastián, Ermita de 25 Za 92
☆ San Sebastián, Ermita de 27 Ab 93
☆ San Sebastián, Ermita de 43 Yd 98
☆ San Sebastián, Ermita de 44 Zf 9
☆ San Sebastián, Ermita de 77 Yb 105
☆ San Sebastián, Ermita de 78 Yb 104
☆ San Sebastián, Ermita de 88 Vb 107
☆ San Sebastián, Ermita de 92 Ya 109
☆ San Sebastián, Iglesia de 74 Vd 104
▲ San Sebastian, Playa de (Ten) 172 C 2
San Sebastián de Garabandal (Can) 8 Vd 89
San Sebastián de la Gomera (Ten) 172 C 2
San Sebastián de los Ballesteros (Córd) 136 Vb 123
San Sebastián de los Reyes (Mad) 75 Wc 105
☆ San Segundo 78 Yb 104
San Serafín (Ciu) 122 Vd 118
☆ San Serván, Ermita de 119 Td 115
▲ San Serván, Sierra de 119 Td 11
☆ San Servando, Castillo de 89 Vf 109
San Silvestre de Guzmán (Huel) 146 Sd 124
San Simón (Ten) 171 C 3
San Simón (Pon) 32 Rc 96
☆ San Simón, Ermita de 106 Ue 11
▲ San Simón, Illa de 32 Rc 95
San Simones (Ávi) 72 Ud 105
Sansoáin (Nav) 25 Ye 92
Sánsoain (Nav) 25 Yc 93
Sansol (Nav) 24 Xe 93 ✉ 31220
Sansomáin (Nav) 25 Yc 93
Sansor (Lle) 29 Be 94 ✉ 25721
≈ Sansustre o del Saltillo, Rivera de 104 Tb 113
☆ Santa, Cova (Bal) 97 Bb 115
☆ Santa, Cova 95 Aa 107
Santa, La (Palm) 176 C 3 ✉ 35560
Santa, La (Rio) 41 Xd 95
▲ Santa, Peña 8 Va 89
Santa Afra (Gir) 48 Ce 96 ✉ 17151
☆ Santa Àgata, Ermita de 80 Aa 10
☆ Santa Agnès 65 Bc 100
Santa Agnès de Corona (Bal) 97 Bb 114
☆ Santa Águeda 9 Ve 89
☆ Santa Águeda 44 Zc 97
▲ Santa Águeda (Bal) 96 Ea 108
≈ Santa Agueda, Bahía de (Palm) 174 C 4
☆ Santa Águeda, Ermita de 10 Wf 90
☆ Santa Águeda, Ermita de 25 Yf 9
☆ Santa Águeda, Ermita de 44 Zf 9
☆ Santa Àgueda, Ermita de 45 Aa 97
☆ Santa Àgueda, Ruinas (Bal) 96 Ea 108
Santa Amalia (Mál) 159 Vc 128 ✉ 29130
Santa Amalia (Bad) 105 Tf 114 ✉ 06410
Santa Ana (Jaé) 152 Wa 124 ✉ 23692
Santa Ana (Mur) 142 Yf 123 ✉ 30319
Santa Ana (Alb) 126 Ya 115
Santa Ana (Alb) 126 Xf 116

anta Ana 106 Va 114
ta Ana (Các) 105 Ua 113 ✉ 10189
ıta Ana (Zar) 42 Yb 97
anta Ana 44 Zf 97
anta Ana 58 Xb 98
anta Ana 78 Yf 104
ıta Ana, Cortijo de (Gra) 60 Vf 126
anta Ana, Embalse de 44 Ad 97
anta Ana, Ermida de 2 Rb 90
anta Ana, Ermita de 125 Xc 115
anta Ana, Ermita de 109 Wf 112
anta Ana, Ermita de 106 Uf 111
anta Ana, Ermita de 105 Ub 113
anta Ana, Ermita de 7 Ud 88
anta Ana, Ermita de 18 Tf 92
anta Ana, Ermita de 22 Wc 92
anta Ana, Ermita de 43 Ye 97
anta Ana, Ermita de 44 Ad 97
anta Ana, Ermita de 44 Ac 97
anta Ana, Ermita de 79 Zc 104
anta Ana, Ermita de 78 Yf 105
anta Ana, Ermita de 86 Td 109
anta Ana, Ermita de 90 Wf 110
anta Ana, Monasterio de 27 Ye 118
anta Ana, Playa de 6 Td 87
nta Ana de Pusa (Tol) 88 Vb 110 ✉ 45653
nta Ana la Real (Huel) 133 Tb 121 ✉ 21359
ıta Anastasia (Zar) 43 Ye 96 ✉ 50617
nta Anna (Ali) 143 Zc 119
Santa Anna 143 Zc 119
Santa Anna 128 Zc 119
Santa Anna 29 Be 94
Santa Anna 48 Cd 96
Santa Anna 64 Bb 100
Santa Anna 64 Ba 101
Santa Anna, Església de 46 Ba 96
Santa Anna, Monestir de 49 Ce 99
Santa Anna, Pantà de 44 Ad 97
Santa Anna de Claret 47 Bf 98
Santa Ansina, Ermita de 46 Bb 94
nta Apolonia, Caserío de (Tol) 38 Va 109
Santa Azafor 129 Ze 115
nta Baia (Our) 15 Sa 94
ntabaia (Lug) 16 Sb 94
ntabaia (Our) 33 Sb 96
Santa Baia, Encoro de 34 Sf 94
ntaballa (Lug) 4 Sb 89 ✉ 27830
Santaballa 14 Ra 91
nta Bárbara (Alm) 163 Xf 128
nta Bárbara (Alm) 154 Ya 124
Santa Bárbara 153 Xb 124
nta Bárbara (Sev) 150 Vb 125
nta Bárbara (Val) 112 Yd 112
Santa Bárbara 113 Zc 113
Santa Bárbara 7 Ub 88
Santa Bárbara 25 Za 91
Santa Bárbara 26 Za 93
nta Bárbara (Ten) 172 C 3
nta Bárbara (Bur) 39 Vf 95
Santa Bárbara 44 Ae 95
Santa Bárbara 60 Yc 102
Santa Bárbara 61 Zb 101
Santa Bárbara 60 Ya 100
nta Bárbara (Zar) 61 Yf 101
nta Bárbara (Ter) 78 Yd 106
Santa Bárbara 78 Ye 103
Santa Bárbara 79 Yf 104
Santa Bárbara 78 Yd 102
nta Bárbara (Ali) 128 Zb 118
nta Bàrbara (Val) 114 Zd 111
nta Bàrbara (Bal) 96 Df 108
nta Bàrbara (Bal) 96 Eb 109
nta Bàrbara (Gir) 48 Cd 95
nta Bàrbara (Tar) 80 Ac 104
nta Bàrbara (Cas) 95 Zf 109
Santa Bàrbara 95 Ze 109
Santa Bárbara, Ermita de 126 Ya 117
Santa Bárbara, Ermita de 126 Yb 117
Santa Bárbara, Ermita de 127 Yf 116
Santa Bárbara, Ermita de 112 Yc 111
Santa Bárbara, Ermita de 110 Xb 111
Santa Bárbara, Ermita de 106 Ue 114
Santa Bárbara, Ermita de 5 Tc 88
Santa Bárbara, Ermita de 23 Xc 90
Santa Bárbara, Ermita de 24 Yc 90
Santa Bárbara, Ermita de 39 Wb 95
Santa Bárbara, Ermita de 41 Xe 94
Santa Bárbara, Ermita de 45 Ab 95
Santa Bárbara, Ermita de 79 Yf 105
☆ Santa Bárbara, Ermita de 79 Yf 106
☆ Santa Bárbara, Ermita de 78 Ye 106
☆ Santa Bárbara, Ermita de 78 Yd 104
☆ Santa Bárbara, Ermita de 80 Zf 103
☆ Santa Bárbara, Ermita de 90 We 107
☆ Santa Bárbara, Ermita de 91 Wf 107
☆ Santa Bárbara, Ermita de 91 Xc 107
☆ Santa Bárbara, Ermita de 93 Yf 108
☆ Santa Bárbara, Ermita de 94 Za 107
☆ Santa Bàrbara, Ermita de 80 Zf 105
☆ Santa Bàrbara, Ermita de 80 Ab 106
▲ Santa Bárbara, Montes 2 Ra 90
▲ Santa Bárbara, Puerto de 26 Zb 94
☆ Santa Bàrbara, Santuari de 48 Cd 97
▲ Santa Bárbara, Sierra de 86 Te 107
▲ Santa Bárbara, Sierra de 91 Wf 106
Santa Bárbara de Casa (Huel) 132 Se 122
Santa Brígida (Córd) 137 Vd 120
Santa Brígida (Palm) 174 D 2
☆ Santa Brígida, Ermita de 123 Ve 116
Santa Càndia (Bar) 65 Bd 99
Santacara (Nav) 42 Yc 94 ✉ 31314
☆ Santa Casilda, Santuario de 22 Wd 93
Santa Catalina (Mál) 159 Vd 128
☆ Santa Catalina 122 Va 118
Santa Catalina (Leó) 18 Tf 94
☆ Santa Catalina 23 Xb 91
Santa Catalina (Bal) 96 Ea 109
Santa Catalina (Ten) 172 B 1
Santa Catalina (Sal) 53 Td 101
☆ Santa Catalina 60 Yb 102
▲ Santa Catalina 74 Ve 105
☆ Santa Catalina, Castillo de 156 Te 129
☆ Santa Catalinà, Castillo de (Ten) 171 C 2
Santa Catalina, Cortijada de (Gra) 152 Wb 126
Santa Catalina, Cortijo (Sev) 149 Ub 123
Santa Catalina, Cortijo de (Tol) 89 Vf 110
☆ Santa Catalina, Ermida de 33 Rf 97
☆ Santa Catalina, Ermita de 139 Xb 122
☆ Santa Catalina, Ermita de 27 Ab 94
☆ Santa Catalina, Ermita de 53 Te 100
☆ Santa Catalina, Ermita de 77 Xd 103
☆ Santa Catalina, Ermita de 86 Te 110
☆ Santa Catalina, Ermita de 90 We 109
☆ Santa Catalina, Ermita de 94 Za 108
☆ Santa Catalina, Ermita de 94 Yf 109
▲ Santa Catalina, Isla de 165 Ue 133
▲ Santa Catalina, Playa de (Ten) 172 B 1
▲ Santa Catalina, Sierra de 86 Te 109
Santa Catalíña de Armada (Cor) 14 Rb 90
☆ Santa Caterina 49 Da 96
Santa Cecilia (Bur) 39 Wb 96 ✉ 09341
☆ Santa Cecilia 38 Ve 96
Santa Cecilia (Rio) 41 Xd 95 ✉ 26131
☆ Santa Cecília 29 Bb 94
☆ Santa Cecília 30 Cc 94
☆ Santa Cecília 65 Be 99
☆ Santa Cecília, Ermita 47 Bd 96
☆ Santa Cecilia, Ermita de 21 Vd 92
☆ Santa Cecilia, Ermita de 24 Xf 93
☆ Santa Cecilia, Ermita de (Ten) 171 B 3
☆ Santa Cecilia, Ermita de 77 Ya 103
▲ Santa Cecilia, Páramo 38 Vd 97
Santa Cecilia del Alcor (Pal) 38 Vc 97 ✉ 34191
Santa Cecília de Voltregà (Bar) 48 Cb 97
☆ Santa Christina 65 Bc 101
Santa Cilia (Hues) 26 Zb 93
Santa Cilia (Hues) 44 Zf 95
Santa Clara (Córd) 121 Uf 117
Santa Clara (Bur) 39 Vf 95
Santa Clara (Gua) 76 Xa 104 ✉ 19411
☆ Santa Clara, Convento de 22 Wd 91
☆ Santa Clara, Convento de 38 Ve 95
Santa Clara, Cortijo de (Huel) 133 Sf 121
Santa Clara, Cortijo de (Ciu) 122 Vc 115
☆ Santa Clara, Monasterio 55 Uf 99
Santa Clara de Avedillo (Zam) 54 Ub 100 ✉ 49707
Santa Coloma (Rio) 41 Xc 94 ✉ 26315
Santa Coloma (AND) 29 Bc 94
≈ Santa Coloma, Riera de 48 Cd 97
Santa Coloma de Cervelló (Bar) 66 Ca 100
Santa Coloma de Farners (Gir) 48 Ce 97 ✉ 17430
Santa Coloma de Gramenet (Bar) 66 Cb 100
Santa Coloma del Rudrón (Bur) 21 Wa 92
Santa Coloma de Queralt (Tar) 65 Bc 99 ✉ 43420
Santa Coloma d'Erdo (Lle) 28 Af 94 ✉ 25555
☆ Santa Coloma Sasserra 48 Cb 98
Santa Colomba (Ast) 5 Ta 88 ✉ 33778
Santa Colomba (Leó) 19 Ue 92
Santa Colomba de Curueño (Leó) 19 Ud 92 ✉ 24848
Santa Colomba de las Carabias (Zam) 36 Uc 96 ✉ 49691
Santa Colomba de las Monjas (Zam) 36 Ub 97 ✉ 49699
Santa Colomba de la Vega (Leó) 36 Ua 95 ✉ 24764
Santa Colomba de Sanabria (Zam) 35 Tb 96 ✉ 49394
Santa Colomba de Somoza (Leó) 18 Te 94 ✉ 24722
Santa Comba (Cor) 14 Rb 90 ✉ 15840
Santa Comba (Ast) 17 Ta 91
Santa Creu (Hues) 44 Ac 95
Santa Creu de Castellbò (Lle) 29 Bb 94
Santa Creu de Joglars (Bar) 47 Ca 96
☆ Santa Creu de Palou 47 Bf 98
☆ Santa Cristina 19 Ub 90
Santa Cristina (Our) 34 Sf 95
☆ Santa Cristina 49 Ce 98
☆ Santa Cristina, Ermita de 78 Yc 104
Santa Cristina de Cobres (Pon) 32 Rc 95
Santa Cristina de la Polvorosa (Zam) 36 Ub 96 ✉ 49620
Santa Cristina del Páramo (Leó) 36 Ub 95
Santa Cristina de Valmadrigal (Leó) 37 Ue 94 ✉ 24290
Santa Croya de Tera (Zam) 36 Ua 97 ✉ 49626
Santa Cruz (Mur) 142 Yf 120
Santa Cruz (Córd) 136 Vc 122 ✉ 14820
Santa Cruz (Lug) 4 Sb 89
Santa Cruz (Lug) 4 Sd 87
Santa Cruz (Can) 9 Vf 89
Santa Cruz (Can) 10 Wd 89
▲ Santa Cruz 25 Yf 92
☆ Santa Cruz 26 Zc 93
Santa Cruz (Seg) 57 Wb 101
▲ Santa Cruz 60 Yc 102
Santa Cruz, Cortijo de (Mál) 158 Uf 127
Santa Cruz, Cortijo de (Sev) 150 Uf 125
☆ Santa Cruz, Ermita de 9 Ve 89
☆ Santa Cruz, Ermita de 23 Xe 91
☆ Santa Cruz, Ermita de 25 Yf 91
☆ Santa Cruz, Ermita de 37 Uf 95
☆ Santa Cruz, Ermita de 91 Xa 107
☆ Santa Cruz, Ermita de la 79 Za 105
Santa Cruz, La (Bad) 119 Td 118
☆ Santa Cruz, La 59 Xc 101
▲ Santa Cruz, Sierra de 105 Ub 113
▲ Santa Cruz, Sierra de 40 Wf 95
☆ Santa Cruz, Sierra de 60 Yc 102
Santa Cruz de Abranes (Zam) 35 Tb 97 ✉ 49392
Santa Cruz de Alhalma o del Comercio (Gra) 160 Wa 126
Santa Cruz de Andino (Bur) 22 Wc 91 ✉ 09513
Santa Cruz de Bezana (Can) 9 Wa 88 ✉ 39100
Santa Cruz de Boedo (Pal) 21 Vd 93 ✉ 34491
Santa Cruz de Campezo (Ála) 23 Xd 93
Santa Cruz de Fierro (Ála) 23 Xa 93
Santa Cruz de Grío (Zar) 60 Yd 100
Santa Cruz de Juarros (Bur) 39 Wd 95 ✉ 09198
Santa Cruz de la Palma (Ten) 171 C 2 ✉ 38700
Santa Cruz de la Salceda (Bur) 57 Wc 99 ✉ 09471
Santa Cruz de la Serós (Hues) 26 Zb 93
Santa Cruz de la Sierra (Các) 105 Ua 112 ✉ 10260
Santa Cruz de la Zarza (Pal) 38 Vc 96
Santa Cruz de la Zarza (Tol) 90 We 109 ✉ 45370
Santa Cruz de Llanera (Ast) 6 Ua 88 ✉ 33427
Santa Cruz del Monte (Pal) 20 Vd 94 ✉ 34477
Santa Cruz de los Cáñamos (Ciu) 125 Xa 117
Santa Cruz de los Cuérragos (Zam) 35 Tc 97
Santa Cruz del Retamar (Tol) 89 Ve 108
Santa Cruz del Sil (Leó) 17 Tc 92 ✉ 24494
Santa Cruz del Tozo (Bur) 21 Wa 93 ✉ 09125
Santa Cruz del Valle (Ávi) 88 Va 107 ✉ 05413
☆ Santa Cruz del Valle de los Caídos 74 Vf 105
Santa Cruz del Valle Urbión (Bur) 40 We 95
Santa Cruz de Marchena (Alm) 162 Xc 126
Santa Cruz de Mieres (Ast) 7 Ub 89 ✉ 33612
Santa Cruz de Moncayo (Zar) 42 Yb 97 ✉ 50513
Santa Cruz de Montes (Leó) 18 Te 93 ✉ 24379
Santa Cruz de Moya (Cue) 93 Ye 109 ✉ 16336
Santa Cruz de Mudela (Ciu) 124 Wd 117 ✉ 13730
≈ Santa Cruz de Mudela, Rambla de 124 Wc 116
Santa Cruz de Nogueras (Ter) 61 Yf 102 ✉ 44493
Santa Cruz de Paniagua (Các) 86 Te 107 ✉ 10661
Santa Cruz de Pinares (Ávi) 73 Vc 105 ✉ 05268
Santa Cruz de Tenerife (Ten) 173 F 3 ✉ *38001
Santa Cruz de Yanguas (Sor) 41 Xd 96 ✉ 42173
Santa Cruz d'Horta (Gir) 48 Cd 97
▲ Santa Custodia 27 Aa 93
☆ Sant Adjutori 48 Ca 97
☆ Sant Adjutori 66 Ca 100
Santadrao (Lug) 4 Se 88
Sant Adrià (Lle) 46 Af 95
Sant Adrià de Besòs (Bar) 66 Cb 100
Santa Elena (Jaé) 138 Wc 118 ✉ 23213
Santa Elena (Bad) 134 Tf 119
☆ Santa Elena 44 Ze 97
Santa Elena (Cas) 80 Ze 106
☆ Santa Elena, Ermida de 2 Qf 90
☆ Santa Elena, Ermita de 35 Tc 94
☆ Santa Elena, Ermita de 46 Af 96
☆ Santa Elena, Ermita de 94 Yf 108
Santa Elena de Emerando (Viz) 11 Xb 88
Santa Elena de Jamuz (Leó) 36 Ua 95 ✉ 24762
Santa Elisabet (Bal) 96 Ea 108
Santaella (Córd) 150 Vb 123 ✉ 14546
☆ Santa Engracia 13 Yc 90
Santa Engracia (Hues) 26 Zb 93
Santa Engracia (Zar) 43 Ye 97 ✉ 50669
Santa Engracia (Hues) 44 Zc 95
☆ Santa Engracia 44 Zc 98
Santa Engrácia (Bad) 118 Ta 115
Santa Engràcia (Lle) 46 Af 95
☆ Santa Engràcia 64 Bc 99
☆ Santa Engracia, Ermita de 12 Xe 89
Santa Engracia del Jubera (Rio) 41 Xe 95
Santa Espina, La (Vall) 55 Uf 98 ✉ 47641
Santa Eufemia (Sev) 148 Tf 125
Santa Eufemia (Córd) 122 Va 117 ✉ 14491
Santa Eufemia (Lug) 16 Se 93
Santa Eufemia (Our) 33 Sb 95
▲ Santa Eufemia, Dehesa de 121 Va 117
☆ Santa Eufemia, Ermita de 11 Xc 89
☆ Santa Eufemia, Monasterio de 21 Vd 92
▲ Santa Eufemia, Sierra de 33 Rf 97
Santa Eufemia del Arroyo (Vall) 37 Ue 97 ✉ 47811
Santa Eufemia del Barco (Zam) 54 Ua 98
Santa Eugenia (Ast) 7 Ud 88
☆ Santa Eugènia 31 Ce 94
Santa Eugènia (Bal) 98 Cf 111
Santa Eugènia de Berga (Bar) 48 Cb 97
Santa Eugènia de Relat (Bar) 47 Bf 97
Santa Eugènia de Ter (Gir) 49 Ce 97
Santa Eulalia (Jaé) 138 Wd 120 ✉ 23413
Santa Eulalia (Huel) 133 Tb 122
Santa Eulalia (Ali) 128 Za 117
☆ Santa Eulalia 3 Rf 89
Santa Eulalia (Ast) 6 Ua 89
Santa Eulalia (Ast) 7 Uc 88
Santa Eulalia (Ast) 7 Ud 88
Santa Eulalia (Ast) 8 Vc 88
☆ Santa Eulalia 8 Va 88
Santa Eulalia (Lug) 16 Sb 92
Santa Eulalia (Can) 20 Vd 90 ✉ 39557
Santa Eulalia (Ála) 23 Xa 91 ✉ 01439
☆ Santa Eulalia 60 Yc 101
Santa Eulalia (Ter) 78 Ye 105 ✉ 44360
Santa Eulália (Our) 34 Sf 94
☆ Santa Eulàlia 28 Ae 93
Santa Eulàlia (Bar) 47 Ca 97
☆ Santa Eulàlia 47 Bd 96
☆ Santa Eulàlia 65 Bf 100
Santa Eulalia, Cortijo de (Sev) 149 Ud 125
☆ Santa Eulalia, Ermita 141 Yc 122
☆ Santa Eulalia, Ermita de 133 Tb 122
☆ Santa Eulalia, Ermita de 21 Vd 92
☆ Santa Eulalia, Ermita de 44 Ac 95
☆ Santa Eulalia, Ermita de 59 Xc 98
▲ Santa Eulalia, Sierra de 44 Zd 95
Santa Eulalia Bajera (Rio) 41 Xe 95 ✉ 26585
Santa Eulalia de Gállego (Zar) 43 Zb 95
Santa Eulalia de la Peña (Hues) 44 Zd 95 ✉ 22193
Santa Eulalia de las Manzanas (Leó) 18 Ua 91
Santa Eulália del Río (Zam) 35 Te 96
Santa Eulalia de Oscos (Ast) 5 Sf 89 ✉ 33776
Santa Eulàlia de Pardines (Bar) 47 Ca 97
Santa Eulàlia de Puigòriol (Bar) 47 Ca 96
Santa Eulàlia de Riuprimer (Bar) 48 Cb 97
Santa Eulàlia de Ronçana (Bar) 66 Cb 99
Santa Eulalia de Tábara (Zam) 36 Ua 98
☆ Santa Eulàlia de Tapioles 66 Cc 99
Santa Eulalia de Tineo (Ast) 6 Td 88 ✉ 33877
Santa Eulalia La Mayor (Hues) 44 Ze 95 ✉ 22192
Santa Eulalia Somera (Rio) 41 Xe 95 ✉ 26585
▲ Santa Eulària, Illa de (Bal) 97 Bd 115
Santa Eulària de Dalt (Bal) 96 Ea 109
Santa Eulària del Riu (Bal) 97 Bd 115
Santa Euxea (Lug) 16 Sc 91
Santa Faç, la (Ali) 128 Zd 118
Santa Fe (Gra) 152 Wb 125
Santa Fe (Nav) 25 Ye 92
☆ Santa Fe, Convent de 48 Cc 98
☆ Santa Fe, Ermita de 41 Xd 94
☆ Santa Fe, Ermita de 46 Bb 95
☆ Santa Fe, Exconvento de 61 Za 99
Santa Fe del Penedès (Bar) 65 Be 100
Santa Fe de Mondújar (Alm) 162 Xc 127
Santa Fe de Segarra (Lle) 47 Bc 98
☆ Santa Florentina 66 Cd 99
Santagadea (Ast) 5 Ta 87
Santa Gadea (Bur) 21 Wa 91
Santa Gadea del Cid (Bur) 22 Wf 92 ✉ 09219
Santa Gadía (Ast) 7 Uc 89
≈ Santa Galdana, Cala (Bal) 96 Df 109
Santa Gertrudis (Mur) 141 Yc 123 ✉ 30815
☆ Santa Gertrudis, Ermita de 24 Yb 94
Santa Gertrudis de Fruitera (Bal) 97 Bc 115 ✉ 07814
☆ Sant Agustí 47 Bf 97

Sant Agustí de Lluçanès (Bar) 48 Ca 96
Sant Agusti des Vedrá (Bal) 97 Bb 115
☆ Santa Helena, Capella de 80 Zf 106
Santa Iglesia (Sev) 149 Ud 124
▲ Santa Inés 120 Uc 117
Santa Inés (Bur) 39 Wb 96
☆ Santa Inés 40 Xb 96
Santa Inés (Sal) 72 Uc 104
Santa Inés, Caserío de (Jaé) 138 Wd 122
▲ Santa Inés, Dehesa de 121 Uc 117
▲ Santa Inés, Playa de (Palm) 175 D 3
▲ Santa Inés, Puerto de 40 Xb 96
☆ Santa Isabel 26 Zb 94
Santa Isabel (Zar) 61 Za 99
☆ Santa Isabel, Ermia de 80 Ab 105
☆ Santa Isabel, Ermida de 4 Sc 90
☆ Santa Isabel, Ermita de 10 Wd 89
☆ Santa Isabel, Ermita de 23 Xd 92
☆ Santa Isabel, Ermita de 26 Zb 92
☆ Santa Isabel, Ermita de 79 Zc 106
▲ Santa Isabel, Sierra de 26 Zb 94
Santa Juliana (Sev) 149 Ud 123
Santa Juliana (Bur) 39 Wa 95
☆ Santa Juliana, Ermita de 40 We 96
Santa Justa (Hues) 27 Aa 93
☆ Santa Justa 66 Cb 99
▲ Santa Justa, Playa de 9 Vf 88
▲ Santakara Muro 42 Yc 94
Santala de Pena (Lug) 4 Sb 90
Santalavilla (Leó) 35 Tc 94 ⊠ 24388
Santalecina (Hues) 45 Aa 98 ⊠ 22411
☆ Sant Aleix 46 Af 95
Santa Leocadia (Mur) 141 Yc 122 ⊠ 30859
Santa Leocadia (Các) 104 Tc 113
☆ Santa Leocadia 14 Ra 91
☆ Santa Leocadía 3 Rc 89
▲ Santa Leocadia, Montes de 3 Rd 89
Santa Leonor (Ávi) 74 Vd 106
Santa Liestra y San Quílez (Hues) 44 Ac 95
Santa Linya (Lle) 46 Ae 97 ⊠ 25612
▲ Sant Alís 46 Ae 96
Santalla (Lug) 17 Sf 93
Santalla (Lug) 16 Se 92
Santa Llogaia d'Àlguema (Gir) 49 Cf 95
☆ Santa Llogaia d'Aristot 29 Bd 94
Santa Llogaia del Terri (Gir) 49 Cf 96 ⊠ 17845
☆ Santa Llucia 49 Da 97
☆ Santa Llúcia 46 Af 96
Santa Llúcia (Gir) 48 Cd 96
☆ Santa Llúcia 48 Ce 95
☆ Santa Llúcia 48 Cb 96
☆ Santa Llúcia 62 Ad 99
☆ Santa Llúcia 80 Ac 103
☆ Santa Llúcia, Ermita de 31 Cf 94
Santa Llúcia de Mur (Lle) 46 Af 96
☆ Santa Llúcia de Puigmal 48 Cc 95
Santa Locaia (Our) 33 Sa 95 ⊠ 32691
Sant Altoni de Calonge (Gir) 49 Da 97
Santa Lucaia Banzá (Cor) 15 Re 91
Santa Lucía (Cád) 164 Ua 131
Santa Lucía (Cád) 158 Uc 127
☆ Santa Lucía 9 Ve 89
≈ Santa Lucía 15 Rc 92
☆ Santa Lucía 14 Qf 91
Santa Lucía (Leó) 19 Uc 91
Santa Lucía (Hues) 26 Zb 92
Santa Lucía (Palm) 174 C 3
Santa Lucía (Ten) 171 C 2
Santa Lucía (Rio) 41 Xe 95
Santa Lucía (Hues) 45 Ac 95
▲ Santa Lucía 57 Wa 100
▲ Santa Lucía 72 Uc 106
☆ Santa Lucía, Ermida de 15 Rd 93
☆ Santa Lucía, Ermita de 152 Wc 123
☆ Santa Lucía, Ermita de 120 Ub 115
☆ Santa Lucía, Ermita de 108 Ve 111
☆ Santa Lucía, Ermita de 105 Te 114
☆ Santa Lucía, Ermita de 58 Xa 101
☆ Santa Lucía, Ermita de 71 Te 103
☆ Santa Lucía, Ermita de 90 We 107
☆ Santa Lucía, Ermita de 93 Yc 106
≈ Santa Lucía, Garganta de 106 Ud 111
▲ Santa Lucía, Sierra de 158 Uc 127
Santa Lucía de la Sierra (Ávi) 87 Uc 106
Santa Lucía de Moraña (Pon) 15 Rc 93 ⊠ 36660
Santa Lutzi-Anduaga (Gui) 24 Xe 90
☆ Santa Madrona 62 Ac 101
☆ Santa Madrona, Ermita de 62 Ac 101
Santa Magdalena (Lle) 29 Be 94 ⊠ 25700
☆ Santa Magdalena 46 Af 95
☆ Santa Magdalena 46 Bc 96
☆ Santa Magdalena 48 Ca 98
☆ Santa Magdalena 80 Ac 102
☆ Santa Magdalena 80 Ac 103
☆ Santa Magdalena, Ermita de 44 Zd 95
☆ Santa Magdalena, Ermita de 44 Ad 95
≈ Santa Magdalena, Riu de 29 Bb 94
☆ Santa Magdalena, Santuarí (Bal) 99 Cf 110
▲ Santa Magdalena, Serra de 48 Cb 95
☆ Santa Magdalena de Cambrils 48 Cc 96
☆ Santa Magdalena de Parella 48 Cc 95
☆ Santa Magdalena de Pla 47 Bf 98
Santa Magdalena de Pulpís (Cas) 80 Ab 106
☆ Santa Magdalena de Ribalera 29 Bc 94
Sant Amanç (Gir) 48 Cd 97
☆ Sant Amanç de Pedrós 47 Bf 97
☆ Santa Margalida 28 Af 92
Santa Margalida (Bal) 99 Da 110 ⊠ 07450
☆ Santa Margarida 48 Cb 96
Santa Margarida (Gir) 49 Db 97
Santa Margarida (Gir) 49 Da 95
☆ Santa Margarida, Ermita de 47 Bd 95
☆ Santa Margarida, Volcà 48 Cd 96
☆ Santa Margarida d'Agulladolç 65 Be 100
Santa Margarida de Bianya (Gir) 48 Cc 95 ⊠ 17813
Santa Margarida de Montbui (Bar) 65 Bd 99 ⊠ 08710
Santa Margarida de Montbuí (Bar) 65 Bd 99
☆ Santa Margarida de Vilaltella 48 Ca 96
Santa Margarida i els Monjos (Bar) 65 Bd 101 ⊠ 08730
Santa Margarita (Cád) 165 Ue 131 ⊠ 11315
☆ Santa Margarita, Ermida de 2 Ra 89
☆ Santa Margarita, Ermita de 28 Ac 93
☆ Santa Margarita, Ermita de 94 Za 109
☆ Santa Maria 28 Ae 92
☆ Santa Maria 28 Ae 94
☆ Santa Maria 31 Cf 95
☆ Santa Maria 46 Ba 95
☆ Santa Maria 47 Ca 96
☆ Santa Maria 47 Bd 99
☆ Santa Maria 47 Be 97
☆ Santa Maria 47 Bc 98
☆ Santa Maria 46 Af 96
☆ Santa Maria 47 Be 96
☆ Santa Maria 49 Ce 95
☆ Santa Maria 62 Ac 102
☆ Santa Maria 65 Bd 100
Santa María (Jaé) 138 Wc 123
☆ Santa María 125 Xb 116
Santa María (Cor) 4 Sa 87
Santa María (Cor) 4 Sa 88
Santa María (Ast) 6 Tf 89
☆ Santa María 10 Wc 88
☆ Santa María 20 Vc 90
☆ Santa María 23 Xb 94
Santa María (Hues) 27 Aa 93
Santa María (Hues) 26 Zb 94
☆ Santa María 40 Xa 94
Santa María (Các) 85 Tb 108
☆ Santa María 87 Ub 107
▲ Santa María 91 Xd 107
≈ Santa María, Arroyo de 156 Td 126
≈ Santa María, Arroyo de 149 Ud 123
≈ Santa María, Arroyo de 122 Vb 118
≈ Santa María, Arroyo de 122 Vb 117
≈ Santa María, Arroyo de 120 Ub 117
≈ Santa María, Arroyo de 87 Uc 109
☆ Santa María, Capilla de 86 Ub 108
☆ Santa Maria, Catedral (Palm) 175 D 3
Santa María, Cortijo (Bad) 120 Ub 117
Santa María, Cortijo de (Bad) 119 Td 116
▲ Santa María, Cuerda de 126 Ya 118
☆ Santa María, Ermita 137 Vf 120
☆ Santa María, Ermita de 24 Xf 93
☆ Santa María, Ermita de 24 Xe 92
☆ Santa María, Ermita de 41 Xb 96
☆ Santa María, Ermita de 58 Wf 101
☆ Santa María, Iglesia de 25 Ye 93
☆ Santa María, Monasterio 19 Ue 93
☆ Santa Maria, Monestir de 48 Cb 95
☆ Santa Maria, Monestir de 48 Ca 97
☆ Santa María, Palacio 38 Vc 97
≈ Santa María, Río 61 Yf 102
▲ Santa María, Sierra de 119 Tb 118
▲ Santa María, Sierra de 113 Za 111
Santa María Ananúñez (Bur) 21 Ve 94
Santa Maria da Peregrina (Cor) 15 Rc 91
Santa María de Arzua = Arzúa (Cor) 15 Rf 91
Santa María de Bálsamos (Seg) 57 Wb 100
☆ Santa Maria de Bellera 46 Af 94
≈ Santa María de Belsué, Embalse de 44 Zd 95
Santa María de Benavente (Pal) 38 Vc 94
Santa María de Benavides, Caserío (Pal) 37 Va 96
☆ Santa María de Benquerencia, Polígono de 89 Wa 109
Santa Maria de Besora (Bar) 48 Cb 96 ⊠ 08584
Santa Maria de Bonaire (Val) 114 Zd 114
Santa María de Buil (Hues) 45 Aa 94
Santa Maria de Camós (Gir) 48 Ce 96
☆ Santa Maria de Castellfollit 47 Bc 98
Santa María de Cayón (Can) 9 Wa 89
☆ Santa Maria de Cervià 49 Cf 96
Santa Maria de Corcó (Bar) 48 Cc 96
☆ Santa Maria de Covet 46 Ba 96
Santa María de Dulcis (Hues) 44 Aa 96
☆ Santa Maria de Finestres 48 Cd 96
Santa María de Getxo (Viz) 10 Wf 88
Santa María de Guía de Gran Canaria = Guía (Palm) 174 C 2
Santa María de Huerta (Sor) 59 Xe 101
☆ Santa María de Isasi 10 Wf 89
Santa María de la Alameda (Mad) 74 Ve 105
Santa María del Águila (Alm) 162 Xb 128
Santa María de la Isla (Leó) 36 Ua 94
☆ Santa Maria de l'Antiguitat 47 Bf 96
Santa María de la Nuez (Hues) 45 Aa 95
Santa María del Arroyo (Ávi) 73 Va 105
Santa María de las Hoyas (Sor) 40 Wf 98
Santa María de las Lomas (Các) 87 Uc 108
☆ Santa Maria de la Torre 29 Bc 93
☆ Santa Maria de Lavaix 28 Ae 94
Santa María de la Vega (Zam) 36 Ub 96
Santa María de la Vega (Pal) 38 Vb 94 ⊠ 34126
☆ Santa María de la Vega, Monasterio de 20 Vb 94
Santa María del Berrocal (Ávi) 72 Ud 105
Santa Maria del Camí (Bal) 98 Ce 111
Santa Maria del Camí (Bar) 65 Bc 99
Santa María del Campo (Bur) 39 Wa 96
Santa María del Campo Rus (Cue) 110 Xd 111
☆ Santa Maria del Castell 46 Af 97
Santa María del Cerro (Seg) 57 Wb 101
☆ Santa Maria del Collell 48 Cd 96
Santa María del Cubillo (Ávi) 73 Vd 104
☆ Santa María de Lebeña 8 Vc 89
Santa Maria de Leiloio (Cor) 2 Rb 89
Santa María del Espino (Gua) 77 Xe 103
☆ Santa Maria del Freixe 48 Cd 96
☆ Santa Maria de Lillet 47 Bf 95
Santa María del Invierno (Bur) 22 Wd 94
Santa María de Llano de Tudela (Bur) 22 We 90
☆ Santa Maria de Lliors 48 Cc 98
Santa Maria de Llorell (Gir) 49 Cf 98 ⊠ 17320
Santa María del Mar (Ten) 173 F 3
▲ Santa María del Mar, Playa de 6 Ua 87
☆ Santa María del Mercado 103 Sf 113
☆ Santa María del Monte 44 Ze 96
☆ Santa María del Monte, Convento 108 Wb 112
Santa María del Monte de Cea (Leó) 19 Uf 94
Santa María del Monte del Condado (Leó) 19 Ud 92
Santa María de los Caballeros (Ávi) 72 Ud 106
Santa María de los Llanos (Cue) 110 Xb 112
Santa María de los Llanos (Sal) 71 Ua 106
Santa María de los Oteros (Leó) 37 Ud 94
Santa María del Páramo (Leó) 36 Ub 94
Santa Maria del Pla (Bar) 47 Be 99
Santa María del Prado (Sor) 59 Xc 100
Santa María del Río (Leó) 20 Uf 93
☆ Santa María del Salvador 126 Yb 115
☆ Santa Maria dels Masos 49 Db 96
Santa María del Tiétar (Ávi) 88 Vc 107
Santa María del Val (Cue) 77 Xf 105
Santa Maria de Matamala (Gir) 48 Ca 96 ⊠ 17512
Santa María de Mave (Pal) 21 Ve 92
Santa Maria de Meià (Lle) 46 Af 97
Santa María de Mercadillo (Bur) 39 Wc 97
Santa Maria de Merlès (Bar) 47 Bf 97
Santa Maria de Miralles (Bar) 65 Bd 99
☆ Santa Maria de Mixos 34 Sc 97
☆ Santa María de Monsalud, Monasterio de 76 Xc 106
Santa Maria de Montcada (Bar) 66 Cb 100
Santa Maria de Montmagastrell (Lle) 46 Ba 98 ⊠ 25354
Santa María de Nava (Pal) 21 Ve 91
Santa María de Nava la Zapatera u Hoya de Santa María (Bad) 134 Tf 120
Santa María de Nieva (Alm) 154 Ya 124
▲ Santa María de Nieva, Puerto de 154 Xf 123
Santa María de Ordás (Leó) 18 Ub 92
Santa María de Ovila, Caserío (Gua) 76 Xc 104
Santa Maria de Palautordera (Bar) 48 Cc 98
☆ Santa María de Prado, Catedral 123 Wa 115
Santa María de Redondo (Pal) 20 Vd 91
Santa María de Riaza (Seg) 58 Wd 100
Santa María de Sando (Sal) 71 Tf 103
☆ Santa María de Tentudia 134 Td 120
Santa María de Trasierra (Córd) 136 Va 121
☆ Santa Maria de Valldaura 47 Bf 96
Santa María de Valverde (Zam) 36 Ua 97
Santa Maria de Vialba (Bar) 65 Bf 99
☆ Santa Maria de Vilademany 48 Ce 97
☆ Santa Maria de Vilalba 66 Cc 99
☆ Santa María de Yermo 9 Vf 89
☆ Santa María de Zújar, Ermita de 120 Uc 115
☆ Santa María do Campo 4 Sc 87
Santa Maria d'Oló (Bar) 47 Ca 97
Santa María en Cameros (Rio) 41 Xd 95
☆ Santa María la Blanca 45 Aa 97
☆ Santa María la Real 21 Ve 92
Santa María la Real de Nieva (Seg) 56 Vd 102
☆ Santa María Magdalena, Ermita de 25 Yf 93
☆ Santa María Magdalena, Ermita de 57 Wc 98
Santa Mariana (Bal) 96 Eb 109
Santa María Ribarredonda (Bur) 22 We 93
Santa María Tajadura (Bur) 39 Wa 94
Santa Marina (Jaé) 139 Wf 120
Santa Marina (Huel) 134 Td 121
Santa Marina (Ciu) 123 Wa 115
Santa Marina (Ast) 6 Ua 90
Santa Marina (Bur) 22 Wd 94
Santa Marina (Gui) 24 Xe 90
Santa Marina (Rio) 41 Xd 95 ⊠ 26132
☆ Santa Marina 44 Zf 95
Santa Marina (Sal) 54 Ua 102
☆ Santa Marina 64 Af 102
Santa Mariña (Cor) 2 Qf 89
▲ Santa Mariña 14 Rb 91
Santa Marina, Cortijo de (Sev) 149 Uc 124
☆ Santa Marina, Ermita de 121 Uf 116
☆ Santa Marina, Ermita de 12 Xf 8
☆ Santa Marina, Ermita de 21 Vf 9
☆ Santa Marina, Ermita de 23 Xc 9
☆ Santa Marina, Ermita de 39 Wa 94
☆ Santa Marina, Ermita de 41 Xe 9
Santa Mariña da Ponte (Our) 34 Sf 95 ⊠ 32557
Santa Mariña de Augasantas (Our 33 Sb 95
Santa Mariña de Lagostelle (Lug) 3 Sa 89
Santa Marina del Rey (Leó) 18 Ua 93 ⊠ 24393
Santa Marina del Sil (Leó) 18 Tc 9 ⊠ 24493
Santa Mariña de Presqueiras (Cor 15 Rd 93
Santa Marina de Torre (Leó) 18 Te 93 ⊠ 24378
Santa Marina de Valdeón (Leó) 20 Va 90
Santa Mariña de Xuño = Xuño (Cc 14 Qf 93
Santa Mariña do Monte (Cor) 3 Rf 87 ⊠ 15561
Santa Marinica (Leó) 36 Ua 94
Santa Marta (Bad) 119 Tc 117
Santa Marta (Alb) 111 Xe 113
Santa Marta (Alb) 111 Xe 114
Santa Marta (Các) 105 Tf 111
Santa Marta (Lug) 16 Sb 90
☆ Santa Marta, Ermida de 3 Rc 89
Santa Marta de Magasca (Các) 105 Tf 111 ⊠ 10198
Santa Marta de Meilán (Lug) 4 Se 88
≈ Santa Marta de Ortigueira, Ría d 4 Sa 86
Santa Marta de Tera (Zam) 36 Ua 97 ⊠ 49626
Santa Marta de Tormes (Sal) 72 Uc 103 ⊠ 37900
Santa Maura (Hues) 26 Ac 94 ⊠ 22451
Santamera (Gua) 58 Xb 102 ⊠ 19269
Santana (Pal) 20 Vc 92
Santander (Can) 9 Wb 88 ⊠ *3900
≈ Santander, Bahía de 9 Wb 88
☆ Sant Andreu 46 Af 96
☆ Sant Andreu 47 Ca 97
Sant Andreu (Bar) 48 Cd 99
☆ Sant Andreu 48 Cd 95
☆ Sant Andreu 48 Ca 98
☆ Sant Andreu, Ermita de 143 Zc 119
☆ Sant Andreu de Bancells 48 Cc 9
Sant Andreu de Castellbò (Lle) 29 Bb 94
☆ Sant Andreu de Gitarriu 31 Cd 95
Sant Andreu de la Barca (Bar) 66 Bf 100 ⊠ 08740
Sant Andreu del Coll (Gir) 48 Cc 95
Sant Andreu del Far (Bar) 66 Cc 99
Sant Andreu de Llavaneres (Bar) 66 Cc 99 ⊠ 08392
Sant Andreu del Terri (Gir) 49 Cf 96 ⊠ 17845
☆ Sant Andreu de Porreres 48 Cc 9
☆ Sant Andreu de Ruïtlles 48 Cd 96
Sant Andreu Salou (Gir) 49 Cf 97 ⊠ 17455
Santandria (Bal) 96 Df 109 ⊠ 0776
☆ Sant Aniol d'Aguja, Monestir de 31 Cd 95
Sant Aniol de Finestres (Gir) 48 Cd 96 ⊠ 17154
☆ Sant Antolí 62 Ac 100
Sant Antolí i Vilanova (Lle) 64 Bc 9
☆ Sant Anton, Ermita de 143 Zb 11
Sant Antoni (Ali) 129 Ze 117
☆ Sant Antoni 28 Ae 94
☆ Sant Antoni 30 Ca 95
Sant Antoni (Bal) 97 Bb 115
☆ Sant Antoni 46 Af 96
☆ Sant Antoni 62 Ad 101
☆ Sant Antoni 64 Ba 101
☆ Sant Antoni 64 Af 100
☆ Sant Antoni 64 Ad 100
☆ Sant Antoni 65 Bc 102
☆ Sant Antoni 64 Af 101
☆ Sant Antoni 80 Ac 103
☆ Sant Antoni 95 Ze 109
▲ Sant Antoni, Cap de 128 Ab 116
☆ Sant Antoni d'Albinyana 65 Bc 101

nt Antoni de Llombai (Val) 13 Zc 113
Sant Antoni dels Ermitans 0 Ac 104
nt Antoni de Portmany (Bal) 7 Bb 115 ✉ 07820
nt Antoni de Vilamajor (Bar) 6 Cc 98 ✉ 08459
nt Antoni de Vilamajor = Sant Pere de Vilamajor (Bar) 66 Cc 98 ✉ 08459
ntanyí (Bal) 99 Da 112
nta Olaja de Eslonza (Leó) 19 Ud 93 ✉ 24164
nta Olaja de la Acción (Leó) 20 Uf 92
nta Olaja de la Ribera (Leó) 19 Uc 93 ✉ 24199
nta Olaja de la Varga (Leó) 19 Uf 91 ✉ 24813
nta Olaja de la Vega (Pal) 20 Vb 93 ✉ 34112
nta Olaja de Porma (Leó) 19 Ud 93
nta Olalla (Gra) 153 Xb 125
nta Olalla (Can) 21 Ve 91
nta Olalla (Tol) 89 Vd 108 ✉ 45530
ntaolalla, Cortijo de (Gra) 153 Xb 124
Santa Olalla, Laguna de 156 Td 127
Santa Olalla, Sierra de 85 Tb 108
nta Olalla de Aguayo (Can) 21 Vf 90 ✉ 39491
nta Olalla de Bureba (Bur) 22 Wd 94 ✉ 09292
nta Olalla del Cala (Huel) 134 Te 121 ✉ 21260
nta Olalla del Valle (Bur) 40 We 95 ✉ 09268
nta Olalla de Valdivielso (Bur) 22 Wc 92 ✉ 09559
nta Olalla de Yeltes (Sal) 71 Te 104 ✉ 37690
nta Oliva (Tar) 65 Bd 101 ✉ *43710
Santa Orosia, Santuario de 26 Ze 93
nta Pau (Gir) 48 Cd 96 ✉ 17811
nta Paula, Cortijo de (Sev) 149 Uc 124
nta Pellaia (Gir) 49 Cf 97 ✉ 17244
Santa Perpètua 48 Cb 97
nta Perpètua de Gaià (Tar) 65 Bc 100
nta Perpètua de Mogoda (Bar) 66 Cb 99
Santa Petenciana, Ermita de 137 Wa 120
anta Pola (Ali) 143 Zc 119 ✉ 03130
Santa Pola, Cap de 143 Zd 119
anta Pola de l'Est (Ali) 128 Zc 119
Santa Polonia 7 Ub 88
anta Ponça (Bal) 99 Db 111
anta Ponça (Bal) 96 Df 109
anta Ponça (Bal) 98 Cc 111
Santa Ponça, Ensenada de (Bal) 98 Cc 111
Santa Quitena 43 Zb 94
Santa Quiteria 111 Xf 112
anta Quiteria (Ciu) 107 Vd 113 ✉ 13115
Santa Quiteria 25 Ye 93
Santa Quiteria 44 Ad 96
Santa Quiteria 60 Ya 101
Santa Quiteria 61 Ye 101
Santa Quiteria 62 Ze 99
anta Quiteria (Ter) 78 Ye 104
Santa Quiteria, Ermita de 139 Wf 119
Santa Quiteria, Ermita de 43 Yf 94
Santa Quiteria, Ermita de 61 Yf 101
Santa Quiteria, Ermita de 77 Ya 105
Santa Quiteria, Ermita de 79 Zb 106
☆ Santa Quiteria, Ermita de 91 Xd 107
☆ Santa Quiteria, Ermita de 92 Xe 106
▲ Santa Quiteria, Sierra de 91 Xb 109
Santarandel (Cor) 15 Rf 90 ✉ 15818
Santarén de los Peces (Zam) 54 Ua 102
☆ Santa Rita, Capilla de 7 Ud 89
Santa Rita, Caserío de (Jaé) 139 We 120
☆ Santa Rita, Castillo de 7 Ud 89
Santa Rito (Bal) 96 Eb 109
Santa Rosa (Córd) 136 Vb 122
Santa Rosa (Ast) 7 Ub 89
☆ Santa Rosa 10 Wc 88
Santa Rosa, Cortijo (Córd) 135 Ud 123
Santa Rosalía (Mál) 159 Vc 128
Santa Rosalía (Bur) 39 Vf 95
Santas (Pon) 32 Rd 96
Santa Sabiña (Cor) 2 Ra 90
Santa Sedina (Gir) 49 Cf 98
Santa Sía de Roma (Cor) 2 Ra 90
Santa Sirga (Bal) 99 Db 111
Santas Martas (Leó) 37 Ud 94 ✉ 24330
Santa Sofía, Cortijo de (Córd) 137 Vd 122
Santa Susanna (Lle) 47 Bd 97 ✉ 25290
Santa Susanna (Bar) 48 Ce 99 ✉ 08398
☆ Santa Susanna 48 Cc 98
Santa Susanna de Peralta (Gir) 49 Da 97
☆ Santa Tegra, Castro de 32 Ra 97
☆ Santa Teodosia, Ermita de 23 Xd 92
Santa Teresa (Sal) 72 Uc 104 ✉ 37891
≈ Santa Teresa, Embalse de 72 Uc 105
☆ Santa Teresa, Ermita de 153 Wf 125
Sant Augustin (Bal) 98 Cd 111
☆ Sant Augusti Vell, Talayot (Bal) 96 Ea 109
☆ Santa Ursula (Ten) 172 C 5 ✉ 38390
Santa Úrsula (Ten) 173 E 3
Santa Uxía de Ribeira (Cor) 14 Ra 93
☆ Santa Verònica, Monestir de 128 Zd 118
☆ Santa Zita, Ermita de 25 Yc 93
☆ Sant Baldiri 31 Ce 95
☆ Sant Baldiri 49 Cf 98
☆ Sant Bartomeu 64 Af 102
☆ Sant Bartomeu, Ermita de 128 Zb 116
☆ Sant Bartomeu, Monestir de 47 Bf 98
Sant Bartomeu de Covildases (Gir) 48 Cc 96
Sant Bartomeu del Grau (Bar) 48 Cb 97 ✉ 08519
☆ Sant Bartomeu de Pincaró 31 Ce 95
Sant Bartomeu Sesgorgues (Bar) 48 Cc 96
Sant Benet (Ali) 128 Zd 116
▲ Sant Benet 128 Zc 117
▲ Sant Benet 48 Cd 97
☆ Sant Benet, Monestir de 49 Da 98
☆ Sant Benet de Bages 47 Bf 98
☆ Sant Bernabé, Ermita de 31 Ce 94
Sant Bernabé de les Tenes (Gir) 48 Cb 95
Sant Bernat (Bal) 96 Eb 109
☆ Sant Bernat de Montseny 48 Cc 98
☆ Sant Blai 44 Ad 97
☆ Sant Blai 64 Ba 101
☆ Sant Blai 64 Ae 102
Sant Boi de Lluçanès (Bar) 48 Ca 96
☆ Sant Bonifaci 64 Af 100
☆ Sant Brici 31 Ce 94
Sant Carles de la Ràpita (Tar) 80 Ad 105
Sant Carles de Peralta (Bal) 97 Bd 114 ✉ 07850
Sant Cebrià de Lledó (Gir) 49 Cf 97
Sant Cebrià dels Alls (Gir) 49 Da 97
Sant Cebrià de Vallalta (Bar) 66 Cd 99
Sant Cecilia (Sor) 41 Xd 96
Sant Celoni (Bar) 48 Cd 98 ✉ 08470
Sant Cerni = Sant Serni (Lle) 46 Af 96
Sant Climenç (Lle) 47 Bc 97 ✉ 25286
☆ Sant Climent 28 Af 93
Sant Climent (Bal) 96 Eb 109 ✉ 07712
☆ Sant Climent 46 Bb 95
Sant Climent d'Amer (Gir) 48 Cd 97 ✉ 17170
☆ Sant Climent de la Riba 47 Ca 96
Sant Climent de Llobregat (Bar) 66 Bf 100 ✉ 08849
Sant Climent de Peralta (Gir) 49 Da 97 ✉ 17110
Sant Climent Sescebes (Gir) 31 Cf 94 ✉ 17751
Sant Corneli (Bar) 47 Bf 95 ✉ 08698
▲ Sant Corneli 46 Ba 95
☆ Sant Corneli 48 Cc 97
☆ Sant Cosme 29 Be 94
☆ Sant Crist, Ermita del 128 Zc 116
☆ Sant Crist de Balasc, el 49 Ce 99
Sant Cristina d'Aro (Gir) 49 Da 98
☆ Sant Cristòfol 30 Cc 95
☆ Sant Cristòfol, Ermita de 29 Bd 94
☆ Sant Cristòfol, Ermita de 46 Ba 95
Sant Cristòfol de Castellbell (Bar) 47 Be 99
Sant Cristòfol de la Donzell (Lle) 46 Ba 96
☆ Sant Cristòfol de Monteugues 48 Cb 98
☆ Sant Cristòfol les Fonts 48 Cd 96
☆ Sant Cristòfor 80 Ze 105
Sant Cugat del Racó (Bar) 47 Be 97
Sant Cugat del Vallès (Bar) 66 Ca 100
Sant Cugat de Sesgarrigues (Bar) 65 Be 100
Sant Dalmai (Gir) 48 Ce 97 ✉ 17183
Sant Daniel (Gir) 49 Da 97
☆ Sant Domènec 46 Ae 98
☆ Sant Domènec 80 Ad 103
☆ Sant Domènec, Convent de 114 Zd 115
☆ Sant Domènec, Ermita de 80 Aa 105
☆ Sant Donat 47 Bc 98
Sante (Ast) 5 Tb 87
Santecilla (Viz) 10 Wd 89 ✉ 48890
Santed (Zar) 78 Yc 102 ✉ 50373
▲ Santed, Puerto de 78 Yd 102
Santeles (Pon) 15 Rd 92 ✉ 36689
Santelices (Bur) 21 Wb 90 ✉ 09574
Sant Elies (Bar) 47 Bf 96
☆ Sant Elies 65 Be 100
Sant Elm (Bal) 98 Cc 111 ✉ 07159
San Telmo (Huel) 133 Ta 122 ✉ 21330
☆ San Telmo, Ermita de 110 Xd 114
☆ San Telmo, Parador 32 Rc 96
Sant Eloi (Bal) 96 Ea 109
☆ Sant Ermita (Bal) 99 Db 111
▲ Santero, El 59 Xb 99
Santerón, El (Cue) 93 Yd 108
☆ Santerón, Ermita de 93 Yd 108
Santervás de Campos (Vall) 37 Uf 95
Santervás de la Sierra (Sor) 41 Xc 97
Santervás de la Vega (Pal) 20 Vb 93
Santervás del Burgo (Sor) 58 Wf 98
☆ Santes, les 95 Aa 108
▲ Santes, Serra de les 95 Zf 108
☆ Santes Creus 46 Bb 97
Santes Creus (Tar) 65 Bc 100 ✉ 43815
☆ Santes Creus, Monestir de 65 Bc 100
Santesteban (Nav) 24 Yb 90
☆ Sant Esteve 30 Cc 95
Sant Esteve (Bar) 47 Bf 97
☆ Sant Esteve 46 Ba 96
☆ Sant Esteve 47 Bd 96
≈ Sant Esteve, Cala de (Bal) 96 Eb 109
☆ Sant Esteve, Ermita de 31 Ce 94
☆ Sant Esteve, Monestir de 48 Ce 96
☆ Sant Esteve de Castellet 65 Bd 101
☆ Sant Esteve de Comià 47 Ca 96
Sant Esteve de Guialbes (Gir) 49 Cf 96 ✉ 17468
☆ Sant Esteve de la Doma 66 Cb 98
Sant Esteve de la Riba (Gir) 47 Ca 95
Sant Esteve de la Sarga (Lle) 46 Ae 96 ✉ 25632
☆ Sant Esteve del Coll 66 Cc 99
Sant Esteve de Llémena (Gir) 48 Cd 96
☆ Sant Esteve de Monter 47 Ca 95
Sant Esteve de Palautordera (Bar) 48 Cc 98 ✉ 08461
Sant Esteve de Vallespiráns (Gir) 48 Ca 95
☆ Sant Esteve d'Umfred 30 Bf 94
Sant Esteve Sesrovires (Bar) 65 Bf 100 ✉ 08635
Sant Feliiu del Racò (Bar) 66 Ca 99
Sant Felip (Bal) 96 Df 108 ✉ 07720
Sant Felip Neri (Ali) 143 Zb 119
Sant Feliu de Boada (Gir) 49 Da 97 ✉ 17256
Sant Feliu de Buixalleu (Gir) 48 Cd 98 ✉ 17451
Sant Feliu de Codines (Bar) 66 Cb 98 ✉ 08182
Sant Feliu de Guíxols (Gir) 49 Da 98
☆ Sant Feliu de la Garriga, Castell de 49 Da 96
Sant Feliu de Llobregat (Bar) 66 Ca 100 ✉ 08980
☆ Sant Feliu de Lluelles 47 Be 96
Sant Feliu de Pallerols (Gir) 48 Cd 96 ✉ 17174
☆ Sant Feliu de Rodors 48 Ca 97
☆ Sant Feliu de Vallcarca 66 Ca 98
☆ Sant Feliuet de Terrassola 48 Ca 97
Sant Feliu Sasserra (Bar) 47 Ca 97 ✉ 08274
☆ Sant Ferran, Castell de 128 Zd 118
☆ Sant Ferran, Castell de 31 Cf 95
Sant Ferriol (Gir) 48 Ce 95 ✉ 17850
Sant Fost de Campsentelles (Bar) 66 Cb 99 ✉ 08105
☆ Sant Francesc 95 Ze 109
≈ Sant Francesc, Riera de 64 Bb 101
Sant Francesc de Formentera (Bal) 97 Bc 116 ✉ 07860
Sant Francesc de ses Salines (Bal) 97 Bc 115
☆ Sant Francese, Ermita de 62 Ac 101
☆ Sant Fruitós, Església de 47 Bc 95
Sant Fruitós de Bages (Bar) 47 Bf 98
☆ Sant Fruitós de Balenyà 48 Cb 98
☆ Sant Fruitós d'Ossinyà 48 Ce 95
Sant Gallard (Tar) 65 Bc 99
☆ Sant Genís 28 Af 94
☆ Sant Genís 47 Bf 95
Sant Genís (Bar) 65 Bd 99
☆ Sant Genís 66 Ca 100
☆ Sant Genís de Caraüll 48 Ca 97
☆ Sant Genís de Masadella 47 Bf 97
Sant Genís de Palafolls (Bar) 48 Ce 99
☆ Sant Genís d'Esprac 31 Da 94
Sant Genís de Vilassar = Vilassar de Dalt (Bar) 66 Cc 99
☆ Sant Genís Sacosta 48 Cd 96
☆ Sant Genís Sadevesa 48 Ca 97
▲ Sant Gervàs 46 Af 95
☆ Sant Gervàs, Ermita de 46 Ae 95
☆ Sant Gervasi, Ermita de 46 Bc 95
☆ Sant Gil 30 Ca 94
☆ Sant Grau 48 Cb 95
☆ Sant Grau 49 Cf 98
☆ Sant Grau d'Urús, Ermita de 30 Bf 94
Sant Gregori (Gir) 48 Ce 97
☆ Sant Gregori 64 Af 102
☆ Sant Gregori 95 Zf 109
☆ Sant Gugat 47 Be 97
Sant Guim de Freixenet (Lle) 47 Bc 99 ✉ 25270
Sant Guim de la Plana (Lle) 46 Bb 98 ✉ 25211
☆ Sant Hilari 66 Cc 99
Sant Hilari Sacalm (Gir) 48 Cd 97 ✉ 17403
Sant Hipòlit de Voltregà (Bar) 48 Cb 96
☆ Sant Honorat, Ermita de 46 Bb 96
☆ Santiá, Castillo de 43 Yf 96
Santiago (Jaé) 137 Vf 121
Santiago (Lug) 4 Sb 88
Santiago (Cor) 4 Sa 87
Santiago (Gui) 11 Xd 90
Santiago (Viz) 23 Xc 90 ✉ 48291
☆ Santiago 43 Zb 94
≈ Santiago, Arroyo de 157 Ub 127
Santiago, Cortijo de (Ciu) 122 Vd 118
☆ Santiago, Cuevas de 134 Ua 120
☆ Santiago, Ermita 11 Xc 89
☆ Santiago, Ermita de 139 We 121
☆ Santiago, Ermita de 124 Wc 116
☆ Santiago, Ermita de 19 Ue 91
☆ Santiago, Ermita de 19 Uc 91
☆ Santiago, Ermita de 24 Xf 92
☆ Santiago, Ermita de 24 Yb 93
☆ Santiago, Ermita de 27 Zf 94
☆ Santiago, Ermita de (Ten) 173 C 2
☆ Santiago, Ermita de (Palm) 174 C 3
☆ Santiago, Ermita de 41 Xd 94
☆ Santiago, Ermita de 44 Zf 98
☆ Santiago, Ermita de 60 Yb 101
☆ Santiago, Ermita de 77 Xf 106
☆ Santiago, Ermita de 91 Xb 107
☆ Santiago, Iglesia de 127 Ye 118
▲ Santiago, Playa de 12 Xe 89
▲ Santiago, Playa de (Ten) 172 B 2
▲ Santiago, Serra de 14 Qf 90
Santiago Apóstol (Tol) 89 Vd 108
Santiago de Alcántara (Các) 103 Se 111
Santiago de Aravalle (Ávi) 87 Uc 107 ✉ 05621
Santiago de Calatrava (Jaé) 137 Vf 122 ✉ 23612
Santiago de Compostela (Cor) 15 Rc 91 ✉ *15701
☆ Santiago de Gobiendes 7 Ue 88
Santiago de la Espada (Jaé) 140 Xc 120 ✉ 23290
Santiago de la Puebla (Sal) 72 Ue 104 ✉ 37311
Santiago de la Requejada (Zam) 35 Tc 96 ✉ 49323
Santiago de la Ribera (Mur) 143 Zb 122 ✉ 30720
Santiago del Arroyo (Vall) 56 Vc 100 ✉ 47164
Santiago de la Torre (Cue) 110 Xc 112
Santiago de la Valduerna (Leó) 36 Ua 95 ✉ 24766
Santiago del Campo (Các) 104 Td 111 ✉ 10191
Santiago del Collado (Ávi) 72 Ud 106
Santiago del Collado (Ávi) 87 Ud 107
Santiago del Molinillo (Leó) 18 Ub 93 ✉ 24273
Santiago del Teide (Ten) 172 C 4 ✉ 38690
Santiago del Val (Pal) 38 Vd 95 ✉ 34490
Santiago de Mora (Alb) 127 Yc 117 ✉ 02513
Santiago de Tudela (Bur) 22 We 90 ✉ 09588
Santiago do Covelo (Pon) 32 Rd 95
Santiago Millas (Leó) 36 Tf 94
Santiago-Pontones (Jaé) 140 Xc 120
Santiago Rubián (Lug) 16 Sd 93
▲ Santiagos, Sierra de los 122 Vd 115
☆ Santián, Cueva de 9 Wa 88
Santianes (Ast) 7 Ub 89
Santianes (Ast) 8 Uf 88
Santibáñez (Can) 9 Ve 89
Santibáñez de Ayllón (Seg) 58 We 100
Santibáñez de Béjar (Sal) 72 Uc 106
Santibáñez de Ecla (Pal) 21 Vd 92
Santibáñez de Esgueva (Bur) 39 Wb 97
Santibáñez de la Isla (Leó) 36 Ua 94
Santibáñez de la Peña (Pal) 20 Vb 92
Santibáñez de la Sierra (Sal) 71 Ua 106
Santibáñez del Cañedo (Sal) 54 Ub 102
Santibáñez del Río (Sal) 72 Ub 103
Santibáñez del Toral (Leó) 18 Td 93
Santibáñez del Val (Bur) 39 Wd 97
Santibáñez de Montes (Leó) 18 Te 93 ✉ 24379
Santibáñez de Murias (Ast) 19 Uc 90
Santibáñez de Porma (Leó) 19 Ud 93
Santibáñez de Resoba (Pal) 20 Vc 91
Santibáñez de Rueda (Leó) 19 Ue 92
Santibáñez de Tera (Zam) 36 Ua 97
Santibáñez de Valcorba (Vall) 56 Vd 99
Santibáñez de Valdeiglesias (Leó) 18 Ua 94
Santibáñez de Vidriales (Zam) 36 Tf 96
Santibáñez el Alto (Các) 85 Tc 107
Santibáñez el Bajo (Các) 86 Te 107
Santibáñez-Zarzaguda (Bur) 21 Wb 94
☆ San Tiburcio, Ermita de 92 Xd 110
▲ Santidad (Palm) 174 C 3
Santidad (Palm) 174 C 2
Santig (Val) 128 Za 115
Santigoso (Our) 34 Ta 94
Santillán (Ast) 7 Uf 89
Santillán (Can) 8 Vd 88
Santillán (Bur) 39 Wb 96
Santillana (Alm) 162 Xb 126 ✉ 04532
Santillana (Can) 9 Vf 88
▲ Santillana 55 Uf 100
Santillana (Seg) 74 Vf 103
≈ Santillana, Canal de 75 Wb 105
Santillana de Campos (Pal) 38 Vd 94 ✉ 34469
Santillán de la Vega (Pal) 20 Vb 94 ✉ 34126
☆ Santillandi, Ermita de 11 Xb 88
☆ Santillo, Ermita del 110 Xd 110
☆ Santimamiñe, Cueva de 11 Xc 88
Santiorxo (Our) 16 Sc 94
Santiponce (Sev) 148 Tf 124 ✉ 41970
San Tirso (Ast) 7 Ub 89
☆ San Tirso 8 Vc 90
☆ San Tirso, Ermita de 19 Ud 92
☆ San Tirso, Ermita de 23 Xc 93
☆ San Tirso, Torre 3 Re 89
Santiscal, El (Cád) 157 Ub 128
Sant Iscle (Bar) 47 Bf 98
Sant Iscle (Gir) 49 Da 96
☆ Sant Iscle, Castell de 49 Ce 98
Sant Iscle de Vallalta (Bar) 66 Cd 99 ✉ 08359
☆ Sant Isidor, Ermita de 143 Zb 119
☆ Sant Isidre 28 Ae 93
▲ Sant Isidre 47 Bf 96
☆ Santísima Trinidad, Ermita de 24 Ya 92
☆ Santísimo Cristo 138 Wb 122
☆ Santísimo Cristo, Ermita del 39 Wb 98
Santísimo Cristo del Humilladero (Bad) 119 Td 118

☆Santísimo Ecce Homo, Santuario del 141 Yb 119
Santiso (Cor) 15 Rf 91
Santiso de Vilanova (Cor) 2 Rb 89
☆Santíssima Trinitat 64 Ba 100
Santisteban del Puerto (Jaé) 139 We 119 ✉23250
Santiude de Toranzo (Can) 9 Wa 89
Santiurde de Reinosa (Can) 21 Vf 90 ✉39490
Santiuste (Bur) 39 Wa 95
Santiuste (Sor) 58 Xa 99 ✉42193
Santiuste (Gua) 76 Xb 102 ✉19245
Santiuste de San Juan Bautista (Seg) 56 Vc 102 ✉40460
Santiz (Sal) 54 Ua 101 ✉37110
☆Sant Jaume 28 Af 92
☆Sant Jaume 47 Ca 95
☆Sant Jaume 47 Bd 95
☆Sant Jaume 46 Bb 96
☆Sant Jaume 47 Bf 98
☆Sant Jaume 48 Cb 96
☆Sant Jaume 65 Bf 99
☆Sant Jaume 95 Zf 109
☆Sant Jaume, Ermita de 128 Zc 118
☆Sant Jaume, Ermita de 128 Zc 116
☆Sant Jaume, Ermita de 62 Ac 100
☆Sant Jaume de Fenollet 48 Ca 97
☆Sant Jaume de Fifà 48 Cc 98
Sant Jaume de Frontanyà (Bar) 47 Ca 95
Sant Jaume de Llierca (Gir) 48 Cd 95 ✉17854
☆Sant Jaume del Palou 65 Be 100
Sant Jaume dels Domenys (Tar) 65 Bd 101 ✉43713
Sant Jaume d'Enveja (Tar) 80 Ae 104 ✉43877
☆Sant Jaume de Vilanova 48 Ca 97
☆Sant Jaume d'Olzinelles 47 Bf 98
Sant Jaume Mediterrani (Bal) 96 Ea 109
☆Sant Jaume Salem 47 Bd 98
Sant Jaume Sesoliveres (Bar) 65 Be 100 ✉08784
☆Sant Jeroni, Ermita de 62 Ad 102
☆Sant Jeroni de Cotalba 114 Ze 115
☆Sant Joan 28 Ae 93
☆Sant Joan 28 Ae 92
☆Sant Joan 29 Bc 94
Sant Joan (Bal) 99 Da 111
☆Sant Joan (Bal) 98 Cd 111
☆Sant Joan 48 Ce 96
☆Sant Joan 49 Da 96
☆Sant Joan 48 Cd 95
Sant Joan (Gir) 49 Da 97
☆Sant Joan 64 Ba 100
☆Sant Joan, Castell de 114 Ze 115
☆Sant Joan, Castell de 46 Ba 97
☆Sant Joan, Castell de 62 Ab 102
☆Sant Joan, Eglésia romànica de 31 Da 95
☆Sant Joan, Ermita de 128 Zc 115
☆Sant Joan, Ermita de 129 Aa 116
☆Sant Joan, Ermita de 29 Bb 93
☆Sant Joan, Ermita de 47 Bc 96
☆Sant Joan, Ermita de 46 Bb 95
☆Sant Joan, Ermita de 46 Bb 96
▲Sant Joan, Serra de 46 Bb 95
☆Sant Joan, Torre de 80 Ae 105
Sant Joan d'Alacant (Ali) 128 Zd 118 ✉03550
☆Sant Joan de Cornudell 47 Ca 95
Sant Joan de Fàbregues (Bar) 48 Cc 96
Sant Joan de Labritja (Bal) 97 Bd 114 ✉07810
☆Sant Joan de la Muntanya 65 Bd 100
☆Sant Joan del Codolar 64 Af 101
☆Sant Joan de l'Erm 29 Bb 94
Sant Joan de les Abadesses (Gir) 48 Cb 95 ✉17860
☆Sant Joan del Galí 48 Cb 97
☆Sant Joan del Lledó 65 Bd 100
Sant Joan del Noguer (Bar) 48 Cb 96
Sant Joan dels Balbs (Gir) 48 Cc 96
Sant Joan de Mediona (Bar) 65 Bd 100
☆Sant Joan de Missa (Bal) 96 Df 109
Sant Joan de Mollet (Gir) 49 Cf 96 ✉17463
Sant Joan de Montdarn (Bar) 47 Be 97 ✉08679
Sant Joan de Moró (Cas) 95 Zf 108 ✉12130
Sant Joan de Penyagolosa (Cas) 95 Zd 107
Sant Joan de Serra (Bal) 96 Ea 108
Sant Joan Despí (Bar) 66 Ca 100
Sant Joan de Torán (Lle) 28 Ae 91
Sant Joan de Vilassar = Vilassar de Mar (Bar) 66 Cc 99
Sant Joan de Vinyafrescal (Lle) 46 Af 95 ✉25516
☆Sant Joan d'Isil, Monestir de 28 Ba 92
☆Sant Joan d'Oló 47 Ca 97
Sant Joan Fumat (Lle) 29 Bc 94 ✉25799
Sant Joan les Fonts (Gir) 48 Cd 95 ✉17857
☆Sant Joan Salern 49 Cf 96
☆Sant Joan Sanata 48 Cc 98
Sant Joan Vilatorrada (Bar) 47 Be 98
Sant Jordi (Bal) 96 Ea 108
Sant Jordi (Bal) 98 Ce 111
Sant Jordi (Bar) 47 Bf 96
☆Sant Jordi 46 Af 97
☆Sant Jordi 48 Cb 97
≈Sant Jordi, Golf de 80 Ae 104
Sant Jordi d'Alfama (Tar) 80 Af 103
☆Sant Jordi de Lloberec 47 Bf 97
Sant Jordi Desvalls (Gir) 49 Cf 96 ✉17464
☆Sant Jordi de Vinferri 64 Ae 99
☆Sant Josep 29 Be 94
Sant Josep (Bal) 96 Ea 108
☆Sant Josep 47 Bf 96
☆Sant Josep 64 Ba 100
☆Sant Josep 80 Ac 103
Sant Josep de sa Talaia (Bal) 97 Bb 115
☆Sant Julià 47 Bd 96
☆Sant Julià 47 Bd 97
☆Sant Julià 47 Be 98
▲Sant Julià 48 Cd 95
☆Sant Julià 48 Ca 98
☆Sant Julià 80 Ac 103
Sant Julià d'Altura (Bar) 66 Ca 99
Sant Julià de Boada (Gir) 49 Da 97
Sant Julià de Cabrera (Bar) 48 Cc 96
Sant Julià de Cerdanyola (Bar) 47 Bf 95
☆Sant Julià de Fréixens 47 Be 95
Sant Julià del Llor i Bonmatí (Gir) 48 Ce 97
Sant Julià de Lòria (AND) 29 Bc 94
☆Sant Julià de Pera 47 Bc 95
Sant Julià de Ramis (Gir) 49 Cf 96
☆Sant Julià de Ribelles 31 Cd 95
☆Sant Julià de Vilamirosa 48 Cb 97
Sant Julià de Vilatorta (Bar) 48 Cc 97
Sant Just (Lle) 46 Ae 97
Sant Just d'Ardèvol (Lle) 47 Bd 97
☆Sant Just de Joval 47 Bd 96
Sant Just Desvern (Bar) 66 Ca 100 ✉08960
☆Sant Lleïr de Casavella 47 Bd 96
☆Sant Llogari de Castellet 48 Ca 98
Sant Llorenc (Bal) 96 Eb 109
Sant Llorenç (Bal) 96 Ea 109
Sant Llorenç (Bal) 96 Df 109
Sant Llorenç (Bal) 97 Bc 114
☆Sant Llorenç 47 Bf 95
Sant Llorenç (Gir) 49 Cf 98 ✉17531
☆Sant Llorenç, Ermita de 129 Zf 117
☆Sant Llorenç, Ermita de 46 Ae 95
Sant Llorenç de Campdevànol (Gir) 48 Ca 95
Sant Llorenç de la Muga (Gir) 31 Ce 95 ✉17732
☆Sant Llorenç de la Roca 44 Ae 96
Sant Llorenç de les Arenes (Gir) 49 Cf 96 ✉17463
☆Sant Llorenç del Munt 48 Cc 97
☆Sant Llorenç del Munt 66 Ca 99
Sant Llorenç de Morunys (Lle) 47 Bd 96 ✉25282
▲Sant Llorenç de Munt i l'Obac, Parc Natural de 47 Bf 98
Sant Llorenç des Cardassar (Bal) 99 Db 111 ✉07530
Sant Llorenç d'Hortons (Bar) 65 Bf 100 ✉08791
☆Sant Llorenç Dosmunts 48 Cc 96
Sant Llorenç Savall (Bar) 66 Ca 98 ✉08212
Sant Lluís (Bal) 96 Eb 109 ✉07710
Sant Magí- de Brufaganya (Tar) 65 Bc 100
☆Sant Mamet 28 Ae 94
▲Sant Mamet, Serra de 46 Af 97
☆Sant Marc 29 Be 94
☆Sant Marc 29 Bc 94
☆Sant Marc 48 Cb 97
☆Sant Marc 62 Ac 102
☆Sant Marc 65 Bc 100
☆Sant Marc, Ermita de 47 Bf 95
☆Sant Marc, Ermita de 46 Ae 97
☆Sant Marc, Ermita de 80 Aa 105
☆Sant Marçal 46 Bb 98
Sant Marçal (Bar) 65 Bd 101 ✉08732
☆Sant Marçal, Castell de 66 Ca 100
☆Sant Marçal de Montseny 48 Cc 98
Sant Marçal de Quarantella (Gir) 49 Cf 96 ✉17468
☆Sant Martí 31 Cf 94
☆Sant Martí 47 Be 97
☆Sant Martí 47 Bf 96
Sant Martí (Gir) 48 Cd 96
☆Sant Martí 49 Cf 95
▲Sant Martí, Cap de 128 Ab 116
☆Sant Martí, Castell àrab de 48 Cb 98
☆Sant Martí, Ermita de 46 Bb 95
≈Sant Martí, Riu de 28 Af 93
▲Sant Martí, Serra de 28 Ae 94
Sant Martí d'Albars (Bar) 47 Ca 96
Sant Martí d'Aravó (Gir) 30 Bf 94
Sant Martí de Canals (Lle) 46 Ba 95
Sant Martí de Centelles (Bar) 48 Cb 98
Sant Martí de la Morana (Lle) 46 Bb 98
☆Sant Martí de la Plana 46 Bb 95
Sant Martí del Clot (Gir) 48 Cc 95
Sant Martí de Llémena (Gir) 48 Cd 96
☆Sant Martí dels Castells 29 Be 94
☆Sant Martí de Maçana 47 Bd 98
Sant Martí de Maldà (Lle) 64 Ba 99
☆Sant Martí de Mata 66 Cc 99
☆Sant Martí de Montseny 48 Cc 98
Sant Martí de Riucorb (Lle) 64 Ba 99
Sant Martí de Riucorb (Lle) 64 Af 99
☆Sant Martí de Surroca 48 Cb 95
☆Sant Martí de Toralles 48 Cd 95
Sant Martí de Toroella (Bar) 47 Be 98
Sant Martí de Tous (Bar) 65 Bd 99
Sant Martiño (Our) 34 Sf 95
Sant Martí Sacalm (Gir) 48 Cd 96
Sant Martí Sapresa (Gir) 48 Ce 97
Sant Martí Sarroca (Bar) 65 Bd 100
Sant Martí sescorts (Bar) 48 Cb 96
Sant Martí Sesgueioles (Bar) 47 Bc 98
Sant Martí Sesserres (Gir) 31 Ce 95
Sant Martí Vell (Gir) 49 Cf 96
Sant Mateu = San Mateu (Cas) 80 Ab 106 ✉12170
Sant Mateu d'Aubarca (Bal) 97 Bc 114
Sant Mateu de Bages (Bar) 47 Be 98 ✉08263
Sant Mateu de Montnegre (Gir) 49 Cf 97 ✉17242
Sant Maure (Bar) 65 Bd 99
Sant Maurici (Lle) 28 Ba 93
☆Sant Maurici, Ermita de 49 Ce 98
≈Sant Maurici, Estany de 28 Af 93
Sant Maurici de la Quar (Bar) 47 Bf 96
Sant Medir (Gir) 49 Ce 96 ✉17199
☆Sant Medir 66 Ca 100
☆Sant Mer 48 Ce 96
☆Sant Michael, Cueva de (GBZ) 165 Ud 132
☆Sant Miquel 29 Bd 94
Sant Miquel (Lle) 46 Af 95
☆Sant Miquel 48 Af 96
☆Sant Miquel 48 Ce 95
☆Sant Miquel 48 Cb 97
☆Sant Miquel 62 Ad 101
☆Sant Miquel 65 Bc 100
☆Sant Miquel 65 Bd 101
☆Sant Miquel, Castell de 48 Cc 96
☆Sant Miquel, Castell de 48 Ca 98
☆Sant Miquel, Ermita de 96 Ab 107
☆Sant Miquel, Ermita de 29 Bb 93
☆Sant Miquel, Ermita de (Bal) 99 Da 111
☆Sant Miquel, Ermita de 46 Af 95
☆Sant Miquel, Ermitori de 95 Aa 107
☆Sant Miquel, Reial Monestir de 113 Zc 111
▲Sant Miquel, Serra de 48 Cc 96
Sant Miquel de Balansat (Bal) 97 Bc 114
Sant Miquel de Campmajor (Gir) 48 Ce 96 ✉17831
Sant Miquel de Cladells (Gir) 48 Cd 97
☆Sant Miquel de Cruïlles 49 Da 97
Sant Miquel de Fluvià (Gir) 49 Da 95
☆Sant Miquel de Gallifa 48 Cb 96
☆Sant Miquel de la Comanda 47 Bd 98
☆Sant Miquel de la Maçana 47 Be 98
☆Sant Miquel de la Torre 48 Cc 95
☆Sant Miquel de la Tosca 64 Af 100
Sant Miquel de la Vall (Lle) 46 Af 96 ✉25639
☆Sant Miquel del Corb 46 Ae 98
Sant Miquel del Corb (Gir) 48 Cc 96
☆Sant Miquel del Fai 48 Cb 98
☆Sant Miquel del Mont 48 Cc 95
Sant Miquel de Montella (Gir) 48 Cd 95
Sant Miquel d'Engolasters (AND) 29 Bd 93
Sant Miquel de Pera (Gir) 48 Cc 95 ✉17856
Sant Miquel de Pineda (Gir) 48 Cd 96 ✉17175
☆Sant Miquel d'Erdol 65 Be 101
☆Sant Miquel de Sorerols 48 Cc 97
☆Sant Miquel de Terradelles 47 Bf 97
☆Sant Miquel de Toudell 66 Bf 99
☆Sant Miquel de Tudela 46 Bb 98
☆Sant Miquel de Turbians 47 Be 95
☆Sant Miquel de Vilageriu 48 Cb 97
Sant Miquel d'Olèrdola (Bar) 65 Be 101
☆Sant Miquel Sesperxes 48 Cb 98
Sant Mori (Gir) 49 Da 96 ✉17467
☆Sant Muç 66 Ca 99
☆Sant Nazari 47 Ca 97
☆Sant Nazari 48 Cc 96
☆Sant Nicolau 28 Af 93
Sant Nicolau (Bal) 96 Eb 109
☆Sant Nicolau 46 Af 95
☆Sant Nicolau 48 Cb 98
Santo, Cortijo del (Jaé) 138 Wd 121
☆Santo, El 89 Ve 107
☆Santo, Ermita del 105 Ua 113
☆Santo, Ermita del 60 Yb 99
☆Santo, Ermita del 92 Xd 108
≈Santo, Laguna del 120 Uc 117
▲Santo, Monte 24 Xe 92
Santo André de Penosiños (Our) 33 Rf 95
Santo Ángel (Mur) 142 Yf 121
☆Santo Cristo 60 Yc 102
☆Santo Cristo, Ermita de 125 Xa 117
☆Santo Cristo, Ermita de 24 Yc 92
☆Santo Cristo, Ermita del 125 Xa 116
☆Santo Cristo, Ermita del 63 Zf 101
☆Santo Cristo, Monasterio del 5 Tc 88
☆Santo Cristo de la Vega 59 Xc 101
☆Santo Cristo de la Yedra, Ermita del 138 Wd 120
Santo Cristo de los Olmedillos (Sor) 41 Xd 98
☆Santo Domènec 46 Ba 97
Santo Domingo (Bad) 118 Sf 117 ✉06108
▲Santo Domingo 26 Za 94
Santo Domingo (Ten) 171 B 2 ✉38437
☆Santo Domingo 44 Ze 97
Santo Domingo (Sal) 54 Ua 102 ✉37116
Santo Domingo (Mad) 75 Wc 105
☆Santo Domingo 78 Yb 103
Santo Domingo (Tol) 89 Ve 108
☆Santo Domingo 88 Va 109
Santo Domingo (Cue) 93 Yd 109
Santo Domingo = Garafia (Ten) 171 B 2 ✉38437
▲Santo Domingo, Alto de 15 Rf 93
Santo Domingo, Caserío (Cád) 156 Td 128
☆Santo Domingo, Convento de 76 Xc 104
Santo Domingo, Cortijo de (Sev) 149 Uc 124
☆Santo Domingo, Ermita de 121 Uf 117
☆Santo Domingo, Ermita de 104 Tc 111
☆Santo Domingo, Ermita de 17 Tc 92
☆Santo Domingo, Ermita de 41 Xc 96
☆Santo Domingo, Ermita de 61 Yf 102
☆Santo Domingo, Ermita de 78 Yf 105
☆Santo Domingo, Monasterio de 126 Yb 115
▲Santo Domingo, Puerto de 119 Td 118
▲Santo Domingo, Punta y Prois (Ten) 171 B 2
▲Santo Domingo, Sierra de 104 Tc 111
▲Santo Domingo, Sierra de 26 Za 94
Santo Domingo de Herguijuela (Sal) 71 Ua 105 ✉37762
Santo Domingo de la Calzada (Rio) 40 Xa 94 ✉26250
Santo Domingo de las Posadas (Ávi) 73 Vc 104 ✉05292
Santo Domingo de Pirón (Seg) 74 Wa 102
Santo Domingo de Silos (Bur) 40 Wd 97 ✉09610
Santo Estevo (Lug) 4 Sc 89
☆Santo Estevo 16 Sb 93
≈Santo Estevo, Encoro de 16 Sd 94
☆Santo Estevo de Lermo, Ermida de 5 Se 87
☆Santo Estevo de Ribas de Miño 16 Sb 93
Santo Estevo de Ribas de Sil (Our) 16 Sc 94 ✉32164
☆Santo Estevo de Ribas de Sil, Mosteiro de 16 Sb 94
Sant Oïsme (Lle) 46 Af 97
☆Santoje, Cueva de 8 Vc 88
Santolea (Ter) 80 Zd 104
≈Santolea, Embalse de 80 Zd 10
☆Santo Mauro 9 Vf 89
San Tomé (Lug) 4 Se 88
Santomera (Mur) 142 Yf 120 ✉30140
≈Santomera, Embalse de 142 Yf 120
Santoña (Can) 10 Wd 88 ✉3974
Santonge (Alm) 140 Xf 121
☆Santo Niño, Cueva-Ermita del 90 Wd 110
☆Sant Onofre 31 Da 95
Santopétar (Alm) 154 Xf 124
▲Santopitar 160 Ve 128
Santo Pítar, Caserío (Mál) 160 Ve 128
Santorcaz (Mad) 75 We 106 ✉28818
San Torcuato (Rio) 23 Xa 94 ✉26291
☆San Torcuato, Ermita de 153 Wf 124
Santoréns (Hues) 28 Ae 94
☆Santos, Arco de los 139 Wf 121
☆Santos, Cerro de los 127 Ye 116
Santos, Cortijo de (Mur) 141 Ya 12
☆Santos, Ermita de los 164 Ub 13
☆Santos, Ermita de los 60 Ya 100
☆Santos, Ermita de los 80 Aa 103
Santos, Los (Alm) 154 Xc 125
Santos, Los (Córd) 151 Vc 124 ✉14900
Santos, Los (Mur) 142 Ye 122 ✉30335
Santos, Los (Sal) 72 Ub 105 ✉37768
Santos, Los (Val) 93 Ye 108 ✉46142
▲Santos, Puerto de los 108 Wc 11
▲Santos, Sierra de los 135 Ud 11
▲Santos, Sierra de los 119 Te 118
Santos de la Humosa, Los (Mad) 75 We 106 ✉28817
☆Santos de la Piedra, Ermita de los 78 Yc 105
Santos de Maimona, Los (Bad) 119 Td 118 ✉06230
Santo Siervo, Cortijo de (Sev) 150 Uf 124
Santotis (Can) 9 Vd 90 ✉39555
Santotis (Gua) 75 Wf 102
Santotís (Bur) 22 Wd 92
☆Santo Tomás 60 Yb 102
Santo Tomás, Cortijo (Các) 86 Ua 110
Santo Tomé (Jaé) 139 Wf 120
Santo Tomé (Our) 33 Rf 95
Santo Tomé de Colledo (Sal) 71 Ua 103
Santo Tomé del Puerto (Seg) 57 Wc 101
Santo Tomé de Rozados (Sal) 72 Ub 103
Santo Tomé de Zabarcos (Ávi) 73 Va 104
☆Santo Toribio de Liébana 20 Vc 9
Santovenia (Zam) 36 Ub 97
Santovenia (Seg) 73 Vd 103 ✉40135
Santovenia de la Valdoncina (Leó) 19 Uc 93 ✉24391
Santovenia del Monte (Leó) 19 Ud 93 ✉24195
Santovenia de Oca (Bur) 39 Wd 94 ✉09199
Santovenia de Pisuerga (Vall) 56 Vb 98 ✉47155
Santoyo (Pal) 38 Vd 95 ✉34490
Sant Patrici (Bal) 96 Ea 108
☆Sant Pau 48 Cd 96
☆Sant Pau 62 Ac 101
☆Sant Pau 62 Ac 102
☆Sant Pau 64 Af 101
☆Sant Pau 65 Be 101
☆Sant Pau, Ermita de 47 Bc 96
☆Sant Pau de la Figuera 64 Ae 101
Sant Pau de la Guàrdia (Bar) 65 Be 99
☆Sant Pau del Colomer 48 Ca 96
Sant Pau de Pinós (Bar) 47 Bf 97
Sant Pau de Segúries (Gir) 48 Cc 95
Sant Pau d'Ordal (Bar) 65 Be 100 ✉08739
Santpedor (Bar) 47 Bf 98 ✉08251
☆Sant Pere 129 Zf 115
☆Sant Pere 47 Bd 99
☆Sant Pere 46 Ae 96
☆Sant Pere 48 Cb 98
☆Sant Pere 49 Cf 95
☆Sant Pere 49 Da 96
☆Sant Pere 65 Bf 99
☆Sant Pere 66 Ca 98
Sant Pere = San Pedro (Cas) 80 Aa 106
☆Sant Pere, Ermita de 28 Ba 93
☆Sant Pere, Ermita de 46 Ba 96
☆Sant Pere, Ermita de 46 Bb 96

Sant Pere, Ermita de 47 Bd96
Sant Pere, Ermita de 80 Ab105
Sant Pere, Monestir de 30 Cc95
Sant Pere, Monestir de 48 Ce95
ant Pere Cercada (Gir) 48 Cd97 ✉17445
Sant Pere d'Auira 48 Ca95
Sant Pere de Burgal 29 Bb93
Sant Pere de Casserres 48 Cc97
Sant Pere de Clarà 66 Cc99
ant Pere de Comalats (Bar) 47 Bd99
Sant Pere de Ferrerons 48 Ca97
Sant Pere de Figuerola 47 Bc98
Sant Pere de Gaià 65 Bc100
Sant Pere de Graudescales 47 Be96
Sant Pere de la Vansa 47 Bd95
Sant Pere del Bosc 49 Ce98
Sant Pere del Castell, Monestir de 46 Bb97
Sant Pere de l'Erm 65 Bc99
Sant Pere del Grau 47 Ca96
Sant Pere del Puig 64 Ba101
ant Pere dels Arquells (Lle) 64 Bb99 ✉25213
Sant Pere de Mogrony 47 Ca95
ant Pere de Premià = Premià de Dalt (Bar) 66 Cc99
ant Pere de Ribes (Bar) 65 Be101 ✉08810
ant Pere de Riudebitlles (Bar) 65 Be100 ✉08776
Sant Pere de Rodes 31 Db94
Sant Pere de Savella 64 Bb99
Sant Pere Desplà, Església de 48 Cc97
ant Pere Despuig (Gir) 48 Cc95 ✉17813
ant Pere de Torelló (Bar) 48 Cb96
Sant Pere de Vilalta 47 Be98
ant Pere de Vilamajor (Bar) 48 Cc98 ✉08458
ant Pere de Vilamajor = Sant Antoni de Vilamajor (Bar) 48 Cc98 ✉08458
Sant Pere de Vivelles 48 Ce98
Sant Pere d'Obac 46 Ba97
ant Pere Pescador (Gir) 49 Da95 ✉17470
ant Pere Sacarrera (Bar) 65 Bd100 ✉08773
ant Pere Sacosta (Gir) 48 Cd96
ant Pere sacosta (Gir) 48 Cd96
ant Pere Sallavinera (Bar) 47 Bd98 ✉08281
☆Sant Pere Sasserra 47 Bc97
ant Pesselaç (Bar) 47 Bd98
☆Sant Pol 46 Bb97
ant Pol (Gir) 49 Da97
ant Pol (Gir) 49 Da98
▲Sant Pol, Platja de 49 Da98
ant Pol de Mar (Bar) 66 Cd99 ✉08395
☆Sant Ponç 47 Bc95
☆Sant Ponç 47 Bf98
Sant Ponç (Gir) 48 Cc95
☆Sant Ponç 48 Ce98
≈Sant Ponç, Pantà de 47 Bd97
☆Sant Ponç de Corbera 65 Bf100
Sant Privat d'en Bas (Gir) 48 Cc96 ✉17178
☆Sant Quintí, Ermita de 47 Bc96
Sant Quintí de Mediona (Bar) 65 Bd100
☆Sant Quintí de Montclar 47 Be96
☆Sant Quintí de Puig-rodon 48 Ca95
▲Sant Quir 46 Bb94
▲Sant Quiri 46 Ba96
☆Sant Quiri de Sas 28 Af94
☆Sant Quirze 28 Ba94
☆Sant Quirze 46 Bb95
☆Sant Quirze 49 Da96
Sant Quirze de Besora (Bar) 48 Cb96 ✉08580
☆Sant Quirze de Colera, Convent de 31 Da94
Sant Quirze del Vallès (Bar) 66 Ca99
☆Sant Quirze de Pedret 47 Bf96
Sant Quirze Safaja (Bar) 48 Ca98 ✉08189
☆Sant Rafael 48 Ce99
Sant Rafel (Bal) 97 Bc115
Sant Ramon (Lle) 46 Bc98 ✉25215
☆Sant Ramon 64 Bb100
☆Sant Ramon, Ermita de 47 Bf95
☆Sant Ramon de Sobirana 47 Bf97
☆Sant Roc 44 Ad98
☆Sant Roc 46 Af95
☆Sant Roc 46 Bb98
Sant Roc (Gir) 48 Cc96
☆Sant Roc 48 Ce96
☆Sant Roc 64 Ba99
☆Sant Roc 64 Ba101
☆Sant Roc 64 Ae101
☆Sant Roc 65 Bd101
☆Sant Roc, Ermita de 28 Ba94
☆Sant Roc i Santa Llúcia 64 Af99
☆Sant Romà 46 Bb96
Sant Romà (Bar) 65 Bd100
☆Sant Romà (AND) 29 Bd93
Sant Romà d'Abella (Lle) 46 Ba96
Sant Romà de La Clusa (Bar) 47 Bf95
☆Sant Romà de Tavèrnoles 29 Bb94
☆Sant Ruf de Lleida 62 Ad99
☆Sants, Palau i jardí de 128 Zd116
☆Sant Sadurní 29 Be94
☆Sant Sadurní 66 Ca98
Sant Sadurní d'Anoia (Bar) 65 Be100
Sant Sadurní de l'Heura (Gir) 49 Cf97
☆Sant Sadurní de Rotgers 47 Bf96
Sant Sadurní de Sovelles (Gir) 48 Ca96
Sant Sadurní d'Osormort (Bar) 48 Cc97
☆Sant Salvador 28 Ae94
☆Sant Salvador 47 Be95
☆Sant Salvador 48 Cd98
☆Sant Salvador 48 Cd96
Sant Salvador (Tar) 65 Bd101 ✉43130
☆Sant Salvador 64 Af100
☆Sant Salvador, Castell de 31 Da95
☆Sant Salvador, Ermita de 44 Ad97
☆Sant Salvador, Ermita de 46 Af95
☆Sant Salvador, Santuarí de (Bal) 99 Db112
☆Sant Salvador d'Adraén, Ermita de 47 Bd95
☆Sant Salvador de Bellver 48 Cb96
Sant Salvador de Bianya (Gir) 48 Cc95 ✉17813
Sant Salvador de Guardiola (Bar) 47 Be98 ✉08253
☆Sant Salvador de les Espases 65 Bf99
☆Sant Salvador del Quer 47 Be97
☆Sant Salvador de Margalef 64 Ae101
☆Sant Salvador de Montsec 46 Af96
☆Sant Salvador de Pedranies 30 Bf94
☆Sant Salvador de Serredellops 48 Ca97
☆Sant Salvador de Terrades 48 Cc98
Sant Salvador de Toló (Lle) 46 Ba96
☆Sant Salvador d'Horta 80 Ab103
☆Sant Salvi 48 Cd97
☆Sants de la Pedra 114 Ze113
☆Sants de Pedra, Ermita dels 95 Ze109
☆Sant Sebastià 48 Cb97
☆Sant Sebastià, Ermita de 128 Zd117
☆Sant Sebastià, Ermita de 129 Zf115
☆Sant Sebastià, Ermita de 28 Ba94
☆Sant Sebastià, Ermita de 46 Af95
☆Sant Sebastià, Ermita de 80 Ac105
☆Sant Sebastià, Far de 49 Db97
Sant Sebastià de Buseu (Lle) 46 Ba95
Sant Sebastiá del Gorgs (Bar) 65 Be100
Sant Sebastià de Montmajor (Bar) 66 Ca99
☆Sant Segimon del Bosc 48 Cd98
☆Sant Sepulcre 48 Ce95
Sant Serni (Lle) 46 Af96 ✉25689
☆Sant Serni 46 Af95
☆Sant Serni del Grau 47 Bd96
Sant Serni de Llanera (Lle) 47 Bc97
☆Sant Serni de Tavèrnoles 29 Bc94
☆Sant Simó 48 Cd98
☆Sant Simplici 66 Cb99
Sants Metges, els (Bar) 47 Be96
☆Sants Metges, els 64 Bb100
Sant Tomàs (Bal) 96 Df108
Sant Tomàs (Bal) 96 Ea109
☆Sant Tomàs, Ermita de 128 Zc116
Sant Tomàs de Fluvià (Gir) 49 Da95
☆Santuari de la Magdalena 95 Aa108
☆Santuario de Covadonga 8 Uf89
Santuario de Misericordia (Zar) 42 Yc97
☆Santuario de Pelarda 78 Yf103
☆Santuario Virgen del Salz 43 Zb97
☆Santuerí, Castell de (Bal) 99 Db112
Santullán (Can) 10 We88
Santullano (Ast) 6 Ua88
Santurde (Bur) 22 Wd91 ✉09514
Santurde (Ála) 23 Xb92 ✉01211
Santurde de Rioja (Rio) 40 Xa94
Santurdejo (Rio) 40 Xa94 ✉26261
☆Santurio 7 Uc88
☆Santurio 71 Tf106
Santurtzi (Viz) 10 Wf89 ✉48980
☆Sant Vicenç 47 Bf96
≈Sant Vicenç, Cala de (Bal) 97 Bd114
☆Sant Vicenç, Ermita de 96 Aa107
☆Sant Vicenç, Ermita de = San Vicente, Ermita de 96 Aa107
☆Sant Vicenç, Església de 47 Be97
☆Sant Vicenç de Calders, Castell de 65 Bd101
Sant Vicenç de Castellet (Bar) 47 Bf99 ✉08295
Sant Vicenç dels Horts (Bar) 66 Ca100 ✉08620
☆Sant Vicenç de Maçanós 47 Ca96
Sant Vicenç de Montalt (Bar) 66 Cd99 ✉08394
☆Sant Vicenç de Puigmal 48 Cb95
Sant Vicenç de sa Cala (Bal) 97 Bd114
Sant Vicenç de Torelló (Bar) 48 Cb96
☆Sant Vicenç de Vallarec 66 Ca100
Sant Vicenç de Vilarassau (Bar) 47 Ca97
☆Sant Viicenç, Ermita de 113 Zc111
☆Sant Vincenç 48 Cb97
☆San Urbez, Ermita de 44 Ze94
San Valentín, Cortijo de (Các) 86 Tf110
San Valero (Hues) 28 Ad94
☆San Valero 63 Ab99
San Velián (Hues) 27 Aa94
San Vicente (Cor) 14 Rb91 ✉15186
San Vicente (Nav) 25 Ye92 ✉31448
▲San Vicente 37 Ud96
San Vicente (Ten) 172 D3 ✉38416
San Vicente (Zar) 42 Yb97
San Vicente (Hues) 44 Zd94
San Vicente (Sal) 72 Ud103
☆San Vicente 78 Ye103
▲San Vicente 88 Vb108
San Vicente (Cas) 94 Zd108
☆San Vicente, Ermita de 139 Xc119
☆San Vicente, Ermita de 9 Wb89
☆San Vicente, Ermita de 24 Ya91
☆San Vicente, Ermita de = Sant Vicenç, Ermita de 96 Aa107
▲San Vicente, Puerto de 106 Uf111
≈San Vicente, Ría de 9 Vd88
▲San Vicente, Sierra de 88 Vb108
San Vicente de Alcántara (Các) 103 Sf112
San Vicente de Arana (Ála) 23 Xd92 ✉01117
San Vicente de Arévalo (Ávi) 73 Vb103
San Vicente de Barakaldo (Viz) 11 Xa89
San Vicente de la Barquera (Can) 9 Vd88 ✉39540
San Vicente de Labuerda (Hues) 27 Aa94
San Vicente de la Cabeza (Zam) 35 Te98 ✉49592
San Vicente de la Sonsierra (Rio) 23 Xb93 ✉26338
San Vicente del Condado (Leó) 19 Ud93 ✉24154
San Vicente de Leira (Our) 17 Sf94 ✉32348
San Vicente de León (Can) 9 Vf89
San Vicente del Palacio (Vall) 55 Va101 ✉47493
San Vicente del Raspeig/Sant Vicent del Raspeig (Ali) 128 Zc118
San Vicente del Valle (Bur) 40 Wf94 ✉09268
San Vicente de Robres (Rio) 41 Xe95 ✉26131
☆San Vicente de Serrapio 7 Uc89
San Vicente de Toranzo (Can) 9 Wa89 ✉39699
San Vicente de Vigo (Cor) 3 Re89 ✉15175
San Vicente de Villamezán (Bur) 21 Wa91
San Vicente do Grove (Pon) 14 Ra94
San Vicentejo (Bur) 23 Xb92 ✉09217
▲San Vicenzo, Punta 14 Ra94
☆San Víctor, Ermita de 23 Xc92
San Vidal (Bal) 96 Eb109
San Vincente del Monte (Can) 9 Ve89
☆San Viscote, Ermita de 23 Xc93
☆San Visorio, Ermita de 27 Aa94
San Vitero (Zam) 35 Td98 ✉49523
San Vitores (Can) 21 Vf91
Sanvitul (Leó) 17 Ta93 ✉24566
▲Sanxenxo, Praia de 14 Rb94
Sanxián (Pon) 32 Ra97
San Xiao (Cor) 4 Sa87
☆San Xil, Ermida de 35 Tb95
≈San Xil, Río de 35 Tb95
San Xoán (Cor) 15 Rc91
San Xoán (Lug) 16 Sd90
San Xoán do Alto (Lug) 16 Sc91
San Xoan do Río (Lug) 34 Se94
☆San Xorxe 3 Rf90
San Xulián (Cor) 14 Qf92
San Xulián (Our) 17 Sf94
☆San Xulián 32 Rb96
San Xulián (Our) 34 Sd94
≈San Xulián, Rigueiro de 17 Sf94
▲San Xurxo, Praia de 3 Re87
≈San Xurxo, Río 3 Re87
San Xurxo da Mariña (Cor) 3 Re87 ✉15592
San Xurxo de Lourenzá (Lug) 4 Se88
San Xusto (Cor) 2 Rb89
San Zadornil (Bur) 22 Wf91 ✉01427
Sanzo (Ast) 5 Ta89 ✉33736
☆San Zoilo, Ermita de 25 Yd93
☆San Zoilo, Monasterio de 38 Vc94
Sanzoles (Zam) 54 Uc100 ✉49152
Saornil de Voltoya (Ávi) 73 Vc104 ✉05289
Sapeira (Lle) 46 Ae95 ✉22583
Sapos, Los (Alm) 154 Xc125
☆Sar, Colexiata do 15 Rc91
Saracho (Viz) 10 Wf89
Saracho (Ála) 23 Wf90
Saragüeta (Nav) 25 Yd91
Sarais (Lle) 28 Ae94 ✉25526
Sárandón (Cor) 15 Rd92
Saranyana (Lle) 46 Bc96
Sarasa (Nav) 24 Yb91 ✉31892
Sarasate (Nav) 24 Yb91 ✉31892
▲Sarase, Monte 27 Ze93
Sarasíbar (Nav) 25 Yc91
Saraso (Bur) 23 Xc92 ✉09216
Saravillo (Hues) 27 Ab93 ✉22366
Sarceda (Can) 9 Vd89 ✉39555
Sarces (Cor) 2 Ra89
▲Sarda 79 Zc102
▲Sarda, La 43 Zb96
▲Sardanedo 37 Va97
▲Sardanera, Sierra 27 Ab93
Sardás (Hues) 26 Zd93
Sardina (Palm) 174 B2
Sardina (Palm) 174 D3
≈Sardina, Cala d'en (Bal) 97 Bd114
▲Sardina, Punta de (Palm) 174 B2
≈Sardiñeira 16 Sb93
Sardiñeiro (Cor) 14 Qe91
Sardiñeiro de Abaixo (Cor) 14 Qe91 ✉15153
Sardinero (Sev) 135 Uc122
Sardineros, Los (Val) 112 Ye112
≈Sardinilla, Río 137 Vf119
▲Sardón, Páramo de 38 Ve97
Sardoncillo o La Granja (Vall) 56 Vd99
Sardón de Duero (Vall) 56 Vd99
Sardón de los Álamos (Sal) 71 Te102
Sardón de los Frailes (Sal) 53 Te101
Sardonedo (Leó) 18 Ua93 ✉24393
▲Sarello, Praia del 5 Ta87
Sarga, la (Ali) 128 Zd117 ✉03819
☆Sarga, Refugi de la 128 Zd117
Sargadelos (Lug) 4 Sd87 ✉27891
Sarganella (Ali) 128 Zc117 ✉03420
Sarganella, la (Ali) 128 Zc118
Sargenta, Cortijo de la (Palm) 175 E2
Sargentes de la Lora (Bur) 21 Wa92 ✉09145
Sarguilla, Cortijo de la (Alb) 126 Xf117
Sariego (Ast) 7 Uc88
Sariego (Ast) 7 Ud88
Sariegos (Leó) 19 Uc93
Sariñena (Hues) 44 Zf98 ✉22200
Sarnago (Sor) 41 Xe96
Saro (Can) 9 Wb89 ✉39639
Sarón (Can) 9 Wa89
▲Sarón, Illa do 4 Sd86
Sarracín (Bur) 39 Wb95
Sarral (Tar) 64 Bb100 ✉43424
Sarratella (Cas) 95 Aa107 ✉12184
Sarratillo (Hues) 45 Aa94 ✉22330
Sarrato (Hues) 27 Aa94
Sarreal = Sarral (Tar) 64 Bb100
Sarreaus (Our) 33 Sc96 ✉32631
Sarria (Lug) 16 Sd92
Sarría (Ála) 23 Xb91
≈Sarria, Río 16 Se92
▲Sarria, Veiga de 16 Sd92
Sarrià de Dalt (Gir) 49 Ce96
Sarrià de Ter (Gir) 49 Ce96
▲Sarridal, Praia 4 Sb86
▲Sarrido, Praia de 4 Se87
Sarriés/Sartze (Nav) 25 Yf91
Sarrión (Ter) 94 Zb108
▲Sarrión, Puerto de 94 Za107
Sarroca = Sarroca de Lleida (Lle) 62 Ad100
Sarroca de Bellera (Lle) 28 Af94 ✉25555
Sarroca de Lleida (Lle) 62 Ad100 ✉25175
Sarroca de Segre = Sarroca de Lleida (Lle) 62 Ad100
Sarroqueta (Lle) 28 Ae94 ✉25554
Sarsa de Surta (Hues) 44 Aa95 ✉22149
Sarsamarcuello (Hues) 43 Zb95 ✉22809
☆Sarsoso, Corral 91 Xd108
Sartaguda (Nav) 41 Xf94 ✉31589
Sartajada (Tol) 88 Vb107 ✉45632
Sartalejo de Abajo (Các) 86 Te108
Sartenejales, Cortijo de los (Sev) 148 Tf125
Sartenilla (Alm) 154 Xd126
▲Sarvil, Sierra de 24 Ya92
Sarvisé (Hues) 27 Zf93
Sas (Lle) 28 Af94 ✉25555
Sas, El (Hues) 44 Ae95 ✉22583
Sasa (Hues) 27 Ze93
Sasa del Abadiado (Hues) 44 Ze95 ✉22192
Sasal (Hues) 26 Zd93 ✉22714
Sasamón (Bur) 39 Vf94
Sas de Penelas (Our) 34 Sd94 ✉32794
Sas do Monte (Our) 34 Sd95 ✉32751
Sásdónigas (Lug) 4 Sd88
Sasé (Hues) 27 Zf93
Sáseta (Bur) 23 Xc92
▲Saso, El 45 Aa97
▲Saso de las Cuevas 43 Ye97
☆Saso Plano, Castillo de 44 Zc96
Sástago (Zar) 62 Zd101
Sastoya (Nav) 25 Ye92
▲Sastre, Barranc del 80 Ab106
Satrústegui (Nav) 24 Ya91
▲Satrústegui, Sierra de 24 Ya91
Satué (Hues) 26 Ze93
Saturraran (Gui) 11 Xd89
≈Sau, Pantà de 48 Cc97
Saubanyà (Lle) 47 Bc95
Saúca (Gua) 76 Xc102
Sauceda (Các) 86 Td107 ✉10639
Sauceda, La (Mál) 165 Uc129
Saucedilla (Sev) 150 Uf126
Saucedilla (Các) 87 Ub109 ✉10390
≈Saucedilla, Embalse de 122 Vd118
Saucedillas (Mál) 159 Vc128
Saucejo, Cortijo del (Sev) 135 Ud121
Saucejo, El (Sev) 158 Uf126 ✉41650
Saucelle (Sal) 70 Tb102 ✉37257
≈Saucelle, Embalse de 53 Tb102
Saucera, Cortijo de (Các) 105 Tf111
Sauces, Los (Ten) 171 C2
Sauces, Los (Ávi) 72 Ud106 ✉05696
Saucillo, Cortijos del (Gra) 161 Wb128
▲Saucillo, El (Palm) 174 B2
Saúco (Alm) 153 Xc125
Saúco, El (Gra) 154 Xd123
≈Saúco o de Herrera, Arroyo del 77 Xf103
Saulet (Lle) 29 Bb94 ✉25795
Sauquillo de Alcázar (Sor) 60 Xf99
Sauquillo de Boñices (Sor) 59 Xd99 ✉42218
Sauquillo de Cabezas (Seg) 57 Vf101 ✉40351
Sauquillo del Campo (Sor) 59 Xd100 ✉42216
Sauquillo de Paredes (Sor) 58 Xa100 ✉42315
Sauri (Lle) 28 Ba94 ✉25567
Saus (Gir) 49 Cf96 ✉17467
Sauzal (Ten) 173 E3
Savallà del Comtat (Tar) 64 Bb99
Savallá del Condado = Savallà del Comtat (Tar) 64 Bb99
Savassona (Bar) 48 Cc97
Savina, Sa (Bal) 97 Bc116
Sax (Ali) 128 Zb117 ✉03630
☆Sax, Castillo de 128 Zb117
▲Sayago, Tierras de 53 Te100
Sayalonga (Mál) 160 Vf128 ✉29752
▲Sayalonga, Rábita de 160 Vf128
Sayatón (Gua) 91 Xa106
▲Sayerri, Pico 26 Zc92
▲Sayoa 25 Yc90
Saytán, el (Val) 113 Zb115
Seadur (Our) 34 Sf94 ✉32358

▲Seaia, Praia de 2 Rb 88
Seana (Ast) 7 Ub 89 ✉ *33618
Seana (Lle) 46 Ba 98
Seara, A (Lug) 4 Sd 87
Seara, A (Lug) 17 Sf 93
Seara, A (Our) 33 Rf 95
Seares (Ast) 5 Sf 88 ✉ 33769
Seavia (Cor) 2 Rb 90
☆Sebarga 7 Uf 89
Sebastián, Cortijo de (Gra) 139 Xb 121
☆Sebastián, Ermita de 55 Ud 99
Sebastianes, Los (Mur) 142 Yd 122
Sebta = Ceuta (Cád) 165 Ue 133
Sebúlcor (Seg) 57 Wa 101
≈Sec, Riu 95 Ze 109
Seca, La (Leó) 19 Uc 92 ✉ 24630
Seca, La (Vall) 55 Va 100 ✉ 47491
Seca, La (Sor) 59 Xb 99 ✉ 42291
≈Secà, Pantà de 62 Ad 99
≈Seca, Rambla 80 Ac 106
▲Seca, Sierra 140 Xe 120
▲Seca, Sierra 139 Xb 121
▲Seca, Sierra 126 Xf 117
▲Seca, Sierra 126 Ya 118
▲Seca, Sierra 126 Yb 118
Secadero del Sauce (Các) 87 Ub 108
Secadura, Caserío (Can) 10 Wc 88
Secano (Gra) 161 Wd 127
Secarejo (Leó) 18 Ub 93 ✉ 24273
Secastilla (Hues) 45 Ab 95 ✉ 22439
≈Sec de Betxí, Riu 95 Zf 109
Seceda (Lug) 16 Se 93 ✉ 27325
≈Seco, Barranco (Ten) 171 C 2
Seco, Cortijo (Gra) 153 Xa 123
≈Seco, Río 39 Wd 95
≈Seco, Río 61 Za 102
Seco de Lucena (Gra) 160 Wa 126
Secorún (Hues) 44 Zf 94
Secos de Porma (Leó) 19 Ud 93
Secuita, la (Tar) 64 Bb 101 ✉ 43765
Sedano (Bur) 21 Wb 92 ✉ 09142
Sedaví (Val) 114 Zd 112
Sedella (Mál) 160 Vf 127 ✉ 29715
Sedes (Cor) 3 Rf 87 ✉ 15596
Sediles (Zar) 60 Yc 100 ✉ 50334
Sedó (Lle) 46 Bb 98
Segador, Cortijo del (Sev) 150 Uf 123
≈Segalers, Riera de 47 Ca 97
Segán (Lug) 16 Sb 92
▲Segària, Serra de 129 Zf 115
Segart (Val) 95 Zd 110
Sege (Alb) 140 Xe 119 ✉ 02487
☆Segóbriga, Ruinas de 91 Xb 109
Segorbe (Cas) 94 Zd 109 ✉ 12400
Segovia (Seg) 74 Vf 103 ✉ *40001
▲Segoviano, Puente del 56 Ve 100
Segoviela (Sor) 41 Xd 97 ✉ 42167
Segoyuela de los Conejos (Sal) 71 Ua 105
≈Segre, el 29 Bd 94
≈Segre, el 46 Bc 95
≈Segre, el 46 Af 97
≈Segre, Río 62 Ab 100
Següenco (Ast) 8 Uf 89
Següés (Nav) 24 Yb 92
☆Seguer 65 Bc 100
Segueró (Gir) 48 Ce 95
▲Segundera, Sierra 35 Ta 96
Segur (Bar) 47 Bc 98
Segura (Gui) 24 Xe 90 ✉ 20214
☆Segura, Castell de 30 Cb 95
▲Segura, Playa (Palm) 174 B 2
▲Segura, Puerto de 79 Za 103
≈Segura, Río 126 Yb 118
≈Segura, Río 79 Za 103
▲Segura, Sierra de 139 Xb 120
Segura de la Sierra (Jaé) 139 Xc 119 ✉ 23379
Segura de León (Bad) 133 Tc 120
Segura de los Baños (Ter) 79 Za 103
Segura de Toro (Các) 86 Ua 107 ✉ 10739
Segur de Calafell (Tar) 65 Bd 101 ✉ 43882
Segurilla (Tol) 88 Va 108 ✉ 45621
Seguró (Ali) 129 Ze 117
☆Seguró, Ermita de 129 Ze 117
▲Seifio, Playa del (Palm) 176 D 3
Seima (Ten) 172 C 2
Seira (Hues) 26 Ac 94 ✉ 22463
Seix (Lle) 29 Bb 94 ✉ 25712
Seixas (Cor) 3 Rf 87
Seixas (Cor) 4 Sa 87
Seixo (Lug) 17 Sf 92
▲Seixo 34 Sd 95
Seixo, O (Pon) 32 Rb 97
≈Seixo, Río de 15 Rd 94
Seixón (Lug) 4 Sb 90
Seixosmil (Lug) 4 Se 89
Sej, El (Alb) 112 Ye 114
Sejas de Aliste (Zam) 53 Td 98 ✉ 49515
Sejas de Sanabria (Zam) 35 Td 96 ✉ 49317
Sela (Pon) 32 Rd 96 ✉ 36494
Selas (Gua) 77 Xf 103 ✉ 19346
Selaya (Can) 9 Wb 89 ✉ 39696
Sel de la Carrera (Can) 21 Wa 90 ✉ 39687
Sel de la Peña (Can) 9 Wa 90 ✉ 39682
Selga de Ordás (Leó) 19 Ub 92
Selgua (Hues) 45 Aa 97 ✉ 22415
Sella (Ali) 129 Ze 117 ✉ 03579
≈Sella, Pantà de 129 Ze 117
≈Sella, Río 8 Uf 88
Sellarés, el (Bar) 47 Be 98
▲Séllecs, Turó de 66 Cc 99
Sellent (Val) 113 Zc 114 ✉ 46295
Sello (Pon) 15 Rf 92
Sello (Pon) 32 Rc 95
Sellui (Lle) 46 Ba 94 ✉ 25591
Selma (Tar) 65 Bc 100
≈Selmo, Río 17 Ta 93
Selores (Can) 9 Ve 89
☆Selorio 7 Ud 87
▲Selva 141 Yb 121
Selva (Bal) 99 Cf 110 ✉ 07313
Selva, la (Lle) 47 Bd 96 ✉ 25286
Selva, la = Selva del Camp, la (Tar) 64 Ba 101
▲Selva, Punta de la 26 Zd 93
Selva del Camp, la (Tar) 64 Ba 101 ✉ 43470
Selva de Mar, la (Gir) 31 Db 95 ✉ 17489
Selvalejo, Cortijo de (Mur) 140 Xe 121
Selvanera (Lle) 46 Bb 98 ✉ 25211
▲Selvares, Los 93 Yd 108
Selviella (Ast) 6 Te 89 ✉ 33845
☆Semàforo (Ten) 173 G 2
Semillas (Gua) 75 Wf 102 ✉ 19237
Seminario, El (Zar) 61 Zb 101
Sempere (Val) 128 Zd 115 ✉ 46839
Sena (Hues) 44 Zf 98 ✉ 22230
Sena de Luna (Leó) 18 Ua 91 ✉ 24145
▲Señales, Puerto de Las 19 Ue 90
Senan (Tar) 64 Ba 100 ✉ 43449
Senant = Senan (Tar) 64 Ba 100
Sencelles (Bal) 99 Cf 111 ✉ 07140
Senegüé (Hues) 26 Zd 93
Senés (Alm) 154 Xd 125
Señés (Hues) 27 Ab 93
Senés de Alcubierre (Hues) 44 Zd 97
Senet (Lle) 28 Ae 93 ✉ 25553
Sénia, la (Tar) 80 Ab 105
≈Sènia, Riu de la 80 Ab 105
Senija (Ali) 129 Aa 116 ✉ 03729
Seno (Ter) 80 Zd 104 ✉ 44561
Señora (Các) 105 Ub 111
Senra (Pon) 15 Sa 93
Senra (Leó) 18 Tf 91 ✉ 24136
Sensui (Lle) 46 Af 95 ✉ 25693
Senterada (Lle) 46 Af 95 ✉ 25514
Sentfores (Bar) 48 Cb 97 ✉ 08505
▲Sentigosa, Coll de 48 Cb 95
▲Sentiles, Sierra de 19 Ud 90
Sentís (Lle) 28 Af 94
Sentiu de Sió, la (Lle) 46 Af 98
Sentmenat (Bar) 66 Ca 99 ✉ 08181
Señuela (Sor) 59 Xd 100 ✉ 42216
Senyús (Lle) 46 Bb 95
Senz (Hues) 27 Ac 94 ✉ 22450
☆Seo, La 61 Za 99
Seoane (Lug) 17 Sf 93
Seoane (Lug) 17 Sf 90
Seoane (Our) 34 Ta 95
Seoane de Arriba (Our) 34 Sf 96 ✉ 32560
Seoane Vello (Our) 34 Sc 95
Seperos, Caserío de (Alb) 127 Yc 118
Sepulcro-Hilario (Sal) 71 Te 104 ✉ 37638
Sepúlveda (Seg) 57 Wb 101
Sepúlveda (Sal) 71 Te 104
Sepúlveda de la Sierra (Sor) 41 Xd 97
Sequeiros (Lug) 16 Se 94 ✉ 27329
≈Sequeiros, Encoro de 16 Se 94
Sequera de Haza, La (Bur) 57 Wb 99 ✉ 09462
Sequera del Fresno (Seg) 57 Wc 100
Sequeros (Sal) 71 Tf 105 ✉ 37650
▲Sequilla, Sierra 164 Uc 131
≈Sequillo, Arroyo de 123 Wb 116
≈Sequillo, Río 55 Ud 98
≈Sequillo, Río 58 Xa 99
Ser (Cor) 14 Rb 91
≈Ser, el 48 Ce 96
≈Ser, Río 17 Sf 91
Serafina, Cortijo de la (Mál) 150 Vb 125
Seragude (Lug) 16 Sc 94
Serandinas (Ast) 5 Tb 88 ✉ 33726
Seráns (Cor) 14 Qf 93
Serantes (Cor) 3 Re 88
Serantes (Cor) 2 Ra 89
Serantes (Cor) 14 Ra 92
Sercué (Hues) 27 Aa 93
Serén (Lug) 16 Sb 90
Serena (Alm) 154 Xf 125
≈Serena, Arroyo de la 108 Wb 112
▲Serena, La 121 Uc 116
Serés (Lug) 16 Sd 90
Sergude (Cor) 15 Rd 92
Serín (Ast) 7 Ub 87
▲Serín, Playa de 7 Uc 87
Serinyà (Gir) 48 Ce 95
Serinyà (Gir) 49 Cf 97
Serna, La (Jaé) 137 Ve 122
Serna, La (Leó) 19 Ue 92 ✉ 24879
Serna, La (Can) 21 Wa 91
Serna, La (Pal) 38 Vc 94 ✉ 34128
Serna, La (Ávi) 73 Vb 105
Serna, La (Cue) 92 Yb 107
Serna del Monte, La (Mad) 75 Wc 102 ✉ 28737
Seró (Lle) 46 Ba 97
Serois (Our) 33 Sb 97 ✉ 32644
Serón (Alm) 154 Xc 124
Serón de Nágima (Sor) 59 Xe 100
≈Serones, Embalse de 73 Vd 104
Seròs (Lle) 62 Ac 100
☆Serosas, Ermita de la 37 Va 97
≈Serpe, Lagoa da 35 Ta 95
Serpos (Huel) 133 Tb 122
Serra (Val) 95 Zd 110 ✉ 46118
Serra, la (Gir) 48 Cc 96
▲Serra, Monte da 15 Rf 92
▲Serra Alta 64 Ae 101
▲Serrablo, Puerto de 27 Zf 94
▲Serrablo, Valle de 44 Ze 94
Serrabrava (Gir) 49 Cf 98
Serracín (Seg) 58 Wd 101
Serracín de Aliste (Zam) 36 Te 97
Serracines (Mad) 75 Wd 105 ✉ 28815
Serrada (Vall) 55 Va 100 ✉ 47239
Serrada, La (Ávi) 73 Vb 105 ✉ 05192
Serrada de la Fuente (Mad) 75 Wc 103 ✉ 28195
Serra d'Almos, la (Tar) 64 Ae 102 ✉ 43746
Serra de daró (Gir) 49 Da 96
Serradell (Lle) 46 Af 95 ✉ 25516
Serra d'En Galceran, La (Cas) 95 Zf 107
Serra de Outes, A (Cor) 14 Ra 91
Serra de Rialb, la (Lle) 46 Bb 97 ✉ 25747
▲Serradero 41 Xc 94
▲Serradero, Punta del (Ten) 171 A 2
Serradiel (Alb) 112 Yd 113
Serradilla (Các) 86 Tf 110 ✉ 10530
▲Serradilla, La 73 Va 106
Serradilla del Arroyo (Sal) 71 Td 105 ✉ 37531
Serradilla del Llano (Sal) 71 Td 106 ✉ 37530
☆Serraïma 47 Bf 98
▲Serral, Sierra del 127 Yf 117
▲Serrallo, Platja del 95 Aa 109
Serramo (Cor) 2 Ra 90
▲Serrana, La 135 Ub 119
Serranillo (Sal) 70 Tc 104 ✉ 37497
Serranillos (Ávi) 88 Va 106 ✉ 05115
▲Serranillos, Puerto de 88 Va 107
Serranillos del Valle (Mad) 89 Wa 107 ✉ 28979
Serrano (Cád) 157 Te 129 ✉ 11500
▲Serrano, Cerro 135 Ud 119
Serrano, Cortijo de (Córd) 122 Vd 118
Serrano, Cortijo del (Córd) 150 Vb 123
≈Serrano, Río 57 Wc 101
Serranos, Cortijo de los (Alm) 140 Xe 121
Serranos, Los (Mur) 142 Ye 123 ✉ 30879
▲Serrantina, Sierra de la 6 Td 90
Serrapio (Pon) 15 Rd 93
☆Serra-sanç 47 Bf 97
Serrat, El (AND) 29 Bd 93
Serrata, La (Ali) 128 Za 117
Serrat de l'Ametlla, el (Bar) 48 Cb 98
Serrate (Hues) 28 Ac 94 ✉ 22451
Serrateix (Bar) 47 Be 97
Serratella (Ali) 128 Zd 117
Serratella (Val) 114 Zd 114
Serrato (Mál) 159 Va 127 ✉ 29471
Serreaus (Our) 33 Sa 96
≈Serrecín, Arroyo de 158 Uc 127
Serrejón (Các) 87 Ub 110
▲Serrejón, Sierra de 86 Ub 110
▲Serrella, Serra de 129 Ze 116
Serrerías (Ter) 79 Zb 104
Serres (Cor) 14 Qf 92
Serres (Tar) 62 Ad 101
Serres, les (Gir) 48 Ce 97 ✉ 17164
▲Serreta 153 Wf 123
Serreta (Ali) 128 Zb 118
Serreta, La (Zar) 61 Ye 99
▲Serreta, Llano de 141 Yb 122
☆Serreta, Poblat ibèric de la 128 Zd 116
▲Serreta, Sierra de la 127 Yf 117
▲Serrezuela, La 77 Ya 105
▲Serrezuela de Bedmar 138 Wd 121
▲Serrezuela de Posadas 136 Ue 121
Serrezuelo, Cortijo (Các) 105 Te 111
Serrón, El (Pal) 38 Vc 96
Serroncillo, Cortijo de (Sev) 148 Tf 123
▲Serrota 73 Uf 105
▲Serrota, La 73 Uf 105
Sertusa (Zar) 62 Zd 101
Serué (Hues) 44 Zd 94
Serval (Gra) 151 Vf 124
Serval, El (Alm) 154 Xd 124
Servalillo (Gra) 153 Xa 123
Serveto (Hues) 27 Ab 93 ✉ 22366
Servoi (Our) 34 Sd 96 ✉ 32626
Sesa (Hues) 44 Ze 97 ✉ 22110
Sésamo (Leó) 17 Tc 92
Sesar (Cor) 15 Re 91 ✉ 15819
Seseña (Tol) 90 Wb 108
Seseña Nuevo (Tol) 90 Wc 108 ✉ 45224
Sesera, Cortijo de la (Bad) 118 Se 117
Sesga (Val) 93 Ye 108 ✉ 46140
Sesma (Nav) 24 Xf 94 ✉ 31293
Sesmo, Cortijo del (Bad) 134 Td 119
Sesmos, Los (Córd) 136 Ue 122
Sesnández (Zam) 36 Tf 98
Sestaio (Cor) 14 Qf 92
Sestao (Viz) 10 Wf 89 ✉ 48910
▲Sesteadero 19 Ud 92
Sestelo (Cor) 15 Re 91
Sesto (Pon) 15 Rf 91
Sestrica (Zar) 60 Yc 100 ✉ 50248
Sesué (Hues) 28 Ac 93
≈Set, Riu de 64 Af 100
≈Set, Riu de 64 Ae 100
Setados (Pon) 32 Rd 96
Setares (Can) 10 We 88
Setcases (Gir) 30 Cb 94
Setefilla (Sev) 135 Ud 122 ✉ 41440
Setenil de las Bodegas (Cád) 158 Ue 127 ✉ 11692
Seteventos (Lug) 16 Se 92
Setiles (Gua) 78 Yc 104 ✉ 19324
Setla (Ali) 129 Aa 115 ✉ 03779
Setla de Núñez (Ali) 128 Zd 116
Setla-Mirarrosa-Miraflor (Ali) 129 Aa 115
Setoáin (Nav) 25 Yc 91
▲Set Serres 80 Ad 103
☆Seu, La (Bal) 98 Cd 111
Seu d'Urgell, La (Lle) 29 Bc 94 ✉ 25700
Seva (Bar) 48 Cb 97 ✉ 08553
☆Sevares 7 Ue 88
▲Severón, Monte 9 Wa 88
▲Sevil 44 Zf 95
Sevilla (Sev) 148 Ua 124 ✉ *41001
▲Sevilla, Puerto de 119 Td 116
Sevilla la Nueva (Mad) 89 Vf 106 ✉ 28609
Sevillana, La (Córd) 135 Ue 121
Sevillana, La (Bad) 121 Ud 115
Sevillano, El (Sev) 135 Ud 122
▲Sevilleja, Sierra de 107 Va 111
Sevilleja de la Jara (Tol) 106 Va 111 ✉ 45671
Sexmiro (Sal) 70 Tb 104 ✉ 37497
Sexta Suerte Tiro Barra (Các) 87 Ub 109
Shangri-La (Bal) 96 Eb 109
▲Sía, Portillo de la 10 Wc 90
Siall (Lle) 46 Ba 96 ✉ 25651
Sibei (Pon) 32 Re 95
≈Siberio, Presa de (Palm) 174 B 3
Sidamon (Lle) 64 Ae 99 ✉ 25222
Sidamunt = Sidamon (Lle) 64 Af 99
Sidueña (Cád) 157 Te 129
Siejo (Ast) 8 Vc 88 ✉ 33579
Sienes (Gua) 59 Xc 101 ✉ 19269
Siero = Pola de Siero (Ast) 7 Uc 88
Siero de la Reina (Leó) 20 Va 91 ✉ 24911
≈Sierpe, Arroyo de la 56 Vd 100
Sierpe, La (Sal) 71 Ua 105 ✉ 37762
Sierra (Huel) 147 Tc 124
Sierra (Alb) 127 Yc 117 ✉ 02513
Sierra, Cortijada de La (Gra) 161 Wc 126
Sierra, Cortijo (Jaé) 139 Xa 121
Sierra, La (Mál) 158 Ue 129
Sierra, La (Cád) 158 Ud 128
Sierra, La (Bad) 120 Te 118
▲Sierra, La 36 Ua 96
Sierra, La (Hues) 45 Ab 95
▲Sierra, La 61 Za 100
▲Sierra, Llano de la 76 Xd 105
▲Sierra Alta 135 Ud 121
▲Sierra Alta 78 Yc 106
▲Sierra Blanca 159 Va 129
▲Sierra Blanca 18 Ua 91
≈Sierra Boyera, Embalse de 135 Ue 119
☆Sierra de Agua, Ermita de la 125 Xc 119
▲Sierra de Aracena y Picos de Aroche, Parque Natural de la 133 Ta 120
▲Sierra de Baza, Parque Natural de la 153 Xb 124
▲Sierra de Cazorla, Segura y las Villas, Parque Natural de las 139 Xb 119
Sierra de Enmedio, Cortijo (Bad) 134 Tf 119
▲Sierra de Espadán, Parque Natural de la 95 Zd 109
▲Sierra de Espuña, Parque Regional de la 141 Yc 121
Sierra de Fuentes (Các) 105 Te 11 ✉ 10181
▲Sierra de Hornachuelos, Parque Natural de la 135 Ud 121
Sierra de Ibio (Can) 9 Vf 89 ✉ 39509
▲Sierra de la Pila, Parque Regiona de la 142 Ye 119
▲Sierra de las Nieves, Parque Natural de la 158 Uf 129
Sierra de las Villas (Jaé) 139 Xb 11
▲Sierra del Carche, Parque Regional de la 127 Ye 118
▲Sierra del Castril, Parque Natural de la 139 Xb 121
Sierra de los Blancos (Zar) 43 Zb 9
▲Sierra de los Rincones 63 Aa 100
Sierra de Luna (Zar) 43 Za 96 ✉ 50612
▲Sierra de Rufas, Puerto 44 Zf 95
Sierra de San Critóbal (Cád) 157 Te 129
Sierra de Santa Olalla (Các) 85 Tb 108
▲Sierra de Valdurrios 63 Aa 100
Sierra de Yeguas (Mál) 150 Va 126 ✉ 29328
Sierra Estronad (Zar) 43 Zb 95
Sierra Gorda (Bad) 119 Tc 118
▲Sierra Grande 120 Tf 117
▲Sierra Mágina, Parque Natural de la 138 Wd 122
▲Sierra María-Los Vélez, Parque Natural de 140 Xe 122
Sierra Menera (Ter) 78 Yc 104
▲Sierra Morena 133 Sf 121
▲Sierra Nevada 161 Wc 126
▲Sierra Nevada, Parque Nacional de 152 Wd 126
Sierra o Buenavista, La (Córd) 150 Vc 123
▲Sierras de Andújar, Parque Natural de las 137 Ve 119
▲Sierras de Cardeña y Montoro, Parque Natural de las 137 Ve 119
▲Sierras de Tejeda, Alhama y Almijara, Parque Natural de las 160 Wa 127
▲Sierra Subbética, Parque Natural de la 151 Vd 124
Sierra Yegen (Gra) 161 Wf 127
☆Sierrecilla, Palacio de la 88 Vc 109
▲Sierrezuela 76 Xb 102
Sierrezuela, Cortijo de la (Sev) 150 Va 125
Sierrezuela, Cortijo de la (Córd) 136 Vb 122
▲Sierrezuela, La 124 Wd 115
Sierro (Alm) 154 Xd 125 ✉ 04878
≈Sierro, Río 154 Xd 125
Sierro Ahillo (Jaé) 151 Vf 123
Sieso de Huesca (Hues) 44 Zf 96
☆Sieso de Jaca (Hues) 26 Zc 94
Sieste (Hues) 27 Aa 94 ✉ 22349
Siétamo (Hues) 44 Ze 96
Siete Aguas (Val) 113 Za 112 ✉ 46392
≈Siete Arroyos, Arroyo de 134 Ua 122
Siete Carrascos, Cortijo de (Các) 86 Tf 110
Siete Casas (Ali) 142 Yf 120
Siete Iglesias (Vall) 55 Ue 100
Sieteiglesias (Mad) 75 Wc 103 ✉ 28753
☆Sieteiglesias, Ermita de 56 Vb 100
Sieteiglesias de Tormes (Sal) 72 Uc 104 ✉ 37892
Sietes (Ast) 7 Ud 88 ✉ 33311
☆Siete Torres, Castillo de las 137 Vd 121
▲Sigena 62 Zf 99
☆Sigena, Monasterio de 44 Zf 98
Sigeres (Ávi) 73 Va 104 ✉ 05357
Sigrás (Cor) 3 Rd 89
Sigüeiro (Cor) 15 Rd 91
Sigüenza (Gua) 76 Xc 102
Sigüés (Zar) 25 Yf 93
Sigueiro (Cor) 15 Rd 91
Siguero (Seg) 57 Wc 101 ✉ 40590
Sigueruelo (Seg) 57 Wc 101 ✉ 40590
Sijuela (Bad) 121 Ud 117
≈Sil, Río 16 Sd 94
≈Sil, Río 17 Tc 92

il, Río 17 Tb 93
án (Lug) 4 Sc 87
anes (Bur) 22 We 92 ⊠ 09219
era (Córd) 137 Ve 122
eras (Córd) 151 Vf 124 ⊠ 14813
es (Jaé) 125 Xc 118 ⊠ 23380
iles, Sierra de 124 Wc 115
llos (Córd) 136 Uf 122 ⊠ 14110
llos (Mad) 75 Wc 104
ililos, Embalse de 147 Tb 123
o (Can) 9 Vf 90 ⊠ 39438
a (Val) 114 Zd 112 ⊠ 46460
ar Alta (Gra) 152 Wd 124
ar Baja (Gra) 152 Wd 124
⊠ 18181
leda (Pon) 15 Re 92
Silleiro, Cabo 32 Ra 96
lero (Jaé) 139 Wf 120
Sillero 61 Zb 100
lero, Cortijo del (Gra) 154 Xc 123
Sillo, Arroyo del 133 Tb 120
o del Tío Pavía (Tol) 109 We 111
os, Los (Ten) 172 C 3 ⊠ 38470
os de Calañas (Huel) 133 Ta 122
os de la Atalaya (Tol) 109 Wd 111
s (Gir) 48 Ce 98 ⊠ 17410
va, A (Cor) 3 Rc 90
Silva, Punta de (Palm) 174 D 3
vachá (Lug) 5 Sf 89
Silvadillos, Río de 106 Ue 112
ván (Leó) 35 Tc 94
varredonda, A (Cor) 2 Ra 89
vela (Lug) 16 Sa 90 ⊠ 27228
lvente, Cortijos (Jaé) 137 Wa 121
lves (Hues) 27 Aa 94
lvestre (Bad) 103 Sf 113
lvosa (Cor) 14 Ra 91
Sima, Calar de la 125 Xd 119
ma, Cortijo de la (Mál) 159 Va 127
ma, Cortijo de la (Jaé)
138 Wb 122
mancas (Vall) 55 Vb 99 ⊠ 47130
marro, El (Cue) 111 Xe 112
⊠ 16709
Simat, Monasterio de la
114 Ze 114
mat de la Valldigna (Val)
114 Ze 114 ⊠ 46750
Simón Bolívar, Monumento a
11 Xc 89
monetes, Los (Mur) 142 Yf 122
Simplón, Arroyo del 55 Va 101
ín (Hues) 27 Ab 93
narcas (Val) 93 Ye 110 ⊠ 46320
inéu (Bal) 99 Da 111
ingla (Mur) 140 Ya 120 ⊠ 30410
Singla, Ermita de 141 Ya 120
ingle, el (Cas) 95 Aa 107
ingra (Ter) 78 Ye 105 ⊠ 44382
Singra, Puerto de 78 Ye 105
inlabajos (Ávi) 73 Va 102 ⊠ 05215
inova, La (Vall) 56 Vd 98
inovas (Bur) 57 Wc 98 ⊠ 09450
inués (Hues) 26 Zc 93
Sío, Canal del 46 Af 98
Sió, el 46 Af 98
iona, Ca Na (Bal) 99 Da 109
iones (Bur) 22 We 90 ⊠ 09589
Sionlla 15 Rd 91
ipán (Hues) 44 Ze 95
iresa (Hues) 26 Zb 92 ⊠ 22790
irgal (Lug) 16 Sb 92 ⊠ 27568
irizuela, Cortijo de (Córd)
137 Vd 119
iruela (Bad) 121 Uf 115 ⊠ 06650
≈ Siruela, Río 121 Uf 114
▲ Siruela, Sierra de 121 Uf 115
irvián (Lug) 16 Sb 91
▲ Sis, Sierra de 28 Ae 94
isamo (Cor) 2 Rb 89
isamón (Zar) 60 Xf 101
isán (Pon) 14 Rb 94 ⊠ 36638
isante (Cue) 111 Xe 112 ⊠ 16700
▲ Sisarga Chica 2 Rb 88
▲ Sisarga Grande 2 Ra 88
▲ Sisargas, Illa 2 Ra 88
isla, La (Tol) 89 Vf 109
Sismundi (Cor) 4 Sa 86 ⊠ 15369
Sisoi (Lug) 4 Sc 89 ⊠ 27379
Sispony (AND) 29 Bd 93
Sisquella, la (Lle) 64 Bb 99
Sisquella, la (Lle) 64 Ae 100
Sisquer (Lle) 47 Bc 95
Sisquer (Lle) 47 Be 96
Sistallo (Lug) 4 Sc 89 ⊠ 27377
Sisterna (Ast) 17 Tc 91 ⊠ 33812
Sisteró (Lle) 46 Bb 98
Sistín (Our) 34 Sd 94
Sisto (Cor) 2 Ra 90
Sisto (Pon) 15 Rf 93 ⊠ 36648
Sisto, O (Lug) 4 Sb 87
Sitges (Bar) 65 Be 101 ⊠ 08870
Sitges, les (Lle) 46 Bb 98
Sitio de Calahonda (Mál)
159 Vb 129 ⊠ 29649
☆ Sitjar, el 48 Cc 95
≈ Sitjar, Pantà de 95 Ze 108
Sitrama de Tera (Zam) 36 Ua 96
⊠ 49624
Siurana (Gir) 49 Cf 95 ⊠ 17469
≈ Siurana 64 Af 101
≈ Siurana, Riu 64 Ae 102
Siurana de Prades (Tar) 64 Af 101
Siuret (Gir) 48 Cc 96
Soar (Pon) 151 Rc 93
Soba (Can) 10 Wc 89
Sobarzo (Can) 9 Wb 88
Sobás (Hues) 26 Ze 94
Sobecos (Cor) 3 Re 87 ⊠ 15578
Sober (Lug) 16 Sc 94
▲ Sobia, Sierra de 6 Tf 90
Sobirà, el (Gir) 48 Cd 97
Sobirans (Bar) 66 Cd 99
Sobrada (Lug) 4 Sc 90 ⊠ 27150
Sobrada (Pon) 32 Rc 96
Sobradelo (Our) 17 Ta 94
Sobradiel (Zar) 43 Yf 98 ⊠ 50629
Sobradillo (Sal) 70 Tb 103 ⊠ 37246
Sobradillo de Palomares (Zam)
54 Ua 100 ⊠ 49174
Sobrado (Cor) 15 Rf 90 ⊠ 15813
Sobrado (Leó) 17 Ta 93
Sobrado (Lug) 16 Se 91
Sobrado (Our) 33 Rf 95
☆ Sobrado dos Monxes 15 Rf 90
Sobral (Pon) 14 Rc 94
Sobral (Our) 33 Sa 94 ⊠ 32100
Sobrecastell (Hues) 46 Ae 95
⊠ 22583
Sobrecastiello (Ast) 7 Ue 90
Sobrefoz (Ast) 7 Uf 89 ⊠ 33557
Sobreganada (Our) 33 Sb 96
Sobreira (Our) 15 Sa 94
Sobrelapeña (Can) 8 Vd 89
⊠ 39550
Sobremazas (Can) 9 Wb 88
⊠ 39718
Sobremunt (Bar) 48 Ca 96 ⊠ 08589
Sobrepeña (Bur) 22 Wc 91 ⊠ 09557
Sobrepenilla (Can) 21 Wa 92
⊠ 39250
Sobrestante, Cortijo del (Gra)
153 Wf 125
Sobrestany (Gir) 49 Da 96 ⊠ 17141
Sobrevia (Bar) 48 Cb 97
Sobrón (Bur) 22 Wf 92
≈ Sobrón, Embalse de 22 Wf 92
Socarrada, La (Zar) 43 Ye 96
Soccoro, El (Ten) 171 C 3
Sochantre, El (Ali) 128 Za 116
Socorro, El (Ten) 173 E 4 ⊠ 38712
☆ Socorro, El 89 Vf 107
☆ Socorro, Ermita de 25 Ye 93
☆ Socorro, Ermita del 108 Wa 110
☆ Socorro, Ermita del 76 Xb 106
Socovos (Alb) 126 Ya 118 ⊠ 02435
Socuéllamos (Tol) 110 Xb 113
≈ Socuéllamos, Acequia de
110 Xa 113
Socueva (Can) 10 Wc 89 ⊠ 39813
Sodeto (Hues) 44 Ze 97 ⊠ 22212
Sodupe (Viz) 10 Wf 89 ⊠ 48830
Sofán (Cor) 2 Rc 89
Sofuentes (Zar) 25 Ye 94 ⊠ 50696
▲ Soga, Punta de (Palm) 174 A 3
Sogo (Zam) 54 Ua 100
Sograndio (Ast) 6 Ua 88
Soguillo del Páramo (Leó) 36 Ub 95
Soguino, Caserío (Zam) 54 Ua 101
☆ Soïlls 47 Ca 95
Soirana (Ast) 5 Tc 87 ⊠ 33790
Solad (Ast) 7 Ub 88 ⊠ 33187
Solana (Mál) 158 Ue 129
Solana (Mur) 141 Yc 123
Solana (Các) 106 Ud 112
Solana, Cortijo de la (Jaé)
152 Wb 123
Solana, Cortijo La (Bad) 120 Uc 117
≈ Solana, Embalse de 103 Sd 111
Solana, La (Gra) 152 Wd 125
Solana, la (Ála) 128 Za 117
Solana, la (Ali) 128 Zb 116
Solana, la (Ali) 129 Ze 117
Solana, La (Alb) 126 Xf 116
Solana, la (Ali) 127 Yf 118
Solana, La (Ciu) 124 We 115
Solana, La (Jaé) 125 Xc 118
▲ Solana, La 112 Yc 111
▲ Solana, La 94 Zb 107
▲ Solana, Serra de la 128 Zb 116
Solana Alta, la (Ali) 128 Za 118
Solana Baixa, la (Ali) 128 Za 118
▲ Solana Cabras 121 Uf 117
▲ Solana de Alambín 113 Za 115
Solana de Ávila (Ávi) 87 Uc 107
Solana de Fenar (Leó) 19 Uc 92
⊠ 24648
Solana del Chorrillo, La (Palm)
174 C 3
Solana de los Barros (Bad)
119 Tc 116 ⊠ 06209
Solana del Pino (Ciu) 123 Vf 118
⊠ 13593
Solana de Padilla (Jaé) 139 Xb 120
Solana de Pontes, La (Alm)
140 Xf 122
Solana de Rioalmar (Ávi) 73 Uf 104
Solana de Torralba (Jaé)
139 We 121 ⊠ 23314
Solanas del Carrascal, Las (Ávi)
72 Ud 106
Solanas del Valle (Sev) 134 Ua 121
Solanas de Valdelucio (Bur)
21 Vf 92 ⊠ 09127
▲ Solanazo 107 Vd 113
☆ Solán de Cabras, Balneario
77 Xf 105
Solanell (Lle) 29 Bc 94 ⊠ 25712
Solanelles (Bar) 47 Bd 98
Solanes, les (Tar) 62 Ad 101
Solaneta, La (Alm) 162 Xb 126
Solanilla (Alb) 125 Xc 116 ⊠ 02314
Solanilla (Leó) 19 Ud 93 ⊠ 24228
Solanilla (Hues) 45 Ab 94
Solanilla (Hues) 44 Ze 94
Solanilla de Los Lobos, Cortijo
(Các) 105 Tf 111
Solanilla del Tamaral (Ciu)
123 Wa 118 ⊠ 13594
Solanillos del Extremo (Gua)
76 Xb 104 ⊠ 19491
Solano (Mál) 160 Ve 127 ⊠ 29170
Solano (Bur) 21 Wa 93
Solans (Lle) 46 Bb 94 ⊠ 25714
▲ Solapa, Play de la (Palm) 175 C 3
Solarana (Bur) 39 Wc 97 ⊠ 09348
Solares (Can) 9 Wb 88 ⊠ 39710
Solarte (Viz) 11 Xc 88
Solà-Ventolà (Gir) 30 Ca 95
Solchaga (Nav) 25 Yc 93 ⊠ 31395
Soldado, Cortijo de (Jaé)
138 Wa 122
Sol de la Foia, el (Cas) 95 Aa 107
Sol del Camp (Ali) 128 Zc 118
Sol de Mallorca (Bal) 98 Cd 112
⊠ 07181
☆ Sol de Riu, Torre 80 Ac 105
Soldeu (AND) 29 Be 93
Soldon (Lug) 17 Sf 93
≈ Soldón, Río 16 Se 94
Solduengo (Bur) 22 Wd 92 ⊠ 09249
Solduga (Lle) 46 Ba 95 ⊠ 25592
☆ Soledad, Ermita de la 140 Xd 121
☆ Soledad, Ermita de la 109 Wf 111
☆ Soledad, Ermita de la 40 Wf 95
☆ Soledad, Ermita de la 59 Xb 101
☆ Soledad, Ermita de la 60 Yc 101
☆ Soledad, Ermita de la 61 Ye 101
☆ Soledad, Ermita de la 71 Tf 104
☆ Soledad, Ermita de la 75 We 103
☆ Soledad, Ermita de la 75 Wd 105
☆ Soledad, Ermita de la 75 We 105
☆ Soledad, Ermita de la 85 Tb 110
☆ Soledad, Ermita de la 87 Ub 108
☆ Soledad, Ermita de la 89 Vf 110
☆ Soledad, Ermita de la 91 Xa 110
☆ Soledad, Ermita de la 94 Za 110
Soledad, La (Huel) 147 Ta 125
☆ Soledad, La 77 Xd 102
Soler, El (Hues) 44 Ac 95 ⊠ 22480
Solera (Jaé) 138 Wc 122 ⊠ 23569
Solera del Gabaldón (Cue)
92 Ya 110
Soleràs, el (Lle) 64 Ae 100
Soleres, Los (Alm) 155 Yb 124
☆ Solers 46 Bb 97
Solete Alto, El (Cád) 157 Tf 129
⊠ 11400
Soliedra (Sor) 59 Xd 100 ⊠ 42223
Sol i Mar (Cas) 95 Aa 108
Solius (Gir) 49 Cf 98 ⊠ 17246
☆ Solius, Castell de 49 Cf 98
Soliva (Hues) 44 Ae 95
Solivella (Tar) 64 Bb 100 ⊠ 43412
Soliveta (Hues) 44 Ad 95
Sollana (Val) 114 Zd 113 ⊠ 46430
Sollano-Llantada (Viz) 10 Wf 89
⊠ 48860
Sollavientos (Ter) 79 Zc 106
▲ Sollavientos, Puerto de 79 Zb 106
▲ Sollavientos, Sierra de 79 Zc 106
Solle (Leó) 19 Ue 91 ⊠ 24857
Solleiros (Cor) 14 Ra 92 ⊠ 15240
Sóller (Bal) 98 Ce 110
▲ Sóller, Coll de (Bal) 98 Ce 110
Solleric (Bal) 98 Ce 110
≈ Solleric, Cala (Bal) 99 Cf 109
▲ Sollube, Alto del 11 Xb 88
▲ Solona, Sierra de la 85 Tb 109
Solórzano (Can) 10 Wc 88
Solosancho (Ávi) 73 Va 105
⊠ 05130
Solsona (Lle) 47 Bd 97 ⊠ 25280
☆ Solsona, Castellvell de 47 Bd 97
☆ Solterra, Castell de 48 Cd 97
Solynieve (Gra) 152 Wd 126
▲ Somada Alta (Ten) 171 B 2
Somaén (Sor) 59 Xe 101
Somahoz (Can) 9 Vf 89 ⊠ 39400
Somalo (Rio) 23 Xb 94 ⊠ 26313
Somanés (Hues) 26 Zb 93
Somballe (Can) 21 Vf 90 ⊠ 39490
Sombrera (Ten) 173 E 4
☆ Somé, Castillo del 44 Zc 96
≈ Somero, Río 124 Wd 117
Somiedo (Ast) 18 Te 90
▲ Somiedo, Puerto 18 Te 90
≈ Somiedo, Río 6 Te 90
Somio (Ast) 7 Uc 87
Somo (Can) 9 Wb 88 ⊠ 39140
▲ Somo, Sierra de 9 Wb 89
▲ Somocueva, Punta de 9 Wa 88
Somoguil, Caserío de (Mur)
140 Ya 119
Somolinos (Gua) 58 Wf 101
⊠ 19275
Somonte, Cortijo de (Córd)
149 Ud 123
Somontín (Alm) 154 Xd 124
Somosaguas (Mad) 75 Wb 106
Somosierra (Mad) 57 Wc 102
⊠ 28756
▲ Somosierra 57 Wc 102
▲ Somosierra, Puerto de 57 Wc 102
Somoza (Lug) 15 Sa 92
Somozas, As (Cor) 4 Sa 87
▲ Somport, Puerto de 26 Zc 92
Son (Lug) 17 Sf 91
Son (Lle) 28 Ba 93 ⊠ 25589
So N'Abalzer (Bal) 96 Ea 108
Sonabia (Can) 10 We 88 ⊠ 39780
Sonadell = Sudanell (Lle) 62 Ad 99
Son Agusti (Bal) 98 Cf 111
So N'Alegre (Bal) 99 Da 112
So N'Amer (Bal) 99 Db 111
So N'Ametler (Bal) 96 Ea 108
Son Amoixa (Bal) 99 Db 111
☆ Soñanes, Palacio de 9 Wb 89
So N'Angel (Bal) 96 Df 108
Son Antich (Bal) 98 Cd 110
So Na Parets (Bal) 96 Df 109
Son Arró Gran (Bal) 96 Ea 109
Son Balagner (Bal) 98 Cd 110
Son Bauza (Bal) 98 Cd 111
Son Besso (Bal) 96 Dc 110
Son Bessó (Bal) 99 Da 112
Son Bielo (Bal) 99 Cf 112
Son Bisbal (Bal) 99 Da 110
Son Bosc (Bal) 98 Cc 111
Son Boscana (Bal) 99 Cf 112
▲ Son Bou, Platja de (Bal)
96 Ea 109
Son Bou de Baix (Bal) 96 Ea 109
Son Bruy (Bal) 99 Da 109
≈ Son Bunola, Cala de (Bal)
98 Cd 110
Son Busqueret (Bal) 99 Cf 112
Son Calderer (Bal) 99 Da 111
Son Campanario (Bal) 99 Db 111
Son Carabata (Bal) 96 Ea 109
Son Carrio (Bal) 99 Db 111
Son Catany (Bal) 98 Cf 112
☆ Son Catlar (Bal) 96 Df 109
Soncillo (Bur) 21 Wb 91 ⊠ 09572
Son Coll Vell (Bal) 99 Cf 111
Son Corno Pons (Bal) 99 Da 112
Son Costas (Bal) 96 Eb 109
▲ Sonda, Punta de la = Pedro
Barba, Punta de (Palm) 176 D 2
Son Danuset (Bal) 99 Da 112
Son de Baix (Bal) 98 Cf 111
Son Delebau Nou (Bal) 98 Ce 112
Son del Puerto (Ter) 79 Za 104
⊠ 44712
Son de Pino = Son (Lle) 28 Ba 93
Sondika (Viz) 11 Xa 89 ⊠ 48150
Son Doctor (Bal) 99 Da 111
Soñeiro (Cor) 3 Re 88
Soneja (Cas) 95 Zd 110 ⊠ 12480
Son Escudero (Bal) 96 Df 108
Son Ferrandell (Bal) 98 Cd 110
Son Fonoll (Bal) 96 Df 109
☆ Son Forteza (Bal) 98 Cd 111
Son Gall Vell (Bal) 99 Db 111
Son Garauet (Bal) 98 Cf 112
Son Garcies de S'Aljub (Bal)
98 Cf 111
Son Gornals (Bal) 99 Da 111
Son Grau (Bal) 98 Ce 110
Son Gual (Bal) 98 Cf 111
Son Guillot (Bal) 99 Da 110
So N'Horrac (Bal) 99 Cf 110
Son Joan Jaume (Bal) 99 Da 111
Son Llubi (Bal) 99 Cf 111
Son Macià (Bal) 99 Db 111
⊠ 07509
Son Marcent (Bal) 99 Cf 112
Son March (Bal) 96 Df 109
Son Mari (Bal) 99 Db 110
Son Martorellet (Bal) 96 Ea 109
Son Mascaro (Bal) 99 Db 110
Son Matzina (Bal) 98 Cf 111
Son Mesquida (Bal) 99 Da 112
Son Mesquida (Bal) 99 Cf 112
Son Mesquida (Bal) 99 Cf 111
Son Mesquida Vall (Bal) 99 Db 111
Son Morei Vell (Bal) 99 Dc 110
Son Moro (Bal) 98 Cd 110
Son Moro (Bal) 98 Cf 112
Son Moro (Bal) 99 Dc 111
Son Moro (Bal) 99 Da 112
Son Morro (Bal) 96 Df 109
Son Morro (Bal) 99 Da 110
Son Muleta (Bal) 98 Ce 110
Son Muntaner (Bal) 98 Ce 110
Son Negre (Bal) 99 Da 112
Son Negre (Bal) 99 Db 111
Son N'Elegant (Bal) 99 Da 112
Son Nicolan (Bal) 99 Da 112
Son Noguera (Bal) 98 Cd 111
So N'Odre (Bal) 98 Cf 110
Son Oleo (Bal) 96 Df 109
Son Oleza (Bal) 98 Cd 110
Son Oliver (Bal) 98 Ce 110
So N'Oliveret (Bal) 98 Ce 111
≈ Soñora 14 Ra 92
Son Palou Nou (Bal) 99 Cf 111
Son Parc (Bal) 96 Ea 108 ⊠ 07740
Son Parea (Bal) 99 Da 110
Son Pau (Bal) 99 Cf 112
Son Perdiuet (Bal) 98 Cf 112
Son Perot (Bal) 98 Ce 110
Son Pieras (Bal) 98 Cd 111
Son Planas (Bal) 96 Df 108
Son Pomar (Bal) 96 Df 108
Son Pou Nou (Bal) 99 Da 111
Son Puig (Bal) 98 Cd 110 ⊠ 07193
Son Puig Gran (Bal) 96 Eb 109
Son Ramonet (Bal) 99 Da 112
Son Ribot (Bal) 99 Da 111
Son Roca (Bal) 98 Cd 111
Son Rossinyol (Bal) 99 Da 110
Son Salomon (Bal) 96 De 108
Son Sampoli (Bal) 99 Cf 111
Son San Marti (Bal) 99 Da 110
Son Santandreu (Bal) 99 Da 111
Son Sardina (Bal) 98 Cd 111
⊠ 07120
Son Sart (Bal) 99 Cf 112
Son Sastre (Bal) 98 Cd 111
Son Sastre (Bal) 99 Da 111
Son Sastre Vell (Bal) 99 Cf 111
Son Saura (Bal) 96 Ea 108
▲ Son Saura, Platja de (Bal)
96 Df 109
≈ Sonsaz, Río 58 We 102
Sonseca (Tol) 108 Wa 110 ⊠ 45100
Son Serralta (Bal) 98 Cd 111
▲ Son Serralta, Punta de (Bal)
98 Cc 110
Son Serra Nou (Bal) 99 Db 110
Son Servera (Bal) 99 Dc 111
⊠ 07550
Son Sestri (Bal) 99 Db 112
Sonsoles (Ávi) 74 Vd 105
☆ Sonsoles, Ermita de 73 Vc 105
Sonsoto (Seg) 74 Vf 103 ⊠ 40194
Son Suan (Bal) 99 Da 110
Son Tema (Bal) 96 Eb 109
Son Texiquet (Bal) 98 Cf 112
Son Toni Amer (Bal) 99 Da 112
Son Toni Marti (Bal) 96 Df 108
Son Valent (Bal) 99 Da 111
Son Valls de Pac (Bal) 99 Da 111
Son Valls de Sastre (Bal) 99 Cf 111
Son Ve Ce Te (Bal) 96 Df 109
Son Verriol (Bal) 98 Ce 111
☆ Son Vida (Bal) 98 Cd 111
Son Virgili (Bal) 99 Da 112
Son Vives (Bal) 96 Ea 108
Son Xorc (Bal) 99 Da 112
Son Xotano (Bal) 99 Cf 111
Sóo (Palm) 176 C 3
▲ Sóo (Palm) 176 C 3
Sopalmo (Alm) 163 Ya 126
▲ Sopalmo, Sierra de 127 Ye 118
Sopeira (Hues) 46 Ae 95 ⊠ 22583
Sopelana (Viz) 11 Xa 88 ⊠ 48600
☆ Sopelegor, Cueva de 23 Xb 90
Sopeña (Can) 9 Ve 89
Sopeña (Can) 21 Vf 91
Sopeña de Carneros (Leó) 18 Tf 94
⊠ 24719
Sopeñano (Bur) 22 We 90 ⊠ 09589
Sopenilla (Can) 9 Vf 89 ⊠ 39409
Soperún (Hues) 44 Ad 94
☆ Sopetrán, Convento de 76 Wf 104
☆ Sopetrán, Ermita de 105 Tf 114
Soportújar (Gra) 161 Wd 127
Soprani (Córd) 150 Vb 124
Sopuerta (Viz) 10 Wf 89 ⊠ 48190
≈ Sor, Río 4 Sb 87
Sora (Bar) 48 Ca 96 ⊠ 08588
Sorabilla (Gui) 12 Xf 89 ⊠ 20140
Soraluce-Placencia de las Armas
(Gui) 11 Xd 89
Sorauren (Nav) 25 Yc 91 ⊠ 31194
Sorba (Bar) 47 Be 97
Sorbas (Alm) 154 Xf 126 ⊠ 04270
≈ Sorbe, Río 58 We 102
Sorbeda del Sil (Leó) 17 Tc 92
▲ Sordas, Pinar de las 56 Vc 102
Sordillos (Bur) 21 Vf 94 ⊠ 09128
▲ Sordo 136 Uf 119
▲ Sordo, Cerro del 141 Ya 121
▲ Sordo, Punta del (Ten) 173 E 5
Sordos (Our) 33 Sa 96 ⊠ 32846
Soria (Palm) 174 C 3
Soria (Sor) 59 Xd 98 ⊠ *42001
≈ Soria, Canal de (Palm) 174 C 4
Soria, Cortijo de (Tol) 90 Wb 109
≈ Soria, Embalse de (Palm) 174 C 3
Soriana (Hues) 44 Ad 96
Soriguera (Lle) 29 Bb 94 ⊠ 25566
Sorihuela (Sal) 72 Ub 106 ⊠ 37777
Sorihuela de Guadalimar (Jaé)
139 Wf 119
Sorlada (Nav) 24 Xe 93 ⊠ 31219
Sornàs (AND) 29 Bd 93

Sorozarreta (Nav) 24 Xe 91
Sorpe (Lle) 28 Ba 93 ⊠ 25587
Sorre (Lle) 28 Ba 94 ⊠ 25567
≈ Sorreigs, Riera de 48 Cb 96
Sorriba (Leó) 19 Uf 92
Sorribas (Ast) 7 Ue 88
Sorribes (Lle) 47 Bc 95
Sorribes (Lle) 47 Be 95
Sorribos de Alba (Leó) 19 Uc 92 ⊠ 24649
Sorripas (Hues) 26 Zd 93 ⊠ 22666
Sort (Lle) 28 Ba 94 ⊠ 25560
Sorts, les (Lle) 47 Bc 95 ⊠ 25794
Sorvilán (Gra) 161 We 128
Sorzano (Rio) 41 Xc 94 ⊠ 26191
Sos (Hues) 28 Ac 93 ⊠ 22467
▲ Sos, Puerto de Sos 25 Ye 94
≈ Sosa, Río 45 Ab 97
Sosas de Laciana (Leó) 18 Te 91 ⊠ 24139
Soscaño (Viz) 10 Wd 89 ⊠ 48891
Sos del Rey Católico (Zar) 25 Ye 94
Soses (Lle) 62 Ac 99 ⊠ 25181
Sossís (Lle) 46 Af 95
Sota, La (Ast) 6 Ua 88 ⊠ 33317
Sotalvo (Ávi) 73 Va 105
☆ Sota-ribes 65 Be 101
▲ Sotavento de Jandía, Playa de (Palm) 175 C 5
Sot de Chera (Val) 113 Za 111 ⊠ 46168
Sot de Ferrer (Cas) 95 Zd 110 ⊠ 12489
Sotelo (Leó) 17 Ta 92 ⊠ 24523
Soterraña, Cortijo de la (Mál) 159 Va 127
Sotés (Rio) 41 Xc 94
≈ Sotiel, Embalse de 133 Tb 122
Sotiel Coronada (Huel) 147 Ta 123 ⊠ 21309
Sotiello (Ast) 7 Ub 88
Sotillo (Seg) 57 Wc 101 ⊠ 40311
Sotillo (Zar) 60 Yd 99
Sotillo, Cortijo del (Các) 86 Te 110
Sotillo, El (Ciu) 110 Xa 114
Sotillo, El (Ciu) 108 Vf 114
Sotillo, El (Gua) 76 Xc 103 ⊠ 19491
≈ Sotillo, Río 135 Ub 119
≈ Sotillo, Río del 122 Va 117
▲ Sotillo, Sierra del 108 Vf 114
Sotillo de Boedo (Pal) 21 Vd 93 ⊠ 34407
Sotillo de Cabrera (Leó) 35 Tb 94 ⊠ 24389
Sotillo de Cea (Leó) 37 Va 94 ⊠ 24328
Sotillo de la Adrada (Ávi) 88 Vc 107 ⊠ 05420
Sotillo de la Ribera (Bur) 39 Wb 98 ⊠ 09441
Sotillo de las Palomas (Tol) 88 Vb 108 ⊠ 45635
Sotillo del Rincón (Sor) 41 Xc 97 ⊠ 42165
Sotillo de Rioja (Bur) 22 Wf 94 ⊠ 09259
Sotillo de Sanabria (Zam) 35 Tb 96 ⊠ 49395
Sotillos de Caracena (Sor) 58 Wf 101
Sotillos de Sabero (Leó) 19 Ue 91 ⊠ 24814
Soto (Ast) 6 Ua 88
Soto (Ast) 7 Ud 89
Soto (Ast) 7 Ue 90
Soto (Ast) 7 Uc 90
Soto (Can) 9 Wa 89
Soto (Can) 21 Ve 90
Soto (Hues) 27 Ab 94
Soto, Cortijo del (Córd) 151 Vd 125
Soto, Cortijo del (Sev) 149 Ud 125
Soto, El (Cád) 164 Ua 131 ⊠ 11150
Soto, El (Alm) 154 Xe 125
Soto, El (Nav) 42 Yb 95 ⊠ 31340
▲ Soto, El 71 Ub 105
Soto, El (Ávi) 72 Ue 106 ⊠ 05515
Soto, El (Mad) 75 Wc 105
Soto, El (Các) 85 Tb 107
▲ Soto, El 90 Wc 108
≈ Soto, Río 6 Ua 88
≈ Soto, Río de 18 Ua 92
Sotobañado y Priorato (Pal) 20 Vd 93 ⊠ 34407
Sotoca (Cue) 92 Xe 107 ⊠ 16190
Sotoca de Tajo (Gua) 76 Xc 104 ⊠ 19429
Soto Candespina (Zar) 43 Yf 98
Soto Cruz, Cortijo de (Gra) 153 Wf 124
Soto de Aldovea (Mad) 75 Wd 106
Soto de Cerrato (Pal) 38 Vd 97 ⊠ 34209
Soto de la Marina (Can) 9 Wa 88 ⊠ 39110
Soto de la Vega (Leó) 36 Ua 95 ⊠ 24768
Soto del Barco (Ast) 6 Tf 87 ⊠ 33126
Soto del Lugar (Mad) 90 Wb 109
Soto de Lorío (Ast) 7 Ud 89
Soto de los Infantes (Ast) 6 Te 88 ⊠ 33869
Soto del Real (Mad) 74 Wb 104 ⊠ 28791
Soto de Luiña (Ast) 6 Te 87 ⊠ 33156
Soto de Pajares (Mad) 90 Wc 107 ⊠ 28529
Soto de Ribera (Ast) 6 Ua 89 ⊠ 33172
Soto de San Esteban (Sor) 58 We 99 ⊠ 42345
Soto de Valdeón (Leó) 8 Va 90
Soto de Valderrueda (Leó) 20 Va 92 ⊠ 24882
Soto de Viñuelas (Mad) 75 Wb 105 ⊠ 28760
Sotodosos (Gua) 77 Xd 103 ⊠ 19445
Soto en Cameros (Rio) 41 Xd 95
Sotogordo (Córd) 150 Vb 124 ⊠ 14512
Sotogrande (Cád) 165 Ue 131 ⊠ 11310
Soto Lorenzo, Cortijo de (Jaé) 139 Wf 122
Soto Mozaraque (Mad) 75 Wc 105
≈ Sotón, Río 43 Zb 96
≈ Sotonera, Embalse de la 44 Zc 96
Sotonera, La (Hues) 44 Zc 95 ⊠ 22160
Sotopalacios (Bur) 39 Wb 94 ⊠ 09140
Sotoparada (Leó) 17 Ta 93 ⊠ 24523
Sotorribas (Cue) 92 Xf 107
Soto-Rucandio (Can) 21 Wa 91
Sotos (Cue) 92 Xf 107 ⊠ 16143
Sotosalbos (Seg) 74 Wa 102 ⊠ 40170
Sotos del Burgo (Sor) 58 Wf 99 ⊠ 42318
Sotos de Sepúlveda (Seg) 57 Wc 101
Sotoserrano (Sal) 71 Tf 106 ⊠ 37657
Sotos Nuevos (Mur) 142 Za 122 ⊠ 30708
Sotovellanos (Bur) 21 Ve 93 ⊠ 09135
Soto y Amío (Leó) 18 Ua 92
Sotragero (Bur) 39 Wb 94 ⊠ 09197
Sotres (Ast) 8 Vb 89 ⊠ 33554
Sotresgudo (Bur) 21 Ve 93 ⊠ 09135
Sotrobal (Sal) 72 Ue 103
Sotrondio (Ast) 7 Uc 89 ⊠ 33950
Sotuélamos (Alb) 110 Xc 114
☆ Sotuélamos, Ermita de 110 Xc 114
≈ Sotuélamos, Río de 110 Xc 114
Sous (Gir) 48 Ce 95
Soutadoiro (Our) 35 Ta 95 ⊠ 32336
Soutelo (Pon) 15 Re 93
Soutelo (Pon) 32 Rc 96
Soutelo (Our) 34 Se 96
Soutelo Verde (Our) 34 Sd 96 ⊠ 32622
Souto (Cor) 15 Sa 91
Souto (Pon) 15 Rc 92
Souto (Pon) 15 Rd 93
Souto (Lug) 16 Sc 93
Souto (Pon) 32 Rc 96
Soutochao (Our) 34 Se 97 ⊠ 32617
Soutocobo (Our) 34 Se 97
Soutolongo (Pon) 15 Rf 93 ⊠ 36519
Soutomaior (Pon) 32 Rc 95 ⊠ 36691
Soutopenedo (Our) 33 Sa 95 ⊠ 32910
Soutullo (Cor) 3 Rc 89
Sovilla (Ast) 7 Ub 89
Su (Lle) 47 Bd 97 ⊠ 25287
Suances (Can) 9 Vf 88 ⊠ 39340
▲ Suances, Faro de 9 Vf 88
Suancias, Cortijo de los (Alb) 126 Xe 117
Suano (Can) 21 Ve 91 ⊠ 39418
Suara, Cortijo de la (Cád) 157 Ua 129
Suarbe (Nav) 24 Yb 91 ⊠ 31797
Suarbol (Leó) 17 Ta 91 ⊠ 24433
Suares (Ast) 7 Uc 88 ⊠ 33528
▲ Suárez, Playa de (Ten) 172 C 2
Suarias (Ast) 8 Vc 89 ⊠ 33579
Suarna (Lug) 5 Sf 90
≈ Suarna 17 Ta 90
≈ Suarón, Río 5 Ta 88
Suavila (Cor) 3 Sa 90 ⊠ 15816
▲ Subenuix, Pic de 28 Af 93
Subijana de Alava (Ála) 23 Xb 92 ⊠ 01195
Subilana Gasteiz = Subijana de Álava (Ála) 23 Xb 92
Subirats (Bar) 65 Be 100 ⊠ 08739
Subiza (Nav) 24 Yb 92 ⊠ 31191
▲ Subrido, Punta 32 Ra 95
Sucarral (Lug) 16 Se 92
▲ Sucas, Sierra de las 27 Aa 93
Sucastro (Lug) 16 Sb 92 ⊠ 27569
Sucilla Alta, Cortijo La (Sev) 149 Ud 126
Sucina (Mur) 142 Za 121 ⊠ 30590
Sucs (Lle) 44 Ac 98 ⊠ 25113
☆ Suda, Castell àrab de la 46 Ae 98
☆ Suda, Castell de la 80 Ad 104
Sudanell = Sonadell (Lle) 62 Ad 99 ⊠ 25173
Sueca (Val) 114 Ze 113 ⊠ 46410
Suegos (Lug) 16 Sd 90
Sueiro (Ast) 5 Ta 87 ⊠ 33759
Suellacabras (Sor) 41 Xe 97 ⊠ 42189
Suelves (Hues) 45 Aa 95 ⊠ 22320
▲ Suelza, Punta 27 Ab 93
≈ Sueño, Embalse de El 107 Vd 112
Suera (Cas) 95 Ze 109
Sueros de Cepeda (Leó) 18 Tf 93 ⊠ 24713
Suerri (Hues) 44 Ad 95
Suerte, Cortijo de la (Sev) 150 Uf 123
Suerte, Cortijo de la (Sev) 149 Ue 124
▲ Suerte Alta 136 Vb 120
Suerte Alta del Montecillo, Cortijo (Sev) 136 Uf 123
Suertes, Cortijo Las (Các) 105 Tf 111
Suertes, Los (Mur) 142 Ye 122
Suertes de Villalba, Las (Mad) 74 Vf 105
Suesa (Can) 10 Wb 88 ⊠ 39150
▲ Sueve 7 Ue 88
Suevos (Cor) 3 Rd 88
Suflí (Alm) 154 Xd 124
Sugel, Caserío de (Alb) 127 Yf 115
▲ Suido, Serra do 15 Re 94
Suizo (Mál) 159 Vc 128
Sujayal (Alb) 140 Xe 119
▲ Sujeto, Isla del 143 Zb 122
Sujuela (Rio) 41 Xc 94
Sukarrieta (Viz) 11 Xb 88 ⊠ 48395
Sulfúrica, La (Zar) 61 Zb 99
Sumacàrcer (Val) 113 Zc 114
Sumbilla (Nav) 12 Yc 90
Sumio (Cor) 3 Rd 89
Sunyer (Lle) 62 Ad 99 ⊠ 25174
Super Molina (Gir) 30 Bf 94
Suquets (Lle) 44 Ac 98 ⊠ 25113
▲ Sureste, Parque Regional del 90 Wc 107
Súria (Bar) 47 Be 98
▲ Suriain 25 Yc 90
Surp (Lle) 28 Ba 94 ⊠ 25594
Surroca de Baix (Gir) 48 Cb 95
▲ Survia, Peña 35 Tb 95
≈ Sus, Río 79 Zb 103
Susana, A (Pon) 15 Rd 92
Susañe del Sil (Leó) 18 Td 91 ⊠ 24489
▲ Susarón 19 Ue 91
≈ Susia, Río 45 Aa 95
Susilla (Can) 21 Vf 92
Susinos del Páramo (Bur) 21 Wa 94
☆ Suso, Monasterio de 40 Xa 95
Suspiro del Moro (Gra) 152 Wc 126
▲ Suspiro del Moro, Puerto del 152 Wc 126
▲ Suspirón 18 Te 92
Susqueda (Gir) 48 Cd 96 ⊠ 17166
≈ Susqueda, Pantà de 48 Cc 97
Suterrana = Suterranya (Lle) 46 Af 96
Suterranya (Lle) 46 Af 96 ⊠ 25654
Suxo (Cor) 2 Qf 90 ⊠ 15126
Suzana (Bur) 23 Xa 92 ⊠ 09219

T

☆ Tabac, Coca del 46 Af 97
▲ Tabaco, Loma del 135 Ue 121
Tabagón (Pon) 32 Rb 97 ⊠ 36760
Tabaiba (Ten) 173 F 3 ⊠ 38190
▲ Tabaibas (Palm) 174 C 4
Tabajete (Cád) 157 Te 128
≈ Tabajete, Arroyo de 157 Te 128
▲ Tabal, Roc del 30 Cc 94
▲ Tabalbas, Roque de las (Ten) 171 B 2
Tabanera (Bur) 38 Vf 95
Tabanera de Cerrato (Pal) 39 Vf 96 ⊠ 34257
Tabanera de Valdavia (Pal) 20 Vb 93 ⊠ 34473
Tabanera la Luenga (Seg) 74 Ve 102 ⊠ 40291
Tabaqueros (Alb) 112 Yd 112
Tabar (Nav) 25 Yd 92 ⊠ 31449
Tábara (Zam) 36 Ua 98
Tabayesco (Palm) 176 D 3 ⊠ 35542
Tabaza (Ast) 7 Ub 87 ⊠ 33469
Tabazoa de Humoso (Our) 34 Sf 96
Tabazoa de Umoso (Our) 34 Sf 95 ⊠ 32558
Tabeaio (Cor) 3 Rd 89 ⊠ 15182
Tabeirós (Pon) 15 Rd 93 ⊠ 36684
Tabera de Abajo (Sal) 71 Ua 103 ⊠ 37130
Tabernas (Alm) 154 Xd 126 ⊠ 04200
Tabernas de Isuela (Hues) 44 Zd 96 ⊠ 22196
Tabernes = Tavernes de Valldigna (Val) 114 Ze 114
Tabernillas, Cortijo de las (Gra) 139 Xb 121
Taberno (Alm) 154 Xf 124 ⊠ 04692
Taberuela (Sal) 71 Tf 103 ⊠ 37491
▲ Tabillón, Alto del 17 Tc 91
Tabla, La (Zam) 36 Ub 97 ⊠ 49741
Tablada (Mad) 74 Vf 104 ⊠ 28480
Tablada, Caserío de (Pal) 38 Ve 97
Tablada del Rudrón (Bur) 21 Wa 92
Tablada de Villadiego (Bur) 21 Wa 93 ⊠ 09125
▲ Tabladas, Las 40 Wf 96
Tabladillo (Can) 10 Wc 89 ⊠ 39813
Tabladillo (Leó) 18 Te 94 ⊠ 24722
Tabladillo (Ávi) 73 Vc 104
Tabladillo (Seg) 74 Vd 102 ⊠ 40122
Tabladillo (Gua) 76 Xb 105 ⊠ 19129
Tablado (Ast) 6 Ua 90
Tablado (Can) 21 Wa 90
Tablado, El (Ten) 171 B 1
Tablado, El (Ten) 173 E 4
▲ Tablado, Sierra de 60 Yb 98
▲ Tablailla 87 Ue 108
Tablante (Sev) 148 Te 124
▲ Tablao, Puerto de 133 Tb 119
Tablas (Gra) 153 Xb 125
Tablas, Las (Alm) 154 Xc 126 ⊠ 04559
Tablas, Las (Ast) 7 Ud 89
▲ Tablas de Daimiel, Parque Nacional 108 Wb 114
Tablate (Gra) 161 Wc 127
Tabla-Villafáfila, La (Zam) 36 Ub 97
Tablero, El (Palm) 174 C 4
Tablero, El (Ten) 173 E 3 ⊠ 38108
Tabliega (Bur) 22 Wd 90
Tablilla, Cortijo de la (Jaé) 124 Wf 118
Tablillas, Las (Ciu) 107 Ve 113 ⊠ 13114
≈ Tablillas, Río 122 Ve 117
▲ Tablizo, Playa de 6 Td 87
▲ Tablón, Sierra del 158 Ue 126
Tablones, Los (Gra) 161 Wd 127
Tablones, Los (Gra) 161 Wd 128
Taboada (Cor) 3 Rf 88
Taboada (Lug) 16 Sb 92
Taboadela (Our) 33 Sb 95
Taboadelo (Cor) 32 Rc 94
Taboazas (Our) 34 Sd 95
Taboexa (Pon) 32 Rd 96 ⊠ 36448
▲ Taborno (Ten) 173 F 2
Taborno (Ten) 173 F 2
Tabuenca (Zar) 60 Yc 98 ⊠ 50547
▲ Taburiente, Caldera de (Ten) 171 B 2
Tabuyo del Monte (Leó) 36 Te 95 ⊠ 24721
Tabuyuelo de Jamuz (Leó) 36 Ua 95 ⊠ 24767
Tacheras (Hues) 26 Zb 91
▲ Tachero, Playa del (Ten) 173 F 2
Taco (Ten) 173 F 3
≈ Tacorón, Cala de (Ten) 173 B 3
Tacoronte (Ten) 173 E 3 ⊠ 38350
Tafalla (Nav) 24 Yb 93 ⊠ 31300
Tafira (Palm) 174 D 2
Tafira Baja (Palm) 174 D 2 ⊠ 35017
▲ Taga, el 30 Cb 95
Tagamanent (Bar) 48 Cb 98 ⊠ 08593
Taganana (Ten) 173 F 2 ⊠ 38130
Tagarabuena (Zam) 55 Ud 99 ⊠ 49836
Tagarrillar, Cortijo del (Jaé) 137 Ve 118
Tagarrosa (Bur) 21 Ve 94 ⊠ 09108
Tagle (Can) 9 Vf 88 ⊠ 39360
▲ Tagomago, Illa (Bal) 97 Bd 114
☆ Tagoror, Ruinas Historicas (Palm) 174 D 3
Taguluche (Ten) 172 A 2 ⊠ 38852
Tahá, La (Gra) 161 We 127
Tahal (Alm) 154 Xe 125 ⊠ 04275
Taheña, Caserío (Các) 86 Tf 110
Tahiche (Palm) 176 C 3
▲ Tahiche (Palm) 176 C 3
Tahivilla (Cád) 164 Ub 131 ⊠ 11392
▲ Tahodio, Barranco (Ten) 173 F 2
Tahús = Taús (Lle) 46 Bb 95
Taià (Bar) 66 Cb 99
Taialà (Gir) 49 Ce 97
≈ Taibilla, Embalse del 140 Xe 119
☆ Taibilla, Parque de 142 Yf 123
≈ Taibilla, Río 140 Xe 119
▲ Taibilla, Sierra de 140 Xd 120
Taibique (Ten) 173 C 2
Taina de Vega (Cue) 111 Ya 111
Taja (Ast) 6 Tf 89 ⊠ 33111
▲ Tajahierro, Puerto de 21 Ve 90
Tajahuerce (Sor) 59 Xf 98 ⊠ 42112
Tajarja (Gra) 160 Wa 126
≈ Tajera, Embalse de La 76 Xc 103
Tajillo Blanco, Cortijo (Alm) 162 Xb 128
Tajo, Cortijo de (Gra) 161 Wc 127
☆ Tajo, Ermita del 41 Xb 94
≈ Tajo, Río 77 Ya 106
☆ Tajo de las Figuras, Cueva del 164 Ub 131
Tajonar (Nav) 25 Yc 92 ⊠ 31192
Tajueco (Sor) 58 Xa 99 ⊠ 42366
Tajuña (Seg) 74 Ve 103 ⊠ 40153
≈ Tajuña, Río 75 Wf 106
≈ Tajuña, Río 77 Xe 102
Tajuya (Ten) 171 B 3 ⊠ 38769
Tala, Cortijo de la (Gra) 153 Wf 12
Tala, La (Alm) 154 Xd 123
Tala, La (Jaé) 125 Xb 118
Tala, La (Sal) 72 Uc 105 ⊠ 37752
☆ Talaia, Castell morro de la 128 Za 117
▲ Talaia, la 63 Aa 101
☆ Talaia àrab 62 Ad 102
▲ Talaia d'Alcúdia, Sa (Bal) 99 Db 109
▲ Talaies, les 80 Ac 106
▲ Talaissa, Sa (Bal) 97 Bb 115
Talaixa (Gir) 48 Cd 95 ⊠ 17856
Talamanca (Bar) 47 Bf 98 ⊠ 0827
▲ Talamanca, Páramo de 39 Wa 9
Talamanca de Jarama (Mad) 75 Wc 104
Talamantes (Zar) 60 Yb 98 ⊠ 5054
Talamillo del Tozo (Bur) 21 Wa 93 ⊠ 09126
Talancar, Cortijo del (Jaé) 139 Xa 122
Talancón, Cortijos de (Mur) 155 Ya 123
Talara (Gra) 161 Wc 127 ⊠ 18656
Talarn (Lle) 46 Af 95 ⊠ 25630
≈ Talarn, Pantà de 46 Af 95
Talarrubias (Bad) 106 Ue 114 ⊠ 06640
Talaván (Các) 86 Te 110
Talave (Alb) 126 Ya 118
≈ Talave, Embalse de 126 Ya 117
≈ Talave, Túnel de 126 Ya 116
▲ Talavera 154 Xd 124
Talavera (Bar) 64 Bc 99
Talavera de la Reina (Tol) 88 Vb 10 ⊠ 45600
Talavera la Nueva (Tol) 88 Va 109 ⊠ 45694
Talavera la Real (Bad) 119 Tb 115 ⊠ 06140
Talaveruela de la Vera (Các) 87 Uc 108
▲ Talayón 93 Yd 108
Talayuela (Các) 87 Uc 109 ⊠ 1031
Talayuelas (Cue) 93 Ye 109 ⊠ 16320
▲ Talayuelo 92 Xf 109
Tal de Arriba (Cor) 14 Qf 92 ⊠ 15289
≈ Taleca, Raco de sa (Bal) 98 Ce 109
Talegón (Bad) 118 Sf 117
≈ Talegones, Río 58 Xa 100
Tales (Cas) 95 Ze 109 ⊠ 12221
Táliga (Bad) 118 Sf 117
Tallada, la (Lle) 65 Bc 99 ⊠ 25271
Tallada d'Empordà, la (Gir) 49 Da 96
Talladell, el (Lle) 64 Bb 99 ⊠ 25360
▲ Tallar, El 121 Ud 117
Tállara (Cor) 14 Ra 92
☆ Tallat, el 64 Ba 100
▲ Tallat, Serra del 64 Ba 100
Talledo (Can) 10 We 89 ⊠ 39707
≈ Tallisca, Arroyo de la 120 Ua 117
Tallón Alto, El (Alm) 154 Xc 125
Tallón Bajo, El (Alm) 154 Xd 126
Tallós (Cor) 14 Rb 92
Talltendre (Lle) 29 Be 94 ⊠ 25721
Talon (Cor) 14 Qe 90 ⊠ 15124
Talteüll (Lle) 46 Bc 98
Talveila (Sor) 40 Xa 98 ⊠ 42148
Tama (Can) 8 Vc 89 ⊠ 39584
▲ Tamadaba (Palm) 174 B 2
☆ Tamadaba, Pinar de (Palm) 174 B 2
▲ Tamadite, Punta (Ten) 173 F 2
Tamaduste (Ten) 173 C 2 ⊠ 38910
Tamagos (Our) 34 Sd 97 ⊠ 32697
Tamaguelos (Our) 34 Sd 97 ⊠ 32697
Tamaimo (Ten) 172 C 4
Tamajón (Gua) 75 We 102
≈ Tamajuso, Arroyo de 135 Ud 122
Tamallancos (Our) 15 Sa 94 ⊠ 32102
Tamame (Zam) 54 Ua 101 ⊠ 49176
Tamames (Sal) 71 Tf 105 ⊠ 37600
Tamara, Cortijo del (Jaé) 138 Wd 119
Tamaraceite (Palm) 174 D 2 ⊠ 35018
Támara de Campos (Pal) 38 Vd 95
Tamaral, El (Jaé) 139 Xb 119
Tamargada (Ten) 172 B 1 ⊠ 38891
Tamarinda (Bal) 96 De 109
Tamarit (Tar) 65 Bc 102
☆ Tamarit, Castell de 65 Bc 102
Tamarite de Litera (Hues) 44 Ac 97 ⊠ 22550

mariu (Gir) 49 Db 97 ⊠ 17212
mariz de Campos (Vall) 37 Uf 97
⊠ 47815
Tamarizos, Puerto 22 Wc 92
marón (Bur) 39 Wa 95
Tamatide, Playa de (Ten) 173 F 2
mayo (Alb) 112 Yd 112
mayo (Bur) 22 Wd 92
mayo, Cortijo de (Cád)
157 Ub 129
Tambo, Illa de 14 Rb 94
mbor, Cortijo del (Alm) 140 Xf 122
Tambre, Río 14 Rb 91
Taméga, Río 34 Sd 96
meirón (Our) 34 Sf 96
Támoga, Río 4 Sc 89
mojares (Gra) 153 Wf 123
Tamuja, Río 105 Tf 113
Tamujar, Arroyo del 134 Ua 121
mujoso (Bad) 120 Ub 116
Tamujoso, Arroyo 88 Va 110
murejo (Bad) 121 Va 115
⊠ 06658
ñabueyes (Bur) 40 Wd 96
⊠ 09640
narro (Seg) 57 Wb 101 ⊠ 40312
nca, Sa (Bal) 98 Ce 111
ncal, el (Cas) 96 Aa 108
Tanea, Río 8 Vd 89
nes (Ast) 7 Ud 89 ⊠ 33994
Tanes, Embalse de 7 Ud 89
ngel (Ali) 128 Zd 118 ⊠ 03112
ngo, Cortijo de (Mál) 159 Va 128
niñe (Sor) 41 Xe 96 ⊠ 42174
nos (Can) 9 Vf 88 ⊠ 39300
nque (Ten) 172 C 3
Tanque del Vidrio, Punta del (Ten)
173 E 5
o (Palm) 176 C 3
Tao (Palm) 175 E 3
Tapahuga, Playa de (Ten) 172 B 2
pia (Cor) 14 Rc 91
pia (Bur) 21 Vf 93 ⊠ 09124
pia, Cortijo (Huel) 133 Ta 121
pia de Casariego (Ast) 5 Ta 87
⊠ 33740
pia de la Ribera (Leó) 19 Ub 92
⊠ 24275
apiela (Sor) 59 Xe 99 ⊠ 42128
àpies (Gir) 31 Ce 94
apioles (Zam) 37 Ud 97 ⊠ 49639
aracena (Gua) 75 Wf 105 ⊠ 19193
aradell (Bar) 48 Cb 97 ⊠ 08552
aragoña (Cor) 14 Rb 92 ⊠ 15985
aragudo (Sal) 54 Uc 101
aragudo (Gua) 76 Wf 104 ⊠ 19227
araguilla (Cád) 165 Ud 131
⊠ 11369
arahal (Jaé) 153 Wf 123
araíz, El (Mur) 142 Ye 120
arajal, El (Córd) 151 Ve 124
⊠ 14814
arajalejo (Palm) 175 D 4 ⊠ 35629
Tarajalito, Punta del (Palm)
175 D 3
aramay (Gra) 161 Wb 128
arambana (Alm) 162 Xa 128
aramundi (Ast) 5 Sf 88 ⊠ 33775
aranco (Bur) 22 Wd 90 ⊠ 09587
arancón (Cue) 91 Wf 108
arancueña (Sor) 58 Wf 100
⊠ 42315
aranes (Ast) 7 Ue 89 ⊠ 33557
aranilla (Leó) 20 Va 92 ⊠ 24887
arassó (Lle) 46 Ba 98
aravaus (Gir) 49 Cf 95 ⊠ 17741
aravilla (Gua) 77 Ya 104 ⊠ 19314
Taray, Laguna del 110 Xb 112
Taray, Laguna del 109 We 111
▲ Tarayuela 80 Zd 106
arayuelas, Las (Ter) 79 Zc 105
araza (Cor) 3 Re 87 ⊠ 15550
arazona (Sev) 148 Ub 124
arazona (Zar) 42 Yb 97 ⊠ 50500
arazona de Guareña (Sal)
55 Ue 101
Tarazona de la Mancha (Alb)
111 Ya 113 ⊠ 02100
Tárbena (Ali) 129 Zf 116
Tardade (Lug) 4 Sb 89 ⊠ 27823
Tardáguila (Sal) 54 Uc 102
Tardajos (Bur) 39 Wb 94 ⊠ 09130
Tardajos de Duero (Sor) 59 Xd 99
⊠ 42191
Tardelcuende (Sor) 59 Xc 99
⊠ 42294
Tardemézar (Zam) 36 Ua 96
Tardesillas (Sor) 41 Xd 98 ⊠ 42162
▲ Tardesillas 54 Ub 99
Tardienta (Hues) 44 Zc 97 ⊠ 22240
Tardobispo (Zam) 54 Ub 100
⊠ 49170
Targa (Ten) 172 B 2 ⊠ 38813
≈ Tarida, Cala (Bal) 97 Bb 115
Tariego de Cerrato (Pal) 38 Vd 97
⊠ 34209
Tarifa (Cád) 164 Uc 132 ⊠ 11380
Tarifa (Gra) 154 Xd 123
≈ Tarifa, Lances de 164 Uc 132
▲ Tarilla 135 Ub 119
Tarilla, Cortijo de (Bad) 135 Ub 119
Tarilonte de la Peña (Pal) 20 Vc 92
⊠ 34869
Tarín (Ter) 94 Zb 108
Tarín, Caserío de (Ter) 79 Za 106
Tariquejos (Huel) 146 Sf 124
Tarja, La (Zar) 61 Zb 100
Tarna (Ast) 19 Ue 90
▲ Tarna, Puerto de 19 Ue 90
Taroda (Sor) 59 Xd 100 ⊠ 42216
Tarragona (Tar) 64 Bb 102
⊠ *43001
Tarragoya (Mur) 140 Xf 121
≈ Tarragoya, Rambla de 140 Xf 121
Tarraula (Ali) 129 Aa 116
Tàrrega (Lle) 64 Ba 99
Tarrés (Lle) 64 Ba 100
Tarriba (Can) 9 Vf 89
Tarrío (Cor) 3 Rd 89
Tarrío (Cor) 14 Rb 92
Tarrío (Cor) 14 Qf 92
Tarrío (Lug) 16 Sb 91
Tarroeira (Cor) 15 Rd 91
Tarroja = Tarroja de Segarra (Lle)
46 Bb 98
Tarroja de Segarra (Lle) 46 Bb 98
⊠ 25211
Tarrós, el (Lle) 46 Ba 98
▲ Tartagos, Playa de los (Palm)
174 D 4
▲ Tartajosa, La 87 Ub 108
Tartalés de Cilla (Bur) 22 Wd 92
Tartalés de los Montes (Bur)
22 Wd 92
Tartamudo, Caserío del (Mur)
140 Xf 120
Tartanedo (Gua) 77 Ya 103
⊠ 19333
Tartareu (Lle) 46 Ae 97 ⊠ 25611
Tarumbillo, Cortijada de (Jaé)
138 Wc 121
Tasarte (Palm) 174 B 3 ⊠ 35478
▲ Tasarte, Barranco de (Palm)
174 B 3
▲ Tasarte, Playa de (Palm) 174 B 3
▲ Tasartico, Degollada de (Palm)
174 B 3
☆ Tasca, Castillo 125 Xc 118
≈ Tastavins, Río 80 Aa 103
▲ Tauce, Boca de (Ten) 172 C 4
Taucho (Ten) 172 C 5 ⊠ 38677
Taüll (Lle) 28 Af 93
Tauro (Palm) 174 B 4
Taús (Lle) 46 Bb 95
Tauste (Zar) 43 Ye 97 ⊠ 50660
Tavascan (Lle) 29 Bb 93 ⊠ 25577
≈ Tavascan, Riu de 29 Bb 92
Tavernes de la Valldigna (Val)
114 Ze 114 ⊠ 46760
Tavèrnoles (Bar) 48 Cc 97
Tavertet (Bar) 48 Cc 97 ⊠ 08511
Tavizna (Cád) 158 Ud 128
☆ Tavizna, Castillo de 158 Ud 128
Tazacorte (Ten) 171 B 3 ⊠ 38770
Tazo (Ten) 172 B 1
Tazona (Alb) 126 Ya 119 ⊠ 02437
Tazones (Ast) 7 Ud 87 ⊠ 33315
≈ Te, Río 14 Rb 92
≈ Tea, Río 32 Rd 96
≈ Tea, Río 32 Rd 95
Teatinos, Los (Jaé) 139 Xc 120
Teatinos, Los (Jaé) 139 Wf 120
☆ Teatre romà 95 Ze 110
Teba (Mál) 159 Va 127 ⊠ 29327
Tébar (Mur) 155 Yc 123
Tébar (Cue) 111 Xf 112
Tebera de Arriba (Sal) 71 Tf 103
▲ Tebeto, Playa de (Palm) 175 D 2
Tebongu (Ast) 6 Td 89
Tebra (Pon) 32 Rb 96
Tecomodá (Ten) 172 B 2
Tefía (Palm) 175 E 2
Teguereyle, Cortijada de (Palm)
175 D 4
Tegueste (Ten) 173 E 2 ⊠ 38280
Teguise (Palm) 176 C 3
Teguital (Palm) 175 E 4
▲ Teheral (Palm) 174 C 3
Teià = Taià (Bar) 66 Cb 99
Teibel (Lug) 16 Sc 92
▲ Teide, Laderas del (Ten) 172 D 4
☆ Teide, Los Huevos del (Ten)
172 D 4
▲ Teide, Parque Nacional del (Ten)
172 C 4
▲ Teide, Pico del (Ten) 172 D 4
Teira (Cor) 14 Qf 93 ⊠ 15969
▲ Teira, Cabo 14 Qf 93
Teivilide (Lug) 16 Sd 92
Teix, el (Ali) 128 Zd 117
Teixedáis (Lug) 5 Sf 89
Teixeira, A (Our) 16 Sd 94
Teixeiro (Cor) 3 Rf 90
Teixeiro (Lug) 16 Sd 90 ⊠ 27289
Teja (Gra) 139 Xb 122
Teja, Cortijo La (Jaé) 139 Xa 119
Tejada (Bur) 39 Wc 97 ⊠ 09348
▲ Tejada, Peña 40 Xa 96
▲ Tejadal, Collado del 93 Yc 109
▲ Tejadillo 41 Xc 96
Tejadillo (Sal) 70 Tc 105
Tejadillo (Sal) 71 Tf 104
Tejadillos (Cue) 93 Yc 108 ⊠ 16317
Tejadinos (Leó) 36 Tf 94 ⊠ 24732
Tejado (Sor) 59 Xe 99 ⊠ 42128
Tejado, El (Sal) 71 Ua 103
Tejado, El (Sal) 72 Uc 106
Tejados (Leó) 36 Tf 94 ⊠ 24732
Tejar, El (Córd) 151 Vc 125 ⊠ 14915
Tejar, El (Ávi) 73 Uf 104
Tejar, El (Mad) 74 Wa 106
≈ Téjar, Rambla de 76 Xc 103
Tejar de sa Moleta (Bal) 99 Da 111
Téjareo, Cortijo de (Các) 105 Tf 111
Tejares (Bad) 121 Ue 115
Tejares (Seg) 57 Wa 100
☆ Tejares, Castillo 72 Ub 103
Tejares, Los (Zar) 43 Ye 98
▲ Tejares, Los 87 Ub 108
Tejeda (Palm) 174 C 3
▲ Tejeda, Playa de (Ten) 173 B 2
▲ Tejeda, Sierra de 160 Vf 127
Tejeda de Tiétar (Các) 86 Ua 108
Tejeda y Segoyuela (Sal) 71 Tf 105
⊠ 37607
Tejedo del Sil (Leó) 18 Td 91
⊠ 24497
Tejeira (Leó) 17 Ta 92 ⊠ 24511
Tejera, Cortijo de la (Gra)
140 Xd 122
Tejera, La (Zam) 35 Ta 97 ⊠ 49572
▲ Tejería, La 78 Yd 105
Tejería, La (Ter) 93 Yd 107
Tejerina (Leó) 20 Uf 91 ⊠ 24885
Tejerina, Cortijo de (Jaé)
138 Wa 122
Tejerizas (Sor) 59 Xc 99 ⊠ 42211
Tejina (Ten) 172 C 4
Tejina (Ten) 173 E 2
▲ Tejita, Playa de la (Ten) 172 D 5
▲ Tejo 112 Za 111
≈ Tejo, Embalse de El 74 Vf 104
▲ Tejo, Peña del 20 Vb 91
▲ Tejo, Sierra del 112 Za 111
Tejonera de Arriba (Bad) 120 Tf 116
▲ Tejoneras, Las 134 Tf 121
▲ Tejones, Los 113 Za 113
Telde (Palm) 174 D 3 ⊠ *35200
Teldomingo, Caserío de (Seg)
73 Vd 103
Teléfono, El (Cád) 156 Te 127
Teleña (Ast) 8 Uf 89 ⊠ 33556
▲ Teleno 35 Td 94
▲ Teleno, Sierra del 35 Tc 94
▲ Telera, Peña 26 Zd 92
Tella (Cor) 2 Ra 89
Tella-Sin (Hues) 27 Ab 93
Tella-Sin (Hues) 27 Ab 93
Telledo (Ast) 18 Ua 90 ⊠ 33628
☆ Tellego 6 Ua 89
Telleriarte (Gui) 23 Xd 90 ⊠ 20220
Tellosancho (Sal) 71 Tf 103
⊠ 37491
Telo (Lug) 16 Sd 93
▲ Tembargena (Ten) 173 B 2
Tembleque (Tol) 109 Wd 110
⊠ 45780
▲ Temejereque (Palm) 175 E 2
Temiño (Bur) 22 Wc 94 ⊠ 09591
Temisas (Palm) 174 C 3 ⊠ 35270
Templado, Cortijo del (Córd)
137 Vd 119
☆ Templarios, Castillo de los
76 Wf 104
≈ Templarios, Río De los 37 Va 95
Temple, El (Córd) 136 Va 122
Temple, El (Hues) 43 Zb 97
⊠ 22281
Tempul, El (Cád) 157 Uc 129
▲ Tena, Valle de 26 Ze 93
Tenada Becedo (Bur) 40 We 95
Tenada de Fresnada (Bur) 39 Wc 95
Tenada de la Cabezada (Bur)
40 We 95
Tenada de la Tejera (Bur) 39 Wc 95
Tenada de Peñalengua (Bur)
40 We 96
Tenada Quiñones (Bur) 40 Wd 95
Tenadas de Abajo (Bur) 40 We 94
Tenadas de la Pasadera (Bur)
39 Wb 96
Tenadas de la Portilla (Bur)
40 Wd 95
Tenadas de la Rasa (Bur) 39 Wc 96
Tenadas de la Renovilla (Bur)
39 Wc 96
Tenadas del Monte (Bur) 39 Wc 96
▲ Tenadillas, Las 40 Wd 97
Tenagua (Ten) 171 C 2
▲ Tendeñera 27 Ze 92
Tendera, Cortijo de la (Alm)
140 Xf 122
▲ Tenderas 154 Xf 125
Tendilla (Gua) 76 Xa 105 ⊠ 19134
Tendrui (Lle) 46 Af 95 ⊠ 25637
Tenebrón (Sal) 71 Td 105
▲ Tenefé, Punta de (Palm) 174 D 4
▲ Teneguía, Volcán de (Ten) 171 B 4
▲ Teneguime, Barranco de (Palm)
176 D 3
▲ Tenerife 155 Yb 125
▲ Tenerife (Ten) 172 C 2
▲ Tenerife (Ten) 173 B 2
☆ Tenerife Norte, Aeropuerto de
(Ten) 173 E 3
▲ Teneza (Palm) 176 B 3
Teno (Ten) 172 B 4
▲ Teno (Ten) 172 B 3
☆ Teno, Faro de (Ten) 172 B 3
▲ Teno, Parque Rural de (Ten)
172 B 4
▲ Teno, Punta de (Ten) 172 B 3
Tenorio (Pon) 15 Rc 94
Tenoya (Palm) 174 D 2
▲ Tenredo, Playa de 6 Ua 87
Tentellatge (Lle) 47 Be 96 ⊠ 25286
Tentiniguada (Palm) 174 C 3
▲ Tentudía 134 Te 120
Tenzuela (Seg) 74 Wa 102 ⊠ 40180
Teo (Cor) 15 Rc 92 ⊠ 15886
Teones, Los (Alm) 154 Xf 124
≈ Ter, el 49 Da 96
Tera (Sor) 41 Xd 97 ⊠ 42164
≈ Tera, Río 35 Tc 96
Terán (Can) 9 Ve 89
Tercia, La (Mur) 140 Ya 119
⊠ *30442
▲ Tercia, Sierra de la 141 Yc 122
Tercio (Cor) 3 Re 89
Tercui (Lle) 46 Ae 95 ⊠ 22584
Tereñes (Ast) 8 Uf 88 ⊠ 33347
Teresa (Cas) 94 Zc 109 ⊠ 12469
Teresa de Cofrentes (Val)
112 Yf 114 ⊠ 46622
▲ Teresitas, Playa de las (Ten)
173 F 2
☆ Termancia, Ruinas de 58 Wf 101
Termas Pallarés (Zar) 60 Ya 101
☆ Termas Romanas 92 Xf 110
Térmens (Lle) 46 Ae 98
☆ Termes, Castell de 47 Bd 95
Termes Orion (Gir) 48 Cd 97
≈ Término, Arroyo del 149 Ue 125
Término, El (Sev) 150 Uf 124
Término de Arriba (Mur) 127 Yd 117
Terminón (Bur) 22 Wd 92
Términos, Cortijo de los (Gra)
153 Xb 123
▲ Ternera (Ten) 173 E 4
Ternero (Bur) 23 Xa 93
Teroleja (Gua) 77 Ya 104 ⊠ 19390
Teror (Palm) 174 C 2
Terque (Alm) 162 Xc 127 ⊠ 04569
Terrachá, A (Our) 33 Rf 97
Terradelles (Gir) 49 Cf 96 ⊠ 17468
Terrades (Gir) 31 Cf 95 ⊠ 17731
≈ Terradets, Pantà de 46 Af 96
Terradillos (Sal) 72 Uc 103 ⊠ 37882
Terradillos de Esgueva (Bur)
39 Wa 98 ⊠ 09350
Terradillos de los Templarios (Pal)
37 Va 94
Terradillos de Sedano (Bur)
21 Wb 93 ⊠ 09142
Terrados (Sal) 72 Uc 104
☆ Terra Mítica 129 Zf 117
Terra Rotja (Bal) 96 Ea 109
Terrassa (Bar) 66 Ca 99 ⊠ *08221
Terrassola (Lle) 47 Bc 96
Terrateig (Val) 129 Ze 115 ⊠ 46842
Terraza (Gua) 77 Ya 104 ⊠ 19392
Terrazas (Bur) 40 We 96 ⊠ 09613
Terrazos (Bur) 22 Wd 93
Terrcios, Los (Cád) 157 Te 129
Terre (Gra) 152 Wc 124
Terrelletes (Bar) 65 Bf 100
Terreno, El (Bal) 98 Cd 111
Terrer (Zar) 60 Yb 101 ⊠ 50293
Terreras, Las (Mur) 141 Yb 121
⊠ 30812
☆ Terreros, Castillo de 155 Yc 124
☆ Terreros, Isla de los 155 Yc 124
▲ Terreu 45 Aa 97
Terriente (Ter) 93 Yc 107 ⊠ 44120
▲ Terriente, Puerto de 93 Yd 107
▲ Terril 158 Ue 127
Terrinches (Ciu) 125 Xa 117
⊠ 13341
Terrines (Bad) 121 Ud 115
Terriza de la Virgen (Jaé)
138 Wd 119
Terroba (Rio) 41 Xd 95 ⊠ 26132
▲ Terronales, Los 54 Uc 98
Terrones (Sal) 71 Ua 104 ⊠ 37609
Terroso (Our) 34 Se 97 ⊠ 32616
Terroso (Zam) 35 Tb 96 ⊠ 49394
▲ Terruca 35 Td 98
☆ Tertanga, Castillo 22 Wf 91
Teruel (Ter) 94 Yf 106 ⊠ *44001
Terzaga (Gua) 77 Ya 104 ⊠ 19312
Terzaguilla, Caserío de (Gua)
77 Ya 104
Tesbabo (Ten) 173 C 2
Teseguite (Palm) 176 C 3 ⊠ 35539
Tesejerague (Palm) 175 D 4
⊠ 35629
▲ Teselinde (Ten) 172 B 1
Tesjuates (Palm) 175 E 3
▲ Tesjuates, Montaña de (Palm)
175 E 2
▲ Tesla, Sierra de la 22 Wc 91
Teso Moreno (Các) 85 Ta 108
Tesonera (Sal) 72 Ub 102
Tesorero, Cortija del (Jaé)
138 We 121
Tesorero, El (Gra) 153 Xb 125
☆ Tesoro, Castillo El 123 Vf 116
☆ Tesoro, Cueva del 160 Ve 128
Tesoro, El (Alm) 154 Xf 126
⊠ 04277
▲ Teso Santo 54 Ua 101
Tesos Miradores (Sal) 71 Td 104
▲ Testal, Praia do 14 Ra 92
▲ Testeiro, Montes do 15 Re 93
≈ Testillos, Arroyo de 90 We 110
▲ Tetica 154 Xd 125
Tetír (Palm) 175 E 2
Teulada (Ali) 129 Aa 116 ⊠ 03725
Teulada, Sa (Bal) 99 Da 110
Teverga, La (Ast) 6 Tf 90
≈ Teverga, Río 6 Tf 89
Teza de Lodosa (Bur) 22 We 91
Tezanos (Can) 9 Wb 89 ⊠ 39649
Tharsis (Huel) 147 Sf 123
Tiagua (Palm) 176 C 3 ⊠ 35558
Tiana (Bar) 66 Cb 100 ⊠ 08391
Tías (Palm) 176 C 4
▲ Tibataje, Risco de (Ten) 173 C 2
Tibi (Ali) 128 Zc 117 ⊠ 03109
☆ Tibi, Castell de 128 Zc 117
≈ Tibi, Pantà de 128 Zc 117
☆ Tibidabo 66 Ca 100
Tices (Alm) 162 Xb 126 ⊠ 04459
Tiebas (Nav) 24 Yc 92 ⊠ 31398
Tiebas-Muruarte de Reta (Nav)
24 Yc 92
Tiedra (Vall) 55 Ue 99 ⊠ 47870
▲ Tieira, Montes da 3 Rf 90
Tielmes (Mad) 90 We 107
≈ Tielmes, Río 58 Wf 100
Tielve (Ast) 8 Vb 89 ⊠ 33554
Tiemblo, El (Ávi) 73 Vd 106
⊠ 05270
≈ Tiemblo, Embalse de El 88 Vc 106
Tiemblos y Las Cañadas, Los (Mur)
141 Yb 122
Tiena la Baja (Gra) 152 Wb 125
▲ Tienda, Pico de la 127 Yd 118
Tiendas, Las (Bad) 104 Td 115
Tierga (Zar) 60 Yc 99 ⊠ 50269
Tiermas (Zar) 25 Yf 93 ⊠ 50682
☆ Tierra, Castillo de 42 Yc 95
▲ Tierra, Roque de (Ten) 173 G 2
Tierra de Costa (Ten) 172 C 3
▲ Tierra Negra, Punta de (Palm)
176 D 3
Tierrantona (Hues) 45 Ab 94
⊠ 22336
▲ Tierras Buenas, Sierra de las
108 Ve 114
Tierz (Hues) 44 Zd 96 ⊠ 22192
Tierzo (Gua) 77 Ya 104 ⊠ 19390
▲ Tiesa 135 Ud 121
▲ Tiesa 121 Ue 117
Tiesa, La (Huel) 147 Tc 123
Tiesas, Las (Alb) 111 Xf 114
≈ Tiétar, Río 86 Ua 109
▲ Tiétar, Valle del 88 Uf 108
Tiétar del Caudillo (Các) 87 Ud 108
Tigaday (Ten) 173 B 2 ⊠ 38913
Tigalate (Ten) 171 C 3
Tigalate, Refugio de (Ten) 171 C 3
▲ Tigre, Punta del (Palm) 174 A 5
Tiguerorte (Ten) 171 C 3 ⊠ 38738
Tijarafe (Ten) 171 B 2 ⊠ 38780
▲ Tijeretas, Playa de (Ten) 173 C 2
▲ Tijimiraque, Punta de (Ten)
173 C 2
Tijoce de Arriba (Ten) 172 C 4
Tijoco Bajo (Ten) 172 C 5
Tíjola (Alm) 154 Xd 124
☆ Tilos, Los (Ten) 171 C 2
Timagada (Palm) 174 C 3 ⊠ 35369
▲ Timanfaya, Parque Nacional de
(Palm) 176 B 3
Timar (Gra) 161 We 127 ⊠ 18449
Time, El (Palm) 175 E 2 ⊠ 35613
☆ Time, Mirador El (Ten) 171 B 2
Timoneda (Lle) 47 Bc 96 ⊠ 25288
Tinada, La (Cue) 93 Yd 109
Tinada de las Casillas (Cue)
92 Yb 108
Tinada del Vallejo del Cerezo (Cue)
92 Yb 108
Tinadas (Alm) 154 Xe 126
Tinadas de Chiriveche (Cue)
92 Ya 107
Tinadas de la Fuente del Soto
(Cue) 77 Xf 106
Tinadas del Collado (Cue)
77 Xe 106
Tinajas (Cue) 91 Xc 107 ⊠ 16522
Tinajeros (Alb) 111 Yb 114 ⊠ 02155
Tinajo (Palm) 176 B 3 ⊠ 35560
≈ Tina Mayor, Ría de 8 Vc 88
≈ Tina Menor, Ría de 8 Vd 88
Tiñana (Ast) 7 Ub 88 ⊠ 33199
Tindavar (Alb) 126 Xe 118
Tindaya (Palm) 175 E 2 ⊠ 35649
▲ Tindaya, Montaña (Palm) 175 E 2

Tineo = Tinéu (Ast) 6 Td 89 ✉ 33870
▲ Tineo, Sierra de 6 Td 88
Tines (Cor) 2 Ra 90
Tinieblas de la Sierra (Bur) 40 Wd 95 ✉ 09198
Tinocas, Caserío (Palm) 174 D 2
Tinoco, Cortijo de (Sev) 150 Uf 125
Tiñor (Ten) 173 C 2 ✉ 38915
▲ Tinor, Barranco de (Ten) 173 C 2
▲ Tiñosa, La 38 Ve 98
▲ Tiñosa, Punta de la (Palm) 175 E 1
▲ Tiñosa, Punta de la (Palm) 175 F 2
Tiñosa Alta (Mur) 142 Yf 121
Tiñosillas, Las (Ciu) 108 Ve 113 ✉ 13128
Tiñosillos (Ávi) 73 Vb 103 ✉ 05165
▲ Tintales, Los 36 Uc 97
≈ Tinte, Arroyo de 136 Vc 122
≈ Tinto, Río 147 Tc 124
Tintoreros, Los (Ciu) 109 We 113
▲ Tió Calores 111 Xf 110
Tioira (Our) 33 Sc 95 ✉ 32707
▲ Tio Joaquín, Playa del (Palm) 176 D 3
▲ Tío Marco, Rocho de 77 Xe 106
Tío Miguelete, El (Cue) 77 Ya 106
Tío Piche, Cortijo del (Bad) 120 Ua 118
Tiradero, El (Cád) 165 Uc 132
Tirados de la Vega (Sal) 71 Ua 102
▲ Tirajana, Barranco de (Palm) 174 C 3
≈ Tirajana, Embalse de (Palm) 174 C 3
Tiraña (Ast) 7 Uc 89
▲ Tirant, Platja (Bal) 96 Ea 108
Tirapu (Nav) 24 Yb 93 ✉ 31154
▲ Tiratun 25 Yd 91
▲ Tirba, Montaña (Palm) 175 D 4
≈ Tirez, Laguna de 109 Wd 111
Tirgo (Rio) 23 Xa 93 ✉ 26211
Tiriez (Alb) 126 Xe 115 ✉ 02161
Tirieza Alta (Mur) 140 Ya 122
Tirieza Baja (Mur) 140 Ya 122
Tírig (Cas) 80 Aa 106
Tirimol (Lug) 16 Sc 90 ✉ 27298
Tiro, Cortijo El (Jaé) 138 Wa 121
Tiro de Pichón (Cas) 95 Aa 108
≈ Tirón, Río 23 Wf 93
≈ Tirón, Río 40 We 94
▲ Tiros 121 Ud 116
▲ Tiros, Sierra de 121 Ud 116
Tirteafuera (Ciu) 123 Ve 116 ✉ 13192
Tírvia (Lle) 29 Bb 93
Tiscamanita (Palm) 175 D 3 ✉ 35638
Tiscar (Córd) 150 Vb 124
☆ Tiscar, Castillo 139 Wf 122
▲ Tiscar, Puerto de 139 Wf 122
Tiscar-Don Pedro (Jaé) 139 Wf 122
Titaguas (Val) 94 Yf 109 ✉ 46178
☆ Tito Bustillo, Cueva de 8 Uf 88
☆ Titol Bustillo, Cova 5 Sf 87
Titulcia (Mad) 90 Wc 108 ✉ 28359
Tivenys (Tar) 80 Ad 103 ✉ 43511
Tivisa = Tivissa (Tar) 64 Ae 102
Tivissa (Tar) 64 Ae 102 ✉ 43746
Tizneros (Seg) 74 Vf 103 ✉ 40191
Toba, Cortijo de la (Alb) 140 Xe 119
≈ Toba, Embalse de La 92 Ya 107
Toba, La (Jaé) 140 Xc 119 ✉ 23297
Toba, La (Gua) 76 Xa 102 ✉ 19243
Toba, La (Cue) 92 Ya 107
Toba, La (Cue) 93 Yb 109
Tobalinilla (Bur) 22 Wf 92 ✉ 09212
Tobar (Bur) 21 Wa 94 ✉ 09133
Tobar (Vall) 55 Va 101
Tobar, El (Cue) 77 Xf 105 ✉ 16879
▲ Tobar, Sierra del 140 Xe 119
Tobarra (Alb) 126 Yb 117 ✉ 02500
Tobarrilla (Mur) 127 Ye 116
Tobaruela (Jaé) 138 Wc 120
Tobazo (Jaé) 151 Vf 123
Tobed (Zar) 60 Yd 100 ✉ 50325
Tobera (Ála) 23 Xb 92 ✉ 01211
Tobera (Bur) 22 We 92 ✉ 09211
☆ Tobes 8 Vc 89
Tobes (Bur) 22 Wc 94 ✉ 09591
Tobes (Gua) 59 Xc 101
Tobía (Rio) 40 Xb 95
≈ Tobía, Arroyo 40 Xa 95
Tobillas (Alb) 126 Xf 118
Tobillas (Ála) 22 We 91 ✉ 01427
Tobillos (Gua) 77 Xf 103 ✉ 19286
Tobos (Jaé) 140 Xd 120 ✉ 23294
Toboso, El (Tol) 109 Xa 111 ✉ 45820
Tocina (Sev) 149 Ub 123 ✉ 41340
Tocinillos, Los (Bad) 133 Tc 119
Tocodomán (Palm) 174 B 3
Tocón (Gra) 152 Wd 125
Tocón (Gra) 151 Wa 125
Todolella (Cas) 80 Ze 105 ✉ 12312
Todosaires (Córd) 151 Vf 123
Toedo (Pon) 15 Rd 92
Toén (Our) 33 Sa 95
Toga (Cas) 95 Zd 108 ✉ 12230
Toirán (Lug) 16 Sd 91
Toiriz (Pon) 15 Rf 92 ✉ 36597
Toiriz (Lug) 16 Sc 93
▲ Toja, Isla de La = Toxa, Illa de 14 Ra 93
Tojo, El (Can) 9 Ve 90 ✉ 39517
Tojos, Los (Can) 9 Ve 90 ✉ 39518
Tol (Ast) 5 Ta 87 ✉ 33794
Tola (Zam) 35 Td 98 ✉ 49525
Tolbaños (Ávi) 73 Vc 104 ✉ 05289
Tolbaños de Abajo (Bur) 40 Wf 96 ✉ 09614
Tolbaños de Arriba (Bur) 40 Wf 96 ✉ 09614
Toldanos (Leó) 19 Ud 93 ✉ 24226
Toldaos (Lug) 16 Se 92
Toldavia (Our) 16 Sa 94 ✉ 32120
Toledillo (Sor) 41 Xc 98 ✉ 42190
Toledillo, Cortijo El (Các) 105 Uc 112
Toledo (Tol) 89 Vf 109 ✉ *45001
▲ Toledo, Montes de 108 Vf 112
Tolibia de Abajo (Leó) 19 Ud 91 ✉ 24845
Tolibia de Arriba (Leó) 19 Ud 91 ✉ 24845
Tolilla (Zam) 53 Te 98 ✉ 49512
Tolinas (Ast) 6 Te 89
Tolivia (Ast) 7 Uc 89
Tolivia (Ast) 8 Uf 90
☆ Toll, Cova del 48 Ca 98
Tollé, El (Mur) 142 Yf 119
≈ Tollón, Laguna del 157 Tf 127
Tollos (Ali) 129 Ze 116 ✉ 03813
☆ Tolmo, Castillo de 165 Uc 132
≈ Tolmo, Ensenada del 165 Ud 132
Tolocirio (Seg) 56 Vc 102 ✉ 40467
▲ Tolocirio 56 Vc 102
Tolomón (Ali) 128 Zb 119
▲ Toloño 23 Xb 93
▲ Toloño, Sierra de 23 Xc 93
Toloriu (Lle) 29 Bd 94 ✉ 25723
Tolosa (Alb) 112 Yd 113 ✉ 02211
Tolosa (Gui) 12 Xf 90 ✉ 20400
Tolox (Mál) 159 Va 128 ✉ 29109
Tolva (Hues) 44 Ad 96 ✉ 22585
Tomadas (Pon) 32 Rb 96
Tomares (Sev) 148 Tf 124 ✉ 41940
Tomases, Los (Mur) 142 Za 122 ✉ 30591
Tombrio de Abajo (Leó) 17 Tc 92 ✉ 24438
Tomellosa (Gua) 76 Xa 105 ✉ 19411
Tomelloso (Ciu) 109 Wf 114 ✉ 13700
Tomillar, El (Alm) 155 Yb 125 ✉ 04618
Tomillar, El (Mad) 75 Wc 104 ✉ 28490
Tomillares (Zar) 60 Ya 99
▲ Tomillares, Los 87 Ue 108
≈ Tomilloso, Arroyo 136 Vb 119
Tomiño (Pon) 32 Rb 97 ✉ 36740
▲ Tomir, Puig (Bal) 99 Cf 109
Tomonde (Pon) 15 Rd 93 ✉ 36116
Tona (Bar) 48 Cb 97 ✉ 08551
▲ Tona, Alto de 113 Za 114
▲ Tonadas, Sierra de las 136 Uf 120
Toñanes (Can) 9 Ve 88 ✉ 39329
Tondeluna (Rio) 40 Wf 94 ✉ 26270
Tondos (Cue) 92 Xe 108 ✉ 16191
Tonín de Arbás (Leó) 19 Ub 90
Tonosas, Los (Alm) 154 Xf 123
Tonyà (Gir) 49 Cf 95
Topares (Alm) 140 Xe 121 ✉ 04839
Topas (Sal) 54 Uc 102 ✉ 37799
▲ Tope, Punta de (Palm) 176 D 4
▲ Topino (Palm) 174 D 3
Topogache, de (Ten) 172 B 2
Toques (Cor) 15 Sa 91 ✉ 15809
Tor (Lug) 16 Sc 93
Tor (Lle) 29 Bc 93 ✉ 25574
Tor (Gir) 49 Da 96 ✉ 17134
☆ Tor, la 47 Bf 97
Torà (Lle) 47 Bc 98
Torà de Tost (Lle) 47 Bc 95
▲ Toral, Vega de 36 Uc 96
Toral de Fondo (Leó) 36 Ua 94
Toral de los Guzmanes (Leó) 36 Uc 95 ✉ 24237
Toral de los Vados (Leó) 17 Tb 93 ✉ 24560
Toral de Merayo (Leó) 17 Tc 93 ✉ 24448
Toralino (Leó) 36 Ua 94 ✉ 24794
Toralla (Lle) 46 Af 95 ✉ 25516
▲ Toralla, Illa de 32 Rb 95
Torallola (Lle) 46 Af 95 ✉ 25516
≈ Toran, Arriu de 28 Ae 92
≈ Toranes, Embalse de los 94 Zb 108
▲ Toranzo, Sierra de 60 Ya 98
▲ Toranzo, Valle de 9 Wa 89
Torás (Cas) 94 Zb 109
Torazo (Ast) 7 Ud 88 ✉ 33535
Torbeo (Lug) 16 Sd 94 ✉ 27317
☆ Torcal, El 159 Vc 127
▲ Torcal de Antequera 159 Vc 127
≈ Torcas, Embalse de las 61 Yf 101
▲ Torcas, Las 112 Yc 111
☆ Torcas, Las 92 Ya 108
▲ Torcas de Cueva Humosa 139 Xb 121
≈ Torcón, Embalse del 107 Vd 111
≈ Torcón, Río 89 Vd 110
≈ Tordea, Río 16 Sd 91
Tordehúmos (Vall) 37 Ue 98
Tordelalosa-Milanera (Sal) 72 Ub 103
Tordellego (Gua) 78 Yb 104 ✉ 19325
Tordelloso (Gua) 58 Xa 101 ✉ 19276
Tordelpalo (Gua) 77 Yb 104 ✉ 19351
Tordelrábano (Gua) 59 Xb 101
Tordera (Lle) 46 Bb 98 ✉ 25218
Tordera (Bar) 48 Ce 98 ✉ 08490
≈ Tordera, la 49 Ce 98
≈ Tordera, Riu 48 Cc 98
Tordesalas (Sor) 60 Xf 99
Tordesillas (Vall) 55 Va 100 ✉ 47100
Tordesilos (Gua) 78 Yc 104 ✉ 19323
▲ Tordías, Pico 9 Ve 89
▲ Tórdiga, Puerto de 92 Xf 109
Tordillos (Sal) 72 Ud 103 ✉ 37840
Tordoia (Cor) 3 Rc 90
Tordómar (Bur) 39 Wa 96
Tordueles (Bur) 39 Wc 96 ✉ 09347
Torea (Cor) 14 Qf 91 ✉ 15290
Toreachas, Las (Viz) 10 We 89
Torelló (Bar) 48 Cb 96
☆ Torelló, Castell de 48 Cb 96
☆ Torellonet (Bal) 96 Eb 109
Toreno (Leó) 17 Tc 92 ✉ 24450
Torete (Gua) 77 Xf 104 ✉ 19392
≈ Torete, Río 59 Xc 100
≈ Toribia, Lavajo 55 Uf 102
Torices (Can) 20 Vd 90 ✉ 39571
Toricosquey (Palm) 175 E 4
Toriello (Ast) 8 Uf 88
Torienzo Castañero (Leó) 18 Td 93
Torija (Gua) 76 Wf 104 ✉ 19190
Toril (Các) 87 Ub 109 ✉ 10520
Toril (Ter) 93 Yd 107
Toril, Cortijo de (Córd) 151 Vd 123
Toril, Cortijo del (Sev) 149 Ud 123
Toril, Cortijo El (Gra) 154 Xc 123
Toril, El (Córd) 150 Vb 123
Toril, El (Alb) 126 Xe 118
≈ Toril, Embalse del 133 Tb 122
▲ Toril, Peñas del 76 Xd 106
Torilejo Bajo (Córd) 136 Uf 121
☆ Toriles, Central Eléctrica Los 77 Xe 105
Toril Nuevo, Cortijo del (Huel) 146 Se 124
Toril y Masegoso (Ter) 93 Yd 107 ✉ 44123
≈ Torinas, Garganta de 88 Vb 107
≈ Torío, Río 19 Uc 91
Torís (Val) 113 Zb 112
Torla (Hues) 27 Zf 93 ✉ 22376
Torlengua (Sor) 59 Xf 100 ✉ 42220
▲ Tormal, Cabeza del 87 Ud 107
Tormaleo (Ast) 17 Tb 91 ✉ 33812
Tormantos (Rio) 22 Wf 94 ✉ 26213
▲ Tormantos, Sierra de 87 Ub 107
Torme (Bur) 22 Wc 91 ✉ 09555
Tormellas (Ávi) 87 Ud 107 ✉ 05697
≈ Tormes, Río 54 Ua 102
≈ Tormes, Río 54 Ub 102
Tormillo, El (Hues) 44 Zf 97 ✉ 22215
Tormo, El (Cas) 95 Zd 108 ✉ 12232
Tormón (Ter) 93 Yd 107
Tormos (Ali) 129 Zf 116 ✉ 03795
Torms, els (Lle) 64 Ae 100 ✉ 25164
Torn, el (Gir) 48 Cd 96 ✉ 17830
Tornabous (Lle) 46 Ba 98 ✉ 25331
Tornadijo (Bur) 39 Wc 96 ✉ 09320
Tornadizo, El (Sal) 71 Ua 105 ✉ 37765
Tornadizos (Sal) 72 Ub 104 ✉ 37453
Tornadizos de Arévalo (Ávi) 73 Vb 102
Tornadizos de Ávila (Ávi) 73 Vc 105
Tornafort (Lle) 29 Ba 94 ✉ 25569
▲ Tornajuelo, El 93 Yb 110
☆ Tornamira, Castell de 48 Ca 97
Tornavacas (Các) 87 Ub 107 ✉ 10611
▲ Tornavacas, Puerto de 87 Uc 107
Torneiros (Lug) 4 Sd 89 ✉ 27280
Torneiros (Our) 33 Rf 97
▲ Torneja, La 77 Ya 106
▲ Torneros, Sierra de los 108 Vf 112
Torneros de Jamuz (Leó) 36 Tf 95 ✉ 24733
Torneros de la Valdería (Leó) 35 Te 95
Torneros del Bernesga (Leó) 19 Uc 93 ✉ 24347
Tornillar, El (Mad) 75 Wb 103
Tornín (Ast) 7 Uf 89
Torno (Our) 33 Rf 97 ✉ 32892
Torno, El (Cád) 157 Ua 129 ✉ 11594
Torno, El (Ciu) 108 Ve 113 ✉ 13194
Torno, El (Các) 86 Ua 108 ✉ 10617
☆ Tornón, Capilla de 7 Ud 88
Tornos (Ter) 78 Yd 103 ✉ 44230
▲ Tornos, Los 22 Wd 90
▲ Tornos, Puerto de Los 22 Wd 90
≈ Tornos, Río 80 Zd 105
Toro (Our) 34 Sd 96 ✉ 32621
Toro (Zam) 55 Ud 99 ✉ 49800
▲ Toro, El (Bal) 96 Ea 109
Toro, El (Bal) 98 Cc 112
Toro, El (Cas) 94 Zb 109 ✉ 12429
▲ Toro, Illa del (Bal) 98 Cc 112
Toronjil (Cád) 157 Ub 128 ✉ 11630
☆ Toros, Abrigo de los 93 Yd 107
☆ Toros, Plaza de (Palm) 174 D 3
☆ Toros de Guisando 89 Vd 106
≈ Torote, Arroyo de 75 Wd 104
Torozo, El (Córd) 121 Ud 118
▲ Torozo, Sierra del 122 Vd 116
▲ Torozo, Sierra del 121 Ue 116
Torozos (Vall) 55 Va 98 ✉ 47640
Torquemada (Pal) 38 Vd 96 ✉ 34230
Torralba (Mur) 141 Yb 122 ✉ 30814
Torralba (Cue) 92 Xe 107 ✉ 16842
Torralba, Cortijo de (Gra) 139 Xc 122
Torralba, Cortijo de (Jaé) 139 We 120
Torralba de Aragón (Hues) 44 Zd 97
Torralba de Arciel (Sor) 59 Xe 99 ✉ 42132
Torralba de Calatrava (Ciu) 123 Wb 114 ✉ 13160
Torralba del Burgo (Sor) 58 Xa 99 ✉ 42193
Torralba del Moral (Sor) 59 Xd 102
Torralba de los Frailes (Zar) 78 Yb 102 ✉ 50374
Torralba de los Sisones (Ter) 78 Yd 103 ✉ 44359
Torralba del Pinar (Cas) 95 Zd 109 ✉ 12225
Torralba del Río (Nav) 23 Xe 93
Torralba de Oropesa (Tol) 87 Uf 109 ✉ 45569
Torralba de Ribota (Zar) 60 Yb 100 ✉ 50311
Torralbet (Bal) 96 Df 109
Torralbilla (Zar) 61 Yd 101 ✉ 50368
Torrano (Nav) 24 Xf 91
Torraño (Sor) 58 We 100 ✉ 42342
≈ Torrassa, Pantà de la 28 Ba 93
Torre (Pon) 32 Rb 96
≈ Torre, Brazo de la 156 Te 127
≈ Torre, Brazo de la 148 Te 126
Torre, Cortijo de la (Jaé) 137 Wa 121
Torre, Cortijo de la (Bad) 133 Tb 119
Torre, Cortijo La (Huel) 147 Ta 124
Torre, La (Jaé) 151 Wa 124
Torre, La (Mur) 141 Yd 119
Torre, la (Ali) 128 Zb 117 ✉ 03530
Torre, La (Jaé) 125 Xb 119
Torre, La (Val) 112 Ye 110
Torre, La (Nav) 42 Yb 94
Torre, la (Lle) 46 Bb 94
☆ Torre, la 47 Bd 97
Torre, La (Ten) 173 C 2
Torre, La (Ávi) 73 Va 105 ✉ 05540
Torre, La (Val) 94 Yf 109
▲ Torre, Punta de Sa (Bal) 99 Db 112
≈ Torre, Rambla de la 112 Ye 110
Torre, Sa (Bal) 98 Ce 112
Torre, Sa (Bal) 99 Da 111
Torre Abad, Cortijo de (Sev) 149 Ub 125
Torreadrada (Seg) 57 Wa 100 ✉ 40313
Torre Agicampe (Gra) 151 Vf 125
Torre Agricampo (Gra) 151 Ve 125
Torreagüera (Mur) 142 Yf 121
☆ Torrealba, Ermita de 105 Tf 112
Torre-Alháquime (Cád) 158 Ue 127
Torrealta (Mur) 142 Ye 120
Torre Alta (Val) 93 Ye 108
Torrealvilla (Mur) 141 Yb 122 ✉ 30814
Torreandaluz (Sor) 58 Xb 99 ✉ 42294
☆ Torre Aragón, Castillo 77 Ya 103
Torrearenas, Cortijo de (Mur) 126 Yb 118
Torrearévalo (Sor) 41 Xd 97
Torreauso (Gui) 23 Xd 90
Torrebaja (Val) 93 Ye 108 ✉ 46143
Torrebarrio (Leó) 18 Ua 90 ✉ 24144
Torrebeleña (Gua) 75 Wf 103 ✉ 19229
Torre Bermeja (Cád) 164 Te 130
Torrebesses (Lle) 62 Ad 100 ✉ 25176
Torreblacos (Sor) 58 Xa 99 ✉ 42193
Torreblanca (Cas) 96 Ab 107 ✉ 12596
Torreblanca (Lle) 46 Ba 97 ✉ 257
Torreblanca (Bar) 65 Bf 99
Torre Blanca, Sa (Bal) 96 Eb 109
Torreblanca de los Caños (Sev) 148 Ua 124
Torreblanca del Sol (Mál) 159 Vc 129
Torreblascopedro (Jaé) 138 Wc 12 ✉ 23510
Torrebuceit (Cue) 91 Xc 109
Torrebusqueta (Bar) 65 Bd 100
Tórrec (Lle) 46 Ba 97
Torrecaballeros (Seg) 74 Vf 103 ✉ 40160
Torre-Calín (Mur) 142 Yf 122
Torrecampo (Córd) 122 Vc 118 ✉ 14410
Torre Carbonera (Cád) 165 Ue 13
☆ Torre Carbonera 156 Td 127
Torre-Cardela (Gra) 152 Wd 123
▲ Torrecardela, Puerto de 152 Wd 123
Torrecera (Cád) 157 Ua 129 ✉ 11595
Torre-Cerdá (Val) 113 Zc 115
Torrechante, Caserío de (Jaé) 138 Wc 122
Torrechiva (Cas) 95 Zd 108 ✉ 12232
Torrecica, La (Alb) 126 Yb 115
▲ Torrecilla 158 Va 128
Torrecilla (Córd) 137 Vd 120 ✉ 14600
Torrecilla (Ciu) 123 Vf 115
Torrecilla (Seg) 57 Wb 101
▲ Torrecilla 79 Yf 103
Torrecilla (Cue) 92 Xe 107 ✉ 1614
▲ Torrecilla, La 58 We 101
▲ Torrecilla, Sierra de la 141 Ya 12
Torrecilla de Alcañiz (Ter) 80 Zf 10 ✉ 44640
Torrecilla de la Abadesa (Vall) 55 Uf 100 ✉ 47114
Torrecilla de la Jara (Tol) 88 Vb 11 ✉ 45651
Torrecilla de la Orden (Vall) 55 Ue 101 ✉ 47513
Torrecilla de la Torre (Vall) 55 Uf 99 ✉ 47129
Torrecilla del Ducado (Gua) 59 Xc 101 ✉ 19269
Torrecilla del Monte (Bur) 39 Wb 96 ✉ 09390
Torrecilla de los Angeles (Các) 86 Td 107 ✉ 10869
Torrecilla del Pinar (Seg) 57 Vf 100 ✉ 40359
Torrecilla del Pinar (Gua) 77 Xf 104 ✉ 19392
Torrecilla del Rebollar (Ter) 79 Yf 103 ✉ 44222
Torrecilla del Río (Sal) 54 Ua 102
Torrecilla del Valle (Vall) 55 Uf 100 ✉ 47509
Torrecilla de Miranda (Sal) 71 Ua 103 ✉ 37170
Torrecilla de Valmadrid (Zar) 61 Za 100 ✉ 50139
Torrecilla en Cameros (Rio) 41 Xc 95 ✉ 26100
Torrecillas (Córd) 150 Vb 124
Torrecillas, Cortijo Las (Bad) 120 Tf 118
Torrecillas, Las (Alm) 153 Xb 126
Torrecillas de la Tiesa (Các) 105 Ub 111
Torrecilla sobre Alesanco (Rio) 40 Xa 94 ✉ 26224
Torrecitores (Bur) 39 Wa 97
☆ Torreciudad, Santuario de 45 Ab 95
Torre Concordio (Lle) 64 Ae 99
Torrecuadrada de los Valles (Gua) 76 Xc 103 ✉ 19491
Torrecuadrada de Molina (Gua) 77 Yb 104 ✉ 19355
Torrecuadradilla (Gua) 76 Xc 103 ✉ 19431
Torrecuadros (Huel) 148 Td 125
Torre d'Almassora, La (Cas) 95 Aa 109
Torre d'Amargós, la (Lle) 46 Ae 96
Torre de Abajo (Bur) 21 Wb 91
≈ Torre de Abraham, Embalse de 107 Ve 112
Torre de Alcázar, Cortijada de (Jaé) 137 Vf 121
Torre de Alcotas (Ter) 94 Zb 109
Torre de Alejandro Martínez (Zar) 61 Yf 98
Torre de Arcas (Ter) 80 Zf 104 ✉ 44653
Torre de Baró (Hues) 44 Ad 96
Torre de Benagalbón (Mál) 160 Ve 128
Torre de Buira (Hues) 28 Ae 94 ✉ 22486

re de Cabdella, la (Lle) 28 Af94 ⊠25515
re de Capdella = Torre de Cabdella, la (Lle) 28 Af94
re de Claramunt, la (Bar) 5 Bd99 ⊠08789
re de Corvinos (Hues) 45 Ab97
re de Don Lucas (Córd) 136 Va122
re de Don Miguel (Các) 35 Tc107 ⊠10864
rre de Ésera (Hues) 44 Ac95
rre de Esgueva (Vall) 38 Ve98 ⊠47183
re de Esteban Hambrán, La (Tol) 39 Ve108
rre de Fluvià, la (Lle) 46 Af97
rre de Fontaubella, la (Tar) 64 Af102 ⊠43774
rre de Gardiel (Hues) 45 Aa97
rre de Gracia (Cád) 164 Ub132
rre de Juan Abad (Ciu) 124 Wf117 ⊠13344
rre de la Campana (Ter) 62 Zd101
Torre del Águila, Embalse 157 Ub126
rre de Laguna (Hues) 45 Aa97
rre de la Higuera (Huel) 156 Tc126
Torre de la Higuera, Playa de 156 Tc126
rre de la Horadada, la (Ali) 143 Zb121
rre de la Menudilla (Hues) 45 Ab97
rre del Ángel (Mur) 142 Yf122
rre de la Reina (Sev) 148 Tf123 ⊠41218
rre de la Sal (Mál) 165 Ue130 ⊠29693
rre de las Arcas (Ter) 79 Zb103 ⊠44709
rre de la Venau (Hues) 45 Aa97
rre del Bierzo (Leó) 18 Te93 ⊠24370
rre del Burgo (Gua) 76 Wf104 ⊠19197
rre del Calvo (Hues) 45 Aa97
rre del Campo (Jaé) 138 Wa122 ⊠23640
rre del Cap, la (Val) 114 Ze113
rre del Chiribas (Hues) 44 Ac97
rre del Compte (Ter) 80 Aa103 ⊠44597
orre de Leoz (Nav) 42 Yd97
rre de les Comas (Lle) 46 Ae98
rre de les Maçanes, la (Ali) 128 Zd117
orre del Español = Torre de l'Espanyol, la (Tar) 62 Ad101
orre de l'Espanyol, la (Tar) 62 Ad101 ⊠43792
orre del Mar (Mál) 160 Vf128 ⊠29740
Torre del Mar, Faro de 160 Vf128
Torre del Mar, Playa de 160 Vf128
orre del Obispo, Cortijos de La (Jaé) 138 Wd120
orre de los Molinos (Pal) 38 Vc95 ⊠34131
orre del Peñón (Alm) 155 Ya126
orre del Puerco (Cád) 164 Tf130
orre del Puerto (Córd) 151 Vd123 ⊠14857
orre del Rame (Mur) 142 Za122
orre del Rico (Mur) 127 Yd117
orre del Rico (Mur) 127 Yf118
orre dels Beltrans, la (Cas) 80 Zf106
orre del Tajo (Cád) 164 Ua131
orre del Valle, La (Zam) 36 Ub96 ⊠49781
orre del Viejo, Cortijo (Sev) 149 Uc124
orre de Martín Pascual (Sal) 72 Ub103
Torre de Matella, la (Cas) 95 Zf107
Torredembarra (Tar) 65 Bc102 ⊠43830
orre de Miguel Sesmero (Bad) 119 Tb117 ⊠06172
Torre de Miranda (Lle) 46 Ae98
Torre de Moncantar (Sal) 55 Ud102
Torre d'En Besora, La (Cas) 95 Zf107 ⊠12161
Torredenegó (Lle) 47 Bc97
Torre d'En Lloris (Val) 114 Zd114
Torre de Norna (Ter) 62 Zc102
Torre d'en Quart (Bal) 96 Df108
Torre d'en Valls (Bal) 97 Bd114
Torre de Obato (Hues) 45 Ac95 ⊠22438
Torre de Peñafiel (Vall) 57 Vf99 ⊠47319
Torre de Poblador (Zar) 63 Aa101
Torre de Puig, la (Val) 114 Ze111
Torre de Raspilla, Cortijo de la (Alb) 125 Xd118
☆Torre de Riu, Castell 30 Bf94
Torre de s'Almonia (Bal) 99 Da113
Torre de Sampaio (Cor) 16 Sb90
Torre de San Miguel (Zar) 43 Za98
Torre de Santa María (Các) 105 Tf113
Torre de Sant Vicent (Cas) 95 Aa108
Torre des Pi des Català (Bal) 97 Bc116
Torre de Tamúrcia, la (Lle) 46 Ae95
Torre de Valdealmendras (Gua) 59 Xc102 ⊠19269
Torre de Velajos (Sal) 71 Tf104
Torre de Vernet, la (Bar) 65 Bd100
Torredondo (Seg) 74 Ve103 ⊠40154
Torredonjimeno (Jaé) 137 Wa122 ⊠23650
Torre d'Oristà, la (Bar) 47 Ca97
Torre Duero o Ribera del Cebo (Vall) 55 Ue100
Torre en Cameros (Rio) 41 Xc95 ⊠26134
Torre Endoménech (Cas) 95 Aa107
Torrefarrera (Lle) 62 Ad98 ⊠25123
Torrefeta (Lle) 46 Bb98 ⊠25211
Torrefeta i Florejacs (Lle) 46 Bb98
Torrefiel (Val) 128 Zb116
Torreforta (Tar) 64 Bb102
Torrefrades (Zam) 54 Tf100 ⊠49216
Torrefresneda (Bad) 120 Tf115 ⊠06410
Torrefuencubierta (Jaé) 137 Vf122 ⊠23650
☆Torrefuerte, Castillo de 93 Yc107
Torregalindo (Bur) 57 Wb99 ⊠09493
Torregamones (Zam) 54 Te100 ⊠49252
☆Torre García, Ermita de 163 Xe128
Torregassa (Lle) 47 Bc97
Torre Gavina (Bal) 97 Bc116
Torre Gorda (Cád) 156 Te130
Torregrosa (Hues) 44 Ac98
Torregrosa = Torregrossa (Lle) 64 Af99
Torregrossa (Lle) 64 Af99 ⊠25141
Torreguadiaro (Cád) 165 Ue131 ⊠11312
Torre Guil (Mur) 142 Ye121
Torreguitérrez (Seg) 56 Vd100
Torrehermosa (Zar) 59 Xf101 ⊠42269
≈Torre Herrera, Embalse de 105 Ub112
Torreiglesias (Seg) 74 Vf102 ⊠40192
Torrejón (Alb) 112 Yd112
≈Torrejón, Arroyo de 88 Uf109
Torrejón, El Complejo Turístico (Ali) 143 Zc121
Torrejoncillo (Các) 86 Td109 ⊠10830
Torrejoncillo del Rey (Cue) 91 Xc108 ⊠16161
Torrejón de Ardoz (Mad) 75 Wd106
Torrejón de la Calzada (Mad) 90 Wb107
Torrejón del Rey (Gua) 75 Wd105
Torrejón de Velasco (Mad) 90 Wb107
Torrejón el Rubio (Các) 86 Tf110
≈Torrejón El Rubio, Embalse de 86 Ua110
≈Torrejón-Tajo, Embalse de 86 Ua110
Torre Juan Gil Alto (Córd) 136 Vc122
Torrelabad (Hues) 44 Ac95 ⊠22480
Torrelacárcel (Ter) 78 Ye105
Torrelaguna (Mad) 75 Wc104 ⊠28180
Torrelameu (Lle) 46 Ae98 ⊠25138
Torrelapaja (Zar) 60 Ya99 ⊠50316
Torrelara (Bur) 39 Wc96 ⊠09194
Torre la Ribera (Hues) 28 Ad94 ⊠22483
Torrelavandeira (Cor) 3 Rf89 ⊠15316
Torrelavega (Can) 9 Vf88 ⊠39300
Torrelavit (Bar) 65 Be100 ⊠08775
Torrelengua (Cue) 91 Xa110
Torrelengua, Cortijo de (Sev) 149 Ub125
Torrelisa (Hues) 27 Ab94 ⊠22338
Torrella (Val) 113 Zc115 ⊠46814
▲Torrella, Punta 3 Re88
☆Torre Llafuda, Taulas de (Bal) 96 Df109
Torrellano Alto (Ali) 128 Zc119
Torrellano Bajo (Ali) 128 Zc119
Torrellas (Zar) 42 Yb97 ⊠50512
☆Torre Llauder, Villa romana de 66 Cc99
Torrelles de Foix (Bar) 65 Bd100 ⊠08737
Torrelles de Llobregat (Bar) 65 Bf100 ⊠08629
Torrelletes (Bar) 65 Bd101 ⊠08729
Torrellissa Vell (Bal) 96 Ea109
Torrelobatón (Vall) 55 Uf99
Torrelodones (Mad) 74 Wa105 ⊠28250
Torre los Negros (Ter) 78 Yf103 ⊠44358
Torre Los Siles (Mur) 142 Za122
Torremarcos, Cortijo de (Các) 105 Ua112
Torre María Martín, La (Jaé) 138 Wa121
Torremarín (Alb) 126 Yb116
Torremayor (Bad) 119 Tc115 ⊠06880
Torremediana (Sor) 59 Xc100 ⊠42216
Torremejía (Bad) 119 Td116
Torremendo (Ali) 142 Za121 ⊠03313
Torremenga (Các) 87 Ub108 ⊠10413
≈Torremenga, Embalse de 87 Ub108
▲Torremiró, Port de 80 Zf104
▲Torremocha 141 Yd122
Torremocha (Các) 105 Tf112 ⊠10184
Torremocha de Ayllón (Sor) 58 We100
Torremocha de Jadraque (Gua) 76 Xa102 ⊠19245
Torremocha de Jarama (Mad) 75 Wd104
Torremocha de Jiloca (Ter) 78 Ye105 ⊠44381
Torremocha del Campo (Gua) 76 Xc103 ⊠19268
Torremocha del Pinar (Gua) 77 Xf103 ⊠19345
Torremochuela (Gua) 77 Ya104 ⊠19391
Torre Mochuelo (Mur) 142 Yf121
Torremolinos (Mál) 159 Vd129 ⊠29620
Torremontalbo (Rio) 23 Xb94 ⊠26359
Torremormojón (Pal) 38 Vb97 ⊠34305
Torre Moya (Mál) 160 Ve128
Torremuelle (Mál) 159 Vc129
Torremuña (Rio) 41 Xd95 ⊠26133
Torreneral (Lle) 46 Af98
Torrenostra (Cas) 96 Ab107 ⊠12596
Torre Nova (Bal) 96 Df108
Torre Nova, Sa (Bal) 96 Ea109
Torrent (Val) 114 Zd112 ⊠46900
Torrent = Torrent d'Emporda (Gir) 49 Da97
≈Torrent, Cala des (Bal) 97 Bb115
Torrentas, Las (Mur) 141 Yb119
Torrentbò (Bar) 66 Cd99
Torrent d'Emporda = Torrent (Gir) 49 Da97 ⊠17123
Torrente = Torrent (Val) 114 Zd112
≈Torrente, Río 161 Wc127
☆Torrentes, Ermita de Los 154 Xf123
Torrentes, Los (Alm) 155 Ya123 ⊠04827
Torrents, els (Lle) 47 Bd96 ⊠25283
☆Torrents, els 64 Ba100
Torre Nueva (Cád) 164 Tf131
Torre Nueva (Cád) 165 Ue131
Torrenueva (Gra) 161 Wd128 ⊠18720
Torrenueva (Mál) 159 Vb130 ⊠29649
Torrenueva (Alb) 126 Yb116
Torrenueva (Ciu) 124 Wd117 ⊠13740
Torre-Octavio (Mur) 142 Za122
Torreó de Badún (Cas) 96 Ac107
☆Torreón 74 Ve104
Torreón de Fique (Jaé) 138 Wd121
Torreorgaz (Các) 105 Te112 ⊠10182
Torre-Pacheco (Mur) 142 Za122
Torrepadierne (Bur) 39 Wa95 ⊠09226
Torrepadre (Bur) 39 Wa96 ⊠09345
Torre-Pedro (Alb) 126 Xe118
Torre-Peones (Ter) 94 Zb108
Torreperogil (Jaé) 138 We120 ⊠23320
Torrequebrada (Mál) 159 Vc129
Torrequebradilla (Jaé) 138 Wc121 ⊠23638
Torrequemada (Các) 105 Te112 ⊠10183
Torrera (Huel) 147 Ta123
Torre Real (Mál) 159 Va129
Torre Ribera (Lle) 64 Ae99
Torres (Jaé) 138 Wc122 ⊠23540
Torres (Ali) 129 Ze117
Torres (Bur) 22 Wd91 ⊠09512
Torres (Nav) 25 Yc92
Torres (Zar) 60 Yc100
▲Torres, Cabo 7 Ub87
Torres, Cortijada Las (Gra) 152 Wb125
Torres, Cortijo de (Sev) 157 Ua126
≈Torres, Gargantas de las 88 Va107
Torres, Las (Cue) 110 Xd112
Torres, Las (Palm) 174 D2
Torres, las (Sal) 72 Uc103 ⊠37796
≈Torres, Río de 138 Wc121
Torresandino (Bur) 39 Wa98 ⊠09310
☆Torresaviñán, Castillo de La 76 Xc103
Torresaviñán, La (Gua) 76 Xc103
Torres Cabrera (Córd) 136 Vb122 ⊠14820
Torres Campuzano (Can) 9 Vf88
Torrescarcela (Vall) 56 Ve100 ⊠47313
☆Torre Scipio 156 Td128
Torres de Albánchez (Jaé) 125 Xc118
Torres de Albarracín (Ter) 78 Yc106
Torres de Alcanadre (Hues) 44 Zf97 ⊠22132
Torres de Aliste, Las (Zam) 35 Te97 ⊠49522
Torres de Arriba (Bur) 21 Wb91 ⊠09572
Torres de Barbués (Hues) 44 Zd97
Torres de Berrellén (Zar) 43 Yf98
Torres de Cotillas, Las (Mur) 142 Ye120 ⊠30565
Torres de la Alameda (Mad) 75 Wd106 ⊠28813
Torres de la Plana (Lle) 46 Af98
Torres del Carrizal (Zam) 54 Ub99 ⊠49122
Torres del Obispo (Hues) 44 Ac96 ⊠22588
Torres del Río (Nav) 24 Xe93
Torres de Montes (Hues) 44 Ze96 ⊠22134
Torres de Sanui, les (Lle) 62 Ad99
Torres de Segre (Lle) 62 Ad99 ⊠25170
Torreseca, Caserío de (Các) 87 Uc108
≈Torre Segura, Río 80 Zf105
Torre-serona (Lle) 62 Ad98 ⊠25131
Torresmenudas (Sal) 54 Ub102 ⊠37110
Torresolana (Gra) 160 Wa126
☆Torres Secas, Castillo Nuevo de 44 Zc96
Torrestío (Leó) 18 Tf90
Torres-Torres (Val) 95 Zd110 ⊠46148
Torresuso (Sor) 58 We100 ⊠42344
Torret (Bal) 96 Eb109 ⊠07711
≈Torreta, Cala de Sa (Bal) 96 Eb109
Torreta, La (Alm) 154 Xf124
▲Torreta, Tossal de la 46 Af96
▲Torreta de l'Orri, la 29 Bb94
Torretallada (Val) 128 Za115
Torretarrancho (Sor) 41 Xe97
Torretartajo (Sor) 41 Xd98 ⊠42180
Torreta Saura (Bal) 96 Df109
Torretoribio, Cortijada de (Jaé) 138 Wb121
Torretosquella (Lle) 46 Af98
Torre Turull (Bar) 66 Ca99
Torre Val de San Pedro (Seg) 57 Wa102 ⊠40171
Torre Valentina (Gir) 49 Da97
Torrevelilla (Ter) 80 Zf103 ⊠44641
Torre Vella (Bal) 96 Df108
Torre Vella (Bal) 96 Eb109
Torrevellisca (Val) 128 Zb116
Torrevicente (Sor) 58 Xa101 ⊠42315
Torrevieja (Ali) 143 Zb121 ⊠03180
Torre Vieja, Cortijada La (Alm) 163 Ya127
▲Torre Vieja, Playa de 163 Ya127
≈Torrevieja, Salinas de 143 Zb120
Torre y El Charco, La (Mur) 141 Yc123
Torre Zapata (Sal) 72 Ub104
Torrica (Val) 114 Zd114
Torrico (Tol) 87 Ue110 ⊠45572
Torrijas (Ter) 94 Za108 ⊠44421
≈Torrijas, Puerto de 94 Za108
Torrijo de la Cañada (Zar) 60 Ya100 ⊠50217
Torrijo del Campo (Ter) 78 Yd104 ⊠44393
Torrijos (Tol) 89 Ve109 ⊠45500
Torrique (Tol) 90 Wd108
Torroella (Gir) 49 Da97
Torroella de Fluvià (Gir) 49 Da95
Torroella de Montgrí (Gir) 49 Da96
Torroelles, les (Gir) 31 Da95
Torroj, Cortijo de (Sev) 149 Uc124
Torroja = Torroja del Priorat (Tar) 64 Ae101
Torroja del Priorat (Tar) 64 Ae101 ⊠43737
☆Torrola, Castell de la 65 Bf99
≈Torrolón, Embalse de 44 Ze97
Torrón (Lug) 16 Sb94
Torrona (Pon) 32 Rb96
Torronteras (Gua) 76 Xc105
▲Torrosa, Isla de la 142 Yf123
Torrosella (Ali) 128 Zc117 ⊠03109
▲Torrox, Playa de 160 Vf128
▲Torrox, Punta de 160 Wa128
Torrox-Costa (Mál) 160 Wa128
Torrubia (Jaé) 138 Wc120
Torrubia (Córd) 122 Vd118
Torrubia (Gua) 77 Ya103 ⊠19337
Torrubia del Campo (Cue) 91 Xa109 ⊠16413
Torrubia del Castillo (Cue) 110 Xe111 ⊠16739
Torrubia de Soria (Sor) 59 Xf99 ⊠42138
Torruella de Aragón (Hues) 44 Ac95
Torruéllola de la Plana (Hues) 44 Zf94
≈Torta, Cala (Bal) 96 Ea108
Tortajada (Ter) 79 Yf106 ⊠44162
▲Tortajada, Sierra 93 Yf108
Tortas, Cortijo de (Alb) 125 Xd117
≈Tort de Rius, Lac 28 Ae93
Tortellà (Gir) 48 Cd95
Tortilla, La (Jaé) 138 Wc120
≈Tortillo, Río del 124 Xa116
Tórtola (Cue) 92 Xf109
▲Tórtola, La 160 Wb126
Tórtola de Henares (Gua) 75 Wf104
Tortolero, Cortijo del (Sev) 149 Ud124
Tórtoles (Zar) 42 Yb97
Tórtoles (Ávi) 72 Ue105
Tórtoles de Esgueva (Bur) 39 Vf98
Tortonda (Gua) 76 Xc103 ⊠19261
Tortosa (Tar) 80 Ad104 ⊠43500
▲Tortosa, Cabo de = Tortosa, Cap de 80 Af104
▲Tortosa, Cap de = Tortosa, Cabo de 80 Af104
Tortosa, La (Alm) 154 Xd123
Tortuera (Gua) 77 Yb103 ⊠19338
Tortuero (Gua) 75 Wd103
Tortura (Ála) 23 Xa91 ⊠01439
Torviscal, Cortijo del (Sev) 157 Ua126
Torviscal, El (Bad) 105 Ub114 ⊠06717
Torviscoso (Các) 87 Ud109
Torvizcón (Gra) 161 We127
Tosal = Tossal, el (Lle) 46 Ba97
Tosantos (Bur) 40 We94 ⊠09258
Tosca, Caserío La (Ter) 79 Zc104
☆Tosca, la 48 Ca98
Toscana Nueva (Gra) 140 Xd121
Toscas, Las (Ten) 171 C2 ⊠38811
Toscas, Los (Ten) 172 B2
Toscón, El (Palm) 174 C2
Toscón, El (Palm) 174 C3
Tosende (Our) 33 Sb97
Toses (Gir) 30 Ca95 ⊠17536
Tosos (Zar) 61 Yf101 ⊠50154
Tospe (Ast) 7 Ue89 ⊠33546
Tosquilla, La (Mál) 159 Vd126
Tossa, la (Lle) 44 Ad98
≈Tossa, Riera de 49 Cf98
Tossa de Mar (Gir) 49 Cf98 ⊠17320
☆Tossa de Montbui, la 65 Bd99
Tossal, el (Lle) 46 Ba97 ⊠25746
▲Tossal de Boada 46 Af97
☆Tossal del Moro 63 Ab102
Tossalet, el (Ali) 128 Ab116
☆Tossals, els 47 Be96
▲Tossals, Serra del 47 Be96
▲Tossa Pelada 47 Bd95
Tost (Lle) 46 Bc95
≈Tost, Riu de 47 Bc95
Tosta = Tuesta (Ála) 22 Wf92
▲Tosto, Cabo 2 Qe89
Tostón (Palm) 175 D1
Totalán (Mál) 160 Ve128
Totana (Mur) 141 Yc122 ⊠30850
Totanés (Tol) 89 Ve110
Toto (Palm) 175 D3 ⊠35628
Toural, O (Pon) 32 Rc94 ⊠36141
Touriñán (Cor) 2 Qe90
▲Touriñán, Cabo 2 Qe90
Touro (Cor) 15 Re91
Tous (Val) 113 Zc114 ⊠46269
≈Tous, Pantà de 113 Zb113
Touza (Lug) 4 Sb88
Touzosas, As (Pon) 32 Re96
Tovar, El (Jaé) 139 Xb119
Tóveda Alta (Val) 93 Yd108
Tóveda Baja (Val) 93 Yd108
Tovilla (Jaé) 139 Xc119
Tovilla, Cortijo (Gra) 140 Xc120
≈Toxa 15 Re92
▲Toxa, Illa da 14 Ra93

Toxal, O (Our) 33 Sb96 ✉32641
▲Toxiza, Serra da 4 Sd88
Toxosoutos (Cor) 14 Rb92
☆Toxosoutos, Mosteiro de 14 Rb92
Toya (Jaé) 139 Wf121
☆Toya, Castillo 139 Wf121
≈Toya, Río 139 Wf121
▲Toya, Sierra de 139 We121
Tozalmoro (Sor) 59 Xe98 ✉42112
Tózar (Gra) 152 Wb124
☆Tozo 7 Ud89
▲Tozo 42 Xf97
≈Tozo, Embalse del 105 Ub111
≈Tozo, Río 105 Tf111
Traba (Cor) 2 Qf89
▲Traba, Praia de 2 Qf89
Trabada (Ast) 5 Tb88
Trabada (Lug) 5 Se88
≈Trabada, Río 5 Se88
Trabadillo (Sal) 54 Tf102 ✉37149
▲Trabakua, Puerto de 11 Xc89
Trabaledo (Leó) 17 Ta93
Trabanca (Sal) 53 Td101 ✉37173
Trabazas (Lug) 17 Sf93
Trabazos (Leó) 35 Tc95 ✉24745
Trabazos (Our) 34 Se95
Trabazos (Zam) 35 Td98 ✉49516
Trabe, A (Our) 34 Se97 ✉32617
▲Trabucador, Platja del 80 Ae105
▲Trabuco, Punta (Palm) 176 C1
Trado (Our) 33 Rf95 ✉32235
▲Trafalgar, Cabo de 164 Tf131
Tragacete (Cue) 92 Ya106 ✉16150
Tragó (Lle) 46 Bb96
Tragó de Noguera (Lle) 44 Ad97
▲Tragoncillo 140 Xd119
Traguntía (Sal) 71 Td103
Traibuenas (Nav) 42 Yc94 ✉31315
Traid (Gua) 77 Yb105 ✉19312
Traiguera (Cas) 80 Ab105 ✉12330
Trajano (Sev) 157 Ua126 ✉41729
≈Tralgas, Río 86 Td107
Trallanta, La (Cas) 95 Ze108
Tramacastiel (Ter) 93 Ye107 ✉44133
Tramacastilla (Ter) 78 Yc106 ✉44112
Tramacastilla de Tena (Hues) 26 Ze92 ✉22663
Tramaced (Hues) 44 Ze97 ✉22268
▲Tramuntana, Serra de (Bal) 98 Cc111
Trances, Cortijo de los (Córd) 136 Uf122
▲Trancha, Sierra de la 120 Ua116
Tranco (Jaé) 139 Xb119
≈Tranco de Beas, Embalse de El 139 Xb120
≈Tranquera, Embalse de la 60 Yb101
▲Transil, El 43 Za97
Trapa, A (Lug) 5 Sf89
Trapa, La (Ast) 7 Ub89
Trapa, la (Zar) 63 Aa102
▲Trapa, Serra da 16 Se93
Trapagaran (Viz) 10 Wf89 ✉48510
▲Trapera, Sierra 121 Ud118
Trapero (Córd) 121 Uf117
Trapiche (Mál) 160 Vf128 ✉29719
Trapiche (Palm) 174 C2
Trapilabado (Các) 86 Td107
Trasalba (Our) 33 Sa94
Trasancos (Cor) 3 Re87 ✉15540
Trasanquelos (Cor) 3 Re89
Trascastro (Leó) 17 Tc91 ✉24429
Trascastro (Ast) 18 Td90 ✉33818
Trascastro de Luna (Leó) 18 Ua92 ✉24127
▲Trasdeáguillas 37 Ud97
Trasierra (Bad) 134 Ua119
Trasierra (Bad) 119 Tc117
Trasierra (Can) 9 We88 ✉39527
Traslasierra (Huel) 133 Tc122
▲Tras la Sierra, Montes de 86 Ua108
≈Trasmiras 33 Sc96
Trasmirás (Our) 33 Sc96
Trasmonte (Lug) 4 Se87
Trasmonte (Lug) 4 Sb90
Trasmonte (Ast) 6 Ua88
Trasmonte (Cor) 15 Rd90
Trasmonte (Pon) 15 Rd92
Trasmoz (Zar) 42 Yb98 ✉50583
Trasmulas (Gra) 152 Wa125 ✉18328
Trasobares (Zar) 60 Yc99 ✉50268
☆Trasona 6 Ua87
≈Trasona, Embalse de 6 Ua87
Traspando (Ast) 7 Uc88 ✉33518
Trasparga (Lug) 4 Sa89 ✉27305
Traspeña de la Peña (Pal) 20 Vc92
Traspinedo (Vall) 56 Vd99 ✉47330
Trasponte = Trespuentes (Ála) 23 Xb91 ✉01191
Trasulfe (Pon) 15 Sa93
≈Trasvase Tajo-Segura, Canal de 111 Xe114
≈Trasvase Tajo-Segura, Canal de 91 Xb109
Trasvía (Can) 9 Ve88
Traver (Bar) 65 Bd99
Travesas, As (Cor) 3 Rd89
▲Traviesas, Puerto de las 79 Zb104
Travieso, Cortijo del (Sev) 135 Uc122
▲Trayecto, Puerto del 17 Tc91
Trazas, Cortijo de los (Alm) 162 Xb126
Trazo (Cor) 15 Rc90
Trébago (Sor) 41 Xf97
Trebaluger (Bal) 96 Eb109
≈Trebelúger, Cala (Bal) 96 Df109
Treboedo (Our) 33 Rf94 ✉32573
Trebolle (Lug) 16 Sc92
Trebuesto (Can) 10 We89 ✉39880
Trebujena (Cád) 157 Tf127 ✉11560
≈Trece, Enseada do 2 Qf89
Treceño (Can) 9 Ve89
Treceño (Can) 9 Ve88
Tredòs (Lle) 28 Af92
Trefacio (Zam) 35 Tc96 ✉49359
Tregandín (Can) 10 Wc88
Treguajantes (Rio) 41 Xd95
Tregurà de Dalt (Gir) 30 Cb94
Treinta, Los (Alm) 140 Xf123
Trejuvell (Lle) 46 Bb95 ✉25795
Trelle (Our) 33 Sa95 ✉32920
Trellerma (Our) 33 Sa95 ✉32920
Trelles (Ast) 5 Tb88
Tremaja (Pal) 20 Vd91
Tremañes (Ast) 7 Ub87
Tremedal (Ávi) 87 Uc106
☆Tremedal, Ermita del 78 Yc105
▲Tremedal, Puerto del 87 Uc106
Tremedal de Tormes (Sal) 71 Te102 ✉37148
Tremellos, Los (Bur) 21 Wa93 ✉09150
≈Tremor, Río 18 Te93
Tremor de Abajo (Leó) 18 Te93 ✉24374
Tremor de Arriba (Leó) 18 Te92 ✉24377
Tremp (Lle) 46 Af95 ✉25620
▲Tremuzo 14 Ra92
▲Trenc, Platja des (Bal) 99 Cf112
Tresabuela (Can) 20 Vd90 ✉39557
Tresali (Ast) 7 Ud88 ✉33529
Tresano (Ast) 8 Uf88 ✉33589
Tres Cantos (Mad) 75 Wb105 ✉28760
Trescares (Ast) 8 Vb89 ✉33576
Trescasas (Seg) 74 Vf103 ✉40194
Tres Colinas (Val) 114 Ze111
▲Tres Enebros 39 Wa97
Treserra (Hues) 44 Ad95
Tresfonts (Ali) 128 Za118
Tresgrandas (Ast) 8 Vc88 ✉33590
Tres Hermanos (Val) 56 Vb98
Tresjuncos (Cue) 91 Xb110 ✉16422
▲Tres Mares 21 Vd90
▲Tres Marías, Las 27 Aa93
▲Tresmojones 39 Wc97
▲Tres Mojones, Los 92 Ya108
Tresmonte (Ast) 8 Uf88 ✉33586
▲Tres Montes 43 Yf97
Tres Morales (Alm) 153 Xc125
Trespaderne (Bur) 22 Wd92 ✉09540
Trespeñas (Can) 8 Vd89
≈Tres Picos, Embalse de 146 Se123
≈Tres Piedras, Agua (Palm) 175 C4
Trespuentes (Ála) 23 Xb91 ✉01191
Tres Puertas, Caserío (Alb) 140 Xe119
▲Tres Reinos, Penedo dos 34 Ta97
Tresserres (Bar) 47 Be97
≈Tres Torres, Embalse de 105 Te113
Tres Villas, Las (Alm) 153 Xb126
Tresviso (Can) 8 Vb89 ✉39580
Treto (Can) 10 Wd88 ✉39760
Treto (Viz) 10 Wd89
▲Treumal, Platja de 49 Ce98
Trevejo (Các) 85 Tb107 ✉10894
Trevélez (Gra) 161 We126
≈Trevélez, Río 161 We126
Treviana (Rio) 22 Wf93 ✉26215
☆Treviés, Ermita de 6 Td88
Trevijano (Rio) 41 Xd95 ✉26132
▲Trevinca, Peña 35 Tb95
Treviño (Bur) 23 Xb92 ✉09215
▲Treviño, Condado de 23 Xb92
Trez (Our) 34 Sd96 ✉32621
Triacastela (Lug) 16 Se92
Triana (Mál) 160 Vf128 ✉29718
Triana (Jaé) 151 Wa123
▲Triano 10 Wf89
Trianos (Leó) 37 Uf94
Tribaldos (Cue) 91 Xa109 ✉16452
Tribaldos, Cortijos de Los (Alb) 125 Xd118
Tricás (Hues) 27 Zf94
Tricias, La (Ten) 171 B2
Tricio (Rio) 41 Xb94 ✉26312
Trifillas, Cortijo de (Alb) 126 Ya117
Trigás (Our) 15 Rf94
▲Trigo 156 Td127
▲Trigo, Playa del (Ten) 172 A1
▲Trigo, Sierra del 152 Wb123
Trigoniero, Refugio de (Hues) 27 Ab92
Trigueira, A (Pon) 15 Re93
▲Trigueiro 7 Ud89
Trigueros (Huel) 147 Tb124 ✉21620
Trigueros del Valle (Vall) 38 Vc98 ✉47282
Triguezuelos (Ávi) 73 Vc105
Trijueque (Gua) 76 Wf104 ✉19192
▲Trillas, Las 93 Yd107
Trillo (Hues) 45 Ab95 ✉22438
Trillo (Gua) 76 Xc104 ✉19450
Trillo, Cortijo (Gra) 139 Xb122
≈Trimaz, Río 4 Sb88
Trincheto, El (Ciu) 108 Vf113 ✉13129
▲Trincheto, Sierra del 108 Vf113
☆Trinidad, Ermita de la 12 Yb90
☆Trinidad, Ermita de la 40 Wf94
Trinidad, La (Sev) 149 Uc125
☆Trinidad, La 44 Zc94
≈Trinidad, Río de la 40 Wf94
Trinidades, Cortijo de (Córd) 136 Vc122
☆Trinitat, Castell de la 49 Db95
☆Trinitat, la 65 Bf101
Triollo (Pal) 20 Vb91 ✉34844
☆Triongo 8 Uf88
Triquivijate (Palm) 175 E3 ✉35639
Tristanes (Alm) 163 Xf127 ✉04114
Triste (Hues) 43 Zb94 ✉22820
Triufé (Zam) 35 Tc96
Trobajo del Camino (Leó) 19 Uc93
Trobajo del Cerecedo (Leó) 19 Uc93 ✉24192
Trobal, El (Sev) 148 Ua126 ✉41727
Trobo (Lug) 4 Sc89
Trobo, O (Lug) 5 Sf89
Trocadero, El (Cád) 164 Te129 ✉11519
▲Troches, Playa de los (Ten) 173 F2
Troconiz (Ála) 23 Xc92
Troitosende (Cor) 14 Rc91 ✉15872
Tronceda (Cor) 15 Re91
Tronceda (Our) 16 Sd94 ✉32766
Troncedo (Hues) 45 Ab95 ✉22438
Tronchón (Ter) 80 Zd105
≈Troya, Laguna de 157 Ub126
▲Troya, Playa de (Ten) 172 C5
Trubia (Ast) 6 Ua88 ✉33100
≈Trubia, Río 6 Tf89
Trucende (Lug) 17 Sf91
Truchas (Leó) 35 Td95 ✉24740
≈Truchas, Rambla de las 80 Zd106
Truchillas (Leó) 35 Td95 ✉24740
Trucios-Turtzioz (Viz) 10 We89
≈Trueba, Río 22 Wc90
Truébano (Leó) 18 Tf91
Trujillanos (Bad) 119 Te115 ✉06892
Trujillas, Las (Mál) 159 Vc127
Trujillo (Sev) 149 Ub125
Trujillo (Các) 105 Ua112 ✉10200
Trujillos (Gra) 152 Wb124 ✉18249
Tubilla (Bur) 22 Wc91 ✉09557
Tubilla del Agua (Bur) 21 Wb92 ✉09143
Tubilla del Lago (Bur) 39 Wc98 ✉09453
Tubilleja (Bur) 22 Wb91 ✉09146
Tuca, Era (Lle) 28 Ae92
≈Tucarroya, Lago 27 Aa92
Tuda, La (Zam) 54 Ua100 ✉49173
Tudanca (Can) 9 Vd90 ✉39555
Tudanca (Bur) 22 Wb91 ✉09146
▲Tudela 29 Bb93
Tudela (Nav) 42 Yc96 ✉31500
Tudela de Agüeria (Ast) 7 Ub89
Tudela de Duero (Vall) 56 Vc99 ✉47320
Tudela de Segre (Lle) 46 Ba97 ✉25739
Tudela-Veguín (Ast) 7 Ub88
Tudelilla (Rio) 41 Xf95 ✉26512
Tudera (Zam) 53 Te100 ✉49214
Tudes (Can) 20 Vc90 ✉39575
☆Tudons, Naveta des (Bal) 96 Df109
▲Tudons, Port del 129 Ze117
Tuéjar (Val) 94 Yf110
▲Tuéjar, Hoya del 93 Yf109
≈Tuela, Río 34 Ta96
Tuelas, Los (Mur) 142 Yd122
Tuerto, Cortijo del (Gra) 153 We124
≈Tuerto, Río 18 Tf93
Tuesta (Ála) 22 Wf92 ✉01423
▲Tufeilo, Serra del 29 Bb93
▲Tufia, Playa de (Palm) 174 D3
Tufiones (Cor) 2 Qf90
≈Tugores, Cala En (Bal) 99 Da113
Tui (Pon) 32 Rc96 ✉36700
Tuílla (Ast) 7 Uc89
Tuimil (Lug) 16 Sd93 ✉27343
Tuineje (Palm) 175 D4 ✉35629
Tuixén (Lle) 47 Bd95
☆Tuixén-la Vansa 47 Bd95
☆Tuiza 18 Ua90
Tuiza de Abajo (Ast) 18 Ua90
Tuiza de Arriba (Ast) 18 Ua90
Tujena (Huel) 148 Td124
Tulebras (Nav) 42 Yb97 ✉31522
Tumbalejo, El (Huel) 147 Tc124
▲Tumeneia, Serra de 28 Af93
Tuña (Ast) 6 Td89 ✉33876
Tuna, sa (Gir) 49 Db97
Túnel, Cortijo del (Gra) 153 Xa123
☆Tuñón 6 Ua89
Turballos (Ali) 128 Zd116 ✉03839
▲Turbina 8 Vb88
Turbinto (Mur) 155 Yb123
Turcia (Leó) 18 Ua93 ✉24285
Turégano (Seg) 57 Vf102
☆Turgalium 105 Ua112
≈Túria 5 Sf88
≈Turia, Río = Túria, Riu 93 Ye107
≈Túria, Riu 93 Yf109
Turieno (Can) 8 Vc90 ✉39586
Turilla (Alb) 140 Xe119
Turiso (Ála) 23 Xa92 ✉01213
Turisu = Turiso (Ála) 23 Xa92
Turleque (Tol) 109 Wc111 ✉45789
Turmadén (Bal) 96 Ea109
▲Turmell, Serra de 80 Aa105
Turmiel (Gua) 77 Xf102 ✉19287
Turón (Gra) 162 Wf127
☆Turón 7 Ub89
☆Turón, Castillo de 159 Va127
≈Turón, Río 159 Va127
≈Turón, Río 7 Uc89
≈Turones, Río 70 Tb104
▲Turp, Serra de 46 Bc96
Turquía (Val) 112 Yf111
Turquilla, Cortijo de la (Sev) 150 Uf124
Turra, Caserío (Sal) 72 Ub103
Turra de Alba (Sal) 72 Ud104 ✉37871
Turre (Alm) 155 Ya126 ✉04639
▲Turrieira, A 17 Sf93
Turrientes (Bur) 40 Wd94 ✉09292
≈Turrilla, Embalse de 140 Xe119
Turrillas (Alm) 163 Xe126 ✉04211
Turrillas (Nav) 25 Yd92 ✉31421
Turro, El (Gra) 151 Wa126 ✉18129
Turrubuelo (Seg) 57 Wc101 ✉40560
☆Turruchel, Ermita de 125 Xb117
≈Turruchel, Río 125 Xb117
Turruncún (Rio) 41 Xf96
Tureño (Ast) 7 Ud88 ✉33318
Turullote, Cortijo de (Sev) 150 Va123
Turza (Rio) 40 Xa95 ✉26289
Tus (Alb) 125 Xd118 ✉02485
☆Tútugi, Necrópolis de 140 Xc122
Tuyo (Ála) 23 Xa92 ✉01428
Txabarri = Chávarri (Viz) 10 Wf89 ✉48191
Txikierdi = Chiquierdi (Gui) 12 Xf89 ✉20170

U

Ubago (Nav) 24 Xe93 ✉31219
Ubani (Nav) 24 Yb92 ✉31174
≈Ubeda 4 Sd89
Úbeda (Jaé) 138 Wd120
Úbeda (Ali) 128 Za118
▲Úbeda, Loma de 139 Wf120
Ubera (Gui) 23 Xd90 ✉20579
Ubiarco (Can) 9 Vf88 ✉39360
Ubide (Viz) 23 Xb90 ✉48145
Ubiergo (Hues) 45 Ab96 ✉22439
Ubierna (Bur) 22 Wb94 ✉09141
≈Ubierna, Río 22 Wb93
Ubilla-Urberuaga (Viz) 11 Xd89 ✉48276
▲Ubiña, Peña 18 Ua90
Ubrique (Cád) 158 Ud128 ✉11600
▲Ubrique, Sierra de 158 Ud129
Úcar (Nav) 24 Yb92
Ucedo (Leó) 18 Te93 ✉24369
Ucenda (Mur) 141 Yb120
Ucero (Sor) 58 Wf98 ✉42317
Ucero, Caserío (Cue) 92 Xe110
≈Ucero, Río 58 Wf99
Uces, Las (Sal) 53 Td102 ✉37217
Uchea (Alb) 127 Yc117
Ucieda (Can) 9 Ve89 ✉39513
≈Ucieza, Río 38 Vc95
Ucio (Ast) 8 Uf88 ✉33569
Uclés (Cue) 91 Xa109
Udabe (Nav) 24 Yb91
Udalla (Can) 10 Wd89 ✉39850
Udías (Can) 9 Ve88
▲Udra, Cabo de 14 Rb94
☆Udrión 6 Ua89
Ufones (Zam) 53 Te98 ✉49519
Uga (Palm) 176 B4 ✉35570
Ugaldecho (Gui) 12 Ya89
Ugaldetxo = Ugaldecho (Gui) 12 Ya89 ✉20180
▲Ugán, Playa de (Palm) 175 C4
Ugao-Miraballes (Viz) 11 Xa89 ✉48490
Úgar (Nav) 24 Ya92
Ugarana (Viz) 11 Xb90 ✉48141
Ugarte (Viz) 11 Xb89
Ugarte = Nuestra Señora del Rosario (Gui) 24 Xf90 ✉20268
Ugarte Berri (Gui) 12 Xe89
Ugena (Tol) 89 Wa108 ✉45217
Ugíjar (Gra) 162 Wf127
≈Ugíjar, Río 162 Wf127
Uharte-Arakil (Nav) 24 Ya91
Uitzi (Nav) 24 Ya90 ✉31877
Ujados (Gua) 58 Wf101 ✉19276
Ujo (Ast) 7 Ub89 ✉33640
Ujué (Nav) 25 Yd93
☆Ulaca 73 Vb105
Ulea (Mur) 142 Ye120 ✉30612
Uleila del Campo (Alm) 154 Xe12 ✉04279
Ulibarri (Nav) 24 Xe92 ✉31283
Uliuzarna (Rio) 40 Xa94
Ullà (Gir) 49 Da96
≈Ulla, Río 15 Rc92
Ullastrell (Bar) 65 Bf99 ✉08231
Ullastret (Gir) 49 Da97 ✉17114
Ulldecona (Tar) 80 Ac105 ✉4355
≈Ulldecona 80 Ab104
☆Ulldecona, Castell d' 80 Ac105
≈Ulldemo, Río 80 Ab104
Ulldemolins (Tar) 64 Af101 ✉43363
Ulle (Hues) 26 Zc93 ✉22712
≈Ullíbarri, Embalse de 23 Xc91
Ullíbarri-Arana (Ála) 24 Xe92
Ullíbarri-Arrazua (Ála) 23 Xc91
Ullíbarri de los Olleros (Ála) 23 Xc92
Ullíbarri Gamboa (Ála) 23 Xc91
Ullíbarri-Viña (Ála) 23 Xb91
Ullívarri-Jáuregui (Ála) 23 Xd92
Ulloa (Lug) 16 Sa91 ✉27205
☆Ulloa, Palacio de los 55 Ue99
Ultramort (Gir) 49 Da96 ✉17133
≈Ulzama, Río 24 Yc91
▲Ulzama, Valle de 24 Yb90
Ulzurrun (Nav) 24 Ya92 ✉31172
▲Ulzurrun, Puerto de 24 Ya91
Umbralejo (Gua) 58 We102 ✉19238
Umbrete (Sev) 148 Tf124 ✉41806
Umbría (Ter) 80 Zd106
Umbría (Córd) 151 Ve124
Umbría, Cortijo (Các) 105 Tf111
Umbría, Cortijo de la (Jaé) 152 We123
Umbria, l' (Cas) 95 Zf108
Umbría, La (Jaé) 152 Wc123
Umbría, La (Huel) 134 Td121
≈Umbría, Río de la 40 Wf96
▲Umbría, Sierra de la 107 Vb113
▲Umbría, Sierre de la 128 Za118
▲Umbría, Sierre de la 40 Xa97
Umbría de Arriba, La (Alm) 154 Xe123
Umbría de Fresnedas (Ciu) 123 Wc117
Umbría del Factor (Mur) 127 Ye117
▲Umbría del Rincón, Sierre de la 126 Ya117
Umbría de Matasanos, Caserío (Các) 86 Tf109
▲Umbría Negra, Sierra 76 Xd105
Umbrías (Ávi) 87 Uc107
Umbrías, Caserío Las (Cas) 94 Zd107
Umbrías, Las (Mál) 160 Vf127
Umbrías, Las (Cas) 95 Zd108
≈Umia, Río 15 Rd93
≈Umia, Río 32 Rd96
Uña (Cue) 92 Ya107 ✉16152
Uña, La (Leó) 19 Uf90 ✉24996
≈Uña, Laguna de 92 Ya107
▲Uña de Gato, Punta (Palm) 175 F2
Uña de Quintana (Zam) 36 Tf96 ✉49327
Unanua (Nav) 24 Xf91 ✉31790
Unarre (Lle) 28 Ba93 ✉25588
Unbe (Viz) 11 Xa88
Uncastillo (Zar) 43 Yf94 ✉50678
Unciti (Nav) 25 Yd92 ✉31422
Unde, La (Val) 112 Ye114
Undiano (Nav) 24 Yb92 ✉31190
Undués de Lerda (Zar) 25 Yf93
Undués Pintano (Zar) 25 Yf93
Undurraga (Viz) 23 Xb90 ✉48144
Ungilde (Zam) 35 Tc96 ✉49393
Unión, La (Mur) 143 Za123
Unión de Campos, La (Vall) 37 Ue96
Unión de los Tres Ejércitos, La (Rio) 41 Xd94
▲Universales, Montes 93 Yb106
☆Universal Studios Port Aventura 64 Ba102

versidad Autónoma de Madrid (Mad) 75 Wb 105
versidad Laboral (Córd) 36 Vb 121
versitario, Albuergue (Gra) 52 Wd 126
quera (Can) 8 Vc 88 ✉ 39560
quieira, Cortijada (Gra) 62 Xa 127
zaga = Unza (Ála) 23 Xa 91
ntzeta 23 Xa 90
zué (Nav) 25 Yc 93
osa (Ávi) 73 Vc 105
a (Bur) 39 Wc 96 ✉ 09347
ansolo (Viz) 11 Xb 89
arte (Ála) 23 Xc 92 ✉ 01216
oana, Caserío de la (Sev) 35 Ub 120
oanización Aguadulce (Alm) 62 Xc 128
oanización Atlante del Sol (Palm) 176 A 4
oanización Calma Bahía (Palm) 75 C 5
oanización Cambrils Mediterrània (Tar) 64 Ba 102
banización Costa Calma (Palm) 175 C 5
banización El Guincho (Ten) 172 D 5
banización el Tarraco (Tar) 64 Ba 102
banización Famara (Palm) 176 C 3
banización Las Cabreras (Palm) 176 C 3
banización Llano del Sol (Palm) 175 E 3
banización Los Cocoteros (Palm) 176 D 3
banización Los Lagos (Palm) 175 D 1
banización Los Pocillos (Palm) 176 C 4
banización Los Pozos (Palm) 175 E 3
banización Marabul (Palm) 174 C 5
banización Montaña Baja (Palm) 176 A 4
banización Oasis de Costa del Sol (Alm) 162 Xb 128
banización Oasis de Nazaret (Palm) 176 C 3
banización Playa Honda (Palm) 176 C 4
banización Playas de Chacón (Zar) 62 Zf 101
banización Roquetas de Mar (Alm) 162 Xc 128
banización Rosa de la Monja (Palm) 175 E 2
banización San Antonio (Palm) 176 C 4
banización Vista Graciosa (Palm) 176 C 3
rbanova (Ali) 143 Zc 119
Urbasa, Puerto de 24 Xf 92
Urbasa, Sierra de 24 Xe 91
Urbel, Río 21 Wb 93
rbel del Castillo (Bur) 21 Wa 93 ✉ 09125
rberuaga = Ubilla-Urberuaga (Viz) 11 Xd 89 ✉ 48393
rbicáin (Nav) 25 Yd 92
rbina (Ála) 23 Xc 91 ✉ 01510
rbina, La (Alb) 110 Xb 113
rbiola (Nav) 24 Xf 93 ✉ 31243
Urbión, Río 40 Xa 96
Urbión, Sierra de 40 Xa 96
rbisu = Orbiso (Ála) 23 Xd 92
rcal (Alm) 155 Ya 124
rcamusa (Zar) 61 Yf 99
rda (Tol) 108 Wb 112 ✉ 45480
rdain (Nav) 24 Xf 91
rdániz (Nav) 25 Yc 91
rdánoz (Nav) 24 Ya 92
rdanta (Rio) 40 Xa 95 ✉ 26289
rdazubi/Urdax (Nav) 13 Yc 89 ✉ 31711
rdiales de Colinas (Leó) 18 Td 92 ✉ 24313
rdiales del Páramo (Leó) 36 Ub 94
rdilde (Cor) 14 Rb 92 ✉ 15281
rdimalas (Các) 86 Ua 109
rdíroz (Nav) 25 Yd 91
≈ Urdón, Embalse de 8 Vc 89
▲ Urdossa, Pic d' 29 Bb 94
rdués (Hues) 26 Zb 92
rduliz (Viz) 11 Xa 88 ✉ 48610
rduña = Orduña (Viz) 22 Wf 91
≈ Urederra, Río 24 Xf 92
res (Gua) 59 Xb 102 ✉ 19265
resaranses (Viz) 11 Xa 88
res de Medina (Sor) 59 Xe 102 ✉ 42240
rgal (Pon) 32 Rb 96
≈ Urgell, Canal d' 46 Af 98
≈ Urgell, Canal d' 64 Af 99
▲ Urgell, Pla de 46 Af 98
≈ Urgell, Subcanal d' 64 Ae 99
▲ Urguilla, Sierra 41 Xd 96
≈ Uria, Río de 16 Se 91
▲ Uria, Serra de 17 Ta 90
Uribarri (Ála) 23 Xc 90 ✉ 01169
Uribarri (Gui) 23 Xd 90 ✉ 20568
Uribarri-Arratzu = Ullívarri-Arrázua (Ála) 23 Xc 91
Uribarri Ganboa = Ullíbarri Gamboa (Ála) 23 Xc 91
Uribarri-Gaubea = Villanueva de Valdegoría (Ála) 22 Wf 91
Uribarri-Harana = Ullívarri-Arana (Ála) 24 Xe 92 ✉ 01117
Uribarri-Jauregi = Ullívarri-Jáuregui (Ála) 23 Xd 92 ✉ 01207
Uribarri-Nagusi = Ullívarri-Olleros (Ála) 23 Xc 92
Uribe (Viz) 23 Xb 90 ✉ 48144
Uribe, Caserío de (Mál) 150 Vc 126
Urigoiti (Viz) 23 Xa 90 ✉ 48419
Uriz (Lug) 4 Sc 90
Uriz (Nav) 25 Yd 91 ✉ 31438
Urizar (Viz) 11 Xa 88 ✉ 48620
Urkabustaiz (Ála) 23 Xa 91 ✉ 01440
Urkaregi (Viz) 11 Xd 89
▲ Urkiaga, Collado de 25 Yd 90
▲ Urkilla, Sierra de 23 Xd 91
Urkiola (Viz) 23 Xc 90 ✉ 48211
▲ Urkiola, Puerto de 23 Xc 90
Urkizu (Gui) 24 Xf 90 ✉ 20400
Urko (Gui) 11 Xd 89
≈ Urkulu I, Embalse de 23 Xd 90
Urmella (Hues) 28 Ad 93 ✉ 22466
Urnieta (Gui) 12 Ya 89 ✉ 20130
≈ Urola, Río 12 Xe 89
Urones de Castroponce (Vall) 37 Ue 96 ✉ 47671
Uroz (Nav) 25 Yd 92 ✉ 31485
Urquizu = Urkizu (Gui) 12 Xf 90
Urraca, Cortijo de la (Jaé) 139 We 122
Urrácal (Alm) 154 Xd 124
Urraca-Miguel (Ávi) 73 Vc 105
Urrategi (Gui) 11 Xd 89
Urraul Alto (Nav) 25 Ye 92
Urraul Bajo (Nav) 25 Ye 92
Urrea de Gaén (Ter) 62 Zd 102
Urrea de Jalón (Zar) 61 Ye 99
Urreas, Los (Mur) 142 Yf 122
Urrejola = Urrexola (Gui) 23 Xd 90
Urrestilla (Gui) 12 Xe 90 ✉ 20738
Urrexola = Urrejola (Gui) 23 Xd 90
Urrez (Bur) 40 Wd 95 ✉ 09199
Urría (Bur) 22 Wd 91
≈ Urría, Río 40 Wf 96
Urriales (Hues) 45 Aa 94
Urricelqui (Nav) 25 Yd 91 ✉ 31484
Urriés (Zar) 25 Yf 93
Urrizola (Nav) 24 Ya 91
Urrizola-Galáin (Nav) 24 Yc 91
≈ Urrobi, Río 25 Yd 91
Urros (Our) 33 Sa 95
Urrotz (Nav) 24 Yb 90 ✉ 31752
Urroz (Nav) 25 Yd 92
Urrúnaga (Ála) 23 Xc 91
Urrunaga = Urrúnaga (Ála) 23 Xc 91 ✉ 01170
≈ Urrunaga, Embalse de 23 Xc 91
Urrutias, Los (Mur) 143 Zb 122 ✉ 30368
Urrutiña (Nav) 24 Yb 90
Urrutxua (Viz) 11 Xc 89
Ursuaran (Gui) 24 Xe 91
Urtasun (Nav) 25 Yc 91 ✉ 31639
≈ Urtatza, Embalse de 23 Xd 90
▲ Urtemondo 11 Xb 89
Urteta (Gui) 12 Xe 89 ✉ 20800
Urturi (Ála) 23 Xc 93 ✉ 01118
Urtx (Gir) 30 Bf 94 ✉ 17538
Urueña (Vall) 55 Ue 98 ✉ 47862
☆ Urueña 70 Tc 106
Urueñas (Seg) 57 Wb 100 ✉ 40317
≈ Urumea, Río 12 Ya 89
Uruñuela (Rio) 23 Xb 94 ✉ 26313
Urús (Gir) 30 Bf 94
Urz, La (Leó) 18 Ua 92 ✉ 24127
Urzainqui (Nav) 25 Za 92 ✉ 31416
Urzante (Nav) 42 Yc 96 ✉ 31521
Usagre (Bad) 120 Te 118 ✉ 06290
▲ Usaje, Punta (Palm) 176 D 3
Usall (Gir) 48 Ce 96
Usana (Hues) 27 Ab 94 ✉ 22339
Usanos (Gua) 75 We 104 ✉ 19182
▲ Usateguieta, Puerto de 24 Ya 90
Uscarrés (Nav) 25 Yf 92
Used (Hues) 44 Ze 95
Used (Zar) 78 Yc 102 ✉ 50374
Useras/les Useres (Cas) 95 Zf 108
Useu (Lle) 46 Ba 95 ✉ 25592
Usi (Nav) 24 Yb 91 ✉ 31193
Ustárroz (Nav) 25 Yc 92
Ustés (Nav) 25 Yf 92
Usumbelz (Nav) 25 Yd 93
Usún (Nav) 25 Ye 92
Usúrbil (Gui) 12 Xf 89
Usurbil = Usúrbil (Gui) 12 Xf 89 ✉ 20170
Utande (Gua) 76 Xa 103 ✉ 19196
Utebo (Zar) 61 Za 98 ✉ 50180
Uterga (Nav) 24 Yb 92 ✉ 31133
Utiel (Val) 112 Ye 111 ✉ 46300
▲ Utiel, Sierra de 112 Ye 111
Utrera (Sev) 149 Ub 125 ✉ 41710
Utrera, La (Leó) 18 Ua 92 ✉ 24127
▲ Utrera, Sierra de 120 Ua 116
Utreras, Los (Alm) 154 Xf 125
Utrilla (Sor) 59 Xe 101 ✉ 42258
Utrillas (Ter) 79 Za 104 ✉ 44760
Utxafava (Lle) 64 Af 99
Utxesa (Lle) 62 Ad 100 ✉ 25182
≈ Utxesa, Pantà d' 62 Ad 100
Uvadas, Cortijo de las (Córd) 150 Vb 123
☆ Uxama Argelae 58 Wf 99
Uxes (Cor) 3 Rd 89 ✉ 15690
Uyarra (Rio) 40 Xa 94 ✉ 26270
Uznayo (Can) 21 Vd 90 ✉ 39556
Uzquiano (Bur) 23 Xb 92 ✉ 09217
Uzquiano (Ála) 23 Xa 91
Uzquita (Nav) 25 Yc 93 ✉ 31395
Uzquiza (Bur) 40 Wd 95
▲ Uztarroz, Sierra de 25 Yf 91
Uztárroz/Uztarroce (Nav) 25 Za 91
Uztegi (Nav) 24 Xf 90 ✉ 31891

V

▲ Vaca, Morro de sa (Bal) 98 Ce 109
Vacar, El (Córd) 136 Va 120 ✉ 14320
Vacaria (Pon) 32 Rc 96
Vacarisses (Bar) 65 Bf 99 ✉ 08233
Vacarizo (Jaé) 124 We 118
Vacas, Cortijo de las (Gra) 152 Wd 123
Vaciamadrid (Mad) 90 Wc 107 ✉ 28529
Vada (Can) 20 Vc 90 ✉ 39577
≈ Vadella, Cala (Bal) 97 Bb 115
Vadeolivas (Cue) 76 Xd 105
Vadera-Baldía (Sal) 71 Td 104
≈ Vadiello, Embalse de 44 Ze 95
Vadillo (Sor) 40 Wf 98 ✉ 42148
Vadillo, El (Córd) 151 Ve 124 ✉ 14960
≈ Vadillo, Río 23 Xa 91
≈ Vadillo, Río 40 Xa 97
≈ Vadillo, Río 58 Wd 101
Vadillo de Castril, Cortijo del (Jaé) 139 Xa 121
Vadillo de la Guareña (Zam) 55 Ud 101
Vadillo de la Sierra (Ávi) 73 Uf 105 ✉ 05560
Vadillos (Rio) 41 Xd 95 ✉ 26133
Vadillos, Cortijo de los (Jaé) 139 We 121
Vadima, La (Sal) 54 Tf 102 ✉ 37116
Vado, Cortijo del (Jaé) 138 Wc 120
Vado, El (Bur) 22 Wc 91 ✉ 09513
≈ Vado, Embalse de El 75 We 102
Vadocondes (Bur) 57 Wc 99 ✉ 09491
Vado del Álamo (Mál) 159 Vb 127
Vado de las Palomas (Các) 86 Tf 108
Vado de los Morales (Tol) 88 Vd 108
Vado de Tus, Cortijo del (Alb) 125 Xd 118
Vadofresno (Córd) 151 Vd 125 ✉ 14912
Vado Fresno, Cortijo de (Córd) 137 Ve 122
Vado Jaén, Cortijada de (Jaé) 151 Vf 123
Vados, Los (Mál) 160 Vf 128 ✉ 29719
Vados, Los (Gra) 152 Wb 125
Vados de Torralba (Jaé) 138 Wc 121 ✉ 23529
Vadoseco, Cortijo de (Córd) 137 Vc 122
Vainazo, El (Mur) 155 Yb 123
Vajol, la (Gir) 31 Ce 94 ✉ 17707
Val (Pon) 15 Rf 92
Val, Cortijo del (Jaé) 152 Wd 123
≈ Val, Embalse de El 42 Yb 97
Val, O (Cor) 3 Re 87
Valacloche (Ter) 94 Yf 107 ✉ 44191
Valadares (Cor) 14 Ra 91
Valadares (Pon) 32 Rb 95
Valareña (Zar) 43 Ye 96 ✉ 50617
Valberzoso (Pal) 21 Ve 91
Valboa (Pon) 15 Rd 92
Valbona (Ter) 94 Zb 107 ✉ 44430
≈ Valbona, Embalse de 94 Zb 107
≈ Valbona, Río 94 Zb 107
Valbonilla (Bur) 38 Ve 95 ✉ 09119
≈ Valbornedo, Embalse de 41 Xc 94
▲ Valbuena 40 Wd 94
Valbuena (Sal) 86 Ua 106 ✉ 37718
Valbuena de Duero (Vall) 56 Ve 99 ✉ 47359
Valbuena de Pisuerga (Pal) 38 Ve 96 ✉ 34259
Valbuxán (Our) 34 Sf 95
Valcaba (Can) 10 Wc 89 ✉ 39806
Valcabadillo (Pal) 20 Vb 93 ✉ 34117
Valcabado (Zam) 54 Ub 99 ✉ 49192
Valcabado del Páramo (Leó) 36 Ub 95
Valcalentejo, Cortijo (Córd) 136 Vc 121
Valcarca (Hues) 45 Ab 97 ✉ 22511
≈ Valcarce, Río 17 Ta 93
Valcárceres, Los (Bur) 21 Wa 93
Valcargado (Jaé) 137 Ve 121
Valcargado, Cortijo de (Sev) 149 Ub 126
Valcarria (Lug) 4 Sc 87
Valcarrillo de Alberche (Tol) 89 Vd 107
Valcavado de Roa (Bur) 57 Wa 98
Valcázar, Caserío (Gra) 151 Wa 125
Valchillón (Córd) 136 Va 122
Valcobero (Pal) 20 Vb 91
Valconejo (Huel) 133 Ta 121
≈ Valcorba, Arroyo de 56 Vd 99
Valcotos (Mad) 74 Wa 104
Valcuende (Leó) 20 Va 92 ✉ 24889
Valcueva, La (Leó) 19 Ud 91 ✉ 24839
Valcuevo (Sal) 54 Ub 102
≈ Valdabra, Embalse de 44 Zd 96
Valdajos (Tol) 90 We 108
Valdáliga (Can) 9 Vd 89
Valdanzo (Sor) 58 Wd 99 ✉ 42328
Valdanzuelo (Sor) 58 Wd 99 ✉ 42328
Valdaracete (Mad) 90 We 107 ✉ 28594
Valdarachas (Gua) 75 Wf 105 ✉ 19141
Valdastillas (Các) 86 Ua 108 ✉ 10614
▲ Valdavia 20 Vc 93
≈ Valdavia, Río 20 Vb 92
≈ Valdavia, Río 20 Vc 93
Valdavida (Leó) 20 Uf 93 ✉ 24171
Valdavido (Leó) 35 Td 95 ✉ 24740
Valdazo (Bur) 22 Wd 93 ✉ 09248
Valdeaicalde de Arriba (Các) 85 Ta 109
Valdeajos (Bur) 21 Wa 92
Valdealbín (Sor) 58 Wf 98
Valdealcón (Leó) 19 Ue 93
Valdealgorfa (Ter) 80 Zf 103 ✉ 44594
Valdealiso (Leó) 19 Ue 93 ✉ 24165
▲ Val de Almazán, Cerro de 76 Xd 104
Valdealmendras (Gua) 59 Xc 102 ✉ 19269
Valdealvillo (Sor) 58 Xa 99 ✉ 42193
▲ Valdeamor 86 Ua 107
Valdeancheta (Gua) 76 Wf 103
Valdeande (Bur) 39 Wc 97 ✉ 09453
Valdeaparicio, Cortijo de (Các) 105 Tf 111
Valdearcos (Leó) 19 Ud 94 ✉ 24330
▲ Valdearcos 19 Ue 93
Valdearcos de la Vega (Vall) 57 Vf 99 ✉ 47317
Valdearenales (Bad) 120 Tf 116
Valdearenas (Gua) 76 Xa 104 ✉ 19196
Valdearnedo (Bur) 22 Wc 93 ✉ 09592
Val de Asón (Can) 10 Wc 89
Valdeavellano (Gua) 76 Xa 105 ✉ 19142
Valdeavellano de Tera (Sor) 41 Xc 97 ✉ 42165
Valdeavellano de Ucero (Sor) 58 Wf 98 ✉ 42317
Valdeavero (Mad) 75 We 105 ✉ 28816
Valdeaveruelo (Gua) 75 We 105 ✉ 19174
Valdeazogues (Ciu) 122 Vd 116 ✉ 13470
Valdeazores (Tol) 107 Vb 112 ✉ 45139
Valdebótoa (Bad) 118 Ta 115
▲ Valdeburgo 38 Ve 97
Valdebusto (Pal) 37 Vb 97 ✉ 34159
Valdecaballeros (Bad) 106 Ue 113 ✉ 06689
Valdecabañas (Mad) 74 Wa 106 ✉ 28669
Valdecabras (Cue) 92 Xf 108 ✉ 16146
≈ Valdecabras, Río 92 Xf 108
Val de Cabriel (Ter) 93 Yc 107
Valdecabrillas (Cue) 92 Xd 108
▲ Valdecabrios 57 Wc 101
≈ Valdecadrones, Arroyo de 54 Uc 101
Valdecañada (Leó) 17 Tc 94 ✉ 24415
Valdecañas (Córd) 151 Vd 124
Valdecañas (Cue) 92 Xe 107 ✉ 16843
≈ Valdecañas, Embalse de 87 Ud 110
Valdecañas de Cerrato (Pal) 38 Ve 97 ✉ 34249
Valdecañas de Tajo (Các) 87 Uc 110 ✉ 10329
Valdecarpinteros (Sal) 71 Td 105
Valdecarros (Sal) 70 Tc 105
Valdecarros (Sal) 72 Ud 104
≈ Valdecas, Arroyo de 56 Ve 99
Valdecasa (Ávi) 73 Uf 105 ✉ 05143
▲ Valdecastilla 58 Wf 99
Valdecastillo (Leó) 19 Ue 91 ✉ 24853
Valdecazorla (Jaé) 139 Wf 121 ✉ 23469
Valdecebro (Ter) 94 Yf 106 ✉ 44193
Valdecebuches, Cortijo (Các) 105 Tf 111
Valdeciervos (Ávi) 73 Vc 105
Valdecilla (Can) 9 Wb 88 ✉ 39724
Valdecolmenas, Los (Cue) 91 Xd 108
Valdecolmenas de Abajo (Cue) 91 Xc 108
Valdecolmenas de Arriba (Cue) 92 Xd 108
Valdeconcha (Gua) 76 Xa 106 ✉ 19132
Valdeconejos (Ter) 79 Za 104 ✉ 44779
Valdecuenca (Ter) 93 Yd 107 ✉ 44122
▲ Valdecuenca, Puerto de 93 Yd 107
Valdecuna (Ast) 7 Ub 89 ✉ 33615
≈ Valdecuriada, Río 20 Vb 93
☆ Valdediós, Monasterio de 7 Uc 88
Valdeferreiro (Ast) 17 Ta 90
Valdefinjas (Zam) 55 Ud 100 ✉ 49882
Valdeflores (Sev) 134 Te 122 ✉ 41899
Valdefresno (Leó) 19 Ud 93 ✉ 24228
Valdefuentes (Các) 105 Tf 113 ✉ 10180
Valdefuentes (Leó) 37 Ud 96
Valdefuentes (Mad) 89 Wa 107 ✉ 28939
☆ Valdefuentes, Castillo Granja de 106 Ue 112
☆ Valdefuentes, Ermita de 40 Wd 94
Valdefuentes del Páramo (Leó) 36 Ub 95
Valdefuentes de Sangusín (Sal) 71 Ub 106
Valdefuentes o Griegos (Vall) 55 Ue 98
Valdegama (Pal) 21 Ve 92 ✉ 34492
▲ Valdegamas 105 Tf 111
Valdeganga (Alb) 111 Yb 114 ✉ 02150
Valdeganga de Cuenca (Cue) 92 Xe 109 ✉ 16122
▲ Valdegarcía 74 Vd 105
≈ Valdegarón, Arroyo de 39 Vf 97
≈ Valdeginate, Río 37 Va 95
Valdegovía (Ála) 22 Wf 91
Valdegranada (Córd) 151 Vf 124
Valdegrudas (Gua) 76 Wf 104 ✉ 19412
Valdegrulla (Sor) 58 Wf 99 ✉ 42350
Valdegutur (Rio) 42 Ya 97 ✉ 26529
≈ Valdehalcones, Laguna de 60 Ya 98
Valdehermoso (Sal) 54 Uc 101
Valdeherreros (Bad) 104 Tc 114
Valdehierro (Bad) 119 Tb 117
Valdehierro (Ciu) 108 Vf 113 ✉ 13428
▲ Valdehierro, Sierra de 109 Wc 112
Valdehijaderos (Sal) 71 Ua 106 ✉ 37713
Valdehorna (Zar) 78 Yd 102 ✉ 50371
Valdehornillo (Bad) 105 Ua 114
▲ Valdehornos 75 Wd 105
≈ Valdehornos, Río 107 Vc 113
Valdehuesa (Leó) 19 Ud 91 ✉ 24854
Valdehúncar (Các) 87 Uc 109
☆ Valdehunco, Ermita de 37 Ud 97
Valdeinfierno (Córd) 135 Uc 120
≈ Valdeinfierno, Embalse de 140 Ya 122
Valdeíñigos (Các) 86 Ua 109
Valdejeña (Sor) 41 Xe 98
Valdelacalzada (Bad) 119 Tb 115 ✉ 06185
Valdelacanal (Huel) 133 Tb 121
Valdelacasa (Sal) 72 Ub 105 ✉ 37791
▲ Valdelacasa 78 Yd 102
▲ Valdelacasa 93 Yd 108
Valdelacasa de Tajo (Các) 87 Ue 110 ✉ 10332
Valdelacuesta (Bur) 22 Wd 91 ✉ 09515
≈ Valdelafuén, Embalse de 43 Ye 95
Valdelafuente (Leó) 19 Uc 93 ✉ 24227
≈ Valdelafuente, Arroyo de 106 Ue 113

Valdelageve (Sal) 86 Ua 106 ✉37724
Valdelagrana (Cád) 157 Te 129 ✉11500
▲Valdelagrana, Playa de 157 Te 129
▲Valdelagua 108 Vf 112
Valdelagua (Mad) 75 Wc 105 ✉28750
Valdelagua (Gua) 76 Xb 104 ✉19459
Valdelagua del Cerro (Sor) 41 Xf 97 ✉42113
Valdeláguila (Mad) 75 We 106
Valdelaguna (Leó) 37 Uf 94
Valdelaguna (Ávi) 72 Ud 106 ✉05592
Valdelaguna (Mad) 90 Wd 108 ✉28391
≈Valdelajas, Arroyo de 39 Wc 97
Valdelaloba (Leó) 17 Tc 92 ✉24459
Valdelaloba (Zam) 54 Ub 100
Valdelamusa (Huel) 133 Ta 122 ✉21330
▲Valdelapega 54 Uc 101
Valdelarco (Huel) 133 Tb 121 ✉21291
Val de la Sabina, el (Val) 93 Ye 108
Valdelasierpe, Cortijo de (Bad) 119 Tc 116
Valdelatas (Mad) 75 Wb 105
Valdelateja (Bur) 21 Wb 92 ✉09145
▲Valdelatorre 59 Xb 100
Valdelavia (Ávi) 73 Vc 105
Valdelavilla (Sor) 41 Xe 97 ✉42175
Valdelcubo (Gua) 59 Xb 101 ✉19269
Valdelinares (Sor) 58 Wf 98 ✉42318
Valdelinares (Ter) 79 Zc 106 ✉44413
Valdelipe (Jaé) 137 Vf 120
▲Valdellín, Sierra de 24 Xf 92
▲Valdellosa 78 Yd 103
Valdelocajos (Leó) 37 Uf 94
≈Val del Oja, Laguna 157 Ua 127
Valdelosa (Sal) 54 Ub 101 ✉37799
Valdeltormo (Ter) 80 Aa 103 ✉44620
Valdelubiel (Sor) 58 Wf 99 ✉42318
Valdemadera (Rio) 41 Xf 97 ✉26532
Valdemaluque (Sor) 58 Wf 98 ✉42318
Valdemanco (Mad) 75 Wc 103 ✉28729
Valdemanco del Esteras (Ciu) 122 Vb 115 ✉13411
Valdemanzanos (Gra) 153 Wf 123
Valdemaqueda (Mad) 74 Ve 105 ✉28295
▲Valdemarcas 59 Xd 99
Valdemarías (Tol) 89 Vd 110
Valdemarín (Jaé) 139 Xb 119
Valdemasa (Mad) 75 Wb 105
Valdemeca (Cue) 93 Yb 107 ✉16152
≈Valdemeca, Río de 93 Yb 107
▲Valdemeca, Sierra de 93 Yb 107
≈Valdemembra, Río 111 Ya 112
Valdemierque (Sal) 72 Uc 104 ✉37891
Valdemimbre (Zam) 54 Uc 100
Valdemolinos (Ávi) 72 Ud 105 ✉05154
Valdemora (Leó) 37 Ud 95 ✉24206
Valdemorales (Các) 105 Tf 113 ✉10131
Valdemorilla (Leó) 37 Ue 95 ✉24293
Valdemorillo (Mad) 74 Vf 106 ✉*28210
Valdemorillo de la Sierra (Cue) 93 Yb 108 ✉16340
Valdemoro (Mad) 90 Wb 107 ✉28340
Valdemoro del Rey (Cue) 91 Xc 107 ✉16521
Valdemoro de San Pedro Manrique (Sor) 41 Xe 96
Valdemoro-Sierra (Cue) 93 Yb 108
≈Valdemurrio, Embalse de 6 Ua 89
Valdenarros (Sor) 58 Xa 99 ✉42193
Valdencin (Các) 86 Td 109 ✉10839
Valdenebro (Sor) 58 Xa 99 ✉42313
Valdenebro de los Valles (Vall) 37 Va 97
Valdenegrillos (Sor) 41 Xf 97
Valdenoceda (Bur) 22 Wc 91 ✉09559
Valdenoches (Gua) 76 Wf 104 ✉19197
Valdenoguera (Sal) 70 Ta 103
≈Valdentales, Embalse de 75 Wd 103
Valdenuño-Fernández (Gua) 75 Wd 104
Valdeobispo (Các) 86 Te 108 ✉10672
≈Valdeobispo, Embalse de 86 Te 108
Valdeolivas, Caserío (Tol) 90 Wf 109
Valdeolmillos (Pal) 38 Vd 96 ✉34239
Valdeolmos (Mad) 75 Wd 105 ✉28130
Valdeolmos-Alalpardo (Mad) 75 Wd 105
Valdeosera (Rio) 41 Xd 95
Valdepalina, Cortijo (Huel) 147 Ta 124
Valdepardillo (Mad) 90 We 108
Valdepeñas (Ciu) 124 Wd 116 ✉13300
Valdepeñas de Jaén (Jaé) 152 Wb 123
Valdepeñas de la Sierra (Gua) 75 Wd 103 ✉19184
Valdeperales (Mad) 90 Wd 107
Valdeperdices (Zam) 54 Ua 99 ✉49182
Valdeperillo (Rio) 41 Xf 96 ✉26527
Valdepiélago (Leó) 19 Ud 91
Valdepiélagos (Mad) 75 Wd 104
Valdepinillos (Gua) 58 We 101 ✉19238
Valdepiñuela (Sal) 71 Td 104
Valdepolo (Leó) 19 Ue 93 ✉24930
▲Valdeponjos 20 Va 92
▲Valdepozuelos 58 Xa 100
Valdeprado (Leó) 18 Td 91
Valdeprado (Can) 20 Vd 90 ✉39574
Valdeprado (Sor) 41 Xf 97 ✉42181
▲Valdeprado, Puerto de 17 Tc 91
Valdeprado del Río (Can) 21 Vf 91
Valdeprados (Ávi) 73 Vb 105
Valdeprados (Seg) 74 Ve 104 ✉40423
Valdepuertas (Các) 106 Uc 112
≈Valderaduey, Río 37 Va 94
≈Valderaduey, Río 54 Uc 99
Valderas (Mur) 142 Yf 122
Valderas (Leó) 37 Ud 96 ✉24220
Valderias (Bur) 21 Wa 91 ✉39232
Valderosas (Các) 86 Te 108
Valderrábano (Pal) 20 Vc 93
Valderrama (Val) 112 Ye 112 ✉46352
Valderrama (Bur) 22 We 92 ✉09211
Valderrama, Cortijo de (Sev) 150 Va 125
Valderrebollo (Gua) 76 Xb 104 ✉19490
▲Valderrebollo, Cerro de 76 Xb 104
Valderredible (Can) 21 Wa 92
▲Valderrepisa, Puerto de 122 Vd 117
Valderrey (Leó) 36 Tf 94 ✉24793
Valderrey (Zam) 54 Ub 99
Valderrobres (Ter) 80 Aa 103 ✉44580
Valderrodilla (Sor) 58 Xb 99 ✉42294
Valderrodrigo (Sal) 53 Tc 102 ✉37256
Valderromán (Sor) 58 Wf 100
Valderrosa (Ávi) 73 Vc 105
Valderrubio (Gra) 152 Wb 125 ✉18250
Valderrueda (Leó) 20 Va 92 ✉24882
Valderrueda (Sor) 58 Xb 99 ✉42294
▲Valderrús, Cabezadas de 138 Wb 119
Valderuela, Cortijo de (Các) 105 Uc 111
Valdés (Mál) 160 Ve 128
Valdés (Ast) 5 Tc 87
▲Valdesajo 39 Wd 97
⭑Valdesalce, Ermita de 38 Vd 96
Valdesalor (Các) 104 Td 112 ✉10164
Valdesamario (Leó) 18 Ua 92 ✉24127
▲Valdesánchez 43 Za 97
Valdesandinas (Leó) 36 Ua 94 ✉24763
Val de San García (Gua) 76 Xc 104
Valdesangil (Sal) 72 Ub 106 ✉37717
Val de San Lorenzo (Leó) 18 Tf 94 ✉24717
Val de San Martín (Zar) 78 Yd 102
Val de San Román (Leó) 36 Tf 94
Val de Santa María (Zam) 35 Te 97
Val de San Vicente (Can) 8 Vd 88
Valdesaz (Seg) 57 Wb 101 ✉40318
Valdesaz (Gua) 76 Xa 104 ✉19412
Valdesaz de los Oteros (Leó) 37 Ud 95 ✉24208
Valdescapa (Leó) 20 Va 93 ✉24172
Valdescorriel (Zam) 36 Uc 96 ✉49680
Valdesimonte (Seg) 57 Wa 101 ✉40389
≈Valdesirgas, Embalse de 35 Ta 96
Valdesogo de Abajo (Leó) 19 Uc 93 ✉24226
Valdesoto (Ast) 7 Uc 88 ✉33938
Valdesotos (Gua) 75 Wd 103 ✉19225
Valdespina (Pal) 38 Vd 96 ✉34419
Valdespina (Sor) 59 Xd 99 ✉42191
Valdespino (Zam) 35 Tc 96 ✉49357
Valdespino (Sal) 70 Tc 105
Valdespino Cerón (Leó) 37 Ud 95
Valdespino de Somoza (Leó) 36 Tf 94 ✉24717
Valdespino de Vaca (Leó) 37 Uf 95
Valdesquera, Cortijo de (Bad) 104 Ta 114
Valdesquí (Mad) 74 Wa 104
Valdestillas (Vall) 56 Vb 100 ✉47240
Valdeteja (Leó) 19 Ud 91 ✉24837
▲Valdeteja, Collada de 19 Ud 91
Valdetorres (Bad) 120 Tf 115 ✉06474
Valdetorres de Jarama (Mad) 75 Wc 104 ✉28150
Valdetórtola (Cue) 92 Xe 109
Valde-Ucieza (Pal) 38 Vc 94
Valdevacas (Seg) 57 Wa 102
Valdevacas de Montejo (Seg) 57 Wc 99 ✉40185
≈Valdevaqueros, Ensenada de 164 Ub 132
Valdevarnés (Seg) 57 Wc 100
Valdeverdeja (Tol) 87 Ue 110 ✉45572
⭑Valdevezón, Cueva de 19 Ue 90
Valdevigas (Rio) 41 Xe 95
Valdevimbre (Leó) 36 Uc 94 ✉24230
Valdezaque (Bad) 104 Td 114
Valdezate (Bur) 57 Wa 99 ✉09318
Valdezcaray (Rio) 40 Xa 95
Valdezorras (Sev) 148 Ua 124
Valdezufre (Huel) 133 Td 121 ✉21207
Valdibáñez (Sal) 54 Uc 101
Valdiferre, Caserío de (Nav) 24 Yb 93
▲Valdihuelo 73 Vc 105
Valdilecha (Mad) 90 We 107 ✉28511
Valdín (Our) 34 Ta 95
Valdío (Sal) 54 Uc 101
Valdio de Robleda (Sal) 85 Tc 107
Valdivia (Bad) 105 Ub 114 ✉06720
▲Valdivias, Playa de los (Palm) 175 F 2
Val do Dubra (Cor) 14 Rc 90 ✉15873
Valdolea (Can) 21 Ve 91
▲Valdompardo, Risco de 108 Vf 111
Valdoré (Leó) 19 Uf 91
▲Valdoro, Sierra de 123 Ve 117
Valdorros (Bur) 39 Wb 96 ✉09320
▲Valdosa 39 Wc 97
Valdoviño (Cor) 3 Rf 87 ✉15552
Valduérteles (Sor) 41 Xd 96
Valdunciel (Sal) 54 Ub 102 ✉37798
⭑Valduno 6 Ua 88
Valdunquillo (Vall) 37 Ue 96 ✉47672
Valduvieco (Leó) 19 Ue 93 ✉24165
Valeixe (Pon) 33 Re 95
Valematanza (Sal) 86 Ua 107
Valencia (Val) 114 Ze 112 ✉*46001
⭑Valencia, Castell de 28 Ba 93
València d'Àneu (Lle) 28 Ba 93
Valencia de Alcántara (Các) 103 Se 112
Valencia de Don Juan (Leó) 37 Uc 95 ✉24200
Valencia de la Encomienda (Sal) 54 Ub 102 ✉37799
Valencia de las Torres (Bad) 120 Ua 118 ✉06444
Valencia del Mombuey (Bad) 133 Sf 119 ✉06134
Valencia del Ventoso (Bad) 134 Td 119 ✉06330
Valenciana, la (Bar) 65 Bf 100 ✉08790
Valencianas, Cortijo de las (Bad) 104 Tb 114
Valenciano, Cortijo (Gra) 153 Xa 124
Valenciano, Cortijo del (Alm) 140 Xe 122
Valencina de la Concepción (Sev) 148 Tf 124
Valenoso (Pal) 20 Vc 93 ✉34115
Valentín (Mur) 141 Yb 119
Valentín, Cortijo de (Gra) 139 Xc 122
Valentines, Los (Alm) 161 Wf 128
Valentins, els (Tar) 80 Ac 105 ✉43559
Valenzuela (Jaé) 138 Wc 120
Valenzuela (Córd) 137 Ve 122 ✉14670
Valenzuela, Cortijo de (Jaé) 137 Ve 121
Valenzuela de Calatrava (Ciu) 123 Wb 115 ✉13279
Valer (Zam) 36 Te 98 ✉49559
Valera, Cortijo de (Córd) 122 Vb 118
Valera, Cortijo Los (Mur) 141 Ya 122
Valera de Abajo (Cue) 92 Xf 110 ✉16120
Valeras, Las (Cue) 92 Xf 110
Valería (Cue) 92 Xf 110 ✉16216
Valerio, Caserío (Nav) 42 Yb 94
Valero (Sal) 71 Ua 105
Valero, Caserío (Các) 86 Ua 110
Valero, Cortijo de (Sev) 149 Ud 123
Valero, El (Alb) 126 Xf 116
⭑Valerón, Cenobia de (Palm) 174 C 2
Valeros (Sal) 72 Ud 104 ✉37873
Vales (Our) 15 Sa 93
Valfarta (Hues) 62 Zf 99 ✉22223
Valfermoso de las Monjas (Gua) 76 Xa 103 ✉19196
Valfermoso de Tajuña (Gua) 76 Xa 105 ✉19411
Valfonda de Barbués (Hues) 44 Zd 97
Valga (Pon) 14 Rc 92
≈Valga 15 Rc 92
Valgañón (Rio) 40 Wf 95
Valgrande, Cortijo (Các) 105 Tf 111
Valhermosa (Bur) 22 Wc 92
Valhermoso (Gua) 77 Ya 104 ✉19390
Valhermoso de la Fuente (Cue) 111 Xf 111 ✉16214
▲Valhondo 91 Xa 108
Valhondo, Cortijo de (Córd) 137 Vd 122
Valhondo y Brocheros (Sal) 70 Td 105
▲Valiente 44 Zb 96
Valientes, Los (Mur) 142 Yf 120 ✉30627
▲Valiero, Punta de (Ten) 171 B 1
≈Valimón, Arroyo de 56 Vd 99
≈Valira, la 29 Bc 94
⭑Valjimena, Santuario de 72 Ud 105
Valjunquera (Ter) 80 Aa 103 ✉44595
Vall, la (Gir) 31 Cf 95
Vall, Sa (Bal) 99 Da 113
Valladares (Sor) 59 Xd 101
Vallado (Ast) 18 Td 90 ✉33818
Valladolid (Vall) 56 Vb 99 ✉*47001
Valladolises (Mur) 142 Yf 122 ✉30154
Vallanca (Val) 93 Yd 108 ✉46145
≈Vallanca, Río 93 Yd 108
≈Vallarta, Río 22 We 93
Vallarta de Bureba (Bur) 22 We 93 ✉09245
Vallat (Cas) 95 Ze 108 ✉12230
≈Vallat, Embalse de 95 Ze 108
Vallbona = Vallbona d'Anoia (Bar) 65 Be 99
Vallbona d'Anoia (Bar) 65 Be 99 ✉08785
Vallbona de les Monges (Lle) 64 Ba 99 ✉25268
Vallcanera (Gir) 48 Ce 97 ✉17410
Vallcarca (Lle) 62 Ac 100
Vallcarca (Bar) 65 Bf 101 ✉08872
Vallcebre (Bar) 47 Be 95 ✉08699
⭑Vallclara 48 Cc 97
Vallclara (Tar) 64 Af 100 ✉43439
Vall d'Alba (Cas) 95 Zf 107 ✉12194
Vall d'Alcalà, la (Ali) 129 Ze 116 ✉03786
Valldan (Lle) 46 Bc 96
Valldan, la (Bar) 47 Be 96
⭑Valldaneu 48 Cb 98
▲Vall d'Àngel, Serra de 80 Ab 106
Vall d'Ariet, la (Lle) 46 Af 97 ✉25737
Valldarques (Lle) 46 Bb 96 ✉25793
Valldavià (Gir) 49 Da 96
Vall de Almonacid (Cas) 95 Zd 109 ✉12414
Vall de Bac (Gir) 48 Cc 95
Vall de Bianya, la (Gir) 48 Cc 95 ✉17813
Vall de Boí, la (Lle) 28 Ae 93
Vall de Cardós (Lle) 29 Bb 93
⭑Vall de Cerves, Cova de la 65 Bd 100
⭑Vall de Cristo, Cartuja de 94 Zc 110
Vall de Ebo (Ali) 129 Zf 116 ✉03789
Vall de Gallinera (Ali) 129 Ze 116 ✉03787
Valldeixils (Lle) 46 Ba 97
Vall de Laguar (Ali) 129 Zf 116
Valldemaria (Gir) 49 Ce 98
Valldemosa (Bal) 98 Cd 110
Vall d'en Bas, la (Gir) 48 Cc 96 ✉17176
⭑Valldeperes 47 Be 97
Valldeperes (Tar) 65 Bc 100 ✉43421
Vall-de-Ros (Ali) 129 Aa 116
▲Vall de Sorteny, Parc Natural d la 29 Bd 93
Valldora, la (Lle) 47 Be 96 ✉252
Valldoreix (Bar) 66 Ca 100
Valldossera (Tar) 65 Bc 100
Vall d'Uixó, La (Cas) 95 Zf 110 ✉12600
Vall Durgent (Bal) 98 Cd 111
Valle (Lug) 4 Sc 86 ✉27861
Valle (Ast) 6 Tf 88
Valle (Ast) 7 Ub 87
Valle (Ast) 7 Ue 88
Valle (Can) 10 Wc 89
Valle (Ast) 18 Ua 90
≈Valle, Arroyo de 90 Wd 109
≈Valle, Arroyo del 137 Vd 119
≈Valle, Arroyo del 38 Vb 97
≈Valle, Arroyo del 72 Uc 103
≈Valle, Arroyo del 89 Vd 109
Valle, Caserío del (Jaé) 137 Vf 12
Valle, Cortijos El (Jaé) 138 Wd 12
▲Valle, Degollada del (Palm) 175 D 3
Valle, El (Gra) 161 Wc 127 ✉186
Valle, El (Alm) 154 Xc 125 ✉048
Valle, El (Jaé) 139 Xa 121
Valle, El (Ast) 5 Tc 89
Valle, El (Leó) 18 Td 93 ✉24315
⭑Valle, Ermita del (Palm) 176 C 3
Valle, La (Hues) 27 Aa 94 ✉2234
▲Valle, Playa del (Palm) 175 D 3
▲Valle, Sierra del 88 Vb 107
Valle Bajo, Cortijo (Córd) 137 Vd 121
Vallebrón (Palm) 175 E 2
Vallecillo (Leó) 37 Ue 94 ✉24324
Vallecillo, El (Ter) 93 Yc 107 ✉44123
Vallecosa, La (Rio) 41 Xd 94
Valle Crispin (Ten) 173 F 2
Valle de Abdalajís (Mál) 159 Vb 1
▲Valle de Abdalajís, Sierra del 159 Vb 127
Valle de Algodor, Caserío (Tol) 108 Wb 111
≈Valle de Arriba, Arroyo 20 Uf 94
Valle de Bardají (Hues) 28 Ac 94
Valle de Cabuérniga (Can) 9 Ve 8
Valle de Cerrato (Pal) 38 Vd 97 ✉34209
Valle de Elorz/Noain (Nav) 24 Yc 9
Valle de Escombreras (Mur) 142 Za 123
Valle de Finolledo (Leó) 17 Tb 92 ✉24435
▲Valle de Gran Rey, Parque Rura del (Ten) 172 B 2
Valle de Guerra (Ten) 173 E 2
Valle de Hecho (Hues) 26 Zb 92
Valle de Igueste (Ten) 173 E 3
Valle del Agua (Leó) 17 Tc 93
Valle de la Pavona (Ávi) 73 Vb 105
Valle de las Casas (Leó) 20 Uf 92 ✉24892
Valle de la Serena (Bad) 120 Ub 116 ✉06458
Valle de las Navas (Bur) 39 Wc 94
▲Valle de Lecrín 138 Wb 121
Valle de Lierp (Hues) 28 Ac 94 ✉22451
Valle del Moro (Ast) 7 Ue 89
Valle de Losa (Bur) 22 We 91
Valle del Retortillo (Pal) 38 Vb 95
Valle del Robledillo (Tol) 107 Vd 11
▲Valle del Sol 40 We 95
Valle del Zalabí (Gra) 153 Wf 125
Valle de Mansilla (Leó) 19 Ud 93 ✉24219
Valle de Manzanedo (Bur) 22 Wb 9 ✉09558
Valle de Matamoros (Bad) 119 Tb 118 ✉06177
Valle de Mena (Bur) 22 We 90
Valle de San Lorenzo (Ten) 172 D ✉38626
Valle de San Pedro (Seg) 57 Wa 102 ✉40171
Valle de San Roque (Palm) 174 D 2 ✉35218
Valle de Santa Ana (Bad) 119 Tb 118 ✉06178
Valle de Santa Inés (Palm) 175 D 3
Valle de Santibáñez (Bur) 39 Wb 94
Valle de Santullán (Pal) 21 Vd 91
Valle de Sedano (Bur) 21 Wb 92
Valle de Tabladillo (Seg) 57 Wa 100 ✉40331
Valle de Tobalina (Bur) 22 We 92
Valle de Trápaga (Viz) 10 Wf 89 ✉48510
Valle de Vadebezana (Bur) 21 Wb 91
Valle de Valdebezana (Bur) 21 Wb 91
≈Valle de Valdegorrón, Arroyo 37 Ue 94
Valle de Valdelaguna (Bur) 40 Wf 9

Valle de Valdelucio (Bur) 21 Vf92
Valle de Vegacervera (Leó) 19 Uc91 ✉24836
Valle de Venta (Các) 85 Ta108
Valle de Zamanzas (Bur) 21 Wb91
☆Vállega, Ermita de 91 Xa107
Vallegera (Bur) 38 Vf95
≈Vallegordo, Río 18 Te92
Valle Gran Rey (Ten) 172 A2
Valle Gran Rey (Ten) 172 B2
▲Valle Gran Rey, Playa de (Ten) 172 A2
▲Vallehermosa 121 Ud117
Vallehermoso (Ten) 172 B1 ✉38840
≈Vallehermoso, Arroyo de 89 Vf108
Valle Hermoso Alto (Cád) 158 Uf127
Valle Hermoso Bajo (Cád) 158 Ue127
Vallehondo (Ávi) 87 Uc106 ✉05696
▲Vallehondo, Cuerda de 135 Uc121
≈Valle Inferio, Canal de 148 Ua124
Vallejas (Cád) 157 Ub128 ✉11630
Vallejera, Caserío (Các) 86 Ua109
▲Vallejera, Puerto de 72 Ub106
Vallejera de Riofrío (Sal) 72 Ub106
Vallejimeno (Bur) 40 We96 ✉09614
Vallejo (Mál) 160 Ve128
Vallejo, El (Sor) 41 Xe97 ✉42175
Vallejo de Orbó (Pal) 21 Ve91
▲Vallejones, Los 138 Wb119
Vallelado (Seg) 56 Vd100 ✉40213
Valleruela de Pedraza (Seg) 57 Wb101 ✉40174
Valleruela de Sepúlveda (Seg) 57 Wb101
Valles (Ast) 7 Ue88
Valles (Can) 9 Vf88 ✉39590
☆Valles, Convento de los 39 Wa97
Valles, Cortijo de los (Sev) 149 Ub125
Valles, Los (Can) 10 Wd89 ✉39809
Valles, Los (Palm) 176 C3 ✉35539
Vallesa (Zam) 55 Ue102
Vallesa, Caserío La (Val) 113 Za111
Vallesa de la Guareña (Zam) 55 Ud102 ✉49450
Vallesa de Mandor, la (Val) 113 Zc111
Valle San Francisco (Cád) 157 Te129 ✉11500
▲Vallescusa 72 Uc105
Valles de Carrasco (Huel) 133 Tb120
Valles de Fuentidueñas (Seg) 57 Wa100
Valles de Ortega (Palm) 175 D3 ✉35638
Valles de Palenzuela (Bur) 39 Vf96 ✉34260
Valles de Valdavia (Pal) 20 Vc93 ✉34115
Valleseco (Palm) 174 C2
Valleseco (Ten) 173 F3 ✉38150
≈Valleseta, Río 129 Ze116
▲Valles Fríos 120 Ua118
Vallespedros, Cortijo de los (Các) 105 Ub111
Vallespinosa (Tar) 65 Bc100 ✉43428
Vallespinoso de Aguilar (Pal) 21 Vd92 ✉34810
Vallespinoso de Cervera (Pal) 20 Vd91 ✉34839
Vallestuertos, Caserío de (Seg) 74 Vd104
Vallet, Sa (Bal) 99 Da113
Valleta (Gir) 31 Da94
≈Valleta, Riera 31 Da94
Valleta, Sa (Bal) 99 Da111
Vallferosa (Lle) 47 Bc97 ✉25751
Vall Ferrera (Lle) 29 Bc93
≈Vall Ferrera 29 Bb93
Vallfogona = Vallfogona de Ripollès (Gir) 48 Cb95
Vallfogona de Balaguer (Lle) 46 Ae98 ✉25680
Vallfogona de Ripollès (Gir) 48 Cb95
Vallfogona de Riucorb (Tar) 64 Bb99
Vallgorguina (Bar) 66 Cd99 ✉08470
Vallgornera (Bal) 98 Cf112 ✉07639
▲Vallibierna, Pico de 28 Ad93
Vallibona (Cas) 80 Aa105 ✉12315
Vallín (Ast) 5 Tc87
Vallina (Ast) 7 Ud87
▲Vallín del Rubio 19 Ub93
Vallirana (Bar) 65 Bf100 ✉08759
Vallivana, la (Cas) 80 Aa105
Vall-llebrera (Lle) 46 Ba97 ✉25738
Vall-llobrega (Gir) 49 Da97 ✉17253
Vall-llongues, les (Ali) 128 Zb119
Vall-longa (Ali) 128 Zc119
Vallmanya (Lle) 47 Bd98
Vallmanya (Bar) 48 Cd98
Vallmanya (Lle) 62 Ac99
Vallmoll (Tar) 64 Bb101 ✉43144
Vallo (Lug) 17 Ta91
Vallobal (Ast) 7 Ue88 ✉33583
Vallobil (Ast) 7 Uf88 ✉33559
≈Vallodano, Arroyo de 73 Va103
Valloría (Sor) 41 Xd97
☆Vallparadís, Castell de 66 Ca99
Vallromanes (Bar) 66 Cb99 ✉08188
Valls (Lle) 47 Bd96
Valls (Tar) 64 Bb101 ✉43800
≈Valls, Riu 47 Be96
☆Vallsanta, Monestir de 64 Ba99
Valls d'Aguilar, les (Lle) 46 Bc95
▲Valls de Coma Pedrosa, Parc Natural de les 29 Bc93
Valls de Valira, les (Lle) 29 Bc94
Vallter 2000 (Gir) 30 Cb94
Valluércanes (Bur) 22 Wf93
▲Vallunco, El 120 Ub118
Vallunquera (Bur) 39 Vf95 ✉09119
Vallverd (Lle) 46 Af98 ✉25261
≈Vallverd, Riu de 64 Bb100
Vallverda (Ali) 143 Zc119
Vallverd de Queralt (Tar) 64 Bb100
Vallverella (Gir) 49 Da96
Vallvidrera (Bar) 66 Ca100
Valmadrid (Zar) 61 Za100 ✉50138
Valmala (Bur) 40 We95 ✉09268
Valmartino (Leó) 20 Uf92 ✉24816
▲Valmayo, Montes 58 We98
☆Valmayor 74 Vf105
≈Valmayor, Arroyo 106 Uf114
≈Valmayor, Embalse de 74 Vf105
≈Valmayor, Río 137 Vf118
Valmayor de Cuesta Urría (Bur) 22 Wd91
Valmojado (Bad) 119 Ta117
Valmojado (Tol) 89 Vf107 ✉45940
Valmucina (Sal) 72 Ub103
≈Valmuza, Rivera de la 72 Ub103
Valnera (Viz) 10 Wd89
Valón (Cor) 3 Re88
Valonga (Hues) 45 Ab98 ✉22533
Valongo (Pon) 15 Rd94 ✉36854
Valongo (Our) 33 Rf95 ✉32213
Válor (Gra) 161 Wf127
Valoria de Aguilar (Pal) 21 Ve92 ✉34815
Valoria del Alcor (Pal) 38 Vb97 ✉34191
Valoria la Buena (Vall) 38 Vc98 ✉47200
Valpalmas (Zar) 43 Za96 ✉50615
Valparaíso (Zam) 35 Te97
Valparaíso de Abajo (Cue) 91 Xc108
Valparaíso de Arriba (Cue) 91 Xc108
Valparroso, Caserío de (Jaé) 137 Vf120
☆Valpeñoso, Ermita de 40 Wd96
▲Valperera 63 Ab101
▲Valpérez, Sierra de 123 Ve115
☆Valporquero, Cueva de 19 Uc91
Valporquero de Rueda (Leó) 19 Ue92 ✉24878
Valporquero de Torío (Leó) 19 Uc91
Valquemada (Sal) 70 Tc106
Valrio (Các) 86 Td108
▲Valronquillo 107 Ve114
Valsadornín (Pal) 20 Vd91 ✉34846
Valsaín (Seg) 74 Vf103
Valsalabroso (Sal) 53 Tc102 ✉37214
Valsalada (Hues) 44 Zc96 ✉22283
Valsalobre (Cue) 77 Xf105
Valsalobre (Gua) 77 Ya104 ✉19390
Valsalobre (Cue) 92 Ya107
Valseca (Seg) 74 Ve103 ✉40390
Valseco (Leó) 18 Td91 ✉24495
Valsemana (Leó) 19 Ub92 ✉24620
Valsendero (Palm) 174 C2 ✉35349
Valsequillo (Córd) 121 Ud118 ✉14206
Valsequillo de Gran Canaria (Palm) 174 D3
☆Valsera 6 Ua88
Valsurbio (Pal) 20 Vb91
Valtablado de Beteta (Cue) 77 Xf105
Valtablado del Río (Gua) 77 Xd104
≈Valtajar, Arroyo 75 We104
Valtiendas (Seg) 57 Wa100 ✉40314
Valtierra (Nav) 42 Yc95 ✉31514
Valtierra de Albacastro (Bur) 21 Ve92 ✉34492
Valtierra de Riopisuerga (Bur) 21 Ve94
Valtojeros (Sor) 41 Xe97
Valtorres (Zar) 60 Yb101 ✉50219
≈Valtrasero, Arroyo de 39 Wa97
▲Valtravieso 122 Vb117
Valtravieso (Các) 86 Tf108
≈Valtravieso, Arroyo 74 Ve105
≈Valtriguero, Arroyo de 107 Vb114
Valtrujal (Rio) 41 Xe95
Valtueña (Sor) 59 Xe100 ✉42220
Valujera (Bur) 22 Wd91 ✉09549
Valvaler (Ast) 17 Tb90 ✉33810
☆Valvanera, Monasterio de 40 Xa95
≈Valvanera, Río 72 Uc106
Valvenedizo (Sor) 58 Wf101 ✉42315
Valvengo (Bad) 119 Tb119
≈Valvengo, Embalse de 119 Tc119
Valverda Baixa, la (Ali) 143 Zc119
Valverde (Ciu) 123 Vf115 ✉13195
Valverde (Our) 33 Sb95
▲Valverde 42 Ya96
Valverde (Rio) 42 Ya97 ✉26528
Valverde (Ten) 173 C2
Valverde (Ter) 78 Ye103 ✉44211
Valverde, Los (Mál) 160 Vf127
▲Valverde, Tabla de 38 Ve97
Valverde de Alcalá (Mad) 75 We106
Valverde de Burguillos (Bad) 119 Tc119 ✉06378
Valverde de Campos (Vall) 37 Uf98 ✉47690
Valverde de Curueño (Leó) 19 Ud91 ✉24837
Valverde de Gonzaliáñez (Sal) 72 Ud105
Valverde de Júcar (Cue) 92 Xe110
Valverde de la Sierra (Leó) 20 Va91 ✉24911
Valverde de la Vera (Các) 87 Ud108 ✉10490
Valverde de la Virgen (Leó) 19 Ub93 ✉24391
Valverde del Camino (Huel) 147 Tb123 ✉21600
Valverde de Leganés (Bad) 118 Ta116
Valverde del Fresno (Các) 85 Ta107 ✉10890
Valverde de Llerena (Bad) 135 Ub119 ✉06927
Valverde del Majano (Seg) 74 Ve103 ✉40140
Valverde de los Ajos (Sor) 58 Xa99 ✉42366
Valverde de los Arroyos (Gua) 58 We102 ✉19224
Valverde de Mérida (Bad) 120 Te115
Valverde de Miranda (Bur) 23 Xa93 ✉09293
Valverde de Valdelacasa (Sal) 72 Ub106 ✉37791
Valverde Enrique (Leó) 37 Ue95 ✉24292
Valverdejo (Cue) 111 Xf111 ✉16214
Valverdejo (Các) 86 Tf108
Valverdejo, Cortijo de (Córd) 137 Vd122
Valverdín (Leó) 19 Uc91
Valverdón (Sal) 54 Ub102
Valviadero (Vall) 56 Vc101
Valvieja (Seg) 58 Wd100 ✉40514
Vanacloig (Val) 94 Zb111 ✉46160
Vandelaras de Abajo (Alb) 126 Xe115
Vandelaras de Arriba (Alb) 126 Xe115
Vandellós (Tar) 64 Ae102
Vandellós i l'Hospitalet de l'Infant (Tar) 64 Ae102
Vañes (Pal) 20 Vc91 ✉34846
Vanidodes (Leó) 18 Tf93 ✉24396
≈Vansa, Riu de la 47 Bd95
≈Vansa, Ríu de la 46 Bc95
Vansa i Fórnols, la (Lle) 47 Bc95
≈Vao, Encoro de 34 Sf95
Vaos, Os (Lug) 5 Sf89
Vaquèira (Lle) 28 Af92
Vaqueira = Baqueira (Lle) 28 Af92 ✉25598
▲Vaquera, Loma de la 135 Ue120
▲Vaqueriza, Cerro de la 57 Wb102
≈Vara, Río da 17 Ta92
Vara de Rey (Cue) 111 Xe112 ✉16709
Varadero, El (Gra) 161 Wc128 ✉18613
▲Varas, Pico de las 17 Tc90
≈Varas, Río 136 Vc120
Varea, Cortijo de (Gra) 153 Xb124
Varelas (Cor) 15 Rf91
▲Varga, La 22 We94
Vargas (Can) 9 Wa89 ✉39679
Vargas, Los (Gra) 161 We127
≈Varradòs, Arriu de 28 Ae92
☆Vascones, Ermita de 39 Wa96
☆Vascos 106 Uf111
≈Vaso de Ezkoriz 25 Yc92
▲Vasones 27 Aa93
Vázquez, Los (Alm) 162 Xa128
Vea (Pon) 15 Rc92
Vea (Sor) 41 Xe96
▲Vea, Cabo 2 Qe89
≈Vea, Río 15 Rc92
Veciana (Bar) 47 Bc99
Vecilla de Curueño, La (Leó) 19 Ud91 ✉24840
Vecilla de la Polvorosa (Zam) 36 Ub96 ✉49693
Vecilla de Trasmonte (Zam) 36 Ub97
Vecindario (Palm) 174 D3 ✉35110
Vecino, El (Sal) 71 Ua103 ✉37440
Vecinos (Sal) 71 Ua104 ✉37450
▲Vedado, El 108 Wa111
▲Vedats d'Erta, Cap dels 28 Af94
Vedra (Cor) 15 Rd92 ✉15885
▲Vedrà, Es (Bal) 97 Bb115
▲Vedranell, Es (Bal) 97 Bb115
☆Vedrenya, la 46 Ba97
Vega (Can) 9 Wa89
▲Vega, Alto de la (Palm) 174 C4
≈Vega, Arroyo de la 56 Ve99
≈Vega, Arroyo de la 77 Yb103
≈Vega, Arroyo de la 76 Wf104
≈Vega, Arroyo de la 91 Wf108
Vega, Caserío de la (Mál) 151 Vd126
Vega, Caserío de la (Các) 103 Se112
Vega, Cortijo de la (Alm) 162 Wf127
Vega, Cortijo de la (Córd) 150 Vb123
Vega, Cortijo de la (Ciu) 124 Xa117
☆Vega, Ermita de la 37 Ue98
Vega, La (Alm) 154 Xe126 ✉04211
Vega, La (Sev) 148 Tf125 ✉41100
Vega, La (Val) 112 Yf114
Vega, La (Ast) 6 Ua89
Vega, La (Ast) 7 Uc88
Vega, La (Ast) 7 Ud88
Vega, La (Ast) 7 Ub89
Vega, La (Ast) 6 Te89
Vega, La (Ast) 8 Uf88
Vega, La (Can) 10 Wb89
Vega, La (Can) 20 Vc90
Vega, La (Sor) 41 Xd96
Vega, La (Ten) 172 C3 ✉38439
Vega, La (Ter) 80 Zd103
▲Vega, La 87 Ud108
≈Vega, Laguna de la 90 Wc110
▲Vega, Playa de 7 Uf88
▲Vega, Playa de la 5 Tc87
≈Vega, Regato de la 71 Ua103
≈Vega, Río de la 91 Xb107
≈Vega, Río de la 92 Xf110
≈Vega, Río La 139 Wf121
Vega-Alegre (Bur) 39 Vf96
Vegacervera (Leó) 19 Uc91 ✉24836
▲Vega de Abajo, La (Palm) 175 E3
Vega de Almanza, La (Leó) 20 Uf92
Vega de Antoñán (Leó) 18 Ua93
Vega de Anzo (Ast) 6 Tf88 ✉33892
Vega de Arure = Arure (Ten) 172 B2
Vega de Boñar, La (Leó) 19 Ue91
Vega de Bur (Pal) 20 Vd92 ✉34485
Vega de Doña Olimpa (Pal) 20 Vc93 ✉34115
Vega de Espinareda (Leó) 17 Tc92 ✉24430
Vega de Hórreo (Ast) 17 Tb90
Vega de Infanzones (Leó) 19 Uc94 ✉24346
Vega de la Higuera (Jaé) 139 Wf122
Vega de Lara (Bur) 39 Wd96 ✉09640
Vega de las Mercedes (Ten) 173 F2
Vega de la Torrecilla, Caserío (Các) 85 Tc109
Vega del Castillo (Zam) 35 Td96 ✉49341
Vega del Codorno, La (Cue) 77 Ya106
Vega del Fresno (Córd) 136 Ue119
≈Vega de Logares, Río 5 Sf89
Vega de los Árboles (Leó) 19 Ue93
Vega de Mesillas (Các) 87 Ub108
Vega de Monasterio (Leó) 19 Ue92 ✉24940
Vega de Nuez (Zam) 35 Td98 ✉49524
Vegadeo (Ast) 5 Sf88 ✉33770
Vega de Olleros (Sal) 71 Ua104
Vega de Pas (Can) 9 Wb90 ✉39685
Vega de Pola (Ast) 7 Uc88
Vega de Porras, La (Vall) 56 Vb99
Vega de Rey (Ast) 18 Ub90
Vega de Riacos (Pal) 20 Vb92 ✉34878
Vega de Río Palmas (Palm) 175 D3
Vega de Ruiponce (Vall) 37 Uf95 ✉47609
Vega de San Mateo (Palm) 174 C2 ✉35320
☆Vega de Santa María 109 Wf114
Vega de Santa María (Ávi) 73 Vc103
Vega de Tera (Zam) 36 Tf96 ✉49331
≈Vega de Tera, Embalse de 35 Tb95
Vega de Tirados (Sal) 71 Ua102 ✉37170
Vega de Valcarce (Leó) 17 Ta93 ✉24520
Vega de Valdetronco (Vall) 55 Uf99 ✉47133
Vega de Villalobos (Zam) 37 Ud97 ✉49133
▲Vegadona, La 19 Uf90
Vegafría (Seg) 57 Vf100
☆Vega Huerta, Refugio de 8 Va89
Vegaipala (Ten) 172 B2 ✉38813
Vegalajetas, Cortijo (Huel) 132 Se121
Vegalatorre (Vall) 38 Vc98
Vegalatrave (Zam) 54 Tf98 ✉49542
Vegallera (Alb) 125 Xe117 ✉02448
Vegaloscorrales (Can) 21 Wb90 ✉39686
Vegalosvados (Can) 21 Wb90 ✉39686
Vega Malilla (Mál) 159 Vb128 ✉29510
Veganzones (Seg) 57 Wa101 ✉40395
▲Vegapajar 38 Ve96
Vegaquemada (Leó) 19 Ud92 ✉24152
▲Vegarada, Puerto de 19 Ud90
Vega Redonda (Mál) 159 Vb127 ✉29500
☆Vega Redonda, Refugio 8 Va89
Vegarienza (Leó) 18 Tf92 ✉24132
Vegas, Cortijo de las (Córd) 151 Vd123
Vegas, Las (Córd) 137 Ve120 ✉14900
Vegas, Las (Ten) 172 D5
Vegas Altas (Bad) 106 Uc114 ✉06731
Vega San Ildefonso (Ciu) 122 Va116
Vega San Miguel (Jaé) 138 Wb121
Vega Santa María (Mál) 159 Vb128
Vega Santa María, La (Jaé) 138 Wd121
Vegas de Almenara (Sev) 135 Ud122
Vegas de Coria (Các) 71 Te106 ✉10623
Vegas de Domingo Rey (Sal) 71 Td106 ✉37510
Vegas del Condado (Leó) 19 Ud92 ✉24153
Vegas del Genil (Gra) 152 Wc125
Vegas de Matute (Seg) 74 Ve104 ✉40423
Vegas de Sotres, Las (Ast) 8 Vb89
Vegas de Tegoyo (Palm) 176 B4
Vegas de Triana (Jaé) 137 Vf120 ✉23747
Vegas de Yeres (Leó) 17 Tb94
Vega Sicilia (Vall) 56 Ve99 ✉47359
Vegas y San Antonio, Las (Tol) 88 Vb109
☆Vega Urriello, Refugio de 8 Vb89
Vegaviana (Các) 85 Tb108 ✉10848
Vega Vieja (Tol) 90 Wb109
Veguecilla (Bur) 39 Wa96
Veguellina, La (Leó) 18 Tf93
Veguellina, La (Leó) 37 Ue95
Veguellina de Fondo (Leó) 36 Ua94 ✉24359
Veguellina de Órbigo (Leó) 36 Ua94
Vegueta (Palm) 174 D2
Vegueta, La (Palm) 176 C3 ✉35560
Veguilla (Can) 9 Vf88
Veguilla (Can) 10 Wc89
Veguillas (Gua) 76 Wf103 ✉19238
Veguillas, Cortijo de las (Córd) 122 Vc118
Veguillas, Las (Sal) 71 Ua104 ✉37454
▲Veguillas, Pago de las 57 Wd101
Veguillas de la Sierra (Ter) 93 Yd108
Veiga, A (Our) 33 Sa96
Veiga, A (Our) 34 Sf95
Veiga de Brañas (Lug) 17 Sf93
Veiga de Cascallá, A (Our) 17 Ta94
Veiga de Logares, A (Lug) 5 Sf89
Veiga de Nostre (Our) 34 Se96 ✉32626
Veigue (Cor) 3 Re88
Veija (Lug) 16 Sb93
▲Veitureira 16 Sc92
Vejer de la Frontera (Cád) 164 Ua131 ✉11150
Vejo (Can) 20 Vb90 ✉39577
Vejorís (Can) 9 Wa89

Vela (Córd) 151 Ve 123
▲ Vela, Col de (Bal) 99 Da 109
☆ Vela, Ermita de 20 Uf 93
Velada (Tol) 88 Va 109 ✉ 45612
▲ Veladoiro 14 Qe 91
Velagómez (Seg) 74 Vd 103
Velamazán (Sor) 59 Xb 100 ✉ 42210
▲ Velasca, Sierra de la 108 Vf 113
Velascálvaro (Vall) 55 Va 101
Velasco (Sor) 58 Xa 99
☆ Velasco, Castillo de 57 Wb 102
☆ Velate, Fuerte de 24 Yc 90
Velayos (Ávi) 73 Vc 103 ✉ 05292
Veldedo (Leó) 18 Te 93 ✉ 24715
Velefique (Alm) 154 Xd 125 ✉ 04212
Velerín, El (Mál) 165 Uf 130
▲ Veleta, Pico de 161 Wd 126
☆ Vélez, Castillo de los 155 Ya 125
☆ Vélez, Castillo de los 140 Xf 122
≈ Vélez, Río de 160 Vf 128
Vélez Blanco (Alm) 140 Xf 122
Vélez de Benaudalla (Gra) 161 Wc 128
Vélez-Málaga (Mál) 160 Vf 128
▲ Velilla 19 Ub 93
Velilla (Rio) 41 Xd 95 ✉ 26133
Velilla (Vall) 55 Uf 99 ✉ 47114
Velilla (Sal) 72 Ud 104
Velilla (Tol) 89 Wa 109
☆ Velilla, Ermita de la 37 Ud 97
Velilla, La (Leó) 18 Ua 92 ✉ 24127
Velilla, La (Seg) 57 Wb 102 ✉ 40173
▲ Velilla, Playa de 161 Wc 128
Velilla de Cinca (Hues) 63 Ab 99 ✉ 22528
Velilla de Ebro (Zar) 62 Zd 100 ✉ *50760
Velilla de Jiloca (Zar) 60 Yc 101 ✉ 50343
Velilla de la Reina (Leó) 19 Ub 93 ✉ 24392
Velilla de la Sierra (Sor) 41 Xd 98 ✉ 42189
Velilla de los Ajos (Sor) 59 Xe 100 ✉ 42225
Velilla de los Oteros (Leó) 37 Ud 94 ✉ 24224
Velilla del Río Carrión (Pal) 20 Va 92
Velilla de Medinaceli (Sor) 59 Xd 102 ✉ 42257
Velilla de San Antonio (Mad) 90 Wd 106 ✉ 28891
Velilla de San Esteban (Sor) 58 We 99 ✉ 42320
Velilla de Tarilonte (Pal) 20 Vc 91 ✉ 34869
Velilla de Valderaduey (Leó) 20 Va 93 ✉ 24327
Velillas (Hues) 44 Ze 96 ✉ 22122
Velillas del Duque (Pal) 20 Vb 94 ✉ 34114
Velilla-Tamaray (Gra) 161 Wc 128
▲ Velita, Sierra 120 Ua 118
≈ Vella, Cala (Bal) 98 Ce 112
≈ Vella, Fraga 4 Sd 88
Velle (Our) 33 Sb 94 ✉ 32960
≈ Velle, Encoro de 33 Sb 94
Vellés, La (Sal) 72 Uc 102 ✉ 37427
Vellisca (Cue) 91 Xb 108 ✉ 16510
Velliza (Vall) 55 Va 99 ✉ 47131
Vellón, El (Mad) 75 Wc 104
≈ Vellón, Embalse de El 75 Wc 104
▲ Vellón, Loma del 136 Uf 121
Vellosillo (Sor) 41 Xd 96
Vellosillo (Seg) 57 Wb 101 ✉ 40312
☆ Venado, Cueva de 127 Ye 115
▲ Venados, Cerro de los 137 Ve 119
Venamalillo, Cortijo de (Sev) 149 Uc 125
Venceáns (Our) 33 Rf 97
≈ Vencías, Embalse de Las 57 Wa 100
Vencillón (Hues) 45 Ab 98
Vendas da Barreira (Our) 34 Se 97
Vendejo (Can) 20 Vc 90 ✉ 39572
≈ Vendoval, Río 134 Tf 120
Vendrell, El (Tar) 65 Bd 101 ✉ 43700
≈ Vendul, Río 9 Vd 89
▲ Venècia, Platja de 114 Zf 115
▲ Veneguera, Barranco de (Palm) 174 B 3
▲ Veneguera, Degollada de (Palm) 174 B 3
▲ Venero, El 106 Uc 112
Venero Claro (Ávi) 73 Vc 106
Veneros (Ast) 7 Ub 89
Veneros (Ast) 7 Ue 89
Veneros (Leó) 19 Ue 92 ✉ 24858
Veneros, Caseríos los (Sev) 149 Ue 125
Venialbo (Zam) 54 Uc 100 ✉ 49153
Vensilló (Lle) 64 Ae 99
Venta (Jaé) 139 We 119
Venta, Caserío de la (Vall) 37 Va 98
Venta, Cortijo La (Gra) 154 Xd 123
Venta, La (Gra) 153 Xa 124
Venta, La (Córd) 151 Vf 124
Venta, La (Bur) 57 Wc 99
Venta, La (Zar) 62 Zf 101
Venta Alta, La (Zar) 61 Zb 100
Venta Baja (Mál) 160 Vf 127 ✉ 29713
Venta Balsaseca (Alm) 163 Xe 127
Venta Cabrera (Jaé) 139 Xa 119
Venta Casa Blanca (Mur) 140 Xf 120
Venta Chicharra (Mur) 141 Yc 122
Venta de Agramaderos (Jaé) 151 Wa 124
Venta de Alcaudete (Sev) 149 Ub 124
Venta de Alegría (Cád) 164 Tf 130
Venta de Alhama (Alb) 127 Yc 115
Venta de Ana Vázquez (Sev) 148 Tf 123
Venta de Andar (Gra) 152 Wc 124
Venta de Arracos (Nav) 26 Za 91
Venta de Ballerías (Hues) 44 Zf 97
Venta de Baños (Pal) 38 Vc 97 ✉ 34200
Venta de Barruezo (Ter) 94 Zb 108
Venta de Beas (Jaé) 139 Xa 119
Venta de Blanco (Cas) 96 Aa 106
Venta de Borondo (Ciu) 124 Wc 115
Venta de Cabramontés (Gra) 160 Wb 127
Venta de Cabrera (Val) 113 Zc 112
Venta de Cadenas (Mál) 159 Vd 127
Venta de Cadenas o Barrio de la Hornilla (Mál) 159 Vc 127
Venta de Cadurro (Ter) 79 Zb 103
Venta de Calleja (Các) 104 Tc 113
Venta de Campillejos (Gra) 140 Xd 121
Venta de Candelas (Mál) 165 Uf 129
Venta de Cañete (Sev) 150 Uf 125
Venta de Cañicas (Alm) 154 Xd 126
Venta de Cárdenas (Ciu) 124 Wc 118
Venta de Chiquito (Nav) 42 Yd 94
Venta de Conejo (Gua) 78 Yc 104
Venta de Curro Fal (Sev) 134 Te 122
Venta de Don Quijote (Tol) 109 Xa 111
Venta de Ejerique (Ter) 80 Aa 102
Venta de Eligio (Huel) 147 Tb 123
Venta de Enmedio (Tol) 108 Wb 112
Venta de Follante (Ter) 78 Ye 106
Venta de Gaeta (Val) 113 Za 113 ✉ 46199
Venta de Gómez (Alb) 110 Xb 113
Venta de Íñigo (Zar) 43 Ye 96
Venta de la Catalana (Cád) 164 Tf 129
Venta de la Cebeda (Gra) 161 Wc 127
Venta de la Chata (Jaé) 138 Wd 121
Venta de la Cruz (Leó) 19 Ub 92
Venta de la Fam (Tar) 62 Ac 102
Venta de la Inés (Ciu) 122 Vd 117
Venta del Aire (Jaé) 124 Xa 118
Venta del Aire (Cas) 80 Aa 105
Venta de la Jara (Córd) 136 Vb 119
Venta del Almirez (Alm) 162 Xc 126
Venta del Alto (Bur) 39 Wb 96
Venta de la Mañana (Gra) 160 Wa 127
Venta de la María (Zar) 62 Zd 99
Venta de La Menea (Alm) 162 Xc 127
Venta del Amparo (Gra) 153 We 124
Venta de la Nava (Gra) 152 Wc 124
Venta de la Palomera (Ávi) 73 Vc 105
☆ Venta de la Perra, Cueva 10 Wd 89
Venta de la Punta (Tar) 80 Ac 105
Venta de la Romera (Zar) 61 Ye 99
Venta de la Rubia (Mad) 89 Wb 106
Venta de las Cegarras (Mur) 155 Ya 123
Venta de la Serafina (Cas) 80 Ab 105
Venta de la Serrana (Cád) 156 Te 128
Venta de las Madres (Alb) 110 Xc 113
Venta de las Monjas (Gra) 161 Wd 128
Venta de las Palas (Mur) 142 Ye 122
Venta de las Ranas (Ast) 7 Uc 87 ✉ 33314
Venta de las Revueltas (Mur) 141 Ya 121
Venta de la Trinidad (Gra) 153 Wf 125
Venta de la Vicenta (Val) 128 Za 115
Venta de la Vieja (Gua) 58 We 102
Venta de la Virgen (Mur) 142 Yf 121
Venta de la Virgen (Zar) 42 Yd 97
Venta del Barranco Hondo (Ter) 78 Ye 106
Venta del Barro (Ter) 94 Zb 108
Venta del Bobo (Ter) 79 Yf 106
Venta del Camacho (Gra) 153 Xc 123
Venta del Campico (Alm) 154 Xf 125
Venta del Cerezo (Córd) 137 Ve 119
Venta del Charco (Córd) 137 Ve 119 ✉ 14446
Venta del Cobre (Sev) 149 Ud 123
Venta del Cojo (Cád) 164 Uc 131
Venta del Coscón (Zar) 43 Za 97
Venta del Cristo (Alm) 154 Ya 125
Venta del Cruce (Sev) 148 Tf 125
Venta del Cuerno (Ter) 78 Ye 102
▲ Venta del Cuervo 61 Za 102
Venta del Culebrín (Bad) 134 Te 120
Venta del Cura (Gra) 140 Xc 122
Venta de Ledesma (Mur) 141 Yd 121
Venta del Empalme (Alm) 155 Ya 125
Venta del Estrecho (Mur) 141 Yb 122
Venta del Fangar (Tar) 80 Ac 103
Venta del Feo (Zar) 60 Ya 101
Venta del Fraile (Gra) 160 Wb 127
Venta del Grullo (Gra) 154 Xc 123
Venta del Hambre (Ávi) 73 Va 104
Venta del Helechoso (Huel) 134 Te 121
Venta del Hoyo, La (Tol) 89 Vf 109
Venta del Junco (Ter) 79 Zb 102
Venta del Lino (Ter) 79 Yf 106
Venta del Manco (Gra) 140 Xd 121
Venta del Monte, La (Rio) 41 Xf 95
Venta del Moro (Val) 112 Yd 112 ✉ 46310
Venta del Obispo (Ávi) 73 Uf 106
Venta del Ojo de Mierla (Ter) 78 Yd 104
Venta de López (Gra) 160 Wa 127
Venta de los Ángeles (Sev) 135 Ub 121
Venta de los Arrieros (Mál) 158 Ud 129
Venta de los Caños (Ter) 62 Zd 102
Venta de los Poblillas (Ciu) 109 Wd 113
Venta de los Santos (Jaé) 124 Wf 118 ✉ 23265
Venta del Peral (Gra) 153 Xc 123 ✉ 18891
Venta del Perdido (Gra) 140 Xd 121
Venta del Pino (Mur) 141 Yb 121
Venta del Pobre (Alm) 163 Xf 127 ✉ 04100
Venta del Poio, la (Val) 113 Zc 112
Venta del Polit (Tar) 80 Ac 105
Venta del Pollo (Tar) 62 Ac 102
Venta del Puente (Jaé) 138 We 120
Venta del Puente (Ter) 94 Yf 107
Venta del Puerto (Gra) 140 Xd 120
Venta del Puerto (Alb) 127 Yc 118
Venta del Puntal (Gra) 152 We 124
Venta del Ratón (Ter) 78 Ye 106
Venta del Relenco (Zar) 61 Zb 102
Venta del Rey (Hues) 63 Ab 99
Venta del Robledo (Ciu) 123 Wb 118
Venta del Rojo (Pal) 38 Vd 94
Venta del Tollo (Mur) 142 Ye 119
Venta del Vecino (Alb) 125 Xc 116
Venta del Vicario (Gra) 160 Wa 127
Venta del Zapato (Zar) 25 Ye 94
Venta de Majalimar (Sev) 135 Uc 122
Venta de Mal Abrigo (Ter) 78 Yd 105
Venta de Marina (Gra) 160 Wb 127
Venta de Marta (Alb) 125 Xc 115
Venta de Martín (Gra) 160 Wa 127
Venta de Mateo (Gra) 153 Xa 123
Venta de Micena (Gra) 140 Xd 122
Venta de Montesinos (Mur) 127 Yd 117
Venta de Montesoro (Gua) 77 Ya 103
Venta de Muñana (Ávi) 73 Va 105
Venta de Oliva (Mur) 141 Yd 119
Venta de Paco (Các) 86 Tf 109
Venta de Palma (Gra) 160 Wa 127
Venta de Pepearo (Gra) 153 Xb 123
Venta de Pepés o Colonia (Alb) 125 Xd 116
Venta de Pinoda (Mál) 159 Vd 127
Venta de Pocapena (Ávi) 73 Vb 105
Venta de Pollos (Vall) 55 Uf 100
Venta de Primitivo (Mur) 127 Yd 116
Venta de Raquilla (Ávi) 88 Uf 106
Venta de Retamar (Alm) 163 Xe 127
Venta de Retín (Cád) 164 Ub 131
Venta de Roc (Tar) 80 Ac 103
Venta de Rodrigo (Alb) 127 Yc 117
Venta de Roixa (Tar) 80 Ac 103
Venta de Román (Mur) 127 Ye 119
Venta de Rosa (Gra) 140 Xc 122
Venta de Rufino (Rio) 41 Xe 94
Venta de San Andrés (Jaé) 139 We 119
Venta de San Antonio (Sev) 157 Ua 127
Venta de San Antonio o de la Leche (Mál) 159 Vd 127
Venta de San Miguel (Alb) 125 Xd 115
Venta de San Miguel (Nav) 42 Yb 94
Venta de San Pedro (Ter) 79 Zc 102
Venta de Santa Lucía (Sev) 157 Ua 127
Venta de Santa Lucía (Zar) 62 Zd 100
Venta de Santa Lucía (Cas) 95 Zd 110
Venta de San Vicente (Ávi) 73 Vc 104 ✉ 05289
Venta de Segovia (Alb) 125 Xe 115
Venta de Soldado (Mur) 142 Yf 120
Venta de Valdemudo (Pal) 38 Vc 96
Venta de Vicentico (Nav) 25 Yd 94
Venta de Zumbel (Nav) 24 Xf 92
Venta el Perejil (Alm) 155 Yb 125
Ventafarinas (Hues) 44 Ac 98
Ventajol (Gir) 48 Ce 96 ✉ 17830
Venta la Barquilla (Các) 105 Ua 111
Venta La Cepa (Alm) 163 Xe 128
Venta Lanuza (Ali) 129 Ze 118
Venta La Rambla (Cád) 164 Ua 131
Venta Leches (Cád) 158 Ue 127 ✉ 11692
Ventalles, les (Tar) 80 Ac 105 ✉ 43558
Ventalló (Gir) 49 Da 96
Venta María (Zar) 61 Za 101
☆ Ventamillo, Congosto de 28 Ac 94
▲ Ventana, Puerto de 18 Tf 90
Ventanas (Huel) 147 Ta 125
Ventanas, Cortijo de las (Mál) 150 Vc 126
Ventanas, Las (Mur) 141 Yd 120 ✉ 30817
≈ Ventaniella, Arroyo de 7 Ue 90
Ventaniella, Caserío de (Ast) 19 Ue 90
Ventanilla (Pal) 20 Vc 91 ✉ 34844
☆ Ventano del Diablo 92 Xf 107
Venta Nueva (Gra) 151 Vf 125
Venta Nueva (Jaé) 138 Wc 119
Venta Nueva (Ciu) 124 Wf 118
Ventanueva (Ast) 17 Tc 90
Venta Nueva de Galiz (Cád) 158 Uc 129
Venta Puñales (Mur) 142 Ye 120
Venta Quemada (Gra) 154 Xd 123
Venta Quemada (Gra) 153 Xa 124
Venta Quemada (Val) 113 Za 112 ✉ 46392
Venta Quemada (Nav) 24 Yc 90
Venta Quemada (Các) 86 Tf 108
Ventaquemada, Cortijo de (Các) 86 Tf 109
Venta Ratonera (Alm) 153 Xa 125 ✉ 04500
Ventas, Cortijo de las (Córd) 150 Va 123
Ventas, Las (Ali) 128 Za 117
Ventas, Las (Ast) 6 Tf 89
Ventas, Las (Bur) 39 Wb 95
Venta Santa Bárbara (Gra) 151 Ve 125
▲ Venta Sardina 94 Zc 108
Ventas Blancas (Rio) 41 Xe 94 ✉ 26131
Ventas con Peña Aguilera, Las (Tol) 108 Ve 111
Ventas de Alcolea (Cue) 110 Xd 113 ✉ 16612
Ventas de Arraiz (Nav) 24 Yc 90
Ventas de Arriba (Huel) 133 Tc 122
Ventas de Doña María (Córd) 137 Vf 122
Ventas de Garriel (Sal) 71 Tf 105 ✉ 37607
Ventas de Geria (Vall) 55 Va 99 ✉ 47131
Ventas de Herrera (Zar) 61 Za 101
Ventas de Huelma (Gra) 160 Wb 126 ✉ 18131
Ventas de Judas, Las (Nav) 25 Yd 93
Ventas del Baña (Rio) 42 Ya 96
Ventas del Carrizal (Jaé) 151 Wa 123 ✉ 23693
Ventas del Río Anzur (Córd) 151 Vd 125
Ventas de Muniesa (Ter) 61 Zb 102
Ventas de Pando (Tol) 109 Wc 111
Ventas de Retamosa, Las (Tol) 89 Vf 108 ✉ 45183
Ventas de San Julián, Las (Tol) 87 Ue 108
Ventas de Valpierre (Rio) 23 Xb 94
Ventas de Zafarraya (Gra) 160 Vf 127 ✉ 18128
Venta Seca (Mur) 142 Yd 120
Venta Valentina (Gra) 152 Wd 124
Venta Valero (Córd) 151 Wa 124 ✉ 14813
Ventavieja (Ter) 61 Zb 102
▲ Ventejea (Ten) 173 B 2
Venteos, Cortijo de los (Alm) 154 Xe 123
Ventica, Cortijo (Gra) 153 Xb 123
Ventilla, Cortijo (Mál) 159 Vd 127
Ventilla, Cortijo de la (Mál) 159 Va 128
Ventilla, Cortijo de la (Jaé) 138 Wd 120
Ventilla, La (Córd) 136 Uf 122 ✉ 14112
Ventillas (Ciu) 122 Ve 118
▲ Ventillas, Puerto 123 Ve 117
▲ Ventolano 61 Za 101
Ventorillo (Jaé) 152 Wc 123
Ventorillo del Portichuelo (Sev) 150 Vb 125
Ventorrillo (Can) 21 Vf 90 ✉ 39491
Ventorrillo (Mad) 74 Vf 104
Ventorrillo, EL (Alb) 127 Za 115
Ventorrillo de Andorra (Ter) 62 Zd 102
Ventorrillo de Hondonera (Mur) 141 Yc 119
Ventorrillo del Álamo (Cád) 164 Tf 130
Ventorrillo del Colorado (Cád) 164 Tf 130
Ventorrillo de Rufino (Cád) 164 Ua 130
Ventorrillo Las Canillas (Mál) 165 Uc 129
Ventorrillo Nuevo (Gra) 160 Vf 126
Ventorrillos, Los (Mur) 142 Yd 121
Ventorro, El (Cue) 92 Ya 108
Ventorro del Chato (Gua) 77 Ya 104
Ventorro del Cojo (Mad) 75 Wf 106
Ventorro del Negro (Sev) 134 Te 122
Ventorro del Quinto (Ávi) 73 Uf 106
Ventorros de Balerma (Córd) 151 Ve 125
Ventorros de la Laguna (Gra) 151 Ve 125 ✉ 18312
Ventorros San José (Gra) 151 Vf 125
▲ Ventos, Cap (Bal) 98 Cf 114
Ventosa (Ast) 6 Tf 88
Ventosa (Pon) 15 Sa 92 ✉ 36529
Ventosa (Rio) 41 Xc 94 ✉ 26371
Ventosa (Gua) 77 Ya 104 ✉ 19392
Ventosa, Cortijo de la (Córd) 121 Uf 117
Ventosa, La (Sal) 72 Ud 102
Ventosa, La (Cue) 92 Xd 107 ✉ 16843
▲ Ventosa, Sierra de 72 Ud 105
Ventosa de Fuentepinilla (Sor) 59 Xb 99 ✉ 42291
Ventosa de la Cuesta (Vall) 55 Va 100 ✉ 47239
Ventosa de la Sierra (Sor) 41 Xd 97 ✉ 42161
Ventosa del Ducado, La (Sor) 59 Xc 102
Ventosa del Río Alnar (Sal) 72 Ud 103
Ventosa de Pisuerga (Pal) 21 Ve 93 ✉ 34405
Ventosa de San Pedro (Sor) 41 Xe 96 ✉ 42174
Ventosela (Our) 33 Rf 95
Ventoses, les (Lle) 46 Ba 98 ✉ 25316
Ventosilla (Leó) 19 Ub 91 ✉ 24687
Ventosilla (Bur) 57 Wb 98 ✉ 09443
Ventosilla (Seg) 57 Wb 101 ✉ 40165
Ventosilla, Cortijo de la (Sev) 157 Ub 126
Ventosilla, Cortijo de la (Córd) 136 Vc 122
Ventosilla, Cortijo de la (Các) 105 Tf 111
Ventosilla, La (Tol) 89 Ve 110
Ventosilla de San Juan (Sor) 41 Xd 98 ✉ 42189
Ventosillas (Jaé) 138 Wb 121
Ventosilla y Tejadilla (Seg) 57 Wb 101
Ventoso (Ast) 5 Sf 89 ✉ 33776
▲ Ventoso, Campo de 10 We 89
Ventrosa (Rio) 40 Xa 96 ✉ 26329
Ventu, Cortijo del (Cád) 157 Te 127
Ventura, Cortijo de (Jaé) 125 Xc 118
☆ Ventura, Refugio de 161 Wd 127
Venturada (Mad) 75 Wc 104 ✉ 28729
☆ Venus, Ruïnes del Temple de 95 Ze 110
Veo (Cas) 95 Ze 109 ✉ 12222
Ver (Lug) 16 Sd 93 ✉ 27349
Vera (Alm) 155 Ya 125 ✉ 04620
Vera, Cortijo de la (Gra) 160 Vf 126
☆ Vera Creu, la Vasa de la 46 Ae 96
Veracruz (Jaé) 139 Wf 120
Veracruz (Hues) 28 Ad 94 ✉ 22484
☆ Vera Cruz, Capilla de la 57 Wc 100
☆ Vera Cruz, Ermita de la 36 Tf 98
Verada, La (Ten) 171 C 2
Verada de las Lomadas (Ten) 171 C 2
Vera de Erque (Ten) 172 C 4

ra de Moncayo (Zar) 42 Yb 98 ✉ 50580
/eral, Río 26 Zb 92
ranas, Cortijo de las (Bad) 119 Tb 118
rbena, La (Sev) 158 Uf 126
rbios (Pal) 21 Vd 91 ✉ 34828
/erde, Río 161 Wb 128
/erde, Río 159 Va 129
/erde, Río 153 Wf 125
/erde, Río 128 Zc 117
Verde de Sal, Laguna 150 Ue 124
rdefondo (Our) 33 Sb 94
rdejo (Palm) 174 C 2 ✉ 35457
rdel, El (Gua) 78 Yc 104
rdelpino de Cueva (Cue) 92 Xf 108
rdelpino de Huete (Cue) 91 Xc 108 ✉ 16540
rdeña (Pal) 20 Vd 91 ✉ 34846
Verdes, Cueva de los (Palm) 176 D 3
rdiago (Leó) 19 Uf 91 ✉ 24960
rdiales (Mál) 159 Vd 128
rdicio (Ast) 6 Ua 87 ✉ 33448
Verdola, La 44 Zc 95
rdú (Lle) 64 Ba 99
rduga, Cortijo de la (Sev) 135 Ud 122
Verdugo, Río 15 Rd 94
rea (Our) 33 Sa 96
reda, Cortijo de la (Mur) 141 Ya 120
reda, La (Gua) 75 Wd 102
redas (Huel) 133 Tb 121
redas (Ciu) 122 Vd 117 ✉ 13459
Veredas, Collado de las 78 Yb 106
redilla, La (Cue) 93 Yb 107
redón (Córd) 136 Va 121
rgalijo (Nav) 24 Yb 94 ✉ 31254
rgaño (Pal) 20 Vd 91 ✉ 34839
rgara = Bergara (Gui) 23 Xd 90
rge de Gràcia, la (Cas) 95 Zf 109
rgel (Ali) 129 Aa 115
Vergel, Platja de 129 Aa 115
rger, Es (Bal) 98 Cd 111
Verger, Sa Punta d'es (Bal) 98 Cd 110
rges (Gir) 49 Da 96 ✉ 17142
rgós de Cervera (Lle) 46 Bb 99
rgós Garrejat (Lle) 46 Bc 98
rguizas (Sor) 41 Xd 96 ✉ 42173
ri (Hues) 28 Ad 94 ✉ 22470
rín (Lug) 16 Sa 92
rín (Our) 34 Sd 97
Veriña 7 Ub 87
rinxel (Tar) 64 Ae 102
rís (Cor) 3 Rf 89
rjaga, Cortijo de (Jaé) 125 Xa 118
Vermell, Cap (Bal) 99 Dc 111
Verneda, Riera de 49 Cf 97
rnet (Lle) 46 Ba 97 ✉ 25737
Vero, Río 45 Aa 96
Verodal, Punta de (Ten) 173 B 2
rtavillo (Pal) 38 Ve 97 ✉ 34219
rti (Bar) 48 Cb 98
rtiendes, Las (Gra) 154 Xd 123
rtientes Altas (Gra) 152 We 123
ruela (Zar) 42 Yb 98 ✉ 50592
Veruela, Monasterio de 42 Yb 98
esgas, Las (Bur) 22 Wd 93 ✉ 09249
esolla (Nav) 25 Yd 92 ✉ 31473
espella (Tar) 65 Bc 101 ✉ 43763
Veta, Playa de la (Ten) 171 B 2
etaherrado (Sev) 157 Ua 126 ✉ 41729
etas, Cortijo Las (Cád) 157 Te 127
Veyá (Bal) 98 Cd 110
eyos (Ast) 8 Uf 89
ezdemarbán (Zam) 55 Ud 99
iabaño (Ast) 7 Ue 88 ✉ 33585
iacamp (Hues) 44 Ad 96 ✉ 22585
iacamp y Litera (Hues) 44 Ad 96
iadangos de Arbás (Leó) 19 Ub 91
iallán (Can) 9 Vf 88
ián (Lug) 4 Sd 89
iana (Nav) 23 Xd 93 ✉ 31230
iaña (Can) 9 Ve 89
iana de Cega (Vall) 56 Vb 99 ✉ 47150
iana de Duero (Sor) 59 Xd 99 ✉ 42218
iana de Jadraque (Gua) 76 Xb 102 ✉ 19295
iana de Mondéjar (Gua) 76 Xc 105
iana do Bolo (Our) 34 Sf 95 ✉ 32550
iandar de la Vera (Các) 87 Uc 108 ✉ 10492
iaño Pequeno (Cor) 15 Rc 90 ✉ 15687
ianos (Alb) 125 Xd 117 ✉ 02315
≈ Viar, Canal de 134 Ua 123
iar, Cortijo El (Bad) 134 Tf 120
iar, El (Sev) 148 Ua 123 ✉ 41319
≈ Viar, Río 134 Tf 120
≈ Viarra, Río 23 Xd 92
iator (Alm) 163 Xd 127 ✉ 04240
Viavélez (Ast) 5 Tb 87
Viboli Alto (Ast) 8 Uf 89
Víbora Baja, Cortijo de la (Mál) 159 Va 128
▲ Víboras 54 Ua 99
≈ Víboras, Embalse de 151 Wa 123
≈ Víboras, Río 151 Vf 123
Viborera, La (Tol) 108 Wc 112
Vic (Bar) 48 Cb 97 ✉ 08500
Vicálvaro (Mad) 90 Wc 106
Vícar (Alm) 162 Xc 127
☆ Vicari, Ermita del 129 Zf 117
▲ Vicaría 134 Te 122
Vicaría, La (Bad) 134 Te 120
Vicaría, La (Bad) 120 Ua 118
≈ Vicario, Embalse de El 108 Wa 114
Vicedo, O (Lug) 4 Sc 86 ✉ 27860
Vicente el Bueno, Cortijo de (Gra) 152 We 125
Vicentes, Los (Alm) 163 Ya 126
Vicentes, Los (Ali) 142 Za 119 ✉ 03318
Vicentes, Los (Mur) 142 Ye 122
Viceso (Cor) 14 Rb 91 ✉ 15839
Vicfred (Lle) 46 Bc 98 ✉ 25211
Vicién (Hues) 44 Zd 96
Vicinte (Lug) 16 Sb 90 ✉ 27157
Vico, Cortijo de (Cád) 157 Ua 128
☆ Vico, Monasterio de 41 Xf 95
Vicolozano (Ávi) 73 Vc 104 ✉ 05194
Vicorto (Alb) 126 Xf 118 ✉ 02439
Victoria (Bal) 98 Ce 111
Victoria, Cortijo La (Sev) 158 Ud 126
Victoria, La (Cád) 164 Tf 130
Victoria, La (Córd) 136 Va 122 ✉ 14140
☆ Victoria, Monumento a la 124 Wd 116
▲ Victoria, Playa de la 156 Te 129
Victoria de Acentejo, La (Ten) 173 E 3 ✉ 38380
Victoriana, La (Huel) 133 Ta 122
▲ Victorias, Las 55 Ud 100
Vicuña (Ála) 23 Xe 91 ✉ 01207
Vid, La (Leó) 19 Uc 91 ✉ 24670
Vid, La (Bur) 57 Wc 99 ✉ 09471
☆ Vidabona 48 Cb 95
≈ Vida de Llevant, Cala (Bal) 96 Ea 108
Vidal (Lug) 5 Sf 88
Vidal, el (Gir) 48 Cc 98
Vidalén (Our) 34 Sc 95
Vidales, Los (Mur) 142 Yf 122
Vidales, Los (Mur) 143 Za 122
Vidanes (Leó) 19 Uf 92 ✉ 24950
Vidángoz/Bidankoze (Nav) 25 Yf 92
Vidaurre (Nav) 24 Ya 92 ✉ 31176
Vidayanes (Zam) 36 Uc 97 ✉ 49135
Vid de Bureba, La (Bur) 22 We 93 ✉ 09249
Vide (Our) 33 Sc 95
Vide (Pon) 32 Rd 96 ✉ 36446
Vide, A (Lug) 16 Sc 93
Vide de Alba (Zam) 54 Tf 98 ✉ 49541
Videferre (Our) 33 Sc 97 ✉ 32613
Videmala (Zam) 54 Tf 99 ✉ 49164
≈ Vid I, Embalse de la 86 Ua 110
Vidiago (Ast) 8 Vc 88 ✉ 33597
▲ Vidio, Cabo 6 Te 87
Vídola, La (Sal) 53 Td 102
Vidosa = Veyos (Ast) 8 Uf 89
Vidrà (Gir) 48 Cb 96
▲ Vidre, Port del 95 Ze 107
Vidreres (Gir) 49 Ce 98 ✉ 17411
▲ Vidrias, Punta 6 Tf 87
Vidrieros (Pal) 20 Vc 91 ✉ 34844
▲ Vidrio, Sierra del 104 Tc 113
Vidural (Ast) 5 Tc 87
Vid y Barrios, La (Bur) 57 Wc 99
Viego (Ast) 7 Uf 89 ✉ 33558
Viego (Leó) 19 Ue 91 ✉ 24856
Vieiro (Lug) 4 Sc 87
Vieiro (Lug) 17 Sf 90
▲ Vieiro, Alto do 33 Sa 96
▲ Vieja, Cabeza 57 Wa 99
☆ Vieja, Cueva de la 112 Ye 114
▲ Vieja, Peña 8 Vb 89
▲ Vieja, Sierra 119 Tc 118
≈ Vieja del Morenillo, Rambla 78 Yc 103
≈ Viejas, Río de 106 Ud 111
≈ Viejas, Salinas 162 Xc 128
≈ Viejo, Arroyo 56 Vc 99
≈ Viejo, Arroyo 77 Ya 103
Viejo, Cortijo (Córd) 135 Ue 119
Viejo, Cortijo (Jaé) 125 Xb 118
▲ Viejo, Puerto 86 Td 106
≈ Viejo, Río 74 Vf 102
Viejos, Cortijos (Palm) 176 B 4
Viejos, Los (Huel) 133 Ta 121 ✉ 21239
Vielha (Lle) 28 Ae 92
Vielha e Mijaran (Lle) 28 Ae 92
▲ Vielles, Serra de 48 Cc 97
▲ Viento, Degollada del (Palm) 175 D 4
▲ Viento, Peña del 141 Yb 121
▲ Viento, Puerto del 158 Uf 128
▲ Viento, Punta del (Ten) 172 A 2
▲ Viento, Punta del (Ten) 173 E 2
▲ Viento, Punta del (Palm) 175 E 4
▲ Viento, Sierra del 133 Tb 120
▲ Vientos, Sierra de los 6 Te 88
Vierdes (Leó) 20 Uf 90
Vierlas (Zar) 42 Yb 97 ✉ 50513
Viérnoles (Can) 9 Vf 89
Viescas (Ast) 6 Ua 87
Viforcos (Leó) 18 Te 93 ✉ 24722
▲ Vigán (Palm) 175 E 4
Vigaña (Ast) 6 Te 89 ✉ 33827
≈ Vigas, Río 60 Ya 99
Vigo (Cor) 3 Rf 89
Vigo (Ast) 5 Tc 87
Vigo (Pon) 32 Rb 95 ✉ * 36201
Vigo (Zam) 35 Tb 96
≈ Vigo, Ría de 32 Rb 95
▲ Vigocho (Palm) 175 C 4
Viguera (Rio) 41 Xc 95 ✉ 26121
Viguria (Nav) 24 Ya 92 ✉ 31291
Vihuela, La (Gua) 75 Wd 102
Vila (Our) 17 Ta 94
Vila (Lle) 28 Ae 92 ✉ 25537
▲ Vila 48 Cb 97
Vila (AND) 29 Bd 93
Vilá (Our) 33 Sa 97
Vila, A (Our) 33 Rf 97
Vilabade (Cor) 3 Rc 90 ✉ 15332
Vilabella (Tar) 65 Bb 101 ✉ 43886
Vilabertran (Gir) 31 Cf 95 ✉ 17760
Vilablareix (Gir) 49 Ce 97 ✉ 17180
Vilaboa (Lug) 5 Se 89
Vilaboa (Pon) 32 Rc 94
Vilaboa (Our) 34 Sf 95
Vilabol de Suarna (Lug) 17 Sf 90 ✉ 27114
Vilabuín (Lug) 4 Sc 87
Vilac (Lle) 28 Ae 92 ✉ 25537
Vilacaíz (Lug) 16 Sc 92
Vilacampa (Lug) 4 Sc 87 ✉ 27778
Vilachá (Lug) 4 Sc 86
Vilachá (Lug) 16 Sd 91
Vilachá (Lug) 16 Sd 94
Vilachá (Lug) 17 Sf 91
Vilachá de Mera (Lug) 16 Sc 90
Vilachán (Pon) 32 Rb 97
Vilacireres (Lle) 47 Be 95
Vilacoba (Cor) 3 Re 89 ✉ 15212
Vilacoba = Vilacova (Cor) 14 Rb 92 ✉ 15212
Vilacolum (Gir) 49 Da 95 ✉ 17474
Vilacova = Vilacoba (Cor) 14 Rb 92 ✉ 15872
Vilada (Bar) 47 Bf 96 ✉ 08613
Vila da Igrexa (Cor) 3 Sa 87
Viladamat (Gir) 49 Da 96 ✉ 17137
Viladamí (Gir) 49 Ce 96
Viladasens (Gir) 49 Cf 96 ✉ 17464
Viladavil (Cor) 15 Rf 91
Vila de Area (Cor) 3 Re 87
Vila de Bares (Cor) 4 Sb 86
Viladecaballs de Calders (Bar) 47 Bf 98
Viladecanes (Leó) 17 Tb 93
Viladecans (Bar) 48 Cb 96 ✉ 08840
Viladecavalls (Bar) 65 Bf 99 ✉ 08232
Vila de Cruces (Pon) 15 Rf 92 ✉ 36590
Viladelleva (Bar) 47 Be 98
☆ Vilademàger, Castell de 65 Bd 100
☆ Viladamany, Castell de 48 Cd 97
Vilademires (Gir) 49 Ce 95 ✉ 17746
Viademuls (Gir) 49 Cf 96 ✉ 17468
Viladepalos (Leó) 17 Tb 93
Viladequinta (Our) 35 Ta 94 ✉ 32334
Viladerrei (Our) 33 Sc 96
Viladesuso (Pon) 32 Ra 96
Viladomiu Nou (Bar) 47 Bf 96 ✉ 08680
Viladomiu Vell (Bar) 47 Bf 96 ✉ 08680
Viladonja (Gir) 47 Ca 96 ✉ 17513
Viladrau (Gir) 48 Cc 97 ✉ 17406
Vilaescura (Lug) 16 Sc 94 ✉ 27466
Vilaestrofe (Lug) 4 Sd 87
Vilafamés (Cas) 95 Zf 108 ✉ 12192
Vilafant (Gir) 31 Cf 95 ✉ 17740
Vilaflor (Ten) 172 D 5 ✉ 38613
Vilaformán (Lug) 5 Se 88
Vilafortuny (Tar) 64 Ba 102
▲ Vilafortuny, Platja de 64 Ba 102
Vilaframil (Lug) 5 Sf 89 ✉ 27797
Vilafranca de Bonany (Bal) 99 Da 111 ✉ 07250
Vilafranca del Penedès (Bar) 65 Be 100
Vilafranquesa (Ali) 128 Zd 118
Vilafreser (Gir) 49 Cf 96 ✉ 17468
Vilafrío (Pon) 16 Sa 92
Vilagarcía (Pon) 14 Rb 93
Vilagarcía de Arousa (Pon) 14 Rb 93 ✉ 36600
Vila Grande (Lug) 4 Sc 90
Vilagrasseta (Lle) 64 Bb 99 ✉ 25217
≈ Vilagudín, Encoro de 3 Rc 90
Vilajoan (Gir) 49 Cf 96 ✉ 17773
Vilajuïga (Gir) 31 Da 95
Vilalba (Lug) 4 Sb 89
Vilalba dels Arcs (Tar) 62 Ac 102 ✉ 43782
Vilalba la Vella (Tar) 62 Ac 101
Vilalba Sasserra (Bar) 66 Cc 99 ✉ 08455
Vilaleo (Lug) 16 Sd 91 ✉ 27367
Vilalle (Lug) 16 Se 90 ✉ 27124
Vilaller (Lle) 28 Ae 94 ✉ 25552
Vilallobent (Gir) 30 Bf 94 ✉ 17529
Vilallonga = Vilallonga del Camp (Tar) 64 Bb 101
Vilallonga del Camp (Tar) 64 Bb 101 ✉ 43141
Vilallonga de Ter (Gir) 30 Cb 94 ✉ 17869
Vilallonquejar (Bur) 39 Wb 94
Vilallovent = Vilallobent (Gir) 30 Bf 94
Vilalta (Lle) 46 Bb 97 ✉ 25748
Vilamacolum (Gir) 49 Da 95 ✉ 17474
Vilamaior (Cor) 14 Rb 90 ✉ 15847
Vilamaior (Lug) 16 Sc 92 ✉ 27613
Vilamaior da Boullosa (Our) 33 Sb 97 ✉ 32633
Vilamaior de Negral (Lug) 16 Sb 91 ✉ 27233
Vilamaior do Val (Our) 34 Sd 97
Vilamajor (Lle) 46 Ae 97
Vilamajor d'Agramunt (Lle) 46 Bb 97
Vilamalla (Gir) 49 Cf 95 ✉ 17469
Vilamane (Lug) 17 Sf 91
Vilamaniscle (Gir) 31 Da 94 ✉ 17781
Vilamanya (Gir) 30 Ca 94 ✉ 17534
Vilamar (Lug) 4 Se 88
Vilamarí (Gir) 49 Cf 96
Vilamarín (Our) 15 Sa 94
Vilamarín (Lug) 16 Sd 94
Vilamartín de Valdeorras (Our) 34 Sf 94
Vilamarxant (Val) 113 Zc 111 ✉ 46191
Vilamateo (Cor) 3 Rf 88 ✉ 15638
Vilameá (Our) 33 Rf 97
Vilamitjana (Lle) 46 Af 96 ✉ 25654
Vilamolat de Mur (Lle) 46 Af 96
Vilamòs (Lle) 28 Ae 92
Vilamur (Lle) 29 Ba 94 ✉ 25566
▲ Vilán, Cabo 2 Qe 90
Vilanant (Gir) 31 Cf 95 ✉ 17743
Vilanna (Gir) 48 Ce 97 ✉ 17162
Vilanova (Lug) 4 Se 88
Vilanova (Lug) 16 Sb 92
Vilanova (Lug) 16 Sc 92
Vilanova (Lug) 17 Sf 92
Vilanova (Our) 33 Sa 95
Vilanova (Pon) 32 Ra 95
Vilanova (Our) 35 Ta 95
Vilanova d'Alcolea (Cas) 96 Aa 107 ✉ 12183
Vilanova de Arousa (Pon) 14 Rb 93 ✉ 36620
Vilanova de Banat (Lle) 29 Bd 94 ✉ 25718
Vilanova de Bellpuig (Lle) 64 Af 99 ✉ 25264
Vilanova de Escornalbou = Vilanova d'Escornalbou (Tar) 64 Af 102
Vilanova de la Aguda = Vilanova de l'Aguda (Lle) 46 Bb 97
Vilanova de la Barca (Lle) 46 Ae 98 ✉ 25690
Vilanova de l'Aguda (Lle) 46 Bb 97 ✉ 25749
Vilanova de la Muga (Gir) 31 Da 95 ✉ 17492
Vilanova de la Sal (Lle) 46 Af 97 ✉ 25612
Vilanova del Camí (Bar) 65 Bd 99
Vilanova de les Avellanes (Lle) 46 Ae 97
Vilanova de Meià (Lle) 46 Ba 97
Vilanova de Prades (Tar) 64 Af 100 ✉ 43439
Vilanova de Sau (Bar) 48 Cc 97 ✉ 08519
Vilanova d'Escornalbou (Tar) 64 Af 102 ✉ 43311
Vilanova de Segrià (Lle) 44 Ad 98
Vilanova d'Espoia (Bar) 65 Bd 99 ✉ 08789
Vilanova de Valdeorras (Our) 17 Ta 94
Vilanova i la Geltrú (Bar) 65 Be 101
Vilanoviña (Pon) 14 Rb 93
Vilantime (Cor) 15 Rf 91
Vilanueva (Val) 93 Yf 110
Vilaosende (Lug) 5 Sf 88 ✉ 27712
Vilapedre (Lug) 4 Sc 88
Vilapedre (Lug) 16 Sd 91
Vilaplana (Lle) 46 Bb 97 ✉ 25747
Vilaplana (Tar) 64 Ba 101 ✉ 43380
Vilaquinte (Lug) 16 Sb 93
Vilaquinte (Lug) 17 Ta 91
Vilar (Cor) 14 Rb 90
Vilar (Cor) 15 Rd 92
Vilar (Pon) 15 Re 93
Vilar (Cor) 14 Qf 91
Vilar (Lug) 16 Se 92
Vilar (Our) 33 Sa 97
Vilar (Pon) 32 Rd 96
Vilar (Our) 34 Sd 95
Vilar (Our) 34 Sd 96
☆ Vilar, Castell de el 48 Cb 96
Vilar, el (Lle) 46 Bb 95
≈ Vilar, Embalse de 134 Te 119
Vila-rasa (Bar) 48 Ca 96
Vilarbacú (Lug) 17 Sf 93
Vilarchao (Lug) 5 Sf 89
Vilarchao (Our) 16 Sa 94
Vilardaga (Bar) 47 Bf 96
Vilar de Barrio (Our) 33 Sc 96 ✉ 32702
Vilar de Canes (Cas) 80 Zf 106 ✉ 12162
Vilar de Cas (Our) 33 Sa 96
Vilardecás (Our) 33 Sc 95
Vilar de Céltigos (Cor) 14 Ra 90
Vilar de Cervos (Our) 34 Sd 97 ✉ 32616
Vilar de Cima (Cor) 2 Rc 90 ✉ 15109
Vilar de Donas (Lug) 16 Sb 91 ✉ 27216
Vilar de Frades (Lug) 17 Sf 91
Vilar de Lebres (Our) 33 Sc 97 ✉ 32695
Vilardematos (Pon) 32 Rb 97
Vilardemilo (Our) 34 Sf 96 ✉ 32555
Vilar de Mondelo (Lug) 17 Se 94
Vilar de Mouros (Cor) 3 Rf 88 ✉ 15613
Vilar de Mouros (Lug) 4 Se 89
Vilar de Mouros (Lug) 16 Sd 94
Vilar de Santos (Our) 33 Sb 96 ✉ 32650
Vilar de Suso (Cor) 14 Rb 91
Vilardevós (Our) 34 Se 97
Vilardíaz (Lug) 5 Sf 89
Vilardida (Tar) 65 Bc 101 ✉ 43812
Vilardongo (Lug) 5 Sf 90
Vilar dos Adros (Lug) 17 Se 90
Vilar d'Urtx, el (Gir) 30 Bf 94 ✉ 17538
Vilarello (Pon) 15 Rf 93 ✉ 36516
Vilarello (Lug) 16 Sc 93
Vilarellos (Our) 33 Sb 95
Vilargondurfe (Lug) 5 Se 89
Vilarig (Gir) 31 Cf 95 ✉ 17741
Vilariño (Lug) 4 Sa 89
Vilariño (Cor) 15 Rf 90
Vilariño (Pon) 15 Rf 92
Vilariño (Lug) 16 Se 90
Vilariño (Lug) 16 Se 94
≈ Vilariño, Río 3 Rf 88
Vilariño das Touzas (Our) 34 Se 97 ✉ 32611
Vilariño de Conso (Our) 34 Se 95 ✉ 32557
Vilariño Frío (Our) 34 Sc 95
Vilariz (Leó) 17 Ta 93
Vilarmaior (Cor) 3 Rf 88 ✉ 15637
Vilarmeán (Lug) 5 Sf 89
Vilarmeao (Cor) 15 Re 91 ✉ 15823
Vilarmeao (Our) 34 Se 95
Vilarmel (Lug) 17 Sf 94 ✉ 27329
Vilarmeriel (Leó) 18 Tf 92
Vilarmide (Lug) 5 Se 89
Vilarmosteiro (Lug) 16 Sd 91 ✉ 27363
Vilarnadal (Gir) 31 Cf 94 ✉ 17762
Vila-robau (Gir) 49 Da 96 ✉ 17475
Vila-rodona (Tar) 65 Bc 101 ✉ 43814
☆ Vila-roma, Castell de 49 Da 97
Vilaronte (Lug) 4 Se 87
Vila Rosita (Tar) 64 Ba 101
Vilarromariz (Cor) 15 Rd 91
Vilarrube (Cor) 3 Rf 87 ✉ 15554
Vilarrubín (Our) 16 Sb 94
Vilars, els (Lle) 46 Bb 95
Vilarseco (Cor) 2 Qf 90
Vilartolí (Gir) 31 Cf 94
Vila-rubla (Lle) 46 Bb 94 ✉ 25795
Vilarxuane (Lug) 5 Sf 89
Vilarxubín (Lug) 5 Sf 89
Vilas (Pon) 15 Rd 92
Vila-sacra (Gir) 31 Da 95 ✉ 17485
Vilasantar (Cor) 15 Rf 90 ✉ 15807
Vilas de Turbón (Hues) 28 Ad 94
Vila-seca (Lle) 47 Bd 96
Vila-seca (Gir) 49 Db 97
Vila-seca (Tar) 64 Ba 102 ✉ 43480
Vilaseco (Our) 15 Sa 94
Vilaseco (Our) 34 Sf 96
≈ Vilasenín, Encoro de 3 Rd 90
Vilasobroso (Pon) 32 Rd 95 ✉ 36879
Vilasouto (Lug) 16 Sd 93 ✉ 27345
≈ Vilasouto, Encoro de 16 Sd 92
☆ Vilassar, Castell de 66 Cc 99
Vilassar de Dalt (Bar) 66 Cc 99 ✉ 08339
Vilassar de Mar (Bar) 66 Cc 99 ✉ 08340
Vilasusa (Our) 16 Sb 94 ✉ 32151

Vilatammar (Bar) 48 Ca 96
Vilate (Lug) 4 Sb 89
Vilatenim (Gir) 31 Cf 95 ⊠ 17484
Vilates, les (Bar) 65 Bd 100
Vilatuxe (Lug) 4 Se 87
Vilatuxe (Pon) 15 Re 93 ⊠ 36519
Vilatuxe (Our) 33 Sc 94
Vilaür (Gir) 49 Cf 96 ⊠ 17483
Vilaüt (Gir) 31 Da 95 ⊠ 17494
Vilaúxe (Lug) 16 Sb 93
Vilavedelle (Ast) 5 Sf 88 ⊠ 33769
Vilavella (Our) 34 Sf 96
Vilavenut (Gir) 49 Cf 96 ⊠ 17833
Vilaverd (Tar) 64 Bb 100 ⊠ 43490
Vilaverde (Cor) 2 Rb 89
Vilavert = Vilaverd (Tar) 64 Bb 100
Vilavite (Lug) 16 Sb 90
Vilavite (Lug) 16 Sc 91
Vilaxoán (Pon) 14 Rb 93
Vilaxuso (Lug) 4 Se 89
Vilaxuste (Lug) 16 Sb 91 ⊠ 27177
Vilaza (Our) 34 Sd 97 ⊠ 32618
≈ Vilaza, Río 34 Sc 97
Vilches (Jaé) 138 Wd 119 ⊠ 23220
Vildé (Sor) 58 Wf 100
Vildosolo (Viz) 23 Xb 90
Vileiriz (Lug) 16 Sc 92 ⊠ 27363
Vilela (Lug) 5 Sf 87
Vilela (Lug) 16 Se 92
Vilela (Lug) 16 Sb 92
Vilella (Lle) 28 Af 94 ⊠ 25555
Vilella (Bar) 47 Be 95
Vilella Alta, la (Tar) 64 Ae 101
⊠ 43375
Vilella Baixa, la (Tar) 64 Ae 101
⊠ 43374
Vilella Baja = Vilella Baixa, la (Tar)
64 Ae 101
Vileña (Bur) 22 We 93 ⊠ 09249
Vilers (Gir) 49 Cf 97 ⊠ 17462
Vilert (Gir) 49 Ce 95 ⊠ 17832
Vilet, el (Lle) 64 Ba 99 ⊠ 25343
Vileta, La (Hues) 44 Ad 95
Vileta, la (Lle) 46 Ae 96
Vileta, Sa (Bal) 98 Cd 111
Viligüer (Leó) 19 Ud 93
Villa (Ast) 6 Ua 87
≈ Villa, Arroyo de la 135 Uc 121
≈ Villa, Barranco de la (Ten) 172 C 2
Villa, La (Ast) 7 Ud 89
▲ Villa, Llano de la 77 Ya 104
▲ Villa, Sierra de la 110 Xc 111
Villa Amparín (Val) 113 Zc 113
Villa Antonia (Zam) 54 Ub 99
Villaba de Losa (Bur) 22 Wf 91
Villabajo (Ast) 7 Ud 88 ⊠ 33535
Villabalter (Leó) 19 Uc 93 ⊠ 24010
Villabandín (Leó) 18 Tf 91
▲ Villabandín, Sierra de 18 Tf 91
Villabáñez (Can) 9 Wa 89
Villabáñez (Vall) 56 Vc 99
Villabante (Leó) 36 Ub 94
Villabaruz de Campos (Vall)
37 Va 96 ⊠ 47815
Villabáscones (Bur) 22 Wb 90
Villabáscones de Bezana (Bur)
21 Wb 91
Villabasta (Pal) 20 Vc 93 ⊠ 34475
Villabermudo (Pal) 21 Vd 93
Villa Bernardo (Sal) 71 Ua 104
Villablanca (Huel) 146 Sd 125
⊠ 21590
Villablino (Leó) 18 Te 91 ⊠ 24100
Villabona (Ast) 7 Ub 88
Villabona (Gui) 12 Xf 89 ⊠ 20150
Villabona = Billabona (Gui) 12 Xf 89
⊠ 20150
Villabrágima (Vall) 37 Uf 98
Villabraz (Leó) 37 Ud 95 ⊠ 24206
Villabrázaro (Zam) 36 Ub 96
Villabre (Ast) 6 Tf 89 ⊠ 33826
Villabuena (Leó) 17 Tb 93 ⊠ 24548
Villabuena (Sor) 59 Xc 98 ⊠ 42290
Villabuena de Álava/Eskuernaga
(Ála) 23 Xc 93
Villabuena del Puente (Zam)
55 Ud 100 ⊠ 49820
Villabúrbula (Leó) 19 Ud 93
Villacadima (Gua) 58 We 101
⊠ 19274
Villacalabuey (Leó) 20 Uf 94
⊠ 24172
Villacalbiel (Leó) 36 Uc 94 ⊠ 24234
Villacampa (Hues) 27 Ze 94
Villacampo del Moral (Jaé)
152 Wd 123
Villacañas (Tol) 109 We 111
⊠ 45860
Villacantid (Can) 21 Ve 91 ⊠ 39210
Villacarlí (Hues) 28 Ad 94
Villacarralón (Vall) 37 Uf 95
Villacarriedo (Can) 9 Wb 89
⊠ 39640
Villacarrillo (Jaé) 139 Wf 120
⊠ 23300
Villacastín (Seg) 74 Vd 104
Villa Catalina, Cortijo (Bad)
119 Td 116
Villacé (Leó) 36 Uc 94
Villacedré (Leó) 19 Uc 93
Villacelama (Leó) 19 Ud 94
⊠ 24225
Villacerán (Leó) 20 Uf 93
Villacete (Leó) 19 Ud 93 ⊠ 24227
Villacián (Bur) 22 Wf 91
Villacibio (Pal) 21 Ve 92 ⊠ 34492
Villacidaler (Pal) 37 Va 95 ⊠ 34349
Villacidayo (Leó) 19 Ue 93 ⊠ 24161
Villacid de Campos (Vall) 37 Uf 96
⊠ 47607
Villacienzo (Bur) 39 Wb 95 ⊠ 09195
Villaciervitos (Sor) 59 Xc 98
⊠ 42192
Villaciervos (Sor) 41 Xc 98 ⊠ 42192
▲ Villaciervos, Altos de 59 Xb 98
Villacil (Leó) 19 Ud 93 ⊠ 24228
Villacintor (Leó) 19 Uf 94 ⊠ 24344
Villacista, Caserío de (Bur)
39 Wa 95
Villaco (Vall) 56 Ve 98 ⊠ 47181
Villaconancio (Pal) 38 Ve 97
⊠ 34247
Villaconejos (Mad) 90 Wd 108
⊠ 28360
Villaconejos de Trabaque (Cue)
77 Xe 106 ⊠ 16860
Villacontilde (Leó) 19 Ud 93
⊠ 24219
Villacorta (Leó) 20 Va 92 ⊠ 24882
Villacorta (Seg) 58 Wd 101 ⊠ 40512
≈ Villacorta, Arroyo de 55 Ud 101
Villacorza (Gua) 59 Xb 102 ⊠ 19269
Villacreces (Vall) 37 Uf 95 ⊠ 47609
Villacuende (Pal) 38 Vb 94 ⊠ 34129
Villada (Pal) 37 Va 95 ⊠ 34340
Villadangos del Páramo (Leó)
19 Ub 93
Villa de Arico (Ten) 173 E 4
⊠ 38580
Villa de Don Fadrique, La (Tol)
109 We 111 ⊠ 45850
Villa del Campo (Các) 86 Td 108
⊠ 10814
Villa del Prado (Mad) 89 Ve 107
⊠ 28630
Villa del Rey (Các) 85 Tb 110
⊠ 10960
Villa del Río (Córd) 137 Ve 121
Villa de Mazo (Ten) 171 C 3
Villademor de la Vega (Leó)
36 Uc 95 ⊠ 24237
Villadepera (Zam) 54 Tf 99 ⊠ 49250
Villa de Teguise (Palm) 176 Zc 3
Villa de Vallecas (Mad) 90 Wc 106
Villadiego (Bur) 21 Vf 93 ⊠ 09120
Villadiego de Cea (Leó) 20 Va 93
⊠ 24327
Villadiezma (Pal) 38 Vd 94 ⊠ 34469
Villadoz (Zar) 61 Ye 102 ⊠ 50490
Villadún (Lug) 5 Sf 87
Villaeles de Valdavia (Pal) 20 Vc 93
⊠ 34475
Villaescobedo (Bur) 21 Vf 92
Villaescusa (Can) 9 Wa 88
Villaescusa (Can) 21 Ve 91
Villaescusa (Zam) 55 Ud 101
⊠ 49430
▲ Villaescusa, Páramos de
22 Wb 92
Villaescusa de Ebro (Can) 21 Wa 92
⊠ 39232
Villaescusa de Ecla (Pal) 21 Vd 92
⊠ 34486
Villaescusa de Haro (Cue)
110 Xb 111 ⊠ 16647
Villaescusa del Butrón (Bur)
22 Wc 92
Villaescusa de Palositos (Gua)
76 Xc 105 ⊠ 19493
Villaescusa de Roa (Bur) 57 Vf 98
⊠ 09314
Villaescusa la Solana (Bur)
40 Wd 94 ⊠ 09292
Villaescusa la Sombría (Bur)
40 Wd 94
Villaespasa (Bur) 40 Wd 96
⊠ 09650
Villaesper (Vall) 37 Uf 97 ⊠ 47811
Villaespesa (Mur) 141 Yc 122
Villaespesa (Ter) 93 Yf 107
Villaesteres, Los (Vall) 55 Ue 99
Villaestremerí (Ast) 6 Ua 89
Villaestrigo (Leó) 36 Ub 95 ⊠ 24791
Villafáfila (Zam) 36 Uc 97
Villafalé (Leó) 19 Ud 93
Villafañé (Leó) 19 Ud 93
Villafeide (Leó) 19 Uc 91
Villafeliche (Zar) 60 Yc 101 ⊠ 50391
▲ Villafeliche, Puerto de 60 Yd 101
Villafeliz de Babia (Leó) 18 Ua 91
⊠ 24145
Villafeliz de la Sobarriba (Leó)
19 Ud 93 ⊠ 24195
Villafer (Leó) 36 Uc 96 ⊠ 24236
Villaferrueña (Zam) 36 Ua 96
⊠ 49695
Villaflor (Zam) 54 Tf 99 ⊠ 49165
Villaflor (Ávi) 73 Va 104 ⊠ 05357
Villaflores (Sal) 55 Ue 102 ⊠ 37406
Villaflores (Gua) 76 Wf 105
Villafolfo (Pal) 38 Vc 95 ⊠ 34131
Villafrades de Campos (Vall)
37 Va 96 ⊠ 47606
Villafranca (Nav) 42 Yb 95 ⊠ 31330
Villafranca (Seg) 57 Wb 101
▲ Villafranca, Sierra de 72 Ue 106
Villafranca de Córdoba (Córd)
136 Vc 121
Villafranca de Duero (Vall)
55 Ue 100 ⊠ 47529
Villafranca de Ebro (Zar) 62 Zc 99
⊠ 50174
Villafranca de la Sierra (Ávi)
72 Ue 106 ⊠ 05571
Villafranca del Bierzo (Leó) 17 Tb 93
⊠ 24500
Villafranca del Campo (Ter)
78 Yd 104 ⊠ 44394
Villafranca del Castillo (Mad)
74 Wa 106 ⊠ 28692
Villafranca del Cid (Cas) 80 Ze 106
⊠ 12150
Villafranca del Guadalhorce (Mál)
159 Vb 128 ⊠ 29570
Villafranca de los Barros (Bad)
119 Te 117 ⊠ 06220
Villafranca de los Caballeros (Tol)
109 Wd 112 ⊠ 45730
Villafranca-Montes de Oca (Bur)
40 We 94
Villafranco del Guadiana (Bad)
119 Ta 115 ⊠ 06195
☆ Villafranquilla, Ermita de
136 Va 122
Villafrea de la Reina (Leó) 20 Va 91
⊠ 24913
Villafrechos (Vall) 37 Ue 97
⊠ 47810
Villafría (Ast) 6 Tf 87
Villafría (Ála) 23 Xc 93
Villafría (Bur) 39 Wc 94
Villafría de la Peña (Pal) 20 Vb 91
Villafruela (Bur) 39 Wa 97 ⊠ 09344
Villafruela (Pal) 38 Vc 95 ⊠ 34310
Villafuerte (Vall) 56 Ve 98
▲ Villafuerte, Sierra de 140 Xf 120
Villafuertes (Bur) 39 Wb 95
⊠ 09339
Villafufre (Can) 9 Wa 89 ⊠ 39638
Villagalijo (Bur) 40 We 94 ⊠ 09268
Villagallegos (Leó) 36 Uc 94
⊠ 24250
Villagarcía de Campos (Vall)
37 Ue 98
Villagarcía de la Torre (Bad)
134 Tf 119
Villagarcía del Llano (Cue)
111 Ya 113
Villagatón (Leó) 18 Tf 93
Villageriz (Zam) 36 Ua 96
Villagime (Ast) 18 Ua 90 ⊠ 33116
Villagodio, Caserío de (Vall)
37 Uf 97
Villagómez la Nueva (Vall) 37 Uf 96
Villagonzalo (Bad) 120 Te 115
⊠ 06473
≈ Villagonzalo, Embalse de
72 Ud 103
Villagonzalo-Arenas (Bur) 39 Wb 94
Villagonzalo de Coca (Seg)
56 Vc 101 ⊠ 40496
Villagonzalo de Tormes (Sal)
72 Uc 103 ⊠ 37893
Villagonzalo-Pedernales (Bur)
39 Wb 95
Villagordo (Jaé) 138 Wb 121
Villagutiérrez (Bur) 39 Wa 95
Villahán (Pal) 38 Vf 96
Villaharta (Córd) 136 Va 120
⊠ 14210
Villa Herminia (Rio) 23 Xb 94
Villahermosa (Ciu) 125 Xa 116
⊠ 13332
≈ Villahermosa, Río 95 Zd 107
Villahermosa del Campo (Ter)
61 Ye 102 ⊠ 44494
Villahermosa del Río (Cas)
95 Zd 107
Villahernando (Bur) 21 Wa 93
⊠ 09125
Villaherreros (Pal) 38 Vd 94
⊠ 34469
Villahibiera (Leó) 19 Ue 93 ⊠ 24930
Villahizán (Bur) 39 Wa 96
Villahizán de Treviño (Bur) 21 Vf 94
Villahoz (Bur) 39 Wa 96 ⊠ 09343
Villainclán (Ast) 5 Tc 87
Villaires (Pal) 20 Vb 93 ⊠ 34115
Villajimena (Pal) 38 Vd 96 ⊠ 34419
≈ Villajos, Arroyo de 39 Vf 95
Villajoyosa/Vila Joiosa, la (Ali)
129 Ze 117
Villa Juana (Alb) 112 Yd 114
Villalaco (Pal) 38 Ve 96 ⊠ 34259
Villalacre (Bur) 22 Wd 90 ⊠ 09514
Villalafuente (Pal) 20 Vb 93
⊠ 34115
Villalaín (Bur) 22 Wc 91
Villalan de Campos (Vall) 37 Ue 96
⊠ 47675
Villalangua (Hues) 26 Zb 94
⊠ 22822
Villalar de los Comuneros (Vall)
55 Uf 99 ⊠ 47111
Villalazán (Zam) 54 Uc 100
Villalázara (Bur) 22 Wc 90
Villalba (Sor) 59 Xd 100 ⊠ 42223
Villalba (Các) 85 Tb 108
Villalba, Caserío de (Jaé)
137 Vf 120
☆ Villalba, Castillo de 88 Vc 109
Villalba Alta (Ter) 79 Za 105
⊠ 44161
Villalba Baja (Ter) 79 Yf 106
⊠ 44162
Villalba de Adaja (Vall) 56 Vb 100
⊠ 47238
Villalba de Calatrava (Ciu)
123 Wc 117 ⊠ 13739
Villalba de Duero (Bur) 57 Wb 98
⊠ 09443
Villalba de Guardo (Pal) 20 Vb 92
⊠ 34889
Villalba de la Lampreana (Zam)
54 Uc 98 ⊠ 49126
Villalba del Alcor (Huel) 147 Td 124
⊠ 21860
Villalba de la Loma (Vall) 37 Ue 95
⊠ 47689
Villalba de la Sierra (Cue) 92 Xf 107
⊠ 16140
Villalba de los Alcores (Vall)
37 Va 97 ⊠ 47639
Villalba de los Arcos = Vilalba dels
Arcs (Tar) 62 Ac 102
Villalba de los Barros (Bad)
119 Tc 117 ⊠ 06208
Villalba de los Llanos (Sal)
71 Ua 104 ⊠ 37451
Villalba de los Morales (Ter)
78 Yd 103 ⊠ 44359
Villalba del Rey (Cue) 91 Xc 106
⊠ 16535
Villalba de Perejil (Zar) 60 Yc 101
Villalba de Rioja (Rio) 23 Xa 93
⊠ 26292
Villalbarba (Vall) 55 Ue 99 ⊠ 47113
Villalbeto de la Peña (Pal) 20 Vb 92
Villalbilla (Mad) 75 We 106 ⊠ 28810
Villalbilla (Cue) 92 Xe 107
Villalbilla de Burgos (Bur) 39 Wb 95
⊠ 09197
Villalbilla de Gumiel (Bur) 39 Wc 98
Villalbilla de Villadiego (Bur)
21 Wa 93
Villalbilla-Sobresierra (Bur)
22 Wc 93
Villalbos (Bur) 22 We 94 ⊠ 09258
Villalbura (Bur) 39 Wd 95 ⊠ 09199
Villalcampo (Zam) 54 Tf 99 ⊠ 49166
≈ Villalcampo, Embalse de
54 Tf 100
Villalcázar de Sirga (Pal) 38 Vc 95
Villalcón (Pal) 37 Va 95
Villaldavín (Pal) 38 Vc 96
Villaldemiro (Bur) 39 Wa 95
⊠ 09227
Villalebrín (Leó) 37 Va 94
Villalegre (Ast) 6 Ua 87
Villalengua (Zar) 60 Yb 100
⊠ 50216
Villaleons (Bar) 48 Cb 97
Villalgordo del Júcar (Alb)
111 Xf 113
Villalgordo del Marquesado (Cue)
110 Xc 110 ⊠ 16646
Villalinvierno, Caserío de (Pal)
37 Va 97
Villalís (Leó) 36 Tf 95
Villallana (Ast) 7 Ub 89 ⊠ 33695
Villallano (Pal) 21 Ve 92 ⊠ 34815
Villalmán (Leó) 37 Va 94
Villalmanzo (Bur) 39 Wb 96
⊠ 09390
Villalmóndar (Bur) 22 We 94
Villalobar (Leó) 36 Uc 94 ⊠ 24233
Villalobar de Rioja (Rio) 23 Xa 94
⊠ 26256
Villalobón (Pal) 38 Vd 96 ⊠ 34419
Villalobos (Jaé) 151 Wa 124
Villalobos (Zam) 37 Ud 97 ⊠ 49134
Villalobos, Cortijo de (Alm)
162 Xb 128
Villa Lola (Alb) 126 Ya 114
Villa Lola (Cas) 95 Zf 109
Villalómez (Bur) 40 We 94
Villalón (Mál) 159 Vb 128
Villalón (Córd) 136 Uf 122
Villalón de Campos (Vall) 37 Uf 96
Villalones (Mál) 158 Ue 127
Villalonga (Val) 129 Ze 115 ⊠ 46720
Villalonso (Zam) 55 Ue 99 ⊠ 49860
Villalpando (Zam) 37 Ud 97
⊠ 49630
Villalpardillo (Cue) 111 Xe 113
Villalpardo (Cue) 111 Yc 112
⊠ 16270
Villalquite (Leó) 19 Ue 93 ⊠ 24218
Villalta (Bur) 22 Wc 92 ⊠ 09559
Villalube (Zam) 54 Uc 99 ⊠ 49539
Villa Lucía (Vall) 55 Ue 100
☆ Villaluenga, Castillo de 89 Wa 1(
Villaluenga de la Sagra (Tol)
89 Wa 108
Villaluenga de la Vega (Pal)
20 Vb 93 ⊠ 34111
Villaluenga del Rosario (Cád)
158 Ud 128 ⊠ 11611
Villalumbroso (Pal) 38 Vb 95
⊠ 34307
Villalumbrós o Villa Eulalia (Vall)
37 Ue 97
Villalval (Bur) 39 Wc 94
Villálvaro (Sor) 58 We 99
Villalverde (Zam) 35 Te 96
Villalvilla de Montejo (Seg)
57 Wb 100
Villamalea (Alb) 112 Yc 112
⊠ 02270
Villamalur (Cas) 95 Zd 109 ⊠ 122
Villamana (Hues) 27 Zf 94
Villamañán (Leó) 36 Uc 95
Villamandos (Leó) 36 Uc 95
⊠ 24238
Villamanín (Leó) 19 Ub 91
Villamanrique (Ciu) 124 Xa 117
⊠ 13343
Villamanrique de la Condesa (Sev
148 Te 125 ⊠ 41850
Villamanrique de Tajo (Mad)
90 We 108 ⊠ 28598
Villamanta (Mad) 89 Vf 107
⊠ 28610
Villamantilla (Mad) 89 Vf 106
⊠ 28609
Villamarciel (Vall) 55 Va 99 ⊠ 4713
Villamarco (Leó) 19 Ue 94 ⊠ 2434
Villa María Luisa (Zam) 55 Ud 99
Villamartín (Cád) 157 Uc 127
Villamartín (Ali) 143 Zb 121
Villamartín de Campos (Pal)
38 Vb 96
Villamartín de Don Sancho (Leó)
20 Uf 93
Villamartin de Sil (Leó) 18 Tc 92
Villamartín de Sotoscueva (Bur)
22 Wb 90
Villamartín de Villadiego (Bur)
21 Vf 92
Villa Matías (Huel) 146 Sd 125
Villamayor (Lug) 5 Sf 89
Villamayor (Ast) 7 Ue 88
Villamayor (Zar) 61 Zb 98
Villamayor (Sal) 72 Ub 102 ⊠ 3718
Villamayor (Ávi) 73 Uf 103 ⊠ 0538
▲ Villamayor, Montes de 62 Zb 98
Villamayor de Calatrava (Ciu)
123 Vf 116 ⊠ 13595
Villamayor de Campos (Zam)
37 Ud 97 ⊠ 49131
Villamayor del Condado (Leó)
19 Ud 93 ⊠ 24155
Villamayor de los Montes (Bur)
39 Wb 96 ⊠ 09339
Villamayor del Río (Bur) 40 Wf 94
Villamayor de Monjardín (Nav)
24 Xf 93
Villamayor de Santiago (Cue)
91 Xa 110 ⊠ 16415
Villamayor de Treviño (Bur) 21 Vf 9
⊠ 09128
Villambístia (Bur) 40 We 94
Villambrán de Cea (Pal) 37 Va 94
Villambrosa (Ála) 23 Wf 92 ⊠ 0142
Villambroz (Pal) 37 Vb 94 ⊠ 34113
Villameca (Leó) 18 Tf 93 ⊠ 24397
≈ Villameca, Embalse de 18 Tf 93
Villamediana (Pal) 38 Vd 96
Villamediana de Iregua (Rio)
41 Xd 94 ⊠ 26142
Villamediana de Lomas (Bur)
21 Wa 91
Villamedianilla (Bur) 38 Vf 96
⊠ 34260
Villamejil (Leó) 18 Tf 93 ⊠ 24711
Villamejín (Ast) 6 Tf 89
Villamejor (Mad) 90 Wb 109
Villamelendro (Pal) 20 Vc 93
⊠ 34475
Villamelle (Lug) 16 Sc 94
Villamena (Gra) 161 Wc 127
⊠ 18659
Villameriel (Pal) 20 Vd 93 ⊠ 34477
Villamesías (Các) 105 Ua 113
Villamiel (Các) 85 Tb 107 ⊠ 10893
Villamiel de la Sierra (Bur) 40 Wd 9
⊠ 09198
Villamiel de Muñó (Bur) 39 Wb 95
Villamiel de Toledo (Tol) 89 Vf 109
⊠ 45594
Villaminaya (Tol) 108 Wa 110
⊠ 45440
Villamizar (Leó) 19 Uf 93 ⊠ 24344
▲ Villamizar 19 Uf 93
Villamol (Leó) 37 Uf 94 ⊠ 24175
Villamondrín de Rueda (Leó)
19 Ue 93
Villamoñico (Can) 21 Vf 92 ⊠ 3925
Villamontán de la Valduerna (Leó)
36 Ua 95

amontiel (Tol) 108 Wb 111
amor (Lug) 16 Se 93
amor (Bur) 22 Wd 91 ⊠ 09512
amoratiel de las Matas (Leó)
7 Ue 94 ⊠ 24339
amorco (Pal) 38 Vc 94 ⊠ 34127
amor de Cadozos (Zam)
54 Tf 101 ⊠ 49211
amor de Laguna o Villamorico
Leó) 36 Ub 95
amor de la Ladre (Zam)
54 Tf 100 ⊠ 49215
amor de los Escuderos (Zam)
54 Uc 101 ⊠ 49719
amor de Órbigo (Leó) 18 Ua 94
amorico (Bur) 39 Wd 94 ⊠ 09199
amorisca (Leó) 20 Va 92
⊠ 24888
amorón (Bur) 21 Vf 94
lamoronta (Pal) 38 Vb 94
⊠ 34126
lamoros de Mansilla (Leó)
19 Ud 93 ⊠ 24217
lamudria (Bur) 40 We 95 ⊠ 09269
lamuelas (Tol) 90 Wb 110
⊠ 45749
lamuera de la Cueza (Pal)
38 Vb 95 ⊠ 34309
lamuñíno (Leó) 19 Ue 94
lamuriel de Campos (Vall)
37 Ue 97 ⊠ 47814
lamuriel de Cerrato (Pal) 38 Vc 97
⊠ 34190
la Narcisa (Vall) 55 Va 100
lanasur-Río de Oca (Bur)
40 We 94
lanazar (Zam) 36 Ub 97 ⊠ 49697
lán de Tordesillas (Vall) 55 Va 99
landiego (Bur) 39 Vf 94 ⊠ 09123
landio (Ast) 7 Ub 89 ⊠ 33610
laneceriel (Pal) 21 Vd 93 ⊠ 34407
langómez (Bur) 39 Wb 95
laño (Bur) 22 Wf 91 ⊠ 09511
lanófar (Leó) 19 Ue 93
lanoño (Bur) 21 Vf 94 ⊠ 09128
lanova (Hues) 28 Ac 93 ⊠ 22467
lanovilla (Hues) 26 Zd 93
⊠ 22710
lantodrigo (Pal) 20 Vc 94
⊠ 34114
lanúa (Hues) 26 Zc 92
lanubla (Vall) 55 Va 98 ⊠ 47620
llanueva (Ast) 5 Tb 88
llanueva (Ast) 6 Tf 90
llanueva (Ast) 8 Vc 88
llanueva (Can) 9 Wa 88
llanueva (Ast) 8 Va 88
llanueva (Can) 10 We 89
llanueva (Nav) 24 Ya 92
llanueva (Nav) 25 Yd 91
Villanueva 38 Vb 95
llanueva (Mad) 75 Wc 105
Villanueva, Ermita de 24 Xe 93
Villanueva, Playa de 8 Va 88
Villanueva, Sierra de 72 Ue 105
llanueva-Carrales (Bur) 21 Wb 91
llanueva de Abajo (Pal) 20 Vb 92
⊠ 34878
llanueva de Alcardete (Tol)
109 Xa 110 ⊠ 45810
illanueva de Alcorón (Gua)
77 Xe 104
illanueva de Algaidas (Mál)
151 Vd 125 ⊠ 29310
illanueva de Argaño (Bur)
39 Wa 94 ⊠ 09130
illanueva de Argecilla (Gua)
76 Xa 103 ⊠ 19246
illanueva de Arriba (Pal) 20 Vb 92
⊠ 34879
illanueva de Azoague (Zam)
36 Uc 97 ⊠ 49699
illanueva de Bogas (Tol)
90 Wc 110 ⊠ 45410
illanueva de Cameros (Rio)
41 Xc 96 ⊠ 26123
illanueva de Campeán (Zam)
54 Ub 100
illanueva de Cañedo (Sal)
54 Ub 102 ⊠ 37799
illanueva de Carazo (Bur)
40 We 97 ⊠ 09611
illanueva de Carrizo (Leó)
18 Ub 93 ⊠ 24270
illanueva de Castellón (Val)
113 Zc 114 ⊠ 46270
illanueva de Córdoba (Córd)
122 Vc 119
illanueva de Duero (Vall) 55 Va 99
⊠ 47239
illanueva de Gállego (Zar)
43 Zb 98
illanueva de Gómez (Ávi)
73 Vb 103
illanueva de Gormaz (Sor)
58 Wf 100 ⊠ 42311
illanueva de Guadamajud (Cue)
91 Xd 107
illanueva de Gumiel (Bur)
57 Wc 98 ⊠ 09450
Villanueva de Henares (Pal)
21 Vf 91 ⊠ 34811
Villanueva de Huerva (Zar)
61 Yf 100
Villanueva de Jalón (Zar) 60 Yc 100
Villanueva de Jamuz (Leó) 36 Ua 95
⊠ 24762
Villanueva de Jiloca (Zar) 78 Yd 102
⊠ 50370
Villanueva de la Cañada (Mad)
74 Wa 106 ⊠ 28691
Villanueva del Aceral (Ávi)
73 Va 102 ⊠ 05212
Villanueva de la Concepción (Mál)
159 Vc 127
Villanueva de la Condesa (Vall)
37 Uf 96 ⊠ 47608
Villanueva de la Fuente (Ciu)
125 Xb 116 ⊠ 13330
Villanueva de la Jara (Cue)
111 Ya 112 ⊠ 16230
Villanueva de la Nía (Can) 21 Vf 92
Villanueva de la Oca (Bur) 23 Xb 92
⊠ 09294
Villanueva de la Peña (Can) 9 Ve 89
⊠ 39509
Villanueva de la Peña (Pal) 20 Vc 91
⊠ 34859
Villanueva del Árbol (Leó) 19 Uc 93
Villanueva de la Reina (Jaé)
137 Wa 120 ⊠ 23730
Villanueva del Ariscal (Sev)
148 Tf 124 ⊠ 41808
Villanueva del Arzobispo (Jaé)
139 Wf 119 ⊠ 23330
Villanueva de las Carretas (Bur)
39 Wa 95 ⊠ 09226
Villanueva de las Cruces (Huel)
133 Sf 123 ⊠ 21592
Villanueva de la Serena (Bad)
120 Ub 115 ⊠ 06700
Villanueva de la Sierra (Zam)
34 Ta 96 ⊠ 49580
Villanueva de la Sierra (Các)
86 Td 107 ⊠ 10812
Villanueva de las Manzanas (Leó)
19 Ud 94 ⊠ 24225
Villanueva de las Peras (Zam)
36 Ua 97 ⊠ 49333
Villanueva de las Torres (Gra)
153 Wf 123 ⊠ 18539
Villanueva de las Tres Fuentes
(Gua) 78 Yb 106
Villanueva de la Tercia (Leó)
19 Ub 91 ⊠ 24689
Villanueva de la Torre (Pal)
21 Vd 91 ⊠ 34828
Villanueva de la Torre (Gua)
75 We 105 ⊠ 19209
Villanueva de la Vera (Các)
87 Ud 108 ⊠ 10470
≈ Villanueva de la Vera, Embalse
de 87 Ud 108
Villanueva del Campillo (Ávi)
72 Ue 105 ⊠ 05591
Villanueva del Campo (Zam)
37 Ud 97 ⊠ 49100
Villanueva del Carnero (Leó)
19 Uc 93 ⊠ 24391
Villanueva del Cauche (Mál)
159 Vd 127
Villanueva del Condado (Leó)
19 Ud 93 ⊠ 24154
Villanueva del Conde (Sal)
71 Tf 105 ⊠ 37658
Villanueva del Duque (Córd)
121 Uf 118 ⊠ 14250
Villanueva del Fresno (Bad)
118 Sf 118 ⊠ 06110
Villanueva del Monte (Pal) 20 Vc 93
⊠ 34115
Villanueva de Lónguida (Nav)
25 Yd 92
Villanueva de los Caballeros (Vall)
37 Ue 98 ⊠ 47850
Villanueva de los Castillejos (Huel)
146 Se 124 ⊠ 21540
Villanueva de los Corchos (Zam)
54 Tf 99 ⊠ 49165
Villanueva de los Escuderos (Cue)
92 Xe 108 ⊠ 16194
Villanueva de los Infantes (Ciu)
124 Xa 116 ⊠ 13320
Villanueva de los Infantes (Vall)
56 Vd 98 ⊠ 47174
Villanueva de los Montes (Bur)
22 Wd 92 ⊠ 09593
Villanueva de los Nabos (Pal)
38 Vc 94 ⊠ 34129
Villanueva de los Pavones (Sal)
72 Ud 102 ⊠ 37428
Villanueva del Pardillo (Mad)
74 Wa 106 ⊠ 28229
Villanueva del Rebollar (Pal)
38 Vb 95 ⊠ 34309
Villanueva del Rebollar de la Sierra
(Ter) 79 Yf 103
Villanueva del Rey (Sev) 150 Uf 123
⊠ 41409
Villanueva del Rey (Córd)
136 Uf 119 ⊠ 14230
Villanueva del Río (Pal) 38 Vc 95
Villanueva del Río Segura (Mur)
142 Ye 120
Villanueva del Río Ubierna (Bur)
39 Wb 94
Villanueva del Río y Mina (Sev)
135 Ub 123
Villanueva del Rosario (Mál)
159 Vd 127 ⊠ 29312
Villanueva de Mesía (Gra)
151 Wa 125
Villanueva de Odra (Bur) 21 Vf 93
⊠ 09128
Villanueva de Omaña (Leó) 18 Tf 92
⊠ 24135
Villanueva de Oscos (Ast) 5 Ta 89
⊠ 33777
Villanueva de Perales (Mad)
89 Vf 106 ⊠ 28609
Villanueva de Puerta (Bur)
21 Wa 93 ⊠ 09125
Villanueva de San Carlos (Ciu)
123 Wa 117 ⊠ 13379
Villanueva de San Juan (Sev)
158 Ue 126 ⊠ 41660
Villanueva de San Mancio (Vall)
37 Uf 97 ⊠ 47813
Villanueva de Sigena (Hues)
45 Aa 98 ⊠ 22231
Villanueva de Tapia (Mál)
151 Vd 125 ⊠ 29315
Villanueva de Teba (Bur) 22 Wf 93
⊠ 09219
Villanueva de Tobera (Bur) 23 Xb 92
⊠ 09215
Villanueva de Valdegovía (Ála)
22 Wf 91
Villanueva de Valdueza (Leó)
17 Tc 94 ⊠ 24415
Villanueva de Valrojo (Zam)
35 Te 97 ⊠ 49337
Villanueva de Viver (Cas) 94 Zc 108
⊠ 12428
Villanueva de Zamajón (Sor)
59 Xe 99
Villanueva la Blanca (Bur) 22 Wc 91
⊠ 09555
Villanueva-Matamala (Bur)
39 Wb 95
Villanuevas, Los (Ter) 94 Zc 108
Villanuño de Valdavia (Pal) 20 Vc 93
⊠ 34477
Villaobispo (Zam) 36 Ua 96
Villaoliva de la Peña (Pal) 20 Vb 92
Villaornate (Leó) 36 Uc 95 ⊠ 24222
Villaornate y Castro (Leó) 37 Uc 95
Villapaderne (Can) 21 Vf 90
⊠ 39292
Villapadierna (Leó) 19 Uf 92
⊠ 24940
Villapalacios (Alb) 125 Xc 117
⊠ 02350
Villapanillo (Bur) 22 Wd 91 ⊠ 09515
Villapardillo (Jaé) 138 Wd 121
☆ Villa Paz, Palacio de 91 Xb 109
Villapeceñil (Leó) 37 Uf 94 ⊠ 24175
Villa Pepita (Hues) 45 Aa 96
Villapérez (Ast) 6 Ua 88
Villapodambre (Leó) 18 Ub 92
⊠ 24124
Villaprovedo (Pal) 21 Vd 93
⊠ 34491
Villaproviano (Pal) 20 Vc 94
⊠ 34128
Villapún (Pal) 20 Vb 93
Villaquejida (Leó) 36 Uc 96 ⊠ 24235
Villaquemado, Cortijo de (Gra)
152 Wa 124
Villaquilambre (Leó) 19 Uc 93
⊠ 24008
Villaquirán de la Puebla (Bur)
39 Vf 95
Villaquirán de los Infantes (Bur)
39 Vf 95
Villar (Córd) 150 Uf 123
Villar (Ast) 7 Ue 88
Villar (Can) 10 Wc 89
Villar (Can) 21 Ve 90
Villar (Seg) 57 Wb 102
Villar (Vall) 56 Vb 99
☆ Villar, Convento del 42 Yb 96
Villar, Cortijo del (Sev) 150 Uf 124
Villar, Cortijo del (Sev) 150 Va 125
Villar, El (Alm) 154 Xe 123 ⊠ 04813
Villar, El (Huel) 133 Tb 122 ⊠ 21649
Villar, El (Ciu) 123 Vf 117 ⊠ 13597
Villar, El (Alb) 111 Ya 114 ⊠ 02459
Villar, El (Rio) 41 Xe 96
☆ Villar, el 66 Cb 98
≈ Villar, Embalse de El 75 Wc 103
☆ Villar, Ermita de 18 Ua 93
☆ Villar, Ermita del 55 Uf 99
Villar, Es (Bal) 99 Da 109
≈ Villar, Rivera del 133 Tb 122
▲ Villar, Sierra del 105 Ub 114
Villaralbo (Zam) 54 Ub 100 ⊠ 49159
Villaralto (Córd) 121 Va 118
⊠ 14490
Villa Ramón (Ter) 79 Zc 103
Villarán (Sev) 148 Te 124
Villarán (Bur) 22 Wd 91
Villarana (Cád) 156 Te 129
Villa Raquel (Cas) 80 Aa 106
Villarcayo (Bur) 22 Wc 91 ⊠ 09550
Villarcayo de la Merindad de
Castilla la Vieja (Bur) 22 Wc 91
Villarcazo (Ast) 7 Ue 89 ⊠ 33584
Villar de Acero (Leó) 17 Tb 92
⊠ 24511
Villar de Argañán (Sal) 70 Tb 104
Villar de Arnedo, El (Rio) 41 Xf 95
⊠ 26511
Villar de Cañas (Cue) 91 Xc 110
⊠ 16433
Villar de Cantos (Cue) 110 Xd 112
⊠ 16709
Villar de Chinchilla (Alb) 127 Yc 115
⊠ 02695
Villar de Ciervo (Sal) 70 Tb 104
Villar de Ciervos (Leó) 18 Te 94
Villardeciervos (Zam) 35 Te 97
⊠ 49562
Villar de Cobeta (Gua) 77 Xe 104
⊠ 19444
Villar de Corneja (Ávi) 72 Ud 106
⊠ 05516
Villar de Cuevas (Jaé) 138 Wb 121
Villar de Domingo García (Cue)
92 Xe 107
Villardefallaves (Zam) 37 Ud 97
Villar de Farfón (Zam) 36 Tf 97
Villar de Flores (Sal) 85 Tb 106
Villardefrades (Vall) 55 Ue 98
⊠ 47860
Villar de Gallegos (Ast) 6 Ub 89
⊠ 33615
Villar de Gallimazo (Sal) 72 Ue 103
⊠ 37320
Villar de Golfer (Leó) 36 Te 94
⊠ 24721
Villar de Huergo (Ast) 7 Ue 88
⊠ 33584
Villar de la Encina (Cue) 110 Xc 111
⊠ 16648
Villar del Águila (Cue) 91 Xc 109
Villar del Ala (Sor) 41 Xc 97
⊠ 42165
Villar del Arzobispo (Val) 94 Zb 110
⊠ 46170
Villar de las Traviesas (Leó)
18 Td 92 ⊠ 24458
Villar de la Ventosa (Cue) 92 Xd 108
Villar de la Yegua (Sal) 70 Tb 104
⊠ 37488
Villar del Buey (Zam) 53 Te 101
⊠ 49240
Villar del Campo (Sor) 41 Xf 98
⊠ 42112
Villar del Cobo (Ter) 78 Yb 106
⊠ 44114
Villar de Leche (Sal) 72 Ub 105
⊠ 37766
Villar del Horno (Cue) 92 Xd 108
⊠ 16162
Villar del Humo (Cue) 93 Yc 109
⊠ 16370
Villar del Infantado (Cue) 76 Xd 106
⊠ 16813
Villar del Maestre (Cue) 92 Xd 108
⊠ 16542
Villar del Monte (Leó) 35 Te 95
⊠ 24738
Villar del Olmo (Mad) 90 We 106
⊠ 28512
Villar de los Álamos (Sal) 71 Tf 103
Villar de Los Barrios (Leó) 17 Tc 93
⊠ 24414
Villar de los Navarros (Zar)
61 Yf 102 ⊠ 50156
Villar del Pedroso (Các) 106 Ue 110
⊠ 10330
Villar del Pozo (Ciu) 123 Wa 115
⊠ 13431
Villar del Puerto (Leó) 19 Uc 91
⊠ 24836
Villar del Rey (Bad) 104 Ta 114
⊠ 06192
Villar del Rey, Caserío (Sal)
70 Tc 104
Villar del Río (Sor) 41 Xd 96
Villar del Salz (Ter) 78 Yc 104
⊠ 44311
Villar del Saz de Arcas (Cue)
92 Xf 109 ⊠ 16123
Villar del Saz de Navalón (Cue)
92 Xd 108
Villar del Yermo (Leó) 36 Ub 94
⊠ 24249
Villar de Matacabras (Ávi) 73 Uf 102
⊠ 05220
Villar de Maya (Sor) 41 Xd 96
⊠ 42173
Villar de Mazarife (Leó) 19 Ub 94
⊠ 24392
Villar de Olalla (Cue) 92 Xe 108
⊠ 16196
Villar de Olmos (Val) 112 Yf 111
⊠ 46351
Villar de Peralonso (Sal) 71 Te 102
⊠ 37147
Villar de Plasencia (Các) 86 Tf 108
⊠ 10720
Villar de Profeta (Sal) 71 Ua 104
Villar de Rena (Bad) 105 Ub 114
⊠ 06716
Villar de Samaniego (Sal) 53 Td 102
⊠ 37217
Villar de San Pedro (Ast) 5 Ta 88
⊠ 33728
Villar de Santiago, El (Leó) 18 Te 91
Villar de Sobrepeña (Seg)
57 Wb 101 ⊠ 40317
Villar de Tejas (Val) 112 Yf 111
⊠ 46351
Villar de Torre (Rio) 40 Xa 94
⊠ 26325
Villar de Ves (Alb) 112 Ye 113
Villardeveyo (Ast) 7 Ub 88 ⊠ 33480
Villar de Vildas (Ast) 18 Td 90
⊠ 33842
Villardiegua de la Ribera (Zam)
53 Te 99 ⊠ 49250
Villardiegua del Nalso (Zam)
54 Tf 101
Villardiegua del Sierro (Zam)
54 Ub 101 ⊠ 49178
Villárdiga (Zam) 37 Ud 98
Villardompardo (Jaé) 137 Wa 121
⊠ 23659
Villardondiego (Zam) 55 Ud 99
⊠ 49871
Villarejo (Alb) 126 Xf 117
Villarejo (Rio) 40 Xa 94 ⊠ 26325
Villarejo (Sal) 53 Te 101
Villarejo (Seg) 57 Wc 101 ⊠ 40590
Villarejo (Sal) 71 Td 106
Villarejo (Ávi) 73 Vb 106 ⊠ 05120
Villarejo, Cortijo (Các) 105 Ua 112
Villarejo, El (Ter) 93 Yc 107
Villarejo de Fuentes (Cue)
91 Xb 110 ⊠ 16432
Villarejo de la Peñuela (Cue)
92 Xd 108 ⊠ 16541
Villarejo de la Sierra (Zam) 35 Td 96
⊠ 49342
Villarejo del Espartal (Cue)
91 Xd 107 ⊠ 16843
Villarejo de los Olmos, El (Ter)
78 Ye 103 ⊠ 44357
Villarejo del Valle (Ávi) 88 Va 107
⊠ 05413
Villarejo de Medina (Gua) 77 Xd 103
⊠ 19445
Villarejo de Montalbán (Tol)
88 Vc 110
Villarejo de Órbigo (Leó) 36 Ua 94
Villarejo de Salvanés (Mad)
90 We 108
Villarejo-Periesteban (Cue)
92 Xd 109
Villarejo Seco (Cue) 92 Xd 109
⊠ 16195
Villarejo-Sobrehuerta (Cue)
91 Xd 108
Villareo (Huel) 147 Tc 125
Villares (Alb) 126 Xf 118 ⊠ 02439
☆ Villares, Ermita de los 141 Yb 120
Villares, Los (Gra) 152 We 124
⊠ 18181
Villares, Los (Córd) 151 Ve 124
⊠ 14811
Villares, Los (Jaé) 138 Wb 122
Villares, Los (Jaé) 137 Wa 120
Villares, Los (Jaé) 137 Vf 122
Villares, Los (Ciu) 125 Xa 115
▲ Villares, Los 77 Ya 103
▲ Villares, Los 78 Yc 105
▲ Villares, Los 91 Xd 109
Villares, Los (Ter) 94 Yf 108
▲ Villares, Sierra de los 142 Yf 121
▲ Villares, Sierra de los 106 Uf 114
Villares de Jadraque (Gua)
58 Wf 102 ⊠ 19244
Villares de la Reina (Sal) 72 Uc 102
⊠ 37184
Villares del Saz (Cue) 91 Xd 109
⊠ 16442
Villares de Órbigo (Leó) 18 Ua 94
Villares de Soria, Los (Sor) 41 Xd 97
⊠ 42180
Villares de Yeltes (Sal) 71 Td 103
⊠ 37267
Villargordo (Sev) 134 Td 123
Villargordo (Sal) 53 Te 102
Villargordo del Cabriel (Val)
112 Yd 111 ⊠ 46317
Villargusán (Leó) 18 Ua 91
Villarías (Bur) 22 Wc 91
Villaricos (Alm) 155 Yb 125
⊠ 04618
Villariezo (Bur) 39 Wb 95 ⊠ 09195
Villarijo (Sor) 41 Xf 96
≈ Villarijo, Pantano 41 Xf 96
Villarín (Ast) 5 Ta 88
Villarín de Riello (Leó) 18 Ua 92
Villarino (Leó) 35 Tc 95
Villarino (Sal) 53 Td 101
Villariño de Cebal (Zam) 35 Te 98

Villarino del Sil (Leó) 18 Td 91 ✉ 24498
Villarino de Manzanas (Zam) 35 Td 97
Villarino de Sanabria (Zam) 35 Tc 96 ✉ 49358
Villarino Tras la Sierra (Zam) 53 Td 98 ✉ 49518
Villarluengo (Ter) 79 Zc 105 ✉ 44559
▲ Villarluengo, Puerto de 79 Zc 105
Villarmayor (Sal) 71 Ua 102 ✉ 37130
Villarmentero (Bur) 39 Wb 94 ✉ 09131
Villarmentero de Campos (Pal) 38 Vc 95 ✉ 34447
Villarmentero de Esgueva (Vall) 56 Vc 98 ✉ 47172
Villarmero (Bur) 39 Wb 94 ✉ 09197
Villarmienzo (Pal) 20 Vb 93 ✉ 34114
Villarmuerto (Sal) 71 Td 102 ✉ 37217
Villarmún (Leó) 19 Ud 93
Villarn de Valdivia (Pal) 21 Ve 92
Villarnera (Leó) 36 Ua 94
Villa Román (Tol) 90 Wc 109
Villa Rosa (Sal) 71 Te 105
≈ Villar O Torrente 2 Ra 90
Villarquemado (Ter) 78 Ye 105 ✉ 44380
Villarrabé (Pal) 38 Vb 94
Villarrabines (Leó) 36 Uc 95 ✉ 24238
Villarramiel (Pal) 37 Va 96 ✉ 34340
Villarramiro, Caserío de (Pal) 38 Vb 97
Villarrasa (Huel) 147 Tc 124 ✉ 21850
Villarraso (Sor) 41 Xe 97 ✉ 42181
Villarratel (Leó) 19 Ud 93 ✉ 24165
Villarreal (Mur) 155 Yc 123
Villarreal (Bad) 118 Se 116 ✉ 06107
Villarreal/Vila-real (Cas) 95 Zf 109
Villarreal de Huerva (Zar) 61 Ye 101 ✉ 50490
Villarreal de la Canal (Hues) 26 Za 93 ✉ 22771
Villarreal de los Infantes = Vila-real (Cas) 95 Zf 109
Villarreal de San Carlos (Các) 86 Tf 109 ✉ 10695
Villarrica (Rio) 23 Xb 94
Villarrín de Campos (Zam) 36 Uc 98
Villarrín del Páramo (Leó) 36 Ub 94
Villarroañe (Leó) 19 Uc 94 ✉ 24226
Villarrobejo (Pal) 20 Vb 94 ✉ 34112
Villarrobledo (Alb) 110 Xc 113 ✉ 02600
Villarrodrigo (Jaé) 125 Xc 118 ✉ 23393
Villarrodrigo de las Regueras (Leó) 19 Uc 93 ✉ 24197
Villarrodrigo de la Vega (Pal) 20 Vb 94 ✉ 34113
Villarrodrigo de Ordás (Leó) 18 Ua 92
Villarroquel (Leó) 18 Ub 93 ✉ 24273
≈ Villarrosano, Rambla de 79 Ye 105
Villarroya (Rio) 41 Xf 96 ✉ 26587
▲ Villarroya, Puerto de 79 Zc 105
Villarroya de la Sierra (Zar) 60 Yb 100 ✉ 50310
Villarroya del Campo (Zar) 61 Ye 102 ✉ 50368
Villarroya de los Pinares (Ter) 79 Zc 105 ✉ 44144
Villarrubia (Córd) 136 Va 121
≈ Villarrubia, Rambla 78 Yd 104
Villarrubia de los Ojos (Ciu) 108 Wc 113 ✉ 13670
Villarrubia de Santiago (Tol) 90 Wd 109 ✉ 45360
Villarrubin (Lug) 17 Sf 93
Villarrubio (Cue) 91 Xa 109 ✉ 16420
Villarrué (Hues) 28 Ad 94
Villarta (Cue) 111 Yc 112 ✉ 16280
Villarta de Escalona (Tol) 89 Vd 108
Villarta de los Montes (Bad) 107 Vb 113 ✉ 06678
Villarta de San Juan (Ciu) 109 Wd 113 ✉ 13210
Villarta-quintana (Rio) 40 Wf 94
Villartorey (Ast) 5 Tb 88 ✉ 33718
Villartoso (Sor) 41 Xd 96 ✉ 42173
Villas, Cortijo Las (Gra) 152 Wa 126
Villasabanego (Leó) 19 Ud 93
Villasabariego de Ucieza (Pal) 38 Vc 94 ✉ 34127
Villasana de Mena (Bur) 22 We 90 ✉ 09580
Villasandino (Bur) 39 Vf 94 ✉ 09109
Villasante (Bur) 22 Wd 90 ✉ 09569
Villasarracino (Pal) 38 Vc 94 ✉ 34491
Villasayas (Sor) 59 Xc 100 ✉ 42214
Villasbuenas (Sal) 53 Tc 102 ✉ 37256
Villasbuenas de Gata (Các) 85 Tc 107 ✉ 10858
Villasdardo (Sal) 71 Tf 102 ✉ 37468
Villas de la Ventosa (Cue) 92 Xd 107
Villaseca (Rio) 23 Xa 93 ✉ 26212
Villaseca (Seg) 57 Wb 101 ✉ 40317
Villaseca (Cue) 92 Xe 107 ✉ 16144
Villaseca, Cortijo de (Córd) 136 Uf 122
Villaseca Bajera (Sor) 41 Xd 96
Villaseca de Arciel (Sor) 59 Xd 102 ✉ 42132
Villaseca de Henares (Gua) 76 Xb 103 ✉ 19294
Villaseca de Laciana (Leó) 18 Te 91 ✉ 24140
Villaseca de la Sagra (Tol) 89 Wa 109 ✉ 45260
Villaseca de la Sobarriba (Leó) 19 Ud 93 ✉ 24228
Villaseca de Uceda (Gua) 75 Wd 104 ✉ 19184
Villaseca Somera (Sor) 41 Xd 96 ✉ 42174
Villaseco (Zam) 54 Ua 100
Villaseco de los Gamitos (Sal) 71 Tf 102 ✉ 37114
Villaseco de los Reyes (Sal) 53 Te 102 ✉ 37150
Villaselán (Leó) 20 Uf 93
Villaselva (Sal) 72 Ub 102 ✉ 37129
Villasequilla de Yepes (Tol) 90 Wb 109
Villasevil (Can) 9 Wa 89 ✉ 39698
Villasexmir (Vall) 55 Uf 99 ✉ 47134
Villasidro (Bur) 39 Vf 94 ✉ 09123
Villasila de Valdavia (Pal) 20 Vc 93 ✉ 34475
Villasilos (Bur) 38 Vf 95 ✉ 09109
Villasimpliz (Leó) 19 Uc 91 ✉ 24670
≈ Villasinda, Laguna de 37 Ud 95
Villasinta de Torío (Leó) 19 Uc 93
Villasola (Ast) 7 Ub 89
Villasparra (Sev) 149 Uc 123
Villasrubias (Sal) 85 Tc 106 ✉ 37522
▲ Villasrubias, Sierra de 85 Tc 107
Villastar (Ter) 93 Yf 107 ✉ 44130
Villasur (Pal) 20 Vb 93 ✉ 34115
Villasur de Herreros (Bur) 40 Wd 95 ✉ 09199
Villasuso (Can) 9 Wa 89
Villasuso de Mena (Bur) 22 We 90 ✉ 09589
Villas-Viejas (Cue) 91 Xb 109
Villategil (Ast) 5 Tc 90 ✉ 33817
Villa Teresa (Val) 113 Zc 112
Villátima (Pal) 37 Va 95
Villatobas (Tol) 90 We 109 ✉ 45310
Villatomil (Bur) 22 Wd 91 ✉ 09512
Villatoquite (Pal) 38 Vb 95 ✉ 34307
Villatoro (Bur) 39 Wb 94
Villatoro (Ávi) 73 Uf 105 ✉ 05560
▲ Villatoro, Puerto de 72 Uf 105
Villatorres (Jaé) 138 Wb 121
Villatoya (Alb) 112 Yd 112 ✉ 02215
Villa Trene (Huel) 147 Tc 125
Villatresmil (Ast) 6 Td 88 ✉ 33879
Villatuelda (Bur) 39 Wa 98 ✉ 09310
Villatuerta (Nav) 24 Ya 93 ✉ 31132
Villaturde (Pal) 38 Vb 94 ✉ 34129
Villaturiel (Leó) 19 Ud 93 ✉ 24226
Villaumbrales (Pal) 38 Vc 96 ✉ 34192
Villa Urrutia (Tar) 64 Ba 101
Villaute (Bur) 21 Wa 93 ✉ 09125
Villava (Nav) 24 Yc 91 ✉ 31610
Villavaler (Ast) 6 Te 88 ✉ 33128
Villavaliente (Alb) 112 Yd 114 ✉ 02154
Villavaquerín (Vall) 56 Vd 99
Villavaser (Ast) 5 Tc 89 ✉ 33889
Villavedeo (Bur) 22 Wd 91 ✉ 09515
Villavedón (Bur) 21 Vf 93
Villavega (Pal) 38 Vd 94 ✉ 34478
≈ Villavega, Río 20 Vd 92
Villavega de Aguilar (Pal) 21 Ve 91 ✉ 34810
Villavega de Ojeda (Pal) 20 Vd 92 ✉ 34485
Villavelasco de Valderaduey (Leó) 20 Va 93 ✉ 24327
Villavelayo (Rio) 40 Xa 96 ✉ 26329
Villavellid (Vall) 55 Ue 98 ✉ 47883
Villavendimio (Zam) 55 Ud 99 ✉ 49870
Villavente (Leó) 19 Uc 93 ✉ 24195
Villaventín (Bur) 22 Wd 90
Villaverde (Alb) 125 Xd 116
Villaverde (Ast) 7 Uf 89
Villaverde (Ast) 7 Uc 87
Villaverde (Ála) 23 Xc 93 ✉ 01118
Villaverde (Palm) 175 E 2 ✉ 35640
Villaverde (Ávi) 73 Va 104 ✉ 05140
Villaverde (Mad) 90 Wb 106
Villaverde (Mad) 90 We 108
☆ Villaverde, Castillo de 43 Za 95
Villaverde de Abajo (Leó) 19 Uc 92 ✉ 24890
Villaverde de Arcayos (Leó) 20 Uf 93 ✉ 24171
Villaverde de Arriba (Leó) 19 Uc 92 ✉ 24890
Villaverde de Guadalimar (Alb) 125 Xc 118 ✉ 02460
Villaverde de Guareña (Sal) 72 Uc 102 ✉ 37428
Villaverde de Íscar (Seg) 56 Vc 101
Villaverde de la Abadia (Leó) 17 Tb 93 ✉ 24390
Villaverde de la Cuerna (Leó) 19 Ud 90 ✉ 24844
Villaverde del Ducado (Sor) 76 Xd 103
Villaverde del Monte (Bur) 39 Wb 96 ✉ 09339
Villaverde del Monte (Sor) 41 Xb 98 ✉ 42145
Villaverde del Río (Sev) 148 Ua 123
Villaverde de Medina (Vall) 55 Uf 101 ✉ 47465
Villaverde de Montejo (Seg) 57 Wc 99 ✉ 40542
Villaverde de Pontones (Can) 10 Wb 88 ✉ 39793
Villaverde de Rioja (Rio) 40 Xb 95 ✉ 26321
Villaverde de Sandoval (Leó) 19 Ud 94 ✉ 24217
Villaverde de Trucios (Can) 10 We 89 ✉ 39880
Villaverde de Volpejera (Pal) 38 Vc 95 ✉ 34309
Villaverde la Chiquita (Leó) 19 Ue 93
Villaverde-Mogina (Bur) 39 Vf 96
Villaverde-Peñahorada (Bur) 39 Wb 94
Villaverde y Pasaconsol (Cue) 92 Xe 110 ✉ 16111
Villaveta (Nav) 25 Yd 92 ✉ 31481
Villaveta (Bur) 38 Vf 94 ✉ 09109
Villaveza del Agua (Zam) 36 Ub 97 ✉ 49760
Villaveza de Valverde (Zam) 36 Ua 97 ✉ 49697
Villaviad (Can) 10 Wd 88 ✉ 39776
Villavicencio de los Caballeros (Vall) 37 Ue 96 ✉ 47676
Villaviciosa (Ast) 7 Ud 88 ✉ 33300
Villaviciosa (Ávi) 73 Va 105 ✉ 05130
≈ Villaviciosa, Ría de 7 Ud 87
Villaviciosa de Córdoba (Córd) 136 Uf 120
Villaviciosa de la Ribera (Leó) 18 Ua 93 ✉ 24271
Villaviciosa de Odón (Mad) 89 Wa 106
Villaviciosa de Tajuña (Gua) 76 Xa 104 ✉ 19413
Villavidel (Leó) 19 Uc 94 ✉ 24225
Villavieja (Cas) 95 Ze 109
Villavieja del Cerro (Vall) 55 Uf 99 ✉ 47113
Villavieja del Lozoya (Seg) 75 Wb 102
Villavieja de Muñó (Bur) 39 Wa 95
Villavieja de Yeltes (Sal) 71 Td 103 ✉ 37260
≈ Villavilla, Río 92 Xf 107
Villaviudas (Pal) 38 Vd 97 ✉ 34249
Villayandre (Leó) 19 Uf 91 ✉ 24989
Villayerno Morquillas (Bur) 39 Wc 94 ✉ 09191
Villayón (Ast) 5 Tb 88
Villayuso (Can) 9 Vf 89
Villayuste (Leó) 18 Ua 92 ✉ 24126
Villazanzo de Valderaduey (Leó) 20 Va 93 ✉ 24328
Villazón (Ast) 6 Te 88
Villazopeque (Bur) 39 Vf 95 ✉ 09226
Villec (Lle) 29 Be 94
Villegas (Bur) 21 Vf 94 ✉ 09128
Villegas, Cortijo de (Córd) 151 Vd 124
Villeguillo (Seg) 56 Vc 101 ✉ 40496
Villel (Ter) 93 Ye 107 ✉ 44131
Villela (Bur) 21 Ve 92 ✉ 34492
Villel de Mesa (Gua) 60 Ya 102 ✉ 19332
Villelga (Pal) 37 Va 95 ✉ 34349
Villemar (Pal) 37 Va 95 ✉ 34349
Villena (Ali) 128 Za 117 ✉ 03400
☆ Villena, Castillo 110 Xb 111
Villerías de Campos (Pal) 37 Va 97 ✉ 34305
Villes, les (Val) 96 Aa 108
▲ Villes, Platja de les 95 Aa 108
Villeza (Leó) 37 Ue 95 ✉ 24324
Villibañe (Leó) 36 Uc 94 ✉ 24250
Villimar (Bur) 39 Wc 94
Villimer (Leó) 19 Ud 93 ✉ 24163
Villobas (Hues) 44 Ze 94
Villodas (Ála) 23 Xb 91 ✉ 01195
Villodre (Pal) 38 Ve 95 ✉ 34259
Villodrigo (Pal) 39 Vf 96 ✉ 34257
Villoldo (Pal) 38 Vc 95 ✉ 34131
Villomar (Leó) 19 Ud 93 ✉ 24218
Víllora (Cue) 93 Yc 110
≈ Villora, Embalse de 93 Yc 110
Villorejo (Bur) 39 Wa 94 ✉ 09133
Villores (Cas) 80 Ze 104 ✉ 12311
Villoria (Ast) 7 Uc 89 ✉ 33986
Villoria (Sal) 72 Ud 103 ✉ 37339
Villoria, Caserío (Zam) 54 Ua 101
Villoria de Buenamadre (Sal) 71 Te 103
Villoria de Órbigo (Leó) 36 Ua 94
Villorobe (Bur) 40 We 95
Villorquite de Herrera (Pal) 20 Vd 94 ✉ 34477
Villorquite del Páramo (Pal) 20 Vb 93 ✉ 34117
Villoruedo (Bur) 39 Wd 96
Villoruela (Sal) 72 Ud 102 ✉ 37338
Villosilla de la Vega (Pal) 20 Vb 93 ✉ 34111
Villosino (Sal) 54 Tf 102
Villoslada (Seg) 74 Vd 103 ✉ 40449
Villoslada de Cameros (Rio) 41 Xb 96 ✉ 26125
Villota del Duque (Pal) 20 Vc 94 ✉ 34128
Villota del Páramo (Pal) 20 Va 93
Villotilla (Pal) 38 Vb 94 ✉ 34129
Villovela de Esgueva (Bur) 39 Wa 98 ✉ 09310
Villovela de Pirón (Seg) 57 Vf 102
Villoviado (Bur) 39 Wb 97 ✉ 09348
Villovieco (Pal) 38 Vd 95 ✉ 34449
▲ Villuerca, Sierra de la 106 Ud 111
▲ Villuercas, Las 106 Ud 112
Villusto (Bur) 21 Vf 93 ✉ 09124
Vilobí del Penedès (Bar) 65 Be 100
Vilobí d'Onyar (Gir) 48 Ce 97
Vilopriu (Gir) 49 Cf 96 ✉ 17466
Viloria (Ála) 23 Xa 92 ✉ 01426
Viloria (Nav) 24 Xe 92 ✉ 31283
Viloria (Vall) 56 Vd 100
Viloria de Rioja (Bur) 40 Wf 94 ✉ 09259
Vilosa, la (Gir) 49 Cf 96
Vilosell, el (Lle) 64 Af 100 ✉ 25457
Vilouchada (Cor) 15 Rc 91 ✉ 15884
Vilouriz (Cor) 15 Sa 91
Vilouriz (Our) 33 Sb 94 ✉ 32160
Vilouta (Lug) 16 Se 92 ✉ 27694
Viloví = Vilobí del Penedès (Bar) 65 Be 100
Vilueña, La (Zar) 60 Yb 101 ✉ 50219
Vilves (Lle) 46 Ba 97 ✉ 25739
Vilvestre (Sal) 53 Tb 102 ✉ 37258
Vilviestre de los Nabos (Sor) 41 Xc 97 ✉ 42153
Vilviestre del Pinar (Bur) 40 Wf 97 ✉ 09690
Vilviestre de Muñó (Bur) 39 Wa 95
Vimbodí (Tar) 64 Ba 100
Vimianzo (Cor) 2 Qf 90 ✉ 15129
▲ Vimianzo, Val de 2 Qf 90
Viña (Cor) 3 Rf 89
Viña, Cortijo de la (Các) 105 Ua 112
☆ Viña, Virgen de la 44 Zf 95
Vinaceite (Ter) 62 Zc 101 ✉ 44591
Viña de Dios (Cád) 157 Tf 128
Viña de Raja (Mur) 142 Ye 123
Vinaderos (Ávi) 73 Vb 102 ✉ 05216
▲ Vinagreras, Playa de las (Ten) 171 B 2
Vinaixa (Lle) 64 Af 100 ✉ 25440
Vinalesa (Val) 114 Zd 111 ✉ 46114
Vinallop (Tar) 80 Ad 104 ✉ 43517
≈ Vinalopó, Río 128 Zb 119
≈ Viñao 15 Rf 94
Vinaròs (Cas) 80 Ac 106 ✉ 12500
▲ Vinaròs, Platja de 80 Ac 106
Viñas (Zam) 35 Td 98
▲ Viñas, Cuesta de las 93 Ye 110
☆ Viñas, Ermita de las 55 Uf 99
Viñas, Las (Gra) 153 Wf 124 ✉ 18879
Viñaspre (Ála) 23 Xd 93 ✉ 01308
Vincios (Pon) 32 Rb 96
Vínculo, Cortijo del (Cád) 164 Ua 130
Vindel (Cue) 77 Xd 105 ✉ 16812
≈ Vindel, Río 77 Xd 105
Vinebre (Tar) 62 Ad 101 ✉ 43792
Viñegra (Ávi) 73 Uf 104
Viñegra de Moraña (Ávi) 73 Va 103 ✉ 05309
≈ Vinegrella, Torrent de (Bal) 99 Da 110
Viñes, Caserío de (Hues) 27 Zf 93
Vingalis (Tar) 62 Ad 101
Viniegra de Abajo (Rio) 40 Xa 96 ✉ 26329
Viniegra de Arriba (Rio) 40 Xb 96 ✉ 26329
Viñón (Ast) 7 Ud 88
Viñón (Can) 8 Vc 89
Vinos (Cor) 15 Rf 91
Vinosillas, Caserío (Các) 86 Tf 108
Vin Roma (Bal) 99 Da 110
Vinseiro (Pon) 15 Rd 92
Viñuela (Mál) 160 Vf 127 ✉ 29712
Viñuela (Ciu) 122 Ve 116 ✉ 13460
≈ Viñuela, Embalse de la 160 Ve 127
☆ Viñuela, Ermita de la 151 Vf 124
Viñuela, La (Jaé) 138 We 122
Viñuela, La (Córd) 137 Vc 120
Viñuela de Sayago (Zam) 54 Ua 1 ✉ 49177
Viñuelas (Val) 112 Yf 112 ✉ 4619
Viñuelas (Gua) 75 Wd 104 ✉ 1918
☆ Viñuelas, Castillo de 75 Wc 105
Viñuelas de Enmedio (Các) 86 Te 109
Vinuesa (Sor) 40 Xb 97 ✉ 42150
▲ Vinya, Coll de la 95 Zd 110
Vinyoles d'Orís (Bar) 48 Cb 96
Vinyoleta, Sa (Bal) 99 Cf 112
Vinyols i Arcs (Tar) 64 Ba 102
Vío (Hues) 27 Aa 93
▲ Violada, Llanos de la 43 Zb 96
☆ Vioño 6 Ua 87
Vioño (Can) 9 Wa 88 ✉ 39479
☆ Vioque, Castillo de 122 Va 117
Viquejos (Mur) 155 Yc 123
Virgala Mayor (Ála) 23 Xd 92 ✉ 01129
Virgala Menor (Ála) 23 Xd 92 ✉ 01129
▲ Virgen, Cerro de la 93 Yc 109
☆ Virgen, Ermita de la 56 Vd 102
☆ Virgen, Ermita de la 75 Wf 104
☆ Virgen, Ermita de la 79 Za 103
☆ Virgen, La 27 Zf 94
▲ Virgen, Puerto de la 154 Xe 125
▲ Virgen, Sierra la 60 Yb 99
☆ Virgen Coronada, Ermita de la 106 Ue 114
☆ Virgen de Arcos 62 Zc 102
☆ Virgen de Arenales 37 Ue 97
☆ Virgen de Arraro, Ermita de la 44 Ze 95
☆ Virgen de Carrascal 78 Yb 104
☆ Virgen de Chalamera 63 Aa 98
☆ Virgen de Criptana, Ermita 109 Wf 112
☆ Virgen de Fátima 121 Uc 118
☆ Virgen de Gabardilla, Ermita de la 43 Ye 94
☆ Virgen de Gádor, Ermita de la 162 Xa 127
☆ Virgen de Gracia 150 Vc 125
☆ Virgen de Gracia, Basílica de la 24 Ya 94
☆ Virgen de Gracia, Ermita de la 74 Vf 105
☆ Virgen de Herrera, Santuario de la 61 Yf 101
☆ Virgen de Hontoria, Ermita de 38 Ve 97
☆ Virgen de Hortales 75 We 106
☆ Virgen de Iguacel, Ermita de la 26 Zd 93
☆ Virgen de la Antigua, Ermita de la 19 Ud 90
☆ Virgen de la Antiqua, Ermita de la 41 Xe 94
☆ Virgen de la Blanca, Ermita de la 39 Wb 97
Virgen de la Cabeza (Jaé) 137 Vf 119
▲ Virgen de la Cabeza 103 Se 112
☆ Virgen de la Cabeza, Ermita de la 140 Xe 122
☆ Virgen de la Cabeza, Ermita de la 140 Xc 121
☆ Virgen de la Cabeza, Ermita de la 112 Yd 113
☆ Virgen de la Cañada, Ermita de la 77 Xd 103
Virgen de la Columna (Zar) 61 Zb 99
☆ Virgen de la Consolación, Virgen de la 149 Ub 125
☆ Virgen de la Corona, Ermita de la 44 Ze 96
Virgen de la Encina (Jaé) 138 Wb 119
☆ Virgen de la Fuente, Santuario 80 Aa 104
☆ Virgen de la Gloria, Ermita de la 26 Zd 93
☆ Virgen de la Guía, Ermita de la 8 Uf 88
☆ Virgen del Águila, Santuario de la 61 Ye 101
☆ Virgen de Lagunas, Ermita de la 61 Ye 100
☆ Virgen de la Luz (Ten) 172 C 4
☆ Virgen de la Montaña 104 Td 112
☆ Virgen de la Mora, Ermita de la 44 Ac 97
☆ Virgen de la Muela, Ermita 90 We 110
☆ Virgen de la Nava, Ermita de la 57 Wc 99
☆ Virgen de la Nueva 74 Vd 106
☆ Virgen de la Oliva 75 We 106
☆ Virgen de la Olmeda 78 Yc 102

Virgen de la Paloma, Ermita de la 20 Vc 92
Virgen de la Paz 75 Wc 105
Virgen de la Peña 25 Yf 92
Virgen de la Peña 44 Zc 95
Virgen de la Peña, Ermita de la 79 Zd 104
Virgen de la Peña, Ermita de la 79 Zb 105
Virgen de la Peña, Ermita de la 90 We 107
rgen de la Purificación, Hospital Provincial (Alb) 111 Xf 114
Virgen de la Regla (Palm) 175 D3
Virgen de la Salud, Ermita de la 141 Yc 122
Virgen de las Cruces, Ermita de la 108 Wb 114
Virgen de las Cuevas 121 Ue 115
Virgen de las Encinas, Ermita de la 36 Ua 97
Virgen de la Sierra 60 Yb 99
Virgen de la Sierra, Ermita de la 27 Aa 94
Virgen de la Sierra, Ermita de la 60 Ya 99
Virgen de la Sierra, Santuario de la 108 Wb 113
Virgen de las Nieves, Ermita 109 We 111
Virgen de las Nieves, Ermita 40 We 97
Virgen de las Nieves, Ermita de la 8 Vb 89
Virgen de las Nieves, Santuario de la 123 Wc 115
☆Virgen de la Solana, Ermita de la 59 Xd 99
☆Virgen de La Soledad, Ermita de la 75 We 106
☆Virgen de las Peñas, Ermita de la 153 Wf 125
☆Virgen de las Peñitas, Ermita 87 Ue 109
☆Virgen de las Viñas 109 Xa 113
☆Virgen de la Vega 79 Zb 106
☆Virgen de la Vega, Ermita de 18 Td 92
☆Virgen de la Vega, Ermita de la 124 Wf 117
☆Virgen de la Vega, Ermita de la 57 Wa 98
☆Virgen de la Vega, Ermita de la 59 Xe 100
☆Virgen de la Veya, Ermita de 36 Ub 97
☆Virgen de la Viña 44 Zf 95
☆Virgen del Brezo, Ermita de la 20 Vb 91
☆Virgen del Bueniabrado, Ermita de la 77 Xe 103
☆Virgen del Camino 26 Zb 94
irgen del Camino, La (Leó) 19 Uc 93 ✉24198
☆Virgen del Camino, Monasterio de la 42 Yb 97
☆Virgen del Campo 78 Yf 104
☆Virgen del Campo, Ermita de la 79 Zb 105
☆Virgen del Castillo 122 Va 116
☆Virgen del Castillo, Ermita de la 78 Ye 105
☆Virgen del Cubillo, Ermita de la 74 Vd 104
☆Virgen del Espino 124 Wd 115
☆Virgen del Espino, Ermita de la 135 Ub 121
☆Virgen dell Valle, Ermita de la 35 Tc 94
☆Virgen del Mar, Ermita de la 9 Wa 88
☆Virgen del Molino, Ermita de la 78 Ye 105
☆Virgen del Monte, Ermita de la 45 Ab 95
☆Virgen de Lomas de Orios, Ermita de la 41 Xb 96
☆Virgen de los Ánades, Ermita 39 Wd 95
☆Virgen de los Ángeles, Ermita de la 78 Yd 105
☆Virgen de los Llanos, Ermita de la 76 Wf 106
☆Virgen de los Mártires 125 Xa 116
☆Virgen de los Milagros 20 Vd 93
☆Virgen de los Perales, Ermita de la 55 Va 99
☆Virgen de los Remedios, Ermita de la = Virxe dos Remedios 34 Sd 97
☆Virgen de los Santos 123 Wa 116
☆Virgen de los Santos, Ermita de 60 Ya 98
☆Virgen del Otero, Ermita de la 20 Vc 92
☆Virgen del Paúl, Ermita de la 57 Wd 99
☆Virgen del Pilar, Ermita de la 42 Xf 96
☆Virgen del Pinar, Ermita de la 57 Vf 100
☆Virgen del Pinar, Ermita de la 92 Xd 106
☆Virgen del Puente 37 Va 94
☆Virgen del Roble, Ermita de la 41 Xc 94
☆Virgen del Robledo 135 Uc 121
Virgen del Rocío (Sev) 149 Ub 124
☆Virgen del Romero, Basílica de la 42 Yb 97
☆Virgen del Rosario 78 Yc 102
☆Virgen del Rosario 78 Ye 103
☆Virgen del Rosario, Ermita 56 Vb 98
☆Virgen del Rosario, Ermita de la 153 Xb 123
☆Virgen del Rosario, Ermita de la 137 Vf 119
☆Virgen del Sol, Ermita de la 137 Vd 120
☆Virgen del Soto 42 Yc 94
☆Virgen del Tocón, Ermita de la 61 Yd 101
▲Virgen de Luna 136 Vb 119
☆Virgen del Val 75 Wd 106
☆Virgen del Val, Ermita de la 92 Xd 107
☆Virgen del Valle, Ermita de la 20 Vb 93
☆Virgen del Villar, Ermita de la 42 Xf 96
☆Virgen de Magallón 44 Zc 98
☆Virgen de Montealejo, Ermita de 76 Xc 105
☆Virgen de Montesinos, Ermita de la 77 Xf 103
☆Virgen de Ubarriarán, Ermita 23 Xb 91
☆Virgen de Zuberoa, Ermita de la 26 Za 92
Virgili (Tar) 65 Bc 102
Virís (Lug) 4 Sb 90
☆Virrey Toledo, Parador Nacional 87 Uf 109
Virtudes, Las (Ali) 128 Za 117 ✉03409
☆Virtuts, les 64 Ba 101
☆Virxe dos Remedios, Ermida da = Virgen de los Remedios 34 Sd 97
☆Virxen de Referendes, Ermida da 16 Sc 93
Vis (Ast) 7 Uf 89 ✉33559
Visalibons (Hues) 28 Ad 94 ✉22484
Visantoña (Cor) 15 Rf 91
Viscarret (Nav) 25 Yd 91
Viseo (Cor) 2 Qe 90 ✉15124
Visiedo (Ter) 78 Yf 104 ✉44164
▲Visillo, El 73 Vc 106
Viso (Pon) 32 Rc 95
Viso, El (Alb) 126 Yb 116
Viso, El (Córd) 121 Va 118 ✉14470
Viso, El (Alb) 112 Ye 113
Viso, El (Alb) 111 Yb 114
Viso, O (Our) 33 Rf 95
Viso del Alcor, El (Sev) 149 Ub 124
Viso del Marqués (Ciu) 124 Wc 117
Viso dos Eidos (Pon) 32 Ra 97 ✉36778
▲Visos, Los 59 Xf 100
Vista Alegre (Jaé) 138 Wc 119
Vista Alegre (Huel) 133 Tc 122
Vista Alegre (Bal) 97 Bb 115
Vista Alegre, Caserío de (Mur) 140 Xf 119
Vistabella (Ali) 143 Za 120
Vistabella (Zar) 61 Yf 101 ✉50482
Vistabella (Tar) 64 Bb 101
Vistabella del Maestrazgo (Cas) 95 Ze 107 ✉12135
▲Vista del Cedro, La (Ten) 172 C4
Vistahermosa (Cád) 156 Te 129 ✉11500
Vista Hermosa (Ali) 128 Zd 118
Vista-Hermosa (Sal) 71 Td 104
Vistahermosa (Sal) 72 Ub 103
Vistahermosa, Caserío de (Sev) 150 Vb 125
Vista Hermosa, Cortijo de (Cád) 157 Ub 128
Vistalegre (Alb) 111 Yb 114
Vita (Ávi) 73 Uf 104 ✉05146
Vita, La (Ast) 7 Ue 88 ✉33549
Vite (Mur) 141 Yd 120
Vites (Jaé) 140 Xd 120 ✉23296
Vitigudino (Sal) 71 Td 102 ✉37210
▲Vitoria, Montes de 23 Xb 92
▲Vitoria, Puerto de 23 Xb 92
Vitoria-Gasteiz (Ála) 23 Xb 91
Vitoriano (Ála) 23 Xb 91
Viu (Hues) 27 Zf 93
Viu (Hues) 27 Ac 94
▲Viu, Alt de 28 Ae 94
≈Viu, Riuet de 28 Ae 94
Viuda, Cortijo de la (Mál) 159 Vb 128
Viuda, Cortijo de la (Sev) 149 Ub 125
≈Viuda, Rambla de la 95 Zf 108
Viudas, Las (Alm) 163 Xd 127
Viu de Llevata (Lle) 28 Ae 94 ✉25556
Vivancos, Los (Mur) 142 Ye 123 ✉30335
▲Vivanes, Serra de 47 Bf 97
Vivar de Fuentidueña (Seg) 57 Vf 100 ✉40236
Vivar del Cid (Bur) 39 Wb 94 ✉09140
Vivares (Bad) 105 Ua 114 ✉06412
▲Vivas, Lomas de 94 Zc 107
Viveda (Can) 9 Vf 88 ✉39314
☆Viveda, Palacio de 9 Vf 88
Viveiro (Lug) 4 Sc 87
Viveiro (Our) 33 Sa 95
Viveiró, O (Lug) 4 Sc 88
≈Viveiro, Ría de 4 Sc 86
≈Vivel, Río 79 Za 103
Vivel del Río Martín (Ter) 79 Za 103
Vivente (Cor) 3 Re 89
Vivenzo (Our) 33 Re 95 ✉32411
Viver (Bar) 47 Be 97
Viver (Cas) 94 Zc 109 ✉12460
Viver de la Sierra (Zar) 60 Yc 100 ✉50249
Viver de Segarra (Lle) 47 Bc 98 ✉25216
Viver de Vicort (Zar) 60 Yd 100 ✉50324
Viveros (Alb) 125 Xc 116 ✉02310
☆Viveros, Castillo de los 56 Vb 98
Viveros, Los (Sev) 134 Tf 122
Viveros, Los (Mad) 75 Wc 106
▲Vivers, Mall d'es 28 Af 92
Vivinera (Zam) 53 Te 98 ✉49514
Vixán (Cor) 14 Qf 93
Vizcaíno (Alm) 155 Yb 124
Vizcaíno, Cortijo del (Sev) 148 Tf 123
Vizcaínos (Bur) 40 We 96
≈Vizcaya, Barranco de 25 Yd 93
Vizco, Cortijo del (Jaé) 138 We 122
▲Vizcodillo 35 Td 95
Vizcota (Val) 94 Yf 109
▲Vizcuerno, Sierra de 62 Zf 102
Vizmalo (Bur) 39 Vf 96 ✉34260
Vizmanos (Sor) 41 Xd 96 ✉42173
Víznar (Gra) 152 Wc 125 ✉18179
Vizoño (Cor) 3 Re 89
Voces (Leó) 17 Tb 94 ✉24444
Vola, la (Bar) 48 Cc 96
Voladilla Alta (Mál) 165 Uf 130 ✉29689
Voladores, Los (Jaé) 125 Xd 119
▲Volcán, El (Palm) 176 B3
▲Volcán, Punta del (Palm) 176 B4
☆Volcanes, Ruta de los (Palm) 176 B3
▲Volcán Nuevo (Palm) 176 B3
Voloriu (Lle) 46 Bc 95
Voltes, les (Tar) 64 Af 101 ✉43390
▲Voltor, Serrat del 47 Be 95
≈Voltoya, Río 73 Vc 104
☆Voltregà, Castell de 48 Cb 96
☆Voltrera, Castell de 65 Bf 99
Vozmediano (Leó) 19 Ue 91 ✉24859
Vozmediano (Sor) 42 Ya 97 ✉42107
Voznuevo (Leó) 19 Ue 91 ✉24859
Vozpornoche (Can) 21 Wa 90 ✉39688
Vueltas (Ten) 172 B2
Vueltas, Las (Ávi) 73 Va 106
Vullpellac (Gir) 49 Da 97 ✉17111

W

Wamba (Vall) 55 Va 98 ✉47190
☆Water World Parc 49 Ce 98

X

Xaba (Our) 34 Sf 95
Xabarlinar, Es (Bal) 99 Da 112
≈Xada, Cala (Bal) 96 De 109
▲Xago, Playa de 6 Ua 87
Xalamera (Tar) 80 Ac 103
Xalet Serra (Lle) 47 Bd 96
Xallas (Cor) 14 Ra 91
≈Xallas, Río 14 Qf 91
≈Xallas, Río 14 Ra 90
▲Xalo, Montes do 3 Rd 89
Xanceda (Cor) 3 Re 90
≈Xanceda 4 Sc 87
≈Xantas, Río de 4 Sb 87
☆Xapitell, Ermita de 128 Zd 118
▲Xaquera 80 Ad 103
Xara, la (Ali) 129 Aa 116 ✉03709
Xares (Our) 34 Ta 95 ✉32365
≈Xares, Río 35 Ta 95
≈Xarfas, Lagoa das 14 Qf 92
Xàtiva (Val) 113 Zc 114 ✉46800
Xavestre (Cor) 15 Rc 91
Xaviña (Cor) 2 Qf 90
Xemena, Na (Bal) 97 Bc 114
Xeraco (Val) 114 Ze 114 ✉46770
Xerallo (Lle) 28 Af 94 ✉25555
Xercuns (Tar) 62 Ad 101
Xeresa (Val) 114 Ze 114 ✉46790
▲Xeresa, Platja de 114 Ze 114
Xermade (Lug) 4 Sb 88 ✉27833
Xermar (Lug) 4 Sc 89 ✉27377
Xermeade (Our) 33 Sa 97 ✉32898
Xerta (Tar) 80 Ac 103 ✉43592
Xesta (Pon) 15 Rd 94
▲Xesta, Porto da 4 Sd 88
Xestal (Cor) 3 Rf 89 ✉15325
Xesteda (Cor) 3 Rc 90 ✉15186
Xesteira, A (Pon) 15 Rc 94
▲Xesteiras, Monte 15 Rc 92
Xestosa (Our) 33 Sa 95 ✉32930
Xestoselo (Lug) 4 Sb 89
Xestoso (Cor) 4 Sa 88
Xeve (Pon) 14 Rc 94
Xiá (Lug) 16 Sa 90
▲Xiabre, Monte 14 Rb 93
Xián (Lug) 16 Sb 92
▲Xilloi, Praia 4 Sc 86
▲Xilxes, Platja de 95 Zf 110
Xindri, La (Bal) 97 Bd 116
Xinorla (Ali) 128 Za 118
Xinorlet (Ali) 128 Za 118
≈Xinxilla, Barranc de 96 Aa 108
Xinzo (Cor) 14 Qf 91 ✉15280
Xinzo (Pon) 15 Rc 93 ✉36678
Xinzo da Costa (Our) 34 Sc 95 ✉32706
Xinzo de Limia (Our) 33 Sb 96 ✉32630
Xiquena (Mur) 140 Ya 122
Xirazga (Our) 15 Re 94 ✉32520
Xirivella (Val) 114 Zd 112 ✉46950
Xirles (Ali) 129 Zf 117
▲Xirola 44 Zc 94
Xironda (Our) 33 Sc 97
Xisquerol (Cas) 80 Ze 106
Xistau (Hues) 27 Ac 93
▲Xistau, Valle de 27 Ab 93
▲Xistral, Serra do 4 Sc 88
Xiva de Morella (Cas) 80 Zf 105 ✉12314
☆Xivert, Castell de 96 Ab 107
Xixarà (Val) 114 Zd 113
Xocín (Our) 33 Sc 95
Xodos (Cas) 95 Ze 107
≈Xora 2 Ra 90
Xornes (Cor) 2 Rb 89
☆Xoroi, Cova d'En (Bal) 96 Ea 109
▲Xortà, Serra de 129 Ze 116
Xove (Lug) 4 Sd 86
Xubial (Cor) 15 Rf 91
Xubín (Our) 33 Rf 95
Xudán (Lug) 4 Se 89
≈Xudán, Río de 5 Se 89
▲Xudemil, Praia 14 Qf 92
Xufres (Cor) 14 Ra 93
Xuncedo (Cor) 3 Re 88
≈Xunco 4 Sd 87
Xuño = Santa Mariña de Xuño (Cor) 14 Qf 93
Xunqueira de Ambía (Our) 33 Sb 95
Xunqueira de Espadanedo (Our) 33 Sc 95
≈Xúquer, Riu 113 Zd 114
≈Xúquer-Túria, Canal 113 Zc 112
▲Xures, Serra de 33 Rf 98
Xusaos (Lug) 16 Se 91
Xustáns (Pon) 15 Rc 94 ✉36827
Xustás (Lug) 4 Sd 89
Xuvencos (Lug) 16 Sc 93 ✉27547

Y

Yaíza (Palm) 176 B4
≈Yalde, Río 41 Xc 94
≈Yaltabuyo, Río 36 Tf 95
Yanci (Nav) 12 Yb 89
Yanguas (Sor) 41 Xd 96 ✉42172
Yanguas de Eresma (Seg) 74 Ve 102 ✉40493
Yano (Ast) 7 Ue 89 ✉33559
Yárnoz (Nav) 25 Yc 92
☆Yarnoz, Torre de 25 Yc 92
▲Yasa, La 24 Xf 94
Yaso (Hues) 44 Zf 95 ✉22141
Yátor (Gra) 161 Wf 127
≈Yátor, Río 161 Wf 127
Yátova (Val) 113 Zb 112
Ye (Palm) 176 D2
Yeba (Hues) 27 Aa 93 ✉22375
Yébenes, Los (Tol) 108 Wa 111
▲Yébenes, Sierra de los 108 Wa 111
Yebes (Gua) 76 Wf 105 ✉19141
Yebra (Leó) 35 Tb 94 ✉24388
Yebra (Gua) 91 Xa 106 ✉19111
Yebra de Basa (Hues) 26 Ze 94 ✉22610
Yéchar (Mur) 141 Yd 120
Yéchar (Mur) 141 Yc 122
Yecla (Mur) 127 Yf 117 ✉30510
Yecla de Yeltes (Sal) 71 Td 103 ✉37219
☆Yecla la Vieja 71 Tc 103
Yécora (Ála) 23 Xd 93
☆Yedra, Castillo de la 139 Wf 121
Yedra, La (Alm) 154 Xf 125
Yedra, La (Jaé) 152 Wa 123
Yedra, La (Palm) 174 C2 ✉35328
▲Yedra, Risco de la 73 Vc 106
▲Yedra, Sierra de la 152 Wc 125
Yegen (Gra) 161 Wf 127 ✉18460
Yegua Alta, La (Alm) 154 Xe 123 ✉04813
Yegua Baja, La (Alm) 154 Xe 123 ✉04813
▲Yegua Blanca 155 Yc 123
Yeguarizas, Las (Alb) 126 Xe 117 ✉02448
Yeguas, Cortijo de las (Sev) 149 Ud 123
≈Yeguas, Embalse de 137 Ve 120
≈Yeguas, Laguna de las 109 We 112
≈Yeguas, Río de las 137 Ve 119
Yegüeriza, Cortijo de la (Córd) 150 Vb 124
Yegüerizas (Jaé) 137 Ve 120
▲Yegüeros, Loma de los 162 Xc 127
Yela (Gua) 76 Xb 104 ✉19413
Yélamos de Abajo (Gua) 76 Xa 105
Yélamos de Arriba (Gua) 76 Xa 105
Yelbes (Bad) 120 Tf 115 ✉06411
Yeles (Tol) 89 Wb 108 ✉45220
▲Yelmo 139 Xc 119
Yelo (Sor) 59 Xc 101 ✉42230
≈Yeltes, Río 71 Te 105
▲Yelves, Sierra de 120 Tf 115
Yelz (Nav) 25 Yc 92 ✉31485
Yémeda (Cue) 93 Yb 110
Yepes (Tol) 90 Wc 109 ✉45313
Yéqueda (Hues) 44 Zd 95
Yera (Can) 21 Wb 90 ✉39685
▲Yerga 42 Ya 96
Yermo (Can) 9 Vf 89 ✉39460
Yerri (Nav) 24 Xf 92
Yesa (Nav) 25 Ye 93 ✉31410
≈Yesa, Embalse de 25 Yf 93
Yesa, La (Val) 94 Za 109 ✉46178
≈Yesa, Río 27 Aa 93
Yesal, El (Rio) 42 Ya 96
Yesares, Los (Alb) 111 Yb 114
Yésero (Hues) 26 Ze 93
Yeso, Cortijo del (Cád) 164 Ua 130
▲Yesón Alto 162 Xc 126
Yesos, Cortijo de los (Jaé) 137 Wa 122
Yesos, Los (Gra) 161 We 128
Yesos, Los (Alm) 154 Xe 126 ✉04211
Yéspola (Hues) 44 Zd 94
Yeste (Alb) 126 Xe 118 ✉02480
Yeste (Hues) 43 Zb 94 ✉22820
Yetas de Abajo (Alb) 140 Xe 119 ✉02536
▲Yordas, Pico 20 Uf 91
Yosa (Hues) 27 Ze 93
Yosa de Sobremonte (Hues) 26 Zd 93 ✉22638
Yuba (Sor) 59 Xd 101
Yudego (Bur) 39 Vf 94 ✉09123
Yugo, El (Cád) 157 Ua 128 ✉11630
Yugueos (Leó) 19 Ue 92
Yuncler (Tol) 89 Wa 108 ✉45529
Yunclillos (Tol) 89 Wa 108 ✉45591
Yuncos (Tol) 89 Wa 108 ✉45210
Yunquera (Mál) 159 Va 128 ✉29410
Yunquera, La (Alb) 126 Xe 115 ✉02161
Yunquera de Henares (Gua) 75 We 104 ✉19210
Yunta, La (Gua) 78 Yb 103 ✉19361
≈Yuso, Río 20 Va 90
☆Yuste, Monasterio de 87 Ub 108

Z

Zábal (Nav) 24 Xf 92
Zabala-Belendiz (Viz) 11 Xc 89 ✉48383
Zabalate = Portilla (Ála) 23 Xa 92
Zabalceta (Nav) 25 Yc 92 ✉31422
Zabaldika (Nav) 25 Yc 91 ✉31699
Zabalegui (Nav) 25 Yc 92 ✉31470
Zaballa (Bur) 22 Wf 91
Zabaloetxe (Viz) 11 Xa 89 ✉48180
Zabalza (Nav) 24 Yb 92
Zabalza (Nav) 25 Ye 92
Zabalza (Nav) 25 Yd 92
Zabalza = Arraiza (Nav) 24 Yb 92
Zabar, Cortijo de (Gra) 140 Xc 121
Zabárrula (Rio) 40 Wf 94
≈Zabatón, Río 104 Tb 113
≈Zadorra, Río 23 Xb 91
Zaé (Val) 94 Yf 110
Zael (Bur) 39 Wb 96 ✉09339
Zaén de Abajo (Mur) 140 Xf 119
Zaén de Arriba (Mur) 140 Xf 119
▲Zafalgar, Sierra de 158 Ud 128
Zafara (Zam) 53 Te 100 ✉49214
Zafarraya (Gra) 160 Vf 127 ✉18128

▲Zafarraya, Puerto de 160 Vf127
Zafra (Ali) 128 Za118
Zafra (Bad) 119 Td118 ✉06300
≈Zafra, Embalse de 119 Td118
Zafra, la (Ali) 128 Za116 ✉03408
Zafra, La (Các) 104 Te113
▲Zafra, Sierra de 91 Xc109
Zafra de Záncara (Cue) 91 Xc109 ✉16771
Zaframagón, Cortijo de (Các) 158 Ud127
Zafrilla (Cue) 93 Yc107 ✉16317
▲Zafrilla, Sierra de 93 Yc107
Zafrón (Sal) 71 Tf102
Zafroncino (Sal) 71 Ua102
Zagra (Gra) 151 Ve125 ✉18311
Zagrilla (Córd) 151 Ve124 ✉14816
≈Zagrilla, Río 151 Ve124
Zahán, El (Jaé) 137 Ve121
Zahara (Các) 158 Ud128
≈Zahara, Embalse de 158 Ue128
≈Zahara, Ensenada de 164 Ub132
Zahara de los Atunes (Các) 164 Ua132 ✉11393
Zaharíche (Sev) 149 Ud124
Zahínos (Bad) 118 Ta119
Zahora (Các) 164 Tf131 ✉11159
Zahora, La (Gra) 160 Wa126
Zaida, La (Zar) 62 Zd101 ✉50784
≈Zaida, Laguna de 78 Yc102
Zaidín (Hues) 63 Ab99
≈Zaidín, Canal de 45 Ab98
Zaita = Azaceta (Ála) 23 Xd92
Zaitegui (Ála) 23 Xb91
Zajanón Bajo, Cortijo de (Các) 104 Tb113
☆Zalabar, Torre de 156 Td127
▲Zalagardos 94 Zb110
Zalain (Nav) 12 Yb89 ✉31789
≈Zalamea, Embalse de 120 Ub117
Zalamea de la Serena (Bad) 120 Uc117 ✉06430
Zalamea la Real (Huel) 133 Tc122 ✉21640
Zalamillas (Leó) 37 Ud95 ✉24207
Zalba (Nav) 25 Yd91 ✉31484
Zaldibar (Viz) 11 Xc89 ✉48250
Zaldibia = Zaldivia (Gui) 24 Xf90 ✉20247
Zaldierna (Rio) 40 Wf95 ✉26289
Zaldivia (Gui) 24 Xf90
Zalduendo (Bur) 39 Wd94 ✉09199
Zalduondo (Ála) 23 Xd91 ✉01208
Zalea (Mál) 159 Vb128 ✉29569
Zalengas (Vall) 37 Ue97
Zalla (Viz) 10 Wf89 ✉48860
Zamadueñas (Vall) 56 Vb98
Zamajón (Sor) 59 Xd99
Zamáns (Pon) 32 Rb96 ✉36310
Zamarra (Sev) 158 Ud127
Zamarra (Sal) 71 Td105 ✉37591
Zamarramala (Seg) 74 Vf103 ✉40196
Zamarrón, Cortijo (Gra) 152 We123
Zamayón (Sal) 54 Ub102
Zambra (Córd) 151 Vd124 ✉14950
Zambrana (Ála) 23 Xa93 ✉01212
▲Zambrana, Collado de la 86 Td107
Zambroncinos (Leó) 36 Ub95 ✉24249
Zamocino (Sal) 54 Ub102
Zamora (Jaé) 152 Wd123
Zamora (Zam) 54 Ub100 ✉*49001
≈Zamora, Bajas de (Ten) 171 B3
▲Zamora, Playa de (Ten) 171 B3
Zamoranos (Córd) 151 Vf123 ✉14814
Zamorejas, Cortijo de (Bad) 118 Ta118
≈Zamores, Embalse de 103 Sf111
Zamudio (Viz) 11 Xa89 ✉48170
▲Zancado, Altos del 79 Za104
≈Záncara, Río 109 We113
≈Záncara, Río 91 Xc110
Zancarrones, Los (Mur) 142 Yd121
Zandio (Nav) 25 Yc91 ✉31799
≈Zaneróia, Río 16 Sc92
Zangajito (Các) 86 Td108
Zangallón, Cortija del (Bad) 103 Ta114
Zangandez (Bur) 22 We92 ✉09211
▲Zángano, Puerto del 104 Tc114
Zanjas, Las (Alm) 154 Xd124
Zanona (Các) 164 Uc131
Zanzabornín (Ast) 7 Ub87
Zaorejas (Gua) 77 Xe104 ✉19495
≈Zapardiel, Río 73 Va102
Zapardiel de la Cañada (Ávi) 72 Ue105 ✉05154
Zapardiel de la Ribera (Ávi) 87 Ue106 ✉05631
Zapata (Ávi) 72 Ue106
Zapatera, La (Bad) 120 Tf116
Zapatero, Cortijo del (Alb) 125 Xb117
☆Zapatero, Cueva del (Palm) 174 B2
Zapateros (Alb) 125 Xd117

Zapateros, Cortijo de los (Các) 158 Ue127
Zapateros, Cortijo de los (Córd) 150 Vb123
☆Zapato de la Reina (Ten) 172 D4
Zapillo, El (Sev) 149 Ud123
Zapillo, El (Huel) 147 Tb124
Zárabes (Sor) 59 Xe99
▲Zaragantal 121 Uf117
Zaragoza (Zar) 61 Za99 ✉*50001
Zaragoza, Cortijo de (Córd) 137 Vd121
Zaramillo (Viz) 10 Wf89 ✉48820
Zarapicos (Sal) 71 Ua102 ✉37170
Zaratamo (Viz) 11 Xa89 ✉48480
Zaratán (Vall) 56 Vb99
Zaratán (Sal) 72 Ub102
Zárate (Ála) 23 Xb91
Zarate = Zárate (Ála) 23 Xb91 ✉01139
Zarautz (Gui) 12 Xe89 ✉20800
Zarcilla de Ramos (Mur) 141 Ya119 ✉30810
☆Zardón 8 Uf88
≈Zardón, Río 8 Uf88
▲Zaria 12 Ya89
Zaricejo, El (Ali) 128 Za117
Zarimutz (Gui) 23 Xc91 ✉20530
Zarimuz = Zarimutz (Gui) 23 Xc90
Zariquieta (Nav) 25 Ye92 ✉31481
▲Zariquieta, Sierra de 25 Ye92
Zarpa, Cortijo de la (Các) 157 Tf128
Zarra (Val) 112 Yf114 ✉46621
≈Zarra, Río 112 Yf114
Zarracatín, Cortijo de (Sev) 157 Ub126
≈Zarracatín, Laguna de 157 Ub126
Zarracós (Our) 33 Sa95
Zarratón (Rio) 23 Xa93
Zarrautz (Nav) 24 Yb91
Zarza, Cortijo de la (Gra) 140 Xe121
Zarza, Cortijo de la (Córd) 136 Vb122
Zarza, La (Córd) 150 Vb123 ✉14550
Zarza, La (Mur) 142 Yd121
Zarza, La (Mur) 127 Yf119
Zarza, La (Alb) 126 Xf116 ✉02327
Zarza, La (Bad) 120 Te116 ✉06830
Zarza, La (Vall) 56 Vb101 ✉47452
Zarza, La (Ten) 173 E4 ✉38579
Zarza, La (Sal) 71 Te104
Zarza, La (Ávi) 87 Uc107 ✉05621
▲Zarza, Lomas de la 162 Xb127
▲Zarza, Sierra de la 140 Xe121
Zarza-Capilla (Bad) 121 Ue116
Zarza de Don Beltrán (Sal) 53 Td101
Zarza de Granadilla (Các) 86 Tf107 ✉10710
Zarza de Montánchez (Các) 105 Tf113
Zarza de Pumareda, La (Sal) 53 Tc102
Zarza de Tajo (Cue) 90 Wf108 ✉16470
Zarzadilla de Totana (Mur) 141 Yb121 ✉30814
Zarzaíca (Jaé) 152 Wa123
Zarza la Mayor (Các) 85 Ta109 ✉10880
Zarzalar, Cortijo (Jaé) 139 Xa120
Zarzalejo (Mad) 74 Ve105 ✉28293
▲Zarzalejo, El 73 Vb105
Zarzales (Alm) 154 Xe125
Zarzalico, Cortijo del (Mur) 155 Ya123
Zarzo (Mál) 160 Ve128 ✉29197
Zarzosa (Rio) 41 Xd95 ✉26586
Zarzosa de Ríopisuerga (Bur) 21 Ve93
Zarzosillo (Sal) 71 Tf105 ✉37621
Zarzoso (Sal) 71 Tf105
Zarzoso (Các) 86 Te108
Zarzuela (Cue) 92 Xf107 ✉16146
Zarzuela, La (Các) 164 Ub131 ✉11393
Zarzuela de Galve (Gua) 58 We102 ✉19238
Zarzuela de Jadraque (Gua) 58 Wf102 ✉19237
Zarzuela del Monte (Seg) 74 Ve104 ✉40152
Zarzuela del Pinar (Seg) 56 Ve101 ✉40293
Zas (Cor) 2 Ra90 ✉15689
≈Zas, Río 2 Ra90
Zas de Rei (Cor) 15 Rf91
▲Zauzal, El 120 Ua118
Zayas de Báscones (Sor) 58 We98
Zayas de Torre (Sor) 58 We98 ✉42329
Zayuelas (Sor) 58 We98 ✉42351
Zazpe (Nav) 25 Yd92
Zazuar (Bur) 57 Wc98 ✉09490

Zeanuri (Viz) 23 Xb90 ✉48144
≈Zeberío, Río 11 Xa90
Zeberrio (Viz) 23 Xa90
Zegama (Gui) 24 Xe91 ✉20215
Zegrí, Cortijo El (Gra) 152 Wc124
▲Zegrí, Puerto de 152 Wc124
Zeinka (Viz) 11 Xc89
Zekuiano = Cicujano (Ála) 23 Xd92 ✉01129
Zelaia (Viz) 11 Xb90
Zelaia (Viz) 11 Xd88
Zelaia = Celaya o San Pedro de Mendeja (Viz) 11 Xd88
Zelaieta (Viz) 11 Xc88 ✉48314
Zeneta (Mur) 142 Za120 ✉30588
≈Zenete, Marquesado de 153 Wf126
Zenia, La/Urbanizaciones (Ali) 143 Zb121
Zenzano (Rio) 41 Xd95 ✉26131
Zerain (Gui) 24 Xe90 ✉20214
Zerio = Cerio (Ála) 23 Xc91 ✉01192
Zestafe = Cestafe (Ála) 23 Xb91 ✉01138
Zestoa (Gui) 12 Xe89 ✉20740
Zibelti (Nav) 25 Yd91
Zicuñaga (Gui) 12 Ya89
Zierbena (Viz) 10 Wf89 ✉48508
Ziga (Nav) 13 Yc90 ✉31796
Zigaurre (Nav) 13 Yc90 ✉31796
Zigoitia (Ála) 23 Xb91 ✉01138
Zikuñaga = Zicuñaga (Gui) 12 Ya89
Ziordia (Ála) 24 Xe91
Ziortza (Viz) 11 Xc89
Zizurkil (Gui) 12 Xf89 ✉20159
Zocueca (Jaé) 138 Wa120
Zoilos, Los (Alm) 154 Xc124 ✉04899
Zolina (Nav) 25 Yc92 ✉31192
Zollo (Viz) 11 Xa89
≈Zollo, Embalse de 11 Xa89
Zoma, La (Ter) 79 Zc104 ✉44707
Zomas, Las (Cue) 92 Xf109 ✉16193
Zoñán (Lug) 4 Sd89
≈Zónar, Laguna de 150 Vb124
Zorita (Các) 105 Ub113 ✉10130
Zorita (Sal) 54 Tf102 ✉37116
Zorita (Sal) 72 Ub102 ✉37185
≈Zorita, Río 74 Vd103
Zorita de la Frontera (Sal) 72 Ue102 ✉37408
Zorita de la Loma (Vall) 37 Uf95 ✉47609
Zorita del Maestrazgo (Cas) 80 Zf104 ✉12311
Zorita de los Canes (Gua) 91 Xa107 ✉19119
Zorita de los Molinos (Ávi) 73 Vb104 ✉05163
Zorita del Páramo (Pal) 21 Vd93 ✉34407
Zorongo, El (Zar) 43 Za98
▲Zorra, Cerro de la 111 Yb111
Zorraquín (Rio) 40 Wf95
Zorrera, Cortijo La (Gra) 152 Wd124
Zorreras, Las (Mad) 74 Vf105 ✉28292
Zorrilla, Cortijo de la (Các) 157 Ub128
Zorrilla, Cortijo de la (Các) 157 Ua127
Zorrillas, Las (Mál) 160 Ve128
▲Zorros, Los 57 Wa101
Zotes del Páramo (Leó) 36 Ub95
Zoya, La (Gra) 140 Xd123
Zua, La (Alb) 112 Yd112
Zuares del Páramo (Leó) 36 Ub95
Zuaza (Ála) 22 Wf90 ✉01477
Zuazo (Ála) 23 Xd91
Zuazo de Cuartango (Ála) 23 Xa91
Zuazo de Vitoria (Ála) 23 Xb91 ✉01195
Zuazu (Nav) 25 Yd92
Zubero (Viz) 11 Xc89 ✉48380
Zubia, La (Gra) 152 Wc126 ✉18140
Zubialde (Viz) 11 Xa90 ✉48499
Zubiaur (Viz) 23 Xa90
Zubielqui (Nav) 24 Xf92 ✉31241
Zubieta (Nav) 24 Yb90 ✉31746
Zubiri (Nav) 25 Yd91 ✉31630
Zucaina (Cas) 95 Zd108 ✉12125
Zudaire (Nav) 24 Xf92 ✉31272
Zudiarte (Ála) 11 Xa89
Zuera (Zar) 43 Zb97 ✉50800
Zufía (Nav) 24 Xf92
Zufre (Huel) 134 Td121 ✉21210
Zugarramurdi (Nav) 13 Yc89 ✉31710
Zuhatzu = Zuazo de Vitoria (Ála) 23 Xb91 ✉01195
Zuhatzu Donemiliaga = Zuazo de San Millán (Ála) 23 Xd91 ✉01208
Zuhatzu Koartango (Ála) 23 Xa91
Zuheros (Córd) 151 Ve123 ✉14870

Zuia (Ála) 23 Xb91 ✉01130
Zujaira (Gra) 152 Wb125 ✉18291
Zújar (Gra) 153 Xa123
≈Zújar, Canal del 120 Tf115
≈Zújar, Embalse del 121 Ud115
≈Zújar, Río 121 Ue117
Zulema (Alb) 112 Yd113 ✉02214
Zulema (Mad) 75 Wd106 ✉28810
Zulueta (Nav) 25 Yc92 ✉31470
Zumaia (Gui) 12 Xe89 ✉20750
Zumaque (Mál) 159 Vb128
Zumarraga (Gui) 24 Xe90 ✉20700
Zumel (Bur) 39 Wb94 ✉09150
≈Zumel, Río 40 Wf97
Zumento (Ála) 23 Xb93
≈Zumeta, Río 140 Xd120
Zuñeda (Bur) 22 We93 ✉09245
Zúñiga (Nav) 24 Xe92
Zúñiga y La Juncosa (Mur) 141 Yb122
Zunzarren (Nav) 25 Yd91 ✉31484
Zurbano (Ála) 23 Xc91 ✉01520
Zurbao = Zurbano (Ála) 23 Xc91
Zurbarán (Bad) 105 Ub114
☆Zurbarán, Parador Nacional de 106 Ue112
Zurbitu (Bur) 23 Xb92 ✉09294
Zureda (Ast) 18 Ua90 ✉33629
Zurgena (Alm) 154 Xf124 ✉04650
≈Zurguén, Arroyo del 72 Ub103
Zuriáin (Nav) 25 Yc91
☆Zuricalday, Palacio de 11 Xa89
Zurita (Can) 9 Wa88 ✉39479
Zurita (Hues) 44 Ac97 ✉22569
≈Zurita, Arroyo de la, 108 Wa112
Zuriza (Hues) 26 Zb91
▲Zuriza, Bosque de 26 Za92
Zurraderas, Las (Mur) 155 Yc124
Zurreón, Cortijo (Córd) 151 Vc125
Zurucuáin (Nav) 24 Ya92
Zuzones (Bur) 57 Wd99 ✉09491

(E) Portugal　(GB) Portugal　(NL) Portugal　(H) Portugália
(P) Portugal　(I) Portogallo　(PL) Portugalia　(DK) Portugal
(D) Portugal　(F) Portugal　(CZ) Portugalsko　(S) Portugal

A - B - C - D - E - F - G - H - I - J - L - M - N - O - P - R - S - T - U - V - X - Z

A

aaçao (Br) 50 Re 100
aaças (VR) 51 Sb 101 ⊠ 5000-014
aade de Neiva (Br) 50 Rc 99
 ⊠ 4750-009
aadim (Br) 51 Sa 99 ⊠ 4860-011
aambres (Ba) 52 Se 99
 ⊠ 5370-010
aedim (VC) 32 Rc 97 ⊠ 4930-401
aegoaria (Év) 118 Se 118
aegoaria (Év) 117 Sa 117
aegoaria (Se) 116 Rc 116
aela (Se) 130 Rc 121 ⊠ 7540-011
aelheira (Fa) 146 Re 125
aelheira (Li) 100 Qe 113
 ⊠ 2530-059
aibicada 144 Rc 126
aitureira (Gu) 70 Sf 106
aitureiras (Sa) 101 Rb 113
 ⊠ 2005-129
aiúl (Le) 82 Rc 109 ⊠ 3100-012
aboadela (Por) 51 Sa 101
aóbada (Li) 115 Qe 116
aobeleira (VR) 34 Sd 98
 ⊠ 5000-358
aboboreira 132 Sb 121
aboboreira (Sa) 102 Rf 111
 ⊠ 6120-111
aoboreira (CB) 84 Sb 110
aboim (Br) 51 Rf 99 ⊠ 4820-001
aboim (Por) 51 Rf 101 ⊠ 4600-510
aboim da Nóbrega (Br) 32 Rd 98
aborim (Br) 50 Rc 99
abrã (Sa) 101 Rb 112 ⊠ 2025-011
Abra, Baia d' (Ma) 167 D 2
abragão (Por) 50 Re 102
abrantes (Sa) 102 Re 112
 ⊠ 2200-001
abraveses (Vi) 68 Sa 104
abreiro (Ba) 52 Se 100 ⊠ 5370-021
abrigada (Li) 100 Qf 114
 ⊠ 2580-001
Abrilongo, Ribeiro de 103 Sf 114
abrunhal (Br) 84 Sd 109
abrunheira (Co) 82 Rb 108
abrunhosa-a-Velha (Gu) 69 Sc 105
abrunhosa do Mato (Vi) 69 Sb 105
 ⊠ 3530-050
abutareira (Fa) 144 Rb 125
achada (Aç) 170 Ze 121
achada (Ma) 166 C 2
achada (Li) 100 Qd 115
 ⊠ 2640-053
achada de Calheta (Ma) 166 B 2
Achada do Cedro (Ma) 166 B 2
achada do Credo Gordo (Ma)
 167 C 2
achada do Gamo (Be) 132 Sc 123
 ⊠ 7750-401
Achada Grande (Ma) 166 A 2
 ⊠ 9230-043
achadas da Cruz (Ma) 166 A 1
achadinha (Aç) 170 Ze 121
achadinha (Ma) 167 D 2
acharrua (Be) 145 Rf 124
achete (Sa) 101 Rb 113
 ⊠ 2000-321
Açor, Serra de 83 Sa 107
açoreira (Ba) 52 Sf 102 ⊠ 5160-011
açores (Gu) 69 Se 105
 ⊠ 3570-001
a-da-Beja (Li) 115 Qe 116
adães (Br) 50 Rc 99
a-da-Gorda (Le) 100 Qf 112
 ⊠ 2510-011
adão (Li) 100 Qf 113
adão (Gu) 70 Sf 106 ⊠ 6300-010
adáufe (Br) 50 Rd 99
ade (Gu) 70 Ta 105 ⊠ 6355-010
a-de-Barros (Vi) 69 Sc 103
 ⊠ 3640-160
adeganha (Ba) 52 Sf 101
 ⊠ 5160-002
a-de-Lede (Be) 132 Sb 123
adema (Sa) 116 Ra 115
 ⊠ 2135-001
adémia de Cima (Co) 83 Rd 107
adenodeiro (Vi) 68 Sa 104
 ⊠ 3600-451
adgiraldo (CB) 84 Sb 108
 ⊠ 6185-402
a-do-Baço (Li) 100 Qe 115
a-do-Cavaio (Gu) 69 Se 103

A-do-Pinto (Be) 132 Sd 121
 ⊠ 7830-011
adorigo (Vi) 51 Sc 102 ⊠ 5120-011
A-dos-Barbas (Le) 82 Ra 110
A-dos-Bispo (Vi) 69 Sd 103
A-dos-Calças (Be) 131 Re 122
A-dos-Cunhados (Li) 100 Qe 114
A-dos-Ferreiros (Av) 68 Rd 105
 ⊠ 3750-801
A-dos-Ferreiros (Gu) 69 Se 104
A-dos-Francos (Le) 100 Qf 113
A-dos-Grandes (Be) 145 Sa 124
A-dos-Negros (Le) 100 Qf 112
 ⊠ 2510-321
adoufe (VR) 51 Sb 100 ⊠ 5000-026
Adraga, Praia da 115 Qd 116
adrião (Li) 115 Qf 116
advagar (Sa) 101 Rb 112
 ⊠ 2000-322
afife (VC) 32 Ra 98 ⊠ 4900-011
afonguia da Baleia (Le) 100 Qe 112
afonsim (VR) 51 Sb 99
afonso Vicente (Fa) 146 Sc 124
 ⊠ 8970-011
agadão (Av) 68 Re 105
≈Agadão, Rio 68 Re 105
agilde (Br) 51 Rf 100
agodim (Le) 82 Rb 110
 ⊠ 2420-169
agolada (Sa) 101 Rc 114
 ⊠ 2100-011
agostas (Fa) 145 Re 126
 ⊠ 8100-061
Agostinho, Ilhéu de (Ma) 167 D 2
agra (Br) 51 Rf 99 ⊠ 4705-653
agrela (VR) 34 Sd 98
agrela (Br) 51 Re 99
agrela (Por) 50 Rd 101
agrela (Por) 50 Re 102
agrelo (Co) 83 Rd 107
 ⊠ 3360-051
agrelos (Por) 50 Re 101
 ⊠ 4575-121
agrelos (VR) 51 Sb 99
agrelos (VR) 52 Sc 101
agrobom (Ba) 52 Ta 100
 ⊠ 5350-101
agrochão (Por) 51 Rf 101
 ⊠ 4600-611
agrochão (Ba) 52 Sf 98 ⊠ 5335-011
Água, Vale de 102 Rf 112
Água Boa (Sa) 116 Rc 115
 ⊠ 2305-601
Água Boa 102 Sa 112
Água Branca (Be) 130 Rd 122
aguada de Baixo (Av) 67 Rd 105
 ⊠ 3750-031
aguada de Cima (Av) 68 Rd 105
 ⊠ 3750-041
Água da Pala (Br) 33 Rf 98
Água de Alte (Vi) 68 Sa 104
Água de Alto (Aç) 170 Zd 122
Água de Madeiros (Le) 82 Qf 110
 ⊠ 2445-011
Água de Pau (Aç) 170 Zc 122
 ⊠ 9560-201
Água de Peixe (Év) 117 Sa 119
Água de Pena (Ma) 167 D 2
Água de Porco (Se) 130 Rb 119
Água Derramada (Se) 131 Rd 119
 ⊠ 7570-101
Água Doce (Év) 116 Re 118
Água dos Fusos (Fa) 146 Sb 125
 ⊠ 8800-213
agualonga (VC) 32 Rc 97
 ⊠ 4940-011
Água Longa (Por) 50 Rd 101
 ⊠ 4825-063
agualva (Aç) 169 Xe 116
 ⊠ 9760-011
Água Negra 132 Sd 122
Água Retorta (Aç) 170 Zf 122
 ⊠ 9650-011
Água Revés (VR) 52 Sd 99
Águas (CB) 84 Se 108 ⊠ 6090-011
Água Salgada (Be) 131 Sb 122
 ⊠ 7750-011
Águas Belas (Gu) 69 Sf 106
Águas Belas (Sa) 83 Rb 110
 ⊠ 2100-301
Águas Belinhas (Sa) 101 Rd 115
 ⊠ 2100-301
Águas Boas (Vi) 69 Sc 103
 ⊠ 3560-010

Águas de Moura (Se) 116 Rb 117
 ⊠ 2965-520
Águas de Tábuas (Fa) 145 Sb 125
Águas Frias (VR) 34 Sd 98
 ⊠ 5400-601
Águas Mansas (Ma) 167 D 2
Águas Santas (VR) 51 Sc 100
 ⊠ 5000-732
Águas Santas (Por) 50 Rc 101
Águas Santas (Br) 50 Re 99
 ⊠ 4755-483
aguas Vivas (Ba) 53 Td 100
Água Travessa (Sa) 102 Re 113
 ⊠ 2205-161
aguçadoura (Por) 50 Rb 100
aguda (Le) 83 Re 109 ⊠ 3260-021
águeda (Av) 68 Rd 105
 ⊠ 3750-101
≈Águeda, Rio 70 Ta 103
aguiã (VC) 32 Rd 97 ⊠ 4970-051
aguiar (Év) 117 Sa 118
aguiar (Br) 50 Rc 99 ⊠ 4820-640
≈Aguiar, Ribeira de 70 Ta 103
aguiar da Beira (Gu) 69 Sc 104
 ⊠ 3570-010
aguiar de Sousa (Por) 50 Rd 102
Águias (Év) 117 Rf 115
Águias, Torre das 117 Rf 115
aguieira (Av) 68 Rd 105
aguieira (Vi) 68 Sa 105
 ⊠ 3525-501
≈Aguieira, Barragem da 68 Re 107
aguim (Av) 67 Rd 106 ⊠ 3780-621
aguinhos (VR) 51 Sa 100
aiana de Baixo (Se) 115 Qf 117
aião (Por) 51 Re 101 ⊠ 4650-011
airães (Por) 51 Re 101
airão (Br) 50 Rd 100
Aire 101 Rc 111
Aires, Cabo de 115 Qf 118
airó (Br) 50 Rc 99 ⊠ 4730-220
Airoso 118 Se 119
aivados (Be) 131 Re 122
 ⊠ 7780-010
Aivados, Praia de 130 Rb 122
≈Aivados, Ribeira das 131 Re 122
aivados e Fontes (Fa) 145 Re 125
ajuda (Li) 115 Qe 116
Ajuda, Ponta da (Aç) 170 Ze 121
ajuda Salvador e Santo Ildefonso
 (Pg) 118 Se 116
ajuda Velha (Év) 116 Rd 117
ajude (Br) 50 Re 99
ala (Ba) 52 Sf 99 ⊠ 5340-011
alagoa (Pg) 103 Sc 112
Alagoa 68 Re 106
alagoas (Gu) 85 Sf 107
Alagoas, Praia de 146 Sc 126
alagoniha (Pg) 103 Se 113
álamo (Be) 146 Sb 123
álamo (Be) 131 Re 121
álamo (Be) 132 Se 120
 ⊠ 7750-201
álamo (Év) 117 Rf 118
alandroal (Év) 118 Sd 116
 ⊠ 7250-101
alanhosa (VR) 52 Sd 99
 ⊠ 5400-646
albardo (Gu) 70 Sf 105 ⊠ 6300-015
albarraque (Li) 115 Qd 116
 ⊠ 2710-063
albergaria (Sa) 101 Ra 113
 ⊠ 2005-113
albergaria-a-Nova (Av) 67 Rd 104
 ⊠ 3850-501
albergaria-a-Velha (Av) 67 Rd 104
 ⊠ 3850-001
albergaria das Cabras (Av)
 68 Re 103
albergaria dos Doze (Le) 82 Rc 110
 ⊠ 3100-081
albergaria dos Fusos (Év)
 117 Sa 119
alberge (Se) 116 Rc 118
 ⊠ 7580-302
albernoa (Be) 131 Sa 121
 ⊠ 7800-601
alboim das Choças (VC) 32 Rd 97
albrunheiro Grande (CB) 83 Re 110
albufeira (Fa) 145 Re 126
 ⊠ 8200-001
≈Albufeira, Lagoa de 115 Qe 117
Albufeira, Medas de 115 Qe 117
Albufeira, Praia de 145 Re 126

alburitel (Sa) 101 Rc 111
 ⊠ 2490-001
alcabideche (Li) 115 Qd 116
 ⊠ 2645-003
alcácer do Sal (Se) 116 Rc 118
 ⊠ 7580-001
alcáçovas (Év) 117 Rf 118
 ⊠ 7090-010
alcáçovas, Estação (Év) 117 Rf 118
≈Alcáçovas, Ribeira das
 116 Re 118
alcafache (Vi) 68 Sa 105
alcafozes (CB) 85 Sf 109
 ⊠ 6060-011
alcaide (CB) 84 Sd 108
alcainho Grande (Li) 100 Qe 115
alcains (CB) 84 Sd 109
 ⊠ 6005-001
alcalá (Fa) 144 Rc 125
Alcalar, Túmulos de 144 Rc 125
alcalva (Év) 117 Rf 117
alcanede (Sa) 101 Rb 112
 ⊠ 2025-030
alcanena (Sa) 101 Rc 112
 ⊠ 2380-011
alcanhões (Sa) 101 Rc 113
alcantarilha (Fa) 145 Rd 126
 ⊠ 8365-009
alcaravela (Sa) 102 Rf 111
alcaria (Fa) 146 Sc 124
alcaria (Fa) 146 Sc 125
alcaria (Fa) 146 Sd 125
alcaria (Be) 145 Re 124
alcaria (Fa) 145 Rf 125
alcaria (Le) 101 Rb 111
 ⊠ 2480-011
alcaria (CB) 84 Sc 107
alcaria Alta (Fa) 146 Sb 124
alcaria Alta (Fa) 145 Sb 125
alcaria da Serra (Be) 132 Sb 119
 ⊠ 7960-111
alcaria do Coelho (Be) 131 Sa 123
Alcaria do Cume 146 Sb 125
Alcaria do Cume, Serra de
 146 Sb 125
alcaria Longa (Be) 145 Sa 123
 ⊠ 7750-601
alcaria Queimada (Fa) 146 Sc 124
 ⊠ 8970-322
alcaria Ruiva (Be) 131 Sb 122
 ⊠ 7750-013
alcarias (Fa) 146 Sc 125
alcarias (Fa) 146 Sb 125
alcarias (Be) 131 Re 122
 ⊠ 7670-011
alcarias de Javazes (Be)
 146 Sc 123
≈Alcarrache, Ribeira de 118 Sd 119
alcarva (Vi) 69 Sd 102
alcobaça (Le) 100 Ra 111
 ⊠ 2460-001
alcobertas (Sa) 101 Ra 112
 ⊠ 2040-011
Alcobertas, Gruta de 100 Ra 112
alcochete (Se) 115 Ra 116
 ⊠ 2890-001
alcoentre (Li) 100 Ra 113
 ⊠ 2065-009
alcofra (Vi) 68 Re 105
alcoitão (Li) 115 Qd 116
 ⊠ 2645-094
alcongosta (CB) 84 Sd 108
 ⊠ 6230-040
alcordal (Vi) 68 Re 106 ⊠ 3450-012
alcornicosa (Fa) 145 Sb 125
alcorrego (Pg) 102 Sa 114
≈Alcorrego, Ribeira de 102 Sb 114
alcorriol (Sa) 101 Rc 111
 ⊠ 2350-661
alcorvel (Fa) 145 Sb 125
alcoutim (Fa) 146 Sd 124
aldaia Viçosa (Gu) 69 Se 105
aldão (Br) 50 Re 100
aldeia (VC) 32 Rc 96
aldeia (Por) 51 Sa 101
aldeia (Vi) 69 Sc 102
aldeia (Br) 50 Rc 100
aldeia Cimeira (Co) 83 Sa 108
aldeia da Barrada (Év) 118 Sd 118
aldeia da Bemposta (Be)
 130 Rc 123
aldeia da Cruz (Le) 83 Re 109
 ⊠ 3260-303

aldeia da Dona (Gu) 70 Ta 106
 ⊠ 6320-211
aldeia da Mata (Pg) 102 Sb 113
 ⊠ 7430-011
aldeia da Mata da Rainha (CB)
 84 Se 108
aldeia da Nora (Év) 118 Sd 116
aldeia da Ponte (Gu) 70 Ta 106
 ⊠ 6320-031
aldeia da Ribeira (Sa) 101 Rb 112
 ⊠ 2025-071
aldeia da Ribeira (Gu) 70 Ta 106
 ⊠ 6320-041
aldeia da Ribeira (CB) 83 Rf 110
aldeia das Amoreiras (Be)
 131 Rd 122 ⊠ 7630-513
aldeia das Dez (Co) 83 Sa 107
 ⊠ 3400-201
aldeia da Serra (Év) 117 Sa 116
aldeia das Pias (Év) 118 Sd 117
 ⊠ 7200-012
aldeia da Venda (Év) 118 Sd 117
 ⊠ 7200-011
aldeia de Além (Sa) 101 Rb 112
 ⊠ 2025-101
aldeia de Ana de Avis (Le)
 83 Re 109
aldeia de Eiras (Sa) 102 Rf 111
 ⊠ 6120-151
aldeia de Faleiros (Év) 118 Sd 117
aldeia de Ferreira (Év) 118 Sd 117
aldeia de Joanes (CB) 84 Sc 108
 ⊠ 6230-045
aldeia de João Pires (CB) 85 Sf 108
 ⊠ 6090-151
aldeia de Mourinhos (Év)
 118 Sc 116 ⊠ 7100-041
aldeia de Nacomba (Vi) 69 Sc 103
 ⊠ 3620-010
aldeia de Paio Pires (Se)
 115 Qf 117
aldeia de Ruins (Be) 131 Re 120
 ⊠ 7900-113
aldeia de Santa Madalena (Gu)
 69 Se 106 ⊠ 6300-255
aldeia de Santa Margarida (CB)
 84 Se 108 ⊠ 6060-021
aldeia de Santo António (Gu)
 85 Sf 106 ⊠ 6320-050
aldeia de São Francisco de Assis
 (CB) 84 Sb 108
aldeia de São Sebastião (Gu)
 70 Ta 105
aldeia de Tor (Fa) 145 Rf 125
 ⊠ 8100-381
aldeia de Vale de Maceiras (Pg)
 103 Sc 114
aldeia do Bispo (Gu) 69 Se 106
aldeia do Bispo (CB) 84 Sf 108
 ⊠ 6090-071
aldeia do Bispo (Gu) 85 Ta 107
aldeia do Cano (Se) 130 Rc 122
 ⊠ 7555-012
aldeia do Carvalho (CB) 84 Sd 107
aldeia do Futuro (Se) 130 Rc 119
aldeia do Mato (Sa) 102 Re 111
 ⊠ 2200-601
aldeia do Meco (Se) 115 Qe 118
 ⊠ 2970-051
aldeia do Outeiro (Év) 118 Sd 118
aldeia do Rio (Le) 82 Rc 109
 ⊠ 3100-013
aldeia dos Elvas (Be) 131 Re 122
 ⊠ 7600-301
aldeia dos Fernandes (Be)
 145 Rf 123 ⊠ 7700-301
aldeia dos Grandaços (Be)
 131 Re 122
aldeia dos Matos (Fa) 145 Re 125
aldeia dos Orvalhos (Év)
 118 Sd 117
aldeia do Souto (CB) 69 Sd 106
 ⊠ 6200-501
aldeia dos Palheiros (Be)
 131 Re 123 ⊠ 7670-202
aldeia dos Pinheiros (Se)
 115 Qf 117
aldeia Formosa (Co) 68 Sa 106
 ⊠ 3405-391
aldeia Galega da Merceana (Li)
 100 Qf 114
aldeia Gavinha (Li) 100 Qf 114
 ⊠ 2580-101
aldeia Grande (Li) 100 Qf 114
 ⊠ 2565-427

Aldeia Nova (Ba) 53 Te 99
Aldeia Nova (Gu) 69 Sd 104
Aldeia Nova (Vi) 69 Sc 104
Aldeia Nova (Gu) 70 Ta 104
Aldeia Nova de Montalegre (VR) 33 Sb 97
Aldeia Nova de São Bento (Be) 132 Sd 121
Aldeia Nova do Barroso (VR) 33 Sb 98 ⊠ 5470-062
Aldeia Nova do Cabo (CB) 84 Sc 108 ⊠ 6230-050
Aldeia Rica (Gu) 69 Se 105 ⊠ 6360-011
Aldeias (Be) 132 Sb 120
Aldeias (Vi) 51 Sb 102
Aldeias (Gu) 69 Sc 106 ⊠ 6290-012
Aldeias do Montoito (Év) 117 Sc 117
Aldeia Velha (Sa) 116 Re 115 ⊠ *2100-300
Aldeia Velha (Pg) 102 Rf 114
Aldeia Velha (Gu) 85 Ta 106
≈ Aldeidavila, Barragem de 53 Tb 101
Aldeios dos Marmelos (Év) 118 Sd 117
Aldreu (Br) 50 Rb 99
Aldriz (Av) 50 Rc 102
Alecrinais (Be) 132 Sd 121
Alegrete (Pg) 103 Se 113
Além de Água (Co) 83 Rd 108 ⊠ 3230-201
Além do Rio (VC) 32 Ra 98
Alençarce de Cima (Co) 82 Rc 108
Alenquer (Li) 100 Qf 114 ⊠ *2580-012
▲ Alentejo 131 Rd 122
▲ Alentejo 116 Re 117
Alentisca (Pg) 118 Se 115
Alfaião (Ba) 35 Tb 98 ⊠ 5300-401
Alfaiates (Gu) 70 Ta 106 ⊠ 6320-081
☆ Alfama 115 Qf 116
Alfândega da Fé (Ba) 52 Ta 100 ⊠ *5350-001
Alfanzina (Fa) 144 Rd 126 ⊠ 8400-550
Alfarela de Jales (VR) 51 Sc 100 ⊠ 5450-120
Alfarelos (Co) 82 Rc 108 ⊠ *3130-001
Alfarim (Se) 115 Qf 118 ⊠ *2970-004
Alfarrobeira (Fa) 145 Re 125 ⊠ *8600-230
Alfarrobeira de Baixo (Be) 131 Sa 121
Alfarrobeira de Cima (Be) 131 Sa 121
Alfebre do Mato (Se) 116 Rd 118
Alfebrinho (Se) 116 Rd 118
Alfeicão (Fa) 145 Rf 126
Alfeizerão (Le) 100 Qf 111 ⊠ *2460-101
Alfena (Por) 50 Rc 101 ⊠ *4445-001
Alferce (Fa) 144 Rd 125 ⊠ 8550-011
Alferrarede (Sa) 102 Re 112
Alfontes (Fa) 145 Rf 126 ⊠ 8100-062
Alforgemel (Sa) 101 Rb 113
Alfovês (Sa) 101 Rb 113
Alfrivida (CB) 84 Sc 109 ⊠ 6030-051
Alfundão (Be) 131 Rf 120 ⊠ *7900-011
≈ Alfusqueiro, Rio 68 Rd 105
≈ Algalé, Ribeiro de 103 Se 114
▲ Algares 144 Rc 124
Algariz (Av) 68 Rd 103
≈ Alge, Ribeira de 83 Re 109
Algeriz (VR) 52 Sd 99
Algeruz (Se) 116 Rb 117 ⊠ *2950-051
≈ Algibre, Ribeira de 145 Rf 125
Algoceira (Be) 130 Rb 123 ⊠ 7630-013
Algodor (Be) 131 Sb 122 ⊠ 7750-014
Algodres (Gu) 70 Sf 103 ⊠ *6370-011
Algosinho (Ba) 53 Tc 101 ⊠ 5200-351
Algoso (Ba) 53 Tc 100 ⊠ 5230-010
Algoz (Fa) 145 Re 126 ⊠ *8365-055
Alguber (Li) 100 Qf 113 ⊠ 2550-012
Algueidão da Serra (Le) 82 Rb 111
Algueirão (Li) 115 Qe 116 ⊠ *2725-003
Alhadinha (Be) 130 Rb 122
Alhais (Vi) 69 Sb 103 ⊠ 3650-010
Alhais de Cima (Vi) 69 Sb 103
Alhandra (Li) 100 Ra 115 ⊠ *2600-401
Alheira (Br) 50 Rc 99 ⊠ 4750-057
Alheiro Negro (Sa) 101 Rd 114
Alhões (Vi) 68 Rf 103
Alhos Vedros (Se) 115 Qf 117 ⊠ *2860-004
Alijão (Br) 51 Rf 100 ⊠ 4615-801
Alijó (VR) 52 Sd 101
Alimonte (Ba) 34 Ta 98
Aljaraz (Av) 68 Rd 106
Aljezur (Fa) 144 Rb 125 ⊠ *8670-001
Aljubarrota (Le) 101 Ra 111 ⊠ *2460-601
Aljustrel (Be) 131 Re 121 ⊠ *7600-010
≈ Allmuro, Ribeira do 118 Sd 115
Almaceda (CB) 84 Sc 108 ⊠ 6000-001
Almacinha (Vi) 68 Re 106 ⊠ 3450-111
Almada (Se) 115 Qf 116 ⊠ *2800-001
Almada de Ouro (Fa) 146 Sd 125 ⊠ 8950-012
≈ Almadate, Ribeira de 102 Sa 115
Almadena (Fa) 144 Rb 126
▲ Almadena, Ponta de 144 Rb 126
▲ Almadena, Praia da 144 Rb 126
Almagreira (Aç) 170 Zf 127 ⊠ 9580-011
Almagreira (Le) 82 Rc 109 ⊠ *3105-004
Almalaguês (Co) 83 Rd 108 ⊠ *3040-422
Almancil (Fa) 145 Rf 126 ⊠ *8135-100
≈ Almansor, Rio 116 Rb 116
Almarça (Vi) 68 Re 106
Almargem (Vi) 68 Sa 104
Almargem do Bispo (Li) 115 Qe 115 ⊠ *2715-210
Almarginho (Fa) 145 Sb 125 ⊠ *8100-063
Almarjão (Fa) 144 Rd 125 ⊠ *8300-010
Almeida (Gu) 70 Ta 104
Almeidinha (Gu) 70 Sf 105 ⊠ 6300-210
Almeirim (Be) 131 Rf 122 ⊠ 7780-101
Almeirim (Sa) 101 Rb 112
Almeirim (Sa) 101 Rc 113
Almendra (Gu) 70 Sf 102 ⊠ *5150-011
Almendres (Év) 117 Rf 117
Almodôvar (Be) 145 Rf 123 ⊠ *7700-011
Almodôvar-a-Velha (Be) 145 Rf 123
Almofala (Le) 100 Qf 112 ⊠ *2500-331
Almofala (Vi) 69 Sb 103 ⊠ *3475-070
Almofala (Gu) 70 Ta 103
Almofrela (Por) 51 Rf 101 ⊠ 4640-101
Almograve (Be) 130 Rb 123 ⊠ 7630-017
▲ Almograve, Praia de 130 Rb 123
Almoinha (Se) 115 Qf 118 ⊠ *2970-001
Almoinhas (Pg) 102 Rf 113
Almornos (Li) 115 Qe 115 ⊠ *2715-244
Almoster (Sa) 101 Rb 113 ⊠ 2005-111
Almoster (Le) 83 Rd 109 ⊠ 3250-021
☆ Almourol 101 Rd 112
Almuinha Velha (Be) 146 Sc 123
Alpalhão (Pg) 102 Sc 112 ⊠ *6050-011
Alpedrinha (CB) 84 Sd 108 ⊠ *6230-056
Alpedriz (Le) 82 Ra 111 ⊠ *2460-231
Alpendurada (Por) 50 Re 102
▲ Alpertuche, Praia de 115 Ra 118
Alpiarça (Sa) 101 Rc 113 ⊠ *2090-019
Alportel (Fa) 145 Sa 125 ⊠ 8150-014
≈ Alportel, Ribeira de 145 Sa 125
Alpouvar (Fa) 145 Re 126 ⊠ 8200-552
≈ Alpreade, Ribeira de 84 Se 109
Alqueidão (Sa) 101 Rc 111
Alqueidão (Co) 82 Rb 108
Alqueidão (Le) 82 Ra 111 ⊠ *2420-378
Alqueidão (Sa) 83 Re 111
Alqueidão da Serra (Le) 82 Rb 111 ⊠ 2480-013
Alqueidão de Arrimal (Le) 101 Ra 111
Alqueidão do Mato (Sa) 101 Rb 112 ⊠ 2025-140
Alquerubim (Av) 67 Rd 105 ⊠ *3850-301
Alqueva (Be) 132 Sc 119
≈ Alqueva, Barragem de 132 Sd 119
▲ Alta 69 Sd 105
☆ Altar, Pedro do 101 Rb 111
▲ Altar, Ponta do (Ma) 167 D 2
▲ Altar, Ponta do 144 Rc 126
Altares (Aç) 169 Xe 116 ⊠ *9700-301
Alte (Fa) 145 Re 125 ⊠ *8100-012
≈ Alte, Fontes de 145 Rf 125
Alter do Chão (Pg) 102 Sc 113 ⊠ *7440-011
▲ Alter Pedroso 102 Sc 113
▲ Alto 102 Rf 114
▲ Alto, Pico (Aç) 170 Zf 127
▲ Alto, Ponta (Ma) 166 C 2
≈ Alto Cávado, Barragem do 33 Sa 98
Alto da Cerca (Fa) 144 Rb 126
Alto da Serra (Sa) 100 Ra 112 ⊠ 2040-063
Alto do Serra (Fa) 145 Rf 126
Alto Fica (Fa) 145 Rf 125 ⊠ *8100-154
Altura (Fa) 146 Sc 125 ⊠ 8950-414
☆ Alturas, Cornos das 33 Sb 98
Alturas do Barroso (VR) 51 Sb 98 ⊠ 5460-010
Alva (Vi) 68 Sa 103 ⊠ 3600-021
≈ Alva, Rio 83 Rf 107
≈ Alvacar, Ribeira de 132 Sb 123
Alvacões do Corgo (VR) 51 Sb 101
Alvações do Tanha (VR) 51 Sb 101
Alvadia (VR) 51 Sb 100 ⊠ 4870-011
Alvados (Le) 101 Rb 111 ⊠ *2480-032
Alvaiade (CB) 84 Sb 110 ⊠ 6030-151
Alvaiázere (Le) 83 Rd 110 ⊠ *3250-100
Alvaijar (Sa) 101 Rc 111
Alvalade (Se) 131 Rd 121 ⊠ *7565-011
▲ Alvão, Parque Natural do 51 Sa 100
▲ Alvão, Serra de 51 Sb 100
Alvarães (VC) 50 Rb 99
Alvarão (Be) 132 Sc 120
Alvaredo (VC) 32 Re 96 ⊠ 4980-541
Alvaredos (Ba) 34 Sf 98 ⊠ 5320-010
Alvarelhos (Por) 50 Rc 101
Alvarelhos (VR) 52 Sd 98
Alvarenga (Av) 68 Rf 103
▲ Alvares 131 Sb 123
Álvares (Be) 131 Sb 123 ⊠ 7750-501
Álvares (Co) 83 Rf 108
Alvarim (Av) 68 Rd 105 ⊠ *3750-361
Álvaro (CB) 83 Sa 109
Alvas (VC) 50 Rb 99 ⊠ *4905-300
▲ Alvas, Pedras 117 Rf 116
Alvega (Sa) 102 Rf 112 ⊠ *2205-101
Alveite Grande (Co) 83 Re 107 ⊠ 3350-201
Alveite Pequeno (Co) 83 Re 107 ⊠ 3350-202
Alvelos (Br) 50 Rc 100 ⊠ *4755-010
▲ Alvelos, Serra de 83 Rf 109
Alvendre (Gu) 69 Se 105 ⊠ 6300-030
Alverca da Beira (Gu) 69 Se 104 ⊠ *6400-101
Alverca do Ribatejo (Li) 100 Qf 115 ⊠ *2615-001
Alves (Be) 132 Sc 123 ⊠ 7750-402
Alviada (Av) 68 Rd 103 ⊠ 4540-293
Alviobeira (Sa) 83 Rd 110 ⊠ 2305-061
Alvite (Br) 51 Rf 100
Alvite (VR) 51 Sb 100
Alvite (Vi) 69 Sb 103 ⊠ *3620-021
Alvites (Ba) 52 Sf 99 ⊠ 5370-030
Alvito (Év) 131 Sa 119
Alvito (Br) 50 Rc 99
≈ Alvito, Barragem do 117 Sa 119
≈ Alvito, Ribeira do 84 Sb 109
Alvito da Beira (CB) 84 Sb 110 ⊠ 6150-011
≈ Alvoco, Rio 84 Sb 107
Alvoco da Serra (Gu) 84 Sc 107 ⊠ 6270-012
Alvoco das Várzeas (Co) 84 Sb 107 ⊠ *3400-301
Alvoeira (Co) 83 Rf 107 ⊠ 3420-161
Alvor (Fa) 144 Rc 126 ⊠ *8500-002
▲ Alvor, Praia do 144 Rc 126
Alvora (VC) 32 Rd 97
Alvorão (Sa) 101 Rc 111 ⊠ 2350-011
Alvorge (Le) 83 Rd 109 ⊠ 3240-402
Alvorninha (Le) 100 Qf 112 ⊠ *2500-330
Alvre (Por) 50 Rd 102 ⊠ 4585-008
Amada (VC) 32 Ra 98
▲ Amado, Praia do 144 Ra 125
Amadora (Li) 115 Qe 116 ⊠ *2610-001
Amarante (Por) 51 Rf 101 ⊠ *4600-001
☆ Amareira, Aqueducto da 118 Se 115
Amarela (Fa) 145 Rf 125
▲ Amarela, Serra 33 Re 98
Amareleja (Be) 132 Se 119 ⊠ *7885-011
Amarelhe (Por) 51 Rf 102 ⊠ 4640-102
▲ Amarelo (Ma) 167 D 2
Amarelos (CB) 84 Sc 110
Amaro (Fa) 146 Sb 126
Ameal (Co) 82 Rc 107 ⊠ *3045-282
Ameiral (CB) 83 Sa 109
Ameiras de Baixo (Se) 130 Rc 119 ⊠ 7570-104
Ameixial (Fa) 145 Sa 124 ⊠ 8100-050
Amêndoa (Sa) 83 Rf 111 ⊠ *2300-064
Amendoais (Fa) 145 Re 125 ⊠ 8365-231
Amendoeira (Fa) 145 Sb 125
Amendoeira (Fa) 145 Sa 125
Amendoeira (Be) 132 Sb 122
Amendoeira (Be) 131 Sa 122
Amendoeira (Ba) 52 Ta 99 ⊠ *5340-021
▲ Amendoeirinha 103 Se 114
≈ Ametade, Ribeira da (Ma) 167 C 2
Amiães de Cima (Sa) 101 Rb 112
Amiais de Baixo (Sa) 101 Rb 112 ⊠ *2025-300
Amiar (VR) 51 Sa 98 ⊠ 5470-402
Amieira (Év) 132 Sc 119
Amieira (Se) 116 Rb 117
Amieira (Pg) 102 Rf 114
Amieira (Co) 82 Rb 108
≈ Amieira, Paúl da 116 Rb 116
Amieira Cova (Pg) 102 Sa 112 ⊠ 6040-051
Amieira do Tejo (Pg) 102 Sb 111 ⊠ *6050-103
Amieiro (VR) 52 Sd 101
Amieiro (Co) 82 Rc 107 ⊠ *3140-021
Amiosinho (Co) 83 Rf 108 ⊠ 3330-106
Amioso (CB) 83 Rf 109 ⊠ 6100-609
Amioso (Co) 83 Rf 108
Amonde (VC) 32 Rb 98 ⊠ 4925-301
Amoníaco (Av) 67 Rc 104
Amor (Le) 82 Ra 110 ⊠ *2400-759
Amora (Se) 115 Qf 117 ⊠ *2845-125
Amoreira (Fa) 146 Sb 124
Amoreira (Fa) 145 Re 126
Amoreira (Li) 115 Qe 116
Amoreira (Sa) 102 Re 112 ⊠ *2200-752
Amoreira (Le) 100 Qe 112 ⊠ *2410-843
Amoreira (Gu) 70 Sf 105
Amoreira da Gândara (Av) 67 Rc 106 ⊠ 3780-011
Amoreiras (Be) 131 Rd 122
Amorim (Por) 50 Rb 100 ⊠ *4495-101
Amorosa (Fa) 145 Re 125 ⊠ 8375-010
Amorosa (VC) 50 Rb 99 ⊠ 4935-580
Anadia (Av) 68 Rd 106 ⊠ *3780-200
Anagueis (Co) 83 Rd 108
Anais (VC) 32 Rc 98
≈ Ana Loura, Ribeira de 103 Sc 114
Anascer (CB) 84 Se 107
Ançã (Co) 82 Rc 107 ⊠ *3060-001
▲ Anção, Ilha do 145 Sa 127
▲ Anção, Praia do 145 Rf 126
Ancas (Av) 67 Rd 106 ⊠ 3780-051
Ancede (Por) 51 Rf 102 ⊠ 4640-003
Anceriz (Co) 83 Sa 107 ⊠ 3305-010
▲ Âncora, Praia de 32 Ra 98
≈ Ancora, Rio 32 Rb 98
Andam (Le) 82 Ra 111 ⊠ 2480-072
Andorinha (Co) 82 Rc 107 ⊠ *3025-329
Andrães (VR) 51 Sb 101 ⊠ 5000-033
≈ Andreu, Ribeira de 102 Sa 113
Andreus (Sa) 102 Rf 111 ⊠ 2230-101
Anelhe (VR) 51 Sc 98 ⊠ 5425-011
Angeiras (Por) 50 Rb 101
Angeja (Av) 67 Rc 104 ⊠ *3850-401
Angra do Heroismo (Aç) 169 Xe 117
Angueira (Ba) 53 Td 99 ⊠ 5230-020
≈ Angueira, Rio 53 Tc 99
Anha (VC) 50 Rb 99
Anhões (VC) 32 Rd 97
Anissó (Br) 51 Rf 99
Anjos (Aç) 170 Zf 126 ⊠ 9580-470
Anjos (Br) 51 Rf 99
Anobra (Co) 82 Rc 108 ⊠ 3150-012
Anreade (Vi) 51 Sa 102
Ansião (Le) 83 Rd 109 ⊠ *3240-101
Ansul (Gu) 70 Ta 105
Anta (Por) 50 Rc 102
Antanhol (Co) 83 Rd 108 ⊠ *3040-557
Antas (Pg) 102 Re 114
Antas (Le) 100 Qf 112
Antas (VC) 32 Rc 97
Antas (VR) 51 Sc 101
Antas (Vi) 51 Sa 102
Antas (Br) 50 Rb 99
Antas (Gu) 69 Sc 105
Antas (Vi) 69 Sd 103
Antelas (Vi) 68 Re 104 ⊠ 3680-17
Antigo (VR) 33 Sa 98 ⊠ 5460-411
Antigo de Arcos (VR) 33 Sc 98
Antime (Br) 51 Rf 100 ⊠ 4820-00
Antiqueira (Pg) 103 Sd 112
Antões (Le) 82 Rb 109
Antuzede (Co) 83 Rd 107
Apariça (Be) 131 Sa 120 ⊠ 7700-240
Apaúlinha (Se) 130 Rc 119
Apostiça (Se) 115 Qf 117 ⊠ 2970-145
Apra (Fa) 145 Sa 126
Apúlia (Br) 50 Rb 100 ⊠ *4740-03
Águas Frias (Fa) 145 Re 125
☆ Aqueduto 83 Rd 107
Arada (Av) 67 Rc 103 ⊠ *3885-00
▲ Arada, Serra da 68 Re 103
Aradas (Av) 67 Rc 105
≈ Arade, Barragem do 145 Rd 125
≈ Arade, Ribeira de 145 Re 125
≈ Arades, Ribeira de 85 Ta 109
Aranhas (CB) 85 Sf 108 ⊠ *6090-211
Arão (VC) 32 Rc 96 ⊠ *4930-001
≈ Aravil, Ribeira do 85 Sf 109
Arazede (Co) 82 Rc 107 ⊠ *3140-022
Arca (VC) 32 Rc 98
Arca (Vi) 68 Re 105
Arça (VR) 51 Sc 101
Arcas (Ba) 52 Sf 99
Arcas (Vi) 69 Sd 102
Arcas (Vi) 69 Sb 103
Arcas (Vi) 68 Sa 104
Arcipreste (Le) 100 Qf 111
Arco (Ba) 52 Sf 101
Arco da Calheta (Ma) 166 B 2
Arco de Baúlhe (Br) 51 Sa 100 ⊠ *4860-041
Arco de São Jorge (Ma) 167 C 2 ⊠ *9230-011
Arcos (Év) 118 Sc 115
Arcos (VC) 32 Rc 98
Arcos (VR) 33 Sc 98
Arcos (Br) 50 Rd 99
Arcos (Por) 50 Rb 100 ⊠ *4480-01
Arcos (Vi) 69 Sc 102
Arcos de Valdevez (VC) 32 Rd 97 ⊠ *4970-230
Arcossó (VR) 51 Sc 99 ⊠ *5425-021
Arcozelo (VC) 32 Rc 98
Arcozelo (Br) 50 Rc 99
Arcozelo (Por) 50 Rc 102
Arcozelo (Gu) 69 Sc 105
Arcozelo das Maias (Vi) 68 Re 104 ⊠ 3680-011
Arcozelos (Vi) 69 Sc 103
≈ Arda, Rio 68 Rd 102
Ardãos (VR) 33 Sc 98 ⊠ 5460-100
Ardegão (VC) 50 Rc 99 ⊠ 4990-535
Ardegão (Br) 51 Rf 100 ⊠ 4820-007
Ardido (Le) 100 Ra 112 ⊠ 2460-817
Areeiro (Fa) 145 Re 125
Areeiro (Fa) 145 Rf 126
Arega (Sa) 101 Rd 111
Arega (Le) 83 Re 109 ⊠ 3260-070
☆ Aregos, Caldas de 51 Rf 102
Areia (Li) 115 Qd 116
Areia (Pg) 102 Sa 111
Areia (Sa) 102 Rf 112
Areia (Li) 100 Qd 114
Areia (Br) 50 Rb 100
Areia (Por) 50 Rb 101
☆ Areia, Fonte da (Ma) 167
Areia Branca (Li) 100 Qd 113 ⊠ *2530-065
Areia Larga (Aç) 168 Wc 117 ⊠ 9950-302
Areias (Fa) 145 Sb 126
Areias (Br) 50 Rc 99
Areias (Ba) 52 Se 101
Areias (Sa) 83 Rd 110 ⊠ *2205-133
Areias de Vilar (Br) 50 Rc 99
Areira de Gonde (Av) 67 Rc 104
Arelho (Le) 100 Qe 112 ⊠ 2510-191
Arengões (Le) 82 Rb 111
Arentim (Br) 50 Rc 100 ⊠ *4705-001
☆ Ares, Torre de 146 Sb 126
Arez (Pg) 102 Sb 112 ⊠ 6050-201
Arga de Baixo (VC) 32 Rb 97 ⊠ 4910-035
Arga de Cima (VC) 32 Rb 97 ⊠ 4910-040
Arga de São João (VC) 32 Rb 97
Argana (Ba) 52 Sf 98 ⊠ 5340-171
Arganil (Sa) 83 Sa 110 ⊠ 6120-211
Arganil (Co) 83 Rf 107 ⊠ *3300-011
Argela (VC) 32 Rb 97
Argenil (VR) 34 Se 98
Argomil (Gu) 69 Se 105 ⊠ 6400-601
Argoncilhe (Av) 50 Rc 102 ⊠ *4505-001

Argozelo (Ba) 53 Tc 99
✉ *5230-025
Arguedeira (Vi) 51 Sb 102
✉ 3610-101
Arícera (Vi) 51 Sc 102
▲ Arieiro, Pico do (Ma) 167 C 2
Ariz (Vi) 69 Sc 103 ✉ *3620-080
Armação de Pêra (Fa) 145 Rd 126
✉ *8365-101
▲ Armação de Pêra, Praia do 145 Rd 126
Armadouro (Co) 83 Sa 108
✉ 3320-101
Armamar (Vi) 51 Sb 102
✉ *5110-121
Armedo (Ba) 52 Se 101
Armil (Br) 51 Re 100 ✉ 4820-010
▲ Armona, Ilha da 145 Sb 126
▲ Armona, Praia da 145 Sb 126
Arnal (Ba) 52 Sd 101
Arnas (Vi) 69 Sd 103 ✉ 3640-011
Arneiro (Se) 130 Rb 121
Arneiro (Li) 115 Qd 116
✉ *2050-522
▲ Arneiro, Pinhal do 115 Qf 117
Arneiro das Milharicas (Sa) 101 Rb 112
Arneiros (Li) 100 Qe 114
✉ 2565-831
Arneirós (Sa) 101 Rb 114
▲ Arnel, Ponta do (Aç) 170 Zf 122
Arnoia (Br) 51 Rf 100 ✉ *4890-051
Arnosela (Br) 51 Rf 100
Arnoso (Br) 50 Rd 100
Arnoso (Br) 50 Rc 100
Aroeira (Fa) 146 Sc 125
Aroeira (Sa) 116 Rb 115
Aroeiras (Le) 82 Rc 109
✉ *3100-017
Arões (Br) 51 Re 100
Arões (Av) 68 Re 104
Arosa (Br) 51 Sa 99 ✉ *4800-211
Arouca (Se) 116 Rd 119
Arouca (Av) 68 Re 103
✉ *4540-098
Arrabal (Le) 82 Rb 110
✉ *2420-001
▲ Arrábida, Parque Natural da 115 Qf 117
▲ Arrábida, Serra da 115 Ra 118
Arraiados (Se) 116 Rb 117
✉ *2955-020
Arraial da Poupa (CB) 103 Sf 110
Arraiolos (Év) 117 Sa 116
✉ *7040-010
Arrancada (Av) 68 Rd 105
Arrancada (Le) 82 Rc 109
Arranhó (Li) 100 Qf 115
✉ *2630-011
Arrao (Fa) 144 Rc 125
Arrão de Baixo (Sa) 101 Re 114
Arreigada (Por) 50 Rd 101
✉ *4560-221
Arrentela (Se) 115 Qf 117
✉ *2840-142
▲ Arrifana 144 Ra 125
Arrifana (Li) 101 Ra 113
✉ *2065-311
Arrifana (Ba) 52 Ta 99
Arrifana (Av) 67 Rd 103
Arrifana (Gu) 69 Se 105
Arrifana (Gu) 70 Ta 105
Arrifana (Co) 82 Rc 108
Arrifana (Co) 83 Re 107
▲ Arrifana, Praia da 144 Ra 125
Arrifes (Aç) 170 Zb 122
✉ *9500-361
Arrife Terras (Aç) 169 We 118
Arrimal (Le) 101 Ra 112
✉ 2480-043
Arrisada (Fa) 145 Sb 124
Arrochela (Fa) 144 Rd 125
Arroes (Ast) 7 Uc 87
Arroios (Fa) 146 Sb 126
Arroios (VR) 51 Sb 101 ✉ 5000-051
Arronches (Pg) 103 Se 114
✉ *7340-001
Arroteia (Le) 82 Rc 109
✉ *2425-500
Arrouquelas (Sa) 101 Ra 113
✉ 2040-031
▲ Arroz 102 Sb 113
Arruda dos Pisões (Sa) 101 Ra 113
Arruda dos Vinhos (Li) 100 Qf 115
✉ *2630-110
≈ Arunca, Rio 82 Rc 109
Árvore (Por) 50 Rb 100
✉ *4480-046
Arzil (Be) 131 Rd 122
Arzila (Co) 82 Rc 107 ✉ *3045-319
Asnela (Br) 51 Sa 99 ✉ 4860-421
▲ Aspa, Torre de 144 Ra 126
Assafarge (Co) 83 Rd 108
✉ 3040-657
Assafora (Li) 100 Qd 115
✉ *2705-435
Assares (Ba) 52 Sf 100 ✉ 5360-011
≈ Asseca, Ribeira de 118 Se 116
Asseiceira (Be) 144 Rb 124
Asseiceira (Be) 131 Re 121
Asseiceira (Sa) 101 Rd 111
✉ *2040-481
Asseiceira (Le) 100 Ra 113
≈ Asseiceira, Vala da 116 Rb 117
Assentiz (Sa) 101 Rc 111
Assentiz (Sa) 101 Ra 113
Assomada (Ma) 167 D 3
Assumadas (Fa) 145 Rf 125
Assumadas (Fa) 145 Re 126
Assumar (Pg) 103 Sd 114
✉ *7450-011
Assureira (VC) 33 Re 97
Assureiras de Baixo (VR) 34 Sd 98
Astromil (Por) 50 Rd 101
✉ *4585-790
Atães (Br) 32 Rd 98
Atães (Br) 50 Re 100
Atafona (Be) 131 Sa 122
Atafoneiro (Aç) 168 Wc 117
Ataíde (Por) 51 Re 101
Ataija de Cima de Baixo (Le) 101 Ra 111
Atainde (Br) 50 Rd 100
▲ Atalaia 130 Rc 120
Atalaia (Év) 117 Sb 118
Atalaia (Se) 115 Ra 116
Atalaia (Pg) 102 Sa 112
Atalaia (Li) 100 Qd 113
Atalaia (Li) 100 Qf 114
Atalaia (Sa) 101 Rd 112
Atalaia (Sa) 101 Rb 113
Atalaia (Gu) 70 Sf 105
Atalaia (CB) 83 Sa 110
Atalaia (CB) 84 Sc 110
▲ Atalaia, Ponta da 144 Ra 126
Atalaia Cimeira (Le) 83 Re 109
✉ 3270-013
Atalaia do Campo (CB) 84 Sd 108
✉ 6230-130
▲ Atalhada, Serra da 83 Re 107
Ataliças (Be) 132 Sc 123
Atei (VR) 51 Sa 100
Atenor (Ba) 53 Td 100 ✉ 5225-011
Atiães (Br) 50 Rd 99
Atilhó (VR) 51 Sb 98
Atlas (Ma) 167 C 3
Atoleirinhos (Pg) 102 Sa 113
Atouguia (Co) 83 Rf 107
Atouguia (Sa) 82 Rc 111
✉ *2350-471
☆ Autodromo do Estoril 115 Qd 116
Avanca (Av) 67 Rc 104
✉ *3860-001
Avantos (Ba) 52 Sf 99 ✉ 5370-040
≈ Ave, Rio 50 Rb 100
Ave Casta (Sa) 83 Rd 110
Aveira (Co) 83 Rf 107
Aveiras de Baixo (Li) 101 Ra 114
✉ *2050-011
Aveiras de Cima (Li) 101 Ra 114
✉ *2050-061
Aveiro (Av) 67 Rc 105 ✉ *3800-002
≈ Aveiro, Ria de 67 Rb 104
Avelal (Vi) 69 Sb 104 ✉ 3560-020
≈ Avelames, Rio 51 Sc 99
Avelanoso (Ba) 53 Td 99
✉ 5230-080
Avelão (Av) 67 Rd 104 ✉ *3720-554
Avelar (Co) 83 Sa 107
Avelar (Le) 83 Rd 109 ✉ *3100-700
Avelãs de Ambom (Gu) 69 Se 105
✉ 6300-040
Avelãs de Caminho (Av) 67 Rd 106
✉ *3780-351
Avelãs de Cima (Av) 68 Rd 106
✉ 3780-401
Aveleda (Ba) 35 Tb 97
Aveleda (Br) 50 Rd 99 ✉ *4705-025
Aveleda (Por) 50 Rb 101
Aveleda (Por) 50 Rc 101
Aveledas (VR) 34 Sd 98
✉ 5000-102
Aveleiras (VC) 32 Rd 97
Aveleita (Co) 83 Rd 107
Aveloso (Gu) 69 Se 103
✉ 6430-011
Aveloso (Vi) 68 Rf 104 ✉ *3660-615
Avenal (Li) 100 Qf 113
A-Ver-o-Mar (Por) 50 Rb 100
Aves (Por) 50 Rd 100
Avessadas (Por) 51 Re 102
Avidagos (Ba) 52 Se 100
✉ 5370-052
Avidos (Br) 50 Rd 100 ✉ *4770-777
▲ Avidreira 103 Sc 112
Avinhó (Ba) 53 Tc 99 ✉ 5230-151
Avintes (Por) 50 Rc 102
✉ *4430-285
Avis (Pg) 102 Sa 114 ✉ *7480-101
Aviso (Por) 50 Rc 101
Avô (Co) 83 Sa 107 ✉ *3400-358
Avões (Vi) 51 Sb 102
Azagães (Av) 68 Rd 103
Azambuja (Li) 101 Ra 114
✉ *2050-001
≈ Azambuja, Ribeira da 117 Sb 118
Azambujeira (Év) 116 Re 117
Azambujeira (Sa) 101 Rb 113
✉ 2040-052
Azaruja (Év) 117 Sb 116
✉ *7005-100
Azeiteiros (Pg) 103 Sd 114
▲ Azelha 101 Ra 111
Azenha (Fa) 144 Rb 124
Azenha (Co) 82 Rb 108
Azenha Nova (Pg) 103 Se 113
Azenhas (Li) 100 Qd 114
Azenhas do Mar (Li) 115 Qd 115
✉ *2705-081
Azenhas Velhas (Li) 100 Qd 114
Ázere (VC) 32 Rd 97 ✉ 4960-180
Ázere (Co) 68 Rf 106
≈ Ázere, Rio 32 Rd 97
Azevedo (VC) 32 Rb 97
✉ *4950-312
Azevedo (Por) 50 Rc 100
Azevo (Gu) 70 Sf 103 ✉ 6400-141
Azia (Fa) 144 Rb 124 ✉ 8670-411
Azias (VC) 32 Rd 98
≈ Azibo, Barragem do 52 Ta 99
≈ Azibo, Rio 53 Ta 99
Azinhaga (Sa) 101 Rc 112
✉ *2150-001
Azinhal (Fa) 146 Sd 125
Azinhal (Be) 145 Rf 124
Azinhal (Fa) 145 Sb 124
Azinhal (Fa) 145 Sa 124
Azinhal (Fa) 145 Rf 125
Azinhal (Be) 131 Sb 122
Azinhal (Sa) 117 Re 116
✉ *6120-212
Azinhal (Pg) 103 Sd 113
Azinhal (Gu) 70 Ta 104
✉ *6350-031
Azinhal e Amendoeira (Fa) 145 Sa 126 ✉ 8005-414
Azinheira (Be) 130 Rd 123
Azinheira (Li) 101 Ra 113
Azinheira (CB) 83 Rf 110
✉ *6100-421
≈ Azinheira, Ribeira da 145 Re 124
Azinheira dos Barros (Se) 131 Rd 120 ✉ 7570-003
Azinheiro (Fa) 145 Sa 126
✉ 8005-415
Azinhosa (Fa) 146 Sb 125
✉ 8800-023
Azinhoso (Ba) 53 Tb 100
✉ 5200-010
Azões (Br) 32 Rd 98
Azoia (Li) 115 Qd 116
Azoia (Le) 82 Rb 110 ✉ *2400-823
Azóia de Baixo (Sa) 101 Rb 113
Azóia de Cima (Sa) 101 Rb 112
Azueira (Li) 100 Qe 114
✉ *2665-004
≈ Azul, Lagoa (Aç) 170 Zb 121
Azurara (Por) 50 Rb 101
✉ *4480-120
Azurém (Br) 50 Re 100

B

Babe (Ba) 35 Tc 98 ✉ 5300-421
Baçal (Ba) 35 Tb 97 ✉ 5300-432
Badamalos (Gu) 70 Ta 106
✉ 6320-091
Badanais (CB) 85 Ta 108
Bade (VC) 32 Rc 97 ✉ 4930-086
Badim (VC) 32 Rd 96
Bagoada (VC) 32 Rb 97
✉ 4920-072
Bagueixe (Ba) 53 Tb 99 ✉ 5340-040
Bagulhão (VR) 51 Sa 99
✉ 5470-403
☆ Bagunte 50 Rc 100
Baião (Fa) 145 Rd 124 ✉ 8500-046
Baião (Por) 51 Rf 102 ✉ *4640-103
Baiãs (Fa) 145 Re 126 ✉ 8365-080
Baiões (Vi) 68 Rf 104
Baiona (Be) 144 Rb 124
✉ 7630-565
▲ Baira 84 Sb 109
Bairradas (Le) 100 Ra 113
✉ 2500-532
Bairro (Le) 100 Qf 112
Bairro (Li) 100 Qf 114 ✉ *2580-064
Bairro (Sa) 101 Rc 111
✉ *2250-311
Bairro (Br) 50 Rd 100
Bairro (Br) 51 Rf 99
Bairro da Sapec (Se) 116 Rb 118
Bairro do Carvalhal (Ba) 34 Sf 98
Bairro do Degebe (Év) 117 Sa 117
✉ *7005-210
Bairro do Louredo (Év) 117 Sa 117
Bairro dos Canaviais (Év) 117 Sa 117
Bairro dos Terrados (Év) 117 Sb 117
Bairros (Av) 50 Re 102
✉ *3700-751
Bairros (Br) 50 Rc 100
Bairros (Por) 50 Rc 100
✉ *4560-350
Baiúca (CB) 84 Sd 107
▲ Baixa 84 Sc 110
Baixa da Banheira (Se) 115 Qf 117
✉ *2835-001
▲ Baixa dos Barbeiros (Ma) 167
≈ Baixo, Boqueirão de (Ma) 167
▲ Baixo, Ilhéu de (Aç) 168 Xa 114
▲ Baixo ou da Cal, Ilhéu de (Ma) 167
Bajancas Fundeiras (Co) 83 Re 108
✉ 3230-052
▲ Balaia, Praia do 145 Re 126
Balança (Br) 32 Re 98
Balancho (Sa) 102 Rf 113
✉ *2205-162
Balazar (Br) 50 Rd 99 ✉ *4805-001
Balazar (Por) 50 Rc 100
✉ *4570-010
▲ Balcões (Ma) 167 C 2
Baldio (Pg) 103 Sd 113
Baldio (Pg) 103 Se 114
Baldos (Vi) 69 Sc 103 ✉ 3620-085
Baleal (Le) 100 Qe 112
✉ *2520-001
▲ Baleal, Praia do 100 Qd 112
▲ Baleeira, Porto da 115 Qe 118
▲ Baleeira, Praia da 145 Re 126
Baleizão (Be) 132 Sb 120
✉ *7800-611
Balsa (VR) 51 Sc 100
Balsa (Por) 50 Rd 101
Balsas (Sa) 101 Rd 113
Balsas (Co) 67 Rc 106
✉ *3060-312
☆ Balsemão 51 Sb 102
≈ Balsemão, Rio 51 Sa 102
Baltar (Por) 50 Rd 101 ✉ *4585-011
Balugães (VC) 50 Rc 99
Balurco de Baixo (Fa) 146 Sc 124
▲ Banamar 102 Sa 115
Banática (Li) 115 Qe 116
Bandeiras (Aç) 168 Wd 117
✉ *9950-021
▲ Bandeiras 117 Rf 117
Banho (Por) 51 Rf 101
Banho e Carvalhosa (Por) 51 Rf 101
Banhos da Ariola (Gu) 69 Se 103
Baraçal (Gu) 69 Se 104
Baraçal (Gu) 70 Sf 106
Barão de São João (Fa) 144 Rb 126
✉ 8600-013
Barão de São Miguel (Fa) 144 Rb 126 ✉ *8650-001
Barbacena (Pg) 118 Se 115
✉ 7350-431
Barbadães (VR) 52 Sc 99
Barbaído (CB) 84 Sc 109
▲ Bárbara Gomes (Ma) 167
Barbeita (VC) 32 Rd 96
Barbosa (Év) 117 Re 118
Barbudo (Br) 50 Rd 99
✉ *4730-064
▲ Barca, Ponta da (Aç) 168 Wf 114
Barca de Alva (Gu) 70 Ta 102
✉ 6440-071
Barcarena (Li) 115 Qe 116
✉ *2730-013
Barcel (Ba) 52 Se 100 ✉ 5370-060
Barcelinhos (Br) 50 Rc 99
Barcelos (Br) 50 Rc 99
✉ *4750-100
▲ Barcelos, Pico dos (Ma) 167 C 3
Barco (Br) 50 Re 100
Barco (CB) 84 Sc 107
Barcos (Vi) 51 Sc 102 ✉ *5120-062
Barcouço (Av) 67 Rd 107
✉ *3050-072
Barosa (Le) 82 Ra 110 ✉ 2400-013
Barqueiros (Br) 50 Rb 100
✉ *4740-670
Barqueiros (VR) 51 Sa 102
Barra (Av) 67 Rb 105
▲ Barra, Praia da 67 Rb 105
Barracão (Fa) 144 Rc 125
Barracão (Co) 67 Rc 106
Barracão (Gu) 69 Se 105
Barrada (Fa) 145 Sb 124
Barrada (Sa) 102 Rf 112
✉ *2205-401
≈ Barragem da Daroeira 131 Re 121
Barrançao (Fa) 144 Rb 126
▲ Barranco, Praia do 144 Ra 126
Barranco da Vaca (Fa) 144 Rb 125
✉ 8670-116
Barranco do Bebedouro (Be) 130 Rc 122 ✉ 7630-278
Barranco do Cailogo (Be) 130 Rd 122
Barranco do Carriçal (Fa) 144 Rc 125
Barranco do Resgalho (Fa) 145 Rd 125
Barranco Longo (Fa) 145 Re 125
✉ 8365-089
Barrancos (Be) 133 Ta 120
Barrancos (Év) 118 Sd 117
Barrancosas (Sa) 101 Rd 114
Barranco Velho (Fa) 145 Sa 125
Barranquinha (Be) 130 Rc 122
Barraquinho (Be) 130 Rc 122
Barras (Co) 68 Sa 106
Barreira (Ma) 166 C 2
Barreira (Gu) 70 Se 103
Barreira (Le) 82 Rb 110
✉ *2410-023
Barreira (Sa) 83 Re 111
✉ *2435-028
Barreiralva (Li) 100 Qe 115
✉ *2640-416
Barreiras (Aç) 169 Xa 117
Barreiras (Pg) 102 Rf 113
Barreiras Novas (Pg) 102 Rf 113
Barreirinha (Sa) 101 Rb 112
✉ *2240-202
Barreiro (Se) 115 Qf 116
Barreiro (VR) 51 Sb 100
Barreiro de Besteiros (Vi) 68 Re 105
✉ 3465-012
Barreiros (VR) 52 Se 98
Barreiros (Vi) 69 Sb 104
✉ *3505-138
Barreiros (Le) 82 Ra 110
✉ *2400-763
Barrela (VR) 51 Sc 100
Barreosa (Gu) 84 Sb 107
▲ Barreta, Ilha da 145 Sa 127
Barretos (Pg) 103 Sd 112
✉ *7330-011
▲ Barriga, Praia da 144 Ra 126
Barrigões (Fa) 145 Rf 125
Barril (Li) 100 Qd 114 ✉ *2640-202
▲ Barril, Praia do 146 Sc 126
Barril de Alva (Co) 83 Sa 107
✉ 3305-020
Barrins (Co) 67 Rb 107 ✉ 3060-582
Bário (Le) 100 Qf 111
Bário (VC) 32 Rc 97
Barrô (Vi) 51 Sa 102 ✉ *3465-151
Barrô (Av) 67 Rd 105
Barrô (Av) 68 Rd 106
▲ Barro, Fonte do (Ma) 166 A 2
Barroca (CB) 84 Sb 108
Barroca Grande (CB) 84 Sb 108
✉ 6225-051
Barrocal (Fa) 145 Re 125
Barrocal (Év) 118 Sd 118
Barrocal (Év) 117 Sa 117
Barrocalvo (Le) 100 Qf 113
✉ *2540-158
Barroças e Taias (VC) 32 Rd 96
Barrões (Sa) 101 Rd 115
Barros (Br) 32 Rd 98
Barrosa (Sa) 101 Rb 115
✉ *2130-162
Barrosas (Por) 50 Re 100
Barrosas (Por) 50 Re 101
Barrosinha (Se) 116 Rd 118
✉ 7580-514
Barroso (Fa) 145 Sb 124
▲ Barroso, Serra do 51 Sa 98
Barulho (Pg) 103 Se 113
Bastelo (Br) 51 Rf 99 ✉ 4820-820
Basto (Br) 51 Sa 100
Basto (Br) 51 Rf 100
Bastuço (Br) 50 Rc 99 ✉ 4705-474
Batalha (Se) 116 Rc 118
Batalha (Le) 82 Ra 111
✉ *2440-055
Batocas (Gu) 70 Ta 106
Bebeda (Se) 130 Rb 120
Bebedouro (Co) 82 Rb 107
✉ 3140-026
Bebezes (Vi) 69 Sd 102
Beça (VR) 51 Sb 98 ✉ 5460-120
≈ Beça, Rio 51 Sb 99
Beco (Av) 68 Rd 105
Beco (Sa) 83 Re 110 ✉ *2240-204
Beduído (Av) 67 Rc 104
✉ 3850-361
Beijos (Vi) 68 Sa 105
Beira (Aç) 169 We 116
Beirã (Pg) 103 Sd 112 ✉ *7330-012
▲ Beira 82 Rb 107
▲ Beira Baixa 84 Sb 109
Beira Grande (Ba) 52 Se 101
✉ 5140-021
Beiral do Lima (VC) 32 Rd 98
✉ 4990-545
Beira Valente (Vi) 69 Sc 103
✉ 3620-161
Beire (Por) 50 Re 101 ✉ 4580-283
Beire (Av) 67 Rc 103 ✉ 4520-606
Beiriz (Por) 50 Rb 100
Beja (Be) 131 Sa 120 ✉ *7800-001
Bela (VC) 32 Rd 96
▲ Bela, Costa 115 Qf 118
Belas (Li) 115 Qe 116 ✉ *2605-001
Belazaima do Chão (Av) 68 Rd 105
Belém (Fa) 144 Rc 125 ✉ 8550-218
Belém (Li) 115 Qe 116
Beliche (Fa) 146 Sd 125
✉ 8800-213
≈ Beliche, Ribeira de 146 Sc 125
Beliche do Cerro (Fa) 146 Sc 125
Belide (Co) 82 Rc 108 ✉ *3130-114
☆ Belixe 144 Ra 126
Belixe (Fa) 144 Ra 126 ✉ 8950-103
▲ Belixe, Praia do 144 Ra 126
Belmeque (Be) 132 Sd 120
Belmonte (Fa) 146 Sb 126
Belmonte (Fa) 145 Sa 126

Belmonte (CB) 69 Sd 106
⊠ *6250-020
Belo (Be) 146 Sb 123
Belo Romão (Fa) 145 Sb 126
⊠ 8700-065
Belver (Pg) 102 Sa 112 ⊠ 6040-024
Belver (Ba) 52 Se 101
≈ Belver, Barragem 102 Sa 112
Bemposta (Sa) 102 Rf 112
⊠ *2000-335
Bemposta (Li) 100 Qf 115
Bemposta (Ba) 53 Tc 101
Bemposta (Av) 67 Rd 104
Bemposta (CB) 84 Se 108
≈ Bemposta, Barragem de
53 Td 101
Benafim Grande (Fa) 145 Rf 125
Benagouro (VR) 51 Sb 100
⊠ 5000-781
Benatrite (Fa) 145 Sa 126
⊠ 8005-420
Benavente (Sa) 101 Rb 115
⊠ *2130-010
Benavila (Pg) 102 Sa 114
⊠ *7480-201
Bencatel (Év) 118 Sd 116
⊠ *7160-050
Bendada (Gu) 69 Se 106
⊠ 6250-181
Benedita (Le) 100 Ra 112
⊠ *2475-100
Benespera (Gu) 69 Se 106
⊠ 6300-050
Benfeita (Co) 83 Sa 107
⊠ *3305-031
Benfica (Li) 115 Qe 116
Benfica do Ribatejo (Sa)
101 Rb 114 ⊠ *2080-321
Benlhevai (Ba) 52 Sf 100
⊠ 5360-021
Benquerença (CB) 84 Se 107
⊠ *6090-321
Benquerenças (CB) 84 Sc 110
⊠ 6000-020
Benquerenças de Baixo (CB)
84 Sc 110 ⊠ 6000-021
Bens (Be) 132 Sc 123 ⊠ 7750-403
Bensafrim (Fa) 144 Rb 126
⊠ 8600-069
Bentos (Fa) 146 Sb 124
⊠ 8970-327
Benvende (Gu) 69 Sd 104
⊠ 6420-521
Beringel (Be) 131 Sa 120
⊠ *7800-800
Beringelinho (Be) 131 Sa 123
⊠ 7780-402
▲ Berlenga 100 Qd 112
Berlonguinho (Se) 116 Rd 118
⊠ 7580-703
Bernardia (CB) 83 Rf 110
⊠ 6100-353
Bertelhe (Vi) 69 Sb 104
⊠ *3505-139
≈ Beságueda, Rio 85 Sf 108
Beselga (Vi) 69 Sd 103
⊠ *3630-040
≈ Bestança, Rio 51 Rf 102
Besteirinhos (Fa) 145 Sa 125
Besteiro (Fa) 144 Rb 124
Besteiros (Be) 146 Sb 123
Besteiros (Fa) 145 Sa 124
Besteiros (Fa) 145 Rf 125
Besteiros (Sa) 117 Rf 116
⊠ *2080-705
Besteiros (Br) 50 Rd 99
Besteiros (Por) 50 Rd 101
Besteiros de Cima (Pg) 103 Se 113
⊠ 7300-320
Bestida (Av) 67 Rb 104 ⊠ 3870-194
Bias do Sul (Fa) 145 Sb 126
⊠ 8700-067
Bica (Le) 100 Qf 111 ⊠ *2460-343
Bica (Co) 82 Rb 107
Bicada (Be) 146 Sb 123
Bicada (Be) 145 Sa 124
Bicada (Be) 131 Re 123
Bicanho (Co) 82 Rb 108
Bicesse (Li) 115 Qd 116
⊠ *2645-004
Bico (VC) 32 Rc 97 ⊠ 4960-031
Bicos (Be) 130 Rc 122 ⊠ 7630-711
Bigorne (Vi) 51 Sa 102 ⊠ 5100-330
▲ Bigorne, Serra de 68 Sa 103
Bilhó (VR) 51 Sa 100 ⊠ *4880-072
Biqueiras (Le) 82 Rb 109
⊠ 3105-202
Biquinha (Pg) 102 Re 114
⊠ 7300-401
Birre (Li) 115 Qd 116 ⊠ *2750-210
Bisboitos (Aç) 169 Wf 117
Biscaia (Pg) 102 Sb 112
Biscoitos (Aç) 169 Xe 116
⊠ *9760-051
Bismula (Gu) 70 Ta 106 ⊠ 6320-111
▲ Bispo 145 Sa 125
Bispos (Be) 131 Rf 122
Bitarães (Por) 50 Re 101
⊠ *4580-291
Bivas (Sa) 102 Re 112
Boa Aldeia (Vi) 68 Rf 105
⊠ 3510-291
Boa Farinha (CB) 83 Rf 110
Boalhosa (VC) 32 Rd 98
⊠ *4950-030
▲ Boa Nova, Praia 50 Rb 101
Boa Ventura (Ma) 166 C 2
▲ Boavista 145 Re 124
Boavista (Se) 130 Rb 122
▲ Boavista 131 Sa 120
Boavista (Sa) 116 Re 115
⊠ *2100-300
Boavista (Pg) 103 Sd 113
Boavista (Le) 100 Ra 111
Boavista (Le) 100 Qe 112
Boa Vista (Le) 82 Rb 110
Boavista (Le) 82 Rc 109
Boavista dos Pinheiros (Be)
130 Rc 123 ⊠ 7630-033
Bobadela (Li) 115 Qf 116
⊠ *2695-001
Bobadela (VR) 33 Sc 98
⊠ *5400-606
Bobadela (Co) 68 Sa 106
Bobal (VR) 51 Sb 100 ⊠ 4880-081
Bóbeda (VR) 52 Sc 98
▲ Boca do Rio, Praia de 144 Rb 126
▲ Bode, Ponta do (Ma) 167 D 2
Bodiosa (Vi) 68 Sa 104
Boelhe (Por) 50 Re 102 ⊠ 4575-085
Bofinho (Le) 83 Rd 110 ⊠ 3250-143
Bogada (Év) 118 Sc 117
Bogalhal (Gu) 70 Sf 104
Bogas de Baixo (CB) 84 Sb 108
⊠ *6185-011
Bogas de Cima (CB) 84 Sb 108
⊠ 6230-140
Boi (Be) 145 Sa 124
Boialvo (Av) 68 Rd 105
⊠ *3740-417
Boiças (Sa) 101 Ra 113
⊠ *2000-453
Boicilhos (Sa) 101 Rd 114
⊠ 2100-371
Boidobra (CB) 84 Sd 107
Boieira (Be) 144 Rc 123
Boim (Por) 50 Re 101 ⊠ 4620-031
≈ Boina, Ribeira da 144 Rc 125
Boírno (VC) 32 Re 97
Boisões (Be) 146 Sb 123
Boivães (VC) 32 Rd 98
Boivão (VC) 32 Rc 96
Boleiros (Sa) 101 Rc 111
⊠ *2495-310
Bolembre (Li) 115 Qd 115
⊠ *2705-533
Bolfiar (Av) 68 Rd 105 ⊠ 3750-307
Bolho (Co) 67 Rc 106 ⊠ 3060-081
Boliqueime (Fa) 145 Rf 126
⊠ *8100-070
Bombarral (Le) 100 Qf 113
⊠ *2540-002
☆ Bom Jesus do Monte 50 Rd 99
Bom Sucesso (Co) 82 Rb 107
Bom Velho de Cima (Co) 83 Rd 108
⊠ 3150-217
Borba (Év) 118 Sd 116
⊠ *7150-101
Borba (Br) 51 Rf 100
Borba da Montanha (Br) 51 Rf 100
⊠ 4890-105
Borba de Godim (Por) 51 Rf 101
⊠ *4615-351
Borbela (VR) 51 Sb 101
⊠ 5000-063
Borbolega (Se) 131 Rd 121
Bordalos (Pg) 102 Sa 114
Bordeira (Fa) 144 Ra 125
Bordeira (Fa) 145 Sa 126
Bordeira (Co) 83 Rf 107
▲ Bordeira, Praia da 144 Ra 125
Bordonhos (Vi) 68 Rf 104
⊠ 3660-032
Bornes (Ba) 52 Sf 100 ⊠ 5340-051
▲ Bornes, Serra de 52 Ta 100
Bornes de Aguiar (VR) 51 Sc 99
⊠ 5450-130
Borracheira (Fa) 146 Sb 125
Borralha (VR) 51 Sa 99
⊠ *5000-062
Borralha (Av) 68 Rd 105
⊠ *3750-032
Borralhal (Vi) 68 Rf 106 ⊠ 3465-013
Boscras (Por) 51 Rf 101
⊠ 4640-381
Bostarenga (Vi) 68 Re 104
Bostofrio (VR) 51 Sb 99 ⊠ 5460-492
Botorenga (Av) 68 Rd 104
Botafogo (Pg) 118 Sf 115
Botão (Co) 83 Rd 107 ⊠ *3020-521
Botelhas (Fa) 146 Sd 125
Botica (Br) 51 Rf 98 ⊠ *4730-454
Boticas (VR) 51 Sc 98
Botica Sete (Li) 115 Qe 115
Botinas (Se) 130 Rc 120
Botulho (Vi) 68 Rf 105 ⊠ 3460-208
Bouça (Br) 50 Rc 100
Bouça (Ba) 52 Se 99
Bouça (CB) 84 Sc 107
Bouça Cova (Gu) 69 Se 104
⊠ 6400-171
Bouca Fria (Br) 51 Sa 100
Bouças Donas (VC) 32 Re 97
Bouceiros (Le) 101 Rb 111
⊠ 2480-021
Boucinhas (Le) 82 Rb 110
Boucinhos (Fa) 144 Rc 124
⊠ 8550-223
Bouçoães (VR) 34 Se 98
⊠ 5430-042
Bouçós (Av) 50 Rc 102
⊠ *3740-066
Bougado (Por) 50 Rc 101
⊠ 4795-395
Bouro (Br) 50 Re 99
Boxinos (CB) 84 Sb 108
⊠ 6230-140
Braçais (Pg) 103 Se 112
Braçais (Le) 83 Re 110
Braçal (Co) 83 Rf 108
Braceira (Pg) 102 Sc 111
Braciais (Fa) 145 Sa 126
⊠ 8005-424
Braga (Br) 50 Rd 99 ⊠ *4700-001
▲ Bragacina, Pico da (Aç)
169 Xe 116
Bragada (Ba) 53 Ta 99 ⊠ 5300-782
Bragadas (VR) 51 Sb 99
⊠ *4870-251
Bragado (VR) 51 Sc 99 ⊠ 5450-180
Bragança (Ba) 35 Tb 98
⊠ *5300-001
Branca (Av) 67 Rd 104
⊠ *3850-511
Brancanes (Be) 145 Rf 123
Brancanes (Fa) 145 Sa 126
Brancos (Li) 100 Qf 114
Branda de São Bento do Cande
(VC) 33 Re 97
Brandara (VC) 32 Rc 98
⊠ 4990-560
Brandim (VR) 33 Sa 98 ⊠ 5470-522
Branqueira (Fa) 145 Re 126
Branzelo (Por) 50 Rd 102
Brasfemes (Co) 83 Rd 107
⊠ *3020-532
Bravães (VC) 32 Rd 98
≈ Bravura, Barragem da 144 Rb 125
Brejão (Be) 144 Rb 124
⊠ *7630-569
▲ Brejeira, Serra da 144 Rc 124
Brejinhos (Se) 130 Rb 120
Brejo (Se) 116 Rb 117
Brejo de Canes (Se) 116 Rb 117
Brejo de Cima (Co) 83 Sa 108
⊠ 3320-103
Brejos (Se) 115 Qf 117
⊠ *2860-314
Brejos Correteiros (Se) 115 Ra 117
Brejos do Fetal (Se) 130 Rc 119
▲ Brenha 145 Rd 124
Brenha (Co) 82 Rb 107
Brescos (Se) 130 Rb 120
⊠ 7500-014
Bretanha (Aç) 170 Zb 121
▲ Bretanha, Ponta da (Aç)
170 Zb 121
Brinches (Be) 132 Sc 120
⊠ *7830-111
Brinhós (Br) 51 Rf 99
Briteiros (Br) 50 Re 99
Britel (VC) 32 Re 97
Britelo (Br) 51 Sa 100
Brites Gomes (Be) 132 Sb 123
⊠ 7750-303
Britiande (Vi) 51 Sb 102
⊠ *5100-344
Brito (Ba) 34 Sf 97
Brito (Br) 50 Rd 100 ⊠ *4805-019
Brogueira (Sa) 101 Rc 112
⊠ 2350-052
Bronceda (Ba) 52 Se 100
⊠ 5370-551
Brotas (Sa) 117 Rf 115
Bruçó (Ba) 53 Tb 101 ⊠ 5200-090
Brufe (Br) 33 Re 98 ⊠ *4760-240
Brumela (VR) 51 Sa 100
Brunhais (Br) 51 Re 99
Brunheda (Ba) 52 Sd 101
⊠ 5140-203
Brunheira (Be) 145 Rf 124
⊠ 7700-261
Brunheiras (Be) 130 Rb 122
⊠ 7645-023
Brunheirinho (Sa) 102 Rf 113
⊠ 2205-201
Brunheiro (Av) 67 Rc 104
Brunhos (Co) 82 Rc 108
Brunhosinho (Ba) 53 Tc 100
⊠ 5200-110
Brunhoso (Ba) 53 Tb 100
⊠ 5200-100
Buarcos (Co) 82 Ra 108
⊠ *3080-214
▲ Buçaco, Parque Nacional do
68 Rd 106
▲ Buçaco, Serra do 68 Re 107
Bucelas (Li) 100 Qf 115
⊠ *2670-628
Bucos (Br) 51 Rf 99 ⊠ 4860-122
Budens (Fa) 144 Rb 126
⊠ *8650-050
Bufarda (Le) 100 Qe 113
⊠ *2525-089
Bugalhos (Sa) 101 Rc 112
⊠ *2380-220
☆ Bugio 115 Qe 117
Bugios (CB) 84 Sb 110 ⊠ 6000-642
Buinhas (Pg) 118 Se 115
Bujões (VR) 51 Sb 101
☆ Bulideira, Pedra 34 Se 98
Bunheira (Fa) 144 Rb 124
Bunheira (Sa) 101 Rd 114
Bunhosa (Co) 82 Rb 107
⊠ 3140-028
Burga (Ba) 52 Sf 100 ⊠ 5340-060
Burgães (Br) 50 Rd 100
Burgau (Fa) 144 Rb 126
⊠ *8650-100
▲ Burgau, Praia do 144 Rb 126
Burgo (Av) 68 Re 103
Burinhosa (Le) 82 Ra 110
⊠ *2445-015
▲ Burrinho, Praia do 130 Rb 121
Bustelo (VR) 33 Sa 98
Bustelo (VR) 34 Sd 98
Bustelo (Por) 50 Re 101
Bustelo (Por) 50 Rd 102
Bustelo (Por) 51 Sa 101
Bustelo (Vi) 69 Sb 103
Bustelo (Av) 68 Rf 103
Bustelo (Av) 68 Rd 105
Bustelo (Vi) 68 Rf 103
Bustelo do Caima (Av) 68 Rd 104
⊠ 3720-173
Bustos (Av) 67 Rc 106 ⊠ *3770-018

C

Cabaça (Fa) 145 Rf 125
Cabaços (Fa) 146 Sc 125
Cabaços (VC) 32 Rc 98
Cabaços (Vi) 69 Sc 102
⊠ *3620-090
Cabaços (Le) 83 Rd 110
⊠ *3250-254
Cabana Maior (VC) 32 Rd 97
Cabanas (Fa) 146 Sc 126
Cabanas (Fa) 145 Sb 125
Cabanas (Se) 115 Ra 117
⊠ *2950-531
Cabanas (Por) 50 Rd 101
Cabanas (VR) 52 Sd 99
▲ Cabanas, Praia de 146 Sc 126
Cabanas de Baixo (Ba) 52 Sf 101
⊠ 5160-031
Cabanas de Cima (Ba) 52 Sf 101
⊠ 5160-032
Cabanas de Torres (Li) 100 Qf 114
⊠ 2580-121
Cabanas de Viriato (Vi) 68 Sa 106
⊠ *3430-600
Cabanases (VR) 51 Sc 99
Cabanelas (Por) 50 Rb 101
⊠ *4560-042
Cabanelas (Br) 50 Rd 99
Cabanelas (Ba) 52 Se 99
Cabano da Quinta (Ma) 167 C 2
Cabans do Chão (Li) 100 Qf 114
▲ Cabeça 103 Sc 112
Cabeça (Gu) 84 Sb 107
▲ Cabeça Alta 69 Sd 105
Cabeça Boa (Ba) 52 Sf 101
⊠ 5160-033
Cabeça Branca (Fa) 144 Rd 125
Cabeça da Igreja (Ba) 34 Sf 97
⊠ 5320-191
Cabeça da Serra (Be) 131 Rf 123
⊠ 7670-205
Cabeça das Mós (Sa) 102 Rf 111
⊠ 2230-102
Cabeça das Pombas (Le)
101 Rb 112
Cabeça de Carneiro (Év)
118 Sd 117 ⊠ 7200-014
Cabeça de Vaca (Fa) 145 Sa 125
Cabeça Gorda (Fa) 146 Sb 125
Cabeça Gorda (Be) 131 Sb 121
Cabeça Gorda (Li) 100 Qe 113
⊠ *2530-329
Cabeção (Év) 102 Rf 115
⊠ *7490-051
Cabeça Redonda (Le) 83 Rd 109
Cabeças (Be) 131 Rf 123
Cabeças (Av) 67 Rc 104
Cabeças (Le) 83 Re 109
⊠ *3260-890
Cabeças (CB) 84 Sd 108
▲ Cabeças, Alto das 118 Sc 116
☆ Cabeça Santa 50 Re 102
Cabeça Santa (Por) 50 Re 102
Cabeça Veada (Le) 101 Ra 112
⊠ 2480-203
Cabeceiras de Basto (Br) 51 Sa 99
Cabecinhas (Co) 67 Rb 106
Cabeço (Fa) 146 Sd 125
Cabeço (Av) 67 Rb 106
Cabeço Chão (Aç) 168 Wd 117
⊠ 9950-052
▲ Cabeço da Rainha 83 Sa 109
Cabeço de Arvéloa (Be) 144 Rb 1
Cabeço de Montachique (Li)
100 Qe 115 ⊠ *2665-302
Cabeço de Vide (Pg) 102 Sc 114
⊠ *7460-001
▲ Cabeco do Foço (Aç) 168 We 1
Cabeço do Infante (CB) 84 Sc 109
⊠ 6000-683
Cabeço do Poço (CB) 83 Rf 110
Cabeço Gordo (Aç) 168 Wb 117
Cabeço Monteiro (CB) 84 Se 109
Cabeçudo (CB) 83 Rf 110
⊠ 6100-015
Cabeçudos (Br) 50 Rc 100
⊠ *4770-070
Cabida (Év) 117 Sb 117
≈ Cabido, Ribeira do 117 Sa 116
Cabido Grande (Év) 117 Sa 116
Cabo (Ma) 166 A 2
Cabo (VC) 32 Rd 96
Cabo (Co) 83 Re 108
Cabo di Praia (Aç) 169 Xf 116
Cabos (Sa) 101 Ra 112
Cabouco (Aç) 170 Zc 122
Cabração (VC) 32 Rc 98
⊠ 4990-570
▲ Cabras, Ilhéus das (Aç)
169 Xf 117
≈ Cabras, Ribeira das 70 Sf 105
Cabreira (Gu) 70 Sf 105
Cabreira (Co) 83 Rf 108
▲ Cabreira, Serra da 51 Rf 99
Cabreiro (VC) 32 Rd 97
≈ Cabreiro, Rio 32 Rd 97
Cabreiros (Br) 50 Rd 99
Cabreiros (Av) 68 Re 103
Cabrela (Év) 116 Rd 117
≈ Cabrela, Ribeira de 116 Rd 117
Cabril (VR) 33 Rf 98
Cabril (Vi) 68 Rf 103 ⊠ *3505-241
Cabril (Co) 83 Sa 108 ⊠ *3200-31
≈ Cabril, Barragem do 83 Rf 109
≈ Cabril, Rio 33 Rf 98
≈ Cabril, Rio 51 Sa 100
Cabriz (VR) 51 Sb 100
Cabroelo (Por) 50 Rd 102
⊠ 4575-200
Cabrum (Av) 68 Re 104 ⊠ 3730-00
≈ Cabrum, Rio 51 Sa 102
Cações (Por) 50 Rd 101
Caçapeira (Be) 131 Rf 120
Caçarelhos (Ba) 53 Td 99
⊠ 5230-090
Caçarilhe (Br) 51 Rf 100
Cacela Velha (Fa) 146 Sc 126
⊠ 8900-019
Cacém (Li) 115 Qe 116
Cácemes (Co) 68 Rd 106
⊠ 3360-282
Cachoeiras (Li) 100 Qf 115
⊠ 2600-581
Cachofarra (Se) 116 Ra 117
Cachopo (Fa) 145 Sb 125
Cachopos (Be) 132 Sc 122
▲ Cachopos 116 Rc 118
Cachorro (Aç) 168 Wd 117
⊠ 9950-053
Cacia (Av) 67 Rc 104 ⊠ *3800-533
Cacilhas (Se) 115 Qf 116
Cadafais (Li) 100 Qf 114
⊠ *2580-019
Cadafás (Pg) 102 Sa 112
Cadafaz (Gu) 69 Sc 105
Cadafáz (Co) 83 Rf 108
Cadaval (Li) 100 Qf 113
⊠ *2550-005
Cadima (Co) 67 Rc 107 ⊠ 3060-09
Cadimes (Por) 51 Rf 101
⊠ 4630-630
Caeira (Év) 117 Sa 115
Caeirinha (Se) 116 Re 118
Caeiros (Be) 130 Rc 122
Cães (VC) 32 Rc 96 ⊠ 4930-304
Cafede (CB) 84 Sc 109 ⊠ 6000-03
Cagido (Vi) 68 Rf 106 ⊠ 3440-005
≈ Caia, Barragem do 103 Sf 114
Caiada (Be) 145 Sa 123
⊠ 7630-712
≈ Caiado, Lagoa do (Aç)
169 We 118
Caia e São Pedro (Pg) 118 Sf 115
Caia Santiago (Pg) 103 Sd 113
Caíde de Rei (Por) 50 Re 101
≈ Caima, Rio 68 Rd 104
≈ Caira, Rio 84 Sd 107
Caires (Br) 50 Rd 99
Cais do Pico (Aç) 168 We 117
≈ Caixa, Ribeira da (Ma) 166 C 2
Caixas (Se) 115 Qf 118
⊠ *2970-005
Calçadinha (Pg) 118 Se 115
Caldas da Cavaca (Gu) 69 Sc 104
⊠ 3570-110
Caldas da Felgueira (Vi) 68 Sa 106
⊠ *3525-201
Caldas da Rainha (Le) 100 Qf 112
⊠ *2500-067

Caldas de Monchique (Fa) 144 Rc 125 ⊠ 8550-232
Caldas de Vizela (Br) 50 Re 100
Caldas do Gerês (Br) 33 Rf 98 ⊠ *4845-067
Calde (Vi) 68 Sa 104 ⊠ *3515-725
Cal de Bois (VR) 52 Sd 100 ⊠ 5070-311
Caldeira (Ma) 166 C 3
▲ Caldeira (Aç) 168 Xa 114
▲ Caldeira (Aç) 168 Wb 117
▲ Caldeira (Aç) 169 Xe 116
Caldeira (Be) 130 Rb 122
Caldeira (Sa) 117 Re 115
Caldeira (Év) 116 Re 118
▲ Caldeirão (Aç) 168 Tf 110
▲ Caldeirão, Miradouro do 145 Sa 125
▲ Caldeirão, Serra do 145 Rf 124
▲ Caldeirão Verde (Ma) 167 C 2
Caldeiras (Aç) 170 Zd 122 ⊠ 9600-501
Caldeirinhas (CB) 84 Se 110
▲ Caldeirinhas, Pico das (Aç) 169 Wf 117
Caldelas (Br) 50 Rd 98
Caldelas (Br) 50 Rd 100
Caldelas (Le) 82 Rb 110 ⊠ *2420-051
Calendário (Br) 50 Rc 100 ⊠ *4760-174
≈ Calha do Grou, Ribeira da 101 Rd 114
Calhandriz (Li) 100 Qf 115 ⊠ 2615-623
Calhariz (Se) 115 Qf 118
Calhau (Aç) 169 Wf 118
Calheiros (VC) 32 Rc 98
Calheta (Aç) 169 Wf 117 ⊠ *9850-021
Calheta (Ma) 166 A 2
Calheta de Nesquim (Aç) 169 Wf 118 ⊠ *9930-021
Calhetas (Aç) 170 Zc 122 ⊠ *9600-011
Calvães (Av) 67 Rc 105 ⊠ 3850-362
Calvão (VR) 34 Sc 98 ⊠ 5400-608
Calvão (Co) 67 Rb 106
Calvaria (CB) 83 Re 110
Calvaria de Cima (Le) 82 Ra 111 ⊠ 2480-055
Calvelhe (Por) 50 Rb 101
Calvelhe (Ba) 53 Tb 99
Calvelo (VC) 50 Rc 98
Calvete (Co) 82 Rb 108 ⊠ 3090-835
Calvinos (Sa) 83 Rd 110 ⊠ 2305-308
≈ Calvo, Rio 34 Se 98
Calvos (Fa) 145 Re 125
Calvos (Br) 50 Re 99
Calvos (CB) 84 Sc 110
Camacha (Ma) 167 C 2
Camacha (Ma) 167
Camachos (Be) 144 Rc 123 ⊠ 7630-572
Câmara de Lobos (Ma) 166 C 3 ⊠ *9300-002
Camarate (Li) 115 Qf 116 ⊠ *2680-001
Camarção (Co) 82 Rb 107
Camarnal (Li) 100 Ra 114
Camarneira (Co) 67 Rc 106
Camarões (Li) 115 Qe 116
Camba (Co) 83 Sa 107 ⊠ 3320-072
Cambarinho (Vi) 68 Re 104 ⊠ 3670-055
Cambas (Co) 83 Sa 108
Cambedo (VR) 34 Sd 97 ⊠ 5400-811
Cambelas (Li) 100 Qd 114 ⊠ *2560-192
Cambeses (VC) 32 Rd 96
Cambeses (Br) 50 Rc 100 ⊠ 4860-422
Cambeses do Rio (VR) 33 Sb 98 ⊠ 5470-041
Cambra (Vi) 68 Rf 104 ⊠ *3670-037
Cambres (Vi) 51 Sb 102 ⊠ 5100-387
Camelo (Le) 83 Rf 108 ⊠ 3280-200
▲ Camilo, Praia do 144 Rc 126
Caminha (VC) 32 Rb 97 ⊠ *4910-101
Camondos (Li) 100 Qf 115
Campa de Arca (Av) 68 Re 104
Campana (Fa) 146 Sc 125
Campanário (Ma) 166 B 3
Campanhã (Por) 50 Rc 102 ⊠ 4795-396
Campanhó (VR) 51 Sa 101 ⊠ *4880-091
Camp de Santiães (Av) 67 Rc 104
Campeã (VR) 51 Sa 101
Campeiros (Fa) 146 Sc 125 ⊠ 8950-106
Campelo (Sa) 83 Re 109
Campelos (Li) 100 Qe 113 ⊠ *2565-007
Campelos (Br) 50 Rd 100
Campelos (Ba) 52 Sd 102
Campia (Vi) 68 Re 105 ⊠ 3670-056
≈ Campilhas, Barragem de 130 Rc 121
≈ Campilhas, Ribeira de 130 Rc 122
Campina (Fa) 146 Sb 126 ⊠ *8100-073
Campinho (Év) 118 Sd 118
Campizes (Co) 82 Rc 108 ⊠ 3150-253
Campo (Év) 118 Sc 118
Campo (Le) 100 Qf 112 ⊠ *2500-303
Campo (Br) 50 Rc 99
Campo (Por) 50 Rd 100
Campo (Por) 50 Rd 101
Campo (VR) 51 Sc 100
Campo (Vi) 68 Sa 104 ⊠ *3660-136
Campo Benfeito (Vi) 68 Sa 103 ⊠ 3600-371
Campo de Baixo (Ma) 167 ⊠ 9400-015
Campo de Besteiros (Vi) 68 Rf 105 ⊠ *3465-023
Campo de Víboras (Ba) 53 Tc 99 ⊠ 5230-100
Campo do Gerês (Br) 33 Re 98
▲ Campo Frio 85 Sf 108
Campo Grande (Li) 115 Qf 116
Campo Maior (Pg) 103 Sf 114 ⊠ *7370-010
Campo Raso (Aç) 168 Wd 118
Campo Redondo (Be) 130 Rc 122 ⊠ *7630-282
Campos (VC) 32 Rb 97
Campos (Br) 50 Re 99
Campos (Br) 51 Rf 99
Campos (VR) 51 Sb 99
▲ Cana, Bica da (Ma) 166 B 2
Canada (Gu) 69 Se 103
Canadas (Li) 100 Qf 114
Canadelo (Por) 51 Sa 101
Canado (Vi) 69 Sa 103 ⊠ 3600-422
Canafecheira (Év) 116 Rd 116
Canal (Fa) 144 Ra 125
Canal (Be) 131 Rf 122
Canal (Sa) 101 Rb 112 ⊠ 2025-013
Canal Caveira (Se) 130 Rc 120 ⊠ 7570-107
▲ Canário (Ma) 167 C 2
Canas de Santa Maria (Vi) 68 Rf 105 ⊠ 3460-012
Canas de Senhorim (Vi) 68 Sa 105 ⊠ *3525-001
Canaveses (VR) 52 Sd 99
▲ Canavial, Praia do 144 Rb 126
Cancela (Ma) 167 C 2
Cancela (Vi) 68 Rf 106 ⊠ *3440-452
Cancelos (Gu) 69 Se 103
Cancere (Év) 132 Se 119
Canda (VR) 51 Sa 100 ⊠ *4870-040
Candal (Vi) 68 Re 103 ⊠ 3660-042
Candal (Co) 83 Re 108 ⊠ *3200-067
Candal (Le) 83 Rd 110
Candedo (Ba) 34 Sf 98 ⊠ 5335-032
Candedo (VR) 52 Sd 100 ⊠ *4870-074
Candeeira (Av) 68 Rd 106 ⊠ 3780-403
Candeeiros (Le) 100 Ra 112 ⊠ 2475-015
▲ Candeeiros, Serra dos 101 Ra 112
Candelária (Aç) 170 Zb 122
Candelária (Aç) 168 Wc 118
Candemil (VC) 32 Rb 97
Candemil (Por) 51 Sa 101
≈ Candieira, Cascatas da 84 Sc 107
Cando (VR) 34 Sd 98 ⊠ 5400-010
Candós (Por) 51 Rf 102
Candosa (Co) 68 Sa 106
Candosa (Co) 83 Rf 108
Candoso (Ba) 52 Se 101 ⊠ *5360-031
Caneças (Li) 115 Qe 116 ⊠ *1685-001
Canedo (Av) 50 Rd 102 ⊠ *3050-401
Canedo (Br) 51 Sa 100
Canedo (VR) 51 Sb 99 ⊠ 4870-022
Caneira (Sa) 101 Re 113
Caneira (Sa) 101 Rc 114
Caneiras Grandes (Be) 131 Re 120 ⊠ 7900-342
Caneiro (Sa) 101 Rc 111
▲ Caneiros, Paria do 144 Rc 126
▲ Canejo 102 Sb 114
Canelas (Év) 116 Re 118
☆ Canelas 51 Sb 102
Canelas (Por) 50 Rc 102
Canelas (Por) 50 Re 102
Canelas (Av) 67 Rc 104
Canelas (Av) 68 Re 103
Canha (Se) 116 Rc 116 ⊠ *2985-001
≈ Canha, Ribeira de 116 Rd 116
Canhas (Ma) 166 B 2 ⊠ *9360-011
Canhestros (Be) 131 Re 120 ⊠ *7900-491
Caniçada (Br) 51 Re 99
≈ Caniçada, Albufeira da 33 Re 98
Caniçal (Ma) 167 D 2
Caniceira (Sa) 101 Rc 113 ⊠ 2040-072
Caniço de Bâixo (Ma) 167 C 3
Canidelo (Por) 50 Rc 101
Canidelo (Por) 50 Rc 102
Cano (Pg) 102 Sb 115
Cansado (Pg) 102 Rf 113
▲ Cansado 102 Rf 113
Cansados (Be) 145 Rf 124 ⊠ 7700-260
Cantanhede (Co) 67 Rc 106 ⊠ *3060-121
Cantarinhas (Sa) 101 Rd 114
Cântaro (Sa) 101 Rd 113
Cantelães (Br) 51 Rf 99
Canto (Aç) 168 Wb 117
Canto (Aç) 168 Wd 117
Canto (Le) 82 Rb 109
▲ Cão, Cerro do 68 Re 103
Capareiros (VC) 50 Rb 99
Caparica (Se) 115 Qe 117 ⊠ *2825-026
Caparrosa (Vi) 68 Rf 105 ⊠ *3450-091
Capela (Év) 117 Re 117
▲ Capela 103 Sd 114
Capela (Sa) 102 Sa 111 ⊠ *2305-404
Capela (Por) 50 Rd 102
Capela da Graca (Ma) 167
Capelas (Aç) 170 Zb 122
Capelins (Év) 118 Sd 117
Capelo (Aç) 168 Wb 117 ⊠ 9900-302
Capeludos (VR) 51 Sc 99
Capinha (CB) 84 Sd 107 ⊠ 6230-145
≈ Capinha, Barragem da 84 Sd 107
Capitão (Be) 132 Sd 121
≈ Capitão, Lagoa do (Aç) 168 We 118
Capuchos (Se) 115 Qe 117 ⊠ *2825-005
☆ Capuchos, Convento dos 115 Qd 116
Caramos (Por) 51 Re 101 ⊠ 4615-380
▲ Caramulino 68 Re 105
Caramulo (Vi) 68 Re 105 ⊠ *3475-031
▲ Caramulo, Serra do 68 Re 105
Caranguejeira (Le) 82 Rb 110 ⊠ *2420-085
Carapacho (Aç) 168 Xa 114
Carapeços (Br) 50 Rc 99
Carapeleiro (Se) 130 Rc 120
Carapeta (Pg) 102 Sa 114
Carapetal (Se) 131 Rd 121
Carapetos (Be) 130 Rb 122
Carapinha (Co) 83 Rf 107
Carapito (Vi) 69 Sc 103 ⊠ *3620-431
Carascal (Év) 117 Sa 116
Caratão (Sa) 102 Sa 111 ⊠ 6120-702
Caratão (Co) 83 Rf 107 ⊠ *3300-202
Caravelas (Ba) 52 Sf 100 ⊠ 5370-075
Carbonegas (Br) 51 Rf 100
Carcalhais (VR) 33 Sb 98
Carção (Ba) 53 Tc 99 ⊠ *5230-121
Carcavelos (Li) 115 Qd 116 ⊠ *2640-058
Carcavelos (Sa) 82 Rc 110
▲ Cardais 117 Sb 117
Cardanha (Ba) 52 Sf 101 ⊠ 5160-041
Cardeal (Gu) 70 Sf 106
Cardigos (Sa) 83 Rf 110 ⊠ 6120-214
Cardosa (CB) 84 Sb 109 ⊠ *6100-622
Cardosas (Li) 100 Qf 115 ⊠ 2715-012
Carepa (CB) 102 Sb 111 ⊠ 6030-011
Caria (Vi) 69 Sc 103 ⊠ *3620-100
Caria (CB) 84 Sd 107 ⊠ *6250-111
Carias (Év) 117 Rf 116
Caridade (Év) 117 Sc 118
Carlão (VR) 52 Sd 101 ⊠ *5070-201
Carmões (Li) 100 Qf 114
Carnaxide (Li) 115 Qe 116 ⊠ *2790-005
Carne Assada (Li) 115 Qd 115 ⊠ 2705-784
Carne Cerva (Fa) 146 Sb 125
Carneiro (Por) 51 Sa 101
Carneiros (Fa) 145 Sb 125 ⊠ 8800-152
Carnicães (Gu) 69 Se 104 ⊠ 6420-321
Carniceira (Co) 67 Rb 106
Carniceiro (Be) 131 Rd 123 ⊠ 7630-518
Carnide (Li) 115 Qe 116
Carnide (Le) 82 Rb 109 ⊠ *2525-089
≈ Carnide, Rio 82 Rb 109
Carnota (Li) 100 Qf 114
Caroceiras (Ba) 34 Sf 97
Carpinheira (Co) 82 Rc 107
Carquejo (Av) 67 Rd 107
Cárquere (Vi) 51 Sa 102
☆ Cárquere 51 Rf 102
Carragosa (Ba) 35 Tb 97 ⊠ 5300-451
Carragosela (Gu) 69 Sb 106
Carralcova (VC) 32 Rd 97
Carrapatal (Se) 116 Rc 116
Carrapatas (Ba) 52 Sf 99 ⊠ 5340-070
Carrapateira (Fa) 146 Sc 125
Carrapateira (Fa) 144 Ra 125
≈ Carrapatelo, Barragem do 51 Rf 102
Carrapichana (Gu) 69 Sd 105 ⊠ *6360-040
▲ Carrascais 131 Re 119
Carrascal (Be) 130 Rc 123
Carrascal (Év) 117 Rf 118
Carrascal (Li) 115 Qd 116 ⊠ *2065-551
Carrascal (Sa) 83 Sa 110 ⊠ *2240-300
Carrascalinho (Fa) 144 Rb 124 ⊠ 8670-417
Carrascos (Le) 82 Rb 108 ⊠ *3100-321
Carrasqueira (Fa) 145 Re 125
Carrasqueira (Co) 83 Rf 108
Carrasqueiro (Fa) 145 Re 125
Carrasqueiro (Fa) 145 Sa 125
Carrazeda de Ansiães (Ba) 52 Se 101 ⊠ *5140-053
Carrazedo (Ba) 34 Ta 98
Carrazedo (Vi) 51 Sc 102
Carrazedo (Br) 51 Rf 99
Carrazedo (Br) 50 Rd 99
Carrazedo da Cabugueira (VR) 51 Sc 99 ⊠ 5450-181
Carrazedo de Montenegro (VR) 52 Sd 99 ⊠ *5445-151
Carrazedo do Alvão (VR) 51 Sb 100 ⊠ 5450-262
Carreço (VC) 32 Ra 98
Carregado (Li) 100 Ra 114 ⊠ *2580-463
Carregais (Sa) 116 Re 115
Carregais (CB) 84 Sb 110
Carregal (Vi) 69 Sc 103
Carregal (Vi) 68 Re 104
Carregal (CB) 84 Sd 110
▲ Carregal, Alto do 102 Sb 112
Carregal Cimeiro (Sa) 102 Sa 112
Carregal do Sal (Vi) 68 Sa 106 ⊠ *3430-001
Carregoiceira (Sa) 116 Rd 115
Carregosa (Av) 68 Rd 103
Carregueira (Sa) 116 Ra 115
Carregueira (Sa) 102 Rf 111
Carregueira (Sa) 101 Rd 112
Carregueira (Be) 131 Rf 122
Carregueiros (Sa) 101 Rd 111 ⊠ 2305-204
Carreira (Br) 50 Rc 100
Carreira (Br) 50 Rd 100
Carreira (Le) 82 Ra 109 ⊠ *2425-251
Carreiras (Pg) 103 Sd 112
≈ Carreiras, Ribeira de 145 Sb 123
▲ Carriagem, Praia da 144 Ra 124
Carriço (Le) 82 Rb 109 ⊠ *2415-003
Carris (Le) 100 Ra 112 ⊠ *2460-480
Carros (Be) 146 Sb 123 ⊠ 7750-805
Cartaxo (Sa) 101 Rb 114 ⊠ *2070-003
Caruncho (Le) 82 Rc 109 ⊠ 3105-310
Carva (VR) 51 Sc 100 ⊠ 5090-031
Carvalha (Vi) 69 Sb 103
Carvalhais (Ba) 52 Sf 99
Carvalhais (Vi) 68 Rf 104
Carvalhais (Co) 82 Rb 108 ⊠ *3040-658
Carvalhal (Fa) 146 Sb 125
Carvalhal (Fa) 145 Sa 125
Carvalhal (Se) 116 Rb 119
Carvalhal (Pg) 103 Se 113
Carvalhal (Sa) 102 Re 111 ⊠ *2230-862
Carvalhal (Pg) 103 Sd 113
Carvalhal (Pg) 103 Sd 112
Carvalhal (Le) 100 Ra 112
Carvalhal (Le) 100 Qf 113
Carvalhal (Br) 50 Rc 99
Carvalhal (Ba) 52 Ta 101
Carvalhal (Vi) 68 Sa 103
Carvalhal (Vi) 69 Sb 104
Carvalhal (Vi) 68 Sa 104
Carvalhal (Gu) 69 Se 105
Carvalhal (Gu) 69 Se 103
Carvalhal (Vi) 68 Rf 105
Carvalhal (Gu) 70 Ta 106
Carvalhal (Gu) 70 Sf 104
Carvalhal (CB) 83 Rf 109
Carvalhal (CB) 83 Sa 109
Carvalhal (CB) 84 Se 107
▲ Carvalhal, Praia do 144 Rb 123
Carvalhal Benfeito (Le) 100 Qf 112 ⊠ 2500-404
Carvalhal da Aroeira (Sa) 101 Rc 111 ⊠ *2350-693
Carvalhal da Loiça (Gu) 69 Sb 106
Carvalhal das Vinhas (Pg) 103 Sd 113
Carvalhal de Azóia (Co) 82 Rb 108
Carvalhal de Vermilhas (Vi) 68 Rf 105
Carvalhal do Pombo (Sa) 101 Rc 111 ⊠ 2350-016
Carvalhal Meão (Gu) 70 Sf 106 ⊠ 6300-055
Carvalhal Redondo (Vi) 68 Sa 105 ⊠ *3525-401
Carvalhal Redondo (Av) 68 Rd 103 ⊠ *4540-369
Carvalhas (Ba) 35 Tc 98
Carvalheira (Be) 131 Rf 120
Carvalheira (Br) 33 Re 98
Carvalheira (Av) 67 Rc 103
Carvalhelhos (VR) 51 Sb 98 ⊠ 5460-130
Carvalhindos (Fa) 146 Sc 125
Carvalho (Fa) 144 Rc 124
Carvalho (Be) 145 Rf 124
Carvalho (VR) 51 Sb 98
Carvalho (Br) 51 Rf 100
Carvalho (VR) 52 Sd 100
Carvalho (Av) 67 Rc 103
Carvalho (Co) 83 Rd 107
Carvalho (Co) 83 Sa 108
▲ Carvalho, Praia do 144 Rd 126
Carvalho de Egas (Ba) 52 Se 101 ⊠ 5360-050
Carvalho do Rei (Por) 51 Rf 101 ⊠ 4600-570
Carvalhos (Por) 50 Rc 102 ⊠ *4415-130
Carvalhos (Br) 50 Rc 100
Carvalhos (VC) 50 Rc 99
≈ Carvalhos, Albufeira dos 84 Se 109
Carvalhosa (Por) 50 Rd 101
Carvalhosa (Vi) 68 Sa 103 ⊠ *3600-311
Carvas (VR) 52 Sd 100 ⊠ *5000-751
Carviçais (Ba) 52 Ta 101 ⊠ *5160-069
Carvide (Le) 82 Ra 109 ⊠ *2425-334
Carvoeira (Li) 100 Qf 114
Carvoeira (Li) 100 Qd 115
Carvoeiro (Fa) 144 Rd 126
Carvoeiro (Sa) 102 Sa 111
Carvoeiro (Co) 83 Sa 108 ⊠ *3320-302
▲ Carvoeiro, Cabo 100 Qd 112
▲ Carvoeiro, Praia do 144 Rd 126
▲ Carvoeiros 132 Sd 121
Casa Branca (Pg) 117 Sb 115
Casa Branca (Se) 116 Rd 119
Casa Branca (Év) 117 Rf 117 ⊠ *7050-520
▲ Casa Branca 103 Se 114
Casa da Charneca (Sa) 101 Rb 113
Casa da Marina (Le) 100 Ra 112
Casa da Ribeira (Aç) 169 Xf 116
Casa das Queimadas (Ma) 167 C 2
Casa das Torrinhas (Ma) 166 C 2
☆ Casa da Torre 69 Sc 106
Casadela (Br) 51 Rf 100 ⊠ 4820-573
▲ Casado (Ma) 166 C 2
Casa do Caramujo (Ma) 166 B 2
Casa do Infantado (Se) 115 Qe 117
Casa do Lombo do Mouro (Ma) 166 B 2
☆ Casa dos Patudos 101 Rc 113
Casais (Por) 50 Re 101
Casais (VR) 51 Sa 99
Casais (Sa) 83 Rd 111 ⊠ *2240-108
Casais da Abadia (Sa) 82 Rc 110 ⊠ 2435-033
Casais da Charneca (Le) 100 Ra 112
Casais da Freixeira (Év) 132 Se 119
Casais da Granja (Le) 83 Rd 109
Casais da Serra (Le) 100 Qf 113 ⊠ *2500-535
Casais de Monte Godelo (Li) 100 Ra 114
Casais de Revelhos (Sa) 102 Re 111 ⊠ *2200-458
Casais de Santa Teresa (Le) 101 Ra 111 ⊠ 2460-715
Casais de São Jorge (Co) 82 Rc 109

Casais de São Lourenço (Li) 100 Qd 114 ⊠*2640-206
Casais de Vera Cruz (Co) 82 Rc 107 ⊠*3025-341
Casais do Chão da Mendiga (Le) 101 Ra 111
Casais do Monte (Vi) 69 Sa 104 ⊠3600-454
Casais dos Faiscas (Co) 82 Rb 107
Casais dos Penedos (Sa) 101 Ra 114 ⊠2070-367
Casais dos Trincalhos (Év) 132 Sd 119
Casais Martanes (Sa) 101 Rc 111 ⊠2350-223
Casais Monizes (Sa) 101 Ra 112 ⊠2040-015
Casais Robustos (Sa) 101 Rb 111 ⊠2380-562
Casal (Vi) 51 Sa 102
Casal (Br) 51 Rf 99
Casal (Co) 67 Rc 107
Casalão (Sa) 102 Rf 112 ⊠2200-697
Casal Comba (Av) 67 Rd 106 ⊠*3050-151
Casal Cutelo (CB) 83 Rf 109 ⊠6100-017
Casal da Cinza (Gu) 70 Sf 105
Casal da Senhora (Co) 83 Re 108 ⊠*3220-406
Casal de Ermio (Co) 83 Re 108
Casal de Loivos (VR) 52 Sc 101 ⊠5085-010
Casal de São José (Co) 83 Rf 107 ⊠*3300-129
Casal de São Tomé (Co) 67 Rb 106 ⊠*3070-041
Casaldima (Av) 67 Rd 104 ⊠3850-564
Casal do Frade (Co) 83 Rf 107
Casal do Meio (CB) 84 Se 109
Casal do Redinho (Co) 82 Rc 108 ⊠3130-002
Casal do Rei (Sa) 101 Re 111 ⊠*2200-631
Casal do Ribeiro (Sa) 82 Rc 110 ⊠2435-522
Casal dos Barcelos (Co) 82 Rb 108
Casal dos Bernardos (Sa) 82 Rc 110 ⊠*2435-001
Casal dos Cunhas (Co) 82 Rb 107
Casal do Soeiro (Le) 83 Rd 109
Casalinho (Sa) 101 Rc 113 ⊠*2040-086
Casalinho (Le) 82 Rc 109 ⊠*2460-200
Casalinho de Alfaiate (Li) 100 Qd 114
Casalinho Farto (Sa) 101 Rc 111 ⊠2495-353
Casal Nova (CB) 102 Rf 111
Casal Nova (Li) 100 Qe 113
Casal Nova (Av) 67 Rc 103
Casal Novo (Co) 83 Rf 108
Casal Novo (Le) 82 Rb 109
Casal Vasco (Gu) 69 Sc 105 ⊠6370-021
Casal Velho (Sa) 102 Rf 111 ⊠*2230-002
Casal Velho (Le) 100 Qf 112 ⊠*2460-199
Casal Verde (Co) 82 Rb 108 ⊠3090-433
Casa Nova (Co) 82 Rb 107
Casa Nova de São Bento (Sa) 83 Rf 110
Casa Queimada (Fa) 145 Rd 125 ⊠8550-238
Casares (Br) 51 Rf 99 ⊠*4820-059
Casas (Li) 115 Qd 116
Casas Atlas (Fa) 146 Sb 125
Casas Baixas (Fa) 145 Sb 124 ⊠8800-016
Casas da Ribeira (Sa) 83 Rf 110 ⊠*6120-218
Casas da Senhora do Verde (Fa) 144 Rc 125
Casas da Zebreira (CB) 84 Sb 108 ⊠6185-401
Casas de Moreira (Gu) 69 Se 104 ⊠6420-502
Casas Grandes (Se) 130 Rb 122 ⊠7555-025
Casas Novas (Se) 130 Rc 122
Casas Novas (Év) 116 Rd 116
Casas Novas (Pg) 103 Sd 114
Casas Novas (Le) 83 Rd 109
Casas Novas dos Mares (Év) 118 Sd 117
Casas Velhas (Be) 131 Re 123
Casa Velha (Le) 101 Rc 111
Casa Velha da Botelha (Be) 145 Sa 123
Cascais (Li) 115 Qd 116 ⊠*2750-001
▲Cascalheira, Serra da 69 Sb 103
Cascalho (Aç) 168 Wb 117
▲Cascas, Praia do 146 Sc 126
Casconha (Por) 50 Rd 102 ⊠*4585-685
Casebres (Se) 116 Rd 117
Casegas (CB) 84 Sb 107 ⊠*6225-101
Caseis (Fa) 144 Rc 125
Casével (Be) 131 Re 122
Casével (Sa) 101 Rc 112 ⊠2000-460
Casével (Co) 82 Rc 108 ⊠*3150-255
Casfreiras (Vi) 69 Sb 104
Casmilo (Co) 82 Rd 108 ⊠3150-272
▲Casso 118 Se 117
Castainço (Vi) 69 Sd 103 ⊠*3630-070
Castanheira (VC) 32 Rc 97
Castanheira (VR) 33 Sb 98
Castanheira (Ba) 53 Tc 100
Castanheira (Gu) 69 Sd 103
Castanheira (Gu) 70 Sf 105
Castanheira (CB) 83 Sa 110
Castanheira (Co) 83 Sa 107
Castanheira (Sa) 83 Re 110 ⊠*2240-332
Castanheira de Cima (CB) 84 Sd 107
Castanheira de Pêra (Sa) 83 Re 108
Castanheira do Ribatejo (Li) 100 Ra 115 ⊠*2600-600
Castanheira do Vouga (Av) 68 Rd 105 ⊠3750-373
Castanheiro (Se) 130 Rb 121
Castanheiro do Sul (Vi) 52 Sd 102 ⊠*5130-021
▲Castanho (Ma) 167 D2
Castanhos (Be) 145 Sa 123 ⊠7750-602
Castedo (Ba) 52 Sf 101 ⊠5160-071
Castedo (VR) 52 Sd 101 ⊠*5000-741
Casteição (Gu) 69 Se 103 ⊠6430-041
Castelão (Fa) 145 Sa 125
Castelão (Be) 131 Re 123
Castelãos (VR) 34 Sc 98 ⊠5400-609
Castelãos (Ba) 52 Ta 99 ⊠5340-082
Casteleiro (Gu) 84 Se 107 ⊠6320-121
≈Casteleiro, Ribeira do 84 Se 107
Castelejo (Be) 145 Sa 124
Castelejo (Be) 131 Re 123
Castelejo (Vi) 68 Rf 106
Castelejo (CB) 84 Sc 108 ⊠*6230-152
▲Castelejo, Praia do 144 Ra 126
Castelhanas (Le) 82 Rb 109 ⊠*3105-159
Castelhanos (Fa) 146 Sd 125
Castelhanos (Fa) 145 Sb 124
Castelo (Sa) 102 Sa 111 ⊠*2100-031
Castelo (Br) 51 Rf 100
Castelo (VR) 52 Sd 100
Castelo (Ba) 52 Ta 100
Castelo (Vi) 69 Sc 102
Castelo (Vi) 68 Rf 104
Castelo (Vi) 68 Re 105
Castelo (CB) 83 Re 109
▲Castelo, Pico do (Ma) 167
▲Castelo, Ponta do (Aç) 170 Zf 127
▲Castelo, Ponta do 145 Re 126
▲Castelo, Praia da 145 Re 126
Castelo Bom (Gu) 70 Ta 105 ⊠6355-042
Castelo Branco (Aç) 168 Wb 117 ⊠9900-323
Castelo Branco (Ba) 53 Tb 101 ⊠*5200-130
Castelo Branco (CB) 84 Sd 110
Castelo de Paiva (Por) 68 Re 102
Castelo de Penalva (Gu) 69 Sc 105
Castelo de Vide (Pg) 103 Sd 112 ⊠*7320-101
≈Castelo de Vide, Barragem do 102 Re 111
Castelo do Bode (Sa) 101 Re 111
Castelo do Neiva (VC) 50 Rb 99
Castelões (Por) 51 Re 101
Castelões (Av) 68 Rd 104
Castelões (Vi) 68 Rf 105
Castelo Melhor (Gu) 70 Sf 102 ⊠*5150-101
Castelo Mendo (Gu) 70 Ta 105 ⊠6355-051
Castelo Novo (Sa) 101 Re 111 ⊠2300-226
Castelo Novo (CB) 84 Sd 108 ⊠6230-160
Castelo Rodrigo (Gu) 70 Ta 103 ⊠6440-031
Castelo Velho (Be) 130 Rd 121
Castelo Viegas (Co) 83 Rd 108 ⊠*3040-713
Castilho (Por) 51 Rf 102 ⊠4630-158
Castrelos (Ba) 34 Ta 98 ⊠5300-471
Castro (Pg) 103 Ta 114
▲Castro 34 Ta 98
Castro (VR) 52 Se 99
Castro Daire (Vi) 68 Sa 103 ⊠*3600-069
Castro de Avelãs (Ba) 35 Tb 98
Castro Laboreiro (VC) 33 Rf 96
Castro Marim (Fa) 146 Sd 125 ⊠*8950-121
≈Castro Marim, Sapal de 146 Sd 125
Castro Roupal (Ba) 53 Tb 99 ⊠5340-520
Castro Verde (Be) 131 Rf 122 ⊠*7780-090
Castro Vicente (Ba) 53 Ta 100 ⊠5350-201
Catarruchos (Co) 82 Rb 107 ⊠3140-032
☆Catedral 103 Sd 113
Catifarras (Se) 130 Rc 122 ⊠7555-030
Cativelos (Gu) 69 Sb 105 ⊠6290-061
Catives (Av) 68 Re 104 ⊠3740-034
Catraia Cimeira (CB) 84 Sb 110 ⊠6150-116
Catribana (Li) 100 Qd 115 ⊠2705-569
Causino (Fa) 144 Rd 124
▲Cavaca 144 Rc 125
Cavadas (Co) 67 Rb 106
≈Cávado, Rio 33 Sa 98
≈Cávado, Rio 50 Rb 99
Cavadoude (Gu) 69 Se 105 ⊠6300-080
☆Cavaio, Forte do 115 Qf 118
Cavaleira (Év) 118 Sd 116
Cavaleiro (Be) 130 Rb 123
Cavaleiros (Sa) 116 Rc 115 ⊠*2100-650
Cavaleiros (Vi) 83 Rd 107
Cavalho (Co) 83 Re 107
▲Cavalo, Salto de (Aç) 170 Ze 122
Cavalos (Fa) 145 Sa 125
Cavandela (Be) 131 Rf 122
Cavao (Ma) 166 C3
Caveira (Aç) 168 Tf 112
Caveira (Se) 130 Rb 120
▲Caveira, Ponta da (Aç) 168 Tf 112
▲Caveiras 83 Sa 108
▲Caveiro (Aç) 169 We 118
Cavenca (VC) 32 Re 96 ⊠*4950-200
Cavernães (Vi) 69 Sb 104 ⊠3505-111
Cavez (Br) 51 Sa 99
Caxarias (Sa) 82 Rc 110 ⊠*2435-019
Caxias (Li) 115 Qe 116 ⊠*2760-001
Caxieira (Le) 82 Rb 110 ⊠*2420-286
Caxinas (Por) 50 Rb 100
Cebolais de Baixo (CB) 84 Sc 110 ⊠6030-114
Cebolais de Cima (CB) 84 Sc 110 ⊠6000-500
▲Cebolal 132 Se 120
Cedães (Ba) 52 Sf 100 ⊠5370-101
Cedainhos (Ba) 52 Sf 100
Cedovim (Gu) 52 Se 102 ⊠*5155-006
Cedrim (Av) 68 Re 104 ⊠3740-014
Cedro (Aç) 168 Tf 112
▲Cedro (Ma) 167 C2
Cedros (Aç) 168 Wb 117 ⊠*9900-341
Cegonhas Novas (CB) 84 Se 110
≈Ceife, Ribeira de 84 Se 108
Ceira (Co) 83 Rd 108 ⊠*3030-848
Ceiroquinho (Co) 83 Sa 108 ⊠3320-078
Ceivães (VC) 32 Rd 96
Cela (Le) 100 Qf 111 ⊠*2440-151
Cela (VC) 32 Re 96
Cela (VR) 52 Sd 98
Celas (Ba) 52 Ta 98 ⊠5320-021
Cela Velha (Le) 100 Qf 111 ⊠*2460-307
Celavisa (Co) 83 Rf 107 ⊠3300-204
Celeiro do Monte (Br) 51 Rf 99
Celeiros (Br) 50 Rd 99
Celeiros (VR) 51 Sc 101
Celeiros (VR) 52 Sd 99
Celorico da Beira (Gu) 69 Sd 105 ⊠*6360-287
Celorico de Basto (Br) 51 Sa 100 ⊠*4890-209
Cem Soldos (Sa) 101 Rd 111 ⊠2305-417
▲Cenouras, Ilhéu das (Ma) 167
Centieira (Fa) 145 Re 126 ⊠8200-465
☆Centum Cellas 84 Sd 106
Cepães (Br) 51 Re 100 ⊠*4755-002
Cepeda (VR) 33 Sb 98
Cepelos (Por) 51 Rf 101 ⊠4600-591
Cepelos (Av) 68 Rd 104 ⊠3730-102
Cepões (Vi) 51 Sb 102
Cepões (Vi) 69 Sb 104
Cepos (Co) 83 Sa 108 ⊠3300-222
Cerca (Be) 131 Sa 122
Cerca (Év) 117 Sc 115
Cercadas (Sa) 83 Re 111
Cerca dos Pomares (Fa) 144 Rb 125
Cercal (Se) 130 Rb 122
▲Cercal 130 Rc 122
Cercal (Li) 100 Ra 113 ⊠*2550-210
Cercal (Sa) 82 Rc 110 ⊠*2490-101
Cercal (Co) 82 Rc 108
▲Cercal, Serra do 130 Rb 122
Cerca Velha (Fa) 145 Re 125 ⊠8200-466
Cerca Velha (Se) 130 Rb 121 ⊠*7520-038
Cércio (Ba) 53 Te 100 ⊠5210-041
Cercosa (Vi) 68 Re 104 ⊠*3450-013
Cercoso (Vi) 68 Re 106
Cerdal (VC) 32 Rc 97 ⊠*4905-202
Cerdedo (VR) 51 Sa 99
Cerdeira (VR) 51 Sc 100
Cerdeira (Vi) 68 Re 106
Cerdeira (Vi) 69 Sb 103
Cerdeira (Gu) 70 Sf 105
Cerdeira (Co) 83 Rf 108
Cerdeira (Co) 83 Sa 107
Cerejais (Ba) 52 Ta 101 ⊠5350-220
Cerejo (Gu) 69 Se 104 ⊠6400-181
Cernache (Co) 83 Rd 108 ⊠*3040-757
Cernache do Bonjardim (CB) 83 Re 110 ⊠*6100-200
Ceróis (Fa) 145 Sb 125
Cerquedo (Co) 68 Rd 106 ⊠3360-019
Cerrejeita (CB) 84 Sb 110
Cerro (Fa) 145 Sb 125
Cerro (Fa) 145 Re 125
Cerro (Fa) 145 Rf 125
Cerro das Pedras (Be) 130 Rd 123
☆Cerro da Vila 145 Rf 126
Cerro da Vinha (Fa) 146 Sc 124
Cerro de Alganduro (Fa) 145 Rf 125
Cerro do Anho (Fa) 146 Sc 125
Cerro do Ouro (Fa) 145 Re 126 ⊠8200-468
▲Cerro Grande 131 Sa 123
Cerros (Év) 117 Sc 118
≈Cértima, Rio 67 Rd 105
Cerva (VR) 51 Sb 100 ⊠4870-042
Cervães (Br) 50 Rc 99
Cervos (VR) 33 Sb 98 ⊠5470-057
Cesar (Av) 68 Rd 103
Cete (Por) 50 Rd 101 ⊠*4580-309
☆Cetóbriga 115 Ra 118
▲Ceveda 131 Rf 119
Chã (Sa) 101 Rc 111 ⊠*2435-087
Chã (VR) 33 Sb 98
Chã (VR) 52 Sd 101
Chã (Av) 68 Rd 104
Chabouco (Fa) 144 Rb 125
Chacim (Ba) 52 Ta 100
Chã da Casinha (Fa) 144 Rc 124 ⊠8550-248
Chainça (Co) 83 Rd 108
Chainça (Le) 82 Rb 110 ⊠*2480-127
Chairos Carriça (Ba) 52 Se 98
Chaissa Madriz (Be) 130 Rd 123
Chalé (Be) 131 Rd 122
Chamadouro (Vi) 68 Rf 106 ⊠3440-007
Chaminé (Be) 132 Se 120 ⊠*7630-289
Chaminé (Pg) 118 Se 115
Chaminé (Sa) 102 Rf 115 ⊠*2205-209
Chamiré (Sa) 102 Re 113
Chamoim (Br) 32 Re 98
Chamusca (Sa) 101 Rd 112 ⊠*2140-051
Chamusca (Co) 69 Sb 106 ⊠*3405-251
Chança (Pg) 102 Sb 113 ⊠7440-201
Chancelaria (Pg) 102 Sb 113
Chancelaria (Sa) 101 Rc 111 ⊠2350-073
Chancuda (Be) 131 Sa 121
≈Chanza, Rivera de 132 Sd 122
Chão da Parada (Le) 100 Qf 112 ⊠2500-304
Chão das Donas (Fa) 144 Rc 126
Chão das Servas (CB) 84 Sb 110 ⊠6030-153
Chão da Vã (CB) 84 Sc 109 ⊠6000-540
Chão da Velha (Pg) 102 Sb 111 ⊠6050-472
Chão de Codes (Sa) 102 Rf 111 ⊠6120-114
Chão de Couce (Le) 83 Rd 109 ⊠*3240-462
Chão de Lopes Grande (Sa) 102 Rf 111
Chão do Galego (CB) 84 Sb 110
Chão do Porto (VC) 32 Rb 97 ⊠4910-188
Chão Frio (Aç) 168 Wc 117
Chão Miudo (Vi) 68 Re 106
Chão Padro (Le) 82 Ra 111
Chãos (Se) 130 Rb 121
Chãos (Li) 100 Qe 114
Chãos (Por) 51 Rf 102
Chãos (Gu) 69 Se 103
Chãos (Sa) 83 Rd 110 ⊠*2040-0
Chãos (Gu) 69 Se 105
Chão Sobral (Co) 83 Sb 107 ⊠3400-260
Chapa Fridão (Por) 51 Rf 101
Chaparral (Se) 130 Rb 121 ⊠*7555-202
Charneca (Be) 132 Sd 121
Charneca (Év) 116 Rc 117
Charneca (Li) 115 Qf 116
Charneca (Se) 115 Qe 117
Charneca (Sa) 101 Rb 112 ⊠*2000-459
Charneca (Le) 82 Rc 109 ⊠*2475-024
Charneca da Velha (Fa) 145 Re 12
Charnequinha (Be) 131 Re 121 ⊠7630-290
Charnequinha Silveiras (Se) 130 Rc 122
▲Chãs 117 Sb 116
Chãs (Gu) 70 Se 103
Chãs (Le) 82 Rb 110
Chãs de Égua (Co) 84 Sb 107 ⊠6285-012
Chãs de Tavares (Gu) 69 Sc 105
Chavães (Por) 51 Rf 101 ⊠*4640-383
Chavães (Vi) 51 Sc 102
Chave (Av) 68 Rd 103 ⊠4540-264
Chaveira (Sa) 83 Sa 110 ⊠6120-219
Chavelhas (Gu) 70 Ta 105
Chaves (VR) 34 Sd 98
Chaviães (VC) 33 Re 96
Chavião (VC) 32 Rc 97 ⊠4940-10
Cheiras (Gu) 70 Sf 105
Cheires (VR) 51 Sc 101 ⊠5070-34
Cheleiros (Li) 100 Qe 115 ⊠*2640-112
Chelo (VR) 33 Rf 98
Chelo (Co) 83 Re 107 ⊠*3360-10
Chilrão (Fa) 144 Rc 125 ⊠8550-249
Chiqueda de Cima (Le) 100 Ra 111
▲Chiqueiro 144 Rd 125
Choca do Mar (Co) 67 Rb 106
Choça Queimada (Fa) 146 Sc 125 ⊠8950-321
Chorense (Br) 32 Re 98
Chorente (Br) 50 Rc 100
Choro (Ma) 166 C2
Chosendo (Vi) 69 Sd 103 ⊠3640-042
Choupana (Ma) 167 C2 ⊠9100-112
Chouriço (Be) 131 Sa 119
Chousal (Av) 68 Rd 104 ⊠3720-177
Chouto (Sa) 101 Rd 113 ⊠*2140-211
≈Chouto, Ribeira do 101 Rd 113
Chuminé (Se) 131 Sa 121
Cibões (Br) 32 Re 98
Ciborro (Év) 117 Re 116 ⊠7050-611
Cicouro (Ba) 53 Te 99 ⊠5210-020
Cidade (Le) 100 Qe 112 ⊠2500-717
Cidadelhe (VC) 33 Re 97
Cidadelhe (VR) 51 Sa 102
Cidadelhe (VR) 51 Sc 99
Cidadelhe (Gu) 70 Sf 103 ⊠6400-191
Cidadelhe de Jales (VR) 51 Sc 100
Cidai (Por) 50 Rc 101 ⊠*4785-098
▲Cid Almeida 132 Sd 119
Cidral (CB) 85 Sf 108
Cidreira (Co) 83 Rd 107
Ciladas (Év) 118 Se 116
Cilhade (Ba) 52 Ta 101
Cilha do Centeio (Se) 130 Rd 119
Cilha do Pascoal (Se) 130 Rd 119
Cima (Pg) 103 Se 113
≈Cima, Boqueirão de (Ma) 167
▲Cima, Ilhéu de (Ma) 167
Cima da Barba Pouca (Sa) 102 Rf 111
Cima da Igreja (Sa) 102 Rf 112
Cimadas Fundeiras (CB) 83 Sa 110 ⊠6150-327
Cimades Cimeiras (CB) 83 Sa 110
Cima de Vila (Por) 51 Sa 101
Cima do Freixo (Sa) 101 Rc 111
Cimalhas (Fa) 144 Rc 124 ⊠8550-251

na Ventoso (Sa) 102 Rf 112
nbres (Vi) 51 Sb 102 ✉5110-167
no da Ribeira (CB) 83 Rf 109
no de Vila (Av) 67 Rc 103
✉*3700-604
no de Vila da Castanheira (VR)
4 Se 98
inco Quinas, Castelo de
5 Sf 106
co Vilas (Gu) 70 Ta 104
✉6440-051
fães (Vi) 51 Rf 102 ✉*4690-022
tados (Fa) 146 Sc 125
intrão, Ponta do (Aç) 170 Zd 121
terna (Ba) 34 Se 97 ✉5320-131
rianes (Fa) 145 Sa 125
rines (Fa) 146 Sc 124
✉8970-102
ros Montes (Év) 117 Sa 115
Clérigo, Ponta do (Ma) 167 C 2
Cobres, Ribeira de 131 Sa 122
bro (Ba) 52 Se 100 ✉5370-110
chadas (Co) 67 Rb 106
✉*3060-587
charro (Sa) 101 Rc 114
✉2125-012
daval (VR) 52 Sd 100
deçais (Br) 51 Re 100
✉*4850-029
deçais (Ba) 52 Se 101
deçais (Vi) 68 Sa 103
✉*3600-312
deceda (Br) 32 Rd 98
deceira Grande (CB) 83 Rf 110
deçoso (VR) 33 Sb 98
deçoso (Br) 51 Rf 100
✉*4730-570
desseiro (Gu) 69 Se 105
✉6300-085
dessoso (VR) 51 Sa 98
dessoso (VR) 51 Sb 99
Coelha, Praia do 145 Re 126
elheira (Be) 131 Sa 121
elheira (Vi) 68 Rf 104
✉3660-043
elheiras (Se) 130 Rc 122
elhos (Sa) 101 Rb 115
elhoso (Ba) 53 Tc 99
elhoso (Vi) 68 Rf 105
✉*3465-122
entral (Le) 83 Re 108
Coentros, Pico (Ma) 166 A 2
gula (Gu) 69 Se 104 ✉6420-341
iços (Co) 83 Sa 108
imbra (Co) 83 Rd 107
✉*3000-001
imbrão (Le) 82 Ra 109
✉2425-452
imbró (VR) 51 Sa 98
ina (Se) 115 Qf 117 ✉*2830-406
ito (Fa) 146 Sc 124
ja (Gu) 69 Sc 104
ja (Co) 83 Sa 107 ✉*3305-090
Coja, Ribeira de 69 Sb 104
lares (Li) 115 Qd 116
✉*2705-140
laria (Li) 100 Qe 114 ✉2565-297
le de Pito (Vi) 68 Sa 103
légio (Fa) 144 Rb 126
leja (Ba) 52 Se 102 ✉5140-231
lgadeiros (Be) 146 Sc 123
✉7750-209
olmeais (Ba) 52 Sf 100
✉5350-431
olmeal (Év) 118 Se 117
olmeal (Co) 67 Rb 106
olmeal (CB) 69 Se 106
olmeal (Gu) 70 Sf 103
olmeal (Co) 83 Rf 108
olmeal da Torre (CB) 69 Sd 106
✉6250-151
olmeias (Le) 82 Rb 110
✉*2430-071
ólonia Agricola de Martim Rei
(Gu) 85 Sf 107
olónia Penal (Se) 116 Rb 119
olos (Fa) 146 Sc 125
olos (Be) 130 Rd 122
olos (Se) 116 Rd 118
omenda (Pg) 102 Sb 112
omenda (Sa) 101 Rc 113
✉*2000-461
omenda Grande (Év) 117 Sa 116
ompanhia de Ca. (Aç) 168 Wd 118
omporta (Se) 116 Rb 118
✉*7570-469
≈Comprida, Lagoa 69 Sc 106
onceição (Fa) 146 Sc 126
onceição (Fa) 145 Sa 126
onceição (Be) 131 Re 122
✉*7670-021
▲Concelho, Pico do (Ma) 167
▲Concelhos 85 Sf 107
onde (Br) 50 Re 100 ✉*4815-015
ondeixa-a-Nova (Co) 82 Rd 108
✉*3150-109
ondeixa-a-Velha (Co) 82 Rd 108
✉3150-220
ondes (Év) 117 Sa 115
onehada (VC) 50 Rb 98
Congira (Ba) 70 Tb 102
≈Congro, Lagoa do (Aç)
170 Zd 122
☆Conimbriga, Ruinas de 83 Rd 108
Conlelas (Ba) 34 Ta 98 ✉5300-473
Conqueiros (Se) 131 Rd 121
Conqueiros (CB) 83 Sa 110
▲Consolação, Praia da 100 Qd 113
Constance (Por) 51 Rf 101
✉*4635-080
Constância (Sa) 101 Rd 112
✉*2250-020
Constantim (VR) 51 Sb 101
✉5000-081
Constantim (Ba) 53 Te 99
✉5210-030
Contenças (Co) 68 Rd 107
✉*3360-284
Contenças de Baixo (Vi) 69 Sb 105
✉3530-344
▲Contenda, Atalaia da 103 Sf 114
▲Contendas, Ponta das (Aç)
169 Xf 117
Contim (VR) 33 Sa 98
Contim (Ba) 34 Sf 97 ✉5320-151
Contim (Vi) 69 Sc 102 ✉*5110-575
Conventa (Sa) 101 Rd 112
☆Convento 118 Sd 116
☆Convento 100 Qe 115
☆Convento da Esperança
117 Re 118
Convento da Serra (Sa) 101 Rc 114
✉2080-708
≈Cora de Viriato, Barragem
84 Sc 107
Corças (Sa) 101 Re 114
Corças (Gu) 69 Sd 103 ✉6420-611
Corcha (Be) 145 Sa 124
✉7750-604
▲Cordama, Praia da 144 Ra 126
Cordiçadas do Lavre (Év)
116 Rd 116
Cordinhã (Co) 67 Rc 107
✉*3060-232
Corga (Br) 50 Rc 100
Corga (Av) 50 Rd 103
Corga (Gu) 69 Sb 106
Corgas (CB) 83 Sa 110
≈Corgas, Barragem de 83 Sa 110
Corges Bravas (Fa) 145 Sa 125
Corgo (Br) 51 Sa 100
≈Corgo, Rio 51 Sb 100
Coriscada (Gu) 69 Se 103
✉6430-051
Cornjeira (Gu) 69 Se 105
≈Coroa, Largo da 67 Rc 104
▲Coroa, Serra da 34 Sf 97
≈Corona, Ribeira de 130 Rc 121
Coronado (Por) 50 Rc 101
Corotelo (Fa) 145 Sa 126
✉8150-029
Corredoura (Be) 145 Sb 123
Correias (Sa) 101 Rb 112
✉2040-172
Corroios (Se) 115 Qe 118
Corroios (Se) 115 Qf 117
Corsino (Fa) 144 Rb 125
✉8550-118
Corte (Co) 83 Rf 109
▲Corte, Cerro da 130 Rc 121
Corte António Martins (Fa)
146 Sc 125 ✉8800-062
Corte Azinha (Be) 132 Sd 122
✉7750-101
Corte Cobres (Be) 131 Sa 122
✉7750-027
Corte Condessa (Be) 132 Sb 121
Corte das Donas (Fa) 146 Sd 124
✉8970-019
Corte da Seda (Fa) 146 Sd 124
✉8970-018
Corte de Besteiros (Fa) 146 Sc 125
Corte de Ouro (Fa) 145 Sa 124
Corte de São Tomé (Fa) 146 Sc 124
Corte do Cabo (Be) 145 Rf 124
Corte do Gago (Fa) 146 Sc 125
Corte do Pinto (Be) 132 Sd 122
✉7750-102
Corte Fugueira (Be) 145 Rf 124
Cortegaça (Av) 67 Rc 103
✉*3885-201
Cortegaça (Vi) 68 Re 106
Cortegada (Vi) 51 Sb 102
✉*3610-070
Corte Gafo de Cima (Be)
132 Sb 122 ✉7750-308
Corte Garfo de Baixo (Be)
132 Sb 122
Corte João Marques (Fa)
145 Sa 124 ✉8100-055
Cortelha (Fa) 146 Sc 125
Cortelha (Fa) 145 Sb 125
Cortelha (Fa) 145 Sa 125
Cortém (Le) 100 Qf 112
Corte Malhão (Be) 131 Rd 123
✉7630-521
Corte Negra (Be) 131 Sa 120
Corte Neto (Fa) 145 Rf 125
✉*8100-169
Corte Nova (Fa) 146 Sc 124
✉8950-322
Corte Pão e Água (Be) 132 Sb 123
✉7750-502
Corte Paral (Fa) 145 Re 124
Corte Pequena (Be) 132 Sc 122
Corte Pequena (Be) 131 Sa 122
Corte Pinheiro (Be) 145 Rf 124
✉*7630-440
Corte Piorno (Be) 132 Sb 121
Corte Poço (Be) 132 Sc 120
Corte Preta (Be) 131 Rd 122
Corterredor (Co) 83 Rf 108
✉3330-017
Cortes (Fa) 145 Re 125
Cortes (Be) 131 Sa 120
Cortes (VC) 32 Rc 96
Cortes (Le) 82 Rb 110 ✉*2410-501
Cortes de Baixo (Be) 132 Sb 120
Cortes de Cima (Be) 132 Sb 120
Cortes de Meio (CB) 84 Sc 107
Corte Serranos (Fa) 145 Sb 124
Cortes Grandes (Se) 131 Rf 119
Corte Sines (Be) 132 Sc 122
✉7750-311
Cortes Pereiras (Fa) 146 Sc 124
Cortes Pereiras (Be) 145 Rd 123
✉*7665-859
Corte Tabelião (Fa) 146 Sc 124
Corte Velha (Be) 132 Sb 122
Corte Vicente Anes (Be) 131 Rf 121
✉7600-161
Corte Zorrinho (Be) 145 Rf 123
✉7700-204
Cortiçada (Vi) 68 Rf 105
Cortiçada (Gu) 69 Sc 104
Cortiçadas (Fa) 145 Sa 125
✉8100-171
Cortiçadas (Év) 117 Rf 117
Cortiçal (Sa) 101 Rb 112
✉2025-014
Corticeiro de Baixo (Co) 67 Rb 106
✉*3070-631
Corticeiro de Cima (Co) 67 Rb 106
✉3060-752
Cortiço (Pg) 102 Sa 113
Cortiço (Pg) 102 Rf 113
Cortiço (VR) 33 Sb 98 ✉5470-053
Cortiçô (Gu) 69 Sd 104 ✉6370-031
Corticô da Serra (Gu) 69 Sd 105
Cortiçóis (Sa) 101 Rb 114
✉*2080-326
Cortiços (Ba) 52 Sf 99 ✉5340-102
Cortinhas (Be) 130 Rb 122
Cortinhas (VR) 51 Sc 100
Cortinhola (Fa) 145 Rf 125
✉*8100-172
Cortins (Ba) 52 Sf 99
Coruche (Sa) 101 Rc 115
✉*2100-057
Coruche (Gu) 69 Sc 104
✉3570-120
Corucho (Le) 82 Ra 109
Corujas (Ba) 52 Ta 99 ✉5340-110
Corujeira (Év) 117 Sc 117
Corujeira (Vi) 69 Sb 104
Corujeiras (Co) 67 Rb 106
Corujos (Fa) 146 Sc 125
Corva (VR) 51 Sa 99
Corval (Év) 118 Sd 118
Corveira (Vi) 68 Rf 105
✉*3465-014
Corvelo (Co) 83 Rf 107
Corvelo do Monte (Por) 51 Sa 101
▲Corvo, Ilha do (Aç) 168 Tf 110
≈Corvo, Rio 83 Rd 108
Corvos (Be) 145 Sa 124
✉7750-312
Corxo (Fa) 145 Sb 125
Cossourado (VC) 32 Rc 97
✉4940-132
Cossourado (Br) 50 Rc 99
✉4750-842
Costa (Be) 132 Sc 123
Costa (Se) 130 Rb 120
Costa (VC) 32 Rb 97
Costa (VC) 32 Rb 98
Costa (Br) 50 Re 100
Costa (Por) 50 Rd 101
Costa (Por) 50 Rc 102
Costa (VR) 51 Sa 100
Costa da Caparica (Se) 115 Qe 117
Costa da Galé (Se) 115 Ra 118
Costa de Lavos (Co) 82 Ra 108
✉3090-458
▲Costa Nova do Prado 67 Rb 105
Costilhão (Vi) 68 Sa 103
Cota (Vi) 69 Sb 104
Cotas (VR) 52 Sd 101 ✉*5070-252
Cotelo (Vi) 51 Sa 102 ✉3600-373
Cotifo (Fa) 144 Rb 125
✉*8600-077
Cótimos (Gu) 69 Se 104
✉6420-351
Coto (Le) 100 Qf 112 ✉*2500-432
Cotovio (Fa) 146 Sc 125
Cotovio (Fa) 145 Re 126
Coucieiro (Br) 50 Rd 98
Coucinheira (Le) 82 Ra 110
✉2400-768
Couço (Sa) 101 Re 115
✉*2100-305
Coura (VC) 32 Rc 97
Coura (Vi) 51 Sc 102
Coura (Vi) 68 Sa 104
Courel (Br) 50 Rc 100
Courela (Se) 130 Rc 121
Courelas (Be) 131 Sa 121
▲Courelas 118 Sd 119
Courelas (Gu) 69 Sd 104
✉6420-586
Courelas da Azaruja (Év)
117 Sb 116 ✉7005-127
Courelas da Toura (Év) 117 Sb 116
✉7005-753
Cousso (VC) 32 Re 96 ✉*4925-308
Coutada (Fa) 146 Sc 125
▲Coutada 103 Se 114
Coutada (CB) 84 Sc 107
≈Coutada, Ribeiro da 103 Sd 114
Coutadas (Sa) 101 Rd 112
Couto (VC) 32 Rd 97
Couto (Br) 50 Rc 99
Couto (Por) 50 Rd 101
Couto (CB) 84 Se 110
Couto de Baixo (Vi) 68 Rf 105
✉3510-582
Couto de Cima (Vi) 68 Rf 105
✉3510-602
Couto de Esteves (Av) 68 Re 104
Couto do Cabeludo (CB) 84 Se 109
Couto Velho (CB) 84 Sd 109
Couvela de São Mateus (Év)
117 Re 117
Couvelha (Av) 67 Rc 106
✉3780-172
Couxaria (CB) 83 Rf 109
Cova (Br) 51 Rf 98
Cova (Co) 82 Ra 108 ✉*3090-662
Cova da Lua (Ba) 35 Tb 97
Cova da Moura (Li) 100 Qd 114
✉2565-839
Cova da Muda (Fa) 145 Sa 125
✉8150-030
Cova da Piedade (Se) 115 Qf 117
Cova da Zorra (Be) 130 Rc 122
✉*7630-442
Cova de Vapor (Se) 115 Qe 117
Covais (Co) 83 Rf 107
Coval (Vi) 68 Rf 105 ✉*3440-304
Covão da Silva (Le) 82 Rc 109
✉3100-285
Covão do Feto (Le) 101 Rb 112
Covão do Lobo (Av) 67 Rc 106
✉3840-126
▲Cova Redonda, Praia do
145 Rd 126
Covas (VC) 32 Rb 97
Covas (Por) 50 Re 101
Covas (VR) 52 Sc 100
Covas (Co) 68 Sa 106
Covas (Vi) 68 Rf 105 ✉*3670-130
Covas de Ferro (Li) 115 Qe 115
✉2715-260
Covas do Barroso (VR) 51 Sb 99
✉5460-381
Covas do Douro (VR) 51 Sc 101
✉*5085-203
Covas do Rio (Vi) 68 Rf 103
✉3660-094
Covelães (VR) 33 Sa 98
✉5470-091
Covelas (Br) 50 Rd 99
Covelas (Por) 51 Sa 102
Covelas (Ba) 52 Ta 100
Covelas (Av) 68 Rd 103
✉*4520-823
Covelinhas (VR) 51 Sb 102
Covelo (Por) 50 Rd 102
Covelo (Vi) 68 Re 104
Covelo (Vi) 68 Re 105
Covelo de Cima (Vi) 69 Sb 103
Covelo de Paiva (Vi) 69 Sb 104
✉3600-457
Covelo de Paivó (Av) 68 Rf 103
✉4540-281
Covelo do Gerês (VR) 33 Sa 98
▲Covelopes (Ma) 167 C 2
Covide (Br) 33 Re 98 ✉4730-163
Covilhã (CB) 84 Sc 107
Covoada (Aç) 170 Zb 122
✉*9500-384
Covões (Li) 115 Qd 115
Covões (Pg) 102 Sa 115
Covões (Co) 67 Rc 106
Covões (CB) 83 Rf 109
Coxerro (CB) 84 Sc 110
✉6030-154
Coz (Le) 82 Ra 111 ✉2460-396
Crasto (Por) 50 Rb 101
Crato (Pg) 102 Sc 113 ✉*7430-111
Craveiras (Be) 144 Rd 124
Creixomil (Br) 50 Re 100
Creixomil (Br) 50 Rb 99
Crespos (Br) 50 Rd 99
Crestuma (Por) 50 Rc 102
✉*4415-571
≈Crestuma, Barragem de
50 Rc 102
Criação Velha (Aç) 168 Wc 117
✉*9625-014
Criado (Gu) 70 Sf 105
Crias (Br) 50 Rb 100
Crimandre (VR) 51 Sc 100
Cristelo (VC) 32 Rc 97
Cristelo (VC) 32 Ra 97
Cristelo (Por) 50 Rd 101
✉*4580-352
Cristelo (Br) 50 Rb 100
Cristelo Covo (VC) 32 Rc 96
✉*4930-151
Cristelos (Por) 50 Re 101
☆Cristo, Convento de 101 Rd 111
Cristoval (VC) 33 Re 96
≈Criz, Rio 68 Rf 106
Croca (Por) 50 Re 101 ✉*4560-061
Crostos (Le) 100 Qf 112
Crucifixo (Sa) 101 Re 112
✉*2205-612
▲Cruz 146 Sb 123
Cruz (Br) 50 Rd 100
Cruz (Por) 50 Rc 101
▲Cruz, Pinheiro da 130 Rb 119
▲Cruz, Ponta da (Ma) 167 C 3
▲Cruz Alta 68 Rd 106
Cruz de João Mendes (Se)
130 Rc 120
Cruz do Campo (Sa) 101 Rb 114
✉2070-702
Cruz dos Morouços (Co) 83 Rd 107
✉3040-586
Cruzes (Le) 100 Qf 112
✉*2500-411
Cruzetos (Sa) 101 Rd 114
Cruzinhas (Ma) 167 C 2
Cuba (Be) 131 Sa 120 ✉*7940-001
Cubalhão (VC) 33 Re 96
Cubeiras (Be) 131 Re 122
Cucos (Li) 100 Qe 114
Cuide de Vila Verde (VC) 32 Rd 98
Cujó (Vi) 69 Sa 103 ✉3600-300
▲Culatra, Ilha da 145 Sb 127
▲Culatra, Praia di 145 Sb 127
▲Cuma, Serra do (Aç) 169 Xf 116
Cumeada (Fa) 145 Sa 125
Cumeada (Év) 118 Sc 118
Cumeada (CB) 83 Rf 110
▲Cumeadas 145 Sa 123
Cumeeira (VR) 51 Sb 101
Cumeeira (Co) 83 Rd 109
✉3230-016
Cumeira (Le) 100 Qf 112
✉*2410-065
Cumeira de Cima (Le) 101 Ra 111
Cuncos (Év) 116 Re 117
Cunha (VC) 32 Rc 97
Cunha (Br) 50 Rc 100 ✉*4705-472
Cunha (Vi) 69 Sd 103 ✉*3640-050
Cunha Alta (Vi) 69 Sb 105
✉3530-040
Cunha Baixa (Vi) 69 Sb 105
✉3530-051
Cunhas (Br) 51 Sa 99
Cunheira (Pg) 102 Sb 113
✉7440-251
Curalha (VR) 52 Sc 98 ✉5400-620
Curcaveira Pequena (Sa)
101 Rd 111
☆Curia, Termas de 67 Rd 106
Curopos (Ba) 34 Sf 98 ✉5335-051
Currais (Fa) 145 Sb 125
Currais (VR) 51 Sa 98
Curral (Fa) 145 Re 125
Curral das Freiras (Ma) 166 C 2
✉*9030-010
Currelos (Vi) 68 Sa 106
Curros (VR) 51 Sb 99
≈Curros, Rio 52 Sd 99
Curvato (Be) 145 Rf 124
Curvos (Br) 50 Rb 99 ✉4740-181
Custóias (Por) 50 Rc 101
✉*4460-152
Custóias (Gu) 52 Se 102
✉*5155-100

D

Dagarda (Li) 100 Qf 113
Daivões (VR) 51 Sa 99
Dálvares (Vi) 51 Sb 102
Danaia (VC) 32 Rd 98 ✉4980-282
≈Dão, Rio 69 Sc 104
Dardavaz (Vi) 68 Rf 106
✉3460-055
▲Daroeira 145 Rd 124
Daroeira (Se) 131 Re 121
✉*7540-068
Daroeiras (Be) 130 Rb 123
Deão (VC) 32 Rb 98
Decermilo (Vi) 69 Sc 104
✉3560-030
Defesa (Év) 117 Sc 116
✉*7050-530
≈Degebe, Rio 117 Sb 117
Degoludos (Sa) 102 Sa 111
Degrácia Cimeira (Pg) 102 Sa 112
Degracias (Co) 82 Rc 108
✉3130-022

Deilão (Ba) 35 Tc97 ⊠5300-501
Deixa-o-Resto (Se) 130 Rb120
≈Dejebe, Rio 117 Sc118
Delães (Br) 50 Rd100 ⊠*4765-094
Delfeira (Be) 144 Rb124
⊠7630-578
Delgada (Le) 100 Qf113
⊠*2540-613
Delgado (VR) 51 Sc101
Demangas (Be) 132 Sb122
Deocriste (VC) 32 Rb98
Desbarate (Fa) 145 Sb126
Desbarato (Fa) 145 Sb126
⊠8150-031
Desejosa (Vi) 51 Sc102
⊠5120-143
▲Desertas, Ilhas (Ma) 166
Destriz (Vi) 68 Re105 ⊠3680-042
Devesa (Por) 51 Rf102
⊠*4560-055
Devesa (Av) 67 Rc104
⊠*3700-709
Devesa (Gu) 70 Sf103
Dianteiro (Co) 83 Rd107
Dine (Ba) 34 Ta97 ⊠5320-051
Diogo Dias (Fa) 145 Sb124
⊠8970-207
Diogo Martins (Be) 146 Sb123
⊠7750-606
Dirão da Rua (CB) 84 Se106
≈Divor, Barragem do 117 Sa116
≈Divor, Ribeira do 116 Rd115
≈Divor, Ribeira do 117 Rf115
Dogueno (Be) 145 Sa124
⊠7700-250
Dois Portos (Li) 100 Qe114
⊠*2565-175
Domingão (Pg) 102 Rf113
⊠7400-118
Domingos da Vinha (Pg)
102 Sa111 ⊠6040-025
Domingueiros (Vi) 69 Sb103
Dominguizo (CB) 84 Sc107
▲Dona Ana, Praia do 144 Rc126
Donai (Ba) 35 Tb98 ⊠5300-512
Donalda (Fa) 144 Rc125
Dona Maria (Li) 115 Qe116
⊠*2715-247
Dona María (Be) 132 Sc119
▲Dona Maria, Praia da 144 Rb126
Donas (CB) 84 Sd108 ⊠6230-172
Donelo (VR) 51 Sc101 ⊠5085-206
Do Neves (Be) 131 Rf123
Donfins (Gu) 70 Sf105 ⊠6300-210
Donões (VR) 33 Sb98
Dorna (VR) 52 Sd99
Dornas (Vi) 51 Sa102 ⊠*3475-070
Dornelas (Br) 50 Re99
Dornelas (VR) 51 Sa99
Dornelas (Av) 68 Rd104
Dornelas (Gu) 69 Sc104
⊠3570-130
Dornelas do Zêzere (Co) 84 Sb108
⊠3320-053
Dornes (Sa) 83 Re110 ⊠2240-611
Dossãos (Br) 50 Rd98
Do Testa (Be) 131 Rf123
≈Douro, Rio 51 Re102
≈Douro, Rio 52 Sf102
Doze Ribeiras (Aç) 169 Xd116
⊠*9700-331
Dreia (Co) 83 Sa107 ⊠3305-033
Duas Igrejas (Br) 32 Rd98
Duas Igrejas (Por) 50 Re101
Duas Igrejas (Ba) 53 Td100
Duas Igrejas (Vi) 69 Sb104
⊠*3560-048
Dume (Br) 50 Rd99
Durrães (Br) 50 Rc99

E

Edral (Ba) 34 Sf97 ⊠5320-032
Edrosa (Ba) 34 Ta98 ⊠5320-041
Edroso (Ba) 34 Sf97
Edroso (Ba) 52 Ta99
Ega (Co) 82 Rc108 ⊠3150-256
▲Éguas, Pico das (Aç) 170 Zb122
Eira da Cruz (Ma) 167 C2
Eira da Palma (Fa) 146 Sc125
Eira de Ana (Br) 50 Rb99
Eirado (Gu) 69 Sd104 ⊠*3570-140
Eira do Chão (Sa) 102 Re111
⊠2300-231
Eirados (VC) 32 Rd96 ⊠*4950-300
Eira do Serrado (Ma) 167 C2
Eiras (Ma) 167 C2
▲Eiras (Ma) 167
Eiras (Ma) 167 D2
Eiras (VC) 33 Re97
Eiras (VR) 34 Sd98
Eiras (Co) 83 Rd107
Eiras Altas (Fa) 146 Sb125
⊠8800-166
Eiras Maiores (Ba) 52 Ta98
⊠5320-112
Eira Vedra (Br) 51 Rf99
⊠*4720-306
Eira Velha (CB) 83 Rf110
Eirigo (Vi) 68 Re106 ⊠3450-302
Eirinhas (Be) 132 Sd119
▲Eirinhas, Pico das (Ma) 166 C2
Eiriz (Por) 50 Rd101
Eiriz (VR) 51 Sc99
Eiriz (Vi) 68 Rf103 ⊠*3600-502
Eiró (Br) 51 Sa99 ⊠*4850-092
☆Eirogo, Termas de 50 Rc99
Eirol (Av) 67 Rc105 ⊠*3800-681
Eivados (Ba) 52 Se100 ⊠5370-641
Eixes (Ba) 52 Se99
Eixo (Av) 67 Rc105 ⊠*3800-762
Eja (Por) 50 Re102 ⊠*4575-217
Elvas (Pg) 118 Sf115 ⊠*7350-001
Embarradoiro (Fa) 144 Rc125
Encarnação (Li) 100 Qd114
⊠*2640-201
≈Enchacalla, Ribeiro de 85 Sf110
Enchate (Br) 50 Rb99 ⊠4750-793
Encourados (Br) 50 Rc99
⊠4755-172
▲Encumeada, Boca da (Ma)
166 B2
Engal (Sa) 101 Re115
Entradas (Be) 131 Rf122
⊠*7780-321
Entre Ambos-os-Rios (VC) 32 Re98
Entre-a-Serra (CB) 83 Sa110
Entre-os-Rios (Por) 50 Re102
⊠4575-218
☆Entre-os-Rios, Termas de
50 Re102
Entrepontes (Br) 50 Rd99
Entroncamento (Sa) 101 Rd112
⊠*2330-001
Envendos (Sa) 102 Sa111
⊠6120-017
Enxabarda (CB) 84 Sc108
⊠6230-153
Enxames (CB) 84 Sd108
⊠6230-820
Enxara do Bispo (Li) 100 Qe115
⊠*2665-048
Enxerim (Fa) 144 Rd125
⊠8300-025
≈Enxoé, Barragem do 132 Sd121
Enxofães (Co) 67 Rd106
⊠*3060-373
☆Enxofre, Furna do (Aç)
168 Xa114
☆Enxofre, Furnas do (Aç)
169 Xe116
Erada (CB) 84 Sc107 ⊠*6215-201
Ereira (Sa) 101 Ra113
⊠*2070-302
Ereiras (Le) 82 Rc109
⊠*3105-282
≈Erges, Rio 85 Ta108
Ericeira (Li) 100 Qd115
⊠*2655-001
Ermelo (VC) 32 Re97
Ermelo (VR) 51 Sa100
⊠*4880-124
Ermesinde (Por) 50 Rc101
⊠*4445-274
Ermida (VR) 33 Rf98
Ermida (Ba) 34 Sf98
Ermida (VR) 51 Sb101
Ermida (VR) 51 Sa101
Ermida (Co) 67 Rb106
⊠*3070-121
Ermida (Vi) 68 Sa103 ⊠*3460-509
Ermida (CB) 83 Sa110
≈Ermida, Barragem da 83 Re108
Ermidas (Se) 131 Rd121
Ermidas-Sado (Se) 131 Rd121
Ermigeira (Li) 100 Qe114
Ermita (VC) 32 Re98
Erra (Sa) 101 Rd114 ⊠2100-623
≈Erra, Ribeira da 101 Rd114
Ervas Tenras (Gu) 69 Se104
⊠6400-192
Ervedal (Pg) 102 Sb114
Ervedal (Co) 68 Sa106
Ervedal (Co) 82 Rb107
Ervedeira (Le) 82 Ra109
≈Ervedeira, Lagoa da 82 Ra109
Ervedosa (Ba) 52 Sf98
⊠*5335-071
Ervedosa (Gu) 70 Se103
Ervedosa do Douro (Vi) 52 Sd102
⊠*5130-061
Ervedoso (Av) 68 Re104
⊠3730-008
Ervideira (Se) 130 Rb119
Ervideira (Pg) 102 Rf113
⊠*7400-119
Ervideira (Sa) 102 Re113
Ervideira (Co) 83 Re107
Ervideiro (Br) 51 Rf99 ⊠4860-231
Ervidel (Be) 131 Rf121
⊠*7600-202
Ervilhais (Vi) 68 Rf102 ⊠4690-347
Ervilhal (Vi) 68 Rf103 ⊠*3660-616
Ervins (Por) 51 Rf101 ⊠4640-384
Ervões (VR) 52 Sd99
Escabralhado (Gu) 70 Ta106
⊠6320-043
Escalhão (Gu) 70 Ta103
⊠6440-072
Escalos de Baixo (CB) 84 Sd109
⊠6005-150
Escalos de Cima (CB) 84 Sd109
⊠*6005-170
Escalos do Meio (Le) 83 Rf109
⊠3270-065
Escamarão (Vi) 50 Re102
⊠4690-632
Escapães (Co) 67 Rc106
⊠*3060-531
Escarei (VR) 51 Sb99 ⊠4870-119
Escarigo (Gu) 70 Tb103
Escarigo (CB) 84 Se107
⊠*6230-165
Escariz (Br) 50 Rc99
Escariz (Av) 68 Rd103
Escaropim (Sa) 101 Rb114
Escola Agrícola (Év) 117 Rf117
Escudeiros (Br) 50 Rd100
Escurquela (Vi) 69 Sc102
⊠3640-060
Escusa (Pg) 103 Sd112
Escuza (Pg) 102 Sa113
Esgueira (Av) 67 Rc105
Esmolfe (Vi) 69 Sb104 ⊠3550-071
Esmoriz (Av) 67 Rc103
⊠*3885-392
Espadanal (Co) 68 Rf106
⊠*3420-012
Espadanedo (Vi) 51 Re102
⊠4690-106
Espadanedo (Ba) 52 Ta99
⊠5340-132
▲Espadarte, Praia do 115 Qf118
Espana (Be) 131 Sa123
Espargal (Fa) 145 Rf125
⊠8100-358
Espargosa (Be) 131 Sa123
Espariz (Co) 83 Rf107
⊠*3420-105
Especiosa (Ba) 53 Td99
⊠5210-080
Espedrada (Gu) 69 Se104
⊠6400-211
Esperança (Be) 131 Sa120
Esperança (Pg) 103 Se114
Esperança (Br) 51 Rf99
Esperança (Co) 82 Rb107
⊠*3090-413
▲Esperança, Pico da (Aç)
169 Wf117
Espiche (Fa) 144 Rb126
⊠8600-109
▲Espichel, Cabo 115 Qe118
▲Espigão, Ponta do (Ma) 167 D2
Espindo (Br) 51 Rf99 ⊠4850-333
▲Espinhaço 70 Sf103
Espinhaço de Cão (Fa) 144 Rb125
⊠8670-120
▲Espinhaço de Cão, Serra de
144 Rb125
Espinhal (Gu) 70 Sf106
Espinhal (Co) 83 Rd108
⊠*3230-070
▲Espinheira 117 Sb118
Espinheiro (Év) 118 Sc115
Espinheiro (Co) 67 Rc106
Espinhel (Av) 67 Rd105
⊠3750-403
Espinho (Av) 50 Rc102
Espinho (Br) 50 Rd99
Espinho (Vi) 69 Sb105
Espinho (Vi) 68 Re106
Espinho (Co) 83 Re108
⊠*3220-072
▲Espinho, Fonte 84 Sb107
Espinhosa (Vi) 52 Sd102
Espinhosela (Ba) 35 Ta97
⊠5300-523
Espinhoso (Ba) 34 Sf98
⊠5335-033
Espira de Baixo (Se) 116 Rc117
Espira de Cima (Se) 116 Rc117
Espírito Santo (Be) 146 Sc123
⊠7750-213
Espite (Sa) 82 Rc110 ⊠2435-152
Espiunca (Av) 68 Re103
⊠4540-344
Esporão (Co) 68 Sa106
⊠3330-235
Esporões (Br) 50 Rd99
Esporões (Gu) 69 Se103
Esposende (Br) 50 Rb99
⊠*4740-001
Estação (Sa) 116 Rd116
Estação (Se) 116 Rd116
Estação (Sa) 102 Re113
Estação de Fomento Pecuário (Pg)
102 Sb113
Estação Torre das Vargens (Pg)
102 Sa113
▲Estacas 130 Rd123
Estaço (Be) 131 Re122
Estalagem (Se) 116 Rc118
Estanquinhos (Ma) 166 B2
Estarreja (Av) 67 Rc104
⊠*3860-201
Este (Br) 50 Rd99
≈Este, Rio 50 Rc100
▲Esteios (Ma) 167 C2
Esteiro (Av) 67 Rc104
Esteíro (Co) 84 Sb108
Estela (Por) 50 Rb100
⊠*4570-195
▲Estelas 100 Qc112
Ester (Vi) 68 Rf103 ⊠3600-322
Ester de Cima (Vi) 68 Rf103
⊠3600-324
Estevais (Fa) 145 Rd126
Estevais (Ba) 52 Sf101
Estevais (Ba) 53 Tb101
Esteval (Fa) 145 Sa126
⊠8135-017
Esteval dos Mouros (Fa) 145 Rf125
⊠8100-023
Esteveira (Fa) 145 Rf125
Esteveira (Sa) 102 Rf112
⊠*2205-403
Esteves (CB) 83 Sb110
Estói (Fa) 145 Sa126
☆Estói, Palácio de 145 Sa126
Estombar (Fa) 144 Rd126
⊠*8400-013
Estorãos (VC) 32 Rc98
Estoril (Li) 115 Qd116 ⊠*2765-005
▲Estoril, Costa do 115 Qd117
Estorninhos (Fa) 146 Sc125
Estrada (Fa) 146 Sc125
Estrada (Br) 50 Rc100
Estrada (Por) 50 Re101
Estrada dos Montes (Sa) 83 Re111
Estradas (Fa) 145 Sa124
Estreito (CB) 83 Sb109
⊠*6160-115
Estreito da Calheta (Ma) 166 A2
Estreito de Câmara de Lobos (Ma)
166 C2
Estrela (Év) 132 Sd119
▲Estrela, Serra da 69 Sc106
▲Estrela Torre 84 Sc107
Estremoz (Év) 117 Sc115
⊠*7100-100
Esturãos (VR) 52 Sd99 ⊠5445-067
Eucísia (Ba) 52 Sf101
Évora (Év) 117 Sa117
▲Evora, Penha de 103 Sd114
Évora de Alcobaça (Le) 100 Ra111
Évora Monte (Év) 117 Sb116
⊠*7100-300
☆Évora Monte, Estación
117 Sb116
Extremo (VC) 32 Rd97
⊠*4905-229

F

Fábrica de São Pedro (CB)
84 Sd109
Facha (VC) 32 Rc98 ⊠4990-600
Facho (Be) 132 Sd121
Facho (Le) 100 Qf111
⊠*2460-354
Facho (Por) 50 Rb101
⊠*4560-042
▲Facho, Pico do (Ma) 167
Fadagosa (Sa) 102 Sa111
Fafe (Br) 51 Rf100 ⊠*4820-002
Fafião (VR) 51 Rf98 ⊠5470-017
≈Fafião, Rio de 33 Rf98
≈Fagilde, Barragem de 69 Sb105
Faia (Év) 117 Sb116
Faia (Év) 117 Sb117
Faia (Br) 51 Sa100 ⊠*4720-283
Faia (Vi) 69 Sc103 ⊠*3620-800
Faia (Gu) 69 Se105
Faial (Ma) 167 C2
▲Faial, Ilha do (Aç) 168 Wc117
Faial da Terra (Aç) 170 Ze122
⊠*9650-102
Faias (Be) 131 Rf119
Faifa (Vi) 68 Sa103 ⊠*3600-325
Fail (Vi) 68 Sa105 ⊠*3510-621
Faílde (Ba) 53 Tb98
Faiões (VR) 34 Sd98
Fajada (Sa) 101 Rc115
Fajã da Caldeira (Aç) 169 Xa117
Fajã da Nogueira (Ma) 167 C2
⊠*9230-049
Fajã da Ovelha (Ma) 166 A2
⊠9370-303
Fajã da Parreira (Ma) 166 B2
⊠9270-122
Fajã das Contreiras (Ma) 166 B1
Fajã de Areia (Ma) 166 B2
Fajã de Baixo (Aç) 170 Zc122
⊠*9500-431
Fajã de Cima (Aç) 170 Zc122
Fajã de Santo Amaro (Aç)
169 Wf117
Fajã de São João (Aç) 169 Xa117
⊠9875-027
Fajã do João Dias (Aç) 169 We116
Fajã do Mar (Ma) 166 B2
Fajã do Ouvidor (Aç) 169 Wf116
⊠9800-104
Fajã do Penedo (Ma) 167 C2
⊠9240-023
Fajã dos Cubres (Aç) 169 Xa117
⊠*9850-211
Fajã dos Vimes (Aç) 169 Xa117
⊠9850-213
Fajã Entre Ribeiras (Aç) 169 Xa1
Fajã Grande (Aç) 168 Te112
Fajã Grande (Aç) 169 Wf117
▲Fajã Nova (Ma) 166 A2
Fajão (Co) 83 Sa108 ⊠3320-08
Fajã Redonda (Ma) 166 B2
⊠9350-307
Fajãzinha (Aç) 168 Te112
⊠9960-110
Fajões (Av) 68 Rd103
Fajozes (Por) 50 Rb101
⊠*4485-022
Falagueira (Pg) 102 Sb111
⊠6050-473
Falca de Cima (Ma) 166 C2
⊠9240-027
Falçao (Sa) 117 Rf115
Falcoeiras (Év) 117 Sc118
⊠7200-052
▲Falésia, Praia do 145 Rf126
▲Falperra, Serra da 51 Sc100
Famalicão (Le) 100 Qf111
⊠*2410-849
Famalicão (Gu) 69 Sd106
Fanadia (Le) 100 Qf112
⊠2500-064
Fangarrifam (Se) 116 Rc117
Fanhais (Le) 82 Ra111 ⊠2450-0
Fanhões (Li) 115 Qf115
Faniqueira (Le) 82 Rb110
⊠*2440-396
Fânzeres (Por) 50 Rc102
Fão (Br) 50 Rb99 ⊠*4740-320
Fareja (Br) 51 Re100 ⊠4820-400
≈Farelo, Ribeira do 144 Rc125
Farelos (Fa) 146 Sc124
⊠8970-103
Faria (Br) 50 Rb100
▲Farilhões 100 Qc112
Farinha Branca (Pg) 102 Re114
⊠7425-014
Farminhão (Vi) 68 Rf105
⊠3510-643
Faro (Fa) 145 Sa126
▲Faro, Praia de 145 Rf126
Faro do Alentejo (Be) 131 Sa120
⊠7940-311
▲Farol, Praia d 145 Sa127
Fárrio (Sa) 82 Rc110
Fartosa (Co) 83 Rd108 ⊠3230-5
Fataca (Be) 130 Rb123
⊠7630-580
Fataunços (Vi) 68 Rf104
⊠3670-095
Fatela (CB) 84 Sd108 ⊠6230-18
Fátima (Sa) 101 Rc111
⊠*2495-551
☆Fátima, Santuário de 82 Rc111
Favaios (VR) 52 Sd101
⊠*5070-261
Faveis (VR) 51 Sb100
Favela (Be) 131 Re123
Favões (Por) 50 Re102
Fazenda (Pg) 102 Sa113
Fazenda (Pg) 102 Re114
Fazenda das Lajes (Aç) 168 Tf112
Fazenda de Santa Cruz (Aç)
168 Tf112 ⊠*9970-240
Fazendas das Figueiras (Sa)
116 Rc116
Fazendas de Almeirim (Sa)
101 Rc113 ⊠*2080-500
☆Fé, Alfândega da 52 Ta100
Febres (Co) 67 Rc106
⊠*3060-318
Feijo (Se) 115 Qf117
Feira (VC) 32 Rb98
Feirão (Vi) 51 Sa102 ⊠4660-070
Feitais (VR) 51 Sb101
Feital (Gu) 69 Se104
Feiteira (Fa) 145 Sa125
Feiteiras (Ma) 167 C2 ⊠*9240-10
Feitos (Br) 50 Rb99
Feitosa (VC) 32 Rc98
Feja (Pg) 103 Sc111
Felgar (Ba) 52 Ta101
Felgar (Co) 83 Re107 ⊠*3360-18
Felgueira (Vi) 68 Re106
⊠*3450-336
Felgueira (Co) 69 Sa106
Felgueira (Av) 68 Re103
⊠*3720-523
Felgueiras (VC) 32 Re96
Felgueiras (Br) 51 Rf99
Felgueiras (Por) 51 Re100
⊠*4605-125
Felgueiras (Vi) 51 Sa102
Felgueiras (Ba) 52 Sf102
Felgueiras (Ba) 52 Ta100
Felgueiras (Ba) 52 Sf98
Feliteira (Li) 100 Qe114
⊠2565-182
Felizes (Be) 145 Rf124 ⊠7700-26
Fenais da Ajuda (Aç) 170 Ze121
⊠*9625-021
Fenais da Luz (Aç) 170 Zc122
⊠*9545-210
Ferejinhas (Vi) 68 Sa103

medo (Av) 68 Rd 103
melo (Av) 67 Rc 104
mentelos (Av) 67 Rc 105
✉ *3750-420
ermentelos, Pateira de
67 Rc 105
montelos (Vi) 68 Sa 104
✉ 3660-113
nandes (Be) 132 Sc 123
nandilho (Fa) 146 Sb 125
✉ 8970-331
nandinho (Li) 100 Qe 114
✉ *2565-841
nandinho (VR) 52 Sd 99
rnando Pó (Se) 116 Rb 117
✉ *2965-545
não (Be) 131 Re 123
não Ferro (Se) 115 Qf 117
✉ *2865-001
rñao Joanes (Gu) 69 Sd 106
rradosa (Ba) 52 Se 99
rradosa (Ba) 52 Ta 101
rradosa (Ba) 52 Sd 102
rradura (Be) 132 Se 121
rragudo (Fa) 144 Rc 126
Ferragudo, Praia do 144 Rc 126
rral (VR) 33 Sa 98
rraria (Se) 130 Rc 122
rraria (Pg) 102 Sa 112
rraria (Pg) 102 Sb 112
rraria (Le) 82 Ra 110
✉ *2445-075
Ferraria, Ponta da (Aç)
170 Za 121
rraria de São João (Co)
83 Re 109
rrarias (Fa) 146 Sb 124
rrarias (Fa) 145 Re 125
rrarias (Fa) 145 Rf 126
rrarias (Sa) 116 Re 115
✉ *2080-709
Ferrarias, Cerro das 144 Rb 126
rrarias Cimeiras (CB) 84 Sc 110
rreira (VC) 32 Rc 97
rreira (Por) 50 Rd 101
✉ *4590-750
rreira (Ba) 52 Ta 99
Ferreira 84 Se 107
rreira-a-Nova (Co) 82 Rb 107
✉ 3090-446
rreira de Aves (Vi) 69 Sc 104
✉ *3560-062
rreira do Alentejo (Be) 131 Rf 120
✉ *7900-195
rreira do Zêzere (Sa) 83 Re 110
✉ *2240-336
rreiras (Fa) 145 Re 126
✉ *8200-553
rreirim (Vi) 51 Sb 102
rreirim (Vi) 69 Sd 103
rreiró (Por) 50 Rc 100
✉ 4480-250
rreiros (VC) 32 Rd 97
rreiros (Ba) 34 Se 97
rreiros (Ba) 34 Se 98
rreiros (Br) 50 Rd 99
rreiros (Av) 68 Rd 104
rreiros de Avões (Vi) 51 Sb 102
rreiros de Tendais (Vi) 51 Rf 102
rreirós do Dão (Vi) 68 Rf 106
✉ 3460-101
rrel (Fa) 144 Rb 126
rrel (Le) 100 Qe 112
✉ *2520-061
rrenho (Be) 130 Rc 122
✉ 7630-444
rro (CB) 84 Sd 107 ✉ *6200-570
Ferro, Ilhéu de (Ma) 167
Ferro, Pico do (Aç) 170 Zd 122
rronha (Vi) 69 Sd 103
✉ *3630-205
ervença (Br) 51 Rf 100
ervidelas (VR) 33 Sa 98
✉ 5470-141
etais (Aç) 169 Wf 118
etais (Co) 83 Re 108
eteira (Aç) 169 Xf 117
eteira (Aç) 168 Wb 117
eteira (Le) 82 Rb 109 ✉ *2460-355
eteiras (Aç) 170 Zb 122
eteiras (Aç) 170 Zf 126
iadeira (CB) 84 Sd 110
iães (VC) 33 Re 96
iães (VR) 34 Se 98 ✉ *5070-572
iães (Av) 50 Rc 103 ✉ *4505-220
iães (Gu) 69 Sd 104
iães do Rio (VR) 33 Sa 98
✉ 5470-151
iães do Tâmega (VR) 51 Sb 99
✉ 5460-431
iais da Beira (Co) 68 Sa 106
✉ *3405-029
iais da Telha (Vi) 68 Sa 106
✉ *3430-022
ial (Vi) 68 Rf 105 ✉ *3460-454
ialho (Be) 145 Sa 124
✉ *7700-240
▲ Ficalho 132 Se 121
igueira (Fa) 144 Ra 126
igueira (Év) 117 Sc 118
Figueira (Pg) 103 Se 114
Figueira (Por) 50 Rd 102
✉ *4560-122
Figueira (Vi) 51 Sb 102
Figueira (Ba) 53 Tb 101
Figueira (Co) 83 Re 107
▲ Figueira, Praia da 144 Ra 126
Figueira da Foz (Co) 82 Ra 108
✉ *3080-011
Figueira de Castelo Rodrigo (Gu)
70 Ta 103
Figueira dos Cavaleiros (Be)
131 Re 120 ✉ *7900-214
Figueira e Barros (Pg) 102 Sb 114
✉ 7480-351
Figueiras (Aç) 169 We 116
Figueiras (Be) 131 Sa 122
Figueiras (Li) 100 Qf 113
Figueiras (Li) 100 Qe 114
▲ Figueiras, Vale de 102 Rf 114
Figueiredo (Br) 50 Re 99
Figueiredo (Br) 50 Rd 100
Figueiredo (CB) 83 Sa 109
Figueiredo das Donas (Vi) 68 Rf 104
✉ 3670-102
Figueiredo de Alva (Vi) 68 Sa 104
✉ 3660-114
Figueirinha (Fa) 144 Rd 125
Figueirinha (Be) 131 Sa 123
Figueirinha (Ba) 53 Tc 100
▲ Figueirinha, Praia da 116 Ra 118
Figueiró (Por) 51 Rf 101
Figueiró (Por) 50 Rd 101
Figueiró (Vi) 68 Sa 105
✉ *3510-733
Figueiró (Le) 83 Re 109
≈ Figueiró, Barragem de 102 Sb 111
≈ Figueiró, Ribeira de 102 Sc 112
Figueiró da Granja (Gu) 69 Sd 105
✉ 6370-041
Figueiró do Campo (Co) 82 Rc 108
✉ 3130-040
Figueiró dos Vinhos (Le) 83 Re 109
✉ *3260-305
Figueirosa (Vi) 68 Rf 104
✉ 3660-033
Fijos (Por) 51 Rf 101 ✉ 4600-594
Fiolhoso (VR) 52 Sc 100
✉ 5090-052
Firvidas (VR) 33 Sb 98
Fiscal (Br) 50 Rd 99
✫ Fisgas 51 Sa 100
≈ Fitos, Ribeira dos 144 Rd 124
Flamengos (Aç) 168 Wc 117
✉ 9900-401
Flor da Rosa (Pg) 102 Sc 113
✉ *7430-211
Florencas (Ma) 166 B 2
▲ Flores, Ilha das (Aç) 168 Tf 111
✫ Florestal de Capelo (Aç)
168 Wb 117
≈ Fogo, Lagoa do (Aç) 170 Zd 122
Fogueteiro (Se) 115 Qf 117
✉ *2845-146
▲ Fóia 144 Rc 125
Fóios (Gu) 85 Ta 107
✫ Foja, Quinta da 82 Rb 107
Fojo Lobal (VC) 32 Rc 98
Fojos (Br) 51 Rf 99 ✉ 4860-330
Folgarosa (Li) 100 Qf 114
Folgosa (Por) 50 Rc 101
Folgosa (Vi) 51 Sb 102
✉ *3515-775
Folgosa do Salvador (Gu) 69 Sb 106
✉ 6270-211
Folgosinho (Gu) 69 Sc 105
Folgosinho (Av) 68 Re 103
✉ *4540-612
Folgoso (Vi) 68 Sa 103
Folhada (Por) 51 Rf 101
Folhadal (Vi) 68 Sa 105
✉ *3520-021
Folhadela (VR) 51 Sb 101
✉ 5000-103
Folhadosa (Gu) 69 Sb 106
✉ 6270-041
Folhense (Av) 68 Rd 104
Folques (Co) 83 Sa 107
✉ *3300-261
Fontainhas (Por) 50 Rc 100
Fontainhas (Vi) 69 Sb 104
Fontaínhas (Se) 130 Rb 119
Fontalva (Pg) 103 Se 115
Fontanelas (Li) 115 Qd 115
✉ *2705-415
Fontão (VC) 32 Rc 98
Fontão (Av) 67 Rc 105
Fontão (Gu) 84 Sb 107
Fonte Arcada (Por) 50 Rd 102
Fonte Arcada (Vi) 69 Sc 103
✉ *3510-894
Fonte Arcadinha (Gu) 69 Sc 104
✉ 3570-072
Fonte Boa (Be) 131 Rf 120
Fonte Boa (Br) 50 Rb 100
✉ *4740-416
Fonte Boa da Brincosa (Li)
100 Qd 115 ✉ *2655-013
Fonte Boa dos Nabos (Li)
100 Qd 115 ✉ *2655-405
Fonte Coberta (Be) 131 Re 121
Fonte Coberta (Br) 50 Rc 100
Fonte da Matosa (Fa) 145 Rd 126
Fonte da Murta (Fa) 145 Sa 126
✉ 8150-035
Fonte da Pedra (Sa) 101 Rb 112
✉ *2000-343
Fonte da Telha (Se) 115 Qe 117
✉ *2825-486
Fonte de Aldeia (Ba) 53 Td 100
Fonte de Angeão (Co) 67 Rc 106
Fonte de Corcho (Fa) 145 Sa 125
Fonte de Martel (Co) 67 Rb 107
✉ 3060-672
Fonte de Seixas (Ba) 52 Sd 101
Fonte do Bastardo (Aç) 169 Xf 116
Fonte do Bisbo (Fa) 145 Sb 125
Fonte dos Almocreves (Ma) 167 D 2
✉ 9100-119
Fonte do Touro (Fa) 145 Sa 126
✉ 8150-037
Fonte du Mato (Aç) 168 Xa 114
Fonte Ferrenha (Fa) 144 Rb 124
▲ Fontefría 33 Sa 97
Fonte Furada (Év) 117 Sc 118
Fonte Gatão (Ba) 53 Td 100
Fonte Grada (Li) 100 Qe 114
Fonteita (VR) 51 Sc 101
✉ 5000-034
Fontela (Co) 82 Rb 108
✉ *3090-641
Fontelas (Br) 51 Rf 99
Fontelas (VR) 51 Sb 102
Fonte Limpa (Co) 83 Rf 108
✉ 3330-137
Fontelo (Vi) 51 Sb 102
Fonte Longa (Ba) 52 Se 101
Fonte Longa (CB) 84 Sb 110
Fonte Mercê (VR) 52 Se 99
✉ 5430-008
Fontes (Fa) 144 Rd 126
Fontes (Ma) 166 B 2
▲ Fontes (Ma) 166 B 2
Fontes (Aç) 168 Wf 114
▲ Fontes 132 Sb 120
Fontes (Ba) 35 Tb 98
Fontes (VR) 51 Sb 101
Fontes (Le) 82 Rb 110 ✉ *2410-850
Fonte Salgada (Fa) 146 Sc 125
▲ Fonte Santa 144 Rb 124
Fonte Santa (Se) 130 Rb 122
≈ Fonte Serne, Barragem
130 Rd 121
Fontes Ferraria (Sa) 102 Re 111
Fonte Soeiro (Év) 118 Sd 116
Fonte Zambujo (Fa) 146 Sc 124
Fontinha (Ma) 167 C 2
Fontinha (Co) 67 Rc 106
✉ *3060-319
Fontinhas (Aç) 169 Xf 116
✉ *9580-219
Fontoura (VC) 32 Rc 97
✉ *4930-246
▲ Fora, Ilhéu de (Ma) 167 D 2
Forca (Vi) 69 Sc 103
▲ Forca, Alagoa da 131 Rf 122
▲ Forcadas 100 Qc 112
Forcalhos (Gu) 70 Tb 106
✉ 6320-151
Forjães (Br) 50 Rb 99
Forles (Vi) 69 Sc 103 ✉ 3560-070
Formariz (VC) 32 Rc 97
Formiga (Év) 117 Sb 118
Formigais (Sa) 83 Rd 110
✉ 2435-208
Formil (Ba) 35 Ta 98 ✉ 5300-572
Formilo (Vi) 51 Sb 102 ✉ 3610-043
Formosa (Be) 146 Sc 123
Formosa (Sa) 116 Rd 115
Formosa (CB) 83 Sa 110
Formoselha (Co) 82 Rc 107
✉ *3140-349
Fornalha (Fa) 146 Sb 125
▲ Fornalha 146 Sc 124
Fornalha (Fa) 144 Rd 125
Fornalha (Fa) 145 Sa 125
Fornalha (Be) 145 Sa 124
✉ *7700-221
Fornalhas (Be) 130 Rd 122
Fornalhas Velhas (Be) 131 Rd 121
✉ 7630-692
Fornelo (Por) 50 Rc 101
Fornelo (Vi) 68 Re 104
✉ *3680-016
≈ Fornelo, Rio 51 Sa 101
Fornelo do Monte (Vi) 68 Rf 105
✉ 3670-131
Fornelos (VC) 32 Rc 98
Fornelos (VR) 51 Sb 101
Fornelos (Br) 51 Rf 100
Fornelos (Br) 50 Rb 99
Fornelos (Vi) 68 Re 102
✉ *4660-023
Forninho (Se) 116 Rb 117
✉ *2965-217
Forninhos (Gu) 69 Sc 104
✉ *3570-150
Fornos (Por) 51 Rf 101
Fornos (Ba) 53 Tb 101
Fornos (Av) 67 Rc 103
Fornos de Algodres (Gu) 69 Sc 105
✉ *6370-101
Fornos de Ledra (Ba) 52 Sf 98
✉ 5340-172
Fornos de Maceira Dão (Vi)
69 Sb 105
Fornos do Pinhal (VR) 52 Se 99
✉ 5430-100
Forno Telheiro (Gu) 69 Sd 104
Foro (Év) 118 Sd 116
Foros da Barradinha Nova (Be)
131 Rd 121
Foros da Biscaia (Sa) 101 Rc 114
Foros da Branca (Sa) 116 Rc 115
✉ 2100-600
Foros da Caiada (Be) 130 Rc 121
✉ *7630-718
Foros da Fonte de Pau (Sa)
116 Rd 115
Foros da Fonte Seca (Év)
118 Sc 117 ✉ 7170-102
Foros da Quinta (Se) 130 Rb 120
✉ 7500-020
Foros da Salgueirinha (Sa)
116 Rd 115
Foros de Aduá (Év) 117 Re 117
Foros de Albergaria (Se)
116 Rc 119
Foros de Almeirim (Sa) 101 Rc 114
Foros de Amendonça (Év)
116 Rd 118
Foros de Azerveira (Sa) 101 Rc 114
Foros de Cadouços (Se) 130 Rc 121
✉ 7540-400
Foros de Salvaterra (Sa)
101 Rb 114 ✉ *2120-181
Foros de Vale Coelho (Se)
130 Rb 122 ✉ 7555-221
Foros de Vale de Figueira (Év)
116 Re 116
Foros do Arncirinho (Se)
130 Rc 121
Foros do Arrão (Sa) 101 Re 113
Foros do Biscainho (Sa) 116 Rb 115
Foros do Campo (Se) 130 Rc 121
Foros do Freixo (Év) 117 Sc 116
Foros do Malhão (Se) 130 Rc 121
✉ 7540-401
Foros do Monte Novo (Se)
130 Rc 121
Foros do Pereira (Be) 130 Rb 122
Foros do Rebocho (Sa) 116 Rd 115
✉ 2100-040
Foros dos Carapucões (Sa)
116 Rd 116
Foros do Sobralinho (Se)
130 Rc 121
Foros do Trapo (Se) 116 Rb 116
✉ *2985-114
Foroso do Almada (Sa) 116 Rb 115
Forros de Vale de Água (Be)
131 Re 121
✫ Fortaleza 115 Ra 117
✫ Fortaléza (Ma) 167 D 2
✫ Forte da Graça 118 Sf 115
Forte de Ferragudo (Év) 118 Se 116
Forte do Santo (Pg) 103 Sd 112
Fortes (Fa) 146 Sc 124
Fortios (Pg) 103 Sc 113
✉ *7300-651
Fortunho (VR) 51 Sb 100
✉ 5000-731
Foupana (Fa) 145 Sb 126
✉ 8700-073
≈ Foupana, Ribeira da 146 Sb 124
Foz (Sa) 102 Re 113 ✉ *2205-210
Foz da Égua (Co) 84 Sb 107
✉ 6285-015
Foz de Arouce (Co) 83 Re 108
▲ Foz de Lizandro, Praia de
100 Qd 115
Foz do Arelho (Le) 100 Qe 112
✉ *2500-450
▲ Foz do Arelho, Praia de
100 Qe 112
Foz do Arroio (Fa) 144 Rc 124
✉ 8550-131
Foz do Besteiro (Fa) 144 Rc 124
✉ 8550-133
Foz do Carvalhoso (Fa) 144 Rc 124
✉ *8550-026
Foz do Cobrão (CB) 84 Sb 110
✉ 6030-155
Foz do Farelo (Fa) 144 Rc 124
✉ 8550-286
Foz do Giraldo (CB) 84 Sb 108
Foz do Sousa (Por) 50 Rd 102
Fradelos (Br) 50 Rc 100
Fradelos (Av) 67 Rd 104
✉ *3850-574
Frades (Se) 116 Rd 119
Frades (VR) 33 Sa 98
Frades (Ba) 34 Sf 97
Frades (Br) 50 Re 99 ✉ *4850-334
▲ Frades, Ponta dos (Aç) 170 Zf 126
▲ Fradinhos, Ilhéu dos (Aç)
169 Xf 117
Fradizela (Ba) 52 Se 99 ✉ 5385-041
Fragosela (Vi) 68 Sa 105
Fragoso (Br) 50 Rb 99
Fráguas (Sa) 101 Ra 112
✉ *2040-153
Fráguas (Vi) 68 Rf 105
Fráguas (Vi) 69 Sb 103
Fraião (Br) 50 Rd 99 ✉ *4750-022
França (Ba) 35 Tb 97 ✉ 5300-541
France (VC) 32 Rb 97
France (VR) 52 Sd 99
Francelos (VR) 52 Sc 101
✉ 5070-573
Franco (Ba) 52 Sd 100
Franzilhal (VR) 52 Sd 101
✉ 5070-204
Fratel (CB) 102 Sb 111
✉ *6030-012
≈ Fratel, Barragem de 102 Sb 111
Frazão (Sa) 101 Rd 114
✉ *2100-620
Frazão (Por) 50 Rd 101
Frazumeira (CB) 83 Sa 109
Freamunde (Por) 50 Rd 101
✉ *4590-287
Frechas (Ba) 52 Sf 100 ✉ 5370-135
Freches (Gu) 69 Sd 104
≈ Fregil, Barragem do 51 Rf 102
Fregim (Por) 51 Rf 101 ✉ 4600-593
Freia de Bornes (VR) 51 Sc 99
Freigil (Vi) 51 Rf 102 ✉ 4660-095
Frei João (Sa) 102 Sa 111
✉ 6120-318
✫ Frei Matias, Furna de (Aç)
168 Wd 118
Freimoninho (Vi) 68 Re 105
✉ 3475-060
Freineda (Gu) 70 Ta 105
✉ *6355-060
Freire (Év) 118 Sd 116
Freiria (Li) 100 Qf 114
Freiria (Li) 100 Qe 114
Freiriz (Br) 50 Rc 99
Freitas (Br) 51 Re 99 ✉ *4750-531
Freixeda (VR) 51 Sc 99
Freixeda (Ba) 52 Sf 100
✉ *5300-843
Freixeda do Torrão (Gu) 70 Sf 103
✉ 6440-201
Freixedas (Gu) 70 Sf 104
✉ 6400-212
Freixial (Év) 117 Rf 117
Freixial (Se) 116 Rd 118
Freixial (Gu) 69 Se 104
Freixial (Le) 82 Rb 110
✉ *2420-023
Freixial (CB) 84 Sc 108
Freixial do Campo (CB) 84 Sc 109
✉ 6000-521
Freixianda (Sa) 83 Rd 110
✉ *2435-271
Freixidelo (Ba) 53 Tb 98
Freixiel (Ba) 52 Se 101 ✉ 5360-062
Freixinho (Vi) 69 Sc 103
✉ 3640-120
Freixiosa (Ba) 53 Te 100
✉ 5210-333
Freixiosa (Vi) 69 Sb 105
✉ 3530-080
Freixiosa (Co) 83 Rd 109
Freixo (Pg) 118 Sf 115
Freixo (Sa) 101 Rd 114
✉ *2305-070
Freixo (Por) 51 Rf 102
Freixo (VC) 50 Rc 99
Freixo (VR) 52 Sc 100
Freixo (Vi) 68 Re 106
Freixo (Gu) 70 Ta 105
Freixo (Co) 83 Re 108 ✉ *3200-377
≈ Freixo, Ribeira do 103 Sd 114
≈ Freixo, Ribeira do 84 Sf 110
Freixo da Serra (Gu) 69 Sd 105
✉ 6290-082
Freixo de Baixo (Por) 51 Rf 101
Freixo de Cima (Por) 51 Rf 101
Freixo de Espada à Cinta (Ba)
53 Tb 102 ✉ *5180-102
Freixo de Numão (Gu) 52 Se 102
✉ *5155-201
Freixoeiro (Sa) 83 Sa 111
Freixofeira (Li) 100 Qe 114
✉ 2565-773
Freixo Seco (Fa) 145 Rf 125
✉ 8100-179
Frende (Por) 51 Sa 102 ✉ 4640-223
≈ Fresno, Rio 53 Te 99
Fresta (Se) 131 Rd 119
Fresulfe (Ba) 34 Ta 97 ✉ 5320-052
Friães (VR) 33 Sa 98
Friande (Br) 50 Re 99 ✉ 4730-323
Friastelas (VC) 50 Rc 98
✉ 4990-630
Frieiras (Ba) 53 Tb 99
Frielas (Li) 115 Qf 116 ✉ *2660-001
Friestas (VC) 32 Rc 96
Friões (VR) 52 Sd 99
Friumes (Co) 83 Re 107
≈ Fronhas, Barragem de 83 Rf 107
Fronteira (Pg) 102 Sc 114
Frossos (Br) 50 Rd 99
Frossos (Av) 67 Rc 105
✉ *3850-610
Frutuoso (VR) 52 Sc 99 ✉ 5445-041

Fuinhas (Gu) 69 Sd 104 ✉6370-311
Fujaco (Vi) 68 Rf 103 ✉3660-617
Função (Av) 68 Re 103 ✉3730-375
Funchal (Ma) 167 C 3
Funcheira (Be) 131 Rd 122 ✉*7670-112
Funcho (Fa) 145 Rd 125
≈Funcho, Barragem 145 Rd 125
Funchosa (Fa) 146 Sc 125
≈Funda, Lagoa (Aç) 168 Te 112
Fundada (CB) 85 Rf 110
Fundão (CB) 84 Sd 108 ✉*6100-820
Fundões (VR) 51 Sc 100
Fungalvaz (Sa) 101 Rd 111 ✉2350-024
Furacasas (Por) 51 Sa 101 ✉4640-235
Furadas (Pg) 103 Se 114
▲Furado, Baixo do (Ma) 166 A 1
Furadouro (Sa) 102 Re 115 ✉*2305-616
Furadouro (Av) 67 Rb 103
Furadouro (Co) 82 Rd 108
≈Furadouro, Açude do 102 Re 115
▲Furadouro, Praia de 67 Rb 103
Furnas (Aç) 170 Ze 122
≈Furnas, Lagoa das (Aç) 170 Zd 122
▲Furnas, Praia das 130 Rb 122
Furnazinhas (Fa) 146 Sc 124 ✉8950-331
Furtado (Pg) 102 Sa 111
Fuseta (Fa) 146 Sb 126 ✉*8700-011
▲Fuseta, Praia da 146 Sb 126
Fuste (Av) 68 Re 103 ✉*3730-376
Fuzeira (Év) 117 Sb 117

G

Gache (VR) 51 Sc 101 ✉5000-131
▲Gadelha, Ilhéu da (Aç) 168 Te 111
Gafanha da Boa Hora (Av) 67 Rb 105 ✉3840-252
Gafanha da Encarnação (Av) 67 Rb 105 ✉*3830-469
Gafanha da Nazaré (Av) 67 Rb 105 ✉*3830-551
Gafanha da Vagueira (Av) 67 Rb 105 ✉*3840-253
Gafanha de Aquém (Av) 67 Rb 105 ✉*3830-013
Gafanha do Areão (Av) 67 Rb 105 ✉3840-265
Gafanha do Carmo (Av) 67 Rb 105 ✉*3830-401
Gafanhão (Vi) 68 Rf 103 ✉3600-345
Gafete (Pg) 102 Sb 112
Gagos (Be) 145 Rf 124
Gagos (Br) 51 Rf 100
Gagos (Gu) 70 Sf 105
Gaia (Por) 51 Rf 102 ✉*4635-707
Gaia (CB) 69 Se 106
▲Gaião, Alto do 101 Re 112
Gaiate (Co) 83 Re 108 ✉*3220-414
Gaiates (Av) 68 Rd 103
Gaieiras (Le) 100 Qf 112
Gaifar (VC) 50 Rc 99 ✉*4990-635
Gaio (Se) 115 Ra 116
Gaio (Le) 100 Qf 112 ✉2460-771
▲Gaio, Barbas de 132 Sb 121
Gala (Co) 82 Ra 108 ✉*3090-706
Galachos (Fa) 146 Sc 124 ✉8970-334
Galafura (VR) 51 Sb 101
Galçada (VR) 51 Sb 101
▲Galé, Costa da 116 Ra 118
▲Gale, Ponta da (Ma) 166 A 2
▲Galé, Praia do 145 Re 126
Galeana (Év) 132 Sf 119
Galé de Baixo (Fa) 144 Rb 124
Galé de Cima (Fa) 144 Rb 124
Galego (Fa) 145 Sb 125
Galegos (Pg) 103 Se 112
Galegos (Br) 50 Re 99
Galegos (Br) 50 Rc 99
Galegos (Por) 50 Re 102
Galequinha Grande (Be) 131 Sa 122
Galharda (Be) 131 Rd 122
Galifonge (Vi) 68 Sa 104
Galisteu (CB) 103 Se 111
Galizes (Co) 83 Sa 107 ✉*3400-434
Galvã (Vi) 51 Sb 102 ✉5100-453
Galveias (Pg) 102 Rf 114 ✉*7400-001
Gamas (Sa) 101 Rc 115
Gambia (Se) 116 Rb 117
≈Gameiro, Açude do 117 Rf 115
Gamelas (Br) 50 Sf 104
Gançaria (Sa) 101 Ra 112 ✉2025-601
Gândara (VC) 32 Rc 96
Gândara (Co) 67 Rb 106

Gândara dos Olivais (Le) 82 Rb 110
Gandarela (Br) 50 Rd 100
Gandarela (Br) 51 Rf 100
Gandelim (Co) 83 Re 107
Gandra (VC) 32 Rd 98
Gandra (Br) 50 Rb 99
Gandra (Por) 50 Rd 101 ✉*4560-143
Gandrachão (VC) 32 Rc 97 ✉*4920-042
Ganfei (VC) 32 Rc 96 ✉4930-355
▲Garajau, Ponta do (Ma) 167 C 3
Garção (VC) 32 Re 98
Garcãosinho (Ba) 53 Tb 99
Garcia (Fa) 145 Sb 125
Garcia (Le) 82 Ra 110 ✉*2430-014
Gardete (CB) 102 Sb 111 ✉6030-013
▲Gardunha, Serra da 84 Sc 108
Garfe (Br) 50 Re 99
Garganta (VR) 51 Sc 101 ✉5060-422
Garnal (Ma) 167 C 2
▲Garreia, Serra da 52 Sd 100
Garreta (CB) 84 Sc 110
Garrobo (Fa) 146 Sb 125 ✉*8800-025
Garrochais (Be) 132 Se 120
Garvão (Be) 131 Rd 122 ✉*7670-121
Gasparões (Be) 131 Re 121
Gata (Gu) 69 Se 105 ✉6300-070
Gatão (Por) 51 Rf 101 ✉*4560-210
Gateira (Gu) 70 Se 103
Gato (Be) 146 Sc 123
Gato (Be) 145 Sb 123
Gato (Év) 116 Re 117
▲Gato, Cerro do 69 Sd 106
Gatões (Co) 82 Rb 107
Gaula (Ma) 167 D 2 ✉*9100-031
Gave (VC) 32 Re 96 ✉4920-062
Gavea (VC) 32 Rb 97
Gavião (Be) 131 Rf 122
Gavião (Pg) 102 Sa 112
Gavião (Sa) 101 Re 113
Gavião (Br) 50 Rc 100
Gavião (CB) 84 Sb 110
Gavião de Baixo (Fa) 145 Re 125 ✉8375-040
Gavião de Cima (Fa) 145 Re 125 ✉8375-155
Gaviãosinho (CB) 84 Sb 110
Gavieira (VC) 33 Re 97
Gavinhos de Baixo (Co) 68 Sa 106 ✉*3400-003
Gebelim (Ba) 52 Ta 100 ✉5350-250
▲Geivoltas, Ponta das (Ma) 167 D 2
Gem (Por) 51 Sa 102 ✉4640-212
≈Gema, Ribeira da 131 Rd 121
Geme (Br) 50 Rd 99
Gémeos (Br) 51 Rf 100 ✉*4810-567
Gemezes (Br) 50 Rb 99
Gemica (Fa) 145 Rf 125 ✉8100-389
Gemunde (Por) 50 Rc 101
Genísio (Ba) 53 Td 99 ✉5210-090
Gens (Br) 51 Rf 100
Gens (Por) 50 Rd 102 ✉4620-023
Geraldes (Le) 100 Qe 113 ✉*2525-511
Geraz do Lima (VC) 32 Rb 98
Geraz do Minho (Br) 50 Re 99
▲Gerês, Serra da 33 Rf 98
Germil (VC) 32 Re 98
Germil (Vi) 69 Sb 105 ✉*3550-093
Gestaço (Por) 51 Sa 101
Gesteira (Co) 82 Rc 108 ✉*3060-807
Gestosa (Ba) 34 Sf 97
Gestosa (Vi) 68 Rf 106 ✉*3440-128
Gestoso (Av) 68 Rd 104 ✉3730-061
Gestoso (Vi) 68 Re 103 ✉3660-139
Gião (Fa) 145 Sb 126
Gião (Be) 132 Sc 119
Gião (Por) 50 Rb 101 ✉*4485-171
Gião (Av) 50 Rd 103
Giela (VC) 32 Rd 97
Giesteira (Év) 117 Rf 117
Giesteira (Le) 101 Rb 111
Giesteira (Av) 68 Rd 105 ✉*3720-507
Giesteiras Cimeiras (CB) 83 Sb 110 ✉6150-721
Gil Bordalo (Fa) 144 Rc 125 ✉8550-289
Gildinho (Av) 68 Re 103
Gilmonde (Br) 50 Rc 99
▲Gilterreiros 102 Rf 114
Gilvrazino (Fa) 145 Rf 126
Gimonde (Ba) 35 Tb 98 ✉5300-553
Ginetes (Aç) 170 Za 121 ✉9555-060
Ginjas (Ma) 166 B 2 ✉9240-209
Ginzo (VC) 32 Rd 98 ✉*4980-411
Giões (Fa) 146 Sb 124

Girabolhos (Gu) 69 Sb 105 ✉6270-051
Giralda (Be) 132 Sb 121
Giraldo (Fa) 144 Rb 124 ✉8550-135
Giraldo (Sa) 101 Rd 113
▲Giraldo 101 Rd 113
Giraldos (Be) 131 Rf 122
▲Girão, Cabo (Ma) 166 B 3
▲Giz 130 Rc 123
Glória (Év) 118 Sc 116
Glória do Ribatejo (Sa) 101 Rc 114 ✉*2125-021
Goães (Br) 50 Rd 98
Goães (Br) 50 Re 99
Godigana (Li) 115 Qd 115
Godim (VR) 51 Sb 101 ✉*5050-059
Godinhaços (Br) 32 Rd 98
Godinheira (Év) 117 Sc 115
Godinhela (Co) 83 Rd 108 ✉3220-112
Godinhos 103 Sd 115
Góios (Br) 50 Rc 100
Góios (Br) 50 Rb 99
Góis (Be) 145 Sb 123
Góis (Co) 83 Rf 108 ✉*3330-209
Golães (Br) 51 Re 100
Golegã (Sa) 101 Rd 112 ✉*2150-121
Golfar (Gu) 69 Sd 104 ✉6420-504
Golfeiras (Be) 52 Se 100 ✉5370-553
Golhofa (Be) 144 Rd 123
Gomes Aires (Be) 145 Re 123 ✉7700-222
Gomide (Br) 32 Rd 98
Gonça (Br) 50 Re 99 ✉*4800-190
Gonçala (Év) 117 Rf 115
Gonçalo (Gu) 69 Sd 106 ✉6300-115
▲Goncalo Anes 145 Sa 124
Gonçalo Bocas (Gu) 69 Se 105 ✉6300-120
Gonçalves (Fa) 145 Sb 126
Goncinha (Fa) 145 Rf 126
Gondalães (Por) 50 Rd 101 ✉4580-402
Gondar (VC) 32 Rb 97
Gondar (VC) 32 Rb 98
Gondar (Br) 50 Rd 100 ✉*4835-537
Gondar (Por) 51 Rf 101
Gondarém (VC) 32 Rb 97
Gondarém (Br) 51 Rf 99 ✉4860-137
Gondemaria (Sa) 82 Rc 110 ✉*2490-135
Gondesende (Ba) 35 Ta 97 ✉5300-561
Gondiães (Br) 51 Sa 99 ✉*4830-284
Gondim (VC) 32 Rc 97
Gondim (Por) 50 Rc 101
Gondim (Por) 51 Re 100
Gondomar (Br) 32 Rd 98
Gondomar (Br) 50 Re 99
Gondomar (Por) 50 Rc 102
Gondomar (Vi) 51 Sb 102 ✉*3550-125
Gondomil (VC) 32 Rc 96
Gondoriz (Br) 32 Re 98
Gondoriz (VC) 32 Rd 97
Gondufe (VC) 32 Rc 98
Gondufo (Gu) 84 Sb 107 ✉6285-068
Gontias (Sa) 83 Re 110
Gontim (Br) 51 Rf 99 ✉4820-485
Gorazes (Be) 145 Sa 123 ✉7700-210
▲Gorda, Cabaça 144 Rb 123
▲Gordo, Pico (Aç) 169 Xe 116
Gorgoço (VR) 52 Se 99 ✉5430-230
Gorgolim (Se) 116 Rd 117
Gorjão (Sa) 101 Re 113
Gosende (Por) 51 Rf 102
Gosende (Vi) 51 Sa 102 ✉*3600-374
Gostei (Ba) 35 Tb 98 ✉5300-574
Goujoim (Vi) 51 Sc 102 ✉5110-373
Gouvães da Serra (VR) 51 Sb 100 ✉5450-210
Gouvães do Douro (VR) 51 Sc 101 ✉*5085-242
Gouveia (Li) 115 Qd 115 ✉*2705-409
Gouveia (Ba) 52 Ta 101 ✉*5350-262
Gouveia (Gu) 69 Sc 106 ✉6400-223
Gouveias (Gu) 70 Sf 105
Gouviães (Vi) 51 Sb 102 ✉3610-033
Gouvinhas (VR) 51 Sc 101 ✉5060-052
Gove (Por) 51 Rf 102 ✉4640-264
Goveia (Por) 51 Rf 101
Graça (Le) 83 Re 109 ✉3270-022
Gracieira (Le) 100 Qf 113

Gracieira (Le) 82 Rc 110
▲Graciosa, Ilha (Aç) 168 Wf 114
☆Graciosa, Paco da 67 Rd 106
Grada (VR) 68 Rd 106 ✉*3050-102
Grade (Be) 131 Sb 121
Grade (VC) 32 Rd 97
▲Grade, Val da 145 Rf 123
Gradil (Li) 100 Qe 115 ✉*2665-101
Gradiz (Gu) 69 Sc 103 ✉3570-160
Graheira (VR) 51 Sc 100
Grainho (Fa) 146 Sb 125 ✉8800-027
▲Gralha 145 Re 124
Gralhas (VR) 33 Sb 97 ✉5470-160
Gralheira (VR) 51 Sa 103 ✉*3660-283
Gralhós (Ba) 53 Tb 99
Gramaça (Co) 83 Sa 107 ✉3400-263
Gramicha (Pg) 118 Sf 115
▲Graminhais, Planalto dos (Aç) 170 Ze 122
Grandais (Ba) 35 Tb 98 ✉5300-482
Grandão (Be) 131 Rf 120
Grândola (Se) 130 Rc 119 ✉*7570-112
▲Grândola, Serra de 130 Rb 120
Granho (Sa) 101 Rc 114 ✉2125-401
Granho Novo de Magos (Sa) 101 Rb 114
Granja (Aç) 168 Wb 117
Granja (Év) 118 Se 119
Granja (Év) 117 Sc 115
Granja (Pg) 103 Se 114
Granja (VC) 32 Rd 96
Granja (Por) 50 Rc 102
Granja (VR) 51 Sc 98
Granja (Ba) 52 Ta 102
Granja (Ba) 53 Td 99
Granja (Ba) 53 Tc 100
Granja (VR) 52 Sd 100
Granja (VR) 52 Sd 101
Granja (Vi) 69 Sd 102
Granja (Vi) 68 Sa 103
Granja (Gu) 69 Se 104
Granja (Gu) 70 Sf 105
Granja (Co) 82 Rc 108
Granja (Co) 83 Rd 107
Granja de Ança (Co) 82 Rc 107 ✉3060-070
Granja de Baixo (Av) 67 Rc 105 ✉*3810-818
Granja de Cima (Av) 67 Rc 105 ✉3810-811
Granja do Tedo (Vi) 51 Sc 102 ✉*5120-161
Granjal (Vi) 69 Sc 103 ✉*3440-502
Granja Nova (VR) 51 Sb 99
Granja Nova (Vi) 51 Sb 102 ✉*3610-042
Granjinha (Vi) 52 Sc 102 ✉*3620-503
Grau (Le) 82 Ra 109
Gravaca (Gu) 69 Sc 104
Gravaz (Vi) 51 Sb 102
Gravelos (VR) 51 Sb 100 ✉5000-027
Gregórios (Fa) 145 Rd 125 ✉8300-030
Gregórios (Be) 131 Rf 122
Gregos (Ba) 53 Tc 100 ✉5200-382
Grijó (Por) 51 Rf 101
Grijó de Parada (Ba) 53 Tb 98 ✉5300-582
Grijó de Vale Benfeito (Ba) 52 Ta 100 ✉5340-152
Grilo (Por) 51 Rf 102 ✉*4630-684
Grimancelos (Br) 50 Rc 100
Grocinas (Co) 83 Rd 109 ✉3230-020
Grou (Év) 116 Rd 117
Grovas (VC) 32 Rb 98
Grovelas (Br) 32 Rd 98
☆Grutas (Aç) 168 Te 111
Guadalupe (Aç) 168 Wf 114 ✉9880-021
≈Guadiana, Rio 132 Sc 119
Guadramil (Ba) 35 Tc 97 ✉5300-822
Gualtar (Br) 50 Rd 99
Gualtar (Av) 67 Rc 103
Guarda (Gu) 69 Se 105
Guarda (Le) 82 Rd 109 ✉*3240-671
Guarda do Norte (Le) 82 Ra 109
Guarda-Gare (Gu) 69 Se 105
Guardão (Vi) 68 Rf 105
Guardizela (Br) 50 Rd 100 ✉*4765-401
Guedelhas (Be) 145 Sa 124
Guedelhinhas (Be) 145 Rf 123
Guedieiros (Vi) 69 Sc 102 ✉*5120-350
Guena (Fa) 144 Rb 125 ✉8550-137
Gueral (Br) 50 Rc 100 ✉*4755-251
Guerreiro (Be) 131 Sa 122
Guerreiros do Rio (Fa) 146 Sd 124 ✉8970-025

Guia (Fa) 145 Re 126
Guia (Le) 82 Rb 109 ✉*3105-071
Guiães (VR) 51 Sc 101 ✉5000-1
≈Guide, Rio de 52 Sf 98
Guidões (Por) 50 Rc 101
Guilhabreu (Por) 50 Rc 101 ✉*4485-001
Guilhadeses (VC) 32 Rc 97
Guilhado (VR) 51 Sc 100 ✉5450-080
Guilhafonso (Gu) 69 Se 105
Guilheiro (Gu) 69 Sd 103 ✉3640-700
Guilhofrei (Br) 51 Rf 99 ✉4850-1
≈Guilhofrei, Barragem de 51 Rf 9
Guilhufe (Por) 50 Re 101 ✉4560-144
Guimarães (Br) 50 Re 100 ✉*4800-001
Guimarei (Por) 50 Rd 101 ✉*4600-591
Guimil (VC) 32 Rd 96 ✉4950-207
▲Guincho, Praia do 115 Qd 116
Guisande (Br) 50 Rd 100
Guisande (Av) 68 Rd 103 ✉*4525-310
▲Guizo Grande 132 Sc 122
Gulpilhares (Por) 50 Rc 102
Gumiei (Vi) 68 Sa 104 ✉3515-789

H

▲Hangares, Praia do 145 Sa 127
Herdade (CB) 83 Sb 109
Herdade da Mitra (Év) 117 Rf 117 ✉7000-083
Herdade da Negrita (Be) 132 Se 120 ✉7875-101
Herdade de Santa Maria (Be) 131 Sb 123 ✉7750-503
Herdadinha (Év) 117 Sc 118
Hombres (Co) 83 Re 107 ✉3360-249
≈Homem, Rio 32 Re 98
Horta (Aç) 168 Wc 117
Horta (Gu) 52 Se 102
Horta da Quinta (Év) 117 Sa 118
Horta da Vilariça (Ba) 52 Sf 101 ✉5160-101
Hortas de Baixo (Pg) 103 Sf 114 ✉7340-111
Hortas de Cima (Pg) 103 Se 113 ✉7340-113
Hortas do Tabual (Fa) 144 Ra 126 ✉8650-281
Hortinhas (Év) 118 Sd 117 ✉7250-069

I

☆Ibne Ammar, Grutas de 144 Rc 126
≈Idanha, Barragem da 84 Se 109
Idanha-a-Nova (CB) 84 Se 109 ✉*6060-100
Idanha-a-Velha (CB) 85 Sf 109 ✉6060-041
Ifanes (Ba) 53 Te 99 ✉*5210-101
Igarei (Vi) 68 Rf 104 ✉3670-172
Igreja (Fa) 144 Rb 125
☆Igreja d. S. Sebastiao (Aç) 170 Zb 122
☆Igreja da Senhora della Ajuda (Aç) 168 Xa 114
Igreja Nova (Li) 100 Qe 115 ✉*2640-300
Igreja Nova (Br) 50 Rc 99
Igreja Nova do Sobral (Sa) 83 Re 110
Igrejinha (Év) 117 Sa 116
Ilha (Ma) 167 C 2
▲Ilha, Ponta da (Aç) 169 Wf 118
▲Ilha de Tavira, Praia de 146 Sc 126
Ílhavo (Av) 67 Rb 105 ✉*3830-024
Infantado (Sa) 116 Rb 115
Infantas (Br) 50 Re 100 ✉*4810-574
☆Inferno, Boca do 115 Qd 116
▲Inferno, Caldeirão do (Ma) 167 C 2
☆Inferno, Poço do 69 Sc 106
Infesta (VC) 32 Rc 97
Infesta (Br) 51 Rf 100
Infias (Br) 50 Re 100
Ingilde (Por) 51 Rf 102 ✉4640-175
▲Ingrina, Praia do 144 Ra 126
Inguias (CB) 84 Se 107 ✉*6250-162
Insalde (VC) 32 Rc 97
Ínsua (Vi) 69 Sb 105
Ínsuas da Ponte (CB) 84 Sd 107
Irijó (Av) 68 Re 104 ✉*3730-104
Irvio (Por) 50 Re 101
Isna (CB) 83 Sa 109 ✉6160-152
Izeda (Ba) 53 Tb 99 ✉*5300-591

nprestes (Sa) 83 Rd 110
✉ 2240-300
arde (Av) 68 Rf 103 ✉ 4540-402
ardo (Av) 68 Rd 104
ardo (Le) 82 Rb 110
✉ *2415-366
as (Li) 115 Qd 116 ✉ *2710-007
eiro de Baixo (Co) 84 Sb 108
✉ 3320-105
eiro de Cima (CB) 84 Sb 108
✉ *6185-102
anela, Ribeira da (Ma) 166 B 2
ardim Botanico (Ma) 167 C 3
dim da Serra (Ma) 166 C 2
✉ *9325-120
dim do Mar (Ma) 166 A 2
do (Gu) 70 Ta 105 ✉ 6355-151
dos (Fa) 146 Sb 124 ✉ 8970-336
melo (Gu) 70 Sf 105
vali (Fa) 145 Sa 125 ✉ 8150-040
zente (Por) 51 Rf 101
Jerónimos, Mosteiro dos
115 Qe 116
sufrei (Br) 50 Rc 100 ✉ 4770-160
ane (Br) 50 Rd 100 ✉ *4770-201
ão Andrês (Fa) 145 Re 125
ão Antão (Gu) 69 Se 106
✉ 6300-066
João de Arens, Praia do
144 Rc 126
João do Prado (Ma) 167 C 2
ão Frino (Ma) 167 D 2
ão Galego (Pg) 102 Rf 114
✉ 7480-057
João Gomes, Ribeira de (Ma)
167 C 3
ão Serra (Be) 131 Sa 122
✉ 7750-032
João Vaz, Praia do 144 Ra 126
ios (Fa) 145 Rd 124 ✉ 8375-210
da (VC) 32 Rc 98
rja (Sa) 82 Rc 110
rjais (VR) 51 Sc 100
rjais (VR) 51 Sb 101
u (VR) 52 Sd 100 ✉ 5090-076
vim (Por) 50 Rc 102 ✉ *4510-001
Judas, Eira de 117 Sa 115
ens (Vi) 68 Re 105
gueiros (Por) 51 Re 100
✉ *4575-405
guelhe (Br) 51 Sa 99 ✉ 4860-426
izo (Gu) 70 Sf 103 ✉ 6400-145
nça (Gu) 70 Ta 104 ✉ 6350-072
ncais (Gu) 69 Sc 105
✉ *6370-332
ncal (Sa) 101 Rd 114
✉ *2100-627
ncal (Por) 50 Rc 102
ncal (Le) 82 Ra 111 ✉ *2480-065
Juncal, Fonte do (Ma) 166 B 2
ncal do Campo (CB) 84 Sc 109
✉ 6000-541
nceira (Év) 117 Sb 116
nceira (Sa) 101 Rd 111
✉ *2300-024
nco (Sa) 101 Rd 113
✉ *2100-300
nqueira (Fa) 146 Sd 125
nqueira (Ma) 167 D 2
nqueira (Por) 50 Rb 100
nqueira (Ba) 52 Sf 101
nqueira (Ba) 53 Tc 100
nqueira (Av) 68 Re 104
nqueiro (VR) 52 Sd 99
nqueiros (Be) 131 Re 121
romenha (Év) 118 Se 116
✉ 7250-242
sã (Av) 67 Rc 103
stes (VR) 51 Sc 100 ✉ *5000-121

abiados (Ba) 35 Tc 97 ✉ 5300-422
aborato (Fa) 146 Sb 124
✉ 8970-208
≈ Laboreiro, Rio 33 Re 97
aborela (Be) 131 Rd 122
aborino (Co) 83 Re 107
aboucinho (Vi) 68 Rf 103
abruge (Por) 50 Rb 101
✉ *4485-293
abrugeira (Li) 100 Qf 114
abruja (Sa) 101 Rd 112
abruja (VC) 32 Rc 97 ✉ 4990-655
abrujó (VC) 32 Rc 97 ✉ 4990-660
aceiras (VC) 32 Rd 97
aceiras (Vi) 68 Sa 106
✉ *3430-690
adares (VR) 51 Sc 101
adeira (Fa) 144 Rc 125
adeira (Be) 131 Rd 123
adeira (CB) 83 Rf 110
adeira (CB) 84 Sb 110
adeira de Cima (Fa) 144 Rc 124
✉ 8550-299
adoeira (CB) 84 Se 110

Ladoeiro (CB) 84 Se 110
✉ *6060-201
Ladrugães (VR) 33 Sa 98
✉ 5470-392
Lagarelhos (Ba) 34 Sf 97
✉ 5320-242
Lagarelhos (VR) 52 Sd 99
Lagares (Por) 50 Re 100
Lagares (Por) 50 Rd 102
Lagares (Co) 68 Sa 106
Lagarinhos (Gu) 69 Sb 106
✉ 6290-091
Lagarteira (Se) 130 Rc 122
Lagarteira (Le) 83 Rd 109
Lage da Prata (Pg) 102 Sb 112
Lago (Br) 50 Rd 99
Lagoa (Fa) 146 Sd 125
▲ Lagoa 146 Sb 124
Lagoa (Fa) 144 Rd 126
Lagoa (Be) 131 Rf 121
Lagoa (Aç) 170 Zc 122
Lagoa (Li) 100 Qd 114
Lagoa (Br) 51 Rf 99
Lagoa (Ba) 53 Tb 100
Lagoa (Av) 67 Rb 106
Lagoa (CB) 83 Rf 110
Lagoa (Sa) 83 Rd 110 ✉ *2240-121
Lagoaça (Ba) 53 Tb 101
✉ *5180-201
▲ Lagoaça 53 Tb 101
Lagoa do Cão (Le) 101 Ra 111
✉ 2460-613
Lagoa do Soeiro de Cima (Be)
145 Rf 123
Lagoa Negra (Por) 50 Rb 100
Lagoa Ruiva (Le) 101 Rb 111
✉ 2495-024
Lagoãs (VR) 52 Se 99
Lagoas (Co) 67 Rc 106
✉ *3030-881
≈ Lagoa Verde (Aç) 170 Zb 121
Lago Bom (VR) 51 Sc 99
✉ 5450-134
▲ Lagoinhas, Ilhéu das (Aç)
170 Zf 126
Lagomar (Ba) 35 Tb 98 ✉ 5300-514
Lagos (Fa) 145 Sa 126
Lagos (Fa) 144 Rc 126
≈ Lagos, Baía de 144 Rc 126
Lagos da Beira (Co) 69 Sb 106
✉ *3405-254
▲ Lagosteiros, Ponta dos
115 Ra 118
▲ Lagosteiros, Praia dos
115 Qe 118
Lagou do Calvo (Se) 116 Rb 116
Laje (VC) 32 Ra 98
Laje (Br) 50 Rd 99
Lajedo (Aç) 168 Te 112
Lajeosa (Vi) 68 Sa 105 ✉ 3460-153
Lajeosa (Co) 68 Sa 106
✉ *3405-301
Lajeosa (Gu) 85 Tb 106
Lajeosa do Mondego (Gu)
69 Sd 105 ✉ *6360-492
Lajes (Be) 145 Re 123
Lajes (Fa) 145 Sb 125
Lajes (Aç) 168 Tf 112
Lajes (Aç) 169 Xf 116
Lajes (Év) 117 Sb 117
Lajes (Gu) 69 Sb 106
Lajes do Pico (Aç) 169 We 118
✉ *9930-121
Lajnha (Se) 130 Rc 122
Lalim (Vi) 51 Sb 102 ✉ 5100-550
Lama (Por) 50 Rd 100 ✉ *4575-029
Lama (Br) 50 Rc 99 ✉ *4720-572
Lamaçais (CB) 84 Sd 107
Lamaceiros (Ma) 166 A 1
Lamaceiros (Ma) 167 C 2
Lama Chã (VR) 33 Sb 98
Lama de Arcos (VR) 34 Sd 98
✉ 5400-636
Lamalonga (Ba) 52 Sf 98
Lamares (VR) 51 Sc 101
✉ 5000-132
Lamarosa (Co) 82 Rc 107
✉ *3025-385
≈ Lamarosa, Ribeira da 101 Rc 114
Lamas (Li) 100 Qf 113 ✉ *2550-366
Lamas (VR) 33 Sa 98
Lamas (VR) 51 Sb 100
Lamas (Vi) 68 Sa 104 ✉ *3560-049
Lamas (Co) 83 Rd 108
Lamas de Ferreira (Vi) 69 Sb 104
Lamas de Mouro (VC) 33 Re 96
Lamas de Olo (VR) 51 Sb 100
✉ 5000-142
Lamas de Orelhão (Ba) 52 Se 100
✉ 5370-152
Lamas de Podence (Ba) 52 Ta 99
Lamas do Vouga (Av) 67 Rd 105
Lamedo (Br) 51 Rf 99 ✉ 4850-295
Lamegal (Gu) 70 Sf 105
✉ 6400-232
Lamego (Vi) 51 Sb 102
▲ Lameira 131 Re 120
Lameira (Br) 51 Rf 100
Lameira (Le) 83 Re 109
✉ *2425-693

Lameira do Martins (CB)
102 Sa 111
Lameiras (Gu) 69 Se 106
Lameiras (Co) 68 Sa 106
Lameiras (Gu) 70 Sf 104
Lameiras (Le) 82 Rb 109
✉ *2420-119
Lameiros (Ma) 166 B 2
Lamelas (Por) 50 Rd 101
✉ *4575-491
Lamosa (Vi) 69 Sc 103
✉ *3640-140
Lamoso (Por) 50 Rd 101
✉ *4560-071
Lamoso (Ba) 53 Tc 101
Lampaça (VR) 34 Se 98
Lampreia (Sa) 102 Rf 112
✉ 2205-135
Lancada (Se) 115 Ra 116
▲ Lançadoiras 131 Rf 123
Lanção (Ba) 53 Ta 98 ✉ 5300-902
Lanco (Ma) 166 B 2
Landal (Le) 100 Qf 113
✉ *2500-530
Landedo (Ba) 34 Sf 97 ✉ 5320-084
Landeira (Év) 116 Rc 117
✉ *2965-401
Landeira (Vi) 68 Rf 104
✉ *3660-248
Landim (Br) 50 Rd 100
✉ *4770-300
Lanhas (Br) 50 Rd 99
Lanhelas (VC) 32 Rb 97
✉ 4910-202
Lanheses (VC) 32 Rc 98
Lanhoso (Br) 50 Re 99
Lapa (Sa) 101 Ra 114 ✉ *2070-352
Lapa (VC) 32 Rd 96
Lapa (Co) 67 Rc 106
Lapa (Gu) 69 Sb 106
Lapa (Vi) 69 Sc 103
▲ Lapa, Serra da 69 Sc 103
Lapa do Lobo (Vi) 68 Sa 106
✉ *3525-601
Lapa dos Dinheiros (Gu) 69 Sb 106
✉ 6270-651
Lapas (Sa) 101 Rc 112
✉ *2350-085
Lapeiras (Ma) 167
Lapela (VR) 33 Sa 98 ✉ 5470-019
Lapela (VC) 32 Rc 96
Lapela (Br) 51 Rf 99 ✉ 4860-140
Lapinhas (Ma) 166 C 2
Lara (VC) 32 Rc 96
Laranjal (Ma) 166 C 2
▲ Laranjeira 117 Sa 116
Laranjeira (Av) 67 Rc 103
Laranjeiras (Fa) 146 Sd 124
Laranjeiro (Fa) 145 Sb 126
✉ *8005-498
Larçã (Co) 83 Rd 107 ✉ 3020-522
Lardosa (CB) 84 Sd 109
✉ *6005-193
Lares (Co) 82 Rb 108 ✉ 3090-648
Larinho (Ba) 52 Sf 101
✉ *5160-001
▲ Larouco, Serra do 33 Sb 97
Latadas (Se) 116 Rc 116
✉ 2100-001
Lau (Se) 116 Rb 117 ✉ *2950-065
Laundos (Por) 50 Rb 100
Lavacolhos (CB) 84 Sc 108
✉ 6230-500
Lavadores (Por) 50 Rb 102
✉ *4415-140
Lavandeira (Ba) 52 Se 101
Lavandeira (Av) 67 Rd 105
Lave (Sa) 116 Rc 116
Lavegadas (Co) 83 Re 107
Lavegadas (Le) 82 Rb 109
✉ 2425-614
Lavos (Co) 82 Rb 108
Lavra (Por) 50 Rb 101 ✉ *4455-001
Lavradas (VC) 32 Rd 98
Lavradas (VR) 51 Sb 98
✉ 5460-135
Lavradio (Se) 115 Qf 116
Lavre (Év) 116 Rd 116 ✉ 7050-467
≈ Lavre, Ribeira de 116 Rc 116
Lazarim (Vi) 51 Sa 102
Lázaro (Av) 68 Rd 103 ✉ 4540-580
Lebre (Be) 132 Sd 121
Lebução (VR) 34 Se 98
✉ *5430-149
≈ Leça, Rio 50 Rc 101
Leça da Palmeira (Por) 50 Rb 101
Leça do Bailio (Por) 50 Rc 101
▲ Légua 132 Sb 122
Légua (Por) 51 Rf 101 ✉ 4635-605
Leião (Li) 115 Qe 116 ✉ *2740-004
Leiradas (Br) 51 Sa 99 ✉ 4860-427
Leirados (Vi) 68 Rf 103 ✉ 3660-618
▲ Leiranco, Serra de 33 Sc 98
Leiria (Le) 82 Rb 110 ✉ *2400-013
▲ Leiria, Pinhal de 82 Ra 110
Leirós (VR) 51 Sc 100
Leirosa (Co) 82 Ra 108
Leitoa (CB) 84 Se 107
Leitões (Br) 50 Rd 100
Leitões (Co) 67 Rb 106

Lemede (Co) 67 Rc 107
✉ 3060-211
Lemenhe (Br) 50 Rc 100
✉ *4775-400
☆ Lemos, Palácio 82 Rc 108
Lendiosa (Av) 67 Rd 106
✉ 3050-181
Lente (Por) 50 Rb 101
Lentiscais (Fa) 145 Re 125
✉ 8200-483
Lentisqueira (Co) 67 Rb 106
✉ *3070-231
▲ Leomil 69 Sc 103
Leomil (Gu) 70 Ta 105 ✉ 6350-081
▲ Leomil, Serra de 69 Sc 103
≈ Levada Nova (Ma) 167 D 2
Levadas (Ma) 167 D 3
Lever (Por) 50 Rd 102 ✉ *4415-402
Levira (Av) 67 Rc 106 ✉ *3780-174
Liceia (Co) 82 Rb 107 ✉ 3140-146
Ligares (Ba) 52 Ta 102 ✉ 5180-301
Lijó (Br) 50 Rc 99 ✉ 4845-010
Lilela (VR) 52 Se 99 ✉ 5430-201
≈ Lima, Rio 32 Rb 98
Limãos (Ba) 53 Ta 99 ✉ 5340-400
Limãos (VR) 52 Sd 98 ✉ 5400-752
Limões (VR) 51 Sb 100
Linda-a-Pastora (Li) 115 Qe 116
✉ *2790-319
Linda-a-Velha (Li) 115 Qe 116
Lindoso (VC) 33 Re 97
Linhaceira (Sa) 101 Rd 111
✉ 2305-114
≈ Linhais, Ribeira de 102 Sc 113
Linhares (Be) 131 Sa 121
Linhares (VC) 32 Rc 97
Linhares (VR) 51 Sc 100
Linhares (Ba) 52 Sd 101
Linhares (Gu) 69 Sd 105
Linhó (Li) 115 Qd 116 ✉ *2710-001
≈ Lis, Rio 82 Ra 109
Lisboa (Li) 115 Qf 116 ✉ *1000-001
Lisga (CB) 83 Sa 109 ✉ 6000-691
≈ Lisga, Ribeira de 84 Sb 109
Liteiros (Sa) 101 Rc 112
✉ *2350-487
▲ Litoral, Duna 82 Ra 109
▲ Litoral 82 Rb 109
Livramento (Aç) 170 Zc 122
✉ *9500-601
Lixa (Por) 51 Rf 101
Lixa de Alvão (VR) 51 Sb 99
Lobão (Av) 50 Rd 103 ✉ *4505-422
Lobão da Beira (Vi) 68 Rf 105
Lobata (Be) 132 Sc 121
Lobatos (Co) 83 Sa 108
✉ *3320-168
Lobelhe do Mato (Vi) 69 Sa 105
✉ 3530-090
☆ Lobishomen, Cova de 68 Rf 104
▲ Lobos, Vale de 130 Rd 122
Lobrigos (VR) 51 Sb 101
Lodares (Por) 50 Re 101
✉ 4620-210
Lodeiro (Por) 50 Rd 102
Lodões (Ba) 52 Sf 101
☆ Loios, Quinta dos 117 Sa 116
Loivo (VC) 32 Rb 97 ✉ 4920-070
Loivos (VR) 33 Sa 98
Loivos (Por) 51 Sa 101
Loivos (VR) 52 Sc 99
Loivos da Ribeira (Por) 51 Sa 102
✉ 4640-344
Lomar (Br) 50 Rd 99
Lomba (Aç) 168 Tf 112
Lomba (Por) 50 Rd 102
Lomba (Por) 51 Rf 101
Lomba (Av) 67 Rb 105
Lomba (Av) 68 Re 104
Lomba (Gu) 70 Sf 106
Lomba Chão (CB) 84 Sc 110
Lombada (Ma) 166 B 2
Lombada dos Marinheiros (Ma)
166 A 2 ✉ 9370-307
Lomba da Fazenda (Aç) 170 Zf 121
✉ *9630-100
Lomba da Maia (Aç) 170 Zd 122
✉ *9625-111
Lombada Velha (Ma) 166 A 2
✉ 9385-050
Lombadinha (Ma) 166 C 2
✉ *9100-064
Lombador (Be) 131 Sa 123
✉ 7780-403
Lombardos (Be) 146 Sc 123
✉ 7750-314
Lombega (Aç) 168 Wb 117
Lombo (Ma) 166 B 2
Lombo (Ba) 53 Ta 100 ✉ 5340-190
Lombo (Co) 83 Re 108
Lombo da Estrela (Ma) 166 A 2
Lombo das Laranjeiras (Ma) 166 A 2
✉ 9370-119
Lombo de Baixo (Ma) 167 C 2
✉ 9230-056
Lombo de Cima (Ma) 167 C 2
✉ 9230-057
Lombo de São Jaão (Ma) 166 B 2
Lombo do Brasil (Ma) 166 B 2
✉ 9370-120

Lombo do Doutor (Ma) 166 B 2
✉ 9370-121
Lombo Galego (Ma) 167 C 2
Lombomeão (Av) 67 Rb 105
Lombos (Fa) 144 Rd 126
Lomeiro (Co) 68 Rd 107
≈ Lompreia, Ribeira da 146 Sb 123
Longa (Vi) 51 Sc 102 ✉ *5120-221
Longomel (Pg) 102 Sa 112
✉ 7400-454
Longos (Br) 50 Rd 99 ✉ *4805-192
Longos Vales (VC) 32 Rd 96
Longra (CB) 83 Sa 109
Longroiva (Gu) 69 Se 103
✉ 6430-071
Lordelo (VC) 32 Rd 96
Lordelo (VC) 32 Rc 96
Lordelo (Br) 50 Rd 100
Lordelo (Por) 50 Rd 101
Lordelo (Por) 51 Rf 102
Lordelo (VR) 51 Sb 101
Lordosa (Vi) 68 Sa 104
Loreto (Ma) 166 B 2 ✉ 9370-032
Loriga (Gu) 84 Sb 107 ✉ *6270-072
Lorvão (Co) 83 Re 107 ✉ 3360-106
Lotão (Fa) 146 Sb 124 ✉ 8970-209
▲ Louções 103 Se 114
Loulé (Fa) 145 Rf 126 ✉ *8100-221
☆ Loulé Velho 145 Rf 126
Loural (Ma) 166 B 2
Loureda (VC) 32 Rd 97
Louredo (VR) 51 Sb 101
Louredo (Av) 50 Rd 103
✉ *3050-209
Louredo (Br) 50 Re 99
Louredo (Br) 51 Rf 98
Louredo (Por) 50 Re 101
Louredo (Por) 51 Rf 101
≈ Louredo, Rio 51 Sb 100
Loureira (Br) 50 Rd 99
Loureira (Le) 82 Rb 111
Loureira (Le) 83 Rd 110
Loureiro (VR) 51 Sb 101
Loureiro (Av) 67 Rc 104
Loureiro (Co) 83 Rd 108
✉ *3040-787
Loureiro de Silgueiros (Vi)
68 Sa 105
Lourel (Li) 115 Qd 116 ✉ *2710-009
Loures (Li) 115 Qf 115 ✉ *2670-012
≈ Louriçais, Ribeira de 131 Rf 121
Louriçal (Le) 82 Rb 108
✉ *3105-165
Louriçal do Campo (CB) 84 Sc 108
✉ *6005-210
Louriceira (Sa) 102 Rf 111
Louriceira (Sa) 101 Rc 112
Louriceira (Le) 83 Rf 109
✉ *2500-364
Lourido (VC) 32 Re 98
Lourinhã (Li) 100 Qe 113
✉ *2530-089
Lourinhal (Co) 68 Re 106
✉ *3360-021
Louro (Br) 50 Rc 100 ✉ *4760-530
Lourosa (Av) 50 Rc 103
Lourosa (Co) 83 Sa 107
✉ *3400-404
Lourosa da Trapa (Vi) 68 Rf 104
Lourosa de Matos (Av) 68 Re 103
✉ 4540-649
Lousa (CB) 102 Rf 111
Lousa (Li) 100 Qe 115 ✉ *2670-742
Lousa (Ba) 52 Se 102
Lousã (Co) 83 Re 108
Lousa (CB) 84 Sd 109
▲ Lousã, Serra da 83 Re 108
Lousada (Por) 50 Re 101
✉ *4620-009
Lousado (Br) 50 Rc 100
Louseira (Be) 131 Sa 122
Louseira (Se) 116 Rd 119
Louzeira (Fa) 144 Rb 126
Lovelhe (VC) 32 Rb 97
✉ *4920-075
≈ Lucefecit, Barragem de
118 Sd 117
≈ Lucefecit, Ribeira de 118 Sd 117
Ludo (Fa) 145 Rf 126 ✉ 8135-021
Lufrei (Por) 51 Rf 101
Lugar da Serra (Ma) 166 B 2
✉ 9350-408
Lugar do Meio (VC) 32 Ra 98
Lumiar (Le) 83 Rd 110 ✉ 3250-325
Lumiares (Vi) 51 Sc 102
✉ 5110-617
≈ Lupe, Ribeira de 102 Sc 114
Lusinde (Vi) 69 Sb 104 ✉ 3550-182
Luso (Av) 68 Rd 106 ✉ *3050-221
Lustosa (Por) 50 Re 100
Lustosa (Vi) 68 Sa 104
✉ *3515-791
Luz (Fa) 146 Sb 126
Luz (Fa) 144 Rb 126
Luz (Év) 118 Sd 118
Luz (Aç) 168 Xa 114 ✉ *9880-120
▲ Luz, Praia do 144 Rb 126
Luzianes (Be) 130 Rd 123
✉ 7665-891
Luzim (Por) 50 Re 102

M

Maçainhas (CB) 69 Se 106
✉ *6250-171
Maçainhas de Baixo (Gu) 69 Se 105
✉ 6300-126
Maçal da Ribeira (Gu) 69 Se 104
✉ 6420-792
Maçal do Chão (Gu) 69 Se 104
✉ 6360-090
Mação (Sa) 102 Sa 111
✉ *6120-720
Macarea (Le) 100 Qf 111
Maçarotal (Fa) 144 Rc 125
✉ 8550-302
Maçãs (Ba) 34 Ta 97
≈ Maçãs, Rio 35 Tc 98
Maçãs de Caminho (Le) 83 Rd 109
Maçãs de Dona Maria (Le) 83 Re 109
Maceda (Av) 67 Rc 103
✉ 3885-701
Maceira (Se) 116 Rd 119
Maceira (Li) 115 Qe 115
✉ *2560-070
Maceira (Ba) 34 Sf 98
Maceira (Gu) 69 Sd 104
Maceira (Le) 82 Ra 110
✉ *2405-018
Maceirinha (Le) 82 Ra 111
✉ *2405-026
Machados (Fa) 145 Sa 126
Machados (Be) 132 Sd 120
Machede (Év) 117 Sb 117
Macheira (Fa) 145 Rd 124
✉ 8100-027
Machico (Ma) 167 D 2 ✉ *9200-084
≈ Machico, Ribeira de (Ma) 167 D 2
Machio (Co) 83 Rf 108
Machuqueira do Grou (Sa) 101 Rd 114
Macieira (VR) 51 Sb 100
Macieira (Vi) 68 Rf 103
Macieira (Vi) 69 Sd 103
Macieira (CB) 83 Rf 109
Macieira da Lixa (Por) 51 Rf 100
Macieira da Maia (Por) 50 Rc 100
✉ *4485-051
Macieira de Alcoba (Av) 68 Re 105
✉ 3750-561
Macieira de Cambra (Av) 68 Rd 103
✉ *3730-220
Macieira de Rates (Br) 50 Rc 100
✉ *4755-260
Macieira de Sarnes (Av) 68 Rd 103
Macinhata de Seixa (Av) 68 Rd 104
Maçinhata do Vouga (Av) 67 Rd 105
Maçores (Ba) 52 Ta 102
✉ 5160-141
Maços (VR) 52 Sd 98 ✉ 5400-651
Maçussa (Li) 101 Ra 113
✉ *2065-601
Madail (Av) 67 Rc 104
Madalena (Aç) 168 Wc 117
Madalena (Sa) 101 Rd 111
✉ *2305-425
Madalena (VC) 32 Rc 98
Madalena (Por) 50 Re 101
Madalena (Por) 50 Rc 102
Madalena (Por) 51 Rf 101
Madalena (Gu) 70 Sf 103
Madalena do Mar (Ma) 166 B 2
▲ Madeira (Ma) 167 C 2
Madeirã (CB) 83 Rf 109
✉ *6160-206
▲ Madeira, Arquipélago da (Ma) 166 B 1
▲ Madeira, Parque Natural da (Ma) 166 A 2
Madeiras (Fa) 146 Sb 124
✉ 8970-337
Madeiras (Sa) 101 Rd 112
✉ *2260-094
Madorra (VC) 32 Rb 98
✉ *4905-278
▲ Madrugada, Ponta da (Aç) 170 Zf 122
Mafra (Li) 100 Qe 115 ✉ *2640-389
Mafrade (Fa) 146 Sb 124
Magalhã (VR) 51 Sc 101
✉ *5000-013
Maganha (Por) 50 Rc 101
✉ *4785-520
Magoito (Fa) 146 Sc 125
✉ 8950-332
Magoito (Li) 115 Qd 115
✉ *2705-542
▲ Magoito, Praia de 115 Qd 115
≈ Magos, Barragem de 101 Rb 115
Magros (Be) 131 Sa 121
Mahada de Serra (Co) 83 Rf 108

Maia (Aç) 170 Zf 127
Maia (Aç) 170 Zd 122
Maia (Por) 50 Rc 101
Maiorca (Co) 82 Rb 108
✉ 3090-476
Maiorga (Le) 100 Ra 111
✉ *2460-531
Mairos (VR) 34 Sd 98 ✉ 5400-640
Mala (Av) 67 Rd 105 ✉ 3050-182
Malaqueijo (Sa) 101 Rb 113
✉ 2040-535
Malarranha (Év) 117 Sa 115
✉ 7490-406
Malbusca (Aç) 170 Zf 127
✉ 9580-229
Malcata (Gu) 85 Sf 107 ✉ 6320-181
▲ Malcata, Serra da 85 Ta 107
Malhada (Br) 131 Sb 122
Malhada (Ma) 166 C 2
Malhada (Sa) 101 Rb 114
Malhada (Vi) 69 Sb 103
✉ *3600-429
Malhada (Co) 83 Sa 108
✉ *3330-074
Malhada de Santa Maria (Fa) 146 Sc 125
Malhada de Santa Maria (Fa) 145 Sb 125
Malhada do Cervo (CB) 84 Sc 109
✉ 6000-694
Malhada do Judeu (Fa) 145 Sb 125
✉ 8800-166
Malhada do Peres (Fa) 146 Sc 125
Malhada do Rei (Co) 83 Sa 108
✉ 3320-363
Malhada do Rico (Fa) 146 Sb 125
Malhadal (CB) 83 Sa 110
✉ 6150-342
Malhadas (Ba) 53 Te 99
Malhada Sorda (Gu) 70 Ta 105
✉ 6355-080
Malhão (Ma) 166 Sb 126
▲ Malhão 145 Re 124
Malhão (Fa) 144 Rb 125
Malhão (Fa) 145 Rf 125
Malhão (Fa) 145 Rd 125
Malhão (Be) 130 Rc 122
✉ *7630-382
▲ Malhão, Cumeada do 145 Sa 124
Malhãpao (Vi) 68 Re 105
Malho Pão (Gu) 84 Sb 106
Malhos (Le) 82 Rb 109 ✉ 3100-348
Malhou (Sa) 101 Rb 112
✉ *2380-502
Maljoga (CB) 83 Rf 110
✉ 6100-873
Malpartida (Gu) 70 Ta 104
Malpica do Tejo (CB) 84 Sd 110
✉ 6000-560
Malseira (Ma) 166 A 2
Malta (Por) 50 Rc 101 ✉ *4485-431
Malta (Ba) 52 Ta 100 ✉ *5340-371
Malta (Gu) 70 Sf 104
Malveira (Li) 100 Qe 115
✉ *2665-185
Malveira de Serra (Li) 115 Qd 116
Mamarrosa (Av) 67 Rc 106
✉ 3770-033
Mamodeiro (Av) 67 Rc 105
✉ *3810-731
Mamouros (Vi) 68 Sa 103
✉ 3600-394
Manadas (Aç) 169 Wf 117
✉ *9800-022
Mancelos (Por) 51 Rf 101
Mangide (Gu) 70 Ta 104
✉ 6400-272
Mangualde (Vi) 69 Sb 105
✉ *3530-092
Mangualde da Serra (Gu) 69 Sc 106
✉ 6290-111
Manhanhas (Aç) 169 Wf 118
Manhente (Br) 50 Rc 99
Manhoso (Se) 115 Sa 117
Manhouce (Vi) 68 Re 104
✉ 3660-144
Manhufe (Por) 51 Rf 101
✉ 4605-133
Manhuncelos (Por) 51 Rf 102
✉ 4630-168
Manigoto (Gu) 70 Sf 104
✉ 6400-251
Manique de Cima (Li) 115 Qd 116
✉ *2710-036
Manique do Intendente (Li) 101 Ra 113 ✉ *2065-315
✪ Ma Noite 145 Sb 123
Mansores (Av) 68 Rd 103
▲ Manta Rota, Praia da 146 Sc 126
Manteigas (Gu) 69 Sc 106
✉ *6260-014
✪ Manteigas, Caldas de 69 Sc 106
Manuel Galo (Be) 145 Sb 123
✉ 7750-614
Maqueija (Vi) 51 Sa 102
Mar (Br) 50 Rb 99
Maragota (Fa) 145 Sb 126
✉ 8700-078
Maranhão (Pg) 102 Sa 114
✉ *7480-373

≈ Maranhão, Barragem de 102 Sa 114
▲ Marão, Serra do 51 Sa 101
Marateca (Fa) 144 Rb 126
Marateca (Se) 116 Rb 117
≈ Marateca, Ribeira de 116 Rc 117
Maravilha (Be) 131 Rd 123
Marco (Fa) 146 Sb 126
Marco (Av) 67 Rc 105
Marco de Canaveses (Por) 51 Rf 101 ✉ *4630-084
Mareco (VC) 33 Rf 97
Mareco (Gu) 69 Sc 105
Marecos (Por) 50 Re 101
▲ Mareta, Praia da 144 Ra 127
Margaleas (Be) 132 Sc 121
Margem (Pg) 102 Rf 114
Margem (Pg) 102 Sa 112
▲ Maria Luísa, Praia da 145 Re 126
Marialva (Gu) 69 Se 103
✉ *6430-081
Marianaia (Sa) 101 Rd 111
✉ 2300-178
Maria Vinagre (Fa) 144 Rb 124
✉ 8670-430
Marim (Fa) 146 Sc 124 ✉ 8970-105
Marinha (Av) 67 Rc 103
▲ Marinha, Praia do 144 Rd 126
Marinha da Carpalhosa (Le) 82 Rb 109
Marinha das Ondas (Co) 82 Rb 108
✉ *3090-001
Marinha Grande (Le) 82 Ra 110
✉ *2430-034
Marinhais (Sa) 101 Rb 114
✉ *2125-101
Marinhão (Br) 51 Rf 100
✉ 4820-137
Marinhas (Br) 50 Rb 99
✉ *4730-392
≈ Marinheiros, Ribeira dos (Ma) 166 A 2
Mariz (Br) 50 Rb 99 ✉ *4750-571
Marmelal (Be) 84 Sb 110
✉ 6030-016
Marmelar (Be) 132 Sc 119
✉ 7960-011
Marmeleira (Sa) 101 Ra 113
Marmeleira (Vi) 68 Re 106
✉ 3450-095
Marmeleiro (Fa) 146 Sd 124
Marmeleiro (CB) 83 Rf 110
✉ *6100-427
Marmelete (Fa) 144 Rb 125
✉ 8550-145
Marmelos (Ba) 52 Se 100
✉ 5370-160
Marmoleiro (Gu) 70 Sf 106
▲ Marofa 70 Ta 103
▲ Marofa, Serra da 70 Sf 103
Marofanha (Be) 130 Rb 123
✉ 7630-088
Marques (Le) 100 Qf 111
✉ 3250-326
Marrancos (Br) 50 Rc 99
Marrazes (Le) 82 Rb 110
Marroquil (Fa) 146 Sc 125
Marteira (Av) 67 Rc 103
Marteleira (Li) 100 Qe 113
✉ *2530-338
Martianas (CB) 84 Se 108
✉ 6230-511
Martianes (Sa) 117 Rf 116
Martim (Br) 50 Rc 99
Martím (VR) 52 Sd 100
Martim Afonso (Se) 130 Rb 119
Martim Branco (CB) 84 Sc 109
✉ 6000-003
Martim da Pega (Gu) 70 Sf 106
✉ 6320-521
Martim Longo (Fa) 145 Sb 124
Martim Tavares (Pg) 103 Se 114
Martinchel (Sa) 101 Re 111
✉ 2200-638
Martingança (Le) 82 Ra 110
✉ *2445-701
▲ Martinhal, Praia da 144 Ra 126
Martinhanes (Be) 131 Sa 123
✉ 7750-506
≈ Martinho, Ribeira de 116 Rc 118
✪ Mártires 103 Sc 113
Marvão (Co) 67 Rc 106
Marvila (Le) 83 Re 109
✉ *2410-192
Marvilha (Sa) 101 Re 113
Marzagão (Ba) 52 Se 101
Mascarenhas (Se) 131 Rd 120
✉ 7555-230
Mascarenhas (Ba) 52 Sf 99
✉ 5370-173
Mascotelos (Br) 50 Re 100
Masgalos (Vi) 68 Sa 104
✉ 3510-605
≈ Massueime, Ribeira de 70 Se 103
Mata (Év) 117 Rf 116
Mata (Pg) 103 Sd 112
Mata (Sa) 101 Rc 111
Mata (Li) 100 Qf 115 ✉ *2580-107
Mata (Le) 82 Rc 109

Mata (Sa) 82 Rc 110
Mata (CB) 84 Sd 109
▲ Mata, Cabeço da 83 Rf 108
Matacães (Li) 100 Qe 114
✉ *2565-352
Mata Cartomil (Co) 83 Sa 108
Mata de Lobos (Gu) 70 Ta 103
✉ 6440-211
Mata do Rei (Sa) 101 Ra 112
✉ 2025-157
▲ Mata dos Medos, Reserva Nacional 115 Qf 118
Mataduços (Av) 67 Rc 105
Mata Forme (Sa) 101 Rd 113
Mata Mourisca (Le) 82 Rb 109
Mata Mourisca (Le) 82 Rb 108
Matança (Gu) 69 Sc 104
✉ 6370-353
≈ Matão, Barragem do 100 Ra 113
Matas (Li) 100 Qe 113
Matas (Sa) 101 Rc 111
✉ *2025-507
Matela (Ba) 53 Tc 99 ✉ *5230-153
Matela (Gu) 69 Sc 104
Mateus (VR) 51 Sb 101
✉ *5000-268
Mato (VC) 50 Rc 99
Mato de Miranda (Sa) 101 Rc 112
✉ *2150-062
Mato do Santo Espírito (Fa) 146 Sc 126
Matos (Sa) 101 Rd 111
Matos (Por) 50 Rb 101
Matos (Co) 82 Ra 108
Matos (Sa) 83 Rd 110
Matosinhos (Por) 50 Rb 101
✉ *4450-001
Matosinhos (VR) 52 Sd 99
Matueira (Le) 100 Qf 112
Matur (Ma) 167 D 2
▲ Maunça 84 Sc 108
Mauquim (Av) 68 Rd 104
Maureles (Por) 51 Rf 101
Ma Velha (CB) 84 Sb 107
Maxiais (CB) 84 Sb 110
✉ *6000-022
Maxial (Sa) 102 Re 111
✉ *2230-837
Maxial (Li) 100 Qe 114
Maxial (CB) 83 Rf 109
Maxial (CB) 84 Sb 108
Maxial (CB) 84 Sb 109
Maxialinho (Co) 84 Sb 108
✉ *3320-106
Maxias (CB) 84 Sc 110
Maxieira (Sa) 102 Sa 111
✉ *2230-804
Mazapes (Ma) 167 C 2
Mazarefes (VC) 50 Rb 98
✉ *4935-430
Mazedo (VC) 32 Rd 96
✉ *4950-275
Mazes (Vi) 51 Sa 102 ✉ 5100-583
Mazouco (Ba) 53 Tb 102
✉ 5180-320
Meã (Vi) 68 Rf 103 ✉ *3560-084
Meada (Év) 118 Se 119
Meada (Pg) 103 Sd 111
Meadela (VC) 32 Rb 98
Mealha (Fa) 145 Sa 124
Mealhada (Av) 67 Rd 106
✉ *3050-006
Meãs (Co) 84 Sb 108 ✉ *3130-535
Meãs do Campo (Co) 82 Rc 107
Meca (Li) 100 Qf 114 ✉ *2580-181
Mechão (Be) 132 Sc 121
Meco (Sa) 82 Rc 107 ✉ 3140-037
Meda (Gu) 69 Se 103
Meda de Mouros (Co) 83 Rf 107
✉ 3420-121
▲ Medão, Praia do 100 Qd 112
Medas (Por) 50 Rd 102
✉ *4515-344
Medeiros (Fa) 144 Rd 125
Medeiros (Be) 132 Sc 121
Medeiros (VR) 33 Sb 98
Medelim (CB) 84 Se 108
✉ *6060-051
Medelo (Br) 51 Rf 100 ✉ 4720-750
✪ Medobriga 103 Sd 112
Medorno (Vi) 68 Rf 105
▲ Medo Tojeiro 130 Rb 123
Medroa (Sa) 101 Re 111
✉ 2200-601
Medrões (VR) 51 Sb 101
Medronheira (Fa) 145 Sa 124
✉ 8800-018
Medronheira (CB) 85 Sf 110
▲ Medronheiros 131 Sa 123
Mega Cimeira (Co) 83 Rf 108
✉ 3330-141
Mega Fundeira (Le) 83 Rf 109
Mei (VC) 32 Rd 97
Meia Praia (Fa) 144 Rc 126
▲ Meia Praia 144 Rc 126
Meia Via (Sa) 101 Rc 112
✉ *2350-625
Meia Viana (Fa) 144 Rc 125
✉ 8550-307

Meijinhos (Vi) 51 Sa 102
✉ 5100-630
Meimão (CB) 85 Sf 107 ✉ 6320-1▮
Meimoa (CB) 84 Se 107
✉ *6090-381
≈ Meimoa, Barragem da 85 Sf 10▮
≈ Meimoa, Ribeira de 84 Sd 107
Meinedo (Por) 50 Re 101
Meios (Gu) 69 Sd 106 ✉ 6300-13▮
Meirinhas (Le) 82 Rb 109
✉ *2460-772
Meirinhos (Ba) 53 Tb 101
✉ 5200-160
Meixedo (VC) 32 Rb 98
Meixedo (VR) 33 Sb 97
Meixedo (Ba) 35 Tb 97 ✉ 5300-6▮
Meixedo (Vi) 51 Sb 102
✉ 3610-071
Meixide (VR) 33 Sc 98 ✉ 5470-18▮
Meixomil (Por) 50 Rd 101
✉ 4595-094
Melcões (Vi) 51 Sb 102
Meleças (Li) 115 Qe 116
✉ *2605-045
Meles (Ba) 52 Sf 99 ✉ 5340-014
Melgaço (VC) 33 Re 96
✉ *4960-578
Melhe (VR) 51 Sb 99 ✉ 4870-214
Mêlhe (Ba) 34 Ta 98
Melides (Se) 130 Rb 120
✉ *7570-600
≈ Melides, Lagoa de 130 Rb 120
▲ Melides, Praia de 130 Rb 120
Melo (Gu) 69 Sc 105 ✉ *6290-12▮
Melres (Por) 50 Rd 102
✉ *4515-461
Melriça (Le) 82 Rc 109 ✉ 3240-67▮
Melriça (CB) 83 Rf 110
Melrico (CB) 83 Sa 109
Mem Martins (Li) 115 Qd 116
✉ *2725-001
Memória (Le) 82 Rc 110
✉ *2420-227
Mencoca (Év) 117 Sc 117
✉ 7200-053
Mendares (CB) 84 Sc 109
✉ 6000-696
Mendes (Le) 82 Rb 109
✉ *3100-563
Mendiga (Le) 101 Ra 112
✉ 2480-215
Mendo Gordo (Gu) 69 Sd 103
✉ 6420-641
▲ Mendro, Serra de 132 Sb 119
Menoita (Gu) 69 Se 105
✉ *6300-160
Mentiras 132 Sf 119
▲ Mente, Rio 34 Se 98
Mentrestido (VC) 32 Rc 97
Mercador (Fa) 146 Sb 125
Merceana (Li) 100 Qf 114
✉ *2580-087
Mercês (Be) 133 Sf 120
Mercês (Li) 115 Qe 116
✉ *2725-481
Merelim (Br) 50 Rd 99
Mértola (Be) 132 Sc 123
✉ *7750-320
▲ Mértola, Serra de 132 Sc 122
Merufe (VC) 32 Rd 96 ✉ 4905-608
Meruge (Co) 69 Sb 106
✉ *3405-350
▲ Mesa, Fonte da 51 Sa 102
Mesão Frio (Br) 50 Re 100
Mesão Frio (VR) 51 Sa 102
Mesquinhata (Por) 51 Rf 102
✉ *4640-360
Mesquita (Be) 146 Sc 123
Mesquita (Fa) 146 Sb 124
Mesquita (Fa) 145 Re 125
▲ Mesquita 144 Rc 124
▲ Mesquita 144 Ra 125
Mesquitela (Gu) 69 Sd 105
Mesquitela (Gu) 70 Ta 105
Messangil (Be) 132 Sd 121
Messegães (VC) 32 Rd 96
Messejana (Be) 131 Re 122
✉ *7600-310
Messines de Baixo (Fa) 145 Re 125
✉ 8375-046
Mestras (Fa) 145 Sa 124
Mestras (Co) 83 Rf 108
Mestre Mendo (Le) 100 Qe 112
Mexilhoeira Grande (Fa) 144 Rc 125
✉ *8500-132
Mezio (Vi) 68 Sa 103
Mido (Gu) 70 Ta 105 ✉ 6355-100
Midões (Br) 50 Rc 100
Midões (VR) 52 Sd 99
Midões (Co) 68 Sa 106
Midões (Co) 83 Rd 107
▲ Miguel Anes 146 Sc 125
Milagres (VR) 32 Rd 96
✉ *4950-104
Milagres (Le) 82 Rb 110
✉ 2415-020
Milhais (Ba) 52 Se 100 ✉ 5370-023
Milhão (Ba) 35 Tc 98 ✉ 5300-682
▲ Milharada 144 Ra 125

harado (Li) 100 Qe 115
✉ *2665-307
hazes (Br) 50 Rc 100
heiro (Gu) 70 Sf 104 ✉ 6440-062
heiros (Sa) 83 Rd 110
heirós de Poiares (Av) 68 Rd 103
Milho, Barranco do 144 Rc 125
horo (Be) 132 Sb 123
hundos (Por) 50 Re 101
✉ *4560-232
Milreu 145 Sa 126
lreu (CB) 83 Rf 111
Mina 131 Re 120
Mina, Achada da 146 Sc 123
Mina, Cerro da 131 Rf 120
na da Caveira (Se) 130 Rc 120
na da Juliana (Be) 131 Rf 121
✉ 7800-731
na de Apariz (Be) 133 Sf 120
na de Ferragudo (Be) 131 Rf 123
na de Jungeis (Se) 116 Rd 117
na de São Domingos (Be)
132 Sd 122 ✉ *7750-120
na do Bugalho (Év) 118 Se 116
✉ 7250-053
na do Lousal (Se) 131 Rd 120
nas da Ribeira (Ba) 53 Tc 99
✉ 5300-494
nas de Adoria (VR) 51 Sa 100
nas de São João (VR) 51 Sa 100
✉ 4870-031
inas de Vinheiros (VR) 51 Sc 101
inas do Montinho (Be) 131 Re 122
inas dos Carris (VR) 33 Rf 98
inde (Le) 101 Rb 111
indelo (Por) 50 Rb 101
✉ *4485-469
Minho, Rio 32 Re 96
inhocal (Gu) 69 Sd 104
✉ 6360-110
inhotães (Br) 50 Rc 100
Minutos, Barragem dos
117 Rf 117
lioma (Vi) 69 Sb 104 ✉ 3560-085
Mira 131 Rf 120
ira (Co) 67 Rb 106 ✉ *3070-301
Mira, Praia de 67 Rb 106
Mira, Rio 144 Rc 123
Mira, Rio 130 Rb 122
ira d'Aire (Le) 101 Rb 111
liradeses (Ba) 52 Se 99
✉ 5370-660
liragaia (Li) 100 Qe 113
✉ *2530-403
liragaia (Gu) 70 Sf 105
Miramar, Praia 50 Rc 102
liranda (VC) 32 Rc 97 ✉ 4905-279
Miranda, Barragem de 53 Te 99
liranda do Corvo (Co) 83 Re 108
✉ *3220-116
liranda do Douro (Ba) 53 Te 99
✉ *5210-001
lirandela (Ba) 52 Se 100
✉ *5370-200
liro (Co) 83 Re 107 ✉ 3360-073
☆ Miróbriga 130 Rb 120
▲ Mirouço, Praia do 144 Ra 126
☆ Misarela, Ponte de 51 Rf 98
liuzela (Gu) 70 Ta 105 ✉ 6355-110
lizarela (Gu) 69 Sd 105
loçarria (Sa) 101 Rb 113
✉ 2005-095
locho (Se) 116 Rb 117
locissos (Év) 118 Se 117
Modelos (Por) 50 Rd 101
✉ *4590-440
Modivas (Por) 50 Rb 101
✉ *4485-572
Mões (Vi) 68 Sa 103
Mofreita (Ba) 34 Ta 97 ✉ 5320-060
Mogadouro (Ba) 53 Tb 100
Mogadouro (Le) 82 Rd 109
▲ Mogadouro, Serra do 53 Tb 101
Mogege (Br) 50 Rd 100 ✉ 4770-350
Mogo de Malta (Ba) 52 Se 101
✉ 5140-171
Mogofores (Av) 67 Rd 106
✉ 3780-453
Mogueira (VR) 33 Sc 98
Moimenta (Ba) 34 Ta 97
Moimenta (Vi) 51 Re 102
Moimenta (Vi) 68 Rf 103
Moimenta da Beira (Vi) 69 Sc 103
✉ *3620-300
Moimenta da Serra (Gu) 69 Sc 106
✉ 6290-141
Moimenta de Maceira Dão (Vi)
69 Sb 105 ✉ 3530-310
Moimentinha (Gu) 69 Se 104
✉ 6420-491
Moimentos (Be) 145 Rf 124
✉ 7700-260
≈ Moinhas da Rocha, Cascata
146 Sb 126
Moinho da Rocha (Fa) 144 Rc 125
✉ *8500-140
Moinho de Almoxarife (Co)
82 Rb 108
Moinho de Vento (Be) 146 Sb 123
Moinho de Vento (Be) 145 Rf 123
Moinho do Bispo (Fa) 144 Rb 125
Moin ho do Sogro (Fa) 144 Rb 124
Moinhola (Év) 116 Rc 117
Moinhos (Le) 82 Ra 109
Moita (Se) 115 Ra 117
Moita (Av) 68 Rd 106
Moita (Vi) 68 Sa 103
Moita (Le) 82 Ra 110
Moita (Le) 83 Re 109
Moita (Sa) 82 Rc 111 ✉ *2000-504
Moita (Gu) 84 Se 107
Moita da Roda (Le) 82 Rb 110
✉ *2425-508
Moita da Serra (Co) 83 Rf 107
✉ 3420-034
Moita do Martinho (Le) 101 Rb 111
✉ 2495-028
Moita dos Ferreiros (Li) 100 Qe 113
✉ *2530-479
Moitas (CB) 83 Sa 110
Moitas Venda (Sa) 101 Rc 112
✉ 2380-563
Moitinha (Se) 116 Rb 118
✉ 7580-709
Moitinhas (Be) 144 Rc 124
✉ 7665-803
Molares (Br) 51 Sa 100
Moldes (Av) 68 Re 103
▲ Mole, Ilhéu (Ma) 166 B 1
Moledo (Li) 100 Qe 113
✉ *2530-514
Moledo (VC) 32 Ra 97
Moledo (Vi) 68 Sa 104 ✉ *3600-460
☆ Moledo, Caldas de 51 Sb 102
▲ Moledo, Praia de 32 Ra 97
Molelos (Vi) 68 Rf 105 ✉ *3460-009
▲ Molinos 132 Se 120
Mombeja (Be) 131 Rf 120
✉ 7800-641
Monção (VC) 32 Rd 96
✉ *4925-577
Moncarapacho (Fa) 145 Sb 126
✉ *8700-081
☆ Moncarapacho, Grutas de
145 Sb 126
Monchique (Fa) 146 Sb 124
Monchique (Fa) 144 Rc 125
▲ Monchique, Serra de 144 Rc 124
▲ Mondego, Cabo 82 Ra 107
≈ Mondego, Rio 69 Sd 106
≈ Mondego, Rio 82 Rb 108
Mondim da Beira (Vi) 51 Sb 102
✉ *3610-049
Mondim de Basto (VR) 51 Sa 100
✉ *4880-231
Mondrões (VR) 51 Sb 101
Monfebres (VR) 52 Sd 100
✉ 5090-013
Monforte (Pg) 103 Sd 114
✉ *7450-101
☆ Monforte 34 Sd 98
Monforte da Beira (CB) 84 Se 110
✉ 6000-580
Monfortinho (CB) 85 Ta 109
✉ 6060-071
☆ Monfortinho, Termas de 85 Ta 108
▲ Monfurado, Serra de 117 Re 117
Moninho (Co) 83 Sa 108
✉ 3320-170
Moninhos Fundeiros (Le) 83 Re 109
✉ 3260-042
▲ Monís, Baixa do (Ma) 166 A 1
▲ Monsanto 115 Qe 116
Monsanto (Sa) 101 Rb 112
✉ *2380-575
Monsanto (CB) 85 Sf 108
✉ *6060-085
Monsaraz (Év) 118 Sd 118
✉ 7200-175
Monsarros (Av) 68 Rd 106
✉ 3780-563
Monsarves (Év) 116 Re 118
Monsul (Br) 50 Re 99
Montalegre (VR) 33 Sb 98
Montalvão (Pg) 103 Sc 111
✉ *6050-431
Montalvo (Be) 132 Sd 120
Montalvo (Be) 132 Sc 122
Montalvo (Sa) 101 Re 112
✉ *2250-220
Montargil (Pg) 102 Re 114
≈ Montargil, Barragem de
102 Rf 114
Montaria (VC) 32 Rb 98
Mont de São Luís (CB) 84 Sd 109
Monte (Aç) 168 Wc 118
Monte (Br) 51 Re 98
Monte (Br) 51 Rf 99
Monte (Av) 67 Rc 104 ✉ *3700-634
Monte Agudo (Fa) 146 Sb 126
Monte Alto (Fa) 145 Re 125
Monte Alto (Be) 132 Sc 123
Monte Alto (Be) 131 Re 122
Monte Alto (Pg) 102 Sb 114
▲ Monte Altos 118 Sd 119
Monte Arriba (Be) 145 Re 123
Monte Bom (Li) 100 Qd 115
✉ 2640-066
Monte Branco (Be) 145 Sa 124
Monte Branco (Fa) 145 Rd 125
Monte Branco (Be) 132 Sd 120
Monte Branco (Év) 118 Se 116
Monte Branco (Év) 117 Sc 117
Monte Branco da Serra (Be)
132 Se 120 ✉ 7670-608
▲ Monte Brasil (Aç) 169 Xe 117
Monte Brito (Fa) 145 Re 125
Monte Brito (CB) 84 Sd 109
Monte Claro (Pg) 102 Sb 111
✉ 6050-474
▲ Monte Clérigo, Praia de
144 Ra 124
Monte Córdova (Por) 50 Rd 101
Montecos (Be) 130 Rc 122
✉ 7630-355
Monte D. Adelina (Pg) 103 Sc 111
Monte da Azinheira (Év) 118 Sc 118
✉ *7100-031
Monte da Capitoa (Év) 117 Sc 117
Monte da Charneca (Fa)
145 Re 125
Monte da Estrada (Be) 130 Rc 122
Monte da Estrada (Év) 117 Sb 115
✉ *7050-032
▲ Monte da Gula (Aç) 168 Wc 117
Monte da Légua (Be) 131 Sa 122
✉ 7750-039
Monte da Meada (Pg) 103 Sd 112
Monte da Ordem (Pg) 117 Rf 115
Monte da Panasqueira (Be)
131 Sa 120 ✉ 7900-283
Monte da Pedra (Se) 116 Rc 118
Monte da Pedra (Pg) 102 Sb 112
Monte da Perdigova (Be) 131 Rf 122
≈ Monte da Rocha, Barragem de
131 Re 122
Monte das Figueiras (Sa)
116 Rc 116 ✉ *2100-500
Monte das Flores (Év) 117 Sa 117
✉ *7005-833
Monte das Lameiras (Pg)
102 Sb 112
Monte das Lameiras (CB) 84 Sd 109
Monte das Mestras (Be) 145 Rf 124
✉ 7700-205
Monte das Pereiras (Be) 131 Sa 121
Monte das Piçarras (Év) 116 Rc 117
Monte das Sorraias (Be) 131 Sa 123
Monte da Toula (CB) 85 Sf 109
Monte da Velha (Pg) 103 Sc 113
Monte da Velha (Gu) 70 Ta 105
✉ 6355-020
Monte da Vinha (Be) 145 Sa 123
Monte da Vinha (Pg) 102 Rf 114
Monte da Volta (Se) 116 Rc 118
Monte de Algalé (Se) 116 Re 119
✉ 7595-022
Monte de Argil (Fa) 145 Sb 124
Monte de Baixo Grande (Fa)
146 Sc 125
Monte de Goula (CB) 84 Sb 109
Monte de São João (Be)
131 Re 121
Monte de Trigo (Év) 117 Sb 118
✉ *7220-201
Monte de Viegas (Be) 131 Sa 122
Monte do Barata (CB) 84 Se 110
Monte do Corvo (Be) 145 Sa 123
✉ 7900-093
Monte do Gamito (Pg) 103 Sc 113
Monte do Pereiros (Pg) 102 Sa 112
Monte do Pombo (Pg) 84 Sc 111
Montedor (VC) 32 Ra 98
✉ 4900-279
Monte dos Condes (Sa) 116 Rb 115
Monte dos Corvos (Be) 132 Sc 123
✉ 7700-250
Monte dos Frades (Év) 116 Rd 116
✉ *7050-640
Monte dos Francos (Pg) 103 Sd 114
✉ 7450-100
Monte dos Hospitais (Év)
117 Sb 118
Monte dos Leões (Pg) 102 Re 114
Monte dos Matos (Pg) 102 Sb 111
✉ 6050-475
Monte dos Mestres (Be) 145 Sa 123
Monte dos Pernes (Év) 132 Sc 119
Monte dos Poços (Be) 131 Rf 122
✉ *7600-171
Monte dp Bispo (CB) 84 Se 107
Monte Fidalgo (CB) 84 Sc 110
✉ *6030-052
▲ Monte Figo, Serra de 145 Sa 126
☆ Monte Francês, Gruta do
144 Ra 126
Monte Francisco (Fa) 146 Sd 125
✉ *8950-201
Monte Gordo (Fa) 146 Sd 125
Monte Gordo (CB) 84 Sb 110
▲ Monte Gordo, Praia de
146 Sd 125
Monte Grande (CB) 84 Sd 110
Monte Grandes (Fa) 145 Rd 125
Monteiras (Vi) 68 Sa 103
✉ 3600-474
Monteiros (VR) 51 Sb 99
✉ 5450-183
Monteiros (Gu) 70 Sf 105
✉ *6285-070
Monte João Dias (Be) 145 Sa 124
Monte Judeu (Fa) 144 Rb 126
✉ *8500-141
▲ Montejunto, Serra de 100 Qf 113
Montelavar (Li) 115 Qe 115
✉ *2715-615
Monte Margarida (Gu) 70 Sf 106
✉ 6300-145
Montemor-o-Novo (Év) 117 Re 117
✉ *7050-001
Montemor-o-Velho (Co) 82 Rb 108
✉ *3140-249
Montemuro (Li) 100 Qe 115
✉ 2665-410
▲ Montemuro, Serra de 68 Sa 103
Montenegrelo (VR) 51 Sc 100
✉ 5450-264
Monte Negro (Fa) 145 Sa 126
Monte Nobre (Be) 131 Sa 122
✉ 7780-305
Monte Nova de Ferradura (Be)
132 Se 121
Monte Novo (Be) 145 Sa 124
Monte Novo (Fa) 144 Ra 125
Monte Novo (Fa) 144 Rb 124
Monte Novo (Fa) 144 Rb 125
Monte Novo (Év) 132 Sc 119
Monte Novo (Se) 116 Rc 118
Monte Novo (Gu) 69 Se 106
▲ Monte Novo, Alturo do 131 Sa 119
≈ Monte Novo, Barragem do
117 Sb 117
Monte Novo das Janelas (Be)
131 Rf 122
Monte Novo de Troviscais (Be)
130 Rb 123
Monte Perebolso (Gu) 70 Ta 105
Monte Real (Le) 82 Ra 109
✉ *2425-017
Monterecos (Pg) 103 Se 113
Monte Redondo (Li) 100 Qe 114
✉ *2565-518
Monte Redondo (VC) 32 Rd 97
Monte Redondo (Le) 82 Rb 109
✉ *2425-617
Monte Redondo (Co) 83 Rd 107
≈ Monte Redondo, Barragem
83 Rf 108
Monte Ruivo (Fa) 144 Rb 125
Monte Ruivo (Fa) 145 Rd 124
▲ Monte Ruivo 144 Rb 125
Montes (Gu) 70 Sf 105
Montes da Senhora (CB) 83 Sb 110
✉ 6150-128
Montes de Alvor (Fa) 144 Rc 126
✉ 8500-059
Montes de Cima (Fa) 144 Rc 125
Montes Juntos (Év) 118 Sd 117
Montes-Novos (Fa) 145 Sa 125
Montes Novos (Pg) 102 Sc 113
Monte Vascão (Fa) 146 Sc 123
Monte Vasco (Gu) 69 Se 106
✉ *6300-155
Monte Velho (Be) 132 Sd 120
Monte Velho (Be) 130 Rd 122
Monte Velho (Be) 131 Sa 123
Monte Velho (CB) 85 Sf 109
Montevil (Se) 116 Rc 118
✉ 7580-321
Montez (Le) 82 Ra 111
Montezinho (Ba) 35 Tb 97
▲ Montezinho, Parque Natural de
34 Sf 97
▲ Montezinho, Serra de 35 Ta 97
Monte Zorros (Fa) 145 Rf 126
Montijo (Se) 115 Ra 116
✉ *2870-001
Montim (Br) 51 Rf 100 ✉ 4820-580
Montinho (Fa) 146 Sc 124
Montinho (Fa) 146 Sc 125
Montinho (Be) 145 Rf 124
Montinho (Be) 130 Rc 123
Montinho (Se) 116 Rb 117
Montinho (Pg) 103 Se 113
Montinho (Pg) 102 Sa 114
Montinho (Sa) 101 Rd 115
Montinho (Co) 67 Rc 106
✉ *3060-502
Montinho ale de Camelos (Be)
131 Sa 122
Montinhos (Be) 131 Rf 122
Montinhos da Luz (Fa) 144 Rb 126
✉ *8600-119
Montoito (Év) 117 Sc 117
Montouro (Co) 67 Rc 106
✉ 3060-292
Montouto (Ba) 34 Ta 97 ✉ 5320-085
Mora (Sa) 117 Rf 115
Mora (Ba) 53 Tc 100 ✉ *5230-231
Morais (Ba) 53 Tb 100 ✉ 5340-351
Moreanes (Be) 132 Sc 123
✉ 7750-409
Moredo (Ba) 53 Tb 99 ✉ 5300-844
Moreira (VC) 32 Rd 96
Moreira (Por) 50 Rc 101
Moreira (VR) 52 Sc 100
Moreira (Vi) 68 Sa 105
✉ *3680-222
Moreira de Cónegos (Br) 50 Rd 100
✉ *4815-253
Moreira de Geraz do Lima (VC)
32 Rb 98
Moreira do Castelo (Br) 51 Rf 100
Moreira do Lima (VC) 32 Rc 98
✉ 4990-670
Moreira do Rei (Br) 51 Rf 100
Moreira do Rei (Gu) 69 Se 104
Moreiras (VR) 52 Sd 99
✉ *5400-643
Moreiras Grandes (Sa) 101 Rd 111
✉ 2350-025
▲ Moreirinha, Serra da 85 Sf 108
Moreirinhas (Gu) 69 Se 103
✉ 6420-507
Moreiró (Por) 50 Rb 101
Moreiros (Pg) 103 Sd 114
Morelena (Li) 115 Qe 115
✉ *2715-011
Morelinho (Li) 115 Qd 116
✉ *2710-007
Morena (Be) 132 Sb 123
✉ 7750-379
Morena (CB) 85 Sf 110
Morenos (Fa) 146 Sb 125
Morgade (VR) 33 Sb 98
Morgado (Sa) 101 Rb 114
Morgado (Br) 51 Sa 100
≈ Morgável, Barragem de
130 Rb 121
▲ Morgável, Praia de 130 Rb 121
Morraça (Co) 82 Rc 107
Morreira (Br) 50 Rd 100
✉ *4705-481
▲ Morro Alto (Aç) 168 Te 112
▲ Morro d. Homans (Aç) 168 Tf 110
Morro Grande (Aç) 169 We 116
Morros (Co) 82 Rb 107 ✉ 3080-759
Mortágua (Vi) 68 Re 106
✉ *3450-120
Mortais (Pg) 103 Sc 113
Mortazel (Vi) 68 Re 106 ✉ 3450-338
Mós (VC) 32 Rb 98
Mós (Br) 50 Rd 98 ✉ *4820-001
Mós (Ba) 52 Ta 102
Mós (Gu) 52 Se 102
Moscavide (Li) 115 Qf 116
✉ *1885-001
Moscoso (Br) 51 Sa 99 ✉ 4860-430
Mós de Rebordãos (Ba) 53 Tb 98
Mosqueira (Fa) 145 Re 126
✉ 8200-562
Mosqueirão (Se) 130 Rc 120
Mosteirinho (Vi) 68 Re 105
✉ *3475-060
Mosteiro (Be) 132 Sb 122
Mosteiro (Aç) 168 Te 112
Mosteiro (Br) 51 Rf 99
Mosteiro (Ba) 52 Sf 99
Mosteiro (Av) 67 Rc 103
Mosteiro (Vi) 69 Sd 103
✉ *3500-539
Mosteiro (CB) 83 Sa 109
Mosteiro (CB) 83 Rf 110
Mosteiro (Le) 83 Re 109
✉ *3270-077
Mosteirô (Vi) 68 Sa 103
✉ *4660-022
Mosteiró de Cima (VR) 52 Sd 98
✉ 5430-125
Mosteiro de Fráguas (Vi) 68 Rf 105
✉ 3460-302
☆ Mosteiro Pombeiro 51 Re 100
Mosteiros (Aç) 170 Zb 121
Mosteiros (Pg) 103 Se 113
Mosteiros (Sa) 101 Ra 112
✉ *2025-158
Mosteirós (Por) 50 Rc 101
▲ Mosteiros, Ilhéu dos (Aç)
170 Za 121
▲ Mosteiros, Ponta dos (Aç)
170 Zb 121
Motrinos (Év) 118 Sd 118
✉ 7200-177
Mouçós (VR) 51 Sb 101
Mougueira (CB) 83 Rf 110
✉ 6100-670
▲ Mougueiras, Serra das 83 Sa 109
Mougueiras de Cima (CB)
83 Sb 109 ✉ 6160-118
Mougueles (Li) 100 Qd 114
Moumis (Vi) 51 Sa 102 ✉ 4660-145
Moura (Be) 132 Sd 120
✉ *7860-001
▲ Moura, João de 132 Sc 122
Moura da Serra (Co) 83 Sa 107
✉ 3305-224
Moura Morta (VR) 51 Sb 101
Moura Morta (Vi) 68 Sa 103
✉ 3600-480
▲ Mouranitos, Praia de 144 Ra 126
Mourão (Be) 131 Rf 122
Mourão (Év) 118 Se 118
Mourão (Be) 52 Se 101
Mouraz (Vi) 68 Rf 106 ✉ 3460-330
Moure (Br) 50 Re 99
Moure (Br) 50 Rd 99
Moure (Por) 51 Re 100
✉ *4600-683
Moure (Br) 50 Rc 100
Mourela (CB) 84 Sc 108

Mourisca de Baixo (Le) 82 Rb 109
Mourisca do Vouga (Av) 67 Rd 105
✉ •3750-776
Mouriscas (Sa) 102 Rf 111
✉ •2200-683
Mourisia (Co) 83 Sa 107
✉ 3305-225
Mouriz (Por) 50 Rd 101
✉ •4580-590
Mouronho (Co) 83 Rf 107
✉ 3420-168
★ Mouros, Castelo dos 115 Qd 116
≈ Mouros, Rio 82 Rc 108
≈ Mousse, Rio 34 Se 98
Moutedo (Av) 68 Rd 105
✉ 3750-825
Moz de Celas (Ba) 52 Ta 98
Mozelos (Vi) 68 Sa 104
Múceres (Vi) 68 Rf 105
Muda (Se) 130 Rb 121
✉ •7540-068
▲ Mudo 145 Rf 124
Muge (Sa) 101 Rb 114
✉ •2125-312
≈ Muge, Ribeira de 101 Rd 113
Muna (Vi) 68 Rf 105 ✉ 3465-154
Mundão (Vi) 68 Sa 104
✉ •3505-352
▲ Muradal, Serra do 84 Sb 109
★ Muralha 103 Sd 113
★ Muralha 103 Sf 114
Murça (Gu) 52 Se 102
Murça (VR) 52 Sd 100 ✉ •5090-101
Murches (Li) 115 Qd 116
✉ •2755-002
Murçós (Ba) 52 Ta 98
Murganheira (Co) 83 Rf 107
✉ 3300-315
Murgueira (Li) 100 Qe 115
Múrias (Ba) 52 Sf 99 ✉ 5385-053
Muro (Por) 50 Rc 101
Muro (CB) 84 Se 108
▲ Murracão, Praia de 144 Ra 126
Murta (Se) 116 Rb 118
Murtede (Co) 67 Rd 106
✉ •3060-372
≈ Murtega, Ribeira da 133 Ta 120
Murteira (Be) 145 Sa 123
Murteira (Li) 115 Qe 115
Murteira (Li) 100 Qf 113
▲ Murteiras 132 Sb 122
Murteirinha (CB) 83 Sb 110
✉ 6150-616
Murtosa (Av) 67 Rc 104
✉ •3870-103
Musgos (Év) 132 Sd 119
≈ Mustigão, Ribeira do 132 Se 120
Muxagata (Gu) 52 Sf 102
Muxagata (Gu) 69 Sd 105

N

Nabais (Sa) 101 Rb 112
✉ 2000-344
Nabais (Gu) 69 Sc 105
≈ Nabão, Rio 83 Rd 109
≈ Nábão, Rio 83 Rd 110
Nabo (Ba) 52 Sf 101 ✉ •5360-101
Nadadouro (Le) 100 Qe 112
✉ •2500-542
Nagosa (Vi) 69 Sc 102 ✉ 3620-400
Nagosela (Vi) 68 Rf 106
✉ •3440-631
Nagoselo do Douro (Vi) 52 Sd 101
✉ •5130-221
Namorados (Be) 132 Sb 123
Namorados (Be) 131 Rf 123
Nandufe (Vi) 68 Rf 105 ✉ 3460-355
Nantes (VR) 52 Sd 98 ✉ 5400-581
Nariz (Av) 67 Rc 105 ✉ •3810-559
Nascedios (Be) 130 Rb 122
Nascedios (Be) 130 Rc 123
Navais (Por) 50 Rb 100
✉ •4495-073
Navalho (Ba) 52 Se 100
✉ 5370-601
Navarro (Be) 131 Sb 122
✉ 7750-046
Nave (Fa) 144 Rc 125
Nave (Gu) 70 Ta 106
Nave (CB) 84 Sc 110 ✉ •6000-698
Nave de Haver (Gu) 70 Tb 105
Nave do Barão (Fa) 145 Rf 125
✉ 8100-188
Nave Fria (Pg) 103 Se 113
✉ 7340-115
Nave Redonda (Be) 144 Rd 124
Nave Redonda (Gu) 70 Ta 103
✉ •6440-033
Naves (CB) 102 Sb 111
✉ •6100-429
Naves (Gu) 70 Ta 105
Navió (VC) 50 Rc 99 ✉ 4990-675
Nazaré (Le) 100 Qf 111
✉ •2450-100
▲ Nazaré, Praia de 100 Qf 111
Negas (Be) 145 Sa 124
Negrais (Li) 100 Qe 115
✉ •2715-313
Negreda (Ba) 52 Ta 98 ✉ 5320-023
Negreiros (Br) 50 Rc 100
✉ •4775-190
Negrelos (Br) 50 Rd 100
≈ Negro, Lagoa do (Aç) 169 Xe 116
▲ Negro, Outeiro do 131 Rd 121
Negrões (Be) 131 Rf 123
Negrões (VR) 33 Sb 98
▲ Negros 145 Rf 125
Neiva (VC) 50 Rb 99 ✉ •4905-393
≈ Neiva, Rio 50 Rb 99
Nelas (Vi) 68 Sa 105 ✉ •3505-172
Nesperal (CB) 83 Rf 110
✉ 6100-459
Nespereira (Br) 50 Re 100
✉ •4835-468
Nespereira (Por) 50 Re 101
Nespereira (Vi) 68 Re 102
✉ •3505-245
Nespereira (Gu) 69 Sc 105
Netos (Co) 82 Rb 107 ✉ •3090-448
Netos (Le) 82 Rc 108
▲ Neve, Cabeço da 68 Re 105
Neves (Be) 132 Sb 123
✉ •7750-047
Nevogilde (Br) 50 Rd 99
Nevogilde (Por) 50 Re 101
Nicolau (Se) 130 Rc 120
✉ 7540-025
Nicolau (Év) 116 Rc 117
Nine (Br) 50 Rc 100 ✉ •4775-440
Ninho do Açor (CB) 84 Sc 109
✉ 6000-590
Nisa (Pg) 102 Sc 111 ✉ •6050-302
≈ Nisa, Ribeira de 102 Sc 111
≈ Noéme, Rio 70 Sf 105
Nogueira (VC) 32 Rb 97
Nogueira (Ba) 35 Tb 98
Nogueira (Br) 50 Rd 99
Nogueira (Por) 50 Rc 101
Nogueira (VR) 51 Sb 101
Nogueira (Vi) 69 Sb 104
✉ •3505-234
Nogueira (Co) 83 Rf 107
✉ •3230-246
Nogueira (CB) 85 Sf 107
▲ Nogueira, Serra de 52 Ta 98
Nogueira da Montanha (VR)
52 Sd 99 ✉ 5400-652
Nogueira da Regedoura (Av)
50 Rc 103 ✉ •4500-691
Nogueira do Cravo (Av) 68 Rd 103
Nogueira do Cravo (Co) 83 Sa 107
✉ •3400-427
Nogueirinha (Év) 117 Rf 117
Nogueiro (Br) 50 Rd 99
Noninha (Av) 68 Rf 103 ✉ 4540-039
Nora (Fa) 146 Sc 125
Nora (Fa) 145 Re 125
Nordeste (Aç) 170 Zf 122
✉ •9630-141
Nordestinho (Aç) 170 Ze 121
Norinha (Fa) 144 Rd 125
✉ •8300-036
▲ Norte, Ilhéu do (Aç) 169 Xf 116
Norte Grande (Aç) 169 Wf 116
✉ •9800-121
Norte Pequeno (Aç) 168 Wb 117
Norte Pequeno (Aç) 169 Wf 117
Nossa Senhora da Boa Fé (Év)
117 Rf 117 ✉ 7000-013
★ Nossa Senhora da Boa Nova
118 Sd 117
★ Nossa Senhora da Conceição
131 Rf 122
★ Nossa Senhora da Enxara
103 Sf 114
Nossa Senhora da Graça (Pg)
103 Sc 111
★ Nossa Senhora da Graça
51 Sa 100
Nossa Senhora da Graça do Divor
(Év) 117 Sa 117
Nossa Senhora da Graça dos
Degolados (Pg) 103 Sf 114
★ Nossa Senhora da Luz
118 Sd 119
★ Nossa Senhora da Penha
130 Rc 120
★ Nossa Senhora da Piedade
83 Re 108
Nossa Senhora das Neves (Be)
131 Sb 120 ✉ 7800-651
Nossa Senhora da Torega (Év)
117 Rf 118
★ Nossa Senhora de Aires
117 Sa 118
★ Nossa Senhora de Guadalupe
144 Ra 126
★ Nossa Senhora de Guadalupe
132 Sc 121
Nossa Senhora de Machede (Év)
117 Sb 117 ✉ •7005-672
★ Nossa Senhora de Nércoles
84 Sd 110
★ Nossa Senhora do Bom Sucesso
85 Sf 108
★ Nossa Senhora do Cabo
115 Qe 118
★ Nossa Senhora do Livramento
130 Rb 120
Nossa Senhora do Pilar (Aç)
169 Xd 116
★ Nossa Senhora do Rosário
103 Se 114
Nossa Senhora dos Prazeres (Pg)
103 Sd 115
Nossa Senhora dos Remedios (Aç)
170 Ze 122
★ Nossa Senhora dos Remédos
51 Sb 102
Noudar (Be) 133 Sf 119
Noura (VR) 52 Sd 100 ✉ 5090-200
Nova de Veiga (VR) 52 Sd 98
Noval (VR) 34 Sc 98
Nova Reguengo Pequeno (Be)
130 Rc 122
Novas (Li) 115 Qd 116
▲ Nove, Serra da 69 Sb 103
Novelas (Por) 50 Re 101
✉ •4560-262
Nozedo (VR) 52 Sd 99
✉ •5445-082
Nozelos (VR) 34 Se 98 ✉ 5430-180
Nozelos (Ba) 52 Sf 99
Nozelos (Ba) 52 Sf 101
Numão (Gu) 52 Se 102
✉ •5155-610
Nunes (Ba) 34 Ta 98 ✉ 5320-091
Nuzedo (Ba) 34 Sf 97

O

Óbidos (Le) 100 Qe 112
✉ •2510-001
≈ Óbidos, Lagoa de 100 Qe 112
≈ Ocreza, Rio 102 Sb 111
≈ Ocreza, Rio 84 Sb 110
≈ Odearce, Ribeira de 132 Sb 120
Odeceixe (Fa) 144 Rb 124
✉ •8670-320
▲ Odeceixe, Praia de 144 Rb 124
Odeleite (Fa) 146 Sd 124
✉ •8950-351
≈ Odeleite, Barragem de
146 Sc 124
≈ Odeleite, Ribeira de 146 Sc 124
Odelouca (Fa) 144 Rd 125
✉ 8300-037
≈ Odelouca, Ribeira de 144 Rd 125
≈ Odelouca, Ribeira de 145 Re 124
Odemira (Be) 130 Rc 123
✉ •7630-121
Odiáxere (Fa) 144 Rc 126
✉ 8600-250
Odivelas (Be) 131 Rf 120
✉ •7900-360
Odivelas (Li) 115 Qe 116
✉ •2675-076
≈ Odivelas, Barragem de
131 Rf 119
Oeiras (Li) 115 Qe 116
✉ •2780-001
≈ Oeiras, Ribeira de 131 Sa 123
Ofir (Br) 50 Rb 99 ✉ 4740-405
Ohas (Be) 131 Re 120
Oiã (Av) 67 Rc 105 ✉ •3770-059
Óis da Ribeira (Av) 67 Rd 105
Óis do Bairro (Av) 67 Rd 106
✉ 3780-502
Olaia (Sa) 101 Rd 111
Olalhas (Sa) 83 Re 111 ✉ 2300-088
Olas (Vi) 52 Se 102
Oldrões (Por) 50 Re 102
Oledo (CB) 84 Se 109 ✉ 6060-621
Oleirinhos (Ba) 35 Tb 97
✉ 5300-674
Oleirita (Év) 117 Sa 116
Oleiros (VC) 32 Rd 98
Oleiros (Ba) 35 Tb 97
Oleiros (Br) 50 Rd 99
Oleiros (Br) 50 Rd 100
Oleiros (CB) 83 Sa 109
Olhalvo (Li) 100 Qf 114
✉ •2580-191
Olhão (Fa) 145 Sb 126
✉ •8700-152
Olheirão (CB) 84 Sc 109
Olheiro (Év) 116 Re 117
Olho Marinho (Le) 100 Qe 113
✉ •2510-511
Olhos da Fervença (Av) 67 Rb 106
Olhos d'Água (Fa) 145 Re 126
▲ Olhos d'Água, Praia da
145 Re 126
Olhos de Água (Se) 115 Ra 117
✉ •2950-554
Olivais (Li) 115 Qf 116
Olivais (Le) 82 Rb 110 ✉ •2420-324
Olival (Por) 50 Rc 102
Olival (Sa) 82 Rc 110 ✉ •2300-239
Oliveira (Br) 50 Rc 99
Oliveira (VR) 51 Sb 101
Oliveira (Por) 51 Re 101
Oliveira (Br) 51 Re 99
Oliveira (Br) 50 Rd 100
▲ Oliveira, Poio de 69 Sc 106
▲ Oliveira, Ponta da (Ma) 167 D3
Oliveira de Azeméis (Av) 68 Rd 103
✉ •3720-001
Oliveira de Barreiros (Vi) 68 Sa 105
✉ 3500-892
Oliveira de Frades (Vi) 68 Re 104
✉ •3680-073
Oliveira do Bairro (Av) 67 Rd 105
✉ •3770-200
Oliveira do Conde (Vi) 68 Sa 106
✉ •3430-341
Oliveira do Douro (Por) 50 Rc 102
Oliveira do Douro (Vi) 51 Rf 102
✉ 4690-420
Oliveira do Hospital (Co) 68 Sa 106
✉ •3400-056
Oliveira do Mondego (Co)
83 Re 107 ✉ 3360-135
Oliveiras (Év) 117 Rf 116
Oliveirinha (Av) 67 Rc 105
Oliveirinha (Vi) 68 Sa 106
✉ •3430-151
Olmos (Ba) 52 Ta 100 ✉ 5340-372
Olo (Por) 51 Rf 101
≈ Olo, Rio 51 Sa 100
≈ Onor, Rio de 35 Tc 97
Opeia (Le) 82 Rb 110 ✉ 2420-122
Orada (Be) 132 Sc 120
Orada (Év) 118 Sd 115 ✉ 7150-308
★ Orada, Serra da 84 Sc 108
Orbacém (VC) 32 Rb 98
Orca (CB) 84 Sd 108 ✉ 6230-512
Ordem (Be) 132 Sb 120
Ordem (Por) 50 Re 101
Ordem (Por) 51 Sa 101
Ordins (Por) 50 Rd 102 ✉ 4560-192
Ordonhe (Av) 50 Rc 102
Ordonho (VR) 51 Sc 101
Orgal (Gu) 52 Sf 102 ✉ 5150-145
Orgéns (Vi) 68 Sa 105
Oriola (Év) 117 Sa 119 ✉ 7220-301
Oriz (Br) 32 Rd 98 ✉ 4830-669
Orjais (Ba) 34 Se 98
Orjais (CB) 84 Sd 106 ✉ •6200-580
Ormeche (VR) 51 Sa 98
✉ 5470-382
Ortiga (Se) 130 Rb 121
Ortiga (Sa) 102 Rf 112
✉ •2495-654
Ortigosa (Vi) 68 Re 106
✉ •3450-308
Ortigosa (Le) 82 Rb 110
✉ •2425-664
Orvalho (CB) 84 Sb 108
✉ •6185-269
▲ Ossa 117 Sc 116
Ossela (Av) 68 Rd 104
Osso da Baleia (Le) 82 Ra 108
★ Ossonoba 131 Re 123
Ota (Li) 100 Ra 114 ✉ •2580-243
Ouca (Av) 67 Rc 105 ✉ 3840-302
Oucidres (VR) 34 Sd 98
✉ 5400-658
Oueluz (Li) 115 Qe 116
Ouguela (Pg) 103 Sf 114
✉ 7370-200
Oura (Fa) 145 Re 126
Oura (VR) 51 Sc 99 ✉ •5425-201
▲ Oura, Praia da 145 Re 126
Ourém (Sa) 82 Rc 111
✉ •2490-201
Ourenta (Co) 67 Rc 106
Ourilhe (Br) 51 Rf 100
Ourique (Be) 131 Re 123
Ourique (Be) 131 Re 122
Ourondo (CB) 84 Sb 108
✉ 6230-900
Ourozinho (Vi) 69 Sd 103
✉ •3630-135
Outão (Se) 115 Ra 118
Outeira (Br) 51 Rf 99
▲ Outeirão 116 Rb 119
Outeirinho (Br) 50 Rc 100
Outeiro (Be) 131 Rf 120
Outeiro (Sa) 117 Rf 115
✉ •2100-400
Outeiro (Se) 115 Qf 117
Outeiro (VC) 32 Rb 97
Outeiro (VC) 32 Rb 98
Outeiro (VR) 33 Sa 98
Outeiro (Por) 50 Rb 100
Outeiro (VR) 51 Sb 100
Outeiro (VR) 51 Sc 99
Outeiro (Br) 50 Rd 100
Outeiro (Br) 50 Rb 99
Outeiro (Br) 51 Rf 99
Outeiro (Ba) 53 Tc 98
Outeiro (Av) 67 Rc 104
Outeiro (Vi) 68 Sa 103
Outeiro (Co) 82 Rb 108
Outeiro (Co) 83 Rf 107
Outeiro (Le) 83 Rd 109
Outeiro Cimeiro (Pg) 102 Sa 111
Outeiro da Cabeça (Li) 100 Qe 113
✉ •2565-590
Outeiro da Cortiçada (Sa)
101 Rb 112 ✉ 2040-174
Outeiro de Gatos (Gu) 69 Se 103
✉ 6430-312
Outeiro do Alho (Pg) 103 Sd 113
Outeiro do Forno (Sa) 101 Re 11
✉ 2300-241
Outeiro Grande (Sa) 101 Rc 111
✉ 2350-027
Outeiro Seco (VR) 34 Sd 98
Outil (Co) 67 Rc 107 ✉ 3060-491
Outiz (Br) 50 Rc 100 ✉ 4760-692
Ouvidor (Se) 116 Rc 118
Ovadas (Vi) 51 Sa 102
Ovar (Av) 67 Rc 103 ✉ •3880-00
≈ Ovar, Canal de 67 Rb 104
Ovelhas (Sa) 101 Rc 114
✉ 2100-407
Óvoa (Vi) 68 Rf 106 ✉ 3440-012

P

Pacil (Fa) 144 Rb 125 ✉ 8550-150
Paco (Li) 100 Qe 113
Paço (Fa) 145 Rf 125
Paço (Be) 131 Rf 120
Paço (Sa) 101 Rd 111 ✉ •2025-5
Paço (VC) 32 Ra 98
Paço (Ba) 34 Ta 97
Paço (Av) 67 Rc 103
Paço (Vi) 69 Sc 102
Paço (Vi) 68 Sa 104
Paçó (VC) 32 Rd 98
Paçó (Ba) 53 Tc 98
Paçó (Ba) 53 Tc 101
Paço de Arcos (Li) 115 Qe 116
✉ •2770-001
Paço de Sórtes (Ba) 53 Tb 98
Paço de Sousa (Por) 50 Rd 102
✉ •4560-378
Paço do Mato (Av) 68 Re 103
Paços (VC) 33 Re 96
Paços (VC) 32 Rc 97
Paços (Vi) 68 Rf 104
Paços da Serra (Gu) 69 Sc 106
✉ 6290-241
Paços de Brandão (Av) 67 Rc 103
✉ •4535-264
Paços de Ferreira (Por) 50 Rd 101
✉ •4590-165
Paços de Gaiolo (Por) 51 Rf 102
Paços de Vilharigues (Vi) 68 Rf 10
Paços Novos (Sa) 101 Rc 114
Paços Velhos (Sa) 101 Rd 114
Paço Vedro de Magalhães (VC)
32 Rd 98
Paderne (Fa) 145 Re 125
✉ •8200-495
Paderne (VC) 32 Re 96
Padim da Graça (Br) 50 Rd 99
✉ •4700-011
Padornelo (VC) 32 Rc 97
Padornelos (VR) 33 Sb 97
✉ 5470-341
Padrão (Év) 118 Sc 117
Padrão (CB) 102 Sb 111
Padrão (Pg) 102 Rf 113
Padrão (CB) 84 Sc 109
Padreiro (VC) 32 Rd 98
✉ •4950-051
▲ Padrela, Serra da 52 Sc 99
Padrela e Tazem (VR) 52 Sd 99
Padro (Le) 100 Qf 112
Padrões (VR) 51 Sa 98
Padrona (Be) 144 Rd 123
✉ 7665-891
Padronelo (Por) 51 Rf 101
Padroso (VC) 32 Rd 97
Padroso (VR) 33 Sb 97 ✉ 5470-35
Pádua Freixo (Ba) 52 Se 98
✉ 5385-017
Paiágua (CB) 84 Sb 109
✉ 6000-005
Paialvo (Sa) 101 Rd 111
✉ •2305-515
Paião (Év) 116 Re 117
Paião (Co) 82 Rb 108 ✉ •3090-495
★ Pai Mogo, Forte de 100 Qd 113
Painho (Li) 100 Qf 113
✉ •2550-429
Painzela (Br) 51 Rf 99 ✉ 4860-245
Paiol (Se) 130 Rb 121 ✉ 7520-071
Paio Mendes (Sa) 83 Re 110
✉ 2240-514
Pai Penela (Gu) 69 Se 103
✉ 6430-321
≈ Paiva, Rio 68 Re 103
≈ Paíva, Rio 69 Sb 103
Pala (Vi) 68 Re 106 ✉ •3450-309
Pala (Gu) 70 Sf 104
★ Palácio Nacional 115 Qd 116
Palácios (Ba) 35 Tc 98 ✉ 5300-873
Palaçoulo (Ba) 53 Td 100
✉ 5225-032
Paleão (Co) 82 Rc 108 ✉ 3130-539
Palhaça (Av) 67 Rc 105
Palhais (Se) 115 Qf 117
Palhais (Se) 115 Qe 117
Palhais (Gu) 69 Sd 104
Palhais (CB) 83 Re 110
Palhas (Sa) 101 Rd 113
Palheirinhos (Fa) 146 Sb 125
✉ 8800-210
Palheiros (Be) 145 Rf 124

heiros (VR) 52 Sd 100
heiros de Quiaios (Co)
32 Ra 107
lhota (Se) 115 Ra 117
lhotas (Se) 130 Rb 119
✉ 7570-685
lma (Se) 116 Rc 118
lma, Torre de 103 Sd 114
lmaz (Av) 68 Rd 104
✉ 3720-423
lme (Br) 50 Rb 99
lmeira (Fa) 146 Sc 124
lmeira (Ma) 166 C 3
lmeira (Br) 50 Rd 99
lmeira (Por) 50 Rd 100
✉ 4560-232
lmeira de Faro (Br) 50 Rb 99
lmeirinha (Fa) 144 Ra 125
lmeiros (Fa) 145 Rf 125
lmela (Se) 115 Ra 117
✉ 2950-007
lvarino (CB) 84 Sc 109
lmar (CB) 84 Sb 109
ampilhas de Baixo (Be)
145 Rf 124
ampilhal (CB) 83 Re 110
✉ 6100-297
ampilhosa (Av) 68 Rd 106
✉ 3050-402
ampilhosa da Serra (Co)
83 Sa 108 ✉ 3320-200
anasqueira (Be) 131 Sa 119
anasqueira (Be) 131 Re 120
anasqueira (CB) 84 Sb 107
✉ 6160-452
ancas (Sa) 115 Ra 116
✉ 2135-012
anchorra (Vi) 51 Sa 102
anoias (Br) 50 Rd 99 ✉ 4700-760
anóias (Be) 131 Re 122
anóis de Cima (Gu) 69 Se 106
anque (Br) 50 Rc 99
ão Duro (Fa) 146 Sb 124
✉ 8970-342
apízios (Vi) 68 Rf 106 ✉ 3430-701
arada (VC) 32 Rc 97
arada (VC) 32 Rd 97
arada (VC) 33 Re 97
arada (VR) 33 Sa 98
arada (VC) 32 Rd 96
arada (Ba) 34 Se 98
arada (Por) 50 Rc 100
arada (VR) 51 Sa 100
arada (Ba) 52 Ta 101
arada (Ba) 53 Tb 98
arada (Vi) 68 Rf 106 ✉ 3430-721
arada (Av) 68 Re 104
arada (Gu) 70 Sf 105
arada de Bouro (Br) 50 Re 99
arada de Cunhos (VR) 51 Sb 101,
✉ 5000-471
arada de Ester (Vi) 68 Rf 103
✉ 3600-508
arada de Gatim (Br) 50 Rc 99
arada de Gonta (Vi) 68 Sa 105
✉ 3460-373
arada de Monteiros (VR) 51 Sb 99
✉ 5450-220
arada de Pinhão (VR) 51 Sc 100
✉ 5060-101
arada de Todeia (Por) 50 Rd 102
✉ 4585-251
arada do Bispo (Vi) 51 Sb 102
✉ 5100-650
arada do Corgo (VR) 51 Sc 100
arada do Monte (VR) 33 Re 96
aradamente (VC) 32 Re 97
aradança (VR) 51 Sa 100
✉ 4880-281
aradanta (CB) 84 Sc 108
✉ 6005-263
aradela (VC) 33 Re 97
aradela (VR) 33 Sa 98
aradela (VR) 34 Sd 98
aradela (Br) 50 Rb 100
aradela (Ba) 53 Tb 100
aradela (Ba) 52 Sf 99
aradela (Ba) 53 Te 99
aradela (VR) 52 Sd 99
aradela (Ba) 52 Sd 101
aradela (Av) 68 Rd 104
aradela (Vi) 69 Sc 102
aradela (Vi) 68 Rf 103
aradela (Co) 83 Re 107
✉ 3360-107
≈ Paradela, Barragem de 33 Sa 98
aradela de Guiães (VR) 51 Sc 101
✉ 5060-161
aradela do Monte (VR) 51 Sa 101
✉ 5030-261
arades (Br) 50 Rb 100
aradinha (Vi) 69 Sc 102
✉ 3620-410
aradinha de Besteiros (Ba)
53 Tb 100
aradinha Nova (Ba) 53 Tc 99
✉ 5300-731
aradinha Velha (Ba) 53 Tb 99
✉ 5300-732

Paraduça (Vi) 68 Sa 104
Parafita (VR) 33 Sa 98
Parafita (VR) 51 Sc 100
Paraisal (Gu) 70 Ta 105 ✉ 6355-052
Paraíso (Fa) 145 Sa 126
Paraíso (Av) 68 Re 102
Parambos (Ba) 52 Sd 101
✉ 5140-182
Parâmio (Ba) 35 Ta 97 ✉ 5300-744
Paramos (Av) 67 Rc 103
Parandina (Ba) 53 Tc 98
Paranhos (Br) 50 Rd 98 ✉ 4905-135
Paranhos (VR) 52 Sa 98
Paranhos (Gu) 69 Sb 106
Parceiros (Le) 82 Ra 110
Parceiros da Igreja (Sa) 101 Rc 112
Pardais (Év) 118 Sd 116
✉ 7160-363
Pardeeiro (Vi) 68 Rd 105
Pardelhas (VR) 51 Sa 100
Pardelhas (Av) 67 Rc 104
✉ 3870-144
▲ Pardieiro 144 Rb 126
▲ Pardieiros 132 Se 121
Pardieiros (Vi) 68 Sa 105
✉ 3430-561
≈ Pardiela, Ribeira da 117 Sb 117
Pardilhó (Av) 67 Rc 104
✉ 3860-421
Pardo (Pg) 102 Sb 111
Parede (Li) 115 Qd 116
✉ 2775-003
Paredes (VR) 33 Sa 98
Paredes (VR) 51 Sc 101
Paredes (Por) 50 Rd 101
Paredes (Por) 51 Rf 102
Paredes (VR) 51 Sb 100
Paredes (Ba) 53 Tb 98
Paredes (Vi) 68 Re 104
Paredes (Vi) 68 Re 106
Paredes da Beira (Vi) 69 Sd 102
✉ 5130-272
Paredes de Coura (VC) 32 Rc 97
✉ 4940-520
Paredes de Viadores (Vi) 51 Rf 102
Paredes do Gravo (Vi) 68 Re 104
Paredes Secas (Br) 50 Rd 99
✉ 4830-072
▲ Pargo, Ponta do (Ma) 166 A 2
Parises (Fa) 145 Sa 125
✉ 8150-051
Parra (Pg) 103 Se 113 ✉ 7340-117
Parracha (Év) 117 Sa 116
Partida (CB) 84 Sc 108 ✉ 6005-264
Pascoal (Vi) 68 Sa 104
Passa Frio (Fa) 145 Sb 124
✉ 8800-024
Passagem (Le) 82 Ra 109
✉ 2430-607
Passo (Ma) 166 B 2
Passó (Br) 32 Rd 98
Passó (Vi) 69 Sb 102 ✉ 3620-421
Passos (Ba) 34 Sf 97
Passos (Br) 50 Rd 99
Passos (VR) 51 Sc 101
Passos (Ba) 52 Se 100
Passos (Vi) 68 Sa 105 ✉ 3505-116
Pastaneira (Év) 117 Rf 116
Pasteleiro (Aç) 168 Wc 117
Pastoria (Ba) 34 Sc 98 ✉ 5400-728
Patã (Fa) 145 Re 126
Patacão (Fa) 145 Sa 126
✉ 8005-511
Patais (Le) 82 Ra 110
✉ 2445-121
Patais-Gare (Le) 82 Ra 111
Pau (Év) 117 Sb 117
Paul (Sa) 102 Re 111
Paul (Li) 100 Qe 114 ✉ 2640-565
Paul (CB) 84 Sc 107
≈ Paúl, Lagoa (Aç) 169 We 118
▲ Paul da Serra (Ma) 166 B 2
Paul do Mar (Ma) 166 A 2
Paus (Vi) 51 Sa 102
Pausade (Gu) 70 Sf 105
Pavia (Év) 117 Rf 115 ✉ 7490-420
≈ Pavia, Ribeira de 68 Rf 105
Pechão (Fa) 145 Sa 126
✉ 8700-171
Pedaçaes (Av) 67 Rd 105
Pé da Ladeira (Be) 145 Rf 124
Pe da Serra (Fa) 145 Rf 125
Pé da Serra (Sa) 100 Ra 112
✉ 2040-141
Pé da Serra (CB) 84 Sb 109
Pé de Cão (Sa) 101 Rd 111
✉ 2350-177
Pedeiras (Se) 115 Qf 118
Pederneira (Sa) 82 Rc 110
✉ 2300-246
Pederneiras (Be) 144 Rb 124
✉ 7630-587
Pedintal (CB) 83 Sa 110
✉ 6160-153
Pé do Coelho (Fa) 145 Rf 125
✉ 8100-190
Pé do Frio (Fa) 144 Rc 125
✉ 8550-153

Pedome (Br) 50 Rd 100
✉ 4730-705
Pedorido (Av) 50 Rd 102
✉ 4550-501
▲ Pedra, Fonte da (Ma) 166 A 2
Pedra Alta (VC) 50 Rb 99
Pedraça (Br) 51 Sa 100
☆ Pedra do Altar 101 Rb 111
Pedra Furada (Br) 50 Rc 100
Pedraído (Br) 51 Rf 99 ✉ 4820-555
Pedraizes (Vi) 68 Rf 106
Pedralva (Fa) 144 Ra 126
Pedralva (Br) 50 Re 99
Pedrario (VR) 33 Sc 98
☆ Pedras Altas, Anta das
145 Sa 124
Pedras Brancas (Be) 131 Rf 121
Pedras Brancas (CB) 83 Sa 110
✉ 6150-725
Pedras d'El-Rei (Fa) 146 Sb 126
✉ 8800-536
Pedras Juntas (Fa) 144 Rc 124
✉ 8550-330
▲ Pedras Negras 82 Ra 109
Pedras Pretas (Ma) 167
✉ 9400-075
☆ Pedras Salgadas, Termas de
51 Sc 99
Pedregais (Br) 32 Rd 98
Pedregal (Ma) 166 A 2
Pedreia (Por) 50 Rb 100
Pedreia (Co) 83 Re 108
Pedreira (Sa) 101 Rd 111
✉ 2305-554
Pedreira (Aç) 170 Zf 122
▲ Pedreira (Ma) 166 B 2
Pedreira (Por) 51 Re 101
Pedreira (Av) 67 Rc 105
Pedreiras (Fa) 145 Re 125
Pedreiras (Le) 101 Ra 111
✉ 2480-109
Pedrógão (Be) 132 Sc 120
▲ Pedrógão 116 Rc 119
Pedrógão (Sa) 101 Rc 111
✉ 2350-225
Pedrógão (Co) 82 Rb 108
Pedrógão (Le) 82 Ra 109
Pedrógão (CB) 84 Se 108
▲ Pedrógão, Praia 82 Ra 109
Pedrógão Grande (Le) 83 Rf 109
✉ 3270-067
Pedrógão Pequeno (CB) 83 Rf 109
✉ 6100-550
Pedro Miguel (Aç) 168 Wc 117
Pedros do Poço Frio (Co) 82 Rb 107
Pedroso (Por) 50 Rc 102
✉ 4415-088
Pedrulha (Av) 67 Rd 106
✉ 3050-183
Pedrulhos (VC) 32 Rb 98
Pega (Gu) 70 Sf 106
≈ Pega, Ribeira da 70 Sf 104
Pegarinhos (VR) 52 Sa 100
✉ 5070-303
Pego (Sa) 102 Rf 112 ✉ 2205-308
Pego (Av) 68 Rd 106
Pego do Altar (Se) 116 Rd 118
✉ 7580-712
≈ Pego do Altar, Barragem do
116 Rd 118
Pego do Seixo (Be) 130 Rd 122
Pego Escuro (Fa) 145 Rd 125
Pegos Claros (Se) 116 Rb 117
Peireial (CB) 85 Sf 110
Peireses (VR) 33 Sb 98
Pelariga (Le) 82 Rc 109 ✉ 3105-291
Peleias (Ba) 34 Sf 97 ✉ 5320-194
Pelmá (Le) 83 Rd 110 ✉ 3250-330
Pena (Br) 51 Sa 99
Pena (VR) 51 Sb 101
Pena (Co) 67 Rc 107 ✉ 3060-521
Penabeice (VR) 52 Sd 100
✉ 5090-079
Pena Branca (Ba) 53 Te 99
✉ 5210-172
Penacova (Co) 83 Re 107
✉ 3360-191
Pena Falcão (CB) 83 Sb 110
Penafiel (Por) 50 Re 101
✉ 4560-450
Penajoia (Vi) 51 Sa 102
Pena Lobo (Gu) 69 Se 106
✉ 6320-221
Penalonga (VR) 51 Sb 99
✉ 4870-023
Penalva (Se) 115 Qf 117
✉ 2830-474
Penalva de Alva (Co) 84 Sb 107
✉ 3400-544
Penalva do Castelo (Vi) 69 Sb 104
✉ 3550-101
Penamacor (CB) 84 Sf 107
✉ 6090-508
Penamaior (Por) 50 Rd 101
✉ 4595-283
▲ Penameda 33 Re 97
Pena Róia (Ba) 53 Tc 100
Penascais (Br) 32 Rd 98

Pena Verde (Gu) 69 Sd 104
✉ 3570-170
Pencelo (Br) 50 Re 100
Pendilhe (Vi) 69 Sb 103 ✉ 3650-032
▲ Peneda 32 Re 97
▲ Peneda, Serra da 32 Re 97
▲ Peneda-Gerês, Parque Nacional
da 32 Re 97
Penedo (CB) 83 Rf 110
▲ Penedo, Praia da 144 Ra 125
Penedo da Sé (Gu) 70 Sf 106
✉ 6300-130
Penedo Gordo (Be) 131 Sa 121
Penedones (VR) 33 Sb 98
✉ 5470-069
Penedono (Vi) 69 Sd 103
✉ 3630-225
Penedos (Be) 145 Sb 124
Penedos (VR) 51 Sa 99
Penedos de Alenquer (Li)
100 Qf 114 ✉ 2580-408
Penela (Co) 83 Rd 108
✉ 3230-249
Penela da Beira (Vi) 69 Sd 102
✉ 3630-260
▲ Penha 130 Rc 120
▲ Penha 50 Re 100
▲ Penha de Agua (Ma) 167 C 2
Penha de Águia (Gu) 70 Sf 103
✉ 6440-221
Penhaforte (Gu) 70 Sf 105
✉ 6400-233
Penha Garcia (CB) 85 Sf 108
✉ 6060-301
≈ Penha Garcia, Barragem de
85 Sf 108
Penha Longa (Por) 51 Rf 102
✉ 4625-130
Penhascoso (Sa) 102 Rf 111
✉ 6120-621
Penhas da Saúde (CB) 84 Sc 107
Penhas Juntas (Ba) 34 Sf 98
✉ 5320-113
Peniche (Le) 100 Qd 112
✉ 2520-200
Penilhos (Be) 131 Sa 123
✉ 7750-510
Penim (VC) 32 Rc 97 ✉ 4940-234
Penina (Fa) 144 Rc 125
Penina (Fa) 145 Rf 125
Pensalvos (VR) 51 Sc 99
Penso (VC) 32 Re 96
Penso (Ba) 34 Sf 97
Penso (Br) 50 Rd 100 ✉ 4705-628
Penso (Vi) 68 Rf 104
Penso (Vi) 50 Sc 103
Penteado (Se) 115 Ra 117
✉ 2860-295
Penteareiros (Fa) 146 Sb 124
Penude (Vi) 51 Sa 102 ✉ 5100-718
Pepe (VR) 51 Sa 101
Pepim (Vi) 68 Sa 103 ✉ 3600-525
▲ Pequena, Ponta (Ma) 166 A 2
▲ Pequena, Praia 115 Qd 116
Pêra (Fa) 145 Re 126
Peraboa (CB) 84 Sd 107
✉ 6200-590
Pêra do Moço (Gu) 69 Se 105
Perafita (Por) 50 Rb 101
✉ 4455-263
Perais (CB) 84 Sc 111 ✉ 6030-053
Peral (Fa) 145 Sa 126
Peral (Li) 100 Qf 113 ✉ 2550-450
Peral (CB) 84 Sb 110
Peral do Meio (Év) 117 Rf 116
Peral Grande (Év) 117 Sc 118
≈ Peramanca, Barragem de
117 Rf 118
Peras (Le) 83 Re 108
Peras Ruivas (Sa) 82 Rc 111
✉ 2435-581
Pêra Velha (Vi) 69 Sc 103
✉ 3620-432
▲ Perdigão 118 Sf 115
Perdigão (CB) 84 Sb 110
▲ Perdigão 133 Sf 119
Peredo (Ba) 52 Ta 100 ✉ 5340-380
Peredo da Bemposta (Ba) 53 Tc 101
✉ 5200-352
Peredo dos Castelhanos (Ba)
52 Sf 102 ✉ 5160-161
Pereira (Fa) 144 Rc 125
Pereira (Br) 50 Rc 100
Pereira (VR) 51 Sa 98
Pereira (VR) 51 Sa 101
Pereira (Ba) 52 Se 100
Pereira (Vi) 68 Sa 103
Pereira (Co) 82 Rc 107
Pereira (Co) 83 Rf 107
Pereira (Pg) 103 Sd 112
Pereira (Sa) 102 Rf 111
Pereiro (VR) 52 Sd 99

Pereiro (Vi) 52 Sd 102
Pereiro (Av) 67 Rd 103
Pereiro (Av) 68 Rd 106
Pereiro (Gu) 69 Sb 106
Pereiro (Gu) 70 Sf 104
Pereiro (Le) 83 Rd 109
Pereiro (Sa) 83 Rd 110
▲ Pereiro, Serra de 69 Sd 103
Pereiro de Baixo (Av) 68 Re 107
Pereiro de Baixo (CB) 84 Sb 110
Pereiro de Palhacana (Li)
100 Qf 114
Pereiros (Ba) 52 Se 101
Pereiros (Vi) 52 Sd 102
Pereiros (CB) 84 Sc 108
Perelhal (Br) 50 Rb 99
Pergulho Cimeiro (CB) 83 Sa 110
Perna Chã (Pg) 103 Se 113
✉ 7340-116
≈ Pernado do Marco, Arroio da
116 Rb 119
Pernancha (Sa) 101 Rd 113
Perna Seca (Fa) 145 Re 124
✉ 8100-031
≈ Perna Seca, Ribeira da
131 Re 123
Pernes (Sa) 101 Rc 112
✉ 2000-493
Pêro Dias (Fa) 145 Sb 124
✉ 8970-216
Pêro Ficós (Gu) 70 Sf 106
Pêro Filho (Sa) 101 Rb 113
Peroguarda (Be) 131 Rf 120
✉ 7900-018
Perolivas (Év) 117 Sc 118
✉ 7200-450
Pero Moniz (Li) 100 Qf 113
Pêro Negro (Fa) 144 Rb 124
Pêro Neto (Le) 82 Ra 110
Pero Pinheiro (Li) 115 Qe 115
✉ 2715-001
Pêro Ponto (Fa) 145 Sa 125
Pêro Queimado (Fa) 144 Ra 126
Perosinho (Por) 50 Rc 102
✉ 4415-001
Pêro Soares (Gu) 69 Se 105
✉ 6300-165
Pero Viegas (Pg) 102 Sa 114
Pêro Viseu (CB) 84 Sd 107
✉ 6230-521
Perozelo (Por) 50 Re 102
Perrães (Av) 67 Rc 105 ✉ 3770-062
Perre (VC) 32 Rb 98 ✉ 4925-580
Perreira (Br) 51 Rf 100
Perucha (Sa) 82 Rd 110
✉ 2435-310
Pescanseco (Co) 83 Sa 108
Pes de Pontes (Vi) 68 Re 104
Pesegueiro (Fa) 145 Sa 124
Pesinho (CB) 84 Sc 107
✉ 6230-026
Peso (Fa) 144 Rc 124
Peso (Be) 132 Sb 120
Peso (Sa) 117 Re 115 ✉ 2100-300
Peso (Le) 100 Qf 112 ✉ 2500-767
Peso (Por) 51 Sa 101
Peso (Ba) 53 Tc 100
Peso (CB) 84 Sc 107
Peso da Régua (VR) 51 Sb 101
✉ 5050-208
Pesos (Vi) 68 Sa 103 ✉ 3660-643
▲ Pesqueiro, Ponta do (Ma) 166 A 2
Pessegueiro (Sa) 102 Rf 112
✉ 2240-565
Pessegueiro (Av) 68 Rd 104
Pessegueiro (Co) 83 Rf 108
Pessolta (Gu) 69 Se 105
✉ 6300-070
Petimão (Br) 51 Rf 100 ✉ 4860-024
Petisqueira (Ba) 35 Tc 97
✉ 5300-502
Peva (VR) 51 Sb 103 ✉ 3620-441
Peva (Gu) 70 Ta 104 ✉ 6350-331
≈ Pexinho, Lagoa do (Aç)
169 We 118
Pia Carneira (Le) 101 Rb 112
✉ 2480-140
Piães (Co) 83 Rf 107 ✉ 3330-205
Pia Furada (Le) 82 Rc 109
✉ 3240-686
Pias (Be) 132 Sd 120
Pias (Be) 132 Sc 122
Pias (VC) 32 Rc 96
Pias (Vi) 51 Rf 102
Pias (Sa) 83 Rd 110 ✉ 2240-566
Pica Milho (Be) 132 Sb 121
Picanceira (Li) 100 Qd 114
✉ 2640-071
Picão (Vi) 68 Sa 103 ✉ 3600-540
Piçarral (Fa) 146 Sd 125
✉ 8950-087
Piçarras (Be) 131 Rf 123
☆ Picarrel 117 Sc 117
▲ Pico (Aç) 168 Wd 118
Pico (Br) 32 Rd 98
▲ Pico, Ilha do (Aç) 168 Wd 118
Pico Alto (Fa) 145 Re 125
▲ Pico Alto (Ma) 167 C 2
✉ 9270-041

Pico da Pedra (Aç) 170 Zc 122
✉ •9600-049
Pico de Regalados (Br) 50 Rd 98
Picões (Ba) 52 Ta 101
▲ Pico Gordo (Ma) 166 B 2
▲ Pico Grande (Ma) 166 C 2
Picoitos (Be) 146 Sc 123
✉ 7750-410
Picota (Fa) 145 Rf 126
▲ Picota 144 Rc 125
Picote (Ba) 53 Td 100 ✉ 5225-072
≈ Picote, Barragem do 53 Te 100
Picoto (Por) 50 Rc 102
Picoto (Av) 67 Rc 103
Piedade (Le) 100 Ra 111
Piedade (Aç) 169 Wf 118
Piedade (Av) 67 Rd 105
✉ •3750-406
▲ Piedade, Ponta da 144 Rc 126
≈ Piedra Aguda, Embalse de
118 Sf 117
Pigeiros (Av) 67 Rd 103
Pilado (Le) 82 Ra 110 ✉ •2430-321
Pimeiro (Vi) 51 Rf 102
Pincães (VR) 33 Rf 98 ✉ 5470-020
Pinçais (Sa) 116 Re 115
✉ 2100-300
Pinçalinhos (Sa) 116 Re 115
✉ 2100-300
Pincho (Fa) 144 Rb 125
Pincho (Co) 82 Rb 107
✉ •3090-421
Pindelo (Av) 68 Rd 103
Pindelo (Vi) 68 Sa 105 ✉ •3500-543
Pindelo dos Milagres (Vi) 68 Sa 104
✉ •3660-161
Pinela (Ba) 53 Tb 98 ✉ 5300-751
Pinelo (Ba) 53 Tc 99 ✉ 5230-181
Pinhal (Fa) 145 Re 126
Pinhal do Douro (Ba) 52 Se 102
✉ 5140-270
Pinhal do Norte (Ba) 52 Se 101
✉ 5140-205
Pinhal Novo (Se) 115 Ra 117
✉ •2955-001
Pinhanços (Gu) 69 Sb 106
✉ 6270-141
Pinhão (VR) 51 Sc 101
≈ Pinhão, Rio 51 Sc 101
Pinhão Cel (VR) 51 Sc 100
Pinheiro (Fa) 146 Sb 126
Pinheiro (Be) 130 Rb 122
Pinheiro (Be) 131 Re 121
Pinheiro (Se) 116 Rb 118
Pinheiro (Ma) 166 B 2
Pinheiro (Br) 51 Rf 99
Pinheiro (Por) 50 Re 102
Pinheiro (Av) 67 Rc 105
Pinheiro (Gu) 69 Sc 104
Pinheiro (Vi) 68 Rf 106
Pinheiro (Vi) 68 Re 104
Pinheiro (Vi) 68 Sa 103
Pinheiro da Bemposta (Av)
67 Rd 104
Pinheiro de Ázere (Vi) 68 Rf 106
✉ •3440-181
Pinheiro de Coja (Co) 83 Sa 107
✉ 3420-192
Pinheiro de Fora (Ma) 166 B 2
✉ 9370-038
Pinheiro Grande (Sa) 101 Rd 112
✉ 2140-307
Pinheiro Novo (Ba) 34 Sf 97
✉ 5320-121
Pinheiros (VC) 32 Rd 96
Pinheiros (Le) 82 Rb 110
✉ •2440-317
Pinheiro Velho (Ba) 34 Sf 97
Pinhel (Gu) 70 Sf 104
Pinho (VR) 51 Sc 99
Pinho (Vi) 68 Rf 104 ✉ •3660-229
Pinhoa (Li) 100 Qe 113
✉ •2530-509
Pinhovelo (Ba) 52 Ta 99
✉ 5340-024
Pínzio (Gu) 70 Sf 105 ✉ 6400-069
Piodão (Co) 84 Sb 107 ✉ 6285-018
Pioledo (VR) 51 Sa 100 ✉ 4880-084
▲ Pipas 118 Sd 118
Pipeira (Év) 118 Sd 116
Pirra (Fa) 144 Rc 126
Pisão (Pg) 102 Sa 114
Pisão (Pg) 103 Sc 113
Pisão (Av) 67 Rd 107
Pisão (Co) 83 Sa 107
▲ Pisco 69 Sd 104
Pisões (Be) 132 Sd 120
Pisões (Be) 132 Sb 121
☆ Pisões 131 Sa 121
Pisões (VR) 33 Sa 98
Pisões (CB) 83 Rf 110
Pisões (Le) 82 Ra 111
☆ Pisões, Barranco dos 144 Rc 124
Pitamariça de Baixo (Év)
116 Rd 116
Pitões das Júnias (VR) 33 Sa 97
Pizoria (CB) 83 Sa 109 ✉ 6185-141
Pó (Le) 100 Qe 113 ✉ •2540-479
Pocariça (Sa) 102 Re 111
Pocariça (Co) 67 Rc 106
Poçarrão (Sa) 102 Rf 112
✉ 2200-721
Poceirão (Se) 116 Rb 117
✉ •2965-214
Pocilgais (Sa) 101 Rd 114
Pocinho (Fa) 146 Sc 125
Pocinho (Év) 117 Sc 117
Pocinho (Gu) 52 Sf 102
≈ Pocinho, Barragem do 52 Sf 102
Poço da Amoreira (Fa) 145 Rf 126
Poço da Cruz (Av) 67 Rb 106
Poço do Bispo (Li) 115 Qf 116
Poço do Canto (Gu) 69 Se 102
✉ 6430-335
Poço dos Cães (Le) 82 Rc 109
✉ 3240-689
Poço Fundo (Fa) 144 Rd 126
✉ 8300-044
Poço Redono (Sa) 83 Re 111
▲ Poços 52 Sf 99
Poço Seco (Be) 131 Rf 123
Poço Velho (Gu) 70 Tb 105
✉ 6355-131
Podame (VC) 32 Rd 96 ✉ 4950-670
Podence (Ba) 52 Ta 99 ✉ 5340-392
Podentes (Co) 83 Rd 108
✉ •3230-521
Poiares (VC) 50 Rc 99 ✉ •4910-345
Poiares (VR) 51 Sb 101
Poiares (Ba) 70 Ta 102
✉ •5180-340
Poio (Fa) 144 Rc 125 ✉ •8500-149
≈ Poio, Barragem do 103 Sc 112
▲ Poio, Serra do 51 Sa 102
▲ Poiso (Ma) 167 C 2 ✉ •9100-220
Polvorão (Pg) 102 Sa 112
Polvoreira (Br) 50 Re 100
Polvorosas (Pg) 102 Sa 112
Pomar (Fa) 146 Sc 125
Pomarão (Be) 146 Sc 123
✉ 7750-411
Pomar da Rainha (VR) 51 Sa 99
✉ 5470-424
Pomares (Gu) 70 Sf 105
Pomares (Co) 83 Sa 107
Pomar Grande (Se) 130 Rb 120
Pomarinho (Év) 117 Sa 117
Pomba (Fa) 144 Rc 124
✉ 8550-035
▲ Pomba 145 Re 124
Pombal (Pg) 103 Se 113
Pombal (Ba) 52 Ta 100
Pombal (Ba) 52 Sd 101
Pombal (Le) 82 Rc 109
✉ •3100-310
Pombalinho (Sa) 101 Rc 112
✉ •2150-064
Pombalinho (Co) 83 Rd 108
✉ 3130-096
Pombares (Ba) 52 Ta 99
✉ 5300-761
Pombaria (Le) 83 Rd 109
✉ 3250-161
Pombas (Sa) 102 Re 113
Pombas (CB) 83 Rf 110 ✉ 6100-682
Pombeira (Sa) 83 Re 110
✉ •2240-372
Pombeiro da Beira (Co) 83 Rf 107
✉ 3300-318
Pombeiro de Riba Vizela (Por)
50 Re 100
Pombeiros (Be) 131 Sa 121
Pondras (VR) 51 Sa 98 ✉ 5470-384
≈ Ponsul, Rio 84 Sd 110
≈ Ponsul, Rio 85 Sf 108
Ponta (Ma) 167 ✉ 9400-085
Ponta de Castelo Branco (Aç)
168 Wb 117
Ponta Delgada (Aç) 168 Te 111
Ponta Delgada (Aç) 170 Zc 122
Ponta do Adoche (Se) 115 Ra 118
Ponta do Mistério (Aç) 169 We 117
Ponta do Pargo (Ma) 166 A 2
Ponta dos Capelinhos (Aç)
168 Wb 117
Ponta do Sol (Ma) 166 B 2
✉ •9360-101
≈ Ponta do Sol, Ribeira do (Ma)
166 B 2
Ponta Garça (Aç) 170 Zd 122
▲ Pontal 144 Ra 125
☆ Pontal 144 Rd 126
▲ Pontal 116 Rc 116
▲ Ponta Ruiva, Praia da 144 Ra 126
Ponta Torrais (Aç) 168 Tf 110
Ponte (VC) 32 Ra 98
Ponte (Br) 50 Rd 98
Ponte (Br) 50 Rd 100
Ponte da Barca (VC) 32 Rd 98
✉ •4980-610
Ponte da Mucela (Co) 83 Re 107
☆ Ponte 25 de Abril 115 Qf 116
Ponte Delgada (Ma) 166 C 2
Ponte de Lima (VC) 32 Rc 98
✉ •4990-011
Ponte de Olo (VR) 51 Sa 100
≈ Ponte de Pera, Barragem
83 Re 109
Ponte de Sor (Pg) 102 Sa 113
✉ •7400-201
Ponte de Vagos (Co) 67 Rc 106
Ponte do Abade (Vi) 69 Sd 103
✉ 3640-202
Ponte do Ave (Por) 50 Rb 100
Ponte do Rol (Li) 100 Qe 114
✉ •2560-106
Ponteira (VR) 33 Sa 98 ✉ 5470-363
Pontelha (VC) 50 Rb 99 ✉ 4990-670
Pontével (Sa) 101 Rb 114
✉ •2070-376
Ponte Velha (Pg) 103 Sd 112
Ponte Velha (Co) 83 Re 107
✉ •3200-037
Pontido (VR) 51 Sb 100
Pontinha (Li) 115 Qe 116
✉ •1675-003
☆ Ponto mais Ocidental do
Continente Europeu 115 Qd 116
Pópulo (VR) 52 Sd 100 ✉ 5070-313
Porches (Fa) 145 Rd 126
✉ •8400-455
Porches (Se) 116 Rd 119
≈ Porco, Ribeira do (Ma) 167 C 2
Porrais (Ba) 53 Tb 100 ✉ 5350-202
Porrais (VR) 52 Sd 100
✉ •5090-014
Porreiras (VC) 32 Rc 97
Portalegre (Pg) 103 Sd 113
✉ •7300-002
Portas do Capitão Mór (Li)
115 Ra 115
Portas do Mardo do Cão (Li)
115 Ra 115
Portas do Mouchão da Cabra (Li)
115 Ra 115
Porteirinhos (Be) 131 Rf 123
✉ 7700-212
Portel (Év) 117 Sb 119
✉ •7220-353
Portela (Fa) 146 Sb 125
Portela (Fa) 145 Re 125
Portela (Fa) 144 Rc 125
Portela (Fa) 145 Sa 124
Portela (Sa) 101 Re 112
✉ •2230-838
▲ Portela (Ma) 167 D 2
Portela (Aç) 168 Wb 117
Portela (VC) 32 Rd 97
Portela (Ba) 35 Ta 97
Portela (Br) 50 Rd 100
Portela (Por) 50 Re 102
Portela (VR) 51 Sb 101
Portela (Vi) 68 Rf 104
Portela (Av) 68 Rd 103
Portela (CB) 83 Rf 110
Portela (Co) 82 Rc 107
Portela das Cabras (Br) 50 Rd 99
Portela de Santa Eulália (VR)
51 Sb 100 ✉ 4870-129
Portela do Fojo (Co) 83 Rf 109
Portela dos Colos (Sa) 83 Rf 110
Portelas (Fa) 144 Rb 126
Portela Susã (VC) 50 Rb 99
Portelinha (Se) 130 Rc 122
Portelinha (VC) 33 Re 96
Portêlo (Ba) 35 Tb 97
Portimão (Fa) 144 Rc 126
✉ •8500-069
▲ Portinho, Praia de 115 Ra 118
Portinho da Arrábida (Se)
115 Ra 118
Porto (Por) 50 Rb 102 ✉ •4000-008
Porto Alto (Sa) 101 Ra 115
✉ •2135-015
Porto Carro (Le) 82 Ra 111
Porto Carvalhoso (Fa) 145 Sb 125
Porto Carvoeiro (Av) 50 Rd 102
Porto Covo da Bandeira (Se)
130 Rb 121
Porto da Carne (Gu) 69 Se 105
✉ 6300-170
Porto da Cruz (Ma) 167 D 2
Porto da Espada (Pg) 103 Sd 112
Porto das Barcas (Be) 144 Rb 123
Porto da Vila (CB) 84 Sc 109
Porto de Lagos (Fa) 144 Rc 125
Porto de Mós (Fa) 144 Rb 126
Porto de Mós (Le) 82 Rb 111
✉ •2480-006
▲ Porto de Mós, Praia de
144 Rb 126
Porto de Ovelha (Gu) 70 Ta 105
Porto dos Asnos (CB) 84 Sc 108
✉ 6230-753
Porto dos Boscoitos (Aç)
169 Xe 116
Porto Formosa (Aç) 170 Zd 122
Porto Judeu (Aç) 169 Xf 117
✉ •9700-362
Porto Martins (Aç) 169 Xf 116
✉ •9760-095
Porto Moniz (Ma) 166 B 1
Porto Mouro (Be) 131 Rd 120
Porto Novo (Li) 100 Qe 113
✉ •2560-100
Porto Novo (Ma) 167 D 3
Porto Novo (Av) 68 Rd 103
✉ 3730-301
▲ Porto Novo, Praia de 100 Qd 113
≈ Porto Novo, Ribeira do (Ma)
167 D 2
▲ Porto Santo (Ma) 167
Porto Santo (Ma) 167
Porto Santo (Aç) 169 Xe 117
Portunhos (Co) 82 Rc 107
✉ 3060-522
Portuzelo (VC) 32 Rb 98
Possacos (VR) 52 Se 99
✉ 5430-191
Posto Fiscal de Penalva (Be)
132 Se 121
Posto Fiscal de Sopos (Be)
132 Sd 121
Posto Fiscal de Val Covo (Be)
132 Sd 122
Posto Fiscal do Caia (Pg)
118 Sf 115
Posto Fiscal do Retiro (Pg)
118 Sf 115
Potor Salvo (Li) 115 Qe 116
Pouca Pena (Co) 82 Rc 108
✉ 3130-541
Pousa (Br) 50 Rc 99 ✉ •4755-411
☆ Pousada 115 Ra 117
Pousada (Br) 50 Rd 99
Pousada (Por) 51 Rf 102
✉ •4575-065
Pousada (VR) 51 Sa 101
☆ Pousada, Castelo 115 Ra 117
Pousada de Saramagos (Br)
50 Rd 100 ✉ •4770-400
Pousada dos Vinháticos (Ma)
166 B 2
Pousadas Vedras (Le) 82 Rc 109
Pousadouros (Co) 83 Rf 107
✉ •3420-172
Pousaflores (Le) 83 Rd 109
✉ 3240-610
Pousafoles do Bispo (Gu) 69 Se 106
✉ 6320-233
Pousios (VC) 33 Re 97
Pousos (Le) 82 Rb 110
Poutena (Av) 67 Rc 106 ✉ 3780-594
Póvoa (Év) 132 Se 119
Póvoa (Sa) 101 Rc 112
✉ •2305-020
Póvoa (Por) 50 Rc 102
Póvoa (VR) 51 Sa 99
Póvoa (Vi) 51 Sa 102
Póvoa (Ba) 52 Sf 101
Póvoa (Ba) 53 Te 99
Póvoa (VR) 52 Se 99
Póvoa (VR) 52 Sc 101
Póvoa (Vi) 68 Sa 103
Póvoa (Vi) 69 Sb 103
Póvoa (Le) 82 Ra 111 ✉ •2460-398
Póvoa (CB) 83 Rf 110
Póvoa (Co) 83 Sa 108
▲ Póvoa 84 Sd 108
≈ Póvoa, Barragem da 103 Sc 112
Povoação (Aç) 170 Ze 122
Póvoa da Galega (Li) 100 Qe 115
✉ •2665-300
Povoa da Isenta (Sa) 101 Rb 113
Póvoa da Lomba (Co) 67 Rc 107
✉ 3060-213
Póvoa da Palmeira (Av) 68 Rd 106
✉ 3780-525
Póvoa da Pegada (Vi) 68 Sa 106
✉ 3430-565
Póvoa da Rainha (Gu) 69 Sb 105
Póvoa de Agrações (VR) 52 Sc 99
Póvoa de Atalaia (CB) 84 Sd 108
✉ 6230-600
Póvoa de Carrerco (Av) 67 Rc 106
Póvoa de Cervães (Vi) 69 Sb 105
✉ 3530-320
Póvoa de Lanhoso (Br) 50 Re 99
✉ •4830-191
Póvoa d'El-Rei (Gu) 69 Se 104
Póvoa de Midões (Co) 68 Sa 106
Póvoa de Mosqueiros (Vi) 68 Rf 106
Póvoa de Penafirme (Li) 100 Qd 114
✉ 2560-046
Póvoa de Penela (Vi) 69 Sd 102
✉ •3630-350
Póvoa de Pereira (Av) 67 Rd 106
Póvoa de Rio de Moinhos (CB)
84 Sd 109 ✉ 6000-610
Póvoa de Santa Iria (Li) 115 Qf 115
✉ •2625-002
Póvoa de Santarém (Sa)
101 Rb 113 ✉ 2000-531
Povoa de Santo (Li) 115 Qf 116
Póvoa de Santo Amaro (Vi)
68 Rf 106 ✉ 3430-771
Póvoa de São Cosme (Co)
68 Sa 106 ✉ •3405-115
Póvoa de Varzim (Por) 50 Rb 100
✉ •4490-001
Póvoa do Bispo (Co) 67 Rc 106
✉ 3060-471
Póvoa do Concelho (Gu) 69 Se 104
✉ 6420-531
Póvoa do Paço (Av) 67 Rc 104
✉ •3800-550
Póvoa do Valado (Av) 67 Rc 105
✉ •3810-756
Póvoa do Vale do Trigo (Av)
68 Rd 105
Póvoa e Meadas (Pg) 103 Sc 111
✉ •7320-011
Póvoa Nova (Gu) 69 Sc 106
✉ 6270-221
Póvoas (Sa) 101 Ra 112
✉ 2040-154
Povoinha (CB) 84 Sb 109
Povolide (Vi) 69 Sb 105 ✉ 3505-2
≈ Pracana, Barragem de
102 Sb 111
Prada (Ba) 34 Ta 97 ✉ 5320-221
Prado (VC) 33 Re 96
Prado (Br) 50 Rd 99
Prado (Gu) 69 Se 105 ✉ •3570-1
Prado de Baixo (Vi) 69 Sc 103
Prado Gatão (Ba) 53 Td 100
✉ 5225-041
Prados (Gu) 69 Se 104
Prados (Gu) 69 Sd 105
Pragança (Li) 100 Qf 113
✉ 2550-371
Praia (Aç) 168 Xa 114
Praia (Aç) 170 Zf 127
Praia (Le) 82 Ra 109
▲ Praia, Ilhéu da (Aç) 168 Xa 114
Praia da Aguda (Por) 50 Rc 102
Praia da Areia Branca (Li)
100 Qd 113 ✉ •2530-209
Praia da Granja (Por) 50 Rc 102
Praia das Maçãs (Li) 115 Qd 115
✉ •2705-061
Praia de Cortegaça (Av) 67 Rc 103
Praia de Esmoriz (Av) 67 Rc 103
Praia de Mira (Av) 67 Rb 106
Praia de São Bernardino (Le)
100 Qd 113
Praia do Almoxarife (Aç)
168 Wc 117 ✉ 9900-451
Praia do Norte (Aç) 168 Wb 117
Praia do Sado (Se) 116 Rb 117
▲ Praia Grande 115 Qd 116
▲ Praia Verde 146 Sd 125
Prainha (Aç) 169 We 118
Prainha (Ma) 167 D 2
Praja do Ribatejo (Sa) 101 Rd 112
▲ Prata, Costa de 100 Qe 112
Prazeres (Ma) 166 A 2
Prazins (Br) 50 Re 100
Preguiça (Fa) 146 Sc 125
Preguiças (Fa) 146 Sc 124
Preguinho (Vi) 68 Re 104
✉ 3660-672
Presa (Sa) 102 Rf 111 ✉ •2230-0
Presa (Av) 67 Rb 106
Presa (Co) 82 Rc 108 ✉ •3070-38
Préstimo (Av) 68 Re 105
✉ 3750-679
▲ Preta, Serra 51 Sc 100
Pretarouca (Vi) 51 Sa 102
✉ 5100-740
Prezandães (VR) 52 Sd 101
Priscos (Br) 50 Rd 100
✉ •4705-555
Proença-a-Nova (CB) 83 Sa 110
✉ •6150-310
Proença-a-Velha (CB) 84 Se 108
✉ 6060-069
Prova (Gu) 69 Sd 103 ✉ 6430-341
Provença (Se) 130 Rb 121
▲ Provença, Praia da 130 Rb 121
Provesende (VR) 51 Sc 101
✉ •5060-251
Provezende (Av) 68 Re 103
✉ 4540-486
Prozelo (VC) 32 Rd 97
Puente Internacional (Pg)
103 Se 112
☆ Pulo do Lobo 132 Sc 122
Purgatório (Fa) 145 Re 125
✉ 8200-498
Pussos (Le) 83 Rd 110 ✉ 3250-389

Q

Quadra (Ba) 34 Sf 97 ✉ 5320-195
Quadrazais (Gu) 85 Ta 107
✉ 6320-242
Quarta-Feira (CB) 69 Se 106
Quarteira (Fa) 145 Rf 126
✉ •8125-001
▲ Quarteira, Praia do 145 Rf 126
Quartel (Li) 100 Qf 113
Quatrim (Fa) 145 Sb 126
Quatrim do Sul (Fa) 145 Sb 126
✉ 8700-128
Quatro Lagoas (Co) 82 Rd 108
✉ 3130-083
Quatro Ribeiras (Aç) 169 Xe 116
✉ •9760-351
Quebradas (Li) 100 Ra 113
✉ •2065-110
Queijada (VC) 32 Rc 98
✉ 4990-685
Queimada (Aç) 169 We 116
Queimada (Vi) 51 Sb 102
✉ •3630-114

Queimada, Chiqueiro da (Ma) 167 C2
Queimada, Ponta da (Ma) 167 D2
Queimadela (Br) 51 Rf99 ✉4820-560
Queimadela (Vi) 51 Sb102
Queimado (Be) 144 Rc123
Queimado, Ponta do (Aç) 169 Xd116
Queirã (Vi) 68 Rf104 ✉3670-174
Queirela (Vi) 68 Sa104 ✉*3515-500
Queiriga (Vi) 69 Sb104 ✉3650-051
Queiriz (Vi) 69 Sd104
Quelfes (Fa) 145 Sb126
Quelhinhas (CB) 85 Sf108
Quelmado, Pico (Aç) 170 Zc122
Queluz (Li) 115 Qe116 ✉*2745-001
Querelado (Por) 50 Rc101
Querença (Fa) 145 Sa125 ✉8100-129
Quiaios (Co) 82 Ra107 ✉*3080-516
Quintã (Be) 145 Sa124
Quintã (Be) 145 Sa125
Quintã (Be) 132 Sc123
Quintã 103 Sd113
Quintã (VR) 51 Sc100
Quintã (VR) 51 Sa101
Quintã (Por) 51 Sa102
Quintã (Vi) 67 Rb105
Quintã da Cascalheira (Vi) 51 Sc101
Quintã da Corona (Se) 130 Rd121 ✉7540-021
Quintã da Deguedinha (Vi) 69 Sc104
Quintã da Estrada (Gu) 69 Sc104 ✉3570-074
Quintã da Quarteira (Fa) 145 Rf126
Quintã das Quebradas (Ba) 53 Tb101
☆Quintã das Rosas (Aç) 168 Wd117
Quintã de Paulo Lopes (Vi) 69 Sd103
Quintã de Pêro Martins (Gu) 70 Sf103
Quintã de Santo Amaro (Gu) 84 Se107 ✉6320-125
Quintã de Santo António (Se) 115 Qe117
Quintã de São João (Sa) 101 Rc113 ✉*2000-467
Quintã de Vale de Peña (Ba) 53 Tc99
Quintã do Anjo (Se) 115 Ra117 ✉*2950-532
Quintã do Duque (Év) 117 Rf119
Quintã do Estácio (Be) 131 Sd121
Quintã do Gato (Av) 67 Rc105
Quintã do Gonçalo Martins (Gu) 70 Sf106
Quintã do Lago (Fa) 145 Rf126
Quintã do Major (CB) 85 Sf107
Quintã do Monte Leal (CB) 84 Sd108
☆Quintã do Palheiro Ferreiro (Ma) 167 C3
Quintã do Passarinho (Gu) 85 Ta107
Quintã do Paul (Sa) 101 Rc112
Quintã do Rio (Gu) 69 Sb106 ✉6300-235
Quintã dos Bernardos (Gu) 70 Sf104
Quintã do Sousa (Év) 116 Rc117 ✉7000-173
Quintã dos Ricos (Av) 67 Rb104
Quintã Grande (Sa) 101 Rc115 ✉*2100-056
Quinta Grande (Ma) 166 B3
Quintana da Ribeira (Ba) 52 Ta102
Quintana das Centieiras (Ba) 52 Ta102
Quintana de Alva (Ba) 70 Ta102
Quintana do Juncal (Ba) 53 Tb102
Quintana do Vale do Meão (Gu) 52 Sf102
Quintanilha (Ba) 35 Tc98 ✉5300-772
Quinta Nova (Sa) 101 Rc113 ✉*2070-553
Quintas (Li) 100 Qe115 ✉*2640-252
Quintas (VR) 51 Sb98
Quintãs (Av) 67 Rc105 ✉*3830-264
Quintas (Av) 67 Rd107
Quintas (CB) 84 Se107
Quintas da Feijoeira (CB) 84 Se108
Quintas de São Bartolomeu (Gu) 70 Sf106 ✉6320-251
Quintas do Norte (Av) 67 Rb104
Quintela (Ba) 54 Ta97
Quintela (VR) 52 Sd98
Quintela (Vi) 69 Sc103
Quintela (Vi) 68 Rf104

Quintela de Azurara (Vi) 69 Sb105 ✉3530-334
Quintela de Lampacas (Ba) 52 Ta99
Quintiães (Br) 50 Rc99
Quintos (Be) 132 Sb121 ✉7800-661
Quiraz (Ba) 34 Sf97
Qunitas (Sa) 101 Ra113

R

Rabaça (Pg) 103 Se113 ✉7300-467
Rabaça (Gu) 70 Sf105 ✉*6300-075
Rabaçal (Év) 117 Re116
Rabaçal (Ma) 166 B2
Rabaçal (Gu) 69 Se103
Rabaçal (Co) 83 Rd108 ✉*3230-544
≈Rabaçal, Rio 52 Se98
Rabaceiro (Le) 100 Qf112
Rabacinas (CB) 84 Sb110 ✉*6150-127
▲Rabagão, Barragem do 33 Sb98
Rabal (Ba) 35 Tb97 ✉5300-791
Rabasqueira (Év) 117 Rf116
Rabo de Peixe (Aç) 170 Zc122 ✉*9600-082
Rabo do Lobo (Se) 130 Rb122
Rádio Marconi (Év) 116 Rd117
≈Raia, Ribeira de 102 Re115
≈Raia, Ribeira de 114 Re115
Raimonda (Por) 50 Re101 ✉*4590-653
Raiva (Av) 50 Re102 ✉*4550-247
Raiva (Co) 83 Re107
Raiz do Monte (VR) 51 Sc100 ✉5450-344
Ramadas (VR) 51 Sa101
Ramado (Be) 132 Sc120
▲Ramal (Ma) 166 A2
Ramalde (Por) 50 Rc102
Ramalhais de Cima (Le) 82 Rc109
Ramalhal (Li) 100 Qe114 ✉*2565-646
Ramalhal (Le) 83 Rd110 ✉3250-422
Ramalheira (Sa) 83 Rd110 ✉*2305-436
Ramalhosa (Le) 100 Qf112 ✉*2500-377
Ramela (Gu) 69 Se106 ✉6300-181
Raminho (Aç) 169 Xe116 ✉*9700-401
Ramires (Vi) 51 Rf102
▲Ramiro, Serra do 85 Sf108
Ramos (Fa) 145 Re124
Rande (Por) 50 Re101 ✉*4560-232
≈Ranhadas, Barragem de 69 Sd102
Ranha de Baixo (Le) 82 Rc109 ✉3100-362
Ranhados (Gu) 69 Se103
Ranhados (Vi) 68 Sa105 ✉*3660-423
Rapa (Gu) 69 Sd105 ✉6360-130
Raposa (Sa) 101 Rc114 ✉*2080-701
Raposeira (Fa) 144 Ra126
Raposeira (Sa) 116 Rc115 ✉*2100-650
Raposeira (Le) 82 Rb110 ✉*2420-218
Raposeira do Logarinho (Ma) 166 A2
Rapoula (Gu) 69 Se105
Rapoula (CB) 84 Sb109
Rapoula do Côa (Gu) 70 Sf106 ✉6320-261
Rãs (Por) 50 Re102
Rãs (Vi) 69 Sc104 ✉*3475-042
Rasa (Pg) 103 Sd112
▲Raso, Cabo 115 Qd116
▲Rata 130 Rc121
Rates (Por) 50 Rc100 ✉*4570-410
Rato (Fa) 146 Sc126
Ratoeira (Gu) 69 Sd105 ✉6360-140
Real (Br) 50 Rd99
Real (Por) 51 Re101
Real (Av) 68 Re102 ✉*4550-250
Real (Vi) 69 Sb105 ✉*3440-056
≈Real, Rio 100 Qe112
Rebaixia (CB) 83 Rf110
Rebelos (Le) 100 Qf111 ✉2460-362
Rebolaria (Gu) 69 Sd104 ✉6420-541
Rebolia (Co) 82 Rc108 ✉3150-258
▲Rebolinhos, Praia de 144 Ra126
Rebolosa (Gu) 70 Ta106 ✉6320-271
Rebordainhos (Ba) 53 Ta99
Rebordãos (Ba) 35 Tb98 ✉5300-811
Rebordelo (VR) 33 Sb98

Rebordelo (Ba) 34 Sf98
Rebordelo (Av) 50 Rd102
Rebordelo (VR) 51 Sa100
Rebordinho (Vi) 68 Re105 ✉*3500-898
Rebordões (VC) 32 Rc98
Rebordões (Br) 50 Rd100
Rebordondo (VR) 51 Sc98 ✉5425-012
Rebordosa (Co) 83 Re107 ✉3360-108
Reboreda (VC) 32 Rb97
Reboredo (VR) 52 Sc100
▲Reboredo, Serra do 52 Ta102
Recardães (Av) 67 Rd105 ✉3750-726
Recarei (Por) 50 Rd102 ✉*4585-594
Recezinhos (Por) 51 Re101
Redinha (Le) 82 Rc108 ✉*3105-321
Redonda (CB) 102 Sa111
Redondelo (VR) 51 Sc98
Redondo (Év) 118 Sc117
▲Redondo (Aç) 168 Wd117
▲Redondo, Monte 100 Ra114
Redondos (Le) 82 Rc109
Redundo (Por) 50 Rd101 ✉4825-286
Reféga (Ba) 35 Tc98
Referta (Ma) 167 D2 ✉*9225-220
Refóios do Lima (VC) 32 Rc98
Refojos de Basto (Br) 51 Sa99
Refojos de Riba de Ave (Por) 50 Rd101 ✉*4825-292
Refontoura (Por) 51 Re101
Regadas (Br) 51 Rf100
Regilde (Por) 50 Re100
▲Rego 118 Se115
Rego (Br) 51 Rf100
Rego da Murta (Le) 83 Rd110
Rego de Vide (Ba) 52 Se100 ✉5370-110
≈Régua, Barragem da 51 Sb102
Regueira de Pontes (Le) 82 Rb110
Reguenga (Por) 50 Rd101 ✉*4825-360
Reguengo (Fa) 144 Rc125
Reguengo (Be) 131 Re121
Reguengo (Be) 131 Rf122
Reguengo (Év) 117 Rf115
Reguengo (Pg) 103 Se114
Reguengo (Pg) 103 Sd113
Reguengo do Fetal (Le) 82 Rb111 ✉2440-208
Reguengo Grande (Li) 100 Qe113 ✉*2530-564
Reguengo Pequeno (Be) 130 Rc123
Reguengos de Monsaraz (Év) 118 Sc118 ✉*7200-200
▲Rei, Pinhal d'El 115 Qf117
Reigada (Gu) 70 Ta104
Reigadinho (Gu) 70 Se104
Reigoso (VR) 33 Sa98
Reigoso (Vi) 68 Re104 ✉*3680-192
Reis Magos (Ma) 167 D3
Relíquias (Be) 130 Rd122 ✉7630-392
☆Relíquias, Cerro das 146 Sb124
Relógio do Poiso (Ma) 166 B2
Relva (Pg) 103 Se112
Relva (Aç) 170 Zb122
Relva (Vi) 69 Sa103 ✉*3600-475
Relva (CB) 83 Rf110
Relva (CB) 85 Sf108
Relva da Louça (CB) 83 Sa110 ✉6150-501
▲Relva de Tábuas 83 Re108
Relvas (Le) 100 Qf112 ✉*2500-796
Relvas (Co) 83 Sa107
Relvas (CB) 84 Sb108
Relvas Verdes (Se) 130 Rb121 ✉7540-240
Relva Velha (Co) 83 Sa107 ✉3305-227
Relvinha (Co) 83 Rd107
Relvinhas (Se) 130 Rc120
Remédios (Le) 100 Qd112
Remédios (Aç) 170 Zb121
Remelhe (Br) 50 Rc100
Remoães (VC) 32 Re96
Remondes (Ba) 53 Tb100 ✉5200-370
Remouco (Co) 68 Rf106
Rendo (Gu) 70 Sf106
Rendufe (VC) 32 Rc97
Rendufe (Br) 50 Rd99 ✉*4800-199
Rendufe (VR) 52 Sd99
Rendufinho (Br) 50 Re99
Represa (Év) 117 Rf116
Represa (CB) 84 Sc110 ✉6000-620

Requeixo (Av) 67 Rc105 ✉*3800-861
Requião (Br) 50 Rd100 ✉*4770-427
Reriz (Vi) 68 Sa103 ✉*3600-571
Retaxo (CB) 84 Sc110 ✉*6000-621
Retorta (Be) 132 Sc121
Retorta (Év) 116 Rc117
Retorta (Por) 50 Rb100
Revel (VR) 51 Sc100 ✉5450-294
Reveladas (Pg) 103 Sd112 ✉7330-336
Reveles (Co) 82 Rb108 ✉*3045-444
Revelhe (Br) 51 Rf100 ✉*4820-630
Revelhos (Pg) 103 Se114
Reveses (Fa) 145 Sa124
Revinhade (Por) 50 Re100
Riachos (Sa) 101 Rc112 ✉*2350-290
▲Ria Formosa, Parque Natural da 145 Sa127
Ribabelide (Vi) 51 Sa102 ✉5100-330
Riba de Âncora (VC) 32 Rb98
Riba de Ave (Br) 50 Rd100 ✉*4765-181
Riba de Aves (Le) 82 Rb110
Riba de Mouro (VC) 32 Re96
Ribadoura (Por) 51 Rf102
Ribafeita (Vi) 68 Sa104 ✉*3515-806
Ribafria (Le) 100 Ra112 ✉*2460-618
Ribaldeira (Li) 100 Qe114 ✉*2565-173
Ribalonga (Ba) 52 Sd101 ✉5140-224
Ribalonga (VR) 52 Sc100 ✉5070-322
Ribamar (Li) 100 Qd113 ✉6290-251
Ribamar (Li) 100 Qd114
Ribamondego (Gu) 69 Sc105 ✉6290-251
Ribas (Br) 51 Rf100
Ribas (Co) 83 Re107
Ribas (Co) 82 Rb107
▲Ribatejo 116 Rb115
Ribatejo (Sa) 101 Rc114
Ribeira (Br) 32 Re98
Ribeira (VC) 32 Rc98
Ribeira (Av) 67 Rc103
Ribeira (Co) 83 Re108
▲Ribeira, Chão da (Ma) 166 B2
Ribeira Alta (Fa) 145 Re125
Ribeira Branca (Sa) 101 Rc112 ✉2350-396
Ribeira Brava (Ma) 166 B3
≈Ribeira Brava (Ma) 166 B2
Ribeira Cha (Aç) 170 Zd122
Ribeira da Areia (Aç) 169 Wf117 ✉*9760-322
Ribeira da Gafa (Fa) 146 Sc125 ✉8900-055
Ribeira da Isna (CB) 83 Sa110 ✉6160-154
Ribeira da Janela (Ma) 166 B1
Ribeira das Canas (Fa) 144 Rc125 ✉8550-366
Ribeira das Taínhas (Aç) 170 Zd122 ✉*9680-501
Ribeira de Alte (Fa) 145 Re125 ✉8200-501
Ribeira de Fráguas (Av) 68 Rd104 ✉3850-711
Ribeira de Gabo (Aç) 168 Wb117
▲Ribeira de Janela, Ilhéus da (Ma) 166 B1
Ribeira de Machico (Ma) 167 D2 ✉9200-162
Ribeira de Nisa (Pg) 103 Sd113
Ribeira de Odelouca (Be) 145 Re124 ✉7700-260
Ribeira de Pena (VR) 51 Sb99 ✉*4870-150
Ribeira de São João (Sa) 101 Ra113 ✉2040-511
Ribeira de Vaca (Ma) 166 A2
Ribeirádio (Vi) 68 Re104
Ribeira do Fernando (Aç) 102 Rf112 ✉2205-291
Ribeira do Meio (Aç) 169 We118 ✉*9930-173
Ribeira do Nabo (Aç) 169 Wf117 ✉9800-404
Ribeira do Salto (Be) 130 Rc122 ✉7630-394
Ribeira dos Carinhos (Gu) 70 Sf105 ✉*6300-185
Ribeira do Seissal (Be) 130 Rc122 ✉7630-357
Ribeira do Testo (Aç) 169 Xf117
Ribeira Funda (Aç) 168 Wb117
Ribeira Funda (Ma) 166 B2
Ribeira Funda (Ma) 167 C2

≈Ribeira Grande 102 Sc114
Ribeira Grande (Aç) 170 Zc122
Ribeirão (Br) 50 Rc100 ✉*4760-266
Ribeira Quente (Aç) 170 Ze122 ✉*9675-161
Ribeiras (Aç) 169 We118
Ribeira Seca (Aç) 170 Zc122
Ribeira Seca (Aç) 169 Xa117
Ribeira Seca (Aç) 169 Xf116
Ribeira Sêca (Ma) 167 D2
Ribeirinha (Fa) 146 Sb125
Ribeirinha (Aç) 168 Wc117
Ribeirinha (Aç) 168 Wf114
Ribeirinha (Aç) 169 Wf118
Ribeirinha (Aç) 169 Xe117
Ribeirinha (Aç) 170 Zd122
Ribeirinha (VR) 52 Sc100
Ribeirinho (VC) 32 Rc97
Ribeiro (Fa) 146 Sc125
Ribeiro (CB) 83 Sa109
Ribeiro de Arade (Fa) 145 Re125
Ribeiro do Raposa (Ma) 166 B2
Ribeiro do Soutelinho (Co) 83 Rf109
Ribeiro Frio (Ma) 167 C2 ✉9230-209
Ribeiros (Br) 51 Rf100
Ribeiros (Vi) 68 Sa103 ✉3600-623
Ribolinhos (Vi) 68 Sa103
Rio (CB) 84 Sb108
Rio Bom (VC) 32 Rd97
Rio Bom (VR) 52 Sd99
Rio Cabrão (VC) 32 Rc98
Rio Caldo (Br) 51 Re98
Rio Coro (Av) 67 Rd107
Rio Covo (Br) 50 Rc100
Riodades (Vi) 69 Sd102 ✉5130-287
Rio de Couros (Sa) 82 Rc110 ✉2435-530
Rio de Fornos (Ba) 34 Sf97 ✉5320-279
Rio de Frades (Av) 68 Re103 ✉4540-243
Rio de Galinhas (Por) 51 Rf101
Rio de Galinhas (Co) 83 Rd108 ✉3040-488
Rio de Mel (Gu) 69 Sd104
Rio de Mel (Vi) 68 Sa104 ✉*3660-191
Rio de Moinhos (Be) 131 Re121
Rio de Moinhos (Br) 51 Re119
Rio de Moinhos (Év) 118 Sd116 ✉*7150-361
Rio de Moinhos (VC) 32 Rd97
Rio de Moinhos (Por) 50 Re102
Rio de Moinhos (Vi) 69 Sb104
Rio de Moinhos (Sa) 102 Re112
Rio de Mouro (Li) 115 Qe116 ✉*2635-001
Rio de Onor (Ba) 35 Tc97 ✉5300-821
Rio Douro (Br) 51 Sa99 ✉4860-431
Rio Frio (Se) 116 Ra116
Rio Frio (VC) 32 Rd97
Rio Frio (Ba) 53 Tc98 ✉5300-831
Rio Maior (Sa) 100 Ra112 ✉*2040-092
Rio Mau (Br) 32 Rc98 ✉*4715-448
Rio Mau (Por) 50 Rd102 ✉*4480-401
Rio Meão (Av) 67 Rc103 ✉*4520-467
Rio Milheiro (Vi) 68 Rf106 ✉3450-341
Rio Moinhos (Gu) 69 Sd104
Rio Seco (Fa) 145 Sa126
Rio Seco (Év) 51 Rf119
Rio Seco da Estrada (Be) 131 Re119
Rio Tinto (Por) 50 Rc101 ✉*4435-002
Rio Tinto (Br) 50 Rb100
Rio Tinto (Vi) 67 Rc106 ✉*3840-303
Rio Torto (VR) 52 Se99
Rio Torto (Gu) 69 Sc105
Rio Vide (Co) 83 Rd108
Riscada (CB) 102 Sb111 ✉6030-020
▲Risco, Boca do (Ma) 167 D2
Roalde (VR) 51 Sc101 ✉5060-423
Robalo (Sa) 83 Rf111 ✉6120-167
▲Roca, Cabo da 115 Qd116
Rocamondo (Gu) 69 Se105 ✉6300-190
Rocas do Vouga (Av) 68 Rd104 ✉3740-182
Rocha (Fa) 145 Rf125
Rocha (VC) 32 Rb98
Rocha (VC) 32 Ra98
▲Rocha 83 Sa108
▲Rocha, Praia da 144 Rc126
Rocha Bravo (Fa) 144 Rc126
☆Rocha dos Bordões (Aç) 168 Te112
Rocha Forte (Li) 100 Qf113
▲Rocha Negra (Ma) 166 B2

Rochas de Baixo (CB) 84 Sc 109
✉ 6000-007
Rochas de Cima (CB) 84 Sc 108
✉ 6000-008
Rochoso (Gu) 70 Sf 105
✉ 6300-195
Roda (Br) 51 Rf 99
Roda (Vi) 68 Rf 104 ✉ *3530-254
Roda (Sa) 83 Sa 110
Roda Cimeira (Co) 83 Rf 108
✉ 3330-108
Roda Fundeira (Co) 83 Rf 108
✉ 3330-109
Roda Grande (Sa) 101 Rd 112
✉ 2305-121
☆ Rodão, Portas de 102 Sb 111
Rodeios (CB) 84 Sc 110
✉ 6030-115
▲ Rodeiro 101 Rd 112
Roge (Av) 68 Rd 103
Rogil (Fa) 144 Rb 124 ✉ 8670-440
Róios (Ba) 52 Sf 101
Rojão Grande (Vi) 68 Rf 106
✉ 3440-607
Rola (CB) 83 Rf 110
Rolão (Be) 131 Sa 122 ✉ 7780-408
Rolhão (Fa) 144 Rc 125
Roliça (Le) 100 Qe 113
✉ *2540-542
Roma (Ma) 167 D 2 ✉ 9100-145
Romarigães (VC) 32 Rc 97
Romariz (Av) 68 Rd 103
✉ *3700-808
Romãs (Gu) 69 Sc 104
Romba (Be) 145 Sa 124
Romeira (Pg) 117 Sb 115
Romeira (Sa) 101 Rb 113
✉ 2005-076
Romeiras (Fa) 144 Rb 125
Romeiras (Be) 131 Sb 123
✉ *7665-892
Romeu (Ba) 52 Sf 99
Roncão (Be) 146 Sc 123
Roncão (Be) 145 Sb 124
Roncão (Se) 130 Rc 120
Roncão (Év) 118 Sd 119
Ronfe (Br) 50 Rd 100 ✉ *4805-354
Roque (Gu) 70 Sf 104
Roqueiro (CB) 83 Sa 109
✉ *6100-530
Roriz (VR) 34 Se 98
Roriz (Br) 50 Rc 99
Roriz (Por) 50 Rd 100
Roriz (Vi) 69 Sb 104 ✉ *3550-252
≈ Rosada, Lagoa da (Aç)
169 We 118
Rosais (Aç) 169 We 116
✉ *9800-221
▲ Rosais, Ponta dos (Aç)
168 We 116
▲ Rosal 144 Rc 124
Rosal (Be) 132 Sc 120
≈ Rosal, Ribeira do 144 Rc 124
Rosário (Be) 131 Rf 123
Rosário (Év) 118 Sd 117
✉ 7250-203
Rosário (Se) 115 Qf 116
✉ *2860-626
Rosário (Ma) 166 B 2
Rosem (Por) 51 Re 102
Rosmaninhal (Pg) 102 Sa 113
Rosmaninhal (Sa) 102 Sa 111
Rosmaninhal (Sa) 101 Re 113
Rosmaninhal (CB) 85 Sf 110
✉ *6060-185
Rossão (Vi) 68 Sa 103 ✉ 3600-377
Rossas (Vi) 51 Sa 102
Rossas (Av) 68 Re 103
Rossio ao Sul do Tejo (Sa)
102 Re 112
▲ Rosto, Ponta do (Ma) 167 D 2
Rouças (VC) 33 Re 97
✉ *4970-150
Roussas (VC) 33 Re 96
Routar (Vi) 68 Rf 105 ✉ *3510-816
Roxo (Co) 83 Rd 107 ✉ 3360-109
≈ Roxo, Barragem do 131 Rf 121
Rua (Vi) 69 Sc 103 ✉ *3600-404
Rua Nova (Fa) 144 Rc 125
Rua Nova (Br) 50 Rd 100
Ruas (Be) 131 Rf 121
Rubiães (VC) 32 Rc 97
Ruge Água (Le) 82 Rc 110
✉ 2420-242
Ruilhe (Br) 50 Rd 100
☆ Ruína Romana 131 Sa 121
☆ Ruínas Romanas 131 Re 123
☆ Ruínas Romanas 115 Ra 118
Ruivães (Br) 51 Rf 100
Ruivães (Br) 50 Rd 100
Ruivães (Br) 51 Rf 98
Ruivina (Gu) 70 Sf 106
Ruivo (Fa) 144 Rb 125
▲ Ruivo, Pico (Ma) 167 C 2
▲ Ruivo do Paúl (Ma) 166 B 2
Ruivos (VC) 32 Rd 98
Ruivós (Gu) 70 Ta 106 ✉ 6320-291
Runa (Li) 100 Qe 114 ✉ *2565-710

S

Sá (VC) 32 Rd 96
Sá (VC) 32 Rd 97
Sá (Por) 50 Rd 102
Sá (VR) 52 Sd 98
Sá (Vi) 68 Rf 104 ✉ *3660-074
Sabacheira (Sa) 82 Rd 110
✉ 2305-622
Sabadim (VC) 32 Rd 97
Sabariz (Br) 50 Rd 99 ✉ *4750-381
Sabóia (Be) 144 Rc 124
✉ *7665-819
≈ Sabor, Rio 52 Sf 101
≈ Sabór, Rio 35 Tb 97
Sabrados (VR) 51 Sc 101
Sabrosa (VR) 51 Sc 101
Sabroso (VR) 51 Sc 99
Sabroso (VR) 51 Sb 101
Sabugal (Gu) 85 Sf 106
Sabugo (Li) 115 Qe 116
✉ *2715-006
Sabugosa (Vi) 68 Rf 105
Sabugueiro (Év) 117 Rf 116
Sabugueiro (Gu) 69 Sc 106
Sabugueiro (Co) 82 Rc 109
✉ *3130-098
Sabuzedo (VR) 33 Sb 97
✉ 5470-312
Sacavém (Li) 115 Qf 116
✉ *1990-242
Sacoias (Ba) 35 Tb 97 ✉ 5300-433
Sacorelhe (Vi) 68 Rf 104
✉ 3670-221
Sacoselo (VR) 33 Sa 98
✉ 5470-125
☆ Sacraparte 70 Ta 106
≈ Sado, Rio 131 Rd 122
≈ Sado, Rio 116 Rb 118
Safara (Be) 132 Se 120
✉ *7875-051
≈ Safara, Barragem de 132 Se 120
Safira (Év) 116 Re 117
▲ Safra 103 Se 114
Safres (VR) 52 Sd 101 ✉ 5070-460
Safurdão (Gu) 70 Sf 105
✉ 6400-621
Sago (VC) 32 Rd 96
Sagres (Fa) 144 Ra 126
✉ *8650-317
▲ Sagres, Ponta de 144 Ra 127
Saiceira (Fa) 144 Rb 124
Saide (Vi) 68 Re 106
Sail (Co) 83 Rf 107 ✉ 3300-365
Salamonde (Br) 51 Rf 98
Salão (Aç) 168 Wc 117
Salão (Ma) 166 A 1
Salão (Ma) 167 D 2
Salavessa (Pg) 103 Sc 111
✉ 6050-465
Saldanha (Ba) 53 Tc 100
✉ 5200-383
Saldonha (Ba) 52 Ta 100
✉ 5350-300
Salema (Fa) 144 Rb 126
▲ Salema, Praia do 144 Rb 126
Salga (Aç) 170 Ze 121
Salgadinho (Se) 130 Rc 122
✉ 7555-260
Salgueiral (Av) 68 Rd 106
✉ *3050-265
Salgueiral (Vi) 68 Rf 104
Salgueiral (Gu) 70 Sf 105
Salgueiral (CB) 84 Sc 111
Salgueiro (Pg) 102 Rf 114
Salgueiro (Le) 100 Qf 113
✉ *2430-475
Salgueiro (Ba) 53 Tb 101
Salgueiro (Av) 67 Rc 105
Salgueiro (CB) 84 Se 107
Salgueiro do Campo (CB) 84 Sc 109
✉ *6000-631
Salgueiros (Be) 146 Sc 123
Salgueiros (Ba) 34 Sf 97
Salicos (Fa) 144 Rd 126
✉ 8400-422
Salir (Fa) 145 Rf 125 ✉ 8100-202
Salir de Matos (Le) 100 Qf 112
✉ 2500-637
Salir do Porto (Le) 100 Qf 112
✉ *2500-651
Salqueirais (Gu) 69 Sd 105
Salreu (Av) 67 Rc 104 ✉ *3865-176
Salsas (Ba) 53 Tb 99 ✉ 5300-845
Salselas (Ba) 52 Ta 99 ✉ 5340-400
Salto (Be) 131 Sa 122
Salto (VR) 51 Sa 99 ✉ *5470-430
Salto de Castro (Ba) 53 Te 99
Salvada (Be) 132 Sb 121
✉ *7670-611
Salvador (Pg) 103 Sd 114
Salvador (Sa) 101 Rd 113
Salvador (CB) 85 Sf 108
Salvador do Monte (Por) 51 Rf 101
Salvadorinho (Sa) 102 Re 112
✉ 2205-536
Salvaterra de Magos (Sa)
101 Rb 114 ✉ *2120-051
Salvaterra do Extremo (CB)
85 Ta 109
Salzedas (Vi) 51 Sb 102
✉ 3610-073
Samaiões (VR) 52 Sd 98
Samão (Br) 51 Sa 99 ✉ 4860-221
Samardã (VR) 51 Sb 100
▲ Samarra, Praia da 100 Qd 115
Sambade (Ba) 52 Ta 100
✉ 5350-312
Sameice (Gu) 69 Sb 106
✉ 6270-161
Sameiro (Gu) 69 Sd 106
Samel (Av) 67 Rc 106 ✉ 3780-596
Samil (Ba) 35 Tb 98
Samodães (Vi) 51 Sb 102
✉ 5100-758
Samões (Ba) 52 Se 101
≈ Samora, Rio 115 Ra 115
Samora Correira (Sa) 101 Ra 115
Samorinha (Ba) 52 Se 101
Samouco (Se) 115 Qf 116
✉ *2890-201
Samouqueira (Fa) 144 Rb 124
✉ 8670-152
▲ Samouqueira, Praia da
144 Rb 124
Sampaio (Se) 115 Qf 118
✉ *2970-007
Sampaio (Ba) 52 Sf 101
Sampaio (Ba) 53 Tb 100
▲ Sampaio, Serra do 52 Sd 102
Samuel (Co) 82 Rb 108
✉ *3130-126
Sanche (Por) 51 Sa 101
Sancheira-Grande-Pequena (Le)
100 Qf 112
Sande (Br) 50 Rd 100 ✉ 4730-585
Sande (Vi) 51 Sb 102
Sandiães (VC) 50 Rc 99
Sandim (Ba) 34 Se 97
Sandim (Por) 50 Rc 102
✉ *4415-405
Sandoeira (Sa) 82 Rd 110
✉ 2435-531
Sandomil (Gu) 69 Sb 106
✉ 6270-174
Sanfins (VR) 52 Sd 99
Sanfins (Vi) 68 Re 105
✉ *3620-422
Sanfins de Ferreira (Por) 50 Rd 101
Sanfins do Douro (VR) 52 Sc 101
✉ *5070-351
Sanfis (Av) 67 Rc 103
Sangalhos (Av) 67 Rd 106
✉ *3780-111
Sanguedo (Av) 50 Rc 103
✉ *4505-578
Sanguinhedo (VR) 51 Sc 100
Sanguinhedo (Vi) 68 Sa 104
✉ *3505-235
Sanguinhedo (Co) 83 Rf 107
Sanguinheira (Pg) 102 Rf 114
Sanguinheira (Sa) 102 Sa 111
✉ *2100-300
Sanguinheira (Co) 67 Rc 106
✉ *3060-353
Sanguinheira Velha (Sa) 101 Re 114
Sanhoane (VR) 51 Sb 101
✉ 5030-381
Sanhoane (Ba) 53 Tc 100
✉ 5200-384
Sanjurge (VR) 34 Sc 98 ✉ 5400-578
San Martinho das Moitas (Vi)
68 Rf 103
Santa (Vi) 68 Rf 104 ✉ *3660-075
Santa Amara (Co) 68 Sa 106
Santa Bárbara (Be) 144 Rc 124
Santa Bárbara (Li) 100 Qe 113
Santa Bárbara (Aç) 169 Xd 116
Santa Bárbara (Aç) 169 We 118
Santa Bárbara (Aç) 170 Zf 127
Santa Bárbara (Aç) 170 Zc 122
▲ Santa Bárbara (Aç) 169 Xe 116
☆ Santa Bárbara 53 Tb 100
Santa Bárbara (Vi) 69 Sb 104
✉ *3610-071
☆ Santa Bárbara, Igreja da (Aç)
169 Wf 117
☆ Santa Barbara, Pousada de
69 Sb 106
Santa Bárbara de Nexe (Fa)
145 Sa 126 ✉ 8005-531
Santa Barbara de Padrões (Be)
131 Sa 123
Santa Catarina (Se) 116 Rb 118
Santa Catarina (Se) 116 Rd 118
Santa Catarina (Le) 100 Qf 112
✉ *2500-768
Santa Catarina (Aç) 168 Wb 117
☆ Santa Catarina 52 Ta 99
Santa Catarina (Av) 67 Rc 106
▲ Santa Catarina 83 Re 110
Santa Catarina da Serra (Le)
82 Rb 110 ✉ 2495-186
Santa Caterina da Fonte do Bispo
(Fa) 145 Sb 126
Santa Cita (Sa) 101 Rd 111
✉ *2305-123
Santa Clara (Sa) 102 Rf 111
✉ 2230-011
Santa Clara (Co) 83 Rd 107
≈ Santa Clara, Barragem de
145 Rd 123
Santa Clara-a-Nova (Be) 145 Rf 124
Santa Clara-a-Velha (Be)
144 Rd 123 ✉ *7665-880
Santa Clara de Louredo (Be)
131 Sa 121
Santa Comba (VC) 32 Rc 98
Santa Comba (Por) 50 Rd 102
☆ Santa Comba 52 Se 100
Santa Comba (Gu) 69 Sb 106
Santa Comba (Gu) 70 Sf 103
▲ Santa Comba, Serra de
52 Sd 100
Santa Comba Dão (Vi) 68 Rf 106
✉ *3440-313
Santa Comba da Vilariça (Ba)
52 Sf 100 ✉ 5360-170
Santa Comba de Roça (Ba)
53 Tb 99
Santa Combinha (Ba) 52 Ta 99
✉ 5340-410
Santa Cristina (VC) 32 Rd 98
Santa Cristina (Vi) 68 Re 106
✉ *3450-062
Santa Cruz (Be) 145 Sa 124
Santa Cruz (Se) 130 Rb 120
Santa Cruz (Li) 100 Qd 114
Santa Cruz (Ma) 167 D 2
Santa Cruz (Ba) 34 Ta 97
▲ Santa Cruz, Praia de 100 Qd 114
Santa Cruz da Graciosa (Aç)
168 Wf 114 ✉ *9880-320
Santa Cruz das Flores (Aç)
168 Tf 112 ✉ *9970-301
Santa Cruz da Trapa (Vi) 68 Rf 104
✉ *3660-252
Santa Cruz de Lumiares (Vi)
51 Sb 102
Santa Cruz do Lima (VC) 32 Rd 98
Santa Eufémia (Gu) 70 Se 104
Santa Eufémia (Le) 82 Rb 110
✉ *2420-354
Santa Eugénia (VR) 52 Sd 100
Santa Eulália (Li) 115 Qe 115
✉ *2625-629
Santa Eulália (Pg) 103 Se 114
Santa Eulália (Gu) 69 Sb 106
Santa Eulália (Av) 68 Re 103
Santa Íria (Be) 132 Sc 121
Santa Iria de Azóia (Li) 115 Qf 115
✉ *2690-143
Santa Justa (Fa) 146 Sb 124
Santa Justa (Év) 117 Sa 116
Santa Justa (Sa) 101 Re 114
✉ *2100-376
Santa Justa (Ba) 52 Sf 101
✉ *5350-232
Santa Leocádia (VC) 32 Rc 98
Santa Leocádia (Vi) 51 Sc 102
Santa Leocádia (VR) 52 Sd 99
Santalha (Ba) 34 Sf 97 ✉ 5320-153
≈ Santa Lucia, Ribeira de (Ma)
167 C 2
Santa Lucrécia de Algeriz (Br)
50 Rd 99 ✉ *4710-740
Santa Luzia (Fa) 146 Sc 126
▲ Santa Luzia 132 Sd 122
Santa Luzia (Be) 131 Rd 122
Santa Luzia (VC) 32 Ra 98
▲ Santa Luzia 32 Rb 98
Santa Luzia (Aç) 168 Wd 117
≈ Santa Luzia, Barragem de
83 Sb 108
Santa Madalena (Ma) 166 A 1
Santa Margarida (Fa) 146 Sb 126
Santa Margarida (Fa) 145 Re 125
Santa Margarida (Sa) 101 Re 112
✉ *2305-438
≈ Santa Margarida, Ribeira de
102 Sa 114
Santa Margarida da Coutada (Sa)
101 Re 112 ✉ *2250-350
Santa Margarida da Serra (Se)
130 Rc 120 ✉ 7570-777
Santa Margarida do Sado (Be)
131 Rd 120
Santa Maria (Év) 117 Sb 116
Santa Maria (VC) 32 Rb 98
Santa Maria (VC) 32 Rc 98
Santa Maria (Br) 50 Rd 100
≈ Santa Maria, Barragem de
70 Ta 103
▲ Santa Maria, Cabo de 145 Sa 127
▲ Santa Maria, Ilha de (Aç)
170 Zf 127
☆ Santa Maria, Mosteiro de
100 Ra 111
Santa Maria da Feira (Av) 67 Rc 103
✉ *4520-150
☆ Santa Maria da Vitória, Mosteiro
de 82 Rb 111
Santa Maria de Aguiar (Gu)
70 Ta 103
Santa Maria de Emeres (VR)
52 Sd 99 ✉ 5445-052
Santa Maria de Lamas (Av)
67 Rc 103 ✉ *4535-340
Santa Maria de Sardoura (Av)
50 Re 102
Santa Marinha (VC) 32 Rd 96
Santa Marinha (Br) 32 Rd 98
✉ *4750-642
Santa Marinha (VR) 51 Sb 99
Santa Marinha (Gu) 69 Sc 106
Santa Marinha do Zêzere (Por)
51 Sa 102 ✉ *4640-469
Santa Marta (Fa) 146 Sc 124
Santa Marta (Por) 50 Re 101
▲ Santa Marta 84 Se 107
Santa Marta da Montanha (VR)
51 Sb 99 ✉ 5450-240
Santa Marta de Penaguião (VR)
51 Sb 101 ✉ *5030-463
Santana (Be) 132 Sc 121
Santana (Év) 117 Sa 116
Santana (Év) 117 Sb 119
Santana (Se) 115 Qf 118
✉ *2970-002
Santana (Pg) 102 Sb 111
▲ Santana 102 Sa 114
Santana (VC) 32 Ra 97
Santana (Aç) 168 Wd 117
Santana (Aç) 170 Ze 121
Santana (Ma) 167 C 2
Santana (Co) 82 Rb 107
▲ Santana, Ponta de (Ma) 167 C 2
Santana da Azinha (Gu) 69 Se 106
Santana da Serra (Be) 145 Re 124
✉ 7670-613
Santana de Cambas (Be)
132 Sc 123 ✉ 7750-413
Santana do Campo (Év) 117 Rf 11
✉ 7040-130
Santa Ovaia (Co) 83 Sa 107
✉ *3400-591
Santa Pequena (Be) 145 Re 124
Santar (Vi) 68 Sa 105 ✉ *3520-12
Santarém (Sa) 101 Rb 113
✉ *2000-005
Santa Rita (Fa) 146 Sc 125
▲ Santa Rita, Praia de 100 Qd 114
Santa Sofia (Év) 117 Rf 117
✉ 7050-349
Santa Susana (Be) 145 Re 124
Santa Susana (Se) 116 Rd 118
✉ 7580-713
Santa Susana (Év) 117 Sc 117
Santa Valha (VR) 52 Se 98
✉ *5430-232
Santa Victória do Amixial (Év)
117 Sb 115
Santa Vitoria (Be) 131 Rf 121
Sante (Por) 50 Rd 102
Santiago (VC) 32 Re 98
Santiago (Vi) 51 Sb 102
Santiago (Ba) 53 Tc 101
Santiago (VR) 52 Sd 98
Santiago (Gu) 69 Sb 106
≈ Santiago, Lagoa de (Aç)
170 Zb 121
Santiago da Guarda (Le) 83 Rd 109
✉ 3240-690
Santiago de Besteiros (Vi) 68 Rf 10
✉ 3465-157
Santiago de Caçurraes (Vi)
69 Sb 105
Santiago de Litém (Le) 82 Rc 109
✉ 3100-682
Santiago de Montalegre (Sa)
102 Rf 111 ✉ 2230-062
Santiago de Piães (Vi) 51 Rf 102
✉ *4690-439
Santiago de Riba-Ul (Av) 67 Rd 103
Santiago de Ribeira de Alhariz (VR)
52 Sd 99
Santiago do Cacém (Se)
130 Rb 120 ✉ *7540-100
Santiago do Escoural (Év)
117 Rf 117
Santiago dos Velhos (Li) 100 Qf 115
✉ *2630-501
Santiago Maior (Év) 118 Sd 117
Santiais (Le) 82 Rc 110 ✉ 3100-683
Santo Adrião (Vi) 51 Sc 102
☆ Santo Adrião, Grutas de 53 Td 99
Santo Aleixo (Pg) 118 Sd 115
Santo Aleixo da Restauração (Be)
133 Sf 120 ✉ *7875-150
Santo Aleixo de Além Tâmega (VR)
51 Sb 99
Santo Amador (Be) 132 Se 120
✉ *7875-250
☆ Santo Amaro 145 Rf 123
Santo Amaro (Pg) 102 Sc 115
Santo Amaro (Aç) 169 We 116
Santo Amaro (Aç) 169 We 118
Santo Amaro (VR) 52 Sd 99
Santo Amaro (Gu) 52 Sf 102
Santo Amaro (Av) 67 Rc 105
Santo Amaro de Bouça (Co)
82 Rb 107
Santo André (Se) 130 Rb 120
Santo André (Se) 115 Qf 117
Santo André (Pg) 102 Re 114
Santo André (VR) 33 Sc 97

nto André (VC) 32 Rd 96
nto André (Ba) 53 Tb 101
Santo André, Ermida de 131 Sa 120
Santo André, Lagoa de 130 Rb 120
Santo André, Praia de 130 Rb 120
nto André das Tojeiras (CB) 84 Sb 110 ⊠6000-656
nto Antão (Aç) 169 Xb 117
nto Antão (Gu) 70 Ta 105
nto Antão do Tojal (Li) 115 Qf 115 ⊠*2660-099
nto Antonio (Aç) 169 Wf 116
nto António (Fa) 144 Ra 126
nto António (Ma) 167 C 3
nto António (Aç) 170 Zb 121
nto António (Aç) 168 Wd 117
Santo António 53 Tb 99
Santo António 53 Ta 101
nto António das Areias (Pg) 103 Sd 112 ⊠*7330-250
nto António da Serra (Ma) 167 D 2 ⊠9100-266
nto António das Paredes (Pg) 103 Sc 114
nto António de Charneca (Se) 115 Qf 117
nto António de Monforte (VR) 34 Sd 98
nto António do Baldío (Év) 118 Sd 118
nto António dos Olivais (Co) 83 Rd 107
nto António Velho (Be) 132 Sc 121
nto Cruz do Bispo (Por) 50 Rc 101
anto Emilião (Br) 50 Re 99
anto Espírito (Aç) 170 Zf 127
anto Estêvão (Fa) 146 Sb 126
anto Estêvão (Sa) 116 Rb 115
anto Estêvão (Év) 117 Sc 115
anto Estêvão (VR) 34 Sd 98
anto Estêvão (Gu) 84 Sf 107 ⊠6320-511
anto Estêvão das Galés (Li) 100 Qe 115
anto Isidoro (Li) 100 Qd 114 ⊠*2640-039
anto Isidoro (Por) 51 Rf 101 ⊠*4635-248
anto Isidro (Co) 82 Rb 108 ⊠*3130-064
anto Isidro de Pegões (Se) 116 Rc 116
anto Quintino (Li) 100 Qf 114 ⊠*2590-265
anto Rita (Aç) 169 Xf 116
antos (Sa) 102 Sa 111
antos (Sa) 101 Rb 112
antos Evos (Vi) 68 Sa 105 ⊠*3505-314
anto Tirso (Por) 50 Rd 100 ⊠*4640-273
anto Varão (Co) 82 Rc 107 ⊠3140-401
antulhão (Ba) 53 Tc 99 ⊠*5230-200
São Barnabé (Be) 145 Rf 124 ⊠7700-263
São Bartolomeu (Fa) 146 Sd 125
São Bartolomeu (Pg) 102 Sa 112
☆ São Bartolomeu 52 Ta 98
≈ São Bartolomeu, Ribeira de (Ma) 166 A 2
São Bartolomeu da Serra (Se) 130 Rc 120 ⊠7540-321
São Bartolomeu de Messines (Fa) 145 Re 125 ⊠*8375-100
São Bartolomeu de Regatos (Aç) 169 Xe 116
São Bartolomeu de Vio Glória (Be) 146 Sb 123
São Bartolomeu do Outeiro (Év) 117 Sa 118 ⊠*7220-521
São Bartolomeu dos Galegos (Li) 100 Qe 113
São Benta do Mato (Év) 117 Sb 116
São Bento (Se) 116 Rd 119
▲ São Bento 117 Sa 117
São Bento (Le) 101 Rb 111 ⊠*2425-864
São Bento (Aç) 169 Xe 117
São Bento da Porta Aberta (VC) 32 Rc 97
São Bento de Ana Loura (Év) 118 Sd 115
☆ São Bento de Castris 117 Sa 117
São Bento do Ameixial (Év) 117 Sc 115 ⊠7100-610
São Bento do Cortiço (Év) 118 Sc 115 ⊠7100-630
☆ São Bernardino 52 Ta 100
São Bras (Aç) 169 Xf 116
São Brás (Be) 132 Sc 121
São Brás (Be) 131 Re 123
São Brás da Regedoura (Év) 117 Rf 118
São Brás de Alportel (Fa) 145 Sa 126 ⊠*8150-101
☆ São Brás dos Matos 118 Sd 116
São Briços (Be) 131 Sa 120
São Brissos (Év) 117 Rf 117
São Brissos (Év) 117 Rf 119
São Caetano (VR) 34 Sc 98
São Caetano (Aç) 168 Wd 118
São Caetano (Co) 67 Rb 106 ⊠3060-739
▲ São Catarina, Ponta de (Ma) 167 D 2
São Cibrão (VR) 51 Sc 101 ⊠5000-039
São Cibrão (Ba) 52 Ta 98 ⊠5320-024
São Cipriano (Vi) 51 Sa 102
São Cipriano (Vi) 68 Sa 105
São Ciriaco (Ba) 53 Tb 99
São Cosmado (Vi) 51 Sc 102 ⊠*3510-607
São Cosme e São Damião (VC) 32 Rd 97
São Cristóvão (Év) 116 Re 118
São Cristóvão de Lafões (Vi) 68 Re 104
São Cristóvão de Nogueira (Vi) 51 Rf 102
São Cristóvão do Douro (VR) 51 Sc 101
São Domingos (Se) 130 Rc 121
▲ São Domingos 130 Rb 122
São Domingos (Sa) 102 Re 111 ⊠*2230-063
☆ São Domingos 52 Se 101
São Domingos (CB) 84 Sc 109
São Domingos da Ordem (Év) 117 Sb 117
São Domingos de Ana Loura (Év) 118 Sc 115
São Domingos de Rana (Li) 115 Qd 116 ⊠*2785-289
São Donato (Av) 67 Rc 103
São Facundo (Sa) 102 Rf 112 ⊠2205-408
São Félix (Vi) 68 Rf 104
São Félix da Marinha (Por) 50 Rc 102 ⊠*4410-005
São Fiel (CB) 84 Sd 108
☆ São Filipe 115 Ra 117
☆ São Francisco 53 Ta 99
São Francisco da Serra (Se) 130 Rc 120 ⊠7540-555
São Frutuoso (Co) 83 Rd 107 ⊠3030-884
São Gemil (Vi) 68 Sa 105 ⊠3460-158
São Geraldo (Év) 117 Re 116
São Gião (Co) 84 Sb 107 ⊠*3400-571
São Gonçalo (Ma) 167 C 3
☆ São Gonçalo, Pousada 51 Sa 101
São Gregório (Év) 118 Sc 116
São Gregório (Év) 117 Sa 116
São Gregório da Fanadia (Le) 100 Qf 112
São Ildefonso (Pg) 118 Sf 116
São Jacinto (Av) 67 Rb 105
▲ São Jacinto, Praia da 67 Rb 104
São Joanico (Ba) 53 Td 99 ⊠5230-251
São Joaninho (Vi) 69 Sa 103
São Joaninho (Vi) 68 Rf 106
São João (Aç) 168 Wd 118
≈ São João, Ribeira de (Ma) 167 C 2
☆ São João Baptista 117 Sb 119
São João Baptista (VC) 32 Re 98
São João da Azenha (Av) 67 Rd 106 ⊠3780-140
São João da Boa Vista (Co) 83 Rf 107 ⊠3420-227
São João da Corveira (VR) 52 Sd 99 ⊠5445-084
São João da Fresta (Gu) 69 Sc 105
São João da Madeira (Av) 67 Rd 103 ⊠*3700-011
São João da Pesqueira (Vi) 52 Sd 102 ⊠*5130-321
São João da Ribeira (Sa) 101 Ra 113 ⊠2040-460
São João da Serra (Vi) 68 Re 104 ⊠3680-264
São João das Lampas (Li) 115 Qd 115 ⊠*2705-411
São João da Talha (Li) 115 Qf 116 ⊠*2695-081
São João da Venda (Fa) 145 Sa 126 ⊠*8135-026
São João de Areias (Vi) 68 Rf 106 ⊠*3440-465
São João de Fontoura (Vi) 51 Sa 102 ⊠4660-343
São João de Loure (Av) 67 Rc 105 ⊠*3850-771
São João de Lourosa (Vi) 68 Sa 105 ⊠*3500-618
São João de Negrilhos (Be) 131 Re 121
São João de Rei (Br) 50 Re 99
São João de Tarouca (Vi) 69 Sb 103 ⊠3610-082
São João de Ver (Av) 67 Rc 103
São João do Campo (Co) 82 Rc 107 ⊠*3025-415
São João do Monte (Vi) 68 Re 105 ⊠*3475-072
São João do Peso (CB) 83 Rf 110 ⊠6110-055
São João dos Caldeiros (Be) 131 Sb 123 ⊠7750-513
São João dos Montes (Li) 100 Qf 115 ⊠*2600-787
São Jomil (Ba) 34 Se 98 ⊠5320-160
São Jorge (VC) 32 Rd 98
São Jorge (Ma) 167 C 2
São Jorge (Av) 67 Rc 103
São Jorge (Le) 82 Ra 111 ⊠*2480-062
☆ São Jorge, Caldas de 67 Rc 103
▲ São Jorge, Ilha de (Aç) 169 Wf 116
▲ São Jorge, Ponta de (Ma) 167 C 1
São Jorge da Beira (CB) 84 Sb 107 ⊠*6225-251
São José das Matas (Sa) 102 Sa 111 ⊠*6120-069
São José de Lamarosa (Sa) 101 Rd 114
▲ São Julião 115 Qe 116
São Julião (Pg) 103 Se 113
São Julião (VC) 32 Rc 97
São Julião (Ba) 35 Tc 98
São Julião (Por) 50 Rd 102
São Julião de Montenegro (VR) 52 Sd 98 ⊠5400-754
São Julião de Palácios (Ba) 35 Tc 98 ⊠5300-871
São Julião do Tojal (Li) 115 Qf 115 ⊠*2660-355
☆ São Laurenço, Caldas de 52 Sd 101
☆ São Leonardo 118 Se 118
São Lourenço (Pg) 118 Se 115
São Lourenço (Se) 115 Qf 117
São Lourenço (VR) 33 Rf 98
São Lourenço (VR) 34 Sd 98
São Lourenço (Aç) 170 Zf 127
▲ São Lourenço, Ponta de (Ma) 167 D 2
São Lourenço de Mamporcão (Év) 118 Sc 115 ⊠*7100-652
São Lourenço de Ribapinhão (VR) 51 Sc 101 ⊠5060-405
São Lourenço do Bairro (Av) 67 Rd 106 ⊠3780-179
São Luís (Be) 132 Sb 120
São Luís (Be) 130 Rc 122
▲ São Luís 115 Ra 117
▲ São Luís, Serra de 115 Ra 117
▲ São Macário 68 Rf 103
▲ São Mamede 103 Sd 113
São Mamede (Le) 100 Qf 113
São Mamede (VR) 52 Sd 101
São Mamede (Le) 82 Rb 111
▲ São Mamede, Serra de 103 Sd 113
São Mamede de Infesta (Por) 50 Rc 101 ⊠*4465-001
São Mamede de Ribatua (VR) 52 Sd 101 ⊠*5070-471
São Mamede do Sádão (Se) 131 Re 120
São Manços (Év) 117 Sb 118 ⊠*7005-720
São Marcos (Fa) 146 Sc 126
São Marcos (Be) 132 Sd 122
▲ São Marcos 102 Sa 113
☆ São Marcos 82 Rc 107
São Marcos da Abóbada (Év) 117 Sa 118
São Marcos da Ataboeira (Be) 131 Sa 122 ⊠*7780-520
São Marcos da Serra (Fa) 145 Rd 124 ⊠*8375-250
São Martinho (Pg) 102 Rf 114
São Martinho (Ma) 167 C 3
São Martinho (Br) 50 Rd 100
São Martinho (Av) 68 Rd 105
São Martinho (Gu) 69 Se 104
São Martinho (Gu) 69 Sc 106
São Martinho (Gu) 69 Sc 106
São Martinho (Vi) 69 Sb 103
São Martinho (Co) 82 Rc 107 ⊠*3330-216
São Martinho (CB) 84 Sb 108
☆ São Martinho, Castrum 84 Sd 110
São Martinho da Cortiça (Co) 83 Rf 107 ⊠3300-367
São Martinho da G-andara (Av) 67 Rc 103
São Martinho das Amoreiras (Be) 131 Rd 123 ⊠7630-536
São Martinho das Chãs (Vi) 51 Sc 102
São Martinho de Angueira (Ba) 53 Td 99
São Martinho de Antas (VR) 51 Sc 101 ⊠*5060-425
São Martinho de Mouros (Vi) 51 Sa 102
São Martinho de Sardoura (Av) 50 Re 102 ⊠*4550-233
São Martinho do Bispo (Co) 83 Rd 107
São Martinho do Peso (Ba) 53 Tc 100 ⊠5200-403
São Martinho do Porto (Le) 100 Qf 111 ⊠*2460-083
São Mateus (Aç) 168 Wd 118
São Mateus (Aç) 169 Xe 117
São Matias (Be) 131 Sa 120
São Matias (Pg) 102 Sb 111
São Miguel (Be) 144 Rb 124
São Miguel (Br) 32 Rd 98
São Miguel (Le) 82 Rb 109 ⊠*2425-516
▲ São Miguel, Ilha de (Aç) 170 Zc 121
▲ São Miguel, Monte 102 Sc 111
☆ São Miguel da Mota 118 Sd 117
São Miguel de Acha (CB) 84 Se 108 ⊠6060-511
São Miguel de Machede (Év) 117 Sb 117 ⊠*7005-760
São Miguel de Poiares (Co) 83 Re 107 ⊠3350-211
São Miguel de Vila Boa (Vi) 69 Sb 104
São Miguel do Mato (Av) 68 Rd 103
São Miguel do Matô (Vi) 68 Sa 104
São Miguel do Outeiro (Vi) 68 Rf 105 ⊠*3460-451
São Miguel do Pinheiro (Be) 145 Sb 123 ⊠7750-628
São Miguel do Rio Torte (Sa) 102 Re 112
São Nicolau (Le) 83 Re 109
São Paio (VC) 33 Re 96
São Paio (Gu) 69 Sc 105
São Paio de Farinha Podre (Co) 83 Rf 107
São Paio de Gramaços (Co) 68 Sa 106 ⊠*3400-692
São Paio de Oleiros (Av) 67 Rc 103
São Paulo (Co) 83 Re 107 ⊠*3230-023
São Paulo de Frades (Co) 83 Rd 107
☆ São Pedro 145 Re 125
São Pedro (Be) 132 Sb 120
☆ São Pedro 117 Sb 119
São Pedro (Pg) 102 Sb 111
São Pedro (VR) 33 Sa 98
São Pedro (Aç) 170 Zf 127
São Pedro (Br) 51 Rf 99
São Pedro (Ba) 52 Sd 101
☆ São Pedro, Termas de 68 Rf 104
São Pedro da Afurada (Por) 50 Rb 102
São Pedro da Cadeira (Li) 100 Qd 114 ⊠*2560-180
São Pedro da Cova (Por) 50 Rd 102 ⊠*4510-164
São Pedro da Gafanhoeira (Év) 117 Rf 116
☆ São Pedro das Cabeças 131 Rf 122
São Pedro da Torre (VC) 32 Rc 97 ⊠4930-515
São Pedro de Agostém (VR) 52 Sd 98
São Pedro de Alva (Co) 83 Rf 107 ⊠3360-258
São Pedro de France (Vi) 69 Sb 104
▲ São Pedro de Maceda, Praia de 67 Rb 103
São Pedro de Muel (Le) 82 Qf 110 ⊠*2430-476
São Pedro de Rio Seco (Gu) 70 Ta 105
São Pedro de Serracenos (Ba) 35 Tb 98
São Pedro de Solis (Be) 145 Sa 124
São Pedro de Tomar (Sa) 101 Re 111
São Pedro de Vale do Conde (Ba) 52 Se 100 ⊠5370-160
São Pedro de Veiga de Lila (VR) 52 Se 100
São Pedro do Esteval (CB) 102 Sa 111
São Pedro do Sul (Vi) 68 Rf 104 ⊠*3660-426
São Pedro Fins (Por) 50 Rc 101
São Pedro Velho (Ba) 52 Sf 98 ⊠5385-057
▲ São Rafael, Praia do 145 Re 126
São Romão (Év) 118 Se 116
São Romão (Év) 116 Re 117
São Romão (Pg) 102 Sb 113
São Romão (Vi) 51 Sb 102
São Romão (Gu) 69 Sb 106
São Romão = Cilidas (Év) 118 Se 116
☆ São Romão da Amieira 132 Sc 119
São Romão de Aregos (Vi) 51 Sa 102
São Romão de Panoias (Be) 131 Rd 122
São Romão do Sadão (Se) 131 Rd 119
São Roque (Ma) 167 C 2
São Roque (Aç) 170 Zc 122
☆ São Roque 53 Te 99
≈ São Roque, Ribeira de (Ma) 167
São Roque do Pico (Aç) 168 We 117 ⊠*9940-301
São Salvador (Li) 100 Ra 113 ⊠*2550-251
São Salvador (VC) 32 Rd 98
São Salvador (Ba) 52 Sf 100
São Salvador da Aramenha (Pg) 103 Sd 112
São Salvator (Vi) 68 Sa 105
☆ São Sebastião 131 Rf 122
☆ São Sebastião 102 Sc 112
São Sebastião (Aç) 169 Xf 117
☆ São Sebastião 52 Sf 99
☆ São Sebastião 53 Tb 99
São Sebastião (Co) 83 Rd 108
▲ São Sebastião, Praia 100 Qd 115
São Sebastião dos Carros (Be) 146 Sb 123 ⊠7750-811
☆ São Silvestre 103 Sc 111
São Silvestre (Av) 67 Rc 104
São Silvestre (Co) 82 Rc 107 ⊠*3025-539
São Simão (Se) 115 Ra 117
São Simão (Pg) 102 Sc 111
São Simão (Sa) 101 Rd 111 ⊠*2200-724
São Simão (Por) 51 Rf 101
São Simão (Av) 67 Rc 104
São Simão de Litém (Le) 82 Rc 110 ⊠3100-724
São Soeiro (Se) 116 Re 119
São Teotónio (Be) 144 Rb 123 ⊠*7630-611
☆ São Teotónio, Pousada de 32 Rc 96
☆ São Tiago de Antas 50 Rc 100
São Tomé (VC) 32 Rd 98
São Tomé (Aç) 169 Xa 117
São Tomé (Br) 50 Re 100 ⊠4830-831
▲ São Tomé, Penha de 103 Sd 113
São Tomé do Castelo (VR) 51 Sb 100 ⊠5000-731
São Torcato (Br) 50 Re 100 ⊠*4800-294
São Torcato (CB) 84 Sb 109
▲ São Torpes, Praia de 130 Rb 121
São Vicente (Fa) 144 Ra 126
São Vicente (Be) 131 Rf 120
▲ São Vicente 117 Rf 119
São Vicente (VR) 34 Se 97
São Vicente (Ma) 166 B 2
▲ São Vicente, Cabo de 144 Qf 126
≈ São Vicente, Ribeira de (Ma) 166 A 2
☆ São Vicente, Termas de 50 Re 102
São Vicente da Beira (CB) 84 Sc 108 ⊠6005-270
São Vicente de Lafões (Vi) 68 Rf 104
São Vicente de Paúl (Sa) 101 Rc 112
São Vicente de Pereira (Av) 67 Rc 103
São Vicente e Ventosa (Pg) 118 Se 115
São Vicente Ferreira (Aç) 170 Zc 122
Sapardos (VC) 32 Rc 97
Sapataria (Li) 100 Qe 115 ⊠*2590-401
Sapatoa (Év) 117 Sc 117
Sapeira (Fa) 145 Rd 124 ⊠8375-222
Sapelos (VR) 33 Sc 98 ⊠5460-501
Sapiãos (VR) 51 Sc 98 ⊠5460-502
Sapos (Be) 132 Sb 123
Sapos (Be) 132 Sc 123
Saramaga (Sa) 102 Rf 111 ⊠*2230-012
Saravigões (Av) 68 Re 103
▲ Sardão, Cabo 130 Rb 123
Sardeiras de Baixo (CB) 83 Sa 109
Sardeiras de Cima (CB) 83 Sa 109
Sardoal (Sa) 102 Re 111 ⊠*2230-121
Sargaçal (Fa) 144 Rb 126
Sargento Mór (Co) 83 Rd 107
Sarilhos Grandes (Se) 115 Ra 116 ⊠*2870-501
Sarilhos Pequenos (Se) 115 Ra 116 ⊠*2860-641
Sarnadas (Fa) 145 Rf 125
Sarnadas (CB) 83 Rf 110
Sarnadas de Baixo (CB) 83 Sa 109
Sarnadas de Rodão (CB) 84 Sc 110
Sarnadas de São Simão (CB) 84 Sb 109
Sarnadela (Co) 83 Rf 107 ⊠3300-325
Sarnadinha (Fa) 145 Rf 125

▲Sarnadinha 118 Sc117
Sarnadinha (CB) 84 Sb110
Sarnim (Fa) 145 Re125
Sarraquinhos (VR) 33 Sc98 ✉5470-465
Sarrazola (Av) 67 Rc104 ✉*3800-592
Sarzeda (Ba) 35 Tb98
Sarzeda (Vi) 69 Sd103 ✉3640-180
Sarzedas (CB) 84 Sb109 ✉6000-708
Sarzedas de São Pedro (Le) 83 Re109 ✉3280-100
Sarzedinha (CB) 83 Sa110 ✉6150-504
Sarzedinho (Vi) 52 Sc102 ✉5130-141
Sarzedo (CB) 69 Sd106
Sarzedo (Vi) 69 Sc102 ✉3620-480
Sarzedo (Co) 83 Rf107 ✉*3300-401
Sátão (Vi) 69 Sb104 ✉*3560-150
≈Sátão, Ribeira de 69 Sb104
▲Saúde 34 Sf98
☆Saúde, Caldas da 50 Rd100
Sazes da Beira (Gu) 84 Sb106 ✉6270-351
Sazes do Lorvão (Co) 83 Rd107
Seada (CB) 83 Re110
Seara (VC) 32 Rc98
Seara (Br) 51 Re98 ✉*4730-120
Seara (VR) 51 Sa99
Seara Velha (VR) 33 Sc98 ✉5400-780
Sebadelhe (Gu) 52 Se102 ✉*5155-701
Sebadelhe da Serra (Gu) 69 Sd103 ✉6420-612
Sebal (Co) 82 Rc108
Sebes Rotas (CB) 85 Sf108
Sebolido (Por) 50 Rd102 ✉4575-541
Sebradelo (VR) 51 Sc99
Secarias (Co) 83 Rf107 ✉*3300-450
Secerigo (VR) 51 Sb99 ✉5460-370
≈Seco, Rio 70 Ta104
Seda (Pg) 102 Sb113 ✉7440-225
≈Seda, Ribeira de 102 Sb113
Sedas (Be) 146 Sc123 ✉7750-226
Sedielos (VR) 51 Sa101
Sedra (VC) 33 Rf96
Segadães (Av) 67 Rd105 ✉3750-742
Segões (Vi) 69 Sb103
Segude (VC) 32 Rd96
Segueiro (Av) 68 Re103
Segura (CB) 85 Ta110 ✉6060-521
Seia (Gu) 69 Sb106 ✉*6270-374
≈Seia, Rio 68 Sa106
Seiça (Sa) 82 Rc110 ✉*2435-545
Seiçal (Pg) 103 Sd112
Seiceira (Fa) 145 Rd125
Seiceiro (Fa) 145 Rd124
Seide (Br) 50 Rd100
Seidões (Br) 51 Rf100
Seirós (VR) 51 Sb99 ✉4870-024
Seixal (Se) 115 Qf117
Seixal (Li) 100 Qd115
Seixal (Li) 100 Qe113
Seixal (Ma) 166 B2
≈Seixal, Ribeira do (Ma) 166 B2
Seixas (VC) 32 Rb97
Seixas (Ba) 34 Sf97
Seixas (Gu) 52 Se102
Seixas (Co) 68 Sa106 ✉*3405-396
Seixezelo (Por) 50 Rc102 ✉*4415-403
Seixo (Be) 131 Sa122
Seixo (Év) 118 Sd117
Seixo (Év) 117 Sb117
Seixo (Ba) 52 Sf99
Seixo (VR) 52 Sd99
Seixo (Av) 67 Rb106
Seixo (Vi) 69 Sd103 ✉*3465-060
Seixo (CB) 83 Re109
Seixo (Le) 82 Rb109
▲Seixo, Penedo de 131 Sa122
Seixo Alvo (Por) 50 Rc102 ✉*4415-735
Seixo Amarelo (Gu) 69 Sd106 ✉6300-215
Seixo da Beira (Co) 68 Sa106 ✉*3405-388
Seixo da Oliveira (Év) 117 Rf118
Seixo de Ansiães (Ba) 52 Se101 ✉5140-233
Seixo de Gatões (Co) 82 Rb107
Seixo de Manhoses (Ba) 52 Se101 ✉*5360-181
Seixo do Côa (Gu) 70 Sf106 ✉6320-523
Seixos Alvos (Co) 68 Sa106 ✉*3420-418
Seixosas (Fa) 145 Re126 ✉8400-216
Sejães (Vi) 68 Re104 ✉3680-303
▲Sela 145 Rd125
Seladinha (Be) 145 Re124
Seladinhas (Be) 145 Rd123
Selhariz (VR) 52 Sc99 ✉5425-272
Selho (Br) 50 Rd100
Selho (Br) 50 Re100
Selim (VC) 32 Rd97
Selmes (Be) 132 Sb120 ✉*7960-151
Selores (Ba) 52 Se101
▲Selvagens, Ilhas (Ma) 166
Semblana (Be) 145 Sa123 ✉7700-272
Semide (Co) 83 Re108 ✉3220-423
Semideiro (Sa) 101 Re113 ✉*2140-360
Semitela (Vi) 69 Sc103 ✉3620-201
☆Sempre Noiva 117 Sa116
Sendas (Ba) 53 Tb99 ✉5300-882
Sendim (VR) 33 Sb97
Sendim (Por) 51 Re100 ✉*4795-428
Sendim (Ba) 53 Td100
Sendim (Vi) 69 Sc102
Sendim da Ribeira (Ba) 52 Ta101 ✉5350-352
Sendim da Serra (Ba) 52 Ta101 ✉5350-353
☆Senhora da Assunção 117 Sa119
Senhora da Azenha (CB) 85 Sf108
☆Senhora da Carmo 103 Se114
Senhora da Conceicão (VR) 51 Sc99
Senhora da Estrada (Vi) 52 Sd102 ✉5130-555
☆Senhora da Graça 117 Sa119
☆Senhora da Graça 102 Sc111
Senhora da Graça (CB) 84 Se109 ✉6060-191
Senhora da Graça de Padrões (Be) 145 Sa123
Senhora da Guia (VC) 32 Re96
Senhora da Hora (Por) 50 Rc101 ✉*4460-052
Senhora da Peneda (VC) 33 Re97
☆Senhora da Penha 103 Sd112
▲Senhora da Rocha, Praia da 145 Rd126
☆Senhora das Dores 53 Te99
▲Senhora das Neves 130 Rc122
Senhora das Neves (VR) 33 Sc98
Senhora das Preces (Co) 83 Sa107
Senhora da Vila de Abril (VR) 33 Sa98
▲Senhora de Araceli 131 Sa122
☆Senhora de Assunção 35 Tb97
Senhora de Belém (Le) 82 Rc109
☆Senhora de Entre-Águas 102 Sa114
☆Senhora de Fátima 33 Sa98
☆Senhora de Fátima 69 Sc104
Senhora do Almurtão (CB) 84 Sf109
☆Senhora do Amparo 132 Sc123
Senhora do Arrabaça (Pg) 102 Rf114
Senhora do Monte (Ma) 167 C2
☆Senhora do Monte 53 Td100
☆Senhora do Monte Alto 83 Rf107
≈Senhora do Porto, Barragem de 51 Re99
☆Senhora do Pranto 70 Ta104
☆Senhora dos Aflitos 70 Sf103
☆Senhora dos Remédios 52 Sf101
☆Senhora Mãe dos Homens 102 Sa114
Senhorim (Vi) 69 Sb105
Senouras (Gu) 70 Ta105 ✉6355-170
Sentieiras (Sa) 102 Re111 ✉*2200-495
Sentinela (Fa) 146 Sd125
Sepins (Co) 67 Rd106 ✉*3060-533
Sequeade (Br) 50 Rc100
Sequeira (Br) 50 Rd99 ✉4705-629
Sequeira (Gu) 69 Se105
Sequeiro (Por) 50 Rd100
Sequeiros (Br) 50 Rd98
Sequeiros (Ba) 52 Sf102
Sequeiros (Gu) 69 Sc103
Serapicos (Ba) 53 Tb99 ✉*5230-252
Serapicos (VR) 52 Sd100 ✉*5090-220
Serdedelo (VC) 32 Rc98 ✉4990-760
Serém (Av) 67 Rd105
Serena (Av) 67 Rc106 ✉3770-303
Sermonde (Por) 50 Rc102 ✉*4415-097
Sernada (Av) 68 Rd104 ✉3750-684
Sernadelo (Av) 67 Rd106 ✉*3050-382
Sernades (VC) 32 Rd96 ✉4950-331
Sernadinha (Vi) 68 Re104 ✉*3660-149
Sernancelhe (Vi) 69 Sd103 ✉*3640-209
Sernanda (Ba) 34 Sf97
Sernande (Por) 51 Re100 ✉4640-306
Seroa (Por) 50 Rd101 ✉*4595-326
Serominheiro (Fa) 144 Rb124
Serpa (Be) 132 Sc121 ✉*7830-320
▲Serpa, Serra de 132 Sc122
Serpa Brinches (Be) 132 Sc121
Serpins (Co) 83 Re108
Serra (Se) 115 Qe118
Serra (Sa) 102 Rf111
Serra (Sa) 101 Re111
☆Serra, Convento da 117 Sc116
☆Serra da Ajuda 118 Se116
Serra da Boa Viagem (Co) 82 Ra107 ✉*3080-348
▲Serra da Estrela, Parque Natural da 69 Sc106
▲Serra da Malcata, Reserva Natural Parcial da 85 Sf107
Serra da Pescaria (Le) 100 Qf111 ✉2450-024
Serra da Vila (Li) 100 Qe114 ✉2565-777
Serra de Água (Ma) 166 B2 ✉*9230-115
Serra de Aires (Pg) 118 Sd115
Serra de Dentro (Ma) 167 ✉9400-100
Serra de Fora (Ma) 167 ✉9400-105
Serra de Janeanes (Co) 83 Rd108 ✉3150-333
Serradelo (Av) 68 Re102
Serra d'El-Rei (Le) 100 Qe112
Serra de Santo António (Sa) 101 Rb111 ✉2380-608
Serra de São Domingos (CB) 83 Rf109 ✉6100-700
Serra de São Julião (Li) 100 Qf114 ✉2565-133
▲Serra de São Mamede, Parque Natural da 103 Sd113
Serrado (Ma) 166 A2
Serra do Amparo (Ma) 166 A2
Serra do Bouro (Le) 100 Qe112
Serra do Cabo (Se) 115 Qe118
≈Serra do Faial, Levada de (Ma) 167 C2
▲Serra do Morião (Aç) 169 Xe116
Serra do Mouro (Le) 83 Rd109 ✉3240-501
Serra do Porto de Urso (Le) 82 Ra110
Serra dos Mangues (Le) 100 Qf111 ✉2460-697
Serra dos Prazeres (Be) 132 Sc120
Serra dos Prazeres (Pg) 102 Sa113
Serralhas (Be) 132 Sc123 ✉7750-414
Serranos (Be) 145 Sa123 ✉7750-629
Serranos (Le) 100 Qe113
Serrão (Sa) 101 Rc114
Serrasqueira (CB) 84 Sc110 ✉*6000-709
Serrazes (Vi) 68 Rf104 ✉3660-606
Serreleis (VC) 32 Rb98
Serreta (Aç) 169 Xd116 ✉*9700-661
Serrinho (Be) 145 Rd123
Serro Ventoso (Le) 101 Rb111 ✉*2480-217
Sertã (CB) 83 Rf110 ✉*6100-598
Serzedelo (Br) 51 Re99 ✉*4765-493
Serzedo (Por) 50 Rc102 ✉*4410-002
Sesimbra (Se) 115 Qf118 ✉*2970-041
Sesmaria Nova (Sa) 116 Rc115 ✉2100-056
Sesmaria Nova (Év) 116 Rc116
Sesmarias (Be) 131 Rf120
Sesmarias (CB) 83 Rf110 ✉*6100-887
Sesmarias das Correias (Se) 116 Rd118
Sesmarias das Moças (Se) 131 Rd120
Sesmarias dos Pretos (Se) 116 Rd118
Sesulfe (Ba) 52 Sf99 ✉5340-421
Sete (Be) 131 Sa123 ✉*7780-451
Sete (Se) 130 Rd121
Sete (Pg) 103 Sd113
Sete Casinhas (Év) 118 Sd117 ✉7200-014
Sete Cidades (Aç) 168 Wc117
Sete Cidades (Aç) 170 Zb121
▲Sete Cidades, Caldeira das (Aç) 170 Zb121
☆Sete Fontes (Aç) 169 We116
▲Sete Sobreiros 101 Rd113
Setúbal (Se) 116 Ra117 ✉*2900-001
≈Setúbal, Baía de 115 Ra118
☆Sé Velha 83 Rd107
Sever (VR) 51 Sb101
Sever (Vi) 69 Sb102 ✉*3620-504
Sever do Vouga (Av) 68 Rd104 ✉*3740-230
Sevilha (Co) 68 Rf106 ✉3420-419
Sezelhe (VR) 33 Sa98 ✉5470-471
Sezures (Br) 50 Rd100 ✉*4770-690
Sezures (Gu) 69 Sc104
▲Sicó, Serra de 82 Rc109
Sidrós (VR) 51 Rf98 ✉5470-127
Sigarrosa (VR) 51 Sb101
Silgueiros (Vi) 68 Rf104 ✉*3515-622
Silva (VC) 32 Rc97
Silva (Br) 50 Rc99
Silva (Ba) 53 Td99
Silva (VR) 52 Sd99
Silva (Av) 67 Rd106
Silvã de Cima (Vi) 69 Sb104 ✉3560-217
Silva Escura (Por) 50 Rc101
Silva Escura (Av) 68 Rd104 ✉3740-338
Silvalde (Av) 67 Rc103
Silvares (Br) 51 Rf100
Silvares (Por) 50 Re101
Silvares (Vi) 68 Rf105 ✉*3440-468
Silvares (CB) 84 Sc108
Silveira (Fa) 145 Rd124
Silveira (Li) 100 Qd114
Silveira (Sa) 101 Re114 ✉*2300-252
Silveira (Aç) 168 We118
Silveira (Av) 67 Rc105
Silveira (Co) 83 Re109
Silveiras (Év) 116 Rd117
Silveirinho (Co) 83 Rf107 ✉3360-259
Silveirona (Év) 117 Sc115
Silveiros (Br) 50 Rc100 ✉4750-633
Silves (Fa) 144 Rd125 ✉*8300-100
Simantorta (Co) 83 Rf108 ✉3330-113
Simões (Be) 131 Sb123
Simões (Co) 82 Rc108
Sinagoga (Fa) 146 Sb126 ✉8800-511
Sinde (Co) 83 Rf107
Sines (Se) 130 Ra121 ✉*7520-001
▲Sines, Cabo de 130 Ra121
Singral Cimeiro (Co) 83 Re108
Sintra (Li) 115 Qd116 ✉*2710-204
▲Sintra, Serra de 115 Qd116
▲Sintra-Cascais, Paisagem Protegida 115 Qd115
Sipote (CB) 83 Sa110 ✉6100-392
Sirvozelo (VR) 33 Sa98 ✉*5470-334
Sismaria (Le) 82 Ra109 ✉2425-625
Sistelo (VC) 32 Rd97
Sítio das Éguas (Fa) 145 Rf125
Soajo (VC) 33 Re97
Soalhães (Por) 51 Rf102
Soalheira (Fa) 145 Rf126
Soalheira (Be) 130 Rc122
Soalheira (CB) 84 Se110
Soalheiras (Fa) 146 Sc125
Soalheiro (CB) 84 Sd108
Sobradinho (Fa) 145 Rf125 ✉8100-366
Sobrado (Por) 50 Rd101
Sobrainho da Ribeira (CB) 84 Sb110 ✉6000-713
Sobrainho dos Gaios (CB) 84 Sb110 ✉6150-016
Sobral (Li) 100 Qf114
Sobral (Sa) 101 Rc112 ✉*2240-440
Sobral (Av) 67 Rc103
Sobral (Vi) 68 Sa104
Sobral (Vi) 68 Re106
Sobral (CB) 83 Rf109
Sobral (Co) 83 Rf107
Sobral (Co) 82 Rb108
Sobral da Abelheira (Li) 100 Qe115 ✉*2640-606
Sobral da Adiça (Be) 132 Se120 ✉*7875-350
Sobral da Lagoa (Le) 100 Qe112 ✉2510-651
Sobral da Serra (Gu) 69 Se105 ✉6300-220
Sobral das Minas (Év) 117 Sa118
Sobral de Baixo (Co) 82 Rc108 ✉3320-178
Sobral de Casegas (CB) 84 Sb107
Sobral de Papízios (Vi) 68 Rf106 ✉3430-781
Sobral do Campo (CB) 84 Sc108 ✉6000-730
Sobral Fernando (CB) 84 Sb110 ✉6150-736
Sobralinho (Li) 100 Qf115 ✉*2615-661
Sobral-Magro-Gordo (Co) 83 Sa107
Sobral Pichorro (Gu) 69 Sd104 ✉*6370-382
Sobral Valado (Co) 83 Sa108 ✉3320-181
Sobrão (Por) 50 Rd101
Sobreda (Se) 115 Qe117 ✉*2815-621
Sobreda (Co) 69 Sb106 ✉*3405-449
Sobrêda (Ba) 53 Tb100
Sobredo (VR) 52 Sd100
Sobreira (Li) 100 Qe115
Sobreira (Por) 50 Rd102
Sobreira (VR) 52 Sd100
Sobreira (Gu) 69 Se106
Sobreira Formosa (Fa) 145 Rf125
Sobreira Formosa (Be) 132 Sc12
Sobreira Formosa (CB) 83 Sa110 ✉*6150-737
Sobreiras (Sa) 101 Re114 ✉*2240-023
Sobreiro (Li) 100 Qd115
Sobreiro (Av) 67 Rc104
Sobreiro de Baixo (Ba) 34 Sf98 ✉5320-163
Sobreiro de Cima (Ba) 34 Sf97 ✉5320-164
▲Sobreiros 68 Rd103
Sobrena (Li) 100 Qf113 ✉2550-458
Sobreposta (Br) 50 Re99 ✉*4715-534
Sobretâmega (Por) 51 Rf101
Sobrodelo da Goma (Br) 51 Re99
▲Sobrosa 132 Se120
Sobrosa (Por) 50 Rd101
≈Socorridos, Ribeira dos (Ma) 166 C2
Soeima (Ba) 52 Ta100 ✉5350-36
Soeira (Ba) 34 Ta97 ✉5320-170
Soeirinho (Co) 83 Sa108 ✉*3320-182
Soengas (Br) 51 Re99 ✉4850-38
▲Soidos, Rocha dos 145 Rf125
Sol (Br) 50 Rd100
▲Sol, Costa do 115 Qe117
Solposta (Se) 130 Rc121
Solveira (VR) 33 Sb97 ✉5470-48
Sonega (Se) 130 Rb121 ✉*7555-267
Sonim (VR) 52 Se98 ✉*5430-27
Sopo (VC) 32 Rb97
≈Sor, Ribeira de 102 Re114
≈Sôr, Ribeira de 102 Sb112
≈Sorraia, Rio 101 Rd114
Sortelha (Gu) 84 Se107 ✉6320-536
Sortes (Ba) 53 Tb98 ✉5300-903
Sorval (Gu) 69 Se104 ✉6400-641
Soudes (Fa) 146 Sc124
Soure (Co) 82 Rc108 ✉*3130-19
Souro Pires (Gu) 70 Sf104 ✉6400-651
Sousa (Por) 50 Re100 ✉*4560-042
≈Sousa, Rio 50 Re101
Sousel (Pg) 117 Sc115 ✉*7470-201
≈Sousel, Ribeira de 102 Sb114
Sousela (Por) 50 Re101
Souselas (Co) 83 Rd107 ✉*3020-833
Souselo (Vi) 50 Re102 ✉4690-67
Soutaria (Sa) 82 Rc110 ✉2435-479
Soutelinho (VR) 51 Sc99
Soutelinho (VR) 51 Sb100
Soutelinho (VR) 52 Sc101
Soutelinho da Raia (VR) 33 Sc98 ✉5400-785
Soutelo (Ba) 35 Tb97
Soutelo (VR) 34 Sc98
Soutelo (Br) 50 Rd99
Soutelo (VR) 51 Sa101
Soutelo (Ba) 53 Tb100
Soutelo (Av) 67 Rc104
Soutelo (Vi) 68 Sa103 ✉*3600-432
Soutelo (Av) 68 Rd105
Soutelo de Aguiar (VR) 51 Sb100 ✉5450-265
Soutelo do Douro (Vi) 52 Sd101 ✉5130-406
Soutelo Mourisco (Ba) 52 Ta98 ✉5340-432
Soutilha (Ba) 52 Se98
Soutilha (Ba) 52 Sf98
Soutinho (Vi) 68 Re104 ✉*3640-019
Souto (Sa) 102 Re111 ✉*2230-807
Souto (VC) 32 Rd98
Souto (VC) 32 Rc98
Souto (Br) 50 Re100
Souto (VR) 51 Sc101
Souto (Av) 67 Rc103
Souto (Vi) 68 Sa103
Souto (Vi) 69 Sd102
Souto (Le) 82 Rc109 ✉*3100-370
Souto (Gu) 85 Ta106
Souto Bom (Vi) 68 Rf105 ✉3465-105

utocico (Le) 82 Rb110
✉ *2420-027
uto da Carpalhosa (Le)
82 Rb109 ✉ *2425-521
uto da Casa (CB) 84 Sc108
✉ *6230-685
uto da Velha (Ba) 52 Ta101
✉ 5160-171
uto de Aguiar da Beira (Gu)
69 Sd104 ✉ 3570-200
uto de Lafões (Vi) 68 Rf104
uto Maior (Gu) 69 Se104
uto Mau (Av) 68 Re104
✉ 3730-015
utosa (Vi) 69 Sc103 ✉ 3620-443
za (Av) 67 Rc105
Sta, Forta 145 Rf126
ubportela (VC) 32 Rb98
ucções (Ba) 52 Se100
Sudoeste Alentejano e Costa Vicentina, Paisagem Protegida do 144 Rb123
ul (Vi) 68 Rf104 ✉ 3660-645
Sul, Praia do 100 Qd115
Surrazala, Ribeira de 102 Sb114

abaço (VC) 32 Rd98
aberna (VR) 52 Sd99
aberna Seca (CB) 84 Sc109
aboeira (Av) 67 Rc105
aboeira (Co) 67 Rc106
✉ 3060-114
aboleiros de Baixo (Év) 117 Rf118
abosa (Vi) 69 Sc103
abosa (Vi) 69 Sd103
ábua (Ma) 166 B2
ábua (Co) 68 Rf106 ✉ *3420-301
abuaças (Br) 51 Re99
abuaço (Vi) 51 Sc102
✉ *5120-380
abuadela (VR) 51 Sa99
✉ 5470-441
abuadelo (Br) 50 Re100
✉ *4835-445
abuado (Por) 51 Rf101
✉ *4600-652
ábuas (Co) 83 Re108 ✉ 3220-240
Tabuas, Relva de 83 Re108
acão (Be) 132 Sb122
acões (Fa) 146 Sc124
acões (Be) 131 Sa123
adim (Br) 50 Rd99 ✉ *4705-671
afe (Fa) 146 Sb125 ✉ 8800-213
agarro (Li) 100 Ra113
✉ *2065-201
agilde (Br) 50 Re100 ✉ *4815-269
aião (VC) 32 Rc97 ✉ 4930-555
aíde (Br) 51 Re99
aipadas (Se) 116 Rc116
aipas (Br) 50 Rd100
☆ Taipas, Caldas das 50 Rd100
aleiros (Fa) 146 Sb125
alhadas (Av) 68 Re105
alhas (Ba) 53 Tb100 ✉ 5340-440
alheira (Por) 51 Rf101
alhinhas (Ba) 53 Tb99
✉ 5340-452
alica (Be) 132 Sb121
aliscas (CB) 84 Sc107
alurdo (Fa) 145 Rd125
amanhos (Gu) 69 Se104
✉ 6420-623
≈ Tâmega, Rio 50 Re102
amejoso (Be) 132 Sc123
✉ 7750-388
amel (Br) 50 Rc99 ✉ *4750-036
amengos (Av) 67 Rd106
✉ 3780-544
anganhal (Se) 130 Rc120
anganheira (Se) 130 Rb121
✉ 7555-269
angil (VC) 32 Rd96
anque (Ma) 167
apada (Pg) 103 Se114
apada (Por) 51 Sa101
apada das Valsas (CB) 84 Se110
≈ Tapada Grande, Barragem da 132 Sc122
apeus (Co) 82 Rc108 ✉ 3130-387
arei (Av) 67 Rc103 ✉ *4520-719
arouca (Vi) 51 Sb102
✉ *3610-001
Tarouquela (Vi) 51 Re102
Tavagueira (Fa) 145 Re126
✉ 8200-425
Tavanca de Tavares (Gu) 69 Sc105
Taveiro (Co) 82 Rc107
≈ Taveiro, Ribeira de 84 Se108
Tavila (CB) 84 Sb110 ✉ 6030-160
Tavilhão (Be) 145 Rf124
Tavira (Fa) 146 Sc126
✉ *8800-209
▲ Tavira, Ilha de 146 Sc126
Távora (VC) 32 Rd98
Távora (Vi) 51 Sc102 ✉ 5120-447
≈ Távora, Rio 69 Sc102
Tebosa (Br) 50 Rd100 ✉ 4705-630
≈ Tedo, Rio 51 Sc102
Tegueiro (CB) 85 Sf110
Teira (Sa) 101 Ra112 ✉ 2040-024
Teivas (Vi) 68 Sa105 ✉ 3500-883
Teixeira (Por) 51 Sa101
✉ *4600-661
Teixeira (Ba) 53 Td100
Teixeira (Co) 83 Sa107
✉ *3300-466
Teixeira (Gu) 84 Sb107
▲ Teixeira, Achada do (Ma) 167 C2
≈ Teixeira, Rio 68 Re104
Teixeiró (Por) 51 Sa101
Teixelo (Vi) 69 Sb103 ✉ *3610-165
Teixo (Vi) 68 Re105 ✉ 3475-070
Teixoso (CB) 84 Sd107
✉ *6200-589
≈ Teja, Ribeira de 52 Se102
≈ Tejo, Rio 102 Sa111
≈ Tejo, Rio 101 Ra114
Telha (Br) 51 Rf100 ✉ 4820-713
Telha (Por) 50 Rd101
Telhada (Co) 82 Rb108
Telhada (Co) 83 Rf108
Telhada (Co) 83 Rf107
Telhadela (Av) 68 Rd104
Telhadela (Co) 83 Rd108
✉ *3040-793
Telhado (Br) 50 Rd100
Telhado (VR) 51 Sa98
Telhado (Co) 83 Re107
✉ *3360-062
Telhado (CB) 84 Sc108
Telha dos Grandes (Le) 101 Rb111
Telheiro (Fa) 145 Rf126
Telheiro (Év) 118 Sd118
Telheiro (Le) 82 Ra110
✉ *2405-032
▲ Telheiro, Praia do 144 Ra126
Telheiros (Pg) 103 Sd113
Telões (Por) 51 Rf101
Telões (VR) 51 Sb100
☆ Templo Romano 117 Sa117
Tendais (Vi) 68 Rf102
Tendeira (Ma) 167 D3
Tenência (Fa) 146 Sd124
✉ 8950-394
Tentúgal (Co) 82 Rc107
✉ *3140-551
≈ Tera, Ribeira da 117 Sa115
Terca (Ma) 166 B2
Terça (Se) 116 Rc118
▲ Terceira, Ilha (Aç) 169 Xf116
Tercena (Li) 115 Qe116
✉ *2730-001
Terena (Év) 118 Sd117 ✉ 7250-065
≈ Terges, Ribeira de 131 Sa122
Terhal (Sa) 116 Ra115
Terlamonte (CB) 84 Sd107
Termas da Ganhofeira (Év)
117 Sa118
Termo de Évora (Le) 101 Ra111
Terra Cha (Ma) 166 B2
Terra Chã (Aç) 169 Xe116
Terra Chã (Ma) 166 C2
✉ *9240-223
Terra do Pão (Aç) 168 Wd118
✉ 9950-451
Terra Fria (Sa) 101 Rc112
✉ 2000-451
Terras do Bouro (Br) 32 Re98
Terrazina (Be) 130 Rd121
Terreiro da Luta (Ma) 167 C2
Terreiro das Bruxas (Gu) 84 Se107
✉ 6320-202
Terreiros (Aç) 169 Wf117
▲ Terreiros, Chão dos (Ma) 166 C2
Terrenho (Gu) 69 Sd103
✉ 6420-631
▲ Terrías 103 Sd111
Terroso (Ba) 35 Ta97
Terroso (Por) 50 Rb100
✉ *4495-447
Terrugem (Pg) 118 Sd115
Terrugem (Li) 115 Qd115
✉ *2705-830
≈ Terva, Rio 51 Sc98
Teso (Por) 50 Rb100
Tesoureira (Li) 100 Qf115
✉ 2630-098
Tesouro (Fa) 146 Sc124
✉ 8970-310
▲ Texto, Vale 132 Sc119
Texugueira (Sa) 101 Rd114
Tibaldinho (Vi) 69 Sa105
✉ 3530-027
Tibo (VC) 33 Re97 ✉ 4970-150
▲ Timão, Pico (Aç) 168 Wf114
Tinalhas (CB) 84 Sc109
✉ 6000-740
Tinhela (VR) 52 Se98 ✉ 5430-293
≈ Tinhela, Rio 52 Sd100
Tinhela de Cima (VR) 51 Sc99
✉ 5450-167
Tinoca (Pg) 103 Sf114
Tires (Li) 115 Qd116 ✉ *2785-051
Tisnada (Be) 130 Rd122
✉ 7630-360
Tó (Ba) 53 Tc101 ✉ 5200-422
Tocha (Co) 67 Rb107 ✉ *3060-702
≈ Tocha, Lagoa de 82 Rb107
Tões (Vi) 51 Sb102
Toito (Gu) 70 Sf105 ✉ 6300-185
Tojais Novos (Év) 117 Rf118
Tojal (Év) 117 Rf118
Tojeirinha (CB) 84 Sb110
✉ 6030-161
Tojeiro (Fa) 144 Rb125
Tojeiro (Co) 82 Rb107
✉ *3140-043
Toledo (Aç) 169 Wf116 ✉ 9800-370
Toledos (Aç) 168 Wc117
✉ 9950-364
Tolões (Por) 51 Sa101
Tolosa (Pg) 102 Sb112
✉ *6050-501
Tomadias (Gu) 70 Sf103
Tomar (Sa) 101 Rd111
✉ *2300-303
Tomina (Be) 133 Sf120
☆ Tomina, Convento de 133 Sf120
Tonda (Vi) 68 Rf106
Tondela (Vi) 68 Rf105 ✉ *3460-519
▲ Tonel, Praia do 144 Ra127
Topo (Aç) 169 Xb117 ✉ *9875-151
▲ Topo, Ilhéu do (Aç) 169 Xb117
≈ Torgal, Ribeira de 130 Rc123
Torgueda (VR) 51 Sb101
✉ *5000-747
Tornada (Le) 100 Qf112
✉ 2500-315
Torneiro (Fa) 146 Sd124
Torneiro (Br) 51 Sb99
Torneiros (VR) 51 Sb99
Torno (Por) 51 Re101
≈ Torquines, Ribeira de 144 Rc124
Torrados (Por) 50 Re100
Torralba (Fa) 144 Rc126
Torralta (Fa) 144 Rc126
Torrão (Se) 116 Re119
Torrão (Por) 50 Re102
Torrão Lameiro (Av) 67 Rb104
Torre (Fa) 144 Rc125
Torre (Fa) 144 Rc126
Torre (Li) 115 Qd116
Torre (Sa) 101 Rc115
Torre (VC) 32 Rb98
Torre (Co) 68 Rf106
Torre (Le) 82 Rb111 ✉ *2440-210
Torre (Sa) 83 Rd111
Torre (Gu) 85 Sf106
Torre (CB) 85 Ta109
▲ Torre, Ponta da 144 Ra126
Torre Cimeira (Pg) 102 Sa111
✉ 6040-030
Torre da Cardeira (Be) 132 Sb121
Torre da Gadanha (Év) 116 Re117
✉ 7050-601
Torre de Ares (Fa) 146 Sb126
Torre de Coelheiros (Év) 117 Sb118
✉ *7005-776
Torre de Dona Chama (Ba) 52 Sf99
Torre de Frade (Pg) 118 Sd115
Torredeita (Vi) 68 Rf105
✉ *3510-843
Torre de Moncorvo (Ba) 52 Sf101
✉ *5160-003
Torre de Natal (Fa) 145 Sa126
Torre de Vale de Todos (Le)
83 Rd109
Torre do Bispo (Sa) 101 Rc112
✉ 2000-687
Torre do Couto (VR) 34 Sd98
Torre do Pinhão (VR) 51 Sc100
✉ *5060-565
Torre do Pinto (Be) 131 Sa120
Torre do Terrenho (Vi) 69 Sd103
Torreira (Av) 67 Rb104
✉ *3870-301
▲ Torreira, Praia de 67 Rb104
Torre Portela (Br) 50 Rd99
Torres (Gu) 69 Se104
▲ Torres, Pico das (Ma) 167 C2
Torres de Montego (Co) 83 Rd107
Torres Novas (Sa) 101 Rc112
✉ *2350-409
Torres Vedras (Li) 100 Qe114
✉ *2560-230
Torre Vã (Be) 131 Rd122
✉ 7670-407
Torre Velha (Ma) 167 D2
Torrinha (Fa) 145 Re126
✉ 8400-423
▲ Torrinhas, Pico das (Ma) 166 C2
Torrinheiras (Br) 51 Sa99
✉ 4860-015
Torroal (Se) 116 Rb119
Torrozelas (Co) 83 Sa107
✉ 3300-123
Torrozelo (Gu) 69 Sb106
✉ 6270-555
≈ Torto, Rio 145 Rd124
≈ Torto, Rio 52 Sd102
≈ Torto, Rio 84 Se108
Tortosendo (CB) 84 Sc107
✉ *6200-254
Tostão (CB) 84 Sb110 ✉ 6030-162
Totenique (Be) 144 Rc123
Toubres (VR) 52 Sd100
✉ 5090-081
Touca (CB) 84 Sd108 ✉ 6230-123
Touça (Gu) 52 Se102
Toucinhos (Sa) 101 Rc111
Tougues (Por) 50 Rb100
✉ 4480-480
Touguinha (Por) 50 Rb100
✉ *4480-485
Touguinhó (Por) 50 Rb100
✉ *4480-008
≈ Toula, Ribeira da 85 Sf109
≈ Toulica, Barragem da 85 Sf109
≈ Toulica, Ribeira da 85 Sf109
Toulões (CB) 85 Sf109
Tourais (Gu) 69 Sb106 ✉ 6270-586
Tourega (Év) 117 Sa115
Tourém (VR) 33 Sa97 ✉ 5470-490
Tourencinho (VR) 51 Sc100
✉ 5450-287
Tourigo (Vi) 68 Re106 ✉ 3465-195
Touril (Be) 132 Se120
Touril (Be) 130 Rb123
Touris (Fa) 145 Sa125
Touro (Vi) 69 Sb103 ✉ 3650-081
≈ Tourões, Ribeira de 70 Tb105
≈ Toutalga, Ribeira de 132 Se120
Toutosa (Por) 51 Rf101
✉ *4635-518
▲ Trafal, Praia do 145 Rf126
Trafaria (Li) 115 Qe116
Trajouce (Li) 115 Qd116
✉ *2785-007
Tralhariz (Ba) 52 Sd101
✉ 5140-136
Tramaga (Pg) 102 Rf113
✉ 7400-604
Tramagal (Sa) 102 Re112
✉ *2205-387
Tramagueira (Év) 117 Rf115
▲ Tramagueira, Praia da 115 Qe118
Trancoso (Gu) 69 Sd104
Trancozelos (Vi) 69 Sb105
Trandeiras (Br) 50 Rd100
✉ *4705-631
Trandeiras (VR) 51 Sb99
✉ 5450-103
Trás Âncora (VC) 32 Rb98
Trás do Outeiro (Le) 100 Qf112
✉ *2510-194
Travanca (Por) 51 Re101
Travanca (Vi) 50 Re102
Travanca (Vi) 51 Sb102
Travanca (Ba) 52 Ta99
Travanca (Ba) 53 Td100
Travanca (Av) 67 Rc103
Travanca (Av) 67 Rd104
Travanca de Lagos (Co) 68 Sa106
✉ *3405-478
Travanca do Mondego (Co)
83 Re107 ✉ 3360-316
Travanca do Monte (Por) 51 Rf101
✉ 4600-530
Travancas (VR) 34 Se98
✉ 5400-798
Travancinha (Gu) 69 Sb106
✉ *6270-601
Travanco (Ba) 34 Ta97
Travasso (Br) 51 Sa99
Travasso (Av) 67 Rd105
✉ *3050-510
Travassô (Av) 68 Rd106
✉ *3750-755
Travassos (VR) 33 Sa98
Travassos (Br) 51 Re99
Travassos (VR) 51 Sa100
Travassos (Br) 51 Re100
Travassós (Br) 50 Rd99
✉ 4820-808
Travassós de Cima (Vi) 68 Sa104
✉ *3505-562
Traveira (Co) 83 Rd108
✉ 3150-317
▲ Travessa 133 Sf120
Tregosa (Br) 50 Rb99
Treixedo (Vi) 68 Rf106
✉ *3440-510
Tremal (CB) 85 Ta110
Tremelgo (Fa) 145 Sb124
Tremêz (Sa) 101 Rb112
Tremoceira (Le) 82 Ra111
✉ 2480-113
≈ Três Braços, Lagoa dos
82 Rb107
Três Figos (Fa) 144 Rb125
✉ 8550-160
▲ Três Irmãos, Praia do 144 Rc126
Tresminas (VR) 52 Sc100
✉ 5450-296
Tresmondes (VR) 52 Sd98
Tresouras (Por) 51 Sa102
✉ 4640-546
Trevões (Vi) 52 Sd102
Trezoi (Vi) 68 Rd106 ✉ 3450-386
Trigaches (Be) 131 Sa120
✉ 7800-771
Trigais (Gu) 84 Se106
Trindade (Be) 131 Sa121
Trindade (Ba) 52 Sf100
✉ *5360-202
Trinhão (Co) 83 Rf109 ✉ 3320-338
Trinta (Gu) 69 Sd105 ✉ 6300-225
Tripeiro (CB) 84 Sc109 ✉ 6005-271
Trisio (CB) 83 Re110
▲ Tristão, Ponta do ou da Fazenda (Ma) 166 A1
Trofa (Av) 67 Rd105 ✉ *3750-791
Trogal (VC) 32 Rb98 ✉ *4950-787
Tróia (Se) 115 Ra118 ✉ 7570-789
Trolho (Be) 131 Sa119
Tronco (VR) 34 Se98 ✉ 5400-800
Tropeço (Av) 68 Re103 ✉ 4540-624
Troporiz (VC) 32 Rc96
Trouxemil (Co) 83 Rd107
Troviscais (Be) 130 Rb123
Troviscal (Av) 67 Rc105
Troviscal (CB) 83 Rf109
Troviscoso (VC) 32 Ra98
✉ 4900-281
Trutas (CB) 83 Re110
Trutas (Le) 82 Ra110 ✉ *2430-520
Trute (VC) 32 Rd96
Tua (Ba) 52 Sd101
≈ Tua, Rio 52 Se100
Tubaral (Sa) 102 Rf112
✉ *2205-138
≈ Tuela, Rio 34 Sf98
Tuias (Por) 51 Rf101
Tuiselo (Ba) 34 Sf97
Tulhas (Co) 83 Rf108 ✉ 3330-115
Tunes Gare (Fa) 145 Re126
Turcifal (Li) 100 Qe114
✉ *2565-791
Turiz (Br) 50 Rd99
Turquel (Le) 100 Ra112
✉ *2460-806

U

Ucanha (Vi) 51 Sb102 ✉ 3610-175
Ucha (Br) 50 Rc99
Uchas (Por) 51 Sa102
✉ *4620-022
Ulme (Sa) 101 Rd113 ✉ *2140-364
≈ Ulme, Ribeira de 101 Rd113
Ulmo (Be) 131 Rf121
Úmbria (Fa) 146 Sb125
Úmbrias de Comacho (Fa)
146 Sc125
Unhais da Serra (CB) 84 Sc107
✉ *6215-513
Unhais-o-Velho (Co) 84 Sb108
✉ 3320-368
Unhão (Por) 50 Re101
Unhos (Li) 115 Qf116 ✉ *2680-374
☆ Universidade 83 Rd107
Urgeses (Br) 50 Re100
Urgueira (Co) 83 Rf107
✉ *3300-370
Urqueira (Sa) 82 Rc110
✉ *2435-681
Urra (Pg) 103 Sd113 ✉ *7300-565
Urrô (Por) 50 Re101 ✉ *4560-822
Urrô (Av) 68 Re103 ✉ 4540-659
Urros (Ba) 52 Sf102 ✉ 5160-401
Urrós (Ba) 53 Td100 ✉ *5200-461
▲ Urso, Pinhal do 82 Ra109
▲ Urze (Ma) 166 B2
Urzelina (Aç) 169 Wf117
✉ *9800-421
Uva (Ba) 53 Tc100 ✉ 5230-232
Uz (Br) 51 Sa99 ✉ 4860-482

V

Vacalar (Vi) 51 Sb102 ✉ 5110-662
Vacaria (Br) 51 Rf100
Vacariça (Av) 68 Rd106
✉ 3050-511
Vade (VC) 32 Rd98
Vagos (Av) 67 Rb105 ✉ *3840-001
▲ Vagueira, Praia de 67 Rb105
Vaiamonte (Pg) 103 Sc114
✉ *7450-260
Vairão (Por) 50 Rc101
✉ *4485-044
Valada (Pg) 103 Se114
Valada (Sa) 101 Rb114
✉ *2070-506
Valadares (VC) 32 Rd96
Valadares (VC) 32 Rb98
Valadares (Por) 50 Rc102
Valadares (Por) 51 Sa102
Valadares (Vi) 68 Re104
✉ *3660-673
Valadas (Sa) 83 Re111
✉ *2240-136
Vala da Vaca (Pg) 102 Rf114
Valado de Santa Quitéria (Le)
100 Qf112
Valado dos Frades (Le) 100 Qf111
✉ *2450-301
Valados (Fa) 145 Sa126
Valas (Be) 130 Rb123
Valbom (Br) 32 Rd98
Valbom (Por) 50 Rc102
Valbom (Gu) 70 Sf104
Valbom (CB) 84 Sc109

Valbom dos Figos (Ba) 52 Sf99 ✉5370-175
Valbom Pitez (Ba) 52 Se99 ✉5385-132
Valcerto (Ba) 53 Tc100 ✉5200-404
Valdegas (VR) 51 Sc98 ✉5460-473
Valdigem (Vi) 51 Sb102 ✉*5100-837
Valdosende (Br) 51 Re99
Valdreu (Br) 32 Rd98
Valdrez (Ba) 53 Ta99 ✉5340-400
Valdujo (Gu) 69 Se104 ✉6420-662
Vale (Fa) 145 Re125
Vale (VC) 32 Rd97
Vale (Br) 50 Rd100
Vale (VR) 52 Sc100
Vale (Av) 68 Rd103
Vale (Vi) 68 Rf106
Vale (Le) 82 Rc109 ✉*2445-630
Vale Abrigoso (Vi) 68 Sa103 ✉3600-405
Vale Alto (Sa) 101 Rc111 ✉*2395-301
Vale Andreu (Fa) 146 Sc125
Vale Bacias (Be) 130 Rc122
Vale Benfeito (Ba) 52 Ta100
Vale Bom (Se) 131 Re119 ✉7595-191
Vale Bonito (CB) 84 Sc109 ✉6000-715
Vale Canosa (Co) 82 Rc107
Vale Carneiro (Év) 118 Sd118
Vale Chiqueiro (CB) 84 Sb110 ✉6000-660
Vale Covo (Fa) 145 Rf126
Vale Covo (Le) 100 Qe113 ✉*2420-165
Vale da Beja (Be) 130 Rb122
Vale da Couda (Le) 83 Rd109 ✉3250-043
Vale da Feiteira (Pg) 102 Sb112
Vale da Figueira (Sa) 101 Rc113 ✉*2240-380
Vale da Gama (Sa) 102 Sa111 ✉6120-030
Vale da Horta (Fa) 144 Rb125
Vale da Horta (Sa) 102 Rf113 ✉*2205-410
Vale da Junça (CB) 83 Sa110 ✉6100-889
Vale da Lama (Sa) 101 Rd113
▲Vale da Lapa, Praia do 144 Rd126
Vale da Madre (Ba) 53 Tb100 ✉5200-500
Vale da Mó (Fa) 145 Sa126
Vale da Mó (Av) 68 Rd106
Vale da Moita (Fa) 145 Sa124
Vale da Moura (Év) 117 Sa117
Vale da Mua (CB) 84 Sb110
Vale da Mula (Gu) 70 Tb104 ✉*6350-235
Vale da Mura (Sa) 102 Sa111
Vale da Murta (CB) 85 Sf108
Vale da Nora das Árvores (Fa) 144 Rb125
Vale da Parra (Fa) 145 Re126
Vale da Pedra (Sa) 101 Rb114 ✉*2070-704
Vale da Pereira (CB) 84 Sb110
Vale da Pinta (Év) 117 Sb115
Vale da Pinta (Sa) 101 Rb113 ✉*2070-554
Vale da Porca (Ba) 52 Ta99 ✉5340-470
Vale da Roca (Se) 130 Rb121
Vale da Rosa (Fa) 146 Sb125
Vale da Rosa (Fa) 145 Sa125
Vale das Éguas (Gu) 70 Sf106 ✉6320-551
Vale das Eiras (CB) 85 Ta109
Vale da Senhora da Póvoa (CB) 84 Se107
Vale das Fontes (Ba) 52 Sf98 ✉*5335-134
Vale das Onegas (Sa) 102 Rf111 ✉2230-014
Vale das Velhas (Le) 82 Rc109 ✉3100-059
Vale da Torre (CB) 84 Sd108 ✉6005-196
Vale da Trave (Sa) 101 Rb112 ✉*2025-171
Vale da Ursa (Fa) 145 Re126 ✉8200-426
Vale da Ursa (CB) 83 Sa110
Vale da Vaca (Fa) 146 Sb125
Vale da Venda (Fa) 145 Sa126 ✉8135-032
Vale da Vila (Fa) 145 Rd125
Vale da Vila (Vi) 52 Sd102
Vale de Açor (Pg) 102 Sa113
Vale de Açor (Sa) 102 Rf112 ✉*2205-409
Vale de Afonsinho (Gu) 70 Sf103 ✉6440-251
Vale de Agrilhão (Be) 130 Rb122
Vale de Água (Fa) 144 Rc125
Vale de Água (Se) 130 Rc121
Vale de Água (Sa) 102 Rf112 ✉*2025-172
Vale de Águia (Ba) 53 Te99 ✉5210-173
Vale de Algóso (Ba) 53 Tc100
Vale de Almeiro (Ba) 34 Sf98
Vale de Ancho (Év) 116 Rc117
Vale de Anta (VR) 34 Sc98 ✉*5400-360
Vale de Arco (Pg) 102 Sa112
Vale de Asna (Év) 116 Rd117
Vale de Asnes (Ba) 52 Sf100 ✉5370-652
Vale de Avim (Av) 68 Rd106 ✉3780-481
Vale de Azares (Gu) 69 Sd105
Vale de Bajouca (Le) 82 Rb109
Vale de Bouro (Br) 51 Rf100
Vale de Calvão (Be) 132 Sd120
Vale de Calvo (Sa) 101 Rd111
Vale de Cambra (Av) 68 Rd103 ✉*3730-200
Vale de Carneiro (Vi) 68 Re106
Vale de Casas (VR) 52 Se99 ✉5430-406
Vale de Casca (Se) 130 Rc122
Vale de Cavalos (Sa) 101 Rc113 ✉*2140-405
Vale de Coelha (Gu) 70 Tb104 ✉6350-351
Vale de Colmeias (Co) 83 Rd107 ✉3220-442
Vale de Cuba (CB) 83 Sa109
Vale de Cunho (VR) 52 Sd100
Vale de Ebros (Fa) 146 Sc125
Vale de Égua (VR) 52 Sd99 ✉5090-082
Vale de El-Rei de Baixo (Év) 117 Rf117
Vale de Espinho (Gu) 85 Ta107
Vale de Estacas (Be) 145 Rf124 ✉7700-207
Vale de Estrela (Gu) 69 Se106 ✉6300-230
Vale de Évora (Be) 132 Sb122 ✉7750-389
Vale de Ferro (Be) 130 Rc122
Vale de Figueira (Be) 144 Rb123
Vale de Figueira (Pg) 103 Sd111
▲Vale de Figueira, Praia de 144 Ra125
Vale de Figueiras (Be) 130 Rc123
Vale de Figueiras (Sa) 101 Rd114
Vale de Flor (Sa) 101 Rd113
Vale de Frades (Ba) 53 Td99 ✉5230-253
Vale de Freixo (CB) 84 Se107
≈Vale de Gaio, Barragem de 131 Re119
Vale de Gouvinhas (Ba) 52 Se99 ✉5385-133
Vale de Grou (Be) 132 Se121
Vale de Grou (Sa) 102 Sa111 ✉2025-174
Vale de Guizo (Se) 116 Rd119
Vale de Homem (CB) 84 Sc110 ✉6100-434
Vale de Hortas (Fa) 145 Re124
Vale de Ílhavo (Av) 67 Rc105 ✉*3830-270
Vale de Inferno (Sa) 101 Rc114
Vale de Janeiro (Ba) 34 Sf98 ✉5335-136
Vale de Juden (Fa) 145 Rf126
Vale de Lagõa (Ba) 52 Sf99
Vale de Lamas (Ba) 35 Tb98
Vale de Linhares (Be) 132 Sc121
≈Vale de Loba, Ribeira de 84 Se107
Vale de Lobo (Ba) 52 Sf99 ✉*5370-102
Vale de Lobos (Li) 115 Qe116 ✉*2530-395
Vale de Maceira (Le) 100 Qf112
Vale de Madeira (Pg) 102 Sa112
Vale de Madeira (Gu) 70 Sf104 ✉6400-671
Vale de Madeiros (Vi) 68 Sa106 ✉*3525-350
Vale de Matos (CB) 102 Sb111
Vale de Mendiz (VR) 52 Sc101 ✉*5085-100
Vale de Mir (VR) 52 Sd100 ✉*5070-304
Vale de Mira (Ba) 53 Te100 ✉*5210-060
Vale de Moinhos (Be) 144 Rc123
≈Vale de Moinhos, Rio 53 Tb100
Vale de Mós (Év) 117 Re117
Vale de Negueiras (VR) 51 Sb101
Vale de Nogeira (Ba) 53 Ta99
Vale de Óbidos (Le) 100 Ra113
Vale de Odre (Fa) 145 Sb124
Vale de Paraiso (Ma) 167 C2
Vale de Paredes (Le) 82 Qf110 ✉2445-496
Vale de Pinheiro (Fa) 146 Sc124
Vale de Porco (Ba) 53 Tb101 ✉5200-510
Vale de Porco (Gu) 69 Se102
Vale de Pousadas (CB) 84 Sc110
Vale de Prados (Ba) 52 Sf99 ✉*5340-482
Vale de Prazeres (CB) 84 Sd108 ✉6230-788
Vale de Rémigio (Vi) 68 Re106
Vale de Rio (Le) 83 Re109
Vale de Salgueiros (Ba) 52 Se99
Vale de Sancha (Ba) 52 Sf100 ✉5370-137
Vale de Santarém (Sa) 101 Rb113 ✉*2005-029
Vale de São Domingos (Sa) 102 Sa111 ✉6120-782
Vale de São Jaão (Pg) 102 Sa112
Vale de Seixo (Gu) 69 Se104
Vale de Serrão (Sa) 83 Re110
Vale de Sobral (CB) 85 Sf110
Vale de Souto (CB) 83 Sa109 ✉6160-265
Vale de Telhas (Ba) 52 Se99 ✉5385-140
Vale de Todos (Le) 83 Rd109
Vale de Torno (Ba) 52 Se101
Vale de Torno (Co) 83 Sa107
Vale de Urso (CB) 84 Sc108 ✉6230-740
Vale de Vargo (Be) 132 Sd121 ✉*7830-469
Vale de Ventos (Le) 101 Ra112
Vale de Vinagre (Be) 132 Sb120
Vale de Zebrinho (Sa) 102 Rf112
Vale Direito (Por) 50 Rd101
Vale do Bispo (Pg) 102 Sa113
Vale do Figueira (Vi) 52 Se102
Vale do Horto (Le) 82 Ra110
Vale do Lobo (Fa) 145 Rf126
▲Vale do Lobo, Praia do 145 Rf126
≈Vale do Mouro, Ribeira de 69 Se104
Vale do Paradíso (Li) 101 Ra114
Vale do Pereiro (Év) 117 Sb116
Vale do Pereiro (CB) 83 Rf110
Vale do Peso (Pg) 102 Sc112 ✉*7430-351
Valefanado (Be) 131 Sa122
Vale Feitoso (CB) 85 Ta108
Vale Figueira (Fa) 145 Re125
Vale Flor (Se) 115 Qe117
Vale Flor (Gu) 69 Se103 ✉6430-371
Vale Florido (Le) 101 Rb112
Vale Florido (Sa) 101 Rd111 ✉*2025-177
Vale Florido (Le) 83 Rd109
Vale Fontes (Fa) 145 Re124
Vale Formosa (CB) 69 Sd106
▲Vale Formoso 144 Rb125
Vale Formoso (Sa) 102 Rf111 ✉*2230-015
Vale Frechoso (Ba) 52 Sf100 ✉5360-220
Vale Furado (Le) 82 Qf110 ✉*2445-511
Vale Fuzeiros (Fa) 145 Rd125 ✉8375-082
Válega (Av) 67 Rc103 ✉*3880-463
Vale Gonçalo (Be) 131 Rf122
≈Vale Grande 116 Rb115
Vale Grande (Av) 68 Rd105
Vale Grande (Co) 83 Sa108
Vale Grou (Fa) 145 Rd124
Valeira (Év) 117 Rf117
≈Valeira, Barragem de 52 Sd102
Valeja (Év) 118 Sc115
Vale Juncalinho (Be) 144 Rb124
Vale Longo (Be) 131 Rd122
Vale Loução de Baixo (Be) 132 Sb121
Vale Manhãs (Se) 130 Rb121
Vale Maria (Év) 117 Rf117
Vale Miguel (Se) 130 Rb121
▲Vale Mourão, Serra de 69 Se106
Vale Mourisco (Gu) 70 Sf106 ✉6320-014
Vale Mouro (Sa) 101 Rd115
Valença (VC) 32 Rc96 ✉*4930-587
Valença do Douro (Vi) 51 Sc102 ✉*5120-500
Valepaço (Ba) 34 Sf98
Vale Pereiro (Se) 130 Rc121
Vale Pereiro (Ba) 52 Ta100
Vale Pereiro (Ba) 52 Sf99
Vale Queimado (Sa) 101 Rd114 ✉2120-114
Vales (Fa) 144 Rb125
Vales (Fa) 145 Sb125
Vales (Be) 130 Rc122
Vales (Por) 50 Rd101
Vales (Ba) 52 Ta100
Vales (VR) 52 Sd100
Vales (Gu) 70 Ta103
Vales (CB) 84 Sc107
Vale Salgueiro (Le) 82 Ra110 ✉*2405-035
Vale Santiago (Be) 131 Rd122
Vale Santiago (Se) 131 Rd121
Vales de Cardigos (Sa) 83 Sa110
Vales de Pêro Viseu (CB) 84 Sd107 ✉*6230-584
Vale Serrão (Pg) 103 Sc112
Vales Luis Neto (Fa) 145 Sa125
Vales Mortos (Be) 132 Sc122
Vale Travessos (Be) 132 Sc122
Vale Verde (Ba) 52 Se100
Vale Verde (Gu) 70 Ta104
Vale Zebro (Sa) 101 Rb114 ✉2125-202
Valezim (Gu) 69 Sb106 ✉6270-621
Valhascos (Sa) 102 Rf111 ✉2230-180
Valhelhas (Sa) 101 Rc111 ✉2350-181
Valhelhas (Gu) 69 Sd106 ✉6300-235
Valinho (VC) 32 Rb97
Valmaior (Av) 67 Rd104 ✉3850-835
Valões (Br) 32 Rd98
Valongo (Fa) 146 Sc126
Valongo (Pg) 102 Sa113
Valongo (Por) 50 Rc101
Valongo (VR) 52 Sd99
Valongo (Co) 83 Rd107
Valongo das Meadas (Ba) 52 Se99 ✉5370-070
Valongo de Milhais (VR) 52 Sd100 ✉5090-220
Valongo dos Azeites (Vi) 52 Sd102 ✉5130-501
Valongo do Vouga (Av) 68 Rd105 ✉3750-836
Valoura (VR) 52 Sc99 ✉5450-300
Valpaços (VR) 52 Se99 ✉*5430-407
Valpedre (Por) 50 Re102 ✉4575-588
Valugas (VR) 51 Sc99 ✉5450-168
Valverde (Fa) 145 Re126
Valverde (Év) 117 Rf117
Valverde (Li) 100 Qd115
Valverde (Sa) 101 Ra112 ✉*2000-699
Valverde (Ba) 53 Tb98
Valverde (Ba) 53 Tb101
Valverde (VR) 52 Se99
Valverde (Aç) 168 Wc117
Valverde (Gu) 69 Sc104
Valverde (CB) 84 Sd108
Vandoma (Por) 50 Rd101 ✉*4585-761
Vaqueiros (Fa) 146 Sb124 ✉*8970-351
Vaqueiros (Sa) 101 Rc112 ✉2000-791
Vaquilha (CB) 85 Ta108
Vaquinhas (CB) 83 Rf110 ✉6100-368
▲Vara, Pico da (Aç) 170 Ze122
Varadouro (Aç) 168 Wb117
▲Varadouro, Ponta do (Ma) 167
Varche (Pg) 118 Se115 ✉7350-422
Varge (Ba) 35 Tb97 ✉5300-412
Vargelas (Ba) 52 Se102
Vargem (Ma) 166 B2
Vargens (Be) 146 Sb123 ✉7750-812
Varges (VR) 52 Sd100 ✉5090-210
Variz (Ba) 53 Tc100 ✉5200-312
≈Varosa, Barragem da 51 Sb102
≈Varosa, Rio 69 Sb103
Varzea (CB) 83 Rf110
Várzea (Fa) 146 Sc125
Várzea (Sa) 101 Rb113 ✉*2005-001
Várzea (Br) 50 Rc99
Várzea (Por) 51 Re100
Várzea (Por) 51 Sa101
Várzea (Vi) 68 Sa104
Várzea (Vi) 68 Rf105
Várzea (Vi) 68 Rf104
Várzea (Co) 68 Sa106
Várzea (Av) 68 Re103
≈Vârzea, Ribeira da 102 Sb113
Várzea Cova (Br) 51 Rf99 ✉4820-820
Várzea da Azinheira (Fa) 146 Sb125 ✉8800-025
Várzea da Ovelha e Aliviada (Por) 51 Rf101
Várzea da Serra (Vi) 69 Sb103 ✉*3610-187
Várzea de Abrunhais (Vi) 51 Sb102 ✉5100-879
Várzea de Meruge (Gu) 69 Sb106 ✉6270-631
Várzea de Pedro Mouro (CB) 83 Re110 ✉6100-327
Várzea de Tavares (Gu) 69 Sc105
Várzea de Trevões (Vi) 52 Sd102
Várzea dos Cavaleiros (CB) 83 Rf110 ✉6100-894
Varzea Fresca (Sa) 101 Rb115
Várzea Nova (Se) 130 Rc120 ✉7540-025
Várzeas (Év) 116 Re116
Várzeas (Le) 82 Ra109 ✉*2425-492
Varziela (Por) 51 Re100 ✉*4560-042
Varziela (Co) 67 Rc106 ✉*3060-215
Varzielas (Vi) 68 Re105 ✉*3475-020
≈Vascanito, Ribeira do 145 Rf12
≈Vascão, Rio 146 Sb124
Vascões (VC) 32 Rc97
Vasco Esteves de Baixo (Gu) 84 Sb107 ✉6270-015
Vasco Esteves de Cima (Gu) 84 Sb107 ✉6270-014
Vasco Gil (Ma) 167 C2
Vasconha (Vi) 68 Rf104 ✉3670-175
Vasco Rodrigues (Be) 132 Sb123 ✉7750-517
Vascoveiro (Gu) 70 Sf104 ✉6400-681
Vassal (VR) 52 Sd99 ✉5430-603
Vau (Le) 100 Qe112 ✉*2510-66
Vau de Cima (Be) 132 Sb121
Veiga de Lila (VR) 52 Se99 ✉5430-620
Veigas (Ba) 35 Tc98
Veiros (Év) 118 Sd115
Veiros (Av) 67 Rc104 ✉*3860-27
Vela (Gu) 69 Se106
≈Vela, Lagoa da 82 Rb107
Velas (Aç) 169 We116 ✉*9800-521
Velha (Av) 67 Rc103
▲Velha, Praia 82 Qf110
Velhas (Fa) 146 Sc124 ✉8970-1
▲Velho, Malhada do 130 Rb122
Velosa (Gu) 69 Se105 ✉6360-19
Venade (VC) 32 Rb97 ✉4940-26
Venda (Be) 132 Sb122
Venda (Pg) 103 Sd113
Venda (Br) 51 Rf98
Venda (CB) 84 Sb110
Vendada (Gu) 70 Sf104 ✉6400-242
Venda da Costa (Le) 100 Ra112 ✉2500-386
Venda da Cruz (Le) 82 Rc109 ✉3105-296
Venda da Esperança (Co) 83 Sa107 ✉3420-069
Venda da Lamarosa (Sa) 101 Rc114 ✉2100-407
Venda da Serra (Co) 83 Rf107 ✉*3420-176
Venda das Raparigas (Le) 100 Ra112 ✉2475-043
Venda do Cepo (Gu) 69 Sd104 ✉6420-579
Venda do Dugue (Év) 117 Sb116
Venda do Pinheiro (Li) 100 Qe115 ✉*2665-498
Venda Nova (Fa) 144 Rd126
Venda Nova (Sa) 102 Sa111 ✉*2140-316
Venda Nova (VR) 51 Sa99
Venda Nova (Co) 67 Rc106
Venda Nova (Co) 82 Rc108
≈Venda Nova, Barragem de 51 Sa98
Venda Seca (Li) 115 Qe116
Vendas Novas (Év) 116 Rd116 ✉*7080-011
Vendinha (Év) 117 Sc118
Ventosa (Li) 100 Qe113
Ventosa (Li) 100 Qf113
Ventosa (Li) 100 Qe114
Ventosa (Li) 100 Qf114
Ventosa (Br) 51 Rf99
Ventosa (Vi) 68 Rf104 ✉*3670-223
Ventosa do Bairro (Av) 67 Rd106 ✉*3050-554
Ventoselos (VR) 52 Sc99
▲Ventoso, Castelo 117 Sb116
Ventozelo (Ba) 53 Tc101
Vera Cruz de Marmelar (Év) 132 Sb119
Verba (Av) 67 Rc105 ✉*3810-596
▲Verde, Pico (Aç) 170 Ze122
Verdelhos (CB) 69 Sd106 ✉*6100-709
Verdoejo (VC) 32 Rc96
Verdugos (Sa) 116 Rd115
Vergão (CB) 83 Rf110
Vergas (Av) 67 Rb105 ✉3840-555
Vergílios (Fa) 145 Sa126
Verigo (Le) 82 Rc109 ✉3105-297
Verim (Br) 50 Re99
Vermelha (Li) 100 Qf113 ✉*2550-504
Vermelhos (Fa) 145 Rf124
Vermil (Br) 50 Rd100 ✉*4805-546
Vermiosa (Gu) 70 Ta104
≈Vermiosa, Barragem de 70 Ta104
Vermoil (Le) 82 Rc109 ✉*3105-434
Vermoim (Br) 50 Rd100
Vermoin (Por) 50 Rc101

mum (CB) 102 Sb 111
✉6030-024
ride (Co) 82 Rb 108
✉*3140-601
udas (Ma) 167 C 2
sparia (Sa) 82 Rc 110
✉2435-804
stiaria (Le) 100 Ra 111
✉*2460-743
ez, Rio 32 Rd 97
de (Br) 51 Sa 100
de de Baixo (VR) 33 Sa 98
✉5470-528
le da Vinha (Pg) 102 Sa 112
longa (Li) 115 Qf 115
longa (Sa) 83 Re 111
✉*2300-108
na (Év) 117 Rf 118
na do Alentejo (Év) 117 Sa 118
✉*7090-220
na do Castelo (VC) 32 Ra 98
✉*4900-001
riz (Por) 51 Sa 102
todos (Br) 50 Rc 100
✉*4775-250
entes (Fa) 146 Sc 124
entes (Be) 146 Sc 123
entes (Fa) 145 Rf 125
entinhos (Sa) 101 Rc 114
✉2100-407
cosa (Év) 117 Sb 118
coso (Fa) 146 Sb 124
dago (VR) 51 Sc 99 ✉*5425-301
dais (Le) 100 Qf 112 ✉2500-749
de (Gu) 84 Sb 107
Vide, Ribeira de 117 Re 115
de entre Vinhas (Gu) 69 Sd 105
✉6360-200
demonte (Gu) 69 Sd 105
✉6300-245
digal (Év) 116 Re 116
digal (Le) 82 Rb 110
Vidigal, Ribeiro do 84 Se 110
digueira (Be) 132 Sb 119
dual (Co) 83 Re 108
dual (Co) 83 Sa 108
duedo (Ba) 53 Tb 100
✉*5200-010
Viegas 132 Sd 121
egas (Sa) 101 Ra 112
✉2025-251
Vieira, Praia de 82 Ra 109
eira de Leiria (Le) 82 Ra 109
✉*2430-592
eira do Minho (Br) 51 Rf 99
✉*4850-506
eirinhos (Le) 82 Rb 109
✉3105-069
eiro (Ba) 52 Se 100
eiro (Gu) 70 Se 104
ela (Br) 51 Sa 99
Vigia 145 Sb 125
Vigia 131 Rd 123
Vigia, Barragem da 118 Sc 117
Vila, Ilhéu, da (Aç) 170 Ze 127
la Alva (Év) 131 Sa 119
la Azeda (Be) 131 Sb 120
la Baleira = Porto Santo (Ma) 167
la Boa (VC) 32 Rd 97
la Boa (Br) 51 Rf 99
la Boa (Br) 50 Rc 99
la Boa (Ba) 53 Tb 99
la Boa (Ba) 52 Sd 100
la Boa (Vi) 68 Sa 103
la Boa (Vi) 68 Re 106
la Boa (Vi) 69 Sc 104
la Boa (Gu) 70 Ta 106
la Boa de Ousilhão (Ba) 34 Ta 98
✉5320-210
la Boa de Quires (Por) 51 Re 101
la Boa do Bispo (Por) 51 Re 102
✉*4625-640
la Boa do Mondego (Gu)
69 Sd 105 ✉6360-210
la Boim (Pg) 118 Se 115
✉7350-501
ila Cã (Le) 82 Rc 109
ilaça (VR) 33 Sa 98
ilaça (Br) 50 Rd 99 ✉4705-651
ila Caiz (Por) 51 Rf 101
ila Chã (Se) 115 Qf 117
✉*2835-462
ila Chã (VC) 32 Re 98
ila Chã (Br) 50 Rb 99
ila Chã (Por) 50 Rb 101
ila Chã (VR) 51 Sa 100
ila Chã (VR) 52 Sd 101
ila Chã (Av) 68 Rd 103
ila Cha (Gu) 69 Sd 105
ila Chã (Co) 83 Re 107
ila Chã da Beira (Vi) 69 Sb 102
✉3610-210
ila Chã da Ribeira (Ba) 53 Td 99
ila Chã de Braciosa (Ba)
53 Td 100 ✉*5210-335
ila Chã de Ourique (Sa)
101 Rb 113 ✉*2070-611
ila Chã de Sá (Vi) 68 Sa 105
ila Chã de São Roque (Av)
68 Rd 103

Vila Chã do Monte (Vi) 69 Sb 103
Vila Chã do Monte (Vi) 68 Rf 105
Vila Chão (VC) 32 Rd 98
Vila Chão do Marão (Por) 51 Rf 101
Vila Cortês da Serra (Gu) 69 Sc 105
Vila Cortês do Mondego (Gu)
69 Se 105 ✉6300-250
Vila Cova (Por) 50 Re 102
Vila Cova (VR) 51 Sa 101
Vila Cova (Br) 51 Re 99
Vila Cova (Br) 50 Rb 99
Vila Cova a Coelheira (Vi)
69 Sb 103
Vila Cova a Coelheira (Gu)
69 Sb 106
Vila Cova de Alva (Co) 83 Sa 107
✉3305-285
Vila Cova de Perinho (Av)
68 Rd 103
Vila Cova do Covelo (Gu) 69 Sc 105
Vila da Ponte (VR) 33 Sa 98
Vila da Ponte (Vi) 69 Sc 103
✉*3640-307
Vila da Rainha (Co) 82 Rb 108
Vila de Ala (Ba) 53 Tc 101
✉5200-544
Vila de Barba (Vi) 68 Rf 106
✉3440-138
Vila de Cucujães (Av) 67 Rd 103
Vila de Frade (VR) 34 Sd 98
Vila de Frades (Be) 131 Sb 119
✉*7960-421
Vila de Punhe (VC) 50 Rb 99
✉*4905-641
Vila de Rei (Sa) 101 Rd 113
Vila de Rei (CB) 83 Rf 110
Vila de Um Santo (Vi) 69 Sb 104
✉3505-238
Vila do Bispo (Fa) 144 Ra 126
✉*8650-405
Vila do Conde (Por) 50 Rb 100
✉*4480-001
Vila do Conde (VR) 52 Sc 99
Vila do Mato (Co) 68 Sa 106
✉3420-149
Vila do Porto (Aç) 170 Zf 127
✉*9580-501
Vila dos Sinos (Ba) 53 Tc 101
✉5200-571
Vila do Touro (Gu) 70 Sf 106
✉6320-592
Vila Facaia (Li) 100 Qe 113
✉2565-642
Vila Facaia (Le) 83 Re 109
✉*2440-200
Vila Fernando (Pg) 118 Se 115
✉7350-511
Vila Fernando (Gu) 70 Sf 106
✉6300-255
Vila Flor (Ba) 52 Sf 101
✉*5360-301
Vila Fonche (VC) 32 Rd 97
Vila Formosa (Pg) 102 Sb 113
Vila Franca (VC) 50 Rb 98
Vila Franca (Ba) 53 Ta 99
Vila Franca (Co) 68 Sa 106
✉*3030-397
Vila Franca (Vi) 68 Sa 103
✉*3600-435
▲Vila Franca, Ilhéu de (Aç)
170 Zd 122
Vila Franca da Serra (Gu) 69 Sc 105
✉6290-622
Vila Franca das Naves (Gu)
69 Se 104 ✉*6420-692
Vila Franca de Xira (Li) 100 Ra 115
✉*2600-002
Vila Franca do Campo (Aç)
170 Zd 122 ✉*9680-101
Vila Franca do Deão (Gu) 69 Se 105
✉6300-260
Vila Franca do Rosário (Li)
100 Qe 115 ✉*2665-418
Vila Frescainha (Br) 50 Rc 99
✉*4750-833
Vila Fria (VC) 50 Rb 99
Vila Fria (Por) 50 Re 100
✉*4610-864
Vila Garcia (Por) 51 Rf 101
Vila Garcia (Gu) 69 Se 104
✉*6300-265
Vila Longa (Vi) 69 Sc 104
✉3560-220
Vila Maior (Av) 50 Rd 102
✉*4525-480
Vila Maior (Vi) 68 Rf 104
✉*3600-055
Vilamar (Co) 67 Rc 106
✉*3060-761
Vila Marim (VR) 51 Sa 101
Vila Marim (VR) 51 Sb 101
Vila Meã (VC) 32 Rb 97
Vila Meã (Ba) 35 Tc 98
Vila Meã (VR) 34 Sd 98
Vila Meã (Br) 50 Rc 100
✉*4730-200
Vila Meã (VR) 51 Sc 99
Vila Meã (Vi) 68 Re 106
✉*3430-141
Vila Mendo (Gu) 69 Se 106

Vila Mendo de Tavares (Gu)
69 Sc 105
Vila Monim (Por) 51 Rf 102
Vila Moreira (Sa) 101 Rb 112
✉*2380-634
Vila Mou (VC) 32 Rb 98
✉*4925-329
Vilamoura (Fa) 145 Rf 126
Vila Nogueira de Azeitão (Se)
115 Qf 117 ✉*2925-007
Vila Nogueira de Azeitão = São
Lourenço (Se) 115 Qf 117
Vila Nova (Ba) 35 Tb 98
Vila Nova (VR) 51 Sb 101
Vila Nova (Ba) 52 Sf 98
Vila Nova (Ba) 52 Se 100
Vila Nova (Ba) 52 Ta 100
Vila Nova (VR) 52 Sd 99
Vila Nova (Aç) 169 Xf 116
Vila Nova (Co) 67 Rc 107
Vila Nova (Vi) 68 Re 106
Vila Nova (Co) 83 Re 108
Vila Nova da Barca (Co) 82 Rb 108
✉3140-651
Vila Nova da Baronia (Év)
117 Rf 119
Vila Nova da Barquinha (Sa)
101 Rd 112 ✉*2260-368
Vila Nova da Rainha (Li)
100 Ra 114 ✉*2050-501
Vila Nova da Rainha (Vi) 68 Rf 106
✉3460-712
Vila Nova da Telha (Por) 50 Rb 101
Vila Nova de Anços (Co) 82 Rc 108
✉3130-400
Vila Nova de Cacela (Fa)
146 Sc 125 ✉8900-067
Vila Nova de Cerveira (VC)
32 Rb 97 ✉*4920-201
Vila Nova de Corvo (Aç) 168 Tf 110
Vila Nova de Famalicão (Br)
50 Rc 100 ✉*4760-019
Vila Nova de Foz Côa (Gu)
52 Sf 102 ✉*5150-504
Vila Nova de Gaia (Por) 50 Rc 102
✉*4400-001
Vila Nova de Milfontes (Be)
130 Rb 122 ✉*7645-211
Vila Nova de Muía (VC) 32 Rd 98
Vila Nova de Oliveirinha (Co)
68 Sa 106 ✉*3420-457
Vila Nova de Ourém (Sa) 82 Rc 111
Vila Nova de Paiva (Vi) 69 Sb 103
✉*3650-194
Vila Nova de Poiares (Co)
83 Re 107 ✉*3350-151
Vila Nova de Tazém (Gu) 69 Sb 105
Vila Nova do Ceira (Co) 83 Rf 107
✉*3330-407
Vila Nova do Couto (Sa) 101 Rb 113
Vila Nova do São Pedro (Li)
101 Ra 113
Vila Novinha (Gu) 69 Sd 104
✉6420-553
Vila Nune (Br) 51 Sa 100
Vila Pequena (VR) 51 Sa 99
✉5460-418
Vila Pouca (Br) 51 Rf 100
Vila Pouca (Vi) 51 Sb 102
Vila Pouca (Vi) 68 Rf 106
Vila Pouca (Co) 82 Rc 107
Vila Pouca da Beira (Co) 83 Sa 107
✉*3400-755
Vila Pouca de Aguiar (VR)
51 Sc 100 ✉*5450-001
Vila Praia da Vitoria (Aç) 169 Xf 116
Vila Praia de Âncora (VC) 32 Ra 98
✉*4910-384
Vilar (Li) 100 Qf 113 ✉*2550-069
Vilar (Br) 32 Re 98
Vilar (Br) 50 Rd 100
Vilar (Br) 51 Re 100
Vilar (VR) 51 Sb 99
Vilar (Av) 68 Re 104
Vilar (Vi) 68 Sa 103
Vilar (Vi) 69 Sc 103
Vilar (Le) 83 Re 108
≈Vilar, Barragem de 69 Sc 103
Vilaranda Boa (VR) 52 Sd 99
Vilarandelo (VR) 52 Se 99
✉*5430-630
Vilar Barroco (CB) 84 Sb 109
✉6185-460
Vilar Chão (Br) 51 Rf 99
Vilar Chão (Ba) 52 Ta 101
✉*5350-402
Vilar da Arca (Vi) 68 Re 102
Vilar da Lapa (Sa) 102 Sa 111
✉6120-036
Vilar da Lomba (Ba) 34 Se 98
Vilar da Luz (Por) 50 Rc 101
Vilar das Almas (VC) 50 Rc 99
✉4990-790
Vilar da Veiga (Br) 51 Rf 98
Vilar de Amargo (Gu) 70 Sf 103
✉6440-271
Vilar de Andorinho (Por) 50 Rc 102
Vilar de Besteiros (Vi) 68 Rf 105
Vilar de Cunhas (Br) 51 Sa 99
✉4860-483

Vilar de Ferreiros (VR) 51 Sa 100
Vilar de Figos (Br) 50 Rc 100
Vilar de Ledra (Ba) 52 Sf 99
✉5370-088
Vilar de Maçada (VR) 51 Sc 101
✉*5070-576
Vilar de Mouros (VC) 32 Rb 97
Vilar de Murteda (VC) 32 Rb 98
Vilar de Nantes (VR) 52 Sd 98
✉*5400-580
Vilar de Ossos (Ba) 34 Sf 97
✉5320-243
Vilar de Ouro (Ba) 52 Sf 98
Vilar de Perdizes (VR) 33 Sc 97
Vilar de Peregrinos (Ba) 34 Sf 98
✉5320-252
Vilar de Suento (VC) 32 Re 97
Vilar do Boi (CB) 102 Sb 111
✉6030-025
Vilar do Monte (VC) 32 Rc 98
Vilar do Monte (Br) 50 Rb 99
Vilar do Monte (Ba) 52 Ta 100
✉5340-490
Vilar do Monte (Vi) 68 Sa 104
✉*3515-771
Vilar do Paraíso (Por) 50 Rc 102
Vilar do Rei (Ba) 53 Tb 101
Vilar do Ruivo (CB) 83 Re 110
✉6110-023
Vilar dos Prazeres (Sa) 101 Rc 111
Vilar do Torno e Alentém (Por)
51 Re 101
Vila Real (VR) 51 Sb 101
✉*5000-047
Vila Real de Santo António (Fa)
146 Sd 125 ✉*8900-201
Vilarelho (VR) 51 Sc 100
Vilarelho da Raia (VR) 34 Sd 97
✉5400-813
Vilarelhos (Ba) 52 Sf 100
✉5350-420
Vilares (Ba) 52 Sf 99
Vilares (VR) 52 Sc 100
Vilares (Gu) 69 Se 104
Vilares de Baixo (CB) 84 Sc 109
✉6000-721
Vilares de Vilariça (Ba) 52 Sf 100
✉5350-432
Vilar Formoso (Gu) 70 Ta 105
✉*6355-201
Vilariça (Ba) 53 Tc 100 ✉5200-313
≈Vilariça, Ribeira de 52 Sf 101
Vilarinha (Fa) 144 Ra 126
✉8670-238
Vilarinho (Be) 131 Sa 120
Vilarinho (VC) 32 Ra 98
Vilarinho (Br) 32 Rd 98
Vilarinho (VR) 33 Sb 98
Vilarinho (Ba) 34 Sf 97
Vilarinho (Ba) 35 Ta 97
Vilarinho (VR) 34 Sd 98
Vilarinho (VR) 51 Sa 100
Vilarinho (Por) 50 Re 100
Vilarinho (Por) 50 Rb 100
Vilarinho (Av) 67 Rc 104
Vilarinho (Av) 68 Rd 103
Vilarinho (Vi) 68 Re 104
Vilarinho (Vi) 69 Sb 103
Vilarinho (Co) 83 Re 108
✉*3020-578
Vilarinho da Castanheira (Ba)
52 Se 101 ✉*5140-275
Vilarinho da Mó (VR) 51 Sb 98
✉5460-165
Vilarinho das Azenhas (Ba)
52 Se 100 ✉5360-470
Vilarinho das Cambas (Br)
50 Rc 100 ✉*4760-739
≈Vilarinho das Furnas, Barragem
de 33 Rf 98
Vilarinho das Paranheiras (VR)
51 Sc 99 ✉5425-401
Vilarinho de Agrochão (Ba) 52 Sf 98
✉5340-500
Vilarinho de Cotas (VR) 52 Sc 101
✉5085-120
Vilarinho de Samardã (VR)
51 Sb 100 ✉5000-781
Vilarinho de São Bento (VR)
51 Sc 99 ✉5450-204
Vilarinho de São Luís (Av)
68 Rd 104
Vilarinho de São Romão (VR)
51 Sc 101 ✉5060-630
Vilarinho do Bairro (Av) 67 Rc 106
✉3780-599
Vilarinho do Monte (Ba) 52 Sf 99
✉5340-510
Vilarinho dos Freires (VR)
51 Sb 102 ✉5050-366
Vilarinho dos Galegos (Ba)
53 Tc 101 ✉5200-572
Vilarinho do Souto (VC) 32 Re 97
✉4970-140
Vilarinho Seco (VR) 51 Sb 98
✉5460-030
Vilar Maior (Gu) 70 Ta 106
✉6320-601
☆Vila Romana 145 Sa 126
☆Vila Romana 144 Rc 126

☆Vila Romana 145 Rf 126
Vilarouco (Vi) 52 Sd 102
✉5130-557
Vilar Seco (Ba) 53 Td 99
Vilar Seco (Ba) 53 Ta 100
Vilar Seco (Vi) 68 Sa 105
✉*3520-225
Vilar Seco de Lomba (Ba) 34 Se 97
✉5320-263
Vilar Torpim (Gu) 70 Ta 104
Vila Ruiva (Év) 131 Sa 119
Vila Ruiva (Vi) 69 Sb 105
✉3520-224
Vila Ruiva (Gu) 69 Sc 105
✉*6370-401
Vilas Boas (Ba) 52 Se 100
✉5360-493
Vilas Boas (VR) 52 Sc 99
✉5425-502
Vilas de Pedro (Le) 83 Re 109
✉3260-224
Vila Seca (Br) 50 Rb 100
Vila Seca (VR) 51 Sb 101
Vila Seca (Vi) 51 Sc 102
Vila Seca (Co) 83 Rd 108
✉*3150-318
Vila Soeiro (Gu) 69 Sd 105
✉6300-270
Vilas Ruivas (CB) 102 Sb 111
Vila Velha de Ródão (CB) 84 Sb 111
✉*6030-001
Vila Verde (Li) 115 Qd 115
Vila Verde (Le) 100 Qf 113
Vila Verde (VC) 32 Rb 98
Vila Verde (Ba) 34 Ta 98
Vila Verde (Br) 50 Rd 99
Vila Verde (Por) 51 Re 101
Vila Verde (VR) 51 Sc 99
Vila Verde (VR) 51 Sc 100
Vila Verde (Ba) 52 Sf 100
Vila Verde (Gu) 69 Sb 106
Vila Verde (Co) 82 Rc 107
Vila Verde (Co) 82 Rb 108
Vila Verde da Raia (VR) 34 Sd 98
✉5400-805
Vila Verde de Ficalho (Be)
132 Se 121 ✉*7830-480
Vila Verde dos Francos (Li)
100 Qf 114 ✉2580-442
Vila Viçosa (Év) 118 Sd 116
Vil de Matos (Co) 83 Rd 107
✉*3025-622
Vil de Souto (Vi) 68 Sa 104
Vile (VC) 32 Rb 98
Vilela (VC) 32 Rd 97
Vilela (Br) 51 Rf 100
Vilela (Por) 50 Rd 101
Vilela (Br) 50 Re 99
Vilela (Br) 50 Re 99
Vilela (VR) 51 Sc 99
Vilela (VR) 52 Sd 99
Vilela Seca (VR) 34 Sd 98
Vimeiro (Le) 100 Qf 112
✉*2460-781
Vimeiro (Li) 100 Qe 113
Vimieira (Av) 67 Rd 106 ✉3050-187
Vimieiro (Év) 117 Sa 116
Vimieiro (Sa) 102 Rf 111
✉*2200-733
Vimieiro (Vi) 68 Rf 106
Vimioso (Ba) 53 Tc 99 ✉*5230-300
Vinhais (Ba) 34 Sf 98
Vinhal (Vi) 68 Sa 105 ✉*3460-161
Vinhas (Ba) 53 Tb 99
Vinheiros (Por) 51 Rf 101
✉*4630-776
Vinho (Co) 83 Sa 107
Vinhos (Br) 51 Re 100
Vinhos (VR) 51 Sa 101
≈Vinte e Dois, Barragem dos
116 Rb 117
Violeiro (CB) 84 Sc 108 ✉6005-273
Virtelo (VC) 32 Re 96 ✉*4960-120
Virtudes (Li) 101 Rb 114
✉2050-040
Viseu (Vi) 68 Sa 105 ✉*3500-001
Viseus (Be) 131 Sa 123 ✉7780-491
Viso (VC) 32 Ra 98 ✉*4905-214
Vista Alegre (Av) 67 Rb 105
✉*3830-292
Vitória (Aç) 168 Wf 114
Vitorino das Donas (VC) 32 Rc 98
✉4990-800
Vitorino dos Piães (VC) 32 Rc 98
✉4990-810
Viúvas (Be) 145 Sa 123
Viveiro (VR) 51 Sb 98 ✉*5460-495
Vizela (Br) 50 Re 100 ✉4820-813
≈Vizela, Rio 50 Re 100
≈Vouga, Rio 67 Rc 105
Vouzela (Vi) 68 Rf 104 ✉*3670-231
Vreia de Jales (VR) 51 Sc 100
✉5450-345

X

≈Xarrama, Rio 116 Re 119
≈Xarrama, Rio 117 Rf 118
Xarraminha (Év) 131 Re 119

Xerez de Baixo (Év) 118 Sd 118
Xertelo (VR) 33 Rf 98 ⊠ 5470-025
≈ Xévora, Rio 103 Sf 114
≈ Ximassa, Ribeira de 84 Sc 108
Ximeno (Fa) 145 Sa 124
Xisto (VC) 50 Rb 99

Z _____

Zambujal (Be) 146 Sc 123
Zambujal (Fa) 146 Sc 124

Zambujal (Fa) 145 Rf 125
Zambujal (Se) 116 Rb 117
Zambujal (Li) 115 Qf 115
Zambujal (Le) 100 Qf 112
Zambujal (Co) 82 Rc 107
Zambujal (Co) 83 Rd 108
Zambujal (Le) 83 Rd 110
Zambujal de Baixo (Se) 115 Qf 118
   ⊠ 2970-140
Zambujal de Cima (Se) 115 Qf 118
Zambujal do Conde (Év)
   117 Sa 118
Zambujeira (Be) 130 Rb 122

Zambujeira (Be) 130 Rd 123
▲ Zambujeira, Praia 144 Rb 123
Zambujeira do Mar (Be) 144 Rb 123
   ⊠ *7630-761
Zambujeiro (Fa) 144 Rb 124
Zambujeiro (Év) 117 Sc 117
Zambujeiro (Év) 117 Sb 118
Zambujeiro (Co) 82 Rc 107
Zava (Ba) 53 Tb 101 ⊠ 5200-286
Zavial (Fa) 144 Ra 126
Zebral (VR) 33 Sb 98 ⊠ 5470-466
Zebras (VR) 52 Sd 100
   ⊠ 5430-302

Zebras (CB) 84 Sd 108
   ⊠ 6230-513
Zebreira (CB) 85 Sf 109
   ⊠ *6060-186
Zebrinho (Sa) 101 Rc 114
   ⊠ 2100-407
Zebro (Fa) 145 Re 125
Zebro (Fa) 144 Rb 125
≈ Zebro, Ribeira de 132 Se 119
Zedes (Ba) 52 Se 101
Zeive (Ba) 34 Ta 97 ⊠ 5300-742
Zezere (Pg) 102 Rf 113

≈ Zêzere, Rio 84 Sb 108
Zibreira (Sa) 101 Rc 112
   ⊠ *2350-826
Zibreira (Li) 100 Qe 114
Zido (Ba) 34 Sf 97 ⊠ 5320-244
Zimão (VR) 51 Sc 100
   ⊠ 5450-283
Zimbral (Fa) 146 Sc 125
   ⊠ *8100-367
Zimbreira (Sa) 102 Sa 111
   ⊠ 6120-037
Zoio (Ba) 34 Ta 98 ⊠ 5300-911
Zonho (Vi) 69 Sb 104 ⊠ 3505-240

© MAIRDUMONT / Falk Verlag, 73751 Ostfildern
Printed in Germany · 10e

Planos del centro de las ciudades · Planos de cidades
Citypläne · City maps · Piante dei centri urbani
Plans des centre-villes · Stadcentrumkaarten · Plany centrów miast
Plány středů měst · Citytérképek · Byplaner · Stadskartor
1:20.000

E	P	D	GB	I	F
Autopista	Auto-estrada	Autobahn	Motorway	Autostrada	Autoroute
Carretera de cuatro carriles	Estrada com quatro faixas	Vierspurige Straße	Road with four lanes	Strada a quattro corsie	Route à quatre voies
Carretera de tránsito	Estrada de trânsito	Durchgangsstraße	Thoroughfare	Strada di attraversamento	Route de transit
Carretera principal	Estrada principal	Hauptstraße	Main road	Strada principale	Route principale
Otras carreteras	Outras estradas	Sonstige Straßen	Other roads	Altre strade	Autres routes
Calle de dirección única - Zona peatonal	Rua de sentido único - Zona de peões	Einbahnstraße - Fußgängerzone	One-way street - Pedestrian zone	Via a senso unico - Zona pedonale	Rue à sens unique - Zone piétonne
Información - Aparcamiento	Informação - Parque de estacionamento	Information - Parkplatz	Information - Parking place	Informazioni - Parcheggio	Information - Parking
Ferrocarril principal con estación	Linha principal ferroviária com estação	Hauptbahn mit Bahnhof	Main railway with station	Ferrovia principale con stazione	Chemin de fer principal avec gare
Otro ferrocarril	Linha ramal ferroviária	Sonstige Bahn	Other railway	Altra ferrovia	Autre ligne
Metro	Metro	U-Bahn	Underground	Metropolitana	Métro
Tranvía	Eléctrico	Straßenbahn	Tramway	Tram	Tramway
Autobús al aeropuerto	Autocarro c. serviço aeroporto	Flughafenbus	Airport bus	Autobus per l'aeroporto	Bus d'aéroport
Comisaría de policía - Correos	Esquadra da polícia - Correios	Polizeistation - Postamt	Police station - Post office	Posto di polizia - Ufficio postale	Poste de police - Bureau de poste
Hospital - Albergue juvenil	Hospital - Pousada da juventude	Krankenhaus - Jugendherberge	Hospital - Youth hostel	Ospedale - Ostello della gioventù	Hôpital - Auberge de jeunesse
Iglesia - Iglesia de interés	Igreja - Igreja interessante	Kirche - Sehenswerte Kirche	Church - Church of interest	Chiesa - Chiesa interessante	Église - Église remarquable
Sinagoga - Mezquita	Sinagoga - Mesquita	Synagoge - Moschee	Synagogue - Mosque	Sinagoga - Moschea	Synagogue - Mosquée
Monumento - Torre	Monumento - Torre	Denkmal - Turm	Monument - Tower	Monumento - Torre	Monument - Tour
Zona edificada, edificio público	Área urbana, edifício público	Bebaute Fläche, öffentliches Gebäude	Built-up area, public building	Caseggiato, edificio pubblico	Zone bâtie, bâtiment public
Zona industrial	Zona industrial	Industriegelände	Industrial area	Zona industriale	Zone industrielle
Parque, bosque	Parque, floresta	Park, Wald	Park, forest	Parco, bosco	Parc, bois

NL	PL	CZ	H	DK	S
Autosnelweg	Autostrada	Dálnice	Autópálya	Motorvej	Motorväg
Weg met vier rijstroken	Droga o czterech pasach ruchu	Čtyřstopá silnice	Négysávos út	Firesporet vej	Väg med fyra körfällt
Weg voor doorgaand verkeer	Droga przelotowa	Průjezdní silnice	Átmenő út	Genemmfartsvej	Genomfartsled
Hoofdweg	Droga główna	Hlavní silnice	Főútvonal	Hovedvej	Huvudled
Overige wegen	Drogi inne	Ostatní silnice	Egyéb utak	Andre mindre veje	Övriga vägar
Straat met eenrichtingsverkeer - Voetgangerszone	Ulica jednokierunkowa - Strefa ruchu pieszego	Jednosměrná ulice - Pěší zóna	Egyirányú utca - Sétálóutca	Gade med ensrettet kørsel - Gågade	Enkelriktad gata - Gågata
Informatie - Parkeerplaats	Informacja - Parking	Informace - Parkoviště	Információ - Parkolóhely	Information - Parkeringsplads	Information - Parkering
Belangrijke spoorweg met station	Kolej główna z dworcami	Hlavní železnice se stanicí	Fővasútvonal állomással	Hovedjernbanelinie med station	Huvudjärnväg med station
Overige spoorweg	Kolej drugorzędna	Ostatní železnice	Egyéb vasútvonal	Anden jernbanelinie	Övrig järnväg
Ondergrondse spoorweg	Metro	Metro	Földalatti vasút	Underjordisk bane	Tunnelbana
Tram	Linia tramwajowa	Tramvaj	Villamos	Sporvej	Spårväg
Vliegveldbus	Autobus dojazdowy na lotnisko	Letištní autobus	Repülőtéri autóbusz	Bus til lufthavn	Flygbuss
Politiebureau - Postkantoor	Komisariat - Poczta	Policie - Poštovní úřad	Rendőrség - Postahivatal	Politistation - Posthus	Poliskontor - Postkontor
Ziekenhuis - Jeugdherberg	Szpital - Schronisko młodzieżowe	Nemocnice - Ubytovna mládeže	Kórház - Ifjúsági szálló	Sygehus - Vandrerhjem	Sjukhus - Vandrarhem
Kerk - Bezienswaardige kerk	Kościół - Kościół zabytkowy	Kostel - Zajímavý kostel	Templom - Látványos templom	Kirke - Seværdig kirke	Kyrka - Sevärd kyrka
Synagoge - Moskee	Synagoga - Meczet	Synagoga - Mešita	Zsinagóga - Mecset	Synagoge - Moské	Synagoga - Moské
Monument - Toren	Pomnik - Wieża	Pomnik - Věž	Emlékmű - Torony	Mindesmærke - Tårn	Monument - Torn
Bebouwing, openbaar gebouw	Obszar zabudowany, budynek użyteczności publicznej	Zastavěná plocha, veřejná budova	Beépítés, középület	Bebyggelse, offentlig bygning	Bebyggt område, offentlig byggnad
Industrieterrein	Obszar przemysłowy	Průmyslová plocha	Iparvidék	Industriområde	Industriområde
Park, bos	Park, las	Park, les	Park, erdő	Park, skov	Park, skog

Albacete

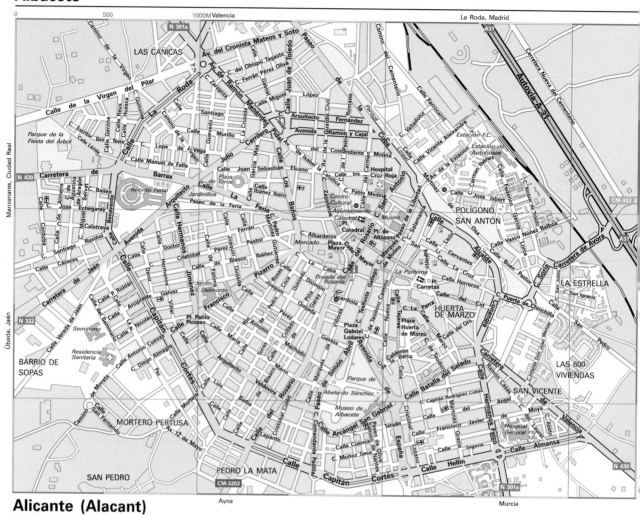

Alicante (Alacant)

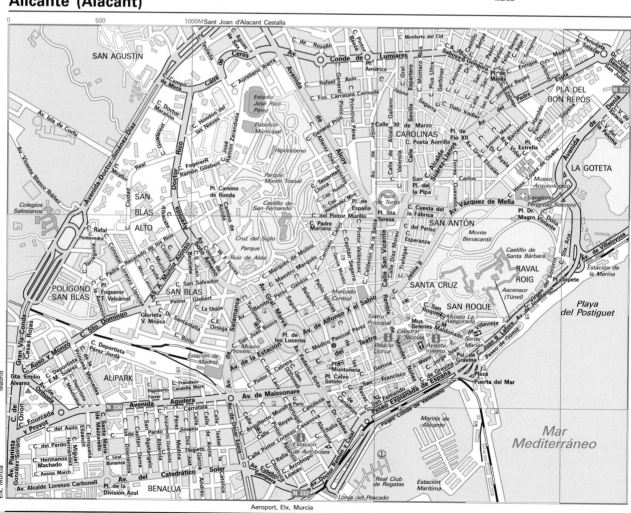

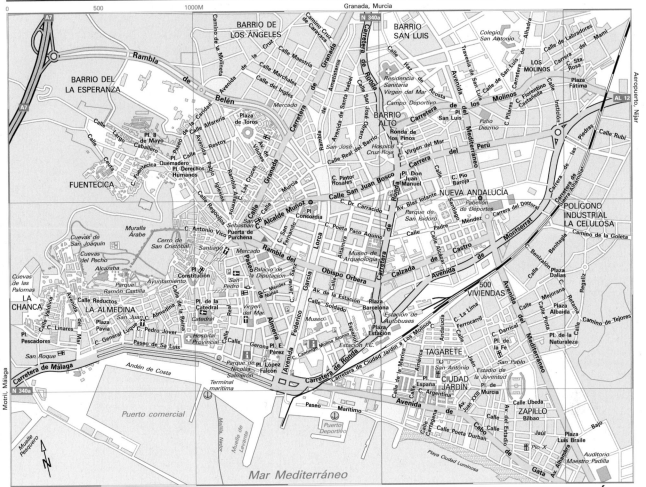

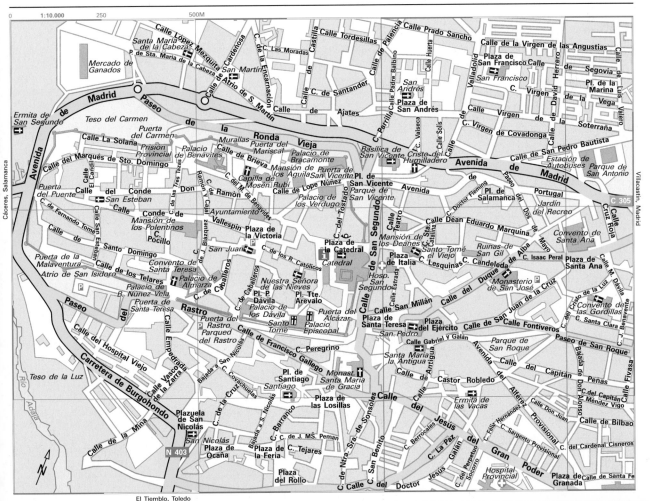

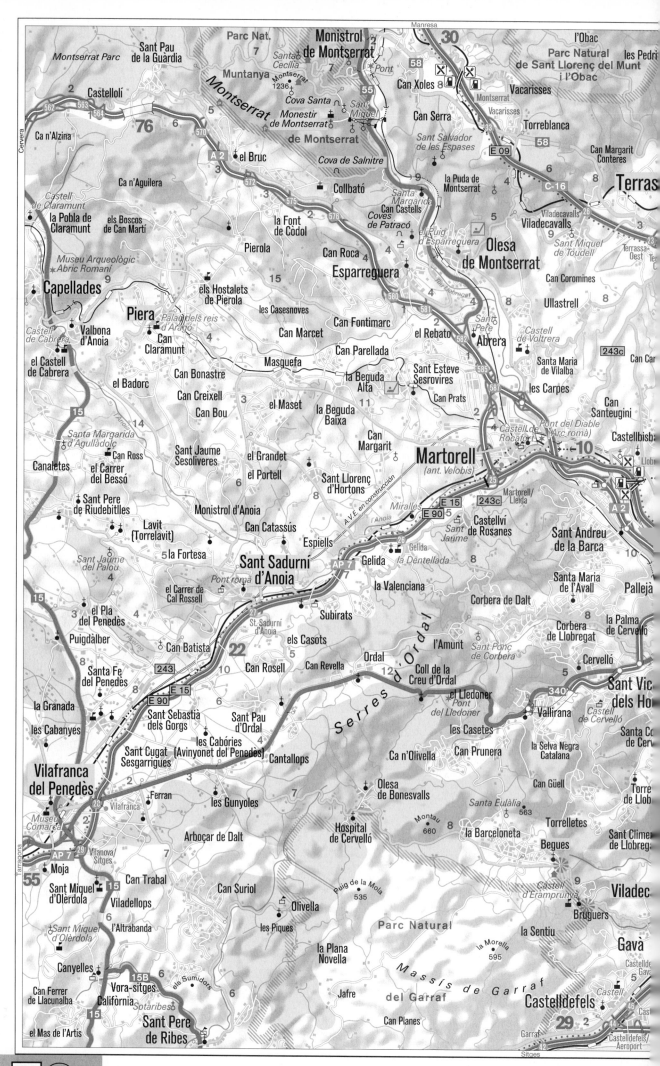

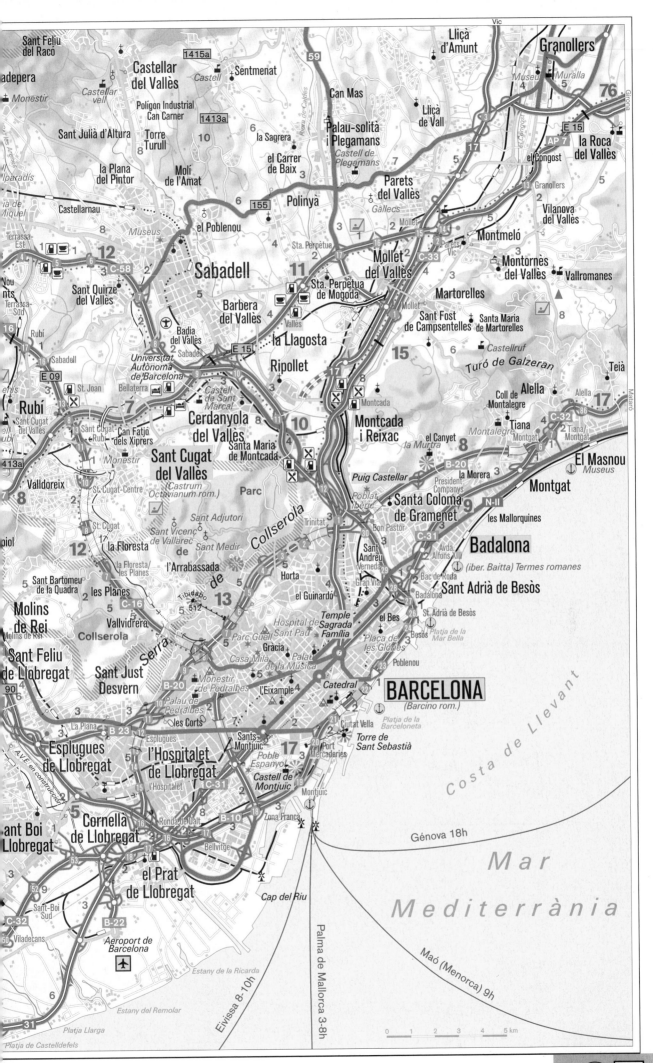

Sant Feliu del Racó
adepera
Monestir
Castellar vell
Castellar del Vallès
1415a
Castell
Sentmenat
59
Can Mas
Llicà d'Amunt
Granollers
Museu
Muralla
5
76
Polígon Industrial Can Carner
1413a
6
la Sagrera
Palau-solità i Plegamans
Llicà de Vall
E 15
Girona
3
la Roca del Vallès
Sant Julià d'Altura
10
Torre Turull
8
Molí de l'Amat
el Carrer de Baix
3
Castell de Plegamans
7
5
AP 7
el Congost
la Plana del Pintor
6
155
Parets del Vallès
3
13
Granollers
Iparadís
ia de
Miquel
Castellarnau
el Poblenou
Polinya
Gàllecs
17
Vilanova del Vallès
Terrassa-Est
Museus
4
Sta. Perpètua
Mollet
16
Montmeló
Nou
nts
Terrassa-Sud
12
C-58
2
Sabadell
11
2
Sta. Perpètua de Mogoda
Mollet del Vallès
15
C-33
Parets
Vic
Montornès del Vallès
Vallromanes
16
Sant Quirze del Vallès
Barbera del Vallès
4
Vallès
Mollet
Martorelles
8
Rubí
1
E 09
Badia del Vallès
la Llagosta
Sant Fost de Campsentelles
Santa Maria de Martorelles
Sabadell
Universitat Autònoma de Barcelona
Sabadell
E 15
Ripollet
15
Castellruf
Teià
St. Joan
Bellaterra
10
17
Turó de Galzeran
Coll de Montalegre
Alella
Alella
17
16
Sant Cugat del Vallès
Rubí
Can Fatjó dels Xiprers
Castell de Sant Marçal
Cerdanyola del Vallès
Montcada
Montcada i Reixac
Montalegre
Tiana
C-32
Montgat
ubí
8
413a
Santa Maria de Montcada
4
el Canyet
la Murtra
8
2
Tiana/ Montgat
7
8
Valldoreix
St. Cugat-Centre
Sant Cugat del Vallès
(Castrum Octavianum rom.)
Parc
Puig Casteller
Poblat ibèric
B-20
la Morera
3
El Masnou
Museus
12
St. Cugat
Sant Adjutori
President Companys
Montgat
2
Monestir
Sant Vicenç de Vallarec
Sant Medir
Trinitat
3
Santa Coloma de Gramenet
9
N-II
les Mallorquines
piol
12
la Floresta
de
l'Arrabassada
Collserola
Bon Pastor
C-31
Badalona
Sant Bartomeu de la Quadra
la Floresta/ les Planes
Horta
Sant Andreu
Verneda
(iber. Baitta) Termes romanes
Molins de Rei
les Planes
Tibidabo
de
13
el Guinardó
Gran Via
Badalona
Bac de Roda
Sant Adrià de Besòs
Molins de Rei
C-16
5
512
Temple Sagrada Família
el Bes
St. Adrià de Besòs
Platja de la Mar Bella
Vallvidrera
Parc Güell
Besòs
Sant Feliu de Llobregat
Collserola
Serra
Hospital de Sant Pau
Plaça de les Glòries
90
Casa Mila
Gràcia
Palau de la Música
Poblenou
Sant Just Desvern
B-20
Monestir de Pedralbes
l'Eixample
Catedral
BARCELONA
(Barcino rom.)
Palau de Pedralbes
les Corts
7
Ciutat Vella
Platja de la Barceloneta
Esplugues de Llobregat
La Plana
B 23
Esplugues
Sants- Montjuïc
17
Port Mercaderies
Torre de Sant Sebastià
l'Hospitalet de Llobregat
l'Hospitalet
C-31
Poble Espanyol
Castell de Montjuïc
Platja de Llevant
ant Boi Llobregat
5
Cornellà de Llobregat
Ronda de Dalt
B-10
Zona Franca
Montjuïc
Costa de Llevant
Bellvitge
Gènova 18h
el Prat de Llobregat
Cap del Riu
Mar
C-32
B-22
Viladecans
Aeroport de Barcelona
Mediterrània
Sant-Boi Sud
Estany de la Ricarda
31
Platja Llarga
Estany del Remolar
Eivissa 8-10h
Palma de Mallorca 3-8h
Maó (Menorca) 9h
0 1 2 3 4 5 km
Platja de Castelldefels

E 309

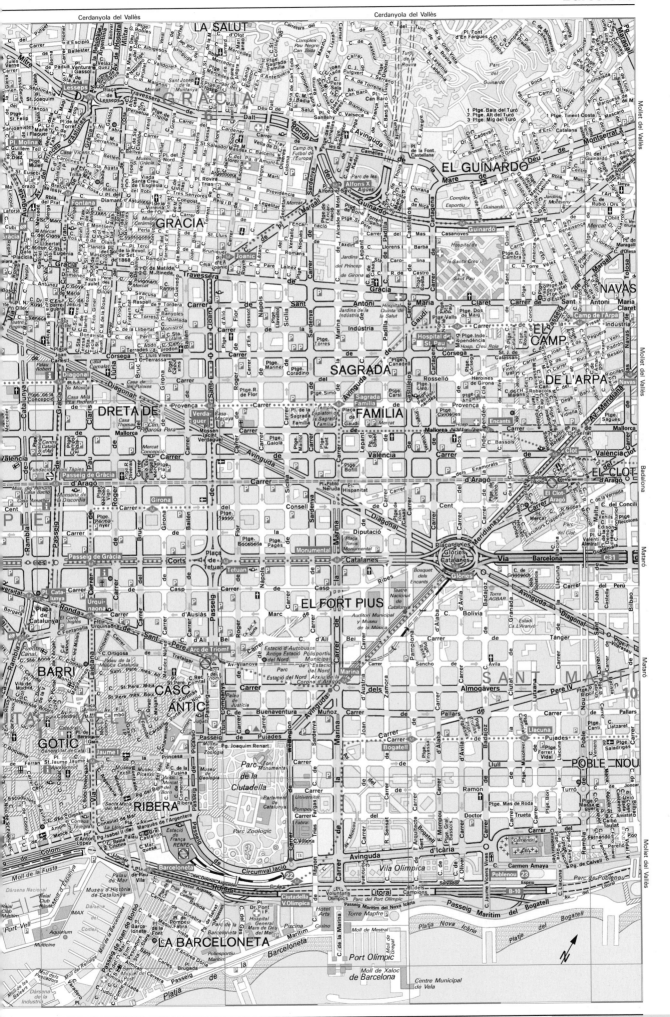

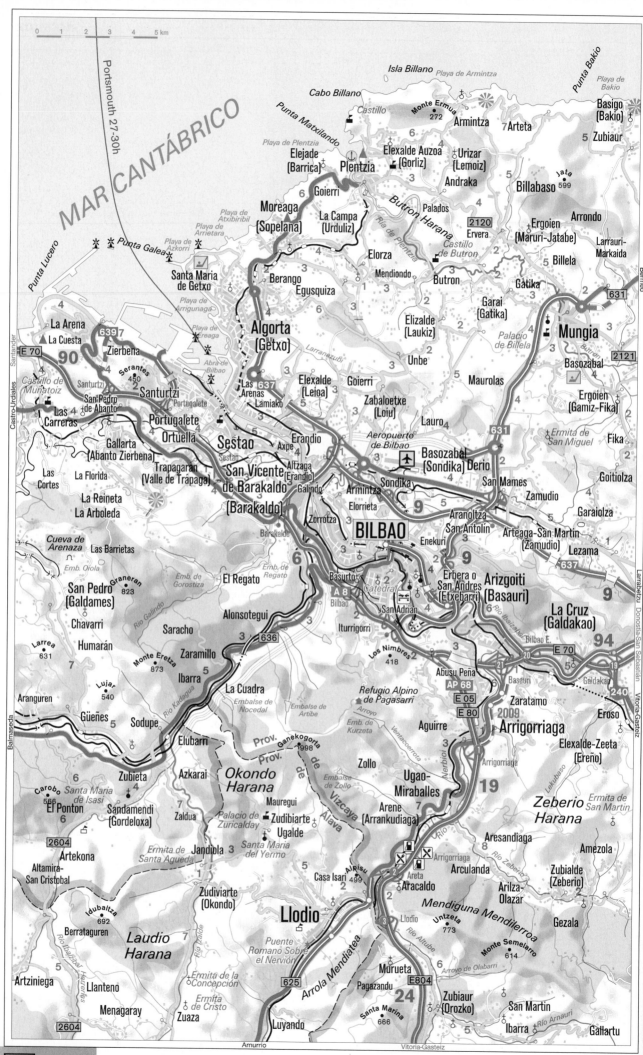

MAR CANTÁBRICO

Portsmouth 27-30h

0 1 2 3 4 5 km

Isla Billano
Playa de Arminzta
Punta Bakio
Playa de Bakio

Cabo Billano
Castillo
Monte Ermua 272
Armintza
Arteta 7
Basigo (Bakio)
Zubiaur 5

Punta Matxilando
Playa de Plentzia
Elexalde Auzoa (Gorliz)
Urizar (Lemoiz)
Andraka
Billabaso
Jata 599

Elejade (Barrica)
Plentzia
6
Goierri
6
La Campa (Urduliz)
Palados
Ervera 2120
Ergoien (Maruri-Jatabe)
Arrondo
Larrauri-Markaida

Moreaga (Sopelana)
Elorza
Ría de Plentzia
Castillo de Butron
Butron Harana
Billela
Gátika
Garai (Gatika)
631

Playa de Atxibiribil
Playa de Arrietara
Berango
Egusquiza
Mendiondo
Butron
Elizalde (Laukiz)
Palacio de Billela
Mungia
2121

Playa de Azkorri
Santa Maria de Getxo
Playa de Arrigunaga
Algorta (Getxo)
Larranezubi
Goierri
Unbe
Maurolas
Basozabal
Ergoien (Gamiz-Fika)

Punta Galea
Playa de Ereaga
Las Arenas
Elexalde (Leioa)
Zabaloetxe (Loiu)
Lauro
Ermita de San Miguel
Fika

Punta Lucero
Abra de Bilbao
637
Lamiako
San Mames
Zamudio
Goitiolza

La Arena
La Cuesta
639 7
Zierbena
Serantes 450
Erandio
Axpe (Erandio)
Aeropuerto de Bilbao
Basozabal (Sondika)
Derio
Garaiolza

90
E 70
Santurtzi
Portugalete
Altzaga (Erandio)
Galindo
Sondika
San Mames
Aranoltza 9
Arteaga-San Martin (Zamudio)
Lezama

Castillo de Muñatoiz
San Pedro de Abanto
Ortuella
Sestao
Armintza
Elorrieta
San Antolín
637

Las Carreras
Gallarta (Abanto Zierbena)
San Vicente de Barakaldo (Barakaldo)
Zorrotza
Enekuri
9
Erbera o San Andres (Etxebarri)
Arizgoiti (Basauri)

Las Cortes
Trapagaran (Valle de Trápaga)
Barakaldo
BILBAO
La Cruz (Galdakao)

La Florida
La Reineta
La Arboleda
Cueva de Arenaza
Las Barrietas
Emb. Oiola
Emb. de Gorostiza
El Regato
Emb. de Regato
Basurto
Catedral
San Adrian
San Andres
94
E 70

San Pedro (Galdames)
Graneran 823
Río Galindo
Alonsotegui
Iturrigorri
Los Nimbres 418
Abusu Peña
Basauri
9

Chavarri
Humarán
Monte Eretza 873
Zaramillo
Refugio Alpino de Pagasarri
AP 68
E 05
Zaratamo
E 80
Arrigorriaga
19

Larrea 631
Lujar 540
Ibarra
La Cuadra
636
Río Kadagua
Embalse de Nocedal
Embalse de Artibe
Emb. de Kurzeta
Aguirre
2009
Eroso
240

Aranguren
Güeñes
Sodupe
Elubarri
Ganekogorta 998
Embalse de Zollo
Zollo
Ugao-Miraballes
Elexalde-Zeeta (Ereño)

Carobo 586
Santa Maria de Isasi
Zubieta
Azkarai
Okondo Harana
Mauregui
Arene (Arrankudiaga)
Zeberio Harana
Ermita de San Martin

El Ponton
Sandamendi (Gordeloxa)
Zaldua
Palacio de Zuricalday
Zudibiarte
Ugalde
Santa Maria del Yermo
Aresandiaga
Amezola

Artekona
2604
Jandiola
Ermita de Santa Agueda
Arculanda
Zubialde (Zeberio)

Altamira-San Cristobal
Idubaltza 692
Zudiviarte (Okondo)
Casa Isari 499
Arrisu
Aracaldo
Areta
Arilza-Olazar

Berrataguren
El Llanteno
Laudio Harana
Río Ibaizabal
Llodio
Mendiguna Mendilerroa
Gezala

Artziniega
Menagaray
Zuaza
Ermita de la Concepción
Ermita de Cristo
Puente Romano Sobre el Nervión
Arrola Mendiatea
625
Untzeta 773
Monte Semelarro 614

2604
Murueta
E804
Zubiaur (Orozko)
San Martin

Amurrio
Luyando
Santa Marina 666
Pagazandu
24
Arroyo de Olabarri
Ibarra
Gallartu

Vitoria-Gasteiz
Río Arnauri

312 E

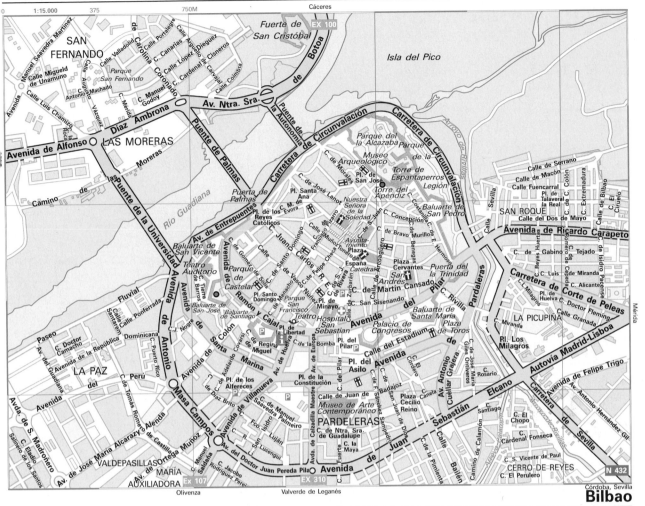

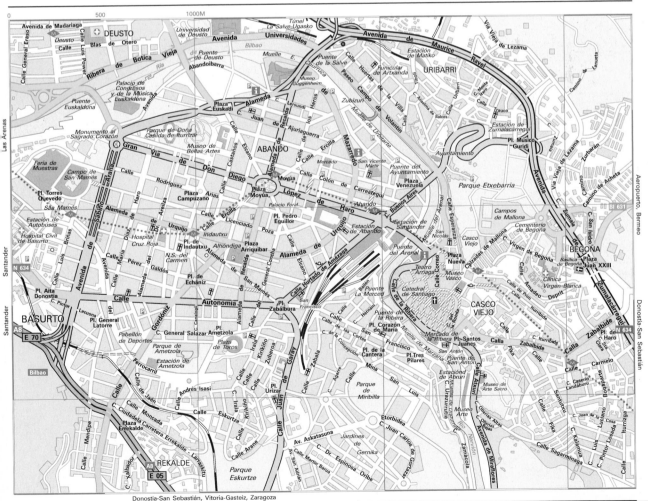

Burgos

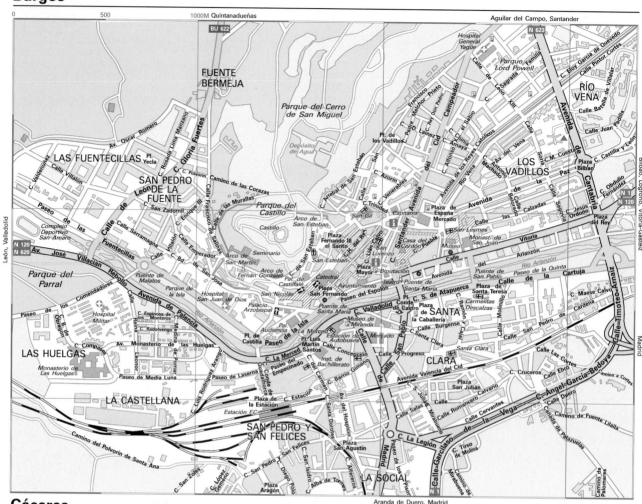

Cáceres

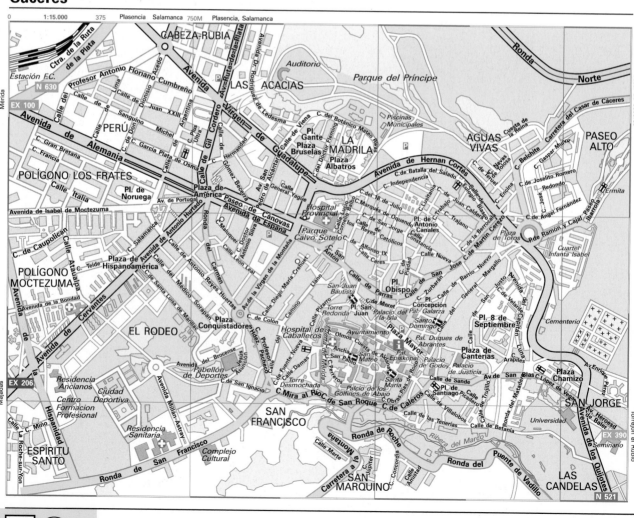

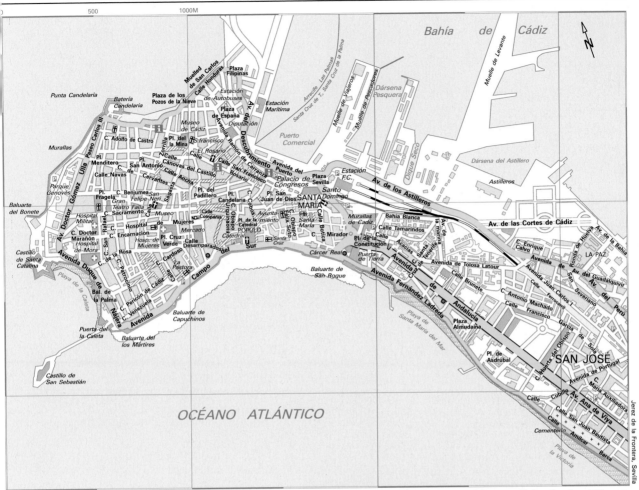

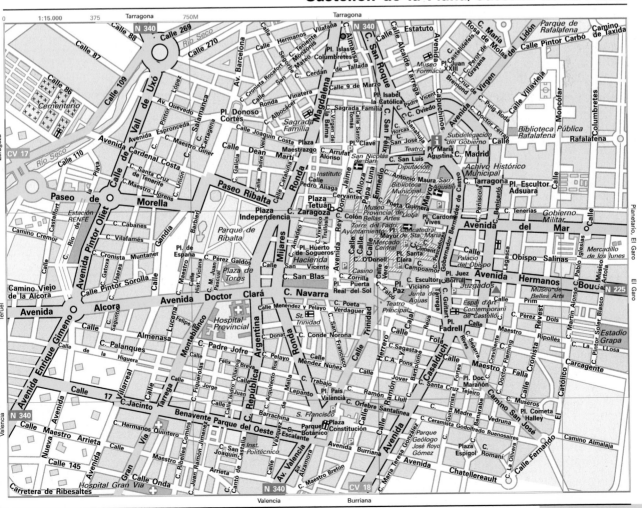

Ceuta

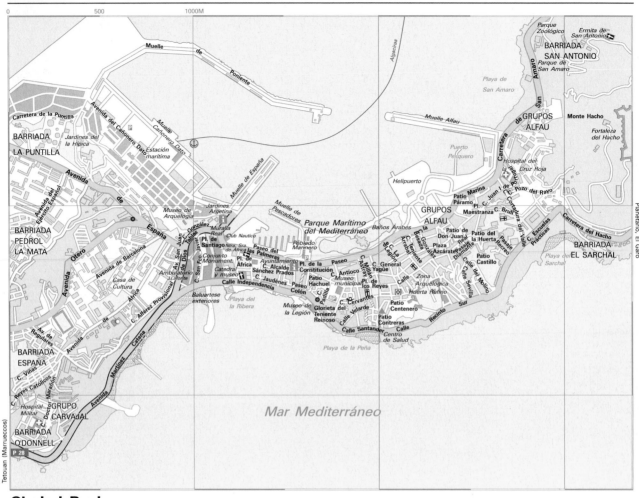

Ciudad Real

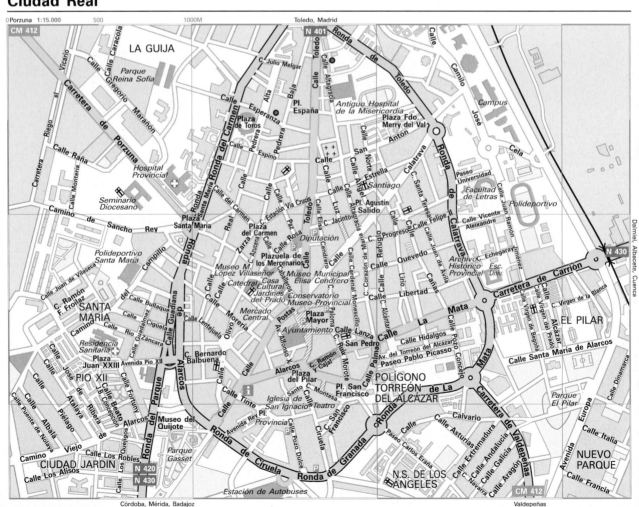

Córdoba

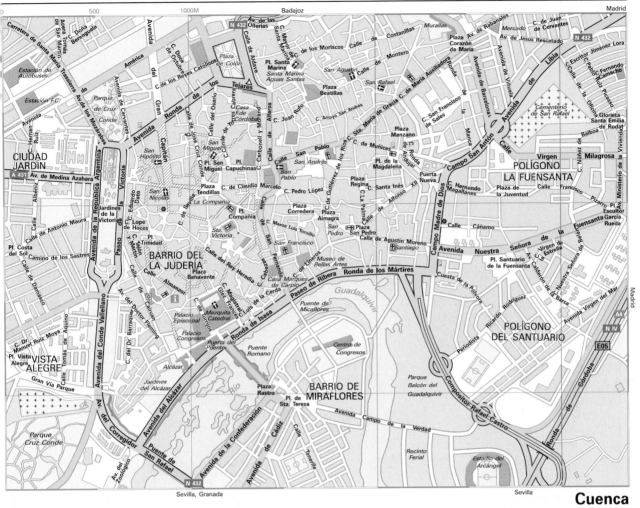

Cuenca

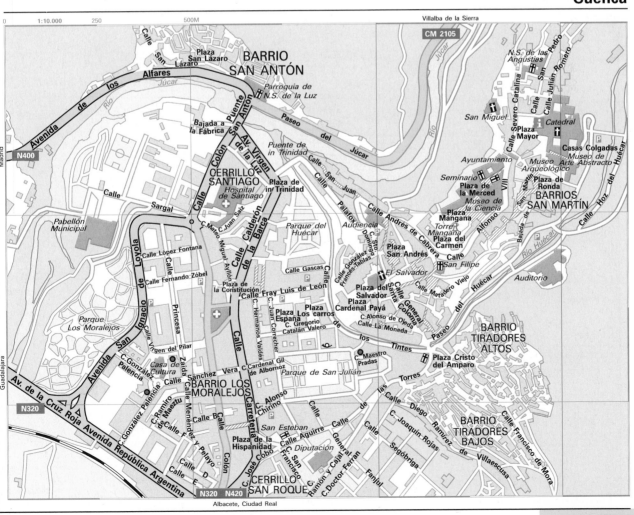

E 317

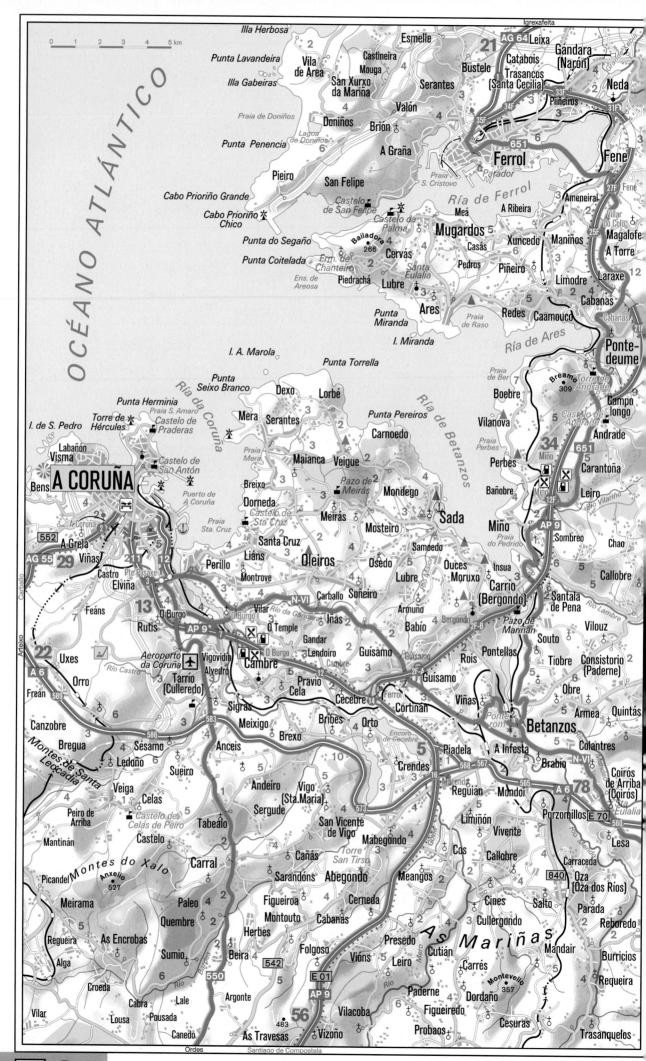

OCÉANO ATLÁNTICO

Illa Herbosa
Punta Lavandeira
Illa Gabeiras
Praia de Doniños
Punta Penencia
Lagoa de Doniños
Pieiro
Cabo Prioriño Grande
Cabo Prioriño Chico
Punta do Segaño
Punta Coitelada
Ens. de Areosa

San Felipe
Castelo de San Felipe
Castelo da Palma
Bailadora 266
Cervás
Emb. del Chanteiro
Piedrachá

Igrexafeita
Esmelle
21 AG 64 Leixa
Gándara (Narón)
Castiñeira Catabois
Mouga
San Xurxo da Marina Serantes Bustelo Trasancos (Santa Cecilia)
Neda
Vila de Area
Valón 33F
Doniños Brión 34F
A Graña 35F
Ferrol 651
Parador Ría de Ferrol
Meá A Ribeira
Mugardos Casás Xuncedo
Santa Eulalia Pedros Piñeiro
Lubre Redes
Ares Praia de Raso
Punta Miranda I. Miranda

Piñeiros 31F
Ameneiral 27F Fene
Villar do Colo 25F
Magalofe A Torre
Limodre Laraxe 12
Cabanas 21F
Caamouco Cabañas
Ría de Ares
Praia de Ber Pontedeume
Breamo Torre de Andrade
Vilanova 309
Boebre Campo longo
Perbes Castelo de Andrade Andrade
Praia Perbes 34 651
Miño 12F
Bañobre Carantoña
Sombreo Leiro

I. de S. Pedro
Punta Herminia
Praia S. Amaro
Torre de Hércules
Castelo de Praderas
Castelo de San Antón
Labañón
Visma
Bens
A CORUÑA
A Coruña
552
A Grela
AG 55 29 Viñas
Castro Elviña
Feáns
13
Rutis
O Burgo
AP 9

I. A. Marola
Punta Seixo Branco
Punta Torrella
Ría de Coruña
Dexo Lorbé
Mera Serantes
Praia Mera
Maianca Veigue
Breixo
Dorneda
Castelo de Sta Cruz Meirás
Santa Cruz Mondego
Liáns Oleiros
Perillo Montrove
Vilar Iñás
O Burgo O Temple
N-VI Carballo
Gandar Soneiro
Lendoiro Osedo

Punta Pereiros
Ría de Betanzos
Carnoedo
Pazo de Meirás
Sada
Mosteiro
Sampedo
Lubre Ouces Insua
Moruxo
Carrio (Bergondo)
Santala de Pena
Río Lambre
Vilouz
Souto
Armuno Bergondo Pazo de Mariñán
Babío 2F-B
Guisamo Pontellas Consistorio (Paderne)
Guisamo Rois Tiobre Obre
Guisamo Viñas Armea Quintás
Ponte rom. Betanzos Coirós de Arriba (Coirós)
N-VI Colantres 78

22 Uxes
A 6
Orro
Freán 589
Canzobre
Bregua
Montes de Santa Leocadia
Ledoño
Sésamo 586
Sueiro
Veiga
Peiro de Arriba Celas
Castelo de Celas de Peiro
Mantinán
Castelo
Picandel
Montes do Xalo Anxelio 527
Carral
Meirama
Paleo
Quembre
Regueira
As Encrobas
Alga
Croeda
Cabra
Lousa
Vilar Pousada
Canedo

Aeroporto da Coruña
Río Castro
Tarrío (Culleredo)
Vigovidín
Alvedro O Burgo
Cambre Cambre
Pravio
Cela
Sigras
Meixigo 583
Anceis
Brexo
Andeiro
Vigo (Sta.Maria)
Sergude
San Vicente de Vigo
Cañás
Sarandóns
Figueiroa
Montouto
Herbes
542
Beira
Folgoso
E 01
550
Argonte
483
56
As Travesas Vizoño

Pte Pasaxe
Cecebre Ferrol
Bribes Cortiñán
Orto
Encoro de Cecebre
Piadela A Infesta
Crendes Brabío
5 568—567
Macendo 16
Reguián Mondoi 565
Liminón
Vivente A 6
Cos Callobre 840
Mabegondo Carraceda
Meangos Oza (Oza dos Ríos)
Abegondo Cines Salto Parada
Cerneda Cullergondo Reboredo
Cabanas As Mariñas
Presedo Cutián Lesa
Vións Leiro Carrés Burricios
Paderne Requeira
Vilacoba Figueiredo Dordaño Cesuras Trasanquelos
Probaos Montevello 357

E 70 560
Porzomillos

Torre San Tirso
Praia de Doninos
Torre San Tirso

Ordes
Santiago de Compostela

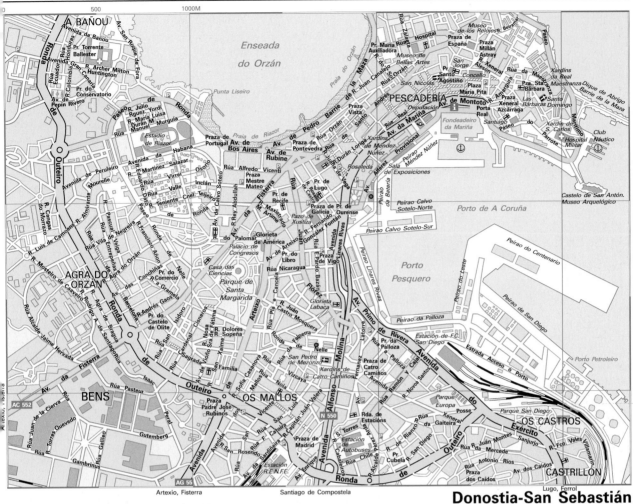

Donostia-San Sebastián

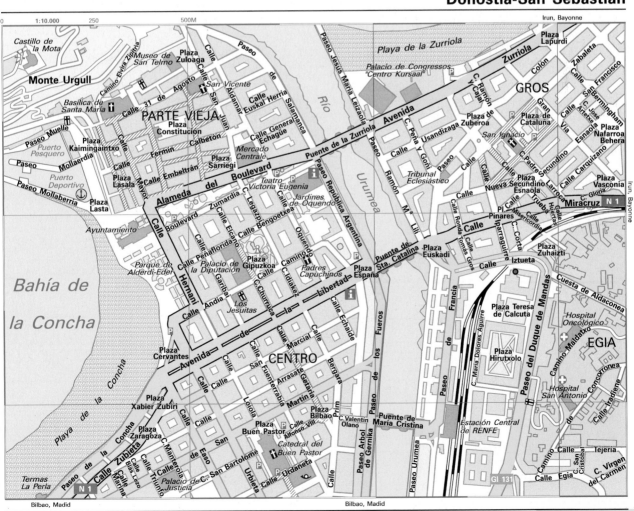

Gijón

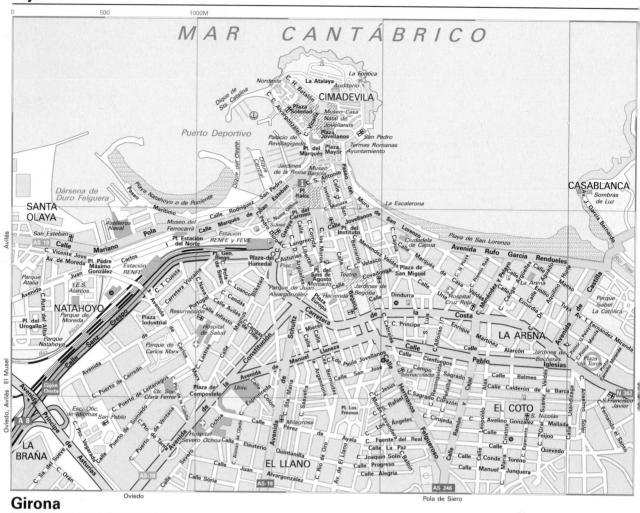

Girona

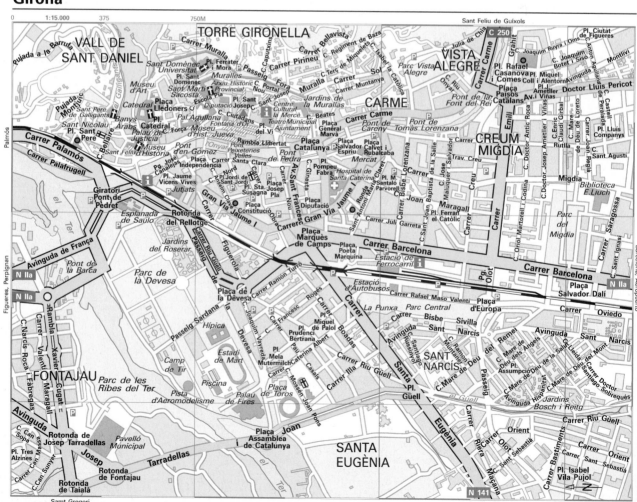

Granada

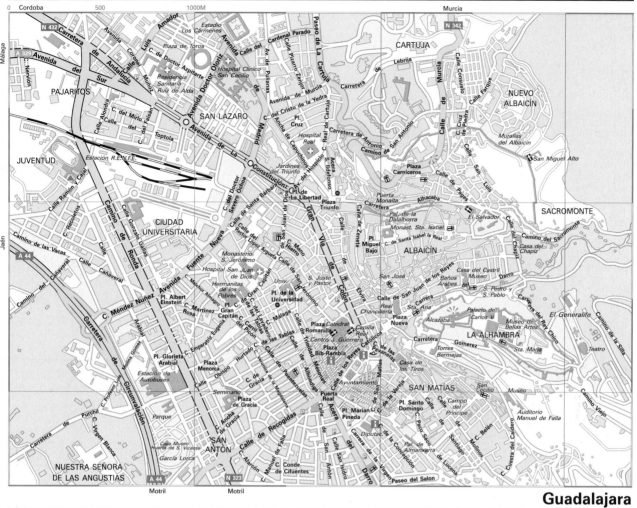

Guadalajara

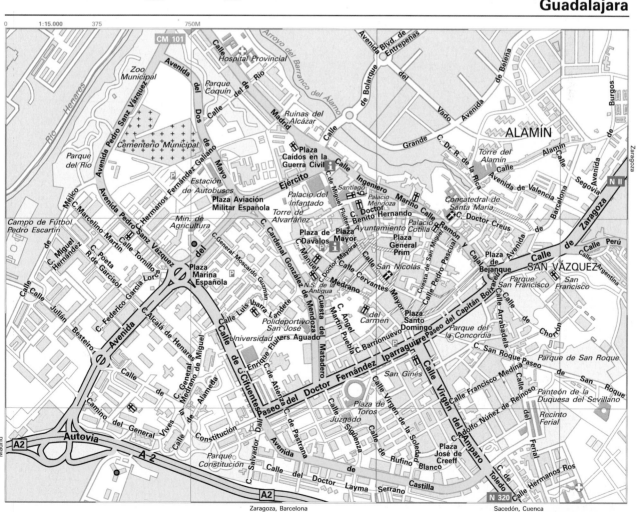

Huelva

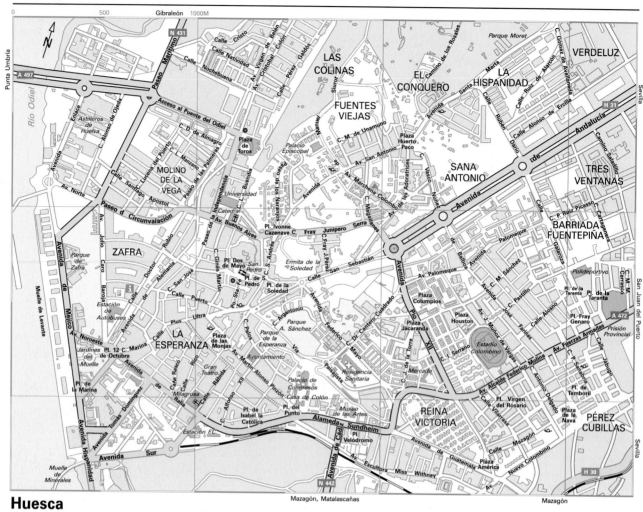

Huesca

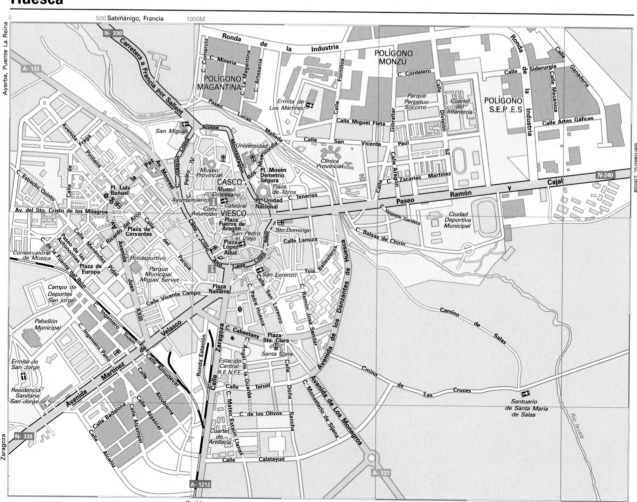

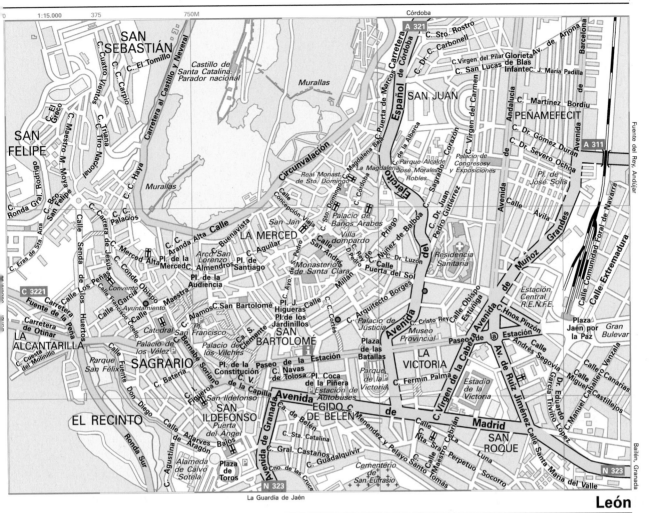

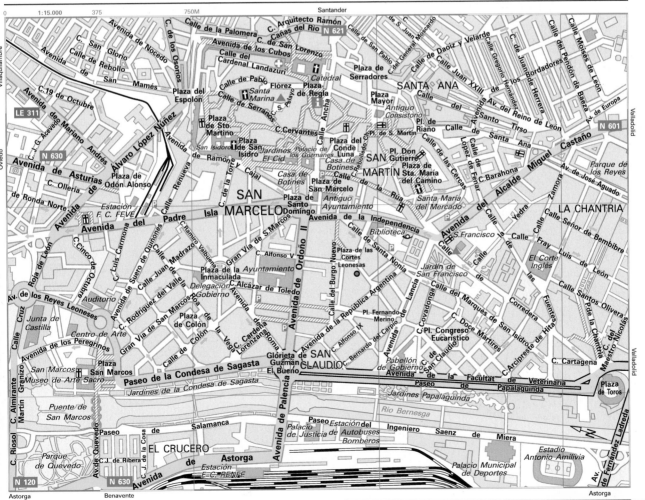

Lisboa

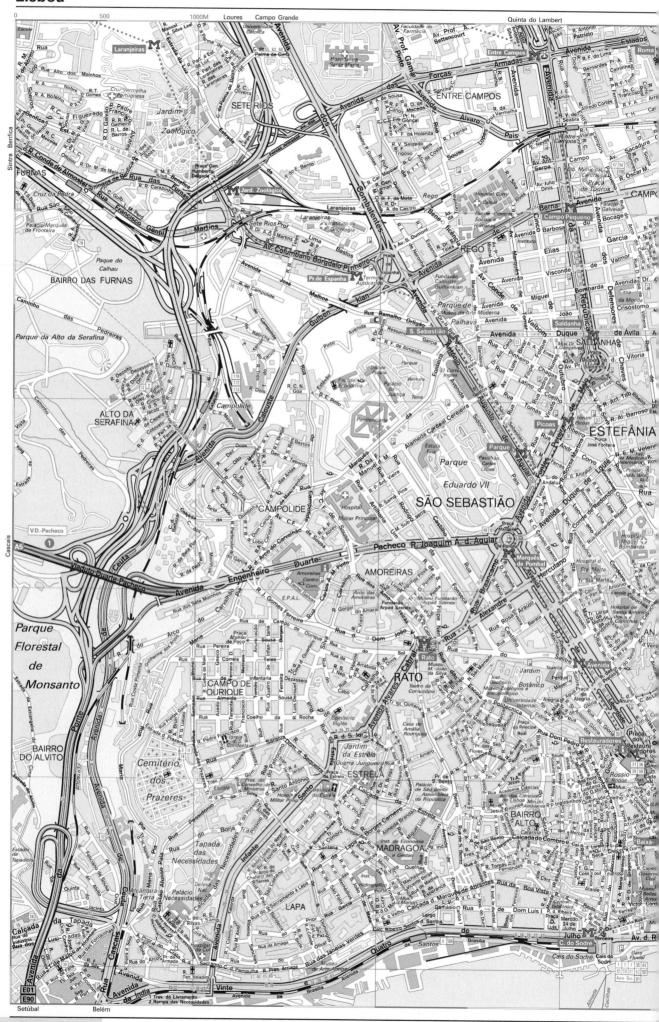

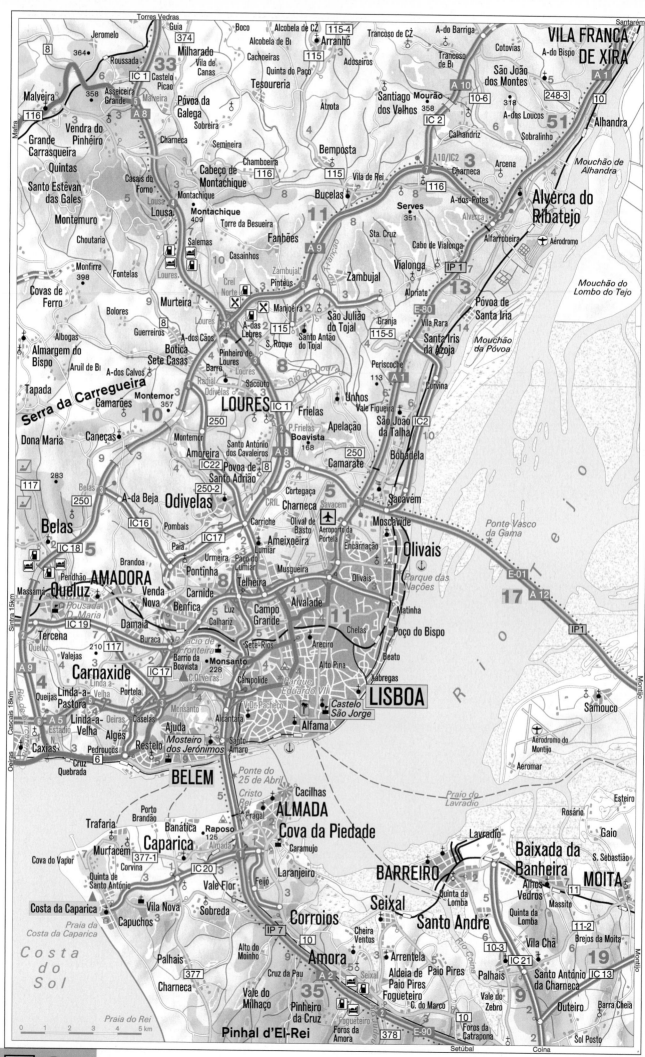

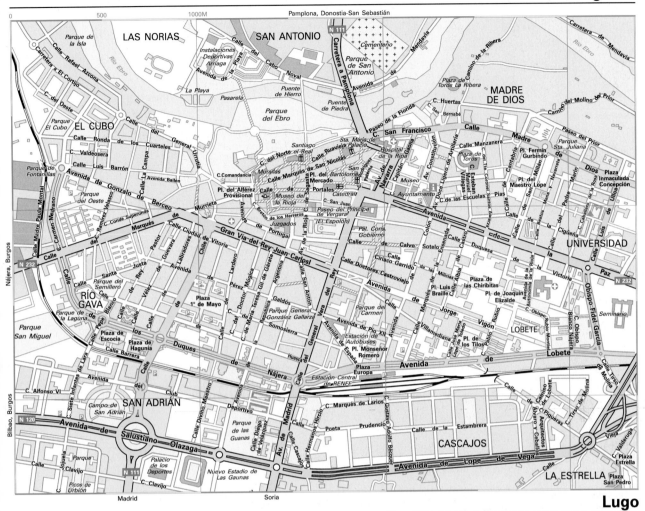

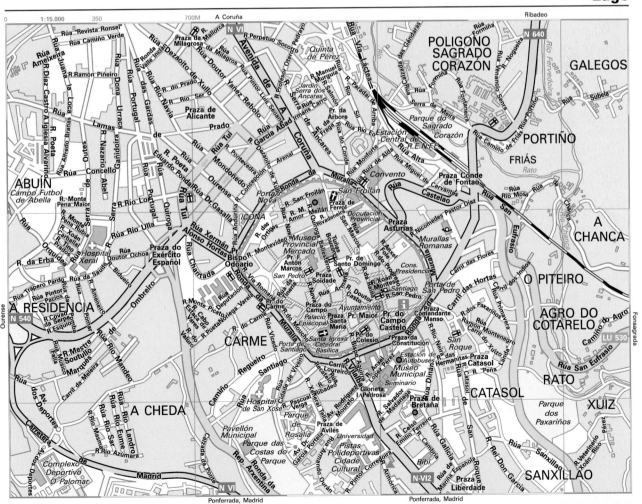

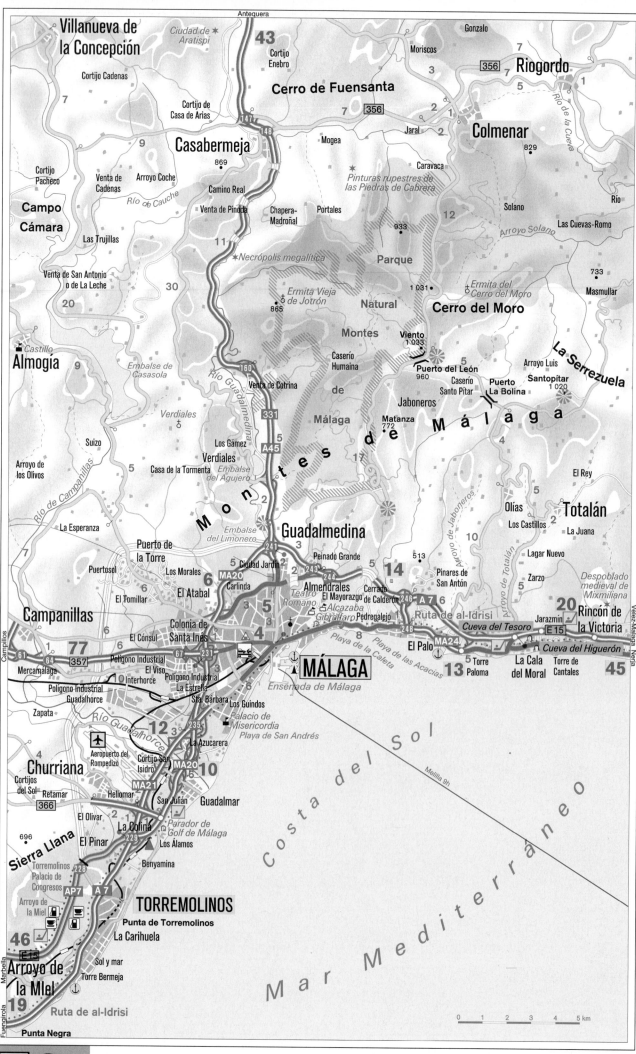

Villanueva de la Concepción

Cortijo Cadenas

Cortijo de Casa de Arias

Casabermeja

Campo Cámara

Venta de Cadenas

Arroyo Coche

Cortijo Pacheco

Las Trujillas

Venta de San Antonio o de La Leche

Almogía

Castillo

Arroyo de los Olivos

Suizo

La Esperanza

Campanillas

Puerto de la Torre

Puertosol

Los Morales

El Tomillar

El Atabal

El Cónsul

Colonia de Santa Inés

Mercamálaga

Polígono Industrial El Viso Interhorce

Polígono Industrial Guadalhorce

Zapata

Churriana

Cortijos del Sol

Retamar

Heliomar

El Olivar

La Colina

El Pinar

Sierra Llana

Torremolinos Palacio de Congresos

Arroyo de la Miel

TORREMOLINOS

Punta de Torremolinos

La Carihuela

Sol y mar

Torre Bermeja

Arroyo de la Miel

Ruta de al-Idrisi

Punta Negra

Antequera

Ciudad de Aratispi

Cortijo Enebro

Cerro de Fuensanta

Mogea

Camino Real

Venta de Pinoda

Chapera-Madroñal

Portales

Necrópolis megalítica

Ermita Vieja de Jotrón

Río Guadalmedina

Venta de Cotrina

Verdiales

Los Gámez

Casa de la Tormenta

Embalse del Agujero

Embalse del Limonero

Guadalmedina

Ciudad Jardín

Carlinda

Peinado Grande

Almendrales

El Mayorazgo

Teatro Romano

Alcazaba Gibralfaro

Cerrado de Calderón

Pedregalejo

MÁLAGA

Ensenada de Málaga

Playa de la Caleta

Playa de las Acacias

El Palo

La Azucarera

Cortijo San Isidro

San Julián

Guadalmar

Parador de Golf de Málaga

Los Álamos

Benyamina

Sta. Bárbara

Los Guindos

Palacio de Misericordia

Playa de San Andrés

Gonzalo

Moriscos

Riogordo

Colmenar

Jaral

Pinturas rupestres de las Piedras de Cabrera

Caravaca

Solano

Las Cuevas-Romo

Parque

Natural

Montes

de

Málaga

Caserío Humaina

Ermita del Cerro del Moro

Cerro del Moro

Masmullar

Viento

Puerto del León

Caserío Santo Pítar

Puerto La Bolina

Arroyo Luis

Santopítar

La Serrezuela

Jaboneros

Matanza

M o n t e s   d e   M á l a g a

El Rey

Olías

Los Castillos

Totalán

La Juana

Lagar Nuevo

Zarzo

Despoblado medieval de Mixmiliana

Ruta de al-Idrisi

Cueva del Tesoro

Jarazmin

Rincón de la Victoria

Cueva del Higuerón

La Cala del Moral

Torre de Cantales

Torre Paloma

Costa del Sol

Mar Mediterráneo

M a r   M e d i t e r r á n e o

Costa del Sol

Río Guadalhorce

Aeropuerto del Rompedizo

Campanillas

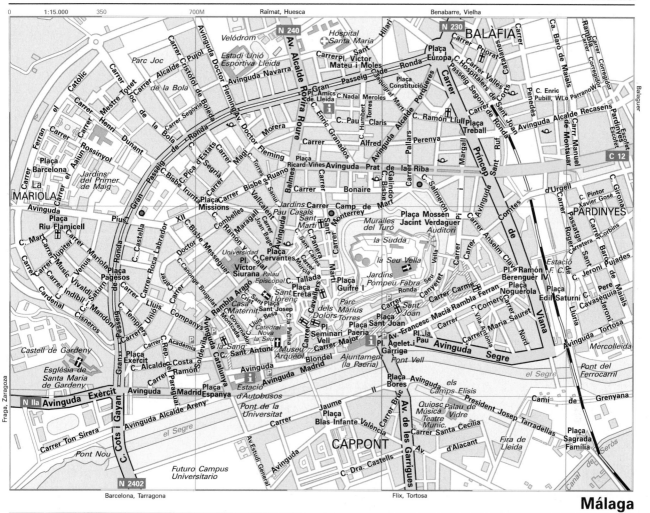

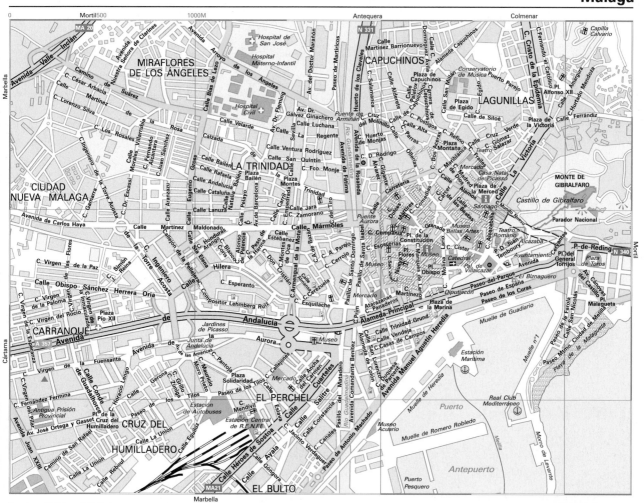

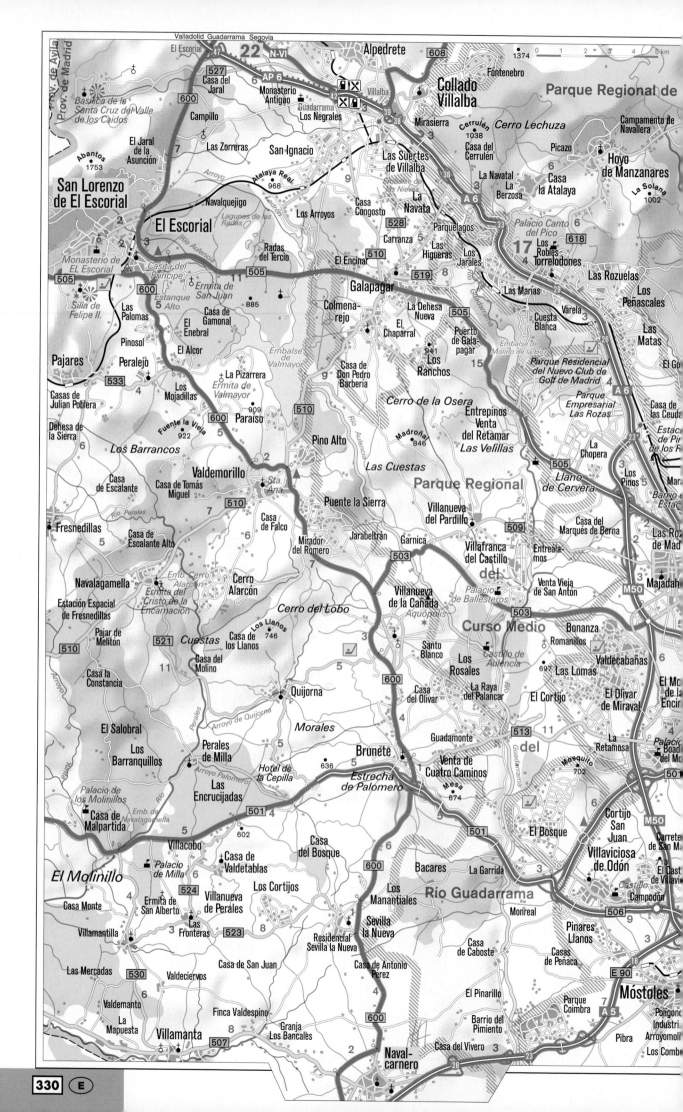

Madrid

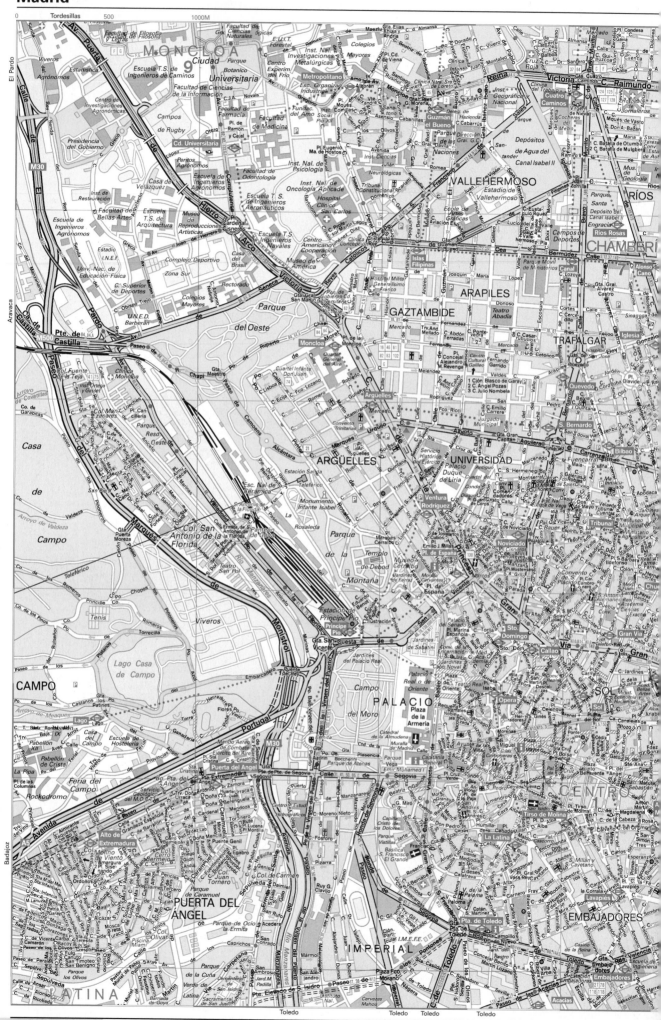

Melilla

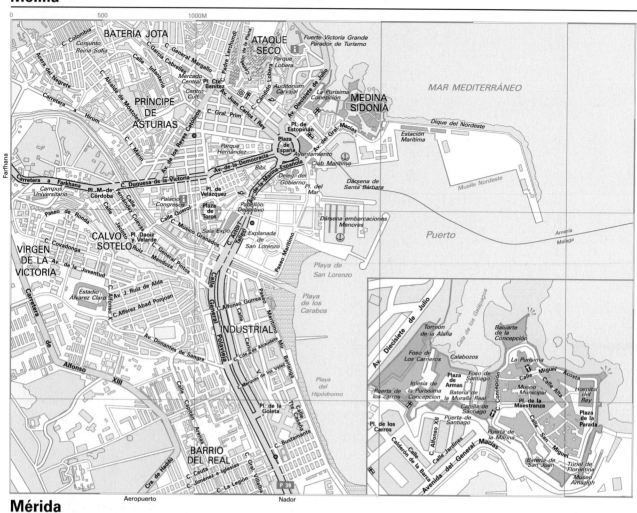

Mérida

Murcia

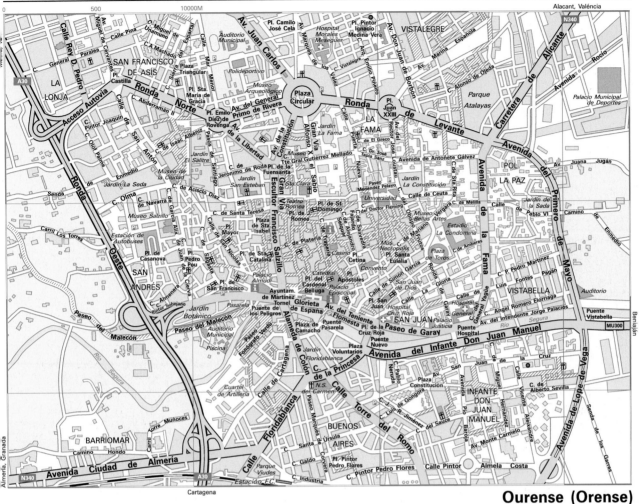

Ourense (Orense)

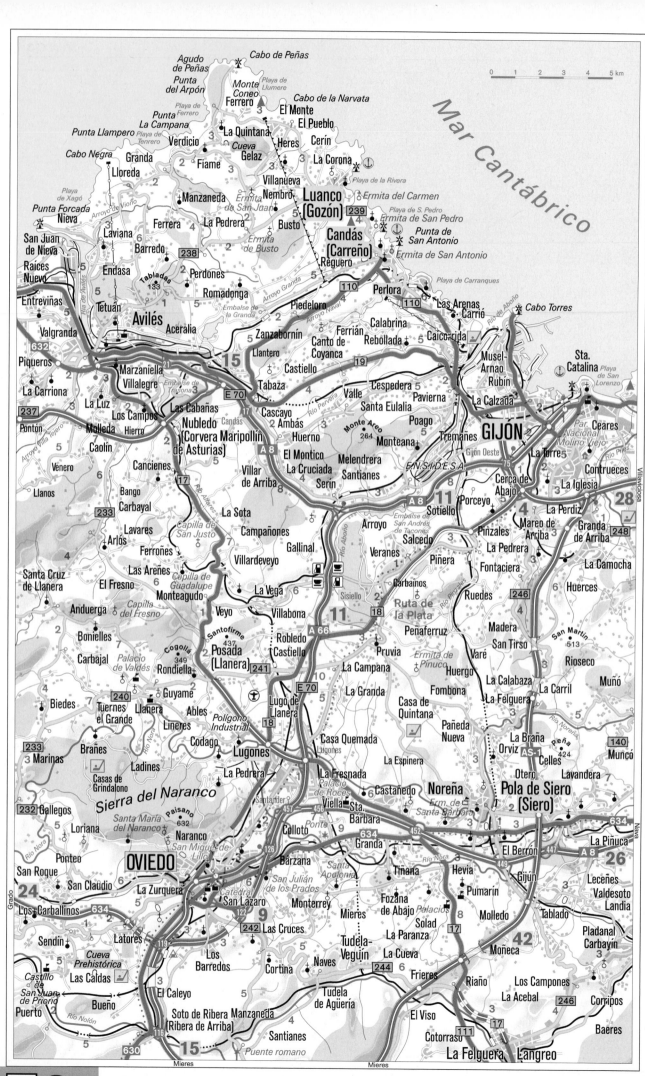

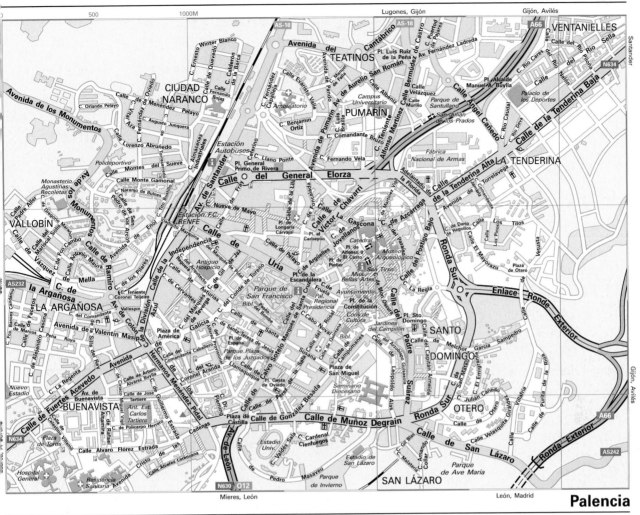

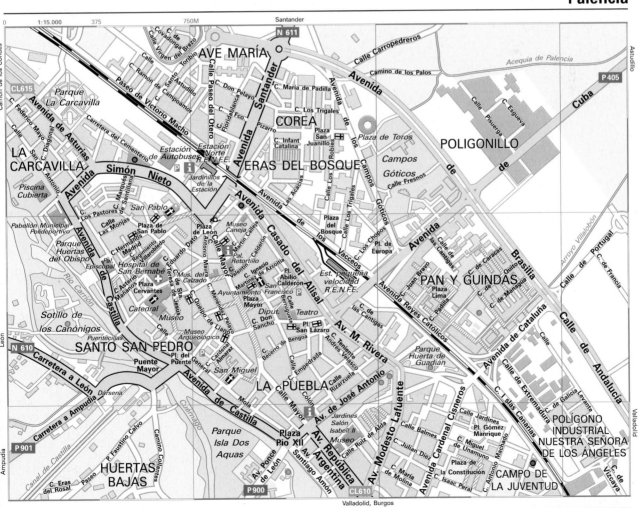

Palma de Mallorca

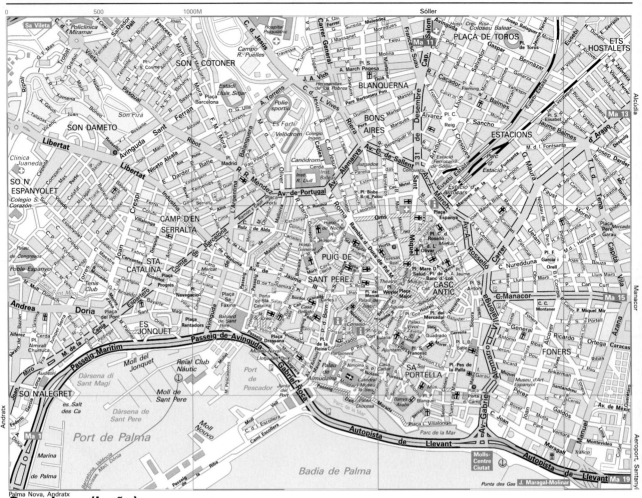

Pamplona (Iruña)

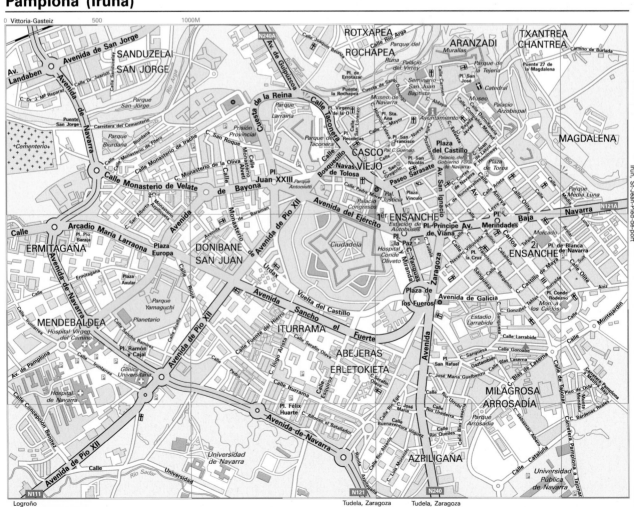

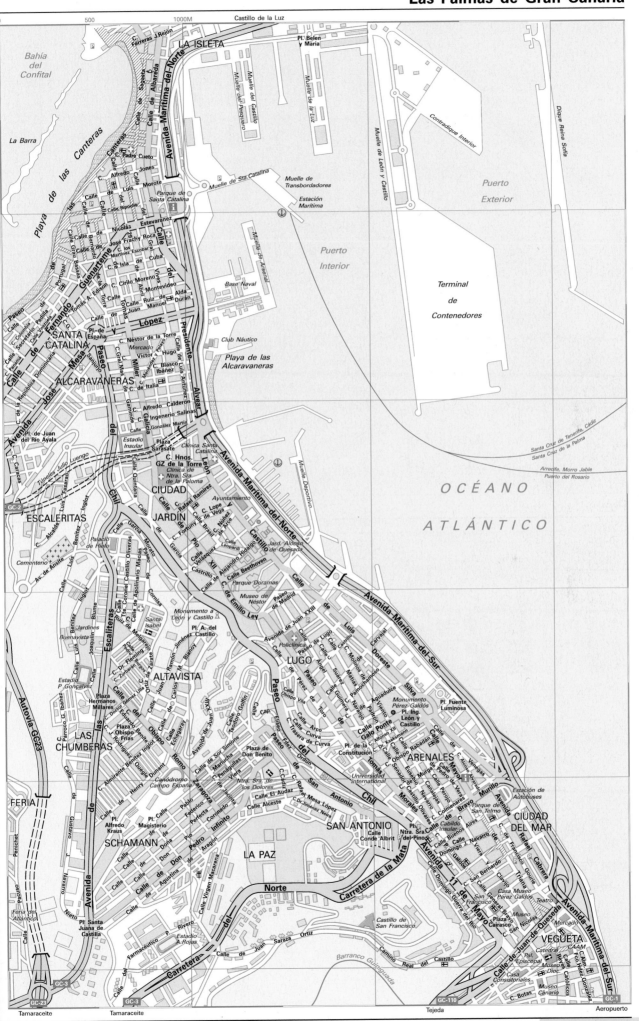

Pontevedra

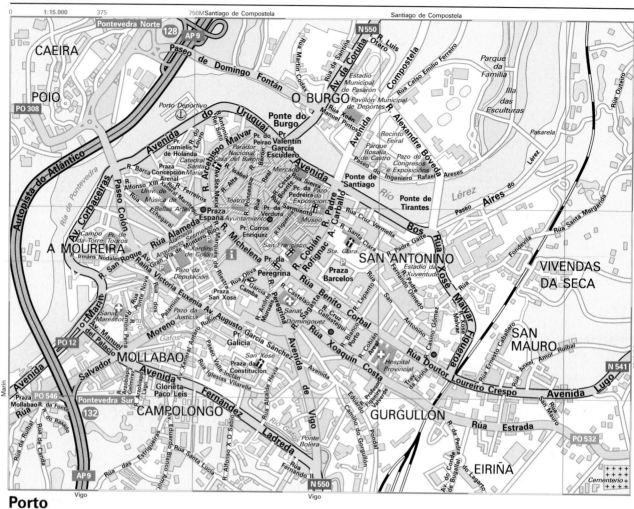

Porto

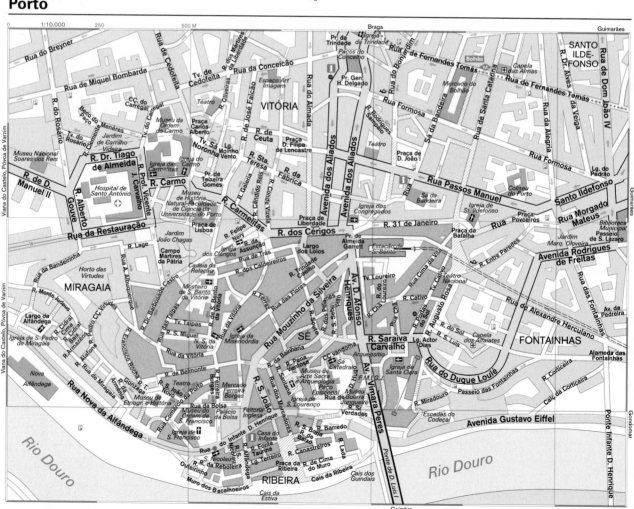

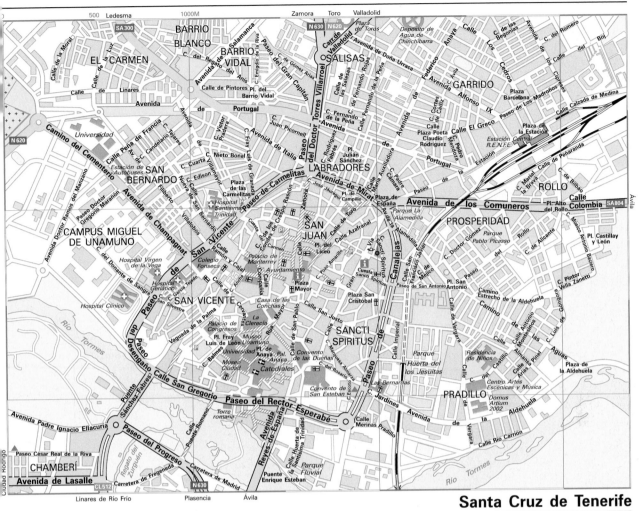

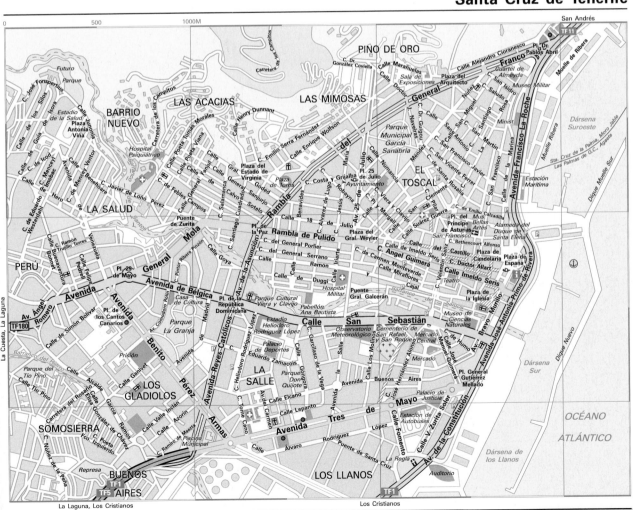

Santander

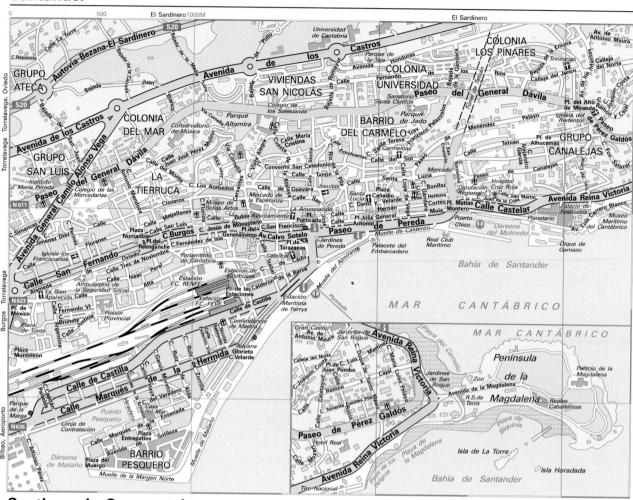

Santiago de Compostela

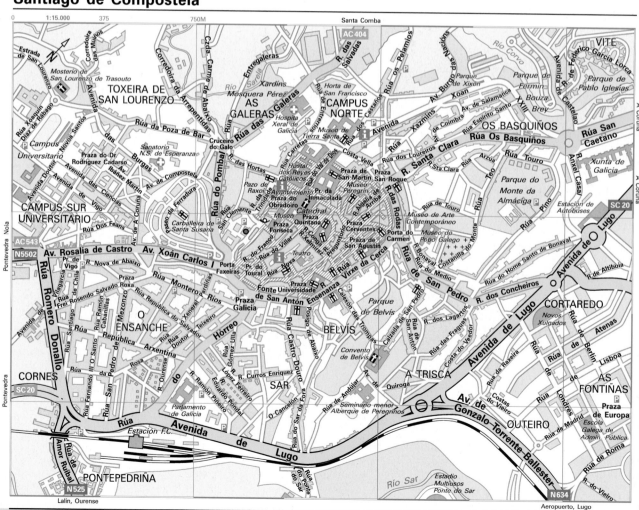

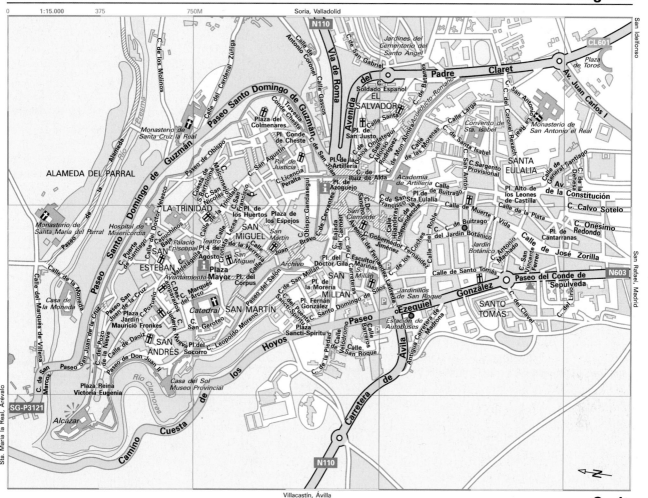

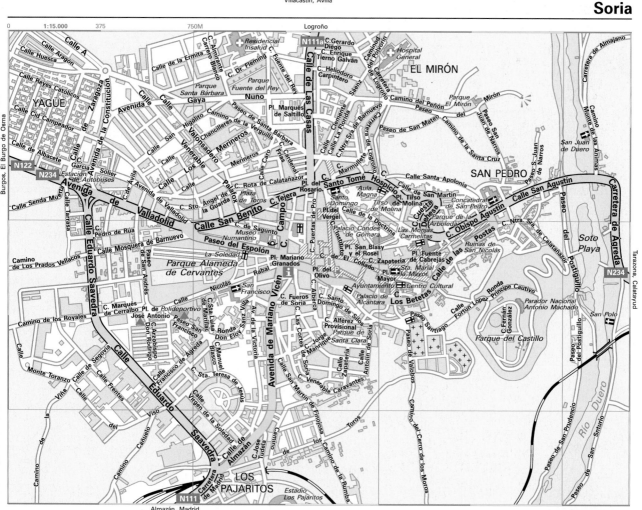

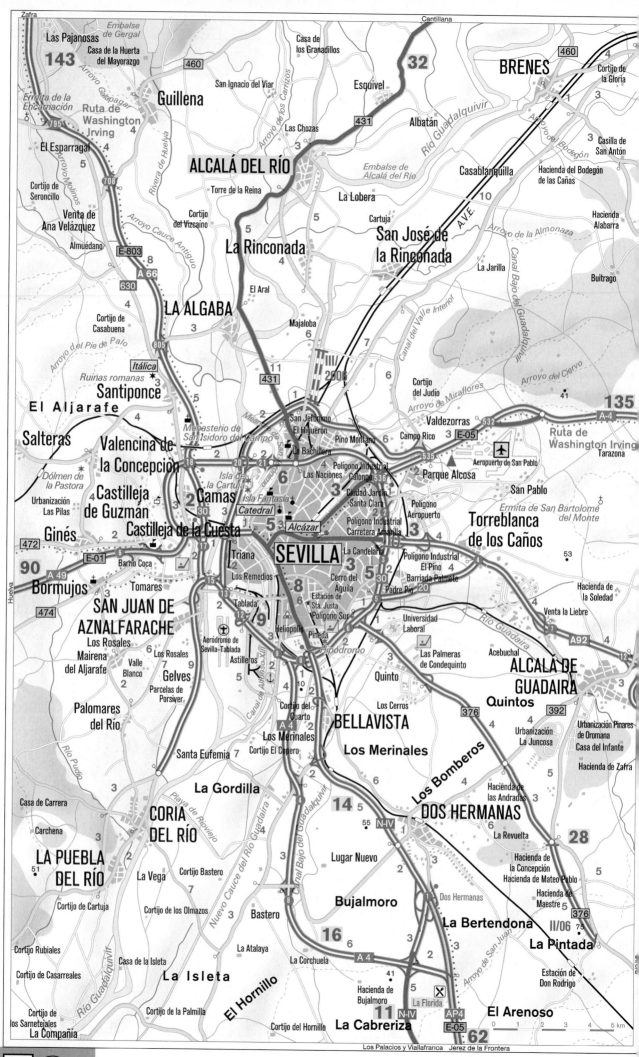

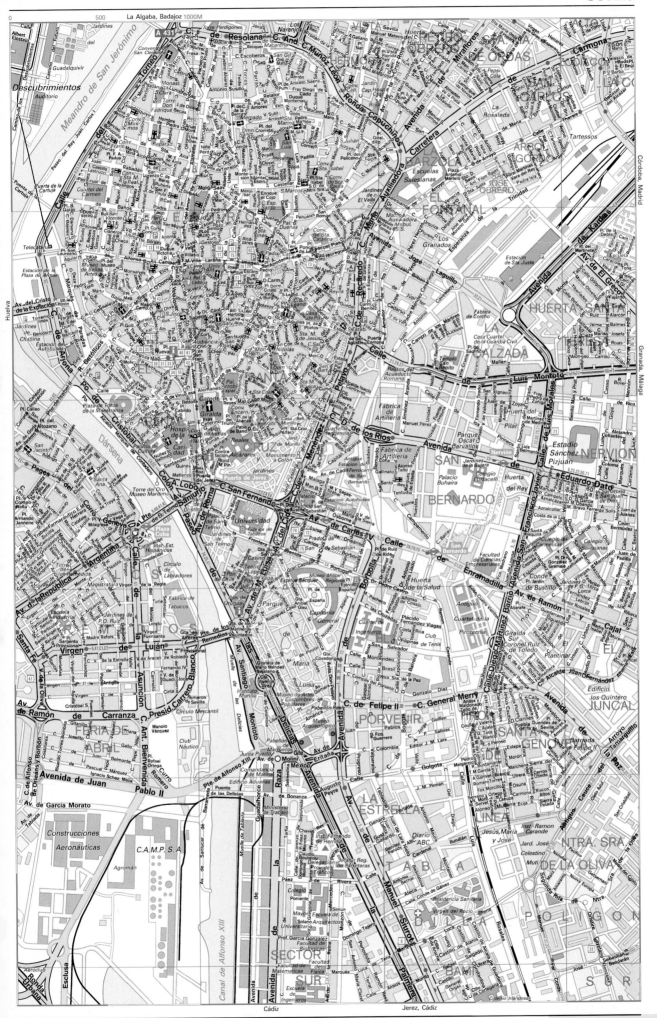

Tarragona

Teruel

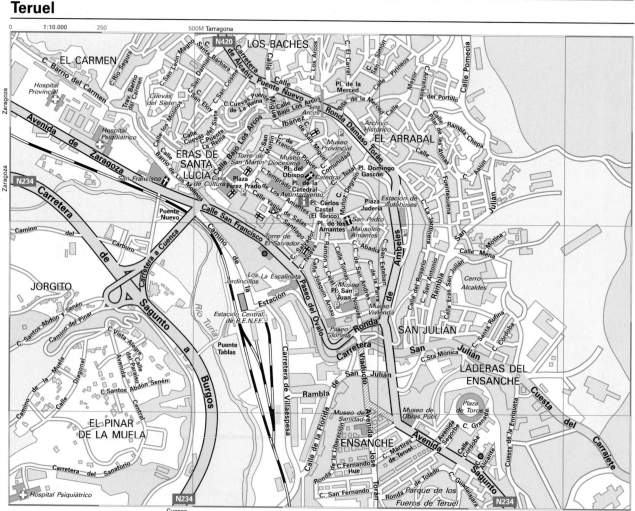